JN191155

前田本色葉字類抄の音注研究

資料篇

二 戸 麻 砂 彦 著

汲 古 書 院

目 次

《資 料 篇》

前田本色葉字類抄の仮名音注／イロハ順一覧

前田本色葉字類抄の仮名音注／韻母別一覧

前田本色葉字類抄の仮名音注／声母別一覧

前田本色葉字類抄／声調別一覧

【表A-01】上巻_伊篇

番号	前田本所在	掲出字		仮名音注		中古音	韻目
0001	上伊・002オ3・天象	雷	平	ライ	右傍	luʌi^{1}	灰韻
0002a	上伊・002オ3・天象	雷	平	ライ	右傍	luʌi^{1}	灰韻
0002b	上伊・002オ3・天象	公	平	コウ	右傍	kʌuŋ^{1}	東韻
0003	上伊・002オ3・天象	靁	平	ツイ	右傍	ṭiuei^{1}	脂韻
0004	上伊・002オ3・天象	霆	平	テイ	右傍	deŋ$^{1/2}$	青/迥韻
0005a	上伊・002オ4・天象	霹	入	ヘキ	右傍	p‘ek	錫韻
0005b	上伊・002オ4・天象	靂	入	レキ	右傍	lek	錫韻
0006	上伊・002オ4・天象	電	平	テン	右傍	den^{3}	霰韻
0007a	上伊・002オ4・天象	牽	平	ケン	右傍	k‘en$^{1/3}$	先/霰韻
0007b	上伊・002オ4・天象	牛	平	キウ	右傍	ŋiʌu^{1}	尤韻
0008	上伊・002オ6・天象	古	—	コ	右傍	kuʌ^{2}	姥韻
0009	上伊・002ウ3・地儀	池	—	チ	右傍	ḍie^{1}	支韻
0010	上伊・002ウ3・地儀	泉	平	セン	右傍	dziuan^{1}	仙韻
0011a	上伊・002ウ3・地儀	舒	平	—	—	śiʌ^{1}	魚韻
0011b	上伊・002ウ3・地儀	姑	平	—	—	kuʌ^{1}	模韻
0012	上伊・002ウ4・地儀	磯	—	キイ	右傍	kiʌi^{1}	微韻
0013	上伊・002ウ4・地儀	沙	平	サ	右傍	ṣa$^{1/3}$	麻/禡韻
0014	上伊・002ウ4・地儀	石	入	—	—	źiek	昔韻
0015	上伊・002ウ5・地儀	磐	平	—	—	bɑn^{1}	桓韻
0016	上伊・002ウ5・地儀	巖	平濁	カム	右傍	ŋam^{1}	銜韻
0017	上伊・002ウ6・地儀	巓	平	テン	右傍	ten^{1}	先韻
0018a	上伊・002ウ6・地儀	石	入	—	—	źiek	昔韻
0018b	上伊・002ウ6・地儀	橋	平	ケウ	右傍	giau^{1}	宵韻
0019	上伊・002ウ6・地儀	矼	平	カウ	右傍	kauŋ^{1}	江韻
0020	上伊・002ウ6・地儀	械	—	ヰ	右傍	’iuʌi^{1}	微韻
0021	上伊・003オ1・地儀	窟	入	コツ	右傍	k‘uʌt	没韻
0022	上伊・003オ1・地儀	家	去	ケ俗	右傍	ka^{1}	麻韻
0023	上遠・003オ1・地儀	家	平	カ	左傍	ka^{1}	麻韻
0024	上伊・003オ1・地儀	苐	—	キ	右傍	dei^{3}	霽韻
0025	上伊・003オ2・地儀	宅	入	タク	右傍	ḍak	陌韻
0026	上伊・003オ2・地儀	廬	平	リヨ	右傍	liʌ^{1}	魚韻
0027	上伊・003オ2・地儀	營	平	ユイ	右傍	jiuɵŋ^{1}	清韻
0028	上伊・003オ2・地儀	庵	—	アム	右傍	’ʌm^{1}	覃韻
0029b	上伊・003オ3・地儀	礎	—	ソ	右傍	tṣ‘iʌ^{2}	語韻
0030	上伊・003オ3・地儀	甍	—	マウ	右傍	mɐŋ^{1}	耕韻
0031	上伊・003オ3・地儀	市	—	シ	右傍	źiɐi^{2}	止韻
0032	上伊・003オ4・地儀	肆	—	シ	右傍	siei^{3}	至韻
0033	上伊・003オ4・地儀	廛	平	テン	右傍	ḍian^{1}	仙韻
0034a	上伊・003オ4・地儀	瑞	去	スイ	右傍	źiue^{3}	寘韻
0034b	上伊・003オ4・地儀	籬	平	リ	右傍	lie^{1}	支韻

0035a	上伊・003オ5・地儀	殷	平	―	―	ʼiʌn^{1} ʼɐn^{1}	欣韻 山韻
0035b	上伊・003オ5・地儀	冨	上	フ	右傍	piʌu^{3}	宥韻
0036a	上伊・003オ5・地儀	遊	平	―	―	jiʌu^{1}	尤韻
0036b	上伊・003オ5・地儀	義	去濁	―	―	ŋie^{3}	寘韻
0037a	上伊・003オ6・地儀	悠	―	イウ	右傍	jiʌu^{1}	尤韻
0037b	上伊・003オ6・地儀	記	―	キ	右傍	kiɐi^{3}	志韻
0037c	上伊・003オ6・地儀	所	―	ソ	右傍	ṣiʌ^{2}	語韻
0038	上伊・003ウ1・植物	稲	上	タウ	右傍	dɑu^{2}	晧韻
0039	上伊・003ウ1・植物	稌	去	シヨ	右傍	tʻuʌ$^{1/2}$	模/姥韻
0040	上伊・003ウ1・植物	稌	平	ト	左傍	tʻuʌ$^{1/2}$	模/姥韻
0041	上伊・003ウ1・植物	秔	平	カウ	右傍	kaŋ^{1}	庚韻
0042	上伊・003ウ1・植物	稃	平	フ	右傍	pʻiuʌ^{1}	虞韻
0043	上伊・003ウ2・植物	秉	―	ヘイ	右傍	piaŋ^{2}	梗韻
0045a	上伊・003ウ3・植物	香	平	―	―	xiɑŋ^{1}	陽韻
0045b	上伊・003ウ3・植物	柔	平	シウ	右傍	ńiʌu^{1}	尤韻
0046	上伊・003ウ4・植物	苛	平	カ	右傍	ɣɑ^{1}	歌韻
0047a	上伊・003ウ4・植物	羊	平	ヤウ	右傍	jiɑŋ^{1}	陽韻
0047b	上伊・003ウ4・植物	桃	平	タウ	右傍	dɑu^{1}	豪韻
0048a	上伊・003ウ5・植物	石	入	―	―	źiek	昔韻
0048b	上伊・003ウ5・植物	韋	平	ヰ	右傍	ɣiuʌi^{1}	微韻
0049	上伊・003ウ5・植物	苺	―	ホ	右傍	mʌu^{3}	候韻
0050a	上伊・003ウ5・植物	蕧	入	フク	右傍	pʻiʌuk biʌuk	屋韻 屋韻
0050b	上伊・003ウ5・植物	葐	平	ホン	右傍	buʌn^{1} biuʌŋ^{1}	魂韻 文韻
0051	上伊・003ウ6・植物	芋	去	ウ	右傍	ɣiuʌ$^{1/3}$	虞/遇韻
0052	上伊・003ウ6・植物	魁	平	クワイ	右傍	kʻuʌi^{1}	灰韻
0053a	上伊・003ウ7・植物	痡	上	コ	右傍	xuʌ^{2}	姥韻
0053b	上伊・003ウ7・植物	杖	去	チヤウ	右傍	ḍiɑŋ^{2}	養韻
0054	上伊・003ウ7・植物	葒	平	コウ	右傍	ɣʌuŋ^{1}	東韻
0055	上伊・003ウ7・植物	蘢	平	ロウ	右注	lʌuŋ^{1} liɑuŋ^{1}	東韻 鍾韻
0056a	上伊・004オ1・植物	景	上	―	―	kiaŋ^{2}	梗韻
0056b	上伊・004オ1・植物	天	平	―	―	tʻen^{1}	先韻
0057a	上伊・004オ1・植物	商	平	シヤウ	右傍	śiɑŋ^{1}	陽韻
0057b	上伊・004オ1・植物	陸	―	リク	右傍	liʌuk	屋韻
0058a	上伊・004オ2・植物	連	平	レン	右傍	lian^{1}	仙韻
0058b	上伊・004オ2・植物	翹	上	シ	右傍	gjiau$^{1/3}$	宵/笑韻
0059a	上伊・004オ2・植物	巻	去	クワン	右傍	giuɑn^{2} giuan$^{1/3}$ kiuan^{2}	阮韻 仙/線韻 獮韻

0059b	上伊・004オ2・植物	栢	入	ハク	右傍	pak	陌韻
0060a	上伊・004オ2・植物	石	入	―	―	źiek	昔韻
0060b	上伊・004オ2・植物	蓹	入	―	―	ɣʌuk	屋韻
0061	上伊・004オ3・植物	檪	入	レキ	右傍	lek jiɑk	錫韻 藥韻
0062a	上伊・004オ3・植物	蔓	去	マン	右傍	mɑn^{1} miɑn^{3}	桓韻 願韻
0063	上伊・004オ3・植物	枡	―	セウ	左注	(śiɐŋ^{1})	（国字）
0064a	上伊・004オ3・植物	羊	平	ヤウ	右傍	jiɑŋ^{1}	陽韻
0064b	上伊・004オ3・植物	躑	入	テキ	右傍	ḍiek	昔韻
0064c	上伊・004オ3・植物	躅	入	チヨク	右傍	ḍiɑuk	燭韻
0065a	上伊・004オ3・植物	檪	入	レキ	右傍	lek jiɑk	錫韻 藥韻
0065b	上伊・004オ3・植物	梂	平	キウ	右傍	giʌu^{1}	尤韻
0066b	上伊・004オ4・植物	連	平	レン	右傍	lian^{1}	仙韻
0067b	上伊・004オ5・植物	髮	入	―	―	piɑt	月韻
0068	上伊・004オ7・動物	鴿	入	カフ	右傍	kʌp	合韻
0069	上伊・004オ7・動物	鵤	入	カク	右傍	(kauk)	（国字）
0070a	上伊・004オ7・動物	稻	上	タウ	右傍	dɑu^{2}	晧韻
0070b	上伊・004オ7・動物	負	上	フ	右傍	biʌu^{2}	有韻
0071a	上伊・004ウ1・動物	鵂	平	キウ	右傍	xiʌu^{1}	尤韻
0071b	上伊・004ウ1・動物	鶹	平	リウ	右傍	liʌu^{1}	尤韻
0072a	上伊・004ウ1・動物	鵁	平	カウ	右傍	kau^{1}	肴韻
0072b	上伊・004ウ1・動物	鶄	平	セイ	右傍	tsieŋ^{1} ts‘eŋ^{1}	清韻 青韻
0073a	上伊・004ウ1・動物	鸚	―	イン	右傍	’ɐŋ^{1}	耕韻
0073b	上伊・004ウ1・動物	謌	―	コ	右傍	kɑ^{1}	歌韻
0074a	上伊・004ウ1・動物	鸚	―	ワウ	左傍	’ɐŋ^{1}	耕韻
0075	上伊・004ウ2・動物	猗	―	コウ	右傍	kʌu^{2}	厚韻
0076	上伊・004ウ2・動物	獹	平	―	―	luʌ^{1}	模韻
0077	上伊・004ウ2・動物	犭+于	平	ウ	右傍	(ɣiuʌ^{1})	（虞韻）
0078	上伊・004ウ3・動物	獒	平	ハウ	右傍	ŋɑu^{1}	豪韻
0079	上伊・004ウ3・動物	猧	平	ワ	右傍	(k‘uɐ^{1})	（佳韻）
0080a	上伊・004ウ3・動物	鼬	―	イウ	右傍	jiʌu^{3}	宥韻
0081b	上伊・004ウ4・動物	吣	去	シム	右傍	ts‘iem^{3}	沁韻
0082	上伊・004ウ4・動物	嘶	平	セイ	右傍	sei^{1}	齊韻
0083	上伊・004ウ5・動物	嘷	去濁	カウ	右傍	ɣɑu^{1}	豪韻
0084	上伊・004ウ6・動物	魚	平	キヨ	右傍	ŋiʌ^{1}	魚韻
0085a	上伊・004ウ6・動物	紫	去	シ	右傍	tsie^{2}	紙韻
0085b	上伊・004ウ6・動物	鱗	平	リン	右傍	lien^{1}	眞韻
0086	上伊・004ウ6・動物	鱗	平	リン	右傍	lien^{1}	眞韻
0087	上伊・004ウ6・動物	鮔	平	イ	右傍	jiɐi^{1}	之韻

0088a	上伊・004ウ6・動物	鮃	平	フ	右傍	p‘iuʌ^{1} biʌu^{1}	虞韻 尤韻
0088b	上伊・004ウ6・動物	⿰魚布	平	ホ	右傍	puʌ^{1}	模韻
0089a	上伊・004ウ7・動物	鯆	平	ホ	右傍	puʌ^{1} p‘uʌ^{1} piuʌ^{2}	模韻 模韻 麌韻
0089b	上伊・004ウ7・動物	鮃	平	フ	右傍	p‘iuʌ^{1} biʌu^{1}	虞韻 尤韻
0090	上伊・004ウ7・動物	鯼	平	ソウ	右傍	tsʌuŋ$^{1/3}$	東/送韻
0091	上伊・005オ1・動物	脬	去	ハウ	右傍	pau^{1}	肴韻
0092a	上伊・005オ3・動物	貽	平	イ	右傍	jiɐi^{1}	之韻
0092b	上伊・005オ3・動物	貝	去	ハイ	右傍	pɑi^{3}	泰韻
0093a	上伊・005オ3・動物	秦	平	シン	右傍	dzien^{1}	眞韻
0093b	上伊・005オ3・動物	龜	平	—	—	kiuei^{1} kiʌu^{1}	脂韻 尤韻
0094a	上伊・005オ4・動物	烏	平	ヲ	右傍	’uʌ^{1}	模韻
0094b	上伊・005オ4・動物	賊	入	ソク	—	dzʌk	徳韻
0095a	上伊・005オ5・動物	蟷	平	タウ	右傍	tɑŋ^{1}	唐韻
0095b	上伊・005オ5・動物	蜋	平	ラウ	右傍	lɑŋ^{1} liɑŋ^{1}	唐韻 陽韻
0096	上伊・005オ5・動物	蝸	平	—	—	kuɐ^{1} kua^{1}	佳韻 麻韻
0097a	上伊・005オ5・動物	螽	平	シウ	右傍	tśiʌuŋ^{1}	東韻
0097b	上伊・005オ5・動物	蟖	平	—	—	sie^{1}	支韻
0098a	上伊・005オ6・動物	蚱	入	サク	右傍	tṣak	陌韻
0098b	上伊・005オ6・動物	蜢	上	マウ	右傍	maŋ^{2}	梗韻
0099a	上伊・005オ6・動物	⿰犭苟	上	コウ	右傍	kʌu^{2}	厚韻
0099b	上伊・005オ6・動物	蠅	—	ヨウ	右傍	jiɐŋ^{1}	蒸韻
0100b	上伊・005オ7・動物	蟻	上濁	キ	右傍	giue^{2}	紙韻
0101	上伊・005ウ2・人倫	妹	去	マイ	右注	muʌi^{3}	隊韻
0102	上伊・005ウ2・人倫	兄	去	クヰヤウ	右注	xiuaŋ^{1}	庚韻
3296	上伊・005ウ2・人倫	兄	去	クヱイ	左注	xiuaŋ^{1}	庚韻
0103	上伊・005ウ2・人倫	姉	上	シ	右傍	tsiei^{2}	旨韻
0104	上伊・005ウ4・人倫	姨	平	イ	右傍	jiei^{1}	脂韻
0105a	上伊・005ウ5・人倫	漁	平	キヨ	右傍	ŋiʌ^{1}	魚韻
0106a	上伊・005ウ5・人倫	市	上	—	—	źiɐi^{2}	止韻
0107	上伊・005ウ5・人倫	軍	平	クン	右傍	kiuʌn^{1}	文韻
0108	上伊・005ウ6・人倫	帥	—	スイ	右傍	ṣiuei^{3} ṣiuet	至韻 質韻
0109	上伊・005ウ6・人倫	魁	平	クワイ	右傍	k‘uʌi^{1}	灰韻
0110	上伊・006オ3・人體	頂	上	テイ	右傍	teŋ^{2}	迥韻
0111	上伊・006オ3・人體	⿰寧頁	—	ネイ	右傍	neŋ^{2}	迥韻

0112	上伊・006オ3・人體	顛	平	テン	右傍	ten^{1}	先韻
0113	上伊・006オ3・人體	膽	上	タム	右傍	tɑm^{2}	敢韻
0114a	上伊・006オ4・人體	雲	平	ウン	右傍	ɣiuʌn^{1}	文韻
0114b	上伊・006オ4・人體	脂	平	シ	右傍	tśiei^{1}	脂韻
0115a	上伊・006オ5・人體	兎	去	ト	右傍	t'uʌ^{3}	暮韻
0115b	上伊・006オ5・人體	缺	入	クヱツ	右傍	k'uet k'jiuat	屑韻 薛韻
0116a	上伊・006オ5・人體	肬	平	イウ	右傍	ɣiʌu^{1}	尤韻
0116b	上伊・006オ5・人體	目	―	ホク	右傍	miʌuk	屋韻
0117a	上伊・006オ5・人體	皰	去	ハウ	右傍	p'au^{3} bau^{3}	効韻 効韻
0117b	上伊・006オ5・人體	瘡	平	サウ	右傍	tʂ'iɑŋ^{1}	陽韻
0118a	上伊・006オ5・人體	痠	平	―	―	suɑn^{1}	桓韻
0118b	上伊・006オ5・人體	疼	去	―	―	dɑuŋ^{1}	冬韻
0119	上伊・006オ7・人事	活	―	クワツ	右傍	kuɑt ɣuɑt	末韻 末韻
0120	上伊・006オ7・人事	寢	―	シム	右傍	ts'iem^{2}	寢韻
0121	上伊・006ウ1・人事	婬	平	イム	右傍	jiem^{1}	侵韻
0122	上伊・006ウ2・人事	賎	―	セン	右傍	dzian^{3}	線韻
0123	上伊・006ウ2・人事	鄙	―	ヒ	右傍	piei^{2}	旨韻
0124	上伊・006ウ3・人事	陋	去	ロウ	右傍	lʌu^{3}	候韻
0125	上伊・006ウ5・人事	微	平	ヒ	右傍	miʌi^{1}	微韻
0126	上伊・006ウ5・人事	佻	平	テウ	右傍	t'eu^{1} deu^{1}	蕭韻 蕭韻
0127	上伊・006ウ5・人事	痛	―	トウ	右傍	t'ʌuŋ^{3}	送韻
0128	上伊・006ウ5・人事	傷	平	シヤウ	右傍	śiɑŋ$^{1/3}$	陽/漾韻
0129	上伊・006ウ6・人事	慟	―	トウ	右傍	dʌuŋ^{3}	送韻
0130	上伊・006ウ6・人事	棲	平	セイ	右傍	sei^{1}	齊韻
0131	上伊・006ウ7・人事	慘	―	サム	右傍	ts'ʌm^{2}	感韻
0132	上伊・006ウ7・人事	悼	―	タウ	右傍	dɑu^{3}	号韻
0133	上伊・007オ1・人事	恫	―	トウ	右傍	t'ʌuŋ^{1} dʌuŋ^{3}	東韻 送韻
0134	上伊・007オ1・人事	忡	平	チウ	右傍	ṭ'iʌuŋ^{1}	東韻
0135	上伊・007オ1・人事	憑	平	ヒヨウ	右傍	biɐŋ^{1}	蒸韻
0136	上伊・007オ2・人事	息	入	ソク	右傍	siɐk	職韻
0137	上伊・007オ2・人事	暇	上	―	―	ɣa^{3}	禡韻
0138	上伊・007オ3・人事	瞋	平	―	―	tś'ien^{1}	眞韻
0139	上伊・007オ3・人事	怒	上	ト	右傍	nuʌ$^{2/3}$	姥/暮韻
0140	上伊・007オ6・人事	驍	平	ケウ	右傍	keu^{1}	蕭韻
0141	上伊・007オ7・人事	謚	去	シ	右傍	dźiei^{3}	至韻
0142	上伊・007ウ1・人事	齋	平	サイ ［朱］	右傍	tʂɐi^{1}	皆韻
0143	上伊・007ウ2・人事	勢	―	セ	右傍	śiai^{3}	祭韻

0144	上伊・007ウ2・人事	饑	―	キ	右傍	kiʌi¹	微韻
0145	上伊・007ウ2・人事	勞	平	ラウ	右傍	lɑu¹ᐟ³	豪/号韻
0146	上伊・007ウ3・人事	劬	平	ク	右傍	giuʌ¹	虞韻
0147	上伊・007ウ3・人事	偽	去	―	―	ŋiue³	寘韻
0148	上伊・007ウ3・人事	詐	―	サ	右傍	tṣa³	禡韻
0149	上伊・007ウ3・人事	佯	―	ヤウ	右傍	jiɑŋ¹	陽韻
0150a	上伊・007ウ5・人事	致	平	チ	右傍	ṭiei³	至韻
0150b	上伊・007ウ5・人事	齋	平	サイ	右傍	tṣɐi¹	皆韻
0151	上伊・007ウ6・人事	幼	去	イウ	右傍	'ieu³	幼韻
0152a	上伊・008オ1・人事	壹	―	イチ	右注	'jiet	質韻
0152b	上伊・008オ1・人事	越	―	ヲツ	右注	ɣiuɑt	月韻
0152c	上伊・008オ1・人事	調	―	テウ	右注	deu¹ᐟ³ ṭiʌu¹	蕭/嘯韻 尤韻
0153a	上伊・008オ1・人事	壹	―	イツ	右注	'jiet	質韻
0153b	上伊・008オ1・人事	弄	上	ロ	右注	lʌuŋ³	送韻
0153c	上伊・008オ1・人事	樂	平	ラウ	右注	lɑk ŋauk ŋau³	鐸韻 覺韻 効韻
0154a	上伊・008オ1・人事	溢	―	イツ	右注	jiet	質韻
0154b	上伊・008オ1・人事	金	平	キム	右注	kiem¹	侵韻
0154c	上伊・008オ1・人事	樂	―	ラク	右注	lɑk ŋauk ŋau³	鐸韻 覺韻 効韻
0155a	上伊・008オ1・人事	壹	平	―	―	'jiet	質韻
0155b	上伊・008オ1・人事	團	平	―	―	duɑn¹	桓韻
0155c	上伊・008オ1・人事	橋	平	―	―	giau¹	宵韻
0156a	上伊・008オ2・人事	壹	―	イツ	右注	'jiet	質韻
0156b	上伊・008オ2・人事	徳	―	トク	右注	tʌk	徳韻
0156c	上伊・008オ2・人事	塩	―	エム	右注	jiam¹ᐟ³	鹽韻
0157a	上伊・008オ2・人事	移	平	―	―	jie¹	支韻
0157b	上伊・008オ2・人事	都	平	―	―	tuʌ¹	模韻
0157c	上伊・008オ2・人事	師	平	―	―	ṣiei¹	脂韻
0158	上伊・008オ5・飲食	飯	去	ハン	右傍	biɑn²ᐟ³	阮/願韻
0159	上伊・008オ5・飲食	臇	平	スヰ	右傍	tsiue¹ tsiuan²	支韻 獮韻
0160	上伊・008オ6・飲食	麷	平	ホウ	右傍	pʻiʌuŋ¹ᐟ³	東/送韻
0161	上伊・008オ7・飲食	犠	平	キ	右傍	xie¹	支韻
0162	上伊・008オ7・飲食	牲	平	セイ	右傍	ṣaŋ¹	庚韻
0163	上伊・008ウ3・雑物	絲	平	―	―	siɐi¹	之韻
0164	上伊・008ウ3・雑物	墨	入濁	―	―	bʌk	徳韻
0165	上伊・008ウ3・雑物	子	上	―	―	tsiɐi²	止韻
0166	上伊・008ウ3・雑物	鬢	去濁	―	―	pjien³	震韻

0167	上伊・008ウ3・雜物	毛	平濁	—	—	$mɑu^{1/3}$	豪/号韻
0168	上伊・008ウ3・雜物	青	平	—	—	$ts‘eŋ^{1}$	青韻
0169	上伊・008ウ3・雜物	洲	平	—	—	$tśiʌu^{1}$	尤韻
0170	上伊・008ウ3・雜物	線	—	セン	右傍	$sian^{3}$	線韻
0171	上伊・008ウ4・雜物	纇	—	ライ	右傍	$luʌi^{3}$	隊韻
0172a	上伊・008ウ4・雜物	衣	上	イ ［上］	右注	$’iʌi^{1/3}$	微/未韻
0172b	上伊・008ウ4・雜物	架	平	カ ［平］	右注	ka^{3}	禡韻
0173a	上伊・008ウ4・雜物	倚	—	イ ［去］	右注	$’ie^{2/3}$	紙/寘韻
0173b	上伊・008ウ4・雜物	子	—	シ ［上］	右注	$tsiɐi^{2}$	止韻
0174	上伊・008ウ4・雜物	板	上	ハン	右傍	pan^{2}	潸韻
0175	上伊・008ウ4・雜物	筏	入	ハツ	右傍	biɑt pɑt	月韻 末韻
0176	上伊・008ウ5・雜物	滑	平	フ	右傍	$biuʌ^{1}$	虞韻
0177	上伊・008ウ5・雜物	桴	平	フ	右傍	$p‘iuʌ^{1}$ $biʌu^{1}$	虞韻 尤韻
0178	上伊・008ウ5・雜物	箄	去濁	ヘイ	右傍	pei^{1} $pjie^{1/2}$	齊韻 支/紙韻
0179	上伊・008ウ5・雜物	籃	平	ラム	右傍	$lɑm^{1}$	談韻
0180	上伊・008ウ6・雜物	碇	去	テイ	右傍	$(deŋ^{3})$	（徑韻）
0181a	上伊・008ウ6・雜物	艨	平	モウ	右傍	$mʌuŋ^{1}$ $miʌuŋ^{3}$	東韻 送韻
0181b	上伊・008ウ6・雜物	艟	平	シヨウ	右傍	$tś‘iɑuŋ^{1}$ $ḍauŋ^{3}$	鍾韻 絳韻
0182	上伊・008ウ7・雜物	鎔	平	ヨウ	右傍	$ɣiɑuŋ^{1}$	鍾韻
0183a	上伊・008ウ7・雜物	石	入	—	—	źiek	昔韻
0183b	上伊・008ウ7・雜物	灰	平	クワヒ	右傍	$xuʌi^{1}$	灰韻
0184a	上伊・008ウ7・雜物	平	平	ヘイ	右傍	$biaŋ^{1}$ $bjian^{1}$	庚韻 仙韻
0184b	上伊・008ウ7・雜物	題	平	テイ	右傍	$dei^{1/3}$	齊/薺韻
0184c	上伊・008ウ7・雜物	箭	去	セン	右傍	$tsian^{3}$	線韻
0185	上伊・009オ1・雜物	印	—	イン	右注	$’jien^{3}$	震韻
0186	上伊・009オ1・雜物	籞	上濁	キヨ	右傍	$ŋiʌ^{2}$	語韻
0187a	上伊・009オ1・雜物	壹	—	イチ	右注	’jiet	質韻
0187b	上伊・009オ1・雜物	腰	—	エウ	右注	$’jiau^{1}$	宵韻
0187c	上伊・009オ1・雜物	皷	—	コ	右注	$kuʌ^{2}$	姥韻
0188	上伊・009オ5・方角	乾	平	ケン	右傍	$gian^{1}$ $kɑn^{1}$	仙韻 寒韻
0189	上伊・009オ5・方角	戌	入	シツ	右傍	siuet	術韻
0190	上伊・009オ5・方角	巔	平	テン	右注	ten^{1}	先韻
0191a	上伊・009オ7・員數	一	—	イツ	右注	’jiet	質韻

0191b	上伊・009オ7・員數	擽	―	チヤク	右注	(ṭak)	(国字)
0192a	上伊・009オ7・員數	一	―	イツ	右注	'jiet	質韻
0192b	上伊・009オ7・員數	匝	―	サウ	右注	tsʌp	合韻
0193	上伊・009ウ2・辞字	移	―	イ [平]	右注	jie1	支韻
0194	上伊・009ウ3・辞字	忌	―	キ	右傍	giɐi3	志韻
0195	上伊・009ウ6・辞字	鎔	―	ヨウ	右傍	ɣiauŋ1	鍾韻
0196	上伊・009ウ7・辞字	煎	平	セン	右傍	tsian1/3	仙/線韻
0197	上伊・009ウ7・辞字	熬	平	―	―	ŋɑu1	豪韻
0198	上伊・010オ1・辞字	瘳	平	チウ	右傍	ṭ'iʌu1	尤韻
0199	上伊・010オ2・辞字	祝	去	―	―	tśiʌu3 tśiʌuk	宥韻 屋韻
0200	上伊・010オ2・辞字	祝	去	シウ	右傍	tśiʌu3 tśiʌuk	宥韻 屋韻
0201	上伊・010オ4・辞字	猒	去	エム	右傍	'jiam1/3	鹽/豔韻
0202	上伊・010オ5・辞字	厭	―	エム	右傍	'jiam2/3 'jiap	琰/豔韻 葉韻
0203	上伊・010ウ2・辞字	漸	平	セム	右傍	tsiam1 dziam2	鹽韻 琰韻
0204	上伊・010ウ2・辞字	投	平	トウ	右傍	dʌu1	侯韻
3300	上伊・010ウ5・辞字	叱	入	シツ	右傍	tś'iet	質韻
0205	上伊・010ウ6・辞字	未	―	ミ	右傍	miʌi3	未韻
0206	上伊・010ウ7・辞字	忙	平濁	ハウ	右傍	mɑŋ1	唐韻
0207	上伊・011オ2・辞字	營	平	エイ	右傍	jiueŋ1	清韻
0208	上伊・011オ2・辞字	勞	平	ラウ	右傍	lɑu1/3	豪/号韻
0209	上伊・011オ2・辞字	忙	平濁	ハウ	右傍	mɑŋ1	唐韻
0210	上伊・011オ2・辞字	遑	―	クワウ	右傍	ɣuɑŋ1	唐韻
0211	上伊・011オ3・辞字	劬	平	ク	右傍	giuʌ1	虞韻
0212	上伊・011オ3・辞字	徒	―	ト	右傍	duʌ1	模韻
0213	上伊・011オ3・辞字	戴	―	タイ	右傍	tʌi3	代韻
0214	上伊・011オ4・辞字	雖	平	―	―	siuei1	脂韻
0215	上伊・011オ4・辞字	警	―	ケイ	右傍	kiaŋ2	梗韻
0216	上伊・011オ5・辞字	誡	去	カイ	右傍	kɐi3	怪韻
0217	上伊・011オ7・辞字	森	平	シム	右傍	ṣiem1	侵韻
0218	上伊・011ウ1・辞字	焉	―	エム	右傍	'ian1 ɣian1 'iɑn1	仙韻 仙韻 元韻
0219	上伊・011ウ1・辞字	那	―	ナ	右傍	nɑ1/3	歌/箇韻
0220	上伊・011ウ4・辞字	苛	平	カ	右傍	ɣɑ1	歌韻
0221	上伊・011ウ4・辞字	唱	去	シヤウ	右傍	tś'iaŋ3	漾韻
0222	上伊・011ウ5・辞字	煦	―	ク	右傍	xiuʌ2	麌韻
0223	上伊・011ウ6・辞字	悤	平	ソウ	右傍	ts'ʌuŋ1	東韻
0224	上伊・011ウ6・辞字	忙	平濁	ハウ	右傍	mɑŋ1	唐韻

0225	上伊・011ウ7・辞字	投	平	トウ	右傍	dʌu^{1}	侯韻
0226	上伊・011ウ7・辞字	潔	入	―	―	ket	屑韻
0227a	上伊・012オ5・重點	猗	―	イ	右傍	'ie$^{1/3}$	支/寘韻
0227b	上伊・012オ5・重點	猗	―	イ	右傍	'ie$^{1/3}$	支/寘韻
0228a	上伊・012オ5・重點	殷	平	イン	右傍	'iʌn^{1} 'ɐn^{1}	欣韻 山韻
0228b	上伊・012オ5・重點	殷	平	イン	右傍	'iʌn^{1} 'ɐn^{1}	欣韻 山韻
0229a	上伊・012オ5・重點	隠	―	イン	右傍	'iʌn$^{2/3}$	隠/焮韻
0229b	上伊・012オ5・重點	隠	―	イン	右傍	'iʌn$^{2/3}$	隠/焮韻
0230a	上伊・012ウ1・疊字	陰	平	イン	右注	'iem^{1}	侵韻
0230b	上伊・012ウ1・疊字	晴	平	セイ	右注	dzieŋ^{1}	清韻
0231a	上伊・012ウ1・疊字	陰	平	イン	左注	'iem^{1}	侵韻
0231b	上伊・012ウ1・疊字	雲	平	ウン	左注	ɣiuʌn^{1}	文韻
0232a	上伊・012ウ1・疊字	淫	平	イン	右注	jiem^{1}	侵韻
0232b	上伊・012ウ1・疊字	雨	上	ウ	右注	ɣiuʌ$^{2/3}$	麌/遇韻
0233a	上伊・012ウ1・疊字	幽	東	イウ	左注	'ieu^{1}	幽韻
0233b	上伊・012ウ1・疊字	天	平	テン	左注	t'en^{1}	先韻
0234a	上伊・012ウ1・疊字	遊	平	イウ	左注	jiʌu^{1}	尤韻
0234b	上伊・012ウ1・疊字	糸	上	シ	左注	siɐi^{1} mek	之韻 錫韻
0235a	上伊・012ウ2・疊字	夷	平	イ	右注	jiei^{1}	脂韻
0235b	上伊・012ウ2・疊字	則	入	ソク	右注	tsʌk	徳韻
0236a	上伊・012ウ2・疊字	偸	平	イウ	右注	t'ʌu^{1}	侯韻
0236b	上伊・012ウ2・疊字	閑	平	カン	右注	ɣɐn^{1}	山韻
0237a	上伊・012ウ2・疊字	一	入	イツ	左注	'jiet	質韻
0237b	上伊・012ウ2・疊字	旦	去	タン	左注	tɑn^{3}	翰韻
0238a	上伊・012ウ2・疊字	幽	東	イウ	右注	'ieu^{1}	幽韻
0238b	上伊・012ウ2・疊字	竒	平	キ	右注	gie^{1} kie^{1}	支韻 支韻
0239a	上伊・012ウ2・疊字	幽	東	イウ	左注	'icu^{1}	幽韻
0239b	上伊・012ウ2・疊字	玄	平	クヱン	左注	ɣuen^{1}	先韻
0240a	上伊・012ウ3・疊字	右	上	イウ	右注	ɣiʌu$^{2/3}$	有/宥韻
0240b	上伊・012ウ3・疊字	動	去	トウ	右注	dʌuŋ^{2}	董韻
0241a	上伊・012ウ3・疊字	隠	上	イム	左注	'iʌn$^{2/3}$	隠/焮韻
0241b	上伊・012ウ3・疊字	路	去	ロ	左注	luʌ^{3}	暮韻
0242a	上伊・012ウ3・疊字	夷	平	イ	左注	jiei^{1}	脂韻
0242b	上伊・012ウ3・疊字	狄	入	テキ	左注	dek	錫韻
0243a	上伊・012ウ3・疊字	異	去	イ	右注	jiɐi^{3}	志韻
0243b	上伊・012ウ3・疊字	域	入	ヰキ	右注	ɣiuɐk	職韻
0244a	上伊・012ウ3・疊字	有	上	イウ	中注	ɣiʌu^{2}	有韻
0244b	上伊・012ウ3・疊字	年	平	ネン	中注	nen^{1}	先韻
0245a	上伊・012ウ4・疊字	引	上	イン	右注	jien$^{2/3}$	軫韻

0245b	上伊・012ウ4・疊字	率	入	ソツ	右注	ṣiuet	質韻
0246a	上伊・012ウ4・疊字	幽	東	イウ	左注	'ieu^{1}	幽韻
0246b	上伊・012ウ4・疊字	谷	入	コク	左注	kʌuk lʌuk jiɑuk giɑk	屋韻 屋韻 燭韻 藥韻
0247a	上伊・012ウ4・疊字	熊	平	イウ	左注	ɣiʌuŋ^{1}	東韻
0247b	上伊・012ウ4・疊字	耳	去濁	シ	左注	ńiɐi^{2}	止韻
0248a	上伊・012ウ4・疊字	遊	平	イウ	中注	jiʌu^{1}	尤韻
0248b	上伊・012ウ4・疊字	女	上濁	チヨ	中注	ṇiʌ$^{2/3}$	語/御韻
0249a	上伊・012ウ4・疊字	淫	平	イン	中注	jiem^{1}	侵韻
0249b	上伊・012ウ4・疊字	竒	平	キ	中注	gie^{1} kie^{1}	支韻 支韻
0250a	上伊・012ウ5・疊字	引	平	イン	左注	jien$^{2/3}$	軫韻
0250b	上伊・012ウ5・疊字	攝	去濁	セウ	左注	śiap nep	葉韻 帖韻
0251a	上伊・012ウ5・疊字	引	平	イン	左注	jien$^{2/3}$	軫韻
0251b	上伊・012ウ5・疊字	導	平濁	タウ	左注	dɑu^{3}	号韻
0252a	上伊・012ウ5・疊字	因	去	イン	中注	'jien^{1}	眞韻
0252b	上伊・012ウ5・疊字	縁	上	エン	中注	jiuan$^{1/3}$	仙/線韻
0253a	上伊・012ウ5・疊字	因	去	イン	左注	'jien^{1}	眞韻
0253b	上伊・012ウ5・疊字	果	平濁	クワ	左注	kuɑ^{2}	果韻
0254a	上伊・012ウ5・疊字	一	入	イツ	中注	'jiet	質韻
0254b	上伊・012ウ5・疊字	人	平濁	シン	中注	ńien^{1}	眞韻
0255a	上伊・012ウ6・疊字	遊	平	イウ	左注	jiʌu^{1}	尤韻
0255b	上伊・012ウ6・疊字	観	去	クワン	左注	kuɑn$^{1/3}$	桓/換韻
0256a	上伊・012ウ6・疊字	意	平	イ	左注	'iɐi^{3}	志韻
0256b	上伊・012ウ6・疊字	見	平	ケン	左注	ken^{3} ɣen^{3}	霰韻 霰韻
0257a	上伊・012ウ6・疊字	揖	入	イフ	中注	'jiep	緝韻
0257b	上伊・012ウ6・疊字	譲	上濁	シヤウ	中注	ńiɑŋ^{3}	漾韻
0258a	上伊・012ウ6・疊字	一	入	イツ	左注	'jiet	質韻
0258b	上伊・012ウ6・疊字	割	入	カツ	左注	kɑt	曷韻
0259a	上伊・012ウ6・疊字	以	去	イ	左注	jiɐi^{2}	止韻
0259b	上伊・012ウ6・疊字	往	上	ワウ	左注	ɣiuɑŋ^{2}	養韻
0260a	上伊・012ウ7・疊字	以	上	イ	左注	jiɐi^{2}	止韻
0260b	上伊・012ウ7・疊字	來	平	ライ	左注	lʌi^{1}	咍韻
0261a	上伊・012ウ7・疊字	以	上	イ	左注	jiɐi^{2}	止韻
0261b	上伊・012ウ7・疊字	降	平	カウ	左注	ɣauŋ^{1} kauŋ^{3}	江韻 絳韻
0262a	上伊・012ウ7・疊字	由	平	イウ	左注	jiʌu^{1}	尤韻
0262b	上伊・012ウ7・疊字	緒	上	シヨ	左注	ziʌ^{2}	語韻
0263a	上伊・012ウ7・疊字	異	平	イ	中注	jiɐi^{3}	志韻

0263b	上伊・012ウ7・疊字	桐	平	トウ	中注	dʌuŋ^{1}	東韻
0264a	上伊・012ウ7・疊字	醫	去	イ	左注	'iɐi^{1}	之韻
0264b	上伊・012ウ7・疊字	方	上	ハウ	左注	piɑŋ^{1} biɑŋ^{1}	陽韻 陽韻
0265a	上伊・013オ1・疊字	醫	去	イ	左注	'iɐi^{1}	之韻
0265b	上伊・013オ1・疊字	家	上	ケ	左注	ka^{1}	麻韻
0266a	上伊・013オ1・疊字	異	去	イ	左注	jiɐi^{3}	志韻
0266b	上伊・013オ1・疊字	父	上	フ	左注	piuʌ^{2} biuʌ^{2}	麌韻 麌韻
0267a	上伊・013オ1・疊字	一	入	イツ	左注	'jiet	質韻
0267b	上伊・013オ1・疊字	族	入	ソク	左注	dzʌuk	屋韻
0268a	上伊・013オ1・疊字	一	入	イチ	左注	'jiet	質韻
0268b	上伊・013オ1・疊字	門	平	モン	左注	muʌn^{1}	魂韻
0269a	上伊・013オ1・疊字	隠	―	イム	右注	'iʌn$^{2/3}$	隠/焮韻
0269b	上伊・013オ1・疊字	逸	―	イツ	右注	jiet	質韻
0270a	上伊・013オ2・疊字	異	去	イ	右注	jiɐi^{3}	志韻
0270b	上伊・013オ2・疊字	治	平濁	チ	右注	ḍiɐi$^{1/3}$ ḍiei^{3}	之/志韻 至韻
0271a	上伊・013オ2・疊字	逸	入	イチ	右注	jiet	質韻
0271b	上伊・013オ2・疊字	物	入濁	フツ	右注	miuʌt	物韻
0272a	上伊・013オ2・疊字	逸	入	イチ	左注	jiet	質韻
0272b	上伊・013オ2・疊字	物	入濁	モツ	左注	miuʌt	物韻
0273a	上伊・013オ2・疊字	婬	平	イン	左注	jiem^{1}	侵韻
0273b	上伊・013オ2・疊字	奔	平濁	ホン	左注	puʌn$^{1/3}$	魂/慁韻
0274a	上伊・013オ2・疊字	婬	平	イン	右注	jiem^{1}	侵韻
0274b	上伊・013オ2・疊字	欲	入	ヨク	右注	jiɑuk	燭韻
0275a	上伊・013オ2・疊字	婬	平	イン	左注	jiem^{1}	侵韻
0275b	上伊・013オ2・疊字	泆	入	シチ	左注	jiet det	質韻 屑韻
0276a	上伊・013オ3・疊字	優	平	イウ	中注	'iʌu^{1}	尤韻
0276b	上伊・013オ3・疊字	美	上	ヒ	中注	miei^{2}	旨韻
0277a	上伊・013オ3・疊字	優	平	イウ	左注	'iʌu^{1}	尤韻
0277b	上伊・013オ3・疊字	艶	去	エン	左注	jiam^{3}	豔韻
0278a	上伊・013オ3・疊字	游	上	イウ	右注	jiʌu^{1}	尤韻
0278b	上伊・013オ3・疊字	宴	去	エン	右注	'en$^{2/3}$	銑/霰韻
0279a	上伊・013オ3・疊字	優	―	イウ	右注	'iʌu^{1}	尤韻
0279b	上伊・013オ3・疊字	賞	―	シヤウ	右注	śiɑŋ^{2}	養韻
0280a	上伊・013オ3・疊字	幼	去	イウ	左注	'ieu^{3}	幼韻
0280b	上伊・013オ3・疊字	稚	上	チ	左注	ḍiei^{3}	至韻
0281a	上伊・013オ4・疊字	幼	去	イウ	中注	'ieu^{3}	幼韻
0281b	上伊・013オ4・疊字	日	入濁	シチ	中注	ńiet	質韻
0282a	上伊・013オ4・疊字	幼	去	―	―	'ieu^{3}	幼韻
0282b	上伊・013オ4・疊字	少	平	―	―	śiau$^{2/3}$	小/笑韻

0283a	上伊・013オ4・疊字	邑	上	イウ	左注	'iep	緝韻
0283b	上伊・013オ4・疊字	老	上	ラウ	左注	lɑu^{2}	晧韻
0284a	上伊・013オ4・疊字	有	上	イウ	中注	ɣiʌu^{2}	有韻
0284b	上伊・013オ4・疊字	織	入	シヨク	中注	tśiɐk	職韻
0285a	上伊・013オ4・疊字	一	入	—	—	'jiet	質韻
0285b	上伊・013オ4・疊字	心	去	—	—	siem^{1}	侵韻
0286a	上伊・013オ5・疊字	一	入	イチ	右注	'jiet	質韻
0286b	上伊・013オ5・疊字	期	上濁	コ	右注	giɐi^{1}	之韻
0287a	上伊・013オ5・疊字	慇	平	イン	右注	'iʌn^{1}	欣韻
0287b	上伊・013オ5・疊字	懃	平濁	キン	右注	giʌn^{1}	欣韻
0288a	上伊・013オ5・疊字	雄	平	イウ	右注	ɣiʌuŋ^{1}	東韻
0288b	上伊・013オ5・疊字	飛	平	ヒ	右注	piʌi^{1}	微韻
0289a	上伊・013オ5・疊字	雄	平	イウ	右注	ɣiʌuŋ^{1}	東韻
0289b	上伊・013オ5・疊字	稱	平	シヨウ	右注	tś'iɐŋ$^{1/3}$	蒸/證韻
0290a	上伊・013オ5・疊字	異	—	イ	右注	jiɐi^{3}	志韻
0290b	上伊・013オ5・疊字	様	—	ヤウ	右注	jiɑŋ^{3}	漾韻
0291a	上伊・013オ6・疊字	異	上	イ	右注	jiɐi^{3}	志韻
0291b	上伊・013オ6・疊字	體	上	テイ	右注	t'ei^{2}	薺韻
0292a	上伊・013オ6・疊字	意	平	イ	右注	'iɐi^{3}	志韻
0292b	上伊・013オ6・疊字	趣	平	シウ	右注	ts'iuʌ$^{1/3}$ ts'ʌu^{2}	虞/遇韻 厚韻
0293a	上伊・013オ6・疊字	意	平	イ	右注	'iɐi^{3}	志韻
0293b	上伊・013オ6・疊字	胡	平	コ	右注	ɣuʌ^{1}	模韻
0294a	上伊・013オ6・疊字	意	平	イ	右注	'iɐi^{3}	志韻
0294b	上伊・013オ6・疊字	略	入	リヤク	右注	liɑk	藥韻
0295a	上伊・013オ6・疊字	意	去	イ	右注	'iɐi^{3}	志韻
0295b	上伊・013オ6・疊字	氣	去	キ	右注	k'iʌi^{3} xiʌi^{3}	未韻 未韻
0296a	上伊・013オ7・疊字	猶	去	イウ	中注	jiʌu$^{1/3}$	尤/宥韻
0296b	上伊・013オ7・疊字	預	平 去	ヨ	中注	jiʌ^{3}	御韻
0297a	上伊・013オ7・疊字	優	平	イウ	左注	'iʌu^{1}	尤韻
0297b	上伊・013オ7・疊字	恕	上濁	シヨ	左注	śiʌ^{3}	御韻
0298a	上伊・013オ7・疊字	優	平	イウ	左注	'iʌu^{1}	尤韻
0298b	上伊・013オ7・疊字	免	平	メン	左注	mian^{2}	獮韻
0299a	上伊・013オ7・疊字	陰	平	イン	左注	'iem^{1}	侵韻
0299b	上伊・013オ7・疊字	謀	平濁	ホウ	左注	miʌu^{1}	尤韻
0300a	上伊・013ウ1・疊字	遊	平	イウ	右注	jiʌu^{1}	尤韻
0300b	上伊・013ウ1・疊字	覧	上	ラン	右注	lɑm^{2}	敢韻
0301a	上伊・013ウ1・疊字	遊	平	イウ	右注	jiʌu^{1}	尤韻
0301b	上伊・013ウ1・疊字	放	去	ハウ	右注	piɑŋ$^{2/3}$	養/漾韻
0302a	上伊・013ウ1・疊字	優	平	イウ	右注	'iʌu^{1}	尤韻
0302b	上伊・013ウ1・疊字	遊	平	イウ	右注	jiʌu^{1}	尤韻

0303a	上伊・013ウ1・疊字	優	平	イウ	左注	'iʌu^{1}	尤韻
0303b	上伊・013ウ1・疊字	蕩	去	タウ	左注	dɑŋ^{2} t'ɑŋ$^{1/3}$	蕩韻 唐/宕韻
0304a	上伊・013ウ1・疊字	優	平	イウ	左注	'iʌu^{1}	尤韻
0304b	上伊・013ウ1・疊字	會	去	クワイ	左注	ɣuɑi^{3} kuɑi^{3}	泰韻 泰韻
0305a	上伊・013ウ2・疊字	優	平	イウ	中注	'iʌu^{1}	尤韻
0305b	上伊・013ウ2・疊字	長	上	チヤウ	中注	ṭiɑŋ^{2} ḍiɑŋ$^{1/3}$	養韻 陽/漾韻
0306a	上伊・013ウ2・疊字	陰	平	(イム)	左注	'iem^{1}	侵韻
0306b	上伊・013ウ2・疊字	(私)	?	シ	左注	siei^{1}	脂韻
0307a	上伊・013ウ3・疊字	隠	上	イン	左注	'iʌn$^{2/3}$	隠/焮韻
0307b	上伊・013ウ3・疊字	匿	入	チヨク	左注	ṇiɐk	職韻
0308a	上伊・013ウ3・疊字	一	入	(イチ)	左注	'jiet	質韻
0308b	上伊・013ウ3・疊字	(諾)	(入)	タク	左注	nɑk	鐸韻
0309a	上伊・013ウ3・疊字	友	平	イウ	左注	ɣiʌu^{2}	有韻
0309b	上伊・013ウ3・疊字	交	平	カウ	左注	kau^{1}	肴韻
0310a	上伊・013ウ3・疊字	誘	去	イウ	右注	jiʌu^{2}	有韻
0310b	上伊・013ウ3・疊字	引	上	イン	右注	jien$^{2/3}$	軫韻
0311a	上伊・013ウ4・疊字	有	上	イウ	右注	ɣiʌu^{2}	有韻
0311b	上伊・013ウ4・疊字	截	入	セチ	右注	dzet	屑韻
0312a	上伊・013ウ4・疊字	猗	平	イ	右注	'ie$^{1/3}$	支/寘韻
0312b	上伊・013ウ4・疊字	頓	去	トン	右注	tuʌn^{3}	慁韻
0313a	上伊・013ウ4・疊字	有	上	イウ	左注	ɣiʌu^{2}	有韻
0313b	上伊・013ウ4・疊字	隣	平	リン	左注	lien^{1}	眞韻
0314a	上伊・013ウ4・疊字	有	上	イウ	中注	ɣiʌu^{2}	有韻
0314b	上伊・013ウ4・疊字	口	上	コウ	中注	k'ʌu^{2}	厚韻
0315a	上伊・013ウ4・疊字	有	上	イウ	左注	ɣiʌu^{2}	有韻
0315b	上伊・013ウ4・疊字	目	入濁	ホク	左注	miʌuk	屋韻
0316a	上伊・013ウ5・疊字	遊	平	イウ	右傍	jiʌu^{1}	尤韻
0316b	上伊・013ウ5・疊字	夏	ト	カ	右傍	ɣɑ$^{2/3}$	馬/禡韻
0317a	上伊・013ウ5・疊字	引	上	イン	左注	jien$^{2/3}$	軫韻
0317b	上伊・013ウ5・疊字	級	入濁	キフ	左注	kiep	緝韻
0318a	上伊・013ウ5・疊字	意	平	イ	左注	'iɐi^{3}	志韻
0318b	上伊・013ウ5・疊字	况	平	クヰヤウ	左注	xiuɑŋ^{3}	漾韻
0319a	上伊・013ウ5・疊字	依	平	イ	中注	'iʌi^{1}	微韻
0319b	上伊・013ウ5・疊字	違	去	ヰ	中注	ɣiuʌi^{1}	微韻
0320a	上伊・013ウ5・疊字	倚	去	イ	右注	'ie$^{2/3}$	紙/寘韻
0320b	上伊・013ウ5・疊字	蘭	上	ラン	右注	lɑn^{1}	寒韻
0321a	上伊・013ウ6・疊字	幽	東	イウ	左注	'ieu^{1}	幽韻
0321b	上伊・013ウ6・疊字	居	平	キヨ	左注	kiʌ^{1} kiɐi^{1}	魚韻 之韻
0322a	上伊・013ウ6・疊字	邑	入	イウ	左注	'iep	緝韻

0322b	上伊・013ウ6・疊字	居	平	キヨ	左注	kiʌ^{1} kiɐi^{1}	魚韻 之韻
0323a	上伊・013ウ6・疊字	移	平	イ	右注	jie^{1}	支韻
0323b	上伊・013ウ6・疊字	徙	上	シ	右注	sie^{2}	紙韻
0324a	上伊・013ウ6・疊字	幽	東	イウ	中注	'ieu^{1}	幽韻
0324b	上伊・013ウ6・疊字	閑	平	カン	中注	ɣɐn^{1}	山韻
0325a	上伊・013ウ6・疊字	衣	上	イ	左注	'iʌi$^{1/3}$	微/未韻
0325b	上伊・013ウ6・疊字	裳	平	シヤウ	左注	źiɑŋ^{1}	陽韻
0326a	上伊・013ウ7・疊字	衣	上	イ	左注	'iʌi$^{1/3}$	微/未韻
0326b	上伊・013ウ7・疊字	冠	平	クワン	左注	kuɑn$^{1/3}$	桓/換韻
0327a	上伊・013ウ7・疊字	隱	上	イン	中注	'iʌn$^{2/3}$	隱/焮韻
0327b	上伊・013ウ7・疊字	文	去	モン	中注	miuʌn^{1}	文韻
0328a	上伊・013ウ7・疊字	異	去	イ	左注	jiɐi^{3}	志韻
0328b	上伊・013ウ7・疊字	味	平濁	（ヒ）	左注	miʌi^{3}	未韻
0329a	上伊・013ウ7・疊字	隱	上	イン	中注	'iʌn$^{2/3}$	隱/焮韻
0329b	上伊・013ウ7・疊字	居	平	キヨ	中注	kiʌ^{1} kiɐi^{1}	魚韻 之韻
0330a	上伊・013ウ7・疊字	一	入	イツ	左注	'jiet	質韻
0330b	上伊・013ウ7・疊字	盞	上	サン	左注	tʂɐn^{2}	產韻
0331a	上伊・014オ1・疊字	異	去	イ	左注	jiɐi^{3}	志韻
0331b	上伊・014オ1・疊字	能	平	ノウ	左注	nʌŋ$^{1/2}$ nʌi$^{1/3}$	登/等韻 咍/代韻
0332a	上伊・014オ1・疊字	郵	平	イウ	中注	ɣiʌu^{1}	尤韻
0332b	上伊・014オ1・疊字	舩	上	セン	中注	dźiuan^{1}	仙韻
0333a	上伊・014オ1・疊字	遊	平	イウ	左注	jiʌu^{1}	尤韻
0333b	上伊・014オ1・疊字	馬	上濁	ハ	左注	ma^{2}	馬韻
0334a	上伊・014オ1・疊字	壹	入	イチ	左注	'jiet	質韻
0334b	上伊・014オ1・疊字	欝	入	ウツ	左注	'iuʌt	物韻
0335a	上伊・014オ1・疊字	一	入	イ	右注	'jiet	質韻
0335b	上伊・014オ1・疊字	切	入	セツ	右注	ts'et	屑韻
0336a	上伊・014オ2・疊字	一	入	イツ	右注	'jiet	質韻
0336b	上伊・014オ2・疊字	滞	去	テイ	右注	tei^{3}	霽韻
0337a	上伊・014オ2・疊字	伊	平	イ	右注	'jiei^{1}	脂韻
0337b	上伊・014オ2・疊字	望	平濁	ハウ	右注	miɑŋ$^{1/3}$	陽/漾韻
0338a	上伊・014オ2・疊字	伊	平	イ	右注	'jiei^{1}	脂韻
0338b	上伊・014オ2・疊字	欝	入	ウツ	右注	'iuʌt	物韻
0339a	上伊・014オ2・疊字	因	上	イン	右注	'jien^{1}	眞韻
0339b	上伊・014オ2・疊字	准	上	スヰン	右注	tśiuen^{2}	準韻
0340a	上伊・014オ2・疊字	已	平	イ	右注	jiɐi$^{2/3}$	止/志韻
0340b	上伊・014オ2・疊字	度	平	ト	右注	duʌ^{3} dɑk	暮韻 鐸韻
0341a	上伊・014オ3・疊字	逸	入	イツ	右注	jiet	質韻
0341b	上伊・014オ3・疊字	才	平	サイ	右注	dzʌi^{1}	咍韻

0342a	上伊・014オ3・疊字	育	入	イク	右注	jiʌuk	屋韻
0342b	上伊・014オ3・疊字	彩	上	サイ	右注	tsʻʌi^{2}	海韻
0343a	上伊・014オ3・疊字	飲	上	イム	右注	ʼiem$^{2/3}$	寝/沁韻
0343b	上伊・014オ3・疊字	羽	上	ウ	右注	ɣiuʌ$^{2/3}$	麌/遇韻
0344a	上伊・014オ3・疊字	飲	上	イム	右注	ʼiem$^{2/3}$	寝/沁韻
0344b	上伊・014オ3・疊字	露	去	ロ	右注	luʌ^{3}	暮韻
0345a	上伊・014オ3・疊字	一	入	イツ	右注	ʼjiet	質韻
0345b	上伊・014オ3・疊字	擧	上	キヨ	右注	kiʌ^{2} jiʌ^{1}	語韻 魚韻
0346a	上伊・014オ4・疊字	優	平	イウ	左注	ʼiʌu^{1}	尤韻
0346b	上伊・014オ4・疊字	劣	入	レツ	左注	liuat	薛韻
0347a	上伊・014オ4・疊字	一	入	―	―	ʼjiet	質韻
0348a	上伊・014オ4・疊字	有	上	―	―	ɣiʌu^{2}	有韻
0348b	上伊・014オ4・疊字	若	入濁	―	―	ńiɑk ńia$^{1/2}$	藥韻 麻/馬韻
0348c	上伊・014オ5・疊字	亡	平濁	―	―	miɑŋ^{1}	陽韻
0349b	上伊・014オ6・疊字	調	平	―	―	deu$^{1/3}$ ṭiʌu^{1}	蕭/嘯韻 尤韻
0350a	上伊・015オ2・疊字	掲	入	―	―	giɑt giat kʻiat kʻiai^{3}	月韻 薛韻 薛韻 祭韻
0350b	上伊・015オ2・疊字	焉	平	―	―	ʼian^{1} ɣian^{1} ʼiɑn^{1}	仙韻 仙韻 元韻
0351a	上伊・015オ2・疊字	綵	上	サイ	右傍	tsʻʌi^{2}	海韻
0351b	上伊・015オ2・疊字	緻	去	チ	右傍	ḍiei^{3}	至韻
0352a	上伊・015オ5・諸社	伊	―	イ	右注	ʼjiei^{1}	脂韻
0352b	上伊・015オ5・諸社	勢	―	セ	右注	śiai^{3}	祭韻
0353a	上伊・015ウ3・国郡	伊	―	イ	右注	ʼjiei^{1}	脂韻
0353b	上伊・015ウ3・国郡	勢	―	セ	右注	śiai^{3}	祭韻
0354a	上伊・015ウ3・国郡	員	―	ヰナ [上上]	右傍	ɣiuʌn$^{1/3}$ ɣiuan^{1}	文/問韻 仙韻
0354b	上伊・015ウ3・国郡	辨	―	ヘ [平濁]	右傍	bian^{2} bɐn^{3}	獮韻 裥韻
0355a	上伊・015ウ3・国郡	奄	―	アム [平平]	右傍	ʼiam^{2}	琰韻
0355b	上伊・015ウ3・国郡	藝	―	キ [平濁]	右傍	ŋjiai^{3}	祭韻
0356a	上伊・015ウ3・国郡	安	―	ア	右傍	ʼɑn^{1}	寒韻
0356b	上伊・015ウ3・国郡	濃	―	ノ	右傍	ṇiɑuŋ^{1}	鍾韻
0357a	上伊・015ウ3・国郡	壹	―	イキ [上上]	右傍	ʼjiet	質韻
0357b	上伊・015ウ3・国郡	志	―	シ [上濁]	右傍	tśiɐi^{3}	志韻

0358a	上伊・015ウ4・国郡	多	—	タ	右傍	tɑ^{1}	歌韻
0358b	上伊・015ウ4・国郡	氣	—	ケ	右傍	k'ıʌi^{3} xıʌi^{3}	未韻 未韻
0359a	上伊・015ウ4・国郡	伊	—	イ	右注	'jiei^{1}	脂韻
0359b	上伊・015ウ4・国郡	賀	—	カ	右注	ɣɑ^{3}	箇韻
0360a	上伊・015ウ4・国郡	阿	—	ア [上]	右傍	'ɑ^{1}	歌韻
0360b	上伊・015ウ4・国郡	拜	—	ヘ [平濁]	右傍	pɐi^{3}	怪韻
0361a	上伊・015ウ4・国郡	伊	—	イ	右注	'jiei^{1}	脂韻
0361b	上伊・015ウ4・国郡	豆	—	ツ	右注	dʌu^{3}	候韻
0362a	上伊・015ウ4・国郡	那	—	ナ	右傍	nɑ$^{1/3}$	歌/箇韻
0362b	上伊・015ウ4・国郡	賀	—	カ	右傍	ɣɑ^{3}	箇韻
0363a	上伊・015ウ4・国郡	賀	—	カ	右傍	ɣɑ^{3}	箇韻
0363b	上伊・015ウ4・国郡	茂	—	モ	右傍	mʌu^{3}	候韻
0364a	上伊・015ウ5・国郡	因	—	イナ	右注	'jien^{1}	眞韻
0364b	上伊・015ウ5・国郡	幡	—	ハ	右注	p'ıɑn^{1}	元韻
0365a	上伊・015ウ5・国郡	巨	—	コ	右注	gıʌ^{2}	語韻
0365b	上伊・015ウ5・国郡	濃	—	ノ	右注	ṇıɑuŋ^{1}	鍾韻
0366a	上伊・015ウ5・国郡	法	—	ハフ	右注	pıʌp	乏韻
0366b	上伊・015ウ5・国郡	美	—	ミ	右注	miei^{2}	旨韻
0367a	上伊・015ウ6・国郡	智	—	チ	右傍	ṭie^{3}	寘韻
0367b	上伊・015ウ6・国郡	頭	—	ツ	右傍	dʌu^{1}	侯韻
0368a	上伊・015ウ6・国郡	邑	—	ヲホ	右傍	'iep	緝韻
0368b	上伊・015ウ6・国郡	美	—	ミ	右傍	miei^{2}	旨韻
0369a	上伊・015ウ6・国郡	邑	—	ヲハ	左傍	'iep	緝韻
0369b	上伊・015ウ6・国郡	美	—	ミ	左傍	miei^{2}	旨韻
0370a	上伊・015ウ6・国郡	氣	—	ケ	右傍	k'ıʌi^{3} xıʌi^{3}	未韻 未韻
0370b	上伊・015ウ6・国郡	多	—	タ	右傍	tɑ^{1}	歌韻
0371a	上伊・015ウ6・国郡	意	—	イ	右傍	'iɐi^{3}	志韻
0371b	上伊・015ウ6・国郡	宇	—	ウ	右傍	ɣiuʌ^{2}	麌韻
0372a	上伊・015ウ6・国郡	能	—	ノ	右傍	nʌŋ$^{1/2}$ nʌi$^{1/3}$	登/等韻 咍/代韻
0372b	上伊・015ウ6・国郡	義	—	キ	右傍	ŋie^{3}	寘韻
0373a	上伊・015ウ6・国郡	仁	—	ニイ	右傍	ńien^{1}	眞韻
0373b	上伊・015ウ6・国郡	多	—	タ	右傍	tɑ^{1}	歌韻
0374a	上伊・015ウ7・国郡	安	—	ア	右傍	'ɑn^{1}	寒韻
0374b	上伊・015ウ7・国郡	濃	—	ノ	右傍	ṇıɑuŋ^{1}	鍾韻
0375a	上伊・015ウ7・国郡	迩	—	ニ	右傍	ńie^{2}	紙韻
0375b	上伊・015ウ7・国郡	摩	—	マ	右傍	mɑ$^{1/3}$	戈/過韻
0376a	上伊・015ウ7・国郡	那	—	ナ	右傍	nɑ$^{1/3}$	歌/箇韻
0376b	上伊・015ウ7・国郡	賀	—	カ	右傍	ɣɑ^{3}	箇韻
0377a	上伊・015ウ7・国郡	邑	—	ヲフ	右傍	'iep	緝韻

0377b	上伊・015ウ7・国郡	智	―	チ	右傍	ṭie^{3}	寘韻
0378a	上伊・015ウ7・国郡	美	―	ミ	右傍	miei^{2}	旨韻
0378b	上伊・015ウ7・国郡	濃	―	ノ	右傍	ṇiɑuŋ^{1}	鍾韻
0379a	上伊・015ウ7・国郡	伊	―	イ	右注	'jiei^{1}	脂韻
0379b	上伊・015ウ7・国郡	豫	―	ヨ	右注	jiʌ^{3}	御韻
0380a	上伊・015ウ7・国郡	宇	―	ウ	右傍	ɣiuʌ^{2}	麌韻
0380b	上伊・015ウ7・国郡	麻	―	マ	右傍	ma^{1}	麻韻
0381a	上伊・015ウ7・国郡	周	―	シウ	右傍	tśiʌu^{1}	尤韻
0381b	上伊・015ウ7・国郡	敷	―	フ	右傍	p'iuʌ^{1}	虞韻
0382a	上伊・015ウ7・国郡	越	―	ヲ	右傍	ɣiuɑt	月韻
0382b	上伊・015ウ7・国郡	知	―	チ	右傍	ṭie^{1}	支韻
0383a	上伊・015ウ7・国郡	久	―	ク	右傍	kiʌu^{2}	有韻
0383b	上伊・015ウ7・国郡	米	―	メ	右傍	mei^{2}	薺韻
0384a	上伊・016オ1・国郡	喜	―	キ	右傍	xiɐi$^{2/3}$	止/志韻
0384b	上伊・016オ1・国郡	多	―	タ	右傍	tɑ^{1}	歌韻
0385a	上伊・016オ1・国郡	宇	―	ウ	右傍	ɣiuʌ^{2}	麌韻
0385b	上伊・016オ1・国郡	和	―	ワ	右傍	ɣuɑ$^{1/3}$	戈/過韻
0386a	上伊・016オ4・官職	醫	―	イ	右注	'iɐi^{1}	之韻
0386b	上伊・016オ4・官職	博	―	ハカ	右注	pɑk	鐸韻
0386c	上伊・016オ4・官職	士	―	セ	右注	dẓiɐi^{2}	止韻
0387a	上伊・016オ4・官職	一	―	イチ	右注	'jiet	質韻
0387b	上伊・016オ4・官職	臈	―	ラウ	右注	lɑp	盍韻
0388a	上伊・016オ4・官職	一	―	イチ	右注	'jiet	質韻
0388b	上伊・016オ4・官職	労	―	ラウ	右注	lɑu$^{1/3}$	豪/号韻
0389a	上伊・016オ5・官職	已	―	イ	右注	jiɐi$^{2/3}$	止/志韻
0389b	上伊・016オ5・官職	講	―	カウ	右注	kauŋ^{2}	講韻
0390a	上伊・016オ5・官職	已	平	イ	右注	jiɐi$^{2/3}$	止/志韻
0390b	上伊・016オ5・官職	灌	去	クワン	右注	kuɑn^{3}	換韻
0390c	上伊・016オ5・官職	頂	上濁	チヤウ	左注	teŋ^{2}	迥韻
0391a	上伊・016ウ1・姓氏	伊	―	イ	右注	'jiei^{1}	脂韻
0391b	上伊・016ウ1・姓氏	勢	―	セ	右注	śiai^{3}	祭韻
0392a	上伊・016ウ1・姓氏	伊	―	イ	右注	'jiei^{1}	脂韻
0392b	上伊・016ウ1・姓氏	福	―	フク	右注	piʌuk	屋韻
0393a	上伊・016ウ1・姓氏	伊	―	イ	右注	'jiei^{1}	脂韻
0393b	上伊・016ウ1・姓氏	賀	―	カ	右注	ɣɑ^{3}	箇韻
0394b	上伊・016ウ2・姓氏	夷	―	イ	右注	jiei^{1}	脂韻
0395a	上伊・016ウ2・姓氏	伊	―	イ	右注	'jiei^{1}	脂韻
0396a	上伊・016ウ3・姓氏	伊	―	イ	右注	'jiei^{1}	脂韻
0396b	上伊・016ウ3・姓氏	吉	―	キ	右注	kjiet	質韻
0397a	上伊・016ウ4・姓氏	伊	―	イ	右注	'jiei^{1}	脂韻
0397b	上伊・016ウ4・姓氏	豫	―	ヨ	右注	jiʌ^{3}	御韻
0398a	上伊・016ウ5・姓氏	壹	―	イ	右注	'jiet	質韻
0398b	上伊・016ウ5・姓氏	岐	―	キ	右注	gjie^{1}	支韻

0399a	上伊・016ウ6・姓氏	伊	―	イ	右注	'jiei^{1}	脂韻
0399b	上伊・016ウ6・姓氏	蕪	―	ソ	右注	suʌ^{1}	模韻
0399c	上伊・016ウ6・姓氏	志	―	シ	右注	tśiɐi^{3}	志韻

【表A-01】上巻_呂篇

番号	前田本所在	掲出字		仮名音注		中古音	韻目
0400	上呂・017オ5・地儀	樓	平	ロウ ［平平］	右注	lʌu^{1}	侯韻
0401	上呂・017オ5・地儀	樓	平	ル	右傍	lʌu^{1}	侯韻
0402a	上呂・017オ5・地儀	十	―	シウ	右傍	źiep	緝韻
0402b	上呂・017オ5・地儀	二	―	シ	右傍	ńiei^{3}	至韻
0403a	上呂・017オ5・地儀	望	去濁	ハウ	右傍	miɑŋ$^{1/3}$	陽/漾韻
0403b	上呂・017オ5・地儀	海	上	カイ	右傍	xʌi^{2}	海韻
0404	上呂・017ウ1・動物	鹿	―	ロク	右注	lʌuk	屋韻
0405a	上呂・017ウ1・動物	六	―	ロク	右注	liʌuk	屋韻
0405b	上呂・017ウ1・動物	畜	―	チク	右注	ṭ'iʌuk xiʌuk ṭ'iʌu^{3} xiʌu^{3}	屋韻 屋韻 宥韻 宥韻
0406a	上呂・017ウ4・人體	六	入	ロク	右注	liʌuk	屋韻
0406b	上呂・017ウ4・人體	府	上	フ	右注	piuʌ^{2}	麌韻
0407a	上呂・017ウ5・人體	癭	上	エイ	右傍	'ieŋ^{2}	靜韻
0407b	上呂・017ウ5・人體	瘻	去	ロウ	右傍	lʌu^{3} liuʌ^{1}	侯韻 虞韻
0408	上呂・017ウ7・人事	禄	―	ロク	右注	lʌuk	屋韻
0409	上呂・017ウ7・人事	論	去	ロン	右注	luʌn$^{1/3}$ liuen^{1}	魂/慁韻 諄韻
0410	上呂・017ウ7・人事	籙	―	ロク ［上上］	右注	lʌuk	屋韻
0411a	上呂・017ウ7・人事	圖	平	ト	右傍	duʌ^{1}	模韻
0412a	上呂・018オ1・人事	弄	去	―	―	lʌuŋ^{3}	送韻
0412b	上呂・018オ1・人事	殿	上	―	―	ten^{3} den^{3}	霰韻 霰韻
0413a	上呂・018オ1・人事	哢	去	―	―	lʌuŋ^{3}	送韻
0413b	上呂・018オ1・人事	槍	平濁	―	―	tṣ'aŋ^{1} ts'iɑŋ^{1}	庚韻 陽韻
0414a	上呂・018オ1・人事	哢	去	ロウ	中注	lʌuŋ^{3}	送韻
0414b	上呂・018オ1・人事	槍	平濁	サウ	中注	tṣ'aŋ^{1} ts'iɑŋ^{1}	庚韻 陽韻
0415a	上呂・018オ4・雜物	轆	入	ロク	右注	lʌuk	屋韻
0415b	上呂・018オ4・雜物	轤	上	ロ	右注	luʌ^{1}	模韻
0416	上呂・018オ4・雜物	鋋	去	セン	右傍	źian^{1} jian^{1}	仙韻 仙韻

0417	上呂・018オ4・雜物	艫	上	ロ ［上］	右注	luʌ^{1}	模韻
0418	上呂・018オ4・雜物	爐	—	ロ ［平］	右注	luʌ^{1}	模韻
0419a	上呂・018オ4・雜物	禄	—	ロク	右注	lʌuk	屋韻
0419b	上呂・018オ4・雜物	物	—	モツ	右注	miuʌt	物韻
0420	上呂・018オ5・雜物	論	—	ロン	右注	luʌn$^{1/3}$ liuen^{1}	魂/慁韻 諄韻
0421a	上呂・018オ5・雜物	簏	—	ロウ ［上上］	右傍	lʌuk	屋韻
0421b	上呂・018オ5・雜物	子	—	シ ［上濁］	右傍	tsiɐi^{2}	止韻
0422a	上呂・018オ5・雜物	籠	—	ロウ ［上上］	右注	lʌuŋ$^{1/2}$ liauŋ^{1}	東/董韻 鍾韻
0422b	上呂・018オ5・雜物	子	—	シ ［上濁］	右注	tsiɐi^{2}	止韻
0423a	上呂・018オ5・雜物	樓	—	ロウ ［上上］	右注	lʌu^{1}	侯韻
0423b	上呂・018オ5・雜物	子	—	シ ［上濁］	右注	tsiɐi^{2}	止韻
0424a	上呂・018オ7・光彩	緑	—	ロク	右注	liauk	燭韻
0424b	上呂・018オ7・光彩	青	—	シヤウ	右注	ts'eŋ^{1}	青韻
0425a	上呂・018オ7・光彩	緑	—	ロウ	右注	liauk	燭韻
0425b	上呂・018オ7・光彩	衫	—	サウ	右注	ʂam^{1}	銜韻
0426	上呂・018ウ4・辞字	勒	入	ロク	右注	lʌk	德韻
0427	上呂・018ウ4・辞字	論	—	ロン	右注	luʌn$^{1/3}$ liuen^{1}	魂/慁韻 諄韻
0428	上呂・018ウ4・辞字	録	—	ロク	右注	liauk	燭韻
0429a	上呂・018ウ6・重點	録	—	ロク	右注	liauk	燭韻
0429b	上呂・018ウ6・重點	録	—	ロク	右注	liauk	燭韻
0430a	上呂・018ウ6・重點	轆	—	ロク	右注	lʌuk	屋韻
0430b	上呂・018ウ6・重點	轆	—	ロク	右注	lʌuk	屋韻
0431a	上呂・019オ1・疊字	漏	平	ロ	中注	lʌu^{3}	侯韻
0431b	上呂・019オ1・疊字	尅	入	コク	中注	k'ʌk	德韻
0432a	上呂・019オ1・疊字	六	入	ロク	左注	liʌuk	屋韻
0432b	上呂・019オ1・疊字	通	去	ツウ	左注	t'ʌuŋ^{1}	東韻
0433a	上呂・019オ1・疊字	論	平	ロン	左注	luʌn$^{1/3}$ liuen^{1}	魂/慁韻 諄韻
0433b	上呂・019オ1・疊字	議	平濁	キ	左注	ŋie^{3}	寘韻
0434a	上呂・019オ1・疊字	論	平	ロン	左注	luʌn$^{1/3}$ liuen^{1}	魂/慁韻 諄韻
0434b	上呂・019オ1・疊字	匠	去濁	シヤウ	左注	dziaŋ^{3}	漾韻
0435a	上呂・019オ1・疊字	籠	平	ロウ	右注	lʌuŋ$^{1/2}$ liauŋ^{1}	東/董韻 鍾韻
0435b	上呂・019オ1・疊字	居	平	キヨ	右注	kiʌ^{1} kiɐi^{1}	魚韻 之韻
0436a	上呂・019オ2・疊字	露	去	ロ	中注	luʌ^{3}	暮韻

0436b	上呂・019オ2・疊字	顕	上	ケン	中注	xen^{2}	銑韻
0437a	上呂・019オ2・疊字	論	去	ロン	左注	luʌn$^{1/3}$ liuen^{1}	魂/慁韻 諄韻
0437b	上呂・019オ2・疊字	談	平濁	タン	左注	dam^{2}	談韻
0438a	上呂・019オ2・疊字	嚧	平	ロ	中注	luʌ^{1}	模韻
0438b	上呂・019オ2・疊字	呼	東	コ	中注	xuʌ^{1}	模韻
0439a	上呂・019オ2・疊字	哢	去	ロウ	右注	lʌuŋ^{3}	送韻
0439b	上呂・019オ2・疊字	言	平濁	ケン	右注	ŋian^{1}	元韻
0440a	上呂・019オ2・疊字	露	上	ロ	左注	luʌ^{3}	暮韻
0440b	上呂・019オ2・疊字	膽	上	タム	左注	tam^{2}	敢韻
0441a	上呂・019オ3・疊字	籠	平	ロウ	中注	lʌuŋ$^{1/2}$ liauŋ^{1}	東/董韻 鍾韻
0441b	上呂・019オ3・疊字	鳥	上	テウ	中注	teu^{2}	篠韻
0442a	上呂・019オ3・疊字	録	入	ロク	中注	liauk	燭韻
0442b	上呂・019オ3・疊字	事	上	シ	中注	dẓiɐi^{3}	志韻
0443a	上呂・019オ3・疊字	弄	去	ロウ	中注	lʌuŋ^{3}	送韻
0443b	上呂・019オ3・疊字	槍	平	サウ	中注	tṣ'aŋ^{1} ts'iaŋ^{1}	庚韻 陽韻
0444a	上呂・019オ3・疊字	露	去	ロ	右傍	luʌ^{3}	暮韻
0444b	上呂・019オ3・疊字	驛	入	エキ	右傍	jiek	昔韻
0445a	上呂・019オ3・疊字	路	上	ロ	左注	luʌ^{3}	暮韻
0445b	上呂・019オ3・疊字	頭	平	トウ	左注	dʌu^{1}	侯韻
0446a	上呂・019オ4・疊字	路	去	ロ	左注	luʌ^{3}	暮韻
0446b	上呂・019オ4・疊字	次	上	シ	左注	ts'iei^{3}	至韻
0447a	上呂・019オ4・疊字	路	上	ロ	左注	luʌ^{3}	暮韻
0447b	上呂・019オ4・疊字	上	去	シヤウ	左注	źiaŋ$^{2/3}$	養/漾韻
0448a	上呂・019オ4・疊字	路	去	ロ	左注	luʌ^{3}	暮韻
0448b	上呂・019オ4・疊字	畔	平	ハン	左注	ban^{3}	換韻
0449a	上呂・019オ4・疊字	六	入	ロク	左注	liʌuk	屋韻
0449b	上呂・019オ4・疊字	趣	平	シウ	左注	ts'iuʌ$^{1/3}$ ts'ʌu^{2}	虞/遇韻 厚韻
0450a	上呂・019オ4・疊字	漏	平	ロ	右注	lʌu^{3}	候韻
0450b	上呂・019オ4・疊字	宣	平	セン	右注	siuan^{1}	仙韻
0451a	上呂・019オ5・疊字	漏	平	ロ	右注	lʌu^{3}	候韻
0451b	上呂・019オ5・疊字	失	入	シツ	右注	śiet	質韻
0452a	上呂・019オ5・疊字	虜	上	ロ	右注	luʌ^{2}	姥韻
0452b	上呂・019オ5・疊字	掠	平	リヤウ	右注	liaŋ^{3}	漾韻
0453a	上呂・019オ5・疊字	魯	平	ロ	右注	luʌ^{2}	姥韻
0453b	上呂・019オ5・疊字	愚	平	ク	右注	ŋiuʌ^{1}	虞韻
0454a	上呂・019オ5・疊字	鹵	上	ロ	右注	luʌ^{2}	姥韻
0454b	上呂・019オ5・疊字	簿	上	フ	右注	buʌ^{2} bak	姥韻 鐸韻
0455a	上呂・019オ5・疊字	魯	上	ロ	右注	luʌ^{2}	姥韻

0455b	上呂・019オ5・疊字	鈍	平濁	トン	右注	duʌn^{3}	慁韻
0456a	上呂・019オ6・疊字	鏤	平	ロウ	右注	liuʌ^{1} lʌu^{3}	虞韻 候韻
0456b	上呂・019オ6・疊字	盤	平	ハム	右注	bɑn^{1}	桓韻
0457a	上呂・019オ6・疊字	蘆	平	ロ	右注	luʌ^{1} liʌ^{1}	模韻 魚韻
0457b	上呂・019オ6・疊字	洲	平	シウ	右注	tśiʌu^{1}	尤韻
0458a	上呂・019オ6・疊字	露	去	ロ	右注	luʌ^{3}	暮韻
0458b	上呂・019オ6・疊字	盤	平	ハン	右注	bɑn^{1}	桓韻
0459a	上呂・019ウ2・諸寺	六	―	ロク	右注	liʌuk	屋韻
0459b	上呂・019ウ2・諸寺	波	―	ハ	右注	pɑ^{1}	戈韻
0459c	上呂・019ウ2・諸寺	羅	―	ラ	右注	lɑ^{1}	歌韻
0460a	上呂・019ウ5・官職	漏	―	ロ	右注	lʌu^{3}	候韻
0460b	上呂・019ウ5・官職	剋	―	コク	右注	k'ʌk	徳韻
0461	上呂・019ウ5・官職	録	―	ロク	右注	liauk	燭韻

【表A-01】上巻_波篇

番号	前田本所在	掲出字		仮名音注		中古音	韻目
0462a	上波・020オ2・天象	彗	平	セイ	右傍	ziuai^{3} jiuai^{3} ziuei^{3}	祭韻 祭韻 至韻
0462b	上波・020オ2・天象	星	平	セイ	右傍	seŋ^{1}	青韻
0463a	上波・020オ2・天象	欃	平	ロン	右傍	dẓɐm^{1} dẓam^{3}	咸韻 鑑韻
0463b	上波・020オ2・天象	槍	平	サウ	右傍	tṣ'aŋ^{1} ts'iaŋ^{1}	庚韻 陽韻
0464a	上波・020オ2・天象	暴	去	ホウ	右傍	bɑu^{3} bʌuk	号韻 屋韻
0465	上波・020オ3・天象	霴	去	テン	右傍	tem^{3} ḷiep	桥韻 緝韻
0466	上波・020オ3・天象	晴	平	セイ	右傍	dzieŋ^{1}	清韻
0467	上波・020オ3・天象	霋	平	セイ	右傍	tɛ'oi^{1}	齊韻
0468a	上波・020オ4・天象	韶	平	セウ	右傍	żiau^{1}	宵韻
0468b	上波・020オ4・天象	光	東	―	―	kuɑŋ$^{1/3}$	唐/宕韻
0469a	上波・020オ4・天象	韶	去	―	―	źiau^{1}	宵韻
0469b	上波・020オ4・天象	景	上	ケイ	右傍	kiaŋ^{2}	梗韻
0470a	上波・020オ4・天象	艶	去	エム	右傍	jiam^{3}	豔韻
0470b	上波・020オ4・天象	陽	平	ヤウ	右傍	jiaŋ^{1}	陽韻
0471a	上波・020オ4・天象	曲	入	コク	右傍	k'iauk	燭韻
0471b	上波・020オ4・天象	水	上	スイ	右傍	śiuei^{2}	旨韻
0472a	上波・020オ6・地儀	磻	―	ハン	右注	biɑn^{1}	元韻
0472b	上波・020オ6・地儀	石	―	シヤク	右注	źiek	昔韻

0473	上波・020オ6・地儀	濵	平	ヒン	右傍	pjien^{1}	眞韻
0474	上波・020オ6・地儀	林	平	リム	右傍	liem^{1}	侵韻
0475	上波・020オ6・地儀	原	平濁	クヱン	右傍	ŋiuɑn^{1}	元韻
0476	上波・020オ7・地儀	畠	入	ハク	右傍	(bak)	(国字)
0477	上波・020ウ1・地儀	埴	入	シヨク	右傍	źiɐk tśiɐi^{3}	職韻 志韻
0478	上波・020ウ1・地儀	除	平	チヨ	右傍	ḍiʌ$^{1/3}$	魚/御韻
0479	上波・020ウ1・地儀	梁	平	リヤウ	右傍	liɑŋ^{1}	陽韻
0480	上波・020ウ2・地儀	階	平	カイ	右傍	kɐi^{1}	皆韻
0481	上波・020ウ2・地儀	堦	—	カイ	右傍	kɐi^{1}	皆韻
0482	上波・020ウ3・地儀	庭	平	テイ	右傍	deŋ^{1}	青韻
0483	上波・020ウ3・地儀	房	平 去	ハウ [平濁上]	右注	biɑŋ^{1} bɑŋ^{1}	陽韻 唐韻
0484	上波・020ウ3・地儀	坊	—	ハウ [平濁上]	右注	biɑŋ^{1} piɑŋ^{1}	陽韻 陽韻
0485a	上波・020ウ3・地儀	坊	平 去濁	ハウ	右注	biɑŋ^{1} piɑŋ^{1}	陽韻 陽韻
0485b	上波・020ウ3・地儀	門	上	モン	右注	muʌn^{1}	魂韻
0486	上波・020ウ4・地儀	柱	上	チウ	右傍	ḍiuʌ^{2} ṭiuʌ^{2}	麌韻 麌韻
0487a	上波・020ウ4・地儀	欄	平	ラン	右傍	lɑn^{1}	寒韻
0487b	上波・020ウ4・地儀	額	入	カク	右傍	ŋak	陌韻
0488a	上波・020ウ4・地儀	搏	入	ハク	右傍	pɑk p‘ɑk piuʌ^{3}	鐸韻 鐸韻 虞韻
0488b	上波・020ウ4・地儀	風	上	フウ	右傍	piʌuŋ$^{1/3}$	東/送韻
0489	上波・020ウ7・植物	萩	平	シウ	右傍	ts‘iʌu^{1}	尤韻
0490a	上波・020ウ7・植物	鹿	入	ロク	右傍	lʌuk	屋韻
0490b	上波・020ウ7・植物	鳴	平	メイ	右傍	miɑŋ^{1}	庚韻
0491	上波・020ウ7・植物	蕭	平	セウ	右傍	seu^{1}	蕭韻
0492a	上波・021オ1・植物	貝	去	ハイ	右傍	pɑi^{3}	泰韻
0492b	上波・021オ1・植物	母	上濁	ホ	右傍	mʌu^{2}	厚韻
0493	上波・021オ1・植物	莔	平	マウ	左注	miɑŋ^{2}	養韻
0494b	上波・021オ1・植物	薄	入	—	—	bɑk	鐸韻
0495a	上波・021オ1・植物	蘩	平	ハン	右傍	biɑn^{1}	元韻
0495b	上波・021オ1・植物	蔞	平	ロウ	右傍	lʌu^{1} liuʌ$^{1/2}$	侯韻 虞/麌韻
0496a	上波・021オ2・植物	菴	平	アム	右傍	’ʌm^{1} ’iam^{1}	覃韻 鹽韻
0496b	上波・021オ2・植物	蘆	—	リヨ	右傍	liʌ^{1} luʌ^{1}	魚韻 模韻
0497a	上波・021オ2・植物	芭	平	ハ	右傍	pa^{1}	麻韻
0497b	上波・021オ2・植物	蕉	平	セウ	右傍	tsiau^{1}	宵韻

0498	上波・021オ2・植物	薑	平	キヤウ	右傍	kiaŋ[1]	陽韻
0499a	上波・021オ2・植物	薄	―	ハ ［平濁］	右注	bak	鐸韻
0499b	上波・021オ2・植物	菏	―	カ ［上］	右注	(ɣa[1/2])	（歌/哿韻）
0500a	上波・021オ3・植物	蔓	去	マン	右傍	man[1] mian[3]	桓韻 願韻
0500b	上波・021オ3・植物	荊	平	ケイ	右傍	kiaŋ[1]	庚韻
0501a	上波・021オ3・植物	旋	去	セン	右傍	ziuan[1/3]	仙/線韻
0502b	上波・021オ3・植物	戟	入	ケキ	右傍	kiak	陌韻
0503a	上波・021オ3・植物	大	去	―	―	dai[3]	泰韻
0503b	上波・021オ3・植物	青	平	―	―	ts'eŋ[1]	青韻
0504a	上波・021オ3・植物	天	平	―	―	t'en[1]	先韻
0504b	上波・021オ3・植物	名	平	メイ	右傍	mieŋ[1]	清韻
0504c	上波・021オ3・植物	精	平	セイ	右傍	tsieŋ[1]	清韻
0505a	上波・021オ4・植物	亭	去濁	チヤウ	右傍	deŋ[1]	青韻
0505b	上波・021オ4・植物	歴	―	リヤク	右傍	lek	錫韻
0506a	上波・021オ4・植物	蕘	平	セウ	右傍	ńiau[1]	宵韻
0507a	上波・021オ5・植物	蒺	入	シツ	右傍	dziet	質韻
0507b	上波・021オ5・植物	蔾	平	リ	右傍	liei[1] lei[1]	断韻 齊韻
0508	上波・021オ5・植物	茨	平	シ	右傍	dziei[1]	脂韻
0509a	上波・020オ6・植物	續	―	ショク	右傍	ziauk	燭韻
0509b	上波・021オ6・植物	断	―	タン	右傍	duan[2] tuan[2/3]	緩韻 緩/換韻
0510a	上波・021オ6・植物	秦	―	シン	右傍	dzien[1]	眞韻
0510b	上波・021オ6・植物	艽	平	カウ	右傍	kau[1]	肴韻
0511	上波・021オ7・植物	榛	平	シム	右傍	tṣiɐn[1]	臻韻
0512	上波・021オ7・植物	櫨	平	ロ	右傍	luʌ[1]	模韻
0513	上波・021オ7・植物	柞	入	サク	右傍	tsak dzak	鐸韻
0514a	上波・021ウ1・植物	杜	上	ト	右傍	duʌ[2]	姥韻
0515	上波・021ウ1・植物	椒	平	セウ	右傍	tsiau[1]	宵韻
0516	上波・021ウ2・植物	桋	平	―	―	jiei[1] dei[1]	脂韻 齊韻
0517	上波・021ウ2・植物	花	平	クワ	右傍	xua[1]	麻韻
0518	上波・021ウ3・植物	榮	平	ヱイ	右傍	ɣiuaŋ[1]	庚韻
0519	上波・021ウ4・植物	蓁	平	フ	右傍	pʌuŋ[2] bʌuŋ[2]	董韻 董韻
0520	上波・021ウ4・植物	英	平	エイ	右傍	'iaŋ[1]	庚韻
0521	上波・021ウ4・植物	葩	平	ハ	右傍	p'a[1]	麻韻
0522	上波・021ウ4・植物	葉	―	エフ	右傍	jiap	葉韻
0523	上波・021ウ4・植物	萼	入濁	カク	右傍	ŋak	鐸韻
0524	上波・021ウ7・植物	荷	平	カ	右傍	ɣa[1/2]	歌/哿韻

0525	上波・021ウ7・植物	蓮	平	レン	右傍	len¹ lian²	先韻 獮韻
0526a	上波・021ウ7・植物	芙	平	フ	右傍	biuʌ¹	虞韻
0526b	上波・021ウ7・植物	蕖	平	キヨ	右傍	giʌ¹	魚韻
0527	上波・021ウ7・植物	藕	上濁	コウ	右傍	gʌu²	厚韻
0528	上波・022オ1・植物	蜜	入濁	ヒツ	右傍	(miet)	(質韻)
0529	上波・022オ1・植物	茄	平	カ	右傍	ka¹ giɑ¹	麻韻 歌韻
0530	上波・022オ1・植物	葭	平	カ	右傍	ɣa¹	麻韻
3299	上波・022オ1・植物	荷	平	カ	右注	ɣɑ¹ᐟ²	歌/哿韻
0531a	上波・022オ1・植物	菡	上	(カム)	右傍	ɣʌm²	感韻
0531b	上波・022オ1・植物	萏	上	タム	右傍	dʌm²	感韻
0533	上波・022オ3・動物	鳩	平	―	―	kiʌu¹	尤韻
0534	上波・022オ3・動物	隼	上	スヰン	右傍	siuen²	準韻
0535	上波・022オ3・動物	鶻	入	コツ	右傍	kuʌt ɣuʌt ɣuɐt	没韻 没韻 黠韻
0536	上波・022オ4・動物	鷂	平	エウ	右傍	jiau¹ᐟ³	宵/笑韻
0537	上波・022オ5・動物	鸇	―	セン	右傍	tśian¹	仙韻
0538	上波・022オ5・動物	羽	上	ウ	右傍	ɣiuʌ²ᐟ³	麌/遇韻
0539	上波・022オ5・動物	翮	入	カク	右傍	ɣɐk	麥韻
0540	上波・022ウ1・動物	馯	去	カン	右傍	ɣɑn³ k‘an¹	翰韻 刪韻
0541	上波・022ウ1・動物	鼻	去	―	―	bjiei³	至韻
0542	上波・022ウ1・動物	梁	平	―	―	liɑŋ¹	陽韻
0543	上波・022ウ2・動物	鮠	平	クワ	右傍	ŋuʌi¹	灰韻
0544	上波・022ウ3・動物	鮀	平	タイ	右傍	dɑ¹	歌韻
0545a	上波・022ウ4・動物	鱧	―	レイ	右傍	lei²	薺韻
0546a	上波・022ウ4・動物	蠡	―	レイ	右傍	lei² lie¹ luɑ¹	薺韻 支韻 戈韻
0547a	上波・022ウ5・動物	鯇	上	ハン	右傍	ban²	潸韻
0548a	上波・022ウ5・動物	鰻	平	マン	右傍	mɑn¹ miɑn³	桓韻 願韻
0548b	上波・022ウ5・動物	鱺	平	レイ	右傍	lei²	薺韻
0549a	上波・022ウ5・動物	針	平	シム	右傍	tśiem¹ᐟ³	侵/沁韻
0550	上波・022ウ5・動物	鰭	平	キ	右傍	giei¹	脂韻
0551	上波・022ウ6・動物	蛤	入	カフ	右傍	kʌp	合韻
0552	上波・022ウ6・動物	蚌	去	ハン	右傍	bauŋ²	講韻
0553	上波・022ウ6・動物	蠙	平	ヒン	右傍	bjien¹ ben¹	眞韻 先韻
0554	上波・022ウ7・動物	蜂	平	ホウ	右傍	bʌuŋ¹ p‘iɑuŋ¹	東韻 鍾韻

0555	上波・022ウ7・動物	薹	―	タイ	右傍	ṭʻai^{3}	夬韻
0556	上波・022ウ7・動物	蠅	―	コウ	右傍	jiɐŋ^{1}	蒸韻
0557a	上波・023オ1・動物	蠅	平	ヨウ	右傍	jiɐŋ^{1}	蒸韻
0557b	上波・023オ1・動物	蠱	上	コ	右傍	xuʌ^{2}	姥韻
0559a	上波・023オ2・動物	螇	平	ケイ	右傍	ɣei^{1} kʻei^{1}	齊韻 齊韻
0559b	上波・023オ2・動物	蚸	入	セキ	右傍	(tśʻiek)	（昔韻）
0560	上波・023オ2・動物	蝮	―	フク	右傍	pʻiʌuk	屋韻
0561a	上波・023オ2・動物	促	入	ソク	右傍	tsʻiɑuk	燭韻
0561b	上波・023オ2・動物	織	入	シヨク	右傍	tśiɐk tśiɐi^{3}	職韻 志韻
0562b	上波・023オ5・人倫	儀	平濁	キ	右傍	ŋie^{1}	支韻
0563b	上波・023オ5・人倫	堂	平	タウ	右傍	dɑŋ^{1}	唐韻
0564	上波・023オ5・人倫	妣	去	ヒ	右傍	pjiei$^{2/3}$	旨/至韻
0565	上波・023オ5・人倫	舅	去	キウ	右傍	giʌu^{2}	有韻
0566a	上波・023オ6・人倫	外	去濁	クワイ	右傍	ŋuɑi^{3}	泰韻
0567	上波・023オ7・人倫	裔	―	エイ	右傍	jiai^{3}	祭韻
0568a	上波・023ウ1・人倫	孕	去	ヨウ	右傍	jiɐŋ^{3}	證韻
0568b	上波・023ウ1・人倫	婦	上	フ	右傍	biʌu^{2}	有韻
0569a	上波・023ウ1・人倫	半	平	ハン	右傍	pɑn^{3}	換韻
0570a	上波・023ウ2・人倫	破	―	ハ	右傍	pʻɑ^{3}	過韻
0570b	上波・023ウ2・人倫	旬	―	スン	右傍	ziuen^{1}	諄韻
0571	上波・023ウ4・人躰	鼻	平 去	ヒ	右傍	bjiei^{3}	至韻
0572	上波・023ウ4・人躰	齃	入	アツ	右傍	ʼɑt	曷韻
0573	上波・023ウ4・人躰	齒	―	シ	右傍	tśʻiɐi^{2}	止韻
0574	上波・023ウ5・人躰	齗	平濁	キン	右傍	ŋiʌn^{1} ŋien^{2}	欣韻 軫韻
0575	上波・023ウ5・人躰	胎	平	タイ	右傍	tʻʌi^{1}	咍韻
0576	上波・023ウ6・人躰	腸	平	チヤウ	右傍	ḍiɑŋ^{1}	陽韻
0577	上波・023ウ6・人躰	腹	入	フク	右傍	piʌuk	屋韻
0578	上波・023ウ7・人躰	膚	平	フ	右傍	piuʌ^{1}	虞韻
0579	上波・023ウ7・人躰	肌	―	キ	右傍	kiei^{1}	脂韻
0580	上波・024オ1・人躰	胻	平	カウ	右傍	ɣɑŋ^{1} ɣaŋ$^{1/3}$	唐韻 庚/映韻
0581	上波・024オ1・人躰	跤	平	カウ	右傍	kʻau^{1}	肴韻
0582	上波・024オ2・人躰	屎	―	クワ	右傍	kʻuɑ^{3}	過韻
0583a	上波・024オ2・人躰	玉	入濁	―	―	ŋiɑuk	燭韻
0583b	上波・024オ2・人躰	莖	平濁	カウ	右傍	ɣɐŋ^{1} ʼɐŋ^{1}	耕韻 耕韻
0584a	上波・024オ3・人躰	塞	入	ソク	右傍	sʌk sʌi^{3}	徳韻 代韻
0584b	上波・024オ3・人躰	鼻	去	ヒ	右傍	bjiei^{3}	至韻
0585	上波・024オ3・人躰	鼽	平	キウ	右傍	giʌu^{1}	尤韻

0586	上波・024オ4・人躰	衂	入濁	チク	右傍	ńiʌuk niʌuk	屋韻 屋韻
0587	上波・024オ4・人躰	齓	上	シ	右傍	tṣiʌn^{2} tṣ'ien^{3}	隠韻 震韻
0588a	上波・024オ5・人躰	歴	―	レキ	右傍	lek	錫韻
0589	上波・024オ5・人躰	齭	―	ソ	右注	ṣiʌ^{2} tṣ'iʌ^{2}	語韻 語韻
0590a	上波・024オ5・人躰	齘	去	カイ	右傍	ɣɐi^{3}	怪韻
0591b	上波・024オ5・人躰	[illegible]	―	フ	右注	biuʌ^{2}	麌韻
0592	上波・024オ6・人躰	脹	去	チヤウ	右傍	ṭiaŋ^{3}	漾韻
0593a	上波・024オ6・人躰	疥	去	カイ	右傍	kiai^{3}	怪韻
0593b	上波・024オ6・人躰	癩	去	ライ	右傍	lai^{3} lat	泰韻 曷韻
0594	上波・024オ6・人躰	腫	上 去	シヨウ	右傍	tśiauŋ^{2}	腫韻
0595	上波・024オ6・人躰	腫	上 去	スウ	左注	tśiauŋ^{2}	腫韻
0596a	上波・024オ7・人躰	黒	入	コク	右傍	xʌk	徳韻
0596b	上波・024オ7・人躰	子	上	シ	右傍	tsiɐi^{2}	止韻
0597	上波・024オ7・人躰	誌	―	シ	右傍	tśiɐi^{3}	志韻
0598	上波・024ウ2・人事	魔	平濁	ハ	右注	ma^{1}	戈韻
0599	上波・024ウ2・人事	破	平	ハ	右注	p'a^{3}	過韻
0600	上波・024ウ3・人事	晴	平	セイ	右傍	dzieŋ^{1}	清韻
0601	上波・024ウ4・人事	羞	平	シウ	右傍	siʌu^{1}	尤韻
0602	上波・024ウ4・人事	懜	平濁	ホウ	右傍	mʌuŋ^{1} miʌuŋ^{1} mʌŋ^{3}	東韻 東韻 嶝韻
0603	上波・024ウ5・人事	懺	平	サム	右傍	tṣ'am^{3}	鑑韻
0604	上波・024ウ5・人事	罸	―	ハツ ［平濁平］	右注	biat	月韻
0605	上波・024ウ6・人事	拝	―	ハイ ［平上］	右注	pɐi^{3}	怪韻
0606	上波・024ウ6・人事	娠	平	シン	右傍	śien^{1} tśien^{3}	眞韻 震韻
0607	上波・024ウ6・人事	肧	―	ハイ	右傍	p'uʌi^{1} p'ʌi^{1} p'iʌu^{1}	灰韻 咍韻 尤韻
0608	上波・024ウ6・人事	禊	―	ケイ	右傍	ɣei^{3}	霽韻
0609	上波・024ウ7・人事	拂	―	ホツ	右傍	p'iuʌt	物韻
0610	上波・025オ1・人事	攀	平	―	―	ban^{1} ba^{1}	桓韻 戈韻
0611	上波・025オ2・人事	奔	平	ホン	左注	puʌn$^{1/3}$	魂/慁韻
0612	上波・025オ3・人事	謀	平濁	ホウ	右傍	miʌu^{1}	尤韻
0613	上波・025オ3・人事	諏	平	シユ	右傍	tsiuʌ^{1} tsʌu^{1}	虞韻 侯韻

0614	上波・025オ4・人事	量	平 去	リヤウ	右傍	liaŋ$^{1/3}$	陽/漾韻
0615	上波・025オ4・人事	商	―	シヤウ	右傍	śiaŋ^{1}	陽韻
0616	上波・025オ4・人事	啚	―	ト	右傍	duʌ^{1} piei^{2}	模韻 旨韻
0617	上波・025オ4・人事	評	平	ヒヤウ	右傍	biaŋ$^{1/3}$	庚/映韻
0618	上波・025オ4・人事	詢	平	シヰン	右傍	siuen^{1}	諄韻
0619	上波・025オ5・人事	訾	―	シ	右傍	tsie$^{1/2}$	支/紙韻
0620	上波・025オ5・人事	度	―	タク	右傍	dak duʌ^{3}	鐸韻 暮韻
0621	上波・025オ7・人事	罸	入濁	ハツ	右注	biat	月韻
0622a	上波・025オ7・人事	愽	―	ハク	右注	pak	鐸韻
0623a	上波・025オ7・人事	白	―	ハク	右注	bak	陌韻
0623b	上波・025オ7・人事	癡	―	チ	右注	ṭ‘iɐi^{1}	之韻
0624	上波・025ウ1・人事	劓	去濁	キ	右傍	ŋiei^{3}	至韻
0625	上波・025ウ2・人事	謀	平濁	ホウ	右傍	miʌu^{1}	尤韻
0626	上波・025ウ2・人事	諏	平	シユ	右傍	tsiuʌ^{1} tsʌu^{1}	虞韻 侯韻
0627a	上波・025ウ5・人事	陪	平濁	ハイ	左注	buʌi^{1}	灰韻
0627b	上波・025ウ5・人事	廬	平	ロ	左注	liʌ^{1}	魚韻
0628a	上波・025ウ5・人事	抜	上濁	ハ	左注	bat biat bɐt	末韻 月韻 黠韻
0628b	上波・025ウ5・人事	頭	平	トウ	左注	dʌu^{1}	侯韻
0629a	上波・025ウ5・人事	汎	去	ハム	左注	p‘iʌm^{3} biʌuŋ^{1}	梵韻 東韻
0629b	上波・025ウ5・人事	龍	―	リヨウ	左注	liauŋ^{1}	鍾韻
0629c	上波・025ウ5・人事	丹	―	タン	左注	tan^{1}	寒韻
0630a	上波・025ウ5・人事	反	上	―	―	pian^{2}	阮韻
0630b	上波・025ウ5・人事	鼻	上	―	―	bjiei^{3}	至韻
0631a	上波・025ウ6・人事	盤	去濁	ハン	右注	ban^{1}	桓韻
0631b	上波・025ウ6・人事	渉	入	シヤ	右注	dźiap tep	葉韻 帖韻
0631c	上波・025ウ6・人事	調	―	テフ	左注	deu$^{1/3}$ ṭiʌu^{1}	蕭/嘯韻 尤韻
0632a	上波・025ウ6・人事	盤	―	ハン	右傍	ban^{1}	桓韻
0632b	上波・025ウ6・人事	涉	―	シキ	右傍	dźiap tep	葉韻 帖韻
0632c	上波・025ウ6・人事	參	―	サン	右傍	ts‘ʌm$^{1/3}$ sam^{1} ṣiem^{1} tṣ‘iem^{1}	覃/勘韻 談韻 侵韻 侵韻
0632d	上波・025ウ6・人事	軍	―	クン	右傍	kiuʌn^{1}	文韻
0633a	上波・025ウ6・人事	白	入	ハク	左注	bak	陌韻

0633b	上波・025ウ6・人事	柱	去	チウ	左注	ḍiuʌ^{2} ṭiuʌ^{2}	麌韻 麌韻
0634a	上波・025ウ7・人事	放	去	ハウ	右傍	piɑŋ$^{2/3}$	養/漾韻
0634b	上波・025ウ7・人事	鷹	平	エウ	右傍	’iɐŋ^{1}	蒸韻
0634c	上波・025ウ7・人事	樂	—	ラク	右傍	lɑk ŋauk ŋau^{3}	鐸韻 覺韻 効韻
0635a	上波・026オ2・飲食	餺	入	ハク	右傍	pɑk	鐸韻
0635b	上波・026オ2・飲食	飥	入	タク	右傍	t‘ɑk	鐸韻
0636a	上波・026オ2・飲食	餺	入	ハウ	右注	pɑk	鐸韻
0636b	上波・026オ2・飲食	飥	入	タウ	右注	t‘ɑk	鐸韻
0637a	上波・026オ2・飲食	白	—	ハク	左注	bak	陌韻
0637b	上波・026オ2・飲食	米	—	マイ	左注	mei^{2}	齊韻
0638	上波・026オ4・雜物	袴	去	コ	右傍	k‘uʌ^{3}	暮韻
0639	上波・026オ4・雜物	襦	平濁	シウ	右傍	ńiuʌ^{1}	虞韻
0640a	上波・026オ4・雜物	半	去	ハム	右注	pɑn^{3}	換韻
0640b	上波・026オ4・雜物	臂	上濁	ヒ	右注	pjie^{3}	寘韻
0641a	上波・026オ4・雜物	勒	入	ロク	右傍	lʌk	徳韻
0641b	上波・026オ4・雜物	肚	上	ト	右傍	tuʌ^{2} duʌ^{2}	姥韻 姥韻
0641c	上波・026オ4・雜物	巾	—	キン	右傍	kien^{1}	眞韻
0642a	上波・026オ5・雜物	班	—	ハン	右注	pan^{1}	刪韻
0642b	上波・026オ5・雜物	犀	—	サイ	右注	sei^{1}	齊韻
0643a	上波・026オ5・雜物	蠻	—	ハン	右注	man^{1}	刪韻
0643b	上波・026オ5・雜物	繪	—	ヱ	右注	ɣuɑi^{3}	泰韻
0644	上波・026オ5・雜物	翳	去	エイ	右傍	’ei$^{1/3}$	齊/霽韻
0645a	上波・026オ5・雜物	行	平	—	—	ɣaŋ$^{1/3}$ ɣɑŋ$^{1/3}$	庚/映韻 唐/宕韻
0645b	上波・026オ5・雜物	纒	平	テン	右傍	ḍian$^{1/3}$	仙/線韻
0646	上波・026オ6・雜物	屣	—	シ	右傍	ṣie$^{2/3}$	紙/寘韻
0647a	上波・026オ6・雜物	半	—	ハン	右注	pɑn^{3}	換韻
0647b	上波・026オ6・雜物	靴	—	クワ	右注	xiuɑ^{1}	戈韻
0648	上波・026オ6・雜物	旗	平	キ	右傍	giɐi^{1}	之韻
0649	上波・026オ7・雜物	旃	平	タン	右傍	tśian^{1}	仙韻
0650	上波・026オ7・雜物	旄	平	モウ	右傍	mɑu$^{1/3}$	豪/号韻
0651	上波・026オ7・雜物	旌	平	セイ	右傍	tsieŋ^{1}	清韻
0652	上波・026ウ1・雜物	幡	平	ハン	右傍	p‘iɑn^{1}	元韻
0653	上波・026ウ1・雜物	旒	平	サウ	右傍	liʌu^{1}	尤韻
0654	上波・026ウ1・雜物	幢	平	トウ	右傍	ḍɑuŋ$^{1/3}$	江/絳韻
0655	上波・026ウ1・雜物	橦	平	—	—	dʌuŋ^{1} tśiɑuŋ^{1} ḍɑuŋ^{1}	東韻 鍾韻 江韻
0656b	上波・026ウ2・雜物	拂	—	ホツ	右傍	p‘iuʌt	物韻

0657	上波・026ウ3・雑物	帛	入	ハク	右傍	bak	陌韻
0658	上波・026ウ3・雑物	機	平	キ	右傍	kiʌi^{1}	微韻
0659a	上波・026ウ3・雑物	半	平	ハン	右注	pɑn^{3}	換韻
0659b	上波・026ウ3・雑物	熟	入	スク	右注	źiʌuk	屋韻
0660	上波・026ウ5・雑物	擯	入	サク	右傍	ṣɐk	麥韻
0661	上波・026ウ5・雑物	匜	平	イ	右傍	jiɐi^{1}	之韻
0662	上波・026ウ6・雑物	盤	―	ハン	右注	bɑn^{1}	桓韻
0663	上波・026ウ6・雑物	局	―	ハン	右注	giɑuk	燭韻
0664	上波・026ウ7・雑物	箸	去	チヨ	右傍	ḍiʌ^{3}	御韻
0665	上波・026ウ7・雑物	筴	―	ケフ	右傍	ɣep kɐp	帖韻 洽韻
0666	上波・027オ1・雑物	鉢	入	ハチ	右注	pɑt	末韻
0667	上波・027オ1・雑物	纕	平	シヤウ	右傍	siɑŋ^{1}	陽韻
0668	上波・027オ1・雑物	鞶	平	ハン	右傍	bɑn^{1}	桓韻
0669	上波・027オ2・雑物	箒	上	シウ	右傍	tśiʌu^{2}	有韻
0670	上波・027オ2・雑物	針	平	シム	右傍	tśiem$^{1/3}$	侵/沁韻
0671	上波・027オ3・雑物	薄	入	ハク	右傍	bɑk	鐸韻
0672a	上波・027オ3・雑物	鬆	去	シ	右傍	ts'iei^{3}	至韻
0673	上波・027オ3・雑物	函	平	カム	右傍	ɣʌm^{1} ɣɐm^{1}	覃韻 咸韻
0674	上波・027オ4・雑物	匳	平	レム	右傍	liam^{1}	鹽韻
0675	上波・027オ4・雑物	箱	平	シヤウ	右傍	siɑŋ^{1}	陽韻
0676	上波・027オ4・雑物	篋	―	ケウ	右傍	k'ep	帖韻
0677a	上波・027オ5・雑物	鉸	去	カウ	右傍	kau$^{1/2/3}$	肴/巧/效韻
0678b	上波・027オ6・雑物	粉	上	フン	右傍	piuʌn^{2}	吻韻
0679a	上波・027オ6・雑物	黒	入	コク	右傍	xʌk	徳韻
0679b	上波・027オ6・雑物	齒	上	シ	右傍	tś'iɐi^{2}	止韻
0680a	上波・027オ6・雑物	掃	去	サウ	右傍	sɑu$^{2/3}$	晧/号韻
0681	上波・027オ6・雑物	枹	―	フ	右傍	biuʌ^{1} pau^{1} biʌu^{1}	虞韻 肴韻 尤韻
0682	上波・027オ7・雑物	捩	―	レイ	右傍	lei^{3} let	霽韻 屑韻
0683	上波・027オ7・雑物	縻	平濁	ヒ	右傍	mie^{1}	支韻
0684	上波・027ウ2・雑物	桊	―	クエン	右傍	kiuan^{3}	線韻
0685	上波・027ウ2・雑物	篼	平	トウ	右傍	tʌu^{1}	侯韻
0686	上波・027ウ3・雑物	舸	上	カ	右傍	kɑ^{2}	哿韻
0687	上波・027ウ3・雑物	棒	上濁	ハウ	右注	bauŋ^{2}	講韻
0688a	上波・027ウ4・雑物	巴	―	ハ	右注	pa^{1}	麻韻
0688b	上波・027ウ4・雑物	頭	―	ツ	右注	dʌu^{1}	侯韻
0689a	上波・027ウ4・雑物	白	入	ハク	右注	bak	陌韻
0689b	上波・027ウ4・雑物	芷	―	シ	右注	tśiɐi^{2}	止韻
0690	上波・027ウ4・雑物	灰	平	クワイ	右傍	xuʌi^{1}	灰韻
0691a	上波・028オ2・光彩	黄	平	クワウ	右傍	ɣuɑŋ^{1}	唐韻

0691b	上波・028オ2・光彩	櫨	平	ロ	右傍	luʌ^{1}	模韻
0692	上波・028オ4・方角	初	平	シヨ	右傍	tṣʻiʌ^{1}	魚韻
0693	上波・028オ4・方角	端	平	ハン	右傍	tuɑn^{1}	桓韻
0694	上波・028ウ1・員數	量	—	リヤウ	右傍	liɑŋ$^{1/3}$	陽/漾韻
0695	上波・028ウ1・員數	把	—	ハ	右注	pa^{2}	馬韻
0696	上波・028ウ2・員數	番	—	ハン	右注	biɑn^{1} pʻiɑn^{1} bɑn^{1} pʻɑn^{1} pɑ$^{1/3}$	元韻 元韻 桓韻 桓韻 戈/過韻
0697	上波・028ウ2・員數	度	—	タク	右傍	dɑk duʌ^{3}	鐸韻 暮韻
0698	上波・028ウ2・員數	破	—	ハ	右注	pʻɑ^{3}	過韻
0699	上波・028ウ5・人事	張	—	チヤウ	右傍	ḍiɑŋ$^{1/3}$	陽/漾韻
0700	上波・028ウ6・人事	馳	平	チ	右傍	ḍie^{1}	支韻
0701	上波・029オ4・人事	刎	上濁	フン	右傍	miuʌn^{2}	吻韻
0702b	上波・029オ4・人事	頚	上濁	—	—	kieŋ^{2} gieŋ^{1}	靜韻 清韻
0703	上波・029ウ2・人事	洒	—	サイ	右傍	sei^{2} ṣɐ^{3}	薺韻 卦韻
0704	上波・029ウ3・人事	討	—	タウ	右傍	tʻɑu^{2}	晧韻
0705	上波・029ウ5・人事	遼	—	レウ	右傍	leu^{1}	蕭韻
0706	上波・029ウ5・人事	迢	平	テウ	右傍	deu^{1}	蕭韻
0707	上波・029ウ6・人事	遐	平	—	—	ɣa^{1}	麻韻
0708	上波・029ウ7・人事	賒	平	シヤ	右傍	śia^{1}	麻韻
0709	上波・030オ3・人事	弾	—	タン	右傍	dɑn$^{1/3}$	寒/翰韻
0710	上波・030オ6・人事	元	平濁	—	—	ŋiuɑn^{1}	元韻
0711	上波・030オ6・人事	哉	平	—	—	tsʌi^{1}	咍韻
0712	上波・030ウ1・人事	判	—	ハン [平平]	右注	pʻɑn^{3}	換韻
0713	上波・030ウ1・人事	配	—	ハイ [平上]	右注	pʻuʌi^{3}	隊韻
0714	上波・030ウ3・人事	已	上	キ	右傍	jiɐi$^{2/3}$	止/志韻
0715a	上波・031オ4・重點	莓	—	ハイ	右注	muʌi$^{1/3}$ miʌu^{3}	灰/隊韻 宥韻
0715b	上波・031オ4・重點	莓	—	ハイ	右注	muʌi$^{1/3}$ miʌu^{3}	灰/隊韻 宥韻
0716a	上波・031オ4・重點	皤	平	ハ	右注	pɑ^{1} bɑ^{1}	戈韻 戈韻
0716b	上波・031オ4・重點	皤	平	ハ	右注	pɑ^{1} bɑ^{1}	戈韻 戈韻
0717a	上波・031オ4・重點	婆	平	ハ	右注	bɑ^{1}	戈韻
0717b	上波・031オ4・重點	婆	平	ハ	右注	bɑ^{1}	戈韻

0718a	上波・031オ4・重點	苞	—	ハウ	右注	pau^{1}	肴韻
0718b	上波・031オ4・重點	苞	—	ハウ	右注	pau^{1}	肴韻
0719a	上波・031オ4・重點	茫	—	ハウ	右注	maŋ^{1}	唐韻
0719b	上波・031オ4・重點	茫	—	ハウ	右注	maŋ^{1}	唐韻
0720a	上波・031オ5・重點	陪	—	ハイ	右注	buʌi^{1}	灰韻
0720b	上波・031オ5・重點	陪	—	ハイ	右注	buʌi^{1}	灰韻
0721a	上波・031オ5・重點	番	—	ハン	右注	bian^{1} p'ian^{1} ban^{1} p'an^{1} pa$^{1/3}$	元韻 元韻 桓韻 桓韻 戈/過韻
0721b	上波・031オ5・重點	番	—	ハン	右注	bian^{1} p'ian^{1} ban^{1} p'an^{1} pa$^{1/3}$	元韻 元韻 桓韻 桓韻 戈/過韻
0722a	上波・031オ7・疊字	梅	平濁	ハイ	左注	muʌi^{1}	灰韻
0722b	上波・031オ7・疊字	天	平	テン	左注	t'en^{1}	先韻
0723a	上波・031オ7・疊字	白	入	ハツ	左注	bak	陌韻
0723b	上波・031オ7・疊字	駒	平	ク	左注	kiuʌ^{1}	虞韻
0724a	上波・031オ7・疊字	白	入	ハク	左注	bak	陌韻
0724b	上波・031オ7・疊字	日	入濁	シツ	左注	ńiet	質韻
0725a	上波・031オ7・疊字	迫	入	ハク	左注	pak	陌韻
0725b	上波・031オ7・疊字	來	平	ライ	左注	lʌi^{1}	咍韻
0726a	上波・031オ7・疊字	白	入	ハク	右注	bak	陌韻
0726b	上波・031オ7・疊字	晝	上	チウ	右注	ṭiʌu^{3}	宥韻
0727a	上波・031ウ1・疊字	半	平	ハン	右注	pan^{3}	換韻
0727b	上波・031ウ1・疊字	夜	平	ヤ	右注	jia^{3}	禡韻
0728a	上波・031ウ1・疊字	晩	上濁	ハム	右注	mian^{2}	阮韻
0728b	上波・031ウ1・疊字	景	上濁	ケイ	右注	kiaŋ^{2}	梗韻
0729a	上波・031ウ1・疊字	晩	上濁	ハム	右注	mian^{2}	阮韻
0729b	上波・031ウ1・疊字	頭	平濁	トウ	右注	dʌu^{1}	侯韻
0730a	上波・031ウ1・疊字	白	入	ハク	左注	bak	陌韻
0730b	上波・031ウ1・疊字	地	平	チ	左注	diei^{3}	至韻
0731a	上波・031ウ1・疊字	豹	去	ハウ	右注	pau^{3}	効韻
0731b	上波・031ウ1・疊字	隠	上	イム	右注	'iʌn$^{2/3}$	隠/焮韻
0732a	上波・031ウ2・疊字	麦	入濁	ハク	右注	mɐk	麥韻
0732b	上波・031ウ2・疊字	秋	平	シウ	右注	ts'iʌu^{1}	尤韻
0733a	上波・031ウ2・疊字	晩	上濁	ハム	右注	mian^{2}	阮韻
0733b	上波・031ウ2・疊字	夏	去	カ	右注	ɣa$^{2/3}$	馬/禡韻
0734a	上波・031ウ2・疊字	晩	上濁	ハム	左注	mian^{2}	阮韻
0734b	上波・031ウ2・疊字	秋	平	シウ	左注	ts'iʌu^{1}	尤韻

0735a	上波・031ウ2・疊字	晩	上濁	ハム	右注	mian^{2}	阮韻
0735b	上波・031ウ2・疊字	冬	平	トウ	右注	tauŋ^{1}	冬韻
0736a	上波・031ウ2・疊字	薄	入	ハク	右注	bak	鐸韻
0736b	上波・031ウ2・疊字	地	平	チ	右注	diei^{3}	至韻
0737a	上波・031ウ3・疊字	万	去濁	ハン	左注	mian^{3} mʌk	願韻 徳韻
0737b	上波・031ウ3・疊字	里	上	リ	左注	liɐi^{2}	止韻
0738a	上波・031ウ3・疊字	膀	上	ハウ	左注	paŋ^{2}	蕩韻
0738b	上波・031ウ3・疊字	示	上濁	シ	左注	dźiei^{3} gjie^{1}	至韻 支韻
0739a	上波・031ウ3・疊字	亡	平濁	ハウ	左注	miaŋ^{1}	陽韻
0739b	上波・031ウ3・疊字	弊	去	ヘイ	左注	bjiai^{3}	祭韻
0740a	上波・031ウ3・疊字	蠻	平濁	ハン	中注	man^{1}	删韻
0740b	上波・031ウ3・疊字	夷	平	イ	中注	jiei^{1}	脂韻
0741a	上波・031ウ3・疊字	播	去濁	ハン	左注	pa^{3}	過韻
0741b	上波・031ウ3・疊字	殖	入	シヨク	左注	źiɐk	職韻
0742a	上波・031ウ4・疊字	白	入	ハク	中注	bak	陌韻
0742b	上波・031ウ4・疊字	鹿	入	ロク	中注	lʌuk	屋韻
0743a	上波・031ウ4・疊字	望	去濁	ハウ	右注	miaŋ$^{1/3}$	陽/漾韻
0743b	上波・031ウ4・疊字	夫	平	フ	右注	piuʌ^{1} biuʌ^{1}	虞韻 虞韻
0744a	上波・031ウ4・疊字	波	平	ハ	左注	pa^{1}	戈韻
0744b	上波・031ウ4・疊字	浪	平	ラウ	左注	laŋ$^{1/3}$	唐/宕韻
0745a	上波・031ウ4・疊字	波	平	ハ	右注	pa^{1}	戈韻
0745b	上波・031ウ4・疊字	濤	平	タウ	右注	dau^{1}	豪韻
0746a	上波・031ウ4・疊字	滂	平	ハウ	右注	p‘aŋ^{1}	唐韻
0746b	上波・031ウ4・疊字	沲	平	タ	右注	da$^{1/2}$	歌/哿韻
0747a	上波・031ウ5・疊字	望	去濁	ハウ	左注	miaŋ$^{1/3}$	陽/漾韻
0747b	上波・031ウ5・疊字	礼	上	レイ	左注	lei^{1}	薺韻
0748a	上波・031ウ5・疊字	拔	入	ハツ	左注	bat biat bɐt	末韻 月韻 黠韻
0748b	上波・031ウ5・疊字	禊	上濁	ケイ	左注	ɣei^{3}	霽韻
0749a	上波・031ウ5・疊字	八	入	ハツ	左注	pɐt	黠韻
0749b	上波・031ウ5・疊字	講	平	カウ	左注	kauŋ^{2}	講韻
0750a	上波・031ウ5・疊字	八	入	ハツ	右注	pɐt	黠韻
0750b	上波・031ウ5・疊字	教	平	ケウ	右注	kau$^{1/3}$	肴/効韻
0751a	上波・031ウ5・疊字	白	入	ハク	左注	bak	陌韻
0751b	上波・031ウ5・疊字	馬	上濁	ハ	左注	ma^{2}	馬韻
0752a	上波・031ウ6・疊字	万	去濁	ハン	中注	mian^{3} mʌk	願韻 徳韻
0752b	上波・031ウ6・疊字	乗	去	(シヤウ)	中注	dźiɐŋ$^{1/3}$	蒸/證韻
0753a	上波・031ウ6・疊字	拜	去	ハイ	右注	pɐi^{3}	怪韻
0753b	上波・031ウ6・疊字	除	平	チヨ	右注	ḍiʌ$^{1/3}$	魚/御韻

0754a	上波・031ウ6・疊字	版	去	ハム	左注	pan^{2}	潸韻
0754b	上波・031ウ6・疊字	位	平	ヰ	左注	ɣiuei^{3}	至韻
0755a	上波・031ウ6・疊字	拜	平	ハイ	右注	pɐi^{3}	怪韻
0755b	上波・031ウ6・疊字	礼	平	ライ	右注	lei^{1}	薺韻
0756a	上波・031ウ6・疊字	忘	去濁	ハウ	右注	miaŋ$^{1/3}$	陽/漾韻
0756b	上波・031ウ6・疊字	家	平	カ	右注	ka^{1}	麻韻
0757a	上波・031ウ7・疊字	万	去濁	ハン	中注	mian^{3} mʌk	願韻 徳韻
0757b	上波・031ウ7・疊字	機	平	キ	中注	kiʌi^{1}	微韻
0758a	上波・031ウ7・疊字	博	入	ハク	左注	pak	鐸韻
0758b	上波・031ウ7・疊字	陸	入	リク	左注	liʌuk	屋韻
0759a	上波・031ウ7・疊字	傍	平	ハウ	中注	baŋ$^{1/3}$	唐/宕韻
0759b	上波・031ウ7・疊字	例	去	レイ	中注	liai^{3}	祭韻
0760a	上波・031ウ7・疊字	方	去	ハウ	中注	piaŋ^{1} biaŋ^{1}	陽韻
0760b	上波・031ウ7・疊字	來	上	ライ	中注	lʌi^{1}	咍韻
0761a	上波・031ウ7・疊字	半	平	ハン	中注	pan^{3}	換韻
0761b	上波・031ウ7・疊字	死	上	シ	中注	siei^{2}	旨韻
0762a	上波・032オ1・疊字	倍	平濁	ハイ	右注	bʌi^{2}	海韻
0762b	上波・032オ1・疊字	增	去濁	ソウ	右注	tsʌŋ$^{1/3}$	登/嶝韻
0763a	上波・032オ1・疊字	傍	平	ハウ	左注	baŋ$^{1/3}$	唐/宕韻
0763b	上波・032オ1・疊字	孫	平	ソン	左注	suʌn^{1}	魂韻
0764a	上波・032オ1・疊字	傍	平	ハウ	右注	baŋ$^{1/3}$	唐/宕韻
0764b	上波・032オ1・疊字	輩	去濁	ハイ	右注	puʌi^{3}	隊韻
0765a	上波・032オ1・疊字	末	去濁	ハ	右注	mat	末韻
0765b	上波・032オ1・疊字	仕	平	シ	右注	dẓiɐi^{2}	止韻
0766a	上波・032オ1・疊字	伴	去濁	ハン	右注	ban$^{2/3}$	緩/換韻
0766b	上波・032オ1・疊字	僧	上濁	ソウ	右注	sʌŋ^{1}	登韻
0767a	上波・032オ2・疊字	凡	平	ハン	右注	biʌm^{1}	凡韻
0767b	上波・032オ2・疊字	人	平	シム	右注	ńien^{1}	眞韻
0768a	上波・032オ2・疊字	博	入濁	ハン	右注	pak	鐸韻
0768b	上波・032オ2・疊字	勞	平	シン	右注	lau$^{1/3}$	豪/号韻
0769a	上波・032オ2・疊字	芳	平	ハウ	左注	p'iaŋ^{1}	陽韻
0769b	上波・032オ2・疊字	艶	去	エン	左注	jiam^{3}	豔韻
0770a	上波・032オ2・疊字	白	入	ハク	左注	bak	陌韻
0770b	上波・032オ2・疊字	鬢	去濁	ヒン	左注	pjien^{3}	震韻
0771a	上波・032オ3・疊字	白	―	ハク	左注	bak	陌韻
0771b	上波・032オ3・疊字	髪	―	ハツ	左注	piat	月韻
0772a	上波・032オ3・疊字	放	平	ハウ	中注	piaŋ$^{2/3}$	養/漾韻
0772b	上波・032オ3・疊字	逸	入	イツ	中注	jiet	質韻
0773a	上波・032オ3・疊字	放	去	ハウ	左注	piaŋ$^{2/3}$	養/漾韻
0773b	上波・032オ3・疊字	縦	去	シヨウ	左注	tsiauŋ$^{1/3}$	鍾/用韻
0774a	上波・032オ3・疊字	放	去	ハウ	右注	piaŋ$^{2/3}$	養/漾韻

0774b	上波・032オ3・疊字	儻	上	タウ	右注	t‘ɑŋ$^{2/3}$	蕩/宕韻
0775a	上波・032オ3・疊字	汎	去	ハム	右注	p‘iʌm^{3} biʌuŋ^{1}	梵韻 東韻
0775b	上波・032オ3・疊字	愛	平	アイ	右注	’ʌi^{1}	代韻
0776a	上波・032オ4・疊字	放	去	ハウ	中注	piɑŋ$^{2/3}$	養/漾韻
0776b	上波・032オ4・疊字	言	上濁	コン	中注	ŋiɑn^{1}	元韻
0777a	上波・032オ4・疊字	排	平	ハイ	左注	bɐi^{1}	皆韻
0777b	上波・032オ4・疊字	却	入	キヤク	左注	k‘iɑk	藥韻
0778a	上波・032オ4・疊字	抱	去	ハウ	左注	bɑu^{2}	晧韻
0778b	上波・032オ4・疊字	膝	入	シツ	左注	siet	質韻
0779a	上波・032オ4・疊字	白	入	ハク	左注	bak	陌韻
0779b	上波・032オ4・疊字	痴	上	チ	左注	ṭ‘iɐi^{1}	之韻
0780a	上波・032オ4・疊字	伴	去	ハン	右注	bɑn$^{2/3}$	緩/換韻
0780b	上波・032オ4・疊字	惹	入濁	シヤク	右注	ńiɑk ńiɑ^{2}	藥韻 馬韻
0781a	上波・032オ5・疊字	謗	平	—	—	pɑŋ^{3}	宕韻
0781b	上波・032オ5・疊字	難	平	—	—	nɑn$^{1/3}$	寒/翰韻
0782a	上波・032オ5・疊字	髮	入	ハツ	左注	piɑt	月韻
0782b	上波・032オ5・疊字	腐	平	フ	左注	biuʌ^{2}	麌韻
0783a	上波・032オ5・疊字	末	入濁	ハツ	中注	mɑt	末韻
0783b	上波・032オ5・疊字	葉	入	エフ	中注	jiap śiap	葉韻 葉韻
0784a	上波・032オ5・疊字	媒	平濁	ハイ	左注	muʌi^{1}	灰韻
0784b	上波・032オ5・疊字	介	去	カイ	左注	kɐi^{3}	怪韻
0785a	上波・032オ5・疊字	磨	平濁	ハ	右注	mɑ$^{1/3}$	戈/過韻
0785b	上波・032オ5・疊字	磋	平	サ	右注	ts‘ɑ$^{1/3}$	歌/箇韻
0786a	上波・032オ6・疊字	發	入	ハツ	右注	piɑt	月韻
0786b	上波・032オ6・疊字	語	上濁	キヨ	右注	ŋiʌ$^{2/3}$	語/御韻
0787a	上波・032オ6・疊字	房	去濁	ハウ	左注	biɑŋ^{1} bɑŋ^{1}	陽韻 唐韻
0787b	上波・032オ6・疊字	室	入	シツ	左注	śiet	質韻
0788a	上波・032オ6・疊字	房	去濁	ハウ	左注	biɑŋ^{1} bɑŋ^{1}	陽韻 唐韻
0788b	上波・032オ6・疊字	内	平	ナイ	左注	nuʌi^{3}	隊韻
0789a	上波・032オ6・疊字	配	去	ハイ	右注	p‘uʌi^{3}	隊韻
0789b	上波・032オ6・疊字	偶	上濁	コウ	右注	ŋʌu$^{2/3}$	厚/候韻
0790a	上波・032オ6・疊字	拜	去	—	—	pɐi^{3}	怪韻
0790b	上波・032オ6・疊字	領	平	—	—	lieŋ^{2}	靜韻
0791a	上波・032オ7・疊字	放	去	ハウ	右注	piɑŋ$^{2/3}$	養/漾韻
0791b	上波・032オ7・疊字	埒	入	ラツ	右注	liuat	薛韻
0792a	上波・032オ7・疊字	苞	平	ハウ	右注	pau^{1}	肴韻

0792b	上波・032オ7・疊字	苴	平	シヨ	右注	tsiʌ$^{1/2}$ ts'iʌ^{1} dza^{1}	魚/麌韻 魚韻 麻韻
0793a	上波・032オ7・疊字	亡	平濁	ハウ	左注	miaŋ^{1}	陽韻
0793b	上波・032オ7・疊字	命	去	メイ	左注	miaŋ^{3}	映韻
0794a	上波・032オ7・疊字	癈	平	ハイ	右注	piai^{3}	廢韻
0794b	上波・032オ7・疊字	忘	去	マウ	右注	miaŋ$^{1/3}$	陽/漾韻
0795a	上波・032オ7・疊字	惘	上濁	ハウ	右注	miaŋ^{2}	養韻
0795b	上波・032オ7・疊字	然	平濁	セン	右注	ńian^{1}	仙韻
0796a	上波・032ウ1・疊字	白	入	ハク	左注	bak	陌韻
0796b	上波・032ウ1・疊字	咲	去	セウ	左注	siau^{3}	笑韻
0797a	上波・032ウ1・疊字	班	去濁	ハン	左注	pan^{1}	删韻
0797b	上波・032ウ1・疊字	級	入濁	キフ	左注	kiep	緝韻
0798a	上波・032ウ1・疊字	放	去	―	―	piaŋ$^{2/3}$	養/漾韻
0798b	上波・032ウ1・疊字	還	上	―	―	ɣuan^{1}	删韻
0799a	上波・032ウ1・疊字	芳	平	ハウ	中注	p'iaŋ^{1}	陽韻
0799b	上波・032ウ1・疊字	心	平濁	シム	中注	siem^{1}	侵韻
0800a	上波・032ウ1・疊字	芳	平	―	―	p'iaŋ^{1}	陽韻
0800b	上波・032ウ1・疊字	命	去	―	―	miaŋ^{3}	映韻
0801a	上波・032ウ2・疊字	芳	去	ハウ	左注	p'iaŋ^{1}	陽韻
0801b	上波・032ウ2・疊字	契	上濁	ケイ	左注	k'ei^{3} k'iʌt k'et	霽韻 迄韻 屑韻
0802a	上波・032ウ2・疊字	末	入濁	ハツ	左注	mat	末韻
0802b	上波・032ウ2・疊字	座	平濁	サ	左注	dzua^{3}	過韻
0803a	上波・032ウ2・疊字	傍	平	ハウ	左注	baŋ$^{1/3}$	唐/宕韻
0803b	上波・032ウ2・疊字	坐	平濁	サ	左注	dzua$^{2/3}$	果/過韻
0804a	上波・032ウ2・疊字	拜	去	ハイ	右注	pei^{3}	怪韻
0804b	上波・032ウ2・疊字	謝	去	シヤ	右注	zia^{3}	禡韻
0805a	上波・032ウ2・疊字	拜	去	ハイ	右注	pei^{3}	怪韻
0805b	上波・032ウ2・疊字	謁	入	エツ	右注	'iat	月韻
0806a	上波・032ウ3・疊字	拜	去	―	―	pei^{3}	怪韻
0806b	上波・032ウ3・疊字	悅	入	―	―	jiuat	薛韻
0807a	上波・032ウ3・疊字	拜	去	―	―	pei^{3}	怪韻
0807b	上波・032ウ3・疊字	觀	平	―	―	kuan$^{1/3}$	桓/換韻
0808a	上波・032ウ3・疊字	拜	去	―	―	pei^{3}	怪韻
0808b	上波・032ウ3・疊字	披	平	―	―	p'ie$^{1/2}$	支/紙韻
0809a	上波・032ウ3・疊字	芳	平	―	―	p'iaŋ^{1}	陽韻
0809b	上波・032ウ3・疊字	約	入	―	―	'iak 'iau^{3}	藥韻 笑韻
0810a	上波・032ウ3・疊字	芳	平	ハウ	右注	p'iaŋ^{1}	陽韻
0810b	上波・032ウ3・疊字	談	平	タン	右注	dam^{2}	談韻
0811a	上波・032ウ4・疊字	伴	平濁	ハン	中注	ban$^{2/3}$	緩/換韻

0811b	上波・032ウ4・疊字	類	平濁	ルイ	中注	liuei^{3}	至韻
0812a	上波・032ウ4・疊字	波	平	ハ	中注	pa^{1}	戈韻
0812b	上波・032ウ4・疊字	臣	平	シン	中注	źien^{1}	眞韻
0813a	上波・032ウ4・疊字	陪	平濁	ハイ	左注	buʌi^{1}	灰韻
0813b	上波・032ウ4・疊字	従	去	シヨウ	左注	dziauŋ^{1} ts'iauŋ$^{1/3}$	鍾韻 鍾/用韻
0814a	上波・032ウ4・疊字	配	平	ハイ	左注	p'uʌi^{3}	隊韻
0814b	上波・032ウ4・疊字	流	上	ル	左注	liʌu^{1}	尤韻
0815a	上波・032ウ4・疊字	放	去	ハウ	右注	piaŋ$^{2/3}$	養/漾韻
0815b	上波・032ウ4・疊字	逐	入	チク	右注	ḍiʌuk	屋韻
0816a	上波・032ウ5・疊字	亡	去濁	ハウ	左注	miaŋ^{1}	陽韻
0816b	上波・032ウ5・疊字	却	—	キヤク	左注	k'iak	藥韻
0817a	上波・032ウ5・疊字	白	入	ハク	左注	bak	陌韻
0817b	上波・032ウ5・疊字	眠	去	メン	左注	men^{1}	先韻
0818a	上波・032ウ5・疊字	放	去	ハウ	左注	piaŋ$^{2/3}$	養/漾韻
0818b	上波・032ウ5・疊字	坐	平濁	サ	左注	dzua$^{2/3}$	果/過韻
0819a	上波・032ウ5・疊字	博	入	ハク	中注	pak	鐸韻
0819b	上波・032ウ5・疊字	士	去	シ	中注	dẓiɐi^{2}	止韻
0820a	上波・032ウ5・疊字	破	去	ハ	左注	p'a^{3}	過韻
0820b	上波・032ウ5・疊字	題	上濁	タイ	左注	dei$^{1/3}$	齊/薺韻
0821a	上波・032ウ6・疊字	博	入	ハク	左注	pak	鐸韻
0821b	上波・032ウ6・疊字	学	入	カク	左注	ɣauk	覺韻
0822a	上波・032ウ6・疊字	博	入	ハク	左注	ʃ左注	鐸韻
0822b	上波・032ウ6・疊字	覧	上	ラム	左注	lam^{2}	敢韻
0823a	上波・032ウ6・疊字	博	入	ハク	左注	pak	鐸韻
0823b	上波・032ウ6・疊字	聞	平濁	フン	左注	miuʌn$^{1/3}$	文/問韻
0824a	上波・032ウ6・疊字	芳	平	ハウ	右注	p'iaŋ^{1}	陽韻
0824b	上波・032ウ6・疊字	札	入	サツ	右注	tṣɐt	黠韻
0825a	上波・032ウ6・疊字	拔	入	ハツ	左注	bat biat bɐt	末韻 月韻 黠韻
0825b	上波・032ウ6・疊字	萃	去	スイ	左注	dziuei^{3}	至韻
0826a	上波・032ウ7・疊字	拔	入	ハツ	左注	bat biat bɐt	末韻 月韻 黠韻
0826b	上波・032ウ7・疊字	群	平	クン	左注	giuʌn^{1}	文韻
0827a	上波・032ウ7・疊字	判	(平)	ハン	左注	p'an^{3}	換韻
0827b	上波・032ウ7・疊字	断	平濁	タン	左注	duan^{2} tuan$^{2/3}$	緩韻 緩/換韻
0828a	上波・032ウ7・疊字	防	去	ハウ	左注	biaŋ$^{1/3}$	陽/漾韻
0828b	上波・032ウ7・疊字	援	上	ヱン	左注	ɣiuan^{3} ɣiuan^{1}	線韻 元韻
0829a	上波・032ウ7・疊字	放	去	ハウ	左注	piaŋ$^{2/3}$	養/漾韻
0829b	上波・032ウ7・疊字	免	上	メン	左注	mian^{2}	獮韻

0830a	上波・032ウ7・疊字	拔	入	ハツ	中注	bat biat bɐt	末韻 月韻 黠韻
0830b	上波・032ウ7・疊字	扈	平	コ	中注	ɣuʌ^{2}	姥韻
0831a	上波・033オ1・疊字	繁	平	ハン	右注	bian^{1} ban^{1} ba^{1}	元韻 桓韻 戈韻
0831b	上波・033オ1・疊字	昌	平濁	シヤウ	右注	tś'iaŋ^{1}	陽韻
0832a	上波・033オ1・疊字	拔	入	ハツ	左注	bat biat bɐt	末韻 月韻 黠韻
0832b	上波・033オ1・疊字	刀	去	タウ	左注	tau^{1}	豪韻
0833a	上波・033オ1・疊字	反	上	ハン	右注	pian^{2}	阮韻
0833b	上波・033オ1・疊字	畔	去	ホ	右注	ban^{3}	換韻
0834a	上波・033オ1・疊字	白	入	ハク	中注	bak	陌韻
0834b	上波・033オ1・疊字	波	平濁	ハ	中注	pa^{1}	戈韻
0835a	上波・033オ1・疊字	放	去	ハウ	左注	piaŋ$^{2/3}$	養/漾韻
0835b	上波・033オ1・疊字	火	上	クワ	左注	xua^{2}	果韻
0836a	上波・033オ2・疊字	八	入	ハチ	右注	pɐt	黠韻
0836b	上波・033オ2・疊字	虐	入濁	キヤク	右注	ŋiak	藥韻
0837a	上波・033オ2・疊字	八	入	—	—	pɐt	黠韻
0837b	上波・033オ2・疊字	難	平	—	—	nan$^{1/3}$	寒/翰韻
0838a	上波・033オ2・疊字	破	平	ハ	右注	p'a^{3}	過韻
0838b	上波・033オ2・疊字	裂	入	レツ	右注	liat	薛韻
0839a	上波・033オ2・疊字	斑	平	ハン	左注	pan^{1}	刪韻
0839b	上波・033オ2・疊字	犀	平濁	サイ	左注	sei^{1}	齊韻
0840a	上波・033オ2・疊字	白	入	ハク	中注	bak	陌韻
0840b	上波・033オ2・疊字	玉	入濁	キヨク	中注	ŋiauk	燭韻
0841a	上波・033オ3・疊字	茅	平濁	ハウ	右注	mau^{1}	肴韻
0841b	上波・033オ3・疊字	屋	入	ヲク	右注	'ʌuk	屋韻
0842a	上波・033オ3・疊字	庖	去	ハウ	左注	bau^{1}	肴韻
0842b	上波・033オ3・疊字	丁	上	チヤウ	左注	teŋ^{1} ṭɐŋ^{1}	青韻 耕韻
0843a	上波・033オ3・疊字	飽	去濁	ハウ	左注	pau^{2}	巧韻
0843b	上波・033オ3・疊字	滿	平	マン	左注	man^{2}	緩韻
0844a	上波・033オ3・疊字	盃	平	ハイ	左注	puʌi^{1}	灰韻
0844b	上波・033オ3・疊字	盤	平	ハン	左注	ban^{1}	桓韻
0845a	上波・033オ3・疊字	破	平	ハ	左注	p'a^{3}	過韻
0845b	上波・033オ3・疊字	損	平	ソン	左注	suʌn^{2}	混韻
0846a	上波・033オ4・疊字	破	平	ハ	左注	p'a^{3}	過韻
0846b	上波・033オ4・疊字	壊	平	ヱ	左注	ɣuɐi^{3} kuɐi^{3}	怪韻 怪韻
0847a	上波・033オ4・疊字	盃	平	ハイ	左注	puʌi^{1}	灰韻
0847b	上波・033オ4・疊字	酒	上	シウ	左注	tsiʌu^{2}	有韻

0848a	上波・033オ4・疊字	放	平	ハウ	右注	piaŋ$^{2/3}$	養/漾韻
0848b	上波・033オ4・疊字	盞	上	サン	右注	tṣɐn^{2}	產韻
0849a	上波・033オ4・疊字	八	入	ハツ	左注	pɐt	黠韻
0849b	上波・033オ4・疊字	木	入濁	ホク	左注	mʌuk	屋韻
0850a	上波・033オ4・疊字	博	入濁	ハク	左注	pak	鐸韻
0850b	上波・033オ4・疊字	奕	入	エキ	左注	jiek	昔韻
0851a	上波・033オ5・疊字	番	去濁	ハン	中注	bian^{1} p'ian^{1} ban^{1} p'an^{1} pa$^{1/3}$	元韻 元韻 桓韻 桓韻 戈/過韻
0851b	上波・033オ5・疊字	匠	平濁	シヤウ	中注	dziaŋ^{3}	漾韻
0852a	上波・033オ5・疊字	般	平	ハン	左注	ban^{1} pan^{1} pan^{1} pat	桓韻 桓韻 刪韻 末韻
0852b	上波・033オ5・疊字	輸	上	シウ	左注	śiuʌ$^{1/3}$	虞/遇韻
0853a	上波・033オ5・疊字	麻	平濁	ハ	左注	ma^{1}	麻韻
0853b	上波・033オ5・疊字	柱	去	チウ	左注	ḍiuʌ^{2} ṭiuʌ^{2}	麌韻 麌韻
0854a	上波・033オ5・疊字	破	平	ハ	左注	p'a^{3}	過韻
0854b	上波・033オ5・疊字	急	入	キウ	左注	kiep	緝韻
0855a	上波・033オ5・疊字	俳	平	ハイ	左注	bɐi^{1}	皆韻
0855b	上波・033オ5・疊字	優	平	イウ	左注	'iʌu^{1}	尤韻
0856a	上波・033オ6・疊字	彷	平	ハウ	左注	baŋ^{1} p'iaŋ^{2}	唐韻 養韻
0856b	上波・033オ6・疊字	徨	平	クワウ	左注	ɣuaŋ^{1}	唐韻
0857a	上波・033オ6・疊字	波	平	ハ	中注	pa^{1}	戈韻
0857b	上波・033オ6・疊字	郵	平	イウ	中注	ɣiʌu^{1}	尤韻
0858a	上波・033オ6・疊字	徘	平	ハイ	右注	buʌi^{1}	灰韻
0858b	上波・033オ6・疊字	徊	平	クワイ	右注	ɣuʌi^{1}	灰韻
0859a	上波・033オ6・疊字	賣	去濁	ハイ	左注	mɐ^{3}	卦韻
0859b	上波・033オ6・疊字	買	上濁	ハイ	左注	mɐ^{2}	蟹韻
0860a	上波・033オ6・疊字	方	去	—	—	piaŋ^{1} biaŋ^{1}	陽韻 陽韻
0860b	上波・033オ6・疊字	針	平	—	—	tśiem$^{1/3}$	侵/沁韻
0861a	上波・033オ7・疊字	方	去	—	—	piaŋ^{1} biaŋ^{1}	陽韻 陽韻
0861b	上波・033オ7・疊字	術	入濁	—	—	dźiuet	術韻
0862a	上波・033オ7・疊字	方	去	—	—	piaŋ^{1} biaŋ^{1}	陽韻 陽韻
0862b	上波・033オ7・疊字	略	入	—	—	liak	藥韻

0863a	上波・033オ7・疊字	沛	去	ハイ	右注	pai^{3} p‘ai^{3}	泰韻 泰韻
0863b	上波・033オ7・疊字	艾	去濁	カイ	右注	ŋai^{3} ŋiai^{3}	泰韻 廢韻
0864a	上波・033オ7・疊字	半	去	ハン	右注	pan^{3}	換韻
0864b	上波・033オ7・疊字	漢	平	カン	右注	xan^{3}	翰韻
0865a	上波・033オ7・疊字	放	去	ハウ	左注	piaŋ$^{2/3}$	養/漾韻
0865b	上波・033オ7・疊字	牧	入	モク	左注	miʌuk	屋韻
0866a	上波・033ウ1・疊字	放	平	ハウ	右注	piaŋ$^{2/3}$	養/漾韻
0866b	上波・033ウ1・疊字	散	平濁	サン	右注	san$^{2/3}$	旱/翰韻
0867a	上波・033ウ1・疊字	放	平	ハウ	左注	piaŋ$^{2/3}$	養/漾韻
0867b	上波・033ウ1・疊字	湌	平濁	サン	左注	ts‘an^{1}	寒韻
0868a	上波・033ウ1・疊字	斑	平	ハン	右注	pan^{1}	刪韻
0868b	上波・033ウ1・疊字	駮	入	ハク	右注	pauk	覺韻
0869a	上波・033ウ1・疊字	髣	上	ハウ	右注	p‘iaŋ^{2}	養韻
0869b	上波・033ウ1・疊字	髴	去	ヒ	右注	p‘iʌi^{3} piuʌt p‘iuʌt	未韻 物韻 物韻
0870a	上波・033ウ1・疊字	莫	入濁	ハク	右注	mak	鐸韻
0870b	上波・033ウ1・疊字	大	平	タイ	右注	dai^{1}	泰韻
0871a	上波・033ウ2・疊字	繁	平	ハン	右注	bian^{1} ban^{1} ba^{1}	元韻 桓韻 戈韻
0871b	上波・033ウ2・疊字	費	去	ヰ	右注	p‘iʌi^{3} biʌi^{3} piei^{3}	未韻 未韻 至韻
0872a	上波・033ウ2・疊字	芳	平	ハウ	右注	p‘iaŋ^{1}	陽韻
0872b	上波・033ウ2・疊字	菲	平	ヒ	右注	p‘iʌi$^{1/2}$ biʌi^{3}	微/尾韻 未韻
0873a	上波・033ウ2・疊字	癈	平	ハイ	右注	piai^{3}	廢韻
0873b	上波・033ウ2・疊字	置	上	チ	右注	ṭiɐi^{3}	志韻
0874a	上波・033ウ2・疊字	薄	入	ハク	右注	bak	鐸韻
0874b	上波・033ウ2・疊字	命	去	メイ	右注	miaŋ^{3}	映韻
0875a	上波・033ウ2・疊字	發	入	ハツ	右注	piat	月韻
0875b	上波・033ウ2・疊字	起	平	キ	右注	k‘iɐi^{2}	止韻
0876a	上波・033ウ3・疊字	發	入	ハツ	右注	piat	月韻
0876b	上波・033ウ3・疊字	越	入	ヱツ	右注	ɣiuat	月韻
0877a	上波・033ウ3・疊字	博	入	ハク	右注	pak	鐸韻
0877b	上波・033ウ3・疊字	愛	去	アイ	右注	’ʌi^{1}	代韻
0878a	上波・033ウ3・疊字	發	入	ハツ	右注	piat	月韻
0878b	上波・033ウ3・疊字	語	上濁	キヨ	右注	ŋiʌ$^{2/3}$	語/御韻
0879a	上波・033ウ3・疊字	發	入	ハツ	右注	piat	月韻
0879b	上波・033ウ3・疊字	遣	平	ケム	右注	k‘jian$^{2/3}$	獮/線韻

0880a	上波・033ウ3・疉字	撥	入	ハツ	右注	pɑt	末韻
0880b	上波・033ウ3・疉字	撫	上濁	フ	右注	miuʌ^{2}	麌韻
0881a	上波・033ウ4・疉字	賣	去	ハイ	右注	mɐ^{3}	卦韻
0881b	上波・033ウ4・疉字	藥	入	ヤク	右注	jiɑk	藥韻
0882a	上波・033ウ4・疉字	磻	平	ハム	右注	bɑn^{1} bɑ^{1} p'ɑ^{1}	桓韻 戈韻 戈韻
0882b	上波・033ウ4・疉字	溪	平	ケイ	右注	k'ei^{1}	齊韻
0883a	上波・033ウ4・疉字	忘	去濁	ハウ	右注	miɑŋ$^{1/3}$	陽/漾韻
0883b	上波・033ウ4・疉字	筌	平	セン	右注	ts'iuan^{1}	仙韻
0884a	上波・033ウ4・疉字	拜	去	ハイ	右注	pɐi^{3}	怪韻
0884b	上波・033ウ4・疉字	迎	平	ケイ	右注	ŋiaŋ$^{1/3}$	庚/映韻
0885a	上波・033ウ4・疉字	茅	平	ハウ	右注	mau^{1}	肴韻
0885b	上波・033ウ4・疉字	山	平	サン	右注	ṣɐn^{1}	山韻
0886a	上波・033ウ5・疉字	婆	平濁	ハ	右注	bɑ^{1}	戈韻
0886b	上波・033ウ5・疉字	娑	平	サ	右注	sɑ$^{1/2}$	歌/哿韻
0887a	上波・033ウ5・疉字	八	入	ハツ	右注	pɐt	黠韻
0887b	上波・033ウ5・疉字	佾	入	イツ	右注	jiet	質韻
0888a	上波・033ウ5・疉字	万	去濁	ハン	右注	miɑn^{3} mʌk	願韻 德韻
0888b	上波・033ウ5・疉字	雉	去	チ	右注	ḍiei^{2}	旨韻
0889a	上波・033ウ5・疉字	馬	上濁	ハ	右注	ma^{2}	馬韻
0889b	上波・033ウ5・疉字	上	去	シヤウ	右注	źiɑŋ$^{2/3}$	養/漾韻
0890a	上波・033ウ5・疉字	白	入	ハク	左注	bak	陌韻
0890b	上波・033ウ5・疉字	珠	平	シユ	左注	tśiuʌ^{1}	虞韻
0891a	上波・033ウ6・疉字	半	去	ハン	右注	pɑn^{3}	換韻
0891b	上波・033ウ6・疉字	月	入濁	クワツ	右注	ŋiuɑt	月韻
0892a	上波・033ウ6・疉字	白	入	ハク	右注	bak	陌韻
0892b	上波・033ウ6・疉字	麻	平濁	ハ	右注	ma^{1}	麻韻
0893a	上波・033ウ6・疉字	白	入	ハク	左注	bak	陌韻
0893b	上波・033ウ6・疉字	毛	去濁	ホウ	左注	mɑu$^{1/3}$	豪/号韻
0894a	上波・033ウ6・疉字	巴	平	ハ	右注	pa^{1}	麻韻
0894b	上波・033ウ6・疉字	峡	徳?	カフ	右注	ɣɐp	洽韻
0895a	上波・033ウ6・疉字	白	入	ハク	左注	bak	陌韻
0895b	上波・033ウ6・疉字	精	平	セイ	左注	tsieŋ^{1}	清韻
0896a	上波・033ウ7・疉字	八	入	ハツ	左注	pɐt	黠韻
0896b	上波・033ウ7・疉字	重	平	チヨウ	左注	ḍiauŋ$^{1/2/3}$	鍾/腫/用韻
0897a	上波・033ウ7・疉字	芳	平	ハウ	左注	p'iɑŋ^{1}	陽韻
0897b	上波・033ウ7・疉字	枝	平	シ	左注	tśie^{1}	支韻
0898a	上波・033ウ7・疉字	白	入	ハク	右注	bak	陌韻
0898b	上波・033ウ7・疉字	羽	上	ウ	右注	ɣiuʌ$^{2/3}$	麌/遇韻
0899a	上波・033ウ7・疉字	望	去濁	ハウ	右注	miɑŋ$^{1/3}$	陽/漾韻
0899b	上波・033ウ7・疉字	海	上	カイ	右注	xʌi^{2}	海韻

0900a	上波・033ウ7・疊字	苺	平濁	ハイ	右注	muʌi$^{1/3}$ miʌu^{3}	灰/隊韻 宥韻
0900b	上波・033ウ7・疊字	苔	平	タイ	右注	dʌi^{1}	咍韻
0901a	上波・034オ1・疊字	百	入	ハク	右注	pak	陌韻
0901b	上波・034オ1・疊字	錬	去	レン	右注	len^{3}	霰韻
0902a	上波・034オ1・疊字	百	入	ハク	右注	pak	陌韻
0902b	上波・034オ1・疊字	結	入	ケツ	右注	ket	屑韻
0903a	上波・034オ1・疊字	百	入	ハク	左注	pak	陌韻
0903b	上波・034オ1・疊字	枝	平	シ	左注	tśie^{1}	支韻
0904a	上波・034オ1・疊字	馬	上濁	ハ	右注	ma^{2}	馬韻
0904b	上波・034オ1・疊字	后	去	コウ	右注	ɣʌu$^{2/3}$	厚/候韻
0905a	上波・034オ1・疊字	梅	平濁	ハイ	右注	muʌi^{1}	灰韻
0905b	上波・034オ1・疊字	口	上	コウ	右注	k‘ʌu^{2}	厚韻
0906a	上波・034オ2・疊字	反	上	ハン	左注	piɑn^{2}	阮韻
0906b	上波・034オ2・疊字	魂	平	コム	左注	ɣuʌn^{1}	魂韻
0906c	上波・034オ2・疊字	香	去	カウ	左注	xiɑŋ^{1}	陽韻
0907a	上波・034オ4・疊字	勁	去	ケイ	右傍	kieŋ^{3}	勁韻
0907b	上波・034オ4・疊字	捷	入	セウ	右傍	dziap	葉韻
0908a	上波・034オ5・疊字	徒	平	ト	右傍	duʌ^{1}	模韻
0908b	上波・034オ5・疊字	跣	平	セン	右傍	sen^{2}	銑韻
0909a	上波・034オ6・疊字	切	入	—	—	ts‘et	屑韻
0909b	上波・034オ6・疊字	齒	去	—	—	tś‘iɐi^{2}	止韻
0910a	上波・034オ6・疊字	飽	—	ハウ	右注	pau^{2}	巧韻
0910b	上波・034オ6・疊字	滿	—	マン	右注	mɑn^{2}	緩韻
0911a	上波・034ウ1・諸社	八	—	ハツ	右注	pɐt	黠韻
0911b	上波・034ウ1・諸社	幡	—	マン	右注	p‘iɑn^{1}	元韻
0912a	上波・034ウ3・諸寺	法	—	ハツ	右傍	piʌp	乏韻
0912b	上波・034ウ3・諸寺	堂	—	タウ	右傍	dɑŋ^{1}	唐韻
3277a	上波・034ウ5・國郡	伯	—	ハヽ	右注	pak	陌韻
3277b	上波・034ウ5・國郡	耆	—	キ	右注	giei^{1}	脂韻
3278a	上波・034ウ5・國郡	久	—	ク	右傍	kiʌu^{2}	有韻
3278b	上波・034ウ5・國郡	米	—	メ	右傍	mei^{2}	薺韻
3279a	上波・034ウ5・國郡	播	—	ハリ	右注	pɑ^{3}	過韻
3279b	上波・034ウ5・國郡	磨	—	マ	右注	mɑ$^{1/3}$	戈/過韻
3280a	上波・034ウ5・國郡	賀		カ	右傍	ɣɑ^{3}	箇韻
3280b	上波・034ウ5・國郡	古	—	コ	右傍	kuʌ^{2}	姥韻
3281a	上波・034ウ5・國郡	印	—	イ	右傍	'jien^{3}	震韻
3281b	上波・034ウ5・國郡	南	—	ナミ	右傍	nʌm^{1}	覃韻
3282a	上波・034ウ5・國郡	揖	—	イヒ	右傍	'jiep	緝韻
3282b	上波・034ウ5・國郡	保	—	ホ	右傍	pɑu^{2}	晧韻
3283a	上波・034ウ5・國郡	餝	—	シカ	右傍	śiɐk	職韻
3283b	上波・034ウ5・國郡	磨	—	マ	右傍	mɑ$^{1/3}$	戈/過韻
3284a	上波・034ウ6・國郡	佐	—	サ	右傍	tsɑ^{3}	箇韻

3284b	上波・034ウ6・國郡	用	—	ヨ	右傍	jiauŋ^{3}	用韻
3285a	上波・034ウ6・國郡	多	—	タ	右傍	tɑ^{1}	歌韻
3285b	上波・034ウ6・國郡	可	—	カ	右傍	k'ɑ^{2}	哿韻
3286a	上波・034ウ6・國郡	賀	—	カ	右傍	ɣɑ^{3}	箇韻
3286b	上波・034ウ6・國郡	茂	—	モ	右傍	mʌu^{3}	候韻
3287a	上波・034ウ6・國郡	美	—	ミ	右傍	miei^{2}	旨韻
3287b	上波・034ウ6・國郡	嚢	—	ナキ	右傍	nɑŋ^{1}	唐韻
3288a	上波・034ウ7・國郡	博	—	ハカ	右注	pɑk	鐸韻
3288b	上波・034ウ7・國郡	多	—	タ	右注	tɑ^{1}	歌韻
3289a	上波・034ウ7・國郡	板	—	ハン	右注	pan^{2}	潸韻
3289b	上波・034ウ7・國郡	東	—	トウ	右注	tʌuŋ^{1}	東韻
0913	上波・035オ2・官職	伯	—	ハク	右注	pak	陌韻
0914	上波・035オ2・官職	坊	—	ハウ	右注	biɑŋ^{1} piɑŋ^{1}	陽韻 陽韻
0915a	上波・035オ2・官職	博	—	ハカ	右注	pɑk	鐸韻
0915b	上波・035オ2・官職	士	—	セ	右注	dẓiɐi^{2}	止韻
0916a	上波・035オ2・官職	判	—	ハン	右注	p'ɑn^{3}	換韻
0916b	上波・035オ2・官職	官	—	クワン	右注	kuɑn^{1}	桓韻
0917a	上波・035オ3・官職	判	—	ハン	右注	p'ɑn^{3}	換韻
0917b	上波・035オ3・官職	事	—	シ	右注	dẓiɐi^{3}	志韻
3298c	上波・035オ3・官職	代	—	タイ	右注	dʌi^{3}	代韻
0918	上波・035オ3・官職	祝	入	シク	右注	tśiʌuk tśiʌu^{3}	屋韻 宥韻
0919a	上波・035オ3・官職	番	—	ハン	右注	biɑn^{1} p'iɑn^{1} bɑn^{1} p'ɑn^{1} pɑ$^{1/3}$	元韻 元韻 桓韻 桓韻 戈/過韻
0919b	上波・035オ3・官職	長	—	チヤウ	右注	ḍiɑŋ$^{1/3}$ ṭiɑŋ^{2}	陽/漾韻 養韻
0920a	上波・035オ3・官職	将	—	ハン	右注	tsiɑŋ$^{1/3}$	陽/漾韻
0920b	上波・035オ3・官職	監	—	クワン	右注	kam$^{1/3}$	銜/鑑韻

【表A-01】上巻_仁篇

番号	前田本所在	掲出字		仮名音注		中古音	韻目
0921	上仁・035ウ7・天象	虹	平	—	—	ɣʌuŋ^{1} kʌuŋ^{3} kauŋ^{3}	東韻 送韻 絳韻
0922a	上仁・035ウ7・天象	採	上	サイ	右傍	ts'ʌi^{2}	海韻
0922b	上仁・035ウ7・天象	幢	平	トウ	右傍	ḍauŋ$^{1/3}$	江/絳韻

0923	上仁・035ウ7・天象	霓	平	ケイ	右傍	ŋei$^{1/3}$ ŋet	齊/霽韻 屑韻
0924a	上仁・035ウ7・天象	蝃	―	テイ	右傍	tei^{3}	霽韻
0924b	上仁・035ウ7・天象	蝀	―	トウ	右傍	tʌuŋ$^{1/2}$	東/董韻
0925	上仁・036オ2・地儀	庭	平	テイ	右傍	deŋ^{1}	青韻
0926a	上仁・036オ2・地儀	莓	―	ハイ	右傍	muʌi$^{1/3}$ miʌu^{3}	灰/隊韻 宥韻
0926b	上仁・036オ2・地儀	苔	―	タイ	右傍	dʌi^{1}	咍韻
0927	上仁・036オ2・地儀	墀	平	チ	右傍	ḍiei^{1}	脂韻
0928	上仁・036オ2・地儀	場	去	チヤウ	右傍	ḍiaŋ^{1}	陽韻
0929	上仁・036オ2・地儀	潦	上	ラウ	右傍	lau$^{2/3}$	晧/号韻
0930	上仁・036オ4・植物	薤	去	カイ	右傍	ɣɐi^{3}	怪韻
0931	上仁・036オ4・植物	韮	上	キウ	右傍	kiʌu^{2}	有韻
0932	上仁・036オ4・植物	菁	平	セイ	右傍	tsieŋ^{1}	清韻
0933a	上仁・036オ4・植物	龍	平	リン	右傍	liauŋ^{1}	鍾韻
0933b	上仁・036オ4・植物	膽	上濁	タウ	右傍	tam^{2}	敢韻
0934a	上仁・036オ5・植物	甘	平	カム	右傍	kam^{1}	談韻
0934b	上仁・036オ5・植物	遂	去	スイ	右傍	ziuei^{3}	至韻
0935a	上仁・036オ5・植物	人	去	ニン	右注	ńien^{1}	眞韻
0935b	上仁・036オ5・植物	蔘	上	シン	右注	ṣiem^{1} sʌm^{1}	侵韻 覃韻
0936a	上仁・036オ5・植物	藺	平	リヨ	右傍	liʌ^{1}	魚韻
0936b	上仁・036オ5・植物	茹	平	シヨ	右傍	ńiʌ$^{1/2/3}$	魚/語/御韻
0937	上仁・036オ6・植物	榆	平	ユ	右傍	jiuʌ^{1}	虞韻
0939a	上仁・036オ6・植物	茵	平	イン	右傍	'jien^{1}	眞韻
0939b	上仁・036オ6・植物	芋	去	ウ	右傍	ɣiuʌ$^{1/3}$	虞/遇韻
0940a	上仁・036ウ1・植物	海	上	―	―	xʌi^{2}	海韻
0940b	上仁・036ウ1・植物	藻	上	サウ	右傍	tsau^{2}	晧韻
0941	上仁・036ウ3・植物	鷄	平	ケイ	右傍	kei^{1}	齊韻
0942	上仁・036ウ3・植物	鵾	平	―	―	kuʌn^{1}	魂韻
0943	上仁・036ウ3・植物	翰	平	カン	右傍	ɣan$^{1/3}$	寒/翰韻
0944a	上仁・036ウ3・植物	鶺	―	セキ	右傍	tsiek tsiɐk	昔韻 職韻
0944b	上仁・036ウ3・植物	鴒	平	レイ	右傍	leŋ^{1}	青韻
0945a	上仁・036ウ4・動物	鸊	入	ヘキ	右傍	bek	錫韻
0945b	上仁・036ウ4・動物	鵜	平	テイ	右傍	dei^{1}	齊韻
0946	上仁・036ウ4・動物	毳	去	セイ	右傍	tṣ'iuai^{3} ts'iuai^{3}	祭韻 祭韻
0947a	上仁・036ウ6・動物	騅	平	スヰ	右傍	tśiuei^{1}	脂韻
0948	上仁・036ウ6・動物	鮐	平	タイ	右傍	ṭ'iɐi^{1} śiɐi^{1}	之韻 之韻
0949	上仁・037オ1・動物	鮸	―	メン	右傍	mian^{2}	獮韻
0950a	上仁・037オ1・動物	人	去	ニン	右傍	ńien^{1}	眞韻

0950b	上仁・037オ1・動物	魚	上濁	キヨ	右傍	ŋiʌ^{1}	魚韻
0951a	上仁・037オ3・動物	蚺	平	セム	右傍	ńiam^{1}	鹽韻
0952a	上仁・037オ5・人倫	人	去	ニン	右注	ńien^{1}	眞韻
0952b	上仁・037オ5・人倫	民	上	ミム	右注	mjien^{1}	眞韻
0953a	上仁・037オ6・人倫	人	—	ニン	右注	ńien^{1}	眞韻
0953b	上仁・037オ6・人倫	形	—	キヤウ	右注	ɣeŋ^{1}	青韻
0954a	上仁・037ウ1・人躰	人	去	ニン	右注	ńien^{1}	眞韻
0954b	上仁・037ウ1・人躰	中	上	チウ	右注	ṭiʌuŋ$^{1/3}$	東/送韻
0955	上仁・037ウ2・人躰	瘥	平	サ	右傍	dzuɑ^{1}	戈韻
0956a	上仁・037ウ2・人躰	皻	平	サ	右傍	tṣa^{1}	麻韻
0957	上仁・037ウ4・人事	憎	平	ソウ	右傍	tsʌŋ^{1}	登韻
0958	上仁・037ウ5・人事	齗	平	キン	右傍	ŋiʌn^{1} ŋien^{2}	欣韻 軫韻
0959	上仁・037ウ5・人事	瞰	—	カム	右傍	k'ɑm^{3}	闞韻
0960	上仁・038オ1・飲食	葅	平	（ソ）	右傍	tṣiʌ^{1}	魚韻
0961	上仁・038オ1・飲食	寒	平	カム	右傍	ɣɑn^{1}	寒韻
0962	上仁・038オ2・飲食	漿	—	シヤウ	右傍	tsiɑŋ^{1}	陽韻
0963	上仁・038オ3・飲食	贄	—	シ	右傍	tśiei^{3}	至韻
0964	上仁・038オ6・雜物	錦	上	キム	右傍	kiem^{2}	寑韻
0965a	上仁・038オ6・雜物	蜀	入	—	—	źiɑuk	燭韻
0965b	上仁・038オ6・雜物	江	平	—	—	kauŋ^{1}	江韻
0966a	上仁・038オ6・雜物	還	平	—	—	ɣuan^{1}	删韻
0966b	上仁・038オ6・雜物	御	平	—	—	ŋiʌ^{3}	御韻
0967	上仁・038オ6・雜物	膠	平	カウ	右傍	kau$^{1/3}$	肴/効韻
0968a	上仁・038オ6・雜物	庭	平	テイ	右傍	deŋ^{1}	青韻
0968b	上仁・038オ6・雜物	燎	平	レウ	右傍	liau$^{1/2/3}$	宵/小/笑韻
0969a	上仁・038オ7・雜物	如	去	ニヨ	右注	ńiʌ$^{1/3}$	魚/御韻
0969b	上仁・038オ7・雜物	意	平	イ	右注	'iɐi^{3}	志韻
0970a	上仁・038オ7・雜物	如	去	ニヨ	右注	ńiʌ$^{1/3}$	魚/御韻
0970b	上仁・038オ7・雜物	紫	上	シ	右注	tsie^{2}	紙韻
0971	上仁・038ウ2・光彩	丹	平	タン	右注	tɑn^{1}	寒韻
0972	上仁・038ウ4・方角	西	平	—	—	sei^{1}	齊韻
0973b	上仁・038ウ4・方角	陽	—	ヤウ	左傍	jiɑŋ^{1}	陽韻
0974	上仁・038ウ6・員數	二	—	ニ	右注	ńiei^{3}	至韻
0975	上仁・038ウ6・員數	廿	—	ニシウ	右注	ńiep	緝韻
0976	上仁・039オ1・辞字	亨	平	ハウ	右傍	p'aŋ^{1}	庚韻
0977	上仁・039オ1・辞字	湘	平	シヤウ	右傍	siɑŋ^{1}	陽韻
0978	上仁・039オ1・辞字	逃	平	タウ	右傍	dɑu^{1}	豪韻
0979	上仁・039オ1・辞字	北	—	ホク	右傍	pʌk	德韻
0980	上仁・039オ3・辞字	擔	平	タム	右傍	tɑm$^{1/3}$	談/闞韻
0981	上仁・039オ4・辞字	攍	—	エイ	右傍	jieŋ^{1}	清韻
0982	上仁・039オ5・辞字	濁	—	タク	右注	ḍauk	覺韻
0983	上仁・039オ5・辞字	渾	平	コン	右注	ɣuʌn$^{1/2}$	魂/混韻

0984	上仁・039オ5・辞字	淆	平	カウ	右傍	ɣau^{1}	肴韻
0985	上仁・039オ7・辞字	掬	―	キク	右傍	kiʌuk	屋韻
0986	上仁・039ウ2・辞字	穠	―	ノウ	右傍	ṇiauŋ^{1} ńiauŋ^{1}	鍾韻 鍾韻
0988a	上仁・040オ1・重點	日	―	ニチ	右注	ńiet	質韻
0988b	上仁・040オ1・重點	日	―	ニチ	右注	ńiet	質韻
0989a	上仁・040オ3・疊字	日	入	ニチ	中注	ńiet	質韻
0989b	上仁・040オ3・疊字	沒	入	モツ	中注	muʌt	没韻
0990a	上仁・040オ3・疊字	日	入	ニチ	左注	ńiet	質韻
0990b	上仁・040オ3・疊字	中	上	チウ	左注	ṭiʌuŋ$^{1/3}$	東/送韻
0991a	上仁・040オ3・疊字	人	去	ニン	右注	ńien^{1}	眞韻
0991b	上仁・040オ3・疊字	定	平濁	チヤウ	右注	teŋ^{3} deŋ^{3}	徑韻 徑韻
0992a	上仁・040オ3・疊字	入	入	ニフ	中注	ńiep	緝韻
0992b	上仁・040オ3・疊字	礼	平	ライ	中注	lei^{1}	薺韻
0993a	上仁・040オ3・疊字	忍	平	ニン	右注	ńien^{2}	軫韻
0993b	上仁・040オ3・疊字	辱	入	ニク	右注	ńiauk	燭韻
0994a	上仁・040オ4・疊字	入	―	ニウ	右注	ńiep	緝韻
0994b	上仁・040オ4・疊字	滅	―	メツ	右注	mjiat	薛韻
0995a	上仁・040オ4・疊字	入	入	ニツ	右注	ńiep	緝韻
0995b	上仁・040オ4・疊字	室	入	シツ	右注	śiet	質韻
0996a	上仁・040オ4・疊字	柔	去	ニウ	左注	ńiʌu^{1}	尤韻
0996b	上仁・040オ4・疊字	和	上	ワ	左注	ɣuɑ$^{1/3}$	戈/過韻
0997a	上仁・040オ4・疊字	柔	去	ニウ	右注	ńiʌu^{1}	尤韻
0997b	上仁・040オ4・疊字	軟	平	ナン	右注	ńiuan^{2}	獮韻
0998a	上仁・040オ4・疊字	日	入	ニツ	右注	ńiet	質韻
0998b	上仁・040オ4・疊字	給	入	キフ	右注	kiep	緝韻
0999a	上仁・040オ5・疊字	日	入	ニチ	右注	ńiet	質韻
0999b	上仁・040オ5・疊字	勞	上	ラウ	右注	lɑu$^{1/3}$	豪/号韻
1000a	上仁・040オ5・疊字	女	平	ニヨ	右注	ṇiʌ$^{2/3}$	語/御韻
1000b	上仁・040オ5・疊字	御	平濁	コ	右注	ŋiʌ^{3}	御韻
1001a	上仁・040オ5・疊字	人	去	―	―	ńien^{1}	眞韻
1001b	上仁・040オ5・疊字	民	上	―	―	mjien^{1}	眞韻
1002a	上仁・040オ5・疊字	柔	去	ニウ	右注	ńiʌu^{1}	尤韻
1002b	上仁・040オ5・疊字	専	平	セン	右注	tśiuan^{1}	仙韻
1003a	上仁・040オ6・疊字	如	去	ニヨ	左注	ńiʌ$^{1/3}$	魚/御韻
1003b	上仁・040オ6・疊字	意	平	イ	左注	'iɐi^{3}	志韻
1004a	上仁・040オ6・疊字	人	去	ニン	左注	ńien^{1}	眞韻
1004b	上仁・040オ6・疊字	體	平濁	タイ	左注	t'ei^{2}	薺韻
1005a	上仁・040オ6・疊字	柔	去	ニウ	左注	ńiʌu^{1}	尤韻
1005b	上仁・040オ6・疊字	弱	入濁	シヤク	左注	ńiɑk	藥韻
1006a	上仁・040オ6・疊字	人	去	ニン	左注	ńien^{1}	眞韻
1006b	上仁・040オ6・疊字	間	上濁	ケン	左注	kɐn$^{1/3}$	山/襉韻
1007a	上仁・040オ7・疊字	入	入	ニウ	左注	ńiep	緝韻

1007b	上仁・040オ7・疊字	部	平	フ	左注	buʌ^{2} bʌu^{2}	姥韻 厚韻
1008a	上仁・040オ7・疊字	任	平	ニン	右注	ńiem$^{1/3}$	侵/沁韻
1008b	上仁・040オ7・疊字	限	平濁	ケン	右注	ɣɐn^{2}	産韻
1009a	上仁・040オ7・疊字	入	入	ニウ	左注	ńiep	緝韻
1009b	上仁・040オ7・疊字	學	入濁	カク	左注	ɣauk	覺韻
1010a	上仁・040オ7・疊字	日	入	ニチ	中注	ńiet	質韻
1010b	上仁・040オ7・疊字	食	入濁	シキ	中注	dźiɐk jiɐi^{3}	職韻 志韻
1011a	上仁・040オ7・疊字	刄	平	ニン	左注	ńien^{3}	震韻
1011b	上仁・040オ7・疊字	傷	上濁	シヤウ	左注	śiɑŋ$^{1/3}$	陽/漾韻
1012a	上仁・040ウ1・疊字	如	去	ニヨ	左注	ńiʌ$^{1/3}$	魚/御韻
1012b	上仁・040ウ1・疊字	法	入	ホウ	左注	piʌp	乏韻
1013a	上仁・040ウ1・疊字	入	入	ニツ	右注	ńiep	緝韻
1013b	上仁・040ウ1・疊字	己	上	コ	右注	kiɐi^{2}	止韻
1014a	上仁・040ウ2・疊字	皃	去	―	―	mau^{3} mauk	効韻 覺韻
1014b	上仁・040ウ2・疊字	尒	上濁	―	―	ńie^{2}	紙韻
1015a	上仁・040ウ2・疊字	睚	去	―	―	ŋɐ$^{1/3}$	佳/卦韻
1015b	上仁・040ウ2・疊字	眦	平	―	―	dzei^{3} dzie^{3}	霽韻 寘韻
1016a	上仁・040ウ2・疊字	駑	平濁	ト	右傍	nuʌ^{1}	模韻
1016b	上仁・040ウ2・疊字	駘	平	タイ	右傍	dʌi$^{1/2}$	咍/海韻
1017a	上仁・041オ1・諸寺	仁	―	ニ	右注	ńien^{1}	眞韻
1017b	上仁・041オ1・諸寺	和	―	クワ	右注	ɣuɑ$^{1/3}$	戈/過韻
1017c	上仁・041オ1・諸寺	寺	―	シ	右注	ziɐi^{3}	志韻
1018a	上仁・041オ3・官職	入	―	ニウ	右注	ńiep	緝韻
1018b	上仁・041オ3・官職	寺	―	シ	右注	ziɐi^{3}	志韻
1018c	上仁・041オ3・官職	僧	―	ソウ	右注	sʌŋ^{1}	登韻
1019a	上仁・041オ3・官職	女	―	ニヨ	右注	ṇiʌ$^{2/3}$	語/御韻
1019b	上仁・041オ3・官職	孺	―	シウ	右注	ńiuʌ^{3}	遇韻
1020a	上仁・041オ5・姓氏	壬	―	ニ	右注	ńiem^{1}	侵韻
1021a	上仁・041オ5・姓氏	壬	―	ニ	右注	ńiem^{1}	侵韻

【表A-01】上巻_保篇

番号	前田本所在	掲出字		仮名音注		中古音	韻目
1022	上保・041ウ1・天象	星	上	シヤウ	右傍	seŋ^{1}	青韻
1023	上保・041ウ1・天象	星	平	セイ	左注	seŋ^{1}	青韻
1024a	上保・041ウ1・天象	貫	去	―	―	kuɑn$^{1/3}$	桓/換韻
1024b	上保・041ウ1・天象	珠	平	―	―	tśiuʌ^{1}	虞韻
1025a	上保・041ウ1・天象	分	去濁	フム	右傍	biuʌn^{3}	問韻
1025b	上保・041ウ1・天象	位	去	ヰ	右傍	ɣiuei^{3}	至韻

1026a	上保・041ウ1・天象	司	平	シ	右傍	siɐi^{1}	之韻
1026b	上保・041ウ1・天象	夜	去	ヤ	右傍	jia^{3}	禡韻
1027	上保・041ウ1・天象	躔	平	テン	右傍	ḍian^{1}	仙韻
1028a	上保・041ウ1・天象	北	—	ホク ［上上］	右注	pʌk	徳韻
1028b	上保・041ウ1・天象	斗	—	トウ ［上上］	右注	tʌu^{2}	厚韻
1029a	上保・041ウ1・天象	北	—	ホク	左注	pʌk	徳韻
1029b	上保・041ウ1・天象	斗	—	ト	左注	tʌu^{2}	厚韻
1030	上保・041ウ3・地儀	洞	去	—	—	dʌuŋ$^{1/3}$	東/送韻
1031a	上保・041ウ4・地儀	礬	平 去濁	ホン	右注	biɑn^{1}	元韻
1031b	上保・041ウ4・地儀	石	—	シヤク	右注	źiek	昔韻
1032a	上保・041ウ4・地儀	礬	平 去濁	ハン	右傍	biɑn^{1}	元韻
1033	上保・041ウ5・地儀	廊	平	ラウ	右注	lɑŋ^{1}	唐韻
1034	上保・041ウ5・地儀	棖	平	タウ	右傍	ḍaŋ^{1}	庚韻
1035a	上保・041ウ6・地儀	豊	—	ホウ	右注	p‘iʌuŋ^{1} lei^{2}	東韻 薺韻
1035b	上保・041ウ6・地儀	財	—	サイ	右注	dzʌi^{1}	咍韻
1035c	上保・041ウ6・地儀	坊	—	ハウ	右注	biɑŋ^{1} piɑŋ^{1}	陽韻 陽韻
1036a	上保・042オ1・植物	半	平	ハン	右傍	pɑn^{3}	換韻
1036b	上保・042オ1・植物	夏	上	ケ	右傍	ɣa$^{2/3}$	馬/禡韻
1037a	上保・042オ1・植物	牡	去濁	ホ	右注	mʌu^{2}	厚韻
1037b	上保・042オ1・植物	丹	平	タン	右注	tɑn^{1}	寒韻
1038a	上保・042オ1・植物	牡	上	ホウ	左注	mʌu^{2}	厚韻
1038b	上保・042オ1・植物	丹	平	タン	左注	tɑn^{1}	寒韻
1039a	上保・042オ1・植物	酸	平	サン	右傍	suɑn^{1}	桓韻
1039b	上保・042オ1・植物	漿	—	シヤウ	右傍	tsiɑŋ^{1}	陽韻
1040b	上保・042オ1・植物	莫	入濁	ハク	右傍	mɑk	鐸韻
1041	上保・042オ2・植物	疐	去	テイ	右傍	tei^{3}	霽韻
1042a	上保・042オ3・植物	百	入	ハク	右傍	pak	陌韻
1042b	上保・042オ3・植物	部	平	フ	右傍	buʌ^{2} bʌu^{2}	姥韻 厚韻
1043	上保・042オ4・植物	朴	入	ハク	右傍	p‘aɪk	覺韻
1044a	上保・042オ4・植物	厚	上	コウ	右傍	ɣʌu$^{2/3}$	厚/候韻
1045a	上保・042オ4・植物	蔓	去	マン	右傍	mɑn^{1} miɑn^{3}	桓韻 願韻
1045b	上保・042オ4・植物	枡	平 入	セウ	右傍	(śieŋ^{1})	(国字)
1046a	上保・042オ5・植物	寄	去	—	—	kie^{3}	寘韻
1046b	上保・042オ5・植物	生	平	—	—	ṣaŋ$^{1/3}$	庚/映韻
1047a	上保・042オ7・動物	鳳	去	ホウ	中注	biʌuŋ^{3}	送韻
1047b	上保・042オ7・動物	凰	平	ワウ	中注	ɣuɑŋ^{1}	唐韻

1048a	上保・042オ7・動物	鳳	去	ホウ	左注	biʌuŋ^{3}	送韻
1048b	上保・042オ7・動物	凰	平	クワウ	左注	ɣuaŋ^{1}	唐韻
1049a	上保・042オ7・動物	丹	平	タン	右傍	tan^{1}	寒韻
1049b	上保・042オ7・動物	穴	入	クヱツ	右傍	ɣuet	屑韻
1050b	上保・042オ7・動物	德	入	トク	右傍	tʌk	德韻
1051a	上保・042オ7・動物	鷗	平	ラン	右傍	lam^{1}	談韻
1051b	上保・042オ7・動物	鸜	上	ル	右傍	liuʌ^{2}	麌韻
1052a	上保・042ウ1・動物	布	去	―	―	puʌ^{3}	暮韻
1052b	上保・042ウ1・動物	穀	入	―	―	kʌuk	屋韻
1053a	上保・042ウ2・動物	倍	上	ハイ	右傍	bʌi^{2}	海韻
1053b	上保・042ウ2・動物	羅	平	ラ	右傍	la^{1}	歌韻
1053c	上保・042ウ2・動物	麼	上濁	マ	右傍	ma^{2}	果韻
1054a	上保・042ウ3・動物	落	入	―	―	lak	鐸韻
1054b	上保・042ウ3・動物	星	平	―	―	seŋ^{1}	青韻
1055a	上保・042ウ3・動物	秤	平	―	―	p'ɐŋ^{1}	耕韻
1056	上保・042ウ4・動物	鰾	上	ヘウ	右注	biau^{2}	小韻
1057a	上保・042ウ5・動物	老	上	―	―	lau^{2}	晧韻
1057b	上保・042ウ5・動物	海	上	―	―	xʌi^{2}	海韻
1057c	上保・042ウ5・動物	鼠	上	―	―	śiʌ^{2}	語韻
1058a	上保・042ウ5・動物	保	―	ホ	右注	pau^{2}	晧韻
1058b	上保・042ウ5・動物	夜	―	ヤ	右注	jia^{3}	禡韻
1059a	上保・042ウ6・動物	鳳	―	ホゝ	右注	biʌuŋ^{3}	送韻
1059b	上保・042ウ6・動物	蝶	―	テウ	右注	t'ep dep	帖韻 帖韻
1060	上保・042ウ6・動物	螢	平	ケイ	右傍	ɣueŋ^{1}	青韻
1061a	上保・042ウ6・動物	疑	平	―	―	ŋiɐi^{1}	之韻
1061b	上保・042ウ6・動物	星	平	―	―	seŋ^{1}	青韻
1062	上保・042ウ6・動物	蟒	平	リン	右傍	lien^{3}	震韻
1063	上保・042ウ6・動物	蚈	平	ケン	右傍	k'en^{1}	先韻
1064a	上保・043オ2・人倫	亳	去濁	―	―	ɣau^{1}	豪韻
1065a	上保・043オ2・人倫	金	去	コン	右傍	kiem^{1}	侵韻
1065b	上保・043オ2・人倫	乗	上濁	シヨウ	右傍	dźiɐŋ$^{1/3}$	蒸/證韻
1066a	上保・043オ2・人倫	菩	―	ホ	右注	buʌ^{1} bʌi^{2} biʌu^{2} bʌk	模韻 海韻 有韻 德韻
1066b	上保・043オ2・人倫	薩	―	サツ	右注	sat	曷韻
1067a	上保・043オ2・人倫	法	―	ホフ	右注	piʌp	乏韻
1067b	上保・043オ2・人倫	師	―	シ	右注	ṣiei^{1}	脂韻
1068	上保・043オ2・人倫	僕	入濁	ホク	右注	bʌuk bauk	屋韻 沃韻
1069	上保・043オ5・人躰	頬	―	ケフ	右注	kep	帖韻
1070	上保・043オ5・人躰	胲	平 上	カイ	右傍	kʌi^{1}	咍韻

1071	上保・043オ5・人躰	骨	入	コツ	右傍	kuʌt	没韻
1072	上保・043オ5・人躰	臍	平	サイ	右傍	dzei^{1}	齊韻
1073	上保・043オ5・人躰	膍	平	ヘイ	右注	bjiei^{1}	脂韻
1074a	上保・043オ6・人躰	顔	平濁	カン	右傍	ŋan^{1}	删韻
1075	上保・043ウ1・人事	哺	―	ホ ［上］	右傍	buʌ^{3}	暮韻
1076	上保・043ウ2・人事	褒	―	ホウ	右傍	pɑu^{1}	豪韻
1077	上保・043ウ2・人事	報	去	ホウ	右注	pɑu^{3}	号韻
1078	上保・043ウ2・人事	法	―	ホフ ［平平］	右注	piʌp	乏韻
1079	上保・043ウ3・人事	耄	―	ホク ［平濁上］	左注	mɑu^{3}	号韻
1080	上保・043ウ3・人事	酺	―	ホ ［平］	右注	buʌ^{1}	模韻
1081	上保・043ウ3・人事	俸	―	ホウ ［平上］	右注	biɑuŋ^{3} pʌuŋ^{2}	用韻 董韻
1082	上保・043ウ4・人事	誇	平	クワ	右傍	k‘ua^{1}	麻韻
1083	上保・043ウ5・人事	屠	平	ト	右傍	duʌ^{1} ḍiʌ^{1}	模韻 魚韻
1084	上保・043ウ6・人事	崩	平	ホウ ［上平］	右注	pʌŋ^{1}	登韻
1085	上保・044オ1・人事	跳	―	セウ	右傍	deu^{1}	蕭韻
1086a	上保・044オ2・人事	弄	去	ロウ	右傍	lʌuŋ^{3}	送韻
1086b	上保・044オ2・人事	槍	平	サウ	右傍	ts‘iɑŋ^{1} tṣ‘iaŋ^{1}	陽韻 庚韻
1087a	上保・044オ2・人事	北	―	ホク	右傍	pʌk	徳韻
1087b	上保・044オ2・人事	庭	平	テイ	右傍	deŋ^{1}	青韻
1088a	上保・044オ3・人事	保	平	―	―	pɑu^{2}	晧韻
1088b	上保・044オ3・人事	曽	平	―	―	tsʌŋ^{1} dzʌŋ^{1}	登韻 登韻
1088c	上保・044オ3・人事	路	上	―	―	luʌ^{3}	暮韻
1089	上保・044オ5・飲食	糒	去濁	ヒ	右傍	biei^{3}	至韻
1090	上保・044オ5・飲食	腒	平	コ	右傍	kiʌ^{1} giʌ^{1}	魚韻 魚韻
1091	上保・044オ5・飲食	脯	平	フ	右傍	buʌ^{1}	模韻
1092	上保・044オ5・飲食	膎	平	ケイ	右傍	ɣɐ^{1}	佳韻
1093	上保・044オ5・飲食	羞	平	シユ	右傍	siʌu^{1}	尤韻
1094	上保・044オ6・飲食	脩	平	シウ	右傍	siʌu^{1}	尤韻
1095a	上保・044オ6・飲食	雉	上	チ	右傍	ḍiei^{2}	旨韻
1095b	上保・044オ6・飲食	脯	上	フ	右傍	piuʌ^{2}	麌韻
1096	上保・044オ7・飲食	月+粛	東	―	―	ṣiʌu^{1}	尤韻
1097	上保・044ウ3・雑物	戟	―	ケキ	右傍	kiak	陌韻
1098	上保・044ウ3・雑物	鏦	平	―	―	ts‘iɑuŋ^{1} ts‘auŋ^{1}	鍾韻 江韻

1099	上保・044ウ3・雜物	鍦	―	シ	右傍	śie$^{1/3}$ dźia^{1}	支/寘韻 麻韻
1100	上保・044ウ3・雜物	鋋	―	セン	右傍	źian^{1} jian^{1}	仙韻 仙韻
1101	上保・044ウ3・雜物	蕎	平	ケウ	右傍	kiau^{1} giau^{1}	宵韻 宵韻
1102	上保・044ウ6・雜物	缶	―	フ	右傍	piʌu^{2}	有韻
1103	上保・044ウ6・雜物	瓫	平	ホン	右傍	ʼʌuŋ^{3}	送韻
1104	上保・044ウ6・雜物	緌	平	スヰ	右傍	ńiuei^{1}	脂韻
1105a	上保・044ウ7・雜物	帽	去濁	ホウ	左注	mɑu^{3}	号韻
1105b	上保・044ウ7・雜物	子	上	シ	左注	tsiɐi^{2}	止韻
1106a	上保・044ウ7・雜物	反	―	ホン	左注	piɑn^{2}	阮韻
1106b	上保・044ウ7・雜物	故	―	コ	左注	kuʌ^{3}	暮韻
1107a	上保・044ウ7・雜物	反	―	ホ	右注	piɑn^{2}	阮韻
1107b	上保・044ウ7・雜物	故	―	ク	右注	kuʌ^{3}	暮韻
1108a	上保・044ウ7・雜物	方	去	ホウ	右注	piɑŋ^{1} biɑŋ^{1}	陽韻 陽韻
1108b	上保・044ウ7・雜物	錢	上濁	セン	右注	dzian^{1} tsian^{2}	仙韻 獮韻
1109a	上保・044ウ7・雜物	方	去	ホウ	右注	piɑŋ^{1} biɑŋ^{1}	陽韻 陽韻
1109b	上保・044ウ7・雜物	磬	平濁	キヤウ	右注	kʻeŋ^{3}	徑韻
1110a	上保・044ウ7・雜物	寶	―	ホウ	右注	pɑu^{2}	晧韻
1110b	上保・044ウ7・雜物	幢	―	トウ	右注	ḍauŋ$^{1/3}$	江/絳韻
1111a	上保・045オ1・雜物	寶	平	ホウ	右注	pɑu^{2}	晧韻
1111b	上保・045オ1・雜物	鐸	入	チヤク	右注	dɑk	鐸韻
1112a	上保・045オ1・雜物	寶	―	ホウ	右注	pɑu^{2}	晧韻
1112b	上保・045オ1・雜物	螺	―	ラ	右注	luɑ^{1}	戈韻
1113	上保・045オ1・雜物	⿰火節	入	セツ	右傍	tset	屑韻
1114	上保・045オ2・雜物	絆	去	ハン	右傍	pɑn^{3}	換韻
1115	上保・045オ3・雜物	覊	―	キ	右傍	kie^{1}	支韻
1116	上保・045オ3・雜物	帆	去	ハム	右傍	biʌm$^{1/3}$	凡/梵韻
1117a	上保・045オ4・雜物	帆	平	ハン	右傍	biʌm$^{1/3}$	凡/梵韻
1117b	上保・045オ4・雜物	竿	平	カン	右傍	kɑn^{1}	寒韻
1118a	上保・045オ4・雜物	柱	上	―	―	ḍiuʌ^{2} ṭiuʌ^{2}	麌韻 麌韻
1119a	上保・045オ5・雜物	帆	平	ハム	右傍	biʌm$^{1/3}$	凡/梵韻
1119b	上保・045オ5・雜物	綱	平	カウ	右傍	kɑŋ^{1}	唐韻
1120	上保・045オ6・雜物	乏	―	ホウ	右傍	biʌp	乏韻
1121	上保・045ウ1・光彩	炎	東?	エム	右傍	ɣiam^{1}	鹽韻
1122	上保・045ウ3・方角	程	平	―	―	ḍieŋ^{1}	清韻
1123	上保・045ウ3・方角	裔	―	エイ	右傍	jiai^{3}	祭韻

1124	上保・045ウ3・方角	邊	平	ヘン	右傍	pen[1]	先韻
1125	上保・045ウ4・方角	湄	平	ヒ	右傍	miei[1]	脂韻
1126	上保・045ウ5・方角	干	平	カン	右傍	kɑn[1]	寒韻
1127	上保・045ウ6・方角	潯	平	シム	右傍	ziem[1]	侵韻
1128	上保・045ウ6・方角	周	平	シウ	右傍	tśiʌu[1]	尤韻
1129	上保・045ウ6・方角	乘	平	―	―	dźiɐŋ[1/3]	蒸/證韻
1130	上保・045ウ6・方角	偏	平	ヘン	右傍	p'ian[1/3]	仙/線韻
1131	上保・045ウ6・方角	圻	平	―	―	giʌi[1] ŋiʌn[1] ŋʌn[1]	微韻 欣韻 痕韻
1132	上保・045ウ6・方角	閭	平	リヨ	右傍	liʌ[1]	魚韻
1133	上保・045ウ6・方角	漘	平	シン	右傍	dźiuen[1]	諄韻
1134	上保・045ウ7・方角	垠	平	キン	右傍	ŋien[1] ŋiʌn[1] ŋʌn[1]	眞韻 欣韻 痕韻
1135	上保・045ウ7・方角	將	平	シヤウ	右傍	tsiɑŋ[1/3]	陽/漾韻
1136	上保・045ウ7・方角	幽	平	―	―	'ieu[1]	幽韻
1137	上保・045ウ7・方角	方	―	ホウ	右傍	piɑŋ[1] biɑŋ[1]	陽韻 陽韻
1138	上保・046オ2・辞字	干		カン	右傍	kɑn[1]	寒韻
1139	上保・046オ3・辞字	哤	平	―	―	mauŋ[1]	江韻
1140	上保・046オ3・辞字	咆	平	ハウ	右傍	bau[1]	肴韻
1141	上保・046オ4・辞字	嘷	平	カウ	右傍	ɣɑu[1]	豪韻
1142	上保・046オ6・辞字	纎	平	―	―	śiam[1]	鹽韻
1143	上保・046ウ1・辞字	報	去	ホウ [平平]	右注	pɑu[3]	号韻
1144	上保・046ウ1・辞字	封	平	ホウ [上平]	右注	piɑŋ[1/3]	鍾/用韻
1145	上保・046ウ2・辞字	施	―	シ	右傍	śie[1/3]	支/寘韻
1146	上保・046ウ3・辞字	希	―	ケ	右傍	xiʌi[1]	微韻
1147	上保・046ウ8・辞字	朗	上	ラウ	右傍	lɑŋ[2]	蕩韻
1148	上保・047オ1・辞字	谺	平	―	―	xa[1]	麻韻
1149a	上保・047オ3・疊字	北	入	ホク	中注	pʌk	徳韻
1149b	上保・047オ3・疊字	辰	平	シム	中注	żien[1]	眞韻
1150a	上保・047オ3・疊字	北	入	ホク	中注	pʌk	徳韻
1150b	上保・047オ3・疊字	斗	上	ト	中注	tʌu[2]	厚韻
1151a	上保・047オ3・疊字	普	平	ホ	左注	p'uʌ[2]	姥韻
1151b	上保・047オ3・疊字	天	平	テン	左注	t'en[1]	先韻
1152a	上保・047オ3・疊字	暴	去濁	ホ	左注	bɑu[3] bʌuk	号韻 屋韻
1152b	上保・047オ3・疊字	風	平	フウ	左注	piʌuŋ[1/3]	東/送韻
1153a	上保・047オ3・疊字	夢	去濁	ホウ	左注	mʌuŋ[3] miʌuŋ[1]	送韻 東韻

1153b	上保・047オ3・疊字	澤	入	タク	左注	ḍak	陌韻
1154a	上保・047オ4・疊字	豊	平	―	―	p‘iʌuŋ^{1} lei^{2}	東韻 薺韻
1154b	上保・047オ4・疊字	稔	上濁	―	―	ńiem^{2}	寑韻
1155a	上保・047オ4・疊字	豊	平	ホウ	右注	p‘iʌuŋ^{1} lei^{2}	東韻 薺韻
1155b	上保・047オ4・疊字	瞻	平	セム	右注	tśiam^{1}	鹽韻
1156a	上保・047オ4・疊字	豊	平	ホウ	左注	p‘iʌuŋ^{1} lei^{2}	東韻 薺韻
1156b	上保・047オ4・疊字	年	平	ネム	左注	nen^{1}	先韻
1157a	上保・047オ4・疊字	暮	去濁	ホ	左注	muʌ^{3}	暮韻
1157b	上保・047オ4・疊字	山	平	サン	左注	ṣɐn^{1}	山韻
1158a	上保・047オ4・疊字	補	上	ホ	右注	puʌ^{2}	姥韻
1158b	上保・047オ4・疊字	天	平	テン	右注	t‘en^{1}	先韻
1159a	上保・047オ5・疊字	蓬	平	ホウ	右注	bʌuŋ^{1}	東韻
1159b	上保・047オ5・疊字	莱	平	ライ	右注	lʌi$^{1/3}$	咍/代韻
1160a	上保・047オ5・疊字	奉	去	―	―	biɑuŋ^{2}	腫韻
1160b	上保・047オ5・疊字	幣	平	―	―	bjiai^{3}	祭韻
1161a	上保・047オ5・疊字	報	去	ホウ	左注	pɑu^{3}	号韻
1161b	上保・047オ5・疊字	賽	去	サイ	左注	sʌi^{3}	代韻
1162a	上保・047オ5・疊字	法	入	ホウ	中注	piʌp	乏韻
1162b	上保・047オ5・疊字	文	去	モン	中注	miuʌn^{1}	文韻
1163a	上保・047オ6・疊字	梵	平濁	ホン	左注	biʌm^{3} biʌuŋ^{1}	梵韻 東韻
1163b	上保・047オ6・疊字	字	平濁	シ	左注	dziɐi^{3}	志韻
1164a	上保・047オ6・疊字	梵	平濁	ホン	左注	biʌm^{3} biʌuŋ^{1}	梵韻 東韻
1164b	上保・047オ6・疊字	語	平濁	コ	左注	ŋiʌ$^{2/3}$	語/御韻
1165a	上保・047オ6・疊字	翻	去	ホン	左注	p‘iɑn^{1}	元韻
1165b	上保・047オ6・疊字	譯	入	ヤク	左注	jiek	昔韻
1166a	上保・047オ6・疊字	法	入	ホフ	左注	piʌp	乏韻
1166b	上保・047オ6・疊字	相	平	サウ	左注	siɑŋ$^{1/3}$	陽/漾韻
1167a	上保・047オ6・疊字	法	入	ホフ	左注	piʌp	乏韻
1167b	上保・047オ6・疊字	華	上	クヱ	左注	xua^{1} ɣua$^{1/3}$	麻韻 麻/禡韻
1168a	上保・047オ7・疊字	寶	平	ホウ	左注	pɑu^{2}	晧韻
1168b	上保・047オ7・疊字	幢	去濁	トウ	左注	ḍauŋ$^{1/3}$	江/絳韻
1169a	上保・047オ7・疊字	寶	平	ホウ	左注	pɑu^{2}	晧韻
1169b	上保・047オ7・疊字	盖	去	カイ	左注	kɑi^{3} ɣɑp kɑp	泰韻 盍韻 盍韻
1170a	上保・047オ7・疊字	法	入	ホフ	左注	piʌp	乏韻

1170b	上保・047オ7・疊字	會	平	ヱ	左注	ɣuai^{3} kuai^{3}	泰韻 泰韻
1171a	上保・047オ7・疊字	法	入	ホウ	左注	piʌp	乏韻
1171b	上保・047オ7・疊字	用	平	ヨウ	左注	jiauŋ^{3}	用韻
1172a	上保・047オ7・疊字	發	入	ホツ	左注	piat	月韻
1172b	上保・047オ7・疊字	露	平	ロ	左注	luʌ^{3}	暮韻
1173a	上保・047ウ1・疊字	梵	平濁	ホン	左注	biʌm^{3} biʌuŋ^{1}	梵韻 東韻
1173b	上保・047ウ1・疊字	行	平濁	キヤウ	左注	ɣaŋ$^{1/3}$ ɣaŋ$^{1/3}$	庚/映韻 唐/宕韻
1174a	上保・047ウ1・疊字	菩	去濁	ホ	左注	buʌ^{1} bʌi^{2} biʌu^{2} bʌk	模韻 海韻 有韻 徳韻
1174b	上保・047ウ1・疊字	提	上濁	タイ	左注	dei^{1} źie^{1}	齊韻 支韻
1175a	上保・047ウ1・疊字	鳳	去	ホウ	左注	biʌuŋ^{3}	送韻
1175b	上保・047ウ1・疊字	暦	入	レキ	左注	lek	錫韻
1176a	上保・047ウ1・疊字	寶	上	ホウ	左注	pau^{2}	晧韻
1176b	上保・047ウ1・疊字	祚	去	ソ	左注	dzuʌ^{3}	暮韻
1177a	上保・047ウ1・疊字	寶	上	ホフ	左注	pau^{2}	晧韻
1177b	上保・047ウ1・疊字	釼	平	ケン	左注	kiʌm^{3}	梵韻
1178a	上保・047ウ2・疊字	奉	去	ホウ	左注	biauŋ^{2}	腫韻
1178b	上保・047ウ2・疊字	勅	入	チヨク	左注	ṭ'iɐk	職韻
1179a	上保・047ウ2・疊字	蓬	平	ホウ	左注	bʌuŋ^{1}	東韻
1179b	上保・047ウ2・疊字	宮	平	キウ	左注	kiʌuŋ^{1}	東韻
1180a	上保・047ウ2・疊字	鳳	去	ホウ	左注	biʌuŋ^{3}	送韻
1180b	上保・047ウ2・疊字	池	平	チ	左注	ḍie^{1}	支韻
1181a	上保・047ウ2・疊字	輔	去	ホ	中注	biuʌ^{2}	麌韻
1181b	上保・047ウ2・疊字	翼	入	ヨク	中注	jiɐk	職韻
1182a	上保・047ウ2・疊字	輔	去	ホ	左注	biuʌ^{2}	麌韻
1182b	上保・047ウ2・疊字	弼	入	ヒツ	左注	biet	質韻
1183a	上保・047ウ3・疊字	牧	入濁	ホク	右注	miʌuk	屋韻
1183b	上保・047ウ3・疊字	宰	上	サイ	右注	tsʌi^{2}	海韻
1184a	上保・047ウ3・疊字	奉	去	ホウ	中注	biauŋ^{2}	腫韻
1184b	上保・047ウ3・疊字	公	平	コウ	中注	kʌuŋ^{1}	東韻
1185a	上保・047ウ3・疊字	夲	平	ホン	中注	puʌn^{2}	混韻
1185b	上保・047ウ3・疊字	末	入	マツ	中注	mat	末韻
1186a	上保・047ウ3・疊字	ト	入濁	ホク	右傍	pʌuk	屋韻
1186b	上保・047ウ3・疊字	筮	去濁	セイ	右傍	źiai^{3}	祭韻
1187a	上保・047ウ3・疊字	方	去	ホウ	左注	piaŋ^{1} biaŋ^{1}	陽韻 陽韻
1187b	上保・047ウ3・疊字	藥	入	ヤク	左注	jiak	藥韻

1188a	上保・047ウ4・疊字	發	入	ホツ	左注	piat	月韻
1188b	上保・047ウ4・疊字	動	平濁	トウ	左注	dʌuŋ^{2}	董韻
1189a	上保・047ウ4・疊字	煩	去濁	ホン	左注	bian^{1}	元韻
1189b	上保・047ウ4・疊字	惱	平	ナウ	左注	nau^{2}	晧韻
1190a	上保・047ウ4・疊字	母	上濁	ホ	右注	mʌu^{2}	厚韻
1190b	上保・047ウ4・疊字	儀	平濁	キ	右注	ŋie^{1}	支韻
1191a	上保・047ウ4・疊字	覂	上	ホウ	中注	piauŋ^{2}	腫韻
1191b	上保・047ウ4・疊字	駕	平	カ	中注	ka^{3}	禡韻
1192a	上保・047ウ4・疊字	豊	平	ホウ	左注	p'iʌuŋ^{1} lei^{2}	東韻 薺韻
1192b	上保・047ウ4・疊字	顔	平濁	カン	左注	ŋan^{1}	刪韻
1193a	上保・047ウ5・疊字	毛	平濁	ホウ	右注	mau$^{1/3}$	豪/号韻
1193b	上保・047ウ5・疊字	嬙	平	シヤウ	右注	dziaŋ^{1}	陽韻
1194a	上保・047ウ5・疊字	品	平	ホム	左注	p'iem^{2}	寑韻
1194b	上保・047ウ5・疊字	秩	入濁	チㇳ	左注	ḍiet	質韻
1195a	上保・047ウ5・疊字	蓬	平	ホウ	左注	bʌuŋ^{1}	東韻
1195b	上保・047ウ5・疊字	頭	去濁	トウ	左注	dʌu^{1}	侯韻
1196a	上保・047ウ5・疊字	嫫	平濁	ホ	中注	muʌ^{1}	暮韻
1196b	上保・047ウ5・疊字	母	上濁	ホ	中注	mʌu^{2}	厚韻
1197a	上保・047ウ5・疊字	蓬	平	ホウ	左注	bʌuŋ^{1}	東韻
1197b	上保・047ウ5・疊字	鬢	去濁	ヒン	左注	pjien^{3}	震韻
1198a	上保・047ウ6・疊字	蒲	平	ホ	左注	buʌ^{1}	模韻
1198b	上保・047ウ6・疊字	栁	上	リウ	左注	liʌu^{2}	有韻
1199a	上保・047ウ6・疊字	母	―	ホ	右注	mʌu^{2}	厚韻
1199b	上保・047ウ6・疊字	堂	平	タウ	右注	daŋ^{1}	唐韻
1200a	上保・047ウ6・疊字	報	平	ホウ	中注	pau^{3}	号韻
1200b	上保・047ウ6・疊字	恩	去	ヲム	中注	'ʌn^{1}	痕韻
1201a	上保・047ウ6・疊字	本	平	ホン	左注	puʌn^{2}	混韻
1201b	上保・047ウ6・疊字	意	平	イ	左注	'iɐi^{3}	志韻
1202a	上保・047ウ6・疊字	本	平	―	―	puʌn^{2}	混韻
1202b	上保・047ウ6・疊字	意	平	―	―	'iɐi^{3}	志韻
1203a	上保・047ウ7・疊字	本	平	―	―	puʌn^{2}	混韻
1203b	上保・047ウ7・疊字	懐	去濁	―	―	ɣuɐi^{1}	皆韻
1204a	上保・047ウ7・疊字	禀	上	ホン	右注	piem^{2}	寑韻
1204b	上保・047ウ7・疊字	性	去	セイ	右注	sieŋ^{3}	勁韻
1205a	上保・047ウ7・疊字	蓬	平	ホウ	左注	bʌuŋ^{1}	東韻
1205b	上保・047ウ7・疊字	郷	平	キヤウ	左注	xiaŋ^{1}	陽韻
1206a	上保・047ウ7・疊字	暴	去濁	ホ	左注	bau^{3} bʌuk	号韻 屋韻
1206b	上保・047ウ7・疊字	悪	入	アク	左注	'ak 'uʌ$^{1/3}$	鐸韻 模/暮韻
1207a	上保・047ウ7・疊字	暴	去濁	ホ	左注	bau^{3} bʌuk	号韻 屋韻

1207b	上保・047ウ7・疊字	虐	入濁	キヤク	左注	ŋiak	藥韻
1208a	上保・048オ1・疊字	奔	平	ホン	左注	puʌn$^{1/3}$	魂/慁韻
1208b	上保・048オ1・疊字	營	平	エイ	左注	jiueŋ^{1}	清韻
1209a	上保・048オ1・疊字	鳳	去	ホウ	中注	biʌuŋ^{3}	送韻
1209b	上保・048オ1・疊字	雛	平	ス	中注	dẓiuʌ^{1}	虞韻
1210a	上保・048オ1・疊字	褒	平 去	ホウ	左注	pɑu^{1}	豪韻
1210b	上保・048オ1・疊字	誉	平	ヨ	左注	jiʌ$^{1/3}$	魚/御韻
1211a	上保・048オ1・疊字	匍	上	ホ	右注	buʌ^{1}	模韻
1211b	上保・048オ1・疊字	匐	入	ホク	右注	biʌuk bʌuk	屋韻 徳韻
1212a	上保・048オ1・疊字	蒲	―	ホ	右注	buʌ^{1}	模韻
1212b	上保・048オ1・疊字	伏	入	フク	右注	biʌuk	屋韻
1213a	上保・048オ2・疊字	發	入	ホツ	左注	piɑt	月韻
1213b	上保・048オ2・疊字	起	平	キ	左注	k'iɐi^{2}	止韻
1214a	上保・048オ2・疊字	報	去	ホウ	左注	pɑu^{3}	号韻
1214b	上保・048オ2・疊字	荅	入	タウ	左注	tʌp	合韻
1215a	上保・048オ2・疊字	報	去	ホウ	左注	pɑu^{3}	号韻
1215b	上保・048オ2・疊字	命	平	メイ	左注	miaŋ^{3}	映韻
1216a	上保・048オ2・疊字	毛	平濁	ホウ	左注	mɑu$^{1/3}$	豪/号韻
1216b	上保・048オ2・疊字	挙	平	キコ	左注	kiʌ^{2} jiʌ^{1}	語韻 魚韻
1217a	上保・048オ2・疊字	朋	去濁	ホウ	右傍	bʌŋ^{1}	登韻
1217b	上保・048オ2・疊字	友	平	イウ	右傍	ɣiʌu^{2}	有韻
1218a	上保・048オ3・疊字	寳	上	ホウ	左注	pɑu^{2}	晧韻
1218b	上保・048オ3・疊字	物	入	フツ	左注	miuʌt	物韻
1219a	上保・048オ3・疊字	僕	入濁	ホク	中注	bʌuk bɑuk	屋韻 沃韻
1219b	上保・048オ3・疊字	從	去濁	シユ	中注	dziɑuŋ^{1} ts'iɑuŋ$^{1/3}$	鍾韻 鍾/用韻
1220a	上保・048オ3・疊字	僕	入濁	ホク	左注	bʌuk bɑuk	屋韻 沃韻
1220b	上保・048オ3・疊字	夫	平	フ	左注	piuʌ^{1} biuʌ^{1}	虞韻 虞韻
1221a	上保・048オ3・疊字	歩	去	ホ	左注	buʌ^{3}	暮韻
1221b	上保・048オ3・疊字	卒	入	ソツ	左注	tsuʌt ts'uʌt tsiuet	没韻 没韻 術韻
1222a	上保・048オ3・疊字	褒	上	ホウ	左注	pɑu^{1}	豪韻
1222b	上保・048オ3・疊字	賞	平 去	シヤウ	左注	śiaŋ^{2}	養韻
1223a	上保・048オ4・疊字	奔	平	ホン	左注	puʌn$^{1/3}$	魂/慁韻
1223b	上保・048オ4・疊字	波	平	ハ	左注	pɑ^{1}	戈韻
1224a	上保・048オ4・疊字	奉	去	ホウ	左注	biɑuŋ^{2}	腫韻
1224b	上保・048オ4・疊字	仕	平濁	シ	左注	dẓiɐi^{2}	止韻

1225a	上保・048オ4・疊字	俸	去	ホウ	右注	biauŋ^{3} pʌuŋ^{2}	用韻 董韻
1225b	上保・048オ4・疊字	粁	平	レウ	右注	leu$^{1/3}$	蕭/嘯韻
1226a	上保・048オ4・疊字	俸	去	ホウ	右注	biauŋ^{3} pʌuŋ^{2}	用韻 董韻
1226b	上保・048オ4・疊字	禄	入	ロク	右注	lʌuk	屋韻
1227a	上保・048オ4・疊字	褒	平	ホウ	左注	pau^{1}	豪韻
1227b	上保・048オ4・疊字	美	平濁	ヒ	左注	miei^{2}	旨韻
1228a	上保・048オ5・疊字	發	入	ホツ	左注	piat	月韻
1228b	上保・048オ5・疊字	句	平	ク	左注	giuʌ^{1} kiuʌ^{3} kʌu$^{1/3}$	虞韻 遇韻 侯/候韻
1229a	上保・048オ5・疊字	方	去	ホウ	左注	piaŋ^{1} biaŋ^{1}	陽韻 陽韻
1229b	上保・048オ5・疊字	略	入	リヤク	左注	liak	藥韻
1230a	上保・048オ5・疊字	報	去	ホウ	右注	pau^{3}	号韻
1230b	上保・048オ5・疊字	緘	平	カム	右注	kɐm^{1}	咸韻
1231a	上保・048オ5・疊字	法	入	ホフ	左注	piʌp	乏韻
1231b	上保・048オ5・疊字	家	上	ケ	左注	ka^{1}	麻韻
1232a	上保・048オ6・疊字	法	入	ホフ	右注	piʌp	乏韻
1232b	上保・048オ6・疊字	條	平濁	テウ	右注	deu^{1}	蕭韻
1233a	上保・048オ6・疊字	法	入	ホフ	左注	piʌp	乏韻
1233b	上保・048オ6・疊字	令	平	リヤウ	左注	lieŋ$^{1/3}$ leŋ$^{1/3}$ lian^{1}	清/勁韻 青/徑韻 仙韻
1234a	上保・048オ6・疊字	本	平	ホン	左注	puʌn^{2}	混韻
1234b	上保・048オ6・疊字	系	上濁	ケイ	左注	ɣei^{3}	霽韻
1235a	上保・048オ6・疊字	發	入	ホツ	左注	piat	月韻
1235b	上保・048オ6・疊字	覺	入	カク	左注	kauk kau^{3}	覺韻 效韻
1236a	上保・048オ6・疊字	蜂	平	ホウ	中注	bʌuŋ^{1} p'iauŋ^{1}	東韻 鍾韻
1236b	上保・048オ6・疊字	起	平	キ	中注	k'iɐi^{2}	止韻
1237a	上保・048オ7・疊字	犯	平濁	ホム	右注	biʌm^{2}	范韻
1237b	上保・048オ7・疊字	過	平濁	クワ	右注	kua$^{1/3}$	戈/過韻
1238a	上保・048オ7・疊字	犯	平濁	ホン	右注	biʌm^{2}	范韻
1238b	上保・048オ7・疊字	罪	平濁	サイ	右注	dzuʌi^{2}	賄韻
1239a	上保・048オ7・疊字	犯	平濁	ホン	右注	biʌm^{2}	范韻
1239b	上保・048オ7・疊字	用	平	ヨウ	右注	jiauŋ^{3}	用韻
1240a	上保・048オ7・疊字	木	入濁	ホク	右注	mʌuk	屋韻
1240b	上保・048オ7・疊字	訥	入濁	トツ	右注	nuʌt	没韻
1241a	上保・048オ7・疊字	蓬	去	ホウ	左注	bʌuŋ^{1}	東韻
1241b	上保・048オ7・疊字	門	―	モン	左注	muʌn^{1}	魂韻

1242a	上保・048ウ1・疊字	蓬	平	ホウ	右注	bʌuŋ^{1}	東韻
1242b	上保・048ウ1・疊字	戸	上	コ	右注	ɣuʌ^{2}	姥韻
1243a	上保・048ウ1・疊字	蓬	平	ホウ	左注	bʌuŋ^{1}	東韻
1243b	上保・048ウ1・疊字	屋	入	ヲク	左注	ʼʌuk	屋韻
1244a	上保・048ウ1・疊字	布	去	ホ	左注	puʌ^{3}	暮韻
1244b	上保・048ウ1・疊字	衣	平	イ	左注	ʼiʌi$^{1/3}$	微/未韻
1245a	上保・048ウ1・疊字	布	去	ホ	右注	puʌ^{3}	暮韻
1245b	上保・048ウ1・疊字	袴	平	コ	右注	kʻuʌ^{3}	暮韻
1246a	上保・048ウ1・疊字	補	上	ホ	左注	puʌ^{2}	姥韻
1246b	上保・048ウ1・疊字	綴	入	テチ	左注	ṭiuat ṭiuai^{3}	薛韻 祭韻
1247a	上保・048ウ2・疊字	寳	平	ホウ	右注	pɑu^{2}	晧韻
1247b	上保・048ウ2・疊字	冠	去	クワン	右注	kuɑn$^{1/3}$	桓/換韻
1248a	上保・048ウ2・疊字	方	去	ホウ	左注	piɑŋ^{1} biɑŋ^{1}	陽韻 陽韻
1248b	上保・048ウ2・疊字	錢	上濁	セン	左注	dzian^{1} tsian^{2}	仙韻 獮韻
1249a	上保・048ウ2・疊字	奔	平	ホン	中注	puʌn$^{1/3}$	魂/慁韻
1249b	上保・048ウ2・疊字	走	平濁	ソウ	中注	tsʌu$^{2/3}$	厚/候韻
1250a	上保・048ウ2・疊字	歩	去	ホ	左注	buʌ^{3}	暮韻
1250b	上保・048ウ2・疊字	行	平	カウ	左注	ɣaŋ$^{1/3}$ ɣɑŋ$^{1/3}$	庚/映韻 唐/宕韻
1251a	上保・048ウ2・疊字	北	―	ホク	左注	pʌk	徳韻
1251b	上保・048ウ2・疊字	狄	―	テキ	左注	dek	錫韻
1252a	上保・048ウ3・疊字	暮	去濁	ホ	左注	muʌ^{3}	暮韻
1252b	上保・048ウ3・疊字	往	上	ワウ	左注	ɣiuɑŋ^{2}	養韻
1253a	上保・048ウ3・疊字	謀	去濁	ホウ	右注	miʌu^{1}	尤韻
1253b	上保・048ウ3・疊字	計	去	ケイ	右注	kei^{3}	霽韻
1254a	上保・048ウ3・疊字	謀	平濁	ホウ	左注	miʌu^{1}	尤韻
1254b	上保・048ウ3・疊字	略	入	リヤク	左注	liɑk	藥韻
1255a	上保・048ウ3・疊字	乏	入	ホク	左注	biʌp	乏韻
1255b	上保・048ウ3・疊字	少	上	セウ	左注	śiau$^{2/3}$	小/笑韻
1256a	上保・048ウ3・疊字	奉	去	―	―	biɑuŋ^{2}	腫韻
1256b	上保・048ウ3・疊字	借	入	―	―	tsiek taia^{3}	昔韻 禡韻
1257a	上保・048ウ4・疊字	鳳	去	ホウ	中注	biʌuŋ^{3}	送韻
1257b	上保・048ウ4・疊字	輦	上	レン	中注	lian^{2}	獮韻
1258a	上保・048ウ4・疊字	蒲	平	ホ	右注	buʌ^{1}	模韻
1258b	上保・048ウ4・疊字	輪	平	リン	右注	liuen^{1}	諄韻
1259a	上保・048ウ4・疊字	本	平	ホン	左注	puʌn^{2}	混韻
1259b	上保・048ウ4・疊字	體	平濁	タイ	左注	tʻei^{2}	薺韻
1260a	上保・048ウ5・疊字	本	平	ホン	右注	puʌn^{2}	混韻
1260b	上保・048ウ5・疊字	様	平	ヤウ	右注	jiɑŋ^{3}	漾韻

1261a	上保・048ウ5・疊字	品	平	ホウ	右注	p‘iem^{2}	寢韻
1262a	上保・048ウ5・疊字	木	入濁	ホク	右注	mʌuk	屋韻
1262b	上保・048ウ5・疊字	強	平	キヤウ	右注	giɑŋ^{1}	陽韻
1263a	上保・048ウ5・疊字	毛	平濁	ホウ	右注	mɑu$^{1/3}$	豪/号韻
1263b	上保・048ウ5・疊字	群	平	クン	右注	giuʌn^{1}	文韻
1264a	上保・048ウ5・疊字	墨	入濁	ホク	左注	mʌk	德韻
1264b	上保・048ウ5・疊字	子	上	シ	左注	tsiɐi^{2}	止韻
1265a	上保・048ウ6・疊字	毛	平濁	ホウ	右注	mɑu$^{1/3}$	豪/号韻
1265b	上保・048ウ6・疊字	衣	平	イ	右注	’iʌi$^{1/3}$	微/未韻
1266a	上保・048ウ6・疊字	褒	平	ホウ	左注	pɑu^{1}	豪韻
1266b	上保・048ウ6・疊字	貶	上	ヘン	左注	piam^{2}	琰韻
1267a	上保・048ウ6・疊字	方	―	ホウ	左注	piɑŋ^{1} biɑŋ^{1}	陽韻 陽韻
1267b	上保・048ウ6・疊字	圓	―	ヱン	左注	ɣiuan^{1}	仙韻
1268a	上保・048ウ7・疊字	寥	―	レウ	右傍	leu^{1} lek	蕭韻 錫韻
1268b	上保・048ウ7・疊字	廓	―	クワク	右傍	k‘uɑk	鐸韻
1269a	上保・048ウ7・疊字	髣	上	ハウ	右傍	p‘iɑŋ^{2}	養韻
1269b	上保・048ウ7・疊字	髴	去	ヒ	右傍	p‘iʌi^{3} piuʌt p‘iuʌt	未韻 物韻 物韻
1270b	上保・049オ1・疊字	靆	―	タイ	右傍	dʌi^{3}	代韻
1271a	上保・049オ1・疊字	潦	上	ラウ	右傍	lɑu$^{2/3}$	晧/号韻
1271b	上保・049オ1・疊字	倒	平	タウ	右傍	tɑu$^{2/3}$	晧/号韻
1272a	上保・049オ6・諸社	北	―	ホク	右注	pʌk	德韻
1272b	上保・049オ6・諸社	野	―	ヤ	右注	jia^{2} źiʌ^{2}	馬韻 語韻
1273a	上保・049ウ1・諸寺	法	―	ホ	右注	piʌp	乏韻
1273b	上保・049ウ1・諸寺	華	―	クヱ	右注	xua^{1} ɣua$^{1/3}$	麻韻 麻/禡韻
1273c	上保・049ウ1・諸寺	寺	―	シ	右注	ziɐi^{3}	志韻
1274a	上保・049ウ1・諸寺	法	―	ホウ	右注	piʌp	乏韻
1274b	上保・049ウ1・諸寺	隆	上	リウ	右注	liʌuŋ^{1}	東韻
1274c	上保・049ウ1・諸寺	寺	―	シ	右注	ziɐi^{3}	志韻
1275a	上保・049ウ1・諸寺	寶	―	ホウ	右注	pɑu^{2}	晧韻
1275b	上保・049ウ1・諸寺	幢	去濁	タウ	右注	ḍauŋ$^{1/3}$	江/絳韻
1275c	上保・049ウ1・諸寺	院	―	ヰン	右注	ɣiuan^{3} ɣuɑn^{1}	線韻 桓韻
1276a	上保・049ウ1・諸寺	法	―	ホウ	右注	piʌp	乏韻
1276b	上保・049ウ1・諸寺	性	―	シヤウ	右注	sieŋ^{3}	勁韻
1276c	上保・049ウ1・諸寺	寺	―	シ	右注	ziɐi^{3}	志韻
1277a	上保・049ウ3・官職	保	―	ホウ	右注	pɑu^{2}	晧韻
1277b	上保・049ウ3・官職	司	―	シ	右注	siɐi^{1}	之韻

1278a	上保・049ウ4・官職	法	―	ホウ	右注	piʌp	乏韻
1278b	上保・049ウ4・官職	務	―	ム	右注	miuʌ^{3}	遇韻
1279a	上保・049ウ4・官職	法	―	ホウ	右注	piʌp	乏韻
1279b	上保・049ウ4・官職	印	―	イン	右注	'jien^{3}	震韻
1280a	上保・049ウ4・官職	法	―	ホウ	右注	piʌp	乏韻
1280b	上保・049ウ4・官職	眼	―	ケン	右注	ŋɐn^{2}	産韻
1281a	上保・049ウ4・官職	法	―	ホツ	右注	piʌp	乏韻
1281b	上保・049ウ4・官職	樢	―	ケウ	右注	giau^{1}	宵韻
1282a	上保・049ウ6・姓氏	品	―	ホム	右注	p'iem^{2}	寝韻
1282b	上保・049ウ6・姓氏	治	―	チ	右注	ḍiɐi$^{1/3}$ ḍiei^{3}	之/志韻 至韻

【表A-01】上巻_邊篇

番号	前田本所在	掲出字		仮名音注		中古音	韻目
1283	上邊・050オ1・地儀	戸	上	コ	右傍	ɣuʌ^{2}	姥韻
1284	上邊・050オ2・地儀	屏	平 上	ヘイ	右注	pieŋ$^{1/2}$ beŋ^{1}	清/静韻 青韻
1285a	上邊・050オ2・地儀	罘	―	フ	右傍	biʌu^{1}	尤韻
1285b	上邊・050オ2・地儀	罳	―	シ	右傍	siɐi^{1}	之韻
1286a	上邊・050オ2・地儀	邊	―	ヘン	右注	pen^{1}	先韻
1287a	上邊・050オ4・植物	斑	平	ヘン	右注	pan^{1}	刪韻
1287b	上邊・050オ4・植物	竹	―	チク	右注	ṭiʌuk	屋韻
1288	上邊・050オ5・植物	椐	平	キヨ	右傍	kiʌ$^{1/3}$ k'iʌ^{1}	魚/御韻 魚韻
1289	上邊・050ウ1・動物	豹	去	ヘウ [平去]	右注	pau^{3}	効韻
1290	上邊・050ウ2・動物	虵	平	シヤ	右傍	dźia^{1} jia^{2} jie^{1}	麻韻 馬韻 支韻
1291	上邊・050ウ6・人躰	臍	平	セイ	右傍	dzei^{1}	齊韻
1292	上邊・050ウ6・人躰	膍	平	ヘイ	右傍	bjiei^{1}	脂韻
1293b	上邊・050ウ6・人躰	核	入	カク	右傍	ɣɐk	麥韻
1294	上邊・050ウ6・人躰	屁	去	ヒ	右傍	p'jiei^{3}	至韻
1295a	上邊・051オ1・人躰	瘭	去	ヘウ	右注	pjiau^{1}	宵韻
1295b	上邊・051オ1・人躰	疽	上	ソ	右注	ts'iʌ^{1}	魚韻
1296a	上邊・051オ1・人躰	歐	上	ヲウ	右傍	'ʌu$^{1/2}$	侯/厚韻
1296b	上邊・051オ1・人躰	吐	上	ト	右傍	t'uʌ$^{2/3}$	姥/暮韻
1297	上邊・051オ3・人事	謙	平	ケム	右傍	k'em^{1}	添韻
1298	上邊・051オ3・人事	聘	―	ヘイ [平上]	右注	p'ieŋ^{3}	勁韻
1299	上邊・051オ4・人事	嬖	去	ヘイ	右注	pei^{3}	霽韻
1300	上邊・051オ5・人事	諂	上	テム	右傍	ṭ'iam^{2}	琰韻
1301	上邊・051オ5・人事	諛	平	ユ	右傍	jiuʌ^{1}	虞韻

1302a	上邊・051オ6・人事	平	平	ヘイ	左注	biaŋ^{1} bjian^{1}	庚韻 仙韻
1302b	上邊・051オ6・人事	蠻	平濁	ハン	左注	man^{1}	刪韻
1302c	上邊・051オ6・人事	樂	—	ラク	左注	lɑk ŋauk ŋau^{3}	鐸韻 覺韻 効韻
1303a	上邊・051ウ1・飲食	餅	上	ヘイ	右注	pieŋ^{2}	靜韻
1303b	上邊・051ウ1・飲食	賧	平濁 去濁	タム	右注	dɑm^{3}	闞韻
1304	上邊・051ウ3・雜物	舳	入	チク	右傍	ḍiʌuk	屋韻
1305a	上邊・051ウ3・雜物	瓶	平	ヘイ	右傍	beŋ^{1}	青韻
1305b	上邊・051ウ3・雜物	子	上濁	シ	右注	tsiɐi^{2}	止韻
1306a	上邊・051ウ3・雜物	褾	平	ヘウ	右注	pjiau^{2}	小韻
1306b	上邊・051ウ3・雜物	紙	平	シ	右注	tśie^{2}	紙韻
1307a	上邊・051ウ3・雜物	版	去	ヘン	右注	pan^{2}	潸韻
1307b	上邊・051ウ3・雜物	位	平	ヰ	右注	ɣiuei^{3}	至韻
1308a	上邊・051ウ3・雜物	斑	—	ヘン [上上]	右傍	pan^{1}	刪韻
1308b	上邊・051ウ3・雜物	幔	—	マン [平平]	右傍	mɑn^{3}	換韻
1309	上邊・051ウ4・雜物	幣	—	ヘイ [平平]	右注	bjiai^{3}	祭韻
1310	上邊・051ウ4・雜物	綜	去	ソウ	右傍	tsɑuŋ^{3}	宋韻
1311	上邊・051ウ4・雜物	鱍	去	ヘウ	右傍	piɑi^{3} bɑt	廢韻 末韻
1312a	上邊・051ウ4・雜物	卷	去	クヱン	右傍	giuan$^{1/3}$ kiuan^{2} giuɑn^{2}	仙/線韻 獮韻 阮韻
1313a	上邊・051ウ4・雜物	丿	—	ヘツ	右注	p‘et jiai^{3}	屑韻 祭韻
1313b	上邊・051ウ4・雜物	㇏	—	ホツ	右注	p‘iuʌt	物韻
1314a	上邊・051ウ5・雜物	桱	平	テイ	右傍	ṭ‘ieŋ^{1}	清韻
1314b	上邊・051ウ5・雜物	粉	上	フン	右傍	piuʌn^{2}	吻韻
1315	上邊・051ウ5・雜物	表	上	ヘウ [上上]	右注	piau^{2}	小韻
1316	上邊・051ウ5・雜物	標	—	ヘウ	右注	pjiau$^{1/2}$	宵/小韻
1317	上邊・052オ3・辞字	篇	上	ヘン	右注	p‘jian^{1}	仙韻
1318	上邊・052オ4・辞字	變	—	ヘン	右傍	pian^{3}	線韻
1319	上邊・052オ5・辞字	斃	—	ヘイ	右注	bjiai^{3}	祭韻
1320a	上邊・052ウ1・重點	眇	—	ヘウ	右注	mjiau^{2}	小韻
1320b	上邊・052ウ1・重點	眇	—	ヘウ	右注	mjiau^{2}	小韻
1321a	上邊・052ウ1・重點	淼	—	ヘウ	右注	mjiau^{2}	小韻
1321b	上邊・052ウ1・重點	淼	—	ヘウ	右注	mjiau^{2}	小韻
1322a	上邊・052ウ1・重點	變	—	ヘン	右注	pian^{3}	線韻
1322b	上邊・052ウ1・重點	變	—	ヘン	右注	pian^{3}	線韻

1323a	上邊・052ウ1・重點	片	―	ヘン	右注	p‘en^{3}	霰韻
1323b	上邊・052ウ1・重點	片	―	ヘン	右注	p‘en^{3}	霰韻
1324a	上邊・052ウ3・疊字	霹	入	ヘキ	右注	p‘ek	錫韻
1324b	上邊・052ウ3・疊字	靂	入	レキ	右注	lek	錫韻
1325a	上邊・052ウ3・疊字	片	去	ヘン	左注	p‘en^{3}	霰韻
1325b	上邊・052ウ3・疊字	雲	平	ウン	左注	ɣiuʌn^{1}	文韻
1326a	上邊・052ウ3・疊字	碧	入	ヘキ	右注	piek	昔韻
1326b	上邊・052ウ3・疊字	落	入	ラク	右注	lɑk	鐸韻
1327a	上邊・052ウ3・疊字	平	平	ヘイ	左注	biaŋ^{1} bjian^{1}	庚韻 仙韻
1327b	上邊・052ウ3・疊字	明	平	メイ	左注	miaŋ^{1}	庚韻
1328a	上邊・052ウ3・疊字	平	平	ヘイ	左注	biaŋ^{1} bjian^{1}	庚韻 仙韻
1328b	上邊・052ウ3・疊字	旦	平	タン	左注	tɑn^{3}	翰韻
1329a	上邊・052ウ4・疊字	秉	上	ヘイ	左注	piaŋ^{2}	梗韻
1329b	上邊・052ウ4・疊字	燭	入	ソク	左注	tśiɑuk	燭韻
1330a	上邊・052ウ4・疊字	僻	入	ヘキ	中注	p‘iek p‘ek	昔韻 錫韻
1330b	上邊・052ウ4・疊字	遠	上	ヱン	中注	ɣiuɑn$^{2/3}$	阮/願韻
1331a	上邊・052ウ4・疊字	眇	上濁	ヘウ	中注	mjiau^{2}	小韻
1331b	上邊・052ウ4・疊字	邈	入	ハク	中注	mauk	覺韻
1332a	上邊・052ウ4・疊字	別	入	ヘツ	左注	biat piat	薛韻 薛韻
1332b	上邊・052ウ4・疊字	業	入濁	ケフ	左注	ŋiɑp	業韻
1333a	上邊・052ウ4・疊字	邊	平	ヘン	中注	pen^{1}	先韻
1333b	上邊・052ウ4・疊字	鄙	上	ヒ	中注	piei^{2}	旨韻
1334a	上邊・052ウ5・疊字	偏	平	ヘン	左注	p‘ian$^{1/3}$	仙/線韻
1334b	上邊・052ウ5・疊字	戸	去	コ	左注	ɣuʌ^{2}	姥韻
1335a	上邊・052ウ5・疊字	邊	平	ヘン	右注	pen^{1}	先韻
1335b	上邊・052ウ5・疊字	畔	平	ハン	右注	bɑn^{3}	換韻
1336a	上邊・052ウ5・疊字	邊	去	ヘン	右注	pen^{1}	先韻
1336b	上邊・052ウ5・疊字	土	平濁	ト	右注	t‘uʌ^{2} duʌ^{2}	姥韻 姥韻
1337a	上邊・052ウ5・疊字	邊	去	ヘン	左注	pen^{1}	先韻
1337b	上邊・052ウ5・疊字	地	平濁	チ	左注	diei^{3}	至韻
1338a	上邊・052ウ5・疊字	淼	上濁	ヘウ	左注	mjiau^{2}	小韻
1338b	上邊・052ウ5・疊字	茫	平濁	ハウ	左注	mɑŋ^{1}	唐韻
1339a	上邊・052ウ6・疊字	碧	入	ヘキ	左注	piek	昔韻
1339b	上邊・052ウ6・疊字	水	平	スイ	左注	śiuei^{2}	旨韻
1340a	上邊・052ウ6・疊字	陛	去	ヘイ	中注	bei^{2}	薺韻
1340b	上邊・052ウ6・疊字	下	去	カ	中注	ɣa$^{2/3}$	馬/禡韻
1341a	上邊・052ウ6・疊字	冕	上濁	ヘン	左注	mian^{2}	獮韻
1341b	上邊・052ウ6・疊字	旒	平	リウ	左注	liʌu^{1}	尤韻

1342a	上邊・052ウ6・疊字	平	平	ヘイ	左注	biaŋ^{1} bjian^{1}	庚韻 仙韻
1342b	上邊・052ウ6・疊字	安	平	アン	左注	'ɑn^{1}	寒韻
1343a	上邊・052ウ6・疊字	辨	平濁	ヘン	中注	bian^{2} bɐn^{3}	獮韻 裥韻
1343b	上邊・052ウ6・疊字	濟	上濁	セイ	中注	tsei$^{2/3}$	薺/霽韻
1344a	上邊・052ウ7・疊字	表	去	ヘウ	左注	piau^{2}	小韻
1344b	上邊・052ウ7・疊字	事	平	シ	左注	dẓiɐi^{3}	志韻
1345a	上邊・052ウ7・疊字	表	平	ヘウ	左注	piau^{2}	小韻
1345b	上邊・052ウ7・疊字	相	平	サウ	左注	siɑŋ$^{1/3}$	陽/漾韻
1346a	上邊・052ウ7・疊字	返	平	ヘン	右注	piɑn^{2}	阮韻
1346b	上邊・052ウ7・疊字	閇	平	ハイ	右注	pei^{3} pet	霽韻 屑韻
1347a	上邊・052ウ7・疊字	平	平	ヘイ	中注	biaŋ^{1} bjian^{1}	庚韻 仙韻
1347b	上邊・052ウ7・疊字	瘉	平	ユ	中注	jiuʌ$^{1/2}$	虞/麌韻
1348a	上邊・052ウ7・疊字	平	平	ヘイ	右注	biaŋ^{1} bjian^{1}	庚韻 仙韻
1348b	上邊・052ウ7・疊字	復	入	フク	右注	biʌuk	屋韻
1349a	上邊・053オ1・疊字	平	平	ヘイ	右注	biaŋ^{1} bjian^{1}	庚韻 仙韻
1349b	上邊・053オ1・疊字	痊	平	セン	右注	ts'iuan^{1}	仙韻
1350a	上邊・053オ1・疊字	扁	去	ヘン	右注	ben^{2} pen^{2} p'jian^{1} bjian^{2}	銑韻 銑韻 仙韻 獮韻
1350b	上邊・053オ1・疊字	鵲	入?	シヤク	右注	ts'iɑk	藥韻
1351a	上邊・053オ1・疊字	苗	去濁	ヘウ	左注	miau^{1}	宵韻
1351b	上邊・053オ1・疊字	褻	平	エイ	左注	jiai^{3}	祭韻
1352a	上邊・053オ1・疊字	平	平	ヘイ	左注	biaŋ^{1} bjian^{1}	庚韻 仙韻
1352b	上邊・053オ1・疊字	民	平	ミム	左注	mjien^{1}	眞韻
1353a	上邊・053オ1・疊字	氷	平	ヘウ	左注	piɐŋ^{1}	蒸韻
1353b	上邊・053オ1・疊字	魚	平	キヨ	左注	ŋiʌ^{1}	魚韻
1354a	上邊・053オ2・疊字	偏	平	ヘン	左注	p'ian$^{1/3}$	仙/線韻
1354b	上邊・053オ2・疊字	頗	上濁	ハ	左注	p'ɑ$^{1/2/3}$	戈/果/過韻
1355a	上邊・053オ2・疊字	偏	平	ヘン	左注	p'ian$^{1/3}$	仙/線韻
1355b	上邊・053オ2・疊字	執	入濁	シフ	左注	tśiep	緝韻
1356a	上邊・053オ2・疊字	憑	平	ヘウ	右注	biɐŋ^{1}	蒸韻
1356b	上邊・053オ2・疊字	虚	平	キヨ	右注	xiʌ^{1} k'iʌ^{1}	魚韻 魚韻
1357a	上邊・053オ2・疊字	蔑	入濁	ヘツ	中注	met	屑韻

1357b	上邊・053オ2・疊字	尒	平濁	シ	中注	ńie^{2}	紙韻
1358a	上邊・053オ2・疊字	蔑	入濁	ヘツ	左注	met	屑韻
1358b	上邊・053オ2・疊字	如	平濁	シヨ	左注	ńiʌ$^{1/3}$	魚/御韻
1359a	上邊・053オ3・疊字	平	平	ヘイ	左注	biaŋ^{1} bjian^{1}	庚韻 仙韻
1359b	上邊・053オ3・疊字	懐	平濁	クワイ	左注	ɣuɐi^{1}	皆韻
1360a	上邊・053オ3・疊字	蔑	入濁	ヘツ	左注	met	屑韻
1360b	上邊・053オ3・疊字	賤	平	セン	左注	dzian^{3}	線韻
1361a	上邊・053オ3・疊字	片	去	ヘン	左注	p‘en^{3}	霰韻
1361b	上邊・053オ3・疊字	言	平濁	ケン	左注	ŋiɑn^{1}	元韻
1362a	上邊・053オ3・疊字	別	入	ヘツ	左注	biat piat	薛韻 薛韻
1362b	上邊・053オ3・疊字	離	平	リ	左注	lie$^{1/3}$ lei^{3}	支/寘韻 霽韻
1363a	上邊・053オ3・疊字	僻	入	ヘキ	右注	p‘iek p‘ek	昔韻 錫韻
1363b	上邊・053オ3・疊字	人	平濁	シム	右注	ńien^{1}	眞韻
1364a	上邊・053オ4・疊字	抃	去	ヘン	右注	bian^{3}	線韻
1364b	上邊・053オ4・疊字	感	上	カム	右注	kʌm^{2}	感韻
1365a	上邊・053オ4・疊字	抃	—	ヘン	右注	bian^{3}	線韻
1365b	上邊・053オ4・疊字	喜	—	キ	右注	xiɐi$^{2/3}$	止/志韻
1366a	上邊・053オ4・疊字	抃	去	ヘン	右注	bian^{3}	線韻
1366b	上邊・053オ4・疊字	躍	入	ヤク	右注	jiɑk	藥韻
1367a	上邊・053オ4・疊字	閇	去	ヘイ	左注	pei^{3} pet	霽韻 屑韻
1367b	上邊・053オ4・疊字	口	上	コウ	左注	k‘ʌu^{2}	厚韻
1368a	上邊・053オ4・疊字	并	平	ヘイ	中注	pieŋ$^{1/3}$	清/勁韻
1368b	上邊・053オ4・疊字	日	入濁	シツ	中注	ńiet	質韻
1369a	上邊・053オ5・疊字	貶	上	ヘイ	左注	piam^{2}	琰韻
1369b	上邊・053オ5・疊字	謫	入	チヤク	左注	ṭɐk ḍɐk	麥韻 麥韻
1370a	上邊・053オ5・疊字	貶	去	ヘン	左注	piam^{2}	琰韻
1370b	上邊・053オ5・疊字	黜	入	チヨク	左注	ṭ‘iuet	術韻
1371a	上邊・053オ5・疊字	偏	平	ヘン	中注	p‘ian$^{1/3}$	仙/線韻
1371b	上邊・053オ5・疊字	緑	入	ロク	中注	liɑuk	燭韻
1372a	上邊・053オ5・疊字	篇	平	ヘン	左注	p‘jian^{1}	仙韻
1372b	上邊・053オ5・疊字	什	入濁	シフ	左注	źiep	緝韻
1373a	上邊・053オ5・疊字	弁	平濁	ヘン	左注	bian^{2} bɐn^{3}	獮韻 襇韻
1373b	上邊・053オ5・疊字	才	去濁	サイ	左注	dzʌi^{1}	咍韻
1374a	上邊・053オ6・疊字	冕	上濁	ヘン	左注	mian^{2}	獮韻
1374b	上邊・053オ6・疊字	淩	平	レウ	左注	lieŋ^{1}	蒸韻
1375a	上邊・053オ6・疊字	弁	平濁	ヘン	左注	bian^{2} bɐn^{3}	獮韻 襇韻

1375b	上邊・053オ6・疊字	說	入濁	セツ	左注	śiuat	薛韻
1376a	上邊・053オ6・疊字	弁	平濁	ヘン	中注	bian^{2} bɐn^{3}	獮韻 襉韻
1376b	上邊・053オ6・疊字	定	平濁	チヤウ	中注	teŋ^{3} deŋ^{3}	徑韻 徑韻
1377a	上邊・053オ6・疊字	弁	平濁	ヘン	左注	bian^{2} bɐn^{3}	獮韻 襉韻
1377b	上邊・053オ6・疊字	决	入	クエツ	左注	kuet xuet	屑韻 屑韻
1378a	上邊・053オ6・疊字	辟	入	ヘキ	左注	piek biek	昔韻 昔韻
1378b	上邊・053オ6・疊字	居	平	キヨ	左注	kiʌ^{1} kiɐi^{1}	魚韻 之韻
1379a	上邊・053オ7・疊字	反	平	ヘン	左注	piɑn^{2}	阮韻
1379b	上邊・053オ7・疊字	難	平	ナン	左注	nɑn$^{1/3}$	寒/翰韻
1380a	上邊・053オ7・疊字	碧	入	ヘキ	中注	piek	昔韻
1380b	上邊・053オ7・疊字	蒲	平	ホ	中注	buʌ^{1}	模韻
1381a	上邊・053オ7・疊字	抃	平	ヘン	左注	bian^{3}	線韻
1381b	上邊・053オ7・疊字	帳	平	チヤウ	左注	ṭiɑŋ^{3}	漾韻
1382a	上邊・053オ7・疊字	獘	去	ヘイ	左注	bjiai^{3}	祭韻
1382b	上邊・053オ7・疊字	居	平	キヨ	左注	kiʌ^{1} kiɐi^{1}	魚韻 之韻
1383a	上邊・053オ7・疊字	獘	平	ヘイ	左注	bjiai^{3}	祭韻
1383b	上邊・053オ7・疊字	宅	入	タク	左注	ḍak	陌韻
1384a	上邊・053ウ1・疊字	弁	平濁	ヘン	左注	bian^{2} bɐn^{3}	獮韻 襉韻
1384b	上邊・053ウ1・疊字	備	去濁	ヒ	左注	biei^{3}	至韻
1385a	上邊・053ウ1・疊字	平	平	ヘイ	左注	biaŋ^{1} bjian^{1}	庚韻 仙韻
1385b	上邊・053ウ1・疊字	索	入	サク	左注	sɑk ṣak ṣɐk	鐸韻 陌韻 麥韻
1386a	上邊・053ウ1・疊字	弁	平濁	ヘン	中注	bian^{2} bɐn^{3}	獮韻 襉韻
1386b	上邊・053ウ1・疊字	進	平濁	シン	中注	tsien^{3}	震韻
1387a	上邊・053ウ1・疊字	弁	平濁	ヘン	左注	bian^{2} bɐn^{3}	獮韻 襉韻
1387b	上邊・053ウ1・疊字	補	上	フ	左注	puʌ^{2}	姥韻
1388a	上邊・053ウ1・疊字	廟	去濁	ヘウ	右注	miau^{3}	笑韻
1388b	上邊・053ウ1・疊字	略	入?	リヤク	右注	liɑk	藥韻
1389a	上邊・053ウ2・疊字	遍	平	ヘン	左注	pjian^{3}	線韻
1389b	上邊・053ウ2・疊字	滿	平	マン	左注	mɑn^{2}	緩韻
1390a	上邊・053ウ2・疊字	偏	平	ヘム	右注	p'ian$^{1/3}$	仙/線韻

1390b	上邊・053ウ2・疊字	黨	上	タウ	右注	taŋ^{2}	蕩韻
1391a	上邊・053ウ2・疊字	變	去	ヘン	右注	pian^{3}	線韻
1391b	上邊・053ウ2・疊字	改	上濁	カイ	右注	kʌi^{2}	海韻
1392a	上邊・053ウ2・疊字	邊	去	ヘン	右注	pen^{1}	先韻
1392b	上邊・053ウ2・疊字	際	平濁	サイ	右注	tsiai^{3}	祭韻
1393a	上邊・053ウ2・疊字	返	平	ヘム	右注	piɑn^{2}	阮韻
1393b	上邊・053ウ2・疊字	奉	去	ホウ	右注	biɑuŋ^{2}	腫韻
1394a	上邊・053ウ3・疊字	返	平	—	—	piɑn^{2}	阮韻
1394b	上邊・053ウ3・疊字	進	平濁	—	—	tsien^{3}	震韻
1395a	上邊・053ウ3・疊字	反	平	—	—	piɑn^{2}	阮韻
1395b	上邊・053ウ3・疊字	獻	平	—	—	xiɑn^{3} sɑ^{1} ŋiat	願韻 歌韻 薛韻
1396a	上邊・053ウ3・疊字	平	平	—	—	biaŋ^{1} bjian^{1}	庚韻 仙韻
1396b	上邊・053ウ3・疊字	均	平濁	—	—	kjiuen^{1}	諄韻
1397a	上邊・053ウ4・疊字	攀	去	—	—	pʻan^{1}	刪韻
1397b	上邊・053ウ4・疊字	縁	上	—	—	jiuan$^{1/3}$	仙/線韻
1398a	上邊・053ウ4・疊字	反	平	ヘン	右注	piɑn^{2}	阮韻
1398b	上邊・053ウ4・疊字	損	平濁	ソン	右注	suʌn^{2}	混韻
1399a	上邊・053ウ4・疊字	平	平	ヘイ	右注	biaŋ^{1} bjian^{1}	庚韻 仙韻
1399b	上邊・053ウ4・疊字	坏	平	ハイ	右注	puʌi^{1}	灰韻
1400a	上邊・053ウ4・疊字	炳	上	ヘイ	右注	piaŋ^{2}	梗韻
1400b	上邊・053ウ4・疊字	焉	平	エン	右注	ʼian^{1} ɣian^{1} ʼiɑn^{1}	仙韻 仙韻 元韻
1401a	上邊・053ウ4・疊字	陪	平濁	ヘイ	右注	buʌi^{1}	灰韻
1401b	上邊・053ウ4・疊字	従	上濁	シウ	右注	dziɑuŋ^{1} tsʻiɑuŋ$^{1/3}$	鍾韻 鍾/用韻
1402a	上邊・053ウ5・疊字	變	平	ヘン	右注	pian^{3}	線韻
1402b	上邊・053ウ5・疊字	化	平濁	クワ	右注	xua^{3}	禡韻
1403a	上邊・053ウ5・疊字	表	平	ヘウ	右注	piau^{2}	小韻
1403b	上邊・053ウ5・疊字	白	入	ヒヤク	右注	bak	陌韻
1404a	上邊・053ウ5・疊字	漂	平	ヘウ	右注	pʻjiau$^{1/3}$	宵/笑韻
1404b	上邊・053ウ5・疊字	倒	平	タウ	右注	tɑu$^{2/3}$	晧/号韻
1405a	上邊・053ウ5・疊字	迷	平濁	メイ	右注	mei^{1}	齊韻
1405b	上邊・053ウ5・疊字	惑	入	ワク	右注	ɣuʌk	徳韻
1406a	上邊・053ウ5・疊字	平	平	ヘイ	右注	biaŋ^{1} bjian^{1}	庚韻 仙韻
1406b	上邊・053ウ5・疊字	給	入	キウ	右注	kiep	緝韻
1407a	上邊・053ウ6・疊字	抃	去	ヘン	右注	bian^{3}	線韻

1407b	上邊・053ウ6・疊字	悦	入	エツ	右注	jiuat	薛韻
1408a	上邊・053ウ6・疊字	邊	去	ヘン	右注	pen^{1}	先韻
1408b	上邊・053ウ6・疊字	塞	去	サイ	右注	sʌi^{3} sʌk	代韻 徳韻
1409a	上邊・053ウ6・疊字	表	上	ヘウ	左注	piau^{2}	小韻
1409b	上邊・053ウ6・疊字	裏	上	リ	左注	liɐi^{2}	止韻
1410a	上邊・053ウ6・疊字	平	平	ヘイ	左注	biaŋ^{1} bjian^{1}	庚韻 仙韻
1410b	上邊・053ウ6・疊字	否	上	フ	左注	piʌu^{2} biei^{2}	有韻 旨韻
1411	上邊・054オ1・官軄	辨	—	ヘン	右注	bian^{2} bɐn^{3}	獮韻 襉韻
1412a	上邊・054オ1・官軄	別	—	ヘツ	右注	biat piat	薛韻 薛韻
1412b	上邊・054オ1・官軄	當	—	タウ	右注	tɑŋ$^{1/3}$	唐/宕韻
1413a	上邊・054オ1・官軄	弁	—	ヘン	右注	bian^{2} bɐn^{3}	獮韻 襉韻
1413b	上邊・054オ1・官軄	濟	—	サイ	右注	tsei$^{2/3}$	薺/霽韻
1413c	上邊・054オ1・官軄	使	—	シ	右注	ṣiɐi$^{2/3}$	止/志韻
3290a	上邊・054オ3・姓氏	平	—	ヘ	右注	biaŋ^{1} bjian^{1}	庚韻 仙韻
3290b	上邊・054オ3・姓氏	群	—	クリ	右注	giuʌn^{1}	文韻

【表A-01】上巻_度篇

番号	前田本所在	掲出字		仮名音注		中古音	韻目
1414	上度・054オ5・天象	年	平	ネン	右傍	nen^{1}	先韻
1415	上度・054オ5・天象	朞	平	キ	右傍	giɐi^{1}	之韻
1416	上度・054オ5・天象	載	—	サイ	右傍	tsʌi$^{2/3}$ dzʌi^{3}	海/代韻 代韻
1417	上度・054オ6・天象	茲	平	シ	右傍	tsiɐi^{1} dziɐi^{1}	之韻 之韻
1418	上度・054ウ1・地儀	泊	—	ハク	右傍	bɑk	鐸韻
1419	上度・054ウ2・地儀	殿	—	テン	右傍	den^{3} ten^{3}	霰韻 霰韻
1420	上度・054ウ2・地儀	戸	上	コ	右傍	ɣuʌ^{2}	姥韻
1421	上度・054ウ2・地儀	扉	平	ヒ	右傍	piʌi^{1}	微韻
1422	上度・054ウ3・地儀	樞	平	シユ	右傍	tś‘iuʌ^{1}	虞韻
1423	上度・054ウ3・地儀	扃	平	ケイ	右傍	kueŋ^{1}	青韻
1424	上度・054ウ4・地儀	閾	入	ヰキ	右傍	xiuɐk	職韻
1425	上度・054ウ4・地儀	塒	平	シ	右傍	źiɐi^{1}	之韻
1426a	上度・054ウ5・地儀	鷄	平	ケイ	右傍	kei^{1}	齊韻
1426b	上度・054ウ5・地儀	栖	平	セイ	右傍	sei$^{1/3}$	齊/霽韻

1427a	上度・054ウ5・地儀	鐶	平	クワン	右傍	ɣuan^{1}	刪韻
1427b	上度・054ウ5・地儀	劒	去	ケム	右傍	kiʌm^{3}	梵韻
1428	上度・054ウ5・地儀	枓	上	トウ	右傍	tʌu^{2} tśiuʌ^{2}	厚韻 麌韻
1429a	上度・054ウ6・地儀	登	平	トウ	右傍	tʌŋ^{1}	登韻
1429b	上度・054ウ6・地儀	華	平	クワ	右傍	xua^{1} ɣua$^{1/3}$	麻韻 麻/禡韻
1430a	上度・054ウ6・地儀	通	平	トウ	右傍	t'ʌuŋ^{1}	東韻
1430b	上度・054ウ6・地儀	陽	平	ヤウ	右傍	jiɑŋ^{1}	陽韻
1431	上度・054ウ6・地儀	東	平	―	―	tʌuŋ^{1}	東韻
1432a	上度・055オ1・植物	瞿	平	ク	右傍	giuʌ^{1} kiuʌ^{3}	虞韻 遇韻
1432b	上度・055オ1・植物	麦	入濁	ハク	右傍	mɐk	麥韻
1433	上度・055オ1・植物	薢	上	カイ	右傍	kɐ$^{2/3}$ kɐi^{1}	蟹/卦韻 皆韻
1434a	上度・055オ1・植物	木	入濁	―	―	mʌuk	屋韻
1434b	上度・055オ1・植物	賊	入	ソク	右傍	dzʌk	徳韻
1435b	上度・055オ2・植物	麻	平	ハ	右傍	ma^{1}	麻韻
1436	上度・055オ2・植物	籐	去	トウ	右注	(dʌŋ^{1})	(登韻)
1437	上度・055オ3・植物	杼	上	シヨ	右傍	dźiʌ^{2} ḍiʌ^{2}	語韻 語韻
1438a	上度・055オ3・植物	石	―	サク	右傍	źiek	昔韻
1438b	上度・055オ3・植物	楠	平	ナム	右傍	nʌm^{1}	覃韻
1438c	上度・055オ3・植物	草	―	サウ	右傍	ts'ɑu^{2}	晧韻
1439b	上度・055オ3・植物	檀	平	タン	右傍	dɑn^{1}	寒韻
1440	上度・055オ4・植物	朶	―	タ	右傍	tuɑ^{2}	果韻
1441a	上度・055オ5・植物	鶏	平	ケイ	右傍	kei^{1}	齊韻
1441b	上度・055オ5・植物	冠	平	クワン	右傍	kuɑn$^{1/3}$	桓/換韻
1442	上度・055オ7・動物	鳥	上	テウ	右傍	teu^{2}	篠韻
1443	上度・055オ7・動物	禽	平	キム	右傍	giem^{1}	侵韻
1444	上度・055オ7・動物	鳶	平	―	―	jiuɐn^{1}	仙韻
1445	上度・055オ7・動物	鴟	平	シ	右傍	tś'iei^{1}	脂韻
1446a	上度・055ウ1・動物	鶺	入	セキ	右傍	tsiek tɕiɐk	昔韻 職韻
1446b	上度・055ウ1・動物	鴒	平	レイ	右傍	leŋ^{1}	青韻
1447	上度・055ウ1・動物	冠	平	クワン	右傍	kuɑn$^{1/3}$	桓/換韻
1448a	上度・055ウ1・動物	膍	平	ヒ	右傍	bjiei^{1}	脂韻
1448b	上度・055ウ1・動物	胵	平	シ	右傍	tś'iei^{1}	脂韻
1449	上度・055ウ2・動物	鴈	上	コ	右傍	xuʌ^{2}	姥韻
1450	上度・055ウ2・動物	駿	去	スン	右傍	tsiuen^{3} siuen^{3}	稕韻 稕韻
1451a	上度・055ウ2・動物	胡	―	コ	左注	ɣuʌ^{1}	模韻
1451b	上度・055ウ2・動物	獱	―	ヒン	左注	bjien^{1}	眞韻

1452	上度・055ウ3・動物	鰩	平	エウ	右傍	jiau^{1}	宵韻
1453a	上度・055ウ4・動物	蝘	上	エン	右傍	'en^{2} 'ian^{2}	銑韻 阮韻
1453b	上度・055ウ4・動物	蜓	去	テイ	右傍	deŋ$^{1/2}$ den^{2}	青/迥韻 銑韻
1454a	上度・055ウ6・人倫	高	平	カウ	右傍	kau^{1}	豪韻
1454b	上度・055ウ6・人倫	祖	上	ソ	右傍	tsuʌ^{2}	姥韻
1454c	上度・055ウ6・人倫	父	上	—	—	piuʌ^{2} biuʌ^{2}	麌韻 麌韻
1455	上度・055ウ7・人倫	友	上	イウ	右傍	ɣiʌu^{2}	有韻
1456a	上度・056オ2・人倫	讀	—	トク	右注	dʌuk	屋韻
1456b	上度・056オ2・人倫	師	—	シ	右注	ṣiei^{1}	脂韻
1457a	上度・056オ2・人倫	童	—	トウ	右注	dʌuŋ^{1}	東韻
1457b	上度・056オ2・人倫	子	—	シ	右注	tsiɐi^{2}	止韻
1458a	上度・056オ3・人倫	士	—	ト	右注	t'uʌ^{2} duʌ^{2}	姥韻 姥韻
1458b	上度・056オ3・人倫	公	—	クウ	右注	kʌuŋ^{1}	東韻
1459a	上度・056オ5・人體	髑	—	トク	右注	dʌuk	屋韻
1459b	上度・056オ5・人體	髏	—	ロ	右注	lʌu^{1}	侯韻
1460a	上度・056オ6・人體	雀	徳	シヤク	右傍	tsiak	藥韻
1461	上度・056オ6・人體	疫	徳?	エキ	右傍	jiuek	昔韻
1462	上度・056オ6・人體	疫	徳?	ヤク	右傍	jiuek	昔韻
1463a	上度・056ウ1・人事	銅	平	トウ	右傍	dʌuŋ^{1}	東韻
1463b	上度・056ウ1・人事	山	—	サム	右傍	ṣɐn^{1}	山韻
1464a	上度・056ウ1・人事	周	平	シウ	右傍	tśiʌu^{1}	尤韻
1464b	上度・056ウ1・人事	白	—	ハク	右傍	bak	陌韻
1465a	上度・056ウ1・人事	陶	平	タウ	右傍	dau^{1}	豪韻
1465b	上度・056ウ1・人事	朱	平	ス	右傍	tśiuʌ^{1}	虞韻
1466a	上度・056ウ1・人事	猗	平	イ	右傍	'ie$^{1/3}$	支/寘韻
1466b	上度・056ウ1・人事	頓	去	トム	右傍	tuʌn^{3}	慁韻
1467	上度・056ウ1・人事	咎	—	ク	右傍	giʌu^{2} kau^{1}	有韻 豪韻
1468	上度・056ウ2・人事	尤	平	イウ	右傍	ɣiʌu^{1}	尤韻
1469	上度・056ウ2・人事	殃	平	アウ	右傍	'iaŋ^{1}	陽韻
1470	上度・056ウ2・人事	得	—	トク	右注	tʌk	徳韻
1471	上度・056ウ3・人事	婚	平	コン	右傍	xuʌn^{1}	魂韻
1472a	上度・056ウ3・人事	照	去	セウ	右傍	tśiau^{3}	笑韻
1473	上度・056ウ4・人事	宿	—	シク	右傍	siʌuk	屋韻
1474a	上度・056ウ4・人事	遠	上	ヱン	右傍	ɣiuan$^{2/3}$	阮/願韻
1475a	上度・056ウ5・人事	鬪	去	トウ	左傍	tʌu^{3}	候韻
1475b	上度・056ウ5・人事	鵄	平	ケイ	左傍	kei^{1}	齊韻
1476a	上度・056ウ6・人事	團	平	ト	左注	duan^{1}	桓韻
1476b	上度・056ウ6・人事	乱	去	ラン	左注	luan^{3}	換韻

1476c	上度・056ウ6・人事	旋	上濁	テン	左注	ziuan$^{1/3}$	仙/線韻
1477a	上度・056ウ6・人事	都	平	—	—	tuʌ^{1}	模韻
1477b	上度・056ウ6・人事	欝	入	—	—	ʼiuʌt	物韻
1477c	上度・056ウ6・人事	志	平	—	—	tśiɐi^{3}	志韻
1478a	上度・056ウ7・人事	登	去	—	—	tʌŋ^{1}	登韻
1478b	上度・056ウ7・人事	天	上	—	—	tʻen^{1}	先韻
1479a	上度・057オ2・飲食	屠	—	ト	右傍	duʌ^{1}	模韻
1479b	上度・057オ2・飲食	蘇	—	ソ	右傍	suʌ^{1}	模韻
1480a	上度・057オ2・飲食	屠	—	ト	右注	duʌ^{1} ḍiʌ^{1}	模韻 魚韻
1480b	上度・057オ2・飲食	穌	—	ソ	右注	suʌ^{1}	模韻
1481a	上度・057オ2・飲食	頭	平	トウ	右注	dʌu^{1}	侯韻
1481b	上度・057オ2・飲食	腦	上濁	ナウ	右注	nɑu$^{2/3}$	晧/号韻
1482a	上度・057オ2・飲食	頭	平	トウ	右傍	dʌu^{1}	侯韻
1482b	上度・057オ2・飲食	腦	上濁	タウ	右傍	nɑu$^{2/3}$	晧/号韻
1483	上度・057オ2・飲食	毒	—	トク ［平濁平］	右注	dɑuk	沃韻
1484a	上度・057オ2・飲食	調	—	テウ	右傍	deu$^{1/3}$ ṭiʌu^{1}	蕭/嘯韻 尤韻
1484b	上度・057オ2・飲食	齏	—	ヒ	右傍	tsei^{1}	齊韻
1485	上度・057オ4・雜物	幌	上	クワウ	右傍	ɣuɑŋ^{2}	蕩韻
1486	上度・057オ4・雜物	幃	平	ヰ	右傍	ɣiuʌi^{1} xiuʌi^{1}	微韻 微韻
1487a	上度・057オ4・雜物	頭	—	ト	右傍	dʌu^{1}	侯韻
1487b	上度・057オ4・雜物	巾	平	キム	右傍	kien^{1}	眞韻
1488a	上度・057オ4・雜物	兎	去	ト	右傍	tʻuʌ^{3}	暮韻
1488b	上度・057オ4・雜物	褐	入	カチ	右傍	kɑt	曷韻
1489a	上度・057オ5・雜物	兜	去	ト	右傍	tʌu^{1}	侯韻
1489b	上度・057オ5・雜物	納	平	ナウ	右傍	nɑp	盍韻
1490a	上度・057オ5・雜物	兜	去	ト	右傍	tʌu^{1}	侯韻
1490a	上度・057オ5・雜物	末	入	マツ	右傍	mɑt	末韻
1491	上度・057オ5・雜物	燈	平	トウ	右傍	tʌŋ^{1}	登韻
1492	上度・057オ5・雜物	燭	入	ソク	右傍	tśiɑuk	燭韻
1493	上度・057オ5・雜物	釭	平	カウ	右傍	kauŋ^{1} kʌuŋ^{1} kauŋ^{1}	江韻 東韻 冬韻
1494a	上度・057オ5・雜物	燈	去	トウ	右傍	tʌŋ^{1}	登韻
1494b	上度・057オ5・雜物	心	—	シミ	右傍	siem^{1}	侵韻
1495a	上度・057オ6・雜物	燈	去	トウ	右注	tʌŋ^{1}	登韻
1495b	上度・057オ6・雜物	臺	上濁	タイ	右注	dʌi^{1}	咍韻
1496a	上度・057オ6・雜物	燈	去	トウ	右注	tʌŋ^{1}	登韻
1496b	上度・057オ6・雜物	爐	上	ロ	右注	luʌ^{1}	模韻
1497a	上度・057オ6・雜物	燈	—	トウ	右注	tʌŋ^{1}	登韻

1497b	上度・057オ6・雜物	械	平濁	カイ	左注	ɣɐi^{3}	怪韻
1498a	上度・057オ6・雜物	燈	―	トウ	右注	tʌŋ^{1}	登韻
1498b	上度・057オ6・雜物	擎	―	カイ	右注	giaŋ^{1}	庚韻
1499a	上度・057オ7・雜物	飛	平	ヒ	右傍	piʌi^{1}	微韻
1500	上度・057オ7・雜物	韛	―	ハイ	右注	bɐi^{1} buʌi^{1}	皆韻 灰韻
1501	上度・057オ7・雜物	輿	―	ヨ	右注	jiʌ$^{1/3}$	魚/御韻
1502	上度・057オ7・雜物	轉	入	ハク	右傍	pɑk bʌu^{3}	鐸韻 候韻
1503	上度・057ウ1・雜物	轂	入	コク	右傍	kʌuk	屋韻
1504	上度・057ウ2・雜物	艫	平	ロ	右傍	luʌ^{1}	模韻
1505	上度・057ウ2・雜物	篷	―	ホウ	右傍	bʌuŋ^{1}	東韻
1506	上度・057ウ2・雜物	纜	去	―	―	lɑm^{3}	闞韻
1507	上度・057ウ2・雜物	苫	平	セム	右傍	śiam$^{1/3}$	鹽韻 豔韻
1508a	上度・057ウ3・雜物	烽	平	ホウ	右傍	p‘iɑuŋ^{1}	鍾韻
1508b	上度・057ウ3・雜物	燧	去	スイ	右傍	ziuei^{3}	至韻
1509	上度・057ウ3・雜物	燎	平 去	レウ	右傍	liau$^{1/2/3}$	宵/小/笑韻
1510	上度・057ウ3・雜物	皸	去	カン	右傍	ɣɑn^{3}	翰韻
1511a	上度・057ウ4・雜物	獨	―	ト	右注	dʌuk	屋韻
1511b	上度・057ウ4・雜物	鈷	―	コ	右注	kuʌ^{2}	姥韻
1568a	上度・057ウ4・雜物	銅	平	ト	右注	dʌuŋ^{1}	東韻
1568b	上度・057ウ4・雜物	鈸	入	ヒヤウ	右注	bɑt	末韻
1568c	上度・057ウ4・雜物	子	―	シ	右注	tsiɐi^{2}	止韻
1512a	上度・057ウ4・雜物	銅	平	トウ	左傍	dʌuŋ^{1}	東韻
1512b	上度・057ウ4・雜物	鈸	入	ハツ	左傍	bɑt	末韻
1513a	上度・057ウ4・雜物	頓	―	ト	右注	tuʌn^{3}	慁韻
1513b	上度・057ウ4・雜物	拍	―	ヒヤウ	右注	p‘ak	陌韻
1513c	上度・057ウ4・雜物	子	―	シ	右注	tsiɐi^{2}	止韻
1514	上度・057ウ4・雜物	礪	―	レイ	右傍	liai^{3}	祭韻
1515	上度・057ウ5・雜物	砮	平濁	ト	右傍	nuʌ$^{1/2}$	模/姥韻
1516	上度・057ウ5・雜物	硎	平	ケン	右傍	ɣeŋ^{1} k‘aŋ^{1}	青韻 庚韻
1517a	上度・057ウ5・雜物	鳥	上	―	―	teu^{2}	篠韻
1517b	上度・057ウ5・雜物	羅	平	ラ	右傍	lɑ^{1}	歌韻
1518b	上度・057ウ5・雜物	籠	平	ロウ	右傍	lʌuŋ$^{1/2}$ liɑuŋ^{1}	東/董韻 鍾韻
1519	上度・057ウ6・雜物	筒	平	トウ ［平濁上］	右注	dʌuŋ$^{1/3}$	東/送韻
1520a	上度・057ウ6・雜物	獨	入	トク	右注	dʌuk	屋韻
1520b	上度・057ウ6・雜物	犴	去濁	カン	右注	ŋɑn$^{1/3}$	寒/翰韻
1521a	上度・058オ1・光彩	同	去濁	トウ	右注	dʌuŋ^{1}	東韻
1521b	上度・058オ1・光彩	黄	上	ワウ	右注	ɣuɑŋ^{1}	唐韻

1522	上度・058オ3・方角	寅	平	イ	右傍	jiei^{1} jien^{1}	脂韻 眞韻
0987	上度・058オ3・方角	寅	平	イン	右傍	jien^{1} jiei^{1}	眞韻 脂韻
1523	上度・058オ3・方角	酉	―	イウ	右傍	jiʌu^{2}	有韻
1524	上度・058オ3・方角	外	―	クワイ	右傍	ŋuɑi^{3}	泰韻
1525	上度・058オ5・員數	十	―	シフ	右傍	źiep	緝韻
1526	上度・058オ5・員數	度	―	ト ［平濁］	右注	duʌ^{3} dɑk	暮韻 鐸韻
1527	上度・058オ5・員數	斗	去	トウ	右傍	tʌu^{2}	厚韻
1528	上度・058オ5・員數	斗	去	ト	右注	tʌu^{2}	厚韻
1529b	上度・058オ5・員數	概	―	キ	右傍	kʌi^{3}	代韻
1530	上度・058オ5・員數	屯	―	トン	右注	duʌn^{1} ṭiuen^{1}	魂韻 諄韻
1531	上度・058オ7・辭字	将	―	シヤウ	右傍	tsiɑŋ$^{1/3}$	陽/漾韻
1532	上度・058ウ1・辭字	閉	―	ヘイ	右傍	pei^{3} pet	霽韻 屑韻
1533	上度・058ウ1・辭字	訊	―	シム	右傍	sien^{3}	震韻
1534	上度・058ウ2・辭字	攬	―	ラム	右傍	lɑm^{2}	敢韻
1535	上度・058ウ3・辭字	擒	平	キム	右傍	giem^{1}	侵韻
1536	上度・058ウ3・辭字	秉	―	ヘイ	右傍	piaŋ^{2}	梗韻
1537	上度・058ウ3・辭字	搴	平	ケン	右傍	kian^{2}	獮韻
1538	上度・058ウ5・辭字	采	―	サイ	右傍	ts‘ʌi^{2}	海韻
1539	上度・058ウ5・辭字	捫	平	モン	右傍	muʌn^{1}	魂韻
1540	上度・059オ3・辭字	磨	―	ハ	右傍	mɑ$^{1/3}$	戈/過韻
1541	上度・059オ5・辭字	迅	―	シン	右傍	sien^{3} siuen^{3}	震韻 稕韻
1542	上度・059オ5・辭字	聡	平	ソウ	右傍	ts‘ʌuŋ^{1}	東韻
1543	上度・059オ6・辭字	銛	平	セム	右傍	siam^{1} t‘em^{2} kɑt	鹽韻 忝韻 末韻
1544	上度・059オ6・辭字	撊	上	セム	右傍	ńiuan^{1}	仙韻
1545	上度・059オ7・辭字	佽	去	シ	右傍	ts‘iei^{3}	至韻
1546	上度・059オ7・辭字	飛	平	―	―	piʌi^{1}	微韻
1547	上度・059ウ1・辭字	霏	平	ヒ	右傍	p‘iʌi^{1}	微韻
1548	上度・059ウ1・辭字	騫	平	ケン	右傍	xiɑn^{1}	元韻
1549	上度・059ウ2・辭字	倫	平	―	―	liuen^{1}	諄韻
1550	上度・059ウ2・辭字	友	上	イウ	右傍	ɣiʌu^{2}	有韻
1551	上度・059ウ2・辭字	共	平	クキヨウ	右傍	kiɑuŋ^{1} giɑuŋ^{3}	鍾韻 用韻
1552	上度・059ウ3・辭字	俱	平	ク	右傍	kiuʌ^{1}	虞韻
1553	上度・059ウ3・辭字	僚	平	レウ	右傍	leu$^{1/2}$	蕭/小韻

1554	上度・059ウ3・辞字	筒	―	トウ［上濁平］	右注	dʌuŋ^{1/3}	東/送韻
1555	上度・059ウ4・辞字	共	平	クヰヨウ	右傍	kiauŋ^{1} giauŋ^{3}	鍾韻 用韻
1556	上度・059ウ4・辞字	倶	平	ク	右傍	kiuʌ^{1}	虞韻
1557	上度・060オ2・辞字	疏	平	ソ	右傍	ṣiʌ^{1/3}	魚/御韻
1558	上度・060オ5・辞字	攸	平	イウ	右傍	jiʌu^{1}	尤韻
1559	上度・060オ6・辞字	隣	平	―	―	lien^{1}	眞韻
1560	上度・060ウ2・辞字	逗	―	トウ	右傍	dʌu^{3} ḍiuʌ^{3}	侯韻 遇韻
1561	上度・060ウ3・辞字	淹	―	エム	右注	'iam^{1} 'iʌm^{3}	鹽韻 梵韻
1562	上度・060ウ4・辞字	凝	平濁	キヨウ	右傍	ŋieŋ^{1/3}	蒸/證韻
1563	上度・061オ1・辞字	倫	平	―	―	liuen^{1}	諄韻
1564	上度・061オ3・辞字	等	上	トウ	右傍	tʌŋ^{2}	等韻
1566	上度・061オ4・辞字	曺	平	チウ	右傍	dzau^{1}	豪韻
1567a	上度・061ウ7・重點	鼕	平 上	トウ	右注	dauŋ^{1}	冬韻
1567b	上度・061ウ7・重點	鼕	平 上	トウ	右注	dauŋ^{1}	冬韻
1569a	上度・062オ2・疊字	登	平	トウ	中注	tʌŋ^{1}	登韻
1569b	上度・062オ2・疊字	睦	入	ホク	中注	miʌuk	屋韻
1570a	上度・062オ2・疊字	登	平	―	―	tʌŋ^{1}	登韻
1570b	上度・062オ2・疊字	時	平濁	―	―	źiei^{1}	之韻
1571a	上度・062オ2・疊字	銅	平	トウ	右注	dʌuŋ^{1}	東韻
1571b	上度・062オ2・疊字	烏	平	ヲ	右注	'uʌ^{1}	模韻
1572a	上度・062オ2・疊字	土	上	ト	中注	t'uʌ^{2} duʌ^{2}	姥韻 姥韻
1572b	上度・062オ2・疊字	風	平	フウ	中注	piʌuŋ^{1/3}	東/送韻
1573a	上度・062オ2・疊字	土	上	ト	中注	t'uʌ^{2} duʌ^{2}	姥韻 姥韻
1573b	上度・062オ2・疊字	産	上	サン	中注	ṣen^{2}	産韻
1574a	上度・062オ3・疊字	土	平濁	ト	左注	t'uʌ^{2} duʌ^{2}	姥韻 姥韻
1574b	上度・062オ3・疊字	毛	平	モ	左注	mau^{1/3}	豪/号韻
1575a	上度・062オ3・疊字	東	平	トウ	中注	tʌuŋ^{1}	東韻
1575b	上度・062オ3・疊字	作	入	サク	中注	tsak tsuʌ^{3} tsa^{3}	鐸韻 暮韻 箇韻
1576a	上度・062オ3・疊字	得	入	トク	左注	tʌk	徳韻
1576b	上度・062オ3・疊字	酒	上	シユ	左注	tsiʌu^{2}	有韻
1577a	上度・062オ3・疊字	東	平	トウ	右注	tʌuŋ^{1}	東韻
1577b	上度・062オ3・疊字	傾	平	ケイ	右注	k'iueŋ^{1}	清韻
1578a	上度・062オ3・疊字	洞	去	トウ	左注	dʌuŋ^{1/3}	東/送韻

1578b	上度・062オ3・疊字	庭	平	テイ	左注	deŋ^{1}	青韻
1579a	上度・062オ4・疊字	渡	平	ト	中注	duʌ^{3}	暮韻
1579b	上度・062オ4・疊字	海	上	カイ	中注	xʌi^{2}	海韻
1580a	上度・062オ4・疊字	燈	去	トウ	左注	tʌŋ^{1}	登韻
1580b	上度・062オ4・疊字	明	上	ミヤウ	左注	miaŋ^{1}	庚韻
1581a	上度・062オ4・疊字	讀	入	トク	左注	dʌuk	屋韻
1581b	上度・062オ4・疊字	経	上	キヤウ	左注	keŋ$^{1/3}$	青/徑韻
1582a	上度・062オ4・疊字	斗	上	トウ	左注	tʌu^{2}	厚韻
1582b	上度・062オ4・疊字	藪	上	ソウ	左注	sʌu^{2}	厚韻
1583a	上度・062オ4・疊字	度	平	ト	左注	duʌ^{3} dak	暮韻 鐸韻
1583b	上度・062オ4・疊字	緑	上	エン	左注	jiuan$^{1/3}$	仙/線韻
1584a	上度・062オ5・疊字	登	平	トウ	左注	tʌŋ^{1}	登韻
1584b	上度・062オ5・疊字	壇	平濁	タン	左注	dan^{1}	寒韻
1585a	上度・062オ5・疊字	登	平	トウ	中注	tʌŋ^{1}	登韻
1585b	上度・062オ5・疊字	霞	平濁	カ	中注	ɣa^{1}	麻韻
1586a	上度・062オ5・疊字	頓	平	トウ	左注	tuʌn^{3}	慁韻
1586b	上度・062オ5・疊字	宮	上	クウ	左注	kiʌuŋ^{1}	東韻
1587a	上度・062オ5・疊字	璜	平	トウ	左注	ɣuaŋ^{1}	唐韻
1587b	上度・062オ5・疊字	纊	去	ワウ	左注	k'uaŋ^{3}	宕韻
1588a	上度・062オ5・疊字	徒	平	ト	左注	duʌ^{1}	模韻
1588b	上度・062オ5・疊字	然	平濁	セン	左注	ńian^{1}	仙韻
1589a	上度・062オ6・疊字	棟	去	トウ	中注	tʌuŋ^{3}	送韻
1589b	上度・062オ6・疊字	梁	平	リヤウ	中注	liaŋ^{1}	陽韻
1590a	上度・062オ6・疊字	登	平	トウ	中注	tʌŋ^{1}	登韻
1590b	上度・062オ6・疊字	用	去	ヨウ	中注	jiauŋ^{3}	用韻
1591a	上度・062オ6・疊字	童	平	トウ	中注	dʌuŋ^{1}	東韻
1591b	上度・062オ6・疊字	断	平	タン	中注	duan^{2} tuan$^{2/3}$	緩韻 緩/換韻
1592a	上度・062オ6・疊字	同	平	トウ	中注	dʌuŋ^{1}	東韻
1592b	上度・062オ6・疊字	腹	入	フク	中注	piʌuk	屋韻
1593a	上度・062オ6・疊字	同	平 去	トウ	左注	dʌuŋ^{1}	東韻
1593b	上度・062オ6・疊字	母	上濁	ホ	左注	mʌu^{2}	厚韻
1594a	上度・062オ7・疊字	同	平 去	トウ	左注	dʌuŋ^{1}	東韻
1594b	上度・062オ7・疊字	族	入	ソク	左注	dzʌuk	屋韻
1595a	上度・062オ7・疊字	土	平	ト	左注	t'uʌ^{2} duʌ^{2}	姥韻 姥韻
1595b	上度・062オ7・疊字	人	去	ニン	左注	ńien^{1}	眞韻
1596a	上度・062オ7・疊字	同	平	トウ	左注	dʌuŋ^{1}	東韻
1596b	上度・062オ7・疊字	氣	去	キ	左注	k'iʌi^{3} xiʌi^{3}	未韻 未韻

1597a	上度・062オ7・疊字	土	上	ト	左注	t‘uʌ^{2} duʌ^{2}	姥韻 姥韻
1597b	上度・062オ7・疊字	餌	上濁	シ	左注	ńiɐi^{3}	志韻
1598a	上度・062オ7・疊字	土	上	ト	左注	t‘uʌ^{2} duʌ^{2}	姥韻 姥韻
1598b	上度・062オ7・疊字	德	入	トク	左注	tʌk	德韻
1599a	上度・062ウ1・疊字	童	平	トウ	左注	dʌuŋ^{1}	東韻
1599b	上度・062ウ1・疊字	蒙	平	モウ	左注	mʌuŋ^{1}	東韻
1600a	上度・062ウ1・疊字	童	平	トウ	左注	dʌuŋ^{1}	東韻
1600b	上度・062ウ1・疊字	稚	去	チ	左注	ḍiei^{3}	至韻
1601a	上度・062ウ1・疊字	土	上	ト	左注	t‘uʌ^{2} duʌ^{2}	姥韻 姥韻
1601b	上度・062ウ1・疊字	民	平	ミム	左注	mjien^{1}	眞韻
1602a	上度・062ウ1・疊字	貪	去	トン	左注	t‘ʌm^{1}	覃韻
1602b	上度・062ウ1・疊字	欲	入	ヨク	左注	jiɑuk	燭韻
1603a	上度・062ウ1・疊字	等	上	トウ	左注	tʌŋ^{2}	等韻
1603b	上度・062ウ1・疊字	閑	平	カン	左注	ɣɐn^{1}	山韻
1604a	上度・062ウ2・疊字	怒	上	ト	左注	nuʌ$^{2/3}$	姥/暮韻
1604b	上度・062ウ2・疊字	忿	去	フン	左注	p‘iuʌn$^{2/3}$	吻/問韻
1605a	上度・062ウ2・疊字	怒	上	ト	左注	nuʌ$^{2/3}$	姥/暮韻
1605b	上度・062ウ2・疊字	目	入濁	ホク	左注	miʌuk	屋韻
1606a	上度・062ウ2・疊字	慟	去	トウ	左注	dʌuŋ^{3}	送韻
1606b	上度・062ウ2・疊字	哭	入	コク	左注	k‘iʌuk	屋韻
1607a	上度・062ウ2・疊字	同	去濁	トウ	右注	dʌuŋ^{1}	東韻
1607b	上度・062ウ2・疊字	心	上濁	シン	右注	siem^{1}	侵韻
1608a	上度・062ウ2・疊字	鈍	平濁	トン	左注	duʌn^{3}	慁韻
1608b	上度・062ウ2・疊字	根	去濁	コン	左注	kʌn^{1}	痕韻
1609a	上度・062ウ3・疊字	徒	平	ト	左注	duʌ^{1}	模韻
1609b	上度・062ウ3・疊字	跣	上	セン	左注	sen^{2}	銑韻
1610a	上度・062ウ3・疊字	頓	去濁	トン	左注	tuʌn^{3}	慁韻
1610b	上度・062ウ3・疊字	滅	入	メツ	左注	mjiat	薛韻
1611a	上度・062ウ3・疊字	同	平	トウ	左注	dʌuŋ^{1}	東韻
1611b	上度・062ウ3・疊字	穴	入	クヱツ	左注	ɣuet	屑韻
1612a	上度・062ウ3・疊字	通	平	トウ	左注	t‘ʌuŋ^{1}	東韻
1612b	上度・062ウ3・疊字	家	平	カ	左注	ka^{1}	麻韻
1613a	上度・062ウ4・疊字	突	入	トツ	左注	duʌt	没韻
1613b	上度・062ウ4・疊字	磨	平濁	ハ	左注	mɑ$^{1/3}$	戈/過韻
1614a	上度・062ウ4・疊字	登	去	トウ	右注	tʌŋ^{1}	登韻
1614b	上度・062ウ4・疊字	臨	—	リン	右注	liem$^{1/3}$	侵/沁韻
1615a	上度・062ウ4・疊字	遁	去	トン	左注	duʌn$^{2/3}$	混/慁韻
1615b	上度・062ウ4・疊字	避	平濁	ヒ	左注	bjie^{3}	寘韻
1616a	上度・062ウ4・疊字	獨	入	トク	中注	dʌuk	屋韻
1616b	上度・062ウ4・疊字	歩	上 去	ホ	中注	buʌ^{3}	暮韻

1617a	上度・062ウ4・疊字	獨	入	トク	左注	dʌuk	屋韻
1617b	上度・062ウ4・疊字	立	入	リウ	左注	liep	緝韻
1618a	上度・062ウ5・疊字	獨	入	トク	左注	dʌuk	屋韻
1618b	上度・062ウ5・疊字	身	平	シム	左注	śien^{1}	眞韻
1619a	上度・062ウ5・疊字	獨	入	トク	左注	dʌuk	屋韻
1619b	上度・062ウ5・疊字	行	平	キヤウ	左注	ɣaŋ$^{1/3}$ ɣɑŋ$^{1/3}$	庚/映韻 唐/宕韻
1620a	上度・062ウ5・疊字	動	去	トウ	左注	dʌuŋ^{2}	董韻
1620b	上度・062ウ5・疊字	静	去	セイ	左注	dzieŋ^{2}	靜韻
1621a	上度・062ウ5・疊字	得	入	トク	左注	tʌk	徳韻
1621b	上度・062ウ5・疊字	替	去	タイ	左注	t'ei^{3}	霽韻
1622a	上度・062ウ5・疊字	得	入	トク	左注	tʌk	徳韻
1622b	上度・062ウ5・疊字	意	平	イ	左注	'iɐi^{3}	志韻
1623a	上度・062ウ6・疊字	等	上	トウ	左注	tʌŋ^{2}	等韻
1623b	上度・062ウ6・疊字	輩	平濁	ハイ	左注	puʌi^{3}	隊韻
1624a	上度・062ウ6・疊字	同	平 去濁	トウ	左注	dʌuŋ^{1}	東韻
1624b	上度・062ウ6・疊字	僚	平	レウ	左注	leu$^{1/2}$	蕭/小韻
1625a	上度・062ウ6・疊字	同	平	トウ	左注	dʌuŋ^{1}	東韻
1625b	上度・062ウ6・疊字	門	平	モン	左注	muʌn^{1}	魂韻
1626a	上度・062ウ6・疊字	同	去濁	トウ	左注	dʌuŋ^{1}	東韻
1626b	上度・062ウ6・疊字	朋	平濁	ホウ	左注	bʌŋ^{1}	登韻
1627a	上度・062ウ6・疊字	同	去濁	トウ	左注	dʌuŋ^{1}	東韻
1627b	上度・062ウ6・疊字	隷	上	レイ	左注	lei^{3}	霽韻
1628a	上度・062ウ7・疊字	同	去濁	トウ	左注	dʌuŋ^{1}	東韻
1628b	上度・062ウ7・疊字	行	平濁	キヤウ	左注	ɣaŋ$^{1/3}$ ɣɑŋ$^{1/3}$	庚/映韻 唐/宕韻
1629a	上度・062ウ7・疊字	等	平	トウ	左注	tʌŋ^{2}	等韻
1629b	上度・062ウ7・疊字	倫	平	リム	左注	liuen^{1}	諄韻
1630a	上度・062ウ7・疊字	徳	入	トク	中注	tʌk	徳韻
1630b	上度・062ウ7・疊字	望	平濁	ハウ	中注	miaŋ$^{1/3}$	陽/漾韻
1631a	上度・062ウ7・疊字	東	去	トウ	右注	tʌuŋ^{1}	東韻
1631b	上度・062ウ7・疊字	閣	入	カフ	右注	kɑk	鐸韻
1632a	上度・063オ1・疊字	銅	平	トウ	中注	dʌuŋ^{1}	東韻
1632b	上度・063オ1・疊字	山	平濁	サン	中注	ṣen^{1}	山韻
1633a	上度・063オ1・疊字	僮	平	トウ	左注	dʌuŋ^{1}	東韻
1633b	上度・063オ1・疊字	僕	入濁	ホク	左注	bauk bʌuk	沃韻 屋韻
1634a	上度・063オ1・疊字	東	去	トウ	左注	tʌuŋ^{1}	東韻
1634b	上度・063オ1・疊字	海	上	カイ	左注	xʌi^{2}	海韻
1635a	上度・063オ1・疊字	登	平	トウ	左注	tʌŋ^{1}	登韻
1635b	上度・063オ1・疊字	省	上濁	シヤウ	左注	ṣaŋ^{2} sieŋ^{2}	梗韻 靜韻

1636a	上度・063オ1・疊字	土	平濁	ト	左注	t‘uʌ^{2} duʌ^{2}	姥韻 姥韻
1636b	上度・063オ1・疊字	代	上濁	タイ	左注	dʌi^{3}	代韻
1637a	上度・063オ2・疊字	讀	入	トク	右注	dʌuk	屋韻
1637b	上度・063オ2・疊字	合	平濁	カウ	右注	ɣʌp kʌp	合韻 合韻
1638a	上度・063オ2・疊字	蠹	去	ト	中注	tuʌ^{3}	暮韻
1638b	上度・063オ2・疊字	簡	上	カン	中注	kɐn^{2}	産韻
1639a	上度・063オ2・疊字	登	平	トウ	左注	tʌŋ^{1}	登韻
1639b	上度・063オ2・疊字	天	平濁	テン	左注	t‘en^{1}	先韻
1640a	上度・063オ2・疊字	徳	入	トク	左注	tʌk	徳韻
1640b	上度・063オ2・疊字	誇	平	クワ	左注	k‘ua^{1}	麻韻
1641a	上度・063オ2・疊字	徳	入	トク	左注	tʌk	徳韻
1641b	上度・063オ2・疊字	化	去	クワ	左注	xua^{3}	禡韻
1642a	上度・063オ3・疊字	闘	去	トウ	左注	tʌu^{3}	候韻
1642b	上度・063オ3・疊字	乱	平	ラン	左注	luɑn^{3}	換韻
1643a	上度・063オ3・疊字	闘	平 去	トウ	左注	tʌu^{3}	候韻
1643b	上度・063オ3・疊字	訟	上	ソウ	左注	źiɑuŋ$^{1/3}$	鍾/用韻
1644a	上度・063オ3・疊字	闘	平	トウ	左注	tʌu^{3}	候韻
1644b	上度・063オ3・疊字	諍	平濁	シヤウ	左注	tṣɐŋ^{3}	諍韻
1645a	上度・063オ3・疊字	蠹	去	ト	左注	tuʌ^{3}	暮韻
1645b	上度・063オ3・疊字	害	平濁	カイ	左注	ɣɑi^{3}	泰韻
1646a	上度・063オ3・疊字	銅	平	トウ	左注	dʌuŋ^{1}	東韻
1646b	上度・063オ3・疊字	馬	上濁	ハ	左注	ma^{2}	馬韻
1647a	上度・063オ4・疊字	頭	平	ト	左注	dʌu^{1}	侯韻
1647b	上度・063オ4・疊字	巾	平	キン	左注	kien^{1}	眞韻
1648a	上度・063オ4・疊字	通	平	トウ	中注	t‘ʌuŋ^{1}	東韻
1648b	上度・063オ4・疊字	天	平濁	テン	中注	t‘en^{1}	先韻
1649a	上度・063オ4・疊字	土	平濁	ト	中注	t‘uʌ^{2} duʌ^{2}	姥韻 姥韻
1649b	上度・063オ4・疊字	器	上	キ	中注	k‘iei^{3}	至韻
1650a	上度・063オ4・疊字	屯	―	トン	左注	duʌn^{1} ṭiuen^{1}	魂韻 諄韻
1650b	上度・063オ4・疊字	食	―	シキ	左注	dźiɐk jiei^{3}	職韻 志韻
1651a	上度・063オ4・疊字	土	去	ト	中注	t‘uʌ^{2} duʌ^{2}	姥韻 姥韻
1651b	上度・063オ4・疊字	木	入濁	ホク	中注	mʌuk	屋韻
1652a	上度・063オ5・疊字	途	上	ト	左注	duʌ^{1}	模韻
1652b	上度・063オ5・疊字	中	平	チウ	左注	ṭiʌuŋ$^{1/3}$	東/送韻
1653a	上度・063オ5・疊字	東	平	トウ	左注	tʌuŋ^{1}	東韻
1653b	上度・063オ5・疊字	夷	平	イ	左注	jiei^{1}	脂韻

1654a	上度・063オ5・疊字	東	去	トウ	左注	tʌuŋ^{1}	東韻
1654b	上度・063オ5・疊字	西	上濁	サイ	左注	sei^{1}	齊韻
1655a	上度・063オ5・疊字	逗	平	トウ	左注	dʌu^{3} ḍiuʌ^{3}	候韻 遇韻
1655b	上度・063オ5・疊字	留	平	リウ	左注	liʌu$^{1/3}$	尤/宥韻
1656a	上度・063オ5・疊字	同	去濁	トウ	左注	dʌuŋ^{1}	東韻
1656b	上度・063オ5・疊字	道	平濁	タウ	左注	dɑu^{2}	晧韻
1657a	上度・063オ6・疊字	投	平	トウ	左注	dʌu^{1}	侯韻
1657b	上度・063オ6・疊字	跡	入	セキ	左注	tsiek	昔韻
1658a	上度・063オ6・疊字	等	平	トウ	中注	tʌŋ^{2}	等韻
1658b	上度・063オ6・疊字	分	平濁	フン	中注	biuʌn^{3}	問韻
1659a	上度・063オ6・疊字	燈	平	トウ	左注	tʌŋ^{1}	登韻
1659b	上度・063オ6・疊字	燭	入	ソク	左注	tśiɑuk	燭韻
1660a	上度・063オ6・疊字	燈	去	トウ	左注	tʌŋ^{1}	登韻
1660b	上度・063オ6・疊字	爐	上	ロ	左注	luʌ^{1}	模韻
1661a	上度・063オ6・疊字	駑	平濁	ト	左注	nuʌ^{1}	模韻
1661b	上度・063オ6・疊字	駘	平	タイ	左注	dʌi$^{1/2}$	咍/海韻
1662a	上度・063オ7・疊字	同	平	トウ	左注	dʌuŋ^{1}	東韻
1662b	上度・063オ7・疊字	車	平濁	シヤ	左注	tś‘ia^{1} kiʌ^{1}	麻韻 魚韻
1663a	上度・063オ7・疊字	呑	平	トム	中注	t‘ʌn^{1} t‘en^{1}	痕韻 先韻
1663b	上度・063オ7・疊字	鳥	上	テウ	中注	teu^{2}	篠韻
1664a	上度・063オ7・疊字	通	平	トウ	左注	t‘ʌuŋ^{1}	東韻
1664b	上度・063オ7・疊字	德	入	トク	左注	tʌk	德韻
1665a	上度・063オ7・疊字	投	平	トウ	左注	dʌu^{1}	侯韻
1665b	上度・063オ7・疊字	杖	去	チヤウ	左注	ḍiɑŋ^{2}	養韻
1666a	上度・063ウ1・疊字	桐	平	トウ	左注	dʌuŋ^{1}	東韻
1666b	上度・063ウ1・疊字	孫	平	ソン	左注	suʌn^{1}	魂韻
1667a	上度・063ウ1・疊字	東	平	トウ	左注	tʌuŋ^{1}	東韻
1667b	上度・063ウ1・疊字	園	平	ヱン	左注	ɣiuɑn^{1}	元韻
1668a	上度・063ウ1・疊字	騰	平	トウ	右注	dʌŋ^{1}	登韻
1668b	上度・063ウ1・疊字	躍	入	ヤク	右注	jiɑk	藥韻
1669a	上度・063ウ1・疊字	藤	平	トウ	左注	dʌŋ^{1}	登韻
1669b	上度・063ウ1・疊字	花	平	クワ	左注	xua^{1}	麻韻
1670a	上度・063ウ1・疊字	痛	去	トウ	右注	t‘ʌuŋ^{3}	送韻
1670b	上度・063ウ1・疊字	悠	上	イ	右注	’iʌi^{1}	微韻
1671a	上度・063ウ2・疊字	塗	平	ト	右注	duʌ^{1} ḍa^{1}	模韻 麻韻
1671b	上度・063ウ2・疊字	炭	去	タン	右注	t‘ɑn^{3}	翰韻
1672a	上度・063ウ2・疊字	遁	去	トン	右注	duʌn$^{2/3}$	混/慁韻
1672b	上度・063ウ2・疊字	世	去	セイ	右注	śiai^{3}	祭韻

1673a	上度・063ウ2・疊字	頓	平	トン	右注	tuʌn^{3}	慁韻
1673b	上度・063ウ2・疊字	作	入濁	サク	右注	tsɑk tsuʌ^{3} tsɑ^{3}	鐸韻 暮韻 箇韻
1674a	上度・063ウ2・疊字	等	平	トウ	右注	tʌŋ^{2}	等韻
1674b	上度・063ウ2・疊字	同	去濁	トウ	右注	dʌuŋ^{1}	東韻
1675a	上度・063ウ2・疊字	同	平	トウ	右注	dʌuŋ^{1}	東韻
1675b	上度・063ウ2・疊字	等	去濁	トウ	右注	tʌŋ^{2}	等韻
1676a	上度・063ウ3・疊字	頓	去	トン	左注	tuʌn^{3}	慁韻
1676b	上度・063ウ3・疊字	首	上濁	シユ	左注	śiʌu$^{2/3}$	有/宥韻
1677a	上度・063ウ3・疊字	動	平	トウ	左注	dʌuŋ^{2}	董韻
1677b	上度・063ウ3・疊字	植	入	シヨク	左注	źiɐk ḍiei^{3}	職韻 志韻
1678a	上度・063ウ3・疊字	得	入	トク	左注	tʌk	徳韻
1678b	上度・063ウ3・疊字	失	入	シチ	左注	śiet	質韻
1679a	上度・063ウ3・疊字	都	平	ト	左注	tuʌ^{1}	模韻
1679b	上度・063ウ3・疊字	鄙	上	ヒ	左注	piei^{2}	旨韻
1680a	上度・063ウ3・疊字	徳	入	トク	右注	tʌk	徳韻
1680b	上度・063ウ3・疊字	行	平濁	キヤウ	右注	ɣaŋ$^{1/3}$ ɣɑŋ$^{1/3}$	庚/映韻 唐/宕韻
1681a	上度・063ウ4・疊字	圖	平	トウ	左注	duʌ^{1}	模韻
1681b	上度・063ウ4・疊字	畫	去濁	クワ	左注	ɣuɐ^{3} ɣuɐk	卦韻 麥韻
1682a	上度・063ウ5・疊字	駍	平	ハウ	右傍	(biaŋ^{1})	(庚韻)
1682b	上度・063ウ5・疊字	隠	上	―	―	'iʌn$^{2/3}$	隠/焮韻
1683a	上度・063ウ5・疊字	僄	去	ヘウ	右傍	p'jiau$^{1/3}$	宵/笑韻
1683b	上度・063ウ5・疊字	狡	上	カウ	右傍	kau^{2}	巧韻
1684a	上度・063ウ6・疊字	擁	上	ヰヨウ	右傍	'iɑuŋ^{2}	腫韻
1684b	上度・063ウ6・疊字	滞	去	タイ	右傍	ḍiai^{3}	祭韻
1685a	上度・063ウ6・疊字	解	―	カン	右傍	kɐ$^{2/3}$ ɣɐ$^{2/3}$	蟹/卦韻 蟹/卦韻
1685b	上度・063ウ6・疊字	纜	―	ラン	右傍	lɑm^{3}	闞韻
1686a	上度・064オ2・国郡	敷	―	フ	右傍	p'iuʌ^{1}	虞韻
1686b	上度・064オ2・国郡	知	―	チ	右傍	ṭie^{1}	支韻
1687a	上度・064オ2・国郡	引	―	イナ	右傍	jien$^{2/3}$	軫韻
1687b	上度・064オ2・国郡	佐	―	サ	右傍	tsɑ^{3}	箇韻
1688a	上度・064オ2・国郡	周	―	ス	右傍	tśiʌu^{1}	尤韻
1688b	上度・064オ2・国郡	知	―	チ	右傍	ṭie^{1}	支韻
1689a	上度・064オ2・国郡	佐	―	サ	右傍	tsɑ^{3}	箇韻
1689b	上度・064オ2・国郡	野	―	ヤ	右傍	jia^{2} źiʌ^{2}	馬韻 語韻
1690a	上度・064オ3・国郡	土	―	ト	右注	t'uʌ^{2} duʌ^{2}	姥韻 姥韻

1690b	上度・064オ3・国郡	左	—	サ	右注	tsɑ$^{2/3}$	哿/箇韻
1691a	上度・064オ3・国郡	安	—	ア	右傍	'ɑn^{1}	寒韻
1691b	上度・064オ3・国郡	藝	—	キ	右傍	ŋjiai^{3}	祭韻
1692a	上度・064オ3・国郡	幡	—	ハ	右傍	p'iɑn^{1}	元韻
1692b	上度・064オ3・国郡	多	—	タ	右傍	tɑ^{1}	歌韻
1693a	上度・064オ4・国郡	奴	—	ト	右注	nuʌ^{1}	模韻
1693b	上度・064オ4・国郡	夷	—	イ	右注	jiei^{1}	脂韻
1693c	上度・064オ4・国郡	國	—	コク	右注	kuʌk	徳韻
1694c	上度・064オ6・官職	寮	—	レウ	右傍	leu^{1}	蕭韻
1695a	上度・064オ6・官職	東	—	トウ	右傍	tʌuŋ^{1}	東韻
1695b	上度・064オ6・官職	宮	—	クウ	右傍	kiʌuŋ^{1}	東韻
1696	上度・064オ6・官職	頭	—	トウ	右注	dʌu^{1}	侯韻
1697a	上度・064オ6・官職	統	—	トウ	右傍	t'ɑuŋ^{3}	宋韻
1697b	上度・064オ6・官職	領	—	リヤウ	右傍	lieŋ^{2}	靜韻
1698	上度・064オ7・官職	負	上	フ	右傍	biʌu^{2}	有韻
1699a	上度・064オ7・官職	刀	—	ト	右注	tɑu^{1}	豪韻
1699b	上度・064オ7・官職	祢	—	ネ	右注	nei^{2}	薺韻
1700a	上度・064オ7・官職	得	—	トク	右注	tʌk	徳韻
1700b	上度・064オ7・官職	遷	—	セン	右注	ts'ian^{1}	仙韻
1701a	上度・064ウ2・姓氏	登	—	ト	右注	tʌŋ^{1}	登韻
1701b	上度・064ウ2・姓氏	美	—	ミ	右注	miei^{2}	旨韻
1702	上度・065オ3・名字	得	—	トク	右注	tʌk	徳韻
1703	上度・065オ3・名字	徳	—	トク	右注	tʌk	徳韻

【表A-01】上巻_池篇

番号	前田本所在	掲出字		仮名音注		中古音	韻目
1704	上池・065オ6・地儀	地	—	チ	右注	diei^{3}	至韻
1705a	上池・065オ6・地儀	東	平	—	—	tʌuŋ^{1}	東韻
1705b	上池・065オ6・地儀	傾	平	—	—	k'iueŋ^{1}	清韻
1706a	上池・065オ6・地儀	右	上	—	—	ɣiʌu$^{2/3}$	有/宥韻
1706b	上池・065オ6・地儀	動	去	—	—	dʌuŋ^{2}	董韻
1707	上池・065オ7・地儀	塵	平	チン	右傍	ḍien^{1}	眞韻
1708a	上池・065オ7・地儀	馳	—	チ	右注	ḍie^{1}	支韻
1708b	上池・065オ7・地儀	道	—	タウ	右注	dɑu^{2}	晧韻
1709a	上池・065ウ1・地儀	盤	—	ハン	右傍	bɑn^{1}	桓韻
1710	上池・065ウ1・地儀	岐	平	キ	右傍	gjie^{1}	支韻
1711	上池・065ウ1・地儀	巷	去	カウ	右傍	ɣauŋ^{3}	絳韻
1712	上池・065ウ2・地儀	陣	去濁	チン	右注	ḍien^{3}	震韻
1713	上池・065ウ2・地儀	廳	平	テイ	右傍	t'eŋ^{1}	青韻
1714	上池・065ウ2・地儀	廳	平	チヤウ	右注	t'eŋ^{1}	青韻
1715	上池・065ウ2・地儀	帳	—	チヤウ	右注	ṭiɑŋ^{3}	漾韻

1716a	上池・065ウ2・地儀	絳	去	カウ	右傍	kauŋ^{3}	絳韻
1716b	上池・065ウ2・地儀	沙	平	サ	右傍	ṣa$^{1/3}$	麻/禡韻
1717a	上池・065ウ3・地儀	貞	平濁	チヤウ	左注	ṭieŋ^{1}	清韻
1717b	上池・065ウ3・地儀	観	平濁	クワン	左注	kuɑn$^{1/3}$	桓/換韻
1717c	上池・065ウ3・地儀	殿	―	テン	左注	den^{3} ten^{3}	霰韻 霰韻
1718a	上池・065ウ3・地儀	陣	―	チン	右注	ḍien^{3}	震韻
1718b	上池・065ウ3・地儀	座	―	サ	右注	dzuɑ^{3}	過韻
1719	上池・065ウ5・植物	茅	平濁	ハウ	右傍	mau^{1}	肴韻
1720	上池・065ウ5・植物	苣	上	キヨ	右傍	giʌ^{2}	語韻
1721a	上池・065ウ5・植物	地	平濁	チ	右注	diei^{3}	至韻
1721b	上池・065ウ5・植物	黄	上	ワウ	右注	ɣuɑŋ^{1}	唐韻
1722a	上池・065ウ6・植物	紫	上	―	―	tsie^{2}	紙韻
1722b	上池・065ウ6・植物	參	平	―	―	ts'ʌm$^{1/3}$ sɑm^{1} ṣiem^{1} tṣ'iem^{1}	覃/勘韻 談韻 侵韻 侵韻
1723	上池・065ウ7・植物	茶	平	チヤ	右注	ḍa^{1}	麻韻
1724a	上池・066オ1・植物	稚	平	チ	右注	ḍiei^{3}	至韻
1724b	上池・066オ1・植物	海	上	カイ	右注	xʌi^{2}	海韻
1724c	上池・066オ1・植物	藻	上	サウ	左注	tsɑu^{2}	晧韻
1725a	上池・066オ4・動物	畜	―	チク	右注	ṭ'iʌuk xiʌuk ṭ'iʌu^{3} xiʌu^{3}	屋韻 屋韻 宥韻 宥韻
1725b	上池・066オ4・動物	生	―	シヤウ	右注	ṣaŋ$^{1/3}$	庚/映韻
1726	上池・066オ5・動物	鱅	平	ヨウ	右傍	ɣiauŋ^{1} dźiauŋ^{1}	鍾韻 鍾韻
1727	上池・066オ5・動物	鰀	平	ソウ	右傍	tsʌuŋ$^{1/3}$	東/送韻
1728b	上池・066オ5・動物	鯽	入	セキ	右傍	tsiek	昔韻
1729	上池・066オ7・人倫	娜	平	―	―	nɑ^{2}	哿韻
1730	上池・066オ7・人倫	毛	平	―	―	mɑu$^{1/3}$	豪/号韻
1731a	上池・066オ7・人倫	嫡	入	チヤク	右注	ṭak tek	陌韻 錫韻
1731b	上池・066オ7・人倫	子	平	シ	右注	tsiɐi^{2}	止韻
1732	上池・066ウ1・人倫	朕	去	チム	右注	ḍiem^{2}	寑韻
1733	上池・066ウ1・人倫	兒	平	―	―	ńie^{1} ŋei^{1}	支韻 齊韻
1734a	上池・066ウ1・人倫	住	―	チウ	右注	ḍiuʌ^{3} ṭiuʌ^{3}	遇韻 遇韻
1734b	上池・066ウ1・人倫	持	―	チ	右注	ḍiɐi^{1}	之韻
1735a	上池・066ウ2・人倫	魑	―	チ [去]	右注	ṭie^{1}	支韻

1735b	上池・066ウ2・人倫	魅	―	ミ［平］	右注	miei^{3}	至韻
1736	上池・066ウ4・人躰	乳	―	ス	右傍	ńiuʌ^{2}	麌韻
1737	上池・066ウ4・人躰	血	入	クヱツ	右傍	xuet	屑韻
1738b	上池・066ウ5・人躰	脉	入	ミヤク	右傍	mɐk	麥韻
1739	上池・066ウ5・人躰	力	入	リヨク	右傍	liɐk	職韻
1740	上池・066ウ6・人躰	痔	上	チ	右傍	ḍiɐi^{2}	止韻
1741a	上池・066ウ6・人躰	唾	去	タ	右傍	ṭ'uɑ^{3}	過韻
1742	上池・066ウ6・人躰	𤺋	去	タイ	右傍	tɑi^{3} ṭiai^{3}	泰韻 祭韻
1743a	上池・066ウ7・人躰	丁	―	チヤウ	右注	teŋ^{1} ṭɐŋ^{1}	青韻 耕韻
1743b	上池・066ウ7・人躰	瘡	上	サウ	右注	tṣ'iɑŋ^{1}	陽韻
1744a	上池・066ウ7・人躰	癮	上	イン	右傍	'iʌn^{2}	隠韻
1744b	上池・066ウ7・人躰	胗	上	シン	右傍	tśien^{2} kien^{2}	軫韻 軫韻
1745	上池・067オ2・人事	智	―	チ	右注	ṭie^{3}	寘韻
1746	上池・067オ3・人事	忠	平	チウ	左注	ṭiʌuŋ^{1}	東韻
1747a	上池・067オ3・人事	股	上	コ	右傍	kuʌ^{2}	姥韻
1747b	上池・067オ3・人事	肱	上	コウ	右傍	kuʌŋ^{2}	登韻
1748a	上池・067オ3・人事	忘	―	ハウ	右傍	miɑŋ$^{1/3}$	陽/漾韻
1748b	上池・067オ3・人事	家	―	カ	右傍	ka^{1}	麻韻
1749	上池・067オ3・人事	秩	―	チツ［平濁平］	右注	ḍiet	質韻
1750	上池・067オ3・人事	誅	―	チウ［□平］	右注	ṭiuʌ^{1}	虞韻
1751	上池・067オ4・人事	盟	―	メイ	右傍	miaŋ^{1} maŋ^{3}	庚韻 映韻
1752	上池・067オ4・人事	寵	―	チヨウ	右注	ṭ'iɑuŋ^{2}	腫韻
1753	上池・067オ4・人事	勅	―	チヨク	右注	ṭ'iɐk	職韻
1754	上池・067オ4・人事	陳	―	チン	右注	ḍien$^{1/3}$	眞/震韻
1755a	上池・067オ5・人事	直	去	―	―	ḍiɐk	職韻
1755b	上池・067オ5・人事	火	上	―	―	xuɑ^{2}	果韻
1755c	上池・067オ5・人事	鳳	去	―	―	biʌuŋ^{3}	送韻
1756a	上池・067オ5・人事	長	平	チヤウ	右注	ḍiɑŋ$^{1/3}$ ṭiɑŋ^{2}	陽/漾韻 養韻
1756b	上池・067オ5・人事	慶	去濁	ケイ	右注	k'iaŋ^{3}	映韻
1756c	上池・067オ5・人事	子	平	シ	右注	tsiɐi^{2}	止韻
1757a	上池・067オ6・人事	地	去	チ	右傍	diei^{3}	至韻
1757b	上池・067オ6・人事	久	上	キウ	右傍	kiʌu^{2}	有韻
1758a	上池・067オ6・人事	重	平	―	―	ḍiɑuŋ$^{1/2/3}$	鍾/腫/用韻
1758b	上池・067オ6・人事	光	東	―	―	kuɑŋ$^{1/3}$	唐/宕韻
1759a	上池・067オ6・人事	女	上濁	―	―	ṇiʌ$^{2/3}$	語/御韻

1759b	上池・067オ6・人事	兒	平	—	—	ńie^{1} ŋei^{1}	支韻 齊韻
1760	上池・067ウ1・飲食	茶	—	チヤ	右注	ḍa^{1}	麻韻
1761	上池・067ウ1・飲食	糉	去	ソウ	右傍	tsʌuŋ^{3}	送韻
1762	上池・067ウ3・雜物	幗	入	クワク	右傍	kuɐk kuʌi^{3}	麥韻 隊韻
1763	上池・067ウ3・雜物	褌	入	ヒツ	右傍	(pjiet)	(国字)
1764	上池・067ウ3・雜物	帳	去 平	チヤウ	右注	ṭiɑŋ^{3}	漾韻
1765	上池・067ウ3・雜物	軸	入濁	チク	右注	ḍiʌuk	屋韻
1766	上池・067ウ4・雜物	縢	去	シヨウ	右傍	śieŋ^{3}	證韻
1767a	上池・067ウ4・雜物	逆	入	ケキ	右傍	ŋiak	陌韻
1767b	上池・067ウ4・雜物	靳	—	ソ	右傍	kiʌn^{3}	焮韻
1768a	上池・067ウ4・雜物	鎮	平	チン	右注	ṭien$^{1/3}$	眞/震韻
1768b	上池・067ウ4・雜物	子	上	シ	右注	tsiɐi^{2}	止韻
1769a	上池・067ウ4・雜物	鍮	—	チウ	中注	t'ʌu^{1}	侯韻
1769b	上池・067ウ4・雜物	石	—	サク	中注	źiek	昔韻
1770	上池・067ウ5・雜物	賃	—	チム [平上]	右注	ṇiem^{3}	沁韻
1771	上池・067ウ5・雜物	筑	入	チク	右注	ṭiʌuk ḍiʌuk	屋韻 屋韻
1772a	上池・067ウ5・雜物	沈	平濁	チム	右注	ḍiem$^{1/3}$ śiem^{2}	侵/沁韻 寑韻
1772b	上池・067ウ5・雜物	香	上	カウ	右注	xiɑŋ^{1}	陽韻
1773a	上池・067ウ5・雜物	丁	去	チヤウ	右注	teŋ^{1} ṭɐŋ^{1}	青韻 耕韻
1773b	上池・067ウ5・雜物	子	平濁	シ	右注	tsiɐi^{2}	止韻
1774a	上池・067ウ5・雜物	茶	平	チヤ	右注	ḍa^{1}	麻韻
1774b	上池・067ウ5・雜物	垸	上	ワン	右注	ɣuɑn$^{1/3}$	桓/換韻
1775a	上池・067ウ6・雜物	地	平濁	チ	右注	diei^{3}	至韻
1775b	上池・067ウ6・雜物	子	平	シ	右注	tsiɐi^{2}	止韻
1776a	上池・067ウ6・雜物	陳	平	チン	右注	ḍien$^{1/3}$	眞/震韻
1776b	上池・067ウ6・雜物	橘	入	クツ	右注	kjiuet	術韻
1776c	上池・067ウ6・雜物	皮	平濁	ヒ	右注	bie^{1}	支韻
1777	上池・068オ1・員數	丈	去濁	チヤウ	右注	ḍiɑŋ^{2}	養韻
1778	上池・068オ1・員數	町	去	チヤウ	右注	t'eŋ$^{1/2}$ deŋ^{2} t'en^{2}	青/迥韻 迥韻 銑韻
1779	上池・068オ1・員數	挺	平	チヤウ	右注	deŋ$^{1/2}$	青/迥韻
1780	上池・068オ1・員數	張	平	チヤウ	右注	ḍiɑŋ$^{1/3}$	陽/漾韻
1781	上池・068オ2・員數	帙	入	チキ	右注	ḍiet	質韻
1782	上池・068オ2・員數	幀	—	チヤウ	右傍	(ṭieŋ^{1})	(清韻)
1783	上池・068オ5・辭字	持	—	チ [去濁]	右注	ḍiɐi^{1}	之韻
1784	上池・068オ6・辭字	近	去	—	—	giʌn$^{2/3}$	隠/焮韻

1785	上池・068オ7・辞字	殆	去	タイ	右傍	dʌi^{2}	海韻
1786	上池・068ウ1・辞字	鎮	―	チン	右注	ṭien$^{1/3}$	眞/震韻
1787	上池・068ウ2・辞字	鏤	平	ロウ	右傍	liuʌ^{1} lʌu^{3}	虞韻 候韻
1788	上池・068ウ3・辞字	鍍	―	ト	右傍	duʌ$^{1/3}$	模/暮韻
1789a	上池・068ウ5・重點	遅	―	チ	右注	ḍiei$^{1/3}$	脂/至韻
1789b	上池・068ウ5・重點	遅	―	チ	右注	ḍiei$^{1/3}$	脂/至韻
1790a	上池・068ウ5・重點	重	―	チウ	右注	ḍiɑuŋ$^{1/2/3}$	鍾/腫/用韻
1790b	上池・068ウ5・重點	重	―	チウ	右注	ḍiɑuŋ$^{1/2/3}$	鍾/腫/用韻
1791a	上池・068ウ5・重點	嫡	―	チャク	右注	ṭak tek	陌韻 錫韻
1791b	上池・068ウ5・重點	嫡	―	チヤク	右注	ṭak tek	陌韻 錫韻
1792a	上池・068ウ7・疊字	重	平	チヨウ	中注	ḍiɑuŋ$^{1/2/3}$	鍾/腫/用韻
1792b	上池・068ウ7・疊字	陽	平	ヤウ	中注	jiɑŋ^{1}	陽韻
1793a	上池・068ウ7・疊字	仲	去	チウ	左注	ḍiʌuŋ^{3}	送韻
1793b	上池・068ウ7・疊字	春	平	シユン	左注	tś'iuen^{1}	諄韻
1794a	上池・068ウ7・疊字	仲	去	チウ	左注	ḍiʌuŋ^{3}	送韻
1794b	上池・068ウ7・疊字	夏	平	カ	左注	ɣa$^{2/3}$	馬/禡韻
1795a	上池・068ウ7・疊字	仲	去	チウ	左注	ḍiʌuŋ^{3}	送韻
1795b	上池・068ウ7・疊字	秋	平	シウ	左注	ts'iʌu^{1}	尤韻
1796a	上池・068ウ7・疊字	仲	去	チウ	左注	ḍiʌuŋ^{3}	送韻
1796b	上池・068ウ7・疊字	冬	平	トウ	左注	tɑuŋ^{1}	冬韻
1797a	上池・069オ1・疊字	晝	平	チウ	中注	ṭiʌu^{3}	宥韻
1797b	上池・069オ1・疊字	夜	平	ヤ	中注	jia^{3}	禡韻
1798a	上池・069オ1・疊字	遅	平	チ	左注	ḍiei$^{1/3}$	脂/至韻
1798b	上池・069オ1・疊字	日	入	シツ	左注	ńiet	質韻
1799a	上池・069オ1・疊字	逐	入	チク	左注	ḍiʌuk	屋韻
1799b	上池・069オ1・疊字	電	去	テン	左注	den^{3}	霰韻
1800a	上池・069オ1・疊字	中	去	チウ	左注	ṭiʌuŋ$^{1/3}$	東/送韻
1800b	上池・069オ1・疊字	間	上濁	ケン	左注	kɐn$^{1/3}$	山/襉韻
1801a	上池・069オ1・疊字	虵	平濁	チ	左注	dźia^{1} jia^{2} jiɐ^{1}	麻韻 馬韻 支韻
1801b	上池・069オ1・疊字	理	平	リ	左注	liɐi^{2}	止韻
1802a	上池・069オ2・疊字	地	平濁	チ	左注	diei^{3}	至韻
1802b	上池・069オ2・疊字	形	上濁	キヤウ	左注	ɣeŋ^{1}	青韻
1803a	上池・069オ2・疊字	地	去	チ	左注	diei^{3}	至韻
1803b	上池・069オ2・疊字	勢	去	セイ	左注	śiai^{3}	祭韻
1804a	上池・069オ2・疊字	地	去	チ	左注	diei^{3}	至韻
1804b	上池・069オ2・疊字	裂	入	レツ	左注	liat	薛韻
1805a	上池・069オ2・疊字	塵	平	チン	左注	ḍien^{1}	眞韻

1805b	上池・069オ2・疊字	土	平	ト	左注	t‘uʌ^{2} duʌ^{2}	姥韻 姥韻
1806a	上池・069オ2・疊字	中	去	チウ	左注	ṭiʌuŋ$^{1/3}$	東/送韻
1806b	上池・069オ2・疊字	央	平	ヤウ	左注	’iɑŋ^{1}	陽韻
1807a	上池・069オ3・疊字	治	去濁	チ	左注	ḍiɐi$^{1/3}$ ḍiei^{3}	之/志韻 至韻
1807b	上池・069オ3・疊字	田	上濁	テン	左注	den^{1}	先韻
1808a	上池・069オ3・疊字	池	平	チ	左注	ḍie^{1}	支韻
1808b	上池・069オ3・疊字	沼	上	セウ	左注	tśiau^{2}	小韻
1809a	上池・069オ3・疊字	池	平	チ	左注	ḍie^{1}	支韻
1809b	上池・069オ3・疊字	水	上	スイ	左注	śiuei^{2}	旨韻
1810a	上池・069オ3・疊字	着	入	チヤク	左注	ḍiɑk ṭiɑk	藥韻 藥韻
1810b	上池・069オ3・疊字	岸	去濁	カン	左注	ŋɑn^{3}	翰韻
1811a	上池・069オ3・疊字	致	平	チ	中注	ṭiei^{3}	至韻
1811b	上池・069オ3・疊字	齋	平濁	サイ	中注	tṣɐi^{1}	皆韻
1812a	上池・069オ4・疊字	鎮	平	チン	左注	ṭien$^{1/3}$	眞/震韻
1812b	上池・069オ4・疊字	魂	平濁	コン	左注	ɣuʌn^{1}	魂韻
1813a	上池・069オ4・疊字	鎮	平	チン	右注	ṭien$^{1/3}$	眞/震韻
1813b	上池・069オ4・疊字	守	平濁	シユ	右注	śiʌu$^{2/3}$	有/宥韻
1814a	上池・069オ4・疊字	長	平	チヤウ	左注	ḍiɑŋ$^{1/3}$ ṭiɑŋ^{2}	陽/漾韻 養韻
1814b	上池・069オ4・疊字	講	平濁	カウ	左注	kauŋ^{2}	講韻
1815a	上池・069オ4・疊字	鎮	平	チン	右注	ṭien$^{1/3}$	眞/震韻
1815b	上池・069オ4・疊字	護	平濁	コ	右注	ɣuʌ^{3}	暮韻
1816a	上池・069オ4・疊字	知	去	チ	右注	ṭie^{1}	支韻
1816b	上池・069オ4・疊字	識	入	シキ	右注	śiɐk śiei^{3}	職韻 志韻
1817a	上池・069オ5・疊字	頂	平	チヤウ	左注	teŋ^{2}	迥韻
1817b	上池・069オ5・疊字	戴	平	タイ	左注	tʌi^{3}	代韻
1818a	上池・069オ5・疊字	長	去濁	チヤウ	左注	ḍiɑŋ$^{1/3}$ ṭiɑŋ^{3}	陽/漾韻 養韻
1818b	上池・069オ5・疊字	行	上濁	カウ	左注	ɣaŋ$^{1/3}$ ɣɑŋ$^{1/3}$	庚/映韻 唐/宕韻
1819a	上池・069オ5・疊字	中	去	チウ	左注	ṭiʌuŋ$^{1/3}$	東/送韻
1819b	上池・069オ5・疊字	門	上	モン	左注	muʌn^{1}	魂韻
1820a	上池・069オ5・疊字	住	平濁	チウ	左注	ḍiuʌ^{3} ṭiuʌ^{3}	遇韻 遇韻
1820b	上池・069オ5・疊字	持	上濁	チ	左注	ḍiɐi^{1}	之韻
1821a	上池・069オ5・疊字	聴	平	チヤウ	左注	t‘eŋ$^{1/3}$	青/徑韻
1821b	上池・069オ5・疊字	衆	平濁	シウ	左注	tśiʌuŋ$^{1/3}$	東/送韻
1822a	上池・069オ6・疊字	聴	平	チヤウ	左注	t‘eŋ$^{1/3}$	青/徑韻

1822b	上池・069オ6・疊字	聞	去	モン	左注	miuʌn$^{1/3}$	文/問韻
1823a	上池・069オ6・疊字	定	平濁	チヤウ	左注	teŋ^{3} deŋ^{3}	徑韻 徑韻
1823b	上池・069オ6・疊字	者	平濁	シヤ	左注	tśia^{2}	馬韻
1824a	上池・069オ6・疊字	除	去濁	チヨ	左注	ḍiʌ$^{1/3}$	魚/御韻
1824b	上池・069オ6・疊字	帳	平濁	チヤウ	左注	ṭiaŋ^{3}	漾韻
1825a	上池・069オ6・疊字	持	去濁	チ	右注	ḍiɐi^{1}	之韻
1825b	上池・069オ6・疊字	齊	上	サイ	右注	dzei$^{1/3}$	齊/霽韻
1826a	上池・069オ6・疊字	儲	平	チヨ	中注	ḍiʌ^{1}	魚韻
1826b	上池・069オ6・疊字	君	平	クン	中注	kiuʌn^{1}	文韻
1827a	上池・069オ7・疊字	除	去濁	チ	左注	ḍiʌ$^{1/3}$	魚/御韻
1827b	上池・069オ7・疊字	目	入	モク	左注	miʌuk	屋韻
1828a	上池・069オ7・疊字	勑	入	チヨク	左注	ṭ'iɐk	職韻
1828b	上池・069オ7・疊字	宣	平	セム	左注	siuan^{1}	仙韻
1829a	上池・069オ7・疊字	勅	入	チヨク	左注	ṭ'iɐk	職韻
1829b	上池・069オ7・疊字	荅	平	タウ	左注	tʌp	合韻
1830a	上池・069オ7・疊字	陣	去濁	チン	左注	ḍien^{3}	震韻
1830b	上池・069オ7・疊字	中	上濁	チウ	左注	ṭiʌuŋ$^{1/3}$	東/送韻
1831a	上池・069オ7・疊字	陣	去濁	チン	左注	ḍien^{3}	震韻
1831b	上池・069オ7・疊字	頭	—	トウ	左注	dʌu^{1}	侯韻
1832a	上池・069ウ1・疊字	地	去	チ	左注	diei^{3}	至韻
1832b	上池・069ウ1・疊字	久	上	キウ	左注	kiʌu^{2}	有韻
1833a	上池・069ウ1・疊字	中	去	チウ	左注	ṭiʌuŋ$^{1/3}$	東/送韻
1833b	上池・069ウ1・疊字	宮	上濁	クウ	左注	kiʌuŋ^{1}	東韻
1834a	上池・069ウ1・疊字	長	平	チヤウ	左注	ḍiaŋ$^{1/3}$ ṭiaŋ^{2}	陽/漾韻 養韻
1834b	上池・069ウ1・疊字	秋	平	シウ	左注	ts'iʌu^{1}	尤韻
1834c	上池・069ウ1・疊字	宮	平	キウ	左注	kiʌuŋ^{1}	東韻
1835a	上池・069ウ1・疊字	柱	平	チウ	中注	ḍiuʌ^{2} ṭiuʌ^{2}	麌韻 麌韻
1835b	上池・069ウ1・疊字	石	入	セキ	中注	źiek	昔韻
1836a	上池・069ウ1・疊字	致	平	チ	右注	ṭiei^{3}	至韻
1836b	上池・069ウ1・疊字	仕	平濁	シ	右注	ḍẓiei^{2}	止韻
1837a	上池・069ウ2・疊字	重	去	チヨウ	左注	ḍiauŋ$^{1/2/3}$	鍾/腫/用韻
1837b	上池・069ウ2・疊字	職	入濁	シヨク	左注	tśiɐk	職韻
1838a	上池・069ウ2・疊字	致	平	チ	左注	ṭiei^{3}	至韻
1838b	上池・069ウ2・疊字	敬	平	キヤウ	左注	kiaŋ^{3}	映韻
1839a	上池・069ウ2・疊字	廳	平	チヤウ	中注	t'eŋ^{1}	青韻
1839b	上池・069ウ2・疊字	例	上	レイ	中注	liai^{3}	祭韻
1840a	上池・069ウ2・疊字	張	上	チヤウ	左注	ḍiaŋ$^{1/3}$	陽/漾韻
1840b	上池・069ウ2・疊字	本	平濁	ホン	左注	puʌn^{2}	混韻
1841a	上池・069ウ2・疊字	抽	平	チウ	左注	ṭ'iʌu^{1}	尤韻
1841b	上池・069ウ2・疊字	任	去濁	シム	左注	ńiem$^{1/3}$	侵/沁韻

1842a	上池・069ウ3・疊字	抽	平	チウ	左注	ṭ'iʌu^{1}	尤韻
1842b	上池・069ウ3・疊字	賞	上	シヤウ	左注	śiaŋ^{2}	養韻
1843a	上池・069ウ3・疊字	中	去	チウ	左注	ṭiʌuŋ$^{1/3}$	東/送韻
1843b	上池・069ウ3・疊字	古	上	コ	左注	kuʌ^{2}	姥韻
1844a	上池・069ウ3・疊字	疇	平	チウ	左注	ḍiʌu^{1}	尤韻
1844b	上池・069ウ3・疊字	昔	入	シヤク	左注	siek	昔韻
1845a	上池・069ウ3・疊字	遅	平	チ	左注	ḍiei$^{1/3}$	脂/至韻
1845b	上池・069ウ3・疊字	速	入	ソク	左注	sʌuk	屋韻
1846a	上池・069ウ3・疊字	遅	平	チ	左注	ḍiei$^{1/3}$	脂/至韻
1846b	上池・069ウ3・疊字	引	上	イン	左注	jien$^{2/3}$	軫韻
1847a	上池・069ウ4・疊字	遅	平	チ	左注	ḍiei$^{1/3}$	脂/至韻
1847b	上池・069ウ4・疊字	怠	去	タイ	左注	dʌi^{2}	海韻
1848a	上池・069ウ4・疊字	遅	平	チ	左注	ḍiei$^{1/3}$	脂/至韻
1848b	上池・069ウ4・疊字	参	平	サム	左注	ts'ʌm$^{1/3}$ sam^{1} ṣiem^{1} tṣ'iem^{1}	覃/勘韻 談韻 侵韻 侵韻
1849a	上池・069ウ4・疊字	地	平濁	チ	左注	diei^{3}	至韻
1849b	上池・069ウ4・疊字	震	平	シン	左注	tśien^{3}	震韻
1850a	上池・069ウ4・疊字	沈	平	チム	左注	ḍiem$^{1/3}$ śiem^{2}	侵/沁韻 寝韻
1850b	上池・069ウ4・疊字	困	去	コン	左注	k'uʌn^{3}	慁韻
1851a	上池・069ウ4・疊字	嫡	入	チヤウ	左注	ṭak tek	陌韻 錫韻
1851b	上池・069ウ4・疊字	子	平	シ	左注	tsiɐi^{2}	止韻
1852a	上池・069ウ5・疊字	長	―	チヤウ	左注	ḍiaŋ$^{1/3}$ ṭiaŋ^{2}	陽/漾韻 養韻
1852b	上池・069ウ5・疊字	者	上濁	シヤ	左注	tśia^{2}	馬韻
1853a	上池・069ウ5・疊字	杖	去	チヤウ	中注	ḍiaŋ^{2}	養韻
1853b	上池・069ウ5・疊字	者	上	シヤ	中注	tśia^{2}	馬韻
1854a	上池・069ウ5・疊字	長	平	チヤウ	左注	ḍiaŋ$^{1/3}$ ṭiaŋ^{2}	陽/漾韻 養韻
1854b	上池・069ウ5・疊字	生	上	セイ	左注	ṣaŋ$^{1/3}$	庚/映韻
1855a	上池・069ウ5・疊字	長	平	チヤウ	左注	ḍiaŋ$^{1/3}$ ṭiaŋ^{2}	陽/漾韻 養韻
1855b	上池・069ウ5・疊字	髪	入	ハツ	左注	piat	月韻
1856a	上池・069ウ5・疊字	濃	平濁	チヨウ	中注	ṇiauŋ^{1}	鍾韻
1856b	上池・069ウ5・疊字	粧	平	サウ	中注	tṣiaŋ^{1}	陽韻
1857a	上池・069ウ6・疊字	着	入	チヤク	左注	ḍiak ṭiak	薬韻 薬韻
1857b	上池・069ウ6・疊字	袴	去	コ	左注	k'uʌ^{3}	暮韻

1858a	上池・069ウ6・疊字	着	入	チヤウ	左注	ḍiak ṭiak	薬韻 薬韻
1858b	上池・069ウ6・疊字	裳	去	シヤウ	左注	źiaŋ^{1}	陽韻
1859a	上池・069ウ6・疊字	竹	入	チク	左注	ṭiʌuk	屋韻
1859b	上池・069ウ6・疊字	馬	上	ハ	左注	ma^{2}	馬韻
1860a	上池・069ウ6・疊字	忠	平	—	—	ṭiʌuŋ^{1}	東韻
1861a	上池・069ウ6・疊字	忠	平	チウ	左注	ṭiʌuŋ^{1}	東韻
1861b	上池・069ウ6・疊字	信	去	シン	左注	sien^{3}	震韻
1862a	上池・069ウ7・疊字	忠	平	チウ	左注	ṭiʌuŋ^{1}	東韻
1862b	上池・069ウ7・疊字	節	入	セチ	左注	tset	屑韻
1863a	上池・069ウ7・疊字	忠	平	チウ	左注	ṭiʌuŋ^{1}	東韻
1863b	上池・069ウ7・疊字	貞	平	テイ	左注	ṭieŋ^{1}	清韻
1864a	上池・069ウ7・疊字	惆	平	チウ	左注	ṭ'iʌu^{1}	尤韻
1864b	上池・069ウ7・疊字	悵	去	チヤウ	左注	ṭ'iaŋ^{3}	漾韻
1865a	上池・069ウ7・疊字	悵	去	チヤウ	左注	ṭ'iaŋ^{3}	漾韻
1865b	上池・069ウ7・疊字	望	去濁	ハウ	左注	miaŋ$^{1/3}$	陽/漾韻
1866a	上池・069ウ7・疊字	遅	平	チ	左注	ḍiei$^{1/3}$	脂/至韻
1866b	上池・069ウ7・疊字	鈍	去濁	トン	左注	duʌn^{3}	慁韻
1867a	上池・070オ1・疊字	中	去	チウ	左注	ṭiʌuŋ$^{1/3}$	東/送韻
1867b	上池・070オ1・疊字	庸	平	ヨウ	左注	jiauŋ^{1}	鍾韻
1868a	上池・070オ1・疊字	遅	平	チ	左注	ḍiei$^{1/3}$	脂/至韻
1868b	上池・070オ1・疊字	疑	平濁	キ	左注	ŋiɐi^{1}	之韻
1869a	上池・070オ1・疊字	持	平	チ	左注	ḍiɐi^{1}	之韻
1869b	上池・070オ1・疊字	疑	上濁	キ	左注	ŋiɐi^{1}	之韻
1870a	上池・070オ1・疊字	沈	平	チム	左注	ḍiem$^{1/3}$ śiem^{2}	侵/沁韻 寝韻
1870b	上池・070オ1・疊字	淪	平	リム	左注	liuen^{1}	諄韻
1871a	上池・070オ1・疊字	沈	平	チム	左注	ḍiem$^{1/3}$ śiem^{2}	侵/沁韻 寝韻
1871b	上池・070オ1・疊字	滞	去	タイ	左注	ḍiai^{3}	祭韻
1872a	上池・070オ2・疊字	中	去	チウ	左注	ṭiʌuŋ$^{1/3}$	東/送韻
1872b	上池・070オ2・疊字	夭	平	エウ	左注	'iau$^{1/2}$ 'au^{2}	宵/小韻 晧韻
1873a	上池・070オ2・疊字	著	入	チヤク	左注	ḍiak ṭiak ḍiʌ^{1} ṭiʌ$^{2/3}$	薬韻 薬韻 魚韻 語/御韻
1873b	上池・070オ2・疊字	姓	平	シヤウ	左注	sieŋ^{3}	勁韻
1874a	上池・070オ2・疊字	重	平濁	テウ	左注	ḍiauŋ$^{1/2/3}$	鍾/腫/用韻
1874b	上池・070オ2・疊字	代	上濁	タイ	左注	dʌi^{3}	代韻
1875a	上池・070オ2・疊字	中	平	チウ	左注	ṭiʌuŋ$^{1/3}$	東/送韻
1875b	上池・070オ2・疊字	媒	平濁	ハイ	左注	muʌi^{1}	灰韻

1876a	上池・070オ2・疊字	晝	平	チウ	左注	ṭiʌu^{3}	宥韻
1876b	上池・070オ2・疊字	突	入	トツ	左注	duʌt	没韻
1877a	上池・070オ3・疊字	悵	去	チヤウ	左注	ṭ'iaŋ^{3}	漾韻
1877b	上池・070オ3・疊字	望	平濁	ハウ	左注	miaŋ$^{1/3}$	陽/漾韻
1878a	上池・070オ3・疊字	珎	平	テン	左注	ṭien^{1}	眞韻
1878b	上池・070オ3・疊字	重	去	チヨウ	左注	ḍiauŋ$^{1/2/3}$	鍾/腫用韻
1879a	上池・070オ3・疊字	重	平	チウ	左注	ḍiauŋ$^{1/2/3}$	鍾/腫用韻
1879b	上池・070オ3・疊字	怠	去	タイ	左注	dʌi^{2}	海韻
1880a	上池・070オ3・疊字	秩	入濁	チヽ	左注	ḍiet	質韻
1880b	上池・070オ3・疊字	滿	上	マン	左注	man^{2}	緩韻
1881a	上池・070オ3・疊字	着	入	―	―	ḍiak ṭiak	藥韻 藥韻
1881b	上池・070オ3・疊字	府	上	―	―	piuʌ^{2}	麌韻
1882a	上池・070オ4・疊字	着	入	チヤク	左注	ḍiak ṭiak	藥韻 藥韻
1882b	上池・070オ4・疊字	任	平	ニン	左注	ńiem$^{1/3}$	侵/沁韻
1883a	上池・070オ4・疊字	治	去濁	チ	左注	ḍiɐi$^{1/3}$ ḍiei^{3}	之/志韻 至韻
1883b	上池・070オ4・疊字	略	入	リヤク	左注	liak	藥韻
1884a	上池・070オ4・疊字	智	平	チ	左注	ṭie^{3}	寘韻
1884b	上池・070オ4・疊字	音	平	イン	左注	'iem^{1}	侵韻
1885a	上池・070オ4・疊字	知	去	チ	左注	ṭie^{1}	支韻
1885b	上池・070オ4・疊字	己	平	コ	左注	kiɐi^{2}	止韻
1886a	上池・070オ4・疊字	稠	平	チウ	左注	ḍiʌu^{1}	尤韻
1886b	上池・070オ4・疊字	人	平濁	シン	左注	ńien^{1}	眞韻
1887a	上池・070オ5・疊字	地	平	チ	中注	diei^{3}	至韻
1887b	上池・070オ5・疊字	望	平濁	ハウ	中注	miaŋ$^{1/3}$	陽/漾韻
1888a	上池・070オ5・疊字	珎	去	チン	左注	ṭien^{1}	眞韻
1888b	上池・070オ5・疊字	寶	平	ホウ	左注	pau^{2}	晧韻
1889a	上池・070オ5・疊字	珎	―	チン	左注	ṭien^{1}	眞韻
1889b	上池・070オ5・疊字	財	―	サイ	左注	dzʌi^{1}	咍韻
1890a	上池・070オ5・疊字	沈	平	チン	左注	ḍiem$^{1/3}$ śiem^{2}	侵/沁韻 寝韻
1890b	上池・070オ5・疊字	難	平	ナン	左注	nan$^{1/3}$	寒/翰韻
1891a	上池・070オ5・疊字	昵	入濁	チツ	左注	niet	質韻
1891b	上池・070オ5・疊字	近	去	キン	左注	giʌn$^{2/3}$	隠/焮韻
1892a	上池・070オ6・疊字	除	平	チヨ	中注	ḍiʌ$^{1/3}$	魚/御韻
1892b	上池・070オ6・疊字	名	平	メイ ミヤウ	中注	mieŋ^{1}	清韻
1893a	上池・070オ6・疊字	智	平	チ	中注	ṭie^{3}	寘韻
1893b	上池・070オ6・疊字	慧	平	ヱ	中注	ɣuei^{3}	霽韻
1894a	上池・070オ6・疊字	智	平	チ	左注	ṭie^{3}	寘韻
1894b	上池・070オ6・疊字	者	平	シヤ	左注	tśia^{2}	馬韻

1895a	上池・070オ6・疊字	知	平	チ	左注	ṭie^{1}	支韻
1895b	上池・070オ6・疊字	新	平	シン	左注	sien^{1}	眞韻
1896a	上池・070オ6・疊字	竹	入	チク	右注	ṭiʌuk	屋韻
1896b	上池・070オ6・疊字	帛	入	ハク	右注	bak	陌韻
1897a	上池・070オ7・疊字	長	去	チヤウ	左注	ḍiaŋ$^{1/3}$ ṭiaŋ^{2}	陽/漾韻 養韻
1897b	上池・070オ7・疊字	案	平	アン	左注	’an^{3}	翰韻
1898a	上池・070オ7・疊字	馳	去	チ	左注	ḍie^{1}	支韻
1898b	上池・070オ7・疊字	望	平濁	ハウ	左注	miaŋ$^{1/3}$	陽/漾韻
1899a	上池・070オ7・疊字	沈	平	チン	左注	ḍiem$^{1/3}$ śiem^{2}	侵/沁韻 寑韻
1899b	上池・070オ7・疊字	思	去	シ	左注	siɐi$^{1/3}$	之/志韻
1900a	上池・070オ7・疊字	沈	平	チン	左注	ḍiem$^{1/3}$ śiem^{2}	侵/沁韻 寑韻
1900b	上池・070オ7・疊字	吟	平	キン	左注	ŋiem$^{1/3}$	侵/沁韻
1901a	上池・070オ7・疊字	着	入	チヤク	左注	ḍiak ṭiak	藥韻 藥韻
1901b	上池・070オ7・疊字	鈦	上濁	タ	左注	dai^{3} dei^{3}	泰韻 霽韻
1902a	上池・070ウ1・疊字	着	入	チヤク	左注	ḍiak ṭiak	藥韻 藥韻
1902b	上池・070ウ1・疊字	鈦	上	タ	中注	dai^{3} dei^{3}	泰韻 霽韻
1903a	上池・070ウ1・疊字	笞	平	チ	左注	ṭ‘iɐi^{1}	之韻
1903b	上池・070ウ1・疊字	杖	去濁	チヤウ	左注	ḍiaŋ^{2}	養韻
1904a	上池・070ウ1・疊字	株	平	チウ	左注	tśiuʌ^{1}	虞韻
1904b	上池・070ウ1・疊字	人	去	ニン	左注	ńien^{1}	眞韻
1905a	上池・070ウ1・疊字	停	上	チヤウ	左注	deŋ^{1}	青韻
1905b	上池・070ウ1・疊字	止	上	シ	左注	tśiɐi^{2}	止韻
1906a	上池・070ウ1・疊字	停	上	チヤウ	左注	deŋ^{1}	青韻
1906b	上池・070ウ1・疊字	癈	平	ハイ	左注	pıaı^{3}	廢韻
1907a	上池・070ウ2・疊字	恥	上	チ	中注	ṭ‘iɐi^{2}	止韻
1907b	上池・070ウ2・疊字	辱	入	シヨク	中注	ńiauk	燭韻
1908a	上池・070ウ2・疊字	忸	入	チク	左注	nıʌuk	屋韻
1908b	上池・070ウ2・疊字	怩	平濁	チ	左注	ṇiei^{1}	脂韻
1909a	上池・070ウ2・疊字	珎	東	チン	左注	ṭien^{1}	眞韻
1909b	上池・070ウ2・疊字	美	平濁	ヒ	左注	miei^{2}	旨韻
1910a	上池・070ウ2・疊字	珎	東	チン	左注	ṭien^{1}	眞韻
1910b	上池・070ウ2・疊字	膳	平	セン	左注	źian^{3}	線韻
1911a	上池・070ウ2・疊字	珎	東	チン	左注	ṭien^{1}	眞韻
1911b	上池・070ウ2・疊字	菓	平	クワ	左注	kua^{2}	果韻
1912a	上池・070ウ3・疊字	珎	東	チン	左注	ṭien^{1}	眞韻
1912b	上池・070ウ3・疊字	物	入濁	フツ	左注	miuʌt	物韻

1913a	上池・070ウ3・疊字	中	去	チウ	中注	ṭiʌuŋ$^{1/3}$	東/送韻
1913b	上池・070ウ3・疊字	垸	上	ワン	中注	ɣuɑn$^{1/3}$	桓/換韻
1914a	上池・070ウ3・疊字	濁	入濁	チヨク	左注	ḍauk	覺韻
1914b	上池・070ウ3・疊字	酒	上	ス	左注	tsiʌu^{2}	有韻
1915a	上池・070ウ3・疊字	中	去	チウ	左注	ṭiʌuŋ$^{1/3}$	東/送韻
1915b	上池・070ウ3・疊字	戸	上	コ	左注	ɣuʌ^{2}	姥韻
1916a	上池・070ウ3・疊字	沈	平	チン	左注	ḍiem$^{1/3}$ śiem^{2}	侵/沁韻 寝韻
1916b	上池・070ウ3・疊字	粋	去	スイ	左注	tsiuei^{3}	至韻
1917a	上池・070ウ4・疊字	竹	入	チク	左注	ṭiʌuk	屋韻
1917b	上池・070ウ4・疊字	葉	入	エウ	左注	jiap	葉韻
1918a	上池・070ウ4・疊字	地	平濁	チ	左注	diei^{3}	至韻
1918b	上池・070ウ4・疊字	味	平	ミ	左注	miʌi^{3}	未韻
1919a	上池・070ウ4・疊字	雉	平	チ	右注	ḍiei^{2}	旨韻
1919b	上池・070ウ4・疊字	目	入濁	ホク	右注	miʌuk	屋韻
1920a	上池・070ウ4・疊字	柱	平	チウ	中注	ḍiuʌ^{2} ṭiuʌ^{2}	麌韻 麌韻
1920b	上池・070ウ4・疊字	礎	上	ソ	中注	tṣʻiʌ^{2}	語韻
1921a	上池・070ウ4・疊字	打	上	チヤウ	左注	teŋ^{2} taŋ^{2}	迥韻 梗韻
1921b	上池・070ウ4・疊字	球	平濁	キウ	左注	giʌu^{1}	尤韻
1922a	上池・070ウ5・疊字	女	上濁	チヨ	中注	ṇiʌ$^{2/3}$	語/御韻
1922b	上池・070ウ5・疊字	車	平	シヤ	中注	tśʻia^{1} kiʌ^{1}	麻韻 魚韻
1923a	上池・070ウ5・疊字	踟	平	チ	中注	ḍie^{1}	支韻
1923b	上池・070ウ5・疊字	蹰	平	チウ	中注	ḍiuʌ^{1}	虞韻
1924a	上池・070ウ5・疊字	佇	平	チヨ	右注	ḍiʌ^{2}	語韻
1924b	上池・070ウ5・疊字	留	上	ル	右注	liʌu$^{1/3}$	尤/宥韻
1925a	上池・070ウ5・疊字	直	入	チヨク	左注	ḍiɐk	職韻
1925b	上池・070ウ5・疊字	入	入	ニフ	左注	ńiep	緝韻
1926a	上池・070ウ5・疊字	筭	去	チウ	左注	suɑn^{3}	換韻
1926b	上池・070ウ5・疊字	量	平	リヤウ	左注	liɑŋ$^{1/3}$	陽/漾韻
1927a	上池・070ウ6・疊字	儲	平	チヨ	左注	ḍiʌ^{1}	魚韻
1927b	上池・070ウ6・疊字	蟖	平	レウ	左注	leu$^{1/3}$	蕭/嘯韻
1928a	上池・070ウ6・疊字	置	平	チ	左注	ṭiɐi^{3}	志韻
1928b	上池・070ウ6・疊字	質	入	シチ	左注	tśʻiet ṭiei^{3}	質韻 至韻
1929a	上池・070ウ6・疊字	重	平	チヨウ	左注	ḍiɑuŋ$^{1/2/3}$	鍾/腫/用韻
1929b	上池・070ウ6・疊字	疊	入濁	テウ	左注	dep	帖韻
1930a	上池・070ウ6・疊字	注	平	チウ	左注	tśiuʌ^{3}	遇韻
1930b	上池・070ウ6・疊字	記	平	キ	左注	kiɐi^{3}	志韻
1931a	上池・070ウ6・疊字	馳	去	チ	左注	ḍie^{1}	支韻
1931b	上池・070ウ6・疊字	嚴	平濁	ケム	左注	ŋiɑm^{1}	嚴韻

1932a	上池・070ウ7・疊字	寵	上	チヨウ	左注	ṭ‘iauŋ^{2}	腫韻
1932b	上池・070ウ7・疊字	愛	去	アイ	左注	’ʌi^{1}	代韻
1933a	上池・070ウ7・疊字	張	平	チヤウ	右注	ḍiaŋ$^{1/3}$	陽/漾韻
1933b	上池・070ウ7・疊字	芝	平	シ	右注	tśiɐi^{1} p‘iʌm^{1}	之韻 凡韻
1934a	上池・070ウ7・疊字	竹	入	チク	右注	ṭiʌuk	屋韻
1934b	上池・070ウ7・疊字	簡	平	カン	右注	kɐn^{2}	産韻
1935a	上池・070ウ7・疊字	雉	去	チ	右注	ḍiei^{2}	旨韻
1935b	上池・070ウ7・疊字	尾	上濁	ヒ	右注	miʌi^{2}	尾韻
1936a	上池・070ウ7・疊字	長	平	チヤウ	中注	ḍiaŋ$^{1/3}$ ṭiaŋ^{2}	陽/漾韻 養韻
1936b	上池・070ウ7・疊字	樂	入	ラク	中注	lak ŋauk ŋau^{3}	鐸韻 覺韻 効韻
1937a	上池・071オ1・疊字	籌	平	チウ	右注	ḍiʌu^{1}	尤韻
1937b	上池・071オ1・疊字	筞	入	シヤク	右注	tṣ‘ɐk	麥韻
1938a	上池・071オ1・疊字	注	平	チウ	右注	tśiuʌ^{3}	遇韻
1938b	上池・071オ1・疊字	人	去	ニン	右注	ńien^{1}	眞韻
1939a	上池・071オ1・疊字	馳	去	チ	右注	ḍie^{1}	支韻
1939b	上池・071オ1・疊字	走	平	ソウ	右注	tsʌu$^{2/3}$	厚/候韻
1940a	上池・071オ1・疊字	中	去	チウ	右注	ṭiʌuŋ$^{1/3}$	東/送韻
1940b	上池・071オ1・疊字	興	平	キヨウ	右注	xiɐŋ$^{1/3}$	蒸/證韻
1941a	上池・071オ1・疊字	珎	東	チン	右注	ṭien^{1}	眞韻
1941b	上池・071オ1・疊字	事	平	シ	右注	dẓiɐi^{3}	志韻
1942a	上池・071オ2・疊字	治	去濁	チ	右注	ḍiɐi$^{1/3}$ ḍiei^{3}	之/志韻 至韻
1942b	上池・071オ2・疊字	方	上	ホウ	右注	piaŋ^{1} biaŋ^{1}	陽韻 陽韻
1943a	上池・071オ2・疊字	治	去濁	チ	右注	ḍiɐi$^{1/3}$ ḍiei^{3}	之/志韻 至韻
1943b	上池・071オ2・疊字	術	入濁	シユツ	右注	dźiuet	術韻
1944a	上池・071オ2・疊字	蓄	入	チク	右注	ṭ‘iʌuk xiʌuk	屋韻 屋韻
1944b	上池・071オ2・疊字	懐	平	クワイ	右注	ɣuɐi^{1}	皆韻
1945a	上池・071オ2・疊字	蟄	入	チツ	右注	ḍiep	緝韻
1945b	上池・071オ2・疊字	居	平	キヨ	右注	kiʌ^{1} kiɐi^{1}	魚韻 之韻
1946a	上池・071オ2・疊字	重	平濁	チウ	右注	ḍiauŋ$^{1/2/3}$	鍾/腫/用韻
1946b	上池・071オ2・疊字	服	入濁	フク	右注	biʌuk	屋韻
1947a	上池・071オ3・疊字	地	去	チ	右注	diei^{3}	至韻
1947b	上池・071オ3・疊字	忍	平	ニン	右注	ńien^{2}	軫韻
1948a	上池・071オ3・疊字	濁	入濁	チヨク	右注	ḍauk	覺韻
1948b	上池・071オ3・疊字	世	平	セ	右注	śiai^{3}	祭韻

1949a	上池・071オ3・疊字	懲	平	チヨウ	右注	ḍiɐŋ^{1}	蒸韻
1949b	上池・071オ3・疊字	肅	入	シク	右注	siʌuk	屋韻
1950a	上池・071オ3・疊字	女	上濁	チヨ	右注	ṇiʌ$^{2/3}$	語/御韻
1950b	上池・071オ3・疊字	几	去	キ	右注	kiei^{2}	旨韻
1951a	上池・071オ3・疊字	寵	上	チヨウ	左注	ṭʻiauŋ^{2}	腫韻
1951b	上池・071オ3・疊字	辱	入濁	シヨク	左注	ńiauk	燭韻
1952a	上池・071オ4・疊字	長	平	チヤウ	左注	ḍiaŋ$^{1/3}$ ṭiaŋ^{2}	陽/漾韻 養韻
1952b	上池・071オ4・疊字	短	上濁	タン	左注	tuan^{2}	緩韻
1953a	上池・071オ5・疊字	長	平	―	―	ḍiaŋ$^{1/3}$ ṭiaŋ^{2}	陽/漾韻 養韻
1953b	上池・071オ5・疊字	大	去	―	―	dai^{1}	泰韻
1953c	上池・071オ5・疊字	息	入	―	―	siɐk	職韻
1954b	上池・071オ5・疊字	惑	―	ワク	右傍	ɣuʌk	德韻
1954d	上池・071オ5・疊字	僻	―	ヘキ	右傍	pʻiek pʻek	昔韻 錫韻
1955a	上池・071オ6・疊字	贔	平	ヒイ	右傍	biei^{3}	至韻
1955b	上池・071オ6・疊字	屓	平	キ	右傍	xiei^{3}	至韻
1956a	上池・071ウ1・諸社	竹	―	チク	右注	ṭiʌuk	屋韻
1957a	上池・071ウ3・國郡	筑	―	チク	右注	ṭiʌuk ḍiʌuk	屋韻 屋韻
1957b	上池・071ウ3・國郡	前	―	セン	右注	dzen^{1}	先韻
1958a	上池・071ウ3・國郡	怡	―	イ	右傍	jiɐi^{1}	之韻
1958b	上池・071ウ3・國郡	土	―	ト	右傍	tʻuʌ^{2} duʌ^{2}	姥韻 姥韻
1959a	上池・071ウ3・國郡	志	―	シ	右傍	tśiɐi^{3}	志韻
1959b	上池・071ウ3・國郡	麻	―	マ	右傍	ma^{1}	麻韻
1960a	上池・071ウ3・國郡	早	―	サワ	右傍	tsau^{2}	晧韻
1960b	上池・071ウ3・國郡	良	―	ラ	右傍	liaŋ^{1}	陽韻
1961a	上池・071ウ4・國郡	筑	―	チク	右注	ṭiʌuk ḍiʌuk	屋韻 屋韻
1961b	上池・071ウ4・國郡	後	―	コ	右注	ɣʌu$^{2/3}$	厚/候韻
1962a	上池・071ウ5・國郡	鎮	―	チン	右注	ṭien$^{1/3}$	眞/震韻
1962b	上池・071ウ5・國郡	西	―	セイ	右注	sei^{1}	齊韻
1963a	上池・071ウ5・國郡	筑	―	チク	右注	ṭiʌuk ḍiʌuk	屋韻 屋韻
1963b	上池・071ウ5・國郡	紫	―	シ	右注	tsie^{2}	紙韻
1964a	上池・071ウ5・國郡	鎮	―	チン	右注	ṭien$^{1/3}$	眞/震韻
1964b	上池・071ウ5・國郡	守	―	ス	右注	śiʌu$^{2/3}$	有/宥韻
1964c	上池・071ウ5・國郡	府	―	フ	右注	piuʌ^{2}	麌韻
1965a	上池・071ウ7・官職	中	―	チウ	右注	ṭiʌuŋ$^{1/3}$	東/送韻
1965b	上池・071ウ7・官職	宮	―	ク	右注	kiʌuŋ^{1}	東韻
1965c	上池・071ウ7・官職	職	―	シキ	右注	tśiɐk	職韻

1966a	上池・071ウ7・官職	治	—	チ	右注	ḍiɐi$^{1/3}$ ḍiɐi^{3}	之/志韻 至韻
1966b	上池・071ウ7・官職	部	—	フ	右注	buʌ^{2} bʌu^{2}	姥韻 厚韻
1966c	上池・071ウ7・官職	省	—	シヤウ	右注	ṣaŋ^{2} sieŋ^{2}	梗韻 静韻
1967c	上池・071ウ7・官職	寮	—	レウ	右注	leu^{1}	蕭韻
1968a	上池・071ウ7・官職	中	—	チウ	右注	ṭiʌuŋ$^{1/3}$	東/送韻
1968b	上池・071ウ7・官職	納	—	ナウ	右注	nɑp	盍韻
1968c	上池・071ウ7・官職	言	—	コン	右注	ŋian^{1}	元韻
1969a	上池・071ウ7・官職	中	—	チウ	右注	ṭiʌuŋ$^{1/3}$	東/送韻
1969b	上池・071ウ7・官職	将	—	シヤウ	右注	tsiɑŋ$^{1/3}$	陽/漾韻
1970	上池・072オ1・官職	忠	—	チウ	右注	ṭiʌuŋ^{1}	東韻
1971a	上池・072オ1・官職	直	—	チヨク	右注	ḍiɐk	職韻
1971b	上池・072オ1・官職	講	—	カウ	右注	kauŋ^{2}	講韻
1972a	上池・072オ1・官職	知	—	チ	右注	ṭie^{1}	支韻
1972b	上池・072オ1・官職	家	—	ケ	右注	ka^{1}	麻韻
1972c	上池・072オ1・官職	事	—	シ	右注	dẓiɐi^{3}	志韻
1973a	上池・072オ1・官職	廳	—	チヤウ	右注	t‘eŋ^{1}	青韻
1973b	上池・072オ1・官職	官	—	クワン	右注	kuɑn^{1}	桓韻
1974a	上池・072オ1・官職	庁	—	チヤウ	右注	t‘eŋ^{1}	青韻
1975a	上池・072オ2・官職	長	—	チヤウ	右注	ḍiɑŋ$^{1/3}$ ṭiɑŋ^{2}	陽/漾韻 養韻
1975b	上池・072オ2・官職	吏	—	リ	右注	liɐi^{3}	志韻
1976a	上池・072オ2・官職	注	—	チウ	右注	tśiuʌ^{3}	遇韻
1976b	上池・072オ2・官職	記	—	キ	右注	kiɐi^{3}	志韻
1977a	上池・072オ2・官職	中	—	チウ	右注	ṭiʌuŋ$^{1/3}$	東/送韻
1977b	上池・072オ2・官職	綱	—	カフ	右注	kɑŋ^{1}	唐韻
1978a	上池・072オ3・官職	定	—	チヤウ	右注	teŋ^{3} deŋ^{3}	徑韻 徑韻
1978b	上池・072オ3・官職	額	—	キヤク	右注	ŋak	陌韻
1979	上池・072オ5・姓氏	珎	—	チン	右注	ṭien^{1}	眞韻
1980a	上池・072オ5・姓氏	筑	—	チク	右注	ṭiʌuk ḍiʌuk	屋韻 屋韻
1980b	上池・072オ5・姓氏	紫	—	シ	右注	tsie^{2}	紙韻

【表A-01】上巻_利篇

番号	前田本所在	掲出字		仮名音注		中古音	韻目
1981	上利・072ウ3・地儀	里	平	リ	右注	liɐi^{2}	止韻

1982a	上利・072ウ4・地儀	綾	平	リヨウ	右注	lieŋ^{1}	蒸韻
1982b	上利・072ウ4・地儀	綺	上濁	キ	右注	k‘ie^{2}	紙韻
1982c	上利・072ウ4・地儀	殿	―	テン	右注	den^{3} ten^{3}	霰韻 霰韻
1983a	上利・072ウ6・植物	龍	―	リウ	右注	liauŋ^{1}	鍾韻
1983b	上利・072ウ6・植物	膽	―	タウ	右注	tam^{2}	敢韻
1984a	上利・072ウ6・植物	龍	―	リウ	左注	liauŋ^{1}	鍾韻
1984b	上利・072ウ6・植物	膽	―	タム	左注	tam^{2}	敢韻
1985a	上利・072ウ6・植物	零	―	リヤウ	右注	leŋ$^{1/3}$	青/徑韻
1985b	上利・072ウ6・植物	陵	―	レウ	右注	lieŋ^{1}	蒸韻
1985c	上利・072ウ6・植物	香	―	カウ	右注	xiaŋ^{1}	陽韻
1986a	上利・072ウ7・植物	林	平	リウ	右注	liem^{1}	侵韻
1986b	上利・072ウ7・植物	檎	平	コウ	右注	giem^{1}	侵韻
1987a	上利・072ウ7・植物	林	平	リム	右傍	liem^{1}	侵韻
1987b	上利・072ウ7・植物	檎	平	キ	右傍	giem^{1}	侵韻
1988a	上利・072ウ7・植物	令	去	―	―	lieŋ$^{1/3}$ leŋ$^{1/3}$ lian^{1}	清/勁韻 青/徑韻 仙韻
1988b	上利・072ウ7・植物	法	入濁	―	―	piʌp	乏韻
1989	上利・073オ2・動物	龍	平 去	リヤウ	右注	liauŋ^{1}	鍾韻
1990	上利・073オ2・動物	龍	平 去	リウ	右傍	liauŋ^{1}	鍾韻
1991a	上利・073オ2・動物	銜	平	カム	右傍	ɣam^{1}	銜韻
1991b	上利・073オ2・動物	燭	入	シヨク	右傍	tśiauk	燭韻
1992a	上利・073オ2・動物	投	平	トウ	右傍	dʌu^{1}	侯韻
1992b	上利・073オ2・動物	杖	去	チヤウ	右傍	ḍiaŋ^{2}	養韻
1993	上利・073オ2・動物	麟	平	リン	右注	lien^{1}	眞韻
1994	上利・073オ4・人倫	吏	―	リ	右注	liɐi^{3}	志韻
1995a	上利・073オ4・人倫	良	―	リヤウ	右注	liaŋ^{1}	陽韻
1995b	上利・073オ4・人倫	家	―	ケ	右注	ka^{1}	麻韻
1995c	上利・073オ4・人倫	子	―	シ	右注	tsiɐi^{2}	止韻
1996a	上利・073オ6・人躰	良	平	リヤウ	右注	liaŋ^{1}	陽韻
1996b	上利・073オ6・人躰	朱	平濁	スウ	右注	tśiuʌ^{1}	虞韻
1997a	上利・073オ6・人躰	痢	平	リ	右注	liei^{3}	至韻
1997b	上利・073オ6・人躰	病	平濁	ヒヤウ	右注	biaŋ^{3}	映韻
1998	上利・073ウ1・人事	利	―	リ	右注	liei^{3}	至韻
1999	上利・073ウ1・人事	令	平	リヤウ	右注	lieŋ$^{1/3}$ leŋ$^{1/3}$ lian^{1}	清/勁韻 青/徑韻 仙韻
2000	上利・073ウ1・人事	律	入	リツ	右注	liuet	術韻
2001	上利・073ウ1・人事	略	―	リヤク	右注	liak	藥韻
2002a	上利・073ウ2・人事	臨	―	リム	右注	liem$^{1/3}$	侵/沁韻
2002b	上利・073ウ2・人事	邑	―	ヲウ	右注	’iep	緝韻

2003a	上利・073ウ2・人事	陵	―	リヨウ	右注	lieŋ[1]	蒸韻
2003b	上利・073ウ2・人事	王	―	ワウ	右注	ɣiuaŋ[1/3]	陽/漾韻
2004a	上利・073ウ2・人事	柳	上	リウ	右注	liʌu[2]	有韻
2004b	上利・073ウ2・人事	花	上	クワ	右注	xua[1]	麻韻
2004c	上利・073ウ2・人事	苑	平	ヱン	右注	’iuan[2]	阮韻
2005a	上利・073ウ3・人事	臨	平	リン	右傍	liem[1/3]	侵/沁韻
2005b	上利・073ウ3・人事	胡	上	コ	右傍	ɣuʌ[1]	模韻
2005c	上利・073ウ3・人事	褌	平	ク	右傍	kuʌn[1]	魂韻
2005d	上利・073ウ3・人事	脱	入濁	タツ	右傍	duat t‘uat	末韻 末韻
2006a	上利・073ウ3・人事	輪	平	リム	左注	liuen[1]	諄韻
2006b	上利・073ウ3・人事	臺	平	タイ	左注	dʌi[1]	咍韻
2007a	上利・073ウ3・人事	臨	平	リム	左注	liem[1/3]	侵/沁韻
2007b	上利・073ウ3・人事	河	平	カ	左注	ɣɑ[1]	歌韻
2008a	上利・073ウ5・雜物	龍	平	リウ	右注	liauŋ[1]	鍾韻
2008b	上利・073ウ5・雜物	鬢	平濁	ヒン	右注	pjien[3]	震韻
2009a	上利・073ウ5・雜物	輪	平	リン	右注	liuen[1]	諄韻
2009b	上利・073ウ5・雜物	鼓	上濁	コ	右注	kuʌ[2]	姥韻
2010a	上利・073ウ5・雜物	龍	去	リウ	右注	liauŋ[1]	鍾韻
2010b	上利・073ウ5・雜物	脳	平	ナウ	右注	nɑu[2/3]	晧/号韻
2011	上利・073ウ5・雜物	匳	平	リン	右注	liam[1]	鹽韻
2012	上利・073ウ5・雜物	匳	平	レム	右傍	liam[1]	鹽韻
2013a	上利・073ウ5・雜物	龍	平	リヨウ	右注	liauŋ[1]	鍾韻
2013b	上利・073ウ5・雜物	頭	平濁	トウ	右注	dʌu[1]	侯韻
2014	上利・073ウ6・雜物	輪	―	リン	右注	liuen[1]	諄韻
2015a	上利・073ウ6・雜物	綾	―	リヨウ	右注	lieŋ[1]	蒸韻
2015b	上利・073ウ6・雜物	羅	―	ラ	右注	lɑ[1]	歌韻
2016a	上利・073ウ6・雜物	裲	上	リヤウ	右注	(liɑŋ[2])	（養韻）
2016b	上利・073ウ6・雜物	襠	平濁	タウ	右注	tɑŋ[1]	唐韻
2017	上利・074オ1・員數	兩	―	リヤウ	右注	liɑŋ[2/3]	養/漾韻
2018	上利・074オ1・員數	釐	―	リ	右注	liɐi[1]	之韻
2019	上利・074オ3・辞字	埋	―	リ	右注	liɐi[2]	止韻
2020	上利・074オ3・辞字	領	―	リヤウ	右注	lieŋ[2]	靜韻
2021	上利・074オ3・辞字	略		リヤク	右注	liɑk	藥韻
2022a	上利・074オ5・重點	略	―	リヤク	右注	liɑk	藥韻
2022b	上利・074オ5・重點	略	―	リヤク	右注	liɑk	藥韻
2023a	上利・074オ5・重點	離	―	リ	右注	lie[1/3] lei[3]	支/寘韻 霽韻
2023b	上利・074オ5・重點	離	―	リ	右注	lie[1/3] lei[3]	支/寘韻 霽韻
2024a	上利・074オ7・疊字	凉	平	リヤウ	左注	liɑŋ[1/3]	陽/漾韻
2024b	上利・074オ7・疊字	暖	上	タム	左注	nuɑn[2]	緩韻
2025a	上利・074オ7・疊字	凉	平	リヤウ	左注	liɑŋ[1/3]	陽/漾韻

2025b	上利・074オ7・疊字	燠	入	イク	左注	'iʌuk	屋韻
2026a	上利・074オ7・疊字	良	平	リヤウ	左注	liɑŋ^{1}	陽韻
2026b	上利・074オ7・疊字	辰	平	シン	左注	źien^{1}	眞韻
2027a	上利・074オ7・疊字	良	平	リヤウ	左注	liɑŋ^{1}	陽韻
2027b	上利・074オ7・疊字	久	上	キウ	左注	kiʌu^{2}	有韻
2028a	上利・074オ7・疊字	林	平	リム	右注	liem^{1}	侵韻
2028b	上利・074オ7・疊字	鍾	平	シヨウ	右注	tśiɑuŋ^{1}	鍾韻
2029a	上利・074ウ1・疊字	霖	平	リム	左注	liem^{1}	侵韻
2029b	上利・074ウ1・疊字	雨	上	ウ	左注	ɣiuʌ$^{2/3}$	麌/遇韻
2030a	上利・074ウ1・疊字	六	入	リク	左注	liʌuk	屋韻
2030b	上利・074ウ1・疊字	出	入	シユツ	左注	tś'iuet tś'iuei^{3}	術韻 至韻
2031a	上利・074ウ1・疊字	立	入	リウ	左注	liep	緝韻
2031b	上利・074ウ1・疊字	錐	平	スイ	左注	tśiuei^{1}	脂韻
2032a	上利・074ウ1・疊字	陸	—	リク	右注	liʌuk	屋韻
2032b	上利・074ウ1・疊字	路	—	ロ	右注	luʌ^{3}	暮韻
2033a	上利・074ウ1・疊字	隣	去	リム	左注	lien^{1}	眞韻
2033b	上利・074ウ1・疊字	境	上	ケイ	左注	kiaŋ^{2}	梗韻
2034a	上利・074ウ2・疊字	隣	去	リム	左注	lien^{1}	眞韻
2034b	上利・074ウ2・疊字	國	入濁	コク	左注	kuʌk	德韻
2035a	上利・074ウ2・疊字	領	—	リヤウ	左注	lieŋ^{2}	靜韻
2035b	上利・074ウ2・疊字	知	—	チ	左注	ṭie^{1}	支韻
2036a	上利・074ウ2・疊字	領	—	リヤウ	右注	lieŋ^{2}	靜韻
2036b	上利・074ウ2・疊字	掌	—	シヤウ	右注	tśiɑŋ^{2}	養韻
2037a	上利・074ウ2・疊字	閭	平	リヨ	左注	liʌ^{1}	魚韻
2037b	上利・074ウ2・疊字	里	上	リ	左注	liɐi^{2}	止韻
2038a	上利・074ウ2・疊字	閭	平	リヨ	左注	liʌ^{1}	魚韻
2038b	上利・074ウ2・疊字	巷	去	カウ	左注	ɣauŋ^{3}	絳韻
2039a	上利・074ウ3・疊字	閭	平	リヨ	左注	liʌ^{1}	魚韻
2039b	上利・074ウ3・疊字	閻	平	エム	左注	jiam^{1}	鹽韻
2040a	上利・074ウ3・疊字	隣	平	リム	左注	lien^{1}	眞韻
2040b	上利・074ウ3・疊字	里	上	リ	左注	liɐi^{2}	止韻
2041a	上利・074ウ3・疊字	流	平	リウ	左注	liʌu^{1}	尤韻
2041b	上利・074ウ3・疊字	俗	入	シヨク	左注	ziɑuk	燭韻
2042a	上利・074ウ3・疊字	隴	上	リヨウ	左注	liɑuŋ^{1}	腫韻
2042b	上利・074ウ3・疊字	畝	上	ホ	左注	mʌu^{2}	厚韻
2043a	上利・074ウ3・疊字	梁	平	リヤウ	左注	liɑŋ^{1}	陽韻
2043b	上利・074ウ3・疊字	塵	平	チム	左注	ḍien^{1}	眞韻
2044a	上利・074ウ4・疊字	流	平	リウ	中注	liʌu^{1}	尤韻
2044b	上利・074ウ4・疊字	水	上	スイ	中注	śiuei^{2}	旨韻
2045a	上利・074ウ4・疊字	利	平	リ	左注	liei^{3}	至韻
2045b	上利・074ウ4・疊字	他	上	タ	左注	t'ɑ^{1}	歌韻
2046a	上利・074ウ4・疊字	兩	平	リヤウ	左注	liɑŋ$^{2/3}$	養/漾韻

2046b	上利・074ウ4・疊字	界	平濁	カイ	左注	kɐi^{3}	怪韻
2047a	上利・074ウ4・疊字	靈	去	リヤウ	左注	leŋ^{1}	青韻
2047b	上利・074ウ4・疊字	驗	平濁	ケム	左注	ŋiam^{3}	豔韻
2048a	上利・074ウ4・疊字	豎	平	リウ	左注	źiuʌ^{2}	麌韻
2048b	上利・074ウ4・疊字	義	平濁	キ	左注	ŋie^{3}	寘韻
2049a	上利・074ウ5・疊字	利	平	リ	左注	liei^{3}	至韻
2049b	上利・074ウ5・疊字	養	平	ヤウ	左注	jiɑŋ$^{2/3}$	養/漾韻
2050a	上利・074ウ5・疊字	諒	去	リヤウ	中注	liɑŋ^{3}	漾韻
2050b	上利・074ウ5・疊字	闇	上	アム	中注	'ʌm^{3}	勘韻
2051a	上利・074ウ5・疊字	臨	平	リム	左注	liem$^{1/3}$	侵/沁韻
2051b	上利・074ウ5・疊字	幸	去	カウ	左注	ɣɐŋ^{2}	耿韻
2052a	上利・074ウ5・疊字	綸	平	リン	左注	liuen^{1} kuɐn^{1}	諄韻 山韻
2052b	上利・074ウ5・疊字	言	平濁	ケム	左注	ŋiɑn^{1}	元韻
2053a	上利・074ウ5・疊字	釐	去	リイ	右注	liɐi^{1}	之韻
2053b	上利・074ウ5・疊字	務	平	ム	右注	miuʌ^{3}	遇韻
2054a	上利・074ウ6・疊字	令	平	リヤウ	左注	lieŋ$^{1/3}$ leŋ$^{1/3}$ lian^{1}	清/勁韻 青/徑韻 仙韻
2054b	上利・074ウ6・疊字	旨	上濁	シ	左注	śiei^{2}	旨韻
2055a	上利・074ウ6・疊字	綸	平	リン	左注	liuen^{1} kuɐn^{1}	諄韻 山韻
2055b	上利・074ウ6・疊字	旨	去	シ	左注	śiei^{2}	旨韻
2056a	上利・074ウ6・疊字	綸	平	リム	右注	liuen^{1} kuɐn^{1}	諄韻 山韻
2056b	上利・074ウ6・疊字	綍	去	ハイ	右注	piuʌt	物韻
2057a	上利・074ウ6・疊字	龍	平	リヨウ	左注	liɑuŋ^{1}	鍾韻
2057b	上利・074ウ6・疊字	首	平	シウ	左注	śiʌu$^{2/3}$	有/宥韻
2058a	上利・074ウ6・疊字	龍	平	リヨウ	左注	liɑuŋ^{1}	鍾韻
2058b	上利・074ウ6・疊字	樓	平	ロウ	左注	lʌu^{1}	侯韻
2059a	上利・074ウ7・疊字	麟	平	リン	左注	lien^{1}	眞韻
2059b	上利・074ウ7・疊字	閣	入	カク	左注	kɑk	鐸韻
2060a	上利・074ウ7・疊字	龍	平	リヨウ	中注	liɑuŋ^{1}	鍾韻
2060b	上利・074ウ7・疊字	尾	上濁	ヒ	中注	miʌi^{2}	尾韻
2061a	上利・074ウ7・疊字	鱗	平	リン	中注	lien^{1}	眞韻
2061b	上利・074ウ7・疊字	次	去	シ	中注	ts'iei^{3}	至韻
2062a	上利・074ウ7・疊字	流	平	リウ	左注	liʌu^{1}	尤韻
2062b	上利・074ウ7・疊字	例	去	レイ	左注	liai^{3}	祭韻
2063a	上利・074ウ7・疊字	霖	平	リン	中注	liem^{1}	侵韻
2063b	上利・074ウ7・疊字	西	上	サイ	中注	sei^{1}	齊韻
2064a	上利・075オ1・疊字	良	平	リヤウ	中注	liɑŋ^{1}	陽韻
2064b	上利・075オ1・疊字	朱	平濁	シユ	中注	tśiuʌ^{1}	虞韻

2065a	上利・075オ1・疉字	柳	上	リウ	左注	liʌu^{2}	有韻
2065b	上利・075オ1・疉字	黛	去	タイ	左注	dʌi^{3}	代韻
2066a	上利・075オ1・疉字	緑	入	リヨク	左注	liɑuk	燭韻
2066b	上利・075オ1・疉字	珠	上	シユ	左注	tśiuʌ^{1}	虞韻
2067a	上利・075オ1・疉字	憐	去	リン	中注	len^{1}	先韻
2067b	上利・075オ1・疉字	愍	平	ミン	中注	mien^{2}	軫韻
2068a	上利・075オ1・疉字	流	平	リウ	左注	liʌu^{1}	尤韻
2068b	上利・075オ1・疉字	涕	去	テイ	左注	t‘ei$^{2/3}$	薺/霽韻
2069a	上利・075オ2・疉字	泣	平	リウ	左注	k‘iep	緝韻
2069b	上利・075オ2・疉字	涕	去	テイ	左注	t‘ei$^{2/3}$	薺/霽韻
2070a	上利・075オ2・疉字	勠	入	リク	左注	liʌuk liʌu$^{1/3}$	屋韻 尤/宥韻
2070b	上利・075オ2・疉字	力	入	リヨク	左注	liɐk	職韻
2071a	上利・075オ2・疉字	離	平	リ	左注	lie$^{1/3}$ lei^{3}	支/寘韻 霽韻
2071b	上利・075オ2・疉字	別	入	ヘツ	左注	biat piat	薛韻 薛韻
2072a	上利・075オ2・疉字	離	平	リ	左注	lie$^{1/3}$ lei^{3}	支/寘韻 霽韻
2072b	上利・075オ2・疉字	盃	平	ハイ	左注	puʌi^{1}	灰韻
2073a	上利・075オ2・疉字	祖	上	ソ	左注	tsuʌ^{2}	姥韻
2073b	上利・075オ2・疉字	席	入	セキ	左注	ziek	昔韻
2074a	上利・075オ2・疉字	良	平	リヤウ	左注	liɑŋ^{1}	陽韻
2074b	上利・075オ2・疉字	媒	平濁	ハイ	左注	muʌi^{1}	灰韻
2075a	上利・075オ3・疉字	兩	上	リヤウ	左注	liɑŋ$^{2/3}$	養/漾韻
2075b	上利・075オ3・疉字	言	平濁	ケム	左注	ŋiɑn^{1}	元韻
2076a	上利・075オ3・疉字	兩	平	—	—	liɑŋ$^{2/3}$	養/漾韻
2076b	上利・075オ3・疉字	舌	入濁	—	—	dźiat ɣuat	薛韻 鎋韻
2077a	上利・075オ3・疉字	兩	平	—	—	liɑŋ$^{2/3}$	養/漾韻
2077b	上利・075オ3・疉字	條	平濁	—	—	deu^{1}	蕭韻
2078a	上利・075オ3・疉字	兩	平	—	—	liɑŋ$^{2/3}$	養/漾韻
2078b	上利・075オ3・疉字	樣	去	—	—	jiɑŋ^{3}	漾韻
2079a	上利・075オ3・疉字	良	平	リヤウ	左傍	liɑŋ^{1}	陽韻
2079b	上利・075オ3・疉字	吏	去	リ	左傍	liɐi^{3}	志韻
2080a	上利・075オ4・疉字	莅	去	リ	左注	liei^{3}	至韻
2080b	上利・075オ4・疉字	境	上	ケイ	左注	kiɑŋ^{2}	梗韻
2081a	上利・075オ4・疉字	吏	去	リ	中注	liɐi^{3}	志韻
2081b	上利・075オ4・疉字	幹	平	カン	中注	kɑn^{3}	翰韻
2082a	上利・075オ4・疉字	吏	去	リ	左注	liɐi^{3}	志韻
2082b	上利・075オ4・疉字	途	平	ト	左注	duʌ^{1}	模韻
2083a	上利・075オ4・疉字	流	平	リウ	左注	liʌu^{1}	尤韻

2083b	上利・075オ4・疊字	亢	平	カウ	左注	kaŋ^{1} k‘aŋ^{3}	唐韻 宕韻
2084a	上利・075オ4・疊字	流	平	リウ	左傍	liʌu^{1}	尤韻
2084b	上利・075オ4・疊字	亢	平	カウ	左傍	kaŋ^{1} k‘aŋ^{3}	唐韻 宕韻
2085a	上利・075オ4・疊字	流	平	リウ	右注	liʌu^{1}	尤韻
2085b	上利・075オ4・疊字	宂	上濁	シヨウ	右注	ńiauŋ^{2}	腫韻
2086a	上利・075オ5・疊字	利	平	リ	中注	liei^{3}	至韻
2086b	上利・075オ5・疊字	根	去	コン	中注	kʌn^{1}	痕韻
2087a	上利・075オ5・疊字	森	平	リン	左注	ṣiem^{1}	侵韻
2087b	上利・075オ5・疊字	然	平濁	セン	左注	ńian^{1}	仙韻
2088a	上利・075オ5・疊字	利	上	リ	左注	liei^{3}	至韻
2088b	上利・075オ5・疊字	口	上	コウ	左注	k‘ʌu^{2}	厚韻
2089a	上利・075オ5・疊字	里	上	リ	左注	liɐi^{2}	止韻
2089b	上利・075オ5・疊字	儒	平濁	シユ	左注	ńiuʌ^{1}	虞韻
2090a	上利・075オ5・疊字	令	平	リヤウ	左注	lieŋ$^{1/3}$ leŋ$^{1/3}$ lian^{1}	清/勁韻 青/徑韻 仙韻
2090b	上利・075オ5・疊字	條	平濁	テウ	左注	deu^{1}	蕭韻
2091a	上利・075オ6・疊字	理	平	リ	左注	liɐi^{2}	止韻
2091b	上利・075オ6・疊字	非	上	ヒ	左注	piʌi^{1}	微韻
2092a	上利・075オ6・疊字	理	平	リ	左注	liɐi^{2}	止韻
2092b	上利・075オ6・疊字	論	平	ロン	左注	luʌn$^{1/3}$ liuen^{1}	魂/慁韻 諄韻
2093a	上利・075オ6・疊字	理	平	リ	左注	liɐi^{2}	止韻
2093b	上利・075オ6・疊字	致	上	チ	左注	ṭiei^{3}	至韻
2094a	上利・075オ6・疊字	虜	上	リヨ	中注	luʌ^{2}	姥韻
2094b	上利・075オ6・疊字	領	平	リヤウ	中注	lieŋ^{2}	靜韻
2095a	上利・075オ6・疊字	虜	去	リヨ	左注	luʌ^{2}	姥韻
2095b	上利・075オ6・疊字	外	平	クワイ	左注	ŋuai^{3}	泰韻
2096a	上利・075オ7・疊字	虜	上	リコ	左注	luʌ^{2}	姥韻
2096b	上利・075オ7・疊字	椋	去	リヤウ	左注	liaŋ^{1}	陽韻
2097a	上利・075オ7・疊字	緑	入	リヨク	左注	liauk	燭韻
2097b	上利・075オ7・疊字	林	平	リン	左注	liem^{1}	侵韻
2098a	上利・075オ7・疊字	理	平	リ	左注	liɐi^{2}	止韻
2098b	上利・075オ7・疊字	髪	入	ハツ	左注	piat	月韻
2099a	上利・075オ7・疊字	履	平	リ	左注	liei^{2}	旨韻
2099b	上利・075オ7・疊字	韈	入濁	ヘツ	左注	miat	月韻
2100a	上利・075オ7・疊字	律	入	リツ	中注	liuet	術韻
2100b	上利・075オ7・疊字	呂	上	リヨ	中注	liʌ^{2}	語韻
2101a	上利・075ウ1・疊字	陸	入	リク	左注	liʌuk	屋韻
2101b	上利・075ウ1・疊字	行	平	カウ	左注	ɣaŋ$^{1/3}$ ɣaŋ$^{1/3}$	庚/映韻 唐/宕韻

2102a	上利・075ウ1・疊字	旅	上	リヨ	左注	liʌ^{2}	語韻
2102b	上利・075ウ1・疊字	宿	入	シユク	左注	siʌuk	屋韻
2103a	上利・075ウ1・疊字	量	平	リヤウ	中注	liɑŋ$^{1/3}$	陽/漾韻
2103b	上利・075ウ1・疊字	定	平濁	チヤウ	中注	teŋ^{3} deŋ^{3}	徑韻 徑韻
2104a	上利・075ウ1・疊字	量	平	リヤウ	左注	liɑŋ$^{1/3}$	陽/漾韻
2104b	上利・075ウ1・疊字	欠	去	カン	左注	k'iʌm^{3}	梵韻
2105a	上利・075ウ1・疊字	利	平	リ	左注	liei^{3}	至韻
2105b	上利・075ウ1・疊字	并	上濁	ヒヤウ	左注	pieŋ$^{1/3}$	清/勁韻
2106a	上利・075ウ2・疊字	陸	入	リク	左注	liʌuk	屋韻
2106b	上利・075ウ2・疊字	梁	平	リヤウ	左注	liɑŋ^{1}	陽韻
2107a	上利・075ウ2・疊字	龍	平	リヨウ	左注	liɑuŋ^{1}	鍾韻
2107b	上利・075ウ2・疊字	蹄	平 去	テイ	左注	dei^{1}	齊韻
2108a	上利・075ウ2・疊字	利	―	リ	左注	liei^{3}	至韻
2108b	上利・075ウ2・疊字	益	―	ヤク	左注	'iek	昔韻
2109a	上利・075ウ2・疊字	利	―	リ	右注	liei^{3}	至韻
2109b	上利・075ウ2・疊字	潤	―	スウン	右注	ńiuen^{3}	稕韻
2110a	上利・075ウ2・疊字	流	―	リウ	右注	liʌu^{1}	尤韻
2110b	上利・075ウ2・疊字	眄	―	メン	右注	men$^{2/3}$	銑/霰韻
2111a	上利・075ウ3・疊字	流	平	リウ	左注	liʌu^{1}	尤韻
2111b	上利・075ウ3・疊字	離	平	リ	左注	lie$^{1/3}$ lei^{3}	支/寘韻 霽韻
2112a	上利・075ウ3・疊字	輪	去	リン	右注	liuen^{1}	諄韻
2112b	上利・075ウ3・疊字	轉	平濁	テン	右注	ṭiuan$^{2/3}$	獮/線韻
2113a	上利・075ウ3・疊字	籠	平	リヨウ	右注	liɑuŋ^{1} lʌuŋ$^{1/2}$	鍾韻 東/董韻
2113b	上利・075ウ3・疊字	鐘	平	シヨウ	右注	tśiɑuŋ^{1}	鍾韻
2114a	上利・075ウ3・疊字	略	入	リヤク	右注	liɑk	藥韻
2114b	上利・075ウ3・疊字	躰	平	タイ	右注	t'ei^{2}	薺韻
2115a	上利・075ウ3・疊字	良	平	リヤウ	右注	liɑŋ^{1}	陽韻
2115b	上利・075ウ3・疊字	藥	入	ヤク	右注	jiɑk	藥韻
2116a	上利・075ウ4・疊字	兩	上	リヤウ	左注	liɑŋ$^{2/3}$	養/漾韻
2116b	上利・075ウ4・疊字	馬	上濁	ハ	左注	ma^{2}	馬韻
2117a	上利・075ウ4・疊字	利	平	リ	左注	liei^{3}	至韻
2117b	上利・075ウ4・疊字	楐	平	カイ	左注	(kɐi^{3})	(怪韻)
2118a	上利・075ウ4・疊字	悋	去	リン	左注	lien^{3}	震韻
2118b	上利・075ウ4・疊字	惜	入濁	セキ	左注	siek	昔韻
2119a	上利・075ウ4・疊字	立	入	リウ	左注	liep	緝韻
2119b	上利・075ウ4・疊字	用	平	ヨウ	左注	jiɑuŋ^{3}	用韻
2120a	上利・075ウ4・疊字	陵	平	リヨウ	左注	liɐŋ^{1}	蒸韻
2120b	上利・075ウ4・疊字	遅	平濁	チ	左注	ḍiei$^{1/3}$	脂/至韻
2121a	上利・075ウ5・疊字	陵	平	リヨウ	右注	liɐŋ^{1}	蒸韻

2121b	上利・075ウ5・疊字	夷	平	イ	右注	jiei^{1}	脂韻
2122a	上利・075ウ5・疊字	領	平	リヤウ	左注	lieŋ^{2}	靜韻
2122b	上利・075ウ5・疊字	状	上濁	シヤウ	左注	dẓiaŋ^{3}	漾韻
2123a	上利・075ウ5・疊字	利	平	リ	右注	liei^{3}	至韻
2123b	上利・075ウ5・疊字	見	平	ケン	右注	ken^{3} ɣen^{3}	霰韻 霰韻
2124a	上利・075ウ5・疊字	利	平	リ	左注	liei^{3}	至韻
2124b	上利・075ウ5・疊字	盃	平	ハイ	左注	puʌi^{1}	灰韻
2125a	上利・075ウ5・疊字	六	入	リク	左注	liʌuk	屋韻
2125b	上利・075ウ5・疊字	律	入	リツ	左注	liuet	術韻
2126a	上利・075ウ6・疊字	瀧	上	リヨウ	左注	lauŋ^{1} ṣauŋ^{1} lʌuŋ^{1}	江韻 江韻 東韻
2126b	上利・075ウ6・疊字	頭	平	トウ	左注	dʌu^{1}	侯韻
2127a	上利・075ウ6・疊字	瀧	上	リヨウ	左注	lauŋ^{1} ṣauŋ^{1} lʌuŋ^{1}	江韻 江韻 東韻
2127b	上利・075ウ6・疊字	外	去	クワイ	左注	ŋuai^{3}	泰韻
2128a	上利・075ウ6・疊字	流	平	リウ	左注	liʌu^{1}	尤韻
2128b	上利・075ウ6・疊字	烏	平	ヲ	左注	'uʌ^{1}	模韻
2129a	上利・075ウ6・疊字	六	入	リク	左注	liʌuk	屋韻
2129b	上利・075ウ6・疊字	德	入	トク	左注	tʌk	德韻
2130a	上利・075ウ6・疊字	梁	平	リヤウ	左注	liaŋ^{1}	陽韻
2130b	上利・075ウ6・疊字	山	平	サン	左注	ṣɐn^{1}	山韻
2131a	上利・075ウ7・疊字	李	―	リ	左注	liɐi^{2}	止韻
2131b	上利・075ウ7・疊字	門	平	モン	左注	muʌn^{1}	魂韻
2132a	上利・075ウ7・疊字	利	去	リ	左注	liei^{3}	至韻
2132b	上利・075ウ7・疊字	害	去	カイ	左注	ɣai^{3}	泰韻
2133a	上利・075ウ7・疊字	利	平	リ	左注	liei^{3}	至韻
2133b	上利・075ウ7・疊字	鈍	平	トン	左注	duʌn^{3}	慁韻
2134a	上利・075ウ7・疊字	理	上	リ	左注	liɐi^{2}	止韻
2134b	上利・075ウ7・疊字	乱	平	ラム	左注	luan^{3}	換韻
2135a	上利・076オ1・疊字	理	―	リ	左注	liɒi^{2}	止韻
2135b	上利・076オ1・疊字	不	―	フ	左注	pɪʌu$^{1/2/3}$ piuʌt	尤/有/宥韻 物韻
2135c	上利・076オ1・疊字	盡	―	シン	左注	dzien^{2} tsien^{2}	軫韻 軫韻
2136a	上利・076オ3・官職	率	―	ソツ	右注	ṣiuet	質韻
2136b	上利・076オ3・官職	分	―	フン	右注	biuʌn^{3}	問韻
2137a	上利・076オ3・國郡	流	―	リウ	右注	liʌu^{1}	尤韻
2137b	上利・076オ3・國郡	沙	―	サ	右注	ṣa$^{1/3}$	麻/禡韻
2138a	上利・076オ4・官職	律	―	リツ	右注	liuet	術韻
2138b	上利・076オ4・官職	師	―	シ	右注	ṣiei^{1}	脂韻

2139a	上利・076オ4・官職	竪	―	リツ	右注	źiuʌ^{2}	麌韻
2139b	上利・076オ4・官職	者	―	シヤ	右注	tśia^{2}	馬韻

【表A-01】上巻_奴篇

番号	前田本所在	掲出字		仮名音注		中古音	韻目
2140	上奴・076オ6・地儀	沼	上	セウ	右注	tśiau^{2}	小韻
2141	上奴・076ウ2・植物	蘇	去	―	―	suʌ^{1}	模韻
2142	上奴・076ウ2・植物	蓀	平	ソン	右傍	suʌn^{1}	魂韻
2143a	上奴・076ウ2・植物	零	平	レイ	右傍	leŋ$^{1/3}$	青/徑韻
2143b	上奴・076ウ2・植物	餘	平	ヨ	右傍	jiʌ^{1}	魚韻
2144	上奴・076ウ3・植物	檮	平	チヨ	右傍	(ṭ‘iʌ^{1})	(魚韻)
2145a	上奴・076ウ3・植物	枸	上	コウ	右傍	kʌu$^{1/2}$ kiuʌ^{2}	侯/厚韻 麌韻
2145b	上奴・076ウ3・植物	杞	上	キ	右傍	k‘iɐi^{2}	止韻
2146a	上奴・076ウ3・植物	枸	上	ク [去]	左注	kiuʌ^{2} kʌu$^{1/2}$	麌韻 侯/厚韻
2146b	上奴・076ウ3・植物	杞	上	コ [上]	左注	k‘iɐi^{2}	止韻
2222a	上奴・076ウ4・植物	杔	―	タク	右傍	tak	陌韻
2222b	上奴・076ウ4・植物	櫨	―	ロ	右傍	luʌ^{1}	模韻
2147	上奴・076ウ4・植物	蓴	平	スウン	右傍	źiuen^{1}	諄韻
2148	上奴・076ウ6・動物	鵼	平	コウ	右傍	k‘ʌuŋ^{1}	東韻
2149	上奴・076ウ7・動物	魦	―	セウ	右傍	tṣ‘au^{3}	効韻
2150a	上奴・077オ1・動物	叩	上	コウ	右傍	k‘ʌu^{2}	厚韻
2150b	上奴・077オ1・動物	頭	平	トウ	右傍	dʌu^{1}	侯韻
2151a	上奴・077オ3・人倫	偷	平 去	チウ	右傍	t‘ʌu^{1}	侯韻
2152a	上奴・077オ3・人倫	偷	平 去	トウ	右傍	t‘ʌu^{1}	侯韻
3291	上奴・077オ5・人躰	額	―	カク	右傍	ŋak	陌韻
2153a	上奴・077オ5・人躰	板	上	ハン	右傍	pan^{2}	潸韻
2154	上奴・077オ5・人躰	髴	入	フツ	右傍	p‘iuʌt	物韻
2155	上奴・077ウ1・人事	盗	―	タウ	右傍	dɑu^{3}	号韻
2156	上奴・077ウ1・人事	偷	去	チウ	右傍	t‘ʌu^{1}	侯韻
2157	上奴・077ウ1・人事	諝	―	シヨ	右傍	siʌ$^{1/2}$	魚韻
2158	上奴・077ウ2・人事	蹐	―	セキ	右傍	tsiek	昔韻
2159	上奴・077ウ5・飲食	糠	平	カウ	右傍	k‘ɑŋ^{1}	唐韻
2160	上奴・077ウ7・雜物	繡	去	シウ	右傍	siʌu^{3}	宥韻
2161	上奴・077ウ7・雜物	布	去	ホ	右傍	puʌ^{3}	暮韻
2162	上奴・077ウ7・雜物	緯	―	ヰ	右傍	ɣiuʌi^{3}	未韻
2163	上奴・078オ4・辞字	拔	平	チウ	右傍	bɑt biɑt bɐt	末韻 月韻 黠韻

2164	上奴・078オ4・辞字	抄	平	セウ	右傍	tṣʻau$^{1/3}$	肴/効韻
2165	上奴・078オ5・辞字	貫	—	クワン	右傍	kuɑn$^{1/3}$	桓/換韻
2166	上奴・078オ6・辞字	縫	—	ホウ	右傍	biɑuŋ$^{1/3}$	鍾/用韻
2167	上奴・078オ6・辞字	塗	平	ト	右傍	duʌ^{1} ḍa^{1}	模韻 麻韻
2168	上奴・078オ7・辞字	墐	—	キン	右傍	gien$^{1/3}$	眞/震韻
2169	上奴・078ウ2・辞字	拔	—	チウ	右傍	bɑt biɑt bɐt	末韻 月韻 黠韻
2170a	上奴・078ウ4・疊字	奴	去	ヌ	右注	nuʌ^{1}	模韻
2170b	上奴・078ウ4・疊字	婢	平濁	ヒ	右注	bjie^{2}	紙韻
2171a	上奴・078ウ5・疊字	猶	—	ユ	右傍	jiʌu$^{1/3}$	尤/宥韻
2171b	上奴・078ウ5・疊字	悠	—	イウ	右傍	jiʌu^{1}	尤韻
2172c	上奴・078ウ7・官職	寮	—	レウ	右注	leu^{1}	蕭韻
2173b	上奴・079オ2・姓氏	師	—	シ	右注	ṣiei^{1}	脂韻

【表A-01】上巻_留篇

番号	前田本所在	掲出字		仮名音注		中古音	韻目
2174	上留・079オ4・人倫	類	—	ルイ	右注	lluei^{3}	至韻
2175a	上留・079オ6・雜物	瑠	去	ル	右傍	liʌu^{1}	尤韻
2175b	上留・079オ6・雜物	璃	平 上	リ	右傍	lie^{1}	支韻
2176a	上留・079オ6・雜物	瑠	去	リウ	左傍	liʌu^{1}	尤韻
2176b	上留・079オ6・雜物	璃	平 上	リ	左傍	lie^{1}	支韻
2177a	上留・079オ6・雜物	流	—	ル	右注	liʌu^{1}	尤韻
2177b	上留・079オ6・雜物	離	—	リ	右注	lie$^{1/3}$ lei^{3}	支/寘韻 霽韻
2178a	上留・079オ6・雜物	露	—	ロ [去]	右注	luʌ^{3}	暮韻
2178b	上留・079オ6・雜物	盤	—	ハン [上濁上]	右注	bɑn^{1}	桓韻
2179	上留・079オ6・雜物	漏	—	ル [去]	右注	lʌu^{3}	候韻
2180	上留・079オ6・雜物	誄	—	ルイ [上上]	右注	liuei^{2}	旨韻
2181a	上留・079ウ1・疊字	留	去	ル	中注	liʌu$^{1/3}$	尤/宥韻
2181b	上留・079ウ1・疊字	難	平	ナン	中注	nɑn$^{1/3}$	寒/翰韻
2182a	上留・079ウ1・疊字	類	平	ルイ	左注	liuei^{3}	至韻
2182b	上留・079ウ1・疊字	親	去	シン	左注	tsʻien$^{1/3}$	眞/震韻
2183a	上留・079ウ1・疊字	累	上	ルイ	中注	liue$^{2/3}$	紙/寘韻
2183b	上留・079ウ1・疊字	葉	入	エフ	中注	jiap	葉韻
2184a	上留・079ウ1・疊字	累	上	ルイ	左注	liue$^{2/3}$	紙/寘韻
2184b	上留・079ウ1・疊字	世	去	セイ	左注	śiai^{3}	祭韻
2185a	上留・079ウ1・疊字	累	上	ルイ	右注	liue$^{2/3}$	紙/寘韻

2185b	上留・079ウ1・疊字	祖	上	ソ	右注	tsuʌ^{2}	姥韻
2186a	上留・079ウ2・疊字	累	上	ルイ	左注	liue$^{2/3}$	紙/寘韻
2186b	上留・079ウ2・疊字	代	去	タイ	左注	dʌi^{3}	代韻
2187a	上留・079ウ2・疊字	流	去	ル	中注	liʌu^{1}	尤韻
2187b	上留・079ウ2・疊字	轉	平	テン	中注	ṭiuan$^{2/3}$	獮/線韻
2188a	上留・079ウ2・疊字	流	去	ル	右注	liʌu^{1}	尤韻
2188b	上留・079ウ2・疊字	浪	上	ラウ	右注	lɑŋ$^{1/3}$	唐/宕韻
2189a	上留・079ウ2・疊字	留	平	ル	左注	liʌu$^{1/3}$	尤/宥韻
2189b	上留・079ウ2・疊字	連	平	レン	左注	lian^{1}	仙韻
2190a	上留・079ウ2・疊字	留	去	ル	右注	liʌu$^{1/3}$	尤/宥韻
2190b	上留・079ウ2・疊字	守	平	ス	右注	śiʌu$^{2/3}$	有/宥韻
2191a	上留・079ウ3・疊字	流	去	ル	右注	liʌu^{1}	尤韻
2191b	上留・079ウ3・疊字	罪	平	サイ	右注	dzuʌi^{2}	賄韻
2192a	上留・079ウ3・疊字	流	去	ル	中注	liʌu^{1}	尤韻
2192b	上留・079ウ3・疊字	通	上	ツウ	中注	t'ʌuŋ^{1}	東韻
2193a	上留・079ウ3・疊字	累	上	ルイ	左注	liue$^{2/3}$	紙/寘韻
2193b	上留・079ウ3・疊字	路	平	ロ	左注	luʌ^{3}	暮韻
2194a	上留・079ウ3・疊字	瑠	去	ル	左注	liʌu^{1}	尤韻
2194b	上留・079ウ3・疊字	璃	上	ト	左注	lie^{1}	支韻
2195a	上留・079ウ3・疊字	流	去	ル	右注	liʌu^{1}	尤韻
2195b	上留・079ウ3・疊字	記	平	キ	右注	kiɐi^{3}	志韻

【表A-01】上巻＿遠篇

番号	前田本所在	掲出字		仮名音注		中古音	韻目
2196	上遠・079ウ5・天象	朧	平	ロウ	右注	lʌuŋ^{1}	東韻
2197	上遠・080オ1・地儀	岳	—	カク	右傍	ŋauk	覺韻
2198	上遠・080オ1・地儀	丘	—	キウ	右傍	k'iʌu^{1}	尤韻
2199	上遠・080オ1・地儀	崗	平	カウ	右傍	kɑŋ^{1}	唐韻
2200	上遠・080オ1・地儀	陵	平	リヨウ	右傍	liɐŋ^{1}	蒸韻
2201	上遠・080オ1・地儀	墟	平	キウ	右傍	k'iʌ^{1}	魚韻
2202	上遠・080オ1・地儀	阜	—	フ	右傍	biʌu^{2}	有韻
2203	上遠・080オ2・地儀	牢	平	ラウ	右傍	lɑu^{1}	豪韻
2204	上遠・080オ4・植物	穭	上	リヨ	右傍	liʌ^{2}	語韻
2205	上遠・080オ4・植物	麻	平濁	ハ	右傍	ma^{1}	麻韻
2206	上遠・080オ4・植物	苧	上	チヨ	右傍	ḍiʌ^{2}	語韻
2207a	上遠・080オ4・植物	女	上濁	—	—	ṇiʌ$^{2/3}$	語/御韻
2207b	上遠・080オ4・植物	郎	平	—	—	lɑŋ^{1}	唐韻
2208a	上遠・080オ4・植物	芸	平	ウン	右傍	ɣiuʌn^{1}	文韻
2208b	上遠・080オ4・植物	薹	平	タイ	右傍	dʌi^{1}	咍韻
2209a	上遠・080オ5・植物	苻	平	フ	右傍	biuʌ^{1}	虞韻
2210a	上遠・080オ5・植物	遠	—	ヲ ［上］	右注	ɣiuɑn$^{2/3}$	阮/願韻

2210b	上遠・080オ5・植物	志	―	シ ［平］	右注	tśiɐi^{3}	志韻
2211	上遠・080オ5・植物	朮	入	クヰツ	右傍	ḍiuet dźiuet	術韻 術韻
2212a	上遠・080オ6・植物	玄	去	―	―	ɣuen^{1}	先韻
2212b	上遠・080オ6・植物	叅	平濁	シム	右傍	ṣiem^{1} tṣ‘iem^{1} ts‘ʌm$^{1/3}$ sɑm^{1}	侵韻 侵韻 覃/勘韻 談韻
2213a	上遠・080オ7・植物	芎	去	ク	右傍	k‘iʌuŋ^{1}	東韻
2213b	上遠・080オ7・植物	藭	平	ク	右傍	giʌuŋ^{1}	東韻
2214a	上遠・080オ7・植物	芎	去	キウ	左傍	k‘iʌuŋ^{1}	東韻
2214b	上遠・080オ7・植物	藭	平	キウ	左傍	giʌuŋ^{1}	東韻
2215a	上遠・080オ7・植物	蘼	―	ヒ	右傍	mie$^{1/2}$	支/紙韻
2215b	上遠・080オ7・植物	蕪	―	フ	右傍	miuʌ^{1}	虞韻
2216a	上遠・080ウ1・植物	茵	平	イン	右傍	ʼjien^{1}	眞韻
2216b	上遠・080ウ1・植物	芋	去	ウ	右傍	ɣiuʌ$^{1/3}$	虞/遇韻
2217	上遠・080ウ1・植物	楓	平	フウ	右傍	piʌuŋ^{1}	東韻
2218	上遠・080ウ1・植物	荊	平	ケイ	右傍	kiaŋ^{1}	庚韻
2219	上遠・080ウ1・植物	蓁	平	シン	右傍	dẓiɛn^{1}	臻韻
2220	上遠・080ウ3・動物	雄	平	イウ	右傍	ɣiʌuŋ^{1}	東韻
2221a	上遠・080ウ3・動物	鴛	平	ヱン	右傍	ʼiuɑn^{1} ʼuʌn^{1}	元韻 魂韻
2221b	上遠・080ウ3・動物	鴦	平	アウ	右傍	ʼɑŋ^{1} ʼiɑŋ^{1}	唐韻 陽韻
2223a	上遠・080ウ3・動物	淫+鳥	―	イム	右傍	(jiem^{1})	(侵韻)
2223b	上遠・080ウ3・動物	鷘	―	チヨク	右傍	ṭ‘iɐk	職韻
2224a	上遠・080ウ3・動物	鸅	入	タク	右傍	ḍak	陌韻
2224b	上遠・080ウ3・動物	鸆	平濁	ク	右傍	ŋiuʌ^{1}	虞韻
2225	上遠・080ウ3・動物	鴋	―	ハウ	右傍	p‘iɑŋ^{2}	養韻
2226	上遠・080ウ5・動物	牡	上濁	ホ	右傍	mʌu^{2}	厚韻
2227	上遠・080ウ5・動物	駑	平濁	ト	右傍	nuʌ^{1}	模韻
2228	上遠・080ウ5・動物	駘	―	タイ	右傍	dʌi$^{1/2}$	咍/海韻
2229	上遠・080ウ5・動物	麚	―	カ	右傍	ka^{1}	麻韻
2230	上遠・080ウ6・動物	鯨	平	ケイ	右傍	giaŋ^{1}	庚韻
2231b	上遠・081オ3・人倫	母	上濁	ホ	右傍	mʌu^{2}	厚韻
2232	上遠・081オ3・人倫	姨	平	イ	右傍	jiei^{1}	脂韻
2233	上遠・081オ3・人倫	姑	平	―	―	kuʌ^{1}	模韻
2234	上遠・081オ3・人倫	甥	平	セイ	右傍	ṣaŋ^{1}	庚韻
2235a	上遠・081オ3・人倫	姪	入	テツ	左傍	det ḍiet	屑韻 質韻
2236a	上遠・081オ4・人倫	男	平 去	ナム	右傍	nʌm^{1}	覃韻
2237	上遠・081オ4・人倫	覡	入	ケキ	右傍	ɣek	錫韻

2238a	上遠・081オ4・人倫	少	上	—	—	śiau$^{2/3}$	小/笑韻
2239	上遠・081オ5・人倫	夫	平	フ	右傍	piuʌ^{1} biuʌ^{1}	虞韻 虞韻
2240	上遠・081オ5・人倫	妾	入	セフ	右傍	ts‘iap	葉韻
2241	上遠・081オ5・人倫	己	上	キ	右傍	kiɐi^{2}	止韻
2242a	上遠・081オ7・人體	齵	平濁	コウ	右傍	ŋʌu^{1} ŋiuʌ^{1}	侯韻 虞韻
2242b	上遠・081オ7・人體	齒	上	シ	右傍	tś‘iɐi^{2}	止韻
2243a	上遠・081オ7・人體	瘖	平	イン	右傍	’iem^{1}	侵韻
2243b	上遠・081オ7・人體	瘂	平	ア	右傍	’a^{2}	馬韻
2244	上遠・081ウ2・人事	宅	入	タク	右傍	ḍak	陌韻
2245	上遠・081ウ3・人事	惶	平	クワウ	右傍	ɣuɑŋ^{1}	唐韻
2246	上遠・081ウ3・人事	怖	—	ホ	右傍	p‘uʌ^{3}	暮韻
2247	上遠・081ウ3・人事	俊	平	リヨウ	右傍	liɐŋ^{1}	蒸韻
2248	上遠・081ウ3・人事	畏	—	ヰ	右傍	’iuʌi^{3}	未韻
2249	上遠・082オ3・人事	愚	平	ク	右傍	ŋiuʌ^{1}	虞韻
2250	上遠・082オ3・人事	惷	平	シヨウ	右傍	śiɑuŋ^{1} ṭ‘auŋ^{1} ṭ‘iɑuŋ^{3}	鍾韻 江韻 用韻
2251	上遠・082オ4・人事	癡	平	チ	右傍	ṭ‘iɐi^{1}	之韻
2252	上遠・082オ4・人事	蹌	平	シヤウ	右傍	ts‘iɑŋ^{1}	陽韻
2253	上遠・082ウ6・雜物	韋	平	ヰ	右傍	ɣiuʌi^{1}	微韻
2254	上遠・082ウ7・雜物	綺	上	キ	右傍	k‘ie^{2}	紙韻
2255	上遠・082ウ7・雜物	印	—	イン	右傍	’jien^{3}	震韻
2256	上遠・082ウ7・雜物	几	上	キ	右傍	kiei^{2}	旨韻
2257	上遠・083オ1・雜物	艇	上	テイ	右傍	deŋ^{2}	迥韻
2258a	上遠・083オ1・雜物	鼠	上	シヨ	右傍	śiʌ^{2}	語韻
2258b	上遠・083オ1・雜物	弩	平濁	ト	右傍	nuʌ^{2}	姥韻
2259a	上遠・083オ2・雜物	煻	平	タウ	右傍	dɑŋ^{1}	唐韻
2259b	上遠・083オ2・雜物	煨	平	ワイ	右傍	’uʌi^{1}	灰韻
2260	上遠・083オ2・雜物	熾	—	シ	右傍	tś‘iɐi^{3}	志韻
2261a	上遠・083オ3・雜物	拍	入	ハク	右傍	p‘ak	陌韻
2261b	上遠・083オ3・雜物	浮	平	フ	右傍	biʌu^{1}	尤韻
2262a	上遠・083オ3・雜物	烏	平	ヲ	右注	’uʌ^{1}	模韻
2262b	上遠・083オ3・雜物	藥	入?	ヤク	右注	jiɑk	藥韻
2263	上遠・083オ5・辞字	小	—	セウ	右注	siau^{2}	小韻
2264	上遠・083ウ1・辞字	追	—	ツイ	右傍	ṭiuei^{1}	脂韻
2265	上遠・083ウ2・辞字	揔	—	ソフ	右傍	tsʌuŋ^{2}	董韻
2266	上遠・083ウ3・辞字	遒	—	イウ	右傍	tsiʌu^{1} dziʌu^{1}	尤韻 尤韻
2267	上遠・083ウ3・辞字	已	—	イ	右傍	jiɐi$^{2/3}$	止/志韻

2268	上遠・083ウ4・辞字	逮	―	タイ	右傍	dʌi^{3} dei^{3}	代韻 霽韻
2269	上遠・083ウ5・辞字	態	―	タイ	右傍	t‘ʌi^{3}	代韻
2270	上遠・083ウ5・辞字	侵	―	シム	右傍	ts‘iem^{1}	侵韻
2271	上遠・083ウ6・辞字	干	―	カン	右傍	kɑn^{1}	寒韻
2272	上遠・083ウ6・辞字	冒	―	ホウ	右傍	mɑu^{3} mʌk	号韻 徳韻
2273	上遠・084オ2・辞字	遅	―	チ	右傍	ḍiei$^{1/3}$	脂/至韻
2274	上遠・084オ2・辞字	晩	上	ハン	右傍	miɑn^{2}	阮韻
2275	上遠・084オ2・辞字	晏	―	アン	右傍	’an^{3} ’ɑn^{3}	諫韻 翰韻
2276	上遠・084オ3・辞字	遺	―	ユイ	右傍	jiuei$^{1/3}$	脂/至韻
2277	上遠・084オ5・辞字	裨	平	ヒ	右注	pjie^{1} bjie^{1}	支韻 支韻
2278	上遠・084ウ3・辞字	排	平	ハイ	右傍	bɐi^{1}	皆韻
2279a	上遠・084ウ7・疊字	擁	上	ヲウ	中注	’iɑuŋ^{2}	腫韻
2279b	上遠・084ウ7・疊字	政	去	セイ	中注	tśieŋ^{3}	勁韻
2280a	上遠・084ウ7・疊字	擁	上	ヲウ	中注	’iɑuŋ^{2}	腫韻
2280b	上遠・084ウ7・疊字	怠	平濁	タイ	中注	dʌi^{2}	海韻
2281a	上遠・084ウ7・疊字	擁	上	ヲウ	左注	’iɑuŋ^{2}	腫韻
2281b	上遠・084ウ7・疊字	滯	去	タイ	左注	ḍiai^{3}	祭韻
2282a	上遠・084ウ7・疊字	擁	上	ヲウ	左注	’iɑuŋ^{2}	腫韻
2282b	上遠・084ウ7・疊字	積	入	セキ	左注	tsiek tsie^{3}	昔韻 寘韻
2283a	上遠・085オ1・疊字	朦	平	モウ	右傍	mʌuŋ^{1}	東韻
2283b	上遠・085オ1・疊字	朧	平	ロウ	右傍	lʌuŋ^{1}	東韻
2284a	上遠・085オ1・疊字	排	平	ハイ	右傍	bɐi^{1}	皆韻
2284b	上遠・085オ1・疊字	却	入	キヤク	右傍	k‘iɑk	藥韻
2285a	上遠・085ウ2・姓氏	越	―	ヲ	右注	ɣiuɑt	月韻
2285b	上遠・085ウ2・姓氏	智	―	チ	右注	ṭie^{3}	寘韻

【表A-01】上巻_和篇

番号	前田本所在	掲出字		仮名音注		中古音	韻目
2286	上和・085ウ6・地儀	濟	上	セイ	右傍	tsei$^{2/3}$	薺/霽韻
2287	上和・085ウ7・地儀	掖	―	エキ	右傍	jiek	昔韻
2288a	上和・086オ2・植物	萱	平	クワン	右傍	xiuɑn^{1}	元韻
2289	上和・086オ2・植物	薇	平	ヒ	右傍	miʌi^{1} miei^{1}	微韻 脂韻
2290	上和・086オ2・植物	蕨	入	クヱツ	右傍	kiuɑt	月韻
2291a	上和・086オ2・植物	山	平	サン	右傍	ṣen^{1}	山韻
2291b	上和・086オ2・植物	葵	平	クヰ	右傍	gjiuei^{1}	脂韻
2292b	上和・086オ3・植物	稲	上	タウ	右傍	dɑu^{2}	晧韻

0044	上和・086オ3・植物	稑	―	ロク	右傍	liʌuk	屋韻
2293a	上和・086オ3・植物	蒟	上	ク	右傍	kiuʌ$^{2/3}$	麌/遇韻
2293b	上和・086オ3・植物	醬	去	シヤウ	右傍	tsiɑŋ^{3}	漾韻
2294a	上和・086オ3・植物	黄	―	ワウ	右傍	ɣuɑŋ^{1}	唐韻
2294b	上和・086オ3・植物	連	―	レン	右傍	lian^{1}	仙韻
2295a	上和・086オ4・植物	木	入濁	―	―	mʌuk	屋韻
2295b	上和・086オ4・植物	天	平	―	―	t'en^{1}	先韻
2295c	上和・086オ4・植物	蓼	上	レウ	右傍	leu^{2}	篠韻
2296	上和・086オ6・動物	鵰	―	テウ	右傍	teu^{1}	蕭韻
2297a	上和・086オ6・動物	膍	平	ヒ	右傍	bjiei^{1}	脂韻
2297b	上和・086オ6・動物	胵	平	シ	右傍	tśiei^{1}	脂韻
2298	上和・086ウ3・人倫	王	―	ワウ	右傍	ɣiuɑŋ$^{1/3}$	陽/漾韻
2299	上和・086ウ3・人倫	童	平	トウ	右傍	dʌuŋ^{1}	東韻
2300	上和・086ウ3・人倫	豎	―	リフ	右傍	źiuʌ^{2}	麌韻
2301a	上和・086ウ3・人倫	侲	去	シン	右傍	tśien$^{1/3}$	眞/震韻
2301b	上和・086ウ3・人倫	子	上	シ	右傍	tsiɐi^{2}	止韻
2302	上和・086ウ6・人躰	腋	入	エキ	右傍	jiek	昔韻
2303a	上和・086ウ7・人躰	胡	平	コ	右傍	ɣuʌ^{1}	模韻
2303b	上和・086ウ7・人躰	臭	―	シウ	右傍	tś'iʌu^{3}	宥韻
2304a	上和・086ウ7・人躰	瘧	―	キヤク	右傍	ŋiɑk	藥韻
2304b	上和・086ウ7・人躰	病	―	ヘイ	右傍	biaŋ^{3}	映韻
2305	上和・086ウ7・人躰	痁	平	セム	右傍	śiam^{1} tem^{3}	鹽韻 㮇韻
2306a	上和・086ウ7・人躰	黄	去	ワウ	右傍	ɣuɑŋ^{1}	唐韻
2306b	上和・086ウ7・人躰	疸	上	タン	右傍	tɑn$^{2/3}$	旱/翰韻
2307a	上和・086ウ7・人躰	黄	―	ワウ	左注	ɣuɑŋ^{1}	唐韻
2307b	上和・086ウ7・人躰	病	―	ヒヤウ	左注	biaŋ^{3}	映韻
2308	上和・087オ2・人事	言	平濁	ケン	右傍	ŋian^{1}	元韻
2309	上和・087オ2・人事	台	―	イ	右傍	jiɐi^{1} t'ʌi^{1}	之韻 咍韻
2310	上和・087オ2・人事	儂	―	ノウ	右傍	nɑuŋ^{1}	冬韻
2311	上和・087オ2・人事	予	平	ヨ	右傍	jiʌ$^{1/2}$	魚/語韻
2312	上和・087オ2・人事	余	平	ヨ	右傍	jiʌ^{1} źia^{1}	魚韻 麻韻
2313	上和・087オ3・人事	態	―	タイ	右傍	t'ʌi^{3}	代韻
2314	上和・087オ3・人事	事	―	シイ	右傍	dẓiɐi^{3}	志韻
2315	上和・087オ3・人事	𫢸	去	タイ	右傍	t'ʌi^{3}	代韻
2316	上和・087オ4・人事	稚	―	チ	右傍	ḍiei^{3}	至韻
2317	上和・087オ4・人事	种	平	チウ	右傍	ḍiʌuŋ^{1}	東韻
2318	上和・087オ4・人事	趍	平	シ	右傍	ḍie^{1} ts'iuʌ^{1}	支韻 虞韻
2319	上和・087オ5・人事	趨	―	シ	右傍	ḍie^{1} ts'iuʌ^{1}	支韻 虞韻

2320	上和・087オ5・人事	忘	平濁	ハウ	右傍	miaŋ$^{1/3}$	陽/漾韻
2321	上和・087オ5・人事	遺	―	ヰ	右傍	jiuei$^{1/3}$	脂/至韻
2322	上和・087オ5・人事	誻	―	タウ	右傍	dʌp	合韻
2323	上和・087オ6・人事	譞	―	タフ	右傍	xiuan^{1}	仙韻
2324	上和・087オ6・人事	怽	―	マツ	右傍	mɑt	末韻
2325	上和・087オ6・人事	諼	平濁	クヱン	右傍	xiuɑn$^{1/2}$	元/阮韻
2326	上和・087オ6・人事	咲	―	セウ	右傍	siau^{3}	笑韻
2327	上和・087オ6・人事	嗤	平	シ	右傍	tś'iɐi^{1}	之韻
2328	上和・087オ7・人事	啞	―	アク	右傍	'ak 'ɐk 'a$^{2/3}$	陌韻 麥韻 馬/禡韻
2329	上和・087ウ2・人事	煩	平	ハン	右傍	biɑn^{1}	元韻
2330	上和・087ウ2・人事	累	上	ルイ	右傍	liue$^{2/3}$	紙/寘韻
2331	上和・087ウ3・人事	倡	平	シヤウ	右傍	ts'iaŋ$^{1/3}$	陽/漾韻
2332	上和・087ウ3・人事	殃	平	アウ	右傍	'iɑŋ^{1}	陽韻
2333	上和・087ウ4・人事	祅	平	エウ	右傍	'iau^{1}	宵韻
2334a	上和・087ウ7・人事	皇	平	ワウ	右注	ɣuɑŋ^{1}	唐韻
2334b	上和・087ウ7・人事	麞	平濁	シヤウ	右注	tsiɑŋ^{1}	陽韻
2335a	上和・087ウ7・人事	皇	平	―	―	ɣuɑŋ^{1}	唐韻
2335b	上和・087ウ7・人事	帝	上濁	―	―	tei^{3}	霽韻
2336a	上和・087ウ7・人事	破	平	―	―	p'ɑ^{3}	過韻
2336b	上和・087ウ7・人事	陣	去濁	―	―	ḍien^{3}	震韻
2337a	上和・087ウ7・人事	黄	去	―	―	ɣuɑŋ^{1}	唐韻
0558	上和・088オ3・飲食	醅	平濁	ハイ	右傍	p'uʌi^{1}	灰韻
2338a	上和・088オ3・飲食	黄	―	ワウ	右注	ɣuɑŋ^{1}	唐韻
2338b	上和・088オ3・飲食	菜	―	サイ	右注	ts'ʌi^{3}	代韻
2339a	上和・088オ3・飲食	垸	上	ワウ	右注	ɣuɑn$^{1/3}$	桓/換韻
2339b	上和・088オ3・飲食	飯	平濁	ハン	右注	biɑn$^{2/3}$	阮/願韻
2340	上和・088オ5・雜物	綿	平	メン	右傍	mjian^{1}	仙韻
2341	上和・088オ5・雜物	絮	上濁	シコ	右傍	ṇiʌ^{3} ṭ'iʌ^{3} siʌ^{3}	御韻 御韻 御韻
2342	上和・088オ5・雜物	䘸	入	エキ	右傍	jiek tśiek	昔韻 昔韻
2343a	上和・088オ5・雜物	缺	入	クヱツ	右傍	k'uet k'jiuat	屑韻 薛韻
2343b	上和・088オ5・雜物	䘸	入	エキ	右傍	jiek tśiek	昔韻 昔韻
2444a	上和・088オ6・雜物	横	平	ワウ	右注	ɣuaŋ$^{1/3}$ kuɑŋ^{1}	庚/映韻 唐韻
2344b	上和・088オ6・雜物	被	平濁	ヒ	右注	bie^{2}	紙韻
2345	上和・088オ6・雜物	籰	入	ワク	右注	ɣiuɑk	藥韻
2346	上和・088オ6・雜物	籰	入	クワク	右傍	ɣiuɑk	藥韻

2347	上和・088オ6・雑物	柅	平濁	チ	右傍	ṇiei$^{1/2}$ ṇiai^{2}	脂/旨韻 紙韻
2348	上和・088オ6・雑物	輪	平	リン	右傍	liuen^{1}	諄韻
2349	上和・088オ6・雑物	垸	上	ワン	右注	ɣuan$^{1/3}$	桓/換韻
2350a	上和・088オ7・雑物	倭	去	ワ	右注	'uɑ$^{1/2}$	戈/果韻
2350b	上和・088オ7・雑物	琴	上濁	コン	右注	giem^{1}	侵韻
2351a	上和・088オ7・雑物	横	平	クワウ	右傍	ɣuaŋ$^{1/3}$ kuɑŋ^{1}	庚/映韻 唐韻
2351b	上和・088オ7・雑物	笛	入	チク	右傍	dek	錫韻
2805a	上和・088オ7・雑物	横	平	ワウ	右傍	ɣuaŋ$^{1/3}$ kuɑŋ^{1}	庚/映韻 唐韻
2805b	上和・088オ7・雑物	笛	入	チヤク	右傍	dek	錫韻
2352	上和・088オ7・雑物	屩	―	キヤク	右傍	kiɑk	藥韻
2353a	上和・088ウ1・雑物	屩	入	キヤク	右傍	kiɑk	藥韻
2353b	上和・088ウ1・雑物	耳	上濁	チ	右注	ńiɐi^{2}	止韻
2354	上和・088ウ1・雑物	蹄	平	テイ	右傍	dei^{1}	齊韻
2355	上和・088ウ1・雑物	藁	上	アウ	右傍	kɑu^{2}	晧韻
2356a	上和・088ウ1・雑物	圓	平	ヱン	右傍	ɣiuan^{1}	仙韻
2356b	上和・088ウ1・雑物	座	平濁	サ	右傍	dzuɑ^{3}	過韻
2357	上和・088ウ2・雑物	艛	―	ロウ	右傍	lʌu^{1}	侯韻
2358a	上和・088ウ4・光彩	黄	―	ワウ	右注	ɣuɑŋ^{1}	唐韻
2358b	上和・088ウ4・光彩	土	―	ト	右注	t‘uʌ^{2} duʌ^{2}	姥韻 姥韻
2359	上和・088ウ6・辞字	破	平	ハ	右注	p‘ɑ^{3}	過韻
2360	上和・088ウ6・辞字	分	平	フン	右傍	biuʌn^{3}	問韻
2361	上和・088ウ6・辞字	和	―	ワ ［去］	右注	ɣuɑ$^{1/3}$	戈/過韻
2362	上和・089オ4・辞字	渡	―	ト	右傍	duʌ^{3}	暮韻
2363	上和・089ウ3・辞字	蟠	平	ハン	右傍	bɑn^{1} bian^{1}	桓韻 元韻
2364	上和・089ウ3・辞字	摎	平	リウ	右傍	liʌu^{1} kau^{1}	尤韻 肴韻
2365a	上和・089ウ5・重點	往	―	ワウ	右注	ɣiuɑŋ^{2}	養韻
2365b	上和・089ウ5・重點	往	―	ワウ	右注	ɣiuɑŋ^{2}	養韻
2366a	上和・089ウ7・疊字	往	上	ワウ	中注	ɣiuɑŋ^{2}	養韻
2366b	上和・089ウ7・疊字	年	平	ネム	中注	nen^{1}	先韻
2367a	上和・089ウ7・疊字	往	上	ワウ	左注	ɣiuɑŋ^{2}	養韻
2367b	上和・089ウ7・疊字	日	入	シツ	左注	ńiet	質韻
2368a	上和・089ウ7・疊字	往	上	ワウ	左注	ɣiuɑŋ^{2}	養韻
2368b	上和・089ウ7・疊字	時	平	シ	左注	źiɐi^{1}	之韻
2369a	上和・089ウ7・疊字	王	平	ワウ	左注	ɣiuɑŋ$^{1/3}$	陽/漾韻
2369b	上和・089ウ7・疊字	者	上	シヤ	左注	tśia^{2}	馬韻
2370a	上和・089ウ7・疊字	王	―	ワウ	左注	ɣiuɑŋ$^{1/3}$	陽/漾韻

2370b	上和・089ウ7・疊字	孫	―	ソン	左注	suʌn^{1}	魂韻
2371a	上和・090オ1・疊字	皇	去	ワウ	左注	ɣuaŋ^{1}	唐韻
2371b	上和・090オ1・疊字	城	上濁	シヤウ	左注	źieŋ^{1}	清韻
2372a	上和・090オ1・疊字	黄	去	ワウ	中注	ɣuaŋ^{1}	唐韻
2372b	上和・090オ1・疊字	丹	上	タン	中注	tan^{1}	寒韻
2373a	上和・090オ1・疊字	王	平	ワウ	中注	ɣiuaŋ$^{1/3}$	陽/漾韻
2373b	上和・090オ1・疊字	侯	去	コウ	中注	ɣuʌ^{1}	侯韻
2374a	上和・090オ1・疊字	往	上	ワウ	左注	ɣiuaŋ^{2}	養韻
2374b	上和・090オ1・疊字	古	上濁	コ	左注	kuʌ^{2}	姥韻
2375a	上和・090オ1・疊字	往	―	ワウ	左注	ɣiuaŋ^{2}	養韻
2375b	上和・090オ1・疊字	代	―	タイ	左注	dʌi^{3}	代韻
2376a	上和・090オ2・疊字	往	上	ワウ	左注	ɣiuaŋ^{2}	養韻
2376b	上和・090オ2・疊字	事	平	シ	左注	dẓiei^{3}	志韻
2377a	上和・090オ2・疊字	往	上	ワウ	左注	ɣiuaŋ^{2}	養韻
2377b	上和・090オ2・疊字	昔	入	シヤク	左注	siek	昔韻
2378b	上和・090オ2・疊字	昔	入	セキ	左注	siek	昔韻
2379a	上和・090オ2・疊字	和	去	ワ	左注	ɣua$^{1/3}$	戈/過韻
2379b	上和・090オ2・疊字	合	入	カウ	左注	ɣʌp kʌp	合韻 合韻
2380a	上和・090オ2・疊字	猥	上	ワイ	中注	'uʌi^{2}	賄韻
2380b	上和・090オ2・疊字	誑	平	ワウ	中注	kiuaŋ^{3}	漾韻
2381a	上和・090オ2・疊字	賄	上	ワイ	中注	xuʌi^{2}	賄韻
2381b	上和・090オ2・疊字	賂	―	ロ	中注	luʌ^{3}	暮韻
2382a	上和・090オ3・疊字	賄	上	ワイ	右注	xuʌi^{2}	賄韻
2382b	上和・090オ3・疊字	貨	去	クワ	右注	xua^{3}	過韻
2383a	上和・090オ3・疊字	往	上	ワウ	左注	ɣiuaŋ^{2}	養韻
2383b	上和・090オ3・疊字	哲	入	テツ	左注	ṭiat	薛韻
2384a	上和・090オ3・疊字	尩	平	ワウ	中注	'uaŋ^{1}	唐韻
2384b	上和・090オ3・疊字	弱	入濁	シヤク	中注	ńiak	藥韻
2385a	上和・090オ3・疊字	横	平	ワウ	左注	ɣuaŋ$^{1/3}$ kuaŋ^{1}	庚/映韻 唐韻
2385b	上和・090オ3・疊字	死	平	シ	左注	siei^{2}	旨韻
2386a	上和・090オ3・疊字	和	去	ワ	左注	ɣua$^{1/3}$	戈/過韻
2386b	上和・090オ3・疊字	奸	上	カン	左注	kan^{1}	刪韻
2387a	上和・090オ4・疊字	猥	上	ワイ	中注	'uʌi^{2}	賄韻
2387b	上和・090オ4・疊字	錯	入	シヤク	中注	ts'ak ts'uʌ^{3}	鐸韻 暮韻
2388a	上和・090オ4・疊字	猥	上	ワイ	左注	'uʌi^{2}	賄韻
2388b	上和・090オ4・疊字	雜	入	サフ	左注	dzʌp	合韻
2389a	上和・090オ4・疊字	王	平	ワウ	左注	ɣiuaŋ$^{1/3}$	陽/漾韻
2389b	上和・090オ4・疊字	孫	平濁	ソン	左注	suʌn^{1}	魂韻
2390a	上和・090オ4・疊字	和	平	ワ	中注	ɣua$^{1/3}$	戈/過韻
2390b	上和・090オ4・疊字	顔	平濁	カン	中注	ŋan^{1}	刪韻

2391a	上和・090オ4・疊字	枉	平	（ワウ）	―	'iuaŋ^{2}	養韻
2391b	上和・090オ4・疊字	法	入濁	（ホウ）	―	piʌp	乏韻
2392a	上和・090オ5・疊字	枉	平	ワウ	中注	'iuaŋ^{2}	養韻
2392b	上和・090オ5・疊字	惑	入	ホウ	中注	ɣuʌk	徳韻
2393a	上和・090オ5・疊字	蝸	去	ワ	右傍	kuɐ^{1} kua^{1}	佳韻 麻韻
2393b	上和・090オ5・疊字	舎	上	シヤ	右傍	śia$^{2/3}$	馬/禡韻
2394a	上和・090オ5・疊字	和	去	ワ	左注	ɣuɑ$^{1/3}$	戈/過韻
2394b	上和・090オ5・疊字	議	上濁	キ	左注	ŋie^{3}	寘韻
2395a	上和・090オ5・疊字	蝸	平	ワ	左注	kuɐ^{1} kua^{1}	佳韻 麻韻
2395b	上和・090オ5・疊字	廬	上	ロ	左注	liʌ^{1}	魚韻
2396a	上和・090オ5・疊字	垸	上	ワウ	左注	ɣuɑn$^{1/3}$	桓/換韻
2396b	上和・090オ5・疊字	飯	平濁	ハン	左注	biɑn$^{2/3}$	阮/願韻
2397a	上和・090オ6・疊字	横	平	ワウ	中注	ɣuaŋ$^{1/3}$ kuɑŋ^{1}	庚/映韻 唐韻
2397b	上和・090オ6・疊字	笛	入	テキ	中注	dek	錫韻
2398a	上和・090オ6・疊字	和	平	ワ	左注	ɣuɑ$^{1/3}$	戈/過韻
2398b	上和・090オ6・疊字	歌	平	カ	左注	kɑ^{1}	歌韻
2399a	上和・090オ6・疊字	和	去	ワ	中注	ɣuɑ$^{1/3}$	戈/過韻
2399b	上和・090オ6・疊字	市	平	シ	中注	źiɐi^{2}	止韻
2400a	上和・090オ6・疊字	往	上	ワウ	中注	ɣiuɑŋ^{2}	養韻
2400b	上和・090オ6・疊字	來	平	ライ	中注	lʌi^{1}	咍韻
2401a	上和・090オ6・疊字	往	上	ワウ	中注	ɣiuɑŋ^{2}	養韻
2401b	上和・090オ6・疊字	還	平濁	クエン	中注	ɣuan^{1}	刪韻
2402a	上和・090オ6・疊字	往	上	ワウ	左注	ɣiuɑŋ^{2}	養韻
2402b	上和・090オ6・疊字	還	平濁	クワン	左注	ɣuan^{1}	刪韻
2403a	上和・090オ7・疊字	往	上	ワウ	左注	ɣiuɑŋ^{2}	養韻
2403b	上和・090オ7・疊字	反	上濁	ハン	左注	piɑn^{2}	阮韻
2404a	上和・090オ7・疊字	往	上	ワウ	左注	ɣiuɑŋ^{2}	養韻
2404b	上和・090オ7・疊字	複	入	フク	左注	piʌuk biʌu^{3}	屋韻 宥韻
2405a	上和・090オ7・疊字	尫	平	ワウ	左注	'uɑŋ^{1}	唐韻
2405b	上和・090オ7・疊字	羸	平	ルイ	左注	liue^{1}	支韻
2406a	上和・090オ7・疊字	窪	平	ワ	左注	'ua^{1}	麻韻
2406b	上和・090オ7・疊字	窿	平	リウ	左注	liʌuŋ^{1}	東韻
2407a	上和・090オ7・疊字	和	平	ワ	左注	ɣuɑ$^{1/3}$	戈/過韻
2407b	上和・090オ7・疊字	儳	平濁	サム	左注	dẓɐm$^{1/3}$	咸/陷韻
2408a	上和・090ウ1・疊字	王	平	ワウ	右注	ɣiuɑŋ$^{1/3}$	陽/漾韻
2408b	上和・090ウ1・疊字	豹	去	ハウ	右注	pau^{3}	効韻
2409a	上和・090ウ1・疊字	王	平	ワウ	右注	ɣiuɑŋ$^{1/3}$	陽/漾韻
2409b	上和・090ウ1・疊字	母	上濁	ホ	右注	mʌu^{2}	厚韻
2410a	上和・090ウ1・疊字	王	平	ワウ	右注	ɣiuɑŋ$^{1/3}$	陽/漾韻

2410b	上和・090ウ1・疊字	粲	―	サム	右注	ts'ɑn^{3}	翰韻
2411a	上和・090ウ1・疊字	王	―	ワウ	右傍	ɣiuɑŋ$^{1/3}$	陽/漾韻
2411b	上和・090ウ1・疊字	喬	―	ケウ	右傍	kiau^{1} giau^{1}	宵韻 宵韻
2412a	上和・090ウ2・疊字	憀	平	リウ	右傍	liʌu^{1} leu^{1}	尤韻 蕭韻
2412b	上和・090ウ2・疊字	慄	入	リツ	右傍	liet	質韻
2413a	上和・090ウ2・疊字	憞	去	タン	右傍	duʌi^{3}	隊韻
2413b	上和・090ウ2・疊字	溷	去	コン	右傍	ɣuʌn^{3}	慁韻
2414a	上和・090ウ3・疊字	王	―	ワウ	右傍	ɣiuɑŋ$^{1/3}$	陽/漾韻
2414b	上和・090ウ3・疊字	事	―	シ	右傍	dẓiɐi^{3}	志韻
2415a	上和・091オ1・姓氏	和	―	ワ	右傍	ɣuɑ$^{1/3}$	戈/過韻
2415b	上和・091オ1・姓氏	安	―	アン	右傍	'ɑn^{1}	寒韻
2416a	上和・091オ1・姓氏	和	―	ワ	右注	ɣuɑ$^{1/3}$	戈/過韻
2416b	上和・091オ1・姓氏	氣	―	ケ	右注	k'iʌi^{3} xiʌi^{3}	未韻 未韻
2417c	上和・091オ1・姓氏	坐	―	サ	右注	dzuɑ$^{2/3}$	果/過韻
2418a	上和・091オ2・姓氏	和	―	ワ	右注	ɣuɑ$^{1/3}$	戈/過韻
2418b	上和・091オ2・姓氏	迩	―	ニ	右注	ńie^{2}	紙韻

【表A-01】上巻_加篇

番号	前田本所在	掲出字		仮名音注		中古音	韻目
2419	上加・091オ4・天象	風	平	―	―	piʌuŋ$^{1/3}$	東/送韻
2420a	上加・091オ4・天象	列	入	―	―	liat	薛韻
2420b	上加・091オ4・天象	子	上	―	―	tsiɐi^{2}	止韻
2421a	上加・091オ4・天象	銅	平	―	―	dʌuŋ^{1}	東韻
2421b	上加・091オ4・天象	烏	平	―	―	'uʌ^{1}	模韻
2422	上加・091オ4・天象	颸	平	シ	右傍	tṣ'iɐi^{1}	之韻
2423	上加・091オ4・天象	颮	平	ハウ	右傍	bau^{1} pauk	肴韻 覺韻
2424	上加・091オ5・天象	霞	平	カ	右傍	ɣa^{1}	麻韻
2425	上加・091オ5・天象	暈	去	ウン	右傍	ɣiuʌn^{3}	問韻
2426	上加・091ウ2・地儀	河	平	―	―	ɣɑ^{1}	歌韻
2427	上加・091ウ2・地儀	川	平	セン	右傍	tś'iuan^{1}	仙韻
2428	上加・091ウ2・地儀	潟	入	セキ	右傍	siek	昔韻
2429	上加・091ウ2・地儀	峡	入	カフ	右傍	ɣɐp	洽韻
2430a	上加・091ウ2・地儀	浮	平	フ	右傍	biʌu^{1}	尤韻
0938a	上加・091ウ2・地儀	礂	上	セン	右傍	(dẓian^{2})	(獮韻)
2431	上加・091ウ3・地儀	梯	平	テイ	右傍	t'ei^{1}	齊韻
2432a	上加・091ウ3・地儀	巷	平濁	カウ	右注	ɣauŋ^{3}	絳韻
2432b	上加・091ウ3・地儀	所	平濁	ソ	右注	ṣiʌ^{2}	語韻

2433	上加・091ウ4・地儀	郊	―	カウ [上平]	右注	kau^{1}	肴韻
2434	上加・091ウ5・地儀	衙	―	カ [平濁]	右注	ŋa^{1}	麻韻
2435	上加・091ウ5・地儀	閣	―	カク [上上]	右注	kɑk	鐸韻
2436	上加・091ウ5・地儀	閤	―	カフ [上上]	右注	kʌp	合韻
2437a	上加・091ウ5・地儀	講	平	カウ	右注	kauŋ^{2}	講韻
2437b	上加・091ウ5・地儀	堂	上濁	タウ	右注	dɑŋ^{1}	唐韻
2438a	上加・091ウ6・地儀	伽	去濁	カ	右注	giɑ^{1}	歌韻
2438b	上加・091ウ6・地儀	藍	上	ラム	右注	lɑm^{1}	談韻
2439	上加・091ウ6・地儀	窯	平	エウ	右傍	jiau^{1}	宵韻
2440	上加・091ウ6・地儀	壁	入	ヘキ	右傍	pek	錫韻
2441	上加・091ウ6・地儀	墻	平	―	―	dziɑŋ^{1}	陽韻
2442	上加・091ウ7・地儀	垣	平	ヱン	右傍	ɣiuɑn^{1}	元韻
2443	上加・091ウ7・地儀	墉	平	ヨウ	右傍	jiɑuŋ^{1}	鍾韻
2444	上加・091ウ7・地儀	陴	平	ヒ	右傍	bjie^{1}	支韻
2445	上加・091ウ7・地儀	藩	平	ハン	右傍	piɑn^{1} biɑn^{1}	元韻 元韻
2446	上加・091ウ7・地儀	窬	―	ト	右傍	dʌu$^{1/3}$ jiuʌ^{1}	侯/候韻 虞韻
2447	上加・091ウ7・地儀	厠	去	シ	右傍	tṣ'iɐi^{3}	志韻
2448a	上加・092オ1・地儀	檻	―	カン	右注	ɣam^{2}	檻韻
2448b	上加・092オ1・地儀	欄	―	ラン	右注	lɑn^{1}	寒韻
2450a	上加・092オ1・地儀	鬲	―	カク	右傍	kɐk	麥韻
2451a	上加・092オ1・地儀	鬲	―	カウ	右注	kɐk	麥韻
2451b	上加・092オ1・地儀	子	―	シ	右注	tsiɐi^{2}	止韻
2452a	上加・092オ1・地儀	格	―	カウ	右注	kɑk kak	鐸韻 陌韻
2452b	上加・092オ1・地儀	子	―	シ	右注	tsiɐi^{2}	止韻
2453a	上加・092オ1・地儀	鴨	入	アウ	右傍	'ap	狎韻
2453b	上加・092オ1・地儀	柄	去	ヘイ	右傍	piaŋ^{3}	映韻
2454a	上加・092オ2・地儀	鴈	去濁	カン	右注	ŋan^{3}	諫韻
2454b	上加・092オ2・地儀	齒	平濁	シ	右注	tś'iɐi^{2}	止韻
2455a	上加・092オ2・地儀	桔	―	ケツ	右傍	ket	屑韻
2455b	上加・092オ2・地儀	槹	―	カウ	右傍	kɑu^{1}	豪韻
2456	上加・092オ2・地儀	栭	―	シ	右傍	ʑiɐi^{1}	之韻
2457	上加・092オ2・地儀	棧	上	サン	右傍	dẓen^{2} dẓan^{3} dzian^{2}	産韻 諫韻 獮韻
2458	上加・092オ3・地儀	竈	去	サウ	右傍	tsɑu^{3}	号韻
2459a	上加・092オ4・地儀	教	去	カウ	右傍	kau$^{1/3}$	肴/効韻
2459b	上加・092オ4・地儀	業	入	ケフ	右傍	ŋiɑp	業韻
2460a	上加・092オ4・地儀	開	平	カイ	右傍	k'ʌi^{1}	咍韻

2460b	上加・092オ4・地儀	建	去	ケン	右傍	kiɑn³	願韻
2461a	上加・092オ4・地儀	嘉	平	カ	右傍	ka¹	麻韻
2461b	上加・092オ4・地儀	喜	上	キ	右傍	xiɐi²ᐟ³	止/志韻
2462a	上加・092オ4・地儀	感	上	カン	右傍	kʌm²	感韻
2462b	上加・092オ4・地儀	化	去	クワ	右傍	xua³	禡韻
2463a	上加・092オ4・地儀	含	平	カム	右傍	ɣʌm¹	覃韻
2463b	上加・092オ4・地儀	耀	去	エウ	右傍	jiau³	笑韻
2464a	上加・092オ7・植物	筨	平	カム	右注	ɣʌm¹	覃韻
2464b	上加・092オ7・植物	竹	－	チク	右注	ṭiʌuk	屋韻
2465a	上加・092ウ1・植物	苦	－	コ	右傍	k'uʌ²ᐟ³	姥/暮韻
2465b	上加・092ウ1・植物	芺	上	アウ	右傍	'ɑu² 'iau²	晧韻 小韻
2466a	上加・092ウ1・植物	辛	平	シン	右傍	sien¹	眞韻
3297a	上加・092ウ1・植物	芥	去	カイ	右傍	kɐi³	怪韻
2467	上加・092ウ2・植物	菘	平	シヨウ	右傍	siʌuŋ¹	東韻
2468a	上加・092ウ3・植物	麻	－	マ	右傍	ma¹	麻韻
2468b	上加・092ウ3・植物	黄	－	ワウ	右傍	ɣuɑŋ¹	唐韻
2469a	上加・092ウ3・植物	王	平	－	－	ɣiuɑŋ¹ᐟ³	陽/漾韻
2469b	上加・092ウ3・植物	不	上	－	－	piʌu¹ᐟ²ᐟ³ piuʌt	尤/有/宥韻 物韻
2469c	上加・092ウ3・植物	留	平	－	－	liʌu¹ᐟ³	尤/宥韻
2469d	上加・092ウ3・植物	行	平濁	－	－	ɣaŋ¹ᐟ³ ɣɑŋ¹ᐟ³	庚/映韻 唐/宕韻
2470b	上加・092ウ4・植物	芷	上	シ	右傍	tśiɐi²	止韻
2471a	上加・092ウ4・植物	劇	入	ケキ	右傍	giak	陌韻
2471b	上加・092ウ4・植物	草	－	サウ	右傍	ts'ɑu²	晧韻
2472b	上加・092ウ4・植物	藺	去	リン	右傍	lien³	震韻
2473b	上加・092ウ5・植物	菝	入	ハツ	右傍	bɑt	末韻
2474	上加・092ウ5・植物	苧	上	チヨ	右傍	ḍiʌ²	語韻
2475a	上加・092ウ5・植物	酢	去	ソ	左傍	dzak	鐸韻
2475b	上加・092ウ5・植物	槳	－	シヤウ	左傍	tsiɑŋ²	養韻
2476	上加・092ウ6・植物	蒲	平	－	－	buʌ¹	模韻
2477a	上加・092ウ6・植物	瓹	－	ケイ	右傍	k'uei¹	齊韻
2477b	上加・092ウ6・植物	瓳	－	コ	右傍	kuʌ¹ ńiʌ²	模韻 語韻
2478a	上加・092ウ6・植物	栝	入	クワツ	左傍	kuɑt t'em²	末韻 忝韻
2478b	上加・092ウ6・植物	樓	平	－	－	lʌu¹	侯韻
2479a	上加・092ウ7・植物	射	去	ヤ	左傍	jia³ dźia³	禡韻 禡韻
2479b	上加・092ウ7・植物	干	平	カン	左傍	kɑn¹	寒韻
2480b	上加・092ウ7・植物	箭	－	セン	右傍	tsian³	線韻
2481a	上加・093オ1・植物	苷	去	カン	右注	kɑm¹	談韻

2481b	上加・093オ1・植物	草	平濁	サウ	右注	ts‘ɑu^{2}	晧韻
2482a	上加・093オ1・植物	冬	平	トウ	右傍	tɑuŋ^{1}	冬韻
2449a	上加・093オ2・植物	寒	平	カン	右傍	ɣɑn^{1}	寒韻
2483a	上加・093オ2・植物	芄	平	クワン	左傍	ɣuɑn^{1}	桓韻
2483b	上加・093オ2・植物	蘭	平	ラン	左傍	lɑn^{1}	寒韻
2484a	上加・093オ3・植物	麦	入濁	ハク	右傍	mɐk	麥韻
2485	上加・093オ3・植物	稼	―	カ	右注	ka^{3}	禡韻
2486	上加・093オ4・植物	蒭	平	スユ	右傍	tʂ‘iuʌ^{1}	麌韻
2487	上加・093オ6・植物	葛	―	カツ	右傍	kɑt	曷韻
2488a	上加・093オ6・植物	皀	―	サチ	右傍	dzɑu^{2}	晧韻
2488b	上加・093オ6・植物	筴	―	ケフ	右傍	ɣep kɐp	帖韻 洽韻
2489a	上加・093オ7・植物	衛	去	ヱイ	右傍	ɣiuai^{3}	祭韻
2489b	上加・093オ7・植物	矛	平濁	ホウ	右傍	miʌu^{1}	尤韻
2490a	上加・093オ7・植物	賣	平	ハイ	右傍	mɐ^{3}	卦韻
2490b	上加・093オ7・植物	子	上	―	―	tsiɐi^{2}	止韻
2491	上加・093オ7・植物	栢	―	ハク	右傍	pak	陌韻
2492a	上加・093オ7・植物	榧	上	ヒ	右傍	piʌi^{2}	尾韻
2493	上加・093ウ1・植物	檞	上	カイ	右傍	kɐ^{2}	蟹韻
2494a	上加・093ウ1・植物	萆	平	ヒ	右傍	siɐi^{2} biek	止韻 昔韻
2494b	上加・093ウ1・植物	麻	去	―	―	ma^{1}	麻韻
2495	上加・093ウ1・植物	楓	平	―	―	piʌuŋ^{1}	東韻
2496a	上加・093ウ1・植物	柑	平	カム	右傍	kɑm^{1}	談韻
2496b	上加・093ウ1・植物	子	―	シ	右傍	tsiɐi^{2}	止韻
2497	上加・093ウ2・植物	柿	上	シ	右傍	dẓiɐi^{2}	止韻
2498	上加・093ウ2・植物	椑	平	ヒ	右傍	pjie^{1} bei^{1} biek bek	支韻 齊韻 昔韻 錫韻
2499a	上加・093ウ2・植物	杏	去	カウ	右傍	ɣaŋ^{2}	梗韻
2500	上加・093ウ2・植物	棕	去濁	タイ	右傍	nɑi^{3}	泰韻
2501	上加・093ウ2・植物	橿	平	キヤウ	右傍	kiɑŋ^{1}	陽韻
2502	上加・093ウ2・植物	檍	―	ヲク	右傍	’iɐk	職韻
2503	上加・093ウ3・植物	穀	―	コク	右傍	kʌuk	屋韻
2504	上加・093ウ3・植物	楮	―	ト	右傍	tuʌ^{2} ṭ‘iʌ^{2}	姥韻 語韻
2505a	上加・093ウ3・植物	枳	上	シ	右傍	tśie^{2}	紙韻
2505b	上加・093ウ3・植物	椇	上	ク	右傍	kiuʌ^{2}	麌韻
2506a	上加・093ウ3・植物	枸	上	ク	右傍	kiuʌ^{2} kʌu$^{1/3}$	麌韻 侯/候韻
2506b	上加・093ウ3・植物	櫞	平	エン	右傍	jiuan^{1}	仙韻
2507a	上加・093ウ4・植物	鷄	平	ケイ	右傍	kei^{1}	齊韻

2507b	上加・093ウ4・植物	冠	平	クワン	右傍	kuɑn$^{1/3}$	桓/換韻
2508a	上加・093ウ4・植物	吴	平濁	コ	右傍	ŋuʌ^{1}	模韻
2508b	上加・093ウ4・植物	朱	平	スユ	右傍	tśiuʌ^{1}	虞韻
2508c	上加・093ウ4・植物	萸	—	ユ	右傍	jiuʌ^{1}	虞韻
2509	上加・093ウ4・植物	樺	平 去	クワ	右傍	ɣua$^{1/3}$	麻/禡韻
2510a	上加・093ウ5・植物	李	上	リ	右傍	liɐi^{2}	止韻
2510b	上加・093ウ5・植物	衡	平	カウ	右傍	ɣaŋ^{1}	庚韻
2511a	上加・093ウ6・植物	骨	入	コツ	右傍	kuʌt	没韻
2511b	上加・093ウ6・植物	蓬	平	ホウ	右傍	bʌuŋ^{1}	東韻
2512b	上加・093ウ6・植物	苔	平	タイ	右傍	dʌi^{1}	咍韻
2513	上加・094オ2・動物	烏	平	ヲ	右傍	'uʌ^{1}	模韻
2514	上加・094オ2・動物	鴈	去	—	—	ŋan^{3}	諫韻
2515	上加・094オ3・動物	鴨	入	アフ	右傍	'ap	狎韻
2516	上加・094オ3・動物	鳧	平	フ	右傍	biuʌ^{1}	虞韻
2517	上加・094オ3・動物	鷗	平	ヲウ	右傍	'ʌu^{1}	侯韻
2518	上加・094オ3・動物	鷃	去	アン	右傍	'an^{3}	諫韻
2519	上加・094オ4・動物	鵲	入	シヤク	右傍	ts'iɑk	藥韻
2520	上加・094オ4・動物	鵝	平濁	カ	右傍	ŋɑ^{1}	歌韻
2521	上加・094オ4・動物	卵	上	ラン	右傍	luɑn^{2} luɑ^{2}	緩韻 果韻
2522	上加・094オ5・動物	孵	—	フ	右傍	p'iuʌ^{1}	虞韻
2523	上加・094オ5・動物	翈	入	カフ	右傍	ɣap	狎韻
2524a	上加・094オ5・動物	鴨	—	アフ	右傍	'ap	狎韻
2524b	上加・094オ5・動物	通	—	トウ	右傍	t'ʌuŋ^{1}	東韻
2525	上加・094オ6・動物	鹿	入	ロク	右傍	lʌuk	屋韻
2526	上加・094オ6・動物	麛	平	スイ	右傍	mei^{1}	齊韻
2527a	上加・094オ6・動物	麢	平	レイ	右傍	leŋ^{1}	青韻
2527b	上加・094オ6・動物	羊	平	—	—	jiɑŋ^{1}	陽韻
2528	上加・094オ6・動物	<u>羊+霊</u>	平	レイ	右傍	leŋ^{1}	青韻
2529a	上加・094オ7・動物	騧	平	クワ	右傍	kuɐ^{1} kua^{1}	佳韻 麻韻
2530a	上加・094オ7・動物	駱	—	ラク	右傍	lɑk	鐸韻
2531a	上加・094オ7・動物	鹿	入	—	—	lʌuk	屋韻
2531b	上加・094オ7・動物	茸	平濁	ジコウ	右傍	ńiauŋ^{1}	鍾韻
2532	上加・094ウ1・動物	鵙	—	キヨ	右傍	ŋiʌ^{1}	魚韻
2533a	上加・094ウ2・動物	鐇	平	ハン	右傍	pian^{1}	元韻
3292a	上加・094ウ2・動物	鰹	平	—	—	ken^{1}	先韻
2534a	上加・094ウ3・動物	王	平	—	—	ɣiuaŋ$^{1/3}$	陽/漾韻
2534b	上加・094ウ3・動物	餘	平	—	—	jiʌ^{1}	魚韻
2535	上加・094ウ3・動物	鮇	入	ハツ	右傍	mat	末韻
2536	上加・094ウ3・動物	鮇	入	ヘツ	右傍	mat	末韻
2537a	上加・094ウ3・動物	鮰	上	マウ	右傍	(miaŋ^{2})	(養韻)

2538	上加・094ウ4・動物	龜	平	クヰ	右傍	kiuei^{1} kiʌu^{1}	脂韻 尤韻
2539	上加・094ウ4・動物	黿	平濁	クヱン	右傍	ŋiuɑn^{1} ŋuɑn^{1}	元韻 桓韻
2540	上加・094ウ4・動物	能	平	タイ	右傍	nʌi$^{1/3}$ nʌŋ$^{1/2}$	咍/代韻 登/等韻
2541	上加・094ウ4・動物	鼇	平	カム	右傍	ŋɑu^{1}	豪韻
2542	上加・094ウ4・動物	鼉	平	タ	右傍	dɑ^{1}	歌韻
2543	上加・094ウ4・動物	蠵	平	スイ	右傍	ɣuei^{1} jiue^{1}	齊韻 支韻
2544	上加・094ウ4・動物	蟹	上	カイ	右傍	ɣɐ^{2}	蟹韻
2545a	上加・094ウ5・動物	擁	上	ヰヨウ	右傍	'iɑuŋ^{2}	腫韻
2545b	上加・094ウ5・動物	劒	去	ケム	右傍	kiʌm^{3}	梵韻
2546	上加・094ウ5・動物	蠣	去	レイ	右傍	liai^{3}	祭韻
2547	上加・094ウ6・動物	貝	去	ハイ	右傍	pɑi^{3}	泰韻
2548	上加・094ウ6・動物	鼈	入	ヘツ	右傍	pjiat	薛韻
2549a	上加・094ウ6・動物	蝸	平	クワ	右傍	kuɐ^{1} kua^{1}	佳韻 麻韻
2550a	上加・094ウ7・動物	沙	平	サ	右傍	ṣa$^{1/3}$	麻/禡韻
2550b	上加・094ウ7・動物	嚢	平	ナウ	右傍	nɑŋ^{1}	唐韻
2551	上加・094ウ7・動物	螯	平濁	カウ	右傍	ŋɑu^{1}	豪韻
2552	上加・095オ1・動物	蛙	—	ワ	右傍	'ua^{1} 'uɐ^{1}	麻韻 佳韻
2553a	上加・095オ1・動物	蝦	平	カ	右傍	ɣa^{1}	麻韻
2553b	上加・095オ1・動物	蟇	平濁	ハ	右傍	ma^{1}	麻韻
2554a	上加・095オ1・動物	螻	—	ロウ	右傍	lʌu^{1}	侯韻
2555a	上加・095オ1・動物	蛞	—	クワツ	右傍	k'uɑt	末韻
2555b	上加・095オ1・動物	蝀	—	トウ	右傍	tʌuŋ$^{1/2}$	東/董韻
2556	上加・095オ1・動物	蚊	平	フン	右傍	miuʌn^{1}	文韻
2557	上加・095オ2・動物	蟗	平	サム	右傍	dzʌm^{1}	覃韻
2558a	上加・095オ2・動物	烏	平	ヲ	右傍	'uʌ^{1}	模韻
2558b	上加・095オ2・動物	毛	平濁	ホウ	右傍	mɑu$^{1/3}$	豪/号韻
2559a	上加・095オ2・動物	蚖	平	クヱン	右傍	ŋiuɑn^{1} ŋuɑn^{1}	元韻 桓韻
2559b	上加・095オ2・動物	虵	平	シヤ	右傍	dźia^{1} jia^{2} jie^{1}	麻韻 馬韻 支韻
2560a	上加・095オ3・動物	蝙	平	ヘン	右傍	pen^{1}	先韻
2560b	上加・095オ3・動物	蝠	入	フク	右傍	piʌuk	屋韻
2561a	上加・095オ3・動物	蜻	平	セイ	右傍	ts'eŋ^{1} tsieŋ^{1}	青韻 清韻
2561b	上加・095オ3・動物	蛉	平	レイ	右傍	leŋ^{1}	青韻

2562a	上加・095オ4・動物	蠛	入濁	ヘツ	右傍	met	屑韻
2562b	上加・095オ4・動物	蠓	上	モウ	右傍	mʌuŋ$^{1/2}$	東/董韻
2563a	上加・095オ4・動物	寒	平	カム	右傍	ɣɑn^{1}	寒韻
2563b	上加・095オ4・動物	蜩	平	テウ	右傍	deu^{1}	蕭韻
2564b	上加・095オ5・動物	蛭	入	テツ	右傍	tet tiet tśiet	屑韻 質韻 質韻
2565a	上加・095オ6・動物	齧	入	ケツ	右傍	ŋet	屑韻
2565b	上加・095オ6・動物	髮	入	ハツ	右傍	piɑt	月韻
2566	上加・095オ6・動物	殼	入	カク	右傍	k‘auk	覺韻
2567	上加・095ウ2・人倫	巫	平濁	―	―	miuʌ^{1}	虞韻
2568	上加・095ウ2・人倫	覡	入濁	ケキ	右傍	ɣek	錫韻
2569	上加・095ウ2・人倫	敵	―	テキ	右傍	dek	錫韻
2570a	上加・095ウ3・人倫	鍛	上 去	タン	右傍	tuɑn^{3}	換韻
2570b	上加・095ウ3・人倫	冶	―	ヤ	右傍	jia^{2}	馬韻
2571a	上加・095ウ3・人倫	獵	入	レフ	右傍	liap	葉韻
2571b	上加・095ウ3・人倫	師	平	シ	右傍	ṣiei^{1}	脂韻
2572a	上加・095ウ3・人倫	列	入	レツ	右傍	liat	薛韻
2572b	上加・095ウ3・人倫	卒	―	ソツ	右傍	tsuʌt ts‘uʌt tsiuet	没韻 没韻 術韻
2573a	上加・095ウ4・人倫	檝	入	セフ	右傍	tsiap dziep	葉韻 緝韻
2574a	上加・095ウ4・人倫	塗	平	ト	右傍	duʌ^{1} ḍa^{1}	模韻 麻韻
2575a	上加・095ウ4・人倫	乞	入	コツ	右傍	k‘iʌt	迄韻
2576a	上加・095ウ6・人倫	河	平	カ	右傍	ɣɑ^{1}	歌韻
2576b	上加・095ウ6・人倫	伯	入	ハク	右傍	pak	陌韻
2577a	上加・095ウ7・人倫	餓	平濁	カ	右傍	ŋɑ^{3}	箇韻
2577b	上加・095ウ7・人倫	鬼	平	クヰ	右傍	kiuʌi^{2}	尾韻
2578	上加・096オ2・人體	首	上	―	―	śiʌu$^{2/3}$	有/宥韻
2579	上加・096オ2・人體	頭	平	トウ	右傍	dʌu^{1}	侯韻
2580	上加・096オ2・人體	顱	平	ロ	右傍	luʌ^{1}	模韻
2581	上加・096オ2・人體	頡	入	カフ	右傍	kɑp	盍韻
2582	上加・096オ2・人體	髮	入	ハツ	右傍	piɑt	月韻
2583	上加・096オ2・人體	髦	平濁	ホウ	右傍	mɑu^{1}	豪韻
2584	上加・096オ2・人體	髾	平	セム	右傍	ṣau^{1}	肴韻
2585a	上加・096オ3・人體	鶴	―	カフ	右注	ɣɑk	鐸韻
2586a	上加・096オ3・人體	雲	平	―	―	ɣiuʌn^{1}	文韻
2586b	上加・096オ3・人體	脂	平	シ	右傍	tśiei^{1}	脂韻
2587	上加・096オ4・人體	髭	平	シ	右傍	tsie^{1}	支韻
2588	上加・096オ4・人體	肩	平	ケン	右傍	ken^{1}	先韻
2589	上加・096オ4・人體	髆	―	ハク	右傍	pɑk	鐸韻

2590a	上加・096オ4・人體	缺	入	クヱツ	右傍	k'uet k'jiuat	屑韻 薛韻
2590b	上加・096オ4・人體	盆	平	ホン	右傍	buʌn^{1}	魂韻
2591	上加・096オ4・人體	髃	平	ク	右傍	ŋiuʌ^{1} ŋʌu^{2}	虞韻 厚韻
2592	上加・096オ5・人體	胛	入	カフ	右傍	kap	狎韻
2593	上加・096オ5・人體	脅	入	ケフ	右傍	xiɑp xiɑm^{3}	業韻 釅韻
2594	上加・096オ5・人體	皮	平	ヒ	右傍	bie^{1}	支韻
2595	上加・096オ5・人體	肌	平	キ	右傍	kiei^{1}	脂韻
2596	上加・096オ6・人體	尸	平	シ	右傍	śiei^{1}	脂韻
2597	上加・096オ6・人體	屍	平	シ	右傍	śiei$^{1/3}$	脂/至韻
2598	上加・096オ6・人體	骸	平	カイ	右傍	ɣɐi^{1}	皆韻
2599	上加・096オ6・人體	禿	入	トク	右傍	t'ʌuk	屋韻
2600	上加・096オ7・人體	瘡	平 上	サウ	右傍	tṣ'iɑŋ^{1}	陽韻
2601	上加・096オ7・人體	癬	平	セン	右傍	sian^{2}	獮韻
2602	上加・096オ7・人體	瘢	―	ハン	右傍	bɑn^{1}	桓韻
2603	上加・096オ7・人體	痕	平	コン	右傍	ɣʌn^{1}	痕韻
2604	上加・096オ7・人體	痂	平	カ	右傍	ka^{1}	麻韻
2605	上加・096オ7・人體	瘍	平	ヤウ	右傍	jiɑŋ^{1}	陽韻
2606	上加・096オ7・人體	癰	―	ヲウ	右傍	'iɑuŋ^{1}	鍾韻
2607	上加・096オ7・人體	癤	入	セツ	右傍	tset	屑韻
2608	上加・096ウ1・人體	癢	上	ヤウ	右傍	jiɑŋ^{2}	養韻
2609a	上加・096ウ1・人體	轉	上	テン	右傍	ṭiuan$^{2/3}$	獮/線韻
2609b	上加・096ウ1・人體	筋	平濁	キン	右傍	kiʌn^{1}	欣韻
2610a	上加・096ウ1・人體	蚘	平	クワイ	右傍	ɣuʌi^{3}	隊韻
2611a	上加・096ウ2・人體	癥	平	チヨウ	右傍	ṭiɐŋ^{1}	蒸韻
2611b	上加・096ウ2・人體	瘕	去	カ	右傍	ka$^{1/2/3}$	麻/馬/禡韻
2612a	上加・096ウ2・人體	痟	去	セウ	右傍	siau^{1}	宵韻
2612b	上加・096ウ2・人體	𤸷	入	カチ	右傍	k'ɑt	曷韻
2613a	上加・096ウ2・人體	脚	入	カク	右注	kiɑk	藥韻
2613b	上加・096ウ2・人體	病	平	ヒヤウ	右注	biaŋ^{3}	映韻
2614a	上加・096ウ2・人體	飼	去	シ	右傍	ziɐi^{3}	志韻
2614b	上加・096ウ2・人體	面	去	メン	右傍	miuan^{3}	線韻
2615	上加・096ウ4・人事	豪	平	カウ	右注	ɣɑu^{1}	豪韻
2616	上加・096ウ4・人事	行	平	カウ	右注	ɣaŋ$^{1/3}$ ɣɑŋ$^{1/3}$	庚/映韻 唐/宕韻
2617	上加・096ウ4・人事	号	去	カウ [平上]	右注	ɣɑu^{3}	号韻
2618	上加・096ウ5・人事	畋	平	テン	右傍	den$^{1/3}$	先/霰韻
2619	上加・096ウ5・人事	蒐	平	シウ	右傍	ṣiʌu^{1}	尤韻
2620	上加・096ウ5・人事	戒	―	カイ	右注	kɐi^{3}	怪韻
2621	上加・096ウ5・人事	聞	去濁	フン	右傍	miuʌn$^{1/3}$	文/問韻

2622	上加・096ウ7・人事	容	平	ヨウ	右傍	jiɑuŋ^{1}	鍾韻
2623	上加・097オ1・人事	姧	平	カン	右傍	kan^{1}	刪韻
2624	上加・097オ2・人事	賢	平	ケン	右傍	ɣen^{1}	先韻
2625	上加・097オ2・人事	妖	平	エウ	右傍	ʼiau^{1}	宵韻
2626	上加・097オ2・人事	姝	―	ユ	右傍	tś‘iuʌ^{1}	虞韻
2627	上加・097オ3・人事	婉	上	ヱン	右傍	ʼiuɑn^{2}	阮韻
2628	上加・097オ3・人事	孌	―	ヘン	右傍	liuan$^{2/3}$	獮/線韻
2629	上加・097オ3・人事	傅	去	フ	右傍	piuʌ^{3}	遇韻
2630	上加・097オ4・人事	姧	平	カン	右傍	kan^{1}	刪韻
2631	上加・097オ4・人事	姦	平	カン	右傍	kan^{1}	刪韻
2632a	上加・097オ5・人事	襢	去	タン	右傍	dɑn^{2}	旱韻
2632b	上加・097オ5・人事	裼	入	セキ	右傍	sek	錫韻
2634	上加・097オ5・人事	悲	平	ヒ	右傍	piei^{1}	脂韻
2635	上加・097オ6・人事	閔	―	ヒン	右傍	mien^{2}	軫韻
2636a	上加・097オ7・人事	歩	去	ホ	右傍	buʌ^{3}	暮韻
2636b	上加・097オ7・人事	射	上	―	―	dźia^{3} jia^{3}	禡韻 禡韻
2637a	上加・097オ7・人事	摴	平	チヨ	右傍	ṭ‘iʌ^{1}	魚韻
2637b	上加・097オ7・人事	蒱	平	ホ	右傍	buʌ^{1}	模韻
2638	上加・097ウ1・人事	頑	平	クワン	右傍	ŋuan^{1}	刪韻
2639	上加・097ウ2・人事	謦	平	ケイ	右傍	k‘ieŋ^{1} k‘eŋ^{3}	清韻 徑韻
2640	上加・097ウ2・人事	喧	平	クヱン	右傍	xiuɑn^{1}	元韻
2641	上加・097ウ3・人事	嘈	東?	サウ	右傍	dzɑu^{1}	豪韻
2642	上加・097ウ3・人事	哤	平	マウ	右傍	mauŋ^{1}	江韻
2643a	上加・097ウ3・人事	擲	入	テキ	右傍	ḍiek	昔韻
2643b	上加・097ウ3・人事	倒	上	タウ	右傍	tɑu$^{2/3}$	晧/号韻
2644a	上加・097ウ6・人事	賀	平	―	―	ɣɑ^{3}	箇韻
2644b	上加・097ウ6・人事	殿	去	―	―	ten^{3} den^{3}	霰韻 霰韻
2645a	上加・097ウ6・人事	河	平	カ	左注	ɣɑ^{1}	歌韻
2645b	上加・097ウ6・人事	水	上	スイ	左注	śiuei^{2}	旨韻
2645c	上加・097ウ6・人事	樂	―	ラク	左注	lɑk ŋauk ŋau^{3}	鐸韻 覺韻 効韻
2646a	上加・097ウ6・人事	歌	平	―	―	kɑ^{1}	歌韻
2646b	上加・097ウ6・人事	曲	入	―	―	k‘iɑuk	燭韻
2646c	上加・097ウ6・人事	子	上	―	―	tsiɐi^{2}	止韻
2647a	上加・097ウ6・人事	迦	去	カ	左注	ka^{1} kiɑ^{1}	麻韻 歌韻
2647b	上加・097ウ6・人事	樓	上	レウ	左注	lʌu^{1}	侯韻
2647c	上加・097ウ6・人事	頻	―	ヒン	左注	bjien^{1}	眞韻

2648a	上加・097ウ6・人事	合	入	カフ	左注	ɣʌp kʌp	合韻 合韻
2648b	上加・097ウ6・人事	歓	平	クワン	左注	xuɑn^{1}	桓韻
2648c	上加・097ウ6・人事	塩	平	エン	左注	jiam$^{1/3}$	鹽韻
2649a	上加・097ウ7・人事	賀	去	カ	左注	ɣɑ^{3}	箇韻
2649b	上加・097ウ7・人事	王	平	ワウ	左注	ɣiuɑŋ$^{1/3}$	陽/漾韻
2649c	上加・097ウ7・人事	恩	平	—	—	’ʌn^{1}	痕韻
2650a	上加・097ウ7・人事	河	平	カ	左注	ɣɑ^{1}	歌韻
2650b	上加・097ウ7・人事	南	平	ナム	左注	nʌm^{1}	覃韻
2650c	上加・097ウ7・人事	浦	上	—	—	puʌ^{2}	姥韻
2651a	上加・097ウ7・人事	感	上	カム	左注	kʌm^{2}	感韻
2651b	上加・097ウ7・人事	城	平濁	セイ	左注	źieŋ^{1}	清韻
2652a	上加・097ウ7・人事	海	上	—	—	xʌi^{2}	海韻
2652b	上加・097ウ7・人事	仙	平	—	—	sian^{1}	仙韻
2653a	上加・098オ1・人事	角	—	カク	左注	kauk lʌuk	覺韻 屋韻
2653b	上加・098オ1・人事	調	—	テウ	左注	deu$^{1/3}$ ṭiʌu^{1}	蕭/嘯韻 尤韻
2654a	上加・098オ1・人事	泔	平	カム	左注	kɑm^{1}	談韻
2654b	上加・098オ1・人事	州	平	シウ	左注	tśiʌu^{1}	尤韻
2655a	上加・098オ1・人事	酣	上	カム	左注	ɣɑm^{1}	談韻
2655b	上加・098オ1・人事	酔	平	スイ	左注	tsiuei^{3}	至韻
2656a	上加・098オ1・人事	賀	上	—	—	ɣɑ^{3}	箇韻
2656b	上加・098オ1・人事	利	上	—	—	liei^{3}	至韻
2656c	上加・098オ1・人事	夜	上	—	—	jia^{3}	禡韻
2656d	上加・098オ1・人事	須	上	—	—	siuʌ^{1}	虞韻
2657a	上加・098オ1・人事	顔	平濁	—	—	ŋan^{1}	刪韻
2657b	上加・098オ1・人事	徐	平	—	—	ziʌ^{1}	魚韻
2657c	上加・098オ1・人事	王	平	—	—	ɣiuɑŋ$^{1/3}$	陽/漾韻
2657d	上加・098オ1・人事	仁	平	—	—	ńien^{1}	眞韻
2658	上加・098オ3・飲食	粥	入	シク	右傍	tśiʌuk jiʌuk	屋韻 屋韻
2659	上加・098オ3・飲食	饔	平	ヰヨウ	右傍	’iuɑŋ^{1}	鍾韻
2660	上加・098オ3・飲食	糜	平濁	ヒ	右傍	mie^{1}	支韻
2661	上加・098オ3・飲食	饘	平	セン	右傍	tśian^{1}	仙韻
2662	上加・098オ3・飲食	醇	平	スウ	右傍	źiuen^{1}	諄韻
2663	上加・098オ3・飲食	醅	平	ハイ	右傍	p‘uʌi^{1}	灰韻
2664	上加・098オ4・飲食	糟	平	サウ	右傍	tsɑu^{1}	豪韻
2665	上加・098オ4・飲食	麴	入	キク	右傍	k‘iʌuk	屋韻
2666	上加・098オ4・飲食	粮	平	リヤウ	右傍	liɑŋ^{1}	陽韻
2667	上加・098オ4・飲食	粻	平	チヤウ	右傍	ṭiɑŋ^{1}	陽韻
2668	上加・098オ4・飲食	餉	去	シヤウ	右傍	śiɑŋ^{3}	漾韻
2669a	上加・098オ5・飲食	餌	去濁	チウ	右傍	ńiʌu^{3}	宥韻

2670a	上加・098オ5・飲食	饕	―	シウ	右傍	siʌu¹	尤韻
2670b	上加・098オ5・飲食	饙	平	フン	右傍	p'uʌn¹ᐟ³	魂韻 慁韻
2671a	上加・098オ5・飲食	粿	上	クワ	右傍	kuɑ²	果韻
2671b	上加・098オ5・飲食	米	上	ヘイ	右傍	mei²	薺韻
2672a	上加・098オ5・飲食	糙	去	サウ	右傍	ts'ɑu³	号韻
2673a	上加・098オ6・飲食	鶴	―	カウ	右注	ɣɑk	鐸韻
2673b	上加・098オ6・飲食	頭	―	タウ	右注	dʌu¹	侯韻
2674a	上加・098オ7・飲食	餲	―	カツ	右注	ɣɑt	曷韻
2674b	上加・098オ7・飲食	餬	―	コ	右注	ɣuʌ¹	模韻
2675a	上加・098オ7・飲食	結	―	ケツ	右傍	ket	屑韻
2675b	上加・098オ7・飲食	果	―	クワ	右傍	kuɑ²	果韻
2676	上加・098ウ1・飲食	腰	去	アウ	右傍	'ɑu²ᐟ³	晧/号韻
2677	上加・098ウ1・飲食	辛	平	シン	右傍	sien¹	眞韻
2678	上加・098ウ3・雜物	冠	平	クワン	右傍	kuɑn¹ᐟ³	桓/換韻
2679	上加・098ウ3・雜物	帔	平	―	―	p'ie¹ᐟ³	支/寘韻
2680a	上加・098ウ3・雜物	幞	入濁	ホク	右傍	biɑuk	燭韻
2681	上加・098ウ3・雜物	冕	上濁	ヘン	右傍	mian²	獮韻
2682	上加・098ウ3・雜物	紘	平	クワウ	右傍	ɣuɐŋ¹	耕韻
2683	上加・098ウ3・雜物	緌	平	スヰ	右傍	ńiuei¹	脂韻
2684	上加・098ウ4・雜物	簪	平	シム	右傍	tṣiem¹	侵韻
2685	上加・098ウ4・雜物	笄	平	ケイ	右傍	kei¹	齊韻
2686	上加・098ウ4・雜物	鈿	平	テン	右傍	den¹ᐟ³	先韻
2687a	上加・098ウ4・雜物	櫟	入	レキ	右傍	lek jiɑk	錫韻 藥韻
2687b	上加・098ウ4・雜物	鬢	去	ヒン	右傍	pjien³	震韻
2687c	上加・098ウ4・雜物	屧	入	セツ	右傍	ṣiuat	薛韻
2688	上加・098ウ5・雜物	髲	去	ヒ	右傍	bie³	寘韻
2689a	上加・098ウ5・雜物	揷	入	サフ	右傍	tṣ'ɐp	洽韻
2690	上加・098ウ5・雜物	帷	平	ヰ	右傍	ɣiuei¹	脂韻
2691	上加・098ウ6・雜物	幬	平	チウ	右傍	ḍiʌu¹ dɑu³	尤韻 号韻
2692	上加・098ウ6・雜物	裘	平	キウ	右傍	giʌu¹	尤韻
2693a	上加・098ウ6・雜物	褐		カチ ［平平］	右注	kɑt	曷韻
2694a	上加・098ウ6・雜物	汗	―	カ ［上］	右注	ɣɑn¹ᐟ³ kɑn¹	寒/翰韻 寒韻
2694b	上加・098ウ6・雜物	衫	―	サミ ［平平］	右注	ṣam¹	銜韻
2695a	上加・098ウ7・雜物	狩	去	―	―	śiʌu³	宥韻
2696a	上加・098ウ7・雜物	革	入	カク	右傍	kɐk	麥韻
2696b	上加・098ウ7・雜物	帶	去	タイ	右傍	tɑi³	泰韻
2697a	上加・099オ1・雜物	鉸	去	カウ	右傍	kau¹ᐟ²ᐟ³	肴/巧/効韻
2698a	上加・099オ1・雜物	背	去	ハイ	右傍	puʌi³ buʌi³	隊韻 隊韻

2699a	上加・099オ1・雜物	纐	入	カウ	右注	(kau^{2})	(国字)
2699b	上加・099オ1・雜物	纈	入	ケチ	右注	ɣet	屑韻
2700	上加・099オ1・雜物	綺	上	キ	右傍	k‘ie^{2}	紙韻
2701	上加・099オ2・雜物	氈	平	セン	右傍	tśian^{1}	仙韻
2702	上加・099オ2・雜物	縑	平	ケム	右傍	kem^{1}	添韻
2703a	上加・099オ3・雜物	髙	―	カウ	右注	kɑu^{1}	豪韻
2703b	上加・099オ3・雜物	麗	―	ライ	右注	lei^{3}	霽韻
2704a	上加・099オ3・雜物	髙	去	カウ	左注	kɑu^{1}	豪韻
2704b	上加・099オ3・雜物	座	平濁	サ	左注	dzuɑ^{3}	過韻
2705	上加・099オ3・雜物	鋺	上	―	―	’iuɑn^{1}	元韻
2633	上加・099オ4・雜物	鏡	去	ケイ	右傍	kiaŋ^{3}	映韻
2706a	上加・099オ4・雜物	鏡	平	キヤウ	右傍	kiaŋ^{3}	映韻
2706b	上加・099オ4・雜物	臺	上濁	タイ	右傍	dʌi^{1}	咍韻
2707	上加・099オ4・雜物	釭	平	コウ	右傍	kʌuŋ^{1} kɑuŋ^{1} kauŋ^{1}	東韻 冬韻 江韻
2708	上加・099オ4・雜物	轤	平	ロウ	右傍	lʌuŋ^{1}	東韻
2709a	上加・099オ4・雜物	鐵	入	テツ	右傍	t‘et	屑韻
2709b	上加・099オ4・雜物	落	入	ラク	右傍	lɑk	鐸韻
2710	上加・099オ4・雜物	鐘	平	スウ	右傍	tśiɑuŋ^{1}	鍾韻
2711	上加・099オ5・雜物	釜	上	フ	右傍	biuʌ^{2}	麌韻
2712	上加・099オ5・雜物	鍋	平	クワ	右傍	kuɑ^{1}	戈韻
2713	上加・099オ5・雜物	錡	平	キ	右傍	gie$^{1/2}$ ŋie^{2}	支/紙韻 紙韻
2714	上加・099オ5・雜物	竈	去	サウ	右傍	tsɑu^{3}	号韻
2715	上加・099オ5・雜物	鑰	入	ヤク	右傍	jiɑk	藥韻
2716a	上加・099オ6・雜物	鉤	平	コウ	右傍	kʌu^{1}	侯韻
2716b	上加・099オ6・雜物	匙	平	シ	右傍	źie^{1}	支韻
2717	上加・099オ6・雜物	鎻	上	サ	右傍	suɑ^{2}	果韻
2718	上加・099オ6・雜物	刀	平	タウ	右傍	tɑu^{1}	豪韻
2719a	上加・099オ7・雜物	鹿	入	ロク	右傍	lʌuk	屋韻
2719b	上加・099オ7・雜物	杖	去	チヤウ	右傍	ḍiɑŋ^{2}	養韻
2720a	上加・099オ7・雜物	横	平	―	―	ɣuaŋ$^{1/3}$ kuɑŋ^{1}	庚/映韻 唐韻
2720b	上加・099オ7・雜物	首	上	―	―	śiʌu$^{2/3}$	有/宥韻
2721	上加・099ウ1・雜物	鎌	平	レム	右傍	liam^{1}	鹽韻
2722	上加・099ウ1・雜物	鍥	―	ケツ	右傍	ket k‘et	屑韻
2723	上加・099ウ2・雜物	柌	―	シ	右傍	ziɐi^{1}	之韻
2724a	上加・099ウ2・雜物	合	―	カウ [上濁上]	右注	ɣʌp kʌp	合韻 合韻
2724b	上加・099ウ2・雜物	子	―	シ [上]	右注	tsiɐi^{2}	止韻
2725	上加・099ウ2・雜物	匙	平	シ	右傍	źie^{1}	支韻

2726	上加・099ウ2・雑物	瓶	平	ヘイ	右傍	beŋ[1]	青韻
2727	上加・099ウ3・雑物	瓴	平	レイ	右傍	leŋ[1]	青韻
2728	上加・099ウ3・雑物	瓷	平	シ	右傍	dziei[1]	脂韻
2729	上加・099ウ3・雑物	螺	―	ラ	右傍	luɑ[1]	戈韻
2730	上加・099ウ3・雑物	冑	去	チウ	右傍	ḍiʌu[3]	宥韻
2731b	上加・099ウ4・雑物	鍪	―	ホウ	右傍	miʌu[1]	尤韻
2732a	上加・099ウ4・雑物	鳴	平	メイ	右傍	miaŋ[1]	庚韻
2733	上加・099ウ4・雑物	蠡	平	レイ	右傍	lei[2] lie[1] luɑ[1]	薺韻 支韻 戈韻
2734	上加・099ウ4・雑物	鋜	入	サク	右傍	dẓauk	覺韻
2735	上加・099ウ4・雑物	鉗	平	ケム	右傍	giam[1]	鹽韻
2736	上加・099ウ5・雑物	鐁	平	シ	右傍	sie[1]	支韻
2737a	上加・099ウ5・雑物	鐵	入	―	―	t'et	屑韻
2737b	上加・099ウ5・雑物	槌	平	ツイ	右傍	ḍiuei[1] ḍiue[3]	脂韻 寘韻
2738	上加・099ウ6・雑物	鈐	平	ケム	右傍	giam[1]	鹽韻
2739b	上加・099ウ6・雑物	鉗	平	ケム	右傍	giam[1]	鹽韻
2740a	上加・099ウ6・雑物	鐵	入	―	―	t'et	屑韻
2740b	上加・099ウ6・雑物	碪	平	チム	右傍	ṭiəm[1]	侵韻
2741	上加・099ウ7・雑物	模	平濁	ホ	右傍	muʌ[1]	模韻
2742a	上加・100オ1・雑物	艾	去	カイ	右注	ŋɑi[3] ŋiɑi[3]	泰韻 廢韻
2742b	上加・100オ1・雑物	納	平	ナウ	右注	nɑp	盍韻
2743a	上加・100オ1・雑物	甘	平	カム	右注	kɑm[1]	談韻
2743b	上加・100オ1・雑物	松	平	シヨウ	右注	ziɑuŋ[1]	鍾韻
2744a	上加・100オ1・雑物	甲	―	カフ	右注	kap	狎韻
2744b	上加・100オ1・雑物	香	―	カウ	右注	xiɑŋ[1]	陽韻
2745	上加・100オ1・雑物	革	―	カク	右傍	kɐk	麥韻
2746	上加・100オ1・雑物	皮	平	ヒ	右傍	bie[1]	支韻
2747	上加・100オ2・雑物	紙	上	シ	右傍	tɕio[2]	紙韻
2748	上加・100オ2・雑物	笠	入	リフ	右傍	liep	緝韻
2749	上加・100オ3・雑物	鑱	平	サム	右傍	dẓam[1/3]	銜/鑑韻
2750a	上加・100オ3・雑物	笭	平	レイ	右傍	lcŋ[1/2]	青/迥韻
2750b	上加・100オ3・雑物	箐	平	セイ	右傍	tsieŋ[1]	清韻
2751	上加・100オ4・雑物	篝	平	コウ	右傍	kʌu[1]	侯韻
2752	上加・100オ4・雑物	碓	去	タイ	右傍	tuʌi[3]	隊韻
2753a	上加・100オ4・雑物	連	平	レン	右傍	lian[1]	仙韻
2753b	上加・100オ4・雑物	枷	平	カ	右傍	ka[1] giɑ[1]	麻韻 歌韻
2754b	上加・100オ4・雑物	燎	上	レウ	右傍	liau[1/2/3]	宵/小/笑韻
2755a	上加・100オ4・雑物	嚴	平濁	ケム	右傍	ŋiɑm[1]	嚴韻
2755b	上加・100オ4・雑物	器	去	キ	右傍	k'iei[3]	至韻

2756a	上加・100オ5・雑物	香	—	カウ	右注	xiaŋ[1]	陽韻
2756b	上加・100オ5・雑物	爐	—	ロ	右注	luʌ[1]	模韻
2757a	上加・100オ5・雑物	香	—	カウ	右注	xiaŋ[1]	陽韻
2757b	上加・100オ5・雑物	嚢	—	ナウ	右注	naŋ[1]	唐韻
2758	上加・100オ5・雑物	韉	平	スヰ	右傍	ṣiue[1]	支韻
2759	上加・100オ5・雑物	樏	上	ルイ	右傍	liue[2]	紙韻
2760	上加・100オ6・雑物	犂	平	レイ	右傍	lei[1] liei[1]	齊韻 脂韻
2761a	上加・100オ6・雑物	呵	—	カ	右注	xa[1/3]	歌/箇韻
2761b	上加・100オ6・雑物	梨	—	リ	右注	liei[1]	脂韻
2761c	上加・100オ6・雑物	勒	—	ロク	右注	lʌk	徳韻
2762b	上加・100オ7・雑物	錢	—	セニ	右注	dzian[1] tsian[2]	仙韻 獮韻
2763	上加・100オ7・雑物	檝	入	セフ	右傍	tsiap dziep	葉韻 緝韻
2764	上加・100オ7・雑物	棹	去	タウ	右傍	ḍau[3]	效韻
2765a	上加・100ウ1・雑物	牂	平	サウ	右傍	tsaŋ[1]	唐韻
2765b	上加・100ウ1・雑物	牁	平	カ	右傍	ka[1]	歌韻
2766	上加・100ウ1・雑物	衡	平	カウ	右傍	ɣaŋ[1]	庚韻
2767a	上加・100ウ1・雑物	鞨	入	カツ	右注	ɣat	曷韻
2767b	上加・100ウ1・雑物	皷	上	コ	右注	kuʌ[2]	姥韻
2768	上加・100ウ1・雑物	瓦	去濁	クワ	右傍	ŋua[2/3]	馬/禡韻
2769	上加・100ウ1・雑物	樂	—	カク ［平濁平］	右注	ŋauk lak ŋau[3]	覺韻 鐸韻 効韻
2770	上加・100ウ1・雑物	額	—	カク ［上上］	右注	ŋak	陌韻
2771	上加・100ウ2・雑物	香	平	キヤウ	右傍	xiaŋ[1]	陽韻
0532	上加・100ウ2・雑物	香	平	カウ	右注	xiaŋ[1]	陽韻
2772a	上加・100ウ2・雑物	罥	去	クエン	右傍	kuen[2]	銑韻
2772b	上加・100ウ2・雑物	索	—	サク	右傍	sak ṣak ṣɐk	鐸韻 陌韻 麥韻
2773a	上加・100ウ2・雑物	香	—	カウ	右注	xiaŋ[1]	陽韻
2774a	上加・100ウ2・雑物	行	平	カウ	右注	ɣaŋ[1/3] ɣaŋ[1/3]	庚/映韻 唐/宕韻
2774b	上加・100ウ2・雑物	障	平	シヤウ	右注	tśiaŋ[1/3]	陽/漾韻
2775	上加・100ウ3・雑物	琀	—	カム	右注	ɣʌm[3]	勘韻
2776	上加・100ウ3・雑物	帿	—	カウ	右傍	ɣuʌ[1]	侯韻
2777	上加・100ウ5・光彩	香	平	キヤウ	右傍	xiaŋ[1]	陽韻
2778	上加・100ウ5・光彩	芬	平濁	フン	右傍	p'iuʌn[1]	文韻
2779	上加・100ウ6・光彩	馥	—	フク	右傍	biʌuk biɐk	屋韻 職韻

2780	上加・100ウ6・光彩	薫	平	クン	右傍	xiuʌn$^{1/3}$	文/問韻
2781	上加・100ウ6・光彩	馦	平	ケム	右傍	xem^{1}	添韻
2782	上加・100ウ6・光彩	馠	―	カム	右傍	xʌm^{1}	覃韻
2783	上加・101オ2・方角	庚	平	カウ	右傍	kaŋ^{1}	庚韻
2784	上加・101オ2・方角	辛	平	シン	右傍	sien^{1}	眞韻
2785	上加・101オ2・方角	偏	―	ヘン	右傍	p'ian$^{1/3}$	仙/線韻
2786	上加・101オ3・方角	方	平	ハウ	右傍	piɑŋ^{1} biɑŋ^{1}	陽韻 陽韻
2787	上加・101オ3・方角	垠	平濁	キン	右傍	ŋien^{1} ŋiʌn^{1} ŋʌn^{1}	眞韻 欣韻 痕韻
2788a	上加・101オ3・方角	隄	平	―	―	tei^{1} dei^{1}	齊韻 齊韻
2789	上加・101オ5・員數	姟	平濁	カイ	右注	kʌi^{1}	咍韻
2790	上加・101オ5・員數	毫	平濁	カウ	右注	ɣɑu^{1}	豪韻
2791	上加・101オ5・員數	員	平	ヱン	右傍	ɣiuan^{1} ɣiuʌn$^{1/3}$	仙韻 文/問韻
2792	上加・101オ5・員數	籌	平	チウ	右傍	ḍiʌu^{1}	尤韻
2793	上加・101オ6・員數	箇	―	カ	右注	kɑ^{3}	箇韻
2794	上加・101オ6・員數	合	―	カフ	右注	ɣʌp kʌp	合韻 合韻
2795	上加・101ウ1・辭字	賀	―	カ ［平濁］	右注	ɣɑ^{3}	箇韻
2796	上加・101ウ1・辭字	歟	―	ヨ	右傍	jiʌ$^{1/2/3}$	魚/語/御韻
2797	上加・101ウ2・辭字	克	―	ヨク	右傍	k'ʌk	徳韻
2798	上加・101ウ2・辭字	戡	―	カム	右傍	k'ʌm^{1} ṭiem^{2}	覃韻 寑韻
2799	上加・101ウ2・辭字	畫	去濁	クワ	右傍	ɣuɐ^{3} ɣuɐk	卦韻 麥韻
2800	上加・101ウ2・辭字	圖	平	ト	右傍	duʌ^{1}	模韻
2801	上加・101ウ3・辭字	畫	入濁	―	―	ɣuɐk ɣuɐ^{3}	麥韻 卦韻
2802	上加・101ウ4・辭字	纗	平	ケイ	右傍	ɣuei^{1} tsie^{1} ɣue^{3} jiue^{3}	齊韻 支韻 卦韻 寘韻
2803	上加・101ウ6・辭字	虧	平	キ	右傍	k'iue^{1}	支韻
2804	上加・101ウ6・辭字	褰	平	ケン	右傍	k'ian^{1}	仙韻
2806	上加・101ウ7・辭字	搔	平	サウ	右傍	sɑu^{1}	豪韻
2807	上加・102オ2・辭字	芟	平	サム	右傍	ṣam^{1}	銜韻
2808	上加・102オ3・辭字	枯	―	コ	右傍	k'uʌ^{1}	模韻
2809	上加・102オ3・辭字	槁	―	カウ	右傍	k'ɑu^{2}	晧韻
2810	上加・102オ4・辭字	牧	―	モク	右傍	miʌuk	屋韻

2811	上加・102オ6・辞字	濡	平	シユ	右傍	ńiuʌ^{1} nuɑn^{1}	虞韻 寒韻
2812	上加・102オ7・辞字	糴	―	テキ	右傍	dek	錫韻
2813	上加・102オ7・辞字	渝	平	シユ	右傍	jiuʌ^{1}	虞韻
2814	上加・102ウ2・辞字	包	平	ハウ	右傍	pau^{1}	肴韻
2815	上加・102ウ3・辞字	圍	平	ヰ	右傍	ɣiuʌi$^{1/3}$	微/未韻
2816	上加・102ウ3・辞字	焚	平	ハン	右傍	biuʌn^{1}	文韻
2817	上加・102ウ6・辞字	褰	平	ケン	右傍	k'ian^{1}	仙韻
2818	上加・102ウ7・辞字	苛	―	カ	右傍	ɣɑ^{1}	歌韻
2819	上加・102ウ7・辞字	翺	平	カウ	右傍	ŋɑu^{1}	豪韻
2820	上加・103オ3・辞字	句	平	―	―	giuʌ^{1} kiuʌ^{3} kʌu$^{1/3}$	虞韻 遇韻 侯/候韻
2821	上加・103オ4・辞字	拘	―	コウ	右傍	kiuʌ^{1}	虞韻
2822	上加・103オ4・辞字	炊	上	スイ	右傍	tś'iue^{1}	支韻
2823	上加・103オ6・辞字	粧	平	サウ	右傍	tṣiɑŋ^{1}	陽韻
2824	上加・103オ7・辞字	歸	平	クヰ	右傍	kiuʌi^{1}	微韻
2825	上加・103ウ1・辞字	渝	平	―	―	jiuʌ^{1}	虞韻
2826	上加・103ウ2・辞字	合	入	カフ	右傍	ɣʌp kʌp	合韻 合韻
2827	上加・103ウ2・辞字	適	―	テキ	右傍	tek tśiek śiek	錫韻 昔韻 昔韻
2828	上加・103ウ4・辞字	重	平	チヨウ	右傍	ḍiauŋ$^{1/2/3}$	鍾/腫/用韻
2829	上加・104オ2・辞字	輕	平	―	―	k'ieŋ$^{1/3}$	清/勁韻
2830	上加・104オ2・辞字	輶	平	イウ	右傍	jiʌu$^{1/2/3}$	尤/有/宥韻
2831	上加・104オ4・辞字	併	平	―	―	pieŋ$^{2/3}$ beŋ^{2}	靜/勁韻 迥韻
2832	上加・104ウ3・辞字	拷	平	カウ	右注	(k'ɑu^{2})	晧韻
2833	上加・104ウ3・辞字	害	平濁	カイ	右注	ɣɑi^{3}	泰韻
2834	上加・104ウ4・辞字	傾	平	ケイ	右傍	k'iueŋ^{1}	清韻
2835	上加・104ウ4・辞字	俄	平	―	―	ŋɑ^{1}	歌韻
2836	上加・104ウ5・辞字	昃	入	シヨク	右傍	tṣiɐk	職韻
2837	上加・105オ1・辞字	[illegible]	去	セウ	右傍	tṣ'au^{3}	効韻
2838	上加・105オ2・辞字	扞	去	カン	右傍	ɣɑn^{3}	翰韻
2839	上加・105オ4・辞字	旁	―	ハウ	右傍	bɑŋ^{1}	唐韻
2840	上加・105オ6・辞字	礬	―	シウ	右傍	biɑn^{1}	元韻
2841	上加・105ウ3・辞字	童	平	―	―	dʌuŋ^{1}	東韻
2842	上加・105ウ3・辞字	輶	平	イウ	右傍	jiʌu$^{1/2/3}$	尤/有/宥韻
2843	上加・105ウ5・辞字	冠	―	クワン	右傍	kuɑn$^{1/3}$	桓/換韻
2844	上加・105ウ5・辞字	摳	平	―	―	k'ʌu^{1} k'iuʌ^{1}	侯韻 虞韻

2845	上加・105ウ6・辞字	摳	平	—	—	kʻʌu^{1} kʻiuʌ^{1}	侯韻 虞韻
2846	上加・105ウ7・辞字	猶	—	イウ	右傍	jiʌu$^{1/3}$	尤/宥韻
2847a	上加・106オ6・重點	嗷	平濁	カウ	右注	ŋɑu^{1}	豪韻
2847b	上加・106オ6・重點	嗷	平濁	カウ	右注	ŋɑu^{1}	豪韻
2848a	上加・106オ6・重點	啞	—	カウ	右注	ʼak ʼɐk ʼa$^{2/3}$	陌韻 麥韻 馬/禡韻
2848b	上加・106オ6・重點	啞	—	カウ	右注	ʼak ʼɐk ʼa$^{2/3}$	陌韻 麥韻 馬/禡韻
2849a	上加・106オ6・重點	咬	—	カウ	右注	kau^{1}	肴韻
2849b	上加・106オ6・重點	咬	—	カウ	右注	kau^{1}	肴韻
2850a	上加・106オ6・重點	赫	—	カク	右注	xak	陌韻
2850b	上加・106オ6・重點	赫	—	カク	右注	xak	陌韻
2851a	上加・106オ6・重點	峨	—	カ	右注	ŋɑ^{1}	歌韻
2851b	上加・106オ6・重點	峨	—	カ	右注	ŋɑ^{1}	歌韻
2852a	上加・106オ6・重點	颬	平	カ	右注	xa^{1}	麻韻
2852b	上加・106オ6・重點	颬	平	カ	右注	xa^{1}	麻韻
2853a	上加・106ウ1・疊字	高	去	—	—	kɑu^{1}	豪韻
2853b	上加・106ウ1・疊字	天	平	—		tʻen^{1}	先韻
2854a	上加・106ウ1・疊字	皓	去	カウ	左注	ɣɑu^{2}	晧韻
2854b	上加・106ウ1・疊字	天	平	—	—	tʻen^{1}	先韻
2855a	上加・106ウ1・疊字	寒	平	カン	左注	ɣɑn^{1}	寒韻
2855b	上加・106ウ1・疊字	天	平	—	—	tʻen^{1}	先韻
2856a	上加・106ウ1・疊字	寒	平	カン	左注	ɣɑn^{1}	寒韻
2856b	上加・106ウ1・疊字	温	平	ウン	左注	ʼuʌn^{1}	魂韻
2857a	上加・106ウ1・疊字	寒	平	カン	右注	ɣɑn^{1}	寒韻
2857b	上加・106ウ1・疊字	燠	入	イク	右注	ʼiʌuk	屋韻
2858a	上加・106ウ2・疊字	寒	平	カン	左注	ɣɑn^{1}	寒韻
2858b	上加・106ウ2・疊字	暑	上	シヨ	左注	śiʌ^{2}	語韻
2859a	上加・106ウ2・疊字	佳	平	カ	左注	kɐ^{1}	佳韻
2859b	上加・106ウ2・疊字	辰	平	シン	左注	źien^{1}	眞韻
2860a	上加・106ウ2・疊字	項	去	カウ	左注	ɣauŋ^{1}	講韻
2860b	上加・106ウ2・疊字	年	上	ネン	左注	nen^{1}	先韻
2861a	上加・106ウ2・疊字	改	平	カイ	左注	kʌi^{2}	海韻
2861b	上加・106ウ2・疊字	年	平	ネン	左注	nen^{1}	先韻
2862a	上加・106ウ2・疊字	閑	平	カン	左注	ɣɐn^{1}	山韻
2862b	上加・106ウ2・疊字	夜	平	ヤ	左注	jia^{3}	禡韻
2863a	上加・106ウ3・疊字	閑	平	カン	左注	ɣɐn^{1}	山韻
2863b	上加・106ウ3・疊字	夕	入	セキ	左注	ziek	昔韻
2864a	上加・106ウ3・疊字	寒	平	カン	左注	ɣɑn^{1}	寒韻
2864b	上加・106ウ3・疊字	地	平	チ	左注	diei^{3}	至韻

2865a	上加・106ウ3・疊字	膏	平	カウ	左注	kɑu$^{1/3}$	豪/号韻
2865b	上加・106ウ3・疊字	腴	平	ハシ	左注	jiuʌ^{1}	虞韻
2866a	上加・106ウ3・疊字	髙	平	カウ	左注	kɑu^{1}	豪韻
2866b	上加・106ウ3・疊字	佤	去	テイ	左注	tei^{1}	齊韻
2867a	上加・106ウ3・疊字	遐	平	カ	左注	ɣa^{1}	麻韻
2867b	上加・106ウ3・疊字	迩	平濁	シ	左注	ńie^{2}	紙韻
2868a	上加・106ウ4・疊字	隔	入	カク	左注	kɐk	麥韻
2868b	上加・106ウ4・疊字	壁	入	ヘキ	左注	pek	錫韻
2869a	上加・106ウ4・疊字	街	平	カイ	左注	kɐ^{1} kɐi^{1}	佳韻 皆韻
2869b	上加・106ウ4・疊字	衢	平	ク	左注	giuʌ^{1}	虞韻
2870a	上加・106ウ4・疊字	稼	平	カ	左注	ka^{3}	禡韻
2870b	上加・106ウ4・疊字	穂	去	スイ	左注	ziuei^{3}	至韻
2871a	上加・106ウ4・疊字	耕	平	カウ	左注	kɐŋ^{1}	耕韻
2871b	上加・106ウ4・疊字	作	入	サク	左注	tsɑk tsuʌ^{3} tsɑ^{3}	鐸韻 暮韻 箇韻
2872a	上加・106ウ4・疊字	耕	平	カウ	左注	kɐŋ^{1}	耕韻
2872b	上加・106ウ4・疊字	種	平	シウ	左注	tśiɑuŋ$^{2/3}$	鍾/用韻
2873a	上加・106ウ5・疊字	開	平	カイ	左注	k'ʌi^{1}	咍韻
2873b	上加・106ウ5・疊字	發	入	ホツ	左注	piɑt	月韻
2874a	上加・106ウ5・疊字	耕	平	カウ	左注	kɐŋ^{1}	耕韻
2874b	上加・106ウ5・疊字	私	平濁	シ	左注	siei^{1}	脂韻
2875a	上加・106ウ5・疊字	開	去	カイ	左注	k'ʌi^{1}	咍韻
2875b	上加・106ウ5・疊字	墾	上	メウ	左注	k'ʌn^{2}	很韻
2876a	上加・106ウ5・疊字	甲	入	カフ	左注	kap	狎韻
2876b	上加・106ウ5・疊字	田	上濁	テン	左注	den^{1}	先韻
2877a	上加・106ウ5・疊字	嚴	平濁	カム	左注	ŋiam^{1}	嚴韻
2877b	上加・106ウ5・疊字	石	入濁	セキ	左注	źiek	昔韻
2878a	上加・106ウ6・疊字	河	平	カ	左注	ɣɑ^{1}	歌韻
2878b	上加・106ウ6・疊字	海	上	カイ	左注	xʌi^{2}	海韻
2879a	上加・106ウ6・疊字	海	上	カイ	左注	xʌi^{2}	海韻
2879b	上加・106ウ6・疊字	濵	平	ヒン	左注	pjien^{1}	眞韻
2880a	上加・106ウ6・疊字	涯	平濁	カイ	中注	ŋɐ^{1}	佳韻
2880b	上加・106ウ6・疊字	岸	去濁	カン	中注	ŋɑn^{3}	翰韻
2881a	上加・106ウ6・疊字	海	上	カイ	左注	xʌi^{2}	海韻
2881b	上加・106ウ6・疊字	渚	上	ソ	左注	tśiʌ^{2}	語韻
2882a	上加・106ウ6・疊字	江	平	カウ	左注	kauŋ^{1}	江韻
2882b	上加・106ウ6・疊字	海	上	カイ	左注	xʌi^{2}	海韻
2883a	上加・106ウ7・疊字	河	平	カ	左注	ɣɑ^{1}	歌韻
2883b	上加・106ウ7・疊字	水	上	スイ	左注	śiuei^{2}	旨韻
2884a	上加・106ウ7・疊字	解	上	カイ	左注	kɐ$^{2/3}$ ɣɐ$^{2/3}$	蟹/卦韻 蟹/卦韻

2884b	上加・106ウ7・疊字	纜	上	ラム	左注	lɑm^{3}	闞韻
2885a	上加・106ウ7・疊字	海	上	カイ	左注	xʌi^{2}	海韻
2885b	上加・106ウ7・疊字	人	平	シン	左注	ńien^{1}	眞韻
2886a	上加・106ウ7・疊字	海	平	カイ	左注	xʌi^{2}	海韻
2886b	上加・106ウ7・疊字	道	平濁	タウ	左注	dɑu^{2}	晧韻
2887a	上加・106ウ7・疊字	含	平	カム	中注	ɣʌm^{1}	覃韻
2887b	上加・106ウ7・疊字	霊	去	レイ	中注	leŋ^{1}	青韻
2888a	上加・107オ1・疊字	香	去	カウ	左注	xiɑŋ^{1}	陽韻
2888b	上加・107オ1・疊字	花	上濁	クワ	左注	xua^{1}	麻韻
2889a	上加・107オ1・疊字	加	去	カ	右注	ka^{1}	麻韻
2889b	上加・107オ1・疊字	持	上濁	チ	右注	ḍiɐi^{1}	之韻
2890a	上加・107オ1・疊字	加	去	カ	左注	ka^{1}	麻韻
2890b	上加・107オ1・疊字	護	平濁	コ	左注	ɣuʌ^{3}	暮韻
2891a	上加・107オ1・疊字	降	去濁	カウ	中注	ɣauŋ^{1} kauŋ^{3}	江韻 絳韻
2891b	上加・107オ1・疊字	伏	入濁	フク	中注	biʌuk	屋韻
2892a	上加・107オ1・疊字	渇	入	カツ	中注	k'ɑt giat	曷韻 薛韻
2892b	上加・107オ1・疊字	仰	平濁	カウ	中注	ŋiɑŋ$^{2/3}$	養/漾韻
2893a	上加・107オ2・疊字	講	平	カウ	左注	kauŋ^{2}	講韻
2893b	上加・107オ2・疊字	堂	上濁	タウ	左注	dɑŋ^{1}	唐韻
2894a	上加・107オ2・疊字	鴈	去濁	カン	左注	ŋan^{3}	諫韻
2894b	上加・107オ2・疊字	塔	入	タウ	左注	t'ɑp	盍韻
2895a	上加・107オ2・疊字	伽	去濁	カ	左注	giɑ^{1}	歌韻
2895b	上加・107オ2・疊字	藍	上	ラム	左注	lɑm^{1}	談韻
2896a	上加・107オ2・疊字	講	平	カウ	左注	kauŋ^{2}	講韻
2896b	上加・107オ2・疊字	說	入濁	セツ	左注	śiuat	薛韻
2897a	上加・107オ2・疊字	講	平	カウ	左注	kauŋ^{2}	講韻
2897b	上加・107オ2・疊字	莚	平	エム	左注	jian$^{1/3}$	仙/線韻
2898a	上加・107オ3・疊字	講	平	カウ	左注	kauŋ^{2}	講韻
2898b	上加・107オ3・疊字	經	去濁	キヤウ	左注	keŋ$^{1/3}$	青/徑韻
2899a	上加・107オ3・疊字	講	平	カウ	左注	kauŋ^{2}	講韻
2899b	上加・107オ3・疊字	演	平	エン	左注	jian^{2}	獮韻
2900a	上加・107オ3・疊字	講	平	カウ	左注	kauŋ^{2}	講韻
2900b	上加・107オ3・疊字	師	上濁	シ	左注	ṣiei^{1}	脂韻
2901a	上加・107オ3・疊字	合	入	カフ	右注	ɣʌp kʌp	合韻 合韻
2901b	上加・107オ3・疊字	煞	入	サツ	右注	ṣɐt	黠韻
2902a	上加・107オ3・疊字	加	去	カ	左注	ka^{1}	麻韻
2902b	上加・107オ3・疊字	茶	上濁	タ	左注	ḍa^{1} dźia^{1} duʌ^{1}	麻韻 麻韻 模韻

2903a	上加・107オ4・疊字	合	入	カフ	左注	ɣʌp kʌp	合韻 合韻
2903b	上加・107オ4・疊字	黨	上	タウ	左注	taŋ^{2}	蕩韻
2904a	上加・107オ4・疊字	戒	平	カイ	左注	kɐi^{3}	怪韻
2904b	上加・107オ4・疊字	牒	平	テウ	左注	dep	帖韻
2905a	上加・107オ4・疊字	羯	入	カツ	左注	kiat	月韻
2905b	上加・107オ4・疊字	磨	平	マ	左注	mɑ$^{1/3}$	戈/過韻
2906a	上加・107オ4・疊字	簡	上	カン	中注	kɐn^{2}	産韻
2906b	上加・107オ4・疊字	略	入	リヤク	中注	liak	藥韻
2907a	上加・107オ4・疊字	考	平	カウ	左注	k'ɑu^{2}	晧韻
2907b	上加・107オ4・疊字	定	平濁	チヤウ	左注	teŋ^{3} deŋ^{3}	徑韻 徑韻
2908a	上加・107オ5・疊字	更	上	カウ	左注	kaŋ$^{1/3}$	庚/映韻
2908b	上加・107オ5・疊字	衣	平	イ	左注	'iʌi$^{1/3}$	微/未韻
2909a	上加・107オ5・疊字	閑	平	カン	中注	ɣɐn^{1}	山韻
2909b	上加・107オ5・疊字	官	平	クワン	中注	kuɑn^{1}	桓韻
2910a	上加・107オ5・疊字	加	去	カ	左注	ka^{1}	麻韻
2910b	上加・107オ5・疊字	階	上	カイ	左注	kɐi^{1}	皆韻
2911a	上加・107オ5・疊字	加	去	カ	左注	ka^{1}	麻韻
2911b	上加・107オ5・疊字	汲	入	キフ	左注	kiep	緝韻
2912a	上加・107オ5・疊字	鴈	去濁	カン	左注	ŋan^{3}	諫韻
2912b	上加・107オ5・疊字	行	平	カウ	左注	ɣaŋ$^{1/3}$ ɣɑŋ$^{1/3}$	庚/映韻 唐/宕韻
2913a	上加・107オ6・疊字	勘	平	カム	中注	k'ʌm^{3}	勘韻
2913b	上加・107オ6・疊字	返	平濁	ヘム	中注	pian^{2}	阮韻
2914a	上加・107オ6・疊字	勘	平	カム	左注	k'ʌm^{3}	勘韻
2914b	上加・107オ6・疊字	發	入濁	ホツ	左注	piat	月韻
2915a	上加・107オ6・疊字	嘉	平	カ	中注	ka^{1}	麻韻
2915b	上加・107オ6・疊字	祥	平	シヤウ	中注	ziaŋ^{1}	陽韻
2916a	上加・107オ6・疊字	旱	去	カン	左注	ɣɑn^{2}	旱韻
2916b	上加・107オ6・疊字	魃	入濁	ハツ	左注	bɑt	末韻
2917a	上加・107オ6・疊字	旱	去	カン	左注	ɣɑn^{2}	旱韻
2917b	上加・107オ6・疊字	澇	上	ラウ	左注	lɑu$^{1/2/3}$	豪/晧/号韻
2918a	上加・107オ7・疊字	合	入濁	カウ	左注	ɣʌp kʌp	合韻 合韻
2918b	上加・107オ7・疊字	藥	入	ヤク	左注	jiak	藥韻
2919a	上加・107オ7・疊字	香	去	カウ	左注	xiaŋ^{1}	陽韻
2919b	上加・107オ7・疊字	藥	入	ヤク	左注	jiak	藥韻
2920a	上加・107オ7・疊字	看	去	カン	左注	k'ɑn$^{1/3}$	寒/翰韻
2920b	上加・107オ7・疊字	病	平濁	ヒヤウ	左注	biaŋ^{3}	映韻
2921a	上加・107オ7・疊字	脚	入	カク	左注	kiak	藥韻
2921b	上加・107オ7・疊字	病	平濁	ヒヤウ	左注	biaŋ^{3}	映韻
2922a	上加・107オ7・疊字	更	去	カウ	左注	kaŋ$^{1/3}$	庚/映韻
2922b	上加・107オ7・疊字	發	入	ホツ	左注	piat	月韻

2923a	上加・107ウ1・疊字	家	平	カ	中注	ka^{1}	麻韻
2923b	上加・107ウ1・疊字	訓	去	クヰン	中注	xiuʌn^{3}	問韻
2924a	上加・107ウ1・疊字	好	上	カウ	左注	xɑu$^{2/3}$	晧/号韻
2924b	上加・107ウ1・疊字	突	入	トツ	左注	duʌt	没韻
2925a	上加・107ウ1・疊字	嫁	去	カ	左注	ka^{3}	禡韻
2925b	上加・107ウ1・疊字	娶	平 入濁	ス	左注	siuʌ^{1} ts‘iuʌ^{3}	虞韻 遇韻
2926a	上加・107ウ1・疊字	佳	平	カ	左注	kɐ^{1}	佳韻
2926b	上加・107ウ1・疊字	人	平濁	シン	左注	ńien^{1}	眞韻
2927a	上加・107ウ1・疊字	閑	平	カン	左注	ɣɐn^{1}	山韻
2927b	上加・107ウ1・疊字	冶	上 去	ヤ	左注	jia^{2}	馬韻
2928a	上加・107ウ2・疊字	佳	平	カイ	左注	kɐ^{1}	佳韻
2928b	上加・107ウ2・疊字	妖	去	エウ	左注	’iau^{1}	宵韻
2929a	上加・107ウ2・疊字	娥	平濁	カ	左注	ŋɑ^{1}	歌韻
2929b	上加・107ウ2・疊字	眉	平濁	ヒ	左注	miei^{1}	脂韻
2930a	上加・107ウ2・疊字	芥	去	カイ	左注	kɐi^{3}	怪韻
2930b	上加・107ウ2・疊字	鷄	平	ケイ	左注	kei^{1}	齊韻
2931a	上加・107ウ2・疊字	髙	去	カウ	左注	kɑu^{1}	豪韻
2931b	上加・107ウ2・疊字	年	平	ネム	左注	nen^{1}	先韻
2932a	上加・107ウ2・疊字	艾	去濁	カイ	左注	ŋɑi^{3} ŋiɑi^{3}	泰韻 廢韻
2932b	上加・107ウ2・疊字	髮	入	ハツ	左注	piɑt	月韻
2933a	上加・107ウ3・疊字	鶴	入	カク	左注	ɣɑk	鐸韻
2933b	上加・107ウ3・疊字	髮	入	ハツ	左注	piɑt	月韻
2934a	上加・107ウ3・疊字	覺	入	カク	左注	kauk kau^{3}	覺韻 効韻
2934b	上加・107ウ3・疊字	悟	平濁	コ	左注	ŋuʌ^{3}	暮韻
2935a	上加・107ウ3・疊字	好	上	カウ	左注	xɑu$^{2/3}$	晧/号韻
2935b	上加・107ウ3・疊字	色	入	ソク	左注	ṣiɐk	職韻
2936a	上加・107ウ3・疊字	隔	入	カク	左注	kɐk	麥韻
2936b	上加・107ウ3・疊字	心	平	シム	左注	siem^{1}	侵韻
2937a	上加・107ウ3・疊字	豪	平	カウ	左注	ɣɑu^{1}	豪韻
2937b	上加・107ウ3・疊字	憶	入	ヲク	左注	’iɐk	職韻
2938a	上加・107ウ4・疊字	雅	上濁	カ	左注	ŋa^{2}	馬韻
2938b	上加・107ウ4・疊字	意	平	イ	左注	’iɐi^{3}	志韻
2939a	上加・107ウ4・疊字	幹	去濁	カン	左注	kɑn^{3}	翰韻
2939b	上加・107ウ4・疊字	了	上	レウ	左注	leu^{2}	篠韻
2940a	上加・107ウ4・疊字	強	平濁	カウ	左注	giɑŋ^{1}	陽韻
2940b	上加・107ウ4・疊字	力	入	リキ	左注	liɐk	職韻
2941a	上加・107ウ4・疊字	甘	平	カム	中注	kɑm^{1}	談韻
2941b	上加・107ウ4・疊字	心	平濁	シム	中注	siem^{1}	侵韻
2942a	上加・107ウ4・疊字	確	入	カク	左注	k‘auk	覺韻
2942b	上加・107ウ4・疊字	執	入	シフ	左注	tśiep	緝韻

2943a	上加・107ウ5・疊字	眼	平濁	カン	左注	ŋɐn²	産韻
2943b	上加・107ウ5・疊字	下	平	カ	左注	ɣa²ᐟ³	馬/禡韻
2944a	上加・107ウ5・疊字	呵	去	カ	左注	xɑ¹ᐟ³	歌/箇韻
2944b	上加・107ウ5・疊字	責	入	セキ	左注	tʂɐk	麥韻
2945a	上加・107ウ5・疊字	勘	平	カム	左注	k'ʌm³	勘韻
2945b	上加・107ウ5・疊字	責	入	セキ	左注	tʂɐk	麥韻
2946a	上加・107ウ5・疊字	睚	去濁	カイ	左注	ŋɐ¹ᐟ³	佳/卦韻
2946b	上加・107ウ5・疊字	眦	平	サイ	左注	dzei³ dzie³	霽韻 寘韻
2947a	上加・107ウ5・疊字	合	入	カウ	左注	ɣʌp kʌp	合韻 合韻
2947b	上加・107ウ5・疊字	力	入	リヨク	左注	liɐk	職韻
2948a	上加・107ウ6・疊字	合	入	カウ	左注	ɣʌp kʌp	合韻 合韻
2948b	上加・107ウ6・疊字	眼	上濁	カン	左注	ŋɐn²	産韻
2949a	上加・107ウ6・疊字	我	平濁	カ	左注	ŋɑ²	哿韻
2949b	上加・107ウ6・疊字	慢	平	マン	左注	man³	諫韻
2950a	上加・107ウ6・疊字	顔	平	カン	左注	ŋan¹	刪韻
2950b	上加・107ウ6・疊字	色	入	ソク	左注	ʂiɐk	職韻
2951a	上加・107ウ6・疊字	強	平濁	カウ	左注	giɑŋ¹	陽韻
2951b	上加・107ウ6・疊字	弱	入	ニヤク	左注	ńiɑk	藥韻
2952a	上加・107ウ6・疊字	肝	平	カン	左注	kɑn¹	寒韻
2952b	上加・107ウ6・疊字	膽	平	タム	左注	tɑm²	敢韻
2953a	上加・107ウ7・疊字	骸	平濁	カイ	左注	ɣɐi¹	皆韻
2953b	上加・107ウ7・疊字	心	平	シム	左注	siem¹	侵韻
2954a	上加・107ウ7・疊字	強	去	カウ	左注	giɑŋ¹	陽韻
2954b	上加・107ウ7・疊字	姧	上	カン	左注	kan¹	刪韻
2955a	上加・107ウ7・疊字	合	入	カフ	左注	ɣʌp kʌp	合韻 合韻
2955b	上加・107ウ7・疊字	聟	去	セイ	左注	sei³	霽韻
2956a	上加・107ウ7・疊字	伉	去	カウ	左注	k'ɑŋ³	宕韻
2956b	上加・107ウ7・疊字	儷	去	レイ	左注	lei³	霽韻
2957a	上加・107ウ7・疊字	偕	平	カイ	中注	kɐi¹	皆韻
2957b	上加・107ウ7・疊字	老	上	ラウ	左注	lɑu²	晧韻
2958a	上加・108オ1・疊字	覺	入	カク	左注	kauk kau³	覺韻 效韻
2958b	上加・108オ1・疊字	譽	平	ヨ	左注	jiʌ¹ᐟ³	魚/御韻
2959a	上加・108オ1・疊字	角	入	カク	左注	kauk lʌuk	覺韻 屋韻
2959b	上加・108オ1・疊字	立	入	リウ	左注	liep	緝韻
2960a	上加・108オ1・疊字	歌	平	カ	中注	kɑ¹	歌韻
2960b	上加・108オ1・疊字	舞	上濁	フ	中注	miuʌ²	麌韻
2961a	上加・108オ1・疊字	遨	―	カウ	中注	ŋɑu¹	豪韻
2961b	上加・108オ1・疊字	遊	―	イウ	左注	jiʌu¹	尤韻

2962a	上加・108オ1・疊字	感	上	カム	左注	kʌm^{2}	感韻
2962b	上加・108オ1・疊字	興	去	ケウ	左注	xieŋ$^{1/3}$	蒸/證韻
2963a	上加・108オ2・疊字	感	上	カム	左注	kʌm^{2}	感韻
2963b	上加・108オ2・疊字	情	平	セイ	左注	dzieŋ^{1}	清韻
2964a	上加・108オ2・疊字	感	上	カム	左注	kʌm^{2}	感韻
2964b	上加・108オ2・疊字	心	平	シム	左注	siem^{1}	侵韻
2965a	上加・108オ2・疊字	感	上	カム	右注	kʌm^{2}	感韻
2965b	上加・108オ2・疊字	悦	入	エツ	右注	jiuat	薛韻
2966a	上加・108オ2・疊字	感	上	カム	右注	kʌm^{2}	感韻
2966b	上加・108オ2・疊字	歓	平	クワン	右注	xuɑn^{1}	桓韻
2967a	上加・108オ2・疊字	感	上	カン	右注	kʌm^{2}	感韻
2967b	上加・108オ2・疊字	欣	平	キム	右注	xiʌn^{1}	欣韻
2968a	上加・108オ3・疊字	感	上	カン	右注	kʌm^{2}	感韻
2968b	上加・108オ3・疊字	緒	上	ソ	右注	ziʌ^{2}	語韻
2969a	上加・108オ3・疊字	閑	平	カン	左注	ɣɐn^{1}	山韻
2969b	上加・108オ3・疊字	語	上濁	コ	左注	ŋiʌ$^{2/3}$	語/御韻
2970a	上加・108オ3・疊字	閑	平	カン	右注	ɣɐn^{1}	山韻
2970b	上加・108オ3・疊字	談	平濁	タム	右注	dɑm^{2}	談韻
2971a	上加・108オ3・疊字	髙	平	カウ	左注	kɑu^{1}	豪韻
2971b	上加・108オ3・疊字	脣	平	シン	左注	dźiuen^{1}	諄韻
2972a	上加・108オ3・疊字	髙	去	カウ	左注	kɑu^{1}	豪韻
2972b	上加・108オ3・疊字	聲	上	シヤウ	左注	śieŋ^{1}	清韻
2973a	上加・108オ4・疊字	巧	上	カウ	左注	k'au$^{2/3}$	巧/効韻
2973b	上加・108オ4・疊字	言	平濁	ケム	左注	ŋiɑn^{1}	元韻
2974a	上加・108オ4・疊字	膠	平	カウ	左注	kau$^{1/3}$	肴/効韻
2974b	上加・108オ4・疊字	言	平濁	ケム	左注	ŋiɑn^{1}	元韻
2975a	上加・108オ4・疊字	勘	平	カム	左注	k'ʌm^{3}	勘韻
2975b	上加・108オ4・疊字	畢	入	ヒツ	左注	pjiet	質韻
2976a	上加・108オ4・疊字	勘	平	カム	右注	k'ʌm^{3}	勘韻
2976b	上加・108オ4・疊字	濟	上濁	セイ	右注	tsei$^{2/3}$	薺/霽韻
2977a	上加・108オ4・疊字	覺	入	カク	左注	kauk kau^{3}	覺韻 効韻
2977b	上加・108オ4・疊字	舉	平	ヨ	左注	jiʌ^{1} kiʌ^{2}	魚韻 語韻
2978a	上加・108オ5・疊字	佳	平	カ	中注	kɐ^{1}	佳韻
2978b	上加・108オ5・疊字	客	入	カク	中注	k'ak	陌韻
2979a	上加・108オ5・疊字	交	平	カウ	左注	kau^{1}	肴韻
2979b	上加・108オ5・疊字	分	去濁	フン	左注	biuʌn^{3}	問韻
2980a	上加・108オ5・疊字	膠	平	カウ	左注	kau$^{1/3}$	肴/効韻
2980b	上加・108オ5・疊字	漆	入	シツ	左注	ts'iet	質韻
2981a	上加・108オ5・疊字	膠	平	カウ	左注	kau$^{1/3}$	肴/効韻
2981b	上加・108オ5・疊字	柱	平	チウ	左注	ḍiuʌ^{2} ṭiuʌ^{2}	麌韻 麌韻

2982a	上加・108オ5・疊字	交	平	カウ	左注	kau^{1}	肴韻
2982b	上加・108オ5・疊字	水	上	スイ	左注	śiuei^{2}	旨韻
2983a	上加・108オ6・疊字	甘	平	カム	左注	kɑm^{1}	談韻
2983b	上加・108オ6・疊字	醴	上	レイ	左注	lei^{1}	薺韻
2984a	上加・108オ6・疊字	感	上	カム	左注	kʌm^{2}	感韻
2984b	上加・108オ6・疊字	會	去	クワイ	左注	ɣuɑi^{3} kuɑi^{3}	泰韻 泰韻
2985a	上加・108オ6・疊字	嘉	平	カ	左注	ka^{1}	麻韻
2985b	上加・108オ6・疊字	會	去	クワイ	左注	ɣuɑi^{3} kuɑi^{3}	泰韻 泰韻
2986a	上加・108オ6・疊字	嘉	平	カ	左注	ka^{1}	麻韻
2986b	上加・108オ6・疊字	招	去	セウ	左注	tśiau^{1}	宵韻
2987a	上加・108オ6・疊字	高	去	カウ	左注	kɑu^{1}	豪韻
2987b	上加・108オ6・疊字	家	上	ケ	左注	ka^{1}	麻韻
2988a	上加・108オ7・疊字	下	平	カ	左注	ɣa$^{2/3}$	馬/禡韻
2988b	上加・108オ7・疊字	種	平	シウ	左注	tśiɑuŋ$^{2/3}$	鍾/用韻
2989a	上加・108オ7・疊字	下	去	カ	左注	ɣa$^{2/3}$	馬/禡韻
2989b	上加・108オ7・疊字	宅	入	タク	左注	ḍak	陌韻
2990a	上加・108オ7・疊字	下	去	カ	左注	ɣa$^{2/3}$	馬/禡韻
2990b	上加・108オ7・疊字	愚	平濁	ク	左注	ŋiuʌ^{1}	虞韻
2991a	上加・108オ7・疊字	衡	平濁	カウ	左注	ɣaŋ^{1}	庚韻
2991b	上加・108オ7・疊字	門	平	モン	左注	muʌn^{1}	魂韻
2992a	上加・108オ7・疊字	閑	平	カン	中注	ɣɐn^{1}	山韻
2992b	上加・108オ7・疊字	散	去	サン	中注	sɑn$^{2/3}$	旱/翰韻
2993a	上加・108ウ1・疊字	閑	平	カン	左注	ɣɐn^{1}	山韻
2993b	上加・108ウ1・疊字	素	上	ソ	左注	suʌ^{3}	暮韻
2994a	上加・108ウ1・疊字	餓	去濁	カ	左注	ŋɑ^{3}	箇韻
2994b	上加・108ウ1・疊字	死	上	シ	左注	siei^{2}	旨韻
2995a	上加・108ウ1・疊字	寒	平	カン	左注	ɣɑn^{1}	寒韻
2995b	上加・108ウ1・疊字	素	上 去	ソ	左注	suʌ^{3}	暮韻
2996a	上加・108ウ1・疊字	寒	平	カン	左注	ɣɑn^{1}	寒韻
2996b	上加・108ウ1・疊字	門	平	モン	左注	muʌn^{1}	魂韻
2997a	上加・108ウ1・疊字	寒	平	カン	左注	ɣɑn^{1}	寒韻
2997b	上加・108ウ1・疊字	苦	上	ク	左注	k'uʌ$^{2/3}$	姥/暮韻
2998a	上加・108ウ1・疊字	寒	平	カン	中注	ɣɑn^{1}	寒韻
2998b	上加・108ウ1・疊字	苦	上	コ	中注	k'uʌ$^{2/3}$	姥/暮韻
2999a	上加・108ウ2・疊字	恪	入	カク	左注	k'ɑk	鐸韻
2999b	上加・108ウ2・疊字	勤	平濁	コン	左注	giʌn^{1}	欣韻
3000a	上加・108ウ2・疊字	狎	入	カフ	左注	ɣap	狎韻
3000b	上加・108ウ2・疊字	客	入	カク	左注	k'ak	陌韻
3001a	上加・108ウ2・疊字	強	平濁	カウ	左注	giɑŋ^{1}	陽韻
3001b	上加・108ウ2・疊字	縁	去	エン	左注	jiuan$^{1/3}$	仙/線韻

3002a	上加・108ウ2・疊字	河	平	カ	左注	ɣɑ^{1}	歌韻
3002b	上加・108ウ2・疊字	難	平	ナン	左注	$\text{nɑn}^{1/3}$	寒/翰韻
3003a	上加・108ウ2・疊字	學	入濁	カク	左注	ɣauk	覺韻
3003b	上加・108ウ2・疊字	生	上	シヤウ	左注	$\text{ṣaŋ}^{1/3}$	庚/映韻
3004a	上加・108ウ3・疊字	學	入	カク	左注	ɣauk	覺韻
3004b	上加・108ウ3・疊字	館	去	クワン	左注	kuɑn^{3}	換韻
3005a	上加・108ウ3・疊字	學	入	カク	左注	ɣauk	覺韻
3005b	上加・108ウ3・疊字	堂	去	タウ	左注	dɑŋ^{1}	唐韻
3006a	上加・108ウ3・疊字	鴈	去濁	カン	左注	ŋan^{3}	諫韻
3006b	上加・108ウ3・疊字	帛	入	ハク	左注	bak	陌韻
3007a	上加・108ウ3・疊字	鴈	去濁	—	—	ŋan^{3}	諫韻
3007b	上加・108ウ3・疊字	書	平	—	—	śiʌ^{1}	魚韻
3008a	上加・108ウ3・疊字	學	入濁	カク	左注	ɣauk	覺韻
3008b	上加・108ウ3・疊字	門	平	モン	左注	muʌn^{1}	魂韻
3009a	上加・108ウ4・疊字	髙	東	カウ	左注	kɑu^{1}	豪韻
3009b	上加・108ウ4・疊字	才	平	サイ	左注	dzʌi^{1}	咍韻
3010a	上加・108ウ4・疊字	強	去濁	カウ	左注	giɑŋ^{1}	陽韻
3010b	上加・108ウ4・疊字	記	平	キ	左注	kiɐi^{3}	志韻
3011a	上加・108ウ4・疊字	洽	入	カフ	左注	ɣɐp	洽韻
3011b	上加・108ウ4・疊字	聞	去	フン	左注	$\text{miuʌn}^{1/3}$	文/問韻
3012a	上加・108ウ4・疊字	髙	東	カウ	左注	kɑu^{1}	豪韻
3012b	上加・108ウ4・疊字	悔	去	クワイ	左注	$\text{xuʌi}^{2/3}$	賄/隊韻
3013a	上加・108ウ4・疊字	鑒	去	カム	左注	$\text{kam}^{1/3}$	銜/鑑韻
3013b	上加・108ウ4・疊字	誡	去	カイ	左注	kɐi^{3}	怪韻
3014a	上加・108ウ5・疊字	髙	東	カウ	左注	kɑu^{1}	豪韻
3014b	上加・108ウ5・疊字	教	平	カウ	左注	$\text{kau}^{1/3}$	肴/効韻
3015a	上加・108ウ5・疊字	翰	去	カン	左注	$\text{ɣɑn}^{1/3}$	寒/翰韻
3015b	上加・108ウ5・疊字	藻	上	サウ	左注	tsɑu^{2}	晧韻
3016a	上加・108ウ5・疊字	苛	平	カ	左注	ɣɑ^{1}	歌韻
3016b	上加・108ウ5・疊字	法	入	ハウ	左注	piʌp	乏韻
3017a	上加・108ウ5・疊字	苛	平	カ	左注	ɣɑ^{1}	歌韻
3017b	上加・108ウ5・疊字	政	去	セイ	左注	tśieŋ^{3}	勁韻
3018a	上加・108ウ5・疊字	苛	平	カ	右注	ɣɑ^{1}	歌韻
3018b	上加・108ウ5・疊字	酷	入	コク	右注	k‘ɑuk	沃韻
3019a	上加・108ウ6・疊字	勘	平	カン	左注	k‘ʌm^{3}	勘韻
3019b	上加・108ウ6・疊字	問	平	モン	左注	miuʌn^{3}	問韻
3020a	上加・108ウ6・疊字	拷	平	カウ	左注	(k‘ɑu^{2})	晧韻
3020b	上加・108ウ6・疊字	掠	平	リヤウ	左注	liɑŋ^{3}	漾韻
3021a	上加・108ウ6・疊字	拷	平濁	カウ	左注	(k‘ɑu^{2})	晧韻
3021b	上加・108ウ6・疊字	迅	平	シム	左注	sien^{3} siuen^{3}	震韻 稕韻
3022a	上加・108ウ6・疊字	勘	去	カム	左注	k‘ʌm^{3}	勘韻
3022b	上加・108ウ6・疊字	當	上濁	タウ	左注	$\text{tɑŋ}^{1/3}$	唐/宕韻

3023a	上加・108ウ7・疊字	拷	平	カウ	右注	(k'ɑu^{2})	晧韻
3023b	上加・108ウ7・疊字	悶	平	モン	右注	muʌn^{3}	慁韻
3024a	上加・108ウ7・疊字	勘	平	カム	左注	k'ʌm^{3}	勘韻
3024b	上加・108ウ7・疊字	糺	平	キウ	左注	kieu^{2}	黝韻
3025a	上加・108ウ7・疊字	簡	上	カン	左注	kɐn^{2}	產韻
3025b	上加・108ウ7・疊字	定	平	チヤウ	左注	teŋ^{3} deŋ^{3}	徑韻 徑韻
3026a	上加・108ウ7・疊字	改	平	カイ	左注	kʌi^{2}	海韻
3026b	上加・108ウ7・疊字	定	平濁	チヤウ	左注	teŋ^{3} deŋ^{3}	徑韻 徑韻
3027a	上加・108ウ7・疊字	甲	入	カウ	左注	kap	狎韻
3027b	上加・108ウ7・疊字	兵	上	ヒヤウ	左注	piaŋ^{1}	庚韻
3028a	上加・109オ1・疊字	甲	入	カウ	左注	kap	狎韻
3028b	上加・109オ1・疊字	冑	去	チウ	左注	ḍiʌu^{3}	宥韻
3029a	上加・109オ1・疊字	高	(東)	カウ	左注	kɑu^{1}	豪韻
3029b	上加・109オ1・疊字	匡	平	クヰヤウ	左注	k'iuɑŋ^{1}	陽韻
3030a	上加・109オ1・疊字	敢	去	カム	左注	k'ɑm^{2}	敢韻
3030b	上加・109オ1・疊字	言	平	ケム	左注	ŋiɑn^{1}	元韻
3031a	上加・109オ1・疊字	合	入	カフ	左注	ɣʌp kʌp	合韻 合韻
3031b	上加・109オ1・疊字	戦	去	セン	左注	tśian^{3}	線韻
3032a	上加・109オ1・疊字	降	平	カウ	左注	ɣauŋ^{1} kauŋ^{3}	江韻 絳韻
3032b	上加・109オ1・疊字	人	去	ニン	左注	ńien^{1}	眞韻
3033a	上加・109オ2・疊字	姧	平	カン	左注	kan^{1}	刪韻
3033b	上加・109オ2・疊字	濫	去	ラン	左注	lɑm^{3}	闞韻
3034a	上加・109オ2・疊字	確	入	カク	左注	k'auk	覺韻
3034b	上加・109オ2・疊字	論	去	ロン	左注	luʌn$^{1/3}$ liuen^{1}	魂/慁韻 諄韻
3035a	上加・109オ2・疊字	姧	去	カム	右注	kan^{1}	刪韻
3035b	上加・109オ2・疊字	心	上濁	シム	右注	siem^{1}	侵韻
3036a	上加・109オ2・疊字	姦	平	カン	左注	kan^{1}	刪韻
3036b	上加・109オ2・疊字	匿	入	チヨク	左注	ṇiɐk	職韻
3037a	上加・109オ2・疊字	姧	去	カン	左注	kan^{1}	刪韻
3037b	上加・109オ2・疊字	行	平	キヤウ	左注	ɣaŋ$^{1/3}$ ɣɑŋ$^{1/3}$	庚/映韻 唐/宕韻
3038a	上加・109オ3・疊字	鉗	平	カム	左注	giam^{1}	鹽韻
3038b	上加・109オ3・疊字	口	上	コウ	左注	k'ʌu^{2}	厚韻
3039a	上加・109オ3・疊字	邂	上	カイ	左注	ɣɐ^{3}	卦韻
3039b	上加・109オ3・疊字	逅	去	コウ	左注	ɣʌu^{3}	候韻
3040a	上加・109オ3・疊字	干	平	カン	左注	kɑn^{1}	寒韻
3040b	上加・109オ3・疊字	紀	平	キ	左注	kiɐi^{2}	止韻
3041a	上加・109オ3・疊字	高	東	カウ	左注	kɑu^{1}	豪韻

3041b	上加・109オ3・疊字	湖	平	コ	左注	ɣuʌ^{1}	模韻
3042a	上加・109オ3・疊字	強	去濁	カウ	左注	giaŋ^{1}	陽韻
3042b	上加・109オ3・疊字	竊	入	セツ	左注	ts'et	屑韻
3043a	上加・109オ4・疊字	海	平	カイ	左注	xʌi^{2}	海韻
3043b	上加・109オ4・疊字	賊	入濁	ソク	左注	dzʌk	徳韻
3044a	上加・109オ4・疊字	強	去濁	カム	左注	giaŋ^{1}	陽韻
3044b	上加・109オ4・疊字	盜	上濁	タウ	左注	dau^{3}	号韻
3045a	上加・109オ4・疊字	家	平	カ	左注	ka^{1}	麻韻
3045b	上加・109オ4・疊字	屋	入	オク	左注	'ʌuk	屋韻
3046a	上加・109オ4・疊字	閑	平	カン	中注	ɣɐn^{1}	山韻
3046b	上加・109オ4・疊字	居	平	キヨ	中注	kiʌ^{1} kiɐi^{1}	魚韻 之韻
3047a	上加・109オ4・疊字	閑	平	カン	左注	ɣɐn^{1}	山韻
3047b	上加・109オ4・疊字	素	去	ソ	左注	suʌ^{3}	暮韻
3048a	上加・109オ5・疊字	閑	平	カン	左注	ɣɐn^{1}	山韻
3048b	上加・109オ5・疊字	寂	入	セキ	左注	dzek	錫韻
3049a	上加・109オ5・疊字	閑	平	カン	左注	ɣɐn^{1}	山韻
3049b	上加・109オ5・疊字	暇	上濁	カ	左注	ɣa^{3}	禡韻
3050a	上加・109オ5・疊字	閑	平	カン	左注	ɣɐn^{1}	山韻
3050b	上加・109オ5・疊字	所	平濁	シヨ	左注	ṣiʌ^{2}	語韻
3051a	上加・109オ5・疊字	閑	平	カン	左注	ɣɐn^{1}	山韻
3051b	上加・109オ5・疊字	吟	平	キム	左注	ŋiem$^{1/3}$	侵/沁韻
3052a	上加・109オ5・疊字	加	去	カ	左注	ka^{1}	麻韻
3052b	上加・109オ5・疊字	冠	平	クワン	左注	kuan$^{1/3}$	桓/換韻
3053a	上加・109オ6・疊字	鸖	入	カウ	左注	ɣak	鐸韻
3053b	上加・109オ6・疊字	頭	平	トウ	左注	dʌu^{1}	侯韻
3054a	上加・109オ6・疊字	好	上	カウ	左注	xau$^{2/3}$	晧/号韻
3054b	上加・109オ6・疊字	飲	上	イム	左注	'iem$^{2/3}$	寑/沁韻
3055a	上加・109オ6・疊字	看	平	カン	左注	k'an$^{1/3}$	寒/翰韻
3055b	上加・109オ6・疊字	清	平	セイ	左注	ts'ieŋ^{1}	清韻
3056a	上加・109オ6・疊字	行	平	カウ	左注	ɣaŋ$^{1/3}$ ɣaŋ$^{1/3}$	庚/映韻 唐/宕韻
3056b	上加・109オ6・疊字	酒	上	シユ	左注	tsiʌu^{2}	有韻
3057a	上加・109オ6・疊字	向	平	カウ	左注	xiaŋ^{3} śiaŋ^{3}	漾韻 漾韻
3057b	上加・109オ6・疊字	酒	上	シユ	左注	tsiʌu^{2}	有韻
3058a	上加・109オ7・疊字	高	平	カウ	左注	kau^{1}	豪韻
3058b	上加・109オ7・疊字	苗	去濁	ハウ	左注	miau^{1}	宵韻
3059a	上加・109オ7・疊字	高	去	カウ	左注	kau^{1}	豪韻
3059b	上加・109オ7・疊字	實	入	シチ	左注	dźiet	質韻
3060a	上加・109オ7・疊字	稼	平	カ	左注	ka^{3}	禡韻
3060b	上加・109オ7・疊字	子	平	シ	左注	tsiɐi^{2}	止韻
3061a	上加・109オ7・疊字	強	平濁	カウ	左注	giaŋ^{1}	陽韻

3061b	上加・109オ7・疊字	力	入	リキ	左注	liɐk	職韻
3062a	上加・109オ7・疊字	樂	入濁	カク	左注	ŋauk lɑk ŋau^{3}	覺韻 鐸韻 効韻
3062b	上加・109オ7・疊字	器	上濁	キ	左注	k'iei^{3}	至韻
3063a	上加・109ウ1・疊字	雅	平濁 去濁	カ	中注	ŋa^{2}	馬韻
3063b	上加・109ウ1・疊字	樂	入濁	カク	中注	ŋauk lɑk ŋau^{3}	覺韻 鐸韻 効韻
3064a	上加・109ウ1・疊字	雅	去濁	カ	左注	ŋa^{2}	馬韻
3064b	上加・109ウ1・疊字	音	平	イム	左注	'iem^{1}	侵韻
3065a	上加・109ウ1・疊字	雅	上濁	カ	左注	ŋa^{2}	馬韻
3065b	上加・109ウ1・疊字	旨	平	シ	左注	śiei^{2}	旨韻
3066a	上加・109ウ1・疊字	鏗	平	カウ	中注	k'ɐŋ^{1}	耕韻
3066b	上加・109ウ1・疊字	鏘	平濁	シヤウ	中注	ts'iɑŋ^{1}	陽韻
3067a	上加・109ウ1・疊字	行	平	カウ	左注	ɣaŋ$^{1/3}$ ɣɑŋ$^{1/3}$	庚/映韻 唐/宕韻
3067b	上加・109ウ1・疊字	旅	上	リヨ	左注	liʌ^{2}	語韻
3068a	上加・109ウ2・疊字	客	入	カク	左注	k'ak	陌韻
3068b	上加・109ウ2・疊字	遊	平	イウ	左注	jiʌu^{1}	尤韻
3069a	上加・109ウ2・疊字	艱	去	カン	左注	kɐn^{1}	山韻
3069b	上加・109ウ2・疊字	難	平	ナン	左注	nɑn$^{1/3}$	寒/翰韻
3070a	上加・109ウ2・疊字	脚	入	カク	左注	kiɑk	藥韻
3070b	上加・109ウ2・疊字	力	入	リキ	左注	liɐk	職韻
3071a	上加・109ウ2・疊字	行	平	カウ	左注	ɣaŋ$^{1/3}$ ɣɑŋ$^{1/3}$	庚/映韻 唐/宕韻
3071b	上加・109ウ2・疊字	李	上	リ	左注	liɐi^{2}	止韻
3072a	上加・109ウ2・疊字	綱	平	カウ	左注	kɑŋ^{1}	唐韻
3072b	上加・109ウ2・疊字	丁	平	チヤウ	左注	teŋ^{1} ṭɐŋ^{1}	青韻 耕韻
3073a	上加・109ウ3・疊字	邯	平	カム	左注	ɣɑn^{1}	寒韻
3073b	上加・109ウ3・疊字	鄲	平	タン	左注	tɑn^{1}	寒韻
3074a	上加・109ウ3・疊字	行	平	カウ	左注	ɣaŋ$^{1/3}$ ɣɑŋ$^{1/3}$	庚/映韻 唐/宕韻
3074b	上加・109ウ3・疊字	歩	上	ホ	左注	buʌ^{3}	暮韻
3075a	上加・109ウ3・疊字	欠	去	カン	中注	k'iʌm^{3}	梵韻
3075b	上加・109ウ3・疊字	剩	上	シヨウ	中注	dźiɐŋ^{3}	證韻
3076a	上加・109ウ3・疊字	勘	平	カム	左注	k'ʌm^{3}	勘韻
3076b	上加・109ウ3・疊字	合	入	カウ □フ	左注	ɣʌp kʌp	合韻 合韻
3077a	上加・109ウ3・疊字	毫	去濁	カウ	左注	ɣɑu^{1}	豪韻
3077b	上加・109ウ3・疊字	氂	上	リ	左注	liɐi^{1}	之韻

3078a	上加・109ウ4・疊字	家	平	カ	右注	ka^{1}	麻韻
3078b	上加・109ウ4・疊字	計	去	ケイ	右注	kei^{3}	霽韻
3079a	上加・109ウ4・疊字	家	平	カ	右注	ka^{1}	麻韻
3079b	上加・109ウ4・疊字	途	平	ト	右注	duʌ^{1}	模韻
3080a	上加・109ウ4・疊字	髙	去	カウ	右注	kɑu^{1}	豪韻
3080b	上加・109ウ4・疊字	直	入	チキ	右注	ḍiɐk	職韻
3081a	上加・109ウ4・疊字	堪	去	カム	左注	k'ʌm^{1}	覃韻
3081b	上加・109ウ4・疊字	能	上	ノウ	左注	nʌŋ$^{1/2}$ nʌi$^{1/3}$	登/等韻 咍/代韻
3082a	上加・109ウ4・疊字	涯	平	カイ	左注	ŋɐ^{1}	佳韻
3082b	上加・109ウ4・疊字	分	去濁	フン	左注	biuʌn^{3}	問韻
3083a	上加・109ウ5・疊字	合	入	カフ	右注	ɣʌp kʌp	合韻 合韻
3083b	上加・109ウ5・疊字	應	平	ヰヨウ	右注	'iɐŋ$^{1/3}$	蒸/證韻
3084a	上加・109ウ5・疊字	鶴	入	カク	右注	ɣɑk	鐸韻
3084b	上加・109ウ5・疊字	望	平濁	ハウ	右注	miɑŋ$^{1/3}$	陽/漾韻
3085a	上加・109ウ5・疊字	髙	東	カウ	右注	kɑu^{1}	豪韻
3085b	上加・109ウ5・疊字	覧	上	ラム	右注	lɑm^{2}	敢韻
3086a	上加・109ウ5・疊字	監	去	カム	左注	kam$^{1/3}$	銜/鑑韻
3086b	上加・109ウ5・疊字	察	入	サツ	左注	ṣɐt	黠韻
3087a	上加・109ウ5・疊字	肝	去	カン	右注	kɑn^{1}	寒韻
3087b	上加・109ウ5・疊字	心	上濁	シム	右注	siem^{1}	侵韻
3088a	上加・109ウ6・疊字	梗	上	カウ	右注	kaŋ^{2}	梗韻
3088b	上加・109ウ6・疊字	槩	平濁	カイ	右注	kʌi^{3}	代韻
3089a	上加・109ウ6・疊字	慷	去	カウ	右注	k'ɑŋ^{2}	蕩韻
3089b	上加・109ウ6・疊字	慨	去	カイ	右注	k'ʌi^{3}	代韻
3090a	上加・109ウ6・疊字	傲	去	カウ	右注	ŋɑu^{3}	号韻
3090b	上加・109ウ6・疊字	憍	上	ケウ	右注	kiau^{1}	宵韻
3091a	上加・109ウ6・疊字	瑕	平	カ	右注	ɣa^{1}	麻韻
3091b	上加・109ウ6・疊字	舋	去	キン	右注	xien^{3}	震韻
3092a	上加・109ウ6・疊字	瑕	平	カ	右注	ɣa^{1}	麻韻
3092b	上加・109ウ6・疊字	瑾	去	キン	右注	gien^{3}	震韻
3093a	上加・109ウ7・疊字	開	平	カイ	右注	k'ʌi^{1}	咍韻
3093b	上加・109ウ7・疊字	撿	平	ケム	右注	liɑm^{2}	琰韻
3094a	上加・109ウ7・疊字	揩	平	カイ	右注	k'ɐi$^{1/3}$	皆/怪韻
3094b	上加・109ウ7・疊字	摸	上濁	ホ	右注	muʌ^{1} mɑk	模韻 鐸韻
3095a	上加・109ウ7・疊字	感	上	カム	右注	kʌm^{2}	感韻
3095b	上加・109ウ7・疊字	歎	平	タム	右注	t'ɑn^{3}	翰韻
3096a	上加・109ウ7・疊字	感	上	カム	右注	kʌm^{2}	感韻
3096b	上加・109ウ7・疊字	荷	平	カ	右注	ɣɑ$^{1/2}$	歌/哿韻
3097a	上加・109ウ7・疊字	簡	上	カン	右注	kɐn^{2}	産韻
3097b	上加・109ウ7・疊字	要	平	エウ	右注	'jiau$^{1/3}$	宵/笑韻

3098a	上加・110オ1・疊字	甘	去	カム	右注	kɑm^{1}	談韻
3098b	上加・110オ1・疊字	露	平	ロ	右注	luʌ^{3}	暮韻
3099a	上加・110オ1・疊字	割	入	カツ	右注	kɑt	曷韻
3099b	上加・110オ1・疊字	置	上	チ	右注	ṭiɐi^{3}	志韻
3100a	上加・110オ1・疊字	涯	去濁	カイ	右注	ŋɐ^{1}	佳韻
3100b	上加・110オ1・疊字	際	平	サイ	右注	tsiai^{3}	祭韻
3101a	上加・110オ1・疊字	客	入	カク	右注	kʻak	陌韻
3101b	上加・110オ1・疊字	遊	平	イフ	右注	jiʌu^{1}	尤韻
3102a	上加・110オ1・疊字	改	平	カイ	右注	kʌi^{2}	海韻
3102b	上加・110オ1・疊字	易	入	エキ	右注	jiek	昔韻
3103a	上加・110オ2・疊字	堪	平	カム	右注	kʻʌm^{1}	覃韻
3103b	上加・110オ2・疊字	會	平	ヱ	右注	ɣuɑi^{3} kuɑi^{3}	泰韻 泰韻
3104a	上加・110オ2・疊字	炊	―	カム	右注	tśʻiue^{1}	支韻
3104b	上加・110オ2・疊字	爨	―	キウ	右注	tsʻuɑn^{3}	換韻
3105a	上加・110オ2・疊字	合	入濁	カフ	右注	ɣʌp kʌp	合韻 合韻
3105b	上加・110オ2・疊字	夕	入	シヤク	右注	ziek	昔韻
3106a	上加・110オ2・疊字	寒	平	カン	右注	ɣɑn^{1}	寒韻
3106b	上加・110オ2・疊字	心	上濁	シム	右注	siem^{1}	侵韻
3107a	上加・110オ2・疊字	耿	平	カウ	右注	kɐŋ^{2}	耿韻
3107b	上加・110オ2・疊字	介	去	カイ	右注	kɐi^{3}	怪韻
3108a	上加・110オ3・疊字	轗	上	カム	右注	kʻʌm$^{2/3}$	感/勘韻
3108b	上加・110オ3・疊字	軻	平	カ	右注	kʻɑ$^{1/2/3}$	歌/哿/箇韻
3109a	上加・110オ3・疊字	坎	上	カム	右注	kʻʌm^{2}	感韻
3109b	上加・110オ3・疊字	壈	上	リム	右注	lʌm^{2}	感韻
3110a	上加・110オ3・疊字	監	平	カム	右注	kam$^{1/3}$	銜/鑑韻
3110b	上加・110オ3・疊字	誡	去	カイ	右注	kɐi^{3}	怪韻
3111a	上加・110オ3・疊字	確	入	カク	右注	kʻauk	覺韻
3111b	上加・110オ3・疊字	乎	平	コ	右注	ɣuʌ^{1}	模韻
3112a	上加・110オ3・疊字	荷	去	カ	右注	ɣɑ$^{1/2}$	歌/哿韻
3112b	上加・110オ3・疊字	擔	平	タム	右注	tɑm$^{1/3}$	談/闞韻
3113a	上加・110オ4・疊字	解	上	カイ	右注	kɐ$^{2/3}$ ɣɐ$^{2/3}$	蟹/卦韻 蟹/卦韻
3113b	上加・110オ4・疊字	脱	入	タツ	右注	duɑt tʻuɑt	末韻 末韻
3114a	上加・110オ4・疊字	強	平濁	カウ	右注	giɑŋ^{1}	陽韻
3114b	上加・110オ4・疊字	盛	去濁	シヤウ	右注	źieŋ$^{1/3}$	清/勁韻
3115a	上加・110オ4・疊字	我	平濁	カ	右注	ŋɑ^{2}	哿韻
3115b	上加・110オ4・疊字	執	入	シウ	右注	tśiep	緝韻
3116a	上加・110オ4・疊字	行	平	カウ	右注	ɣaŋ$^{1/3}$ ɣɑŋ$^{1/3}$	庚/映韻 唐/宕韻
3116b	上加・110オ4・疊字	蔵	平	サウ	右注	dzɑŋ$^{1/3}$	唐/宕韻

3117a	上加・110オ4・疊字	函	東?	カム	右注	ɣʌm^{1} ɣɐm^{1}	覃韻 咸韻
3117b	上加・110オ4・疊字	谷	入	コク	右注	kʌuk lʌuk jiauk giak	屋韻 屋韻 燭韻 藥韻
3118a	上加・110オ5・疊字	蓋	去	カイ	右注	kai^{3} ɣap kap	泰韻 盍韻 盍韻
3118b	上加・110オ5・疊字	嶺	上	レイ	右注	lieŋ^{1}	靜韻
3119a	上加・110オ5・疊字	佳	平	カ	右注	kɐ^{1}	佳韻
3119b	上加・110オ5・疊字	賔	平	ヒン	右注	pjien^{1}	眞韻
3120a	上加・110オ5・疊字	酣	平	カム	右注	ɣam^{1}	談韻
3120b	上加・110オ5・疊字	暢	去	チヤウ	右注	ṭ'iaŋ^{3}	漾韻
3121a	上加・110オ5・疊字	絳	去	カウ	右注	kauŋ^{3}	絳韻
3121b	上加・110オ5・疊字	沙	平	サ	右注	ṣa$^{1/3}$	麻/禡韻
3122a	上加・110オ5・疊字	鵝	平濁	カ	右注	ŋa^{1}	歌韻
3122b	上加・110オ5・疊字	眼	上濁	カン	右注	ŋɐn^{2}	産韻
3123a	上加・110オ6・疊字	霞	平	カ	右注	ɣa^{1}	麻韻
3123b	上加・110オ6・疊字	光	去	クワウ	右注	kuaŋ$^{1/3}$	唐/宕韻
3124a	上加・110オ6・疊字	銜	平濁	カム	右注	ɣam^{1}	銜韻
3124b	上加・110オ6・疊字	泥	平濁	テイ	右注	nei$^{1/3}$	齊/霽韻
3125a	上加・110オ6・疊字	銜	平	カム	右注	ɣam^{1}	銜韻
3125b	上加・110オ6・疊字	燭	入	シヨク	右注	tśiauk	燭韻
3126a	上加・110オ6・疊字	解	上	カイ	右注	kɐ$^{2/3}$ ɣɐ$^{2/3}$	蟹/卦韻 蟹/卦韻
3126b	上加・110オ6・疊字	谷	入	コク	右注	kʌuk lʌuk jiauk giak	屋韻 屋韻 燭韻 藥韻
3127a	上加・110オ6・疊字	鵝	平	カ	右注	ŋa^{1}	歌韻
3127b	上加・110オ6・疊字	毛	平濁	ホウ	右注	mau$^{1/3}$	豪/号韻
3128a	上加・110オ7・疊字	香	―	カウ	右注	xiaŋ^{1}	陽韻
3128b	上加・110オ7・疊字	峯	―	フ	右注	p'iauŋ^{1}	鍾韻
3129a	上加・110オ7・疊字	邯	平	カン	右傍	ɣan^{1}	寒韻
3129b	上加・110オ7・疊字	鄲	平	タン	右傍	tan^{1}	寒韻
3129c	上加・110オ7・疊字	歩	去	ホ	右傍	buʌ^{3}	暮韻
3130a	上加・110オ7・疊字	合	―	カフ	左注	ɣʌp kʌp	合韻 合韻
3130b	上加・110オ7・疊字	別	―	ヘチ	左注	biat piat	薛韻 薛韻
3131a	上加・110ウ1・疊字	開	平	カイ	右注	k'ʌi^{1}	咍韻
3131b	上加・110ウ1・疊字	闔	入	カフ	右注	ɣap	盍韻

3132a	上加・110ウ1・疊字	甲	―	カウ	中注	kap	狎韻
3132b	上加・110ウ1・疊字	乙	―	ヲツ	中注	'iet	質韻
3133a	上加・110ウ2・疊字	忸	入濁	チク	右傍	niʌuk	屋韻
3133b	上加・110ウ2・疊字	怩	去濁	チ	右傍	ṇiei[1]	脂韻
3134b	上加・110ウ2・疊字	且	―	シヨ	右傍	tsiʌ[1] ts'ia[2]	魚韻 馬韻
3135a	上加・110ウ2・疊字	陂	平	ヒ	右傍	pie[1/3]	支/寘韻
3135b	上加・110ウ2・疊字	阤	平	チ	右傍	ḍie[2] śie[2]	紙韻 紙韻
3136a	上加・110ウ3・疊字	參	平	シム	右傍	ṣiem[1] tṣ'iem[1] ts'ʌm[1/3] sɑm[1]	侵韻 侵韻 覃/勘韻 談韻
3136b	上加・110ウ3・疊字	差	平	シ	右傍	tṣ'ie[1] tṣ'ɐ[1/3] tṣ'ɐi[1] tṣ'a[1]	支韻 佳/卦韻 皆韻 麻韻
3137a	上加・110ウ3・疊字	蕭	東	セウ	右傍	seu[1]	蕭韻
3294	上加・110ウ3・疊字	索	入	サク	右傍	sɑk ṣak ṣɐk	鐸韻 陌韻 麥韻
3138a	上加・110ウ4・疊字	襢	去	タン	左注	dɑn[2]	旱韻
3138b	上加・110ウ4・疊字	裼	入	セキ	左注	sek	錫韻
3139a	上加・110ウ5・疊字	蓬	平	―	―	bʌuŋ[1]	東韻
3139b	上加・110ウ5・疊字	累	上	―	―	liue[2/3]	紙/寘韻
3140a	上加・110ウ6・疊字	咀	去	シヨ	右傍	dziʌ[2] tsiʌ[2]	語韻 語韻
3140b	上加・110ウ6・疊字	嚼	德?	シヤク	右傍	dziɑk	藥韻
3141a	上加・110ウ6・疊字	請	―	カウ	右注	ts'ieŋ[1/2] dzieŋ[3]	清/靜韻 勁韻
3141b	上加・110ウ6・疊字	降	―	コウ	右注	ɣauŋ[1] kauŋ[3]	江韻 絳韻
3142a	上加・110ウ7・疊字	片	去	―	―	p'en[3]	霰韻
3142b	上加・110ウ7・疊字	言	平	―	―	ŋiɑn[1]	元韻
3143a	上加・110ウ7・疊字	綿	平	―	―	mjian[1]	仙韻
3143b	上加・110ウ7・疊字	惙	入	―	―	ṭiuat	薛韻
3144a	上加・111オ1・疊字	首	上	―	―	śiʌu[2/3]	有/宥韻
3144b	上加・111オ1・疊字	途	平	―	―	duʌ[1]	模韻
3145a	上加・111オ2・疊字	顦	―	セウ	右傍	dziau[1]	宵韻
3145b	上加・111オ2・疊字	顇	―	スイ	右傍	dziuei[3]	至韻
3146a	上加・111オ2・疊字	容	平	―	―	jiɑuŋ[1]	鍾韻
3146b	上加・111オ2・疊字	皃	去	―	―	mau[3] mauk	效韻 覺韻

3147a	上加・111オ7・諸寺	髙	―	カウ	右傍	kɑu^{1}	豪韻
3147b	上加・111オ7・諸寺	野	―	ヤ	右傍	jia^{2} źiʌ^{2}	馬韻 語韻
3148a	上加・111ウ2・國郡	志	―	シ	右傍	tśiɐi^{3}	志韻
3148b	上加・111ウ2・國郡	記	―	キ	右傍	kiɐi^{3}	志韻
3149a	上加・111ウ2・國郡	丹	―	タ	右傍	tɑn^{1}	寒韻
3149b	上加・111ウ2・國郡	北	―	ホク	右傍	pʌk	徳韻
3150a	上加・111ウ3・國郡	巨	―	コ	右傍	giʌ^{2}	語韻
3150b	上加・111ウ3・國郡	麻	―	マ	右傍	ma^{1}	麻韻
3151a	上加・111ウ3・國郡	都	―	ツ	右傍	tuʌ^{1}	模韻
3151b	上加・111ウ3・國郡	留	―	ル	右傍	liʌu$^{1/3}$	尤/宥韻
3152a	上加・111ウ3・國郡	望	―	マウ	右傍	miɑŋ$^{1/3}$	陽/漾韻
3152b	上加・111ウ3・國郡	陁	―	タ	右傍	dɑ^{1}	歌韻
3153a	上加・111ウ3・國郡	周	―	ス	右傍	tśiʌu^{1}	尤韻
3153b	上加・111ウ3・國郡	淮	―	ヱ	右傍	ɣuɐi^{1}	皆韻
3154a	上加・111ウ4・國郡	夷	―	イ	右傍	jiei^{1}	脂韻
3154b	上加・111ウ4・國郡	灊	―	シミ	右傍	ziem^{1} dziem^{1} dziam^{1}	侵韻 侵韻 鹽韻
3155a	上加・111ウ4・國郡	武	―	ム	右傍	miuʌ^{2}	麌韻
3155b	上加・111ウ4・國郡	射	―	サ	右傍	dźia^{3} jia^{3}	禡韻 禡韻
3156a	上加・111ウ4・國郡	甘	―	カム	右傍	kɑm^{1}	談韻
3156b	上加・111ウ4・國郡	樂	―	ラ	右傍	lɑk ŋauk ŋau^{3}	鐸韻 覺韻 効韻
3157a	上加・111ウ4・國郡	多	―	タ	右傍	tɑ^{1}	歌韻
3157b	上加・111ウ4・國郡	胡	―	コ	右傍	ɣuʌ^{1}	模韻
3158a	上加・111ウ4・國郡	那	―	ナ	右傍	nɑ$^{1/3}$	歌/箇韻
3158b	上加・111ウ4・國郡	波	―	ハ	右傍	pɑ^{1}	戈韻
3159a	上加・111ウ4・國郡	郡	―	クル	右傍	giuʌn^{3}	問韻
3159b	上加・111ウ4・國郡	馬	―	マ	右傍	ma^{2}	馬韻
3160a	上加・111ウ5・國郡	勢	―	セ	右傍	śial^{3}	祭韻
3160b	上加・111ウ5・國郡	多	―	タ	右傍	tɑ^{1}	歌韻
3161a	上加・111ウ5・國郡	佐	―	サ	右傍	tsɑ^{3}	箇韻
3162a	上加・111ウ5・國郡	邑	―	ヲハ	右傍	'iep	緝韻
3162b	上加・111ウ5・國郡	樂	―	ラキ	右傍	lɑk ŋauk ŋau^{3}	鐸韻 覺韻 効韻
3163a	上加・111ウ5・國郡	能	―	ノ	右傍	nʌŋ$^{1/2}$ nʌi$^{1/3}$	登/等韻 咍/代韻
3163b	上加・111ウ5・國郡	美	―	ミ	右傍	miei^{2}	旨韻

3164a	上加・112オ1・官職	勘	―	カム	右傍	k‘ʌm^{3}	勘韻
3164b	上加・112オ1・官職	解	―	ケ	右傍	kɐ$^{2/3}$ ɣɐ$^{2/3}$	蟹/卦韻 蟹/卦韻
3164c	上加・112オ1・官職	由	―	ユ	右傍	jiʌu^{1}	尤韻
3164d	上加・112オ1・官職	使	―	シ	右傍	ṣiɐi$^{2/3}$	止/志韻
3165	上加・112オ2・官職	伯	―	ハク	右傍	pak	陌韻
3166	上加・112オ2・官職	郷	―	キヤウ	右傍	xiaŋ^{1}	陽韻
3167	上加・112オ2・官職	尹	上	―	―	jiuen^{2}	準韻
3168a	上加・112オ2・官職	長	上	チヤウ	右傍	ṭiaŋ^{2} ḍiaŋ$^{1/3}$	養韻 陽/漾韻
3168b	上加・112オ2・官職	官	平濁	―	―	kuan^{1}	桓韻
3169a	上加・112オ2・官職	大	平濁	タイ	右傍	dai^{1}	泰韻
3169b	上加・112オ2・官職	夫	上濁	フ	右傍	piuʌ^{1} biuʌ^{1}	虞韻 虞韻
3170a	上加・112オ3・官職	奉	平濁	フ	右傍	biauŋ^{2}	腫韻
3170b	上加・112オ3・官職	膳	平濁	セン	右傍	źian^{3}	線韻
3171a	上加・112オ6・官職	駕	―	カ	右注	ka^{3}	禡韻
3171b	上加・112オ6・官職	輿	―	ヨ	右注	jiʌ$^{1/3}$	魚/御韻
3171c	上加・112オ6・官職	丁	―	チヤウ	右注	teŋ^{1} ṭɐŋ^{1}	青韻 耕韻
3172a	上加・112オ6・官職	看	―	カ	右傍	k‘an$^{1/3}$	寒/翰韻
3172b	上加・112オ6・官職	督	―	ト	右傍	tauk	沃韻
3173a	上加・112オ6・官職	郷	―	カウ	右注	xiaŋ^{1}	陽韻
3173b	上加・112オ6・官職	司	―	シ	右注	siɐi^{1}	之韻
3174a	上加・112オ7・官職	綱	―	カウ	右傍	kaŋ^{1}	唐韻
3174b	上加・112オ7・官職	所	―	シヨ	右傍	ṣiʌ^{2}	語韻
3175a	上加・112オ7・官職	綱	―	カウ	右傍	kaŋ^{1}	唐韻
3175b	上加・112オ7・官職	掌	―	シヨウ	右傍	tśiaŋ^{2}	養韻
3176a	上加・112ウ2・姓氏	加	―	カ	右注	ka^{1}	麻韻
3176b	上加・112ウ2・姓氏	陽	―	ヤ	右注	jiaŋ^{1}	陽韻
3177a	上加・112ウ3・姓氏	賀	―	カ	右注	ɣa^{3}	箇韻
3177b	上加・112ウ3・姓氏	茂	―	モ	右注	mʌu^{3}	候韻
3178a	上加・112ウ3・姓氏	甘	―	カム	右傍	kam^{1}	談韻
3178b	上加・112ウ3・姓氏	南	―	ナ	右傍	nʌm^{1}	覃韻
3178c	上加・112ウ3・姓氏	備	―	ミ	右傍	biei^{3}	至韻
3179a	上加・112ウ6・姓氏	各	―	カヽ	右注	kak	鐸韻
3179b	上加・112ウ6・姓氏	務	―	ミ	右注	miuʌ^{3}	遇韻
3293a	上加・112ウ6・姓氏	甲	―	カフ	右注	kap	狎韻
3293b	上加・112ウ6・姓氏	可	―	カ	右注	k‘a^{2}	哿韻

【表A-01】上巻_与篇

番号	前田本所在	掲出字		仮名音注		中古音	韻目
3180a	上与・113オ6・天象	流	平	リウ	右注	liʌu[1]	尤韻
3180b	上与・113オ6・天象	星	上	シヤウ	右注	seŋ[1]	青韻
3181b	上与・113オ7・天象	寖	―	シム	右注	ts'iem[2]	寑韻
3182	上与・113オ7・天象	霄	平	セウ	右注	siau[1]	宵韻
3183	上与・113ウ4・地儀	枊	去	カウ	右傍	ŋɑŋ[1/3]	唐/宕韻
3184	上与・113ウ6・植物	蓬	平	ホウ	右傍	bʌuŋ[1]	東韻
3185	上与・113ウ6・植物	蓽	―	ヒツ	右傍	pjiet	質韻
3186	上与・113ウ6・植物	艾	去濁	カイ	右傍	ŋɑi[3] ŋiɑi[3]	泰韻 廢韻
3187	上与・113ウ6・植物	蒿	東	カウ	右傍	xɑu[1]	豪韻
3188	上与・113ウ6・植物	蕭	平	セウ	右傍	seu[1]	蕭韻
3189b	上与・113ウ6・植物	芷	上	シ	右傍	tśiɐi[2]	止韻
3190a	上与・114オ2・動物	恠	去	クワイ	右傍	kuɐi[3]	怪韻
3190b	上与・114オ2・動物	鴟	平	シ	右傍	tś'iei[1]	脂韻
3191a	上与・114オ2・動物	喚	去	クワン	右傍	xuɑn[3]	換韻
3192	上与・114オ3・動物	騚	―	セン	右傍	dzen[1]	先韻
3193a	上与・114オ3・動物	夜	去	ヤ	右傍	jia[3]	禡韻
3193b	上与・114オ3・動物	眼	上	カン	右傍	ŋɐn[2]	産韻
3194a	上与・114オ4・動物	針	平	シム	右傍	tśiem[1/3]	侵/沁韻
3195a	上与・114オ5・動物	蛄	平	コ	右傍	kuʌ[1]	模韻
3195b	上与・114オ5・動物	蟹	去	シ	右傍	śie[1/3]	支/寘韻
3196	上与・114オ5・動物	�	―	カ	右傍	ka[1]	麻韻
3197	上与・114オ7・人倫	嫂	上	サウ	右傍	sɑu[2]	晧韻
3198	上与・114オ7・人倫	婦	上	フ	右傍	biʌu[2]	有韻
3199	上与・114ウ1・人倫	丁	平	テイ	右傍	teŋ[1] ṭɐŋ[1]	青韻 耕韻
3200	上与・114ウ3・人職	膕	―	クワク	右傍	kuɐk	麥韻
3201	上与・114ウ3・人職	脾	平	ヒ	右傍	bjie[1]	支韻
3202a	上与・114ウ3・人職	津	平	シ	右傍	tsien[1]	眞韻
3202b	上与・114ウ3・人職	頤	平	イ	右傍	jiɐi[1]	之韻
3203	上与・114ウ3・人職	涎	平	セン	右傍	zian[1] jian[3]	仙韻 線韻
3204	上与・114ウ5・人事	予	―	ヨ	右注	jiʌ[1/2]	魚/語韻
3205	上与・114ウ6・人事	慾	―	ヨク [平平]	右注	jiɑuk	燭韻
3295	上与・114ウ6・人事	欲	―	ヨク [平平]	右注	jiɑuk	燭韻
3206	上与・114ウ7・人事	齢	平	レイ	右傍	leŋ[1]	青韻
3207	上与・115オ1・人事	粧	平	サウ	右傍	tṣiɑŋ[1]	陽韻
3208	上与・115オ2・人事	怡	平	―	―	jiɐi[1]	之韻
3209	上与・115オ2・人事	欣	平	キン	右傍	xiʌn[1]	欣韻

3210	上与・115オ2・人事	歓	平	クワン	右傍	xuɑn¹	桓韻
3211	上与・115オ5・人事	穌	—	ソ	右傍	suʌ¹	模韻
3212a	上与・115オ6・人事	勇	去	—	—	jiɑuŋ²	腫韻
3212b	上与・115オ6・人事	勝	平濁	—	—	śieŋ¹ᐟ³	蒸/證韻
3213	上与・115ウ1・人事	米	上濁	ヘイ	右傍	mei²	薺韻
3214	上与・115ウ1・人事	孽	入濁	ケツ	右傍	ŋiat	薛韻
3215	上与・115ウ3・雜物	鎧	去	カイ	右傍	k'ʌi²ᐟ³	海/代韻
3216	上与・115ウ3・雜物	鋡	—	カム	右傍	ɣʌm¹	覃韻
3217	上与・115ウ3・雜物	甲	入	カフ	右傍	kap	狎韻
3218	上与・115ウ3・雜物	鉀	—	カフ	右傍	kɑp kap	盍韻 狎韻
3219a	上与・115ウ3・雜物	庸	—	ヨウ	右傍	jiɑuŋ¹	鍾韻
3219b	上与・115ウ3・雜物	布	—	フ	右傍	puʌ³	暮韻
3220	上与・115ウ3・雜物	斧	上	フ	右傍	piuʌ²	麌韻
3221	上与・115ウ4・雜物	軸	入	チク	右傍	ḍiʌuk	屋韻
3222a	上与・115ウ4・雜物	横	平	クワウ	右傍	ɣuaŋ¹ᐟ³ kuɑŋ¹	庚/映韻 唐韻
3222b	上与・115ウ4・雜物	笛	入	テキ	右傍	dek	錫韻
3223	上与・116オ1・辞字	佳	平	—	—	kɐ¹	佳韻
3224	上与・116オ1・辞字	良	平	リヤウ	右傍	liɑŋ¹	陽韻
3225	上与・116オ5・辞字	妍	—	ケン	右傍	ŋen¹	先韻
3226	上与・116オ5・辞字	享	—	カウ	右傍	xaŋ¹ xiɑŋ²	庚韻 養韻
3227	上与・116オ5・辞字	由	—	イウ	右傍	jiʌu¹	尤韻
3228	上与・116オ6・辞字	依	平	イ	右傍	'iʌi¹	微韻
3229	上与・116ウ3・辞字	攀	平	ハン	右傍	p'an¹	刪韻
3230	上与・116ウ7・辞字	擁	上	ヨウ	右注	'iɑuŋ²	腫韻
3231	上与・116ウ7・辞字	擁	上	ヰヨウ	右傍	'iɑuŋ²	腫韻
3232	上与・117オ4・辞字	凭	平	ヒヨウ	右傍	bieŋ¹ᐟ³	蒸/證韻
3233	上与・117オ4・辞字	嬪	平	ヒン	右傍	bjien¹	眞韻
3234a	上与・117ウ1・疊字	餘	去	ヨ	中注	jiʌ¹	魚韻
3234b	上与・117ウ1・疊字	上	平	シヤウ	中注	źiɑŋ²ᐟ³	養/漾韻
3235a	上与・117ウ1・疊字	餘	平	ヨ	左注	jiʌ¹	魚韻
3235b	上与・117ウ1・疊字	塵	平	チム	左注	ḍien¹	眞韻
3236a	上与・117ウ1・疊字	容	平	ヨウ	中注	jiɑuŋ¹	鍾韻
3236b	上与・117ウ1・疊字	華	平	クワ	中注	xua¹ ɣua¹ᐟ³	麻韻 麻/禡韻
3237a	上与・117ウ1・疊字	容	平	ヨウ	左注	jiɑuŋ¹	鍾韻
3237b	上与・117ウ1・疊字	艶	去	エム	左注	jiam³	豔韻
3238a	上与・117ウ1・疊字	飫	去	ヨ	右注	'iʌ³	御韻
3238b	上与・117ウ1・疊字	宴	去	エン	右注	'en²ᐟ³	銑/霰韻
3239a	上与・117ウ2・疊字	庸	平	ヨウ	左注	jiɑuŋ¹	鍾韻

3239b	上与・117ウ2・疊字	夫	上	フ	左注	piuʌ^{1} biuʌ^{1}	虞韻 虞韻
3240a	上与・117ウ2・疊字	用	去	ヨウ	左注	jiauŋ^{3}	用韻
3240b	上与・117ウ2・疊字	意	平	イ	左注	'iɐi^{3}	志韻
3241a	上与・117ウ2・疊字	用	平	ヨウ	左注	jiauŋ^{3}	用韻
3241b	上与・117ウ2・疊字	心	去	シム	左注	siem^{1}	侵韻
3242a	上与・117ウ2・疊字	容	平	ヨウ	左注	jiauŋ^{1}	鍾韻
3242b	上与・117ウ2・疊字	貎	去	メウ	左注	mau^{3} mauk	効韻 覺韻
3243a	上与・117ウ2・疊字	容	平	ヨウ	左注	jiauŋ^{1}	鍾韻
3243b	上与・117ウ2・疊字	儀	平濁	キ	左注	ŋie^{1}	支韻
3244a	上与・117ウ3・疊字	容	平	ヨウ	左注	jiauŋ^{1}	鍾韻
3244b	上与・117ウ3・疊字	皃	去	ハウ	左注	mau^{3} mauk	効韻 覺韻
3245a	上与・117ウ3・疊字	容	平	ヨウ	左注	jiauŋ^{1}	鍾韻
3245b	上与・117ウ3・疊字	顔	平濁	カム	左注	ŋan^{1}	刪韻
3246a	上与・117ウ3・疊字	庸	去	ヨウ	左注	jiauŋ^{1}	鍾韻
3246b	上与・117ウ3・疊字	受	上濁	シユ	左注	źiʌu^{2}	有韻
3247a	上与・117ウ3・疊字	与	平	ヨ	左注	jiʌ^{2}	語韻
3247b	上与・117ウ3・疊字	不	上	ソ	左注	piʌu$^{1/2/3}$ piuʌt	尤/有/宥韻 物韻
3248a	上与・117ウ3・疊字	勇	上	ヨウ	中注	jiauŋ^{2}	腫韻
3248b	上与・117ウ3・疊字	敢	上	カム	中注	k'am^{2}	敢韻
3249a	上与・117ウ4・疊字	勇	上	ヨウ	左注	jiauŋ^{2}	腫韻
3249b	上与・117ウ4・疊字	者	上	シヤ	左注	tśia^{2}	馬韻
3250a	上与・117ウ4・疊字	勇	上	ヨウ	左注	jiauŋ^{2}	腫韻
3250b	上与・117ウ4・疊字	路	上	ロ	左注	luʌ^{3}	暮韻
3251a	上与・117ウ4・疊字	勇	上	ヨウ	左注	jiauŋ^{2}	腫韻
3251b	上与・117ウ4・疊字	士	平	シ	左注	dẓiɐi^{2}	止韻
3252a	上与・117ウ4・疊字	勇	上	ヨウ	左注	jiauŋ^{2}	腫韻
3252b	上与・117ウ4・疊字	毅	去濁	[illegible]	左注	ŋlʌl^{3}	未韻
3253a	上与・117ウ4・疊字	抑	入	ヨク	中注	'iɐk	職韻
3253b	上与・117ウ4・疊字	屈	入	クヰツ	中注	k'iuʌt kiuʌt	物韻 物韻
3254a	上与・117ウ5・疊字	抑	入	ヨク	中注	'iɐk	職韻
3254b	上与・117ウ5・疊字	留	去	リウ	中注	liʌu$^{1/3}$	尤/宥韻
3255a	上与・117ウ5・疊字	用	平	ヨウ	左注	jiauŋ^{3}	用韻
3255b	上与・117ウ5・疊字	途	平濁	ト	左注	duʌ^{1}	模韻
3256a	上与・117ウ5・疊字	用	平	ヨウ	左注	jiauŋ^{3}	用韻
3256b	上与・117ウ5・疊字	度	平濁	ト	左注	duʌ^{3} dak	暮韻 鐸韻
3257a	上与・117ウ5・疊字	用	平	ヨウ	左注	jiauŋ^{3}	用韻
3257b	上与・117ウ5・疊字	殘	平濁	セン	左注	dzan^{1}	寒韻

3258a	上与・117ウ5・疊字	用	平	ヨウ	左注	jiauŋ3	用韻
3258b	上与・117ウ5・疊字	盡	平濁	シム	左注	dzien2 tsien2	軫韻 軫韻
3259a	上与・117ウ6・疊字	輿	平	ヨ	中注	jiʌ1/3	魚/御韻
3259b	上与・117ウ6・疊字	車	上	シヤ	中注	tś'ia1 kiʌ1	麻韻 魚韻
3260a	上与・117ウ6・疊字	欲	入	ヨク	左注	jiauk	燭韻
3260b	上与・117ウ6・疊字	然	平濁	セン	左注	ńian1	仙韻
3261a	上与・117ウ6・疊字	欲	入	ヨク	左注	jiauk	燭韻
3261b	上与・117ウ6・疊字	益	入	ヤク	左注	'iek	昔韻
3262a	上与・117ウ6・疊字	飫	去	ヨ	右注	'iʌ3	御韻
3262b	上与・117ウ6・疊字	飲	上	イム	右注	'iem2/3	寝/沁韻
3263a	上与・117ウ7・疊字	傭	平	ヨウ	右注	jiauŋ1 ṭ'iauŋ1	鍾韻 鍾韻
3263b	上与・117ウ7・疊字	賃	平	チム	右注	ṇiem3	沁韻
3264a	上与・117ウ7・疊字	雍	平	ヨウ	右注	'iauŋ1/3	鍾/用韻
3264b	上与・117ウ7・疊字	容	平	ヨ	右注	jiauŋ1	鍾韻
3265a	上与・117ウ7・疊字	餘	平	ヨ	右注	jiʌ1	魚韻
3265b	上与・117ウ7・疊字	慶	去	ケイ	右注	k'iaŋ3	映韻
3266a	上与・117ウ7・疊字	庸	平	ヨウ	右注	jiauŋ1	鍾韻
3266b	上与・117ウ7・疊字	才	平	サイ	右注	dzʌi1	咍韻
3267a	上与・117ウ7・疊字	与	平	ヨ	右注	jiʌ2	語韻
3267b	上与・117ウ7・疊字	奪	入	タツ	右注	duat	末韻
3268a	上与・118オ1・疊字	膂	上	ヨウ	右注	liʌ2	語韻
3268b	上与・118オ1・疊字	力	入	リヨク	右注	liɐk	職韻
3269a	上与・118オ1・疊字	用	去	ヨウ	右注	jiauŋ3	用韻
3269b	上与・118オ1・疊字	捨	去	シヤ	右注	śia2	馬韻
3270a	上与・118オ1・疊字	慾	入	ヨク	右注	jiauk	燭韻
3270b	上与・118オ1・疊字	心	去	シム	右注	siem1	侵韻
3271a	上与・118オ1・疊字	与	—	ヨウ	右注	jiʌ2	語韻
3271b	上与・118オ1・疊字	同	—	トウ	右注	dʌuŋ1	東韻
3271c	上与・118オ1・疊字	罪	—	サイ	左注	dzuʌi2	賄韻
3272a	上与・118オ3・疊字	終	平	シウ	右傍	tśiʌuŋ1	東韻
3272b	上与・118オ3・疊字	霄	平	セウ	右傍	siau1	宵韻
3273a	上与・118オ3・疊字	通	去	—	—	t'ʌuŋ1	東韻
3273b	上与・118オ3・疊字	夜	平	—	—	jia3	禡韻
3274a	上与・118オ3・疊字	佳	平	—	—	kɐ1	佳韻
3274b	上与・118オ3・疊字	辰	平	—	—	źien1	眞韻
3275a	上与・118オ4・疊字	逶	—	ヰ	右傍	'iue1	支韻
3275b	上与・118オ4・疊字	迤	—	イ	右傍	jiue1	支韻
3276a	上与・118ウ3・國郡	与	—	ヨ	右注	jiʌ2	語韻
3276b	上与・118ウ3・國郡	渡	—	ト	右注	duʌ3	暮韻

【表A-02】下巻_古篇

番号	前田本所在	掲出字		仮名音注		中古音	韻目
3300a	下古・001ウ2・天象	霡	入濁	ハク	右傍	mɐk	麥韻
3300b	下古・001ウ2・天象	霂	入濁	ホク	右傍	mʌuk	屋韻
3301a	下古・001ウ2・天象	微	平濁	ヒ	右傍	$mi\Lambda i^{1}$	微韻
3302	下古・001ウ7・地儀	氷	平	ヒヨウ	右傍	$pi\textrm{ɐ}\eta^{1}$	蒸韻
3303a	下古・001ウ7・地儀	象	去	シヤウ	右傍	$zi\textrm{ɑ}\eta^{2}$	養韻
3304a	下古・001ウ7・地儀	比	去	―	―	$bjiei^{1/3}$ $pjiei^{2/3}$ bjiet	脂/至韻 旨/至韻 質韻
3304b	下古・001ウ7・地儀	珠	平	ス	右傍	$t\acute{s}iu\Lambda^{1}$	虞韻
3305	下古・001ウ7・地儀	凍	平	トウ	右傍	$t\Lambda u\eta^{1/3}$	東/送韻
3306	下古・001ウ7・地儀	澌	平	シ	右傍	sie^{3}	寘韻
3307	下古・001ウ7・地儀	凌	平	リヨウ	右傍	$li\textrm{ɐ}\eta^{1}$	蒸韻
3308a	下古・001ウ7・地儀	鴻	―	コウ	右注	$\gamma\Lambda u\eta^{1/2}$	東/董韻
3308b	下古・001ウ7・地儀	水	―	スイ	右注	$\acute{s}iuei^{2}$	旨韻
3309	下古・001ウ7・地儀	泥	平濁	テイ	右注	$nei^{1/3}$	齊/霽韻
4818	下古・002オ1・地儀	畬	平	―	―	$ji\Lambda^{1}$ $\acute{s}i\Lambda^{1}$	魚韻 麻韻
3310a	下古・002オ1・地儀	徼	去	クウ	右傍	$keu^{1/3}$	蕭/嘯韻
3310b	下古・002オ1・地儀	道	去	タウ	右傍	$d\textrm{ɑ}u^{2}$	晧韻
3311a	下古・002オ2・地儀	金	去	コム	右傍	$kiem^{1}$	侵韻
3311b	下古・002オ2・地儀	堂	上	タウ	右傍	$d\textrm{ɑ}\eta^{1}$	唐韻
3312a	下古・002オ2・地儀	助	去	ソ	右傍	$d\d{z}i\Lambda^{3}$	御韻
3312b	下古・002オ2・地儀	鋪	平	フ	右傍	$p'u\Lambda^{1/3}$ $p'iu\Lambda^{1}$	模/暮韻 虞韻
3313	下古・002オ2・地儀	層	平	ソウ	右傍	$dz\Lambda\eta^{1}$	登韻
3314	下古・002オ2・地儀	橛	入	クヱツ	右傍	kiuɑt giuɑt	月韻 月韻
3315	下古・002オ3・地儀	闈	平	ヰ	右傍	$\gamma iu\Lambda i^{1}$	微韻
3316a	下古・002オ4・地儀	俊	去	コウ	右傍	$\gamma\Lambda u^{2/3}$	厚/候韻
3316b	下古・002オ4・地儀	涼	平	リヤウ	右傍	$li\textrm{ɑ}\eta^{1}$	陽韻
3316c	下古・002オ4・地儀	殿	―	テン	右傍	den^{3} ten^{3}	霰韻 霰韻
3317a	下古・002オ4・地儀	弘	平	コウ	右注	$\gamma u\Lambda\eta^{1}$	登韻
3317b	下古・002オ4・地儀	徽	平濁	クヰ	右注	$xiu\Lambda i^{1}$	微韻
3317c	下古・002オ4・地儀	殿	―	テン	右注	den^{3} ten^{3}	霰韻 霰韻
3318	下古・002オ6・植物	苔	平	タイ	右傍	$d\Lambda i^{1}$	咍韻
3319	下古・002オ7・植物	蘿	平	ラ	右傍	$l\textrm{ɑ}^{1}$	歌韻
3320	下古・002オ7・植物	菰	平	コ	右傍	$kiu\Lambda^{1}$	虞韻
3321a	下古・002ウ1・植物	茭	東	カウ	右傍	kau^{1}	肴韻

3322	下古・002ウ2・植物	葑	平	ホウ	右傍	piuɑŋ$^{1/3}$	鍾/用韻
3323a	下古・002ウ2・植物	温	平	ヲン	右傍	'uʌn^{1}	魂韻
3323b	下古・002ウ2・植物	菘	平	シヨウ	右傍	siʌuŋ^{1}	東韻
3324a	下古・002ウ2・植物	蒟	平 上	ク	右傍	kiuʌ$^{2/3}$	麌/遇韻
3324b	下古・002ウ2・植物	蒻	入濁	シヤク	右傍	ńiɑk	薬韻
3325a	下古・002ウ2・植物	蒟	平 上	コ	右注	kiuʌ$^{2/3}$	麌/遇韻
3325b	下古・002ウ2・植物	蒻	入濁	ニヤク	右注	ńiɑk	薬韻
3326a	下古・002ウ2・植物	芶	―	コ	右注	kʌu^{2} kiɐk	厚韻 職韻
3326b	下古・002ウ2・植物	若	―	ニヤク	右注	ńiɑk ńia$^{1/2}$	薬韻 麻/馬韻
3327a	下古・002ウ3・植物	胡	平	コ	右傍	ɣuʌ^{1}	模韻
3327b	下古・002ウ3・植物	荽	平	スヰ	右傍	siuei^{1}	脂韻
3328b	下古・002ウ3・植物	麦	入濁	ハク	右傍	mɐk	麥韻
3329a	下古・002ウ3・植物	金	平	キム	右傍	kiem^{1}	侵韻
3329b	下古・002ウ3・植物	銭	平	セム	右傍	dzian^{1} tsian^{2}	仙韻 獮韻
3330a	下古・002ウ3・植物	金	平	コム [平上]	右注	kiem^{1}	侵韻
3330b	下古・002ウ3・植物	銭	平	セン	右注	dzian^{1} tsian^{2}	仙韻 獮韻
3330c	下古・002ウ3・植物	花	―	クヱ	左注	xua^{1}	麻韻
3331a	下古・002ウ3・植物	鳶	平	エン	右傍	jiuan^{1}	仙韻
3331b	下古・002ウ3・植物	尾	上	ヒ	右傍	miʌi^{2}	尾韻
3332a	下古・002ウ4・植物	胡	―	コ	右注	ɣuʌ^{1}	模韻
3332b	下古・002ウ4・植物	麻	―	マ	右注	ma^{1}	麻韻
3333a	下古・002ウ4・植物	狼	平	ラウ	右傍	lɑŋ^{1}	唐韻
3333b	下古・002ウ4・植物	牙	平濁	カ	右傍	ŋa^{1}	麻韻
3334	下古・002ウ4・植物	莎	平	サ	右傍	suɑ^{1}	戈韻
3335	下古・002ウ5・植物	韮	上	キウ	右傍	kiʌu^{2}	有韻
3336a	下古・002ウ5・植物	牛	上濁	コ [去]	右傍	ŋiʌu^{1}	尤韻
3336b	下古・002ウ5・植物	蒡	上濁	ハウ [上濁上]	右傍	pɑŋ^{2} baŋ^{1}	蕩韻 庚韻
3337a	下古・002ウ5・植物	龍	平	―	―	liɑuŋ^{1}	鍾韻
3337b	下古・002ウ5・植物	葵	平	クヰ	右傍	gjiuei^{1}	脂韻
3338a	下古・002ウ5・植物	蒜	去	サン	右傍	suɑn^{1}	換韻
3339a	下古・002ウ6・植物	獼	去	ミ	右傍	mjie^{1}	支韻
3339b	下古・002ウ6・植物	猴	上	コ	右傍	ɣʌu^{1}	侯韻
3339c	下古・002ウ6・植物	桃	平	タウ	右傍	dɑu^{1}	豪韻
3340a	下古・002ウ7・植物	紅	平	コウ	右注	ɣʌuŋ^{1}	東韻
3340b	下古・002ウ7・植物	梅	平	ハイ	右注	muʌi^{1}	灰韻
3341a	下古・002ウ7・植物	金	去	コム	左注	kiem^{1}	侵韻

3341b	下古・002ウ7・植物	漆	入	シツ	左注	ts'iet	質韻
3342a	下古・002ウ7・植物	辛	平	シン	右傍	sien^{1}	眞韻
3342b	下古・002ウ7・植物	夷	平	イ	右傍	jiei^{1}	脂韻
3343a	下古・002ウ7・植物	五	—	コ	右注	ŋuʌ^{2}	姥韻
3343b	下古・002ウ7・植物	粒	—	エウ	右注	liep	緝韻
3344a	下古・002ウ7・植物	五	—	コ	右注	ŋuʌ^{2}	姥韻
3344b	下古・002ウ7・植物	葉	—	エウ	右注	jiap śiap	葉韻 葉韻
3345	下古・003オ1・植物	梢	平	セウ	右傍	ṣau^{1}	肴韻
3346	下古・003オ1・植物	標	平	ヘウ	右傍	pjiau$^{1/2}$	宵/小韻
3347	下古・003オ1・植物	槙	—	テン	右傍	sen^{1} tśien^{2}	先韻 軫韻
3348	下古・003オ2・植物	楨	—	テイ	右傍	ṭieŋ^{1}	清韻
3349b	下古・003オ3・植物	蒓	—	スヰン	左傍	źiuen^{1}	諄韻
3350a	下古・003オ3・植物	昆	—	コン	右注	kuʌn^{1}	魂韻
3350b	下古・003オ3・植物	布	—	フ	右注	puʌ^{3}	暮韻
3351b	下古・003オ3・植物	凝	平濁	キヨ	右傍	ŋiɐŋ$^{1/3}$	蒸/證韻
3352	下古・003オ6・動物	鵠	—	コフ	右注	ɣɑuk	沃韻
3354a	下古・003オ7・動物	特	入	トク	右傍	dʌk	徳韻
3355	下古・003オ7・動物	駒	平	—	—	kiuʌ^{1}	虞韻
3356a	下古・003ウ1・動物	戴	去	タイ	右傍	tʌi^{3}	代韻
3356b	下古・003ウ1・動物	星	平	セイ	右傍	seŋ^{1}	青韻
3357	下古・003ウ2・動物	鰓	平	サイ	右傍	sʌi^{1}	咍韻
3358	下古・003ウ3・動物	鯉	—	リ	右傍	liɐi^{2}	止韻
3359	下古・003ウ3・動物	鯪	—	リヨウ	右傍	liɐŋ^{1}	蒸韻
3360	下古・003ウ3・動物	鱣	—	ツヰン	右傍	ṭian^{1}	仙韻
3361	下古・003ウ3・動物	魴	—	ハウ	右傍	biɑŋ^{1}	陽韻
3362a	下古・003ウ4・動物	鮀	入	キツ	右傍	kiʌt	迄韻
6973a	下古・003ウ4・動物	鮀	入	コツ	右注	kiʌt	迄韻
3353a	下古・003ウ4・動物	乞	—	コツ	右注	k'iʌt	迄韻
3363a	下古・003ウ5・動物	攝	入	セフ	右傍	śiap nep	葉韻 帖韻
3363b	下古・003ウ5・動物	龜	平	—	—	kiuei^{1} kiʌu^{1}	脂韻 尤韻
3364	下古・003ウ5・動物	甲	入	コフ	右傍	kap	狎韻
3365b	下古・003ウ6・動物	蛚	—	レツ	右傍	liat	薛韻
3366	下古・003ウ6・動物	蟫	平	サム	右注	dzʌm^{2} t'en^{2}	覃韻 銑韻
3367a	下古・003ウ6・動物	蟫	平	サウ	右傍	dzʌm^{2} t'en^{2}	覃韻 銑韻
3367b	下古・003ウ6・動物	沙	平	サ	右傍	ṣa$^{1/3}$	麻/禡韻
3368	下古・004オ1・人倫	兄	平 去	クキヤウ	右傍	xiuaŋ^{1}	庚韻
3369	下古・004オ1・人倫	兄	平 去	クヱイ	左傍	xiuaŋ^{1}	庚韻

3370	下古・004オ1・人倫	昆	平	コン	右傍	kuʌn[1]	魂韻
3371	下古・004オ3・人倫	甥	平	セイ	右傍	ṣaŋ[1]	庚韻
3372a	下古・004オ3・人倫	前	平	セン	右傍	dzen[1]	先韻
3372b	下古・004オ3・人倫	妻	平	セイ	右傍	ts'ei[1/3]	齊/霽韻
3373a	下古・004オ3・人倫	故	―	コ	右注	kuʌ[3]	暮韻
3373b	下古・004オ3・人倫	人	―	シム	右注	ńien[1]	眞韻
3374	下古・004オ3・人倫	許	―	コ ［平濁］	右注	xiʌ[2]	語韻
3375a	下古・004オ4・人倫	樹	平濁	スユ	右傍	źiuʌ[2/3]	麌/遇韻
3376a	下古・004オ4・人倫	醜	上	シウ	右傍	tś'iʌu[2]	有韻
3377a	下古・004オ6・人躰	五	平濁	―	―	ŋuʌ[2]	姥韻
3377b	下古・004オ6・人躰	蔵	平濁	―	―	dzɑŋ[1/3]	唐/宕韻
3378	下古・004オ6・人躰	心	平	―	―	siem[1]	侵韻
3379a	下古・004オ6・人躰	蟀	入	スヰツ	右傍	ṣiuet	質韻
3380	下古・004オ7・人躰	拳	平	クヱン	右傍	giuan[1]	仙韻
3381a	下古・004オ7・人躰	季	―	キ	右傍	k'jiuei[3]	至韻
3382	下古・004オ7・人躰	甲	―	コフ	右注	kap	狎韻
3383	下古・004オ7・人躰	胥	平	エウ	右傍	'jiau[1]	宵韻
3384	下古・004ウ1・人躰	腓	平	ヒ	右傍	biʌi[1/3]	微/未韻
3385	下古・004ウ2・人躰	音	平	イン	右傍	'iem[1]	侵韻
3386	下古・004ウ2・人躰	聲	平	セイ	右傍	śieŋ[1]	清韻
3387a	下古・004ウ3・人躰	五	―	ゴ ［平濁］	左注	ŋuʌ[2]	姥韻
3387b	下古・004ウ3・人躰	蔵	―	サウ ［平濁平］	左注	dzɑŋ[1/3]	唐韻 宕韻
3388a	下古・004ウ4・人躰	喉	平	コウ	右傍	ɣʌu[1]	侯韻
3388b	下古・004ウ4・人躰	痺	平	ヒ	右傍	pjie[1]	支韻
3389a	下古・004ウ4・人躰	重	平	―	―	ḍiɑuŋ[1/2/3]	鍾/腫/用韻
3389b	下古・004ウ4・人躰	舌	入	―	―	dźiet ɣuat	薛韻 鎋韻
3390	下古・004ウ4・人躰	吃	入	キツ	右傍	kiʌt	迄韻
3391	下古・004ウ5・人躰	尰	上	シヨウ	右傍	źiɑuŋ[2]	腫韻
3392a	下古・004ウ5・人躰	轉	上	テン	右傍	ṭiuan[2/3]	獮韻 線韻
3392b	下古・004ウ5・人躰	筋	平	キン	右傍	kiʌn[1]	欣韻
3393	下古・005オ1・人事	戸	―	コ ［去］	右注	ɣuʌ[2]	姥韻
3394a	下古・005オ1・人事	圍	平	ヰ	右傍	ɣiuʌi[1/3]	微/未韻
3394b	下古・005オ1・人事	碁	平	キ	右傍	giɐi[1]	之韻
3395b	下古・005オ1・人事	碁	平	コ	右注	giɐi[1]	之韻
3396b	下古・005オ1・人事	談	平	タン	右傍	dɑm[2]	談韻
3397b	下古・005オ1・人事	燦	去	サム	右傍	ts'ɑn[3]	翰韻
3398	下古・005オ4・人事	功	―	コウ ［上平］	中注	kʌuŋ[1]	東韻
3399	下古・005オ5・人事	詞	平	シ	右傍	ziɐi[1]	之韻

3400	下古・005オ5・人事	辭	平 東	—	—	ziɐi^{1}	之韻
3401	下古・005オ5・人事	辭	東	—	—	ziɐi^{1}	之韻
3402	下古・005オ6・人事	誅	平	チウ	右傍	ṭiuʌ^{1}	虞韻
3403	下古・005オ7・人事	劉	平	リウ	右傍	liʌu^{1}	尤韻
3404	下古・005ウ5・人事	憭	—	レウ	右傍	leu$^{1/2}$ liau^{2}	蕭/篠韻 小韻
3405	下古・005ウ5・人事	賴	—	ライ	右傍	lɑi^{1}	泰韻
3406a	下古・005ウ6・人事	獨	入	トク	右傍	dʌuk	屋韻
3406b	下古・005ウ6・人事	樂	入	ラク	右傍	lɑk ŋauk ŋau^{3}	鐸韻 覺韻 效韻
3407b	下古・005ウ7・人事	揥	平	タイ	右傍	tei^{1} t'ei^{3} ṭ'iai^{3}	齊韻 霽韻 祭韻
3408a	下古・006オ1・人事	胡	平	コ	左注	ɣuʌ^{1}	模韻
3408b	下古・006オ1・人事	飲	上	イム	左注	'iem$^{2/3}$	寑韻
3408c	下古・006オ1・人事	酒	上	ス	左注	tsiʌu^{2}	有韻
3409a	下古・006オ1・人事	古	平	コ	左注	kuʌ^{2}	姥韻
3409b	下古・006オ1・人事	詠	去	ヰヤウ	左注	ɣiuaŋ^{3}	映韻
3409c	下古・006オ1・人事	詩	上濁	シ	左注	śiɐi^{1}	之韻
3410a	下古・006オ1・人事	五	上濁	—	—	ŋuʌ^{2}	姥韻
3410b	下古・006オ1・人事	更	平	—	—	kaŋ$^{1/3}$	庚/映韻
3410c	下古・006オ1・人事	轉	上	—	—	ṭiuan$^{2/3}$	獮/線韻
3411a	下古・006オ1・人事	五	去	—	—	ŋuʌ^{2}	姥韻
3412a	下古・006オ4・人事	胡	—	コ	左注	ɣuʌ^{1}	模韻
3412b	下古・006オ4・人事	蝶	—	テフ	左注	t'ep dep	帖韻
3413a	下古・006オ4・人事	崑	平	—	—	kuʌn^{1}	魂韻
3413b	下古・006オ4・人事	崙	平	—	—	luʌn^{1}	魂韻
3413c	下古・006オ4・人事	八	入	—	—	pet	黠韻
3413d	下古・006オ4・人事	仙	平	—	—	sian^{1}	仙韻
3414	下古・006オ6・飲食	米	上濁	ヘイ	右傍	mei^{2}	薺韻
3415	下古・006オ6・飲食	穀	入	コク	右傍	kʌuk	屋韻
3900a	下古・006オ6・飲食	五	—	コ	中注	ŋuʌ^{2}	姥韻
3900b	下古・006オ6・飲食	穀	—	コク	中注	kʌuk	屋韻
3416	下古・006オ7・飲食	醴	上	レイ	右傍	lei^{2}	薺韻
3417a	下古・006オ7・飲食	強	平	キヤウ	右傍	giɑŋ^{1}	陽韻
3417b	下古・006オ7・飲食	飯	去	ハン	右傍	biɑn$^{2/3}$	阮/願韻
3418	下古・006オ7・飲食	粉	上	フン	右傍	piuʌn^{2}	吻韻
3419a	下古・006ウ1・飲食	餛	平	コン [平平]	右注	ɣuʌn^{1}	魂韻
3419b	下古・006ウ1・飲食	飩	平濁	トン [平濁平]	右注	duʌn^{1}	魂韻

3420	下古・006ウ1・飲食	菓	上	クワ	右傍	kuɑ^{2}	果韻
3421	下古・006ウ1・飲食	寒	—	カン	右傍	ɣɑn^{1}	寒韻
3422	下古・006ウ4・雜物	琴	平	—	—	giem^{1}	侵韻
3423a	下古・006ウ4・雜物	流	平	—	—	liʌu^{1}	尤韻
3423b	下古・006ウ4・雜物	水	上	—	—	śiuei^{2}	旨韻
3424a	下古・006ウ4・雜物	落	入	—	—	lɑk	鐸韻
3424b	下古・006ウ4・雜物	霞	平	—	—	ɣa^{1}	麻韻
3425	下古・006ウ4・雜物	絃	平	—	—	ɣen^{1} xuen^{3}	先韻 霰韻
3426a	下古・006ウ4・雜物	箜	平	コウ	右注	k'ʌuŋ^{1}	東韻
3426b	下古・006ウ4・雜物	篌	平	コウ	右注	ɣʌu^{1}	侯韻
3427	下古・006ウ5・雜物	籥	入	ヤク	右傍	jiɑk	藥韻
3428a	下古・006ウ5・雜物	金	去	コム [平平]	右注	kiem^{1}	侵韻
3428b	下古・006ウ5・雜物	鼓	平濁	ク [平濁]	右注	kuʌ^{2}	姥韻
3429	下古・006ウ5・雜物	衣	平	イ	右傍	'iʌi$^{1/3}$	微/未韻
3430	下古・006ウ5・雜物	袊	上	レイ	右傍	lieŋ^{2}	靜韻
3431a	下古・006ウ6・雜物	帊	去	ハ	右傍	p'a^{3}	禡韻
3431b	下古・006ウ6・雜物	幞	入	ホク	右傍	biɑuk	燭韻
3432	下古・006ウ6・雜物	裾	—	キ	右傍	kiʌ^{1}	魚韻
3433	下古・006ウ6・雜物	裙	平	—	—	giuʌn^{1}	文韻
3434	下古・006ウ6・雜物	裿	入	エキ	右傍	jiek tśiek	昔韻 昔韻
3435a	下古・006ウ7・雜物	巾	平	キン	右傍	kien^{1}	眞韻
3436	下古・006ウ7・雜物	縠	入	コク	右傍	ɣʌuk	屋韻
3437	下古・006ウ7・雜物	金	平 去	コム	右注	kiem^{1}	侵韻
3438a	下古・006ウ7・雜物	擲	入	テキ	右傍	ḍiek	昔韻
3438b	下古・006ウ7・雜物	地	去	チ	右傍	diei^{3}	至韻
3439a	下古・007オ1・雜物	金	去	コム	右傍	kiem^{1}	侵韻
3439b	下古・007オ1・雜物	漆	—	シチ	右傍	ts'iet	質韻
3440a	下古・007オ1・雜物	金	去	コム [平上]	右注	kiem^{1}	侵韻
3440b	下古・007オ1・雜物	剛	上	カウ [上濁上]	右注	kɑŋ^{1}	唐韻
3440c	下古・007オ1・雜物	砂	上	サ	右注	ṣa^{1}	麻韻
3441c	下古・007オ1・雜物	砂	上	シヤ [上濁上]	右注	ṣa^{1}	麻韻
3442a	下古・007オ1・雜物	金	平	コム [平平]	左注	kiem^{1}	侵韻
3442b	下古・007オ1・雜物	鎞	平	ヘイ [平平]	左注	pei^{1}	齊韻
3443a	下古・007オ1・雜物	五	去濁	コ [上]	右注	ŋuʌ^{2}	姥韻
3443b	下古・007オ1・雜物	鈷	平	コ [平]	右注	kuʌ^{2}	姥韻
3444	下古・007オ2・雜物	曆	入	リヤク	右傍	lek	錫韻
3445	下古・007オ2・雜物	甑	去	—	—	tsiɐŋ^{3}	證韻

3446b	下古・007オ3・雑物	屑	入	セツ	右傍	set	屑韻
3447	下古・007オ4・雑物	�	平	ヘイ	右傍	pei[1] bjiei[1]	齊韻 脂韻
3448	下古・007オ4・雑物	籠	―	ロウ	右傍	lʌuŋ[1/2] liɑuŋ[1]	東/董韻 鍾韻
3449	下古・007オ4・雑物	笯	平	ト	右傍	nuʌ[1/3] ṇa[1]	模/暮韻 麻韻
3450	下古・007オ4・雑物	轝	平	ヨ	右傍	jiʌ[1/3]	魚/御韻
3451	下古・007オ4・雑物	輿	平	―	―	jiʌ[1/3]	魚/御韻
3452	下古・007オ4・雑物	棼	平	ハン	右傍	biuʌn[1]	文韻
3453	下古・007オ5・雑物	車	平	キヨ	右傍	kiʌ[1] tś'ia[1]	魚韻 麻韻
3454	下古・007オ5・雑物	瑺	平	タウ	右傍	tɑŋ[1]	唐韻
3455a	下古・007オ5・雑物	戸	平	―	―	ɣuʌ[2]	姥韻
3455b	下古・007オ5・雑物	籍	入	セキ	右傍	dziek	昔韻
3456a	下古・007オ5・雑物	戸	平	コ [平]	右注	ɣuʌ[2]	姥韻
3456b	下古・007オ5・雑物	籍	入	シヤク [平濁平平]	右注	dziek	昔韻
3557a	下古・007オ6・雑物	兀	入濁	コツ [上上]	右注	ŋuʌt	没韻
3557b	下古・007オ6・雑物	子	上	シ [上]	右注	tsiɐi[2]	止韻
3558	下古・007オ6・雑物	棊	平	コ	右注	giɐi[1]	之韻
3559a	下古・007オ6・雑物	棊	平	キ	右傍	giɐi[1]	之韻
3559b	下古・007オ6・雑物	局	入	キヨク	右傍	giɑuk	燭韻
3560b	下古・007オ6・雑物	枰	平	ヒヤウ	右傍	biaŋ[1/3]	庚/映韻
3561a	下古・007オ6・雑物	碁	平	キ	右傍	giɐi[1]	之韻
3561b	下古・007オ6・雑物	子	上	シ	右傍	tsiɐi[2]	止韻
3562b	下古・007オ7・雑物	鏝	平濁	ハン	右傍	mɑn[1/3]	桓/換韻
3563a	下古・007オ7・雑物	射	去	シヤ	右傍	dźia[3] jia[3]	禡韻 禡韻
3563b	下古・007オ7・雑物	韝	平	コウ	右傍	k'ʌu[1]	侯韻
3564a	下古・007オ7・雑物	錯	入	サク	右傍	ts'ɑk ts'uʌ[3]	鐸韻 暮韻
[illegible]	下古・007ウ1・雑物	杴	―	ケム	右傍	xiɑm[1]	嚴韻
3565	下古・007ウ1・雑物	糊	―	コ [去濁]	右注	ɣuʌ[1]	模韻
3566	下古・007ウ1・雑物	薦	去	セン	右傍	tsen[3]	霰韻
3567	下古・007ウ2・雑物	楨	平	テイ	右傍	ṭieŋ[1]	清韻
3568a	下古・007ウ2・雑物	牛	―	コ	右注	ŋiʌu[1]	尤韻
3568b	下古・007ウ2・雑物	頭	―	ツ	右注	dʌu[1]	侯韻
3569a	下古・007ウ2・雑物	糸+胡	平	コ	右傍	(ɣuʌ[1])	(模韻)
3569b	下古・007ウ2・雑物	外	入	シク	右傍	śiʌuk	屋韻
3570	下古・007ウ4・光彩	紺	平	コム	右注	kʌm[3]	勘韻

3571a	下古・007ウ4・光彩	胡	去	コ ［去濁］	―	ɣuʌ^{1}	模韻
3571b	下古・007ウ4・光彩	粉	―	フン ［上上］	―	piuʌn^{2}	吻韻
3572a	下古・007ウ4・光彩	金	去	コム	右注	kiem^{1}	侵韻
3572b	下古・007ウ4・光彩	青	上濁	シヤウ	右注	ts‘eŋ^{1}	青韻
3573a	下古・007ウ4・光彩	紺	―	コム	右注	kʌm^{3}	勘韻
3573b	下古・007ウ4・光彩	青	―	シヤウ	右注	ts‘eŋ^{1}	青韻
3574	下古・007ウ4・光彩	濃	平	―	―	ṇiauŋ^{1}	鍾韻
3575a	下古・007ウ5・光彩	紅	―	コウ	右注	ɣʌuŋ^{1}	東韻
3575b	下古・007ウ5・光彩	雪	―	セツ	右注	siuat	薛韻
3576	下古・007ウ7・員數	斛	―	コク	右注	kʌuk	屋韻
3577	下古・007ウ7・員數	斤	―	コン ［平平］	右注	kiʌn$^{1/3}$	欣韻 焮韻
3578	下古・009オ1・辞字	強	平	キヤウ	右傍	giaŋ^{1}	陽韻
3579	下古・009オ2・辞字	剛	平	カウ	右傍	kaŋ^{1}	唐韻
3580	下古・009オ2・辞字	彊	平	キヤウ	右傍	giaŋ$^{1/2}$ kiaŋ^{3}	陽/養韻 漾韻
3581	下古・009オ3・辞字	耆	平	キ	右傍	giei^{1}	脂韻
3582	下古・009オ3・辞字	爰	平	ヱン	右傍	ɣiuan^{1}	元韻
3583	下古・009オ3・辞字	斯	平	シ	右傍	sie^{1}	支韻
3584	下古・009オ5・辞字	之	平	シ	右傍	tśiɐi^{1}	之韻
3585	下古・009オ6・辞字	焦	平	セウ	右傍	tsiau^{1}	宵韻
3586	下古・009ウ1・辞字	忔	―	コツ	右傍	xiʌt	迄韻
3587	下古・009ウ1・辞字	眊	―	ネウ	右傍	mɑu^{3}	号韻
3588a	下古・010オ3・重點	尅	―	コク	右注	k‘ʌk	徳韻
3588b	下古・010オ3・重點	尅	―	コク	右注	k‘ʌk	徳韻
3589a	下古・010オ3・重點	戸	―	コ ［上］	右注	ɣuʌ^{2}	姥韻
3589b	下古・010オ3・重點	戸	―	コ ［上］	右注	ɣuʌ^{2}	姥韻
3590a	下古・010オ5・疊字	五	平	―	―	ŋuʌ^{2}	姥韻
3590b	下古・010オ5・疊字	星	上	―	―	seŋ^{1}	青韻
3591a	下古・010オ5・疊字	虹	平	―	―	ɣʌuŋ^{1} kʌuŋ^{3} kauŋ^{3}	東韻 送韻 絳韻
3591b	下古・010オ5・疊字	蜺	平	―	―	ŋei^{1} ŋet	齊韻 屑韻
3592a	下古・010オ5・疊字	今	去	―	―	kiem^{1}	侵韻
3592b	下古・010オ5・疊字	羊	上	―	―	jiaŋ^{1}	陽韻
3593a	下古・010オ5・疊字	後	平濁	―	―	ɣʌu$^{2/3}$	厚/候韻
3593b	下古・010オ5・疊字	夜	平	―	―	jia^{3}	禡韻
3594a	下古・010オ6・疊字	五	上濁	―	―	ŋuʌ^{2}	姥韻
3594b	下古・010オ6・疊字	更	平	―	―	kaŋ$^{1/3}$	庚/映韻
3595a	下古・010オ6・疊字	五	上	―	―	ŋuʌ^{2}	姥韻

3595b	下古・010オ6・疊字	夜	去	—	—	jia^{3}	禡韻
3596a	下古・010オ6・疊字	五	上	コ	左注	ŋuʌ^{2}	姥韻
3596b	下古・010オ6・疊字	色	入	ソク	左注	ṣiɐk	職韻
3597a	下古・010オ6・疊字	沽	去	コ	左注	kuʌ$^{1/2/3}$	模/姥/暮韻
3597b	下古・010オ6・疊字	洗	去	セン	左注	sen^{2} sei^{2}	銑韻 薺韻
3598a	下古・010オ6・疊字	曲	入	コク	左注	k'iauk	燭韻
3598b	下古・010オ6・疊字	水	上	スイ	左注	śiuei^{2}	旨韻
3599a	下古・010オ7・疊字	厚	去	コウ	左注	ɣʌu$^{2/3}$	厚/候韻
3599b	下古・010オ7・疊字	地	平	チ	左注	diei^{3}	至韻
3600a	下古・010オ7・疊字	故	去	—	—	kuʌ^{3}	暮韻
3600b	下古・010オ7・疊字	郷	平	—	—	xiaŋ^{1}	陽韻
3601a	下古・010オ7・疊字	五	上	—	—	ŋuʌ^{2}	姥韻
3601b	下古・010オ7・疊字	岳	入	—	—	ŋauk	覺韻
3602a	下古・010ウ1・疊字	五	平	—	—	xiaŋ^{1}	陽韻
3602b	下古・010ウ1・疊字	戒	平	—	—	kɐi^{3}	怪韻
3603a	下古・010ウ1・疊字	金	去	コム	左注	kiem^{1}	侵韻
3603b	下古・010ウ1・疊字	乗	上	シヨウ	左注	dźiɐŋ$^{1/3}$	蒸/證韻
3604a	下古・010ウ1・疊字	金	去	—	—	kiem^{1}	侵韻
3604b	下古・010ウ1・疊字	堂	上	—	—	daŋ^{1}	唐韻
3605a	下古・010ウ1・疊字	金	去	—	—	kiem^{1}	侵韻
3605b	下古・010ウ1・疊字	皷	平	—	—	kuʌ^{2}	姥韻
3606a	下古・010ウ2・疊字	許	平	コ	右注	xiʌ^{2}	語韻
3606b	下古・010ウ2・疊字	可	平	カ	右注	k'a^{2}	哿韻
3607a	下古・010ウ2・疊字	護	平濁	コ	左注	ɣuʌ^{3}	暮韻
3607b	下古・010ウ2・疊字	摩	上	マ	左注	ma$^{1/3}$	戈/過韻
3608a	下古・010ウ2・疊字	國	入	—	—	kuʌk	徳韻
3608b	下古・010ウ2・疊字	家	上	—	—	ka^{1}	麻韻
3609a	下古・010ウ2・疊字	五	—	コ	中注	ŋuʌ^{2}	姥韻
3609b	下古・010ウ2・疊字	徳	—	トク	中注	tʌk	徳韻
3610a	下古・010ウ3・疊字	國	入	—	—	kuʌk	徳韻
3610b	下古・010ウ3・疊字	忌	平	—	—	giɐi^{3}	志韻
3611a	下古・010ウ3・疊字	御	平	コ	左注	ŋiʌ^{3}	御韻
3611b	下古・010ウ3・疊字	禊	上	ケイ	左注	ɣei^{3}	霽韻
3612a	下古・010ウ3・疊字	御	平	コ	左注	ŋiʌ^{3}	御韻
3612b	下古・010ウ3・疊字	製	平	セイ	左注	tśiai^{3}	祭韻
3613a	下古・010ウ3・疊字	鴻	平	コウ	中注	ɣʌuŋ$^{1/2}$	東/董韻
3613b	下古・010ウ3・疊字	慈	去	シ	中注	dziɐi^{1}	之韻
3614a	下古・010ウ3・疊字	扈	去	—	—	ɣuʌ^{2}	姥韻
3614b	下古・010ウ3・疊字	従	平	—	—	dziauŋ^{1} ts'iauŋ$^{1/3}$	鍾韻 鍾/用韻
3615a	下古・010ウ4・疊字	御	平	—	—	ŋiʌ^{3}	御韻
3615b	下古・010ウ4・疊字	藥	入	—	—	jiak	藥韻

3616a	下古・010ウ4・疊字	后	去	—	—	ɣʌu$^{2/3}$	厚/候韻
3616b	下古・010ウ4・疊字	圍	平	—	—	ɣiuʌi$^{1/3}$	微/未韻
3617a	下古・010ウ4・疊字	后	去	—	—	ɣʌu$^{2/3}$	厚/候韻
3617b	下古・010ウ4・疊字	房	平	—	—	biɑŋ^{1} bɑŋ^{1}	陽韻 唐韻
3618a	下古・010ウ4・疊字	巨	去	—	—	giʌ^{2}	語韻
3618b	下古・010ウ4・疊字	細	去	—	—	sei^{3}	霽韻
3619a	下古・010ウ4・疊字	股	上	コ	右注	kuʌ^{2}	姥韻
3619b	下古・010ウ4・疊字	肱	平	コウ	右注	kuʌŋ^{1}	登韻
3620a	下古・010ウ5・疊字	古	上	—	—	kuʌ^{2}	姥韻
3620b	下古・010ウ5・疊字	風	平	—	—	piʌuŋ$^{1/3}$	東/送韻
3621a	下古・010ウ5・疊字	骨	入	コツ	左注	kuʌt	没韻
3621b	下古・010ウ5・疊字	鯁	平	カウ	左注	kaŋ^{2}	梗韻
3622a	下古・010ウ5・疊字	懇	上	コン	右注	k‘ʌn^{2}	很韻
3622b	下古・010ウ5・疊字	望	去	ハウ	右注	miɑŋ$^{1/3}$	陽/漾韻
3623a	下古・010ウ5・疊字	恒	去	—	—	ɣʌŋ^{1}	登韻
3623b	下古・010ウ5・疊字	例	上	—	—	liai^{3}	祭韻
3624a	下古・010ウ5・疊字	故	去	コ	左注	kuʌ^{3}	暮韻
3624b	下古・010ウ5・疊字	實	入	シチ	左注	dźiet	質韻
3625a	下古・010ウ6・疊字	古	上	—	—	kuʌ^{2}	姥韻
3625b	下古・010ウ6・疊字	今	平	—	—	kiem^{1}	侵韻
3626a	下古・010ウ6・疊字	古	上	—	—	kuʌ^{2}	姥韻
3626b	下古・010ウ6・疊字	昔	入	—	—	siek	昔韻
3627a	下古・010ウ6・疊字	忽	入	—	—	xuʌt	没韻
3627b	下古・010ウ6・疊字	然	平	—	—	ńian^{1}	仙韻
3628a	下古・010ウ6・疊字	蠱	去	コ	左注	kuʌ^{2}	姥韻
3628b	下古・010ウ6・疊字	道	平濁	タウ	左注	dɑu^{2}	晧韻
3629a	下古・010ウ7・疊字	近	平	コン	中注	giʌn$^{2/3}$	隠/焮韻
3629b	下古・010ウ7・疊字	親	去	シン	中注	ts‘ien$^{1/3}$	眞/震韻
3630a	下古・010ウ7・疊字	昆	平	—	—	kuʌn^{1}	魂韻
3630b	下古・010ウ7・疊字	弟	去	—	—	dei$^{2/3}$	薺/霽韻
3631a	下古・010ウ7・疊字	骨	—	クツ	左注	kuʌt	没韻
3631b	下古・010ウ7・疊字	肉	—	シク	左注	ńiʌuk	屋韻
3632a	下古・010ウ7・疊字	後	去	—	—	ɣʌu$^{2/3}$	厚/候韻
3632b	下古・010ウ7・疊字	生	東	—	—	ṣaŋ$^{1/3}$	庚/映韻
3633a	下古・011オ1・疊字	古	平	コ	左注	kuʌ^{2}	姥韻
3633b	下古・011オ1・疊字	老	平	ラウ	左注	lɑu^{2}	晧韻
3634a	下古・011オ1・疊字	根	去	コン	左注	kʌn^{1}	痕韻
3634b	下古・011オ1・疊字	性	平	シヤウ	左注	sieŋ^{3}	勁韻
3635a	下古・011オ1・疊字	尅	入	—	—	k‘ʌk	徳韻
3635b	下古・011オ1・疊字	念	平	—	—	nem^{3}	㮇韻
3636a	下古・011オ1・疊字	権	去	—	—	giuan^{1}	仙韻
3636b	下古・011オ1・疊字	議	平	—	—	ŋie^{3}	寘韻

3637a	下古・011オ1・疊字	悃	上	―	―	k‘ʌn^{2}	很韻
3637b	下古・011オ1・疊字	欵	上	―	―	k‘uɑn^{2}	緩韻
3638a	下古・011オ2・疊字	鴻	平	―	―	ɣʌuŋ$^{1/2}$	東/董韻
3638b	下古・011オ2・疊字	恩	平	―	―	’ʌn^{1}	痕韻
3639a	下古・011オ2・疊字	拒	去	コ	左注	giʌ^{2}	語韻
3639b	下古・011オ2・疊字	捍	上	カン	左注	ɣɑn^{3} ɣɑn^{2}	翰韻 潸韻
3640a	下古・011オ2・疊字	忽	入	―	―	xuʌt	没韻
3640b	下古・011オ2・疊字	諸	平	―	―	tśiʌ^{1} tśia^{1}	魚韻 麻韻
3641a	下古・011オ2・疊字	故	去	―	―	kuʌ^{3}	暮韻
3641b	下古・011オ2・疊字	怠	去	―	―	dʌi^{2}	海韻
3642a	下古・011オ2・疊字	狐	平	コ	左注	ɣuʌ^{1}	模韻
3642b	下古・011オ2・疊字	疑	平	キ	左注	ŋiɐi^{1}	之韻
3643a	下古・011オ3・疊字	寤	去濁	コ	左注	ŋuʌ^{3}	暮韻
3643b	下古・011オ3・疊字	寐	平	ヒ	左注	mjiei^{3}	至韻
3644a	下古・011オ3・疊字	虚	去	コ	中注	xiʌ^{1} k‘iʌ^{1}	魚韻 魚韻
3644b	下古・011オ3・疊字	妄	平	マウ	中注	miɑŋ^{3}	漾韻
3645a	下古・011オ3・疊字	枯	平	コ	左注	k‘uʌ^{1}	模韻
3645b	下古・011オ3・疊字	槁	上	カウ	左注	k‘ɑu^{2}	晧韻
3646a	下古・011オ3・疊字	喉	平	―	―	ɣʌu^{1}	侯韻
3646b	下古・011オ3・疊字	舌	入	―	―	dźiet ɣuat	薛韻 鎋韻
3647a	下古・011オ4・疊字	骨	―	コツ	左注	kuʌt	没韻
3647b	下古・011オ4・疊字	髄	―	スイ	左注	siue^{2}	紙韻
3648a	下古・011オ4・疊字	婚	―	コン	右注	xuʌn^{1}	魂韻
3648b	下古・011オ4・疊字	姻	―	イン	右注	’jien^{1}	眞韻
3649a	下古・011オ4・疊字	故	去	コ	左注	kuʌ^{3}	暮韻
3649b	下古・011オ4・疊字	障	平	シヤウ	左注	tśiɑŋ$^{1/3}$	陽/漾韻
3650a	下古・011オ5・疊字	固	去	コ	左注	kuʌ^{3}	暮韻
3650b	下古・011オ5・疊字	辞	平	シ	左注	ziɐi^{1}	之韻
3651a	下古・011オ5・疊字	閫	上	コン	左注	k‘u̯ʌn^{2}	混韻
3651b	下古・011オ5・疊字	外	去濁	クワイ	左注	ŋuui^{3}	泰韻
3652a	下古・011オ5・疊字	偶	上	コウ	左注	ŋʌu$^{2/3}$	厚/候韻
3652b	下古・011オ5・疊字	語	上濁	キヨ	左注	ŋiʌ$^{2/3}$	語/御韻
3653a	下古・011オ6・疊字	口	上	コウ	左注	k‘ʌu^{2}	厚韻
3653b	下古・011オ6・疊字	入	入	シフ	左注	ńiep	緝韻
3654a	下古・011オ6・疊字	國	―	コク	左注	kuʌk	徳韻
3654b	下古・011オ6・疊字	司	―	シ	左注	siɐi^{1}	之韻
3655a	下古・011オ6・疊字	國	―	コク	左注	kuʌk	徳韻
3655b	下古・011オ6・疊字	宰	―	サイ	左注	tsʌi^{2}	海韻
3656a	下古・011オ6・疊字	酷	―	コク	左注	k‘ɑuk	沃韻

3656b	下古・011オ6・疊字	吏	―	リ	左注	liɐi^{3}	志韻
3657a	下古・011オ6・疊字	故	去	―	―	kuʌ^{3}	暮韻
3657b	下古・011オ6・疊字	人	平	―	―	ńien^{1}	眞韻
3658a	下古・011オ7・疊字	故	去	コ	左注	kuʌ^{3}	暮韻
3658b	下古・011オ7・疊字	舊	去	キウ	左注	giʌu^{3}	宥韻
3659a	下古・011オ7・疊字	後	去	―	―	ɣʌu$^{2/3}$	厚/候韻
3659b	下古・011オ7・疊字	來	平	―	―	lʌi^{1}	咍韻
3660a	下古・011オ7・疊字	極	入	―	―	giɐk	職韻
3660b	下古・011オ7・疊字	幸	去	―	―	ɣeŋ^{2}	耿韻
3661a	下古・011オ7・疊字	後	平	―	―	ɣʌu$^{2/3}$	厚/候韻
3661b	下古・011オ7・疊字	障	去	―	―	tśiɑŋ$^{1/3}$	陽/漾韻
3662a	下古・011オ7・疊字	孤	平	コ	左注	kuʌ^{1}	模韻
3662b	下古・011オ7・疊字	獨	入	トク	左注	dʌuk	屋韻
3663a	下古・011ウ1・疊字	孤	平	コ	左注	kuʌ^{1}	模韻
3663b	下古・011ウ1・疊字	露	去	ロ	左注	luʌ^{3}	暮韻
3664a	下古・011ウ1・疊字	孤	平	コ	左注	kuʌ^{1}	模韻
3664b	下古・011ウ1・疊字	陋	平	ロウ	左注	lʌu^{3}	候韻
3665a	下古・011ウ1・疊字	孤	平	―	―	kuʌ^{1}	模韻
3665b	下古・011ウ1・疊字	微	平	―	―	miʌi^{1}	微韻
3666a	下古・011ウ1・疊字	貢	去	―	―	kʌuŋ^{3}	送韻
3666b	下古・011ウ1・疊字	士	去	―	―	dẓiɐi^{2}	止韻
3667a	下古・011ウ1・疊字	黒	入	―	―	xʌk	徳韻
3667b	下古・011ウ1・疊字	心	東	―	―	siem^{1}	侵韻
3668a	下古・011ウ2・疊字	厚	去	―	―	ɣʌu$^{2/3}$	厚/候韻
3668b	下古・011ウ2・疊字	顔	平	―	―	ŋan^{1}	删韻
3669a	下古・011ウ2・疊字	胡	平	―	―	ɣuʌ^{1}	模韻
3669b	下古・011ウ2・疊字	顔	平	―	―	ŋan^{1}	删韻
3670a	下古・011ウ2・疊字	狐	平	―	―	ɣuʌ^{1}	模韻
3670b	下古・011ウ2・疊字	鳴	平	―	―	miaŋ^{1}	庚韻
3671a	下古・011ウ2・疊字	黒	入	―	―	xʌk	徳韻
3671b	下古・011ウ2・疊字	山	東	―	―	ṣɐn^{1}	山韻
3672a	下古・011ウ2・疊字	寇	去	コウ	左注	k‘ʌu^{3}	候韻
3672b	下古・011ウ2・疊字	盗	去	タウ	左注	dɑu^{3}	号韻
3673a	下古・011ウ3・疊字	後	平	コ	左注	ɣʌu$^{2/3}$	厚/候韻
3673b	下古・011ウ3・疊字	懸	平	クエン	左注	ɣuen^{1}	先韻
3674a	下古・011ウ3・疊字	後	平	コ	中注	ɣʌu$^{2/3}$	厚/候韻
3674b	下古・011ウ3・疊字	宴	―	エン	中注	’en$^{2/3}$	銑/霰韻
3675a	下古・011ウ3・疊字	後	平	―	―	ɣʌu$^{2/3}$	厚/候韻
3675b	下古・011ウ3・疊字	到	平	―	―	tɑu^{3}	号韻
3676a	下古・011ウ3・疊字	工	平	―	―	kʌuŋ^{1}	東韻
3676b	下古・011ウ3・疊字	匠	去	―	―	dziɑŋ^{3}	漾韻
3677a	下古・011ウ4・疊字	拘	平	コウ	中注	kiuʌ^{1}	虞韻
3677b	下古・011ウ4・疊字	留	平	リウ	中注	liʌu$^{1/3}$	尤/宥韻

3678a	下古・011ウ4・疊字	斤	去	ー	ー	kiʌn$^{1/3}$	欣韻
3678b	下古・011ウ4・疊字	納	入	ー	ー	nɑp	盍韻
3679a	下古・011ウ4・疊字	巨	去	コ	左注	giʌ^{2}	語韻
3679b	下古・011ウ4・疊字	多	上	タ	左注	tɑ^{1}	歌韻
3680a	下古・011ウ4・疊字	口	上	ー	ー	k'ʌu^{2}	厚韻
3680b	下古・011ウ4・疊字	活	入	ー	ー	kuɑt ɣuɑt	末韻 末韻
3681a	下古・011ウ4・疊字	興	平	コウ	左注	xiɐŋ$^{1/3}$	蒸/證韻
3681b	下古・011ウ4・疊字	敗	平	ヘン	左注	bai^{3} pai^{3}	夬韻 夬韻
3682a	下古・011ウ5・疊字	混	去	ー	ー	ɣuʌn^{2}	混韻
3682b	下古・011ウ5・疊字	沌	去	ー	ー	duʌn$^{1/2}$ ḍiuan^{2}	魂/混韻 獮韻
3683a	下古・011ウ5・疊字	混	去	コン	右注	ɣuʌn^{2}	混韻
3683b	下古・011ウ5・疊字	雜	入	サフ	右注	dzʌp	合韻
3684a	下古・011ウ5・疊字	根	去	コン	右注	kʌn^{1}	痕韻
3684b	下古・011ウ5・疊字	源	上	クエン	右注	ŋiuan^{1}	元韻
3685a	下古・011ウ5・疊字	空	平	クウ	中注	k'ʌuŋ$^{1/3}$	東/送韻
3685b	下古・011ウ5・疊字	手	上	シウ	中注	śiʌu^{2}	有韻
3686a	下古・011ウ5・疊字	根	去	コン	中注	kʌn^{1}	痕韻
3686b	下古・011ウ5・疊字	本	平	ホン	右注	puʌn^{2}	混韻
3687a	下古・011ウ6・疊字	混	去	コン	右注	ɣuʌn^{2}	混韻
3687b	下古・011ウ6・疊字	同	平	トウ	右注	dʌuŋ^{1}	東韻
3688a	下古・011ウ6・疊字	古	平	コ	左注	kuʌ^{2}	姥韻
3688b	下古・011ウ6・疊字	幣	平	ヘイ	左注	bjiai^{3}	祭韻
3689a	下古・011ウ6・疊字	顧	去	コ	左注	kuʌ^{3}	暮韻
3689b	下古・011ウ6・疊字	眄	去	メン	左注	men$^{2/3}$	銑/霰韻
3690a	下古・011ウ6・疊字	顧	去	ー	ー	kuʌ^{3}	暮韻
3690b	下古・011ウ6・疊字	恩	平	ー	ー	'ʌn^{1}	痕韻
3691a	下古・011ウ6・疊字	御	平	ー	ー	ŋiʌ^{3}	御韻
3691b	下古・011ウ6・疊字	覧	平	ー	ー	lɑm^{2}	敢韻
3692a	下古・011ウ7・疊字	忽	入	コツ	左注	xuʌt	没韻
3692b	下古・011ウ7・疊字	焉	平	エン	左注	'ian^{1} ɣian^{1} 'ian^{1}	仙韻 仙韻 元韻
3693a	下古・011ウ7・疊字	懇	ー	コン	左注	k'ʌn^{2}	很韻
3693b	下古・011ウ7・疊字	篤	ー	トク	左注	tɑuk	沃韻
3694a	下古・011ウ7・疊字	懇	上	コン	左注	k'ʌn^{2}	很韻
3694b	下古・011ウ7・疊字	切	入	セチ	左注	ts'et	屑韻
3695a	下古・011ウ7・疊字	懇	ー	コン	左注	k'ʌn^{2}	很韻
3695b	下古・011ウ7・疊字	志	ー	シ	左注	tśiɐi^{3}	志韻
3696a	下古・012オ1・疊字	語	去濁	コ	右注	ŋiʌ$^{2/3}$	語/御韻
3696b	下古・012オ1・疊字	逃	平濁	テウ	右注	dɑu^{1}	豪韻

3697a	下古・012オ1・疊字	顧	去	コ	左注	kuʌ^{3}	暮韻
3697b	下古・012オ1・疊字	命	平	メイ	左注	miaŋ^{3}	映韻
3698a	下古・012オ1・疊字	骨	—	コツ	左注	kuʌt	没韻
3698b	下古・012オ1・疊字	法	—	ハウ	左注	piʌp	乏韻
3699a	下古・012オ1・疊字	忽	入	コツ	左注	xuʌt	没韻
3699b	下古・012オ1・疊字	忘	去濁	ハウ	左注	miaŋ$^{1/3}$	陽/漾韻
3700a	下古・012オ1・疊字	忽	—	コツ	左注	xuʌt	没韻
3700b	下古・012オ1・疊字	尒	—	シ	左注	ńie^{2}	紙韻
3701a	下古・012オ2・疊字	後	—	コ	左注	ɣʌu$^{2/3}$	厚/候韻
3701b	下古・012オ2・疊字	世	—	セ	左注	śiai^{3}	祭韻
3702a	下古・012オ2・疊字	蠱	—	コ	左注	kuʌ^{2}	姥韻
3702b	下古・012オ2・疊字	毒	—	トク	左注	dauk	沃韻
3703a	下古・012オ2・疊字	獄	—	コク	左注	ŋiauk	燭韻
3703b	下古・012オ2・疊字	囚	—	ス	左注	ziʌu^{1}	尤韻
3704a	下古・012オ2・疊字	娯	去濁	コ	左注	ŋuʌ^{3} ŋiuʌ^{1}	暮韻 虞韻
3704b	下古・012オ2・疊字	樂	—	ラク	左注	lak ŋauk ŋau^{3}	鐸韻 覺韻 效韻
3705a	下古・012オ3・疊字	皷	—	コ	左注	kuʌ^{2}	姥韻
3705b	下古・012オ3・疊字	譟	—	サウ	左注	sau^{3}	号韻
3706a	下古・012オ3・疊字	混	—	コン	左注	ɣuʌn^{2}	混韻
3706b	下古・012オ3・疊字	合	—	カウ	左注	ɣʌp kʌp	合韻 合韻
3707a	下古・012オ3・疊字	興	去	コウ	左注	xieŋ$^{1/3}$	蒸/證韻
3707b	下古・012オ3・疊字	隆	上	リウ	左注	liʌuŋ^{1}	東韻
3708a	下古・012オ3・疊字	乞	入	コツ	右注	k'iʌt	迄韻
3708b	下古・012オ3・疊字	匄	去	カイ	右注	kai^{3} kat	泰韻 曷韻
3709a	下古・012オ3・疊字	皷	上	コ	左注	kuʌ^{2}	姥韻
3709b	下古・012オ3・疊字	動	去	トウ	左注	dʌuŋ^{2}	董韻
3710a	下古・012オ4・疊字	己	去	コ	左注	kiei^{2}	止韻
3710b	下古・012オ4・疊字	用	平	ヨウ	左注	jiauŋ^{3}	用韻
3711a	下古・012オ4・疊字	乞	—	コツ	左注	k'iʌt	迄韻
3711b	下古・012オ4・疊字	食	—	シキ	左注	dźiek jiei^{3}	職韻 志韻
3712a	下古・012オ4・疊字	言	—	コン	左注	ŋian^{1}	元韻
3712b	下古・012オ4・疊字	失	—	シツ	左注	śiet	質韻
3713a	下古・012オ4・疊字	骨	—	コツ	左注	kuʌt	没韻
3713b	下古・012オ4・疊字	張	—	チヤウ	左注	ḍiaŋ$^{1/3}$	陽/漾韻
3714a	下古・012オ4・疊字	鴻	—	コウ	左注	ɣʌuŋ$^{1/2}$	東/董韻
3714b	下古・012オ4・疊字	才	—	サイ	左注	dzʌi^{1}	咍韻
3715a	下古・012オ5・疊字	後	去	コウ	左注	ɣʌu$^{2/3}$	厚/候韻
3715b	下古・012オ5・疊字	素	去	ソ	左注	suʌ^{3}	暮韻

3716a	下古・012オ5・疊字	曲	―	コク	左注	kʻiɑuk	燭韻
3716b	下古・012オ5・疊字	肱	―	コウ	左注	kuʌŋ^{2}	登韻
3717a	下古・012オ5・疊字	紅	平	コウ	左注	ɣʌuŋ^{1}	東韻
3717b	下古・012オ5・疊字	藤	平	トウ	左注	dʌŋ^{1}	登韻
3718a	下古・012オ5・疊字	虹	―	コウ	右注	ɣʌuŋ^{1} kʌuŋ^{3} kauŋ^{3}	東韻 送韻 絳韻
3718b	下古・012オ5・疊字	形	平	ケイ	右注	ɣeŋ^{1}	青韻
3719a	下古・012オ5・疊字	五	―	コ	左注	ŋuʌ^{2}	姥韻
3719b	下古・012オ5・疊字	明	平	メイ	左注	miaŋ^{1}	庚韻
3720a	下古・012オ6・疊字	五	上	コ	右注	ŋuʌ^{2}	姥韻
3720b	下古・012オ6・疊字	羖	上	コ	右注	kuʌ^{2}	姥韻
3721a	下古・012オ6・疊字	居	―	コ	右注	kiʌ^{1} kiɐi^{1}	魚韻 之韻
3721b	下古・012オ6・疊字	壁	徳	ヘキ	右注	pek	錫韻
3722a	下古・012オ6・疊字	紅	平	コウ	右注	ɣʌuŋ^{1}	東韻
3722b	下古・012オ6・疊字	艶	去	エム	右注	jiam^{3}	豔韻
3723a	下古・012オ6・疊字	固	去	コ	右注	kuʌ^{3}	暮韻
3723b	下古・012オ6・疊字	安	平	アン	右注	'ɑn^{1}	寒韻
3724a	下古・012オ7・疊字	紅	平	コウ	右注	ɣʌuŋ^{1}	東韻
3724b	下古・012オ7・疊字	膚	平	フ	右注	piuʌ^{1}	虞韻
3725a	下古・012オ7・疊字	紅	平	コ	右注	ɣʌuŋ^{1}	東韻
3725b	下古・012オ7・疊字	葩	平	ハウ	右注	pʻa^{1}	麻韻
3726a	下古・012オ7・疊字	紅	―	コウ	右注	ɣʌuŋ^{1}	東韻
3726b	下古・012オ7・疊字	葉	―	エフ	右注	jiap śiap	葉韻 葉韻
3727a	下古・012オ7・疊字	厚	去	コウ	左注	ɣʌu$^{2/3}$	厚/候韻
3727b	下古・012オ7・疊字	薄	入	ハチ	左注	bɑk	鐸韻
3728a	下古・013オ1・疊字	拘	―	コウ	右傍	kiuʌ^{1}	虞韻
3728b	下古・013オ1・疊字	惜	―	シヤク	右傍	siek	昔韻
3729a	下古・013オ5・国郡	久	―	コ	右注	kiʌu^{2}	有韻
3729b	下古・013オ5・国郡	我	―	カ	右注	ŋɑ^{2}	哿韻
3730a	下古・013オ7・官職	近	―	コン	中注	giʌn$^{2/3}$	隠/焮韻
3730b	下古・013オ7・官職	衛	―	ヱ	中注	jiuai^{3}	祭韻
3730c	下古・013オ7・官職	府	―	フ	中注	piuʌ^{2}	麌韻
3731a	下古・013オ7・官職	博	―	ハカ	左注	pɑk	鐸韻
3731b	下古・013オ7・官職	士	―	セ	左注	dẓiɐi^{2}	止韻
3732a	下古・013ウ1・官職	健	―	コ	左注	giɑn^{3}	願韻
3732b	下古・013ウ1・官職	皃	―	ニ	左注	ńie^{1} ŋei^{1}	支韻 齊韻
3733a	下古・013ウ1・官職	勾	―	コウ	右注	kʌu^{3}	候韻
3733b	下古・013ウ1・官職	當	―	タウ	右注	tɑŋ$^{1/3}$	唐/宕韻
3734a	下古・013ウ3・姓氏	許	―	コ	右注	xiʌ^{2}	語韻

3734b	下古・013ウ3・姓氏	曽	―	ソ	右注	tsʌŋ^{1} dzʌŋ^{1}	登韻 登韻
3734c	下古・013ウ3・姓氏	倍	―	ヘ	右注	bʌi^{2}	海韻
3735a	下古・013ウ3・姓氏	巨	―	コ	右注	giʌ^{2}	語韻
3735b	下古・013ウ3・姓氏	勢	―	セ	右注	śiai^{3}	祭韻

【表A-02】下巻_江篇

番号	前田本所在	掲出字		仮名音注		中古音	韻目
3736	下江・014オ1・天象	曜	―	エウ	右注	jiau^{3}	笑韻
3737	下江・014オ3・地儀	江	平	カウ	右傍	kauŋ^{1}	江韻
3738	下江・014オ4・地儀	縁	―	エン ［平平］	右注	jiuan$^{1/3}$	仙/線韻
3739	下江・014オ4・地儀	櫞	―	エン ［平平］	右注	jiuan^{1}	仙韻
3740	下江・014オ4・地儀	棧	上	サン	右傍	dẓɐn^{2} dẓan^{3} dẓian^{2}	産韻 諫韻 獮韻
3741a	下江・014オ5・地儀	延	平	エン	右注	jian$^{1/3}$	仙/線韻
3741b	下江・014オ5・地儀	嘉	平	カ	右注	ka^{1}	麻韻
3742a	下江・014オ5・地儀	延	平	エン	右注	jian$^{1/3}$	仙/線韻
3742b	下江・014オ5・地儀	政	去	セイ	右注	tśieŋ^{3}	勁韻
3742c	下江・014オ5・地儀	門	―	モン	右注	muʌn^{1}	魂韻
3743	下江・014オ7・植物	荏	上濁	シム	右傍	ńiem^{2}	寝韻
3744a	下江・014オ7・植物	龍	去	リウ	右傍	liɑuŋ^{1}	鍾韻
3744b	下江・014オ7・植物	膽	上濁	タウ	右傍	tɑm^{2}	敢韻
3745a	下江・014オ7・植物	芍	入	チヤク	右傍	ṭiɑk dźiɑk ts'iɑk tek ɣeu^{2}	藥韻 藥韻 藥韻 錫韻 篠韻
3746a	下江・014ウ1・植物	紫	上	シ	右傍	tsie^{2}	紙韻
3746b	下江・014ウ1・植物	葛	入	―	―	kɑt	曷韻
3747	下江・014ウ2・植物	榎	―	カ	右傍	ka^{2}	馬韻
3748	下江・014ウ2・植物	枝	平	シ	右傍	tśie^{1}	支韻
3749	下江・014ウ2・植物	條	平	テウ	右傍	deu^{1}	蕭韻
3750	下江・014ウ2・植物	椶	平	ソウ	右傍	tsʌuŋ^{1}	東韻
3751	下江・014ウ3・植物	葼	平	ソウ	右傍	tsʌuŋ^{1}	東韻
3752	下江・014ウ3・植物	柯	平	カ	右傍	kɑ^{1}	歌韻
3753a	下江・014ウ4・植物	昆	平	―	―	kuʌn^{1}	魂韻
3753b	下江・014ウ4・植物	布	平	―	―	puʌ^{3}	暮韻
3754b	下江・014ウ6・動物	䲠	平濁	シウ	右傍	siʌuŋ^{1}	東韻
3755	下江・014ウ7・動物	鰕	平	カ	右傍	ɣa^{1}	麻韻

3756a	下江・014ウ7・動物	鱏	平	イム	右傍	jiem^{1} ziem^{1}	侵韻 侵韻
3757	下江・015オ2・人倫	夷	―	イ	右傍	jiei^{1}	脂韻
3758	下江・015オ2・人倫	蠻	平濁	ハン	右傍	man^{1}	刪韻
3759	下江・015オ2・人倫	戎	平濁	シウ	右傍	ńiʌuŋ^{1}	東韻
3760	下江・015オ2・人倫	狄	―	テキ	右傍	dek	錫韻
3761	下江・015オ3・人倫	兇	入濁	―	―	xiɑuŋ$^{1/2}$	鍾/腫韻
3762	下江・015オ3・人倫	影	―	エイ	右注	'iaŋ^{2}	梗韻
3763a	下江・015オ3・人倫	嬰	―	エイ	左注	'ieŋ^{1}	清韻
3763b	下江・015オ3・人倫	孩	―	カイ	左注	ɣʌi^{1}	咍韻
3764	下江・015オ5・人躰	肢	平	シ	右傍	tśie^{1}	支韻
3765	下江・015オ5・人躰	躷	平	―	―	tśie^{1}	支韻
3766	下江・015オ6・人躰	痞	上	ヒ	右傍	piei^{2} biei^{2} piʌu^{2}	旨韻 旨韻 有韻
3767	下江・015オ6・人躰	疫	入	エキ	右傍	jiuek	昔韻
3768	下江・015オ6・人躰	疫	入	ヤク	右注	jiuek	昔韻
3769	下江・015ウ1・人事	縁	―	エン [上上]	右注	jiuan$^{1/3}$	仙/線韻
3770	下江・015ウ1・人事	宴	平	エン [平平]	右注	'ɵn$^{2/3}$	銑/霰韻
3771	下江・015ウ1・人事	讌	―	エン [平平]	左注	'en^{3}	霰韻
3772	下江・015ウ1・人事	醼	―	エン [平平]	左注	'en^{3}	霰韻
3773	下江・015ウ1・人事	謁	―	エツ [上上]	右注	'iɑt	月韻
3774	下江・015ウ2・人事	豔	―	エム [平平]	中注	jiam^{3}	豔韻
3775	下江・015ウ2・人事	艶	―	エム [平平]	右注	jiam^{3}	豔韻
3776	下江・015ウ2・人事	叡	―	エイ [平上]	左注	jiuai^{3}	祭韻
3777a	下江・015ウ5・飲食	塩	平	エム	右注	jiam$^{1/3}$	鹽韻
3777b	下江・015ウ5・飲食	梅	平濁	ハイ	右注	muʌi^{1}	灰韻
3778	下江・015ウ7・雑物	纓	平	エイ	右傍	'ieŋ^{1}	清韻
3779a	下江・015ウ7・雑物	薦	―	エン [平平]	右注	'en^{3}	霰韻
3779b	下江・015ウ7・雑物	尾	―	ヒ [平濁]	右注	miʌi^{2}	尾韻
3780a	下江・015ウ7・雑物	烏	平	ヲ	右傍	'uʌ^{1}	模韻
3780b	下江・015ウ7・雑物	帽	去	ホウ	右傍	mɑu^{3}	号韻
3781a	下江・015ウ7・雑物	烏	平	エ	右傍	'uʌ^{1}	模韻
3781b	下江・015ウ7・雑物	帽	去	ホウ	右傍	mɑu^{3}	号韻
3781c	下江・015ウ7・雑物	子	―	シ	右傍	tsiɐi^{2}	止韻
3782	下江・016オ1・雑物	朳	徳	ハツ	右傍	pɐt	黠韻
3783b	下江・016オ1・雑物	薄	入	ハク	右傍	bɑk	鐸韻
3784a	下江・016オ3・雑物	衣	―	エ	右注	'iʌi$^{1/3}$	微/未韻

3784b	下江・016オ3・雜物	比	―	ヒ	右注	bjiei$^{1/3}$ pjiei$^{2/3}$ bjiet	脂/至韻 旨/至韻 質韻
3784c	下江・016オ3・雜物	香	―	カウ	右注	xiɑŋ^{1}	陽韻
3785a	下江・016オ3・雜物	塩	平	エム	右注	jiam$^{1/3}$	鹽韻
3785b	下江・016オ3・雜物	消	平	セウ	右注	siau^{1}	宵韻
3786a	下江・016オ5・光彩	燕	平	エン ［平平］	右注	'en$^{1/3}$	先/霰韻
3786b	下江・016オ5・光彩	脂	平濁	シ ［上濁］	右注	tśiei^{1}	脂韻
3787	下江・016オ5・光彩	支	平	―	―	tśie^{1}	支韻
3788	下江・016オ7・辞字	簡	東	―	―	kɐn^{2}	産韻
3789	下江・016オ7・辞字	蒐	平	シウ	右傍	ṣiʌu^{1}	尤韻
3790	下江・016ウ2・辞字	要	―	エウ	右注	'jiau$^{1/3}$	宵/笑韻
3791	下江・016ウ2・辞字	要	―	エウ	中注	'jiau$^{1/3}$	宵/笑韻
3792	下江・016ウ2・辞字	映	―	エイ	左注	'iaŋ^{3} 'ɑŋ^{2}	映韻 蕩韻
3793	下江・016ウ3・辞字	傜	平	エウ	右傍	jiau^{1}	宵韻
3794a	下江・016ウ5・重點	營	―	エイ	右注	ɣueŋ^{1}	青韻
3794b	下江・016ウ5・重點	營	―	エイ	右注	ɣueŋ^{1}	青韻
3795a	下江・016ウ5・重點	縁	―	エン	右注	jiuan$^{1/3}$	仙/線韻
3795b	下江・016ウ5・重點	縁	―	エン	右注	jiuan$^{1/3}$	仙/線韻
3796a	下江・016ウ5・重點	曳	―	エイ	右注	jiai^{3}	祭韻
3796b	下江・016ウ5・重點	曳	―	エイ	右注	jiai^{3}	祭韻
3797a	下江・016ウ5・重點	喓	平	エウ	右注	'jiau^{1}	宵韻
3797b	下江・016ウ5・重點	喓	―	エウ	右注	'jiau^{1}	宵韻
3798a	下江・016ウ7・疊字	炎	平	―	―	ɣiam^{1}	鹽韻
3798b	下江・016ウ7・疊字	天	平	―	―	t'en^{1}	先韻
3799a	下江・016ウ7・疊字	艶	去	エン	左注	jiam^{3}	豔韻
3799b	下江・016ウ7・疊字	陽	平	ヤウ	左注	jiɑŋ^{1}	陽韻
3800a	下江・016ウ7・疊字	偃	上	エン	左注	'iɑn^{2}	阮韻
3800b	下江・016ウ7・疊字	溝	上	コウ	左注	kʌu^{1}	侯韻
3801a	下江・016ウ7・疊字	遥	去	―	―	jiau^{1}	宵韻
3801b	下江・016ウ7・疊字	拜	平	―	―	pɐi^{3}	怪韻
3802a	下江・016ウ7・疊字	晏	去	―	―	'an^{3} 'ɑn^{3}	諫韻 翰韻
3802b	下江・016ウ7・疊字	駕	去	―	―	ka^{3}	禡韻
3803a	下江・017オ1・疊字	掖	入	―	―	jiek	昔韻
3803b	下江・017オ1・疊字	庭	平	―	―	deŋ^{1}	青韻
3804a	下江・017オ1・疊字	延	平	エン	中注	jian$^{1/3}$	仙/線韻
3804b	下江・017オ1・疊字	引	上	イム	中注	jien$^{2/3}$	軫韻
3805a	下江・017オ1・疊字	延	平	エム	左注	jian$^{1/3}$	仙/線韻
3805b	下江・017オ1・疊字	怠	去	タイ	左注	dʌi^{2}	海韻

3806a	下江・017オ1・疊字	易	入	エキ	中注	jiek jie^{3}	昔韻 寘韻
3806b	下江・017オ1・疊字	筮	去	セイ	中注	źiai^{3}	祭韻
3807a	下江・017オ1・疊字	厭	平	エン	左注	'jiam$^{2/3}$ 'jiap	琰/豔韻 葉韻
3807b	下江・017オ1・疊字	魅	去	ミ	左注	miei^{3}	至韻
3808a	下江・017オ2・疊字	厭	平	エム	左注	'jiam$^{2/3}$ 'jiap	琰/豔韻 葉韻
3808b	下江・017オ2・疊字	術	入	スキツ	左注	dźiuet	術韻
3809a	下江・017オ2・疊字	妖	平	エウ	中注	'iau^{1}	宵韻
3809b	下江・017オ2・疊字	艶	去	エム	中注	jiam^{3}	豔韻
3810a	下江・017オ2・疊字	窈	上	エウ	中注	'eu^{2}	篠韻
3810b	下江・017オ2・疊字	窕	平	テウ	中注	deu^{2}	篠韻
3811a	下江・017オ2・疊字	艶	去	エム	左注	jiam^{3}	豔韻
3811b	下江・017オ2・疊字	姿	平	シ	左注	tsiei^{1}	脂韻
3812a	下江・017オ2・疊字	窈	上	エウ	左注	'eu^{2}	篠韻
3812b	下江・017オ2・疊字	娘	平	ラウ	左注	ṇiɑŋ^{1}	陽韻
3813a	下江・017オ3・疊字	英	平	エイ	中注	'iaŋ^{1}	庚韻
3813b	下江・017オ3・疊字	雄	平	イウ	中注	ɣiʌuŋ^{1}	東韻
3814a	下江・017オ3・疊字	英	平	エイ	中注	'iaŋ^{1}	庚韻
3814b	下江・017オ3・疊字	才	平	サイ	中注	dzʌi^{1}	咍韻
3815a	下江・017オ3・疊字	幼	去	エウ	左注	'ieu^{3}	幼韻
3815b	下江・017オ3・疊字	少	平	セウ	左注	śiau$^{2/3}$	小/笑韻
3816a	下江・017オ3・疊字	嬰	平	エイ	左注	'ieŋ^{1}	清韻
3816b	下江・017オ3・疊字	兒	平	シ	左注	ńie^{1} ŋei^{1}	支韻 齊韻
3817a	下江・017オ3・疊字	嬰	平	エイ	左注	'ieŋ^{1}	清韻
3817b	下江・017オ3・疊字	孩	平濁 去	カイ	左注	ɣʌi^{1}	咍韻
3818a	下江・017オ4・疊字	幼	去	エウ	左注	'ieu^{3}	幼韻
3818b	下江・017オ4・疊字	稚	上 去	チ	左注	ḍiei^{3}	至韻
3819a	下江・017オ4・疊字	嬰	―	エウ	左注	'ieŋ^{1}	清韻
3819b	下江・017オ4・疊字	椎	上 去	チ	左注	ḍiei^{3}	至韻
3820a	下江・017オ4・疊字	妖	去	―	―	'iau^{1}	宵韻
3820b	下江・017オ4・疊字	言	上	―	―	ŋiɑn^{1}	元韻
3821a	下江・017オ4・疊字	諛	上	エイ	左注	jiuʌ^{1}	虞韻
3821b	下江・017オ4・疊字	諂	平	テム	左注	ṭ'iam^{2}	琰韻
3822a	下江・017オ4・疊字	壓	入	―	―	'ap	狎韻
3822b	下江・017オ4・疊字	略	入	―	―	liɑk	藥韻
3823a	下江・017オ5・疊字	偃	上	エン	左注	'iɑn^{2}	阮韻
3823b	下江・017オ5・疊字	息	入	ソク	左注	siɐk	職韻
3824a	下江・017オ5・疊字	偃	平 上	エン	右傍	'iɑn^{2}	阮韻

3824b	下江・017オ5・疊字	卧	平 上	クワ	右傍	ŋuɑ[3]	過韻
3825a	下江・017オ5・疊字	艶	去	エム	左注	jiam[3]	豔韻
3825b	下江・017オ5・疊字	書	平	シヨ	左注	śiʌ[1]	魚韻
3826a	下江・017オ6・疊字	艶	去	―	―	jiam[3]	豔韻
3826b	下江・017オ6・疊字	言	平	―	―	ŋiɑn[1]	元韻
3827a	下江・017オ6・疊字	猒	去	エン	左注	jiam[1/3]	鹽/豔韻
3827b	下江・017オ6・疊字	却	入	キヤク	左注	k'iɑk	藥韻
3828a	下江・017オ6・疊字	宴	去	―	―	'en[2/3]	銑/霰韻
3828b	下江・017オ6・疊字	會	去	―	―	ɣuɑi[3] kuɑi[3]	泰韻 泰韻
3829a	下江・017オ6・疊字	羽	上	ウ	右傍	ɣiuʌ[2/3]	麌/遇韻
3829b	下江・017オ6・疊字	爵	入	シヤク	右傍	tsiɑk	藥韻
3830a	下江・017オ6・疊字	茅	平濁	ハウ	右傍	mau[1]	肴韻
3830b	下江・017オ6・疊字	山	平	サン	右傍	ṣɐn[1]	山韻
3831a	下江・017オ6・疊字	壽	去	シユ	右傍	źiʌu[2]	有韻
3831b	下江・017オ6・疊字	域	入	ヰキ	右傍	ɣiuɐk	職韻
3832a	下江・017オ6・疊字	宴	去	―	―	'en[2/3]	銑/霰韻
3832b	下江・017オ6・疊字	會	去	―	―	ɣuɑi[3] kuɑi[3]	泰韻 泰韻
3833a	下江・017オ7・疊字	遥	去	エウ	中注	jiau[1]	宵韻
3833b	下江・017オ7・疊字	點	平	テム	中注	tem[2]	忝韻
3834b	下江・017オ7・疊字	點	―	テム	右傍	tem[2]	忝韻
3835a	下江・017オ7・疊字	櫌	上	エウ	中注	'iʌu[1]	尤韻
3835b	下江・017オ7・疊字	乱	上	ラン	中注	luɑn[3]	換韻
3836a	下江・017オ7・疊字	衣	平	―	―	'iʌi[1/3]	微/未韻
3836b	下江・017オ7・疊字	服	入	―	―	biʌuk	屋韻
3837a	下江・017オ7・疊字	塩	平	エム	左注	jiam[1/3]	鹽韻
3837b	下江・017オ7・疊字	梅	平	ハイ	左注	muʌi[1]	灰韻
3838a	下江・017オ7・疊字	渕	平	エン	中注	'uen[1]	先韻
3838b	下江・017オ7・疊字	酔	去	スイ	中注	tsiuei[3]	至韻
3839a	下江・017ウ1・疊字	延	平	エン	中注	jian[1/3]	仙/線韻
3839b	下江・017ウ1・疊字	佇	去	チヨ	中注	ḍiʌ[2]	語韻
3840a	下江・017ウ1・疊字	驛	入	エキ	左注	jiek	昔韻
3840b	下江・017ウ1・疊字	傳	平	テン	左注	ḍiuan[1/3] ṭiuan[3]	仙/線韻 線韻
3841a	下江・017ウ1・疊字	驛	入	―	―	jiek	昔韻
3841b	下江・017ウ1・疊字	樓	上	―	―	lʌu[1]	侯韻
3842a	下江・017ウ1・疊字	煙	平	エン	中注	'en[1]	先韻
3842b	下江・017ウ1・疊字	卸	平	イウ	中注	sia[3]	禡韻
3843a	下江・017ウ2・疊字	要	平	エウ	左注	'jiau[1/3]	宵/笑韻
3843b	下江・017ウ2・疊字	樞	平	ス	左注	ts'iuʌ[1]	虞韻
3844a	下江・017ウ2・疊字	要	平	エウ	左注	'jiau[1/3]	宵/笑韻

3844b	下江・017ウ2・疊字	須	平	ス	左注	siuʌ¹	虞韻
3845a	下江・017ウ2・疊字	洩	去	エイ	左注	jiai³	祭韻
3845b	下江・017ウ2・疊字	啓	上	ケイ	左注	k'ei²	薺韻
3846a	下江・017ウ2・疊字	易	入	エキ	左注	jiek jie³	昔韻 寘韻
3846b	下江・017ウ2・疊字	衣	平	イ	左注	'iʌi^{1/3}	微/未韻
3847a	下江・017ウ2・疊字	郢	上	エイ	左注	jieŋ²	静韻
3847b	下江・017ウ2・疊字	曲	入	クキヨク	左注	k'iauk	燭韻
3848a	下江・017ウ3・疊字	燕	平	エム	左注	'en^{1/3}	先/霰韻
3848b	下江・017ウ3・疊字	夢	―	ホウ	左注	mʌuŋ³ miʌuŋ¹	送韻 東韻
3849a	下江・017ウ3・疊字	嶧	入	エキ	左注	jiek	昔韻
3849b	下江・017ウ3・疊字	陽	平	ヤウ	左注	jiaŋ¹	陽韻
3850a	下江・017ウ3・疊字	營	平	エイ	左注	jiueŋ¹	清韻
3850b	下江・017ウ3・疊字	造	去	サウ	左注	ts'au³ dzau²	号韻 晧韻
3851a	下江・017ウ3・疊字	要	去	エウ	左注	'jiau^{1/3}	宵/笑韻
3851b	下江・017ウ3・疊字	害	平	カイ	左注	ɣai³	泰韻
3852a	下江・017ウ3・疊字	要	平	エウ	左注	'jiau^{1/3}	宵/笑韻
3852b	下江・017ウ3・疊字	劇	入	キヤク	左注	giak	陌韻
3853a	下江・017ウ4・疊字	要	―	エウ	左注	'jiau^{1/3}	宵/笑韻
3853b	下江・017ウ4・疊字	用	―	ヨウ	左注	jiauŋ³	用韻
3854a	下江・017ウ4・疊字	延	平	エン	左注	jian^{1/3}	仙/線韻
3854b	下江・017ウ4・疊字	期	平	コ	左注	giɐi¹	之韻
3855a	下江・017ウ4・疊字	遥	去	エウ	右注	jiau¹	宵韻
3855b	下江・017ウ4・疊字	授	上濁	シウ	右注	źiʌu³	宥韻
3856a	下江・017ウ4・疊字	依	去	エ	右注	'iʌi¹	微韻
3856b	下江・017ウ4・疊字	怙	平	コ	右注	ɣuʌ²	姥韻
3857a	下江・017ウ4・疊字	傜	去	エウ	左注	jiau¹	宵韻
3857b	下江・017ウ4・疊字	役	入	ヤク	左注	jiuek	昔韻
3858a	下江・017ウ5・疊字	傜	去	エウ	左注	jiau¹	宵韻
3858b	下江・017ウ5・疊字	丁	平	チヤウ	左注	teŋ¹ ṭeŋ¹	青韻 耕韻
3859a	下江・017ウ5・疊字	宴	去	エン	左注	'en^{2/3}	銑/霰韻
3859b	下江・017ウ5・疊字	遊	平	イウ	左注	jiʌu¹	尤韻
3860a	下江・017ウ5・疊字	英	平	エイ	左注	'iaŋ¹	庚韻
3860b	下江・017ウ5・疊字	傑	入	ケツ	左注	giat	薛韻
3861a	下江・017ウ5・疊字	英	平	エイ	左注	'iaŋ¹	庚韻
3861b	下江・017ウ5・疊字	髦	平濁	ホウ	左注	mau¹	豪韻
3862a	下江・017ウ5・疊字	壓	平	エン	左注	'ap	狎韻
3862b	下江・017ウ5・疊字	状	上濁	シヤウ	左注	dẓiaŋ³	漾韻
3863a	下江・017ウ6・疊字	艶	平	エン	左注	jiam³	豔韻
3863b	下江・017ウ6・疊字	態	去	タイ	左注	t'ʌi³	代韻

3864a	下江・017ウ6・疊字	㓜	去	エウ	左注	'ieu^{3}	㓜韻
3864b	下江・017ウ6・疊字	敏	上	ヒン	左注	mien^{2}	軫韻
3865a	下江・017ウ6・疊字	艶	去	エウ	左注	jiam^{3}	豔韻
3865b	下江・017ウ6・疊字	㐌	入	ソク	左注	ṣiɐk	職韻
3866a	下江・017ウ6・疊字	緣	去	キン	左注	jiuan$^{1/3}$	仙/線韻
3866b	下江・017ウ6・疊字	起	平	キ	左注	k'iɐi^{2}	止韻
3867a	下江・017ウ6・疊字	緣	去	エン	左注	jiuan$^{1/3}$	仙/線韻
3868a	下江・017ウ6・疊字	緣	平	エン	左注	jiuan$^{1/3}$	仙/線韻
3868b	下江・017ウ6・疊字	邊	平	ヘン	左注	pen^{1}	先韻
3869a	下江・017ウ7・疊字	緣	—	エン	左注	jiuan$^{1/3}$	仙/線韻
3869b	下江・017ウ7・疊字	海	—	カイ	左注	xʌi^{2}	海韻
3870a	下江・017ウ7・疊字	妖	—	エウ	左注	'iau^{1}	宵韻
3870b	下江・017ウ7・疊字	孽	—	ケツ	左注	ŋiat	薛韻
3871a	下江・017ウ7・疊字	曳	—	エイ	左注	jiai^{3}	祭韻
3871b	下江・017ウ7・疊字	佐	—	サ	左注	tsɑ^{3}	箇韻

【表A-02】下巻_手篇

番号	前田本所在	掲出字		仮名音注		中古音	韻目
3872	下手・018ウ4・天象	天	平	テン	右注	t'en^{1}	先韻
3873a	下手・018ウ4・天象	紫	去	シ	右注	tsie^{2}	紙韻
3873b	下手・018ウ4・天象	微	平濁	ヒ	右注	miʌi^{1}	微韻
3874a	下手・018ウ4・天象	碧	入	ヘキ	右注	piek	昔韻
3874b	下手・018ウ4・天象	落	入	ラク	右注	lɑk	鐸韻
3875a	下手・018ウ4・天象	銀	平濁	キン	左注	ŋien^{1}	眞韻
3875b	下手・018ウ4・天象	漢	去	カン	左注	xɑn^{3}	翰韻
3876	下手・018ウ4・天象	昚	—	テン	右注	kuei^{3}	霽韻
3877	下手・018ウ7・地儀	泥	平濁	テイ	右傍	nei$^{1/3}$	齊/霽韻
3878	下手・018ウ7・地儀	涅	—	テイ	右注	nei$^{1/3}$ bam^{3}	齊/霽韻 鑑韻
3879	下手・018ウ7・地儀	條	—	テウ ［平濁平］	右注	deu^{1}	蕭韻
3880	下手・019オ2・地儀	殿	去	テン	右注	den^{3} ten^{3}	霰韻 霰韻
3881a	下手・019オ2・地儀	披	平	ヒ	左注	p'ie$^{1/2}$	支/紙韻
3881b	下手・019オ2・地儀	香	平	キヤウ	右傍	xiɑŋ^{1}	陽韻
3882a	下手・019オ2・地儀	飛	平	—	—	piʌi^{1}	微韻
3882b	下手・019オ2・地儀	羽	上	—	—	ɣiuʌ$^{2/3}$	麌/遇韻
3883	下手・019オ2・地儀	亭	東?	テイ ［平平］	左注	deŋ^{1}	青韻
3884	下手・019オ3・地儀	第	—	テイ ［平上］	右注	dei^{3}	霽韻
3885a	下手・019オ3・地儀	天	去	テン	左注	t'en^{1}	先韻
3885b	下手・019オ3・地儀	井	上濁	シヤウ	左注	tsieŋ^{2}	靜韻

3886a	下手・019オ3・地儀	鍱	—	テウ ［平濁平］	右注	jiap	葉韻
3887b	下手・019オ3・地儀	鍱	入	エウ	右注	jiap	葉韻
3888a	下手・019オ4・地儀	殿	—	テン	右注	den^{3} ten^{3}	霰韻 霰韻
3888b	下手・019オ4・地儀	上	—	シヤウ	右注	źiɑŋ^{2}	養韻
3889a	下手・019オ6・動物	斲	入	タク	右傍	tauk	覺韻
6967	下手・019オ6・動物	囮	平濁	クワ	右傍	ŋuɑ^{1} jiʌu^{1}	戈韻 尤韻
3890	下手・019オ7・動物	貂	平	テウ	右傍	teu^{1}	蕭韻
3891	下手・019ウ1・動物	蝶	入	テフ	右注	t'ep dep	帖韻 帖韻
3892a	下手・019ウ3・人倫	弟	—	テ ［平濁］	右注	dei$^{2/3}$	薺/霽韻
3892b	下手・019ウ3・人倫	子	—	シ ［平］	右注	tsiɐi^{2}	止韻
3893a	下手・019ウ4・人倫	天	—	テン	右注	t'en^{1}	先韻
3893b	下手・019ウ4・人倫	狐	—	ク	右注	ɣuʌ^{1}	模韻
3894a	下手・019ウ4・人倫	天	—	テン	左注	t'en^{1}	先韻
3894b	下手・019ウ4・人倫	魔	—	マ	左注	mɑ^{1}	戈韻
3895	下手・019ウ6・人體	軆	上濁	テイ ［上上］	右注	t'ei^{2}	薺韻
3896	下手・019ウ6・人體	手	上	シウ	右傍	śiʌu^{2}	有韻
3897	下手・019ウ6・人體	腡	平	—	—	luɑ^{1} kuɐ^{1}	戈韻 佳韻
3898	下手・019ウ6・人體	紋	平濁	フン	右注	miuʌn^{1}	文韻
3899a	下手・020オ4・人事	田	—	テン	左注	den^{1}	先韻
3899b	下手・020オ4・人事	樂	—	カク	左注	ŋauk lɑk ŋau^{3}	覺韻 鐸韻 効韻
3901a	下手・020オ4・人事	天	—	テン	右注	t'en^{1}	先韻
3901b	下手・020オ4・人事	骨	—	コツ	右注	kuʌt	没韻
3902	下手・020オ4・人事	哲	—	テツ	左注	tiat	薛韻
3903a	下手・020オ7・人事	天	去	—	—	t'en^{1}	先韻
3903b	下手・020オ7・人事	人	上	—	—	ńien^{1}	眞韻
3904a	下手・020オ7・人事	鳥	上	—	—	teu^{2}	篠韻
3904b	下手・020オ7・人事	向	平	クワウ	右傍	xiɑŋ^{3} śiɑŋ^{3}	漾韻 漾韻
3905a	下手・020ウ2・飲食	黏	平濁	テム	右注	ṇiam^{1}	鹽韻
3905b	下手・020ウ2・飲食	臍	去	セイ	右注	dzei^{1}	齊韻
3906a	下手・020ウ4・雜物	天	—	テン	左注	t'en^{1}	先韻
3906b	下手・020ウ4・雜物	冠	—	火ン	左注	kuɑn$^{1/3}$	桓/換韻
3907a	下手・020ウ4・雜物	調	—	テウ	左注	deu$^{1/3}$ ṭiʌu^{1}	蕭/嘯韻 尤韻
3907b	下手・020ウ4・雜物	布	—	フ	左注	puʌ^{3}	暮韻

3908	下手・020ウ4・雑物	簟	上濁	テム [平上]	中注	dem^{2}	忝韻
3909a	下手・020ウ4・雑物	蘄	平	キ	右傍	kiʌi^{1} giɐi^{1} kiʌn^{1}	微韻 之韻 欣韻
3909b	下手・020ウ4・雑物	竹	―	チク	右傍	ṭiʌuk	屋韻
3910	下手・020ウ6・雑物	牒	入	テウ [平平]	右注	dep	帖韻
3911	下手・020ウ6・雑物	釿	平	キン	右傍	kiʌn^{1} ŋien^{2}	欣韻 軫韻
3912a	下手・020ウ7・雑物	綴	―	テ [平]	右注	ṭiuai^{3} ṭiuat	祭韻 薛韻
3912b	下手・020ウ7・雑物	牛	―	コ [上濁]	右注	ŋiʌu^{1}	尤韻
3912c	下手・020ウ7・雑物	皮	―	ヒ [平]	右注	bie^{1}	支韻
3913b	下手・020ウ7・雑物	楯	上	スキン	右傍	tśiuen^{1} ziuen$^{1/2}$	諄韻 諄/準韻
3914	下手・020ウ7・雑物	矛	平濁	ホウ	右傍	miʌu^{1}	尤韻
3915	下手・021オ1・雑物	杻	上	チウ	右傍	ṭ‘iʌu^{2} ṇiʌu^{2}	有韻 有韻
3916a	下手・021オ1・雑物	銚	平	テウ [平平]	右注	t‘eu^{1} deu^{3} jiau^{1}	蕭韻 嘯韻 宵韻
3916b	下手・021オ1・雑物	子	―	シ [上]	右注	tsiɐi^{2}	止韻
3917a	下手・021オ1・雑物	鐵	―	テツ [平上]	右注	t‘et	宵韻
3917b	下手・021オ1・雑物	精	―	シヤウ [上上上]	右注	tsieŋ^{1}	清韻
3918a	下手・021オ2・雑物	兆	平濁	テウ	右注	ḍiau^{2}	小韻
3918b	下手・021オ2・雑物	土	平濁	ト	右注	t‘uʌ^{2} duʌ^{2}	姥韻 姥韻
3919a	下手・021オ2・雑物	調	平濁	テウ	右注	deu$^{1/3}$ ṭiʌu^{1}	蕭/嘯韻 尤韻
3919b	下手・021オ2・雑物	度	平濁	ト	右注	duʌ^{3} dɑk	暮韻 鐸韻
3920a	下手・021オ2・雑物	疊	―	テウ	右注	dep	帖韻
3921a	下手・021オ2・雑物	刁	東	テウ [上平]	左注	teu^{1}	蕭韻
3921b	下手・021オ2・雑物	斗	上	トウ [上上]	左注	tʌu^{2}	厚韻
3922	下手・021オ4・光彩	照	去	セウ	右傍	tśiau^{3}	笑韻
3923	下手・021オ4・光彩	曜	去	エウ	右傍	jiau^{3}	笑韻
3924	下手・021オ4・光彩	瞛	平	―	―	ts‘iɑuŋ^{1}	鍾韻
3925	下手・021オ7・員數	帖	平濁	テウ [平濁平]	右注	t‘ep	帖韻

3926	下手・021オ7・員數	兆	去	テウ ［平平］	右注	ḍiau^{2}	小韻
3927a	下手・021オ7・員數	帖	—	テツ	右傍	t'ep	帖韻
6969	下手・021ウ2・辞字	傳	—	テン ［平濁平］	右注	ḍiuan$^{1/3}$ ṭiuan^{3}	仙/線韻 線韻
3928	下手・021ウ2・辞字	篆	—	テン ［上平］	右注	ḍiuan^{2}	獮韻
3929	下手・021ウ3・辞字	點	—	テム ［平平］	右注	tem^{2}	忝韻
3930	下手・021ウ3・辞字	帖	—	テツ ［平濁平］	右注	t'ep	帖韻
3931	下手・021ウ3・辞字	撤	—	テツ ［平平］	右注	ḍiat ṭ'iat	薛韻 薛韻
3932	下手・021ウ3・辞字	轉	—	テン ［上平］	右注	ṭiuan$^{2/3}$	獮/線韻
3933a	下手・021ウ5・重點	朝	—	テウ	右注	ṭiau^{1} ḍiau^{1}	宵韻 宵韻
3933b	下手・021ウ5・重點	朝	—	テウ	右注	ṭiau^{1} ḍiau^{1}	宵韻 宵韻
3934a	下手・021ウ5・重點	轉	平	テン	右注	ṭiuan$^{2/3}$	獮/線韻
3934b	下手・021ウ5・重點	轉	平濁	テン	右注	ṭiuan$^{2/3}$	獮/線韻
3935a	下手・021ウ5・重點	條	去濁	テウ	右注	deu^{1}	蕭韻
3935b	下手・021ウ5・重點	條	去濁	テウ	右注	deu^{1}	蕭韻
3936a	下手・021ウ5・重點	蘘	上濁	テウ	右注	ńiɑŋ^{1}	陽韻
3936b	下手・021ウ5・重點	蘘	上濁	テウ	右注	ńiɑŋ^{1}	陽韻
3937a	下手・021ウ7・疊字	天	去	—	—	t'en^{1}	先韻
3937b	下手・021ウ7・疊字	文	上	—	—	miuʌn^{1}	文韻
3938a	下手・021ウ7・疊字	朝	去	—	—	ṭiau^{1} ḍiau^{1}	宵韻 宵韻
3938b	下手・021ウ7・疊字	夕	入	—	—	ziek	昔韻
3939a	下手・021ウ7・疊字	亭	平	テイ	左注	deŋ^{1}	青韻
3939b	下手・021ウ7・疊字	午	上	コ	左注	ŋuʌ^{2}	姥韻
3940a	下手・021ウ7・疊字	泥	平	—	—	nei$^{1/3}$	薺/霽韻
3940b	下手・021ウ7・疊字	土	上	—	—	t'uʌ^{2} ḍuʌ^{2}	姥韻 姥韻
3941a	下手・021ウ7・疊字	田	平	—	—	den^{1}	先韻
3941b	下手・021ウ7・疊字	舎	去	—	—	śia$^{2/3}$	馬/禡韻
3942a	下手・022オ1・疊字	貞	平	—	—	ṭieŋ^{1}	清韻
3943a	下手・022オ1・疊字	店	平	テム	左注	tem^{3}	㮇韻
3943b	下手・022オ1・疊字	家	平	カ	左注	ka^{1}	麻韻
3944a	下手・022オ1・疊字	凋	平	テウ	左注	teu^{1}	蕭韻
3944b	下手・022オ1・疊字	弊	平	ヘイ	左注	bjiai^{3}	祭韻
3945a	下手・022オ1・疊字	朝	平	—	—	ṭiau^{1} ḍiau^{1}	宵韻 宵韻

3945b	下手・022オ1・疊字	宗	平	—	—	tsauŋ^{1}	冬韻
3946a	下手・022オ2・疊字	摘	入	テキ	左注	ṭɐk t‘ek	麥韻 錫韻
3946b	下手・022オ2・疊字	花	平	クワ	左注	xua^{1}	麻韻
3947a	下手・022オ2・疊字	天	去	—	—	t‘en^{1}	先韻
3947b	下手・022オ2・疊字	台	上	—	—	t‘ʌi^{1} jiɐi^{1}	咍韻 之韻
3948a	下手・022オ2・疊字	天	平	—	—	t‘en^{1}	先韻
3948b	下手・022オ2・疊字	子	上	—	—	tsiɐi^{2}	止韻
3949a	下手・022オ2・疊字	無	平濁	—	—	miuʌ^{1}	虞韻
3949b	下手・022オ2・疊字	為	平	—	—	ɣiue$^{1/3}$	支/寘韻
3950a	下手・022オ2・疊字	有	上	—	—	ɣiʌu^{2}	有韻
3950b	下手・022オ2・疊字	截	入	—	—	dzet	屑韻
3951a	下手・022オ2・疊字	朝	平	テウ	左注	ṭiau^{1} ḍiau^{1}	宵韻 宵韻
3951b	下手・022オ2・疊字	章	平	シヤウ	左注	tśiaŋ^{1}	陽韻
3952a	下手・022オ3・疊字	朝	平	—	—	ṭiau^{1} ḍiau^{1}	宵韻 宵韻
3952b	下手・022オ3・疊字	議	平	—	—	ŋie^{3}	寘韻
3953a	下手・022オ3・疊字	傳	上	—	—	ḍiuan$^{1/3}$ ṭiuan^{3}	仙/線韻 線韻
3953b	下手・022オ3・疊字	宣	平	—	—	siuan^{1}	仙韻
3954a	下手・022オ3・疊字	朝	平	—	—	ṭiau^{1} ḍiau^{1}	宵韻 宵韻
3954b	下手・022オ3・疊字	市	去	—	—	źiɐi^{2}	止韻
3955a	下手・022オ3・疊字	朝	平 去	テウ	左注	ṭiau^{1} ḍiau^{1}	宵韻 宵韻
3955b	下手・022オ3・疊字	廷	去	テイ	左注	deŋ$^{1/3}$	宵/證韻
3956a	下手・022オ3・疊字	朝	平	—	—	ṭiau^{1} ḍiau^{1}	宵韻 宵韻
3956b	下手・022オ3・疊字	位	平	—	—	ɣiuei^{3}	至韻
3957a	下手・022オ4・疊字	朝	平	テウ	左注	ṭiau^{1} ḍiau^{1}	宵韻 宵韻
3957b	下手・022オ4・疊字	覲	去	キン	左注	gien^{3}	震韻
3958a	下手・022オ4・疊字	朝	平	—	—	ṭiau^{1} ḍiau^{1}	宵韻 宵韻
3958b	下手・022オ4・疊字	威	平	—	—	’iuʌi^{1}	微韻
3959a	下手・022オ4・疊字	天	平	—	—	t‘en^{1}	先韻
3959b	下手・022オ4・疊字	長	平	—	—	ḍiaŋ$^{1/3}$ ṭiaŋ^{2}	陽/漾韻 養韻
3960a	下手・022オ4・疊字	冢	上	テウ	左注	ṭiauŋ^{2}	腫韻

3960b	下手・022オ4・疊字	宰	上	サイ	左注	tsʌi^{2}	海韻
3961a	下手・022オ4・疊字	天	平	—	—	t‘en^{1}	先韻
3961b	下手・022オ4・疊字	恩	平	—	—	’ʌn^{1}	痕韻
3962a	下手・022オ5・疊字	朝	平	—	—	ṭiau^{1} ḍiau^{1}	宵韻 宵韻
3962b	下手・022オ5・疊字	恩	平	—	—	’ʌn^{1}	痕韻
3963a	下手・022オ5・疊字	超	去	テウ	左注	ṭ‘iau^{1}	宵韻
3963b	下手・022オ5・疊字	越	入	ヲツ	左注	ɣiuɑt	月韻
3964a	下手・022オ5・疊字	朝	平	—	—	ṭiau^{1} ḍiau^{1}	宵韻 宵韻
3964b	下手・022オ5・疊字	撰	去	—	—	dẓian^{2} dẓuan^{2}	獮韻 潸韻
3965a	下手・022オ5・疊字	癲	平	テン	中注	ten^{1}	先韻
3965b	下手・022オ5・疊字	狂	平	クヰヤウ	中注	giuɑŋ$^{1/3}$	陽/漾韻
3966a	下手・022オ5・疊字	姪	入	—	—	det ḍiet	屑韻 質韻
3966b	下手・022オ5・疊字	弟	去	—	—	dei$^{2/3}$	薺/霽韻
3967a	下手・022オ6・疊字	庭	平	—	—	deŋ^{1}	青韻
3967b	下手・022オ6・疊字	訓	去	—	—	xiuʌn^{3}	問韻
3968a	下手・022オ6・疊字	貞	平	—	—	ṭieŋ^{1}	清韻
3968b	下手・022オ6・疊字	潔	入	—	—	ket	屑韻
3969a	下手・022オ6・疊字	田	去	—	—	den^{1}	先韻
3969b	下手・022オ6・疊字	夫	上	—	—	piuʌ^{1} biuʌ^{1}	虞韻 虞韻
3970a	下手・022オ6・疊字	隄	平	テイ	左注	tei^{1} dei^{1}	齊韻 齊韻
3970b	下手・022オ6・疊字	防	平	ハウ	左注	biɑŋ$^{1/3}$	陽/漾韻
3971a	下手・022オ6・疊字	鄭	去	テイ	左注	ḍieŋ^{3}	勁韻
3971b	下手・022オ6・疊字	重	平	チウ	左注	ḍiɑuŋ$^{1/2/3}$	鍾/腫/用韻
3972a	下手・022オ7・疊字	丁	平	テイ	左注	teŋ^{1} ṭɐŋ^{1}	青韻 耕韻
3972b	下手・022オ7・疊字	寧	平	ネイ	左注	neŋ^{1}	青韻
3973a	下手・022オ7・疊字	天	平	テン	左注	t‘en^{1}	先韻
3973b	下手・022オ7・疊字	性	去濁	セイ	左注	sieŋ^{3}	勁韻
3974a	下手・022オ7・疊字	貞	平	—	—	ṭieŋ^{1}	清韻
3974b	下手・022オ7・疊字	莭	入	—	—	tset	屑韻
3975a	下手・022オ7・疊字	啼	去	—	—	dei^{1}	齊韻
3975b	下手・022オ7・疊字	泣	入	—	—	k‘iep	緝韻
3976a	下手・022オ7・疊字	佤	平	—	—	tei^{1}	齊韻
3976b	下手・022オ7・疊字	頭	去	—	—	dʌu^{1}	侯韻
3977a	下手・022ウ1・疊字	傳	平	—	—	ḍiuan$^{1/3}$ ṭiuan^{3}	仙/線韻 線韻

3977b	下手・022ウ1・疊字	轉	平	―	―	ṭiuan$^{2/3}$	獮/線韻
3978a	下手・022ウ1・疊字	展	平	―	―	ṭian^{2}	獮韻
3978b	下手・022ウ1・疊字	轉	平濁	―	―	ṭiuan$^{2/3}$	獮/線韻
3979a	下手・022ウ1・疊字	桃	平	―	―	dɑu^{1}	豪韻
3979b	下手・022ウ1・疊字	書	平	―	―	śiʌ^{1}	魚韻
3980a	下手・022ウ1・疊字	眺	去	テウ	左注	tʻeu^{3}	嘯韻
3980b	下手・022ウ1・疊字	望	平濁	ハウ	左注	miɑŋ$^{1/3}$	陽/漾韻
3981a	下手・022ウ2・疊字	田	平	―	―	den^{1}	先韻
3981b	下手・022ウ2・疊字	獵	入	―	―	liap	葉韻
3982a	下手・022ウ2・疊字	逃	平	テウ	右注	dɑu^{1}	豪韻
3982b	下手・022ウ2・疊字	亡	平	ホウ	右注	miɑŋ^{1}	陽韻
3983a	下手・022ウ2・疊字	逃	平	テウ	中注	dɑu^{1}	豪韻
3983b	下手・022ウ2・疊字	名	平	メイ	中注	mieŋ^{1}	清韻
3984a	下手・022ウ2・疊字	逃	平	テウ	左注	dɑu^{1}	豪韻
3984b	下手・022ウ2・疊字	去	去	キヨ	左注	kʻiʌ$^{2/3}$	語/御韻
3985a	下手・022ウ2・疊字	逃	平	テウ	左注	dɑu^{1}	豪韻
3985b	下手・022ウ2・疊字	隠	上	イン	左注	ʼiʌn$^{2/3}$	隠/焮韻
3986a	下手・022ウ3・疊字	逃	平	テウ	左注	dɑu^{1}	豪韻
3986b	下手・022ウ3・疊字	脱	入	タツ	左注	duɑt tʻuɑt	末韻 末韻
3987a	下手・022ウ3・疊字	逃	平濁	テウ	左注	dɑu^{1}	豪韻
3987b	下手・022ウ3・疊字	散	平	サン	左注	sɑn$^{2/3}$	旱/翰韻
3988a	下手・022ウ3・疊字	帝	去	―	―	tei^{3}	霽韻
3988b	下手・022ウ3・疊字	帍	上	―	―	xuʌ^{2}	姥韻
3989a	下手・022ウ3・疊字	傳	上	―	―	ḍiuan$^{1/3}$ ṭiuan^{3}	仙/線韻 線韻
3989b	下手・022ウ3・疊字	言	平	―	―	ŋiɑn^{1}	元韻
3990a	下手・022ウ4・疊字	嘲	平	―	―	ṭau^{1}	肴韻
3990b	下手・022ウ4・疊字	哢	平	―	―	lʌuŋ^{3}	送韻
3991a	下手・022ウ4・疊字	嘲	平	―	―	ṭau^{1}	肴韻
3991b	下手・022ウ4・疊字	咲	去	―	―	siau^{3}	笑韻
3992a	下手・022ウ4・疊字	蹴	入	―	―	ḍiat ṭʻiat	薛韻 薛韻
3992b	下手・022ウ4・疊字	魚	平	―	―	ŋiʌ^{1}	魚韻
3993a	下手・022ウ4・疊字	調	平	―	―	deu$^{1/3}$ ṭiʌu^{1}	蕭/嘯韻 尤韻
3993b	下手・022ウ4・疊字	魚	平	―	―	ŋiʌ^{1}	魚韻
3994a	下手・022ウ4・疊字	提	平	テイ	中注	dei^{1} źie^{1}	齊韻 支韻
3994b	下手・022ウ4・疊字	獎	平	シヤウ	中注	tsiɑŋ^{2}	養韻
3995a	下手・022ウ5・疊字	提	平	テイ	左注	dei^{1} źie^{1}	齊韻 支韻

3995b	下手・022ウ5・疊字	携	平	タイ	左注	ɣuei[1]	齊韻
3996a	下手・022ウ5・疊字	提	平	―	―	dei[1] źie[1]	齊韻 支韻
3996b	下手・022ウ5・疊字	常	上	―	―	źiaŋ[1]	陽韻
3997a	下手・022ウ5・疊字	提	平	テイ	左注	dei[1] źie[1]	齊韻 支韻
3997b	下手・022ウ5・疊字	耳	上	シ	左注	ńiɐi[2]	止韻
3998a	下手・022ウ5・疊字	提	―	テイ	中注	dei[1] źie[1]	齊韻 支韻
3998b	下手・022ウ5・疊字	撕	―	セイ	中注	sei[1]	齊韻
3999a	下手・022ウ5・疊字	鳥	上 東? 徳?	―	―	teu[2]	篠韻
3999b	下手・022ウ5・疊字	跡	入	―	―	tsiek	昔韻
4000a	下手・022ウ6・疊字	程	平	―	―	ḍieŋ[1]	清韻
4000b	下手・022ウ6・疊字	限	平	―	―	ɣɐn[2]	産韻
4001a	下手・022ウ6・疊字	朝	平	―	―	ṭiau[1] ḍiau[1]	宵韻 宵韻
4001b	下手・022ウ6・疊字	憲	去	―	―	xiɑn[3]	願韻
4002a	下手・022ウ6・疊字	點	平	テム	左注	tem[2]	忝韻
4002b	下手・022ウ6・疊字	定	平	チヤウ	左注	teŋ[3] deŋ[3]	徑韻 徑韻
4003a	下手・022ウ7・疊字	敵	入	テキ	中注	dek	錫韻
4003b	下手・022ウ7・疊字	對	平	タイ	中注	tuʌi[3]	隊韻
4004a	下手・022ウ7・疊字	乖	平	―	―	kɐi[1]	皆韻
4004b	下手・022ウ7・疊字	違	去	―	―	ɣiuʌi[1]	微韻
4005a	下手・022ウ7・疊字	諂	平	テン	左注	ṭ'iam[2]	琰韻
4005b	下手・022ウ7・疊字	曲	入	コク	左注	k'iɑuk	燭韻
4006a	下手・022ウ7・疊字	諂	平	テン	左注	ṭ'iam[2]	琰韻
4006b	下手・022ウ7・疊字	姧	平	カン	左注	kan[1]	刪韻
4007a	下手・022ウ7・疊字	朝	平	―	―	ṭiau[1] ḍiau[1]	宵韻 宵韻
4007b	下手・022ウ7・疊字	衣	平	―	―	'iʌi[1/3]	微/未韻
4008a	下手・023オ1・疊字	調	平	テウ	左注	deu[1/3] ṭiʌu[1]	蕭/嘯韻 尤韻
4008b	下手・023オ1・疊字	備	上	ヒ	左注	biei[3]	至韻
4009a	下手・023オ1・疊字	調	―	テウ	左注	deu[1/3] ṭiʌu[1]	蕭/嘯韻 尤韻
4009b	下手・023オ1・疊字	味	―	ヒ	左注	miʌi[3]	未韻
4010a	下手・023オ1・疊字	泥	去	―	―	nei[1/3]	齊/霽韻
4011a	下手・023オ1・疊字	滴	入	テキ	中注	tek	錫韻
4011b	下手・023オ1・疊字	瀝	入	レキ	中注	lek	錫韻

4012a	下手・023オ2・疊字	定	去	—	—	teŋ^{3} deŋ^{3}	徑韻 徑韻
4012b	下手・023オ2・疊字	面	去	—	—	miuan^{3}	線韻
4013a	下手・023オ2・疊字	調	上	—	—	deu$^{1/3}$ ṭiʌu^{1}	蕭/嘯韻 尤韻
4013b	下手・023オ2・疊字	子	上	—	—	tsiɐi^{2}	止韻
4014a	下手・023オ2・疊字	轉	平 上	—	—	ṭiuan$^{2/3}$	獮/線韻
4014b	下手・023オ2・疊字	蓬	平 上	—	—	bʌuŋ^{1}	東韻
4015a	下手・023オ3・疊字	纏	平	—	—	ḍian$^{1/3}$	仙/線韻
4015b	下手・023オ3・疊字	牽	平	—	—	k‘en$^{1/3}$	先/霰韻
4016a	下手・023オ3・疊字	亭	平	—	—	deŋ^{1}	青韻
4016b	下手・023オ3・疊字	吏	上	—	—	liɐi^{3}	志韻
4017a	下手・023オ3・疊字	點	平	—	—	tem^{2}	忝韻
4017b	下手・023オ3・疊字	拎	平	—	—	leŋ^{1}	青韻
4018a	下手・023オ3・疊字	田	去	—	—	den^{1}	先韻
4018b	下手・023オ3・疊字	宅	入	—	—	ḍak	陌韻
4019a	下手・023オ3・疊字	調	平	テウ	左注	deu$^{1/3}$ ṭiʌu^{1}	蕭/嘯韻 尤韻
4019b	下手・023オ3・疊字	度	平濁	ト	左注	duʌ^{3} dak	暮韻 鐸韻
4020a	下手・023オ4・疊字	糴	去	テキ	左注	dek	錫韻
4020b	下手・023オ4・疊字	糶	入	テウ	左注	t‘eu^{3}	嘯韻
4021a	下手・023オ4・疊字	填	平	テン	左注	den$^{1/3}$ ṭien$^{1/3}$	先/霰韻 眞/震韻
4021b	下手・023オ4・疊字	納	入	ナフ	左注	nap	盍韻
4022a	下手・023オ4・疊字	調	平	—	—	deu$^{1/3}$ ṭiʌu^{1}	蕭/嘯韻 尤韻
4022b	下手・023オ4・疊字	良	平	—	—	liaŋ^{1}	陽韻
4023a	下手・023オ4・疊字	停	平	テイ	左注	deŋ^{1}	青韻
4023b	下手・023オ4・疊字	滯	去	テイ	左注	ḍiai^{3}	祭韻
4024a	下手・023オ4・疊字	定	平	テイ	左注	teŋ^{3} deŋ^{3}	徑韻 徑韻
4024b	下手・023オ4・疊字	獵	入	レフ	左注	liap	葉韻
4025a	下手・023オ5・疊字	定	去	—	—	teŋ^{3} deŋ^{3}	徑韻 徑韻
4025b	下手・023オ5・疊字	啚	上	—	—	piei^{2} duʌ^{1}	旨韻 模韻
4026a	下手・023オ5・疊字	泥	平濁	テイ	左注	nei$^{1/3}$	齊/霽韻
4026b	下手・023オ5・疊字	塗	平	ト	左注	duʌ^{1} ḍa^{1}	模韻 麻韻
4027a	下手・023オ5・疊字	顛	平	テン	左注	ten^{1}	先韻

4027b	下手・023オ5・疊字	倒	平	タウ	左注	tɑu^2/3	晧/号韻
4028a	下手・023オ5・疊字	傳	―	テン	左注	ḍiuan^1/3 ṭiuan^3	仙/線韻 線韻
4028b	下手・023オ5・疊字	丹	平	タン	左注	tɑn^1	寒韻
4029a	下手・023オ5・疊字	擲	入	テキ	左注	ḍiek	昔韻
4029b	下手・023オ5・疊字	地	去	チ	左注	diei^3	至韻
4030a	下手・023オ6・疊字	酈	入	テキ	左注	lek lie^1	錫韻 支韻
4030b	下手・023オ6・疊字	縣	去	クヱン	左注	ɣuen^1/3	先/霰韻
4031a	下手・023オ6・疊字	朝	平	―	―	ṭiau^1 ḍiau^1	宵韻 宵韻
4031b	下手・023オ6・疊字	暮	去	―	―	muʌ^3	暮韻
4032a	下手・023オ7・疊字	纏	平	テン	左注	ḍian^1/3	仙/線韻
4032b	下手・023オ7・疊字	頭	平濁	トウ	左注	dʌu^1	侯韻
4033a	下手・023オ7・疊字	諂	―	テン	左注	ṭʻiam^2	琰韻
4033b	下手・023オ7・疊字	佞	―	ネイ	左注	neŋ^3	徑韻
4034a	下手・023オ7・疊字	顛	―	テン	右注	ten^1	先韻
4034b	下手・023オ7・疊字	沛	―	ハイ	右注	pɑi^3	泰韻
4035a	下手・023オ7・疊字	調	去	テウ	左注	deu^1/3 ṭiʌu^1	蕭/嘯韻 尤韻
4035b	下手・023オ7・疊字	庸	上	ヨウ	左注	jiɑuŋ^1	鍾韻
4036a	下手・023ウ1・疊字	調	去	テウ	左注	deu^1/3 ṭiʌu^1	蕭/嘯韻 尤韻
4036b	下手・023ウ1・疊字	物	入	モツ	左注	miuʌt	物韻
4037a	下手・023ウ1・疊字	寵	上	テウ	右注	ṭʻiɑuŋ^2	腫韻
4037b	下手・023ウ1・疊字	辱	入	ショク	右注	ńiɑuk	燭韻
4038a	下手・023ウ1・疊字	殄	去濁	テン	右注	den^2	銑韻
4038b	下手・023ウ1・疊字	滅	入	メツ	右注	mjiat	薛韻
4039a	下手・023ウ1・疊字	哲	入	テツ	右注	ṭiat	薛韻
4039b	下手・023ウ1・疊字	利	平	リ	右注	liei^3	至韻
4040b	下手・023ウ2・疊字	躰	―	テイ	右注	tʻei^2	薺韻
4041a	下手・023ウ5・官職	典	―	テン	右注	ten^2	銑韻
4041b	下手・023ウ5・官職	膳		セン	右注	żian^3	線韻
4042a	下手・023ウ5・官職	天	―	テン	右注	tʻen^1	先韻
4042b	下手・023ウ5・官職	文	―	モン	右注	miuʌn^1	文韻
4043a	下手・023ウ5・官職	典	―	テン	右注	ten^2	銑韻
4043b	下手・023ウ5・官職	藥	―	ヤク	右注	jiɑk	藥韻
4043c	下手・023ウ5・官職	寮	―	レウ	左注	leu^1	蕭韻
4044b	下手・023ウ6・官職	主	―	シユ	右注	tśiuʌ^2	麌韻

【表A-02】下巻_阿篇

番号	前田本所在	掲出字		仮名音注		中古音	韻目
4045a	下阿・024オ5・天象	天	上	—	—	t‘en^{1}	先韻
4045b	下阿・024オ5・天象	河	平	—	—	ɣɑ^{1}	歌韻
4046a	下阿・024オ7・天象	明	去	ミヤウ	右傍	miaŋ^{1}	庚韻
4046b	下阿・024オ7・天象	星	上	シヤウ	右傍	seŋ^{1}	青韻
4047a	下阿・024オ7・天象	商	平	シヤウ	右注	śiɑŋ^{1}	陽韻
4047b	下阿・024オ7・天象	羊	平	シヤ	右注	jiɑŋ^{1}	陽韻
4048a	下阿・024オ7・天象	斜	平	シヤ	右注	zia^{1} jia^{1}	麻韻 麻韻
4048b	下阿・024オ7・天象	脚	入	キヤク	右注	kiɑk	藥韻
4049a	下阿・024オ7・天象	暗	上	アン	左注	’ʌm^{3}	勘韻
4049b	下阿・024オ7・天象	聲	平	セイ	左注	śieŋ^{1}	清韻
4050	下阿・024ウ1・天象	嵐	東?	ラム	右傍	lʌm^{1}	覃韻
4051	下阿・024ウ1・天象	雹	入	ハク	右傍	bauk	覺韻
4052	下阿・024ウ1・天象	霙	平	エイ	右傍	’iaŋ^{1} ’iɑŋ^{1}	庚韻 陽韻
4053	下阿・024ウ2・天象	秋	平	シウ	右傍	ts‘iʌu^{1}	尤韻
4054a	下阿・024ウ2・天象	夷	平	イ	右注	jiei^{1}	脂韻
4054b	下阿・024ウ2・天象	則	入	ソク	右注	tsʌk	徳韻
4055a	下阿・024ウ2・天象	初	平	—	—	tṣ‘iʌ^{1}	魚韻
4055b	下阿・024ウ2・天象	秋	平	シウ	右注	ts‘iʌu^{1}	尤韻
4056a	下阿・024ウ2・天象	南	平	ナム	右注	nʌm^{1}	覃韻
4056b	下阿・024ウ2・天象	呂	上	リヨ	右注	liʌ^{2}	語韻
4057a	下阿・024ウ2・天象	晩	上濁	—	—	miɑn^{2}	阮韻
4057b	下阿・024ウ2・天象	秋	平	—	—	ts‘iʌu^{1}	尤韻
4058a	下阿・024ウ2・天象	重	平	チヨウ	右注	ḍiɑuŋ$^{1/2/3}$	鍾/腫/用韻
4058b	下阿・024ウ2・天象	陽	平	ヤウ	右注	jiɑŋ^{1}	陽韻
4059	下阿・024ウ2・天象	商	東	シヤウ	右傍	śiɑŋ^{1}	陽韻
4060	下阿・024ウ2・天象	朝	平	テウ	右傍	ṭiau^{1} ḍiau^{1}	宵韻 宵韻
4061	下阿・024ウ2・天象	調	平	テウ	右傍	deu$^{1/3}$ ṭiʌu^{1}	蕭/嘯韻 尤韻
4062a	下阿・024ウ3・天象	明	平	—	—	miaŋ^{1}	庚韻
4063	下阿・024ウ3・天象	明	平	—	—	miaŋ^{1}	庚韻
4064a	下阿・024ウ4・天象	晨	平	シン	右傍	źien^{1} dźien^{1}	眞韻 眞韻
4065	下阿・025オ2・地儀	嵯	平	サ	右傍	dzɑ^{1}	歌韻
4066	下阿・025オ2・地儀	菑	平	—	—	tṣiɐi^{1}	之韻
4067	下阿・025オ3・地儀	畔	—	ハン	右傍	bɑn^{3}	換韻
4068a	下阿・025オ6・地儀	糞	去	フン	右傍	piuʌn^{3}	問韻
4068b	下阿・025オ6・地儀	堆	去	クワイ	右傍	tuʌi^{1}	灰韻

4069	下阿・025オ6・地儀	芥	―	カイ	右傍	kɐi^{3}	怪韻
4070b	下阿・025オ6・地儀	垜	上	タ	右傍	duɑ^{2}	果韻
4071	下阿・025オ6・地儀	堋	平	ホウ	左注	bʌŋ^{1} p'ʌŋ^{1} pʌŋ^{3}	登韻 登韻 嶝韻
4072	下阿・025オ7・地儀	壝	平	クヰ	右傍	jiuei$^{1/2}$	脂/旨韻
4073	下阿・025オ7・地儀	霤	去	リウ	右傍	liʌu^{3}	宥韻
4074	下阿・025ウ1・地儀	亭	―	テイ	右傍	deŋ^{1}	青韻
4075a	下阿・025ウ1・地儀	庵	平	アン	右注	'ʌm^{1}	覃韻
4075b	下阿・025ウ1・地儀	室	入	シチ	右注	ṭiet	質韻
4076	下阿・025ウ1・地儀	幄	入	アク	右傍	'auk	覺韻
4077a	下阿・025ウ1・地儀	麻	平濁	ハ	右傍	ma^{1}	麻韻
4078a	下阿・025ウ2・地儀	安	平	アン	右傍	'ɑn^{1}	寒韻
4078b	下阿・025ウ2・地儀	福	入	フク	右傍	piʌuk	屋韻
4079a	下阿・025ウ2・地儀	安	平	アン	右傍	'ɑn^{1}	寒韻
4079b	下阿・025ウ2・地儀	衆	去	シユ	右傍	tśiʌuŋ$^{1/3}$	東/送韻
4080a	下阿・025ウ2・地儀	安	平	―	―	'ɑn^{1}	寒韻
4080b	下阿・025ウ2・地儀	嘉	平	―	―	ka^{1}	麻韻
4081	下阿・025ウ4・植物	葵	平	クヰ	右傍	gjiuei^{1}	脂韻
4082	下阿・025ウ4・植物	茮	平	―	―	gjiɑu^{1}	宵韻
4083	下阿・025ウ4・植物	藜	平	レイ	右傍	lei^{1}	齊韻
4084a	下阿・025ウ4・植物	牽	平	ケン	右傍	k'en$^{1/3}$	先/霰韻
4084b	下阿・025ウ4・植物	牛	平濁	―	―	ŋiʌu^{1}	尤韻
4085	下阿・025ウ5・植物	蘆	平	ロ	右傍	luʌ^{1} liʌ^{1}	模韻 魚韻
4086b	下阿・025ウ6・植物	葭	平	カ	右傍	ka^{1} ɣa^{1}	麻韻 麻韻
4087	下阿・025ウ6・植物	艻	平	テウ	左注	teu^{1} deu^{1}	蕭韻 蕭韻
4088	下阿・025ウ6・植物	粟	―	シヨク	右傍	siɑuk	燭韻
4089	下阿・025ウ7・植物	禾	平	クワ	右傍	ɣuɑ^{1}	戈韻
4090a	下阿・025ウ7・植物	丹	平	タン	右傍	tɑn^{1}	寒韻
4090b	下阿・025ウ7・植物	黍	―	シヨ	右傍	ɕiʌ^{2}	語韻
4091a	下阿・025ウ7・植物	粱	平	リヤウ	右傍	liɑŋ^{1}	陽韻
6483a	下阿・026オ1・植物	穭	―	クワイ	右傍	k'uɑi^{3}	泰韻
4092	下阿・026オ1・植物	麻	平濁	ハ	右傍	ma^{1}	麻韻
4093a	下阿・026オ2・植物	女	上濁	―	―	ṇiʌ$^{2/3}$	語/御韻
4093b	下阿・026オ2・植物	葳	平	ヰ	右傍	'iuʌi^{1}	微韻
4093c	下阿・026オ2・植物	蕤	平	スヰ	右傍	ńiuei^{1}	脂韻
4094b	下阿・026オ2・植物	萎	平	ヰ	右傍	'iue^{1}	支/寘韻
4095a	下阿・026オ2・植物	嶋	上	タウ	右傍	tɑu^{2} teu^{2}	晧韻 篠韻

4096a	下阿・026オ2・植物	阿	—	ア	右注	ʼɑ^{1}	歌韻
4096b	下阿・026オ2・植物	佐	—	サ ［上］	右注	tsɑ^{3}	箇韻
4096c	下阿・026オ2・植物	豆	—	ツ	右注	dʌu^{3}	候韻
4096d	下阿・026オ2・植物	岐	—	キ	右注	gjie^{1}	支韻
4097a	下阿・026オ3・植物	艹+偏	平	ヘイ	右傍	(pen$^{1/2}$)	(先/銑韻)
4098a	下阿・026オ3・植物	青	平	セイ	右傍	tsʻeŋ^{1}	青韻
4098b	下阿・026オ3・植物	瓜	平	クワ	右傍	kua^{1}	麻韻
4099a	下阿・026オ4・植物	蔓	去	マン	右傍	mɑn^{1} miɑn^{3}	桓韻 願韻
4099b	下阿・026オ4・植物	菁	平	セイ	右傍	tsieŋ^{1}	清韻
4100a	下阿・026オ4・植物	生	平	セイ	右傍	ṣaŋ$^{1/3}$	庚/映韻
4100b	下阿・026オ4・植物	菜	去	サイ	右傍	tsʻʌi^{3}	代韻
4101	下阿・026オ5・植物	薊	去	ケイ	右傍	kei^{3}	霽韻
4102a	下阿・026オ5・植物	蘭	平	ラン	右傍	lɑn^{1}	寒韻
4102b	下阿・026オ5・植物	蒚	入	カク	右傍	ɣɐk lek	麥韻 錫韻
4103a	下阿・026オ5・植物	澤	入	タク	右傍	ḍak	陌韻
4103b	下阿・026オ5・植物	蘭	平	ラン	右傍	lɑn^{1}	寒韻
4104a	下阿・026オ6・植物	桔	入	キツ	右傍	ket	屑韻
4104b	下阿・026オ6・植物	梗	上	キヤウ	右傍	kaŋ^{2}	梗韻
4105a	下阿・026オ6・植物	昌	去	シヤウ	右傍	tśʻiɑŋ^{1}	陽韻
4105b	下阿・026オ6・植物	蒲	上	フ	右傍	buʌ^{1}	模韻
4106a	下阿・026オ7・植物	藎	去	シン	右傍	zien^{3}	震韻
4107a	下阿・026オ7・植物	地	去	—	—	diei^{3}	至韻
4107b	下阿・026オ7・植物	榆	平	—	—	jiuʌ^{1}	虞韻
4108a	下阿・026オ7・植物	甘	去	カム	右傍	kɑm^{1}	談韻
4108b	下阿・026オ7・植物	草	平濁	サウ	右傍	tsʻɑu^{2}	晧韻
4109a	下阿・026ウ1・植物	紫	上	シ	右傍	tsie^{2}	紙韻
4109b	下阿・026ウ1・植物	陽	平	ヤウ	右傍	jiɑŋ^{1}	陽韻
4110	下阿・026ウ2・植物	梓	上	シ	右傍	tsiɐi^{2}	止韻
4111	下阿・026ウ2・植物	楝	去	レン	右傍	len^{3}	霰韻
4112	下阿・026ウ2・植物	橙	平	タウ	右傍	ḍɐŋ^{1} tʌŋ^{3}	耕韻 嶝韻
4113	下阿・026ウ2・植物	檍	入	ヨク	右傍	ʼiɐk	職韻
4114a	下阿・026ウ3・植物	山	平	サン	右傍	ṣɐn^{1}	山韻
4114b	下阿・026ウ3・植物	榴	平	リウ	右傍	liʌu^{1}	尤韻
4115a	下阿・026ウ3・植物	安	平	アン	右注	ʼɑn^{1}	寒韻
4115b	下阿・026ウ3・植物	楉	入	サク	右注	ńiɑk	藥韻
4115c	下阿・026ウ3・植物	榴	去	ロ	右注	liʌu^{1}	尤韻
4116a	下阿・026ウ3・植物	鸎	—	アウ	右注	ʼɐŋ^{1}	耕韻
4116b	下阿・026ウ3・植物	實	—	シチ	右注	dźiet	質韻
4117	下阿・026ウ3・植物	英	平	エイ	右傍	ʼiaŋ^{1}	庚韻

4118a	下阿・026ウ4・植物	滑	入	クワツ	右傍	ɣuɐt kuʌt ɣuʌt	黠韻 没韻 没韻
4118b	下阿・026ウ4・植物	海	上	―	―	xʌi^{2}	海韻
4118c	下阿・026ウ4・植物	澡	上	サウ	右傍	tsɑu^{2}	晧韻
4119a	下阿・026ウ4・植物	神	平	シン	右傍	dźien^{1}	眞韻
4119b	下阿・026ウ4・植物	仙	平	セン	右傍	sian^{1}	仙韻
4120a	下阿・026ウ5・植物	陟	入	チヨク	右傍	ṭiɐk	職韻
4120b	下阿・026ウ5・植物	釐	平	テン	右傍	liɐi^{1}	之韻
4121	下阿・026ウ5・植物	荇	上	カウ	右傍	ɣaŋ^{2}	梗韻
4122a	下阿・026ウ6・植物	蔔	入	―	―	bʌk	徳韻
4123a	下阿・026ウ6・植物	蔔	―	フク	右傍	bʌk	徳韻
4124c	下阿・026ウ7・植物	蘽	平	ルイ	右傍	liuei^{1}	脂韻
4125a	下阿・027オ1・植物	蘡	―	ヤウ	右傍	'ieŋ^{1}	清韻
4125b	下阿・027オ1・植物	薁	―	イク	右傍	'iʌuk	屋韻
4126b	下阿・027オ1・植物	巳	平	イ	右傍	jiɐi$^{2/3}$	止/志韻
4127a	下阿・027オ3・動物	獵	入	レウ	右傍	liap kɑt	葉韻 曷韻
4128a	下阿・027オ3・動物	鸚	去	アウ	中注	'ɐŋ^{1}	耕韻
4128b	下阿・027オ3・動物	鵡	平	ム	中注	miuʌ^{2}	麌韻
4129	下阿・027オ4・動物	距	上	キヨ	右傍	giʌ^{2}	語韻
4130	下阿・027オ4・動物	臎	去	スイ	右傍	ts'iuei^{3} tsiuei^{2}	至韻 旨韻
4131a	下阿・027オ5・動物	驓	平	ソウ	右傍	dziɐŋ^{1}	蒸韻
4132a	下阿・027オ5・動物	驄	平	ソウ	右傍	ts'ʌuŋ^{1}	東韻
4133a	下阿・027オ6・動物	黄	平	クワウ	右傍	ɣuɑŋ^{1}	唐韻
4134b	下阿・027オ6・動物	豹	去	ハウ	右傍	pau^{3}	效韻
4135a	下阿・027オ6・動物	葦	上	ヰ	右傍	ɣiuʌi^{2}	尾韻
4135b	下阿・027オ6・動物	鹿	入	ロク	右傍	lʌuk	屋韻
4136a	下阿・027オ7・動物	鼷	平	ケイ	右傍	ɣei^{1}	齊韻
4136b	下阿・027オ7・動物	鼠	上	―	―	śiʌ^{2}	語韻
4137a	下阿・027オ7・動物	汗	去	カン	右傍	ɣɑn$^{1/3}$ kɑn^{1}	寒/翰韻 寒韻
4137b	下阿・027オ7・動物	溝	平	コウ	右傍	kʌu^{1}	侯韻
4138a	下阿・027オ7・動物	羕	平	シヨウ	右傍	źieŋ^{1}	蒸韻
4138b	下阿・027オ7・動物	鐙	去	トウ	右傍	tʌŋ^{3}	嶝韻
4138c	下阿・027オ7・動物	肉	入濁	シク	右傍	ńiʌuk	屋韻
4139	下阿・027ウ1・動物	鮎	平	テム	右傍	nem^{1}	添韻
4140	下阿・027ウ2・動物	鯷	平	テイ	右傍	dei$^{1/3}$ źie$^{1/2/3}$	齊/霽韻 支/紙/寘韻
4141	下阿・027ウ2・動物	鯇	上	コン	右傍	ɣuʌn^{2} ɣuan^{2}	混韻 潸韻

4142	下阿・027ウ3・動物	鯖	平	セイ	右傍	ts'eŋ1 tṣieŋ1	青韻 清韻
4143	下阿・027ウ3・動物	鰺	平	サウ	右傍	sɑu1	豪韻
4144	下阿・027ウ3・動物	鱖	去	クヱイ	右傍	kiuai3 kiuɑt	祭韻 月韻
4145	下阿・027ウ3・動物	鱖	入	クヱツ	右傍	kiuɑt kiuai3	月韻 祭韻
4146	下阿・027ウ4・動物	鰓	平	―	―	sʌi1	咍韻
4147	下阿・027ウ4・動物	鮾	上濁	―	―	nuʌi2	賄韻
4148	下阿・027ウ4・動物	鯹	平	―	―	seŋ1	青韻
4149	下阿・027ウ5・動物	鮑	―	ハウ	右傍	bau2	巧韻
4150	下阿・027ウ5・動物	鰒	入	フク	右傍	biʌuk	屋韻
4151b	下阿・027ウ5・動物	辛	平	シン	右傍	sien1	眞韻
4151c	下阿・027ウ5・動物	螺	平	ラ	右傍	luɑ1	戈韻
4152a	下阿・027ウ6・動物	蚌	平	ハウ	右傍	baŋ1	庚韻
4152b	下阿・027ウ6・動物	蛸	入	クワツ	右傍	ɣuɐt	黠韻
4153a	下阿・027ウ7・動物	馬	上濁	ハ	右傍	ma2	馬韻
4153b	下阿・027ウ7・動物	陸	入	リク	右傍	liʌuk	屋韻
4154	下阿・028オ1・動物	蝱	平濁	ハウ	右傍	maŋ1	庚韻
4155	下阿・028オ1・動物	蟻	上濁	―	―	giue2	紙韻
4156b	下阿・028オ2・動物	蝦	平	カ	右傍	ɣa1	麻韻
4156c	下阿・028オ2・動物	蟇	平濁	ハ	右傍	ma1	麻韻
4157a	下阿・028オ3・動物	蠨	平	セウ	右傍	seu1 siʌuk	蕭韻 屋韻
4157b	下阿・028オ3・動物	蛸	平	サウ	右傍	ṣau1 siau1	肴韻 宵韻
4158a	下阿・028オ3・動物	蟢	―	キ	右傍	xiɐi2	止韻
4159a	下阿・028オ3・動物	螟	―	メイ	右傍	meŋ1	青韻
4159b	下阿・028オ3・動物	蛉	―	レイ	右傍	leŋ1	青韻
4160	下阿・028オ6・人倫	姉	上	シ	右傍	tsiei2	旨韻
4161	下阿・028オ6・人倫	兄	平 去	クヰウ	右傍	xiuaŋ1	庚韻
4162	下阿・028オ6・人倫	兄	平 去	クヱイ	左傍	xiuaŋ1	庚韻
4163	下阿・028オ6・人倫	娅	去	ア	右傍	'a3	禡韻
4164a	下阿・028オ7・人倫	妯	入 平	チク	右傍	ḍiʌuk ṭ'iʌu1	屋韻 尤韻
4164b	下阿・028オ7・人倫	娌	上	リ	右傍	liɐi2	止韻
4165	下阿・028オ7・人倫	尼	平	チ	右傍	ṇiei1	脂韻
4166a	下阿・028ウ1・人倫	泉	平	セン	右傍	dziuan1	仙韻
4166b	下阿・028ウ1・人倫	郎	平	ラウ	右傍	lɑŋ1	唐韻
4167a	下阿・028ウ1・人倫	商	東	シヤウ	右傍	śiɑŋ1	陽韻
4168a	下阿・028ウ2・人倫	商	入?	―	―	śiɑŋ1	陽韻
4169a	下阿・028ウ2・人倫	総	上	ソウ	右傍	tsʌuŋ2	董韻

4169b	下阿・028ウ2・人倫	角	―	カク	右傍	kauk lʌuk	覺韻 屋韻
4170a	下阿・028ウ2・人倫	遊	平	イウ	右傍	jiʌu^{1}	尤韻
4171	下阿・028ウ3・人倫	讎	平	シユ	右注	źiʌu^{1}	尤韻
4172	下阿・028ウ3・人倫	仇	平	キウ	右傍	giʌu^{1}	尤韻
4173b	下阿・028ウ5・人倫	探	平	タム	右傍	t'ʌm^{1}	覃韻
4174a	下阿・028ウ7・人躰	顖	去	シン	右傍	sien^{3}	震韻
4174b	下阿・028ウ7・人躰	會	去	クワイ	右傍	ɣuɑi^{3} kuɑi^{3}	泰韻 泰韻
4175	下阿・028ウ7・人躰	腭	入濁	カク	右傍	ŋɑk	鐸韻
4176	下阿・029オ1・人躰	脚	入	カク	右傍	kiɑk	藥韻
4177	下阿・029オ1・人躰	脚	入	キヤク	右傍	kiɑk	藥韻
4178	下阿・029オ1・人躰	趾	―	シ	右傍	tśiɐi^{2}	止韻
4179	下阿・029オ2・人躰	跗	平	フ	右傍	piuʌ$^{1/3}$	虞韻
4180	下阿・029オ2・人躰	趺	平	フ	右傍	piuʌ^{1}	虞韻
4181	下阿・029オ2・人躰	蹠	入	セキ	右傍	tśiek	昔韻
4182	下阿・029オ2・人躰	跖	―	シヤク	右傍	tśiek	昔韻
4183	下阿・029オ2・人躰	跏	平	カ	右傍	ka^{1}	麻韻
4184	下阿・029オ2・人躰	汙	平 去	ヲ	右傍	'uʌ$^{1/3}$	模/暮韻
4185	下阿・029オ2・人躰	汗	平 去	カン	左傍	ɣɑn$^{1/3}$ kɑn^{1}	寒/翰韻 寒韻
4186	下阿・029オ3・人躰	垢	去	コウ	右傍	kʌu^{2}	厚韻
4187	下阿・029オ3・人躰	膏	平	カウ	右傍	kɑu$^{1/3}$	豪/号韻
4188	下阿・029オ3・人躰	脂	平	シ	右傍	tśiei^{1}	脂韻
4189	下阿・029オ4・人躰	肪	平	ハウ	右注	biɑŋ^{1} piɑŋ^{1}	陽韻 陽韻
4190	下阿・029オ4・人躰	髕	―	ヒン	右傍	bjien^{2}	軫韻
4191	下阿・029オ4・人躰	竅	去	チウ	右傍	k'eu^{3}	嘯韻
4192	下阿・029オ4・人躰	孔	平	ク	右傍	k'ʌuŋ^{2}	董韻
4193a	下阿・029オ5・人躰	齞	上	ケン	右傍	ŋen^{2}	銑韻
4193b	下阿・029オ5・人躰	脣	平	スヰン	右傍	dziuen^{1}	諄韻
4194	下阿・029オ5・人躰	蹇	上	ケン	右傍	kian^{2} kiɑn^{2}	獮韻 阮韻
4195	下阿・029オ5・人躰	痿	平	―	―	'iue^{1} ńiue^{1}	支韻 支韻
4196	下阿・029オ6・人躰	痕	平	コン	右傍	ɣʌn^{1}	痕韻
4197	下阿・029オ6・人躰	皸	平	クウン	右傍	kiuʌn$^{1/3}$	文/問韻
4198	下阿・029オ6・人躰	疵	平	シ	右傍	dzie^{1}	支韻
4199	下阿・029オ6・人躰	疝	平	サン	右傍	ṣɐn^{1} ṣan^{3}	山韻 諫韻
4200	下阿・029オ6・人躰	癘	去	レイ	右傍	liai^{3}	祭韻
4201a	下阿・029オ7・人躰	瘜	入	ソク	右傍	siɐk	職韻
4201b	下阿・029オ7・人躰	肉	入濁	シク	右傍	ńiʌuk	屋韻

4202a	下阿・029オ7・人躰	清	平	セイ	右傍	ts‘ieŋ^{1}	清韻
4203a	下阿・029オ7・人躰	喘	―	セン	右傍	tśiuan^{2}	獮韻
4203b	下阿・029オ7・人躰	息	―	ソク	右傍	siɐk	職韻
4204a	下阿・029ウ1・人躰	脚	入濁	キヤク	右傍	kiɑk	藥韻
4204b	下阿・029ウ1・人躰	氣	―	キ	右傍	k‘iʌi^{3} xiʌi^{3}	未韻 未韻
4205a	下阿・029ウ1・人躰	爇	入濁	セツ	右傍	ńiat	薛韻
4205b	下阿・029ウ1・人躰	沸	入	フツ	右傍	piʌi^{3}	未韻
4206	下阿・029ウ2・人躰	皻	平	サ	右傍	tṣa^{1}	麻韻
4207	下阿・029ウ4・人事	蹤	平	―	―	tsiɑuŋ^{1}	鍾韻
4208	下阿・029ウ4・人事	踑	平	―	―	giɐi^{1}	之韻
4209	下阿・029ウ5・人事	遊	平	―	―	jiʌu^{1}	尤韻
4210	下阿・029ウ7・人事	愛	―	アイ	右注	’ʌi^{3}	代韻
4211	下阿・029ウ7・人事	班	―	ハン	右傍	pan^{1}	刪韻
4212	下阿・030オ1・人事	冦	去	コウ	右傍	k‘ʌu^{3}	候韻
4213	下阿・030オ1・人事	睛	入	テキ	右傍	t‘ek ṭ‘iʌu^{1}	錫韻 尤韻
4214	下阿・030オ3・人事	謾	平	ハン	右傍	mɑn$^{1/3}$ man$^{1/3}$ mian^{1}	桓/換韻 刪/諫韻 仙韻
4215	下阿・030オ5・人事	侜	平	ヒウ	右傍	ṭiʌu^{1}	尤韻
4216	下阿・030オ6・人事	憐	平	レン	―	len^{1}	先韻
4217	下阿・030ウ2・人事	郵	平	イウ	右傍	ɣiʌu^{1}	尤韻
4218	下阿・030ウ2・人事	俾	平	ヘイ	右傍	bei^{2}	薺韻
4219	下阿・030ウ3・人事	訧	平	イウ	右傍	ɣiʌu^{1}	尤韻
4220	下阿・030ウ6・人事	雩	―	ウ	右注	ɣiuʌ^{1}	虞韻
4221a	下阿・031オ1・人事	安	平	―	―	’ɑn^{1}	寒韻
4221b	下阿・031オ1・人事	城	平濁	―	―	źieŋ^{1}	清韻
4222a	下阿・031オ1・人事	安	平	―	―	’ɑn^{1}	寒韻
4222b	下阿・031オ1・人事	樂	入	―	―	ŋauk lɑk ŋau^{3}	覺韻 鐸韻 効韻
4222c	下阿・031オ1・人事	塩	平	―	―	jiam^{1}	鹽/豔韻
4223a	下阿・031オ2・人事	阿	平	―	―	’ɑ^{1}	歌韻
4223b	下阿・031オ2・人事	夜	平	―	―	jia^{3}	禡韻
4223c	下阿・031オ2・人事	岐	上濁	―	―	gjie^{1}	支韻
4223d	下阿・031オ2・人事	理	平	―	―	liɐi^{2}	止韻
4224	下阿・031オ4・飲食	飴	平	イ	右傍	jiɐi^{1}	之韻
4225	下阿・031オ4・飲食	餳	平	―	―	zieŋ^{1}	清韻
4226	下阿・031オ4・飲食	糖	平	タウ	右傍	dɑŋ^{1}	唐韻
4227b	下阿・031オ4・飲食	歳	平	―	―	siuai^{3}	祭韻
4227c	下阿・031オ4・飲食	虆	―	ルイ	右傍	liuei^{1}	脂韻
4227d	下阿・031オ4・飲食	汁	入	―	―	tśiep	緝韻

4228b	下阿・031オ5・飲食	粉	平	フン		piuʌn^{2}	吻韻
4229	下阿・031オ5・飲食	炙	去	シヤ	右傍	tśia^{3} tśiek	禡韻 昔韻
4230	下阿・031オ5・飲食	炙	入	セキ	右傍	tśiek tśia^{3}	昔韻 禡韻
4231	下阿・031オ5・飲食	燔	平	ハン	右傍	biɑn^{1}	元韻
4232	下阿・031オ5・飲食	烘	平	—	—	xʌuŋ$^{1/3}$ ɣʌuŋ$^{1/3}$	東/送韻 東/送韻
4233	下阿・031オ6・飲食	羹	平	—	—	kaŋ^{1}	庚韻
4234	下阿・031オ6・飲食	膮	平	ケウ	右傍	xeu$^{1/2}$	蕭/篠韻
4235	下阿・031オ6・飲食	臛	入	カク	右傍	xɑk xɑuk	鐸韻 沃韻
4236	下阿・031オ6・飲食	鱐	去	セウ	右傍	seu^{3} ṣiʌu^{1}	嘯韻 尤韻
4237	下阿・031オ7・飲食	齏	平	セイ	右傍	tsei^{1}	齊韻
4238	下阿・031オ7・飲食	齏	平	セイ	右傍	tsei^{1}	齊韻
4239	下阿・031ウ1・飲食	粱	平	リヤウ	右傍	liɑŋ^{1}	陽韻
4240a	下阿・031ウ2・飲食	白	入	—	—	bak	陌韻
4240b	下阿・031ウ2・飲食	塩	平	—	—	jiam$^{1/3}$	鹽韻
4241	下阿・031ウ3・飲食	甜	平	テム	右傍	dem^{1}	添韻
4242	下阿・031ウ6・雜物	銅	平 去	トウ	右傍	dʌuŋ^{1}	東韻
4243	下阿・031ウ6・雜物	璞	入	ハク	右傍	p‘auk	覺韻
4244	下阿・031ウ6・雜物	鼎	上	テイ	右傍	teŋ^{2}	迥韻
4245	下阿・031ウ6・雜物	鎗	平	—	—	tṣ‘iaŋ^{1}	庚韻
4246	下阿・031ウ7・雜物	綾	平	—	—	liɐŋ^{1}	蒸韻
4247	下阿・032オ1・雜物	衵	—	シツ	右傍	ńiet ṇiet	質韻 質韻
4248a	下阿・032オ1・雜物	袷	入	—	—	kɐp kiɑp	洽韻 業韻
4249a	下阿・032オ2・雜物	襖	—	アウ	右注	’ɑu^{2}	晧韻
4249b	下阿・032オ2・雜物	子	—	シ	右注	tsiei^{2}	止韻
4250	下阿・032オ2・雜物	襖	上	アウ	右注	’ɑu^{2}	晧韻
4251	下阿・032オ2・雜物	絁	平	—	—	śiə^{1}	支韻
4252a	下阿・032オ3・雜物	紵	上	チヨ	右傍	ḍiʌ^{2}	語韻
4253a	下阿・032オ3・雜物	雨	上	—	—	ɣiuʌ$^{2/3}$	麌/遇韻
4253b	下阿・032オ3・雜物	衣	平	イ	右傍	’iʌi$^{1/3}$	微/未韻
4254a	下阿・032オ4・雜物	胡	平	コ	右傍	ɣuʌ^{1}	模韻
4254b	下阿・032オ4・雜物	床	平	シヤウ	右傍	dẓiɑŋ^{1}	陽韻
4255a	下阿・032オ4・雜物	障	平	シヤウ	右傍	tśiɑŋ$^{1/3}$	陽/漾韻
4255b	下阿・032オ4・雜物	泥	平濁	テイ	右傍	nei$^{1/3}$	齊/霽韻
4256a	下阿・032オ5・雜物	籧	平	キヨ	右傍	giʌ^{1}	魚韻
4256b	下阿・032オ5・雜物	篨	平	チヨ	右傍	ḍiʌ^{1}	魚韻
4257a	下阿・032オ5・雜物	籚	—	ロ	右傍	luʌ^{1}	模韻

4257b	下阿・032オ5・雜物	簸	―	ハイ	右傍	piɑi^{3}	廢韻
4258	下阿・032オ6・雜物	網	上濁	ハウ	右傍	miɑŋ^{2}	養韻
4259	下阿・032オ6・雜物	罧	平	リム	右傍	siem^{2} ṣiem^{3}	寑韻 沁韻
4260	下阿・032オ6・雜物	罟	上	コ	右傍	kuʌ^{2}	姥韻
4261	下阿・032オ6・雜物	罛	平	コ	右傍	kuʌ^{1}	模韻
4262	下阿・032オ6・雜物	罿	平	トウ	右傍	dʌuŋ^{1} tś'iɑuŋ^{1}	東韻 鍾韻
4263	下阿・032オ6・雜物	罾	平	ソウ	右傍	tsʌŋ^{1}	登韻
4264	下阿・032オ6・雜物	羉	平	ラン	右傍	luɑn^{1}	桓韻
4265	下阿・032オ6・雜物	罘	平	フ	右傍	biʌu^{1}	尤韻
4266	下阿・032オ7・雜物	罞	平	ハウ	右傍	mau^{1} mʌuŋ^{1}	肴韻 東韻
4267	下阿・032オ7・雜物	罝	平	サ	右傍	tsia^{1}	麻韻
4268	下阿・032オ7・雜物	罠	平	コ	右傍	mien^{1}	眞韻
4269	下阿・032オ7・雜物	罺	平濁	ハイ	右傍	muʌi$^{1/3}$ miuʌ^{2}	灰/隊韻 麌韻
4270	下阿・032オ7・雜物	罺	平	サウ	右傍	tṣau^{1} tṣ'au^{3}	肴韻 効韻
4271a	下阿・032ウ1・雜物	雉	去	チ	右傍	ḍiei^{2}	旨韻
4271b	下阿・032ウ1・雜物	尾	上濁	ヒ	右傍	miʌi^{2}	尾韻
4272b	下阿・032ウ1・雜物	明	平	メイ	右傍	miaŋ^{1}	庚韻
4273	下阿・032ウ1・雜物	屐	―	ケキ ［□平］	右傍	giak	陌韻
4274	下阿・032ウ2・雜物	械	去	―	―	ɣɐi^{3}	怪韻
4275a	下阿・032ウ2・雜物	篼	平	ヘン	右傍	pjian^{1} bjian^{1}	仙韻 仙韻
4275b	下阿・032ウ2・雜物	輿	平	―	―	jiʌ$^{1/3}$	魚/御韻
4276	下阿・032ウ2・雜物	油	平 去	イウ	左注	jiʌu$^{1/3}$	尤/宥韻
4277	下阿・032ウ2・雜物	油	平 去	ユ	右傍	jiʌu$^{1/3}$	尤/宥韻
4278a	下阿・032ウ3・雜物	油	去	ユ	右傍	jiʌu$^{1/3}$	尤/宥韻
4278b	下阿・032ウ3・雜物	瓶	上濁	ヒヤウ	右傍	beŋ^{1}	青韻
4279b	下阿・032ウ3・雜物	盞	上	セン	右傍	tṣɐn^{2}	産韻
4280	下阿・032ウ3・雜物	澤	入	タク	右傍	ḍak	陌韻
4281a	下阿・032ウ3・雜物	閼	入	アツ	右注	'ɑt 'iɑt 'en^{1} 'ian^{1}	曷韻 月韻 先韻 仙韻
4281b	下阿・032ウ3・雜物	伽	平	カ	右注	giɑ^{1}	歌韻
4282	下阿・032ウ4・雜物	磺	上	クワウ	右傍	kuaŋ^{2}	梗韻
4283b	下阿・032ウ4・雜物	礪	去	レイ	右傍	liai^{3}	祭韻
4284b	下阿・032ウ4・雜物	瓷	―	シ	右注	dziei^{1}	脂韻

4285	下阿・032ウ4・雑物	輠	上	クワ	右傍	kuɑ^{2} ɣuɑ^{2} ɣua^{2} ɣuʌi^{2}	果韻 果韻 馬韻 賄韻
4286	下阿・032ウ5・雑物	朸	入	ロク	右傍	lʌk liɐk	徳韻 職韻
4287	下阿・032ウ5・雑物	朸	入	リヨク	右傍	liɐk lʌk	職韻 徳韻
4288a	下阿・032ウ5・雑物	椓	入	タク	右傍	tauk	覺韻
4288b	下阿・032ウ5・雑物	擊	—	ケキ	右傍	kek	錫韻
4289	下阿・032ウ5・雑物	攣	平	レン	右傍	liuan^{1}	仙韻
4290	下阿・032ウ5・雑物	篙	入	ケキ	右傍	xek	錫韻
4291b	下阿・032ウ6・雑物	筐	平	クヰヤウ	右傍	k'iuɑŋ^{1}	陽韻
4292	下阿・032ウ6・雑物	案	—	アン [平平]	右注	'ɑn^{3}	翰韻
4293a	下阿・033オ1・雑物	苞	平	ハウ	右傍	pau^{1}	肴韻
4293b	下阿・033オ1・雑物	苴	平	シヨ	右傍	tsiʌ$^{1/2}$ ts'iʌ^{1} dẓa^{1}	魚/麌韻 魚韻 麻韻
4294	下阿・033オ4・光彩	蒼	平	サウ	右傍	ts'ɑŋ$^{1/2}$	唐/蕩韻
4295	下阿・033オ4・光彩	蔥	平	ソウ	右傍	ts'ʌuŋ^{1}	東韻
4296	下阿・033オ4・光彩	尨	平	—	—	mauŋ^{1}	江韻
4297	下阿・033オ4・光彩	朱	平	シユ	右傍	tśiuʌ^{1}	虞韻
4298	下阿・033オ5・光彩	絳	平	—	—	kauŋ^{3}	絳韻
4299	下阿・033オ5・光彩	緹	—	テイ	右傍	dei^{1} t'ei^{2}	齊韻 薺韻
4300	下阿・033オ6・光彩	姝	平	—	—	tś'iuʌ^{1}	虞韻
4301	下阿・033オ6・光彩	酡	平	タ	右傍	dɑ^{1}	歌韻
4302	下阿・033オ6・光彩	丹	平	—	—	tɑn^{1}	寒韻
4303	下阿・033オ7・光彩	彤	平	トウ	右傍	dɑuŋ^{1}	冬韻
4304	下阿・033オ7・光彩	緋	平	ヒ	右傍	piʌi^{1}	微韻
4305	下阿・033オ7・光彩	茜	去	サン	右傍	ts'en^{3}	霰韻
4306	下阿・033オ7・光彩	藍	平	ラム	右傍	lɑm^{1}	談韻
4307	下阿・033ウ1・光彩	离	平	—	—	lie^{1} ṭ'ie^{1}	支韻 支韻
4308	下阿・033ウ1・光彩	照	平	セウ	左傍	tśiau^{3}	笑韻
4309a	下阿・033ウ1・光彩	赤	入	セキ	右傍	tś'iek	昔韻
4309b	下阿・033ウ1・光彩	莧	去	ケン	右傍	ɣen^{3}	襇韻
4310a	下阿・033ウ2・光彩	淋	平	リム	右傍	liem^{1}	侵韻
4310b	下阿・033ウ2・光彩	灰	平	クワイ	右傍	xuʌi^{1}	灰韻
4311a	下阿・033ウ2・光彩	黄	平	—	—	ɣuɑŋ^{1}	唐韻
4311b	下阿・033ウ2・光彩	灰	平	—	—	xuʌi^{1}	灰韻

4312	下阿・033ウ3・光彩	純	平	—	—	źiuen^{1} tśiuen^{2}	諄韻 準韻
4313	下阿・033ウ7・員數	餘	平	ヨ	右傍	jiʌ^{1}	魚韻
4314	下阿・034オ3・辭字	編	平	ヘン	右傍	pen$^{1/2}$ pjian^{1}	先/銑韻 仙韻
4315	下阿・034オ7・辭字	揚	平	ヤウ	右傍	jiɑŋ^{1}	陽韻
4316	下阿・034ウ1・辭字	扛	平	カウ	右傍	kauŋ^{1}	江韻
4317	下阿・034ウ2・辭字	翹	平	ケウ	右傍	gjiau$^{1/3}$	宵/笑韻
4318	下阿・034ウ2・辭字	矯	上	ケウ	右傍	kiau^{2}	小韻
4319	下阿・034ウ4・辭字	飽	去	ハウ	右傍	pau^{2}	巧韻
4320	下阿・034ウ4・辭字	饇	入	—	—	p‘iɐk	職韻
4321	下阿・034ウ5・辭字	饇	去	ヨ	右傍	’iuʌ^{3}	遇韻
4322	下阿・034ウ5・辭字	饇	去	ウ	右傍	’iuʌ^{3}	遇韻
4323	下阿・035オ2・辭字	瘥	平	ハウ	右傍	mauŋ^{1}	江韻
4324	下阿・035オ4・辭字	屯	平	—	—	duʌn^{1} ṭiuen^{1}	魂韻 諄韻
4325	下阿・035オ5・辭字	攢	平	サン	右傍	dzuɑn^{3} tsɑn^{3}	換韻 翰韻
4326	下阿・035ウ2・辭字	遒	平	イウ	右傍	tsiʌu^{1} dziʌu^{1}	尤韻 尤韻
4327	下阿・035ウ2・辭字	蒸	平	シヨウ	右傍	tśiɐŋ^{1}	蒸韻
4328	下阿・035ウ3・辭字	軒	平	ケン	右傍	xiɑn^{1}	元韻
4329	下阿・035ウ5・辭字	炙	去	シヤ	右傍	tśia^{3} tśiek	禡韻 昔韻
4330	下阿・035ウ5・辭字	炙	入	セキ	右傍	tśiek tśia^{3}	昔韻 禡韻
4331	下阿・035ウ6・辭字	紾	去	—	—	ṭian^{2} tśien^{2}	獮韻 軫韻
4332	下阿・036オ2・辭字	敦	平	トン	右傍	tuʌn$^{1/3}$ duɑn^{1} tuʌi^{1}	魂/慁韻 桓韻 灰韻
4333	下阿・036オ2・辭字	適	入	—	—	tek	錫韻
4334	下阿・036オ3・辭字	叉	平	サ	右傍	tṣ‘a^{1} tṣ‘ɐ^{1}	麻韻 佳韻
4335	下阿・036オ6・辭字	應	平	—	—	’iɐŋ$^{1/3}$	蒸/證韻
4336	下阿・036オ7・辭字	丁	平	テイ	右傍	teŋ^{1} ṭɐŋ^{1}	青韻 耕韻
4337	下阿・036ウ4・辭字	案	—	アン [平平]	右注	’ɑn^{3}	翰韻
4338	下阿・036ウ6・辭字	按	—	アン [平平]	左注	’ɑn^{3}	翰韻
4339	下阿・037オ2・辭字	爭	平	—	—	tṣɐŋ^{1}	耕韻
4340	下阿・037オ5・辭字	彰	平	—	—	tśiɑŋ^{1}	陽韻

4341	下阿・037オ5・辞字	露	―	ロ	右傍	luʌ^{3}	暮韻
4342	下阿・037オ5・辞字	呈	平	テイ	右傍	ḍieŋ$^{1/3}$	清/勁韻
4343	下阿・037オ7・辞字	甀	平	―	―	kjian^{1} tśien^{1}	仙韻 眞韻
4344	下阿・037ウ1・辞字	旌	平	―	―	tsieŋ^{1}	清韻
4345	下阿・037ウ3・辞字	危	平	―	―	ŋiue^{1}	支韻
4346	下阿・037ウ3・辞字	飽	平 去	ハウ	右傍	pau^{2}	巧韻
4347	下阿・037ウ5・辞字	擽	入	タツ	右傍	liɑk lek	藥韻 錫韻
4348	下阿・037ウ5・辞字	埒	入	ラツ	右傍	liuat	薛韻
4349	下阿・038オ1・辞字	揯	平	―	―	kʌŋ$^{1/3}$	登/嶝韻
4350	下阿・038オ1・辞字	垢	去	―	―	kʌu^{2}	厚韻
4351	下阿・038ウ2・辞字	詮	平	セン	右傍	tsʻiuan^{1}	仙韻
4352	下阿・038ウ3・辞字	暄	平	クヱン	右傍	xiuɑn^{1}	元韻
4353	下阿・038ウ5・辞字	膏	東	―	―	kɑu$^{1/3}$	豪/号韻
4354a	下阿・039オ2・重點	嚶	―	アウ	右注	’ɐŋ^{1}	耕韻
4355a	下阿・039オ4・疊字	暗	去	―	―	’ʌm^{3}	勘韻
4355b	下阿・039オ4・疊字	夜	去	―	―	jia^{3}	禡韻
4356a	下阿・039オ4・疊字	暗	上	アン	左注	’ʌm^{3}	勘韻
4356b	下阿・039オ4・疊字	聲	平	セイ	左注	śieŋ^{1}	清韻
4357a	下阿・039オ4・疊字	安	去	アン	中注	’ɑn^{1}	寒韻
4357b	下阿・039オ4・疊字	堵	上	ト	中注	tuʌ^{2} tśia^{2}	姥韻 馬韻
4358a	下阿・039オ4・疊字	悪	入	―	―	’ɑk ’uʌ$^{1/3}$	鐸韻 模/暮韻
4358b	下阿・039オ4・疊字	霊	去	―	―	leŋ^{1}	青韻
4359a	下阿・039オ4・疊字	安	去	アン	中注	’ɑn^{1}	寒韻
4359b	下阿・039オ4・疊字	居	上	コ	中注	kiʌ^{1} kiɐi^{1}	魚韻 之韻
4360a	下阿・039オ5・疊字	渥	入	―	―	’auk	覺韻
4360b	下阿・039オ5・疊字	澤	入	―	―	ḍak	陌韻
4361a	下阿・039オ5・疊字	晏	去	―	―	’an^{3} ’ɑn^{3}	諫韻 翰韻
4361b	下阿・039オ5・疊字	然	平	―	―	ńian^{1}	仙韻
4362a	下阿・039オ5・疊字	愛	平	―	―	’ʌi^{3}	代韻
4362b	下阿・039オ5・疊字	敬	平	―	―	kiaŋ^{3}	映韻
4363a	下阿・039オ5・疊字	阿	―	ア	中注	’ɑ^{1}	歌韻
4363b	下阿・039オ5・疊字	兄	―	クヰヤウ	中注	xiuaŋ^{1}	庚韻
4364a	下阿・039オ5・疊字	婀	上	ア	左注	’ɑ^{2}	哿韻
4364b	下阿・039オ5・疊字	娜	上	タ	左注	nɑ^{2}	哿韻
4365a	下阿・039オ6・疊字	阿	平	ア	右傍	’ɑ^{1}	歌韻
4365b	下阿・039オ6・疊字	容	平	ヨウ	右傍	jiɑuŋ^{1}	鍾韻

4366a	下阿・039オ6・疊字	阿	平	ア	左注	’ɑ^{1}	歌韻
4366b	下阿・039オ6・疊字	黨	平	タウ	左注	tɑŋ^{2}	蕩韻
4367a	下阿・039オ6・疊字	愛	平	—	—	’ʌi^{3}	代韻
4367b	下阿・039オ6・疊字	増	去	—	—	tsʌŋ$^{1/3}$	登/嶝韻
4368a	下阿・039オ6・疊字	愛	平	アイ	左注	’ʌi^{3}	代韻
4368b	下阿・039オ6・疊字	悪	去	ヲ	左注	’uʌ$^{1/3}$ ’ɑk	模/暮韻 鐸韻
4369a	下阿・039オ7・疊字	愛	—	アイ	左注	’ʌi^{3}	代韻
4369b	下阿・039オ7・疊字	着	—	チヤク	左注	ḍiɑk ṭiɑk	藥韻 藥韻
4370a	下阿・039オ7・疊字	愛	去	—	—	’ʌi^{3}	代韻
4370b	下阿・039オ7・疊字	翫	平	クエン	中注	ŋuɑn^{3}	換韻
4371b	下阿・039オ7・疊字	翫	平	クワン	左注	ŋuɑn^{3}	換韻
4372a	下阿・039オ7・疊字	哀	平	アイ	左注	’ʌi^{1}	咍韻
4372b	下阿・039オ7・疊字	憐	平	レム	左注	len^{1}	先韻
4373a	下阿・039オ7・疊字	哀	去	アイ	左注	’ʌi^{1}	咍韻
4373b	下阿・039オ7・疊字	愍	平	ミン	左注	mien^{2}	軫韻
4374a	下阿・039オ7・疊字	哀	平	—	—	’ʌi^{1}	咍韻
4374b	下阿・039オ7・疊字	慕	去	—	—	muʌ^{3}	暮韻
4375a	下阿・039ウ1・疊字	哀	平	アイ	左注	’ʌi^{1}	咍韻
4375b	下阿・039ウ1・疊字	傷	平	シヤウ	左注	śiɑŋ$^{1/3}$	陽/漾韻
4376a	下阿・039ウ1・疊字	悪	入	—	—	’ɑk ’uʌ$^{1/3}$	鐸韻 模/暮韻
4376b	下阿・039ウ1・疊字	業	入	—	—	ŋiɑp	業韻
4377a	下阿・039ウ1・疊字	暗	上	アン	左注	’ʌm^{3}	勘韻
4377b	下阿・039ウ1・疊字	陋	去	ヘイ	左注	lʌu^{3}	候韻
4378a	下阿・039ウ1・疊字	暗	去	アン	中注	’ʌm^{3}	勘韻
4378b	下阿・039ウ1・疊字	誦	平	シウ	中注	ziɑuŋ^{3}	用韻
4379a	下阿・039ウ2・疊字	悪	入	—	—	’ɑk ’uʌ$^{1/3}$	鐸韻 模/暮韻
4379b	下阿・039ウ2・疊字	逆	入	—	—	ŋiak	陌韻
4380a	下阿・039ウ2・疊字	遏	入	アツ	左注	’ɑt	曷韻
4380b	下阿・039ウ2・疊字	絶	入	セツ	左注	dziuat	薛韻
4381a	下阿・039ウ2・疊字	安	平	アン	左注	’ɑn^{1}	寒韻
4381b	下阿・039ウ2・疊字	置	上濁	チ	左注	ṭiɐi^{3}	志韻
4382a	下阿・039ウ2・疊字	安	去	アン	右注	’ɑn^{1}	寒韻
4382b	下阿・039ウ2・疊字	穏	平	オン	中注	’uʌn^{2}	混韻
4383a	下阿・039ウ2・疊字	案	—	アン	中注	’ɑn^{3}	翰韻
4383b	下阿・039ウ2・疊字	内	—	ナイ	中注	nuʌi^{3}	隊韻
4384a	下阿・039ウ3・疊字	愛	—	アイ	左注	’ʌi^{3}	代韻
4384b	下阿・039ウ3・疊字	習	—	シウ	左注	ziep	緝韻
4385a	下阿・039ウ3・疊字	押	入	アフ	中注	’ap kap	狎韻 押韻

4385b	下阿・039ウ3・疊字	署	平濁	シヨ	中注	źiʌ^{3}	御韻
4386a	下阿・039ウ3・疊字	遏	入	アツ	右注	'ɑt	曷韻
4386b	下阿・039ウ3・疊字	密	入濁	ヒツ	右注	miet	質韻
4387a	下阿・039ウ3・疊字	晏	平	アン	右注	'an^{3} 'ɑn^{3}	諫韻 翰韻
4387b	下阿・039ウ3・疊字	駕	平濁	カ	右注	ka^{3}	禡韻
4388a	下阿・039ウ3・疊字	押	入	アフ	右注	'ap kap	狎韻 押韻
4388b	下阿・039ウ3・疊字	書	上	シヨ	右注	śiʌ^{1}	魚韻
4389a	下阿・039ウ4・疊字	安	平	アン	左注	'ɑn^{1}	寒韻
4389b	下阿・039ウ4・疊字	危	平	クヰ	左注	ŋiue^{1}	支韻
4390a	下阿・039ウ4・疊字	哀	平	アイ	左注	'ʌi^{1}	咍韻
4390b	下阿・039ウ4・疊字	樂	入	ラク	左注	lɑk ŋauk ŋau^{3}	鐸韻 覺韻 効韻
4391a	下阿・039ウ5・疊字	支	東	シ	右傍	tśie^{1}	支韻
4391b	下阿・039ウ5・疊字	離	平	リ	右傍	lie$^{1/3}$ lei^{3}	支/寘韻 霽韻
4392a	下阿・039ウ5・疊字	周	東	シウ	右傍	tśiʌu^{1}	尤韻
4392b	下阿・039ウ5・疊字	章	平	シヤウ	右傍	tśiɑŋ^{2}	陽韻
4393a	下阿・039ウ6・疊字	馥	入	フク	右傍	biʌuk biɐk	屋韻 職韻
4393b	下阿・039ウ6・疊字	焉	平	エン	右傍	'ian^{1} ɣian^{1} 'iɑn^{1}	仙韻 仙韻 元韻
4394a	下阿・040オ1・疊字	嶛	上	レウ	右傍	leu^{1}	蕭韻
4394b	下阿・040オ1・疊字	峛	入	レツ	右傍	lie^{2}	紙韻
4395a	下阿・040オ1・疊字	浮	平	フ	右傍	biʌu^{1}	尤韻
4395b	下阿・040オ1・疊字	宕	去	タウ	右傍	dɑŋ^{3}	宕韻
4396a	下阿・040オ2・疊字	濎	上	―	―	teŋ^{2}	迥韻
4396b	下阿・040オ2・疊字	瀅	去	―	―	'eŋ^{3}	徑韻
4397a	下阿・040オ3・疊字	商	平	シヤウ	右傍	śiɑŋ^{1}	陽韻
4397b	下阿・040オ3・疊字	賈	上	カ	右傍	ka$^{2/3}$ kuʌ^{2}	馬/禡韻 姥韻
4398a	下阿・040オ4・疊字	沛	―	ハイ	右傍	pɑi^{3} p'ɑi^{3}	泰韻 泰韻
4398b	下阿・040オ4・疊字	艾	―	カイ	右傍	ŋɑi^{3} ŋiɑi^{3}	泰韻 廢韻
4399a	下阿・040ウ5・国郡	安	―	ア	右注	'ɑn^{1}	寒韻
4399b	下阿・040ウ5・国郡	房	―	ハ	右注	biɑŋ^{1} bɑŋ^{1}	陽韻 唐韻
4400a	下阿・040ウ5・国郡	平	―	ヘ	右傍	biaŋ^{1} bjian^{1}	庚韻 仙韻

4400b	下阿・040ウ5・国郡	群	—	クリ	右傍	giuʌn^{1}	文韻
4401a	下阿・040ウ5・国郡	安	—	ア	右傍	'ɑn^{1}	寒韻
4401b	下阿・040ウ5・国郡	房	—	ハ	右傍	biɑŋ^{1} bɑŋ^{1}	陽韻 唐韻
4402a	下阿・040ウ5・国郡	滋	—	シ	右傍	tsiɐi^{1}	之韻
4402b	下阿・040ウ5・国郡	賀	—	カ	右傍	ɣɑ^{3}	箇韻
4403a	下阿・040ウ5・国郡	甲	—	カウ	右傍	kap	狎韻
4403b	下阿・040ウ5・国郡	賀	—	カ	右傍	ɣɑ^{3}	箇韻
4404a	下阿・040ウ5・国郡	野	—	ヤ	右傍	jia^{2} źiʌ^{2}	馬韻 語韻
4404b	下阿・040ウ5・国郡	州	—	ス	右傍	tśiʌu^{1}	尤韻
4405a	下阿・040ウ5・国郡	愛	—	エ	右傍	'ʌi^{3}	代韻
4405b	下阿・040ウ5・国郡	智	—	チ	右傍	ṭie^{3}	寘韻
4406a	下阿・040ウ6・国郡	伊	—	イ	右傍	'jiei^{1}	脂韻
4406b	下阿・040ウ6・国郡	香	—	カコ	右傍	xiɑŋ^{1}	陽韻
4407a	下阿・040ウ6・国郡	安	—	ア	右注	'ɑn^{1}	寒韻
4407b	下阿・040ウ6・国郡	藝	—	キ	右注	ŋjiai^{3}	祭韻
4408b	下阿・040ウ6・国郡	茂	—	モ	右傍	mʌu^{3}	候韻
4409a	下阿・040ウ6・国郡	安	—	ア	右傍	'ɑn^{1}	寒韻
4409b	下阿・040ウ6・国郡	藝	—	キ	右傍	ŋjiai^{3}	祭韻
4410a	下阿・040ウ6・国郡	佐	—	サ	右傍	tsɑ^{3}	箇韻
4410b	下阿・040ウ6・国郡	伯	—	ヘキ	右傍	pak	陌韻
4411a	下阿・040ウ6・国郡	沙	—	サ	左傍	ṣa$^{1/3}$	麻/禡韻
4412a	下阿・040ウ7・国郡	阿	—	ア	右注	'ɑ^{1}	歌韻
4412b	下阿・040ウ7・国郡	波	—	ハ	右注	pɑ^{1}	戈韻
4413a	下阿・040ウ7・国郡	阿	—	ア	右傍	'ɑ^{1}	歌韻
4413b	下阿・040ウ7・国郡	波	—	ハ	右傍	pɑ^{1}	戈韻
4414a	下阿・040ウ7・国郡	美	—	ミ	右傍	miei^{2}	旨韻
4414b	下阿・040ウ7・国郡	馬	—	マ	右傍	ma^{2}	馬韻
4415a	下阿・040ウ7・国郡	名	—	ミヤウ	右傍	mieŋ^{1}	清韻
4415b	下阿・040ウ7・国郡	東	—	トウ	右傍	tʌuŋ^{1}	東韻
4416a	下阿・040ウ7・国郡	名	—	ミヤウ	右傍	mieŋ^{1}	清韻
4416b	下阿・040ウ7・国郡	西	—	セイ	右傍	sei^{1}	齊韻
4417a	下阿・040ウ7・国郡	那	—	ナ	右傍	nɑ$^{1/3}$	歌/箇韻
4417b	下阿・040ウ7・国郡	賀	—	カ	右傍	ɣɑ^{3}	箇韻
4418a	下阿・041オ1・国郡	愛	—	ア	右注	'ʌi^{3}	代韻
4418b	下阿・041オ1・国郡	宕	—	タ	右注	dɑŋ^{3}	宕韻
4419a	下阿・041オ3・官職	按	—	アン	右注	'ɑn^{3}	翰韻
4419b	下阿・041オ3・官職	察	—	サツ	右注	tṣ'ɐt	黠韻
4419c	下阿・041オ3・官職	使	—	シ	左注	ṣiɐi$^{2/3}$	止/志韻
4419d	下阿・041オ3・官職	府	—	フ	左注	piuʌ^{2}	麌韻
4420a	下阿・041オ3・官職	押	—	アフ	右注	'ap kap	狎韻 押韻

4420b	下阿・041オ3・官職	領	―	リヤウ	右注	lieŋ^{2}	靜韻
4420c	下阿・041オ3・官職	使	―	シ	左注	ṣɪɐi$^{2/3}$	止/志韻
4421a	下阿・041オ3・官職	安	―	アン	右注	'ɑn^{1}	寒韻
4421b	下阿・041オ3・官職	主	―	シユ	左注	tśiuʌ^{2}	麌韻
4422a	下阿・041オ4・官職	阿	―	ア	右注	'ɑ^{1}	歌韻
4422b	下阿・041オ4・官職	闍	―	サ	右注	źia^{1} tuʌ^{1}	麻韻 模韻
4422c	下阿・041オ4・官職	梨	―	リ	右注	liei^{1}	脂韻
4423a	下阿・041オ6・姓氏	阿	―	ア	右注	'ɑ^{1}	歌韻
4423b	下阿・041オ6・姓氏	保	―	ホ	右注	'ɑn^{1}	寒韻
4424a	下阿・041オ7・姓氏	安	―	ア	右注	'ɑn^{1}	寒韻
4424b	下阿・041オ7・姓氏	倍	―	ヘ	右注	bʌi^{2}	海韻
4425a	下阿・041オ7・姓氏	阿	―	ア	右注	'ɑ^{1}	歌韻
4425b	下阿・041オ7・姓氏	刀	―	ト	右注	tɑu^{1}	豪韻
4426a	下阿・041ウ1・姓氏	安	―	ア	右注	'ɑn^{1}	寒韻
4427a	下阿・041ウ2・姓氏	阿	―	ア	右注	'ɑ^{1}	歌韻
4427b	下阿・041ウ2・姓氏	閉	―	ヘ	右注	pei^{3}	霽韻
4428a	下阿・041ウ2・姓氏	阿	―	ア	右注	'ɑ^{1}	歌韻
4428b	下阿・041ウ2・姓氏	閉	―	ヘ	右注	pei^{3}	霽韻
4429a	下阿・041ウ2・姓氏	阿	―	ア	右注	'ɑ^{1}	歌韻
4429b	下阿・041ウ2・姓氏	支	―	シ	右注	tśie^{1}	支韻
4429c	下阿・041ウ2・姓氏	那	―	ナ	右注	nɑ$^{1/3}$	歌/箇韻
4430a	下阿・041ウ4・姓氏	奄	―	アム	右注	'iam^{2}	琰韻
4430b	下阿・041ウ4・姓氏	智	―	チ	右注	ṭie^{3}	寘韻
4431b	下阿・041ウ6・姓氏	師	―	シ	右注	ṣiei^{1}	脂韻

【表A-02】下巻_佐篇

番号	前田本所在	掲出字		仮名音注		中古音	韻目
4432	下佐・042オ5・天象	寒	平	―	―	ɣɑn^{1}	寒韻
4433	下佐・042ウ1・地儀	坂	上	ハン	右傍	piɑn^{2}	阮韻
4434	下佐・042ウ1・地儀	嶝	去	トウ	右傍	tʌŋ^{3}	嶝韻
4435	下佐・042ウ1・地儀	澤	入	タク	右傍	dak	陌韻
4436	下佐・042ウ1・地儀	皐	平	カウ	右傍	kɑu^{1}	豪韻
4437	下佐・042ウ1・地儀	碕	平	キ	右傍	gie^{1} k'ie$^{1/2}$ giʌi^{1}	支韻 支/紙韻 微韻
4438a	下佐・042ウ1・地儀	泊	入	ハク	右傍	bɑk	鐸韻
4438b	下佐・042ウ1・地儀	湘	入	ハク	右傍	pak	陽韻
4439a	下佐・042ウ2・地儀	細	去	セイ	右傍	sei^{3}	霽韻
4440	下佐・042ウ2・地儀	礫	―	レキ	右傍	lek	錫韻
4441a	下佐・042ウ2・地儀	問	―	―	―	miuʌn^{3}	問韻

4441b	下佐・042ウ2・地儀	風	平	フウ	左注	piʌuŋ^1/3	東/送韻
4442	下佐・042ウ4・地儀	陆	平	—	—	xiʌ^1	魚韻
4443	下佐・042ウ5・地儀	郷	平	キヤウ	右傍	xiɑŋ^1	陽韻
4444	下佐・042ウ5・地儀	閭	平	リヨ	右傍	liʌ^1	魚韻
4445	下佐・042ウ5・地儀	寰	平	—	—	ɣuan^1 ɣuen^3	刪韻 霰韻
4446	下佐・042ウ6・地儀	棧	—	サン	右注	dẓɐn^2 dẓan^3 dẓian^2	産韻 諫韻 獮韻
4447a	下佐・042ウ6・地儀	曹	—	サウ	右注	dzɑu^1	豪韻
4447b	下佐・042ウ6・地儀	司	—	シ	右注	siɐi^1	之韻
4448a	下佐・042ウ7・地儀	閭	平	リヨ	右傍	liʌ^1	魚韻
4448b	下佐・042ウ7・地儀	閻	平	エン	右傍	jiam^1	鹽韻
4449a	下佐・043オ1・地儀	杈	—	サ	右傍	tṣʻa^1 tṣʻɐ^3	麻韻 卦韻
4449b	下佐・043オ1・地儀	首	—	ス	右傍	śiʌu^2/3	有/宥韻
4450a	下佐・043オ2・地儀	朔	入	サク	右傍	ṣauk	覺韻
4450b	下佐・043オ2・地儀	平	平	—	—	biaŋ^1 bjian^1	庚韻 仙韻
4451a	下佐・043オ2・地儀	左	上	—	—	tsɑ^2/3	哿/箇韻
4451b	下佐・043オ2・地儀	掖	入	—	—	jiek	昔韻
4452a	下佐・043オ2・地儀	藻	上	サウ	右傍	tsɑu^2	晧韻
4452b	下佐・043オ2・地儀	璧	徳	ヘキ	右傍	piek	昔韻
4453a	下佐・043オ4・植物	薺	上	セイ	右傍	dzei^2 dziei^1	薺韻 脂韻
4453b	下佐・043オ4・植物	苨	上濁	テイ	右傍	nei^2	薺韻
4454a	下佐・043オ4・植物	藁	上	カウ	右傍	kɑu^2	晧韻
4455a	下佐・043オ4・植物	澤	入	タク	右傍	ḍak	陌韻
4455b	下佐・043オ4・植物	蘭	平	ラン	右傍	lɑn^1	寒韻
4456a	下佐・043オ5・植物	菝	入	ハツ	右傍	bɑt bɐt	末韻 黠韻
4456b	下佐・043オ5・植物	葜	—	クワツ	右傍	(kuɑt)	末韻
4457	下佐・043オ6・植物	荂	平	クワ	右傍	xiuʌ^1 pʻiuʌ^1	虞韻 虞韻
4458	下佐・043オ6・植物	犀	平	サイ	右傍	sei^1	齊韻
4459	下佐・043オ7・植物	櫻	平	アウ	右傍	ʼɐŋ^1	耕韻
4460b	下佐・043オ7・植物	榴	平	リウ	右傍	liʌu^1	尤韻
4461a	下佐・043オ7・植物	龍	平	—	—	liɑuŋ^1	鍾韻
4461b	下佐・043オ7・植物	眼	平濁	—	—	ŋɐn^2	産韻
4462a	下佐・043ウ1・植物	杬	平	クヱン	右傍	ŋiuɑn^1	元韻
4463a	下佐・043ウ1・植物	石	—	サク	右注	źiek	昔韻
4463b	下佐・043ウ1・植物	楠	平	サム	右注	nʌm^1	覃韻
4463c	下佐・043ウ1・植物	草	—	サウ	右注	tsʻɑu^2	晧韻

4464a	下佐・043ウ2・植物	麦	入濁	ハク	右傍	mɐk	麥韻
4464b	下佐・043ウ2・植物	李	上	リ	右傍	liɐi^{2}	止韻
4465a	下佐・043ウ2・植物	烏	―	ヲ	右傍	ʼuʌ^{1}	模韻
4466	下佐・043ウ3・植物	梂	上	―	―	ɣiuɑŋ^{2}	梗韻
4467	下佐・043ウ3・植物	核	入	カク	右傍	ɣɐk	麥韻
4468	下佐・043ウ3・植物	奴	平	―	―	nuʌ^{1}	模韻
4469	下佐・043ウ4・植物	衡	平	カウ	右注	ɣaŋ^{1}	庚韻
4470a	下佐・043ウ5・植物	五	―	―	―	ŋuʌ^{2}	姥韻
4470b	下佐・043ウ5・植物	味	平濁	―	―	miʌi^{3}	未韻
4471	下佐・043ウ7・動物	梟	平	ケウ	右傍	keu^{1}	蕭韻
4472a	下佐・043ウ7・動物	鷦	平	セウ	右傍	tsiau^{1}	宵韻
4472b	下佐・043ウ7・動物	鷯	平	レウ	右傍	leu^{1} liau^{3}	蕭韻 笑韻
4473a	下佐・043ウ7・動物	鸀	入	タク	右傍	dauk tśiɑuk	覺韻 燭韻
4473b	下佐・043ウ7・動物	鷛	平	シヨウ	右傍	śiɑuŋ^{1}	鍾韻
4474	下佐・044オ1・動物	鷺	去	ロ	右傍	luʌ^{3}	暮韻
4475	下佐・044オ2・動物	冠	平	クワン	右傍	kuɑn$^{1/3}$	桓/換韻
4476	下佐・044オ2・動物	囀	去	テン	右傍	ṭiuɑn^{3}	線韻
4477	下佐・044オ3・動物	犀	平 去	サイ ［平上］	右注	sei^{1}	齊韻
4478a	下佐・044オ3・動物	通	平	―	―	tʻʌuŋ^{1}	東韻
4479	下佐・044オ3・動物	兕	去濁	―	―	ziei^{2}	旨韻
4480	下佐・044オ3・動物	象	平 去	サウ	右注	ziɑŋ^{2}	養韻
4481a	下佐・044オ3・動物	梁	平	リヤウ	右傍	liɑŋ^{1}	陽韻
4481b	下佐・044オ3・動物	山	平	サン	右傍	ṣen^{1}	山韻
4482	下佐・044オ3・動物	猿	平	ヱン	右傍	ɣiuɑn^{1}	元韻
4483a	下佐・044オ3・動物	巴	平	ハ	右傍	pa^{1}	麻韻
4483b	下佐・044オ3・動物	峡	入	カウ	右傍	ɣɐp	洽韻
4484	下佐・044オ3・動物	猨	平	ヱン	右注	ɣiuɑn^{1}	元韻
4485a	下佐・044オ4・動物	獼	―	ミ	右傍	mjio^{1}	支韻
4485b	下佐・044オ4・動物	猴	平	コウ	右傍	ɣʌu^{1}	侯韻
4486	下佐・044オ4・動物	狙	平	―	―	tʂʻiʌ$^{1/3}$	魚/御韻
4487	下佐・044オ4・動物	猱	平	―	―	nɑu^{1} ńiau^{2} ṇiʌu^{3}	豪韻 小韻 宥韻
4488	下佐・044オ5・動物	麚	―	カ	右傍	ka^{1}	麻韻
4489a	下佐・044オ5・動物	猿	平	ヱン	右傍	ɣiuɑn^{1}	元韻
4489b	下佐・044オ5・動物	嗛	上	ケム	右傍	kʻem^{2}	忝韻
4490	下佐・044オ5・動物	牙	平濁	カ	右傍	ŋa^{1}	麻韻
4491a	下佐・044オ5・動物	奴	平濁	ト	右傍	nuʌ^{1}	模韻
4492a	下佐・044オ6・動物	三	東	サム	右注	sɑm$^{1/3}$	談/闞韻
4492b	下佐・044オ6・動物	封	平	ホウ	右傍	piɑuŋ$^{1/3}$	鍾/用韻

4493	下佐・044オ6・動物	鮭	―	ケイ	右傍	kuei^{1} k'uei^{1} ɣɐ^{1}	齊韻 齊韻 佳韻
4494	下佐・044オ7・動物	鮫	平	カウ	右傍	kau^{1}	肴韻
4495	下佐・044オ7・動物	鮐	―	タイ	右傍	t'ʌi^{1}	咍韻
4496	下佐・044オ7・動物	鮏	―	セイ	右傍	seŋ^{1}	青韻
4497	下佐・044ウ1・動物	鯖	平	セイ	右傍	ts'eŋ^{1} tṣieŋ^{1}	青韻 清韻
4498a	下佐・044ウ2・動物	榮	平	ヱイ	右傍	ɣiuaŋ^{1}	庚韻
4498b	下佐・044ウ2・動物	螺	平	ラ	右傍	lua^{1}	戈韻
4499a	下佐・044ウ3・動物	蠮	入	エツ	右傍	'et	屑韻
4499b	下佐・044ウ3・動物	螉	平	ヲウ	右傍	'ʌuŋ^{1}	東韻
4500a	下佐・044ウ3・動物	蠁	上	キヤウ	右傍	xiaŋ$^{2/3}$	養/漾韻
4501a	下佐・044ウ5・人倫	相	―	シヤウ	右傍	siaŋ$^{1/3}$	陽/漾韻
4502a	下佐・044ウ5・人倫	相	―	サウ	右注	siaŋ$^{1/3}$	陽/漾韻
4502b	下佐・044ウ5・人倫	工	―	コウ	右注	kʌuŋ^{1}	東韻
4503a	下佐・044ウ5・人倫	雜	―	サウ	右注	dzʌp	合韻
4503b	下佐・044ウ5・人倫	色	―	シキ	右注	ṣiɐk	職韻
4504a	下佐・044ウ6・人倫	雜	―	サウ	右注	dzʌp	合韻
4504b	下佐・044ウ6・人倫	仕	―	シ	右注	dẓiɐi^{2}	止韻
4505a	下佐・044ウ7・人倫	幸	―	カウ	右傍	ɣɐŋ^{2}	耿韻
4506a	下佐・045オ2・人躰	蔵	―	サウ	右注	dzaŋ$^{1/3}$	唐/宕韻
4506b	下佐・045オ2・人躰	府	―	フ	右注	piuʌ^{2}	麌韻
4507	下佐・045オ3・人躰	毫	平	カウ	右傍	ɣau^{1}	豪韻
4508a	下佐・045オ3・人躰	月	入	クワツ	右傍	ŋiuat	月韻
4508b	下佐・045オ3・人躰	水	上	―	―	śiuei^{2}	旨韻
4509a	下佐・045オ4・人躰	噦	去	クワイ	右傍	xuai^{3} 'iuat 'iuat	泰韻 薛韻 月韻
4509b	下佐・045オ4・人躰	噎	入	エツ	右傍	'et	屑韻
4510a	下佐・045オ4・人躰	噦	入	エツ	右傍	'iuat 'iuat xuai^{3}	薛韻 月韻 泰韻
4511a	下佐・045オ4・人躰	懸	平	クヱ	右傍	ɣuen^{1}	先韻
4511b	下佐・045オ4・人躰	疣	平	イウ	右傍	ɣiʌu^{1}	尤韻
4512a	下佐・045オ4・人躰	酗	去	ク	右傍	xiuʌ^{3}	遇韻
4512b	下佐・045オ4・人躰	酒	上	―	―	tsiʌu^{2}	有韻
4513	下佐・045オ7・人事	相	―	サウ	右注	siaŋ$^{1/3}$	陽/漾韻
4514	下佐・045オ7・人事	坐	―	サ [平濁]	左注	dzua$^{2/3}$	果/過韻
4515	下佐・045オ7・人事	才	―	サイ	右注	dzʌi^{1}	咍韻
4516	下佐・045オ7・人事	操	―	サウ [平上]	右注	ts'au$^{1/3}$ sʌu^{2}	豪/号韻 厚韻

4517	下佐・045ウ1・人事	産	―	サン ［平上］	右注	ṣɐn²	産韻
4518	下佐・045ウ4・人事	廞	平	キム	右傍	xiem^1/2	侵/寑韻
4519	下佐・045ウ4・人事	號	―	カウ	右傍	ɣɑu^1/3	豪/号韻
4520	下佐・045ウ5・人事	呶	平	サン	右傍	ṇau¹	肴韻
4521	下佐・045ウ5・人事	儳	去濁	サム ［去濁上］	右注	tṣ'am³	鑑韻
4522	下佐・045ウ5・人事	讒	平濁	サム ［平濁平］	右注	dẓɐm¹ dẓam^1/3	咸韻 銜/鑑韻
4523	下佐・045ウ5・人事	騒	平	サウ	右傍	sɑu¹	豪韻
4524a	下佐・045ウ6・人事	細	―	サイ	右注	sei³	霽韻
4524b	下佐・045ウ6・人事	工	―	ク	右注	kʌuŋ¹	東韻
4525	下佐・045ウ7・人事	締	平	シ	右傍	dei³	霽韻
4526	下佐・045ウ7・人事	禔	平	―	―	tśie¹ źie¹ dei¹	支韻 支韻 齊韻
4527	下佐・045ウ7・人事	禎	平	テイ	右傍	ṭieŋ¹	清韻
4528	下佐・046オ1・人事	酲	平	―	―	ḍieŋ¹	清韻
4529	下佐・046オ1・人事	騒	平	サウ	右傍	sɑu¹	豪韻
4530a	下佐・046オ3・人事	葬	―	サウ	右注	tsɑŋ³	宕韻
4530b	下佐・046オ3・人事	送		ソウ	右注	sʌuŋ³	送韻
4531a	下佐・046オ3・人事	散	―	サン ［平平］	右注	sɑn^2/3	旱/翰韻
4531b	下佐・046オ3・人事	樂	―	カク ［平濁平］	右注	ŋauk lɑk ŋau³	覺韻 鐸韻 効韻
4532	下佐・046オ4・人事	瘨	平	―	―	ten¹	先韻
4533	下佐・046オ4・人事	酲	平	テイ	右傍	ḍieŋ¹	清韻
4534	下佐・046オ4・人事	醺	平	クン	右傍	xiuʌn¹	文韻
4535a	下佐・046オ4・人事	墋	上	サム	右傍	tṣ'iem²	寑韻
4535b	下佐・046オ4・人事	裂	入	レツ	右傍	liat	薛韻
4536a	下佐・046オ5・人事	沙	平	サ	右注	ṣa^1/3	麻/禡韻
4536b	下佐・046オ5・人事	陁	平	タ	右注	dɑ¹	歌韻
4536c	下佐・046オ5・人事	調		テウ	右注	deu^1/3 ṭiʌu¹	蕭/嘯韻 尤韻
4537a	下佐・046オ5・人事	最	去	サイ	左注	tsuɑi³	泰韻
4537b	下佐・046オ5・人事	涼	平	リヤウ	左注	liɑŋ¹	陽韻
4537c	下佐・046オ5・人事	州	平	シウ	左注	tśiʌu¹	尤韻
4538a	下佐・046オ5・人事	催	―	サイ ［平上］	左注	ts'uʌi¹	灰韻
4538b	下佐・046オ5・人事	馬	―	ハ ［上濁］	左注	ma²	馬韻
4538c	下佐・046オ5・人事	樂	―	ラ ［平］	左注	lɑk ŋauk ŋau³	鐸韻 覺韻 効韻

4539a	下佐・046オ6・人事	相	上	サウ	左注	$\text{siaŋ}^{1/3}$	陽/漾韻
4539b	下佐・046オ6・人事	夫	上濁	フ	左注	piuʌ^{1} biuʌ^{1}	虞韻 虞韻
4539c	下佐・046オ6・人事	憐	平	レン	左注	len^{1}	先韻
4540a	下佐・046オ6・人事	三	平	—	—	$\text{sɑm}^{1/3}$	談/闞韻
4540b	下佐・046オ6・人事	臺	平濁	—	—	dʌi^{1}	咍韻
4541a	下佐・046オ6・人事	採	去	サイ	左注	ts'ʌi^{2}	海韻
4541b	下佐・046オ6・人事	桒	平	シヤウ	左注	sɑŋ^{1}	唐韻
4541c	下佐・046オ6・人事	老	平	ラウ	左注	lɑu^{2}	晧韻
4542a	下佐・046オ7・人事	山	平	—	—	ṣɐn^{1}	山韻
4542b	下佐・046オ7・人事	鷓	去	—	—	tśia^{3}	禡韻
4542c	下佐・046オ7・人事	胡	平	—	—	ɣuʌ^{1}	模韻
4543a	下佐・046オ7・人事	散	上	サン	左注	$\text{sɑn}^{2/3}$	旱/翰韻
4543b	下佐・046オ7・人事	手	上濁	ユシ	左注	śiʌu^{2}	有韻
4543c	下佐・046オ7・人事	破	平	—	—	p'ɑ^{3}	過韻
4543d	下佐・046オ7・人事	陣	去濁	—	—	ḍien^{3}	震韻
4544	下佐・046ウ2・飲食	醍	平	テイ	右傍	dei^{1}	齊韻
4545	下佐・046ウ2・飲食	醅	平	ハイ	右傍	p'uʌi^{1}	灰韻
4546	下佐・046ウ2・飲食	醇	平	シユン	右傍	źiuen^{1}	諄韻
4547	下佐・046ウ2・飲食	醪	平	ラウ	右傍	lɑu^{1}	豪韻
4548	下佐・046ウ2・飲食	醝	平	サ	右傍	dzɑ^{1}	歌韻
4549	下佐・046ウ2・飲食	醲	平	—	—	ṇiauŋ^{1}	鍾韻
4550	下佐・046ウ2・飲食	酤	—	コ	右傍	$\text{kuʌ}^{1/3}$ ɣuʌ^{2}	模/暮韻 姥韻
4551a	下佐・046ウ3・飲食	宜	—	キ	右傍	ŋie^{1}	支韻
4551b	下佐・046ウ3・飲食	春	—	シヰン	右傍	tś'iuen^{1}	諄韻
4552b	下佐・046ウ3・飲食	水	上	スイ	右傍	śiuei^{2}	旨韻
4553a	下佐・046ウ4・飲食	酒	上	—	—	tsiʌu^{2}	有韻
4553b	下佐・046ウ4・飲食	膏	平	—	—	$\text{kɑu}^{1/3}$	豪/号韻
4554	下佐・046ウ5・飲食	肴	平	カウ	右傍	ɣau^{1}	肴韻
4555	下佐・046ウ5・飲食	宜	平	キ	右傍	ŋie^{1}	支韻
4556	下佐・046ウ5・飲食	羞	平	シユ	右傍	siʌu^{1}	尤韻
4557a	下佐・046ウ5・飲食	散	—	サン [平平]	右注	$\text{sɑn}^{2/3}$	旱/翰韻
4557b	下佐・046ウ5・飲食	飯	—	ハ [上濁]	右注	$\text{biɑn}^{2/3}$	阮/願韻
4558	下佐・047オ1・雜物	盃	平	ハイ	右傍	puʌi^{1}	灰韻
4559	下佐・047オ1・雜物	盞	上	サン	右傍	tṣɐn^{2}	産韻
4560	下佐・047オ1・雜物	坏	平	—	—	puʌi^{1}	灰韻
4561	下佐・047オ1・雜物	巵	平	シ	右傍	tśie^{1}	支韻
4562	下佐・047オ1・雜物	觴	平	シヤウ	右傍	śiaŋ^{1}	陽韻
4563	下佐・047オ2・雜物	鍾	平	シヨウ	右傍	tśiauŋ^{1}	鍾韻
4564	下佐・047オ3・雜物	觥	平	クワウ	右傍	kuaŋ^{1}	庚韻

4565	下佐・047オ3・雜物	甖	平	―	―	ʼɐŋ^{1}	耕韻
4566	下佐・047オ4・雜物	盤	平	―	―	bɑn^{1}	桓韻
4567a	下佐・047オ4・雜物	作	去	サ [去]	右注	tsɑ^{3} tsuʌ^{3} tsɑk	箇韻 暮韻 鐸韻
4567b	下佐・047オ4・雜物	皮	―	ヒツ [上平]	右注	bie^{1}	支韻
4568	下佐・047オ5・雜物	槽	平	サウ	右傍	dzɑu^{1} tsɑu^{1}	豪韻 豪韻
4569	下佐・047オ5・雜物	棬	平	クヱン	右傍	kʻiuan^{1}	仙韻
4570a	下佐・047オ5・雜物	銚	平	―	―	tʻeu^{1} jiau^{1} deu^{3}	蕭韻 宵韻 嘯韻
4571	下佐・047オ5・雜物	刁	東	テウ	右傍	teu^{1}	蕭韻
4572	下佐・047オ6・雜物	鍑	入	フク	右傍	piʌuk piʌu^{3}	屋韻 宥韻
4573a	下佐・047オ6・雜物	鈔	平	サ	右傍	tṣʻau$^{1/3}$	肴/効韻
4573b	下佐・047オ6・雜物	鑼	平	ラ	右傍	lɑ^{1}	歌韻
5422a	下佐・047オ6・雜物	鈔	平	サフ	右注	tṣʻau$^{1/3}$	肴/効韻
5422b	下佐・047オ6・雜物	鑼	平	ラ	右注	lɑ^{1}	歌韻
5423a	下佐・047オ6・雜物	雜	―	サノ	右注	tṣʻau$^{1/3}$	合韻
5423b	下佐・047オ6・雜物	羅	―	ラ	右注	lɑ^{1}	歌韻
4574a	下佐・047オ7・雜物	珊	平	サン [平平]	右注	sɑn^{1}	寒韻
4574b	下佐・047オ7・雜物	瑚	平	コ [平濁]	右注	ɣuʌ^{1}	模韻
4575	下佐・047オ7・雜物	鞘	平	セウ	右傍	siau^{3} sau^{1}	笑韻 肴韻
4576	下佐・047オ7・雜物	鞞	―	ヒ	右傍	pjie$^{1/2}$ bei^{1} peŋ^{2}	支/紙韻 齊韻 迥韻
4577a	下佐・047オ7・雜物	草	―	サウ	右注	tsʻɑu^{2}	晧韻
4577b	下佐・047オ7・雜物	履	―	リ	右注	liei^{2}	旨韻
4578a	下佐・047オ7・雜物	靸	入	サウ [平上]	右注	sɑp sʌp	盍韻 合韻
4578b	下佐・047オ7・雜物	鞋	―	カ [平]	右注	ɣɐ^{1} ɣei^{1}	佳韻 皆韻
4579a	下佐・047オ7・雜物	揷	―	サウ [平上]	右注	tṣʻɐp	洽韻
4579b	下佐・047オ7・雜物	鞋	―	カ [平]	右注	ɣɐ^{1} ɣei^{1}	佳韻 皆韻
4814a	下佐・047ウ1・雜物	草	―	サウ [平平]	右注	tsʻɑu^{2}	晧韻
4814b	下佐・047ウ1・雜物	墪	―	トン [平濁平]	右注	tuʌn^{1}	魂韻
4580a	下佐・047ウ1・雜物	草	上	サウ	右注	tsʻɑu^{2}	晧韻

4580b	下佐・047ウ1・雑物	子	上	シ	右注	tsiɐi^{2}	止韻
4581a	下佐・047ウ1・雑物	笄	平	ケイ	右傍	kei^{1}	齊韻
4581b	下佐・047ウ1・雑物	子	上	―	―	tsiɐi^{2}	止韻
6976a	下佐・047ウ1・雑物	笄	平	サイ［平平］	右注	kei^{1}	齊韻
6976b	下佐・047ウ1・雑物	子	上	シ［上］	右注	tsiɐi^{2}	止韻
4582	下佐・047ウ1・雑物	枇	平	ヒ	右傍	bjiei$^{1/3}$ pjiei^{2}	脂/至韻 旨韻
4583a	下佐・047ウ2・雑物	散	上	サン	右注	san$^{2/3}$	旱/翰韻
4583b	下佐・047ウ2・雑物	豆	上濁	ツ	右注	dʌu^{3}	候韻
4584	下佐・047ウ2・雑物	竿	平	ウ	右傍	kan^{1}	寒韻
4585	下佐・047ウ3・雑物	櫜	平	カウ	右傍	kau^{1}	豪韻
4586	下佐・047ウ3・雑物	櫸	平	ト	右傍	ṇiʌ^{1}	魚韻
4587a	下佐・047ウ3・雑物	三	平	サム［平平］	右注	sam$^{1/3}$	談/闞韻
4587b	下佐・047ウ3・雑物	鈷	上濁	コ［上濁］	右注	kuʌ^{2}	姥韻
4588a	下佐・047ウ4・雑物	三	―	サム［平平］	右注	sam$^{1/3}$	談/闞韻
4588b	下佐・047ウ4・雑物	衣	―	エ［上］	右注	'iʌi$^{1/3}$	微/未韻
4589a	下佐・047ウ4・雑物	草	平	サウ	右注	ts'au^{2}	晧韻
4589b	下佐・047ウ4・雑物	座	平濁	サ	右注	dzua^{3}	過韻
4590a	下佐・047ウ4・雑物	貲	平	シ	右傍	tsie^{1}	支韻
4591a	下佐・047ウ5・雑物	袴	去	コ	右傍	k'uʌ^{3}	暮韻
4591b	下佐・047ウ5・雑物	奴	平濁	ト	右傍	nuʌ^{1}	模韻
4592a	下佐・047ウ5・雑物	柊	平	シウ	右傍	tśiʌuŋ^{1}	東韻
4592b	下佐・047ウ5・雑物	楑	平	クヰ	右傍	gjiuei$^{1/2}$	脂/旨韻
4593	下佐・047ウ6・雑物	櫂	平	ク	右傍	giuʌ^{1}	虞韻
4594	下佐・047ウ6・雑物	鎛	入	ハク	右注	pak	鐸韻
4595	下佐・047ウ6・雑物	灑	上	サイ	右傍	ṣɐ^{2} ṣie$^{2/3}$ ṣa^{2}	蟹韻 紙/寘韻 馬韻
4596a	下佐・047ウ7・雑物	鏁	―	サウ	右注	sua^{2}	果韻
4596b	下佐・047ウ7・雑物	子	―	シ	右注	tsiɐi^{2}	止韻
4597	下佐・047ウ7・雑物	采	―	サイ	右注	ts'ʌi^{2}	海韻
4598a	下佐・047ウ7・雑物	澡	上	サク	左傍	tsau^{2}	晧韻
4599a	下佐・047ウ7・雑物	澡	上	サク	右注	tsau^{2}	晧韻
4599b	下佐・047ウ7・雑物	豆	―	ツ	右注	dʌu^{3}	候韻
4600	下佐・048オ1・雑物	精	平	セイ	右傍	tsieŋ^{1}	清韻
4601b	下佐・048オ2・雑物	鑱	平	サム	右傍	dẓam$^{1/3}$	銜/鑑韻
4602	下佐・048オ2・雑物	鋒	平	ホウ	右傍	p'iauŋ^{1}	鍾韻
4603a	下佐・048オ3・雑物	砂	―	サ	右注	ṣa^{1}	麻韻
4603b	下佐・048オ3・雑物	鉢	―	ハチ	右注	pat	末韻

4604a	下佐・048オ3・雜物	材	―	サイ	右注	dzʌi¹	咍韻
4604b	下佐・048オ3・雜物	木	―	モク	右注	mʌuk	屋韻
4605a	下佐・048オ3・雜物	草	上	―	―	ts'ɑu²	晧韻
4605b	下佐・048オ3・雜物	烏	平	―	―	'uʌ¹	模韻
4605c	下佐・048オ3・雜物	頭	平	―	―	dʌu¹	侯韻
4606a	下佐・048オ3・雜物	草	上	―	―	ts'ɑu²	晧韻
4606b	下佐・048オ3・雜物	菓	平	―	―	kuɑ²	果韻
4607	下佐・048オ5・方角	前	平	セン	右傍	dzen¹	先韻
4608	下佐・048オ5・方角	芒	平	ハウ	右傍	mɑŋ¹ miɑŋ¹	唐韻 陽韻
4609	下佐・048オ7・員數	撮	―	サチ	右注	ts'uɑt tsuɑt	末韻 末韻
4610	下佐・048オ7・員數	壮	―	サウ	右注	tṣiɑŋ³	漾韻
4611	下佐・048オ7・員數	筭	平	サン [平平]	右注	suɑn³	換韻
4612	下佐・048ウ3・辞字	欃	平	カン	右傍	dẓɐm¹ dẓam³	咸韻 鑑韻
4613	下佐・048ウ3・辞字	螫	入	セキ	右傍	śiek	昔韻
4614	下佐・048ウ3・辞字	槢	―	シン	右傍	tsian³	線韻
4616	下佐・048ウ4・辞字	[illegible]	―	テキ	右傍	t'ek	錫韻
4617	下佐・049オ1・辞字	災	―	サイ [平平]	右傍	tsʌi¹	咍韻
4618	下佐・049オ2・辞字	悖	―	ハイ	右傍	buʌi³ buʌt	隊韻 没韻
4619	下佐・049オ4・辞字	探	平	タム	右傍	t'ʌm¹	覃韻
4620	下佐・049オ5・辞字	擎	平	ケイ	右傍	giaŋ¹	庚韻
4621	下佐・049オ7・辞字	障	平	シヤウ	右傍	tśiɑŋ^{1/3}	陽/漾韻
4622	下佐・049ウ3・辞字	峩	―	カ	右傍	ŋɑ¹	歌韻
4623	下佐・049ウ4・辞字	散	―	サン [去平]	右注	sɑn^{2/3}	旱/翰韻
4624	下佐・049ウ5・辞字	察	―	サツ [平平]	右注	tṣ'ɐt	黠韻
4625	下佐・050オ2・辞字	誾	平濁	―	―	ŋien¹	眞韻
4626	下佐・050オ3・辞字	遮	―	シヤ	右傍	tśia¹	麻韻
4627	下佐・050オ6・辞字	伶	平	レイ	右傍	leŋ¹	青韻
4628	下佐・050オ7・辞字	韮	平	シ	右傍	ts'iei¹ dziei¹ dẓɐ¹	脂韻 脂韻 佳韻
4629	下佐・050ウ1・辞字	麾	平	―	―	xiue¹	支韻
4630	下佐・050ウ1・辞字	接	入	セフ	右傍	tsiap	葉韻
4631	下佐・050ウ2・辞字	韮	平	シ	右傍	ts'iei¹ dziei¹ dẓɐ¹	脂韻 脂韻 佳韻
4632a	下佐・050ウ4・重點	細	―	サイ	右注	sei³	霽韻
4632b	下佐・050ウ4・重點	細	―	サイ	右注	sei³	霽韻

4633a	下佐・050ウ4・重點	在	―	サイ	右注	dzʌi$^{2/3}$	海/代韻
4633b	下佐・050ウ4・重點	在	―	サイ	右注	dzʌi$^{2/3}$	海/代韻
4634a	下佐・050ウ4・重點	散	―	サン	右注	san$^{2/3}$	旱/翰韻
4634b	下佐・050ウ4・重點	散	―	サン	右注	san$^{2/3}$	旱/翰韻
4635a	下佐・050ウ4・重點	早	―	サウ	右注	tsau^{2}	晧韻
4635b	下佐・050ウ4・重點	早	―	サウ	右注	tsau^{2}	晧韻
4636a	下佐・050ウ4・重點	察	―	サツ	右注	tṣ'ɐt	黠韻
4636b	下佐・050ウ4・重點	察	―	サツ	右注	tṣ'ɐt	黠韻
4637a	下佐・050ウ5・重點	草	―	サウ	右注	ts'au^{2}	晧韻
4637b	下佐・050ウ5・重點	草	―	サウ	右注	ts'au^{2}	晧韻
4638a	下佐・050ウ5・重點	雜	―	サウ	右注	dzʌp	合韻
4638b	下佐・050ウ5・重點	雜	―	サウ	右注	dzʌp	合韻
4639a	下佐・050ウ7・疊字	三	東	―	―	sam$^{1/3}$	談/闞韻
4639b	下佐・050ウ7・疊字	光	東	―	―	kuaŋ$^{1/3}$	唐/宕韻
4640a	下佐・050ウ7・疊字	霜	平	―	―	ṣiaŋ^{1}	陽韻
4640b	下佐・050ウ7・疊字	雪	入	―	―	siuat	薛韻
4641a	下佐・050ウ7・疊字	早	上	―	―	tsau^{2}	晧韻
4641b	下佐・050ウ7・疊字	朝	平	―	―	ṭiau^{1} ḍiau^{1}	宵韻 宵韻
4642a	下佐・050ウ7・疊字	早	上	サウ	中注	tsau^{2}	晧韻
4642b	下佐・050ウ7・疊字	晩	上	ハン	中注	mian^{2}	阮韻
4643a	下佐・050ウ7・疊字	早	上	サウ	左注	tsau^{2}	晧韻
4643b	下佐・050ウ7・疊字	衙	平濁	カ	左注	ŋa^{1}	麻韻
4644a	下佐・051オ1・疊字	倉	上	サウ	左注	ts'aŋ^{1}	唐韻
4644b	下佐・051オ1・疊字	卒	入	ソツ	左注	tsuʌt ts'uʌt tsiuet	没韻 没韻 術韻
4645a	下佐・051オ1・疊字	草	上	―	―	ts'au^{2}	晧韻
4645b	下佐・051オ1・疊字	木	入	―	―	mʌuk	屋韻
4646a	下佐・051オ1・疊字	山	平	―	―	ṣɐn^{1}	山韻
4646b	下佐・051オ1・疊字	川	平	―	―	tś'iuan^{1}	仙韻
4647a	下佐・051オ1・疊字	山	平	―	―	ṣɐn^{1}	山韻
4647b	下佐・051オ1・疊字	庄	平	―	―	bɐŋ^{1}	耕韻
4648a	下佐・051オ2・疊字	山	平	―	―	ṣɐn^{1}	山韻
4648b	下佐・051オ2・疊字	谷	入	―	―	kʌuk lʌuk jiauk giak	屋韻 屋韻 燭韻 藥韻
4649a	下佐・051オ2・疊字	山	平	サン	左注	ṣɐn^{1}	山韻
4649b	下佐・051オ2・疊字	嶺	上	レイ	左注	lieŋ^{2}	靜韻
4650a	下佐・051オ2・疊字	山	平	―	―	ṣɐn^{1}	山韻
4650b	下佐・051オ2・疊字	路	去	―	―	luʌ^{3}	暮韻
4651a	下佐・051オ2・疊字	蒼	平	―	―	ts'aŋ$^{1/2}$	唐/蕩韻

4651b	下佐・051オ2・疊字	海	上	―	―	xʌi²	海韻
4652a	下佐・051オ2・疊字	砂	平	サ	左注	ṣa¹	麻韻
4652b	下佐・051オ2・疊字	磧	入	セキ	左注	ts'iek	昔韻
4653a	下佐・051オ3・疊字	舴	入	サク	左注	tṣak ṭak	陌韻 陌韻
4653b	下佐・051オ3・疊字	艋	去	マウ	左注	maŋ²	梗韻
4654a	下佐・051オ3・疊字	散	平	―	―	sɑn²/³	旱/翰韻
4654b	下佐・051オ3・疊字	供	平	―	―	kiɑuŋ¹/³	鍾/宋韻
4655a	下佐・051オ3・疊字	散	平	サン	左注	sɑn²/³	旱/翰韻
4655b	下佐・051オ3・疊字	齊	平	セイ	左注	dzei¹/³	齊/霽韻
4656a	下佐・051オ3・疊字	再	去	―	―	tsʌi³	代韻
4656b	下佐・051オ3・疊字	拜	平	―	―	pɐi³	怪韻
4657a	下佐・051オ4・疊字	賽	去	サイ	左注	sʌi³	代韻
4657b	下佐・051オ4・疊字	皷	上	コ	左注	kuʌ²	姥韻
4658a	下佐・051オ4・疊字	三	去	(サム)	左注	sɑm¹/³	談/闞韻
4658b	下佐・051オ4・疊字	昧	平	(マイ)	左注	muʌi³	隊韻
4659a	下佐・051オ4・疊字	三	去	―	―	sɑm¹/³	談/闞韻
4659b	下佐・051オ4・疊字	歸	上	―	―	kiuʌi¹	微韻
4660a	下佐・051オ4・疊字	綵	平	サイ	左注	ts'ʌi²	海韻
4660b	下佐・051オ4・疊字	飾	入	シキ	左注	ṣiɐk	職韻
4661a	下佐・051オ4・疊字	讃	平	サン	右注	tsɑn³	翰韻
4661b	下佐・051オ4・疊字	嘆	平濁	タン	右注	t'ɑn¹/³	寒/翰韻
4662a	下佐・051オ5・疊字	相	去	サウ	左注	siɑŋ¹/³	陽/漾韻
4662b	下佐・051オ5・疊字	應	上	ヲウ	左注	'iɐŋ¹/³	蒸/證韻
4663a	下佐・051オ5・疊字	三	去	―	―	sɑm¹/³	談/闞韻
4664a	下佐・051オ5・疊字	三	去	(サム)	左注	sɑm¹/³	談/闞韻
4664b	下佐・051オ5・疊字	論	平	―	―	luʌn¹/³ liuen¹	魂/慁韻 諄韻
4665a	下佐・051オ5・疊字	三	去	―	―	sɑm¹/³	談/闞韻
4665b	下佐・051オ5・疊字	綱	上	―	―	kɑŋ¹	唐韻
4666a	下佐・051オ5・疊字	彩	平	リイ	左注	ts'ʌi²	海韻
4666b	下佐・051オ5・疊字	幡	去	ハン	左注	p'iɑn¹	元韻
4667a	下佐・051オ6・疊字	最	去	(サイ)	左注	tsuɑi³	泰韻
4667b	下佐・051オ6・疊字	勝	平	―	―	śiɐŋ¹/³	蒸/證韻
4668a	下佐・051オ6・疊字	三	平	(サム)	左注	sɑm¹/³	談/闞韻
4668b	下佐・051オ6・疊字	礼	平	―	―	lei²	薺韻
4669a	下佐・051オ6・疊字	散	平	(サン)	左注	sɑn²/³	旱/翰韻
4669b	下佐・051オ6・疊字	花	上濁	(ケ)	左注	xua¹	麻韻
4670a	下佐・051オ6・疊字	坐	平	―	―	dzuɑ²/³	果/過韻
4670b	下佐・051オ6・疊字	禪	去	―	―	źian¹/³	仙/線韻
4671a	下佐・051オ6・疊字	桒	―	サウ	右注	sɑŋ¹	唐韻
4671b	下佐・051オ6・疊字	門	―	モン	右注	muʌn¹	魂韻

4672a	下佐・051オ7・疊字	齊	平	サイ	中注	dzei 1/3	齊/霽韻
4672b	下佐・051オ7・疊字	食	入	シキ	中注	dźiɐk jiɐi 3	職韻 志韻
4673a	下佐・051オ7・疊字	齊	平	サイ	左注	dzei 1/3	齊/霽韻
4673b	下佐・051オ7・疊字	戒	去	カイ	左注	kɐi 3	怪韻
4674a	下佐・051オ7・疊字	儳	平	サン	中注	tṣʻam 3	鑑韻
4674b	下佐・051オ7・疊字	慙	平	クヱ	中注	dzɑm 1	談韻
4675a	下佐・051オ7・疊字	儳	去濁	サム	左注	tṣʻam 3	鑑韻
4675b	下佐・051オ7・疊字	愧	平濁	クヰ	左注	kiuei 3	至韻
4676a	下佐・051オ7・疊字	讃	平	サン	左注	tsɑn 3	翰韻
4676b	下佐・051オ7・疊字	佛	入	フツ	左注	biuʌt	物韻
4677a	下佐・051ウ1・疊字	山	平	―	―	ṣɐn 1	山韻
4677b	下佐・051ウ1・疊字	陵	平	―	―	liɐŋ 1	蒸韻
4678a	下佐・051ウ1・疊字	蒼	―	サウ	右傍	tsʻɑŋ 1/2	唐/蕩韻
4678b	下佐・051ウ1・疊字	穹	―	キウ	右傍	kʻiʌuŋ 1	東韻
4679a	下佐・051ウ1・疊字	作	平	サ	中注	tsɑ 3 tsuʌ 3 tsɑk	箇韻 暮韻 鐸韻
4679b	下佐・051ウ1・疊字	法	入	ホウ	中注	piʌp	乏韻
4680a	下佐・051ウ1・疊字	散	去	サン	中注	sɑn 2/3	旱/翰韻
4680b	下佐・051ウ1・疊字	斑	平	ハン	中注	pan 1	刪韻
4681a	下佐・051ウ1・疊字	沙	平	サ	中注	ṣa 1/3	麻/禡韻
4681b	下佐・051ウ1・疊字	汰	平	タ	中注	tʻɑi 3	泰韻
4682a	下佐・051ウ2・疊字	採	上	サイ	左注	tsʻʌi 2	海韻
4682b	下佐・051ウ2・疊字	擇	入	タク	左注	ḍak	陌韻
4683a	下佐・051ウ2・疊字	採	上	サイ	左注	tsʻʌi 2	海韻
4683b	下佐・051ウ2・疊字	用	平	ヨウ	左注	jiɑuŋ 3	用韻
4684a	下佐・051ウ2・疊字	採	上	サイ	左注	tsʻʌi 2	海韻
4684b	下佐・051ウ2・疊字	擢	入	タク	左注	ḍauk	覺韻
4685a	下佐・051ウ2・疊字	冣	去	サイ	中注	tsuɑi 3	泰韻
4685b	下佐・051ウ2・疊字	前	上	セン	中注	dzen 1	先韻
4686a	下佐・051ウ2・疊字	最	去	サイ	左注	tsuɑi 3	泰韻
4686b	下佐・051ウ2・疊字	初	上	ソ	左注	tṣʻiʌ 1	魚韻
4687a	下佐・051ウ3・疊字	冣	去	サイ	左注	tsuɑi 3	泰韻
4687b	下佐・051ウ3・疊字	後	平	コ	左注	ɣʌu 2/3	厚/候韻
4688a	下佐・051ウ3・疊字	冣	去	サイ	左注	tsuɑi 3	泰韻
4688b	下佐・051ウ3・疊字	弟	上	テイ	左注	dei 2/3	薺/霽韻
4689a	下佐・051ウ3・疊字	早	―	サウ	左注	tsɑu 2	晧韻
4689b	下佐・051ウ3・疊字	速	―	ソク	左注	sʌuk	屋韻
4690a	下佐・051ウ3・疊字	早	上	―	―	tsɑu 2	晧韻

4690b	下佐・051ウ3・疊字	參	平	―	―	ts'ʌm1/3 sɑm1 ṣiem1 tṣ'iem1	覃/勘韻 談韻 侵韻 侵韻
4691a	下佐・051ウ4・疊字	災	平	サイ	中注	tsʌi1	咍韻
4691b	下佐・051ウ4・疊字	異	平 去	イ	中注	jiɐi3	志韻
4692a	下佐・051ウ4・疊字	災	去	サイ	左注	tsʌi1	咍韻
4692b	下佐・051ウ4・疊字	難	平	ナン	左注	nɑn1/3	寒/翰韻
4693a	下佐・051ウ4・疊字	三	―	サム	右注	sɑm1/3	談/闞韻
4693b	下佐・051ウ4・疊字	兆	去	テウ	右注	ḍiau2	小韻
4694a	下佐・051ウ4・疊字	爽	上	サウ	右注	ṣiɑŋ2	養韻
4694b	下佐・051ウ4・疊字	地	平	チ	右注	diei3	至韻
4695a	下佐・051ウ4・疊字	再	去	―	―	tsʌi3	代韻
4695b	下佐・051ウ4・疊字	生	東	―	―	ṣaŋ1/3	庚/映韻
4696a	下佐・051ウ5・疊字	妻	平	―	―	ts'ei1/3	齊/霽韻
4696b	下佐・051ウ5・疊字	妾	入	―	―	ts'iap	葉韻
4697a	下佐・051ウ5・疊字	妻	平	サイ	右注	ts'ei1/3	齊/霽韻
4697b	下佐・051ウ5・疊字	孥	上濁	ト	右注	nuʌ1	模韻
4698a	下佐・051ウ5・疊字	蹉	平	―	―	ts'ɑ1	歌韻
4698b	下佐・051ウ5・疊字	跎	平	―	―	dɑ1	歌韻
4699a	下佐・051ウ5・疊字	霜	平	―	―	ṣiɑŋ1	陽韻
4699b	下佐・051ウ5・疊字	笋	上	―	―	siuen2	準韻
4700a	下佐・051ウ6・疊字	坐	平	―	―	dzuɑ2/3	果/過韻
4700b	下佐・051ウ6・疊字	次	平	―	―	ts'iei3	至韻
4701a	下佐・051ウ6・疊字	座	平	サ	右注	dzuɑ3	過韻
4701b	下佐・051ウ6・疊字	席	入	セキ	右注	ziek	昔韻
4702a	下佐・051ウ6・疊字	操	去	サウ	左注	ts'ɑu1/3 sʌu2	豪/号韻 厚韻
4702b	下佐・051ウ6・疊字	行	平	カウ	左注	ɣaŋ1/3 ɣɑŋ1/3	庚/映韻 唐/宕韻
4703a	下佐・051ウ6・疊字	左	上	―	―	śiɑŋ2/3	養/宕韻
4703b	下佐・051ウ6・疊字	道	去	―	―	dɑu2	晧韻
4704a	下佐・051ウ6・疊字	罪	―	サイ	左注	dzuʌi2	賄韻
4704b	下佐・051ウ6・疊字	根	―	コン	左注	kʌn1	痕韻
4705a	下佐・051ウ7・疊字	罪	平濁	サイ	左注	dzuʌi2	賄韻
4705b	下佐・051ウ7・疊字	障	平	シヤウ	左注	tśiɑŋ1/3	陽/漾韻
4706a	下佐・051ウ7・疊字	嗟	平	―	―	tsa1	麻韻
4706b	下佐・051ウ7・疊字	嘆	平	―	―	t'ɑn1/3	寒/翰韻
4707a	下佐・051ウ7・疊字	嗟	平	サ	左注	tsa1	麻韻
4707b	下佐・051ウ7・疊字	歎	平	タン	左注	t'ɑn3	翰韻
4708a	下佐・051ウ7・疊字	詐	上 去	サ	左注	tṣa3	禡韻

4708b	下佐・051ウ7・疊字	偽	平	クヰ	左注	ŋiue^{3}	寘韻
4709a	下佐・052オ1・疊字	詐	去	―	―	tṣa^{3}	禡韻
4709b	下佐・052オ1・疊字	訛	去	―	―	ŋuɑ^{1}	戈韻
4710a	下佐・052オ1・疊字	讒	平	サム	左注	dẓɐm^{1} dẓam$^{1/3}$	咸韻 銜/鑑韻
4710b	下佐・052オ1・疊字	邪	平	シヤ	左注	źia^{1} jia^{1}	麻韻 麻韻
4711a	下佐・052オ1・疊字	三	去	―	―	sɑm$^{1/3}$	談/闞韻
4711b	下佐・052オ1・疊字	失	入	―	―	śiet	質韻
4712a	下佐・052オ1・疊字	讒	平	サン	左注	dẓɐm^{1} dẓam$^{1/3}$	咸韻 銜/鑑韻
4712b	下佐・052オ1・疊字	言	平濁	ケム	左注	ŋiɑn^{1}	元韻
4713a	下佐・052オ1・疊字	爪	―	サウ	左注	tṣau^{2}	巧韻
4713b	下佐・052オ1・疊字	牙	平	カ	左注	ŋa^{1}	麻韻
4714a	下佐・052オ2・疊字	蔵	―	サウ	左注	dzɑŋ$^{1/3}$	唐/宕韻
4714b	下佐・052オ2・疊字	苻	―	フ	左注	biuʌ^{1}	虞韻
4715a	下佐・052オ2・疊字	相	平	サム	中注	siɑŋ$^{1/3}$	陽/漾韻
4715b	下佐・052オ2・疊字	傳	平	テン	中注	ḍiuan$^{1/3}$ ṭiuan^{3}	仙/線韻 線韻
4716a	下佐・052オ2・疊字	相	平	サウ	右注	siɑŋ$^{1/3}$	陽/漾韻
4716b	下佐・052オ2・疊字	羕	去濁	シヨウ	右注	źieŋ^{1}	蒸韻
4717a	下佐・052オ2・疊字	三	―	サム	左注	sɑm$^{1/3}$	談/闞韻
4717b	下佐・052オ2・疊字	夜	―	ヤ	左注	jia^{3}	禡韻
4718a	下佐・052オ2・疊字	坐	平	サ	左注	dzuɑ$^{2/3}$	果/過韻
4718b	下佐・052オ2・疊字	臥	平	クワ	左注	ŋuɑ^{3}	過韻
4719a	下佐・052オ3・疊字	躁	去	サウ	左注	tsɑu^{3}	号韻
4719b	下佐・052オ3・疊字	静	去濁	シヤウ	左注	dzieŋ^{2}	靜韻
4720a	下佐・052オ3・疊字	財	平	―	―	dzʌi^{1}	咍韻
4720b	下佐・052オ3・疊字	貨	去	―	―	xuɑ^{3}	過韻
4721a	下佐・052オ4・疊字	蒼	平	―	―	ts'ɑŋ$^{1/2}$	唐/蕩韻
4721b	下佐・052オ4・疊字	預	平	―	―	jiʌ^{3}	御韻
4722a	下佐・052オ4・疊字	掃	去	サウ	左注	sɑu$^{2/3}$	晧/号韻
4722b	下佐・052オ4・疊字	除	上濁	チ	左注	ḍiʌ$^{1/3}$	魚/御韻
4723a	下佐・052オ4・疊字	左	平	サ	左注	tsɑ$^{2/3}$	哿/箇韻
4723b	下佐・052オ4・疊字	遷	平	セン	左注	ts'ian^{1}	仙韻
4724a	下佐・052オ5・疊字	左	上	―	―	tsɑ$^{2/3}$	哿/箇韻
4724b	下佐・052オ5・疊字	降	平	―	―	ɣauŋ^{1} kauŋ^{3}	江韻 絳韻
4725a	下佐・052オ5・疊字	坐	去	―	―	dzuɑ$^{2/3}$	果/過韻
4725b	下佐・052オ5・疊字	事	去	―	―	dẓiɐi^{3}	志韻
4726a	下佐・052オ5・疊字	才	平	―	―	dzʌi^{1}	咍韻
4726b	下佐・052オ5・疊字	智	去	―	―	ṭie^{3}	寘韻

4727a	下佐・052オ5・疊字	才	平	—	—	dzʌi¹	咍韻
4727b	下佐・052オ5・疊字	學	入	—	—	ɣauk	覺韻
4728a	下佐・052オ5・疊字	才	平	—	—	dzʌi¹	咍韻
4728b	下佐・052オ5・疊字	行	去	—	—	ɣaŋ^1/3^ ɣɑŋ^1/3^	庚/映韻 唐/宕韻
4729a	下佐・052オ6・疊字	才	平	—	—	dzʌi¹	咍韻
4729b	下佐・052オ6・疊字	幹	去	—	—	kɑn³	翰韻
4730a	下佐・052オ6・疊字	才	平	—	—	dzʌi¹	咍韻
4730b	下佐・052オ6・疊字	華	去	—	—	xua¹ ɣua^1/3^	麻韻 麻/禡韻
4731a	下佐・052オ6・疊字	才	平	—	—	dzʌi¹	咍韻
4731b	下佐・052オ6・疊字	英	平	—	—	'iaŋ¹	庚韻
4732a	下佐・052オ6・疊字	鑽	去	サン	左注	tsuɑn^1/3^	桓/換韻
4732b	下佐・052オ6・疊字	仰	上濁	キヤウ	左注	ŋiaŋ^2/3^	養/漾韻
4733a	下佐・052オ6・疊字	草	上	—	—	ts'ɑu²	晧韻
4733b	下佐・052オ6・疊字	案	平	—	—	'ɑn³	翰韻
4734a	下佐・052オ7・疊字	草	上	—	—	ts'ɑu²	晧韻
4734b	下佐・052オ7・疊字	藁	上	—	—	kɑu²	晧韻
4735a	下佐・052オ7・疊字	刪	平	サン	左注	ṣan^1/3^	刪/諫韻
4735b	下佐・052オ7・疊字	定	去	テイ	左注	teŋ³ deŋ³	徑韻 徑韻
4736a	下佐・052オ7・疊字	瑣	—	サ	右注	suɑ²	果韻
4736b	下佐・052オ7・疊字	才	—	サイ	右注	dzʌi¹	咍韻
4737a	下佐・052ウ1・疊字	造	—	サウ	左注	ts'ɑu³ dzɑu²	号韻 晧韻
4737b	下佐・052ウ1・疊字	意	—	イ	左注	'iɐi³	志韻
4738a	下佐・052ウ1・疊字	騷	去	サウ	左注	sɑu¹	豪韻
4738b	下佐・052ウ1・疊字	動	平	トウ	左注	dʌuŋ²	董韻
4739a	下佐・052ウ1・疊字	左	上	サ	左注	tsɑ^2/3^	哿/箇韻
4739b	下佐・052ウ1・疊字	道	平	タウ	左注	dɑu²	晧韻
4740a	下佐・052ウ1・疊字	相	上	サウ	左注	siaŋ^1/3^	陽/漾韻
4740b	下佐・052ウ1・疊字	違	上	ヰ	左注	ɣiuʌi¹	微韻
4741a	下佐・052ウ1・疊字	慚	去濁	サン	左注	dzam¹	談韻
4741b	下佐・052ウ1・疊字	愧	平濁	クヰ	左注	kiuei³	至韻
4742a	下佐・052ウ2・疊字	草	上	—	—	ts'ɑu²	晧韻
4742b	下佐・052ウ2・疊字	謀	平	—	—	miʌu¹	尤韻
4743a	下佐・052ウ2・疊字	雜	入	サフ	左注	dzʌp	合韻
4743b	下佐・052ウ2・疊字	袍	去	ハウ	左注	bɑu¹	豪韻
4744a	下佐・052ウ2・疊字	裁	平	サイ	左注	dzʌi^1/3^	咍/代韻
4744b	下佐・052ウ2・疊字	縫	去	ホウ	左注	biauŋ^1/3^	鍾/用韻
4745a	下佐・052ウ3・疊字	細	—	サイ	右傍	sei³	霽韻

4745b	下佐・052ウ3・疊字	着	―	チヤク	右傍	ḍiak ṭiak	藥韻 藥韻
4746a	下佐・052ウ3・疊字	散	上	―	―	san$^{2/3}$	旱/翰韻
4746b	下佐・052ウ3・疊字	豆	上	―	―	dʌu^{3}	候韻
4747a	下佐・052ウ3・疊字	菜	平	サイ	左注	ts‘ʌi^{3}	代韻
4747b	下佐・052ウ3・疊字	食	入	シキ	左注	dźiɐk jiɐi^{3}	職韻 志韻
4748a	下佐・052ウ4・疊字	造	―	サウ	左注	ts‘ɑu^{3} dzɑu^{2}	号韻 晧韻
4748b	下佐・052ウ4・疊字	作	―	サク	左注	tsɑk	鐸韻
4749a	下佐・052ウ4・疊字	草	上	サウ	左注	ts‘ɑu^{2}	晧韻
4749b	下佐・052ウ4・疊字	創	去	サウ	左注	ts‘iɑŋ$^{1/3}$	陽/漾韻
4750a	下佐・052ウ4・疊字	造	去	サウ	左注	ts‘ɑu^{3} dzɑu^{2}	号韻 晧韻
4750b	下佐・052ウ4・疊字	化	去	クワ	左注	xua^{3}	禡韻
4751a	下佐・052ウ4・疊字	雜	入濁	サウ	左注	dzʌp	合韻
4751b	下佐・052ウ4・疊字	藝	去濁	ケイ	左注	ŋjiai^{3}	祭韻
4752a	下佐・052ウ5・疊字	山	東	サン	右傍	ṣɐn^{1}	山韻
4752b	下佐・052ウ5・疊字	郵	平	イウ	右傍	ɣiʌu^{1}	尤韻
4753a	下佐・052ウ5・疊字	山	―	サン	左注	ṣɐn^{1}	山韻
4753b	下佐・052ウ5・疊字	驛	―	エキ	左注	jiek	昔韻
4754a	下佐・052ウ5・疊字	筭	―	サン	中注	suɑn^{3}	換韻
4754b	下佐・052ウ5・疊字	計	―	ケ	中注	kei^{3}	霽韻
4755a	下佐・052ウ5・疊字	筭	―	サン	左注	suɑn^{3}	換韻
4755b	下佐・052ウ5・疊字	術	―	スヰツ	左注	dźiuet	術韻
4756a	下佐・052ウ5・疊字	筭	平	サン	左注	suɑn^{3}	換韻
4756b	下佐・052ウ5・疊字	數	平	ス	左注	ṣiuʌ$^{2/3}$ sʌuk ṣauk	麌/遇韻 屋韻 覺韻
4757a	下佐・052ウ6・疊字	産	上	サン	左注	ṣɐn^{2}	產韻
4757b	下佐・052ウ6・疊字	業	入	ケフ	左注	ŋiɑp	業韻
4758a	下佐・052ウ6・疊字	雜	入	―	―	dzʌp	合韻
4758b	下佐・052ウ6・疊字	丹	去	―	―	tɑn^{1}	寒韻
4759a	下佐・052ウ6・疊字	三	去	―	―	sɑm$^{1/3}$	談/闞韻
4759b	下佐・052ウ6・疊字	途	上	―	―	duʌ^{1}	模韻
4760a	下佐・052ウ6・疊字	挿	入	サフ	右注	tṣ‘ɐp	洽韻
4760b	下佐・052ウ6・疊字	着	入	チヤク	右注	ḍiak ṭiak	藥韻 藥韻
4761a	下佐・052ウ7・疊字	察	入	―	―	tṣ‘ɐt	黠韻
4761b	下佐・052ウ7・疊字	量	去	―	―	liɑŋ$^{1/3}$	陽/漾韻
4762a	下佐・052ウ7・疊字	相	(平)	―	―	siɑŋ$^{1/3}$	陽/漾韻
4762b	下佐・052ウ7・疊字	節	入濁	―	―	tset	屑韻
4763a	下佐・052ウ7・疊字	散	―	サン	左注	san$^{2/3}$	旱/翰韻

4763b	下佐・052ウ7・疊字	用	―	ヨウ	左注	$jiauŋ^{3}$	用韻
4764a	下佐・053オ1・疊字	散	―	サン	左注	$san^{2/3}$	旱/翰韻
4764b	下佐・053オ1・疊字	在	―	サイ	左注	$dzʌi^{2/3}$	海/代韻
4765a	下佐・053オ1・疊字	綵	上	サイ	左注	$ts‘ʌi^{2}$	海韻
4765b	下佐・053オ1・疊字	緻	去	チ	左注	$ḍiei^{3}$	至韻
4766a	下佐・053オ1・疊字	罪	―	サイ	左注	$dzuʌi^{2}$	賄韻
4766b	下佐・053オ1・疊字	過	―	クワ	左注	$kuɑ^{1/3}$	戈/過韻
4767a	下佐・053オ1・疊字	相	平	サウ	左注	$siaŋ^{1/3}$	陽/漾韻
4767b	下佐・053オ1・疊字	折	入濁	セツ	左注	źiat tśiat dei^{1}	薛韻 薛韻 齊韻
4768a	下佐・053オ1・疊字	臟	平 去濁	サウ	左注	$tsɑŋ^{1}$	唐韻
4768b	下佐・053オ1・疊字	物	平 入	モツ	左注	miuʌt	物韻
4769a	下佐・053オ2・疊字	参	平	サム	左注	$ts‘ʌm^{1/3}$ $sɑm^{1}$ $ṣiem^{1}$ $tṣ‘iem^{1}$	覃/勘韻 談韻 侵韻 侵韻
4769b	下佐・053オ2・疊字	入	入	ニウ	左注	ńiep	緝韻
4770a	下佐・053オ2・疊字	參	―	サム	左注	$ts‘ʌm^{1/3}$ $sɑm^{1}$ $ṣiem^{1}$ $tṣ‘iem^{1}$	覃/勘韻 談韻 侵韻 侵韻
4770b	下佐・053オ2・疊字	拜	―	ハイ	左注	$pɐi^{3}$	怪韻
4771a	下佐・053オ2・疊字	參	平	サム	左注	$ts‘ʌm^{1/3}$ $sɑm^{1}$ $ṣiem^{1}$ $tṣ‘iem^{1}$	覃/勘韻 談韻 侵韻 侵韻
4771b	下佐・053オ2・疊字	仕	平濁	シ	左注	$dẓiɐi^{2}$	止韻
4772a	下佐・053オ3・疊字	催	平	リイ	左注	$ts‘uʌi^{1}$	灰韻
4772b	下佐・053オ3・疊字	促	入	ソク	左注	ts‘iauk	燭韻
4773a	下佐・053オ3・疊字	糟	去	サウ	左注	$tsɑu^{1}$	豪韻
4773b	下佐・053オ3・疊字	糠	上	カウ	左注	$k‘ɑŋ^{1}$	唐韻
4774a	下佐・053オ3・疊字	相	平	サウ	左注	$siaŋ^{1/3}$	陽/漾韻
4774b	下佐・053オ3・疊字	博	入濁	ハク	左注	pak	鐸韻
4775a	下佐・053オ3・疊字	參	―	サム	左注	$ts‘ʌm^{1/3}$ $sɑm^{1}$ $ṣiem^{1}$ $tṣ‘iem^{1}$	覃/勘韻 談韻 侵韻 侵韻
4775b	下佐・053オ3・疊字	期	―	コ	左注	$giɐi^{1}$	之韻
4776a	下佐・053オ4・疊字	操	―	サウ	左注	$ts‘ɑu^{1/3}$ $sʌu^{2}$	豪/号韻 厚韻

4776b	下佐・053オ4・疊字	懍	―	リウ	左注	liem^{2}	寢韻
4777a	下佐・053オ4・疊字	採	上	サイ	右注	ts'ʌi^{2}	海韻
4777b	下佐・053オ4・疊字	幢	平	トウ	右注	ḍauŋ$^{1/3}$	江/絳韻
4778a	下佐・053オ4・疊字	蒼	平	サウ	右注	ts'ɑŋ$^{1/2}$	唐/蕩韻
4778b	下佐・053オ4・疊字	梧	平濁	コ	右注	ŋuʌ^{1}	模韻
4779a	下佐・053オ4・疊字	草	上	サウ	右注	ts'ɑu^{2}	晧韻
4779b	下佐・053オ4・疊字	聖	去	セイ	右注	śieŋ^{3}	勁韻
4780a	下佐・053オ4・疊字	相	―	サウ	右注	siɑŋ$^{1/3}$	陽/漾韻
4780b	下佐・053オ4・疊字	見	―	ケン	右注	ken^{3} ɣen^{3}	霰韻 霰韻
4781a	下佐・053オ5・疊字	三	東	サム	右注	sɑm$^{1/3}$	談/闞韻
4781b	下佐・053オ5・疊字	友	去	イウ	右注	ɣiʌu^{2}	有韻
4782a	下佐・053オ5・疊字	採	上	サイ	右注	ts'ʌi^{2}	海韻
4782b	下佐・053オ5・疊字	薇	平	ヒ	右注	miʌi^{1} miei^{1}	微韻 脂韻
4783a	下佐・053オ5・疊字	霜	―	サウ	右注	ṣiɑŋ^{1}	陽韻
4783b	下佐・053オ5・疊字	下	―	カ	右注	ɣa$^{2/3}$	馬/禡韻
4784a	下佐・053オ5・疊字	珊	平	サン	右注	sɑn^{1}	寒韻
4784b	下佐・053オ5・疊字	瑚	平	コ	右注	ɣuʌ^{1}	模韻
4785a	下佐・053オ6・疊字	三	―	(サン)	左注	sɑm$^{1/3}$	談/闞韻
4785b	下佐・053オ6・疊字	尺	―	(シヤク)	左注	tś'iek	昔韻
4786a	下佐・053オ6・疊字	造	去	サウ	右注	ts'ɑu^{3} dzɑu^{2}	号韻 晧韻
4786b	下佐・053オ6・疊字	舟	平	シウ	右注	tśiʌu^{1}	尤韻
4787a	下佐・053オ7・疊字	霜	平	サウ	右注	ṣiɑŋ^{1}	陽韻
4787b	下佐・053オ7・疊字	毛	―	モウ	右注	mɑu$^{1/3}$	豪/号韻
4788a	下佐・053オ7・疊字	顧	去	―	―	kuʌ^{3}	暮韻
4789a	下佐・053オ7・疊字	綵	上	サイ	右注	ts'ʌi^{2}	海韻
4789b	下佐・053オ7・疊字	銭	平	セン	右注	dzian^{1} tsian^{2}	仙韻 獮韻
4790a	下佐・053オ7・疊字	三	―	(サン)	右注	sɑm$^{1/3}$	談/闞韻
4790b	下佐・053オ7・疊字	品	―	(ホン)	右注	p'iem^{2}	寢韻
4791a	下佐・053オ7・疊字	灑	―	サ	右注	ṣa^{2} ṣɐ^{2} ṣie$^{2/3}$	馬韻 蟹韻 紙/寘韻
4791b	下佐・053オ7・疊字	落	―	ラク	右注	lɑk	鐸韻
4792a	下佐・053ウ1・疊字	煞	入	セツ	右注	ṣɐt ṣɐi^{3}	黠韻 怪韻
4792b	下佐・053ウ1・疊字	竹	―	チク	右注	ṭiʌuk	屋韻
4794a	下佐・053ウ1・疊字	造	去	サウ	右傍	ts'ɑu^{3} dzɑu^{2}	号韻 晧韻
4794b	下佐・053ウ1・疊字	次	平	シ	右傍	ts'iei^{3}	至韻

4794c	下佐・053ウ1・疊字	顛	平	テン	右傍	ten^{1}	先韻
4794d	下佐・053ウ1・疊字	伂	平濁	ハイ	右傍	pai^{3}	泰韻
4795a	下佐・053ウ2・疊字	際	平	サイ	左注	tsiai^{3}	祭韻
4796a	下佐・053ウ2・疊字	浶	平	ラウ	右傍	(lau^{1})	（豪韻）
4796b	下佐・053ウ2・疊字	浪	平	ラウ	右傍	laŋ$^{1/3}$	唐/宕韻
4797a	下佐・053ウ3・疊字	誘	平	―	―	jiʌu^{2}	有韻
4798a	下佐・053ウ3・疊字	數	上	―	―	ṣiuʌ$^{2/3}$ sʌuk ṣauk	麌/遇韻 屋韻 覺韻
4798b	下佐・053ウ3・疊字	奇	平	―	―	gie^{1} kie^{1}	支韻 支韻
4799a	下佐・053ウ5・疊字	寂	入	―	―	dzek	錫韻
4799b	下佐・053ウ5・疊字	寞	入濁	―	―	mak	鐸韻
4800a	下佐・053ウ6・疊字	伶	平	―	―	leŋ^{1}	青韻
4800b	下佐・053ウ6・疊字	仃	―	テイ	右傍	teŋ^{1}	青韻
4801a	下佐・054オ1・諸社	三	―	サイ	右注	sam$^{1/3}$	談/闞韻
4802a	下佐・054オ2・國郡	相	―	サカ	右注	siaŋ$^{1/3}$	陽/漾韻
4803a	下佐・054オ2・國郡	愛	―	アイ	右傍	'ʌi^{3}	代韻
4803b	下佐・054オ2・國郡	甲	―	カウ	右傍	kap	狎韻
4804a	下佐・054オ2・國郡	雜	―	サフ	右傍	dzʌp	合韻
4804b	下佐・054オ2・國郡	太	―	タ	右傍	t'ai^{3}	泰韻
4805a	下佐・054オ3・國郡	讃	―	サヌ	右傍	tsan^{3}	翰韻
4805b	下佐・054オ3・國郡	岐	―	キ	右傍	gjie^{1}	支韻
4806a	下佐・054オ3・國郡	寒	―	カン	右傍	ɣan^{1}	寒韻
4807a	下佐・054オ3・國郡	阿	―	ア	右傍	'ɑ^{1}	歌韻
4807b	下佐・054オ3・國郡	野	―	ヤ	右傍	jia^{2} źiʌ^{2}	馬韻 語韻
4808a	下佐・054オ3・國郡	那	―	ナ	右傍	nɑ$^{1/3}$	歌/箇韻
4808b	下佐・054オ3・國郡	珂	―	カ	右傍	k'ɑ^{1}	歌韻
4809a	下佐・054オ3・國郡	多	―	タ	右傍	tɑ^{1}	歌韻
4809b	下佐・054オ3・國郡	度	―	ト	右傍	duʌ^{3} dak	暮韻 鐸韻
4810a	下佐・054オ4・國郡	薩	―	サツ	右傍	sat	曷韻
4810b	下佐・054オ4・國郡	摩	―	マ	右傍	mɑ$^{1/3}$	戈/過韻
4811a	下佐・054オ4・國郡	伊	―	イ	右傍	'jiei^{1}	脂韻
4811b	下佐・054オ4・國郡	作	―	サク	右傍	tsak	鐸韻
4812a	下佐・054オ4・國郡	阿	―	ア	右傍	'ɑ^{1}	歌韻
4812b	下佐・054オ4・國郡	多	―	タ	右傍	tɑ^{1}	歌韻
4813a	下佐・054オ4・國郡	揖	―	イホ	右傍	'jiep	緝韻
4813b	下佐・054オ4・國郡	宿	―	スキ	右傍	siʌuk	屋韻
4815a	下佐・054オ5・國郡	嵯	―	サ	右傍	dzɑ^{1} tṣ'ie^{1}	歌韻 支韻
4815b	下佐・054オ5・國郡	峨	―	カ	右傍	ŋɑ^{1}	歌韻

4816a	下佐・054オ7・官職	齊	—	サイ	右注	dzei 1/3	齊/霽韻
4816b	下佐・054オ7・官職	宮	—	ク	右注	kiʌuŋ 1	東韻
4816c	下佐・054オ7・官職	寮	—	レウ	右注	leu 1	蕭韻
4817a	下佐・054オ7・官職	齊	—	サイ	右注	dzei 1/3	齊/霽韻
4817b	下佐・054オ7・官職	院	—	ヰン	右注	ɣiuan 3 ɣuan 1	線韻 桓韻
4817c	下佐・054オ7・官職	司	—	シ	右注	siɐi 1	之韻
4819a	下佐・054ウ2・官職	将	—	シヤウ	右傍	tsiaŋ 1/3	陽/漾韻
4819b	下佐・054ウ2・官職	曹	—	サウ	右傍	dzau 1	豪韻
4820a	下佐・054ウ2・官職	筭	—	サン	右注	suan 3	換韻
4820b	下佐・054ウ2・官職	博	—	ハカ	右注	pak	鐸韻
4820c	下佐・054ウ2・官職	士	—	セ	右注	dẓiɐi 2	止韻
4821a	下佐・054ウ2・官職	宰	—	サイ	右注	tsʌi 2	海韻
4821b	下佐・054ウ2・官職	相	—	シヤウ	右注	siaŋ 1/3	陽/漾韻
4822a	下佐・054ウ3・官職	在	—	サイ	右注	dzʌi 2/3	海/代韻
4822b	下佐・054ウ3・官職	廳	—	チヤウ	右注	t'eŋ 1	青韻
4823a	下佐・054ウ3・官職	座	—	サ	右注	dzuɑ 3	過韻
4823b	下佐・054ウ3・官職	頭	—	トウ	右注	dʌu 1	侯韻
4824a	下佐・054ウ3・官職	參	—	サン	右注	ts'ʌm 1/3 sɑm 1 ṣiem 1 tṣ'iem 1	覃/勘韻 談韻 侵韻 侵韻
4824b	下佐・054ウ3・官職	軍	—	ク	右注	kiuʌn 1	文韻
4825a	下佐・054ウ3・官職	散	—	サン	右注	sɑn 2/3	旱/翰韻
4825b	下佐・054ウ3・官職	仕	—	シ	右注	dẓiɐi 2	止韻
4826a	下佐・054ウ4・官職	座	—	サ	右注	dzuɑ 3	過韻
4826b	下佐・054ウ4・官職	主	—	ス	右注	tśiuʌ 2	麌韻
4827a	下佐・054ウ7・姓氏	佐	—	サ	右注	tsɑ 3	箇韻
4827b	下佐・054ウ7・姓氏	太	—	タ	右注	t'ɑi 3	泰韻
4828a	下佐・054ウ7・姓氏	佐	—	サ	右注	tsɑ 3	箇韻
4828b	下佐・054ウ7・姓氏	伯	—	ヘキ	右注	pak	陌韻
4829a	下佐・055オ1・姓氏	佐	—	サ [上]	右注	tsɑ 3	箇韻
4829b	下佐・055オ1・姓氏	為	—	ヰ [平]	右注	ɣiue 1/3	支/寘韻
4830a	下佐・055オ1・姓氏	佐	—	サ	右傍	tsɑ 3	箇韻
4830b	下佐・055オ1・姓氏	佐	—	サ	右傍	tsɑ 3	箇韻
4830c	下佐・055オ1・姓氏	貴	—	キ	右傍	kiuʌi 3	未韻
4831a	下佐・055オ1・姓氏	佐	—	サ	右注	tsɑ 3	箇韻
4831b	下佐・055オ1・姓氏	良	—	ラ	右注	liaŋ 1	陽韻
4831c	下佐・055オ1・姓氏	良	—	ラ	右注	liaŋ 1	陽韻
4832a	下佐・055オ2・姓氏	沙	—	サ	右注	ṣa 1/3	麻/禡韻

【表A-02】下巻_木篇

番号	前田本所在	掲出字		仮名音注		中古音	韻目
4833	下木・055オ7・天象	霧	去濁	フ	右傍	miuʌ^{3}	遇韻
4834a	下木・055オ7・天象	豹	去	ハウ	右傍	pau^{3}	効韻
4834b	下木・055オ7・天象	隠	上	イム	右傍	'iʌn$^{2/3}$	隠/焮韻
4835a	下木・055オ7・天象	夢	去	ホウ	右傍	mʌuŋ^{3} miʌuŋ^{1}	送韻 東韻
4835b	下木・055オ7・天象	澤	入	タク	右傍	ḍak	陌韻
4836	下木・055オ7・天象	雺	平	モウ	右傍	mʌuŋ^{1} miʌu^{1} mɑuŋ^{3} mʌu^{3}	東韻 尤韻 宋韻 候韻
4837	下木・055オ7・天象	雰	平	フン	右傍	p'iuʌn^{1}	文韻
4838	下木・055ウ1・天象	紀	―	キ	右注	kiɐi^{2}	止韻
4839	下木・055ウ1・天象	季	去	キ	右注	k'jiuei^{3}	至韻
4840	下木・055ウ3・地儀	涯	平濁	カイ	右傍	ŋɐ^{1} ŋie^{1}	佳韻 支韻
4841	下木・055ウ3・地儀	崖	平濁	カイ	右傍	ŋɐ^{1} ŋie^{1}	佳韻 支韻
4842	下木・055ウ3・地儀	堆	平	ツイ	右傍	tuʌi^{1}	灰韻
4843	下木・055ウ3・地儀	垠	平	キン	右傍	ŋien^{1} ŋiʌn^{1} ŋʌn^{1}	眞韻 欣韻 痕韻
4844	下木・055ウ4・地儀	京	平	ケイ	右傍	kiaŋ^{1}	庚韻
4845	下木・055ウ4・地儀	京	平	キヤウ	右注	kiaŋ^{1}	庚韻
4846a	下木・055ウ5・地儀	凝	平濁	キヨウ	右傍	ŋiɐŋ$^{1/3}$	蒸/證韻
4846b	下木・055ウ5・地儀	華	平	クワ	右傍	xua^{1} ɣua$^{1/3}$	麻韻 麻/禡韻
4847a	下木・055ウ5・地儀	宜	平	キ	右傍	ŋie^{1}	支韻
4847b	下木・055ウ5・地儀	陽	平	ヤウ	右傍	jiɑŋ^{1}	陽韻
4848a	下木・055ウ5・地儀	喜	平	―	―	xiɐi$^{2/3}$	止/志韻
4848b	下木・055ウ5・地儀	陽	平		―	jiɑŋ^{1}	陽韻
4849a	下木・055ウ5・地儀	宜	平濁	―	―	ŋie^{1}	支韻
4849b	下木・055ウ5・地儀	秋	平	―	―	ts'iʌu^{1}	尤韻
4850a	下木・055ウ6・地儀	興	平	―	―	xiɐŋ$^{1/3}$	蒸/證韻
4850b	下木・055ウ6・地儀	禮	上	―	―	lei^{2}	薺韻
4851a	下木・056オ1・植物	酈	入	―	―	lek lie^{1}	錫韻 支韻
4851b	下木・056オ1・植物	縣	去	―	―	ɣuen$^{1/3}$	先/霰韻
4852a	下木・056オ1・植物	桔	入	キツ	右傍	ket	屑韻
4852b	下木・056オ1・植物	梗	上	キヤウ	右傍	kaŋ^{2}	梗韻

4853	下木・056オ1・植物	菍	平	ソウ	右傍	ts'ʌuŋ¹	東韻
4854	下木・056オ2・植物	秫	徳?	シキツ	右傍	dźiuet	術韻
4855a	下木・056オ3・植物	胡	平	コ	右傍	ɣuʌ¹	模韻
4856a	下木・056オ3・植物	已	―	イ	右傍	jiɐi²/³	止/志韻
4857a	下木・056オ4・植物	桐	平	トウ	右傍	dʌuŋ¹	東韻
4857b	下木・056オ4・植物	孫	平	ソン	右傍	suʌn¹	魂韻
4858	下木・056オ4・植物	桐	平	トウ	右傍	dʌuŋ¹	東韻
4859a	下木・056オ4・植物	嶧	入	エキ	左注	jiek	昔韻
4859b	下木・056オ4・植物	陽	平	ヤウ	右傍	jiaŋ¹	陽韻
4860	下木・056オ4・植物	梧	平濁	コ	右傍	ŋuʌ¹	模韻
4861	下木・056オ5・植物	櫄	平	ウン	右傍	ɣiuʌn¹	文韻
4862	下木・056オ5・植物	蕣	去	スン	右傍	śiuen³	稕韻
4863a	下木・056オ6・植物	半	去	―	―	pan³	換韻
4863b	下木・056オ6・植物	天	平	―	―	t'en¹	先韻
4863c	下木・056オ6・植物	河	平	―	―	ɣa¹	歌韻
4864a	下木・056オ6・植物	甘	平	カム	右傍	kam¹	談韻
4864b	下木・056オ6・植物	皮	平	ヒ	右傍	bie¹	支韻
4865	下木・056ウ1・動物	雉	上	チ	右傍	ḍiei²	旨韻
4866	下木・056ウ1・動物	鷮	平	ケウ	右傍	kiau¹ giau¹	宵韻 宵韻
4867	下木・056ウ1・動物	翬	平	―	―	xiuʌi¹	微韻
4868a	下木・056ウ2・動物	麒	平	キ	右傍	giɐi¹	之韻
4868b	下木・056ウ2・動物	麟	平	リン	右傍	lien¹	眞韻
4869	下木・056ウ2・動物	象	平 去	サウ	右傍	ziaŋ²	養韻
4870	下木・056ウ2・動物	狐	平	コ	右傍	ɣuʌ¹	模韻
4871a	下木・056ウ4・動物	魚	平濁	キヨ	右傍	ŋiʌ¹	魚韻
4871b	下木・056ウ4・動物	頭	平	―	―	dʌu¹	侯韻
4872	下木・056ウ5・動物	蛬	平	―	―	giauŋ¹/²	鍾/腫韻
4873	下木・056ウ5・動物	螎	平	―	―	jiʌuŋ¹	東韻
4874a	下木・056ウ5・動物	蟋	入	シツ	右傍	siet ṣiɐt	質韻 櫛韻
4874b	下木・056ウ5・動物	蟀	入	スキツ	右傍	ṣiuet	質韻
4875b	下木・056ウ5・動物	壁	―	ヘキ	右傍	pek	錫韻
4876	下木・056ウ6・動物	蚶	平	カム	右傍	xam¹	談韻
4877	下木・056ウ6・動物	蟣	上	―	―	kiʌi² giʌi¹	尾韻 微韻
4878	下木・057オ1・人倫	君	平	クン	右傍	kiuʌn¹	文韻
4879	下木・057オ1・人倫	公	平	コウ	右傍	kʌuŋ¹	東韻
4880	下木・057オ1・人倫	侯	―	コウ	右傍	ɣʌu¹	侯韻
4881	下木・057オ2・人倫	林	平	リン	右傍	liem¹	侵韻
4882a	下木・057オ3・人倫	經	―	キヤウ	右注	keŋ¹/³	青/徑韻
4882b	下木・057オ3・人倫	師	―	シ	右注	ṣiei¹	脂韻

4883	下木・057オ5・人躰	肝	平	カン	右傍	kɑn[1]	寒韻
4884a	下木・057オ5・人躰	氣	—	キ	右注	k'iʌi[3] xiʌi[3]	未韻 未韻
4884b	下木・057オ5・人躰	躰	—	タイ	右注	t'ei[2]	薺韻
4885	下木・057オ5・人躰	牙	平濁	カ	右傍	ŋa[1]	麻韻
4886	下木・057オ7・人躰	瘢	平	ハン	右傍	bɑn[1]	桓韻
4887	下木・057オ7・人躰	瘍	平	ヤウ	右傍	jiɑŋ[1]	陽韻
4888	下木・057オ7・人躰	痍	—	イ	右傍	jiei[1]	脂韻
4889	下木・057オ7・人躰	疵	平	シ	右傍	dzie[1]	支韻
4890	下木・057ウ1・人躰	痕	平	コン	右傍	ɣʌn[1]	痕韻
4891a	下木・057ウ1・人躰	黄	—	ワウ	右傍	ɣuɑŋ[1]	唐韻
4891b	下木・057ウ1・人躰	疸	—	タン	右傍	tɑn[2/3]	旱/翰韻
4892a	下木・057ウ1・人躰	黄	去	—	—	ɣuɑŋ[1]	唐韻
4892b	下木・057ウ1・人躰	病	上濁	—	—	biaŋ[3]	映韻
4893	下木・057ウ3・人事	義	平濁	キ [去濁] [平]	右注	ŋie[3]	寘韻
4894	下木・057ウ3・人事	議	—	キ [去濁]	右注	ŋie[3]	寘韻
4895	下木・057ウ3・人事	儀	—	キ [平濁]	右注	ŋie[1]	支韻
4896	下木・057ウ4・人事	聞	平濁	フン	右傍	mɪuʌn[1/3]	文/問韻
4897	下木・057ウ4・人事	聆	平	レイ	右傍	leŋ[1]	青韻
4898	下木・057ウ4・人事	聴	平	テイ	右傍	t'eŋ[1/3]	青/徑韻
4899	下木・057ウ5・人事	虐	入濁	キヤク	右注	ŋiɑk	藥韻
4900	下木・057ウ5・人事	興	—	キヨウ	右注	xieŋ[1/3]	蒸/證韻
4901a	下木・057ウ5・人事	伎	—	キ	右注	gie[2] gjie[1] tśie[3]	紙韻 支韻 寘韻
4901b	下木・057ウ5・人事	藝	平濁	ケイ	右注	ŋjiai[3]	祭韻
4902	下木・057ウ5・人事	行	—	キヤウ	右注	ɣaŋ[1/3] ɣɑŋ[1/3]	庚/映韻 唐/宕韻
4903a	下木・058オ1・人事	喜	上	—	—	xiei[2/3]	止/志韻
4903b	下木・058オ1・人事	春	平	—	—	tś'iuen[1]	諄韻
4904a	下木・058オ1・人事	玉	徳	—	—	ŋiuok	燭韻
4904b	下木・058オ1・人事	樹	平	—	—	źiuʌ[2/3]	麌/遇韻
4904c	下木・058オ1・人事	後	去	—	—	ɣʌu[2/3]	厚/候韻
4904d	下木・058オ1・人事	庭	平	—	—	deŋ[1]	青韻
4904e	下木・058オ1・人事	花	平	—	—	xua[1]	麻韻
4905	下木・058オ3・飲食	腒	—	キヨ	右傍	kiʌ[1] giʌ[1]	魚韻 魚韻
4906a	下木・058オ3・飲食	黒	徳	—	—	xʌk	徳韻
4906b	下木・058オ3・飲食	塩	平	—	—	jiam[1/3]	鹽韻
4907	下木・058オ5・雑物	裾	平	キヨ	右傍	kiʌ[1]	魚韻

4908	下木・058オ5・雜物	絹	去	ケム	右傍	kjiuan^{3}	線韻
4909	下木・058オ5・雜物	綃	平	セウ	右傍	siau^{1}	宵韻
4910	下木・058オ5・雜物	紈	平	クワン	左注	ɣuɑn^{1}	桓韻
4911	下木・058オ5・雜物	綺	—	キ	右傍	k'ie^{2}	紙韻
4912	下木・058オ6・雜物	蓋	—	カイ	右傍	kɑi^{3} ɣɑp kɑp	泰韻 盍韻 盍韻
4913	下木・058オ6・雜物	襮	徳	ハク	右傍	pɑk	鐸韻
4914	下木・058オ6・雜物	碪	平	チム	右傍	ṭiem^{1}	侵韻
4915	下木・058オ6・雜物	硟	去	セン	中注	tś'ian^{3} sian^{1}	線韻 仙韻
4916	下木・058オ7・雜物	横	—	クワウ	右傍	ɣuaŋ$^{1/3}$ kuɑŋ^{1}	庚/映韻 唐韻
4917a	下木・058オ7・雜物	魚	平濁	キヨ	中注	ŋiʌ^{1}	魚韻
4917b	下木・058オ7・雜物	袋	去	タイ	中注	dʌi^{3}	代韻
4918b	下木・058オ7・雜物	袋	去	タイ	右注	dʌi^{3}	代韻
4919a	下木・058オ7・雜物	几	—	キ	右注	kiei^{2}	旨韻
4919b	下木・058オ7・雜物	帳	—	チヤウ	右注	ṭiɑŋ^{3}	漾韻
4920a	下木・058オ7・雜物	鏡	—	キヤウ	右注	kiaŋ^{3}	映韻
4920b	下木・058オ7・雜物	臺	—	タイ	右注	dʌi^{1}	咍韻
4921	下木・058ウ1・雜物	琴	平	キム	右傍	giem^{1}	侵韻
4922	下木・058ウ1・雜物	錐	平	スヰ	右傍	tśiuei^{1}	脂韻
4923	下木・058ウ1・雜物	鐕	平	サム	右傍	tsʌm^{1}	覃韻
4924	下木・058ウ1・雜物	栓	平	セン	右傍	ṣiuan^{1}	仙韻
4925a	下木・058ウ1・雜物	雲	平	—	—	ɣiuʌn^{1}	文韻
4925b	下木・058ウ1・雜物	母	上	—	—	mʌu^{2}	厚韻
4926	下木・058ウ2・雜物	經	—	キヤウ	右注	keŋ$^{1/3}$	青/徑韻
4927a	下木・058ウ2・雜物	杏	去濁	キヤウ	右注	ɣaŋ^{2}	梗韻
4927b	下木・058ウ2・雜物	葉	入	エウ	右注	jiap śiap	葉韻 葉韻
4928	下木・058ウ2・雜物	欒	平	—	—	luɑn^{1}	桓韻
4929	下木・058ウ3・雜物	紲	入	セツ	右傍	siat	薛韻
4930a	下木・058ウ3・雜物	毬	平	キウ	右傍	giʌu^{1}	尤韻
4930b	下木・058ウ3・雜物	杖	去	チヤウ	右傍	ḍiɑŋ^{2}	養韻
4931a	下木・058ウ3・雜物	裘	—	キウ	右傍	giʌu^{1}	尤韻
4931b	下木・058ウ3・雜物	代	—	タイ	右傍	dʌi^{3}	代韻
4932a	下木・058ウ3・雜物	錦	—	キム	右注	kiem^{2}	寝韻
4932b	下木・058ウ3・雜物	鞋	—	カイ	右注	ɣɐi^{1} ɣɐ^{1}	皆韻 佳韻
4934b	下木・058ウ3・雜物	錽	上 去	ハム	右傍	miʌm^{2}	范韻
4933a	下木・058ウ4・雜物	銀	—	キム ［平濁平］	右注	ŋien^{1}	真韻

4933b	下木・058ウ4・雑物	面	—	メン ［平平］	右注	miuan^{3}	線韻
4935b	下木・058ウ4・雑物	久	—	ク	右注	kiʌu^{2}	有韻
4935c	下木・058ウ4・雑物	里	—	リ	右注	liɐi^{2}	止韻
4936	下木・058ウ6・光彩	黄	平	クワウ	右傍	ɣuɑŋ^{1}	唐韻
4937b	下木・058ウ6・光彩	蘗	入	ハク	右傍	pɐk	麥韻
4938a	下木・058ウ6・光彩	麹	—	キ ［上］	右傍	k'iʌuk	屋韻
4938b	下木・058ウ6・光彩	塵	—	チン ［平平］	右傍	ḍien^{1}	眞韻
4939a	下木・059オ1・方角	邊	平	ヘン	右傍	pen^{1}	先韻
4939b	下木・059オ1・方角	塞	去	サイ	右傍	sʌi^{3} sʌk	代韻 徳韻
4940	下木・059オ1・方角	陰	平	イム	右傍	'iem^{1}	侵韻
4941	下木・059オ2・方角	畿	平	キ	右傍	giʌi^{1}	微韻
4942	下木・059オ4・員数	窮	平	—	—	giʌuŋ^{1}	東韻
4943	下木・059オ6・辞字	斬	上	サム	右傍	tṣɐm^{2}	豏韻
4944	下木・059オ6・辞字	鑽	平	サン	右傍	tsuɑn$^{1/3}$	桓/換韻
4945	下木・059ウ2・辞字	服	—	フク	右注	biʌuk	屋韻
4946	下木・059ウ2・辞字	銷	平	—	—	siau^{1}	宵韻
4947	下木・059ウ2・辞字	消	平	—	—	siau^{1}	宵韻
4948	下木・059ウ3・辞字	記	—	キ ［上］	—	kiɐi^{3}	志韻
4949	下木・059ウ3・辞字	玼	平	シ	右傍	ts'ie^{2} ts'ei^{2}	紙韻 薺韻
4950	下木・059ウ3・辞字	瑕	平	カ	右傍	ɣa^{1}	麻韻
4951	下木・059ウ5・辞字	稠	平	チウ	右傍	ḍiʌu^{1}	尤韻
4952	下木・059ウ5・辞字	芴	平	ク	右傍	miuʌt	物韻
4953	下木・059ウ6・辞字	穠	平	—	—	niɑuŋ^{1} ńiɑuŋ^{1}	鍾韻 鍾韻
4954	下木・060オ3・辞字	清	平	セイ	右傍	ts'ieŋ^{1}	清韻
4955	下木・060オ5・辞字	禁	—	キム	右傍	kiem$^{1/3}$	侵/沁韻
4956	下木・060ウ2・辞字	瀏	平	リウ	右傍	liʌu$^{1/2}$	尤/有韻
4957a	下木・060ウ4・重點	近	—	キン	右傍	giʌn$^{2/3}$	隠/焮韻
4957b	下木・060ウ4・重點	近	—	キン	右傍	giʌn$^{2/3}$	隠/焮韻
4958a	下木・060ウ4・重點	謹	—	キム	右傍	kiʌn^{2}	隠韻
4958b	下木・060ウ4・重點	謹	—	キム	右傍	kiʌn^{2}	隠韻
4959a	下木・060ウ4・重點	熙	—	キ	右傍	xiɐi^{1}	之韻
4959b	下木・060ウ4・重點	熙	—	キ	右傍	xiɐi^{1}	之韻
4960a	下木・060ウ4・重點	兢	—	キヨウ	右傍	xiɐŋ^{1}	蒸韻
4960b	下木・060ウ4・重點	兢	—	キヨウ	右傍	xiɐŋ^{1}	蒸韻
4961a	下木・060ウ4・重點	輕	—	キヤウ	右傍	k'ieŋ$^{1/3}$	清/勁韻
4961b	下木・060ウ4・重點	輕	—	キヤウ	右傍	k'ieŋ$^{1/3}$	清/勁韻
4962a	下木・060ウ4・重點	狺	—	キン	右傍	ŋien^{1} ŋiʌn^{1}	眞韻 欣韻

4962b	下木・060ウ4・重點	猨	—	キン	右傍	ŋien^{1} ŋiʌn^{1}	眞韻 欣韻
4963a	下木・060ウ6・疊字	金	平	キム	右傍	kiem^{1}	侵韻
4963b	下木・060ウ6・疊字	兎	去	ト	右傍	t‘uʌ^{3}	暮韻
4964a	下木・060ウ6・疊字	銀	平濁	キン	右傍	ŋien^{1}	眞韻
4964b	下木・060ウ6・疊字	漢	去	カン	右傍	xɑn^{3}	翰韻
4965a	下木・060ウ6・疊字	銀	—	キン	右傍	ŋien^{1}	眞韻
4965b	下木・060ウ6・疊字	丸	—	クワン	右傍	ŋuɑn^{1}	桓韻
4966a	下木・060ウ6・疊字	魚	平濁	キヨ	右傍	ŋiʌ^{1}	魚韻
4966b	下木・060ウ6・疊字	鱗	平	リム	右傍	lien^{1}	眞韻
4967a	下木・060ウ7・疊字	九	上	—	—	kiʌu^{2}	有韻
4967b	下木・060ウ7・疊字	光	平	—	—	kuɑŋ$^{1/3}$	唐/宕韻
4968a	下木・060ウ7・疊字	九	—	—	—	kiʌu^{2}	有韻
4968b	下木・060ウ7・疊字	殽	平	カウ	右注	ɣau^{1}	肴韻
4969a	下木・060ウ7・疊字	去	去	—	—	k‘iʌ$^{2/3}$	語/御韻
4969a	下木・060ウ7・疊字	年	平	—	—	nen^{1}	先韻
4970a	下木・060ウ7・疊字	去	去	—	—	k‘iʌ$^{2/3}$	語/御韻
4970b	下木・060ウ7・疊字	月	入	—	—	ŋiuɑt	月韻
4971a	下木・060ウ7・疊字	舊	去	キウ	左注	giʌu^{3}	宥韻
4971b	下木・060ウ7・疊字	年	平	ネン	左注	nen^{1}	先韻
4972a	下木・061オ1・疊字	居	平	キヨ	右注	kiʌ^{1} kiɐi^{1}	魚韻 之韻
4972b	下木・061オ1・疊字	諸	上	ソ	右注	tśiʌ^{1} tśia^{1}	魚韻 麻韻
4973a	下木・061オ1・疊字	竟	平	—	—	kiaŋ^{3}	映韻
4973b	下木・061オ1・疊字	夜	去	—	—	jia^{3}	禡韻
4974a	下木・061オ1・疊字	九	上	—	—	kiʌu^{2}	有韻
4974b	下木・061オ1・疊字	洲	平	—	—	tśiʌu^{1}	尤韻
4975a	下木・061オ1・疊字	坑	去	キヤウ	左注	k‘aŋ^{1}	庚韻
4975b	下木・061オ1・疊字	坎	上	カム	左注	k‘ʌm^{2}	感韻
4976a	下木・061オ2・疊字	丘	平	キウ	左注	k‘iʌu^{1}	尤韻
4976b	下木・061オ2・疊字	墟	平	キヨ	左注	k‘iʌ^{1}	魚韻
4977a	下木・061オ2・疊字	九	上	キウ	左注	kiʌu^{2}	有韻
4977b	下木・061オ2・疊字	坂	上濁	ハム	左注	piɑn^{2}	阮韻
4978a	下木・061オ2・疊字	近	去	キン	左注	giʌn$^{2/3}$	隠/焮韻
4978b	下木・061オ2・疊字	隣	平	リン	左注	lien^{1}	眞韻
4979a	下木・061オ2・疊字	近	去	—	—	giʌn$^{2/3}$	隠/焮韻
4979b	下木・061オ2・疊字	境	上	—	—	kiaŋ^{2}	梗韻
4980a	下木・061オ2・疊字	郷	平	キヤウ	左注	xiɑŋ^{1}	陽韻
4980b	下木・061オ2・疊字	里	上	リ	左注	liɐi^{2}	止韻
4981a	下木・061オ3・疊字	郷	平	—	—	xiɑŋ^{1}	陽韻
4981b	下木・061オ3・疊字	黨	上	—	—	tɑŋ^{2}	蕩韻

4982b	下木・061オ3・疊字	国	入	—	—	kuʌk	徳韻
4983a	下木・061オ3・疊字	舊	去	—	—	giʌu^{3}	宥韻
4983b	下木・061オ3・疊字	里	上	—	—	liɐi^{2}	止韻
4984a	下木・061オ3・疊字	乞	入	キツ	左注	k'iʌt	迄韻
4984b	下木・061オ3・疊字	漿	—	シヤウ	左注	tsiɑŋ^{1}	陽韻
4985a	下木・061オ3・疊字	漁	平	—	—	ŋiʌ^{1}	魚韻
4985b	下木・061オ3・疊字	釣	去	—	—	teu^{3}	嘯韻
4986a	下木・061オ4・疊字	漁	平	キヨ	左注	ŋiʌ^{1}	魚韻
4986b	下木・061オ4・疊字	父	上	フ	左注	piuʌ^{2} biuʌ^{2}	麌韻 麌韻
4987a	下木・061オ4・疊字	漁	平	—	—	ŋiʌ^{1}	魚韻
4987b	下木・061オ4・疊字	翁	平	—	—	'ʌuŋ^{1}	東韻
4988a	下木・061オ4・疊字	祈	去	キ	左注	giʌi^{1}	微韻
4988b	下木・061オ4・疊字	禱	上	タウ	左注	tɑu$^{2/3}$	晧/号韻
4989a	下木・061オ4・疊字	祈	去	キ	左注	giʌi^{1}	微韻
4989b	下木・061オ4・疊字	請	平	セイ	左注	ts'ieŋ$^{1/2}$ dzieŋ^{3}	清/靜韻 勁韻
4990a	下木・061オ4・疊字	祈	平	—	—	giʌi^{1}	微韻
4990b	下木・061オ4・疊字	年	平	—	—	nen^{1}	先韻
4991a	下木・061オ5・疊字	窮	平	—	—	giʌuŋ^{1}	東韻
4991b	下木・061オ5・疊字	鬼	上	—	—	kiuʌi^{2}	尾韻
4992a	下木・061オ5・疊字	祈	去	キ	左注	giʌi^{1}	微韻
4992b	下木・061オ5・疊字	念	平	ネム	左注	nem^{3}	㮇韻
4993a	下木・061オ5・疊字	祈	去	キ	左注	giʌi^{1}	微韻
4993b	下木・061オ5・疊字	願	平	クワン	左注	ŋiuɑn^{3}	願韻
4994a	下木・061オ5・疊字	義	平	—	—	ŋie^{3}	寘韻
4994b	下木・061オ5・疊字	解	平	—	—	kɐ$^{2/3}$ ɣɐi$^{2/3}$	蟹/卦韻 駭/怪韻
4995a	下木・061オ5・疊字	經	去	—	—	keŋ$^{1/3}$	青/徑韻
4995b	下木・061オ5・疊字	論	平	—	—	luʌn$^{1/3}$ lluen^{1}	魂/慁韻 諄韻
4996a	下木・061オ6・疊字	行	去	—	—	ɣaŋ$^{1/3}$ ɣɑŋ$^{1/3}$	庚/映韻 唐/宕韻
4996b	下木・061オ6・疊字	香	上	—	—	xiɑŋ^{1}	陽韻
4997a	下木・061オ6・疊字	行	去	キヤウ	左注	ɣaŋ$^{1/3}$ ɣɑŋ$^{1/3}$	庚/映韻 唐/宕韻
4997b	下木・061オ6・疊字	道	平	タウ	左注	dɑu^{2}	晧韻
4998a	下木・061オ6・疊字	行	平	キヤウ	左注	ɣaŋ$^{1/3}$ ɣɑŋ$^{1/3}$	庚/映韻 唐/宕韻
4998b	下木・061オ6・疊字	者	平	シヤ	左注	tśia^{2}	馬韻
4999a	下木・061オ6・疊字	経	去	—	—	keŋ$^{1/3}$	青/徑韻

4999b	下木・061オ6・疊字	行	上	―	―	ɣaŋ$^{1/3}$ ɣɑŋ$^{1/3}$	庚/映韻 唐/宕韻
5000a	下木・061オ7・疊字	今	去	―	―	kiem^{1}	侵韻
5000b	下木・061オ7・疊字	上	平	―	―	źiɑŋ$^{2/3}$	養/漾韻
5001a	下木・061オ7・疊字	九	―	キウ	右注	kiʌu^{2}	有韻
5001b	下木・061オ7・疊字	德	―	トク	右注	tʌk	德韻
5002a	下木・061オ7・疊字	御	去	―	―	ŋiʌ^{3}	御韻
5002b	下木・061オ7・疊字	宇	上	―	―	ɣiuʌ^{2}	麌韻
5003a	下木・061オ7・疊字	行	平	キヤウ	左注	ɣaŋ$^{1/3}$ ɣɑŋ$^{1/3}$	庚/映韻 唐/宕韻
5003b	下木・061オ7・疊字	幸	上	カウ	左注	ɣɐŋ^{2}	耿韻
5004a	下木・061オ7・疊字	行	―	キヤウ	左注	ɣaŋ$^{1/3}$ ɣɑŋ$^{1/3}$	庚/映韻 唐/宕韻
5004b	下木・061オ7・疊字	啓	―	ケイ	左注	k‘ei^{2}	薺韻
5005a	下木・061ウ1・疊字	九	上	―	―	kiʌu^{2}	有韻
5005b	下木・061ウ1・疊字	重	平	―	―	ḍiɑuŋ$^{1/2/3}$	鍾/腫/用韻
5006a	下木・061ウ1・疊字	宮	上	―	―	kiʌuŋ^{1}	東韻
5006b	下木・061ウ1・疊字	中	平	―	―	ṭiʌuŋ$^{1/3}$	東韻
5007a	下木・061ウ1・疊字	禁	去	キン	右注	kiem$^{1/3}$	侵/沁韻
5007b	下木・061ウ1・疊字	中	平	チウ	右注	ṭiʌuŋ$^{1/3}$	東韻
5008a	下木・061ウ1・疊字	鳳	―	ホウ	右傍	biʌuŋ^{3}	送韻
5008b	下木・061ウ1・疊字	池	―	チ	右傍	ḍie^{1}	支韻
5009a	下木・061ウ1・疊字	綺	上	キ	右注	k‘ie^{2}	紙韻
5009b	下木・061ウ1・疊字	閣	入	カク	右注	kɑk	鐸韻
5010a	下木・061ウ1・疊字	禁	去	キム	左注	kiem$^{1/3}$	侵/沁韻
5010b	下木・061ウ1・疊字	闈	平	ヰ	左注	ɣiuʌi$^{1/3}$	微/未韻
5011a	下木・061ウ2・疊字	禁	去	キム	右注	kiem$^{1/3}$	侵/沁韻
5011b	下木・061ウ2・疊字	省	上	シヤウ	右注	ṣaŋ^{2} sieŋ^{2}	梗韻 靜韻
5012a	下木・061ウ2・疊字	御	上	キヨ	左注	ŋiʌ^{3}	御韻
5012b	下木・061ウ2・疊字	溝	平	コウ	左注	kʌu^{1}	侯韻
5013a	下木・061ウ2・疊字	居	平	―	―	kiʌ^{1} kiɐi^{1}	魚韻 之韻
5013b	下木・061ウ2・疊字	然	平	―	―	ńian^{1}	仙韻
5014a	下木・061ウ2・疊字	宮	上	―	―	kiʌuŋ^{1}	東韻
5014b	下木・061ウ2・疊字	闈	平	―	―	ɣiuʌi$^{1/3}$	微/未韻
5015a	下木・061ウ2・疊字	儀	平	―	―	ŋie^{1}	支韻
5015b	下木・061ウ2・疊字	形	上	―	―	ɣeŋ^{1}	青韻
5016a	下木・061ウ3・疊字	鳩	平	―	―	kiʌu^{1}	尤韻
5016b	下木・061ウ3・疊字	杖	去	―	―	ḍiɑŋ^{2}	養韻
5017a	下木・061ウ3・疊字	儀	平	キ	左注	ŋie^{1}	支韻
5017b	下木・061ウ3・疊字	式	入	シキ	左注	śiɐk	職韻

5018a	下木・061ウ3・疊字	季	去	—	—	k‘jiuei³	至韻
5018b	下木・061ウ3・疊字	禄	入	—	—	lʌuk	屋韻
5019a	下木・061ウ4・疊字	究	平	—	—	kiʌu³	宥韻
5019b	下木・061ウ4・疊字	済	上	—	—	tsei²ᐟ³	薺/霽韻
5020a	下木・061ウ4・疊字	熉	平 上	キ	左注	kjiue¹	支韻
5020b	下木・061ウ4・疊字	摸	平濁	ホ	左注	muʌ¹ mak	模韻 鐸韻
5021a	下木・061ウ4・疊字	舊	去	—	—	giʌu³	宥韻
5021b	下木・061ウ4・疊字	風	平	—	—	piʌuŋ¹ᐟ³	東/送韻
5022a	下木・061ウ4・疊字	舊	去	—	—	giʌu³	宥韻
5022b	下木・061ウ4・疊字	貫	去	—	—	kuan¹ᐟ³	桓/換韻
5023a	下木・061ウ4・疊字	近	去	—	—	giʌn²ᐟ³	隠/焮韻
5023b	下木・061ウ4・疊字	古	上	—	—	kuʌ²	姥韻
5024a	下木・061ウ4・疊字	今	去	(キン)	左注	kiem¹	侵韻
5024b	下木・061ウ4・疊字	來	平	(ラヒ)	左注	lʌi¹	咍韻
5025a	下木・061ウ5・疊字	既	去	キ	左注	kiʌi³	未韻
5025b	下木・061ウ5・疊字	往	平	ワウ	左注	jiuaŋ²	養韻
5026a	下木・061ウ5・疊字	近	去	—	—	giʌn²ᐟ³	隠/焮韻
5026b	下木・061ウ5・疊字	曽	上	—	—	tsʌŋ¹ dzʌŋ¹	登韻 登韻
5027a	下木・061ウ5・疊字	向	去	—	—	xiaŋ³ śiaŋ³	漾韻 漾韻
5027b	下木・061ウ5・疊字	耒	上	—	—	liuei² luʌi³	旨韻 隊韻
5028a	下木・061ウ5・疊字	向	去	キヤウ	左注	xiaŋ³ śiaŋ³	漾韻 漾韻
5028b	下木・061ウ5・疊字	後	平	コウ	左注	ɣʌu²ᐟ³	厚/候韻
5029a	下木・061ウ5・疊字	急	上	キウ	左注	kiep	緝韻
5029b	下木・061ウ5・疊字	速	入	ソク	左注	sʌuk	屋韻
5030a	下木・061ウ6・疊字	急	—	キウ	左注	kiep	緝韻
5030b	下木・061ウ6・疊字	切	—	セチ	左注	ts‘et	屑韻
5031a	下木・061ウ6・疊字	乞	入	キツ	左注	k‘iʌt	迄韻
5031b	下木・061ウ6・疊字	巧	上	カウ	左注	k‘au²ᐟ³	巧/效韻
5032a	下木・061ウ6・疊字	吉	—	キツ	左注	kjiet	質韻
5032b	下木・061ウ6・疊字	祥	—	シヤウ	左注	ziaŋ¹	陽韻
5033a	下木・061ウ6・疊字	喜	平	キ	左注	xiei²ᐟ³	止/志韻
5033b	下木・061ウ6・疊字	瑞	去	スイ	左注	źiue³	寘韻
5034a	下木・061ウ7・疊字	炙	去	—	—	tśia³	禡韻
5035a	下木・061ウ7・疊字	舅	去	キウ	左注	giʌu²	有韻
5035b	下木・061ウ7・疊字	甥	上	セイ	左注	ṣaŋ¹	庚韻
5036a	下木・061ウ7・疊字	吟	平濁	キム	左注	ŋiem¹ᐟ³	侵/沁韻
5036b	下木・061ウ7・疊字	動	去濁	トウ	左注	dʌuŋ²	董韻
5037a	下木・061ウ7・疊字	器	去	キ	左注	k‘iei³	至韻

5037b	下木・061ウ7・疊字	量	上	リヤウ	左注	liaŋ$^{1/3}$	陽/漾韻
5038a	下木・062オ1・疊字	襁	平	キヤウ	左注	kiaŋ^{2}	養韻
5038b	下木・062オ1・疊字	緥	去	ホウ	左注	pau^{2}	晧韻
5039a	下木・062オ1・疊字	綺	上	―	―	k'ie^{2}	紙韻
5039b	下木・062オ1・疊字	紈	平	―	―	ɣuan^{1}	桓韻
5040a	下木・062オ1・疊字	鳩	平	―	―	kiʌu^{1}	尤韻
5040b	下木・062オ1・疊字	車	平	―	―	tś'ia^{1} kiʌ^{1}	麻韻 魚韻
5041a	下木・062オ1・疊字	耆	平	―	―	giei^{1}	脂韻
5041b	下木・062オ1・疊字	年	去	―	―	nen^{1}	先韻
5042a	下木・062オ1・疊字	耆	平	―	―	giei^{1}	脂韻
5042b	下木・062オ1・疊字	艾	去	―	―	ŋai^{3} ŋiai^{3}	泰韻 廢韻
5043a	下木・062オ2・疊字	耆	平	―	―	giei^{1}	脂韻
5043b	下木・062オ2・疊字	老	上	―	―	lɑu^{2}	晧韻
5044a	下木・062オ2・疊字	朽	入	キウ	左注	xiʌu^{2}	有韻
5044b	下木・062オ2・疊字	邁	去	マイ	左注	mai^{3}	夬韻
5045a	下木・062オ2・疊字	窮	平 去	キウ	左注	giʌuŋ^{1}	東韻
5045b	下木・062オ2・疊字	老	上	ラウ	左注	lɑu^{2}	晧韻
5046a	下木・062オ2・疊字	舊	去	―	―	giʌu^{3}	宥韻
5046b	下木・062オ2・疊字	老	上	―	―	lɑu^{2}	晧韻
5047a	下木・062オ2・疊字	喜	去	キ	左注	xiɐi$^{2/3}$	止/志韻
5047b	下木・062オ2・疊字	懼	上	ク	左注	giuʌ^{3}	遇韻
5048a	下木・062オ2・疊字	跼	入	キヨク	左注	giauk	燭韻
5048b	下木・062オ3・疊字	蹐	入	セキ	左注	tsiek	昔韻
5049a	下木・062オ3・疊字	向	去	キヤウ	左注	xiaŋ^{3} śiaŋ^{3}	漾韻 漾韻
5049b	下木・062オ3・疊字	背	平濁	ハイ	左注	puʌi^{3} buʌi^{3}	隊韻 隊韻
5050a	下木・062オ3・疊字	謹	上	キン	左注	kiʌn^{2}	隠韻
5050b	下木・062オ3・疊字	愼	平濁	シン	左注	sien^{3}	震韻
5051a	下木・062オ3・疊字	謹	上	―	―	kiʌn^{2}	隠韻
5051b	下木・062オ3・疊字	厚	去	―	―	ɣʌu$^{2/3}$	厚/候韻
5052a	下木・062オ4・疊字	救	上	キウ	左注	kiʌu^{3}	宥韻
5052b	下木・062オ4・疊字	急	上	キ	左注	kiep	緝韻
5053a	下木・062オ4・疊字	虚	平	キヨ	左注	xiʌ^{1} k'iʌ^{1}	魚韻 魚韻
5053b	下木・062オ4・疊字	言	平	ケン	左注	ŋian^{1}	元韻
5054a	下木・062オ4・疊字	虚	平	―	―	xiʌ^{1} k'iʌ^{1}	魚韻 魚韻
5054b	下木・062オ4・疊字	宣	平	―	―	siuan^{1}	仙韻
5055a	下木・062オ4・疊字	救	上	―	―	kiʌu^{3}	宥韻

5055b	下木・062オ4・疊字	濟	上	―	―	tsei[2/3]	薺/霽韻
5056a	下木・062オ5・疊字	虚	平 上	キヨ	左注	xiʌ[1] k'iʌ[1]	魚韻 魚韻
5056b	下木・062オ5・疊字	誕	平	タン	左注	dɑn[2]	旱韻
5057a	下木・062オ5・疊字	輕	去	キヤウ	左注	k'ieŋ[1/3]	清/勁韻
5057b	下木・062オ5・疊字	慢	上	マン	左注	man[3]	諫韻
5058b	下木・062オ5・疊字	饗	上	キヤウ	左注	xiɑŋ[2]	養韻
5058c	下木・062オ5・疊字	應	平	ヲウ	左注	'ieŋ[1/3]	蒸/證韻
5059a	下木・062オ5・疊字	魚	平	―	―	ŋiʌ[1]	魚韻
5059b	下木・062オ5・疊字	鈍	去	―	―	duʌn[3]	慁韻
5060a	下木・062オ5・疊字	疑	平	―	―	ŋiɐi[1]	之韻
5060b	下木・062オ5・疊字	慮	去	―	―	liʌ[3]	御韻
5061a	下木・062オ6・疊字	疑	去	―	―	ŋiɐi[1]	之韻
5061b	下木・062オ6・疊字	惑	入	―	―	ɣuʌk	徳韻
5062a	下木・062オ6・疊字	疑	去濁	キ	左注	ŋiɐi[1]	之韻
5062b	下木・062オ6・疊字	殆	平	タイ	左注	dʌi[2]	海韻
5063a	下木・062オ6・疊字	氣	―	キ	左注	k'iʌi[3] xiʌi[3]	未韻 未韻
5063b	下木・062オ6・疊字	色	―	ソク	左注	ṣiɐk	職韻
5064a	下木・062オ6・疊字	筋	平	―	―	kʌn[1]	痕韻
5064b	下木・062オ6・疊字	力	入	―	―	liɐk	職韻
5065a	下木・062オ6・疊字	氣	―	キ	左注	k'iʌi[3] xiʌi[3]	未韻 未韻
5065b	下木・062オ6・疊字	精	―	シヤウ	左注	tsieŋ[1]	清韻
5066a	下木・062オ7・疊字	氣	去	キ	左注	k'iʌi[3] xiʌi[3]	未韻 未韻
5066b	下木・062オ7・疊字	力	入	リヨク	左注	liɐk	職韻
5067a	下木・062オ7・疊字	休	平	キウ	左注	xiʌu[1]	尤韻
5067b	下木・062オ7・疊字	息	入	ソク	左注	siɐk	職韻
5068a	下木・062オ7・疊字	休	平	キウ	右注	xiʌu[1]	尤韻
5068b	下木・062オ7・疊字	退	平	タイ	右注	t'uʌi[3]	隊韻
5069a	下木・062オ7・疊字	箕	平	キ	左注	kiɐi[1]	之韻
5069b	下木・062オ7・疊字	裘	平	キウ	左注	giʌu[1]	尤韻
5070a	下木・062オ7・疊字	形	―	キヤウ	左注	ɣeŋ[1]	青韻
5070b	下木・062オ7・疊字	貌	―	メウ	左注	mau[3] mauk	効韻 覺韻
5071a	下木・062ウ1・疊字	吟	平	キム	中注	ŋiem[1/3]	侵/沁韻
5071b	下木・062ウ1・疊字	咏	去	ヱイ	中注	ɣiuaŋ[3]	映韻
5072a	下木・062ウ1・疊字	魚	平	―	―	ŋiʌ[1]	魚韻
5072b	下木・062ウ1・疊字	魯	上	―	―	luʌ[2]	姥韻
5073a	下木・062ウ1・疊字	起	上	キ	左注	k'iɐi[2]	止韻
5073b	下木・062ウ1・疊字	居	平	キヨ	左注	kiʌ[1] kiɐi[1]	魚韻 之韻

5074a	下木・062ウ1・疊字	許	上	キヨ	中注	xiʌ²	語韻
5074b	下木・062ウ1・疊字	容	平	ヨウ	中注	jiauŋ¹	鍾韻
5075a	下木・062ウ2・疊字	興	平	キヨウ	中注	xiɐŋ^{1/3}	蒸/證韻
5075b	下木・062ウ2・疊字	複	入濁	フク	中注	piʌuk biʌu³	屋韻 宥韻
5076a	下木・062ウ2・疊字	舊	去	―	―	giʌu³	宥韻
5076b	下木・062ウ2・疊字	意	去	―	―	'iɐi³	志韻
5077a	下木・062ウ2・疊字	久	去	―	―	kiʌu²	有韻
5077b	下木・062ウ2・疊字	悪	入	―	―	'ɑk 'uʌ^{1/3}	鐸韻 模/暮韻
5078a	下木・062ウ2・疊字	牛	平	―	―	ŋiʌu¹	尤韻
5078b	下木・062ウ2・疊字	馬	上	―	―	ma²	馬韻
5078c	下木・062ウ2・疊字	走	上	―	―	tsʌu^{2/3}	厚/候韻
5079a	下木・062ウ3・疊字	窮	平	キウ	中注	giʌuŋ¹	東韻
5079b	下木・062ウ3・疊字	屈	入	クツ	中注	k'iuʌt kiuʌt	物韻 物韻
6968a	下木・062ウ3・疊字	窮	平	キウ	中注	giʌuŋ¹	東韻
6968b	下木・062ウ3・疊字	屈	入	クヰツ	中注	k'iuʌt kiuʌt	物韻 物韻
5080a	下木・062ウ3・疊字	飢	去	キ	左注	kiei¹	脂韻
5080b	下木・062ウ3・疊字	寒	平	カン	左注	ɣɑn¹	寒韻
5081a	下木・062ウ4・疊字	飢	去	キ	左注	kiei¹	脂韻
5081b	下木・062ウ4・疊字	饉	平	キン	左注	gien³	震韻
5082a	下木・062ウ4・疊字	窮	―	キウ	左注	giʌuŋ¹	東韻
5082b	下木・062ウ4・疊字	困	―	コン	左注	k'uʌn³	慁韻
5083a	下木・062ウ4・疊字	近	去	キン	中注	giʌn^{2/3}	隠/焮韻
5083b	下木・062ウ4・疊字	習	入濁	シフ	中注	ziep	緝韻
5084a	下木・062ウ4・疊字	勤	平	キン	左注	giʌn¹	欣韻
5084b	下木・062ウ4・疊字	公	平濁	コウ	左注	kʌuŋ¹	東韻
5085a	下木・062ウ5・疊字	勤	平	キム	左注	giʌn¹	欣韻
5085b	下木・062ウ5・疊字	厚	平濁	コウ	左注	ɣʌu^{2/3}	厚/候韻
5086a	下木・062ウ5・疊字	弃	去	―	―	k'jiei³	至韻
5086b	下木・062ウ5・疊字	徐	平	―	―	ziʌ¹	魚韻
5087a	下木・062ウ5・疊字	弃	上 去	キ	左注	k'jiei³	至韻
5087b	下木・062ウ5・疊字	置	平	チ	左注	ṭiɐi³	志韻
5088a	下木・062ウ6・疊字	擬	去	―	―	ŋiɐi²	止韻
5088b	下木・062ウ6・疊字	生	上	―	―	ṣaŋ^{1/3}	庚/映韻
5089a	下木・062ウ6・疊字	嗜	去	―	―	źiei³	至韻
5090a	下木・062ウ6・疊字	奇	平	キ	左注	gie¹ kie¹	支韻 支韻
5090b	下木・062ウ6・疊字	骨	入	コツ	左注	kuʌt	没韻
5091a	下木・062ウ7・疊字	記	上	キ	左注	kiɐi³	志韻
5091b	下木・062ウ7・疊字	録	入	ロク	左注	liauk	燭韻

5092a	下木・062ウ7・疊字	魚	平	キヨ	中注	ŋiʌ^{1}	魚韻
5092b	下木・062ウ7・疊字	網	上	ハウ	中注	miaŋ^{2}	養韻
5093a	下木・062ウ7・疊字	禁	―	キン	左注	kiem$^{1/3}$	侵/沁韻
5093b	下木・062ウ7・疊字	法	―	ハウ	左注	piʌp	乏韻
5094a	下木・062ウ7・疊字	禁	平	キン	左注	kiem$^{1/3}$	侵/沁韻
5094b	下木・062ウ7・疊字	断	平濁	タン	左注	duɑn^{2} tuɑn$^{2/3}$	緩韻 緩/換韻
5095a	下木・063オ1・疊字	禁	平	キン	左注	kiem$^{1/3}$	侵/沁韻
5095b	下木・063オ1・疊字	制	去	セイ	左注	tśiai^{3}	祭韻
5096a	下木・063オ1・疊字	禁	―	キン	左注	kiem$^{1/3}$	侵/沁韻
5096b	下木・063オ1・疊字	遏	―	アツ	左注	’ɑt	曷韻
5097a	下木・063オ1・疊字	禁	平	キム	左注	kiem$^{1/3}$	侵/沁韻
5097b	下木・063オ1・疊字	固	平	コ	左注	kuʌ^{3}	暮韻
5098a	下木・063オ1・疊字	糺	平	キウ	左注	kieu^{2}	黝韻
5098b	下木・063オ1・疊字	彈	平濁	タン	左注	dɑn$^{1/3}$	寒/翰韻
5099a	下木・063オ2・疊字	糺	平	キウ	左注	kieu^{2}	黝韻
5099b	下木・063オ2・疊字	断	平濁	タン	左注	duɑn^{2} tuɑn$^{2/3}$	緩韻 緩/換韻
5100a	下木・063オ2・疊字	糺	平	キウ	左注	kieu^{2}	黝韻
5100b	下木・063オ2・疊字	正	平 去	セイ	左注	tśieŋ$^{1/3}$	清/勁韻
5101a	下木・063オ2・疊字	議	平	キ	左注	ŋie^{3}	寘韻
5101b	下木・063オ2・疊字	定	平	チヤウ	左注	teŋ^{3} deŋ^{3}	徑韻 徑韻
5102a	下木・063オ2・疊字	起	上	キ	左注	k‘iɐi^{2}	止韻
5102b	下木・063オ2・疊字	請	上	シヤウ	左注	ts‘ieŋ$^{1/2}$ dzieŋ^{3}	清/靜韻 勁韻
5103a	下木・063オ2・疊字	弓	平	―	―	kiʌuŋ^{1}	東韻
5103b	下木・063オ2・疊字	箭	平	―	―	tsian^{3}	線韻
5104a	下木・063オ3・疊字	逆	入	―	―	ŋiak	陌韻
5104b	下木・063オ3・疊字	心	平	―	―	siem^{1}	侵韻
5105a	下木・063オ3・疊字	奇	平	キ	中注	gie^{1} kie^{1}	支韻 支韻
5105b	下木・063オ3・疊字	恠	去	クワイ	中注	kuɐi^{3}	怪韻
5106a	下木・063オ3・疊字	希	去	キ	左注	xiʌi^{1}	微韻
5106b	下木・063オ3・疊字	代	平	タイ	左注	dʌi^{3}	代韻
5107a	下木・063オ3・疊字	巨	去	キヨ	左注	giʌ^{2}	語韻
5107b	下木・063オ3・疊字	猾	入	クワク	左注	ɣuɐt	黠韻
5108a	下木・063オ3・疊字	黔	平	キム	左注	giem^{1} giam^{1}	侵韻 鹽韻
5108b	下木・063オ3・疊字	首	上	ス	左注	śiʌu$^{2/3}$	有/宥韻
5109a	下木・063オ4・疊字	虛	平	―	―	xiʌ^{1} k‘iʌ^{1}	魚韻 魚韻

5109b	下木・063オ4・疊字	白	入	―	―	bak	陌韻
5110a	下木・063オ4・疊字	麹	―	キク	左注	k'iʌuk	屋韻
5110b	下木・063オ4・疊字	塵	―	チン	左注	ḍien^{1}	眞韻
5111a	下木・063オ4・疊字	綺	―	キ	中注	k'ie^{2}	紙韻
5111b	下木・063オ4・疊字	羅	―	ラ	中注	lɑ^{1}	歌韻
5112a	下木・063オ5・疊字	錦	―	キム	左注	kiem^{2}	寑韻
5112b	下木・063オ5・疊字	繡	―	シウ	左注	siʌu^{3}	宥韻
5113a	下木・063オ5・疊字	警	上	キヤウ	左注	kiaŋ^{2}	梗韻
5113b	下木・063オ5・疊字	筞	入	シヤク	左注	tṣ'ɐk	麥韻
5114a	下木・063オ5・疊字	氣	去	キ	左注	k'iʌi^{3} xiʌi^{3}	未韻 未韻
5114b	下木・063オ5・疊字	味	平濁	ヒ	左注	miʌi^{3}	未韻
5115a	下木・063オ5・疊字	冝	―	キ	右注	ŋie^{1}	支韻
5115b	下木・063オ5・疊字	春	―	スヰン	右注	tś'iuen^{1}	諄韻
5116a	下木・063オ6・疊字	器	―	キ	左注	k'iei^{3}	至韻
5116b	下木・063オ6・疊字	物	―	モツ	左注	miuʌt	物韻
5117a	下木・063オ6・疊字	饗	上	キヤウ	左注	xiɑŋ^{2}	養韻
5117b	下木・063オ6・疊字	撰	平	セン	左注	dẓian^{2} dẓuan^{2}	獮韻 潸韻
5118a	下木・063オ6・疊字	擬	上	キ	左注	ŋiɐi^{2}	止韻
5118b	下木・063オ6・疊字	把	上	ハ	左注	pa^{2}	馬韻
5119a	下木・063オ6・疊字	虚	―	キヨ	左注	xiʌ^{1} k'iʌ^{1}	魚韻 魚韻
5119b	下木・063オ6・疊字	入	―	シフ	左注	ńiep	緝韻
5120a	下木・063オ7・疊字	凝	平濁	キヨ	左注	ŋiɐŋ$^{1/3}$	蒸/證韻
5120b	下木・063オ7・疊字	濁	入	タク	左注	ḍauk	覺韻
5121a	下木・063オ7・疊字	楮	平	キ	中注	tśie^{1}	支韻
5121b	下木・063オ7・疊字	柱	去	チウ	中注	ḍiuʌ^{2} ṭiuʌ^{2}	麌韻 麌韻
5122a	下木・063オ7・疊字	基	平	キ	中注	kiɐi^{1}	之韻
5122b	下木・063オ7・疊字	趾	上	シ	中注	tśiɐi^{2}	止韻
5123a	下木・063オ7・疊字	伎	平	―	―	gjie^{1} gie^{2} tśie^{3}	支韻 紙韻 寘韻
5123b	下木・063オ7・疊字	樂	入	―	―	ŋauk lɑk ŋau^{3}	覺韻 鐸韻 効韻
5124a	下木・063オ7・疊字	玖	平	キウ	左注	kiʌu^{2}	有韻
5124b	下木・063オ7・疊字	杖	平	チヤウ	左注	ḍiɑŋ^{2}	養韻
5125a	下木・063ウ1・疊字	九	上	キウ	右注	kiʌu^{2}	有韻
5125b	下木・063ウ1・疊字	奏	去	ソウ	右注	tsʌu^{3}	候韻
5126a	下木・063ウ1・疊字	逆	入	キヤク	左注	ŋiak	陌韻
5126b	下木・063ウ1・疊字	旅	上	レウ	左注	liʌ^{2}	語韻

5127a	下木・063ウ1・疊字	羈	平	キ	左注	kie[1]	支韻
5127b	下木・063ウ1・疊字	旅	上	リヨ	左注	liʌ[2]	語韻
5128a	下木・063ウ1・疊字	擬	去	キ	左注	ŋiɐi[2]	止韻
5128b	下木・063ウ1・疊字	使	上	シ	左注	ṣiɐi[2/3]	止/志韻
5129a	下木・063ウ1・疊字	機	平	キ	左注	kiʌi[1]	微韻
5129b	下木・063ウ1・疊字	關	上	クワン	左注	kuan[1]	刪韻
5130a	下木・063ウ2・疊字	御	去	—	—	ŋiʌ[3]	御韻
5130b	下木・063ウ2・疊字	出	入	—	—	tś'iuet tś'iuei[3]	術韻 至韻
5131a	下木・063ウ2・疊字	騎	去	キ	左注	gie[1/3]	支/寘韻
5131b	下木・063ウ2・疊字	用	平	ヨウ	左注	jiɑuŋ[3]	用韻
5132b	下木・063ウ2・疊字	車	上	—	—	tś'ia[1] kiʌ[1]	麻韻 魚韻
5133a	下木・063ウ2・疊字	牛	—	(キウ)	左注	ŋiʌu[1]	尤韻
5133b	下木・063ウ2・疊字	車	—	(シヤ)	左注	tś'ia[1] kiʌ[1]	麻韻 魚韻
5134a	下木・063ウ2・疊字	禁	平	キム	左注	kiem[1/3]	侵/沁韻
5134b	下木・063ウ2・疊字	忌	平	キ	左注	giɐi[3]	志韻
5135a	下木・063ウ3・疊字	忌	平	キ	中注	giɐi[3]	志韻
5135b	下木・063ウ3・疊字	諱	平	クヰ	中注	xiuʌi[3]	未韻
5136a	下木・063ウ3・疊字	凝	平	キヨウ	左注	ŋieŋ[1/3]	蒸/證韻
5136b	下木・063ウ3・疊字	睇	去	テイ	左注	dei[3] t'ei[1]	齊韻 霽韻
5137a	下木・063ウ3・疊字	喜	去	キ	左注	xiɐi[2/3]	止/志韻
5137b	下木・063ウ3・疊字	悅	入	エツ	左注	jiuat	薛韻
5138a	下木・063ウ3・疊字	行	—	キヤウ	右注	ɣaŋ[1/3] ɣɑŋ[1/3]	庚/映韻 唐/宕韻
5138b	下木・063ウ3・疊字	事	—	シ	右注	dẓiɐi[3]	志韻
5139a	下木・063ウ3・疊字	仰	上	キヤウ	左注	ŋiɑŋ[2/3]	養/漾韻
5139b	下木・063ウ3・疊字	望	去	ハウ	左注	miɑŋ[1/3]	陽/漾韻
5140a	下木・063ウ4・疊字	謹	上	—	—	kiʌn[2]	隠韻
5140b	下木・063ウ4・疊字	啓	上	—	—	k'ei[2]	薺韻
5141a	下木・063ウ4・疊字	謹	上	—	—	kiʌn[2]	隠韻
5141b	下木・063ウ4・疊字	言	平	—	—	ŋian[1]	元韻
5142a	下木・063ウ4・疊字	謹	上	—	—	kiʌn[2]	隠韻
5142b	下木・063ウ4・疊字	辞	上	—	—	ziɐi[1]	之韻
5143a	下木・063ウ5・疊字	謹	上	—	—	kiʌn[2]	隠韻
5143b	下木・063ウ5・疊字	解	上	—	—	kɐ[2/3] ɣɐi[2/3]	蟹/卦韻 駭/怪韻
5144a	下木・063ウ5・疊字	欣	平	キン	左注	xiʌn[1]	欣韻
5144b	下木・063ウ5・疊字	悅	入	エツ	左注	jiuat	薛韻
5145a	下木・063ウ5・疊字	欣	—	キン	左注	xiʌn[1]	欣韻
5145b	下木・063ウ5・疊字	欝	—	ウツ	左注	'iuʌt	物韻

5146a	下木・063ウ5・疊字	欣	平	キム	左注	xiʌn¹	欣韻
5146b	下木・063ウ5・疊字	然	平	セン	左注	ńian¹	仙韻
5147a	下木・063ウ5・疊字	氣	去	キ	左注	k'iʌi³ xiʌi³	未韻 未韻
5147b	下木・063ウ5・疊字	驗	上濁	ケム	左注	ŋiam³	豔韻
5148a	下木・063ウ6・疊字	儀	平	キ	左注	ŋie¹	支韻
5148b	下木・063ウ6・疊字	伏	入	フク	左注	biʌuk	屋韻
5149a	下木・063ウ6・疊字	議	平濁	キ	左注	ŋie³	寘韻
5149b	下木・063ウ6・疊字	讞	上濁	ケム	左注	ŋian² ŋiat	獮韻 薛韻
5150a	下木・063ウ6・疊字	義	去濁	キ	左注	ŋie³	寘韻
5150b	下木・063ウ6・疊字	理	上	リ	左注	liɐi²	止韻
5151a	下木・063ウ6・疊字	奇	上	キ	左注	gie¹ kie¹	支韻 支韻
5151b	下木・063ウ6・疊字	特	入	トク	左注	dʌk	徳韻
5152a	下木・063ウ7・疊字	奇	上	―	―	gie¹ kie¹	支韻 支韻
5152b	下木・063ウ7・疊字	異	平	―	―	jiɐi³	志韻
5153a	下木・063ウ7・疊字	期	平	キ	左注	giɐi¹	之韻
5153b	下木・063ウ7・疊字	約	入	ヤク	左注	'iɑk 'iau³	藥韻 笑韻
5154a	下木・063ウ7・疊字	規	上	キ	右注	kjiue¹	支韻
5154b	下木・063ウ7・疊字	矩	平	ク	右注	kiuʌ²	麌韻
5155a	下木・063ウ7・疊字	吉	―	キツ	右注	kjiet	質韻
5155b	下木・063ウ7・疊字	甫	―	フ	右注	piuʌ²	麌韻
5156a	下木・063ウ7・疊字	矜	平	キヨウ	左注	kiɐŋ¹	蒸韻
5156b	下木・063ウ7・疊字	恤	入	スツ	左注	siuet	術韻
5157a	下木・064オ1・疊字	擧	―	キヨ	左注	kiʌ² jiʌ¹	語韻 魚韻
5157b	下木・064オ1・疊字	状	―	シヤウ	左注	dẓiɑŋ³	漾韻
5158a	下木・064オ1・疊字	擧	―	キヨ	左注	kiʌ² jiʌ¹	語韻 魚韻
5158b	下木・064オ1・疊字	用	―	ヨウ	左注	jiauŋ³	用韻
5159a	下木・064オ1・疊字	喜	平	キ	左注	xiɐi²/³	止/志韻
5159b	下木・064オ1・疊字	怒	平濁	ト	左注	nuʌ²/³	姥/暮韻
5160a	下木・064オ1・疊字	器	―	キ	左注	k'iei³	至韻
5160b	下木・064オ1・疊字	用	平	ヨウ	左注	jiauŋ³	用韻
5161a	下木・064オ1・疊字	機	去	キ	左注	kiʌi¹	微韻
5161b	下木・064オ1・疊字	縁	上	エン	左注	jiuan¹/³	仙/線韻
5162a	下木・064オ2・疊字	機	去	キ	左注	kiʌi¹	微韻
5162b	下木・064オ2・疊字	感	上	カン	左注	kʌm²	感韻
5163a	下木・064オ2・疊字	給	入	キフ	左注	kiep	緝韻
5163b	下木・064オ2・疊字	主	平	シユ	左注	tśiuʌ²	麌韻

5164a	下木・064オ2・疊字	咎	—	キウ	左注	giʌu^{2} kɑu^{1}	有韻 豪韻
5164b	下木・064オ2・疊字	徵	平	チヨウ	左注	ṭiɐŋ^{1} ṭiɐi^{2}	蒸韻 止韻
5165a	下木・064オ2・疊字	給	—	キフ	左注	kiep	緝韻
5165b	下木・064オ2・疊字	複	—	フク	左注	piʌuk biʌu^{3}	屋韻 宥韻
5166a	下木・064オ2・疊字	覲	—	キム	左注	gien^{3}	震韻
5166b	下木・064オ2・疊字	謁	—	エツ	左注	'iɑt	月韻
5167a	下木・064オ3・疊字	禁	平	キム	左注	kiem$^{1/3}$	侵/沁韻
5167b	下木・064オ3・疊字	飭	入	シキ	左注	ṣiɐk	職韻
5168a	下木・064オ3・疊字	咎	去	キウ	右注	giʌu^{2} kɑu^{1}	有韻 豪韻
5168b	下木・064オ3・疊字	崇	平	ス	右注	dẓiʌuŋ^{1}	東韻
5169a	下木・064オ3・疊字	御	—	キヨ	左注	ŋiʌ^{3}	御韻
5169b	下木・064オ3・疊字	遊	—	イウ	左注	jiʌu^{1}	尤韻
5170a	下木・064オ3・疊字	勤	平	キン	左注	giʌn^{1}	欣韻
5170b	下木・064オ3・疊字	節	入	セツ	左注	tset	屑韻
5171a	下木・064オ3・疊字	勤	平	キン	左注	giʌn^{1}	欣韻
5171b	下木・064オ3・疊字	勞	上	ラウ	左注	lɑu$^{1/3}$	豪/号韻
5172a	下木・064オ4・疊字	勤	平	キン	左注	giʌn^{1}	欣韻
5172b	下木・064オ4・疊字	惰	上濁	タ	左注	duɑ$^{2/3}$	果/過韻
5173a	下木・064オ4・疊字	舊	去	キウ	左注	giʌu^{3}	宥韻
5173b	下木・064オ4・疊字	故	平	コ	左注	kuʌ^{3}	暮韻
5174a	下木・064オ4・疊字	經	去	キヤウ	左注	keŋ$^{1/3}$	青/徑韻
5174b	下木・064オ4・疊字	暦	入	リヤク	左注	lek	錫韻
5175a	下木・064オ4・疊字	許	去	キヨ	左注	xiʌ^{2}	語韻
5175b	下木・064オ4・疊字	諾	入	タク	左注	nɑk	鐸韻
5176a	下木・064オ4・疊字	機	去	キ	左注	kiʌi^{1}	微韻
5176b	下木・064オ4・疊字	根	上	コン	左注	kʌn^{1}	痕韻
5177a	下木・064オ5・疊字	巨	去	キヨ	右注	giʌ^{2}	語韻
5177b	下木・064オ5・疊字	害	平	カイ	右注	ɣɑi^{3}	泰韻
5178a	下木・064オ5・疊字	岐	去	キ	右注	giie^{1}	支韻
5178b	下木・064オ5・疊字	嶷	平濁	キヨク	右注	ŋiɐk ŋiɐi^{1}	職韻 之韻
5179a	下木・064オ5・疊字	虚	上	キヨ	左注	xiʌ^{1} k'iʌ^{1}	魚韻 魚韻
5179b	下木・064オ5・疊字	無	平濁	フ	左注	miuʌ^{1}	虞韻
5180a	下木・064オ5・疊字	給	—	キウ	左注	kiep	緝韻
5180b	下木・064オ5・疊字	官	—	クワン	左注	kuɑn^{1}	桓韻
5181a	下木・064オ5・疊字	九	—	キウ	右注	kiʌu^{2}	有韻
5181b	下木・064オ5・疊字	乳	去濁	シウ	右注	ńiuʌ^{2}	麌韻

5182a	下木・064オ6・疊字	蘄	平	キ	右注	kiʌi^{1} giɐi^{1} kiʌn^{1}	微韻 之韻 欣韻
5182b	下木・064オ6・疊字	竹	入	チク	右注	ṭiʌuk	屋韻
5183a	下木・064オ6・疊字	牛	平	キウ	右注	ŋiʌu^{1}	尤韻
5183b	下木・064オ6・疊字	哀	平	アイ	右注	'ʌi^{1}	咍韻
5184a	下木・064オ6・疊字	居	—	キヨ	右注	kiʌ^{1} kiɐi^{1}	魚韻 之韻
5184b	下木・064オ6・疊字	壁	—	ヘキ	右注	pek	錫韻
5185a	下木・064オ6・疊字	疑	平	キ	右注	ŋiɐi^{1}	之韻
5185b	下木・064オ6・疊字	星	平	セイ	右注	seŋ^{1}	青韻
5186a	下木・064オ6・疊字	却	入	キヤク	右注	k'iɑk	藥韻
5186b	下木・064オ6・疊字	老	—	ラウ	右注	lɑu^{2}	晧韻
5187a	下木・064オ7・疊字	九	上	キウ	右注	kiʌu^{2}	有韻
5187b	下木・064オ7・疊字	枝	平	シ	右注	tśie^{1}	支韻
5188a	下木・064オ7・疊字	淇	平	キ	右注	giɐi^{1}	之韻
5188b	下木・064オ7・疊字	園	東?	ヱン	右注	ɣiuɑn^{1}	元韻
5189a	下木・064オ7・疊字	金	平	キム	右注	kiem^{1}	侵韻
5189b	下木・064オ7・疊字	彩	平	サイ	右注	ts'ʌi^{2}	海韻
5190a	下木・064オ7・疊字	及	入	キフ	右注	giep	緝韻
5190b	下木・064オ7・疊字	肩	上	ケム	右注	ken^{1}	先韻
5191a	下木・064オ7・疊字	禽	平	キム	左注	giem^{1}	侵韻
5191b	下木・064オ7・疊字	獣	去	シウ	左注	śiʌu^{3}	宥韻
5192a	下木・064ウ2・疊字	嵒	平	カム	右傍	ŋɐm^{1} ńiap	咸韻 葉韻
5192b	下木・064ウ2・疊字	齬	平	コ	右傍	ŋuʌ^{1} ŋiʌ$^{1/2}$	模韻 魚/語韻
5193a	下木・064ウ4・諸社	祇	—	キ	左注	gjie^{1}	支韻
5193b	下木・064ウ4・諸社	園	—	ヲン	左注	ɣiuɑn^{1}	元韻
5194a	下木・064ウ4・諸社	貴	—	キ	左注	kiuʌi^{3}	未韻
5194b	下木・064ウ4・諸社	布	—	フ	左注	puʌ^{3}	暮韻
5194c	下木・064ウ4・諸社	祢	—	ネ	左注	nei^{2}	薺韻
5195a	下木・064ウ6・諸寺	祇	—	キ	左注	gjie^{1}	支韻
5195b	下木・064ウ6・諸寺	陁	—	タ	左注	dɑ^{1}	歌韻
5195c	下木・064ウ6・諸寺	林	—	リ	左注	liem^{1}	侵韻
5196a	下木・065オ1・国郡	紀	—	キ	右注	kiɐi^{2}	止韻
5196b	下木・065オ1・国郡	伊	—	イ	右注	'jiei^{1}	脂韻
5197a	下木・065オ1・国郡	伊	—	イ	右傍	'jiei^{1}	脂韻
5197b	下木・065オ1・国郡	都	—	(ト)	右傍	tuʌ^{1}	模韻
5198a	下木・065オ1・国郡	那	—	ナ	右傍	nɑ$^{1/3}$	歌/箇韻
5198b	下木・065オ1・国郡	賀	—	カ	右傍	ɣɑ^{3}	箇韻
5199a	下木・065オ1・国郡	牟	—	ム	右傍	miʌu^{1}	尤韻

5199b	下木・065オ1・国郡	婁	―	ロ	右傍	liuʌ^{1} lʌu^{1}	虞韻 侯韻
5200a	下木・065オ2・国郡	禁	―	キム	右注	kiem$^{1/3}$	侵/沁韻
5200b	下木・065オ2・国郡	野	―	ヤ	右注	jia^{2} źiʌ^{2}	馬韻 語韻
5201a	下木・065オ4・官職	刑	―	キヤウ	右注	ɣeŋ^{1}	青韻
5201b	下木・065オ4・官職	部	―	フ	右注	buʌ^{2} bʌu^{2}	姥韻 厚韻
5201c	下木・065オ4・官職	省	―	シヤウ	右注	ṣaŋ^{2} sieŋ^{2}	梗韻 静韻
5202a	下木・065オ4・官職	京	―	キヤウ	右注	kiaŋ^{1}	庚韻
5202b	下木・065オ4・官職	職	―	シキ	右注	tśiɐk	職韻
5203	下木・065オ4・官職	卿	平	ケイ	右注	k'iaŋ^{1}	庚韻
5204	下木・065オ4・官職	卿	平	キヤウ	中注	k'iaŋ^{1}	庚韻
5205a	下木・065オ5・官職	給	―	キウ	左注	kiep	緝韻
5205b	下木・065オ5・官職	料	―	レウ	左注	leu$^{1/3}$	蕭/嘯韻
5206a	下木・065オ5・官職	吉	―	キツ	右注	kjiet	質韻
5206b	下木・065オ5・官職	上	―	シヤウ	右注	źiaŋ$^{2/3}$	養/漾韻
5207	下木・065オ7・姓氏	紀	―	キ	右注	kiɐi^{2}	止韻
5208a	下木・065オ7・姓氏	吉	―	キ	右注	kjiet	質韻
5208b	下木・065オ7・姓氏	備	―	ヒ	右注	biei^{3}	至韻

【表A-02】下巻_由篇

番号	前田本所在	掲出字		仮名音注		中古音	韻目
5209	下由・065ウ6・天象	雪	入	セツ	右傍	siuat	薛韻
5210a	下由・065ウ6・天象	弦	―	クヱン	右傍	ɣen^{1}	先韻
5211a	下由・065ウ6・天象	長	平	チヤウ	右傍	ḍiaŋ$^{1/3}$ ṭiaŋ^{2}	陽/漾韻 養韻
5211b	下由・065ウ6・天象	庚	平	カウ	右傍	kaŋ^{1}	庚韻
5212	下由・065ウ7・天象	哺	平	ヲ	右傍	puʌ^{1}	模韻
5213a	下由・065ウ7・天象	黄	平	クワウ	右傍	ɣuaŋ^{1}	唐韻
5213b	下由・065ウ7・天象	昏	東	コン	右傍	xuʌn^{1}	魂韻
5214a	下由・066オ2・地儀	温	平	ヲン	右傍	'uʌn^{1}	魂韻
5214b	下由・066オ2・地儀	泉	平	セン	右傍	dziuan^{1}	仙韻
5215b	下由・066オ2・地儀	流	平	―	―	liʌu^{1}	尤韻
5215c	下由・066オ2・地儀	黄	平	ワウ	右注	ɣuaŋ^{1}	唐韻
5216a	下由・066オ3・地儀	浴	入	ヨク	右傍	jiauk	燭韻
5216b	下由・066オ3・地儀	室	徳	シツ	右傍	ṭiet	質韻
5217	下由・066オ3・地儀	床	平	シヤウ	右傍	dẓiaŋ^{1}	陽韻
5218a	下由・066オ3・地儀	珊	―	サン	右傍	san^{1}	寒韻
5218b	下由・066オ3・地儀	瑚	―	コ	右傍	ɣuʌ^{1}	模韻
5219a	下由・066オ5・植物	百	入	ヒヤク	右傍	pak	陌韻

5219b	下由・066オ5・植物	合	平濁	カフ	右傍	ɣʌp kʌp	合韻 合韻
5220	下由・066オ6・植物	柚	平	イウ	右傍	jiʌu^{3} ḍiʌuk	宥韻 屋韻
5221	下由・066オ6・植物	柚	平	ユ [去]	右注	jiʌu^{3} ḍiʌuk	宥韻 屋韻
5222a	下由・066オ6・植物	櫠	去	ヘイ	右傍	piai^{3} biat	廢韻 月韻
5222b	下由・066オ6・植物	椵	上	カ	右傍	ka$^{2/3}$	馬/禡韻
5223	下由・066オ6・植物	柞	入	サク	右傍	tsak dzak	鐸韻 鐸韻
5224a	下由・066ウ1・動物	遊	—	ユ	右注	jiʌu^{1}	尤韻
5224b	下由・066ウ1・動物	牝	—	ヒ	右注	bjiei^{2} bjien^{2}	旨韻 軫韻
5225	下由・066ウ4・人躰	指	—	シ	右傍	tśiei^{2}	旨韻
5226a	下由・066ウ4・人躰	膀	平	ハウ	右傍	baŋ^{1}	唐韻
5226b	下由・066ウ4・人躰	胱	平	クワウ	右傍	kuaŋ^{1}	唐韻
5227	下由・066ウ4・人躰	尿	去	ネウ	右注	neu^{3}	嘯韻
5228	下由・066ウ5・人躰	溲	平	シウ	右傍	ṣiʌu$^{1/2}$	尤/有韻
5229	下由・067オ1・人事	夢	平	ホウ	右傍	mʌuŋ^{3} miʌuŋ^{1}	送韻 東韻
5230a	下由・067オ1・人事	壞	平	クワイ	右傍	ɣuɐi^{3} kuɐi^{3}	怪韻 怪韻
5230b	下由・067オ1・人事	蛟	去	カウ	右傍	kau^{1}	肴韻
5231a	下由・067オ1・人事	呑	平	トム	右傍	t‘ʌn^{1} t‘en^{1}	痕韻 先韻
5231b	下由・067オ1・人事	鳥	上	—	—	teu^{2}	篠韻
5232	下由・067オ1・人事	之	平	シ	右傍	tśiɐi^{1}	之韻
5233	下由・067オ2・人事	如	平	—	—	ńiʌ$^{1/3}$	魚/御韻
5234	下由・067オ3・人事	于	平	—	—	ɣiuʌ^{1}	虞韻
5235	下由・067オ4・人事	浴	—	ヨク	右傍	jiauk	燭韻
5236	下由・067オ4・人事	讙	去	クヱン	右傍	xiuan^{1} xuan^{1}	元韻 桓韻
5237a	下由・067オ5・人事	鞦	平	シウ	右傍	tś‘iʌu^{1}	尤韻
5237b	下由・067オ5・人事	韆	平	セン	右傍	ts‘ian^{1}	仙韻
5238	下由・067ウ2・飲食	茹	去濁	シヨ	右傍	ńiʌ$^{1/2/3}$	魚/語/御韻
5239	下由・067ウ2・飲食	湯	平	タウ	右傍	t‘aŋ$^{1/3}$ śiaŋ^{1}	唐/宕韻 陽韻
5240	下由・067ウ4・雜物	弓	平	キウ	右傍	kiʌuŋ^{1}	東韻
5241	下由・067ウ4・雜物	弧	平	コ	右傍	ɣuʌ^{1}	模韻
5242	下由・067ウ4・雜物	彇	平	—	—	seu^{1}	蕭韻
5243	下由・067ウ4・雜物	弦	平	—	—	ɣen^{1}	先韻
5244	下由・067ウ5・雜物	韘	入	セフ	右傍	śiap	葉韻

5245a	下由・067ウ5・雜物	弓	平	―	―	kiʌuŋ^{1}	東韻
5245b	下由・067ウ5・雜物	袋	去	―	―	dʌi^{3}	代韻
5246	下由・067ウ6・雜物	檠	平	ケイ	右傍	giaŋ$^{1/3}$	庚/映韻
5247b	下由・067ウ6・雜物	堈	平	カウ	右傍	kɑŋ^{1}	唐韻
5248	下由・067ウ6・雜物	靫	平	ヒ	右傍	tṣʻa^{1} tṣʻɐ^{1}	麻韻 佳韻
5249	下由・067ウ7・雜物	浴	入	ヨク	右注	jiɑuk	燭韻
5250	下由・067ウ7・雜物	斛	入	コク	右傍	ɣʌuk	屋韻
5251	下由・068オ1・雜物	戽	去	コ	右傍	xuʌ$^{2/3}$ ɣuʌ^{2}	姥/暮韻 姥韻
5252	下由・068オ1・雜物	潸	平	ハン	右傍	ṣan$^{1/2}$	刪/潸韻
5253a	下由・068オ2・雜物	油	平	ユ	右傍	jiʌu$^{1/3}$	尤/宥韻
5253b	下由・068オ2・雜物	單	平	タン	右注	tɑn^{1} źian$^{1/2/3}$	寒韻 仙/獮/線韻
5254a	下由・068オ2・雜物	木	入濁	ホク	右注	mʌuk	屋韻
5254b	下由・068オ2・雜物	綿	平	メン	右傍	mjian^{1}	仙韻
5255	下由・068オ2・雜物	鐶	平	クワン	右注	ɣuan^{1}	刪韻
5256	下由・068オ6・辞字	赦	―	シヤ	右傍	śia^{3}	禡韻
5257	下由・068ウ3・辞字	臑	平	シユ	右傍	ńiuʌ^{1}	虞韻
5258	下由・068ウ5・辞字	豊	平	ホウ	右傍	pʻiʌuŋ^{1} lei^{2}	東韻 薺韻
5259	下由・068ウ5・辞字	饒	平	ネウ	右傍	ńiau$^{1/3}$	宵/笑韻
5260	下由・068ウ7・辞字	揯	―	クワン	右傍	kʌŋ$^{1/3}$	登/嶝韻

【表A-02】下巻_師篇

番号	前田本所在	掲出字		仮名音注		中古音	韻目
5261a	下師・069オ1・地儀	羕	平	シヤウ	右傍	źieŋ^{1}	蒸韻
5261b	下師・069オ1・地儀	明	平	―	―	miaŋ^{1}	庚韻
5262a	下師・069オ1・地儀	式	入	ショク	右傍	śiɐk	職韻
5262b	下師・069オ1・地儀	乾	平	ケン	右傍	gıan^{1} kɑn^{1}	仙韻 寒韻
5263a	下師・069オ1・地儀	式	入	シキ	右傍	ɕiɒk	職韻
5264a	下師・069オ1・地儀	日	入濁	―	―	ńiet	質韻
5264b	下師・069オ1・地儀	華	平	―	―	xua^{1} ɣua$^{1/3}$	麻韻 麻/禡韻
5265a	下師・069オ1・地儀	章	平	―	―	tśiɑŋ^{1}	陽韻
5265b	下師・069オ1・地儀	善	去	―	―	źian^{2}	獮韻
5266a	下師・069オ2・地儀	章	平	―	―	tśiɑŋ^{1}	陽韻
5266b	下師・069オ2・地儀	德	入	―	―	tʌk	德韻
5267a	下師・069オ2・地儀	章	平	―	―	tśiɑŋ^{1}	陽韻
5267b	下師・069オ2・地儀	義	去濁	―	―	ŋie^{3}	寘韻
5268a	下師・069オ2・地儀	壽	去	シウ	右傍	źiʌu^{2}	有韻

5268b	下師・069オ2・地儀	成	平	—	—	źieŋ^{1}	清韻
5269a	下師・069オ3・地儀	主	上	シユ	右注	tśiuʌ^{2}	麌韻
5269b	下師・069オ3・地儀	基	平	キ	右注	kiɐi^{1}	之韻
5269c	下師・069オ3・地儀	所	—	シヨ	右注	ṣiʌ^{2}	語韻
5270a	下師・069オ5・植物	萊	平	ライ	右傍	lʌi$^{1/3}$	咍/代韻
5271	下師・069オ5・植物	茨	平	シ	右傍	dziei^{1}	脂韻
5272a	下師・069オ5・植物	却	—	キヤク	右注	k'iɑk	藥韻
5272b	下師・069オ5・植物	老	—	ラウ	右注	lɑu^{2}	晧韻
5273a	下師・069オ5・植物	入	—	ニフ	右注	ńiep	緝韻
5273b	下師・069オ5・植物	室	—	シツ	右注	ṭiet	質韻
5274a	下師・069オ6・植物	羊	平	ヤウ	右傍	jiɑŋ^{1}	陽韻
5274b	下師・069オ6・植物	蹄	平	テイ	右傍	dei^{1}	齊韻
5274c	下師・069オ6・植物	菜	—	シ	右傍	ts'ʌi^{3}	代韻
5275a	下師・069オ6・植物	紫	上	シ	右注	tsie^{2}	紙韻
5275b	下師・069オ6・植物	菀	上	ヲン	右注	'iuɑn^{2}	阮韻
5276a	下師・069オ6・植物	垣	平	ヱン	右傍	ɣiuɑn^{1}	元韻
5276b	下師・069オ6・植物	衣	平	イ	右傍	'iʌi$^{1/3}$	微/未韻
5277a	下師・069オ7・植物	皀	上	サウ	右傍	dzɑu^{2}	晧韻
5277b	下師・069オ7・植物	筴	入	ケフ	右傍	ɣep kɐp	帖韻 洽韻
5938a	下師・069オ7・植物	虵	—	シヤ	右注	dźia^{1} jia^{2} jie^{1}	麻韻 馬韻 支韻
5938b	下師・069オ7・植物	結	—	ケチ	右注	ket	屑韻
5278a	下師・069オ7・植物	青	—	シヤウ	右傍	ts'eŋ^{1}	青韻
5278b	下師・069オ7・植物	木	—	モク	右傍	mʌuk	屋韻
5278c	下師・069オ7・植物	香	—	カウ	右傍	xiɑŋ^{1}	陽韻
5279a	下師・069オ7・植物	昌	去	シヤウ	右注	tś'iɑŋ^{1}	陽韻
5279b	下師・069オ7・植物	蒲	上	フ	右注	buʌ^{1}	暮韻
5280a	下師・069オ7・植物	薔	平	シヤウ	右注	dziɑŋ^{1} ṣiɐk	陽韻 職韻
5280b	下師・069オ7・植物	薇	平濁	ヒ	右注	miʌi^{1} miei^{1}	微韻 脂韻
5281a	下師・069ウ1・植物	紫	去	シ	右注	tsie^{2}	紙韻
5281b	下師・069ウ1・植物	蕚	—	カク	右注	ŋɑk	田
5282a	下師・069ウ1・植物	蘩	—	ハン	右傍	biɑn^{1}	元韻
5282b	下師・069ウ1・植物	蘠	—	ハ	右傍	(pɑ^{1}) (bɑ^{1})	戈韻 戈韻
5283	下師・069ウ1・植物	篠	上	—	—	seu^{2}	篠韻
5284a	下師・069ウ2・植物	白	入	—	—	bak	陌韻
5284b	下師・069ウ2・植物	瓜	平	—	—	kua^{1}	麻韻
5285a	下師・069ウ2・植物	猕	去	ミ	右傍	mjie^{1}	支韻
5285b	下師・069ウ2・植物	猴	上	コ	右傍	ɣʌu^{1}	侯韻

5285c	下師・069ウ2・植物	桃	上	タウ	右傍	dɑu¹	豪韻
5286	下師・069ウ3・植物	柳	上	リウ	右傍	liʌu²	有韻
5287	下師・069ウ3・植物	椎	平	ツヰ	右傍	ḍiuei¹	脂韻
5288a	下師・069ウ4・植物	莽	上	マウ	右傍	mɑŋ² mʌu² muʌ²	蕩韻 厚韻 姥韻
5289a	下師・069ウ4・植物	紫	上	シ	右注	tsie²	紙韻
5289b	下師・069ウ4・植物	檀	平	タン	右注	dɑn¹	寒韻
5290a	下師・069ウ4・植物	椶	―	ソウ	右傍	tsʌuŋ¹	東韻
5290b	下師・069ウ4・植物	櫚	―	ロ	右傍	liʌ¹	魚韻
6971a	下師・069ウ4・植物	椶	―	シウ	右注	tsʌuŋ¹	東韻
6971b	下師・069ウ4・植物	櫚	―	ロ	右注	liʌ¹	魚韻
6972a	下師・069ウ4・植物	椶	―	ス	左注	tsʌuŋ¹	東韻
6972b	下師・069ウ4・植物	櫚	―	ロ	左注	liʌ¹	魚韻
5291	下師・069ウ5・植物	葼	―	ソウ	右傍	tsʌuŋ¹	東韻
5292	下師・069ウ5・植物	蘂	上濁	スヰ	右傍	ńiue²	紙韻
5293	下師・069ウ6・植物	柴	平	サイ	右傍	dẓɐ¹	佳韻
5294	下師・069ウ6・植物	芝	平	―	―	tśiɐi¹ p'iʌm¹	之韻 凡韻
5295	下師・069ウ7・植物	葴	入	シフ	左傍	tṣiep	緝韻
5296	下師・070オ2・動物	鸗	平	ロウ	右傍	lʌuŋ¹ lɑuŋ¹	東韻 鍾韻
5297	下師・070オ2・動物	鳧	平濁	フ	右傍	miuʌ¹	虞韻
5298	下師・070オ2・動物	鴲	平	シ	右傍	tśiei^1/3	脂/至韻
5299a	下師・070オ3・動物	鸕	平	ロ	右傍	luʌ¹	模韻
5299b	下師・070オ3・動物	鷀	平	シ	右傍	dziɐi¹ tsiɐi¹	之韻 之韻
5300	下師・070オ3・動物	噍	―	シウ	右注	dziʌu¹ tsiau¹ dziau³	尤韻 宵韻 笑韻
5301a	下師・070オ4・動物	師	―	シ	右注	ṣiei¹	脂韻
5301b	下師・070オ4・動物	子	―	シ	右注	tsiɐi²	止韻
5302	下師・070オ4・動物	鹿	入	ロク	右傍	lʌuk	屋韻
5303	下師・070オ4・動物	麚	平	カ	右傍	ka¹	麻韻
5304	下師・070オ4・動物	麎	平	シン	右傍	śien¹	眞韻
5305	下師・070オ5・動物	兕	―	シ	―	ziei²	旨韻
5306	下師・070オ5・動物	羆	平	ヒ	右傍	pie¹	支韻
5307a	下師・070オ5・動物	驃	去	ヘウ	右傍	bjiau³ p'jiau³ piau³	笑韻 笑韻 笑韻
5308	下師・070オ5・動物	胡	平	コ	右傍	ɣuʌ¹	模韻

5309	下師・070オ5・動物	猩	平	セイ	右傍	seŋ^{1} ṣaŋ^{1}	青韻 庚韻
5310a	下師・070オ5・動物	象	去	シヤウ [平平上]	右傍	ziɑŋ^{2}	養韻
5310b	下師・070オ5・動物	常	上	シヤウ [上上上]	右傍	źiɑŋ^{1}	陽韻
5311a	下師・070オ6・動物	鹿	入	(ロク)	右傍	lʌuk	屋韻
5311b	下師・070オ6・動物	茸	―	シヨウ	右傍	ńiɑuŋ^{1}	鍾韻
5312	下師・070ウ1・動物	鮪	上	ヰ	右傍	ɣiuei^{2}	旨韻
5313a	下師・070ウ1・動物	鮊	入	―	―	bak	陌韻
5314b	下師・070ウ2・動物	蠃	平 (去)	ラ	右傍	luɑ$^{1/3}$	戈/過韻
5315a	下師・070ウ2・動物	蜆	上	ケン	右傍	xen^{2} ɣen^{2}	銑韻 銑韻
5315b	下師・070ウ2・動物	貝	去	ハイ	右傍	pɑi^{3}	泰韻
5316b	下師・070ウ2・動物	盖	去	―	―	kɑi^{3} ɣɑp kɑp	泰韻 盍韻 盍韻
5317	下師・070ウ3・動物	虱	―	シチ	右傍	ṣiet	櫛韻
5318	下師・070ウ6・人倫	舅	去	キウ	右傍	giʌu^{2}	有韻
5319	下師・070ウ6・人倫	姑	平	コ	右傍	kuʌ^{1}	模韻
5320b	下師・070ウ7・人倫	姑	平	コ	右傍	kuʌ^{1}	模韻
5321	下師・070ウ7・人倫	臣	平	シン	右傍	źien^{1}	眞韻
5322a	下師・070ウ7・人倫	聖	―	シヤウ	右注	śieŋ^{3}	勁韻
5322b	下師・070ウ7・人倫	人	―	ニン	右注	ńien^{1}	眞韻
5323	下師・070ウ7・人倫	師	平	シ	右注	ṣiei^{1}	脂韻
5324a	下師・070ウ7・人倫	逸	―	イツ	右傍	jiet	質韻
5324b	下師・070ウ7・人倫	才	―	サイ	右傍	dzʌi^{1}	咍韻
5325a	下師・071オ1・人倫	眞	―	シン	右注	tśien^{1}	眞韻
5325b	下師・071オ1・人倫	言	―	コン	右注	ŋiɑn^{1}	元韻
5325c	下師・071オ1・人倫	師	―	シ	右注	ṣiei^{1}	脂韻
5326a	下師・071オ1・人倫	修	―	シユ	右注	siʌu^{1}	尤韻
5326b	下師・071オ1・人倫	行	―	キヤウ	右注	ɣaŋ$^{1/3}$ ɣɑŋ$^{1/3}$	庚/映韻 唐/宕韻
5326c	下師・071オ1・人倫	者	―	シヤ	右注	tśia^{2}	馬韻
5327a	下師・071オ1・人倫	請	―	シヤウ	右注	ts'ieŋ$^{1/2}$ dzieŋ^{3}	清/静韻 勁韻
5327b	下師・071オ1・人倫	僧	―	ソウ	右注	sʌŋ^{1}	登韻
5328a	下師・071オ1・人倫	沙	―	シヤ	右注	ṣa$^{1/3}$	麻/禡韻
5328b	下師・071オ1・人倫	弥	―	ミ	右注	mjie^{1}	支韻
5329a	下師・071オ1・人倫	従	―	シユ	右傍	dziɑuŋ^{1} ts'iɑuŋ$^{1/3}$	鍾韻 鍾/用韻
5329b	下師・071オ1・人倫	僧	―	ソウ	右傍	sʌŋ^{1}	登韻
5330	下師・071オ2・人倫	士	―	シ	左注	dẓiɐi^{2}	止韻

5331	下師・071オ2・人倫	姓	―	シヤウ	右注	sieŋ^{3}	勁韻
5332	下師・071オ2・人倫	衆	―	シユ	左注	tśiʌuŋ$^{1/3}$	東/送韻
5333a	下師・071オ3・人倫	邪	―	シヤ	右注	źia^{1} jia^{1}	麻韻 麻韻
5333b	下師・071オ3・人倫	魔	―	マ	右注	mɑ^{1}	戈韻
5334a	下師・071オ3・人倫	醜	上	シウ	右傍	tś'iʌu^{2}	有韻
5335	下師・071オ5・人躰	胡	平	コ	右傍	ɣuʌ^{1}	模韻
5336a	下師・071オ6・人躰	鬚	平	スユ	右傍	siuʌ^{1}	虞韻
5337	下師・071オ6・人躰	尻	平	カウ	右傍	k'ɑu^{1}	豪韻
5338	下師・071オ7・人躰	肉	入	シク	右傍	ńiʌuk	屋韻
5339	下師・071オ7・人躰	肉	入	ニク	右注	ńiʌuk	屋韻
5340	下師・071オ7・人躰	腠	―	ソウ	右注	ts'ʌu^{3}	候韻
5341	下師・071オ7・人躰	觜	平	シ	右傍	dzie$^{1/3}$	支/寘韻
5342	下師・071ウ1・人躰	皴	平	スキン	右傍	ts'iuen^{1}	諄韻
5343a	下師・071ウ2・人躰	縦	―	シヨウ ［平上上］	右注	tsiɑuŋ$^{1/3}$	鍾/用韻
5343b	下師・071ウ2・人躰	理	―	リ ［平］	右注	liɐi^{2}	止韻
5344	下師・071ウ3・人躰	疝	平	サン	右傍	ṣɐn^{1} ṣan^{3}	山韻 諫韻
5345a	下師・071ウ3・人躰	淋	平	リン	右傍	llem^{1}	侵韻
5346a	下師・071ウ3・人躰	臨	平	リム	右傍	liem$^{1/3}$	侵/沁韻
5346b	下師・071ウ3・人躰	瀝	入	レキ	右傍	lek	錫韻
5347	下師・071ウ3・人躰	瘃	入	キク	右傍	ṭiɑuk	燭韻
5348a	下師・071ウ4・人躰	癉	平	タン	右傍	t'ɑn^{1} den^{1}	寒韻 先韻
5348b	下師・071ウ4・人躰	瘨	―	テン	右傍	t'en^{1}	先韻
5349a	下師・071ウ4・人躰	欬	去	カイ	右傍	'k'ʌi^{3} 'ai^{3}	代韻 夬韻
5349b	下師・071ウ4・人躰	嗽	入	ソク	右傍	sʌuk ṣauk sʌu^{3}	屋韻 覺韻 候韻
5350a	下師・071ウ5・人躰	脱	入	タツ	右傍	duɑt t'uɑt	末韻 末韻
5350b	下師・071ウ5・人躰	疘	平	コウ	右傍	kʌuŋ^{1}	東韻
5351	下師・071ウ5・人躰	痔	上	チ	右傍	ḍiɐi^{2}	止韻
5352	下師・071ウ5・人躰	瘤	平	リウ	右傍	liʌu$^{1/3}$	尤/宥韻
5353b	下師・071ウ5・人躰	癜	―	テン	右傍	(ten^{3}) (den^{3})	(霰韻) (霰韻)
5354a	下師・071ウ6・人躰	浸	―	心 ［平］	右注	siem^{1}	侵韻
5354b	下師・071ウ6・人躰	淫	―	ミ ［去］	右注	jiem^{1}	侵韻
5354c	下師・071ウ6・人躰	瘡	―	サウ ［上上］	右注 左注	tṣ'iɑŋ^{1}	陽韻
5355a	下師・071ウ6・人躰	産	上	サン	右傍	ṣɐn^{2}	産韻

5356	下師・072オ2・人事	仁	平濁	シン	右注	ńien[1]	眞韻
5357	下師・072オ2・人事	信	平	シン	右注	sien[3]	震韻
5358	下師・072オ3・人事	斃	—	ヘイ	右傍	bjiai[3]	祭韻
5359	下師・072オ5・人事	殂	—	ソ	右傍	dzuʌ[1]	模韻
5360	下師・072オ5・人事	誣	平	フ	右傍	miuʌ[1]	虞韻
5361	下師・072オ6・人事	針	—	シム	右傍	tśiem[1/3]	侵/沁韻
5362	下師・072オ6・人事	鍼	—	シム	右傍	tśiem[1] giem[1] gjiem[1]	侵韻 鹽韻 鹽韻
5363	下師・072オ6・人事	質	—	シチ	右傍	tś'iet ṭiei[3]	質韻 至韻
5364	下師・072オ7・人事	賞	—	シヤウ	右傍	śiaŋ[2]	養韻
5366	下師・072オ7・人事	寃	平	ヱン	右傍	'iuan[1]	元韻
5366b	下師・072オ7・人事	寃	平	ヱン	右傍	'iuan[1]	元韻
5367	下師・072ウ1・人事	執	—	シフ	右注	tśiep	緝韻
5368	下師・072ウ1・人事	業	入濁	ケウ	右傍	ŋiap	業韻
5369	下師・072ウ1・人事	親	平	シン	右傍	ts'ien[1/3]	眞/震韻
5370	下師・072ウ2・人事	戚	—	セキ	右傍	ts'ek	錫韻
5371	下師・072ウ2・人事	軄	—	シヨク [上上上]	右注	tśiɐk	職韻
5372	下師・072ウ2・人事	軄	—	シキ	左注	tśiɐk	職韻
5373	下師・072ウ2・人事	爵	—	シヤク	右注	tsiak	藥韻
5374	下師・072ウ3・人事	寃	平	ヱン	右傍	'iuan[1]	元韻
5375a	下師・072ウ4・人事	冢	—	シヤウ	右注	ṭiauŋ[2]	腫韻
5375b	下師・072ウ4・人事	戲	—	キ	右注	xie[1/3] xuʌ[1]	支/寘韻 模韻
5376	下師・072ウ6・人事	舑	去	—	—	t'am[1] ńiam[1]	談韻 鹽韻
5377a	下師・073オ1・人事	酒	上	—	—	tsiʌu[2]	有韻
5377b	下師・073オ1・人事	胡	平	—	—	ɣuʌ[1]	模韻
5377c	下師・073オ1・人事	子	上	—	—	tsiɐi[2]	止韻
5378a	下師・073オ1・人事	承	平	—	—	źiɐŋ[1]	蒸韻
5378b	下師・073オ1・人事	和	平	—	—	ɣua[1/3]	戈/過韻
5379a	下師・073オ1・人事	春	平	シユ	右注	tś'iuen[1]	諄韻
5379b	下師・073オ1・人事	鶯	平	ナウ	右注	'ɐŋ[1]	耕韻
5379c	下師・073オ1・人事	囀	上濁	テン	右注	ṭiuan[3]	線韻
5380a	下師・073オ2・人事	新	去	—	—	sien[1]	眞韻
5380b	下師・073オ2・人事	羅	上	—	—	la[1]	歌韻
5380c	下師・073オ2・人事	陵	平	—	—	liɐŋ[1]	蒸韻
5381a	下師・073オ2・人事	心	平	—	—	siem[1]	侵韻
5381b	下師・073オ2・人事	河	平濁	—	—	ɣa[1]	歌韻
5381c	下師・073オ2・人事	鳥	上	—	—	teu[2]	篠韻
5382a	下師・073オ2・人事	澁	入	シフ	中注	ṣiep	緝韻

5382b	下師・073オ2・人事	金	東	キム	中注	kiem^{1}	侵韻
5382c	下師・073オ2・人事	樂	―	ラク	左注	lɑk ŋauk ŋau^{3}	鐸韻 覺韻 効韻
5383a	下師・073オ3・人事	庶	―	シヨ	左傍	śiʌ^{3}	御韻
5383b	下師・073オ3・人事	人	―	ミ	左傍	ńien^{1}	眞韻
5383c	下師・073オ3・人事	三	―	サハ	左傍	sɑm$^{1/3}$	談/闞韻
5383d	下師・073オ3・人事	臺	―	タイ	左傍	dʌi^{1}	咍韻
5384a	下師・073オ3・人事	秦	平濁	シン	左注	dzien^{1}	眞韻
5384b	下師・073オ3・人事	王	平	ワウ	左注	ɣiuɑŋ$^{1/3}$	陽/漾韻
5385a	下師・073オ4・人事	桃	平	―	―	dɑu^{1}	豪韻
5385b	下師・073オ4・人事	李	上	―	―	liɐi^{2}	止韻
5386a	下師・073オ4・人事	拾	去	―	―	źiep	緝韻
5386b	下師・073オ4・人事	翆	平	―	―	ts'iuei^{3}	至韻
5387b	下師・073オ4・人事	風	東	―	―	piʌuŋ$^{1/3}$	東/送韻
5388a	下師・073オ5・人事	志	上	シ	左傍	tśiɐi^{3}	志韻
5388b	下師・073オ5・人事	岐	上	キ	左傍	gjie^{1}	支韻
5388c	下師・073オ5・人事	傳	上	テ	左傍	ḍiuan$^{1/3}$ ṭiuan^{3}	仙/線韻 線韻
5389a	下師・073オ5・人事	新	去	―	―	sien^{1}	眞韻
5389b	下師・073オ5・人事	蘇	平	―	―	suʌ^{1}	模韻
5390a	下師・073オ5・人事	進	去	―	―	tsien^{3}	震韻
5390b	下師・073オ5・人事	宿	上	―	―	siʌu^{3} siʌuk	宥韻 屋韻
5391a	下師・073オ5・人事	新	―	シン	左注	sien^{1}	眞韻
5391b	下師・073オ5・人事	靺	―	マ	左注	mɑt	末韻
5391c	下師・073オ5・人事	鞨	―	カ	左注	ɣɑt	曷韻
5392	下師・073オ7・飲食	粥	入	シク	右傍	tśiʌuk jiʌuk	屋韻 屋韻
5393	下師・073オ7・飲食	醨	平	リ	右傍	lie^{1}	支韻
5394	下師・073オ7・飲食	酵	去	カウ	右傍	kau^{3}	効韻
5395a	下師・073ウ1・飲食	粢	平	シ	右傍	tsiei^{1}	脂韻
5395b	下師・073ウ1・飲食	餠	上	ヘイ	右傍	pieŋ^{2}	靜韻
5396a	下師・073ウ1・飲食	粺	去	ハイ	右傍	bɐ^{3}	卦韻
5397	下師・073ウ1・飲食	粃	上	ヒ	右傍	piei^{3}	至韻
5398	下師・073ウ2・飲食	醢	上	カイ	右傍	xʌi^{2}	海韻
5399	下師・073ウ2・飲食	塩	平	エム	右傍	jiam$^{1/3}$	鹽韻
5400	下師・073ウ2・飲食	鹽	―	エム	右注	jiam$^{1/3}$	鹽韻
5401	下師・073ウ3・飲食	醎	―	(カム)	左注	ɣɐm^{1}	咸韻
5402	下師・073ウ3・飲食	鹹	平	カム	右注	ɣɐm^{1}	咸韻
5403	下師・073ウ5・雜物	銀	平濁	キン	右傍	ŋien^{1}	眞韻
5404	下師・073ウ5・雜物	銀	上濁	コン	右傍	ŋien^{1}	眞韻

5405a	下師・073ウ5・雜物	鏤	平	ロウ	右傍	lʌu3 liuʌ1	侯韻 虞韻
5405b	下師・073ウ5・雜物	盤	平	ハン	右傍	bɑn1	桓韻
5406	下師・073ウ5・雜物	鐐	去	—	—	leu1/3	蕭/嘯韻
5407	下師・073ウ5・雜物	錫	入	セキ	右傍	sek	錫韻
5408	下師・073ウ5・雜物	錫	入	シヤク	右注	sek	錫韻
5409a	下師・073ウ6・雜物	硨	去	シヤ	右傍	tś'ia1	麻韻
5409b	下師・073ウ6・雜物	磲	平	コ	右傍	giʌ1	魚韻
5410	下師・073ウ6・雜物	笙	東	セイ	右傍	ṣaŋ1	庚韻
5411	下師・073ウ6・雜物	笙	東	シヤウ	右注	ṣaŋ1	庚韻
5412	下師・073ウ6・雜物	鸞	平	—	—	luɑn1	桓韻
5413	下師・073ウ6・雜物	音	平	—	—	'iem1	侵韻
5414	下師・073ウ6・雜物	瑟	—	シチ [上上]	右注	ṣiɐt	櫛韻
5415	下師・073ウ6・雜物	箏	去	シヤウ	右注	tṣɐŋ1	耕韻
5416	下師・073ウ6・雜物	箏	去	シヤウ	中注	tṣɐŋ1	耕韻
5417a	下師・073ウ7・雜物	新	—	シ	右注	sien1	眞韻
5417b	下師・073ウ7・雜物	羅	—	ラキ	右注	lɑ1	歌韻
5419	下師・073ウ7・雜物	徽	平	—	—	xiuʌi1	微韻
5420a	下師・073ウ7・雜物	鉦	平	シヤウ	右注	tṣieŋ1	清韻
5420b	下師・073ウ7・雜物	鼓	上濁	コ	右注	kuʌ2	姥韻
5421a	下師・073ウ7・雜物	赤	—	シヤク	右注	tś'iek	昔韻
5421b	下師・073ウ7・雜物	銅	—	トウ	右注	dʌuŋ1	東韻
5424a	下師・074オ1・雜物	尺	入	シヤク	右注	tś'iek	昔韻
5424b	下師・074オ1・雜物	八	入	ハチ	右注	pɐt	黠韻
5425	下師・074オ1・雜物	字	—	シ [平濁]	右傍	dziɐi3	志韻
5426	下師・074オ1・雜物	籍	—	シヤク	右傍	dziek	昔韻
5427	下師・074オ1・雜物	珠	平	—	—	tśiuʌ1	虞韻
5428	下師・074オ2・雜物	詩	—	シ [平]	右注	śiɐi1	之韻
5429b	下師・074オ2・雜物	峯	—	ホウ	右傍	p'iɑuŋ1	鍾韻
5430	下師・074オ2・雜物	笏	入	コツ	右傍	xuʌt	没韻
5431	下師・074オ2・雜物	襪	入濁	ヘツ	右傍	miɑt	月韻
5432a	下師・074オ3・雜物	絲	—	シ [平]	右注	siɐi1 mek	之韻 錫韻
5432b	下師・074オ3・雜物	鞋	—	カイ [上平]	右注	ɣɐi1 ɣɐ1	皆韻 佳韻
5433a	下師・074オ4・雜物	繡	去	シウ	右傍	siʌu3	宥韻
5433b	下師・074オ4・雜物	線	去	セン	右傍	sian3	線韻
5433c	下師・074オ4・雜物	綾	平	リヨウ	右傍	lieŋ1	蒸韻
5434	下師・074オ4・雜物	紗	平	サ	右傍	ṣa1	麻韻
5435	下師・074オ4・雜物	紗	平	シヤ	右注	ṣa1	麻韻
5436a	下師・074オ4・雜物	絓	平	—	—	k'uɐ1 ɣuɐ3	佳韻 卦韻

5437	下師・074オ5・雑物	茵	平	イン	右傍	'jien^{1}	眞韻
5438	下師・074オ5・雑物	裀	平	—	—	'jien^{1}	眞韻
5439	下師・074オ5・雑物	鞇	平	—	—	'jien^{1}	眞韻
5440b	下師・074オ5・雑物	鞇	—	イン	右傍	'jien^{1}	眞韻
5441	下師・074オ5・雑物	榻	入	タウ	右傍	t'ɑp	盍韻
5442	下師・074オ5・雑物	鞦	平	シウ	右傍	tś'iʌu^{1}	尤韻
5443	下師・074オ5・雑物	韉	平	セン	右傍	tsen^{1}	先韻
5444	下師・074オ6・雑物	標	平	ヘウ	右傍	pjiau$^{1/2}$	宵/小韻
5445a	下師・074オ6・雑物	注	去	—	—	tśiuʌ^{3}	遇韻
5445b	下師・074オ6・雑物	連	平	—	—	lian^{1}	仙韻
5446a	下師・074オ7・雑物	酒	上	—	—	tsiʌu^{2}	有韻
5446b	下師・074オ7・雑物	臺	上濁	—	—	dʌi^{1}	咍韻
5447	下師・074オ7・雑物	璽	上	—	—	sie^{2}	紙韻
5448b	下師・074オ7・雑物	瓷	平	シ	右注	dziei^{1}	脂韻
6977b	下師・074オ7・雑物	瓷	平	シ	右傍	dziei^{1}	脂韻
5449a	下師・074ウ1・雑物	紙	—	シ	右注	tśie^{2}	紙韻
5449b	下師・074ウ1・雑物	燭	—	ソク	右注	tśiauk	燭韻
5450a	下師・074ウ1・雑物	飾	—	シキ	右注	ṣiɐk	職韻
5450b	下師・074ウ1・雑物	紙	—	シ	右注	tśie^{2}	紙韻
5451	下師・074ウ1・雑物	粉	上	—	—	piuʌn^{2}	吻韻
5452a	下師・074ウ1・雑物	酌	—	シヤク	右注	tśiɑk	藥韻
5452b	下師・074ウ1・雑物	子	—	シ	右注	tsiɐi^{2}	止韻
5453	下師・074ウ1・雑物	籮	平	ラ	右傍	lɑ^{1}	歌韻
5454	下師・074ウ3・雑物	笞	—	チ	右傍	ṭ'iɐi^{1}	之韻
5455a	下師・074ウ3・雑物	錫	入	シヤク	右注	sek	錫韻
5455b	下師・074ウ3・雑物	杖	平	チヤウ	左注	ḍiɑŋ^{2}	養韻
5456a	下師・074ウ3・雑物	麈	—	シユ［平平］	中注	tśiuʌ^{2}	麌韻
5456b	下師・074ウ3・雑物	尾	—	ヒ［平濁］	中注	miʌi^{2}	尾韻
5457a	下師・074ウ4・雑物	褻	入	セツ	右傍	siat	薛韻
5457b	下師・074ウ4・雑物	器	去	キ	右傍	k'iəi^{3}	至韻
5458a	下師・074ウ4・雑物	象	—	シヤウ［平平上］	右注	ziaŋ^{2}	養韻
5458b	下師・074ウ4・雑物	眼	—	カン［上濁上］	右注	ŋɐn^{2}	産韻
5459a	下師・074ウ4・雑物	紙	平	シ	右傍	tśie^{2}	紙韻
5459b	下師・074ウ4・雑物	老	平	ラウ	右傍	lɑu^{2}	晧韻
5459c	下師・074ウ4・雑物	鴟	平	シ	右傍	tś'iei^{1}	脂韻
5460a	下師・074ウ5・雑物	生	—	シヤウ	右注	ṣaŋ$^{1/3}$	庚/映韻
5460b	下師・074ウ5・雑物	結	—	ケツ	右注	ket	屑韻
5461a	下師・074ウ5・雑物	縮	—	シク	右傍	ṣiʌuk	屋韻
5461b	下師・074ウ5・雑物	砂	—	シヤ	右傍	ṣa^{1}	麻韻
5462a	下師・074ウ5・雑物	四	去	シ	右傍	siei^{3}	至韻
5462b	下師・074ウ5・雑物	馬	上濁	ハ	右傍	ma^{2}	馬韻

5462c	下師・074ウ5・雑物	車	―	シヤ	右傍	tś‘ia^{1} kiʌ^{1}	麻韻 魚韻
5463a	下師・074ウ5・雑物	指	―	シ	右傍	tśiei^{2}	旨韻
5463b	下師・074ウ5・雑物	南	―	ナム	右傍	nʌm^{1}	覃韻
5463c	下師・074ウ5・雑物	車	―	シヤ	右傍	tś‘ia^{1} kiʌ^{1}	麻韻 魚韻
5464a	下師・074ウ6・雑物	麝	去濁	シヤ	右傍	dźia^{3} dźiiek	禡韻 昔韻
5464b	下師・074ウ6・雑物	香	―	カウ	右傍	xiɑŋ^{1}	陽韻
5465a	下師・074ウ6・雑物	床	平	シヤウ	右傍	dẓiɑŋ^{1}	陽韻
5465b	下師・074ウ6・雑物	子	上	シ	右傍	tsiɐi^{2}	止韻
5466	下師・074ウ6・雑物	鏁	上	サ	右傍	suɑ^{2}	果韻
5467a	下師・074ウ7・雑物	紫	平	シ	右注	tsie^{2}	紙韻
5467b	下師・074ウ7・雑物	盖	去	カイ	右注	kɑi^{3} ɣɑp kɑp	泰韻 盍韻 盍韻
5468	下師・074ウ7・雑物	私	平	―	―	siei^{1}	脂韻
5469a	下師・074ウ7・雑物	紫	―	シ	右注	tsie^{2}	紙韻
5469b	下師・074ウ7・雑物	籐	―	トウ	右注	(dʌŋ^{1})	(登韻)
5470a	下師・074ウ7・雑物	紫	―	シ	右注	tsie^{2}	紙韻
5470b	下師・074ウ7・雑物	雪	―	セツ	右注	siuat	薛韻
5471a	下師・074ウ7・雑物	粛	徳	シク	右傍	siʌuk	屋韻
5471b	下師・074ウ7・雑物	慎	去	シン	右傍	sien^{3}	震韻
5471c	下師・074ウ7・雑物	羽	上	ウ	右傍	ɣiuʌ$^{2/3}$	麌/遇韻
5472a	下師・075オ1・雑物	丞	―	シヨウ	右注	źiɐŋ^{1}	蒸韻
5472b	下師・075オ1・雑物	塵	―	チン	右注	ḍien^{1}	眞韻
5473a	下師・075オ1・雑物	丞	―	シヨウ	右注	źiɐŋ^{1}	蒸韻
5473b	下師・075オ1・雑物	足	―	ソク	右注	tsiɑuk tsiuʌ^{3}	燭韻 遇韻
5474a	下師・075オ3・光彩	粉	上	フン	右傍	piuʌn^{2}	吻韻
5474b	下師・075オ3・光彩	壁	徳	ヘキ	右傍	pek	錫韻
5475a	下師・075オ3・光彩	鵝	平濁	カ	右傍	ŋɑ^{1}	歌韻
5475b	下師・075オ3・光彩	毛	平濁	ホウ	右傍	mɑu$^{1/3}$	豪/号韻
5476b	下師・075オ3・光彩	斯	平	シ	右傍	sie^{1}	支韻
5476c	下師・075オ3・光彩	皚	平	キ	右傍	ŋʌi^{1}	咍韻
5477a	下師・075オ4・光彩	朱	去	シウ	右注	tśiuʌ^{1}	虞韻
5477b	下師・075オ4・光彩	紗	上	シヤ	右注	ṣa^{1}	麻韻
5478a	下師・075オ4・光彩	朱	去	スウ	右傍	tśiuʌ^{1}	虞韻
5478b	下師・075オ4・光彩	紗	上	シヤ	右傍	ṣa^{1}	麻韻
5479a	下師・075オ4・光彩	雌	―	シ	右注	ts‘ie^{1}	支韻
5479b	下師・075オ4・光彩	黄	上	ワウ	右注	ɣuɑŋ^{1}	唐韻
5480a	下師・075オ4・光彩	朱	―	シユ	右注	tśiuʌ^{1}	虞韻
5480b	下師・075オ4・光彩	漆	―	シチ	左注	ts‘iet	質韻

5481a	下師・075オ6・方角	四	平	シ	右注	$siei^{3}$	至韻
5481b	下師・075オ6・方角	維	平	ユイ	右注	$jiuei^{1}$	脂韻
5482	下師・075ウ1・員數	銖	―	シユ	右注	$źiuʌ^{1}$	虞韻
5483	下師・075ウ1・員數	尺	―	シヤク	右注	tś'iek	昔韻
5484	下師・075ウ1・員數	仭	上濁	シム	右注	$ńien^{3}$	震韻
5485	下師・075ウ1・員數	勺	―	シヤク	右注	źiɑk tśiɑk	藥韻 藥韻
5486	下師・075ウ2・員數	滋	平	シ	右傍	$tsiɐi^{1}$	之韻
5487	下師・075ウ2・員數	重	平	―	―	$ḍiauŋ^{1/2/3}$	鍾/腫/用韻
5488	下師・075ウ2・員數	入	―	シウ	右注	ńiep	緝韻
5489	下師・075ウ4・辭字	辝	―	シ ［平濁］	中注	$ziɐi^{1}$	之韻
5490	下師・075ウ7・辭字	叱	―	シツ	右傍	tś'iet	質韻
5491	下師・076オ2・辭字	繁	平	ハン	右傍	$biɑn^{1}$ $bɑn^{1}$ $bɑ^{1}$	元韻 桓韻 戈韻
5492	下師・076オ2・辭字	蕃	平	ハン	右傍	$biɑn^{1}$ $piɑn^{1}$	元韻 元韻
5493	下師・076オ3・辭字	勒	―	ロク	右傍	lʌk	徳韻
5494	下師・076オ4・辭字	筞	―	シヤク	右傍	tṣ'ɐk	麥韻
5495	下師・076オ7・辭字	淪	平	リン	右傍	$liuen^{1}$	諄韻
5496	下師・076ウ1・辭字	塡	平	テン	右傍	$den^{1/3}$ $ṭien^{1/3}$	先/霰韻 眞/震韻
5497	下師・076ウ3・辭字	淩	―	リヨク	右傍	$liɐŋ^{1}$	蒸韻
5498	下師・076ウ4・辭字	釃	平	リ	右傍	$ṣie^{1/2}$ $ṣiʌ^{1}$	支/紙韻 魚韻
5499	下師・076ウ4・辭字	涚	入	エツ	右傍	$śiuai^{3}$	祭韻
5500	下師・076ウ5・辭字	謝	―	シヤ ［平去］	右注	zia^{3}	禡韻
5501	下師・076ウ6・辭字	凋	平	テウ	右傍	teu^{1}	蕭韻
5502	下師・076ウ7・辭字	仍	平	シヨウ	右傍	$ńiɐŋ^{1}$	蒸韻
5503	下師・077オ1・辭字	而	平濁	―	―	$ńiɐi^{1}$	之韻
5504	下師・077オ2・辭字	遮	―	シヤ	右注	$tśia^{1}$	麻韻
5505	下師・077オ5・辭字	恬	平	テム	右傍	dem^{1}	添韻
5506	下師・077オ6・辭字	禪	平	セン	右傍	$źian^{1/3}$	仙/線韻
5507	下師・077オ6・辭字	譚	平	タム	右傍	$dʌm^{1/2}$	覃/感韻
5508	下師・077オ7・辭字	随	平濁	スイ	右傍	$ziue^{1}$	支韻
5509	下師・077ウ1・辭字	従	平	―	―	$dziauŋ^{1}$ $ts'iauŋ^{1/3}$	鍾韻 鍾/用韻
5510	下師・077ウ1・辭字	遵	平	シユン	右傍	$tsiuen^{1}$	諄韻
5511	下師・077ウ5・辭字	踆	平	シユン	右傍	$ts'iuen^{1}$	諄韻
5512	下師・077ウ7・辭字	調	平	テウ	右傍	$deu^{1/3}$ $ṭiʌu^{1}$	蕭/嘯韻 尤韻

5513	下師・078オ1・辞字	數	入	ソク	右傍	sʌuk ṣauk ṣiuʌ$^{2/3}$	屋韻 覺韻 麌/遇韻
5514	下師・078オ3・辞字	稱	―	シヤウ	右注	tś‘iɐŋ$^{1/3}$	蒸/證韻
5515	下師・078オ3・辞字	紫	平	シ	右傍	dẓɐ^{1}	佳韻
5516a	下師・078ウ1・重點	生	―	シヤウ	右注	ṣaŋ$^{1/3}$	庚/映韻
5516b	下師・078ウ1・重點	生	―	シヤウ	右注	ṣaŋ$^{1/3}$	庚/映韻
5517a	下師・078ウ1・重點	鏘	―	シヤウ	右注	ts‘iɑŋ^{1}	陽韻
5517b	下師・078ウ1・重點	鏘	―	シヤウ	右注	ts‘iɑŋ^{1}	陽韻
5518a	下師・078ウ1・重點	種	―	シウ	右注	tśiɑuŋ$^{2/3}$	腫/絳韻
5518b	下師・078ウ1・重點	種	―	シウ	右注	tśiɑuŋ$^{2/3}$	腫/絳韻
5519a	下師・078ウ1・重點	秦	―	シン	右注	dzien^{1}	眞韻
5519b	下師・078ウ1・重點	秦	―	シン	右注	dzien^{1}	眞韻
5520a	下師・078ウ1・重點	將	平	シヤウ	右注	ts‘iɑŋ^{1}	陽韻
5520b	下師・078ウ1・重點	將	平	シヤウ	右注	ts‘iɑŋ^{1}	陽韻
5521a	下師・078ウ2・重點	湯	東	シヤウ	右注	śiɑŋ^{1} t‘ɑŋ$^{1/3}$	陽韻 唐/宕韻
5521b	下師・078ウ2・重點	湯	東	シヤウ	右注	śiɑŋ^{1} t‘ɑŋ$^{1/3}$	陽韻 唐/宕韻
5522a	下師・078ウ2・重點	噍	―	シウ	右注	dziʌu^{1} tsiau^{1} dziau^{3}	尤韻 宵韻 笑韻
5522b	下師・078ウ2・重點	噍	―	シウ	右注	dziʌu^{1} tsiau^{1} dziau^{3}	尤韻 宵韻 笑韻
5523a	下師・078ウ2・重點	啾	―	シウ	右注	dziʌu^{1}	尤韻
5523b	下師・078ウ2・重點	啾	―	シウ	右注	dziʌu^{1}	尤韻
5524a	下師・078ウ4・疊字	紫	上	シ	左注	tsie^{2}	紙韻
5524b	下師・078ウ4・疊字	霄	平	セウ	左注	siau^{1}	宵韻
5525a	下師・078ウ4・疊字	驟	去	シウ	右注	dẓiʌu^{3}	宥韻
5525b	下師・078ウ4・疊字	雨	上	ウ	右注	ɣiuʌ$^{2/3}$	麌/遇韻
5526b	下師・078ウ4・疊字	曜	去	―	―	jiau^{3}	笑韻
5527a	下師・078ウ4・疊字	辰	平	シン	右注	źien^{1}	眞韻
5527b	下師・078ウ4・疊字	宿	去	シウ	左注	siʌu^{3} siʌuk	宥韻 屋韻
5528a	下師・078ウ5・疊字	星	上	―	―	seŋ^{1}	青韻
5529a	下師・078ウ5・疊字	紫	上	シ	中注	tsie^{2}	紙韻
5529b	下師・078ウ5・疊字	微	平濁	ヒ	中注	miʌi^{1}	微韻
5530a	下師・078ウ5・疊字	司	平	シ	右注	siɐi^{1}	之韻
5530b	下師・078ウ5・疊字	夜	去	ヤ	右注	jia^{3}	禡韻
5531a	下師・078ウ6・疊字	春	平	―	―	tś‘iuen^{1}	諄韻
5531b	下師・078ウ6・疊字	秋	平	―	―	ts‘iʌu^{1}	尤韻

5532a	下師・078ウ6・疊字	晨	平	―	―	źien^{1} dźien^{1}	眞韻 眞韻
5532b	下師・078ウ6・疊字	夜	去	―	―	jia^{3}	禡韻
5533a	下師・078ウ7・疊字	晨	平	シン	左注	źien^{1} dźien^{1}	眞韻 眞韻
5533b	下師・078ウ7・疊字	昬	東濁	コン	左注	xuʌn^{1}	魂韻
5534a	下師・078ウ7・疊字	終	―	シウ	左注	tśiʌuŋ^{1}	東韻
5534b	下師・078ウ7・疊字	日	―	シツ	左注	ńiet	質韻
5535a	下師・078ウ7・疊字	終	平	シウ	左注	tśiʌuŋ^{1}	東韻
5535b	下師・078ウ7・疊字	霄	平	セウ	左注	siau^{1}	宵韻
5536a	下師・078ウ7・疊字	初	去	シヨ	右注	tṣ‘iʌ^{1}	魚韻
5536b	下師・078ウ7・疊字	夜	平	ヤ	右注	jia^{3}	禡韻
5537a	下師・079オ1・疊字	深	平	シム	左注	śiem$^{1/3}$	侵/沁韻
5537b	下師・079オ1・疊字	夜	―	カウ	左注	jia^{3}	禡韻
5538a	下師・079オ1・疊字	深	―	シム	左注	śiem$^{1/3}$	侵/沁韻
5538b	下師・079オ1・疊字	更	―	カウ	左注	kaŋ$^{1/3}$	庚/映韻
6639a	下師・079オ1・疊字	商	平	シヤウ	右注	śiɑŋ^{1}	陽韻
5539b	下師・079オ1・疊字	羊	平	ヤウ	右注	jiɑŋ^{1}	陽韻
5540a	下師・079オ2・疊字	斜	平	シヤウ	右注	zia^{1} jia^{1}	麻韻 麻韻
5540b	下師・079オ2・疊字	脚	入	キヤク	右注	kiɑk	藥韻
5541a	下師・079オ2・疊字	須	去	シユ	左注	siuʌ^{1}	虞韻
5541b	下師・079オ2・疊字	申	上	―	―	śien^{1}	眞韻
5542a	下師・079オ2・疊字	勝	去	―	―	śiɐŋ$^{1/3}$	蒸/證韻
5542b	下師・079オ2・疊字	境	上	―	―	kiaŋ^{2}	梗韻
5543a	下師・079オ2・疊字	勝	平	―	―	śiɐŋ$^{1/3}$	蒸/證韻
5543b	下師・079オ2・疊字	地	平	―	―	diei^{3}	至韻
5544a	下師・079オ3・疊字	勝	去	―	―	śiɐŋ$^{1/3}$	蒸/證韻
5544b	下師・079オ3・疊字	絶	徳?	―	―	dziuat	薛韻
5545a	下師・079オ3・疊字	濕	入	シフ	右注	śiep t‘ʌp	緝韻 合韻
5545b	下師・079オ3・疊字	地	―	チ	右注	diei^{3}	至韻
5546a	下師・079オ4・疊字	勝	去	―	―	śiɐŋ$^{1/3}$	蒸/證韻
5546b	下師・079オ4・疊字	形	平	―	―	ɣeŋ^{1}	青韻
5547a	下師・079オ4・疊字	斜	平	シヤ	右注	zia^{1} jia^{1}	麻韻 麻韻
5547b	下師・079オ4・疊字	俓	去	ケイ	右注	keŋ^{3} ŋɐŋ^{1} ŋen^{1}	徑韻 耕韻 先韻
5548a	下師・079オ4・疊字	咫	去	シ	右注	tśie^{2}	紙韻
5548b	下師・079オ4・疊字	尺	入	セキ	右注	tś‘iek	昔韻
5549a	下師・079オ5・疊字	城	―	シヤウ	中注	źieŋ^{1}	清韻

5549b	下師・079オ5・疊字	外	―	クワイ	中注	ŋuai^{3}	泰韻
5550a	下師・079オ5・疊字	聚	平	シウ	左注	dziuʌ$^{2/3}$	麌/遇韻
5550b	下師・079オ5・疊字	落	入	ラク	左注	lɑk	鐸韻
5551a	下師・079オ6・疊字	織	―	シヨク	左注	tśiɐk tśiɐi^{3}	職韻 志韻
5551b	下師・079オ6・疊字	紝	―	シム	左注	ńiem^{3}	沁韻
5552a	下師・079オ6・疊字	秋	平	シウ	左注	ts'iʌu^{1}	尤韻
5552b	下師・079オ6・疊字	収	平	ス	左注	śiʌu$^{1/3}$	尤/宥韻
5553a	下師・079オ6・疊字	織	―	シヨク	左注	tśiɐk tśiɐi^{3}	職韻 志韻
5553b	下師・079オ6・疊字	婦	―	フ	左注	biʌu^{2}	有韻
5554a	下師・079オ7・疊字	洲	―	シユ	左注	tśiʌu^{1}	尤韻
5554b	下師・079オ7・疊字	渚	―	ス	左注	tśiʌ^{2}	語韻
5555a	下師・079オ7・疊字	舟	―	シフ	左注	tśiʌu^{1}	尤韻
5555b	下師・079オ7・疊字	檝	―	セウ	左注	tsiap dziep	葉韻 緝韻
5556a	下師・079ウ1・疊字	紙	上	シ	左注	tśie^{2}	紙韻
5556b	下師・079ウ1・疊字	銭	平	セン	左注	dzian^{1} tsian^{2}	仙韻 獮韻
5557a	下師・079ウ2・疊字	糈	―	シヨ	左注	ṣiʌ^{2} siʌ^{2}	語韻 語韻
5557b	下師・079ウ2・疊字	米	―	ヘイ	左注	mei^{2}	薺韻
5558a	下師・079ウ2・疊字	粢	―	シ	左注	tsiei^{1}	脂韻
5558b	下師・079ウ2・疊字	餅	上濁	ヘイ	左注	pieŋ^{2}	靜韻
5559a	下師・079ウ2・疊字	神	―	シン	左注	dźien^{1}	眞韻
5560a	下師・079ウ2・疊字	清	―	シヤウ	左注	ts'ieŋ^{1}	清韻
5560b	下師・079ウ2・疊字	浄	―	シヤウ	左注	dzieŋ^{3}	勁韻
5561a	下師・079ウ3・疊字	示	平濁	シ	左注	dźiei^{3} gjie^{1}	至韻 支韻
5561b	下師・079ウ3・疊字	現	平濁	ケン	左注	ɣen^{3}	霰韻
5562a	下師・079ウ3・疊字	尚	―	シヤウ	右注	źiaŋ$^{1/3}$	陽/漾韻
5562b	下師・079ウ3・疊字	饗	―	キヤウ	右注	xiaŋ^{2}	養韻
5563a	下師・079ウ3・疊字	邪	―	シヤ	右注	źia^{1} jia^{1}	麻韻 麻韻
5563b	下師・079ウ3・疊字	氣	―	ケ	右注	k'iʌi^{3} xiʌi^{3}	未韻 未韻
5564a	下師・079ウ4・疊字	宿	―	シク	左注	siʌuk	屋韻
5564b	下師・079ウ4・疊字	賽	―	サイ	左注	sʌi^{3}	代韻
5565a	下師・079ウ4・疊字	修	―	シユ	左注	siʌu^{1}	尤韻
5565b	下師・079ウ4・疊字	法	―	ホウ	左注	piʌp	乏韻
5566a	下師・079ウ5・疊字	荘	去	シヤウ	右注	tśiaŋ^{2}	養韻
5566b	下師・079ウ5・疊字	嚴	上濁	コム	右注	ŋiam^{1}	嚴韻
5567a	下師・079ウ5・疊字	周	去	シユ	右注	tśiʌu^{1}	尤韻

5567b	下師・079ウ5・疊字	匝	去	サウ	右注	tsʌp	合韻
5568a	下師・079ウ6・疊字	信	—	シン	左注	sien^{3}	震韻
5568b	下師・079ウ6・疊字	施	—	セ	左注	śie$^{1/3}$	支/寘韻
5569a	下師・079ウ6・疊字	聖	平	シヤウ	右注	śieŋ^{3}	勁韻
5569b	下師・079ウ6・疊字	教	平濁	ケウ	右注	kau$^{1/3}$	肴/効韻
5570a	下師・079ウ7・疊字	眞	—	シン	右注	tśien^{1}	眞韻
5570b	下師・079ウ7・疊字	言	—	コン	右注	ŋiɑn^{1}	元韻
5571a	下師・079ウ7・疊字	止	—	シ	右注	tśiɐi^{2}	止韻
5571b	下師・079ウ7・疊字	觀	—	クワン	右注	kuɑn$^{1/3}$	桓/換韻
5572a	下師・079ウ7・疊字	悉	入	シツ	右注	siet	質韻
5572b	下師・079ウ7・疊字	曇	去	タム	右注	dʌm^{1}	覃韻
5573a	下師・080オ2・疊字	受	—	シユ	右注	źiʌu^{2}	有韻
5573b	下師・080オ2・疊字	持	—	チ	右注	ḍiɐi^{1}	之韻
5574a	下師・080オ2・疊字	進	去	シン	右注	tsien^{3}	震韻
5574b	下師・080オ2・疊字	善	平	セン	右注	źian^{2}	獮韻
5575a	下師・080オ3・疊字	修	—	シユ	左注	siʌu^{1}	尤韻
5575b	下師・080オ3・疊字	驗	—	ケム	左注	ŋiam^{3}	豔韻
5576a	下師・080オ3・疊字	修	—	シユ	左注	siʌu^{1}	尤韻
5576b	下師・080オ3・疊字	學	—	カク	左注	ɣauk	覺韻
5577a	下師・080オ3・疊字	修	—	シユ	左注	siʌu^{1}	尤韻
5577b	下師・080オ3・疊字	行	—	キヤウ	左注	ɣaŋ$^{1/3}$ ɣɑŋ$^{1/3}$	庚/映韻 唐/宕韻
5578a	下師・080オ3・疊字	受	—	シユ	左注	źiʌu^{2}	有韻
5578b	下師・080オ3・疊字	戒	—	カイ	左注	kɐi^{3}	怪韻
5579a	下師・080オ4・疊字	師	—	シ	左注	ṣiei^{1}	脂韻
5579b	下師・080オ4・疊字	匠	—	シヤウ	左注	dziɑŋ^{3}	漾韻
5580a	下師・080オ4・疊字	障	平	シヤウ	左注	tśiɑŋ$^{1/3}$	陽/漾韻
5580b	下師・080オ4・疊字	礙	平	ケ	左注	ŋʌi^{3}	代韻
5581a	下師・080オ4・疊字	瀉	去	シヤ	左注	sia$^{2/3}$	馬/禡韻
5581b	下師・080オ4・疊字	瓶	上	ヒヤウ	左注	beŋ^{1}	青韻
5582a	下師・080オ6・疊字	宸	平	—	—	źien^{1}	眞韻
5582b	下師・080オ6・疊字	位	平	—	—	ɣiuei^{3}	至韻
5583a	下師・080オ6・疊字	社	平	—	—	źia^{2}	馬韻
5584a	下師・080オ6・疊字	執	—	シフ	右注	tśiep	緝韻
5584b	下師・080オ6・疊字	政	—	セイ	右注	tśieŋ^{3}	勁韻
5585a	下師・080オ6・疊字	讓	上	—	—	ńiɑŋ^{3}	漾韻
5585b	下師・080オ6・疊字	位	平	—	—	ɣiuei^{3}	至韻
5586a	下師・080オ7・疊字	主	上	—	—	tśiuʌ^{2}	麌韻
5586b	下師・080オ7・疊字	基	平	—	—	kiɐi^{1}	之韻
5587a	下師・080オ7・疊字	賞	上	—	—	śiɑŋ^{2}	養韻
5587b	下師・080オ7・疊字	賜	去	—	—	sie^{1}	寘韻
5588a	下師・080ウ2・疊字	辞	平濁	シ	右注	ziɐi^{1}	之韻
5588b	下師・080ウ2・疊字	退	去	タイ	右注	t'uʌi^{3}	隊韻

5589a	下師・080ウ3・疊字	夙	徳	シク	左注	siʌuk	屋韻
5589b	下師・080ウ3・疊字	夜	平	ヤ	左注	jia^{3}	禡韻
5590a	下師・080ウ3・疊字	昇	平	シヨウ	左注	śiɐŋ^{1}	蒸韻
5590b	下師・080ウ3・疊字	進	平濁	シン	左注	tsien^{3}	震韻
5591a	下師・080ウ4・疊字	習	入	シフ	左注	ziep	緝韻
5591b	下師・080ウ4・疊字	礼	平	ライ	左注	lei^{2}	薺韻
5592a	下師・080ウ4・疊字	巡	平	シユン	中注	ziuen^{1}	諄韻
5592b	下師・080ウ4・疊字	撿	平	ケン	中注	liam^{2}	琰韻
5593a	下師・080ウ5・疊字	實	入濁	シチ	左注	dźiet	質韻
5593b	下師・080ウ5・疊字	撿	平	ケム	左注	liam^{2}	琰韻
5594a	下師・080ウ5・疊字	常	平	シヤウ	左注	źiɑŋ^{1}	陽韻
5594b	下師・080ウ5・疊字	典	上	テン	左注	ten^{2}	銑韻
5595a	下師・080ウ5・疊字	賑	平	シン	右注	tśien$^{2/3}$	軫/震韻
5595b	下師・080ウ5・疊字	給	入濁	キフ	右注	kiep	緝韻
5596a	下師・080ウ5・疊字	賑	—	シン	右注	tśien$^{2/3}$	軫/震韻
5596b	下師・080ウ5・疊字	恤	—	シユツ	右注	siuet	術韻
5597a	下師・080ウ5・疊字	施	平	シ	左注	śie$^{1/3}$	支/寘韻
5597b	下師・080ウ5・疊字	行	平濁	キヤウ	左注	ɣaŋ$^{1/3}$ ɣɑŋ$^{1/3}$	庚/映韻 唐/宕韻
5598a	下師・080ウ6・疊字	終	平	シウ	左注	tśiʌuŋ^{1}	東韻
5598b	下師・080ウ6・疊字	始	去濁	シ	左注	śiɐi^{2}	止韻
5599a	下師・080ウ6・疊字	将	去	シヤウ	左注	tsiɑŋ$^{1/3}$	陽/漾韻
5599b	下師・080ウ6・疊字	来	上	ライ	左注	lʌi^{1}	咍韻
5600a	下師・080ウ6・疊字	咒	—	シユ	中注	tśiʌu^{3} źiʌu^{1}	宥韻 尤韻
5600b	下師・080ウ6・疊字	詛	—	シヨ	中注	tṣiʌ^{3}	御韻
5601a	下師・080ウ6・疊字	祥	平	シヤウ	左注	ziɑŋ^{1}	陽韻
5601b	下師・080ウ6・疊字	瑞	平濁	スイ	左注	źiue^{3}	寘韻
5602a	下師・080ウ7・疊字	障	平	シヤウ	左注	tśiɑŋ$^{1/3}$	陽/漾韻
5602b	下師・080ウ7・疊字	難	平	ナン	左注	nɑn$^{1/3}$	寒/翰韻
5603a	下師・080ウ7・疊字	訦	上	シム	中注	tśien^{2} ḍien^{3}	軫韻 震韻
5603b	下師・080ウ7・疊字	脉	入	ミヤク	中注	mɐk	麥韻
5604a	下師・080ウ7・疊字	時	去濁	シ	中注	źiɐi^{1}	之韻
5604b	下師・080ウ7・疊字	行	上濁	キヤウ	中注	ɣaŋ$^{1/3}$ ɣɑŋ$^{1/3}$	庚/映韻 唐/宕韻
5605a	下師・080ウ7・疊字	辛	去	シン	左注	sien^{1}	眞韻
5605b	下師・080ウ7・疊字	苦	平濁	ク	左注	k‘uʌ$^{2/3}$	姥/暮韻
5606a	下師・081オ3・疊字	醜	上	シウ	左注	tś‘iʌu^{2}	有韻
5606b	下師・081オ3・疊字	女	上	チヨ	左注	ṇiʌ$^{2/3}$	語/御韻
5607a	下師・081オ3・疊字	傑	入	—	—	giat	薛韻
5608a	下師・081オ3・疊字	自	去	シ	中注	dziei^{3}	至韻
5608b	下師・081オ3・疊字	謙	平	ケム	中注	k‘em^{1}	添韻

5609a	下師・081オ3・疊字	衆	去	—	—	tśiʌuŋ$^{1/3}$	東/送韻
5609b	下師・081オ3・疊字	望	平濁	—	—	miaŋ$^{1/3}$	陽/漾韻
5610a	下師・081オ3・疊字	人	—	シン	左注	ńien^{1}	眞韻
5610b	下師・081オ3・疊字	望	—	ハウ	左注	miaŋ$^{1/3}$	陽/漾韻
5611a	下師・081オ4・疊字	新	去	—	—	sien^{1}	眞韻
5611b	下師・081オ4・疊字	冠	平	—	—	kuan$^{1/3}$	桓韻
5612a	下師・081オ4・疊字	弱	入	—	—	ńiak	藥韻
5612b	下師・081オ4・疊字	冠	平	—	—	kuan$^{1/3}$	桓韻
5613a	下師・081オ4・疊字	兒	平	—	—	ńie^{1} ŋei^{1}	支韻 齊韻
5613b	下師・081オ4・疊字	童	平	—	—	dʌuŋ^{1}	東韻
5614a	下師・081オ4・疊字	宿	入	—	—	siʌuk	屋韻
5614b	下師・081オ4・疊字	老	上	—	—	lau^{2}	晧韻
5615a	下師・081オ5・疊字	次	平	シ	左注	ts'iei^{3}	至韻
5615b	下師・081オ5・疊字	第	平濁	タイ	左注	dei^{3}	霽韻
5616a	下師・081オ5・疊字	人	平	—	—	ńien^{1}	眞韻
5616b	下師・081オ5・疊字	情	去	—	—	dzieŋ^{1}	清韻
5617a	下師・081オ6・疊字	思	去	シ	左注	siɐi$^{1/3}$	之/志韻
5617b	下師・081オ6・疊字	慮	平	リヨ	左注	liʌ^{3}	御韻
5618a	下師・081オ6・疊字	思	—	シ	左注	siɐi$^{1/3}$	之/志韻
5618b	下師・081オ6・疊字	惟	—	ユイ	左注	jiuei^{1}	脂韻
5619a	下師・081オ6・疊字	心	平	—	—	siem^{1}	侵韻
5619b	下師・081オ6・疊字	神	平	—	—	dźien^{1}	眞韻
5620b	下師・081オ6・疊字	情	平	—	—	dzieŋ^{1}	清韻
5621a	下師・081オ6・疊字	心	平	シン	左注	siem^{1}	侵韻
5621b	下師・081オ6・疊字	操	去濁	サウ	左注	ts'au$^{1/3}$ sʌu^{2}	豪/号韻 厚韻
5622a	下師・081オ6・疊字	庶	去	シヨ	左注	śiʌ^{3}	御韻
5622b	下師・081オ6・疊字	幾	平	キ	左注	kiʌi$^{1/2}$ giʌi$^{1/3}$	微/尾韻 微/未韻
5623a	下師・081オ7・疊字	心	上		—	siem^{1}	侵韻
5623b	下師・081オ7・疊字	懐	平	—	—	ɣuɐi^{1}	皆韻
5624a	下師・081オ7・疊字	邪	去	シヤ	左注	źia^{1} jia^{1}	麻韻 麻韻
5624b	下師・081オ7・疊字	見	平	ケン	左注	ken^{3} ɣen^{3}	霰韻 霰韻
5625a	下師・081オ7・疊字	差	上	シヤ	左注	tṣ'a^{1} tṣ'ie^{1} tṣ'ɐ$^{1/3}$ tṣ'ɐi^{1}	麻韻 支韻 佳/卦韻 皆韻
5625b	下師・081オ7・疊字	別	入	ヘツ	左注	biat piat	薛韻 薛韻

5626a	下師・081オ7・疊字	如	平	―	―	ńiʌ$^{1/3}$	魚/御韻
5626b	下師・081オ7・疊字	泥	平	―	―	nei$^{1/3}$	齊/霽韻
5627a	下師・081オ7・疊字	斟	平	シン	右注	tśiem^{1}	侵韻
5627b	下師・081オ7・疊字	酌	入	シヤク	右注	tśiɑk	藥韻
5628a	下師・081ウ1・疊字	支	平	シ	右注	tśie^{1}	支韻
5628b	下師・081ウ1・疊字	配	去	ハイ	右注	p'uʌi^{3}	隊韻
5629a	下師・081ウ1・疊字	瞋	去	シン	右注	tś'ien^{1}	眞韻
5629b	下師・081ウ1・疊字	恚	平	イ	右注	'jiue^{3}	寘韻
5630a	下師・081ウ1・疊字	進	平	シン	左注	tsien^{3}	震韻
5630b	下師・081ウ1・疊字	止	上濁	シ	左注	tśiɐi^{2}	止韻
5631a	下師・081ウ1・疊字	熟	入	―	―	źiʌuk	屋韻
5631b	下師・081ウ1・疊字	者	平	―	―	tśia^{2}	馬韻
5632a	下師・081ウ1・疊字	嫉	入	―	―	dziet dziei^{3}	質韻 至韻
5632b	下師・081ウ1・疊字	悪	去	―	―	'ɑk 'uʌ$^{1/3}$	鐸韻 模/暮韻
5633a	下師・081ウ2・疊字	實	入	―	―	dźiet	質韻
5633b	下師・081ウ2・疊字	誠	平	―	―	źieŋ^{1}	清韻
5634a	下師・081ウ2・疊字	質	―	シツ	右注	tś'iet ṭiei^{3}	質韻 至韻
5634b	下師・081ウ2・疊字	朴	―	ハク	右注	p'auk	覺韻
5635a	下師・081ウ2・疊字	任	去濁	―	―	ńiem$^{1/3}$	侵/沁韻
5635b	下師・081ウ2・疊字	意	平	―	―	'iɐi^{3}	志韻
5636a	下師・081ウ2・疊字	眞	―	シン	左注	tśien^{1}	眞韻
5636b	下師・081ウ2・疊字	實	―	シチ	左注	dźiet	質韻
5637a	下師・081ウ3・疊字	慈	去	―	―	dziɐi^{1}	之韻
5637b	下師・081ウ3・疊字	悲	上	―	―	piei^{1}	脂韻
5638a	下師・081ウ3・疊字	鍾	―	シヨウ	左注	tśiɑuŋ^{1}	鍾韻
5638b	下師・081ウ3・疊字	愛	―	アイ	左注	'ʌi^{3}	代韻
5639a	下師・081ウ3・疊字	仁	平濁	―	―	ńien^{1}	眞韻
5639b	下師・081ウ3・疊字	恕	平	―	―	śiʌ^{3}	御韻
5640a	下師・081ウ4・疊字	施	平	―	―	śie$^{1/3}$	支/寘韻
5640b	下師・081ウ4・疊字	恵	去	―	―	ɣuei^{3}	霽韻
5641a	下師・081ウ4・疊字	周	平	―	―	tśiʌu^{1}	尤韻
5641b	下師・081ウ4・疊字	急	入	―	―	kiep	緝韻
5642a	下師・081ウ4・疊字	支	平	―	―	tśie^{1}	支韻
5642b	下師・081ウ4・疊字	急	入	―	―	kiep	緝韻
5643a	下師・081ウ4・疊字	深	平	―	―	śiem$^{1/3}$	侵/沁韻
5643b	下師・081ウ4・疊字	恩	平	―	―	'ʌn^{1}	痕韻
5644a	下師・081ウ4・疊字	仁	平	―	―	ńien^{1}	眞韻
5644b	下師・081ウ4・疊字	恩	平	―	―	'ʌn^{1}	痕韻
5645a	下師・081ウ4・疊字	嗟	平	―	―	tsa^{1}	麻韻
5645b	下師・081ウ4・疊字	嘆	平	―	―	t'ɑn$^{1/3}$	寒/翰韻

5646a	下師・081ウ5・疊字	心	去	シム	左注	siem^{1}	侵韻
5646b	下師・081ウ5・疊字	勞	上	ラウ	左注	lɑu$^{1/3}$	豪/号韻
5647a	下師・081ウ5・疊字	自	平濁	シ	左注	dziei^{3}	至韻
5647b	下師・081ウ5・疊字	在	平濁	サイ	左注	dzʌi$^{2/3}$	海/代韻
5648a	下師・081ウ6・疊字	酒	平	—	—	tsiʌu^{2}	有韻
5649a	下師・081ウ6・疊字	甚	去	—	—	źiem$^{2/3}$	寑/沁韻
5649b	下師・081ウ6・疊字	口	上	—	—	k‘ʌu^{2}	厚韻
5650a	下師・081ウ6・疊字	朱	平	—	—	tśiuʌ^{1}	虞韻
5650b	下師・081ウ6・疊字	愚	平	—	—	ŋiuʌ^{1}	虞韻
5651a	下師・081ウ6・疊字	醜	去	シユ	左注	tś‘iʌu^{2}	有韻
5651b	下師・081ウ6・疊字	悪	—	アク	左注	’ɑk ’uʌ$^{1/3}$	鐸韻 模/暮韻
5652b	下師・081ウ7・疊字	齒	上	—	—	tś‘iɐi^{2}	止韻
5653a	下師・081ウ7・疊字	心	平	—	—	siem^{1}	侵韻
5653b	下師・081ウ7・疊字	肝	平	—	—	kɑn^{1}	寒韻
5654a	下師・081ウ7・疊字	心	平	—	—	siem^{1}	侵韻
5654b	下師・081ウ7・疊字	事	平	—	—	dẓiɐi^{3}	志韻
5655a	下師・081ウ7・疊字	終	平	—	—	tśiʌuŋ^{1}	東韻
5655b	下師・081ウ7・疊字	身	上	—	—	śien^{1}	眞韻
5656a	下師・081ウ7・疊字	壽	去	—	—	źiʌu^{2}	有韻
5656b	下師・081ウ7・疊字	夭	平	—	—	’iau$^{1/2}$ ’ɑu^{2}	宵/小韻 晧韻
5657b	下師・082オ1・疊字	禄	—	ロク	右傍	lʌuk	屋韻
5658a	下師・082オ1・疊字	執	—	シフ	左注	tśiep	緝韻
5658b	下師・082オ1・疊字	聟	去濁	セイ	左注	sei^{3}	霽韻
5659a	下師・082オ1・疊字	觴	平	シヤウ	左注	śiɑŋ^{1}	陽韻
5659b	下師・082オ1・疊字	詠	去	ヱイ	左注	ɣiuaŋ^{3}	映韻
5660a	下師・082オ1・疊字	稱	平	—	—	tś‘iɐŋ$^{1/3}$	蒸/證韻
5660b	下師・082オ1・疊字	譽	去	—	—	jiʌ$^{1/3}$	魚/御韻
5661a	下師・082オ1・疊字	失	入	シツ	左注	śiet	質韻
5661b	下師・082オ1・疊字	誤	平濁	ᄀ	左注	ŋuʌ^{3}	暮韻
5662a	下師・082オ1・疊字	失	入	シチ	右注	śiet	質韻
5662b	下師・082オ1・疊字	礼	平	ライ	右注	lei^{2}	薺韻
5663a	下師・082オ2・疊字	失	—	シツ	左注	śiet	質韻
5663b	下師・082オ2・疊字	錯	—	シヤク	左注	ts‘ɑk ts‘uʌ^{3}	鐸韻 暮韻
5664a	下師・082オ2・疊字	耳	去濁	シ	左注	ńiɐi^{2}	止韻
5664b	下師・082オ2・疊字	語	上濁	キヨ	左注	ŋiʌ$^{2/3}$	語/御韻
5665a	下師・082オ2・疊字	承	上濁	シヨウ	左注	źiɐŋ^{1}	蒸韻
5665b	下師・082オ2・疊字	諾	入濁	タク	左注	nɑk	鐸韻
5666a	下師・082オ2・疊字	宿	入	—	—	siʌuk	屋韻
5666b	下師・082オ2・疊字	諾	入	—	—	nɑk	鐸韻
5667a	下師・082オ2・疊字	祇	平	シ	右注	tśiei^{1}	脂韻

5667b	下師・082オ2・疊字	蒸	平濁	シヨウ	右注	źiɐŋ^{1}	蒸韻
5668a	下師・082オ2・疊字	蒸	平	シヨウ	右注	źiɐŋ^{1}	蒸韻
5668b	下師・082オ2・疊字	引	上	イン	右注	jien$^{2/3}$	軫韻
5669a	下師・082オ3・疊字	信	平	シン	左注	sien^{3}	震韻
5669b	下師・082オ3・疊字	受	平濁	シユ	左注	źiʌu^{2}	有韻
5670a	下師・082オ3・疊字	信	平	シン	左注	sien^{3}	震韻
5670b	下師・082オ3・疊字	心	去濁	シム	左注	siem^{1}	侵韻
5671a	下師・082オ3・疊字	蒸	―	シヨウ	左注	źiɐŋ^{1}	蒸韻
5671b	下師・082オ3・疊字	伏	―	フク	左注	biʌuk	屋韻
5672a	下師・082オ3・疊字	刺	去	―	―	ts'ie^{3} ts'iek	寘韻 昔韻
5672b	下師・082オ3・疊字	史	上	―	―	ṣiɐi^{2}	止韻
5673a	下師・082オ3・疊字	脩	上	―	―	siʌu^{1}	尤韻
5673b	下師・082オ3・疊字	吏	去	―	―	liɐi^{3}	志韻
5674a	下師・082オ4・疊字	状	去	―	―	dẓiaŋ^{3}	漾韻
5674b	下師・082オ4・疊字	帳	平	―	―	ṭiaŋ^{3}	漾韻
5675a	下師・082オ4・疊字	収	平	シフ	左注	śiʌu$^{1/3}$	尤/宥韻
5675b	下師・082オ4・疊字	納	入	ナフ	左注	nɑp	盍韻
5676a	下師・082オ4・疊字	出	―	シユツ	中注	tś'iuet tś'iuei^{3}	術韻 至韻
5676b	下師・082オ4・疊字	擧	―	コ	中注	kiʌ^{2} jiʌ^{1}	語韻 魚韻
5677a	下師・082オ4・疊字	芝	平	シ	左注	tśiɐi^{1} p'iʌm^{1}	之韻 凡韻
5677b	下師・082オ4・疊字	蘭	平	ラン	左注	lɑn^{1}	寒韻
5678a	下師・082オ6・疊字	酒	上	―	―	tsiʌu^{2}	有韻
5678b	下師・082オ6・疊字	座	平	―	―	dzuɑ^{3}	過韻
5679a	下師・082オ6・疊字	詩	平	―	―	śiɐi^{1}	之韻
5679b	下師・082オ6・疊字	莚	平	―	―	jian$^{1/3}$	仙/線韻
5680a	下師・082オ6・疊字	拾	入	シフ	左注	źiep	緝韻
5680b	下師・082オ6・疊字	謁	入	エツ	左注	'iɑt	月韻
5681a	下師・082オ6・疊字	准	上	―	―	tśiuen^{2}	準韻
5681b	下師・082オ6・疊字	后	去	―	―	ɣʌu$^{2/3}$	厚/候韻
5682a	下師・082オ6・疊字	殊	去	シユ	左注	źiuʌ^{1}	虞韻
5682b	下師・082オ6・疊字	勝	平	シヨウ	左注	śiɐŋ$^{1/3}$	蒸/證韻
5683a	下師・082オ7・疊字	執	入	シフ	左注	tśiep	緝韻
5683b	下師・082オ7・疊字	權	平	クヱン	左注	giuan^{1}	仙韻
5684a	下師・082オ7・疊字	執	入	シフ	左注	tśiep	緝韻
5684b	下師・082オ7・疊字	柄	上	ヘイ	左注	piaŋ^{3}	映韻
5685a	下師・082オ7・疊字	潤	去	―	―	ńiuen^{3}	稕韻
5685b	下師・082オ7・疊字	屋	入	―	―	'ʌuk	屋韻
5686a	下師・082オ7・疊字	潤	去	シユン	左注	ńiuen^{3}	稕韻
5686b	下師・082オ7・疊字	色	入	ヲク	左注	ṣiɐk	職韻

5687a	下師・082オ7・疊字	潤	去	―	―	ńiuen^{3}	稕韻
5687b	下師・082オ7・疊字	澤	入	―	―	ḍak	陌韻
5688a	下師・082オ7・疊字	仕	平	―	―	dẓiɐi^{2}	止韻
5688b	下師・082オ7・疊字	丁	上	―	―	teŋ^{1} ṭɐŋ^{1}	青韻 耕韻
5689a	下師・082ウ1・疊字	廝	平	シ	左注	sie^{1}	支韻
5689b	下師・082ウ1・疊字	丁	平	テイ	左注	teŋ^{1} ṭɐŋ^{1}	青韻 耕韻
5690a	下師・082ウ1・疊字	舍	去	―	―	śia$^{2/3}$	馬/禡韻
5690b	下師・082ウ1・疊字	人	上	―	―	ńien^{1}	眞韻
5691a	下師・082ウ1・疊字	執	入	―	―	tśiep	緝韻
5691b	下師・082ウ1・疊字	鞭	平	―	―	pjian^{1}	仙韻
5692a	下師・082ウ1・疊字	仕	去	―	―	dẓiɐi^{2}	止韻
5692b	下師・082ウ1・疊字	官	去	―	―	kuɑn^{1}	桓韻
5693a	下師・082ウ1・疊字	祗	平	シ	左注	tśiei^{1}	脂韻
5693b	下師・082ウ1・疊字	候	去	コウ	左注	ɣʌu^{3}	候韻
5694a	下師・082ウ2・疊字	親	平	シン	左注	ts'ien$^{1/3}$	眞/震韻
5694b	下師・082ウ2・疊字	近	平濁	コン	左注	giʌn$^{2/3}$	隠/焮韻
5695a	下師・082ウ2・疊字	親	平	シン	左注	ts'ien$^{1/3}$	眞/震韻
5695b	下師・082ウ2・疊字	昵	入濁	ヂツ	左注	niet	質韻
5696a	下師・082ウ2・疊字	縱	平	シヨウ	左注	tsiɑuŋ$^{1/3}$	鍾/用韻
5696b	下師・082ウ2・疊字	容	平	ヨウ	左注	jiɑuŋ^{1}	鍾韻
5697a	下師・082ウ2・疊字	松	平	シヨウ	左注	ziɑuŋ^{1}	鍾韻
5697b	下師・082ウ2・疊字	容	平	ヨウ	左注	jiɑuŋ^{1}	鍾韻
5698a	下師・082ウ3・疊字	詩	東	―	―	śiɐi^{1}	之韻
5698b	下師・082ウ3・疊字	人	平濁	―	―	ńien^{1}	眞韻
5699a	下師・082ウ3・疊字	儒	―	シユ	左注	ńiuʌ^{1}	虞韻
5699b	下師・082ウ3・疊字	後	―	コウ	左注	ɣʌu$^{2/3}$	厚/候韻
5700a	下師・082ウ3・疊字	儒	―	シユ	左注	ńiuʌ^{1}	虞韻
5700b	下師・082ウ3・疊字	孫	―	ソン	左注	suʌn^{1}	魂韻
5701a	下師・082ウ3・疊字	儒	―	シユ	左注	ńiuʌ^{1}	虞韻
5701b	下師・082ウ3・疊字	者	―	シヤ	左注	tśia^{2}	馬韻
5702a	下師・082ウ4・疊字	儒	―	シユ	左注	ńiuʌ^{1}	虞韻
5702b	下師・082ウ4・疊字	林	―	リン	左注	liem^{1}	侵韻
5703a	下師・082ウ5・疊字	拾	―	シフ	左注	źiep	緝韻
5703b	下師・082ウ5・疊字	螢	―	ケイ	左注	ɣueŋ^{1}	青韻
5704a	下師・082ウ5・疊字	聚	去	シウ	左注	dziuʌ$^{2/3}$	麌/遇韻
5704b	下師・082ウ5・疊字	雪	入	セツ	左注	siuat	薛韻
5705a	下師・082ウ5・疊字	飾	―	シキ	右注	ṣiɐk	職韻
5705b	下師・082ウ5・疊字	目	―	モク	左注	miʌuk	屋韻
5706a	下師・082ウ6・疊字	手	上	―	―	śiʌu^{2}	有韻

5706b	下師・082ウ6・疊字	契	去	―	―	k‘ei[3] k‘iʌt k‘et	霽韻 迄韻 屑韻
5707a	下師・082ウ6・疊字	黄	平	クワウ	右傍	ɣuɑŋ[1]	唐韻
5707b	下師・082ウ6・疊字	巻	去	クヱン	右傍	giuan[1/3] kiuan[2] giuɑn[2]	仙/線韻 獮韻 阮韻
5708a	下師・082ウ6・疊字	竹	入	チク	右傍	ṭiʌuk	屋韻
5708b	下師・082ウ6・疊字	簡	平	カン	右傍	kɐn[2]	産韻
5709a	下師・082ウ6・疊字	入	―	シフ	右傍	ńiep	緝韻
5709b	下師・082ウ6・疊字	木	―	ホク	右傍	mʌuk	屋韻
5710a	下師・082ウ7・疊字	讎	平	シウ	左注	źiʌu[1]	尤韻
5710b	下師・082ウ7・疊字	挍	去	カウ	左注	kau[3] ɣau[3]	効韻 効韻
5711a	下師・082ウ7・疊字	紙	上	―	―	tśie[2]	紙韻
5711b	下師・082ウ7・疊字	面	去	―	―	miuan[3]	線韻
5712a	下師・082ウ7・疊字	詞	平	―	―	ziɐi[1]	之韻
5712b	下師・082ウ7・疊字	華	上	―	―	xua[1] ɣua[1/3]	麻韻 麻/禡韻
5713a	下師・082ウ7・疊字	思	東	―	―	siɐi[1/3]	之/志韻
5713b	下師・082ウ7・疊字	風	東	―	―	piʌuŋ[1/3]	東/送韻
5714a	下師・083オ1・疊字	詞	平	シ	左注	ziɐi[1]	之韻
5714b	下師・083オ1・疊字	林	平	リン	左注	liem[1]	侵韻
5715a	下師・083オ1・疊字	詞	平	―	―	ziɐi[1]	之韻
5715b	下師・083オ1・疊字	藻	上	―	―	tsɑu[2]	晧韻
5716a	下師・083オ1・疊字	詩	平	―	―	śiɐi[1]	之韻
5716b	下師・083オ1・疊字	魔	平	―	―	mɑ[1]	戈韻
5717a	下師・083オ1・疊字	詩	平	―	―	śiɐi[1]	之韻
5717b	下師・083オ1・疊字	主	上	―	―	tśiuʌ[2]	麌韻
5718a	下師・083オ1・疊字	詩	平	―	―	śiɐi[1]	之韻
5718b	下師・083オ1・疊字	境	上	―	―	kiaŋ[2]	梗韻
5719a	下師・083オ1・疊字	詩	平	―	―	śiɐi[1]	之韻
5719b	下師・083オ1・疊字	仙	平濁	―	―	sian[1]	仙韻
5720a	下師・083オ2・疊字	囚	去	シウ	左注	ziʌu[1]	尤韻
5720b	下師・083オ2・疊字	人	上	シン	左注	ńien[1]	眞韻
5721a	下師・083オ2・疊字	事	平	―	―	dẓiɐi[3]	志韻
5721b	下師・083オ2・疊字	發	入	―	―	piɑt	月韻
5722a	下師・083オ2・疊字	證	平	シヨウ	左注	tśiɐŋ[3]	證韻
5722b	下師・083オ2・疊字	據	上	コ	左注	kiʌ[3]	御韻
5723a	下師・083オ3・疊字	實	入濁	シツ	左注	dźiet	質韻
5723b	下師・083オ3・疊字	否	上	フ	左注	piʌu[2] biei[2]	有韻 旨韻
5724a	下師・083オ3・疊字	上	平	―	―	źiɑŋ[2/3]	養/漾韻

5724b	下師・083オ3・疊字	兵	上	—	—	piaŋ[1]	庚韻
5725a	下師・083オ3・疊字	戎	去濁	シウ	左注	ńiʌuŋ[1]	東韻
5725b	下師・083オ3・疊字	具	平	ク	左注	giuʌ[3]	遇韻
5726a	下師・083オ3・疊字	自	平濁	シ	左注	dziei[3]	至韻
5726b	下師・083オ3・疊字	歎	—	タン	左注	t'ɑn[3]	翰韻
5727a	下師・083オ4・疊字	讎	平	シユ	左注	źiʌu[1]	尤韻
5727b	下師・083オ4・疊字	敵	入	テキ	左注	dek	錫韻
5728a	下師・083オ4・疊字	蹂	入濁	シフ	左注	ńiʌu[1/2/3]	尤/有/宥韻
5728b	下師・083オ4・疊字	躙	平	リン	左注	lien[3]	震韻
5729a	下師・083オ4・疊字	邪	去	—	—	źia[1] jia[1]	麻韻 麻韻
5729b	下師・083オ4・疊字	見	平	—	—	ken[3] ɣen[3]	霰韻 霰韻
5730a	下師・083オ5・疊字	赦	去	シヤ	左注	śia[3]	禡韻
5730b	下師・083オ5・疊字	面	平	メン	左注	miuan[3]	線韻
5731a	下師・083オ5・疊字	辱	入	—	—	ńiɑuk	燭韻
5732a	下師・083オ5・疊字	辱	入	シヨク	左注	ńiɑuk	燭韻
5732b	下師・083オ5・疊字	合	入濁	カウ	左注	ɣʌp kʌp	合韻 合韻
5733a	下師・083オ5・疊字	伺	平	シ	右注	siɐi[1/3]	之/志韻
5733b	下師・083オ5・疊字	隙	入	ケキ	右注	k'iak	陌韻
5734a	下師・083オ5・疊字	城	去	—	—	źieŋ[1]	清韻
5734b	下師・083オ5・疊字	邑	入	—	—	'iep	緝韻
5735a	下師・083オ6・疊字	城	去	シヤウ	右注	źieŋ[1]	清韻
5735b	下師・083オ6・疊字	柵	入	サク	右注	tṣ'ak tṣ'ɐk ṣan[3]	陌韻 麥韻 諫韻
5736a	下師・083オ6・疊字	松	平	シヨウ	右注	ziɑuŋ[1]	鍾韻
5736b	下師・083オ6・疊字	窓	平	サウ	右注	tṣ'auŋ[1]	江韻
5737a	下師・083オ6・疊字	所	平	シヨ	左注	ṣiʌ[2]	語韻
5737b	下師・083オ6・疊字	據	上	キヨ	左注	kiʌ[3]	御韻
5738b	下師・083オ6・疊字	據	上	コ	右傍	kiʌ[3]	御韻
5739a	下師・083オ6・疊字	寂	入	—	—	dzek	錫韻
5739b	下師・083オ6・疊字	寞	入	—	—	mɑk	鐸韻
5740a	下師・083オ6・疊字	寂	入	—	—	dzek	錫韻
5740b	下師・083オ6・疊字	寥	平	—	—	leu[1] lek	蕭韻 錫韻
5741a	下師・083オ6・疊字	雀	徳	シヤク	右注	tsiɑk	藥韻
5741b	下師・083オ6・疊字	羅	平	ラ	右注	lɑ[1]	歌韻
5742a	下師・083オ7・疊字	装	平	—	—	tṣiɑŋ[1/3]	陽/漾韻
5743a	下師・083オ7・疊字	巡	平	—	—	ziuen[1]	諄韻
5743b	下師・083オ7・疊字	方	平	—	—	piɑŋ[1] biɑŋ[1]	陽韻 陽韻
5744a	下師・083オ7・疊字	執	入	—	—	tśiep	緝韻

5744b	下師・083オ7・疊字	盃	平	―	―	puʌi¹	灰韻
5745a	下師・083ウ1・疊字	食	―	シヨク	右注	dźiɐk jiɐi³	職韻 志韻
5745b	下師・083ウ1・疊字	歎	―	タン	左注	t'ɑn³	翰韻
5746a	下師・083ウ2・疊字	宿	―	シク	左注	siʌuk	屋韻
5746b	下師・083ウ2・疊字	搆	去	コウ	左注	kʌu³	候韻
5747a	下師・083ウ2・疊字	支	平	シ	左注	tśie¹	支韻
5747b	下師・083ウ2・疊字	度	入	タク	左注	dɑk duʌ³	鐸韻 暮韻
5748a	下師・083ウ3・疊字	聲	去	シヤウ	左注	śieŋ¹	清韻
5748b	下師・083ウ3・疊字	哥	平濁	カ	左注	kɑ¹	歌韻
5749a	下師・083ウ3・疊字	鐘	平	―	―	tśiɑuŋ¹	鍾韻
5749b	下師・083ウ3・疊字	皷	上	―	―	kuʌ²	姥韻
5750a	下師・083ウ3・疊字	倡	―	シヤウ	右注	ts'iɑŋ^1/3	陽/漾韻
5750b	下師・083ウ3・疊字	子	―	シ	右注	tsiɐi²	止韻
5751a	下師・083ウ3・疊字	鞦	平	シウ	右注	tś'iʌu¹	尤韻
5751b	下師・083ウ3・疊字	韆	平	セン	右注	ts'ian¹	仙韻
5752a	下師・083ウ4・疊字	首	上	―	―	śiʌu^2/3	有/宥韻
5753a	下師・083ウ4・疊字	進	平	シン	左注	tsien³	震韻
5753b	下師・083ウ4・疊字	發	入	ハツ	左注	piɑt	月韻
5754a	下師・083ウ4・疊字	徙	平	シ	中注	sie²	紙韻
5754b	下師・083ウ4・疊字	倚	上	イ	中注	'ie^2/3	紙/寘韻
5755a	下師・083ウ4・疊字	使	去	シ	右注	ṣiɐi^2/3	止/志韻
5755b	下師・083ウ4・疊字	乎	平	コ	右注	ɣuʌ¹	模韻
5756a	下師・083ウ5・疊字	巡	平	―	―	ziuen¹	諄韻
5756b	下師・083ウ5・疊字	擬	上	―	―	ŋiɐi²	止韻
5757a	下師・083ウ5・疊字	指	平	シ	左注	tśiei²	旨韻
5757b	下師・083ウ5・疊字	南	去	ナム	左注	nʌm¹	覃韻
5758a	下師・083ウ5・疊字	進	去	シン	左注	tsien³	震韻
5758b	下師・083ウ5・疊字	退	平濁	タイ	左注	t'uʌi³	隊韻
5759a	下師・083ウ5・疊字	趍	平	―	―	ḍie¹ ts'iuʌ¹	支韻 虞韻
5759b	下師・083ウ5・疊字	走	平	―	―	tsʌu^2/3	厚/候韻
5760a	下師・083ウ6・疊字	資	去	シ	左注	tsiei¹	脂韻
5760b	下師・083ウ6・疊字	貯	去	チヨ	左注	ṭiʌ²	語韻
5761a	下師・083ウ6・疊字	資	去	シ	左注	tsiei¹	脂韻
5761b	下師・083ウ6・疊字	財	上	サイ	左注	dzʌi¹	咍韻
5762a	下師・083ウ7・疊字	所	平	シヨ	左注	ṣiʌ²	語韻
5762b	下師・083ウ7・疊字	負	平	フ	左注	biʌu²	有韻
5763a	下師・083ウ7・疊字	宿	―	シク	中注	siʌuk	屋韻
5763b	下師・083ウ7・疊字	債	―	セキ	左注	tṣɐk tṣɐ³	麥韻 卦韻
5764a	下師・084オ1・疊字	紙	平	―	―	tśie²	紙韻

5764b	下師・084オ1・疊字	燭	入	—	—	tśiauk	燭韻
5765a	下師・084オ1・疊字	俊	去	—	—	tsiuen[3]	稕韻
5765b	下師・084オ1・疊字	馬	上	—	—	ma[2]	馬韻
5766a	下師・084オ1・疊字	車	平	—	—	tś'ia[1] kiʌ[1]	麻韻 魚韻
5766b	下師・084オ1・疊字	石	入	—	—	źiek	昔韻
5767a	下師・084オ2・疊字	子	—	シ	左注	tsiɐi[2]	止韻
5767b	下師・084オ2・疊字	細	—	サイ	左注	sei[3]	霽韻
5768a	下師・084オ2・疊字	充	去濁	シユ	左注	tś'iʌuŋ[1]	東韻
5768b	下師・084オ2・疊字	滿	平	マン	左注	man[2]	緩韻
5769a	下師・084オ2・疊字	娑	去	シヤ	左注	sa[1/2]	歌/哿韻
5769b	下師・084オ2・疊字	婆	上濁	ハ	左注	ba[1]	戈韻
5770a	下師・084オ2・疊字	剩	上濁	シヨウ	左注	dźiɐŋ[3]	證韻
5770b	下師・084オ2・疊字	闕	入	クヱツ	左注	k'iuat	月韻
5771a	下師・084オ2・疊字	裝	平	シヤウ	右傍	tṣiaŋ[1/3]	陽/漾韻
5771b	下師・084オ2・疊字	潢	平	ワウ	右傍	ɣuaŋ[1/3]	唐/宕韻
5772a	下師・084オ2・疊字	勝	平	シヨウ	右注	śiɐŋ[1/3]	蒸/證韻
5772b	下師・084オ2・疊字	載	平濁	サイ	右注	tsʌi[2/3] dzʌi[3]	海/代韻 代韻
5773a	下師・084オ3・疊字	掌	—	シヤウ	右注	tśiaŋ[2]	養韻
5773b	下師・084オ3・疊字	燈	—	トウ	左注	tʌŋ[1]	登韻
5774a	下師・084オ3・疊字	指	平	シ	右注	tśiei[2]	旨韻
5774b	下師・084オ3・疊字	歸	上	クヰ	右注	kiuʌi[1]	微韻
5775a	下師・084オ3・疊字	至	去	シ	右注	tśiei[3]	至韻
5775b	下師・084オ3・疊字	用	平	ヨウ	右注	jiauŋ[3]	用韻
5776a	下師・084オ3・疊字	至	去	シ	右注	tśiei[3]	至韻
5776b	下師・084オ3・疊字	要	平	エウ	右注	'jiau[1/3]	宵/笑韻
5777a	下師・084オ3・疊字	尋	去濁	シム	右注	ziem[1]	侵韻
5777b	下師・084オ3・疊字	常	上濁	シヤウ	右注	źiaŋ[1]	陽韻
5778a	下師・084オ3・疊字	執	—	シウ	右注	tśiep	緝韻
5778b	下師・084オ3・疊字	着	入濁	チヤク	右注	ḍiuk ṭiak	藥韻 藥韻
5779a	下師・084オ4・疊字	嫉	入	シツ	左注	dziet dziei[3]	質韻 至韻
5779b	下師・084オ4・疊字	妬	上	ト	左注	tuʌ[3]	暮韻
5780a	下師・084オ4・疊字	信	平	シン	左注	sien[3]	震韻
5780b	下師・084オ4・疊字	仰	平濁	カウ	左注	ŋiaŋ[2/3]	養/漾韻
5781a	下師・084オ4・疊字	質	入	シチ	左注	tś'iet ṭiei[3]	質韻 至韻
5781b	下師・084オ4・疊字	直	入濁	チキ	左注	ḍiɐk	職韻
5782a	下師・084オ4・疊字	織	入	シキ	右注	tśiɐk	職韻
5782b	下師・084オ4・疊字	掌	平	シヤウ	右注	tśiaŋ[2]	養韻
5783a	下師・084オ4・疊字	寝	上	シム	左注	ts'iem[2]	寝韻

5783b	下師・084オ4・疊字	席	入	セキ	左注	ziek	昔韻
5784a	下師・084オ4・疊字	周	平	シウ	右注	tśiʌu^{1}	尤韻
5784b	下師・084オ4・疊字	章	平	シヤウ	右注	tśiaŋ^{1}	陽韻
5785a	下師・084オ5・疊字	惝	去	シヤウ	右注	(tś‘iaŋ^{2})	(養韻)
5785b	下師・084オ5・疊字	怳	上	クヰヤウ	左注	xiuaŋ^{2}	養韻
5786a	下師・084オ5・疊字	珠	東	シウ	右注	tśiuʌ^{1}	虞韻
5786b	下師・084オ5・疊字	履	平	リ	右注	liei^{2}	旨韻
5787a	下師・084オ5・疊字	赦	去	シヤ	右注	śia^{3}	禡韻
5787b	下師・084オ5・疊字	免	去	メン	右注	mian^{2}	獮韻
5788a	下師・084オ5・疊字	商	東	シヤウ	右注	śiaŋ^{1}	陽韻
5788b	下師・084オ5・疊字	量	平	リヤウ	右注	liaŋ$^{1/3}$	陽/漾韻
5789a	下師・084オ5・疊字	取	上	シユ	左注	ts‘iuʌ^{2} ts‘uʌ^{2}	麌韻 厚韻
5789b	下師・084オ5・疊字	捨	平	シヤ	左注	śia^{2}	馬韻
5790a	下師・084オ5・疊字	勝	平	シヨウ	右注	śiɐŋ$^{1/3}$	蒸/證韻
5790b	下師・084オ5・疊字	形	―	ケイ	右注	ɣeŋ^{1}	青韻
5791a	下師・084オ6・疊字	勝	平	シヨウ	左注	śiɐŋ$^{1/3}$	蒸/證韻
5791b	下師・084オ6・疊字	趣	去	シユ	左注	ts‘iuʌ$^{1/3}$ ts‘ʌu^{2}	虞/遇韻 厚韻
5792a	下師・084オ6・疊字	參	平	シム	左注	ṣiem^{1} tṣ‘iem^{1} ts‘ʌm$^{1/3}$ sam^{1}	侵韻 侵韻 覃/勘韻 談韻
5792b	下師・084オ6・疊字	差	平	シ	左注	tṣ‘ie^{1} tṣ‘ɐ$^{1/3}$ tṣ‘ɐi^{1} tṣ‘a^{1}	支韻 佳/卦韻 皆韻 麻韻
5793a	下師・084オ6・疊字	衆	平	シウ	左注	tśiʌuŋ$^{1/3}$	東/送韻
5793b	下師・084オ6・疊字	力	入	リキ	左注	liɐk	職韻
5794a	下師・084オ6・疊字	趑	平	シ	左注	ts‘iei^{1}	脂韻
5794b	下師・084オ6・疊字	趄	平	シヨ	左注	ts‘iʌ^{1}	魚韻
5795a	下師・084オ6・疊字	至	―	シ	左注	tśiei^{3}	至韻
5795b	下師・084オ6・疊字	極	―	コク	左注	giɐk	職韻
5796a	下師・084オ7・疊字	准	―	シユン	右注	tśiuen^{2}	準韻
5796b	下師・084オ7・疊字	據	―	キヨ	左注	kiʌ^{3}	御韻
5797a	下師・084オ7・疊字	處	―	シヨ	左注	tś‘iʌ$^{2/3}$	語/御韻
5797b	下師・084オ7・疊字	分	―	フン	左注	biuʌn^{3}	問韻
5798a	下師・084オ7・疊字	准	上濁	シユン	左注	tśiuen^{2}	準韻
5798b	下師・084オ7・疊字	擬	去濁	キ	左注	ŋiɐi^{2}	止韻
5799a	下師・084オ7・疊字	自	―	シ	右注	dziei^{3}	至韻
5799b	下師・084オ7・疊字	然	―	セン	右注	ńian^{1}	仙韻
5800a	下師・084オ7・疊字	自	―	シ	左注	dziei^{3}	至韻

5800b	下師・084オ7・疊字	然	―	ネン	左注	ńian¹	仙韻
5801a	下師・084オ7・疊字	仁	平濁	シン	左注	ńien¹	眞韻
5801b	下師・084オ7・疊字	察	入	サツ	左注	tṣ'ɐt	黠韻
5802a	下師・084オ7・疊字	成	―	シヤウ	左注	źieŋ¹	清韻
5802b	下師・084オ7・疊字	就	―	シユ	左注	dziʌu³	宥韻
5803a	下師・084ウ1・疊字	上	―	シヤウ	左注	źiaŋ²/³	養/漾韻
5803b	下師・084ウ1・疊字	啓	―	ケイ	左注	k'ei²	薺韻
5804a	下師・084ウ1・疊字	執	入	シウ	左注	tśiep	緝韻
5804b	下師・084ウ1・疊字	達	入	タツ	左注	t'ɑt dɑt	曷韻 曷韻
5805a	下師・084ウ1・疊字	執	入	シフ	左注	tśiep	緝韻
5805b	下師・084ウ1・疊字	啓	上	ケイ	左注	k'ei²	薺韻
5806a	下師・084ウ1・疊字	准	上濁	シユン	右注	tśiuen²	準韻
5806b	下師・084ウ1・疊字	的	入	テキ	右注	tek	錫韻
5807a	下師・084ウ1・疊字	所	―	シヨ	右注	ṣiʌ²	語韻
5807b	下師・084ウ1・疊字	縁	―	エン	右注	jiuan¹/³	仙/線韻
5808a	下師・084ウ1・疊字	出	入	シユツ	右注	tś'iuet tś'iuei³	術韻 至韻
5808b	下師・084ウ1・疊字	九	上	キウ	右注	kiʌu²	有韻
5809a	下師・084ウ2・疊字	所	平	シヨ	右注	ṣiʌ²	語韻
5809b	下師・084ウ2・疊字	澁	徳?	シフ	右注	ṣiep	緝韻
5810a	下師・084ウ2・疊字	生	去	シヤウ	右注	ṣaŋ¹/³	庚/映韻
5810b	下師・084ウ2・疊字	涯	平濁	カイ	右注	ŋɐ¹ ŋie¹	佳韻 支韻
5811a	下師・084ウ2・疊字	執	入	シフ	左注	tśiep	緝韻
5811b	下師・084ウ2・疊字	聞	平濁	フン	左注	miuʌn¹/³	文/問韻
5812a	下師・084ウ2・疊字	悚	―	シヨウ	左注	siɑuŋ²	腫韻
5812b	下師・084ウ2・疊字	息	―	ソク	左注	siɐk	職韻
5813a	下師・084ウ2・疊字	逡	平	シユン	左注	ts'iuen¹	諄韻
5813b	下師・084ウ2・疊字	巡	平濁	スン	左注	ziuen¹	諄韻
5814a	下師・084ウ2・疊字	積	―	シヤク	右注	tsiek tsie³	昔韻 寘韻
5814b	下師・084ウ2・疊字	善	―	セン	右注	źian²	獮韻
5815a	下師・084ウ3・疊字	悚	上	シヨウ	左注	siɑuŋ²	腫韻
5815b	下師・084ウ3・疊字	望	平濁	ハウ	左注	miɑŋ¹/³	陽/漾韻
5816a	下師・084ウ3・疊字	悚	上	シヨウ	左注	siɑuŋ²	腫韻
5816b	下師・084ウ3・疊字	慄	入	リツ	左注	liet	質韻
5817a	下師・084ウ3・疊字	正	平 去	シヤウ	左注	tśieŋ¹/³	清/勁韻
5817b	下師・084ウ3・疊字	員	上	ヰン	左注	ɣiuʌn¹/³ ɣiuan¹	文/問韻 仙韻
5818a	下師・084ウ3・疊字	神	平	シン	左注	dźien¹	眞韻
5818b	下師・084ウ3・疊字	速	入	ソク	左注	sʌuk	屋韻
5819a	下師・084ウ3・疊字	心	去	シム	左注	siem¹	侵韻

5819b	下師・084ウ3・疊字	喪	平濁	サウ	左注	sɑŋ$^{1/3}$	唐/宕韻
5820a	下師・084ウ3・疊字	精	上	シヤウ	左注	tsieŋ^{1}	清韻
5820b	下師・084ウ3・疊字	代	平	タイ	左注	dʌi^{3}	代韻
5821a	下師・084ウ4・疊字	質	―	シチ	左注	tś'iet ṭiei^{3}	質韻 至韻
5821b	下師・084ウ4・疊字	券	―	クエン	左注	k'iuɑn^{3}	願韻
5822a	下師・084ウ4・疊字	死	―	シ	左注	siei^{2}	旨韻
5822b	下師・084ウ4・疊字	罪	―	サイ	左注	dzuʌi^{2}	賄韻
5823a	下師・084ウ4・疊字	神	平	シン	左注	dźien^{1}	眞韻
5823b	下師・084ウ4・疊字	妙	去濁	ヘウ	左注	mjiau^{3}	笑韻
5824a	下師・084ウ4・疊字	所	―	シヨ	左注	ṣiʌ^{2}	語韻
5824b	下師・084ウ4・疊字	得	―	トク	左注	tʌk	徳韻
5825a	下師・084ウ4・疊字	所	平	シヨ	左注	ṣiʌ^{2}	語韻
5825b	下師・084ウ4・疊字	課	―	クワ	左注	k'uɑ$^{1/3}$	戈/過韻
5826a	下師・084ウ4・疊字	所	―	シヨ	左注	ṣiʌ^{2}	語韻
5826b	下師・084ウ4・疊字	知	―	チ	左注	ṭie^{1}	支韻
5827a	下師・084ウ5・疊字	精	―	シヤウ	右注	tsieŋ^{1}	清韻
5827b	下師・084ウ5・疊字	靳	―	レウ	右注	leu$^{1/3}$	蕭/嘯韻
5828a	下師・084ウ5・疊字	啁	平	シウ	右注	ṭiʌu^{1} ṭau^{1}	尤韻 豪韻
5828b	下師・084ウ5・疊字	噍	平	セウ	右注	tsiau^{1} dziau^{3} tsiʌu^{1}	宵韻 笑韻 尤韻
5829a	下師・084ウ5・疊字	周	去	シウ	右注	tśiʌu^{1}	尤韻
5829b	下師・084ウ5・疊字	癸	上	キ	右注	kjiuei^{2}	旨韻
5830a	下師・084ウ5・疊字	而	去	シ	右注	ńiɐi^{1}	之韻
5830b	下師・084ウ5・疊字	然	平濁	セン	右注	ńian^{1}	仙韻
5831a	下師・084ウ5・疊字	熾	平	シ	左注	tś'iɐi^{3}	志韻
5831b	下師・084ウ5・疊字	盛	去濁	シヤウ	左注	źieŋ$^{1/3}$	清/勁韻
5832a	下師・084ウ5・疊字	所	平	シヨ	左注	ṣiʌ^{2}	語韻
5832b	下師・084ウ5・疊字	依	上	エ	左注	'iʌi^{1}	微韻
5833a	下師・084ウ6・疊字	所	平	シヨ	右注	ṣiʌ^{2}	語韻
5833b	下師・084ウ6・疊字	怙	平	コ	右注	ɣuʌ^{2}	姥韻
5834a	下師・084ウ6・疊字	所	平	シヨ	右注	ṣiʌ^{2}	語韻
5834b	下師・084ウ6・疊字	宣	平	セン	右注	siuan^{1}	仙韻
5835a	下師・084ウ6・疊字	悉	入	シツ	左注	siet	質韻
5835b	下師・084ウ6・疊字	悦	入	エツ	左注	jiuat	薛韻
5836a	下師・084ウ6・疊字	衆	去	シウ	左注	tśiʌuŋ$^{1/3}$	東/送韻
5836b	下師・084ウ6・疊字	徒	平	ト	左注	duʌ^{1}	模韻
5837a	下師・084ウ6・疊字	雌	平	シ	左注	ts'ie^{1}	支韻
5837b	下師・084ウ6・疊字	伏	入	フク	左注	biʌuk	屋韻
5838a	下師・084ウ6・疊字	震	平	シン	左注	tśien^{3}	震韻

5838b	下師・084ウ6・疊字	動	平濁	トウ	左注	dʌuŋ^{2}	董韻
5839a	下師・084ウ7・疊字	思	去	シ	右注	siɐi$^{1/3}$	之/志韻
5839b	下師・084ウ7・疊字	景	上	エイ	右注	kiaŋ^{2}	梗韻
5840a	下師・084ウ7・疊字	思	去	シ	左注	siɐi$^{1/3}$	之/志韻
5840b	下師・084ウ7・疊字	景	上	ケイ	左注	kiaŋ^{2}	梗韻
5841a	下師・084ウ7・疊字	弛	平	シ	右注	śie^{2}	紙韻
5841b	下師・084ウ7・疊字	張	上	チヤウ	右注	ḍiaŋ$^{1/3}$	陽/漾韻
5842a	下師・084ウ7・疊字	雀	入	シヤク	右傍	tsiɑk	藥韻
5842b	下師・084ウ7・疊字	頭	平	トウ	右傍	dʌu^{1}	侯韻
5843a	下師・084ウ7・疊字	入	入濁	シウ	右注	ńiep	緝韻
5843b	下師・084ウ7・疊字	夢	平	ム	右注	miʌuŋ^{1} mʌuŋ^{3}	東韻 送韻
5844a	下師・084ウ7・疊字	紫	上	シ	中注	tsie^{2}	紙韻
5844b	下師・084ウ7・疊字	盖	去	カイ	中注	kɑi^{3} ɣɑp kɑp	泰韻 盍韻 盍韻
5845a	下師・084ウ7・疊字	周	平	シウ	右傍	tśiʌu^{1}	尤韻
5845b	下師・084ウ7・疊字	卜	入濁	ホク	右傍	pʌuk	屋韻
5846a	下師・085オ1・疊字	舒	平	シヨ	右注	śiʌ^{1}	魚韻
5846b	下師・085オ1・疊字	姑	平	コ	右注	kɯʌ^{1}	模韻
5847a	下師・085オ1・疊字	象	去	シヤウ	右注	ziɑŋ^{2}	養韻
5847b	下師・085オ1・疊字	玉	—	キヨク	右注	ŋiɑuk	燭韻
5848a	下師・085オ1・疊字	如	平濁	シヨ	右注	ńiʌ$^{1/3}$	魚/御韻
5848b	下師・085オ1・疊字	愚	平濁	ク	右注	ŋiuʌ^{1}	虞韻
5849a	下師・085オ1・疊字	雀	徳	シヤク	右注	tsiɑk	藥韻
5849b	下師・085オ1・疊字	環	平	クワン	右注	ɣuan^{1}	刪韻
5850a	下師・085オ1・疊字	朱	平	シウ	右注	tśiuʌ^{1}	虞韻
5850b	下師・085オ1・疊字	輪	平	リム	右注	liuen^{1}	諄韻
5851a	下師・085オ1・疊字	周	東	シウ	右傍	tśiʌu^{1}	尤韻
5851b	下師・085オ1・疊字	白	徳?	ハク	右傍	bak	陌韻
5852a	下師・085オ2・疊字	壽	去	シウ	右注	źiʌu^{2}	有韻
5852b	下師・085オ2・疊字	域	入	イキ	右注	ɣiuɐk	職韻
5853a	下師・085オ2・疊字	子	上	シ	右注	tsiɐi^{2}	止韻
5853b	下師・085オ2・疊字	夜	去	ヤ	右注	jia^{3}	禡韻
5854a	下師・085オ2・疊字	泗	—	シ	右傍	siei^{3}	至韻
5854b	下師・085オ2・疊字	濵	—	ヒン	右傍	pjien^{1}	眞韻
5855a	下師・085オ2・疊字	入	入濁	シウ	右注	ńiep	緝韻
5855b	下師・085オ2・疊字	木	入濁	ホク	右注	mʌuk	屋韻
5856a	下師・085オ2・疊字	手	去	シユ	右注	śiʌu^{2}	有韻
5856b	下師・085オ2・疊字	談	平	タム	右注	dɑm^{2}	談韻
5857a	下師・085オ2・疊字	晉	去	シム	右注	tsien^{3}	震韻
5857b	下師・085オ2・疊字	銀	平濁	キム	右注	ŋien^{1}	眞韻
5858a	下師・085オ3・疊字	松	—	シヨウ	右注	ziɑuŋ^{1}	鍾韻

5858b	下師・085オ3・疊字	煙	一	エム	右注	'en^{1}	先韻
5859a	下師・085オ3・疊字	上	去	シヤウ	右注	źiaŋ$^{2/3}$	養/漾韻
5859b	下師・085オ3・疊字	黨	上	タン	右注	taŋ^{2}	蕩韻
5860a	下師・085オ3・疊字	十	入	シウ	右注	źiep	緝韻
5860a	下師・085オ3・疊字	二	上濁	シ	右注	ńiei^{3}	至韻
5861a	下師・085オ3・疊字	相	平	シヤウ	右注	siaŋ$^{1/3}$	陽/漾韻
5861b	下師・085オ3・疊字	如	平濁	シヨ	右注	ńiʌ$^{1/3}$	魚/御韻
5862a	下師・085オ3・疊字	十	入	シウ	右注	źiep	緝韻
5862b	下師・085オ3・疊字	字	平濁	シ	右注	dziɐi^{3}	志韻
5863a	下師・085オ3・疊字	常	平	シヤウ	右傍	źiaŋ^{1}	陽韻
5863b	下師・085オ3・疊字	生	平	セイ	右傍	ṣaŋ$^{1/3}$	庚/映韻
5864a	下師・085オ4・疊字	四	平	シ	右注	siei^{3}	至韻
5864b	下師・085オ4・疊字	知	平	チ	右注	ṭie^{1}	支韻
5865a	下師・085オ4・疊字	蜀	入	シヨク	右注	źiauk	燭韻
5865b	下師・085オ4・疊字	江	平	カウ	右注	kauŋ^{1}	江韻
5866a	下師・085オ4・疊字	乘	平	シヨウ	右注	dźiɐŋ$^{1/3}$	蒸/證韻
5866b	下師・085オ4・疊字	軒	平	ケム	右注	xian^{1}	元韻
5867a	下師・085オ4・疊字	燭	入	シヨク	右注	tśiauk	燭韻
5867b	下師・085オ4・疊字	夜	上	ヤ	右注	jia^{3}	禡韻
5868a	下師・085オ4・疊字	秋	去	シウ	右注	ts'iʌu^{1}	尤韻
5868b	下師・085オ4・疊字	書	上	シヨ	右注	śiʌ^{1}	魚韻
5869a	下師・085オ4・疊字	紫	去	シ	右注	tsie^{2}	紙韻
5869b	下師・085オ4・疊字	鱗	平	リン	右注	lien^{1}	眞韻
5870a	下師・085オ5・疊字	紫	去	シ	右注	tsie^{2}	紙韻
5870b	下師・085オ5・疊字	蕚	入濁	カク	右注	ŋak	鐸韻
5871a	下師・085オ5・疊字	朱	去	シウ	右注	tśiuʌ^{1}	虞韻
5871b	下師・085オ5・疊字	實	入	シツ	右注	dźiet	質韻
5872a	下師・085オ5・疊字	湘	平	シヤウ	右注	siaŋ^{1}	陽韻
5872b	下師・085オ5・疊字	水	上	スイ	右注	śiuei^{2}	旨韻
5873a	下師・085オ5・疊字	兕	上	シ	右注	ziei^{2}	旨韻
5873b	下師・085オ5・疊字	觥	平	クワウ	右注	kuaŋ^{1}	庚韻
5874a	下師・085オ5・疊字	従	去濁	シユ	右注	dziauŋ^{1} ts'iauŋ$^{1/3}$	鍾韻 鍾/用韻
5874b	下師・085オ5・疊字	横	平	ワウ	右注	ɣuaŋ$^{1/3}$ kuaŋ^{1}	庚/映韻 唐韻
5875a	下師・085オ5・疊字	首	上	シユ	右注	śiʌu$^{2/3}$	有/宥韻
5875b	下師・085オ5・疊字	尾	上濁	ヒ	右注	miʌi^{2}	尾韻
5876a	下師・085オ6・疊字	枕	上	シム	右注	tśiem$^{2/3}$ ḍiem^{1}	寢/沁韻 侵韻
5876b	下師・085オ6・疊字	席	入	セキ	右注	ziek	昔韻
5877a	下師・085オ6・疊字	雌	去	シ	右注	ts'ie^{1}	支韻
5877b	下師・085オ6・疊字	雄	平	イウ	右注	ɣiʌuŋ^{1}	東韻
5878a	下師・085オ6・疊字	緇	去	シ	右注	tṣiɐi^{1}	之韻

5878b	下師・085オ6・疊字	素	上	ソ	右注	suʌ^{3}	暮韻
5879a	下師・085オ6・疊字	緇	去	シ	右注	tṣiɐi^{1}	之韻
5879b	下師・085オ6・疊字	銖	平	シユ	右注	źiuʌ^{1}	虞韻
5880a	下師・085オ6・疊字	視	平	シ	右注	źiei$^{2/3}$ dźiei^{3}	旨/至韻 至韻
5880b	下師・085オ6・疊字	聴	去	テイ	右注	t'eŋ$^{1/3}$	青/徑韻
5881a	下師・085オ6・疊字	昇	平	シヨウ	右注	śiɐŋ^{1}	蒸韻
5881b	下師・085オ6・疊字	降	平	カウ	右注	ɣauŋ^{1} kauŋ^{3}	江韻 絳韻
5882a	下師・085オ7・疊字	主	—	シユ	右注	tśiuʌ^{2}	麌韻
5882b	下師・085オ7・疊字	従	—	シユ	右注	dziɑuŋ^{1} ts'iɑuŋ$^{1/3}$	鍾韻 鍾/用韻
5883a	下師・085オ7・疊字	親	平	シン	右注	ts'ien$^{1/3}$	眞/震韻
5883b	下師・085オ7・疊字	疎	上	ソ	右注	ṣiʌ^{1}	魚韻
5884a	下師・085オ7・疊字	取	平	シユ	右注	ts'iuʌ^{2} ts'uʌ^{2}	麌韻 厚韻
5884b	下師・085オ7・疊字	拾	入	シフ	右注	źiep	緝韻
5885a	下師・085オ7・疊字	勝	平	シヨウ	右注	śiɐŋ$^{1/3}$	蒸/證韻
5885b	下師・085オ7・疊字	劣	入	レツ	右注	liuat	薛韻
5886a	下師・085オ7・疊字	出	入	シユツ	右注	tś'iuet tś'iuei^{3}	術韻 至韻
5886b	下師・085オ7・疊字	納	平	ナウ	右注	nɑp	盍韻
5887a	下師・085オ7・疊字	勝	平	シヨウ	右注	śiɐŋ$^{1/3}$	蒸/證韻
5887b	下師・085オ7・疊字	負	上濁	フ	右注	biʌu^{2}	有韻
5888a	下師・085ウ1・疊字	上	—	シヤウ	右注	źiɑŋ$^{2/3}$	養/漾韻
5888b	下師・085ウ1・疊字	下	—	ケ	右注	ɣa$^{2/3}$	馬/禡韻
5889a	下師・085ウ1・疊字	聚	平	シユ	右注	dziuʌ$^{2/3}$	麌/遇韻
5889b	下師・085ウ1・疊字	散	去	(サン)	右注	sɑn$^{2/3}$	旱/翰韻
5890a	下師・085ウ1・疊字	盛	去濁	シヤウ	右注	źieŋ^{1} źieŋ^{3}	清韻 勁韻
5890b	下師・085ウ1・疊字	衰	平	スイ	右注	ṣiuei^{1} tṣ'iue^{1}	脂韻 支韻
5891a	下師・085ウ1・疊字	真	平	シン	右注	tɕion^{1}	眞韻
5891b	下師・085ウ1・疊字	偽	平濁	クヰ	右注	ŋiue^{3}	寘韻
5892a	下師・085ウ1・疊字	脣	—	シム	右傍	dźiuen^{1}	諄韻
5892b	下師・085ウ1・疊字	吻	—	フツ	右傍	miuʌn^{2}	吻韻
5893a	下師・085ウ2・疊字	時	—	シ	右注	źiɐi^{1}	之韻
5893b	下師・085ウ2・疊字	時	—	シ	右注	źiɐi^{1}	之韻
5893c	下師・085ウ2・疊字	見	—	ケン	右注	ken^{3} ɣen^{3}	霰韻 霰韻
5894a	下師・085ウ2・疊字	兒	—	シ	右注	ńie^{1} ŋei^{1}	支韻 齊韻

5894b	下師・085ウ2・疊字	女	—	チヨ	右注	ṇiʌ$^{2/3}$	語/御韻
5894c	下師・085ウ2・疊字	子	—	シ	右注	tsiɐi^{2}	止韻
5895a	下師・085ウ2・疊字	勝	—	シヨウ	右傍	śiɐŋ$^{1/3}$	蒸/證韻
5895b	下師・085ウ2・疊字	他	—	タ	右傍	t‘ɑ^{1}	歌韻
5895c	下師・085ウ2・疊字	心	—	シム	右傍	siem^{1}	侵韻
5896a	下師・085ウ2・疊字	指	—	シ	右傍	tśiei^{2}	旨韻
5896b	下師・085ウ2・疊字	佞	—	ネイ	右傍	neŋ^{3}	徑韻
5896c	下師・085ウ2・疊字	草	—	サウ	右傍	ts‘ɑu^{2}	晧韻
5897b	下師・085ウ2・疊字	所	—	シヨ	右傍	ṣiʌ^{2}	語韻
5897c	下師・085ウ2・疊字	詮	—	セン	右傍	ts‘iuan^{1}	仙韻
5898a	下師・085ウ3・疊字	序	—	シヨ	右注	ziʌ^{2}	語韻
5898b	下師・085ウ3・疊字	破	—	ハ	右注	p‘ɑ^{3}	過韻
5898c	下師・085ウ3・疊字	急	—	キウ	右注	kiep	緝韻
5899a	下師・085ウ3・疊字	心	—	シム	右注	siem^{1}	侵韻
5899b	下師・085ウ3・疊字	心	—	シム	右注	siem^{1}	侵韻
5899c	下師・085ウ3・疊字	興	—	ケウ	左注	xiɐŋ$^{1/3}$	蒸/證韻
5899d	下師・085ウ3・疊字	興	—	ケウ	左注	xiɐŋ$^{1/3}$	蒸/證韻
5900a	下師・085ウ3・疊字	死	—	シ	右傍	siei^{2}	旨韻
5900b	下師・085ウ3・疊字	生	—	シヤウ	右傍	ṣaŋ$^{1/3}$	庚/映韻
5900c	下師・085ウ3・疊字	不	—	フ	右傍	piʌu$^{1/2/3}$ piuʌt	尤/有/宥韻 物韻
5900d	下師・085ウ3・疊字	知	—	チ	右傍	ṭie^{1}	支韻
5901a	下師・085ウ3・疊字	衆	—	シウ	右傍	tśiʌuŋ$^{1/3}$	東/送韻
5901b	下師・085ウ3・疊字	議	—	キ	右傍	ŋie^{3}	寘韻
5901c	下師・085ウ3・疊字	不	—	フ	右傍	piʌu$^{1/2/3}$ piuʌt	尤/有/宥韻 物韻
5901d	下師・085ウ3・疊字	同	—	トウ	右傍	dʌuŋ^{1}	東韻
5902a	下師・085ウ3・疊字	次	—	シ	右傍	ts‘iei^{3}	至韻
5902b	下師・085ウ3・疊字	第	—	タイ	右傍	dei^{3}	霽韻
5902c	下師・085ウ3・疊字	不	—	フ	右傍	piʌu$^{1/2/3}$ piuʌt	尤/有/宥韻 物韻
5902d	下師・085ウ3・疊字	同	—	トウ	右傍	dʌuŋ^{1}	東韻
5903a	下師・085ウ4・疊字	支	—	シ	右傍	tśie^{1}	支韻
5903b	下師・085ウ4・疊字	度	—	タク	右傍	dɑk duʌ^{3}	鐸韻 暮韻
5903c	下師・085ウ4・疊字	相	—	サウ	右傍	siɑŋ$^{1/3}$	陽/漾韻
5903d	下師・085ウ4・疊字	違	—	ヰ	右傍	ɣiuʌi^{1}	微韻
5904a	下師・085ウ4・疊字	自	—	シ	右傍	dziei^{3}	至韻
5904b	下師・085ウ4・疊字	讃	—	サン	右傍	tsɑn^{3}	翰韻
5904c	下師・085ウ4・疊字	毀	—	クヰ	右傍	xiue$^{2/3}$	紙/寘韻
5904d	下師・085ウ4・疊字	他	—	タ	右傍	t‘ɑ^{1}	歌韻
5905a	下師・085ウ4・疊字	自	—	シ	右傍	dziei^{3}	至韻

5905b	下師・085ウ4・疊字	行	—	キヤウ	右傍	ɣaŋ 1/3 ɣɑŋ 1/3	庚/映韻 唐/宕韻
5905c	下師・085ウ4・疊字	化	—	クヱ	右傍	xua 3	禡韻
5905d	下師・085ウ4・疊字	他	—	タ	右傍	t'ɑ 1	歌韻
5906a	下師・085ウ4・疊字	師	—	シ	右傍	ṣiei 1	脂韻
5906b	下師・085ウ4・疊字	資	—	シ	右傍	tsiei 1	脂韻
5906c	下師・085ウ4・疊字	相	—	サウ	右傍	siɑŋ 1/3	陽/漾韻
5906d	下師・085ウ4・疊字	美	—	シヨウ	右傍	źiɐŋ 1	蒸韻
5907a	下師・085ウ5・疊字	子	—	シ	右傍	tsiɐi 2	止韻
5907b	下師・085ウ5・疊字	子	—	シ	右傍	tsiɐi 2	止韻
5907c	下師・085ウ5・疊字	孫	—	ソン	右傍	suʌn 1	魂韻
5907d	下師・085ウ5・疊字	孫	—	ソン	右傍	suʌn 1	魂韻
5908a	下師・085ウ5・疊字	生	—	シヤウ	右傍	ṣaŋ 1/3	庚/映韻
5908b	下師・085ウ5・疊字	天	—	テン	右傍	t'en 1	先韻
5908c	下師・085ウ5・疊字	得	—	トク	右傍	tʌk	徳韻
5908d	下師・085ウ5・疊字	果	—	ワ	右傍	kuɑ 2	果韻
5909a	下師・085ウ5・疊字	酒	—	シユ	右傍	tsiʌu 2	有韻
5909b	下師・085ウ5・疊字	不	—	フ	右傍	piʌu 1/2/3 piuʌt	尤/有/宥韻 物韻
5909c	下師・085ウ5・疊字	乱	—	ラン	右傍	luɑn 3	換韻
5909d	下師・085ウ5・疊字	胷	—	クヰヨウ	右傍	k'iɑuŋ 1	鍾韻
5910a	下師・085ウ5・疊字	乳	去濁	シウ	右傍	ńiuʌ 2	麌韻
5910b	下師・085ウ5・疊字	狗	上	コ	右傍	kʌu 2	厚韻
5911a	下師・085ウ6・疊字	駟	—	シ	右傍	siei 3	至韻
5912a	下師・085ウ6・疊字	叅	—	シン	右傍	ṣiem 1 tṣ'iem 1 ts'ʌm 1/3 sɑm 1	侵韻 侵韻 覃/勘韻 談韻
5912b	下師・085ウ6・疊字	差	—	シ	右傍	tṣ'ie 1 tṣ'ɐ 1/3 tṣ'ɐi 1 tṣ'a 1	支韻 佳/卦韻 皆韻 麻韻
5913a	下師・086オ2・疊字	任	—	シ [去濁]	右注	ńiem 1/3	侵/沁韻
5913b	下師・086オ2・疊字	意	—	ミ [平]	右注	'iɐi 3	志韻
5914a	下師・086オ2・疊字	嫳	入	ヘツ	右傍	p'et	屑韻
5914b	下師・086オ2・疊字	屑	入	セツ	右傍	set	屑韻
5915a	下師・086オ3・疊字	昇	—	シン	右傍	śiɐŋ 1	蒸韻
5915b	下師・086オ3・疊字	座	—	ソ	右傍	dzuɑ 3	過韻
5916a	下師・086オ5・諸社	信	—	シ	右注	sien 3	震韻
5916b	下師・086オ5・諸社	太	—	タ	右注	t'ɑi 3	泰韻
5917a	下師・086オ7・諸寺	信	—	シン	左注	sien 3	震韻

5917b	下師・086オ7・諸寺	貴	—	クヰ	左注	kiuʌi^{3}	未韻
5918a	下師・086オ7・諸寺	書	—	シヨ	右注	śiʌ^{1}	魚韻
5918b	下師・086オ7・諸寺	寫	—	シヤ	右注	sia^{2}	馬韻
5919a	下師・086ウ2・國郡	志	—	シ	右注	tśiɐi^{3}	志韻
5919b	下師・086ウ2・國郡	摩	—	マ	右注	mɑ$^{1/3}$	戈/過韻
5920a	下師・086ウ2・國郡	荅	—	タウ	右傍	tʌp	合韻
5920b	下師・086ウ2・國郡	志	—	シ	右傍	tśiɐi^{3}	志韻
5921a	下師・086ウ2・國郡	英	—	ア	右傍	'iaŋ^{1}	庚韻
5921b	下師・086ウ2・國郡	虞	—	コ	右傍	ŋiuʌ^{1}	虞韻
5922a	下師・086ウ2・國郡	葛	—	カト	右傍	kɑt	曷韻
5922b	下師・086ウ2・國郡	飾	—	シカ	右傍	śiɐk	職韻
5923a	下師・086ウ2・國郡	印	—	イン	右傍	'jien^{3}	震韻
5923b	下師・086ウ2・國郡	幡	—	ハン	右傍	p‘iɑn^{1}	元韻
5924a	下師・086ウ2・國郡	匝	—	サフ	右傍	tsʌp	合韻
5924b	下師・086ウ2・國郡	瑳	—	サ	右傍	ts‘ɑ$^{1/2}$	歌/哿韻
5925a	下師・086ウ2・國郡	相	—	サウ	右傍	siɑŋ$^{1/3}$	陽/漾韻
5925b	下師・086ウ2・國郡	馬	—	マ	右傍	ma^{2}	馬韻
5926a	下師・086ウ3・國郡	信	—	シナ	右注	sien^{3}	震韻
5926b	下師・086ウ3・國郡	濃	—	ノ	右注	ṇiɑuŋ^{1}	鍾韻
5927a	下師・086ウ3・國郡	伊	—	イ	右傍	'jiei^{1}	脂韻
5927b	下師・086ウ3・國郡	那	—	ナ	右傍	nɑ$^{1/3}$	歌/箇韻
5928a	下師・086ウ3・國郡	諏	—	ス	右傍	tsiuʌ^{1} tsʌu^{1}	虞韻 侯韻
5928b	下師・086ウ3・國郡	方	—	ハ	右傍	piɑŋ^{1} biɑŋ^{1}	陽韻 陽韻
5929a	下師・086ウ3・國郡	筑	—	ツク	右傍	ṭiʌuk ḍiʌuk	屋韻 屋韻
5929b	下師・086ウ3・國郡	摩	—	マ	右傍	mɑ$^{1/3}$	戈/過韻
5930a	下師・086ウ3・國郡	安	—	ア	右傍	'ɑn^{1}	寒韻
5930b	下師・086ウ3・國郡	曇	—	ツミ	右傍	dʌm^{1}	覃韻
5931a	下師・086ウ3・國郡	佐	—	サ	右傍	tsɑ^{3}	箇韻
5931b	下師・086ウ3・國郡	久	—	ク	右傍	kiʌu^{2}	有韻
5932a	下師・086ウ3・國郡	安	平	ア	右傍	'ɑn^{1}	寒韻
5932b	下師・086ウ3・國郡	蘇	平	ソ	右傍	suʌ^{1}	模韻
5933a	下師・086ウ3・國郡	都	—	ツ	右傍	tuʌ^{1}	模韻
5933b	下師・086ウ3・國郡	賀	—	カ	右傍	ɣa^{3}	箇韻
5934a	下師・086ウ3・國郡	芳	—	ハ	右傍	p‘ian^{1}	陽韻
5934b	下師・086ウ3・國郡	賀	—	カ	右傍	ɣa^{3}	箇韻
5935a	下師・086ウ3・國郡	那	—	ナ	右傍	nɑ$^{1/3}$	歌/箇韻
5935b	下師・086ウ3・國郡	須	—	ス	右傍	siuʌ^{1}	虞韻
5936a	下師・086ウ6・官職	式	—	シキ	右傍	śiɐk	職韻
5936b	下師・086ウ6・官職	部	—	フ	右傍	buʌ^{2} bʌu^{2}	姥韻 厚韻

5936c	下師・086ウ6・官職	省	―	シヤウ	右傍	ṣaŋ^{2} sieŋ^{2}	梗韻 靜韻
5937a	下師・086ウ6・官職	修	―	シユ	右注	siʌu^{1}	尤韻
5937b	下師・086ウ6・官職	理	―	リ	右注	liɐi^{2}	止韻
5937c	下師・086ウ6・官職	職	―	シ	右注	tśiɐk	職韻
5939a	下師・086ウ6・官職	侍	―	シ	右注	źiɐi^{3}	志韻
5939b	下師・086ウ6・官職	従	―	シユ	右注	dziauŋ^{1} ts'iauŋ$^{1/3}$	鍾韻 鍾/用韻
5940a	下師・086ウ6・官職	助	―	シヨ	右注	dẓiʌ^{3}	御韻
5940b	下師・086ウ6・官職	教	―	ケウ	右注	kau$^{1/3}$	肴/効韻
5941a	下師・086ウ6・官職	侍	―	シ	右注	źiɐi^{3}	志韻
5941b	下師・086ウ6・官職	醫	―	イ	右注	'iɐi^{1}	之韻
5942a	下師・086ウ7・官職	針	―	シン	右注	tśiem$^{1/3}$	侵/沁韻
5942b	下師・086ウ7・官職	博	―	ハカ	右注	pak	鐸韻
5942c	下師・086ウ7・官職	士	―	セ	右注	dẓiɐi^{2}	止韻
5943a	下師・086ウ7・官職	次	―	シ	右注	ts'iei^{3}	至韻
5943b	下師・086ウ7・官職	官	―	クワン	右注	kuan^{1}	桓韻
5944a	下師・086ウ7・官職	書	―	シヨ	右注	śiʌ^{1}	魚韻
5944b	下師・086ウ7・官職	博	―	ハカ	右注	pak	鐸韻
5944c	下師・086ウ7・官職	士	―	セ	右注	dẓiɐi^{2}	止韻
5945	下師・086ウ7・官職	史	―	シ	右注	ṣiɐi^{2}	止韻
5946a	下師・086ウ7・官職	進	―	シン	右注	tsien^{3}	震韻
5946b	下師・086ウ7・官職	士	―	シ	右注	dẓiɐi^{2}	止韻
5947a	下師・087オ1・官職	秀	―	シウ	右注	siʌu^{3}	宥韻
5947b	下師・087オ1・官職	才	―	サイ	右注	dzʌi^{1}	咍韻
5948a	下師・087オ1・官職	俊	―	シユン	右注	tsiuen^{3}	稕韻
5948b	下師・087オ1・官職	士	―	シ	右注	dẓiɐi^{2}	止韻
5949a	下師・087オ1・官職	政	―	シヤウ	右傍	tśieŋ^{3}	勁韻
5949b	下師・087オ1・官職	官	―	クワン	右傍	kuan^{1}	桓韻
5950a	下師・087オ1・官職	出	―	シユツ	右注	tś'iuet tś'iuei^{3}	術韻 至韻
5950b	下師・087オ1・官職	納	―	サウ	右注	nap	盍韻
5951a	下師・087オ3・官職	執	―	シフ	右注	tśiep	緝韻
5951b	下師・087オ3・官職	行	―	キヤウ	右注	ɣaŋ$^{1/3}$ ɣaŋ$^{1/3}$	庚/映韻 唐/宕韻
5952a	下師・087オ3・官職	執	―	シフ	右注	tśiep	緝韻
5952b	下師・087オ3・官職	當	―	タウ	右注	taŋ$^{1/3}$	唐/宕韻
5953a	下師・087オ3・官職	上	―	シヤウ	右注	źiaŋ$^{2/3}$	養/漾韻
5953b	下師・087オ3・官職	座	―	サ	右注	dzua^{3}	過韻
5954a	下師・087オ3・官職	従	―	シユ	右注	dziauŋ^{1} ts'iauŋ$^{1/3}$	鍾韻 鍾/用韻
5954b	下師・087オ3・官職	威	―	ヰ	右注	'iuʌi^{1}	微韻
5954c	下師・087オ3・官職	儀	―	キ	右注	ŋie^{1}	支韻

5954d	下師・087オ3・官職	師	―	シ	右注	ṣiei^{1}	脂韻
5956a	下師・087オ3・官職	小	―	シヨウ	右傍	siau^{2}	小韻
5956b	下師・087オ3・官職	綱	―	カウ	右傍	kɑŋ^{1}	唐韻
5957a	下師・087オ3・官職	所	―	シヨ	右傍	ṣiʌ^{2}	語韻
5957b	下師・087オ3・官職	司	―	シ	右傍	siɐi^{1}	之韻
5958a	下師・087オ3・官職	兼	―	シヨウ	右注	źieŋ^{1}	蒸韻
5958b	下師・087オ3・官職	仕	―	シ	右注	dẓiɐi^{2}	止韻
5959a	下師・087オ6・姓氏	志	―	シ	右注	tśiɐi^{3}	志韻
5959b	下師・087オ6・姓氏	賀	―	カ	右注	ɣɑ^{3}	箇韻
5960a	下師・087オ6・姓氏	志	―	シ	右注	tśiɐi^{3}	志韻
5960b	下師・087オ6・姓氏	我	―	カ	右注	ŋɑ^{2}	哿韻
5960c	下師・087オ6・姓氏	閇	―	ヘ	右注	pei^{3}	霽韻
5961a	下師・087オ7・姓氏	志	―	シ	右注	tśiɐi^{3}	志韻
5961b	下師・087オ7・姓氏	紀	―	キ	右注	kiɐi^{2}	止韻
5962a	下師・087オ7・姓氏	志	―	シ	右注	tśiɐi^{3}	志韻
5962b	下師・087オ7・姓氏	貴	―	キ	右注	kiuʌi^{3}	未韻

【表A-02】下巻＿會篇

番号	前田本所在	掲出字		仮名音注		中古音	韻目
5963a	下會・087ウ4・地儀	永	上	ヱイ	右傍	ɣiuaŋ^{2}	梗韻
5963b	下會・087ウ4・地儀	昌	上	シヤ	右傍	tś'iɑŋ^{1}	陽韻
5963c	下會・087ウ4・地儀	坊	―	ハウ	右傍	biɑŋ^{1} piɑŋ^{1}	陽韻 陽韻
5964a	下會・087ウ4・地儀	永	上	ヱイ	右傍	ɣiuaŋ^{2}	梗韻
5964b	下會・087ウ4・地儀	寧	平	ネイ	右傍	neŋ^{1}	青韻
5965a	下會・087ウ4・地儀	永	上	―	―	ɣiuaŋ^{2}	梗韻
5965b	下會・087ウ4・地儀	安	平	―	―	'ɑn^{1}	寒韻
5966a	下會・087ウ4・地儀	永	平	―	―	ɣiuaŋ^{2}	梗韻
5966b	下會・087ウ4・地儀	嘉	平	―	―	ka^{1}	麻韻
5967a	下會・087ウ4・地儀	永	上	―	―	ɣiuaŋ^{2}	梗韻
5967b	下會・087ウ4・地儀	福	入	―	―	piʌuk	屋韻
5968a	下會・087ウ4・地儀	永	上	―	―	ɣiuaŋ^{2}	梗韻
5968b	下會・087ウ4・地儀	陽	平	―	―	jiɑŋ^{1}	陽韻
5969a	下會・087ウ6・植物	女	上濁	―	―	ṇiʌ$^{2/3}$	語/御韻
5969b	下會・087ウ6・植物	葳	平	ヰ	右傍	'iuʌi^{1}	微韻
5969c	下會・087ウ6・植物	蕤	平	スヰ	右傍	ńiuei^{1}	脂韻
5970a	下會・087ウ6・植物	女	去	チヨ	右傍	ṇiʌ$^{2/3}$	語/御韻
5970b	下會・087ウ6・植物	萎	平	ヰ	右傍	'iue^{1}	支/寘韻
5971a	下會・087ウ6・植物	園	―	ヱン	右傍	ɣiuɑn^{1}	元韻
5971b	下會・087ウ6・植物	豆	―	トウ	右傍	dʌu^{3}	候韻
5972a	下會・087ウ6・植物	猗	上	コウ	右傍	kʌu^{2}	厚韻

5972b	下會・087ウ6・植物	尾	上濁	ヒ	右傍	miʌi^{2}	尾韻
5973	下會・087ウ7・植物	槐	平	クワイ	右傍	ɣuɐi^{1} ɣuʌi^{1}	皆韻 灰韻
5974a	下會・087ウ7・植物	芳	平	ハウ	右傍	p'ɪɑŋ^{1}	陽韻
5974b	下會・087ウ7・植物	枝	平	シ	右傍	tśie^{1}	支韻
5975	下會・087ウ7・植物	櫰	平	クワイ	右傍	ɣuɐi^{1} kuʌi^{1}	皆韻 灰韻
5976	下會・088オ2・動物	猗	—	コウ	右傍	kʌu^{2}	厚韻
5977a	下會・088オ4・人倫	畫	—	クワ	右傍	ɣuɐ^{3} ɣuɐk	卦韻 麥韻
5977b	下會・088オ4・人倫	師	—	シ	右傍	ṣiei^{1}	脂韻
5978a	下會・088オ4・人倫	屠	—	ト	右傍	duʌ^{1} ḍiʌ^{1}	模韻 魚韻
5979	下會・088オ6・人躰	靨	入	エフ	右傍	'jiap	葉韻
5980	下會・088オ6・人躰	癰	去	ヰヨウ	右傍	'iɑuŋ^{1}	鍾韻
5981	下會・088ウ1・人事	穢	—	ヱ ［平］	右注	'iuɑi^{3}	廢韻
5982	下會・088ウ2・人事	詠	—	ヱイ ［平上］	右注	ɣiuaŋ^{3}	映韻
5983a	下會・088ウ3・人事	永	上	ヱイ	右傍	ɣiuaŋ^{2}	梗韻
5983b	下會・088ウ3・人事	隆	平	リウ	右傍	liʌuŋ^{1}	東韻
5983c	下會・088ウ3・人事	樂	—	ラク	右傍	lɑk ŋauk ŋau^{3}	鐸韻 覺韻 効韻
5984	下會・088ウ5・飲食	餌	去濁	シ	右傍	ńiɐi^{3}	志韻
5985	下會・088ウ7・雜物	繪	—	ヱ	右注	ɣuɑi^{1}	泰韻
5986	下會・089オ2・辞字	彫	平	テウ	右傍	teu^{1}	蕭韻
5987	下會・089オ2・辞字	穢	—	ヱ	右注	'iuɑi^{3}	廢韻
5988	下會・089オ2・辞字	號	去	—	—	ɣɑu$^{1/3}$	豪/号韻
5989a	下會・089オ4・重點	遠	—	ヱン	右注	ɣiuan$^{2/3}$	阮/願韻
5989b	下會・089オ4・重點	遠	—	ヱン	右注	ɣiuan$^{2/3}$	阮/願韻
5990a	下會・089オ6・疊字	遠	上	—	—	ɣiuan$^{2/3}$	阮/願韻
5990b	下會・089オ6・疊字	處	平	—	—	tś'iʌ$^{2/3}$	語/御韻
5991a	下會・089オ6・疊字	遠	上		—	ɣiuan$^{2/3}$	阮/願韻
5991b	下會・089オ6・疊字	国	入	—	—	kuʌk	德韻
5992a	下會・089オ6・疊字	遠	上	—	—	ɣiuan$^{2/3}$	阮/願韻
5992b	下會・089オ6・疊字	邦	上	—	—	pauŋ^{1}	江韻
5993a	下會・089オ6・疊字	遠	上	—	—	ɣiuan$^{2/3}$	阮/願韻
5993b	下會・089オ6・疊字	路	去	—	—	luʌ^{3}	暮韻
5994a	下會・089オ6・疊字	營	平	—	—	jiueŋ^{1}	清韻
5994b	下會・089オ6・疊字	断	平	—	—	duɑn^{2} tuɑn$^{2/3}$	緩韻 緩/換韻
5995a	下會・089オ6・疊字	遠	上	—	—	ɣiuan$^{2/3}$	阮/願韻

5995b	下會・089オ6・疊字	山	平	―	―	ṣɐn¹	山韻
5996a	下會・089オ7・疊字	寃	去	ヱン	中注	'iuɑn¹	元韻
5996b	下會・089オ7・疊字	鬼	上	クヰ	中注	kiuʌi²	尾韻
5997a	下會・089オ7・疊字	廻	去	ヱ	中注	ɣuʌi^{1/3}	灰/隊韻
5997b	下會・089オ7・疊字	向	平	カウ	中注	xiɑŋ³ śiɑŋ³	漾韻 漾韻
5998a	下會・089オ7・疊字	榮	平	―	―	ɣiuɑŋ¹	庚韻
5998b	下會・089オ7・疊字	爵	入	―	―	tsiɑk	藥韻
5999a	下會・089オ7・疊字	會	平	ヱ	左注	ɣuɑi³ kuɑi³	泰韻 泰韻
5999b	下會・089オ7・疊字	釋	入	シヤク	左注	śiek	昔韻
6000a	下會・089オ7・疊字	榮	平	ヱイ	左注	ɣiuɑŋ¹	庚韻
6000b	下會・089オ7・疊字	耀	去	エウ	左注	jiau³	笑韻
6001a	下會・089オ7・疊字	榮	平	ヱイ	左注	ɣiuɑŋ¹	庚韻
6001b	下會・089オ7・疊字	華	平	クワ	左注	xua¹ ɣua^{1/3}	麻韻 麻/禡韻
6002a	下會・089ウ1・疊字	詠	去	―	―	ɣiuɑŋ³	映韻
6002b	下會・089ウ1・疊字	歌	平	―	―	kɑ¹	歌韻
6003a	下會・089ウ1・疊字	衛	平	ヱ	左注	jiuai³	祭韻
6003b	下會・089ウ1・疊字	仕	平	シ	左注	dẓiɐi²	止韻
6004a	下會・089ウ1・疊字	猿	平	―	―	ɣiuɑn¹	元韻
6004b	下會・089ウ1・疊字	臂	去	―	―	pjie³	寘韻
6005a	下會・089ウ1・疊字	寃	平	ヱン	左注	'iuɑn¹	元韻
6005b	下會・089ウ1・疊字	枉	上	ワウ	左注	'iuɑŋ²	養韻
6006a	下會・089ウ1・疊字	垣	平	ヱン	中注	ɣiuɑn¹	元韻
6006b	下會・089ウ1・疊字	下	去	カ	中注	ɣa^{2/3}	馬/禡韻
6007a	下會・089ウ1・疊字	遠	上	ヱン	中注	ɣiuɑn^{2/3}	阮/願韻
6007b	下會・089ウ1・疊字	驛	入	ヤク	中注	jiek	昔韻
6008a	下會・089ウ2・疊字	圓	去	―	―	ɣiuan¹	仙韻
6008b	下會・089ウ2・疊字	滿	平	―	―	mɑn²	緩韻
6009a	下會・089ウ2・疊字	遠	上	―	―	ɣiuɑn^{2/3}	阮/願韻
6009b	下會・089ウ2・疊字	見	去	―	―	ken³ ɣen³	霰韻 霰韻
6010a	下會・089ウ2・疊字	越	―	ヱツ	右注	ɣiuɑt	月韻
6010b	下會・089ウ2・疊字	挺	―	テイ	右注	deŋ^{1/2}	青/迥韻
6011a	下會・089ウ3・疊字	圓	平	ヱン	左注	ɣiuan¹	仙韻
6011b	下會・089ウ3・疊字	璧	徳	ヘキ	左注	piek	昔韻
6012a	下會・089ウ3・疊字	遠	上	ヱン	左注	ɣiuɑn^{2/3}	阮/願韻
6012b	下會・089ウ3・疊字	岸	去	カン	左注	ŋɑn³	翰韻
6013a	下會・089ウ3・疊字	永	上	ヱイ	左注	ɣiuɑŋ³	梗韻
6013b	下會・089ウ3・疊字	安	平	アン	左注	'ɑn¹	寒韻
6014a	下會・089ウ5・國郡	越	―	ヱツ	右注	ɣiuɑt	月韻
6014b	下會・089ウ5・國郡	前	―	セン	右注	dzen¹	先韻

6015a	下會・089ウ5・國郡	敦	―	ツル	右傍	tuʌn$^{1/3}$ duɑn^{1} tuʌi^{1}	魂/慁韻 桓韻 灰韻
6015b	下會・089ウ5・國郡	賀	―	カ	右傍	ɣɑ^{3}	箇韻
6016a	下會・089ウ5・國郡	越	―	ヱツ	右注	ɣiuɑt	月韻
6016b	下會・089ウ5・國郡	中	―	チウ	右注	ṭiʌuŋ$^{1/3}$	東/送韻
6017a	下會・089ウ6・國郡	越	―	ヱツ	右注	ɣiuɑt	月韻
6017b	下會・089ウ6・國郡	後	―	コ	右注	ɣʌu$^{2/3}$	厚/候韻
6018a	下會・089ウ6・國郡	古	―	コ	右傍	kuʌ^{2}	姥韻
6018b	下會・089ウ6・國郡	志	―	シ	右傍	tśiɐi^{3}	志韻
6019a	下會・090オ1・官職	衛	―	ヱ	右注	jiuai^{3}	祭韻
6019b	下會・090オ1・官職	門	―	モン	右注	muʌn^{1}	魂韻
6019c	下會・090オ1・官職	府	―	フ	右注	piuʌ^{2}	麌韻
6020a	下會・090オ1・官職	衛	―	ヱ	右注	jiuai^{3}	祭韻
6020b	下會・090オ1・官職	士	―	シ	右注	dẓiɐi^{2}	止韻

【表A-02】下巻_飛篇

番号	前田本所在	掲出字		仮名音注		中古音	韻目
6021	下飛・090オ5・天象	日	入	シツ	右傍	ńiet	質韻
6022a	下飛・090オ5・天象	麗	去	レイ	右傍	lei^{3}	霽韻
6022b	下飛・090オ5・天象	天	平	―	―	t'en^{1}	先韻
6023a	下飛・090オ5・天象	照	去	セウ	右傍	tśiau^{3}	笑韻
6023b	下飛・090オ5・天象	地	去	チ	右傍	diei^{3}	至韻
6024a	下飛・090オ5・天象	火	上	―	―	xuɑ^{2}	果韻
6024b	下飛・090オ5・天象	精	平	―	―	tsieŋ^{1}	清韻
6025	下飛・090オ5・天象	陽	平	―	―	jiɑŋ^{1}	陽韻
6026	下飛・090オ5・天象	暘	平	ヤウ	右傍	jiɑŋ^{1}	陽韻
6027	下飛・090オ5・天象	暾	平	トン	右傍	t'uʌn^{1}	魂韻
6028	下飛・090オ6・天象	曦	平	キ	右傍	xie^{1}	支韻
6029a	下飛・090オ7・天象	牽	平	ケン	右傍	k'en$^{1/3}$	先/霰韻
6029b	下飛・090オ7・天象	牛	平濁	キウ	右傍	ŋiʌu^{1}	尤韻
6030	下飛・090オ7・天象	霈	去	ハイ	右傍	p'ɑi^{3}	泰韻
6031	下飛・090ウ5・地儀	泥	平濁	―	―	nei$^{1/3}$	齊/霽韻
6032	下飛・090ウ5・地儀	塗	平	ト	右傍	duʌ^{1} ḍa^{1}	模韻 麻韻
6033	下飛・090ウ5・地儀	氷	平	ヒヨウ	右傍	pieŋ^{1}	蒸韻
6034a	下飛・090ウ5・地儀	獨	入	トク	右傍	dʌuk	屋韻
6034b	下飛・090ウ5・地儀	梁	平	リヤウ	右傍	liɑŋ^{1}	陽韻
6035	下飛・090ウ6・地儀	獄	入濁	コク	右傍	ŋiauk	燭韻
6036a	下飛・090ウ6・地儀	囹	平	レイ	右傍	leŋ^{1}	青韻
6036b	下飛・090ウ6・地儀	圄	上濁	コ	右傍	ŋiʌ^{2}	語韻

6037	下飛・090ウ6・地儀	庇	去	ヒ	右傍	pjiei[3]	至韻
6038a	下飛・090ウ7・地儀	助	去	ソ	右傍	dẓiʌ[3]	御韻
6038b	下飛・090ウ7・地儀	鋪	平	フ	右傍	p‘uʌ[1/3] p‘iuʌ[1]	模/暮韻 虞韻
6039	下飛・090ウ7・地儀	帟	―	エキ	右傍	jiek	昔韻
6040a	下飛・090ウ7・地儀	飛	平	ヒ	右注	piʌi[1]	微韻
6040b	下飛・090ウ7・地儀	檐	平	エム	右注	jiam[1]	鹽韻
6041	下飛・090ウ7・地儀	枅	平	ケイ	右傍	kei[1]	齊韻
6042	下飛・091オ1・地儀	蓽	―	ヒツ	右注	pjiet	質韻
6043a	下飛・091オ2・地儀	飛	平	ヒ	右傍	piʌi[1]	微韻
6043b	下飛・091オ2・地儀	香	平	キヤウ	右傍	xiɑŋ[1]	陽韻
6044	下飛・091オ4・植物	莧	去	クワン	右傍	ɣɐn[3]	襉韻
6045a	下飛・091オ4・植物	菱	平	リヨウ	右傍	liɐŋ[1]	蒸韻
6045b	下飛・091オ4・植物	子	上	―	―	tsiɐi[2]	止韻
6046a	下飛・091オ4・植物	鏡	去	―	―	kiaŋ[3]	映韻
6047a	下飛・091オ4・植物	薢	―	カイ	右傍	kɐi[1] kɐ[2/3]	皆韻 蟹/卦韻
6047b	下飛・091オ4・植物	茩	―	コウ	右傍	kʌu[2]	厚韻
6048	下飛・091オ4・植物	瓢	平	ヘウ	右注	bjiau[1]	宵韻
6049	下飛・091オ5・植物	匏	平	ハウ	右傍	bau[1]	豪韻
6050	下飛・091オ5・植物	壺	平	コ	右傍	ɣuʌ[1]	模韻
6051	下飛・091オ5・植物	蒜	去	サン	右傍	suɑn[1]	換韻
6052	下飛・091オ6・植物	穭	上	リヨ	右傍	liʌ[2]	語韻
6053a	下飛・091オ6・植物	徐	平	シヨ	右傍	ziʌ[1]	魚韻
6053b	下飛・091オ6・植物	長	平	―	―	ḍiɑŋ[1/3] ṭiɑŋ[2]	陽/漾韻 養韻
6053c	下飛・091オ6・植物	卿	平	―	―	k‘iaŋ[1]	庚韻
6054a	下飛・091オ6・植物	虵	平	―	―	dźia[1] jia[2] jie[1]	麻韻 馬韻 支韻
6054b	下飛・091オ6・植物	床	平	サウ	右傍	dẓiɑŋ[1]	陽韻
6055a	下飛・091オ6・植物	細	去	セイ	右傍	sei[3]	霽韻
6055b	下飛・091オ6・植物	辛	―	シン	右傍	sien[1]	眞韻
6056	下飛・091オ7・植物	萆	―	ヒ	右傍	bɐ[3]	卦韻
6057b	下飛・091オ7・植物	鮮	平	セン	右傍	sian[1/2/3]	仙/獮/線韻
6058a	下飛・091オ7・植物	茵	平	イン	右傍	'jien[1]	眞韻
6058b	下飛・091オ7・植物	陳	平	チン	右傍	ḍien[1/3]	眞/震韻
6058c	下飛・091オ7・植物	蒿	―	カウ	右傍	xɑu[1]	豪韻
6059	下飛・091オ7・植物	荑	平	―	―	jiei[1] dei[1]	脂韻 脂韻
6060	下飛・091ウ1・植物	檜	去	―	―	kuɑi[3] kuɑt	泰韻 末韻

6061	下飛・091ウ1・植物	柃	平	レイ	右傍	leŋ^{1} lieŋ^{2}	青韻 靜韻
6062a	下飛・091ウ1・植物	白	入濁	ヒヤク	右注	bak	陌韻
6062b	下飛・091ウ1・植物	檀	平濁	タン	右注	dɑn^{1}	寒韻
6063a	下飛・091ウ1・植物	檳	—	ヒ	右傍	pjien^{1}	眞韻
6063b	下飛・091ウ1・植物	榔	—	リヤウ	右傍	lɑŋ$^{1/2}$	唐/蕩韻
6064a	下飛・091ウ1・植物	枇	去	ヒ	右注	bjiei$^{1/3}$ pjiei^{2}	脂/至韻 旨韻
6064b	下飛・091ウ1・植物	杷	平	ハ	右注	ba$^{1/3}$ buɐ^{3}	麻/禡韻 卦韻
6065a	下飛・091ウ1・植物	女	上濁	—	—	ṇiʌ$^{2/3}$	語/御韻
6065b	下飛・091ウ1・植物	楨	平	テイ	右傍	ṭieŋ^{1}	清韻
6066a	下飛・091ウ2・植物	檳	平	ヒン	右注	pjien^{1}	眞韻
6066b	下飛・091ウ2・植物	榔	平	ラウ	右注	lɑŋ$^{1/2}$	唐/蕩韻
6066c	下飛・091ウ2・植物	子	—	シ	右注	tsiɐi^{2}	止韻
6067	下飛・091ウ2・植物	楸	平	シウ	右傍	tsʻiʌu^{1}	尤韻
6068b	下飛・091ウ2・植物	芩	—	キン	右傍	giem^{1}	侵韻
6069a	下飛・091ウ2・植物	蕉	平濁	—	—	tsiau^{1}	宵韻
6069b	下飛・091ウ2・植物	夷	平	—	—	jiei^{1}	脂韻
6070	下飛・091ウ3・植物	孽	入濁	ケツ	右傍	ŋiat	薛韻
6071a	下飛・091ウ4・植物	菌	上	クヰン	右傍	giuen^{2} giuɑn^{2}	準韻 阮韻
6071b	下飛・091ウ4・植物	茸	平濁	シヨウ	右傍	ńiɑuŋ^{1}	鍾韻
6072a	下飛・091ウ4・植物	白	—	ヒヤク	右注	bak	陌韻
6072b	下飛・091ウ4・植物	附	—	フ	右注	biuʌ^{3}	遇韻
6072c	下飛・091ウ4・植物	子	—	シ	右注	tsiɐi^{2}	止韻
6073b	下飛・091ウ5・植物	尾	上濁	—	—	miʌi^{2}	尾韻
6074	下飛・091ウ7・動物	鵯	平	ヒ	右傍	pjie^{1} pʻjiet	支韻 質韻
6075a	下飛・091ウ7・動物	鶬	—	サウ	右傍	tsʻɑŋ^{1}	唐韻
6076	下飛・091ウ7・動物	鳹	平	ケム	右傍	giam^{1}	鹽韻
6077	下飛・092オ1・動物	鶵	平	スユ	右傍	dẓiuʌ^{1}	虞韻
6078	下飛・092オ1・動物	鸞	—	ラン	右傍	luɑn^{1}	桓韻
6079	下飛・092オ1・動物	鶼	平	ケム	右傍	kem^{1}	添韻
6080	下飛・092オ1・動物	翹	平	ケウ	右傍	gjiau$^{1/3}$	宵/笑韻
6081	下飛・092オ2・動物	羊	平	ヤウ	右傍	jiɑŋ^{1}	陽韻
6082a	下飛・092オ2・動物	五	上濁	コ	右傍	ŋuʌ^{2}	姥韻
6082b	下飛・092オ2・動物	羖	平	コ	右傍	kuʌ^{2}	姥韻
6083	下飛・092オ2・動物	羝	平	テイ	右傍	tei^{1}	齊韻
6084	下飛・092オ2・動物	羔	平	カウ	右傍	kɑu^{1}	豪韻
6085a	下飛・092オ2・動物	火	上	—	—	xuɑ^{2}	果韻
6085b	下飛・092オ2・動物	鼠	上	—	—	śiʌ^{2}	語韻

6086	下飛・092オ3・動物	蹢	―	テキ	右傍	tek ḍiek	錫韻 昔韻
6087	下飛・092オ3・動物	蹄	―	テイ	右傍	dei[1]	齊韻
6088a	下飛・092オ4・動物	鯷	―	テイ	右傍	dei[1/3] źie[1/2/3]	齊/霽韻 支/紙/寘韻
6089	下飛・092オ4・動物	鰭	平	キ	右傍	giei[1]	脂韻
6975b	下飛・092オ4・動物	頭	―	ツ	右注	dʌu[1]	侯韻
6090a	下飛・092オ5・動物	蟾	平	セム	右傍	tśiam[1] źiam[1]	鹽韻 鹽韻
6090b	下飛・092オ5・動物	蜍	平	シヨ	右傍	dźiʌ[1] jiʌ[1]	魚韻 魚韻
6091b	下飛・092オ5・動物	蜩	平	―	―	deu[1]	蕭韻
6092b	下飛・092オ5・動物	蛭	入	テツ	右傍	tet tiet tśiet	屑韻 質韻 質韻
6093	下飛・092オ5・動物	蛾	平濁	カ	右傍	ŋɑ[1] ŋie[2]	歌韻 紙韻
6094	下飛・092オ6・動物	蜏	上	イウ	右傍	jiʌu[2/3] siʌu[3]	有/宥韻 宥韻
6095a	下飛・092オ6・動物	蜉	―	フ	右傍	biʌu[1]	尤韻
6095b	下飛・092オ6・動物	蝣	―	イフ	右傍	jiʌu[1]	尤韻
6096a	下飛・092ウ1・人倫	曽	平	ソウ	右傍	tsʌŋ[1] dzʌŋ[1]	登韻 登韻
6096b	下飛・092ウ1・人倫	孫	平	ソン	右傍	suʌn[1]	魂韻
6097	下飛・092ウ2・人倫	姫	平	キ	右傍	kiɐi[1] jiɐi[1]	之韻 之韻
6098	下飛・092ウ2・人倫	妃	平	ヒ	右傍	p'iʌi[1] p'uʌi[3]	微韻 隊韻
6099a	下飛・092ウ2・人倫	裨	平	ヒ	右傍	pjie[1] bjie[1]	支韻 支韻
6099b	下飛・092ウ2・人倫	販	平	ハン	右傍	piɑn[3]	願韻
6100a	下飛・092ウ2・人倫	鬻	入	イク	右傍	jiʌuk	屋韻
6101a	下飛・092ウ3・人倫	比	平濁	ヒ	右注	bjiei[1/3] pjiei[2/3] bjiet	脂/至韻 旨/至韻 質韻
6101b	下飛・092ウ3・人倫	丘	上	ク	右注	k'iʌu[1]	尤韻
6102a	下飛・092ウ3・人倫	白	―	ヒヤク	右傍	bak	陌韻
6102b	下飛・092ウ3・人倫	丁	―	チヤウ	右傍	teŋ[1] ṭɐŋ[1]	青韻 耕韻
6103a	下飛・092ウ3・人倫	疋	―	ヒツ [上上]	右注	p'jiet ṣiʌ[1/2] ŋa[2]	質韻 魚/語韻 馬韻

6103b	下飛・092ウ3・人倫	夫	—	フ ［平］	右注	piuʌ^{1} biuʌ^{1}	虞韻 虞韻
6104a	下飛・092ウ3・人倫	風	東	—	—	piʌuŋ$^{1/3}$	東/送韻
6104b	下飛・092ウ3・人倫	姿	平	—	—	tsiei^{1}	脂韻
6105a	下飛・092ウ3・人倫	西	平	セイ	右傍	sei^{1}	齊韻
6105b	下飛・092ウ3・人倫	施	平	シ	右傍	śie$^{1/3}$	支/寘韻
6106a	下飛・092ウ3・人倫	緑	入	リヨク	右傍	liɑuk	燭韻
6106b	下飛・092ウ3・人倫	珠	東	シユ	右傍	tśiuʌ^{1}	虞韻
6107a	下飛・092ウ3・人倫	洛	入	ラク	右傍	lɑk	鐸韻
6107b	下飛・092ウ3・人倫	川	平	セム	右傍	tś'iuan^{1}	仙韻
6108b	下飛・092ウ4・人倫	賔	平	ヒン	右傍	pjien^{1}	眞韻
6109b	下飛・092ウ4・人倫	襟	—	キム	右傍	kiem^{1}	侵韻
6110a	下飛・092ウ5・人倫	偶	上濁	コウ	右傍	ŋʌu$^{2/3}$	厚/候韻
6111	下飛・092ウ7・人躰	額	入濁	カク	右傍	ŋak	陌韻
6112	下飛・092ウ7・人躰	顱	平	ロ	右傍	luʌ^{1}	模韻
6113	下飛・092ウ7・人躰	題	平	テイ	右傍	dei$^{1/3}$	齊/霽韻
6114	下飛・092ウ7・人躰	眸	平濁	ホウ	右傍	miʌu^{1}	尤韻
6115	下飛・093オ1・人躰	鬢	去濁	ヒン	右傍	pjien^{3}	震韻
6116a	下飛・093オ1・人躰	食	入	シヨク	右傍	dźiɐk jiɐi^{3}	職韻 志韻
6117	下飛・093オ1・人躰	髭	平	シ	右傍	tsie^{1}	支韻
6118	下飛・093オ2・人躰	鬚	平	ス	右傍	siuʌ^{1}	虞韻
6119	下飛・093オ2・人躰	臂	去	ヒ	右傍	pjie^{3}	寘韻
6120	下飛・093オ2・人躰	肱	平	トウ	右傍	kuʌŋ^{1}	登韻
6121	下飛・093オ3・人躰	膝	入	シツ	右傍	siet	質韻
6122b	下飛・093オ3・人躰	舸	平	カ	右傍	k'ɑ^{1}	歌韻
6123	下飛・093オ3・人躰	朘	平	—	—	tsuʌi^{1} tsiuan^{1}	灰韻 仙韻
6124a	下飛・093オ4・人躰	失	入	シツ	右傍	śiet	質韻
6124b	下飛・093オ4・人躰	聲	平	セイ	右傍	śieŋ^{1}	清韻
6125a	下飛・093オ4・人躰	痿	平	ヰ	右傍	'iue^{1} ńiue^{1}	支韻 支韻
6125b	下飛・093オ4・人躰	痺	去	ヒ	右傍	pjie^{1}	支韻
6126	下飛・093オ4・人躰	疼	平	—	—	dɑuŋ^{1}	冬韻
6127	下飛・093オ4・人躰	疼	—	トウ	右傍	dɑuŋ^{1}	冬韻
6128b	下飛・093オ5・人躰	翳	去	エイ	右傍	'ei$^{1/3}$	齊/霽韻
6129	下飛・093オ5・人躰	瘃	入	キク	右傍	ṭiɑuk	燭韻
6130	下飛・093オ7・人事	嚬	平	ヒン	右傍	bjien^{1}	眞韻
6131	下飛・093オ7・人事	粥	—	イク	右傍	jiʌuk tśiʌuk	屋韻 屋韻
6132	下飛・093ウ2・人事	囂	平	ケウ	右傍	xiau^{1} ŋɑu^{1}	宵韻 豪韻
6133	下飛・093ウ2・人事	嚚	平濁	キン	右傍	ŋien^{1}	眞韻

6134b	下飛・093ウ4・人事	偶	上	―	―	ŋʌu$^{2/3}$	厚/候韻
6135	下飛・093ウ7・飲食	醬	平 去	シヤウ	右傍	tsiɑŋ^{3}	漾韻
6136b	下飛・093ウ7・飲食	漿	平	シヤウ	右傍	tsiɑŋ^{1}	陽韻
6137a	下飛・094オ1・飲食	糄	上	ヘン	右傍	pen^{2}	銑韻
6137b	下飛・094オ1・飲食	糠	入	サク	右傍	ṣak	陌韻
6138	下飛・094オ1・飲食	糲	去	レイ	右傍	liai^{3} lɑi^{3} lɑt	祭韻 泰韻 曷韻
6139	下飛・094オ1・飲食	糲	入	ラツ	右傍	lɑt liai^{3} lɑi^{3}	曷韻 祭韻 泰韻
6140a	下飛・094オ1・飲食	神	平	シン	右傍	dźien^{1}	眞韻
6140b	下飛・094オ1・飲食	籬	平	リ	右傍	lie^{1}	支韻
6141a	下飛・094オ2・飲食	饆	入	ヒチ	右注	pjiet	質韻
6141b	下飛・094オ2・飲食	饠	平	ラ	右注	lɑ^{1}	歌韻
6142a	下飛・094オ3・飲食	炒	上	サウ	右傍	tṣʻau^{2}	巧韻
6142b	下飛・094オ3・飲食	僨	去	ヒ	右傍	(biei^{3})	至韻
6143	下飛・094オ5・雜物	釧	去	セン	右傍	tśʻiuan^{3}	線韻
6144a	下飛・094オ5・雜物	檜	去	クワイ	右傍	kuɑi^{3} kuɑt	泰韻 末韻
6145b	下飛・094オ5・雜物	楚	―	ソ	右注	tṣʻiʌ$^{2/3}$	語/御韻
6146a	下飛・094オ6・雜物	琵	平濁	ヒ	右注	bjiei^{1}	脂韻
6146b	下飛・094オ6・雜物	琶	平	ハ	右注	ba^{1}	麻韻
6147a	下飛・094オ6・雜物	馬	上濁	ハ	中注	ma^{2}	馬韻
6147b	下飛・094オ6・雜物	上	去	シヤウ	中注	źiɑŋ$^{2/3}$	養/漾韻
6148a	下飛・094オ6・雜物	篳	入	ヒチ	右注	pjiet	質韻
6148b	下飛・094オ6・雜物	篥	入	リキ	右注	liet	質韻
6149a	下飛・094オ6・雜物	拍	入	ヒヤウ	右注	pʻak	陌韻
6149b	下飛・094オ6・雜物	子	―	シ	右注	tsiɐi^{2}	止韻
6150a	下飛・094オ6・雜物	拍	入	ハク	右傍	pʻak	陌韻
6151a	下飛・094オ6・雜物	金	去	コム	右傍	kiem^{1}	侵韻
6151b	下飛・094オ6・雜物	皷	平	ク	右傍	kuʌ^{2}	姥韻
6152a	下飛・094オ7・雜物	流	平	リウ	右傍	liʌu^{1}	尤韻
6152b	下飛・094オ7・雜物	烏	平	ヲ	右傍	ʼuʌ^{1}	模韻
6153a	下飛・094オ7・雜物	舟	平	―	―	tśiʌu^{1}	尤韻
6153b	下飛・094オ7・雜物	輝	平	―	―	xiuʌi^{1}	微韻
6154b	下飛・094オ7・雜物	爐	平	ロ	右傍	luʌ^{1}	模韻
6155b	下飛・094オ7・雜物	筯	去	チヨ	右傍	ḍiʌ^{3}	御韻
6156	下飛・094ウ1・雜物	燧	―	スイ	右傍	ziuei^{3}	至韻
6157	下飛・094ウ1・雜物	鑽	―	サン	右傍	tsuɑn$^{1/3}$	桓/換韻
6158a	下飛・094ウ1・雜物	單	平	タン	右傍	tɑn^{1} źian$^{1/2/3}$	寒韻 仙/獮/線韻
6158b	下飛・094ウ1・雜物	衣	平	イ	右傍	ʼiʌi$^{1/3}$	微/未韻

6159a	下飛・094ウ2・雑物	衿	平	キム	右傍	kiem^{1} giem^{3}	侵韻 沁韻
6159b	下飛・094ウ2・雑物	帶	去	タイ	右傍	tɑi^{3}	泰韻
6160a	下飛・094ウ2・雑物	蔽	去	ヘイ	右傍	pjiai^{3}	祭韻
6160b	下飛・094ウ2・雑物	髮	入	ハチ	右傍	piɑt	月韻
6161a	下飛・094ウ2・雑物	白	―	ヒヤク	右注	bak	陌韻
6161b	下飛・094ウ2・雑物	盖	去	カイ	右注	kɑi^{3} ɣɑp kɑp	泰韻 盍韻 盍韻
6162a	下飛・094ウ2・雑物	蘿	平	ラ	右傍	lɑ^{1}	歌韻
6162b	下飛・094ウ2・雑物	鬘	去	―	―	man^{1}	刪韻
6163	下飛・094ウ3・雑物	紉	上濁	チム	右傍	nien^{1}	眞韻
6164	下飛・094ウ3・雑物	櫃	去	クヰ	右傍	giuei^{3}	至韻
6165	下飛・094ウ3・雑物	杓	入	シヤク	右傍	dźiɑk tek pjiau^{1} pʻjiau^{1}	藥韻 錫韻 宵韻 宵韻
6166	下飛・094ウ3・雑物	壷	平	コ	右傍	ɣuʌ^{1}	模韻
6167a	下飛・094ウ4・雑物	鼻	―	ヒ	右注	bjiei^{3}	至韻
6167b	下飛・094ウ4・雑物	髙	―	カウ	右注	kɑu^{1}	豪韻
6168a	下飛・094ウ4・雑物	楲	平	ヰ	右傍	ʼiuʌi^{1}	微韻
6168b	下飛・094ウ4・雑物	窬	平	トウ	右傍	dʌu$^{1/3}$ jiuʌ^{1}	侯/候韻 虞韻
6169	下飛・094ウ4・雑物	杼	上	チヨ	右傍	ḍiʌ^{2} dźiʌ^{2}	語韻 語韻
6170	下飛・094ウ4・雑物	梭	平	サ	右傍	suɑ^{1}	戈韻
6171a	下飛・094ウ5・雑物	長	平	―	―	ḍiɑŋ$^{1/3}$ ṭiɑŋ^{2}	陽/漾韻 養韻
6171b	下飛・094ウ5・雑物	簷	平	エム	右傍	jiam^{1}	鹽韻
6172a	下飛・094ウ6・雑物	筆	―	ヒツ	右傍	piet	質韻
6172b	下飛・094ウ6・雑物	臺	上濁	タイ	右傍	dʌi^{1}	咍韻
6173	下飛・094ウ6・雑物	艜	去	タイ	右傍	tɑi^{3}	泰韻
6174	下飛・094ウ6・雑物	棑	―	ヒ	右注	bɐ^{1} buɐi^{3}	佳韻 怪韻
6175a	下飛・094ウ6・雑物	副	去	フ	右傍	pʻiʌu^{3} pʻiʌuk pʻiɐk	宥韻 屋韻 職韻
6176a	下飛・094ウ6・雑物	百	―	ヒヤク	右傍	pak	陌韻
6176b	下飛・094ウ6・雑物	和	―	ワ	右傍	ɣuɑ$^{1/3}$	戈/過韻
6176c	下飛・094ウ6・雑物	香	―	カウ	右傍	xiɑŋ^{1}	陽韻
6177	下飛・094ウ7・雑物	盆	―	ヒン	右傍	buʌn^{1}	魂韻

6178a	下飛・094ウ7・雜物	叉	―	サ	右傍	tʂ'a[1] tʂ'ɐ[1]	麻韻 佳韻
6179	下飛・094ウ7・雜物	籗	入	クワク	右傍	k'uɑk dʐauk	鐸韻 覺韻
6180a	下飛・094ウ7・雜物	砒	上	ヒ	右注	p'ei[1]	齊韻
6180b	下飛・094ウ7・雜物	青	平	サイ	右注	ts'eŋ[1]	青韻
6181a	下飛・094ウ7・雜物	屏	去濁	ヒヤウ	右傍	pieŋ[1/2] beŋ[1]	清/靜韻 青韻
6181b	下飛・094ウ7・雜物	風	上	フ	右傍	piʌuŋ[1/3]	東/送韻
6182	下飛・094ウ7・雜物	碑	―	ヒ ［平］	右傍	pie[1]	支韻
6183	下飛・094ウ7・雜物	棺	平 去	クワン	右傍	kuɑn[1/3]	桓/換韻
6184a	下飛・095オ1・雜物	秘	―	ヒ	右注	piei[3]	至韻
6184b	下飛・095オ1・雜物	乪	―	ソク	右注	ʂiɐk	職韻
6185a	下飛・095オ1・雜物	鐶	平	クワン	右傍	ɣuan[1]	删韻
6185b	下飛・095オ1・雜物	劒	去	ケン	右傍	kiʌm[3]	梵韻
6186a	下飛・095オ2・雜物	襞	入	ヘキ	右傍	piek	昔韻
6186b	下飛・095オ2・雜物	積	入	セキ	右傍	tsiek tsie[3]	昔韻 寘韻
6187a	下飛・095オ2・雜物	鑊	―	クワク	右傍	ɣuɑk	鐸韻
6188a	下飛・095オ2・雜物	白	―	ヒヤク	右傍	bak	陌韻
6188b	下飛・095オ2・雜物	鑞	―	ラウ	右傍	lɑp	盍韻
6189a	下飛・095オ2・雜物	屏	上濁	ヒヤウ	右注	pieŋ[1/2] beŋ[1]	清/靜韻 青韻
6189b	下飛・095オ2・雜物	繖	上濁	サン	右注	sɑn[2/3]	旱/翰韻
6190a	下飛・095オ2・雜物	屏	上濁	ヘイ	右傍	pieŋ[1/2] beŋ[1]	清/靜韻 青韻
6191a	下飛・095オ2・雜物	平	―	ヒヤウ	右傍	biaŋ[1] bjian[1]	庚韻 仙韻
6191b	下飛・095オ2・雜物	文	―	モン	右傍	miuʌn[1]	文韻
6192	下飛・095オ4・光彩	光	平	クワウ	右傍	kuɑŋ[1/3]	唐/宕韻
6193	下飛・095オ4・光彩	輝	平	クヰ	右傍	xiuʌi[1]	微韻
6194	下飛・095オ4・光彩	文	平濁	フン	右傍	miuʌn[1]	文韻
6195	下飛・095オ4・光彩	芒	平濁	ハウ	右傍	mɑŋ[1] miɑŋ[1]	唐韻 陽韻
6196	下飛・095オ4・光彩	焆	平	ケン	右傍	kuen[1] 'uet 'iat	先韻 屑韻 薛韻
6197	下飛・095オ4・光彩	燀	平	セン	右傍	tś'ian[1/2] tśian[2]	仙/獮韻 獮韻
6198	下飛・095オ4・光彩	熒	平	ケイ	右傍	ɣueŋ[1]	青韻
6199	下飛・095オ4・光彩	煇	平	クヰ	右傍	xiuʌi[1] ɣuʌn[1/2]	微韻 魂/混韻

6200	下飛・095オ5・光彩	晶	平	セイ	右傍	tsieŋ¹	清韻
6201a	下飛・095オ5・光彩	白	入濁	ヒヤク	右傍	bak	陌韻
6201b	下飛・095オ5・光彩	青	上	シヤウ	右傍	ts'eŋ¹	青韻
6202a	下飛・095オ5・光彩	柃	平	レイ	右傍	leŋ¹ lieŋ²	青韻 靜韻
6203	下飛・095オ7・方角	坤	平	コン	右傍	k'uʌn¹	魂韻
6204	下飛・095ウ2・員數	尋	―	シム	右傍	ziem¹	侵韻
6205	下飛・095ウ2・員數	齊	平	―	―	dzei^1/3	齊/霽韻
6206	下飛・095ウ2・員數	均	平	クヰン	右傍	kjiuen¹	諄韻
6207	下飛・095ウ2・員數	疋	―	ヒキ	右注	p'jiet ṣiʌ^1/2 ŋa²	質韻 魚/語韻 馬韻
6208	下飛・095ウ4・辞字	拖	平	タ	右傍	t'ɑ¹ dɑ²	歌韻 哿韻
6209	下飛・095ウ5・辞字	揄	平	イウ	右傍	jiʌu¹ jiuʌ¹ dʌu^1/2	尤韻 虞韻 侯/厚韻
6210	下飛・095ウ6・辞字	抾	平	キヨ	右傍	k'iɐi¹ k'iɑp	之韻 業韻
6211	下飛・095ウ7・辞字	婁	―	ル	右傍	liuʌ¹ lʌu¹	虞韻 侯韻
6212	下飛・096オ1・辞字	暵	―	カン	右傍	xɑn^2/3	旱/翰韻
6213	下飛・096オ2・辞字	秘	―	ヒ [去]	右注	piei³	至韻
6214	下飛・096オ4・辞字	拾	―	シフ	右傍	źiep	緝韻
6215	下飛・096ウ1・辞字	均	平	クヰン	右注	kjiuen¹	諄韻
6216	下飛・096ウ1・辞字	齊	―	セイ	右傍	dzei^1/3	齊/霽韻
6217	下飛・096ウ2・辞字	衡	平	カウ	右傍	ɣaŋ¹	庚韻
6218	下飛・096ウ3・辞字	恢	平	クワイ	右傍	k'uʌi²	灰韻
6219	下飛・096ウ4・辞字	熙	平	キ	右傍	xiɐi¹	之韻
6220	下飛・096ウ4・辞字	混	去	コン	右傍	ɣuʌn²	混韻
6221	下飛・096ウ6・辞字	繙	―	ハン	右傍	p'iɑn¹	元韻
6222	下飛・096ウ7・辞字	熸	平	セム	右傍	tsiam¹	鹽韻
6223	下飛・097オ2・辞字	偏	―	ヘン	右傍	p'jian^1/3	仙/線韻
6224	下飛・097オ2・辞字	扁	平	―	―	ben² pen² p'jian¹ bjian²	銑韻 銑韻 仙韻 獮韻
6225	下飛・097オ3・辞字	垤	入	テチ	右注	det	屑韻
6226	下飛・097オ5・辞字	潜	平	サム	右傍	dziam¹	鹽韻
6227	下飛・097ウ1・辞字	繙	平	ハン	右傍	p'iɑn¹	元韻
6228	下飛・097ウ1・辞字	飄	―	ヘウ	右傍	p'jiau¹ bjiau¹	宵韻 宵韻

6229	下飛・097ウ1・辞字	熸	平	—	—	tsiam¹	鹽韻
6230a	下飛・097ウ3・重點	蜜	—	ヒツ	右注	mjiet	質韻
6230b	下飛・097ウ3・重點	蜜	—	ヒツ	右注	mjiet	質韻
6231a	下飛・097ウ5・疊字	旻	平	ヒン	中注	mien¹	眞韻
6231b	下飛・097ウ5・疊字	天	平	テン	中注	t'en¹	先韻
6232a	下飛・097ウ5・疊字	避	去	ヒ	左注	bjie³	寘韻
6232b	下飛・097ウ5・疊字	暑	上	シヨ	左注	śiʌ²	語韻
6233a	下飛・097ウ5・疊字	美	上	ヒ	右注	miei²	旨韻
6233b	下飛・097ウ5・疊字	景	上	ケイ	右注	kiaŋ²	梗韻
6234a	下飛・097ウ5・疊字	未	上	ヒ	右注	miʌi³	未韻
6234b	下飛・097ウ5・疊字	明	平	メイ	右注	miaŋ¹	庚韻
6235a	下飛・097ウ5・疊字	微	平	—	—	miʌi¹	微韻
6235b	下飛・097ウ5・疊字	時	平	—	—	źiɐi¹	之韻
6236a	下飛・097ウ5・疊字	比	平	—	—	bjiei¹ᐟ³ pjiei²ᐟ³ bjiet	脂/至韻 旨/至韻 質韻
6236b	下飛・097ウ5・疊字	郡	去	—	—	giuʌn³	問韻
6237a	下飛・097ウ6・疊字	比	平	ヒ	左注	bjiei¹ᐟ³ pjiei²ᐟ³ bjiet	脂/至韻 旨/至韻 質韻
6237b	下飛・097ウ6・疊字	屋	入	ヲク	左注	'ʌuk	屋韻
6238a	下飛・097ウ6・疊字	兵	去	—	—	piaŋ¹	庚韻
6238b	下飛・097ウ6・疊字	舩	平	—	—	dźiuan¹	仙韻
6239a	下飛・097ウ6・疊字	飛	平	ヒ	左注	piʌi¹	微韻
6239b	下飛・097ウ6・疊字	帆	平	ハム	左注	biʌm¹ᐟ³	凡/梵韻
6240a	下飛・097ウ6・疊字	譬	平	ヒ	中注	p'jie³	寘韻
6240b	下飛・097ウ6・疊字	喩	平	ユ	中注	jiuʌ³	遇韻
6241a	下飛・097ウ6・疊字	白	入濁	ヒヤク	左注	bak	陌韻
6241b	下飛・097ウ6・疊字	毫	去濁	カウ	左注	ɣɑu¹	豪韻
6242a	下飛・097ウ6・疊字	非	去	—	—	piʌi¹	微韻
6242b	下飛・097ウ6・疊字	時	上	—	—	źiɐi¹	之韻
6243a	下飛・097ウ7・疊字	嬪	平	—	—	bjien¹	眞韻
6243b	下飛・097ウ7・疊字	御	去	—	—	ŋiʌ³	御韻
6244a	下飛・097ウ7・疊字	品	上	—	—	p'iem²	寑韻
6244b	下飛・097ウ7・疊字	藻	上	—	—	tsɑu²	晧韻
6245a	下飛・097ウ7・疊字	弥	平濁	ヒ	中注	mjie¹	支韻
6245b	下飛・097ウ7・疊字	留	—	リウ	中注	liʌu¹ᐟ³	尤/宥韻
6246a	下飛・097ウ7・疊字	白	入	—	—	bak	陌韻
6246b	下飛・097ウ7・疊字	丁	上	—	—	teŋ¹ ṭeŋ¹	青韻 耕韻
6247a	下飛・097ウ7・疊字	美	上	—	—	miei²	旨韻
6247b	下飛・097ウ7・疊字	女	上	—	—	ṇiʌ²ᐟ³	語/御韻

6248a	下飛・097ウ7・疊字	美	上	―	―	miei^{2}	旨韻
6248b	下飛・097ウ7・疊字	人	平濁	―	―	ńien^{1}	眞韻
6249a	下飛・098オ1・疊字	美	上	ヒ	左注	miei^{2}	旨韻
6249b	下飛・098オ1・疊字	麗	平	レイ	左注	lei^{3}	霽韻
6250a	下飛・098オ1・疊字	美	―	ヒ	右注	miei^{2}	旨韻
6250b	下飛・098オ1・疊字	操	―	サウ	右注	ts‘ɑu$^{1/3}$ sʌu^{2}	豪/号韻 厚韻
6251a	下飛・098オ1・疊字	美	上	―	―	miei^{2}	旨韻
6251b	下飛・098オ1・疊字	好	上	―	―	xɑu$^{2/3}$	晧/号韻
6252a	下飛・098オ1・疊字	卑	平	ヒ	左注	pjie^{1}	支韻
6252b	下飛・098オ1・疊字	下	平濁	ケ	左注	ɣa$^{2/3}$	馬/禡韻
6253a	下飛・098オ1・疊字	蟁	平	―	―	mɐŋ^{1}	耕韻
6253b	下飛・098オ1・疊字	民	平	―	―	mjien^{1}	眞韻
6254a	下飛・098オ1・疊字	鄙	上	ヒ	左注	piei^{2}	旨韻
6254b	下飛・098オ1・疊字	人	平	シン	左注	ńien^{1}	眞韻
6255a	下飛・098オ2・疊字	匹	入	―	―	p‘jiet	質韻
6255b	下飛・098オ2・疊字	夫	平	―	―	piuʌ^{1} biuʌ^{1}	虞韻 虞韻
6256a	下飛・098オ2・疊字	鄙	上	―	―	piei^{2}	旨韻
6256b	下飛・098オ2・疊字	陋	去	―	―	lʌu^{3}	候韻
6257a	下飛・098オ2・疊字	匪	上	ヒ	右注	piʌi^{2}	尾韻
6257b	下飛・098オ2・疊字	石	入	セキ	右注	źiek	昔韻
6258a	下飛・098オ2・疊字	誹	平	ヒ	左注	piʌi$^{1/3}$	微/未韻
6258b	下飛・098オ2・疊字	謗	平	ハウ	左注	pɑŋ^{3}	宕韻
6259a	下飛・098オ2・疊字	繆	去	―	―	mieu$^{1/3}$ miʌu^{1} miʌuk	幽/幼韻 尤韻 屋韻
6259b	下飛・098オ2・疊字	言	平	―	―	ŋiɑn^{1}	元韻
6260a	下飛・098オ2・疊字	悲	平	―	―	piei^{1}	脂韻
6260b	下飛・098オ2・疊字	慟	去	―	―	dʌuŋ^{3}	送韻
6261a	下飛・098オ3・疊字	皮	平	ヒ	左注	ble^{1}	支韻
6261b	下飛・098オ3・疊字	膚	平	フ	左注	piuʌ^{1}	虞韻
6262a	下飛・098オ3・疊字	肥	―	ヒ	右注	biʌi^{1}	微韻
6262b	下飛・098オ3・疊字	膚		フ	右注	piuʌ^{1}	虞韻
6263a	下飛・098オ3・疊字	眉	―	ヒ	右注	miei^{1}	脂韻
6263b	下飛・098オ3・疊字	目	―	ホク	右注	miʌuk	屋韻
6264a	下飛・098オ3・疊字	肥	平	―	―	biʌi^{1}	微韻
6264b	下飛・098オ3・疊字	滿	上	―	―	mɑn^{2}	緩韻
6265a	下飛・098オ3・疊字	微	平	―	―	miʌi^{1}	微韻
6265b	下飛・098オ3・疊字	弱	入	―	―	ńiɑk	藥韻
6266a	下飛・098オ3・疊字	非	去	―	―	piʌi^{1}	微韻
6266b	下飛・098オ3・疊字	死	上	―	―	siei^{2}	旨韻
6267a	下飛・098オ4・疊字	秘	去	―	―	piei^{3}	至韻

6267b	下飛・098オ4・疊字	隠	上	―	―	'iʌn$^{2/3}$	隠/焮韻
6268a	下飛・098オ4・疊字	秘	去	ヒ	左注	piei^{3}	至韻
6268b	下飛・098オ4・疊字	蔵	平	サウ	左注	dzɑŋ$^{1/3}$	唐/宕韻
6269a	下飛・098オ4・疊字	秘	平	ヒ	左注	piei^{3}	至韻
6269b	下飛・098オ4・疊字	密	入	ミチ	左注	miet	質韻
6270a	下飛・098オ4・疊字	密	入	ヒツ	左注	miet	質韻
6270b	下飛・098オ4・疊字	通	平	トウ	左注	t'ʌuŋ^{1}	東韻
6271a	下飛・098オ4・疊字	紕	平	ヒ	左注	bjie^{1} p'jiei^{1} tś'iɐ^{i2}	支韻 脂韻 止韻
6271b	下飛・098オ4・疊字	繆	平濁	ヒウ	左注	mieu$^{1/3}$ miʌu^{1} miʌuk	幽/幼韻 尤韻 屋韻
6272a	下飛・098オ4・疊字	謬	去	ヒウ	左注	mieu^{1}	幼韻
6272b	下飛・098オ4・疊字	説	入	セツ	左注	śiuat	薛韻
6273a	下飛・098オ5・疊字	蜜	入	ミツ	右傍	mjiet	質韻
6273b	下飛・098オ5・疊字	語	上	コ	右傍	ŋiʌ$^{2/3}$	語/御韻
6274a	下飛・098オ5・疊字	謬	―	ヒウ	左注	mieu^{1}	幼韻
6274b	下飛・098オ5・疊字	言	―	ケン	左注	ŋiɑn^{1}	元韻
6275a	下飛・098オ5・疊字	比	平	―	―	bjiei$^{1/3}$ pjiei$^{2/3}$ bjiet	脂/至韻 旨/至韻 質韻
6275b	下飛・098オ5・疊字	翼	入	―	―	jiɐk	職韻
6276a	下飛・098オ5・疊字	賓	平	―	―	pjien^{1}	眞韻
6276b	下飛・098オ5・疊字	客	入	―	―	k'ak	陌韻
6277a	下飛・098オ5・疊字	匹	(入)	ヒツ	左注	p'jiet	質韻
6277b	下飛・098オ5・疊字	夫	上	フ	左注	piuʌ^{1} biuʌ^{1}	虞韻 虞韻
6278a	下飛・098オ5・疊字	卑	平	―	―	pjie^{1}	支韻
6278b	下飛・098オ5・疊字	人	去	―	―	ńien^{1}	眞韻
6279a	下飛・098オ6・疊字	微	平	―	―	miʌi^{1}	微韻
6280a	下飛・098オ6・疊字	貧	平 去	ヒン	左注	bien^{1}	眞韻
6280b	下飛・098オ6・疊字	賤	平 去	セン	左注	dzian^{3}	線韻
6281a	下飛・098オ6・疊字	貧	去	ヒン	左注	bien^{1}	眞韻
6281b	下飛・098オ6・疊字	弊	平	ヘイ	左注	bjiai^{3}	祭韻
6282a	下飛・098オ6・疊字	貧	去	ヒン	左注	bien^{1}	眞韻
6282b	下飛・098オ6・疊字	窮	上	ク	左注	giʌuŋ^{1}	東韻
6283a	下飛・098オ6・疊字	貧	平	―	―	bien^{1}	眞韻
6283b	下飛・098オ6・疊字	家	平	―	―	ka^{1}	麻韻
6284a	下飛・098オ7・疊字	貧	平	―	―	bien^{1}	眞韻
6284b	下飛・098オ7・疊字	者	上	―	―	tśia^{2}	馬韻
6285a	下飛・098オ7・疊字	貧	平	―	―	bien^{1}	眞韻

6285b	下飛・098オ7・疊字	婁	平	—	—	lʌu^{1} liuʌ^{1}	侯韻 虞韻
6286a	下飛・098オ7・疊字	僶	上	ヒン	左注	mjien^{2}	軫韻
6286b	下飛・098オ7・疊字	俛	上	ハン	左注	mian^{2}	獮韻
6287a	下飛・098オ7・疊字	擯	平	ヒツ	左注	pjien^{3}	震韻
6287b	下飛・098オ7・疊字	出	入	シユツ	左注	tś'iuet tś'iuei^{3}	術韻 至韻
6288a	下飛・098オ7・疊字	譬	平	—	—	p'jie^{3}	寘韻
6288b	下飛・098オ7・疊字	喩	平	—	—	jiuʌ^{3}	遇韻
6289a	下飛・098オ7・疊字	秘	去	—	—	piei^{3}	至韻
6289b	下飛・098オ7・疊字	書	平	—	—	śiʌ^{1}	魚韻
6290a	下飛・098ウ1・疊字	筆	入	ヒツ	右注	piet	質韻
6290b	下飛・098ウ1・疊字	削	入	サク	右注	siɑk	薬韻
6291a	下飛・098ウ1・疊字	筆	入	ヒツ	左注	piet	質韻
6291b	下飛・098ウ1・疊字	跡	入	セキ	左注	tsiek	昔韻
6292a	下飛・098ウ1・疊字	比	平	ヒ	右注	bjiei$^{1/3}$ pjiei$^{2/3}$ bjiet	脂/至韻 旨/至韻 質韻
6292b	下飛・098ウ1・疊字	校	去	ケウ	右注	kau^{3} ɣau^{3}	效韻 效韻
6293a	下飛・098ウ1・疊字	筆	入	ヒツ	左注	piet	質韻
6293b	下飛・098ウ1・疊字	勢	平	セイ	左注	śiai^{3}	祭韻
6294a	下飛・098ウ1・疊字	筆	入	—	—	piet	質韻
6294b	下飛・098ウ1・疊字	海	上	—	—	xʌi^{2}	海韻
6295a	下飛・098ウ1・疊字	被	去	ヒ	左注	bie^{2}	紙韻
6295b	下飛・098ウ1・疊字	盗	上	タウ	左注	dɑu^{3}	号韻
6296a	下飛・098ウ2・疊字	評	平	ヒヤウ	左注	biaŋ$^{1/3}$	庚/映韻
6296b	下飛・098ウ2・疊字	定	平	チヤウ	左注	teŋ^{3} deŋ^{3}	徑韻 徑韻
6297a	下飛・098ウ2・疊字	兵	去	—	—	piaŋ^{1}	庚韻
6297b	下飛・098ウ2・疊字	革	入	—	—	kɐk	麦韻
6298a	下飛・098ウ2・疊字	兵	去	—	—	piaŋ^{1}	庚韻
6298b	下飛・098ウ2・疊字	杖	上	—	—	ḍiɑŋ^{2}	養韻
6299a	下飛・098ウ2・疊字	兵	去			piaŋ^{1}	庚韻
6299b	下飛・098ウ2・疊字	乱	上	—	—	luɑn^{3}	換韻
6300a	下飛・098ウ2・疊字	飛	平	ヒ	左注	piʌi^{1}	微韻
6300b	下飛・098ウ2・疊字	騰	平	トウ	左注	dʌŋ^{1}	登韻
6301a	下飛・098ウ2・疊字	非	去	ヒ	左注	piʌi^{1}	微韻
6301b	下飛・098ウ2・疊字	道	平	タウ	左注	dɑu^{2}	晧韻
6302a	下飛・098ウ3・疊字	非	去	ヒ	右注	piʌi^{1}	微韻
6302b	下飛・098ウ3・疊字	理	平	リ	右注	liɐi^{2}	止韻
6303a	下飛・098ウ3・疊字	非	去	ヒ	左注	piʌi^{1}	微韻
6303b	下飛・098ウ3・疊字	法	入	ホフ	左注	piʌp	乏韻

6304a	下飛・098ウ3・疊字	非	去	（ヒ）	左注	piʌi¹	微韻
6304b	下飛・098ウ3・疊字	律	入	―	―	liuet	術韻
6305a	下飛・098ウ3・疊字	非	上	ヒ	左注	piʌi¹	微韻
6305b	下飛・098ウ3・疊字	常	平	シヤウ	左注	źiɑŋ¹	陽韻
6306a	下飛・098ウ3・疊字	美	上	ヒ	左注	miei²	旨韻
6306b	下飛・098ウ3・疊字	食	入	シヨク	左注	dźiɐk jiɐi³	職韻 志韻
6307a	下飛・098ウ3・疊字	美	上	―	―	miei²	旨韻
6307b	下飛・098ウ3・疊字	酒	上	―	―	tsiʌu²	有韻
6308a	下飛・098ウ4・疊字	非	去	―	―	piʌi¹	微韻
6308b	下飛・098ウ4・疊字	戸	上	―	―	ɣuʌ²	姥韻
6309a	下飛・098ウ4・疊字	飛	―	ヒ	左注	piʌi¹	微韻
6309b	下飛・098ウ4・疊字	驛	―	ヤク	左注	jiek	昔韻
6310a	下飛・098ウ4・疊字	微	平	ヒ	左注	miʌi¹	微韻
6310b	下飛・098ウ4・疊字	行	平濁	カウ	左注	ɣaŋ^1/3 ɣɑŋ^1/3	庚/映韻 唐/宕韻
6311a	下飛・098ウ4・疊字	平	去濁	ヒヤウ	中注	biaŋ¹ bjian¹	庚韻 仙韻
6311b	下飛・098ウ4・疊字	等	平濁	トウ	中注	tʌŋ²	等韻
6312a	下飛・098ウ5・疊字	裨	平	ヒ	左注	pjie¹ bjie¹	支韻 支韻
6312b	下飛・098ウ5・疊字	并	上	ヒヤウ	左注	pieŋ^1/3	清/勁韻
6313a	下飛・098ウ5・疊字	疲	平	―	―	bie¹	支韻
6313b	下飛・098ウ5・疊字	牛	平濁	―	―	ŋiʌu¹	尤韻
6314a	下飛・098ウ5・疊字	疲	平	―	―	bie¹	支韻
6314b	下飛・098ウ5・疊字	頓	去	―	―	tuʌn³	慁韻
6315a	下飛・098ウ5・疊字	牝	去	ヒン	右注	bjien² bjiei²	軫韻 旨韻
6315b	下飛・098ウ5・疊字	牡	上	ホ	右注	mʌu²	厚韻
6316a	下飛・098ウ5・疊字	便	平	―	―	bjian^1/3	仙/線韻
6316b	下飛・098ウ5・疊字	車	平	―	―	tś'ia¹ kiʌ¹	麻韻 魚韻
6317a	下飛・098ウ5・疊字	必	入	ヒチ	左注	pjiet	質韻
6317b	下飛・098ウ5・疊字	定	平濁	チヤウ	左注	teŋ³ deŋ³	徑韻 徑韻
6318a	下飛・098ウ6・疊字	必	入	―	―	pjiet	質韻
6318b	下飛・098ウ6・疊字	然	平	―	―	ńian¹	仙韻
6319a	下飛・098ウ6・疊字	披	平	ヒ	左注	p'ie^1/2	支/紙韻
6319b	下飛・098ウ6・疊字	露	去	ロウ	左注	luʌ³	暮韻
6320a	下飛・098ウ6・疊字	費	平	ヒ	左注	p'iʌi³ biʌi³ piei³	未韻 未韻 至韻

6320b	下飛・098ウ6・疊字	用	平	ヨウ	左注	jiauŋ^{3}	用韻
6321a	下飛・098ウ6・疊字	繽	平	ヒン	左注	p'jien^{1}	眞韻
6321b	下飛・098ウ6・疊字	粉	平	フン	左注	piuʌn^{2}	吻韻
6322a	下飛・098ウ6・疊字	裨	上	ヒ	右注	pjie^{1} bjie^{1}	支韻 支韻
6322b	下飛・098ウ6・疊字	補	平	ホ	右注	puʌ^{2}	姥韻
6323a	下飛・098ウ6・疊字	便	平	ヒン	右注	bjian$^{1/3}$	仙/線韻
6323b	下飛・098ウ6・疊字	宜	平	キ	右注	ŋie^{1}	支韻
6324a	下飛・098ウ7・疊字	比	平	ヒ	右注	bjiei$^{1/3}$ pjiei$^{2/3}$ bjiet	脂/至韻 旨/至韻 質韻
6324b	下飛・098ウ7・疊字	方	平	ホウ	右注	piaŋ^{1} biaŋ^{1}	陽韻 陽韻
6325a	下飛・098ウ7・疊字	披	平	ヒ	左注	p'ie$^{1/2}$	支/紙韻
6325b	下飛・098ウ7・疊字	陳	平	チン	左注	ḍien$^{1/3}$	眞/震韻
6326a	下飛・098ウ7・疊字	披	平	ヒ	左注	p'ie$^{1/2}$	支/紙韻
6326b	下飛・098ウ7・疊字	閲	入	エツ	左注	jiuat	薛韻
6327a	下飛・098ウ7・疊字	秘	平	ヒ	左注	piei^{3}	至韻
6327b	下飛・098ウ7・疊字	重	平	チヨウ	左注	ḍiauŋ$^{1/2/3}$	鍾/腫/用韻
6328a	下飛・099オ1・疊字	被	—	ヒ	左注	bie^{2}	紙韻
6328b	下飛・099オ1・疊字	管	—	クワン	左注	kuan^{2}	緩韻
6329a	下飛・099オ1・疊字	品	上	ヒン	左注	p'iem^{2}	寑韻
6329b	下飛・099オ1・疊字	秩	入濁	チツ	左注	ḍiet	質韻
6330a	下飛・099オ1・疊字	贔	—	ヒ	左注	biei^{3}	至韻
6330b	下飛・099オ1・疊字	屓	—	キ	左注	xiei^{3}	至韻
6331a	下飛・099オ1・疊字	畢	—	ヒチ	左注	pjiet	質韻
6331b	下飛・099オ1・疊字	竟	—	キヤウ	左注	kiaŋ^{3}	映韻
6332a	下飛・099オ1・疊字	秘	—	ヒ	左注	piei^{3}	至韻
6332b	下飛・099オ1・疊字	術	—	スツ	左注	dźiuet	術韻
6333a	下飛・099オ1・疊字	非	去	ヒ	左注	piʌi^{1}	微韻
6333b	下飛・099オ1・疊字	據	上	キヨ	左注	kiʌ^{3}	御韻
6334a	下飛・099オ2・疊字	秘	平 去	ヒ	左注	piei^{3}	至韻
6334b	下飛・099オ2・疊字	計	平 去	ケイ	左注	kei^{3}	霽韻
6335a	下飛・099オ2・疊字	秘	去	ヒ	右注	piei^{3}	至韻
6335b	下飛・099オ2・疊字	閣	入	カク	右注	kak	鐸韻
6336a	下飛・099オ2・疊字	蜜	—	ヒツ	左注	mjiet	質韻
6336b	下飛・099オ2・疊字	突	—	トツ	左注	duʌt	没韻
6337a	下飛・099オ2・疊字	尾	上濁	—	—	miʌi^{2}	尾韻
6337b	下飛・099オ2・疊字	籠	平	—	—	lʌuŋ$^{1/2}$ liauŋ^{1}	東/董韻 鍾韻
6338a	下飛・099オ2・疊字	飛	—	ヒ	左注	piʌi^{1}	微韻

6338b	下飛・099オ2・疊字	蛾	—	カ	左注	ŋɑ1 ŋie2	歌韻 紙韻
6339a	下飛・099オ3・疊字	比	去	ヒ	左注	bjiei1/3 pjiei2/3 bjiet	脂/至韻 旨/至韻 質韻
6339b	下飛・099オ3・疊字	珠	平	ス	左注	tśiuʌ1	虞韻
6340a	下飛・099オ3・疊字	未	去濁	ヒ	左注	miʌi3	未韻
6340b	下飛・099オ3・疊字	央	平	ヤウ	左注	'iɑŋ1	陽韻
6341a	下飛・099オ3・疊字	飛	平	ヒ	左注	piʌi1	微韻
6341b	下飛・099オ3・疊字	羽	上	ウ	左注	ɣiuʌ2/3	麌/遇韻
6342a	下飛・099オ3・疊字	披	平	ヒ	左注	p'ie1/2	支/紙韻
6342b	下飛・099オ3・疊字	香	平	キヤウ	左注	xiɑŋ1	陽韻
6343a	下飛・099オ3・疊字	鬢	去	ヒン	左注	pjien3	震韻
6343b	下飛・099オ3・疊字	毛	平濁	ホウ	左注	mɑu1/3	豪/号韻
6344a	下飛・099オ3・疊字	飛	平	ヒ	左注	piʌi1	微韻
6344b	下飛・099オ3・疊字	絮	上濁	シヨ	左注	ṇiʌ3 ṭ'iʌ3 siʌ3	御韻 御韻 御韻
6345a	下飛・099オ4・疊字	飛	平	—	—	piʌi1	微韻
6345b	下飛・099オ4・疊字	沈	平	—	—	ḍiem1/3 śiem2	侵/沁韻 寢韻
6346a	下飛・099オ4・疊字	貧	平	—	—	bien1	眞韻
6346b	下飛・099オ4・疊字	冨	入	—	—	piʌu3	宥韻
6347a	下飛・099オ4・疊字	非	去	—	—	piʌi1	微韻
6347b	下飛・099オ4・疊字	成	上	—	—	źieŋ1	清韻
6348a	下飛・099オ4・疊字	業	入濁	—	—	ŋiɑp	業韻
6348b	下飛・099オ4・疊字	非	去	—	—	piʌi1	微韻
6349a	下飛・099オ4・疊字	學	入濁	—	—	ɣauk	覺韻
6349b	下飛・099オ4・疊字	生	上	—	—	ṣaŋ1/3	庚/映韻
6350a	下飛・099オ6・疊字	長	上	—	—	ṭiɑŋ2 ḍiɑŋ1/3	養韻 陽/漾韻
6350b	下飛・099オ6・疊字	成	平	—	—	źieŋ1	清韻
6351a	下飛・099オ6・疊字	拏	平濁	タ	右傍	na1	麻韻
6351b	下飛・099オ6・疊字	攫	入	クキヨク	右傍	giɑk	鐸韻
6352a	下飛・099オ6・疊字	湒	入	シフ	右傍	tsiep	緝韻
6352b	下飛・099オ6・疊字	湆	入濁	チフ	右傍	ṇiep	緝韻
6353a	下飛・099オ6・疊字	㵥	入	シフ	右傍	ṣiep	緝韻
6353b	下飛・099オ6・疊字	灄	入濁	チフ	右傍	ḍiep dʌp	緝韻 合韻
6354a	下飛・099ウ1・疊字	伺	平	シ	右傍	siɐi1/3	之/志韻
6354b	下飛・099ウ1・疊字	隟	入	ケキ	右傍	k'iak	陌韻

6355a	下飛・099ウ5・諸寺	比	—	ヒ	右傍	bjiei$^{1/3}$ pjiei$^{2/3}$ bjiet	脂/至韻 旨/至韻 質韻
6355b	下飛・099ウ5・諸寺	叡	—	エイ	右傍	jiuai^{3}	祭韻
6355c	下飛・099ウ5・諸寺	山	—	サン	右傍	ṣɐn^{1}	山韻
6356a	下飛・099ウ7・國郡	筑	—	ツク	右傍	ṭiʌuk ḍiʌuk	屋韻 屋韻
6356b	下飛・099ウ7・國郡	波	—	ハ	右傍	pɑ^{1}	戈韻
6357a	下飛・099ウ7・國郡	信	—	シ	右傍	sien^{3}	震韻
6357b	下飛・099ウ7・國郡	太	—	タ	右傍	t‘ɑi^{3}	泰韻
6358a	下飛・099ウ7・國郡	那	—	ナ	右傍	nɑ$^{1/3}$	歌/箇韻
6358b	下飛・099ウ7・國郡	珂	—	カ	右傍	k‘ɑ^{1}	歌韻
6359a	下飛・099ウ7・國郡	久	—	ク	右傍	kiʌu^{2}	有韻
6359b	下飛・099ウ7・國郡	慈	—	シ	右傍	dziɐi^{1}	之韻
6360a	下飛・099ウ7・國郡	多	—	タ	右傍	tɑ^{1}	歌韻
6360b	下飛・099ウ7・國郡	珂	—	カ	右傍	k‘ɑ^{1}	歌韻
6361a	下飛・099ウ7・國郡	飛	—	ヒ	中注	piʌi^{1}	微韻
6361b	下飛・099ウ7・國郡	驒	—	タ	中注	dɑ^{1} dɑn^{1} ten^{1}	歌韻 寒韻 先韻
6362a	下飛・100オ1・國郡	備	—	ヒ	右傍	biei^{3}	至韻
6362b	下飛・100オ1・國郡	前	—	セン	右傍	dzen^{1}	先韻
6363a	下飛・100オ1・國郡	和	—	ワ	右傍	ɣuɑ$^{1/3}$	戈/過韻
6363b	下飛・100オ1・國郡	氣	—	ケ	右傍	k‘iʌi^{3} xiʌi^{3}	未韻 未韻
6364a	下飛・100オ1・國郡	邑	—	ヲホ	右傍	’iep	緝韻
6364b	下飛・100オ1・國郡	久	—	ク	右傍	kiʌu^{2}	有韻
6365a	下飛・100オ1・國郡	備	—	ヒ	右傍	biei^{3}	至韻
6365b	下飛・100オ1・國郡	中	—	チウ	右傍	ṭiʌuŋ$^{1/3}$	東/送韻
6366a	下飛・100オ1・國郡	都	—	ト	右傍	tuʌ^{1}	模韻
6366b	下飛・100オ1・國郡	宇	—	ウ	右傍	ɣiuʌ^{2}	麌韻
6367a	下飛・100オ1・國郡	賀	—	カ	右傍	ɣɑ^{3}	箇韻
6367b	下飛・100オ1・國郡	夜		ヤ	右傍	jia^{3}	禡韻
6368a	下飛・100オ1・國郡	哲	—	テイ	右傍	ṭiat	薛韻
6368b	下飛・100オ1・國郡	多	—	タ	右傍	tɑ^{1}	歌韻
6369a	下飛・100オ1・國郡	英	—	ア	右傍	’iaŋ^{1}	庚韻
6369b	下飛・100オ1・國郡	賀	—	カ	右傍	ɣɑ^{3}	箇韻
6370a	下飛・100オ2・國郡	備	—	ヒ	右傍	biei^{3}	至韻
6370b	下飛・100オ2・國郡	後	—	コ	右傍	ɣʌu$^{2/3}$	厚/候韻
6371b	下飛・100オ2・國郡	那	—	ナ	右傍	nɑ$^{1/3}$	歌/箇韻
6372a	下飛・100オ2・國郡	奴	—	ヌ	右傍	nuʌ^{1}	模韻
6372b	下飛・100オ2・國郡	可	—	カ	右傍	k‘ɑ^{2}	哿韻

6373a	下飛・100オ2・國郡	品	―	ホン	右傍	p‘iem^{2}	寝韻
6373b	下飛・100オ2・國郡	治	―	チ	右傍	ḍiɐi$^{1/3}$ ḍiei^{3}	之/志韻 至韻
6374a	下飛・100オ2・國郡	甲	―	カフ	右傍	kap	狎韻
6374b	下飛・100オ2・國郡	奴	―	ノ	右傍	nuʌ^{1}	模韻
6375a	下飛・100オ2・國郡	恵	―	ヱ	右傍	ɣuei^{3}	霽韻
6375b	下飛・100オ2・國郡	蘓	―	ソ	右傍	suʌ^{1}	模韻
6376a	下飛・100オ2・國郡	世	―	セ	右傍	śiai^{3}	祭韻
6376b	下飛・100オ2・國郡	羅	―	ラ	右傍	lɑ^{1}	歌韻
6377a	下飛・100オ2・國郡	肥	―	ヒ	右傍	biʌi^{1}	微韻
6377b	下飛・100オ2・國郡	前	―	セン	右傍	dzen^{1}	先韻
6378a	下飛・100オ2・國郡	碁	―	キ	右傍	giɐi^{1}	之韻
6378b	下飛・100オ2・國郡	肆	―	キ	右傍	jiei^{3}	至韻
6379a	下飛・100オ2・國郡	佐	―	サ	右傍	tsɑ^{3}	箇韻
6379b	下飛・100オ2・國郡	嘉	―	カ	右傍	ka^{1}	麻韻
6380a	下飛・100オ2・國郡	養	―	ヤ	右傍	jiɑŋ$^{2/3}$	養/漾韻
6380b	下飛・100オ2・國郡	父	―	フ	右傍	piuʌ^{2} biuʌ^{2}	麌韻 麌韻
6381a	下飛・100オ3・國郡	菊	―	キク	右傍	kiʌuk	屋韻
6381b	下飛・100オ3・國郡	地	―	チ	右傍	diei^{3}	至韻
6382a	下飛・100オ3・國郡	阿	―	ア	右傍	’ɑ^{1}	歌韻
6382b	下飛・100オ3・國郡	蘓	―	ソ	右傍	suʌ^{1}	模韻
6383a	下飛・100オ3・國郡	詫	―	タク	右傍	ṭ‘a^{3}	禡韻
6383b	下飛・100オ3・國郡	麻	―	マ	右傍	ma^{1}	麻韻
6384a	下飛・100オ3・國郡	宇	―	ウ	右傍	ɣiuʌ^{2}	麌韻
6384b	下飛・100オ3・國郡	土	―	ト	右傍	t‘uʌ^{2} duʌ^{2}	姥韻 姥韻
6385a	下飛・100オ3・國郡	球	―	ク	右傍	giʌu^{1}	尤韻
6385b	下飛・100オ3・國郡	磨	―	マ	右傍	mɑ$^{1/3}$	戈/過韻
6386a	下飛・100オ3・國郡	那	―	ナ	右傍	nɑ$^{1/3}$	歌/箇韻
6386b	下飛・100オ3・國郡	珂	―	カ	右傍	k‘ɑ^{1}	歌韻
6387a	下飛・100オ4・國郡	比	―	ヒ	右注	bjiei$^{1/3}$ pjiei$^{2/3}$ bjiet	脂/至韻 旨/至韻 質韻
6387b	下飛・100オ4・國郡	良	―	ラ	右注	liɑŋ^{1}	陽韻
6388	下飛・100オ6・官職	弼	―	ヒツ	右注	biet	質韻
6389a	下飛・100オ6・官職	兵	―	ヒヤウ	右注	piaŋ^{1}	庚韻
6389b	下飛・100オ6・官職	部	―	フ	右注	buʌ^{2} bʌu^{2}	姥韻 厚韻
6390a	下飛・100オ6・官職	兵	―	ヒヤウ	右注	piaŋ^{1}	庚韻
6390b	下飛・100オ6・官職	庫	―	コ	右注	k‘uʌ^{3}	暮韻
6391a	下飛・100オ6・官職	兵	―	ヒヤウ	右注	piaŋ^{1}	庚韻

6391b	下飛・100オ6・官職	衛	―	ヱ	右注	jiuai^{3}	祭韻
6391c	下飛・100オ6・官職	府	―	フ	右注	piuʌ^{2}	麌韻

【表A-02】下巻_毛篇

番号	前田本所在	掲出字		仮名音注		中古音	韻目
6392a	下毛・101オ1・天象	望	―	ハウ	右傍	miaŋ$^{1/3}$	陽/漾韻
6393	下毛・101オ3・地儀	門	―	モン	右注	muʌn^{1}	魂韻
6394a	下毛・101オ5・植物	葎	入	リツ	右傍	liuet	術韻
6395	下毛・101オ6・植物	樅	―	シヨウ	右傍	tsʻiauŋ^{1} tsiauŋ^{1}	鍾韻 鍾韻
6396	下毛・101オ6・植物	桃	平	タウ	右傍	dau^{1}	豪韻
6397a	下毛・101オ6・植物	桃	平	タウ	右傍	dau^{1}	豪韻
6397b	下毛・101オ6・植物	奴	平濁	ト	右傍	nuʌ^{1}	模韻
6398a	下毛・101オ6・植物	桃	―	（タウ）	右傍	dau^{1}	豪韻
6398b	下毛・101オ6・植物	人	―	（シン）	右傍	ńien^{1}	眞韻
6399a	下毛・101オ6・植物	桃	平	タウ	右傍	dau^{1}	豪韻
6399b	下毛・101オ6・植物	脂	平	シ	右傍	tśiei^{1}	脂韻
6400a	下毛・101オ7・植物	桃	平	―	―	dau^{1}	豪韻
6400b	下毛・101オ7・植物	膠	平	―	―	kau$^{1/3}$	肴/効韻
6401a	下毛・101オ7・植物	木	入濁	―	―	mʌuk	屋韻
6401b	下毛・101オ7・植物	瓜	平	クワ	右傍	kua^{1}	麻韻
6402a	下毛・101オ7・植物	羊	平	ヤウ	右傍	jiaŋ^{1}	陽韻
6402b	下毛・101オ7・植物	躑	入	テキ	右傍	ḍiek	昔韻
6402c	下毛・101オ7・植物	躅	入	チヨク	右傍	ḍiauk	燭韻
6403a	下毛・101オ7・植物	林	―	モク ［平平］	右傍	liem^{1}	侵韻
6403b	下毛・101オ7・植物	蘭	―	ラン ［平平］	右傍	lan^{1}	寒韻
6404a	下毛・101オ7・植物	木	―	モク ［平平］	右傍	mʌuk	屋韻
6404b	下毛・101オ7・植物	槵	―	クヱン ［去濁去平］	右傍	ɣuan^{3}	諫韻
6404c	下毛・101オ7・植物	子	―	シ ［平濁］	右傍	tsiɐi^{2}	止韻
6405b	下毛・101ウ1・植物	窠	上		―	kʻua^{1}	戈韻
6406	下毛・101ウ2・植物	藻	上	―	―	tsau^{2}	晧韻
6407a	下毛・101ウ2・植物	水	上	―	―	śiuei^{2}	旨韻
6407b	下毛・101ウ2・植物	雲	平	―	―	ɣiuʌn^{1}	文韻
6408	下毛・101ウ4・動物	鵙	入	ケキ	右傍	kuek	錫韻
6409	下毛・101ウ4・動物	鷭	―	ハン	右傍	bian^{1}	元韻
6410	下毛・101ウ4・動物	膆	―	ソ	右傍	suʌ^{3}	暮韻
6411a	下毛・101ウ6・動物	桃	平	―	―	dau^{1}	豪韻
6411b	下毛・101ウ6・動物	蠹	去	―	―	tuʌ^{3}	暮韻

6412	下毛・101ウ6・動物	嬗	平	セン	右傍	źian^{3} t‘ɑn^{1} tɑn^{2}	線韻 寒韻 旱韻
6413	下毛・101ウ6・動物	蜺	入	セツ	右傍	jiuat śiuai^{3} t‘uɑi^{3} t‘uɑ^{3}	薛韻 祭韻 泰韻 過韻
6414	下毛・102オ1・人倫	衆	去	シウ	右傍	tśiʌuŋ$^{1/3}$	東/送韻
6415	下毛・102オ3・人躰	髻	平 去	ケイ	右傍	kei^{3}	霽韻
6416	下毛・102オ3・人躰	髻	平	ケ	左注	kei^{3}	霽韻
6417	下毛・102オ3・人躰	股	上	コ	右傍	kuʌ^{2}	姥韻
6418a	下毛・102オ4・人躰	癲	平	テン	右傍	ten^{1}	先韻
6418b	下毛・102オ4・人躰	狂	平	クヰヤウ	右傍	giuaŋ$^{1/3}$	陽/漾韻
6419a	下毛・102オ4・人躰	皰	去	ハウ	右傍	p‘au^{3} bau^{3}	効韻 効韻
6419b	下毛・102オ4・人躰	瘡	平	サウ	右傍	tṣ‘iaŋ^{1}	陽韻
6420	下毛・102オ7・人事	耄	―	モウ	右注	mɑu^{3}	号韻
6421	下毛・102ウ1・人事	餬	平	コ	右傍	ɣuʌ^{1}	模韻
6422	下毛・102ウ1・人事	祈	平	キ	右傍	giʌi^{1}	微韻
6423	下毛・102ウ2・人事	慵	平	ヨウ	右傍	źiɑuŋ^{1}	鍾韻
6424a	下毛・102ウ3・人事	問	―	モン	右注	miuʌn^{3}	問韻
6424b	下毛・102ウ3・人事	喪	―	サウ	右注	sɑŋ$^{1/3}$	唐/宕韻
6425	下毛・102ウ7・飲食	醨	平	リ	右傍	lie^{1}	支韻
6426	下毛・102ウ7・飲食	醪	平	ラウ	右傍	lɑu^{1}	豪韻
6427	下毛・102ウ7・飲食	穀	入	コク	右傍	kʌuk	屋韻
6428	下毛・102ウ7・飲食	糯	去濁	タン	右傍	nuɑn$^{2/3}$ nuɑ^{3}	緩/換韻 過韻
6429	下毛・102ウ7・飲食	餅	上	―	―	pieŋ^{2}	静韻
6430	下毛・102ウ7・飲食	餻	平	カウ	右傍	kɑu^{1}	豪韻
6431a	下毛・103オ1・飲食	糙	去	サウ	右傍	ts‘ɑu^{3}	号韻
6432	下毛・103オ3・雑物	罍	平	ライ	右傍	luʌi^{1}	灰韻
6433	下毛・103オ3・雑物	甕	去	オウ	右傍	’ʌuŋ^{3}	送韻
6434	下毛・103オ3・雑物	缸	平	カウ	右傍	ɣauŋ^{1}	江韻
6435	下毛・103オ3・雑物	盂	平	ウ	右傍	ɣiuʌ^{1}	虞韻
6436	下毛・103オ4・雑物	裳	平	シヤウ	右傍	źiaŋ^{1}	陽韻
6437	下毛・103オ4・雑物	裙	平	クン	右傍	giuʌn^{1}	文韻
6438	下毛・103オ4・雑物	髺	入	クワツ	右傍	ɣuɑt kuɑi^{3}	末韻 泰韻
6439	下毛・103オ5・雑物	剪	上	セン	右傍	tsian^{1}	獮韻
6440a	下毛・103オ5・雑物	旋	平	セン	右傍	ziuan$^{1/3}$	仙/線韻
6441	下毛・103オ5・雑物	黐	平	チ	右傍	ṭ‘ie^{1} lie^{1}	支韻 支韻

6442	下毛・103オ6・雜物	鋘	去	ライ	右傍	luʌi^{3}	隊韻
6443a	下毛・103オ6・雜物	帽	—	モ	右注	mɑu^{3}	号韻
6443b	下毛・103オ6・雜物	額	—	カウ	右注	ŋak	陌韻
6444	下毛・103オ6・雜物	燼	去	シン	右傍	źien^{3}	震韻
6445a	下毛・103オ6・雜物	灸	去	キウ	右傍	kiʌu$^{2/3}$	有/宥韻
6445b	下毛・103オ6・雜物	炷	去	チウ	右傍	tśiuʌ$^{2/3}$	麌/遇韻
6446a	下毛・103オ7・雜物	木	—	モク	右傍	mʌuk	屋韻
6446b	下毛・103オ7・雜物	爛	—	ラン	右傍	lɑn^{3}	翰韻
6446c	下毛・103オ7・雜物	地	—	チ	右傍	diei^{3}	至韻
6447a	下毛・103オ7・雜物	沒	—	モツ	右注	muʌt	沒韻
6447b	下毛・103オ7・雜物	藥	—	ヤク	右注	jiɑk	藥韻
6448	下毛・103ウ2・光彩	文	—	モン	右注	miuʌn^{1}	文韻
6449	下毛・103ウ4・方角	基	平	キ	右傍	kiɐi^{1}	之韻
6450	下毛・103ウ6・員數	諸	平	ソ	右傍	tśiʌ^{1} tśia^{1}	魚韻 麻韻
6451	下毛・103ウ7・員數	屯	平	トン	右傍	duʌn^{1} ṭiuen^{1}	魂韻 諄韻
6452	下毛・104ウ1・辞字	繇	平	エウ	右傍	jiau^{1} jiʌu^{1}	宵韻 尤韻
6453	下毛・104ウ1・辞字	慓	平	ヘウ	右傍	pjiau^{1}	宵韻
6454	下毛・104ウ2・辞字	苞	平	ハウ	右傍	pau^{1}	肴韻
6455	下毛・104ウ5・辞字	索	平濁	—	—	ṣɐk sɑk ṣak	麥韻 鐸韻 陌韻
6456	下毛・104ウ5・辞字	流	平	リウ	右傍	liʌu^{1}	尤韻
6457	下毛・104ウ7・辞字	擡	—	タイ	右傍	dʌi^{1}	咍韻
6458	下毛・104ウ7・辞字	闇	平	イム	右傍	ʼʌm^{3}	勘韻
6459	下毛・104ウ7・辞字	尤	平	イウ	右傍	ɣiʌu^{1}	尤韻
6460	下毛・105オ3・辞字	由	平	イウ	右傍	jiʌu^{1}	尤韻
6461	下毛・105オ5・辞字	催	平	—	—	tsʻuʌi^{1}	灰韻
6462	下毛・105オ6・辞字	耽	平	タム	右傍	tʌm^{1}	覃韻
6463	下毛・105オ6・辞字	弄	去	—	—	lʌuŋ^{3}	送韻
6464a	下毛・105ウ1・重點	門	平	モン	右注	muʌn^{1}	魂韻
6464b	下毛・105ウ1・重點	門	平	モン	右注	muʌn^{1}	魂韻
6465a	下毛・105ウ1・重點	文	去	モン	右注	miuʌn^{1}	文韻
6465b	下毛・105ウ1・重點	文	上	モン	右注	miuʌn^{1}	文韻
6466a	下毛・105ウ3・疊字	物	入	—	—	miuʌt	物韻
6466b	下毛・105ウ3・疊字	恠	平	—	—	kuɐi^{3}	怪韻
6467a	下毛・105ウ3・疊字	悶	平	モン	左注	muʌn^{3}	慁韻
6467b	下毛・105ウ3・疊字	絶	入	セツ	左注	dziuat	薛韻
6468a	下毛・105ウ3・疊字	文	去	—	—	miuʌn^{1}	文韻
6468b	下毛・105ウ3・疊字	人	上	—	—	ńien^{1}	眞韻
6469a	下毛・105ウ3・疊字	目	—	モク	左注	miʌuk	屋韻

6469b	下毛・105ウ3・疊字	録	―	ロク	左注	liauk	燭韻
6470a	下毛・105ウ4・疊字	文	去	モン	左注	miuʌn^1	文韻
6470b	下毛・105ウ4・疊字	簿	入濁	ハク	左注	bak buʌ^2	鐸韻 姥韻
6471a	下毛・105ウ4・疊字	文	去	モン	右注	miuʌn^1	文韻
6471b	下毛・105ウ4・疊字	字	平濁	シ	右注	dziɐi^3	志韻
6472a	下毛・105ウ4・疊字	木	入濁	モク	左注	mʌuk	屋韻
6472b	下毛・105ウ4・疊字	索	入	サク	左注	sak ṣak ṣɐk	鐸韻 陌韻 麥韻
6473a	下毛・105ウ4・疊字	勿	入	―	―	miuʌt	物韻
6473b	下毛・105ウ4・疊字	論	平	―	―	luʌn$^{1/3}$ liuen^1	魂/慁韻 諄韻
6474a	下毛・105ウ4・疊字	蒙	平	―	―	mʌuŋ^1	東韻
6474b	下毛・105ウ4・疊字	露	去	―	―	luʌ^3	暮韻
6475a	下毛・105ウ5・疊字	文	―	モン	右注	miuʌn^1	文韻
6475b	下毛・105ウ5・疊字	契	上濁	ケイ	右注	k‘ei^3 k‘iʌt k‘et	霽韻 迄韻 屑韻
6476a	下毛・105ウ5・疊字	問	平	モン	右注	miuʌn^3	問韻
6476b	下毛・105ウ5・疊字	荅	入濁	タフ	右注	tʌp	合韻
6477a	下毛・105ウ5・疊字	黙	―	モク	右注	mʌk	徳韻
6477b	下毛・105ウ5・疊字	然	―	ネン	右注	ńian^1	仙韻
6478a	下毛・105ウ5・疊字	問	平	モン	右注	miuʌn^3	問韻
6478b	下毛・105ウ5・疊字	訊	平濁	シム	右注	sien^3	震韻
6479a	下毛・105ウ5・疊字	門	―	モン	右注	muʌn^1	魂韻
6479b	下毛・105ウ5・疊字	徒	―	ト	右注	duʌ^1	模韻
6480a	下毛・106オ1・官軄	木	―	モク	右注	mʌuk	屋韻
6480b	下毛・106オ1・官軄	寮	―	レウ	右注	leu^1	蕭韻
6481a	下毛・106オ1・官軄	文	―	モン	右注	miuʌn^1	文韻
6481b	下毛・106オ1・官軄	章	―	シヤウ	右注	tśiaŋ^2	陽韻
6481c	下毛・106オ1・官軄	博	―	ハカ	右注	pak	鐸韻
6481d	下毛・106オ1・官軄	士	―	セ	右注	dẓiɐi^2	止韻
6482a	下毛・106オ1・官軄	門	―	モン	右注	muʌn^1	魂韻
6482b	下毛・106オ1・官軄	部	―	フ	右注	buʌ^2 bʌu^2	姥韻 厚韻

【表A-02】下巻＿世篇

番号	前田本所在	掲出字		仮名音注		中古音	韻目
6484	下世・106ウ1・天象	節	―	セチ	右注	tset	屑韻
6485	下世・106ウ3・地儀	瀨	―	ライ	右傍	lai^3	泰韻

6486	下世・106ウ3・地儀	灘	平	タン	右傍	t‘ɑn1 ɣɑn2 xɑn3 nɑn3	寒韻 旱韻 翰韻 翰韻
6487	下世・106ウ3・地儀	湍	平	タン	右傍	t‘uɑn1 tsiuan1	桓韻 仙韻
6488	下世・106ウ3・地儀	灣	平	ラン	右傍	’uan1	刪韻
6489	下世・106ウ3・地儀	關	平	クワン	右傍	kuan1	刪韻
6490a	下世・106ウ4・地儀	昭	平	セウ	右傍	tsiau1	宵韻
6490b	下世・106ウ4・地儀	陽	平	ヤウ	右傍	jiɑŋ1	陽韻
6491a	下世・106ウ4・地儀	宣	平	セン	右傍	siuan1	仙韻
6491b	下世・106ウ4・地儀	耀	去	エウ	右傍	jiau3	笑韻
6492a	下世・106ウ4・地儀	清	平	セイ	右傍	ts‘ieŋ1	清韻
6492b	下世・106ウ4・地儀	涼	平	リヤウ	右傍	liɑŋ1/3	陽/漾韻
6493a	下世・106ウ4・地儀	栖	平	サイ	右傍	sei1/3	齊/霽韻
6493b	下世・106ウ4・地儀	鳳	去	ホウ	右傍	biʌuŋ3	送韻
6494a	下世・106ウ5・地儀	宣	平	セン	右傍	siuan1	仙韻
6494b	下世・106ウ5・地儀	風	東	フウ	右傍	piʌuŋ1/3	東/送韻
6495a	下世・106ウ5・地儀	宣	平	セン	右傍	siuan1	仙韻
6495b	下世・106ウ5・地儀	義	去	キ	右傍	ŋie3	寘韻
6496a	下世・106ウ5・地儀	宣	平	—	—	siuan1	仙韻
6496b	下世・106ウ5・地儀	陽	平	—	—	jiɑŋ1	陽韻
6497a	下世・106ウ5・地儀	宣	平	—	—	siuan1	仙韻
6497b	下世・106ウ5・地儀	仁	平	ニン	右傍	ńien1	眞韻
6498a	下世・106ウ6・地儀	青	平	—	—	ts‘eŋ1	青韻
6498b	下世・106ウ6・地儀	瑣	平	—	—	suɑ2	果韻
6499a	下世・106ウ6・地儀	仙	平	—	—	sian1	仙韻
6499b	下世・106ウ6・地儀	華	平	—	—	xua1 ɣua1/3	麻韻 麻/禡韻
6500a	下世・106ウ6・地儀	昭	平	ヤウ	右傍	tsiau1	宵韻
6500b	下世・106ウ6・地儀	慶	去	ケイ	右傍	k‘iaŋ3	映韻
6501a	下世・106ウ6・地儀	宣	平	—	—	siuan1	仙韻
6501b	下世・106ウ6・地儀	政	去	—	—	tśieŋ3	勁韻
6502a	下世・106ウ6・地儀	宣	平	—	—	siuan1	仙韻
6502b	下世・106ウ6・地儀	光	東	—	—	kuɑŋ1/3	唐/宕韻
6503a	下世・106ウ7・地儀	西	平	—	—	sei1	齊韻
6503b	下世・106ウ7・地儀	華	平	—	—	xua1 ɣua1/3	麻韻 麻/禡韻
6504a	下世・106ウ7・地儀	昭	平	セウ	右傍	tsiau1	宵韻
6504a	下世・106ウ7・地儀	訓	去	クヰン	右傍	xiuʌn3	問韻
6505a	下世・107オ2・植物	栴	去	セン	右注	tsian1	仙韻
6505b	下世・107オ2・植物	檀	平	タン	右注	dɑn1	寒韻

6506	下世・107オ3・植物	芹	平	キン	右傍	giʌn[1]	欣韻
6507a	下世・107オ3・植物	前	―	セン [平上]	右注	dzen[1]	先韻
6507b	下世・107オ3・植物	栽	―	サイ [上上]	右注	tsʌi[1/3]	咍/代韻
6508b	下世・107オ5・動物	鷹	平	ヰヨウ	右傍	'iɐŋ[1]	蒸韻
6509	下世・107オ7・動物	鮬	平	コ	右傍	k'uʌ[1]	模韻
6510a	下世・107ウ1・動物	尨	―	マウ	右傍	mauŋ[1]	江韻
6510b	下世・107ウ1・動物	蹄	平	テイ	右傍	dei[1]	齊韻
6511	下世・107ウ2・動物	蟬	平	セン	右傍	źian[1]	仙韻
6512a	下世・107ウ2・動物	蟪	―	ヱ	右傍	ɣuei[3]	霽韻
6512b	下世・107ウ2・動物	蛄	―	コ	右傍	kuʌ[1]	模韻
6513	下世・107ウ3・動物	蜩	平	テウ	右傍	deu[1]	蕭韻
6514	下世・107ウ3・動物	蠀	平	シヤウ	右傍	tsiɑŋ[1]	陽韻
6515a	下世・107ウ5・人倫	膳	平濁	セン	右注	źian[3]	線韻
6515b	下世・107ウ5・人倫	夫	平濁	フ	右注	piuʌ[1] biuʌ[1]	虞韻 虞韻
6516a	下世・107ウ5・人倫	仙	―	セン	右傍	sian[1]	仙韻
6516b	下世・107ウ5・人倫	人	―	ニン	右傍	ńien[1]	眞韻
6517a	下世・107ウ5・人倫	赤	入	セキ	右傍	tś'iek	昔韻
6517b	下世・107ウ5・人倫	松	平	シヤウ	右傍	ziauŋ[1]	鍾韻
6518a	下世・107ウ5・人倫	王	平	―	―	ɣiuɑŋ[1/3]	陽/漾韻
6518b	下世・107ウ5・人倫	母	上	―	―	mʌu[2]	厚韻
6519a	下世・107ウ5・人倫	先	―	セン	右注	sen[1/3]	先/霰韻
6519b	下世・107ウ5・人倫	達	―	タツ	右注	t'ɑt dɑt	曷韻 曷韻
6520	下世・107ウ5・人倫	戚	―	セキ	左注	ts'ek	錫韻
6521	下世・107ウ7・人躰	背	去	ハイ	右傍	puʌi[3] buʌi[3]	隊韻 隊韻
6522	下世・107ウ7・人躰	精	平	セイ	右注	tsieŋ[1]	清韻
6523	下世・108オ1・人躰	癬	上	セン	右傍	sian[2]	獮韻
6524a	下世・108オ1・人躰	痟	去	セウ	右傍	siau[1]	宵韻
6524b	下世・108オ1・人躰	癟	入	カチ	右傍	k'ɑt	曷韻
6525	下世・108オ3・人事	性	去	セイ	右傍	sieŋ[3]	勁韻
6526	下世・108オ3・人事	詔	―	セウ	右傍	tśiau[3]	笑韻
6527	下世・108オ3・人事	節	―	セツ [上上]	右傍	tset	屑韻
6528	下世・108オ3・人事	餞	―	セン [上平]	右傍	dzian[2/3]	獮/線韻
6529a	下世・108オ5・人事	意	去	―	―	'iɐi[3]	志韻
6529b	下世・108オ5・人事	錢	平	セン	右傍	dzian[1] tsian[2]	仙韻 獮韻
6530a	下世・108オ6・人事	韶	―	セウ	左注	źiau[1]	宵韻
6530b	下世・108オ6・人事	應	平	ヲウ	左注	'iɐŋ[1/3]	蒸/證韻

6530c	下世・108オ6・人事	樂	―	ラク	左注	lɑk ŋauk ŋau^{3}	鐸韻 覺韻 効韻
6531b	下世・108オ7・人事	金	平濁	―	―	kiem^{1}	侵韻
6531c	下世・108オ7・人事	兒	平	シ	右傍	ńie^{1} ŋei^{1}	支韻 齊韻
6532a	下世・108オ7・人事	青	平	セイ	左注	ts‘eŋ^{1}	青韻
6532b	下世・108オ7・人事	海	去濁	カイ	左注	xʌi^{2}	海韻
6532c	下世・108オ7・人事	波	平	ハ	左注	pɑ^{1}	戈韻
6533a	下世・108ウ1・人事	青	上	―	―	ts‘eŋ^{1}	青韻
6533b	下世・108ウ1・人事	海	平	―	―	xʌi^{2}	海韻
6534a	下世・108ウ3・飲食	煎	―	セン [平平]	右注	tsian$^{1/3}$	仙/線韻
6534b	下世・108ウ3・飲食	餅	―	ヘイ [平濁上]	右注	pieŋ^{2}	靜韻
6970a	下世・108ウ3・飲食	飠+専	―	セン [平平]	右注	(tsian$^{1/3}$)	(仙/線韻)
6970b	下世・108ウ3・飲食	餅	―	ヘイ [平濁上]	右注	pieŋ^{2}	靜韻
6535	下世・108ウ3・飲食	煎	―	セン	右傍	tsian$^{1/3}$	仙/線韻
6536	下世・108ウ5・雜物	錢	平	セン	右傍	dzian^{1} tsian^{2}	仙韻 獮韻
6537	下世・108ウ5・雜物	鏹	―	キヤウ	右傍	kiɑŋ^{2}	養韻
6538	下世・108ウ5・雜物	緡	平	ヒン	右傍	mien^{1}	眞韻
6539a	下世・108ウ5・雜物	紙	上	シ	右傍	tśie^{2}	紙韻
6539b	下世・108ウ5・雜物	錢	平	―	―	dzian^{1} tsian^{2}	仙韻 獮韻
6540	下世・108ウ5・雜物	鏟	平	セン	右注	tṣ‘ɐn^{2} tṣ‘an^{3}	産韻 諫韻
6541	下世・108ウ6・雜物	籤	平	セン	右注	ts‘iam^{1}	鹽韻
6542	下世・108ウ6・雜物	簫	東 去	セウ	右傍	seu^{1}	蕭韻
6543	下世・108ウ6・雜物	簫	東 去	セウ	左注	seu^{1}	蕭韻
6544a	下世・108ウ6・雜物	簷	平	セム	右注	tśiam^{1}	鹽韻
6544b	下世・108ウ6・雜物	糖	平	タウ	右注	dɑŋ^{1}	唐韻
6545a	下世・108ウ6・雜物	浅	平	セン	右注	ts‘ian^{2} tsen^{1}	獮韻 先韻
6545b	下世・108ウ6・雜物	香	上	カウ	右注	xiɑŋ^{1}	陽韻
6546a	下世・108ウ7・雜物	線	―	セン	右注	sian^{3}	線韻
6546b	下世・108ウ7・雜物	鞋	―	カイ	右注	ɣɐi^{1} ɣɐ^{1}	皆韻 佳韻
6547a	下世・108ウ7・雜物	軟	―	セン [上濁上]	右傍	ńiuan^{2}	獮韻
6547b	下世・108ウ7・雜物	障	―	シヤウ [平平平]	右傍	tśiɑŋ$^{1/3}$	陽/漾韻

6548a	下世・108ウ7・雜物	軟	—	セン	右傍	ńiuan^{2}	獮韻
6548b	下世・108ウ7・雜物	錦	—	キム	右傍	kiem^{2}	寑韻
6549a	下世・108ウ7・雜物	川	平	—	—	tś'iuan^{1}	仙韻
6549b	下世・108ウ7・雜物	木	入濁	—	—	mʌuk	屋韻
6550a	下世・108ウ7・雜物	犀	平	セイ	左注	sei^{1}	齊韻
6550b	下世・108ウ7・雜物	帶	平	タイ	左注	tɑi^{3}	泰韻
6551a	下世・109オ2・光彩	青	平	セイ	右注	ts'eŋ^{1}	青韻
6551b	下世・109オ2・光彩	黛	去	タイ	右注	dʌi^{3}	代韻
6552	下世・109オ4・員數	千	—	セン	右注	ts'en^{1}	先韻
6974	下世・109オ4・員數	阡	—	セン	右注	ts'en^{1}	先韻
6553	下世・109オ6・辞字	攻	平	コウ	右傍	kʌuŋ^{1} kɑuŋ^{1}	東韻 冬韻
6554	下世・109オ7・辞字	訶	—	カ	右傍	xɑ^{1}	歌韻
6555	下世・109ウ1・辞字	呵	平	カ	右傍	xɑ$^{1/3}$	歌/箇韻
6556	下世・109ウ1・辞字	遒	—	イウ	右傍	tsiʌu^{1} dziʌu^{1}	尤韻 尤韻
6557	下世・109ウ1・辞字	關	平	クワン	右傍	kuan^{1}	删韻
6558	下世・109ウ2・辞字	撝	平	—	—	xiue^{1}	支韻
6559	下世・109ウ4・辞字	煎	—	セン	右注	tsian$^{1/3}$	仙/線韻
6560	下世・109ウ4・辞字	製	—	セイ [平上]	右注	tśiai^{3}	祭韻
6561	下世・109ウ4・辞字	制	—	セイ [平上]	右注	tśiai^{3}	祭韻
6562	下世・109ウ4・辞字	攝	—	セフ [上上]	右注	śiap nep	葉韻 帖韻
6563	下世・109ウ5・辞字	遒	—	イウ	右傍	tsiʌu^{1} dziʌu^{1}	尤韻 尤韻
6564	下世・109ウ5・辞字	切	—	セツ	右注	ts'et	屑韻
6565a	下世・109ウ7・重點	世	—	セ	右注	śiai^{3}	祭韻
6565b	下世・109ウ7・重點	世	—	セ	右注	śiai^{3}	祭韻
6566a	下世・109ウ7・重點	濟	—	セイ	右注	tsei$^{2/3}$	薺/霽韻
6566b	下世・109ウ7・重點	濟	—	セイ	右注	tsei$^{2/3}$	薺/霽韻
6567a	下世・109ウ7・重點	漸	—	セム	右注	tsiam^{1} dziam^{2}	鹽韻 琰韻
6567b	下世・109ウ7・重點	漸	—	セム	右注	tsiam^{1} dziam^{2}	鹽韻 琰韻
6568a	下世・109ウ7・重點	少	—	セウ	右注	śiau$^{2/3}$	小/笑韻
6568b	下世・109ウ7・重點	少	—	セウ	右注	śiau$^{2/3}$	小/笑韻
6569a	下世・109ウ7・重點	說	—	セツ	右注	śiuat	薛韻
6569b	下世・109ウ7・重點	說	—	セツ	右注	śiuat	薛韻
6570a	下世・110オ1・重點	淒	平	セイ	右注	ts'ei$^{1/2}$	齊/薺韻
6570b	下世・110オ1・重點	淒	平	セイ	右注	ts'ei$^{1/2}$	齊/薺韻
6571a	下世・110オ1・重點	寂	入	セキ	右注	dzek	錫韻
6571b	下世・110オ1・重點	寂	入	セキ	右注	dzek	錫韻

6572a	下世・110オ1・重點	蕭	―	セウ	右注	seu^{1}	蕭韻
6572b	下世・110オ1・重點	蕭	―	セウ	右注	seu^{1}	蕭韻
6573a	下世・110オ3・疊字	霽	去	セイ	左注	sei^{3}	霽韻
6573b	下世・110オ3・疊字	晴	平	セイ	左注	dzieŋ^{1}	清韻
6574a	下世・110オ3・疊字	星	平	―	―	seŋ^{1}	青韻
6574b	下世・110オ3・疊字	辰	平	―	―	źien^{1}	眞韻
6575a	下世・110オ3・疊字	星	平	―	―	seŋ^{1}	青韻
6575b	下世・110オ3・疊字	躔	平	―	―	ḍian^{1}	仙韻
6576a	下世・110オ3・疊字	青	平	―	―	tsʻeŋ^{1}	青韻
6576b	下世・110オ3・疊字	天	平	―	―	tʻen^{1}	先韻
6577a	下世・110オ3・疊字	照	去	セウ	右注	tśiau^{3}	笑韻
6577b	下世・110オ3・疊字	地	去	チ	右注	diei^{3}	至韻
6578a	下世・110オ3・疊字	星	平	―	―	seŋ^{1}	青韻
6578b	下世・110オ3・疊字	霜	平	―	―	ṣiɑŋ^{1}	陽韻
6579a	下世・110オ4・疊字	節	入	―	―	tset	屑韻
6579b	下世・110オ4・疊字	候	去	―	―	ɣʌu^{3}	候韻
6580a	下世・110オ4・疊字	歳	去	セイ	左注	siuai^{3}	祭韻
6580b	下世・110オ4・疊字	暮	去	ホ	左注	muʌ^{3}	暮韻
6581a	下世・110オ4・疊字	韶	―	セウ	右注	źiau^{1}	宵韻
6581b	下世・110オ4・疊字	景	上	ケイ	右注	kiɑŋ^{2}	梗韻
6582a	下世・110オ4・疊字	韶	平	―	―	źiau^{1}	宵韻
6582b	下世・110オ4・疊字	光	平	―	―	kuɑŋ$^{1/3}$	唐/宕韻
6583a	下世・110オ4・疊字	前	平	―	―	dzen^{1}	先韻
6583b	下世・110オ4・疊字	年	平	―	―	nen^{1}	先韻
6584a	下世・110オ5・疊字	歳	去	―	―	siuai^{3}	祭韻
6584b	下世・110オ5・疊字	月	入	―	―	ŋiuɑt	月韻
6585a	下世・110オ5・疊字	先	去	セン	左注	sen$^{1/3}$	先/霰韻
6585b	下世・110オ5・疊字	日	入	ニチ	左注	ńiet	質韻
6586a	下世・110オ5・疊字	刹	入	セツ	左注	tsʻat	鎋韻
6586b	下世・110オ5・疊字	那	上	ナ	左注	nɑ$^{1/3}$	歌/箇韻
6587a	下世・110オ5・疊字	切	入	ヤツ	左注	tsʻet	屑韻
6587b	下世・110オ5・疊字	髮	入	ハツ	左注	piɑt	月韻
6588a	下世・110オ5・疊字	絶	入	セチ	左注	dziuat	薛韻
6588b	下世・110オ5・疊字	域	入	ヰキ	左注	ɣiuɐk	職韻
6589a	下世・110オ5・疊字	世	去	セイ	中注	śiai^{3}	祭韻
6589b	下世・110オ5・疊字	路	平	ロ	中注	luʌ^{3}	暮韻
6590a	下世・110オ6・疊字	阡	去	セン	左注	tsʻen^{1}	先韻
6590b	下世・110オ6・疊字	陌	入	ハク	左注	mak	陌韻
6591a	下世・110オ6・疊字	西	平	セイ	左注	sei^{1}	齊韻
6591b	下世・110オ6・疊字	蔵	平	サウ	左注	dzɑŋ$^{1/3}$	唐/宕韻
6592a	下世・110オ6・疊字	青	平	―	―	tsʻeŋ^{1}	青韻
6592b	下世・110オ6・疊字	山	平	―	―	ṣen^{1}	山韻
6593a	下世・110オ6・疊字	接	―	セフ	右注	tsiap	葉韻

6593b	下世・110オ6・疊字	河	―	カ	右注	ɣɑ1	歌韻
6594a	下世・110オ6・疊字	潺	平	セン	左注	dẓian1 dzɐn1	仙韻 山韻
6594b	下世・110オ6・疊字	湲	平	ヱン	左注	ɣiuan1 ɣuɐn1	仙韻 山韻
6595a	下世・110オ6・疊字	青	平	―	―	ts'eŋ1	青韻
6595b	下世・110オ6・疊字	草	上	―	―	ts'ɑu2	晧韻
6596a	下世・110オ7・疊字	積	入	セキ	右傍	tsiek tsie3	昔韻 寘韻
6596b	下世・110オ7・疊字	流	平	リウ	右傍	liʌu1	尤韻
6597a	下世・110オ7・疊字	舩	平	セン	左注	dźiuan1	仙韻
6597b	下世・110オ7・疊字	舫	平	ハウ	左注	piɑŋ3 pɑŋ3	漾韻 宕韻
6598a	下世・110オ7・疊字	舩	平	―	―	dźiuan1	仙韻
6598b	下世・110オ7・疊字	頭	平	―	―	dʌu1	侯韻
6599a	下世・110オ7・疊字	祭	去	セイ	中注	tsiai3 tsɐi3	祭韻 怪韻
6599b	下世・110オ7・疊字	祀	去	シ	中注	ziɐi2	止韻
6600a	下世・110オ7・疊字	誓	去	―	―	źiai3	祭韻
6600b	下世・110オ7・疊字	願	平	―	―	ŋiuɑn3	願韻
6601a	下世・110ウ1・疊字	刹	入	―	―	ts'at	鎋韻
6601b	下世・110ウ1・疊字	柱	去	―	―	ḍiuʌ2 ṭiuʌ2	麌韻 麌韻
6602a	下世・110ウ1・疊字	説	入	セツ	左注	śiuat	薛韻
6602b	下世・110ウ1・疊字	經	上	キヤウ	左注	keŋ1/3	青/徑韻
6603a	下世・110ウ1・疊字	説	―	セツ	左注	śiuat	薛韻
6603b	下世・110ウ1・疊字	法	―	ホウ	左注	piʌp	乏韻
6604a	下世・110ウ1・疊字	禅	去	―	―	źian1/3	仙/線韻
6604b	下世・110ウ1・疊字	房	上	―	―	biɑŋ1 bɑŋ1	陽韻 唐韻
6605a	下世・110ウ1・疊字	禪	去	―	―	źian1/3	仙/線韻
6605b	下世・110ウ1・疊字	室	入	―	―	ṭiet	質韻
6606a	下世・110ウ1・疊字	禅	去	―	―	źian1/3	仙/線韻
6606b	下世・110ウ1・疊字	定	平	―	―	teŋ3 deŋ3	徑韻 徑韻
6607a	下世・110ウ2・疊字	聖	去	―	―	śieŋ3	勁韻
6607b	下世・110ウ2・疊字	主	上	―	―	tśiuʌ2	麌韻
6608a	下世・110ウ2・疊字	聖	去	―	―	śieŋ3	勁韻
6608b	下世・110ウ2・疊字	明	平	―	―	miaŋ1	庚韻
6609a	下世・110ウ2・疊字	先	去	―	―	sen1/3	先/霰韻
6609b	下世・110ウ2・疊字	帝	平	―	―	tei3	霽韻
6610a	下世・110ウ2・疊字	戚	―	セキ	右注	ts'ek	錫韻
6610b	下世・110ウ2・疊字	里	―	リ	右注	liɐi2	止韻

6611a	下世・110ウ2・疊字	踐	平	セン	左注	dzian^{2}	獮韻
6611b	下世・110ウ2・疊字	祚	去	ソ	左注	dzuʌ^{3}	暮韻
6612a	下世・110ウ2・疊字	昭	去	—	—	tsiau^{1}	宵韻
6612b	下世・110ウ2・疊字	臨	平	—	—	liem$^{1/3}$	侵/沁韻
6613a	下世・110ウ3・疊字	政	去	—	—	tśieŋ^{3}	勁韻
6613b	下世・110ウ3・疊字	理	上	—	—	liɐi^{2}	止韻
6614a	下世・110ウ3・疊字	政	去	—	—	tśieŋ^{3}	勁韻
6614b	下世・110ウ3・疊字	績	入	—	—	tsek	錫韻
6615a	下世・110ウ3・疊字	政	去	—	—	tśieŋ^{3}	勁韻
6615b	下世・110ウ3・疊字	事	去	—	—	dẓiɐi^{3}	志韻
6616a	下世・110ウ3・疊字	政	去	—	—	tśieŋ^{3}	勁韻
6616b	下世・110ウ3・疊字	務	平	—	—	miuʌ^{3}	遇韻
6617a	下世・110ウ3・疊字	政	去	—	—	tśieŋ^{3}	勁韻
6617b	下世・110ウ3・疊字	教	去	—	—	kau$^{1/3}$	肴/効韻
6618a	下世・110ウ4・疊字	宣	平	—	—	siuan^{1}	仙韻
6618b	下世・110ウ4・疊字	命	平	—	—	miaŋ^{3}	映韻
6619a	下世・110ウ4・疊字	宣	平	—	—	siuan^{1}	仙韻
6619b	下世・110ウ4・疊字	旨	平	—	—	śiei^{2}	旨韻
6620a	下世・110ウ4・疊字	詔	平	—	—	tśiau^{3}	笑韻
6620b	下世・110ウ4・疊字	勅	入	—	—	ṭʻiɐk	職韻
6621a	下世・110ウ4・疊字	遷	—	セン	右注	tsʻian^{1}	仙韻
6621b	下世・110ウ4・疊字	幸	—	カウ	右注	ɣɐŋ^{2}	耿韻
6622a	下世・110ウ4・疊字	城	—	—	—	źieŋ^{1}	清韻
6622b	下世・110ウ4・疊字	都	—	—	—	tuʌ^{1}	模韻
6623a	下世・110ウ4・疊字	昭	—	—	—	tsiau^{1}	宵韻
6623b	下世・110ウ4・疊字	陽	—	—	—	jiɑŋ^{1}	陽韻
6623c	下世・110ウ4・疊字	殿	—	—	—	ten^{3} den^{3}	霰韻 霰韻
6624a	下世・110ウ5・疊字	栤	平	セウ	右注	(śiɐŋ^{1})	（国字）
6624b	下世・110ウ5・疊字	圍	平	ヰ	右注	ɣiuʌi$^{1/3}$	微/未韻
6625a	下世・110ウ5・疊字	栤	平	セウ	左注	(śiɐŋ^{1})	（国字）
6625b	下世・110ウ5・疊字	掖	入	エキ	左注	jiek	昔韻
6626a	下世・110ウ5・疊字	栤	平	—	—	(śiɐŋ^{1})	（国字）
6626b	下世・110ウ5・疊字	房	平	—	—	biɑŋ^{1} bɑŋ^{1}	陽韻 唐韻
6627a	下世・110ウ5・疊字	攝	入	セウ	右傍	śiap nep	葉韻 帖韻
6627b	下世・110ウ5・疊字	簶	入	ロク	右傍	lʌuk	屋韻
6628a	下世・110ウ5・疊字	燮	入	セフ	左注	sep	帖韻
6628b	下世・110ウ5・疊字	理	上	リ	左注	liɐi^{2}	止韻
6629a	下世・110ウ5・疊字	碩	入	セキ	右注	tsʻiek	昔韻
6629b	下世・110ウ5・疊字	德	入	トク	右注	tʌk	德韻
6630a	下世・110ウ6・疊字	僉	平	セム	左注	tsʻiam^{1}	鹽韻

6630b	下世・110ウ6・疊字	議	平	キ	左注	ŋie^{3}	寘韻
6631a	下世・110ウ6・疊字	遷	平	―	―	ts'ian^{1}	仙韻
6631b	下世・110ウ6・疊字	官	上	―	―	kuɑn^{1}	桓韻
6632a	下世・110ウ6・疊字	成	去	―	―	źieŋ^{1}	清韻
6632b	下世・110ウ6・疊字	選	平	―	―	siuan$^{2/3}$ suɑn^{2}	獮/線韻 緩韻
6633a	下世・110ウ6・疊字	省	上	―	―	ṣaŋ^{2} sieŋ^{2}	梗韻 靜韻
6633b	下世・110ウ6・疊字	略	入	―	―	liɑk	藥韻
6634a	下世・110ウ6・疊字	前	平	―	―	dzen^{1}	先韻
6634b	下世・110ウ6・疊字	蹤	平濁	―	―	tsiɑuŋ^{1}	鍾韻
6635a	下世・110ウ7・疊字	施	―	セ	右注	śie$^{1/3}$	支/寘韻
6635b	下世・110ウ7・疊字	入	―	ニウ	右注	ńiep	緝韻
6636a	下世・110ウ7・疊字	撰	―	セン	左注	dẓian^{2} dẓuan^{2}	獮韻 潸韻
6636b	下世・110ウ7・疊字	擇	入	タク	左注	ḍak	陌韻
6637a	下世・110ウ7・疊字	先	去	―	―	sen$^{1/3}$	先/霰韻
6637b	下世・110ウ7・疊字	後	平	―	―	ɣʌu$^{2/3}$	厚/候韻
6638a	下世・111オ1・疊字	先	去	セン	中注	sen$^{1/3}$	先/霰韻
6638b	下世・111オ1・疊字	兆	上	テウ	中注	ḍiau^{2}	小韻
6639a	下世・111オ1・疊字	先	去	―	―	sen$^{1/3}$	先/霰韻
6639b	下世・111オ1・疊字	表	上	―	―	piau^{2}	小韻
6640a	下世・111オ1・疊字	先	去濁	セン	左注	sen$^{1/3}$	先/霰韻
6640b	下世・111オ1・疊字	摽	上濁	ヘウ	左注	p'jiau$^{1/3}$ bjiau^{2}	宵/笑韻 小韻
6641a	下世・111オ1・疊字	燒	去	―	―	śiau$^{1/3}$	宵/笑韻
6641b	下世・111オ1・疊字	亡	上	―	―	miɑŋ^{1}	陽韻
6642a	下世・111オ1・疊字	先	去	―	―	sen$^{1/3}$	先/霰韻
6642b	下世・111オ1・疊字	祖	平	―	―	tsuʌ^{2}	姥韻
6643a	下世・111オ2・疊字	先	去	―	―	sen$^{1/3}$	先/霰韻
6643b	下世・111オ2・疊字	達	入	―	―	t'ɑt dɑt	曷韻 曷韻
6644a	下世・111オ2・疊字	昭	平 去	セウ	中注	tsiau^{1}	宵韻
6644b	下世・111オ2・疊字	穆	入濁	ホク	中注	miʌuk	屋韻
6645b	下世・111オ2・疊字	穆	入濁	モク	右傍	miʌuk	屋韻
6646a	下世・111オ2・疊字	西	平	セイ	中注	sei^{1}	齊韻
6646b	下世・111オ2・疊字	施	平	シ	中注	śie$^{1/3}$	支/寘韻
6647a	下世・111オ2・疊字	蟬	平	―	―	źian^{1}	仙韻
6647b	下世・111オ2・疊字	髮	入	―	―	piɑt	月韻
6648a	下世・111オ2・疊字	善	去	―	―	źian^{2}	獮韻
6648b	下世・111オ2・疊字	人	平濁	―	―	ńien^{1}	眞韻
6649a	下世・111オ2・疊字	少	去	―	―	śiau$^{2/3}$	小/笑韻
6649b	下世・111オ2・疊字	壮	去	―	―	tṣiɑŋ^{3}	漾韻

6650a	下世・111オ3・疊字	成	平	―	―	źieŋ[1]	清韻
6650b	下世・111オ3・疊字	人	平濁	―	―	ńien[1]	眞韻
6651a	下世・111オ3・疊字	成	平	セイ	左注	źieŋ[1]	清韻
6651b	下世・111オ3・疊字	長	上	チヤウ	左注	ṭiaŋ[2] ḍiaŋ[1/3]	養韻 陽/漾韻
6652a	下世・111オ3・疊字	小	上	―	―	siau[2]	小韻
6652b	下世・111オ3・疊字	兒	平	―	―	ńie[1] ŋei[1]	支韻 齊韻
6653a	下世・111オ3・疊字	専	―	セ	左注	tśiuan[1]	仙韻
6653b	下世・111オ3・疊字	輙	―	テウ	左注	ṭiap	葉韻
6654a	下世・111オ3・疊字	情	平	―	―	dzieŋ[1]	清韻
6654b	下世・111オ3・疊字	慾	入	―	―	jiauk	燭韻
6655a	下世・111オ3・疊字	情	平	―	―	dzieŋ[1]	清韻
6655b	下世・111オ3・疊字	操	去	―	―	ts'au[1/3] sʌu[2]	豪/号韻 厚韻
6656a	下世・111オ4・疊字	清	平	セイ	左注	ts'ieŋ[1]	清韻
6656b	下世・111オ4・疊字	廉	平	レン	左注	liam[1]	鹽韻
6657a	下世・111オ4・疊字	精	平	セイ	左注	tsieŋ[1]	清韻
6657b	下世・111オ4・疊字	誠	平	セイ	左注	źieŋ[1]	清韻
6658a	下世・111オ4・疊字	積	入	セキ	左注	tsiek tsie[3]	昔韻 寘韻
6658b	下世・111オ4・疊字	薪	平	シン	左注	sien[1]	眞韻
6659a	下世・111オ4・疊字	聖	去	―	―	śieŋ[3]	勁韻
6659b	下世・111オ4・疊字	人	平濁	―	―	ńien[1]	眞韻
6660a	下世・111オ4・疊字	先	平	―	―	sen[1/3]	先/霰韻
6660b	下世・111オ4・疊字	哲	入	―	―	ṭiat	薛韻
6661a	下世・111オ4・疊字	折	入	―	―	źiat tśiat dei[1]	薛韻 薛韻 齊韻
6661b	下世・111オ4・疊字	疑	平	―	―	ŋiei[1]	之韻
6662a	下世・111オ5・疊字	顦	平	セウ	中注	dziau[1]	宵韻
6662b	下世・111オ5・疊字	顇	去	スイ	中注	dziuei[3]	至韻
6663a	下世・111オ5・疊字	世	去	セイ	左注	śiai[3]	祭韻
6663b	下世・111オ5・疊字	途	平	ト	左注	duʌ[1]	模韻
6664a	下世・111オ5・疊字	世	平	―	―	śiai[3]	祭韻
6664b	下世・111オ5・疊字	間	去	―	―	kɐn[1/3]	山/襉韻
6665a	下世・111オ5・疊字	世	平 去	―	―	śiai[3]	祭韻
6665b	下世・111オ5・疊字	會	去	―	―	ɣuai[3] kuai[3]	泰韻 泰韻
6666a	下世・111オ5・疊字	世	去	―	―	śiai[3]	祭韻
6666b	下世・111オ5・疊字	禄	入	―	―	lʌuk	屋韻
6667a	下世・111オ5・疊字	紹	去	セウ	中注	źiau[2]	小韻

6667b	下世・111オ5・疊字	介	去	カイ	中注	kɐi³	怪韻
6668a	下世・111オ6・疊字	聟	去	―	―	sei³	霽韻
6668b	下世・111オ6・疊字	公	平	―	―	kʌuŋ¹	東韻
6669a	下世・111オ6・疊字	請	上	セイ	右注	ts‘ieŋ^{1/2} dzieŋ³	清/靜韻 勁韻
6669b	下世・111オ6・疊字	託	入	タク	右注	t‘ɑk	鐸韻
6670a	下世・111オ6・疊字	逍	去	セウ	左注	siau¹	宵韻
6670b	下世・111オ6・疊字	遥	上	エウ	左注	jiau¹	宵韻
6671a	下世・111オ6・疊字	涉	入	―	―	dźiap tep	葉韻 帖韻
6671b	下世・111オ6・疊字	獵	入	―	―	liap	葉韻
6672a	下世・111オ6・疊字	請	平	―	―	ts‘ieŋ^{1/2} dzieŋ³	清/靜韻 勁韻
6672b	下世・111オ6・疊字	談	平	―	―	dɑm²	談韻
6673a	下世・111オ6・疊字	善	去	―	―	źian²	獮韻
6673b	下世・111オ6・疊字	語	平	―	―	ŋiʌ^{2/3}	語/御韻
6674a	下世・111オ7・疊字	正	平 去	―	―	tśieŋ^{1/3}	清/勁韻
6674b	下世・111オ7・疊字	誤	平	―	―	ŋuʌ³	暮韻
6675a	下世・111オ7・疊字	誓	―	セイ	左注	źiai³	祭韻
6675b	下世・111オ7・疊字	約	入	ヤク	左注	’iɑk ’iau³	藥韻 笑韻
6676a	下世・111オ7・疊字	然	平	―	―	ńian¹	仙韻
6676b	下世・111オ7・疊字	諾	入	―	―	nɑk	鐸韻
6677a	下世・111オ7・疊字	遷	平	セン	左注	ts‘ian¹	仙韻
6677b	下世・111オ7・疊字	替	去	タイ	左注	t‘ei³	霽韻
6678a	下世・111オ7・疊字	招	去	―	―	tśiau¹	宵韻
6678b	下世・111オ7・疊字	引	上	―	―	jien^{2/3}	軫韻
6679a	下世・111オ7・疊字	勢	去	―	―	śiai³	祭韻
6679b	下世・111オ7・疊字	家	上	―	―	ka¹	麻韻
6680a	下世・111ウ1・疊字	蟬	上	セン	右注	źian¹	仙韻
6680b	下世・111ウ1・疊字	冕	上濁	ヘン	右注	mian²	獮韻
6681a	下世・111ウ1・疊字	樵	平	セウ	左注	dziau¹	宵韻
6681b	下世・111ウ1・疊字	夫	平	フ	左注	piuʌ¹ biuʌ¹	虞韻 虞韻
6682a	下世・111ウ1・疊字	前	平	セン	左注	dzen¹	先韻
6682b	下世・111ウ1・疊字	駈	平	クウ	左注	k‘iuʌ^{1/3}	虞/遇韻
6683a	下世・111ウ1・疊字	絶	入	セチ	左注	dziuat	薛韻
6683b	下世・111ウ1・疊字	煙	平	エン	左注	’en¹	先韻
6684a	下世・111ウ1・疊字	席	―	セキ	右注	ziek	昔韻
6684b	下世・111ウ1・疊字	門	―	モン	右注	muʌn¹	魂韻
6685a	下世・111ウ1・疊字	青	平	―	―	ts‘eŋ¹	青韻
6685b	下世・111ウ1・疊字	眼	上	―	―	ŋɐn²	産韻
6686a	下世・111ウ2・疊字	遷	平	セン	中注	ts‘ian¹	仙韻

6686b	下世・111ウ2・疊字	謫	入	タク	中注	ṭɐk ḍɐk	麥韻 麥韻
6687a	下世・111ウ2・疊字	請	上	セイ	中注	tsʻieŋ[1/2] dzieŋ[3]	清/靜韻 勁韻
6687b	下世・111ウ2・疊字	益	入	エキ	中注	ʼiek	昔韻
6688a	下世・111ウ2・疊字	消	去	セウ	左注	siau[1]	宵韻
6688b	下世・111ウ2・疊字	息	入	ソク	左注	siɐk	職韻
6689a	下世・111ウ2・疊字	禅	去	―	―	źian[1/3]	仙/線韻
6689b	下世・111ウ2・疊字	教	平	―	―	kau[1/3]	肴/効韻
6690a	下世・111ウ2・疊字	制	去	セイ	左注	tśiai[3]	祭韻
6690b	下世・111ウ2・疊字	法	平	ハウ	左注	piʌp	乏韻
6691a	下世・111ウ2・疊字	是	平	セ	左注	źie[2]	紙韻
6691b	下世・111ウ2・疊字	非	上	ヒ	左注	piʌi[1]	微韻
6692a	下世・111ウ3・疊字	精	平	セイ	左注	tsieŋ[1]	清韻
6692b	下世・111ウ3・疊字	兵	上	ヒヤウ	左注	piaŋ[1]	庚韻
6693a	下世・111ウ3・疊字	折	入	セツ	中注	źiat tśiat dei[1]	薛韻 薛韻 齊韻
6693b	下世・111ウ3・疊字	角	入	カク	中注	kauk lʌuk	覺韻 屋韻
6694a	下世・111ウ3・疊字	青	平	セイ	中注	tsʻeŋ[1]	青韻
6694b	下世・111ウ3・疊字	犢	入	トク	中注	dʌuk	屋韻
6695a	下世・111ウ3・疊字	赤	入	―	―	tśʻiek	昔韻
6695b	下世・111ウ3・疊字	眉	平	―	―	miei[1]	脂韻
6696a	下世・111ウ3・疊字	煞	入	セツ	左注	ṣɐt ṣɐi[3]	黠韻 怪韻
6696b	下世・111ウ3・疊字	害	平	カイ	左注	ɣɑi[3]	泰韻
6697a	下世・111ウ4・疊字	寂	入	セキ	中注	dzek	錫韻
6697b	下世・111ウ4・疊字	寞	入	ハク	中注	mɑk	鐸韻
6698a	下世・111ウ4・疊字	寂	入	セキ	左注	dzek	錫韻
6698b	下世・111ウ4・疊字	寥	平	レウ	左注	leu[1] lek	蕭韻 錫韻
6699a	下世・111ウ4・疊字	洗	上	セン	左注	sen[2] sei[2]	銑韻 薺韻
6699b	下世・111ウ4・疊字	濯	入	タク	左注	ḍauk ḍau[3]	覺韻 効韻
6700a	下世・111ウ4・疊字	染	上	―	―	ńiam[2/3]	琰/豔韻
6700b	下世・111ウ4・疊字	㐌	入	―	―	ṣiɐk	職韻
6701a	下世・111ウ4・疊字	精	平	セイ	左注	tsieŋ[1]	清韻
6701b	下世・111ウ4・疊字	好	上濁	カウ	左注	xɑu[2/3]	晧/号韻
6702a	下世・111ウ4・疊字	鮮	平	セン	左注	sian[1/2/3]	仙/獮/線韻
6702b	下世・111ウ4・疊字	明	平	メイ	左注	miaŋ[1]	庚韻
6703a	下世・111ウ5・疊字	青	―	セイ	右注	tsʻeŋ[1]	青韻
6703b	下世・111ウ5・疊字	雲	―	ウン	右注	ɣiuʌn[1]	文韻

6704a	下世・111ウ5・疊字	鮮	上	—	—	sian1/2/3	仙/獮/線韻
6704b	下世・111ウ5・疊字	物	入	—	—	miuʌt	物韻
6705a	下世・111ウ5・疊字	焼	平	—	—	śiau1/3	宵/笑韻
6705b	下世・111ウ5・疊字	尾	平濁	—	—	miʌi2	尾韻
6706a	下世・111ウ5・疊字	成	平	—	—	źieŋ1	清韻
6706b	下世・111ウ5・疊字	風	平	—	—	piʌuŋ1/3	東/送韻
6707a	下世・111ウ5・疊字	前	平	セン	左注	dzen1	先韻
6707b	下世・111ウ5・疊字	途	平	ト	左注	duʌ1	模韻
6708a	下世・111ウ6・疊字	餞	上	セン	左注	dzian2/3	獮/線韻
6708b	下世・111ウ6・疊字	別	入	ヘツ	左注	biat piat	薛韻 薛韻
6709a	下世・111ウ6・疊字	餞	上	—	—	dzian2/3	獮/線韻
6709b	下世・111ウ6・疊字	行	去	—	—	ɣaŋ1/3 ɣɑŋ1/3	庚/映韻 唐/宕韻
6710a	下世・111ウ6・疊字	詔	上	セウ	左注	tśiau3	笑韻
6710b	下世・111ウ6・疊字	使	上	シ	左注	ṣiɐi2/3	止/志韻
6711a	下世・111ウ6・疊字	専	去	—	—	tśiuan1	仙韻
6711b	下世・111ウ6・疊字	李	上	—	—	liɐi2	止韻
6712b	下世・111ウ6・疊字	術	—	スツ	中注	dźiuet	術韻
6713b	下世・111ウ7・疊字	方	—	ハウ	左注	piɑŋ1 biɑŋ1	陽韻 陽韻
6714a	下世・111ウ7・疊字	際	去	—	—	tsiai3	祭韻
6714b	下世・111ウ7・疊字	會	去	—	—	ɣuɑi3 kuɑi3	泰韻 泰韻
6715a	下世・111ウ7・疊字	戰	去	—	—	tśian3	線韻
6715b	下世・111ウ7・疊字	越	入	—	—	ɣiuɑt	月韻
6716a	下世・111ウ7・疊字	纖	平	セム	左注	śiam1	鹽韻
6716b	下世・111ウ7・疊字	芥	去	カイ	左注	kɐi3	怪韻
6717a	下世・111ウ7・疊字	細	去	セイ	左注	sei3	霽韻
6717b	下世・111ウ7・疊字	碎	去	スイ	左注	suʌi3	隊韻
6718a	下世・111ウ7・疊字	蟬	平	—	—	źian1	仙韻
6719a	下世・112オ1・疊字	戰	去	—	—	tśian3	線韻
6719b	下世・112オ1・疊字	栗	入	—	—	liet	質韻
6720a	下世・112オ1・疊字	蕭	平	—	—	seu1	蕭韻
6720b	下世・112オ1・疊字	然	平濁	—	—	ńian1	仙韻
6721a	下世・112オ1・疊字	照	上	—	—	tśiau3	笑韻
6721b	下世・112オ1・疊字	察	入	—	—	tṣʻɐt	黠韻
6722a	下世・112オ1・疊字	瞻	平	—	—	tśiam1	鹽韻
6722b	下世・112オ1・疊字	望	去	—	—	miɑŋ1/3	陽/漾韻
6723b	下世・112オ2・疊字	窠	上	クワ	右傍	kʻuɑ1	戈韻
6723c	下世・112オ2・疊字	錦	平	—	—	kiem2	寑韻
6724a	下世・112オ2・疊字	夕	平	—	—	ziek	昔韻
6724b	下世・112オ2・疊字	陽	平	—	—	jiɑŋ1	陽韻

6725a	下世・112オ2・疊字	戰	去	セン	左注	tśian³	線韻
6725b	下世・112オ2・疊字	慄	入	リツ	左注	liet	質韻
6726a	下世・112オ2・疊字	制	―	セイ	右注	tśiai³	祭韻
6726b	下世・112オ2・疊字	止	―	シ	右注	tśiɐi²	止韻
6727a	下世・112オ3・疊字	専	―	セン	右注	tśiuan¹	仙韻
6727b	下世・112オ3・疊字	一	―	イツ	右注	'jiet	質韻
6728a	下世・112オ3・疊字	清	―	セイ	右注	ts'ieŋ¹	清韻
6728b	下世・112オ3・疊字	潔	―	ケツ	右注	ket	屑韻
6729b	下世・112オ3・疊字	前	平濁	セン	右注	dzen¹	先韻
6730a	下世・112オ3・疊字	世	平	セ	右注	śiai³	祭韻
6730b	下世・112オ3・疊字	俗	入濁	ソク	右注	ziɑuk	燭韻
6731a	下世・112オ3・疊字	誓	去	セイ	右注	źiai³	祭韻
6731b	下世・112オ3・疊字	盟	―	メイ	右注	miaŋ¹ maŋ³	庚韻 映韻
6732a	下世・112オ3・疊字	誓	去	セイ	右注	źiai³	祭韻
6732b	下世・112オ3・疊字	言	上濁	コム	右注	ŋiɑn¹	元韻
6733a	下世・112オ4・疊字	聖	―	セイ	右傍	śieŋ³	勁韻
6733b	下世・112オ4・疊字	目	―	ホク	右傍	miʌuk	屋韻
6734a	下世・112オ4・疊字	切	入	セツ	右注	ts'et	屑韻
6734b	下世・112オ4・疊字	磋	平	サ	右注	ts'ɑ¹ᐟ³	歌/箇韻
6735a	下世・112オ4・疊字	薦	去	セン	右注	tsen³	霰韻
6735b	下世・112オ4・疊字	舉	上	キヨ	右注	kiʌ² jiʌ¹	語韻 魚韻
6736a	下世・112オ4・疊字	絶	入	セツ	右注	dziuat	薛韻
6736b	下世・112オ4・疊字	席	入	セキ	右注	ziek	昔韻
6737a	下世・112オ4・疊字	絶	入	セツ	右注	dziuat	薛韻
6737b	下世・112オ4・疊字	交	上	カウ	右注	kau¹	肴韻
6738a	下世・112オ4・疊字	絶	―	セツ	左注	dziuat	薛韻
6738b	下世・112オ4・疊字	倫	―	リン	左注	liuen¹	諄韻
6739a	下世・112オ5・疊字	蕭	平	セウ	右傍	seu¹	蕭韻
6739b	下世・112オ5・疊字	索	入	サク	右傍	sɑk ṣak ṣek	鐸韻 陌韻 麥韻
6740a	下世・112オ5・疊字	成	去	セイ	右注	źieŋ¹	清韻
6740b	下世・112オ5・疊字	命	平	メイ	右注	miaŋ³	映韻
6741a	下世・112オ5・疊字	紹	去	セウ	左注	źiau²	小韻
6741b	下世・112オ5・疊字	隆	平	リウ	左注	liʌuŋ¹	東韻
6742a	下世・112オ5・疊字	絶	―	セ	右注	dziuat	薛韻
6742b	下世・112オ5・疊字	入	―	ニウ	右注	ńiep	緝韻
6743a	下世・112オ5・疊字	勢	―	セイ	左注	śiai³	祭韻
6743b	下世・112オ5・疊字	德	―	トク	左注	tʌk	徳韻
6744a	下世・112オ6・疊字	成	平	セイ	右注	źieŋ¹	清韻
6744b	下世・112オ6・疊字	敗	去	ハイ	右注	bai³ pai³	夬韻 夬韻

6745a	下世・112オ6・疉字	清	―	セイ	右注	ts'ieŋ[1]	清韻
6745b	下世・112オ6・疉字	濁	―	タク	右注	ḍauk	覺韻
6746a	下世・112オ6・疉字	尺	―	セキ	右傍	tś'iek	昔韻
6747a	下世・112オ7・疉字	赤	―	セキ	右注	tś'iek	昔韻
6747b	下世・112オ7・疉字	松	平	シヨウ	右注	ziɑuŋ[1]	鍾韻
6748a	下世・112オ7・疉字	青	平	セイ	右傍	ts'eŋ[1]	青韻
6748b	下世・112オ7・疉字	洲	平	シウ	右傍	tśiʌu[1]	尤韻
6749a	下世・112オ7・疉字	青	平	セイ	右注	ts'eŋ[1]	青韻
6749b	下世・112オ7・疉字	骹	平	カウ	右注	k'au[1]	肴韻
6750b	下世・112オ7・疉字	骹	平	ヤウ	右注	k'au[1]	肴韻
6751a	下世・112オ7・疉字	成	平	セイ	右注	źieŋ[1]	清韻
6751b	下世・112オ7・疉字	槗	平	ケウ	右注	giau[1]	宵韻
6752a	下世・112オ7・疉字	遷	平	セム	右傍	ts'ian[1]	仙韻
6752b	下世・112オ7・疉字	喬	平	ケウ	右傍	kiau[1] giau[1]	宵韻 宵韻
6753a	下世・112オ7・疉字	青	平	セイ	右注	ts'eŋ[1]	青韻
6753b	下世・112オ7・疉字	袍	去	ハウ	右注	bɑu[1]	豪韻
6754a	下世・112ウ1・疉字	石	―	セキ	右注	źiek	昔韻
6754b	下世・112ウ1・疉字	髮	入	ハツ	右注	piɑt	月韻
6755a	下世・112ウ1・疉字	青	平	セイ	右注	ts'eŋ[1]	青韻
6755b	下世・112ウ1・疉字	蘋	平	ヒン	右注	bjien[1]	眞韻
6756a	下世・112ウ1・疉字	成	―	セイ	右注	źieŋ[1]	清韻
6756b	下世・112ウ1・疉字	蹊	―	ケイ	右注	ɣei[1]	齊韻
6757a	下世・112ウ1・疉字	青	平	セイ	右注	ts'eŋ[1]	青韻
6757b	下世・112ウ1・疉字	女	上	チヨ	右注	ṇiʌ[2/3]	語/御韻
6758a	下世・112ウ2・疉字	清	平	セイ	右傍	ts'ieŋ[1]	清韻
6758b	下世・112ウ2・疉字	浄	去濁	セイ	右傍	dzieŋ[3]	勁韻
6758c	下世・112ウ2・疉字	潔	入	ケツ	右傍	ket	屑韻
6758d	下世・112ウ2・疉字	白	入	ハク	右傍	bak	陌韻
6759a	下世・112ウ2・疉字	絶	―	セツ	右傍	dziuat	薛韻
6759b	下世・112ウ2・疉字	入	―	シユ	右傍	ńiep	緝韻
6760a	下世・112ウ5・国郡	勢	―	セ	右注	śiai[3]	祭韻
6760b	下世・112ウ5・国郡	多	―	タ	右注	tɑ[1]	歌韻
6761a	下世・112ウ7・官職	攝	―	セフ	右傍	śiap nep	葉韻 帖韻
6761b	下世・112ウ7・官職	政	―	シヤウ	右傍	tśieŋ[3]	勁韻
6762a	下世・112ウ7・官職	少	―	セウ	右傍	śiau[2/3]	小/笑韻
6762b	下世・112ウ7・官職	將	―	シヤウ	右傍	tsiɑŋ[1/3]	陽/漾韻
6763a	下世・112ウ7・官職	少	―	セウ	右傍	śiau[2/3]	小/笑韻
6763b	下世・112ウ7・官職	納	―	ナウ	右傍	nɑp	盍韻
6763c	下世・112ウ7・官職	言	―	コン	右傍	ŋiɑn[1]	元韻
6764a	下世・112ウ7・官職	施	―	セ	右傍	śie[1/3]	支/寘韻
6764b	下世・112ウ7・官職	藥	―	ヤク	右傍	jiɑk	藥韻

6764c	下世・112ウ7・官軄	院	—	ヰン	右傍	ɣiuan^{3} ɣuɑn^{1}	線韻 桓韻
6765	下世・112ウ7・官軄	進	—	シン	右傍	tsien^{3}	震韻
6766a	下世・113オ1・官軄	将	—	シヤウ	右傍	tsiɑŋ$^{1/3}$	陽/漾韻
6766b	下世・113オ1・官軄	監	—	ケム	右傍	kam$^{1/3}$	銜/鑑韻
6767a	下世・113オ2・官軄	掌	—	セウ	右傍	tśiɑŋ^{2}	養韻
6767b	下世・113オ2・官軄	侍	—	シ	右傍	źiɐi^{3}	志韻
6768a	下世・113オ3・官軄	専	—	セン	右傍	tśiuan^{1}	仙韻
6768b	下世・113オ3・官軄	當	—	タウ	右傍	tɑŋ$^{1/3}$	唐/宕韻

【表A-02】下巻_洲篇

番号	前田本所在	掲出字		仮名音注		中古音	韻目
6769a	下洲・113オ5・天象	昴	上濁	ハウ	右傍	mau^{2}	巧韻
6770	下洲・113オ5・天象	凉	—	リヤウ	右傍	liɑŋ^{1}	陽韻
6771	下洲・113オ8・地儀	洲	—	シウ	右傍	tśiʌu^{1}	尤韻
6772	下洲・113オ8・地儀	砂	平	サ	右傍	ṣa^{1}	麻韻
6773	下洲・113ウ1・地儀	棲	平	セイ	右傍	sei^{1}	齊韻
6774	下洲・113ウ1・地儀	陬	平	ス	右傍	tsiuʌ^{1} tsʌu^{1} tsiʌu^{1}	虞韻 侯韻 尤韻
6775	下洲・113ウ1・地儀	巣	平	サウ	右傍	dẓau^{1}	肴韻
6776a	下洲・113ウ2・地儀	鍾	平	スウ	右注	tśiɑuŋ^{1}	鍾韻
6776b	下洲・113ウ2・地儀	樓	平	ロウ	右注	lʌu^{1}	侯韻
6777a	下洲・113ウ2・地儀	水	上	スイ	左注	śiuei^{2}	旨韻
6777b	下洲・113ウ2・地儀	門	平	モン	左注	muʌn^{1}	魂韻
6778a	下洲・113ウ2・地儀	椿	平	シ	右傍	tśie^{1}	支韻
6779	下洲・113ウ3・地儀	桷	入	カク	右傍	kauk	覺韻
6780a	下洲・113ウ3・地儀	簀	入	サク	右傍	tsɐk	麥韻
6781a	下洲・113ウ4・地儀	春	平	スヰン	右傍	tś‘iuen^{1}	諄韻
6781b	下洲・113ウ4・地儀	興	平	キヨウ	右傍	xiɐŋ$^{1/3}$	蒸/證韻
6782a	下洲・113ウ4・地儀	淳	平	スヰン	右傍	źiuen^{1}	諄韻
6782b	下洲・113ウ4・地儀	凬	平			plʌuŋ$^{1/3}$	東/送韻
6783a	下洲・113ウ4・地儀	崇	平	スウ	右傍	dẓiʌuŋ^{1}	東韻
6783b	下洲・113ウ4・地儀	仁	平濁	シン	右傍	ńien^{1}	眞韻
6784a	下洲・113ウ4・地儀	春	平	—	—	tś‘iuen^{1}	諄韻
6784b	下洲・113ウ4・地儀	華	平	—	—	xua^{1} ɣua$^{1/3}$	麻韻 麻/禡韻
6785a	下洲・113ウ4・地儀	崇	平	ス	右傍	dẓiʌuŋ^{1}	東韻
6785b	下洲・113ウ4・地儀	明	平	—	—	miɑŋ^{1}	庚韻
6786	下洲・113ウ6・植物	菅	平	—	—	kan^{1}	刪韻
6787	下洲・113ウ6・植物	薄	入	ハク	右傍	bɑk	鐸韻

6788a	下洲・113ウ6・植物	菫	上	キン	右傍	$ki\Lambda n^2$ $gi\Lambda n^1$	隠韻 欣韻
6789a	下洲・113ウ6・植物	天	去	テン	右傍	$t‘en^1$	先韻
6789b	下洲・113ウ6・植物	門	上	モン	右傍	$mu\Lambda n^1$	魂韻
6789c	下洲・113ウ6・植物	冬	上	トウ	右傍	$tau\eta^1$	冬韻
6790a	下洲・113ウ7・植物	蓀	平	ソン	右傍	$su\Lambda n^1$	魂韻
6790b	下洲・113ウ7・植物	蕪	平濁	フ	右傍	$miu\Lambda^1$	虞韻
6791a	下洲・113ウ7・植物	石	入	―	―	źiek	昔韻
6791b	下洲・113ウ7・植物	蘚	入	コク	右傍	kʌuk	屋韻
6792a	下洲・114オ1・植物	椶	―	ス [去]	右注	$ts\Lambda u\eta^1$	東韻
6792b	下洲・114オ1・植物	櫚	―	ロ [上]	右注	$li\Lambda^1$	魚韻
6793	下洲・114オ1・植物	杦	―	サム	右傍	$ṣɐm^1$	咸韻
6794	下洲・114オ1・植物	榅	上	ウン	右傍	’uʌt	没韻
6795	下洲・114オ1・植物	李	上	リ	右傍	$liɐi^2$	止韻
6796a	下洲・114オ1・植物	翠	―	スイ	右注	$ts‘iuei^3$	至韻
6796b	下洲・114オ1・植物	質	―	シチ	右注	tś‘iet $ṭiei^3$	質韻 至韻
6797a	下洲・114オ1・植物	盛	平	セイ	右注	$źie\eta^1$ $źie\eta^3$	清韻 勁韻
6797b	下洲・114オ1・植物	蹊	―	ケイ	右注	γei^1	齊韻
6798a	下洲・114オ2・植物	蘇	平	ス	右注	$su\Lambda^1$	模韻
6798b	下洲・114オ2・植物	枋	上	ハウ	右注	$pia\eta^1$	陽韻
6799	下洲・114オ2・植物	葼	平	ソウ	右注	$ts\Lambda u\eta^1$	東韻
6800a	下洲・114オ3・植物	紫	平	―	―	$tsie^2$	紙韻
6801a	下洲・114オ4・植物	忍	平	ニン	右傍	$ńien^2$	軫韻
6802	下洲・114オ6・動物	雀	―	シヤク	右傍	tsiak	藥韻
6803a	下洲・114オ6・動物	佳	平	カ	右傍	$kɐ^1$	佳韻
6803b	下洲・114オ6・動物	賓	―	ヒン	右傍	$pjien^1$	眞韻
6804b	下洲・114オ6・動物	連	平	レン	右傍	$lian^1$	仙韻
6805a	下洲・114オ6・動物	雀	徳	―	―	tsiak	藥韻
6805b	下洲・114オ6・動物	鷂	平	エウ	右傍	$jiau^{1/3}$	宵/笑韻
6806	下洲・114オ6・動物	鴽	平	ソ	右傍	$ńi\Lambda^1$	魚韻
6807	下洲・114オ6・動物	鰕	去	タン	右傍	$duan^3$	換韻
6808a	下洲・114オ7・動物	水	―	スイ	右傍	$śiuei^2$	旨韻
6808b	下洲・114オ7・動物	牛	―	キウ	右傍	$\eta i\Lambda u^1$	尤韻
6809	下洲・114ウ1・動物	鱸	平	ロ	右傍	$lu\Lambda^1$	模韻
6810a	下洲・114ウ2・植物	蠐	平	セイ	右傍	$dzei^1$	齊韻
6810b	下洲・114ウ2・植物	螬	平	サウ	右傍	$dzau^1$	豪韻
6811a	下洲・114ウ2・植物	蛣	―	キツ	右傍	k‘iet	質韻
6811b	下洲・114ウ2・植物	蝠	―	クヰツ	右傍	k‘iuʌt	物韻
6812a	下洲・114ウ4・人倫	陶	平	―	―	dau^1	豪韻
6813a	下洲・114ウ4・人倫	主	―	ス	右注	$tśiu\Lambda^2$	麌韻

6813b	下洲・114ウ4・人倫	領	―	リヤウ	右注	lieŋ^{2}	靜韻
6814a	下洲・114ウ5・人倫	魑	平	チ	右傍	ṭie^{1}	支韻
6814b	下洲・114ウ5・人倫	魅	去濁	ミ	右傍	miei^{3}	至韻
6815	下洲・114ウ7・人躰	髻	上	タ	右傍	tuɑ^{2} duɑ^{2} ḍiue^{1}	果韻 果韻 支韻
6816	下洲・114ウ7・人躰	髫	平	セウ	右傍	deu^{1}	蕭韻
6817	下洲・114ウ7・人躰	洟	平	イ	右傍	jiei^{1} t‘ei^{3}	脂韻 霽韻
6818	下洲・115オ1・人躰	髓	上濁	スイ	右傍	siue^{2}	紙韻
6819	下洲・115オ1・人躰	筋	平	キン	右傍	kiʌn^{1}	欣韻
6820	下洲・115オ2・人躰	眇	上濁	ヘウ	右傍	mjiau^{2}	小韻
6821a	下洲・115オ2・人躰	寸	―	ス	右傍	ts‘uʌn^{3}	慁韻
6821b	下洲・115オ2・人躰	白	―	ハク	右傍	bak	陌韻
6822	下洲・115オ4・人事	棲	平	セイ	右傍	sei^{1}	齊韻
6823a	下洲・115オ5・人事	咒	―	ス	右傍	tśiʌu^{3} źiʌu^{1}	宥韻 尤韻
6823b	下洲・115オ5・人事	師	―	シ	右傍	ṣiei^{1}	脂韻
6824	下洲・115オ5・人事	跣	―	セン	右傍	sen^{2}	銑韻
6825	下洲・115ウ1・人事	漁	平	キヨ	右傍	ŋlʌ^{1}	魚韻
6826	下洲・115ウ1・人事	敹	平	キヨ	右傍	ŋiʌ^{1}	魚韻
6827a	下洲・115ウ1・人事	雙	平	サウ	右傍	ṣauŋ^{1}	江韻
6827b	下洲・115ウ1・人事	六	―	リク	右傍	liʌuk	屋韻
6828a	下洲・115ウ1・人事	雙	平	スク	右注	ṣauŋ^{1}	江韻
6828b	下洲・115ウ1・人事	六	―	ロク	右注	liʌuk	屋韻
6829	下洲・115ウ4・飲食	酢	去	ソ	右傍	dzɑk	鐸韻
6830	下洲・115ウ4・飲食	酸	平	シユン	右傍	suɑn^{1}	桓韻
6831	下洲・115ウ5・飲食	鮨	去	シ	右傍	giei^{1}	脂韻
6832a	下洲・116オ2・雜物	晉	去	シム	右傍	tsien^{3}	震韻
6832b	下洲・116オ2・雜物	銀	平濁	キン	右傍	ŋien^{1}	眞韻
6833b	下洲・116オ2・雜物	滴	―	テキ	右傍	tek	錫韻
6834	下洲・116オ2・雜物	墨	入濁	ホク	右傍	bʌk	徳韻
6835a	下洲・116オ2・雜物	松	平	―	―	ziɑuŋ^{1}	鍾韻
6835b	下洲・116オ2・雜物	煙	平	―	―	’en^{1}	先韻
6836b	下洲・116オ2・雜物	當	上	―	―	tɑŋ$^{1/3}$	唐/宕韻
6837b	下洲・116オ3・雜物	芯	去	シム	右傍	(ts‘iem^{1})	(侵韻)
6838a	下洲・116オ3・雜物	墨	入濁	ホク	右傍	bʌk	徳韻
6838b	下洲・116オ3・雜物	斗	上	トウ	右傍	tʌu^{2}	厚韻
6839a	下洲・116オ3・雜物	繩	―	シヨウ	右傍	dźieŋ^{1}	蒸韻
6839b	下洲・116オ3・雜物	墨	―	ホク	右傍	bʌk	徳韻
6840	下洲・116オ3・雜物	裾	平	キヨ	右傍	kiʌ^{1}	魚韻
6841a	下洲・116オ3・雜物	麈	―	ス	右注	tśiuʌ^{2}	麌韻
6841b	下洲・116オ3・雜物	尾	―	ヒ	右注	miʌi^{2}	尾韻

6842	下洲・116オ3・雜物	炭	去	タン	右傍	t‘ɑn³	翰韻
6843a	下洲・116オ4・雜物	炭	去	タン	右傍	t‘ɑn³	翰韻
6843b	下洲・116オ4・雜物	鉤	平	コウ	右傍	kʌu¹	侯韻
6844	下洲・116オ4・雜物	簾	―	レム	右傍	liam¹	鹽韻
6845a	下洲・116オ4・雜物	翠	―	スイ	右傍	ts‘iuei³	至韻
6845b	下洲・116オ4・雜物	羽	―	ウ	右傍	ɣiuʌ²ᐟ³	麌/遇韻
6846	下洲・116オ5・雜物	箔	―	ハク	右傍	bɑk	鐸韻
6847a	下洲・116オ5・雜物	酒	―	ス	右注	tsiʌu²	有韻
6847b	下洲・116オ5・雜物	海	―	カイ	右注	xʌi²	海韻
6848	下洲・116オ5・雜物	磑	去濁	タイ	右傍	ŋuʌi¹ᐟ³	灰/隊韻
6849a	下洲・116オ6・雜物	水	―	スイ	右注	śiuei²	旨韻
6849b	下洲・116オ6・雜物	干	―	カン	右注	kɑn¹	寒韻
6850	下洲・116オ6・雜物	褌	―	コン	右傍	kuʌn¹	魂韻
6851a	下洲・116オ6・雜物	假	上	カ	右傍	ka²ᐟ³	馬/禡韻
6851b	下洲・116オ6・雜物	髻	上	ケイ	右傍	kei³	霽韻
6852a	下洲・116オ7・雜物	數	―	ス [平濁]	右注	ṣiuʌ²ᐟ³ sʌuk ṣauk	麌/遇韻 屋韻 覺韻
6852b	下洲・116オ7・雜物	珠	―	ス [平]	右注	tśiuʌ¹	虞韻
6853a	下洲・116オ7・雜物	念	去	―	―	nem³	桥韻
6853b	下洲・116オ7・雜物	珠	平	―	―	tśiuʌ¹	虞韻
6854a	下洲・116オ7・雜物	水	平	スイ	右傍	śiuei²	旨韻
6854b	下洲・116オ7・雜物	精	上	シヤウ	右傍	tsieŋ¹	清韻
6855	下洲・116オ7・雜物	鈴	平	レイ	右傍	leŋ¹	青韻
6856	下洲・116オ7・雜物	鈐	平	―	―	giam¹	鹽韻
6857	下洲・116オ7・雜物	鑾	平	ラン	右傍	luɑn¹	桓韻
6858	下洲・116オ7・雜物	鐸	―	タク	右傍	dɑk	鐸韻
6859a	下洲・116ウ1・雜物	揩	去	カイ	右傍	k‘ɐi¹ᐟ³	皆/怪韻
6859b	下洲・116ウ1・雜物	鼓	上	コ	右傍	kuʌ²	姥韻
6860	下洲・116ウ1・雜物	鋤	―	ソ	右傍	dẓiʌ¹	魚韻
6861	下洲・116ウ2・雜物	銶	平	キ	右傍	giʌu¹	尤韻
6862a	下洲・116ウ2・雜物	雙	―	スク	右注	ṣauŋ¹	江韻
6862b	下洲・116ウ2・雜物	六	―	ロク	右注	liʌuk	屋韻
6862c	下洲・116ウ2・雜物	采	―	サイ	左注	ts‘ʌi²	海韻
6863a	下洲・116ウ3・雜物	炲	平	タイ	右傍	dʌi¹	咍韻
6863b	下洲・116ウ3・雜物	煤	平濁	ハイ	右傍	muʌi¹	灰韻
6864a	下洲・116ウ3・雜物	簏	―	ロク	右傍	lʌuk	屋韻
6865a	下洲・116ウ5・光彩	蘓	平	ソ	右傍	suʌ¹	模韻
6865b	下洲・116ウ5・光彩	枋	平	ハウ	右傍	piaŋ¹	陽韻
6866a	下洲・116ウ5・光彩	蘓	平	ス	右注	suʌ¹	模韻
6866b	下洲・116ウ5・光彩	枋	平	ハウ	右注	piaŋ¹	陽韻
6867b	下洲・116ウ5・光彩	沙	上	―	―	ṣa¹ᐟ³	麻/禡韻

6868	下洲・116ウ5・光彩	礬	—	シウ	右傍	bian^{1}	元韻
6869	下洲・116ウ7・方角	隅	平濁	ク	右傍	ŋiuʌ^{1}	虞韻
6870	下洲・116ウ7・方角	陬	平	—	—	tsiuʌ^{1} tsʌu^{1} tṣiʌu^{1}	虞韻 侯韻 尤韻
6871	下洲・116ウ7・方角	維	—	ヰ	右傍	jiuei^{1}	脂韻
6872	下洲・116ウ7・方角	末	—	マツ	右傍	mɑt	末韻
6873	下洲・117オ1・方角	標	平	ヘウ	右傍	pjiau$^{1/2}$	宵/小韻
6874	下洲・117オ3・員數	寸	—	スン	右注	ts'uʌn^{3}	慁韻
6875	下洲・117オ3・員數	銖	平	シユ	右傍	źiuʌ^{1}	虞韻
6876	下洲・117オ3・員數	微	平	—	—	miʌi^{1}	微韻
6877	下洲・117オ5・員數	幾	平	キ	右傍	kiʌi$^{1/2}$ giʌi$^{1/3}$	微/尾韻 微/未韻
6878	下洲・117オ5・員數	幺	平	エウ	右傍	'eu^{1}	蕭韻
6879	下洲・117オ5・員數	寡	上	クワ	右傍	kua^{2}	馬韻
6880	下洲・117オ7・員數	醱	平	—	—	tsʌun$^{1/2}$	東/董韻
6881	下洲・117ウ2・辞字	未	—	ミ	右傍	miʌi^{3}	未韻
6882	下洲・117ウ3・辞字	揩	平	—	—	k'ɐi$^{1/3}$	皆/怪韻
6883	下洲・117ウ3・辞字	摩	平	マ	右傍	mɑ$^{1/3}$	戈/過韻
6884	下洲・117ウ5・辞字	捐	平	エン	右傍	'jiuan^{1}	仙韻
6885	下洲・118オ3・辞字	慆	平	—	—	t'ɑu^{1}	豪韻
6886	下洲・118オ3・辞字	澄	平	チヨウ	右傍	ḍieŋ^{1} ḍaŋ^{1}	蒸韻 庚韻
6887	下洲・118オ4・辞字	瀓	平	—	—	ḍieŋ^{1} ḍaŋ^{1}	蒸韻 庚韻
6888	下洲・118ウ1・辞字	桝	平	シヨウ	右傍	(śieŋ^{1})	(国字)
6889	下洲・118ウ3・辞字	羞	平	シウ	右傍	siʌu^{1}	尤韻
6890	下洲・118ウ6・辞字	已	—	イ	右傍	jiɐi$^{2/3}$	止/志韻
6891	下洲・119オ1・辞字	為	去	—	—	ɣiue$^{1/3}$	支/寘韻
6892	下洲・119オ3・辞字	頗	平	ハ	右傍	p'ɑ$^{1/2/3}$	戈/果/過韻
6893	下洲・119オ6・辞字	精	—	セイ	右傍	tsieŋ^{1}	清韻
6894b	下洲・119ウ7・疊字	雨	上	—	—	ɣiuʌ$^{2/3}$	麌/遇韻
6895a	下洲・119ウ7・疊字	水	—	スイ	右注	śiuei^{2}	旨韻
6895b	下洲・119ウ7・疊字	氣	去	キ	右注	k'iʌi^{3} xiʌi^{3}	未韻 未韻
6896a	下洲・119ウ7・疊字	蕤	平	スキン	左注	ńiuei^{1}	脂韻
6896b	下洲・119ウ7・疊字	賓	—	ヒン	左注	pjien^{1}	眞韻
6897a	下洲・119ウ7・疊字	推	平	スイ	左注	tś'iuei^{1} t'uʌi^{1}	脂韻 灰韻
6897b	下洲・119ウ7・疊字	移	平	イ	左注	jie^{1}	支韻
6898a	下洲・119ウ7・疊字	随	—	スイ	中注	ziue^{1}	支韻
6898b	下洲・119ウ7・疊字	近	平	コン	中注	giʌn$^{2/3}$	隠/焮韻

6899a	下洲・120オ1・疊字	衰	平	—	—	ṣiuei¹ tṣʻiue¹	脂韻 支韻
6899b	下洲・120オ1・疊字	亡	平	—	—	miɑŋ¹	陽韻
6900a	下洲・120オ1・疊字	水	上	—	—	śiuei²	旨韻
6900b	下洲・120オ1・疊字	面	去	—	—	miuan³	線韻
6901a	下洲・120オ1・疊字	水	上	—	—	śiuei²	旨韻
6901b	下洲・120オ1・疊字	手	平	—	—	śiʌu²	有韻
6902a	下洲・120オ1・疊字	垂	平	スイ	右注	źiue¹	支韻
6902b	下洲・120オ1・疊字	衣	平	イ	右注	ʼiʌi¹ᐟ³	微/未韻
6903a	下洲・120オ1・疊字	崇	平	—	—	dẓiʌuŋ¹	東韻
6903b	下洲・120オ1・疊字	班	平	—	—	pan¹	刪韻
6904a	下洲・120オ2・疊字	瑞	平	スイ	右注	źiue³	寘韻
6904b	下洲・120オ2・疊字	物	入	フツ	右注	miuʌt	物韻
6905a	下洲・120オ2・疊字	衰	平	—	—	ṣiuei¹ tṣʻiue¹	脂韻 支韻
6905b	下洲・120オ2・疊字	老	上	—	—	lɑu²	晧韻
6906a	下洲・120オ2・疊字	衰	平	スイ	右注	ṣiuei¹ tṣʻiue¹	脂韻 支韻
6906b	下洲・120オ2・疊字	邁	去	マイ	右注	mai³	夬韻
6907a	下洲・120オ3・疊字	推	平	スイ	左注	tśʻiuei¹ tʻuʌi¹	脂韻 灰韻
6907b	下洲・120オ3・疊字	量	去	リヤウ	左注	liɑŋ¹ᐟ³	陽/漾韻
6908a	下洲・120オ3・疊字	淳	去	スキン	左注	źiuen¹	諄韻
6908b	下洲・120オ3・疊字	朴	入濁	ホク	左注	pʻauk	覺韻
6909a	下洲・120オ3・疊字	衰	平	スイ	左注	ṣiuei¹ tṣʻiue¹	脂韻 支韻
6909b	下洲・120オ3・疊字	容	平	ヨウ	左注	jiɑuŋ¹	鍾韻
6910a	下洲・120オ3・疊字	侏	平	スウ	左注	tśiuʌ¹	虞韻
6910b	下洲・120オ3・疊字	儒	平	シユ	左注	ńiuʌ¹	虞韻
6911a	下洲・120オ3・疊字	脣	平	—	—	dźiuen¹	諄韻
6911b	下洲・120オ3・疊字	吻	入	—	—	miuʌn²	吻韻
6912a	下洲・120オ4・疊字	垂	平	スイ	左注	źiue¹	支韻
6912b	下洲・120オ4・疊字	拱	上	クキヨウ	左注	giɑuŋ¹	腫韻
6913a	下洲・120オ4・疊字	水	上	スイ	中注	śiuei²	旨韻
6913b	下洲・120オ4・疊字	嬉	平	キ	中注	xiɐi¹ᐟ³	之/志韻
6914a	下洲・120オ4・疊字	吹	平	スイ	右注	tśʻiue¹ᐟ³	支/寘韻
6914b	下洲・120オ4・疊字	噓	上	キヨ	右注	xiʌ¹ᐟ³	魚/御韻
6915a	下洲・120オ4・疊字	吹	平	—	—	tśʻiue¹ᐟ³	支/寘韻
6915b	下洲・120オ4・疊字	擧	上	—	—	kiʌ² jiʌ¹	語韻 魚韻
6916a	下洲・120オ5・疊字	綷	去	スイ	左注	tsuʌi³	隊韻
6916b	下洲・120オ5・疊字	緡	去	ヒン	左注	mien¹	眞韻

6917a	下洲・120オ5・疊字	垂	平	スイ	左注	źiue^{1}	支韻
6917b	下洲・120オ5・疊字	纓	平	エイ	左注	'ieŋ^{1}	清韻
6918a	下洲・120オ5・疊字	炊	上	スイ	左注	tś‘iue^{1}	支韻
6918b	下洲・120オ5・疊字	爨	去	サン	左注	ts‘uɑn^{3}	換韻
6919a	下洲・120オ5・疊字	酔	去	スイ	左注	tsiuei^{3}	至韻
6919b	下洲・120オ5・疊字	郷	平	キヤウ	左注	xiɑŋ^{1}	陽韻
6920a	下洲・120オ5・疊字	酔	―	スイ	左注	tsiuei^{3}	至韻
6920b	下洲・120オ5・疊字	顔	―	カン	左注	ŋan^{1}	刪韻
6921a	下洲・120オ6・疊字	鶉	平	スン	中注	źiuen^{1}	諄韻
6921b	下洲・120オ6・疊字	目	―	ホク	中注	miʌuk	屋韻
6922a	下洲・120オ6・疊字	水	上	スイ	中注	śiuei^{2}	旨韻
6922b	下洲・120オ6・疊字	郵	平	イウ	中注	ɣiʌu^{1}	尤韻
6923a	下洲・120オ6・疊字	推	平	―	―	tś‘iuei^{1} t‘uʌi^{1}	脂韻 灰韻
6923b	下洲・120オ6・疊字	擧	上	―	―	kiʌ^{2} jiʌ^{1}	語韻 魚韻
6924a	下洲・120オ7・疊字	推	―	スイ	左注	tś‘iuei^{1} t‘uʌi^{1}	脂韻 灰韻
6924b	下洲・120オ7・疊字	轂	―	コク	左注	kʌuk	屋韻
6925a	下洲・120オ7・疊字	水	上	スイ	右注	śiuei^{2}	旨韻
6925b	下洲・120オ7・疊字	濕	入	シフ	右注	śiep t‘ʌp	緝韻 合韻
6926a	下洲・120オ7・疊字	随	去	―	―	ziue^{1}	支韻
6926b	下洲・120オ7・疊字	身	上	―	―	śien^{1}	眞韻
6927a	下洲・120オ7・疊字	随	―	スイ	右注	ziue^{1}	支韻
6927b	下洲・120オ7・疊字	分	―	フン	右注	biuʌn^{3}	問韻
6928a	下洲・120オ7・疊字	推	平	―	―	tś‘iuei^{1} t‘uʌi^{1}	脂韻 灰韻
6928b	下洲・120オ7・疊字	恕	上	―	―	śiʌ^{3}	御韻
6929a	下洲・120ウ1・疊字	推	平	スイ	右注	tś‘iuei^{1} l‘uʌl^{1}	脂韻 灰韻
6929b	下洲・120ウ1・疊字	察	入	サツ	右注	tṣ‘ɐt	黠韻
6930a	下洲・120ウ1・疊字	随	去	スイ	右注	ziue^{1}	支韻
6930b	下洲・120ウ1・疊字	従	平	シユ	左注	dziɑuŋ^{1} ts‘iɑuŋ$^{1/3}$	鍾韻 鍾/用韻
6931a	下洲・120ウ1・疊字	瑞	平	スイ	右注	źiue^{3}	寘韻
6931b	下洲・120ウ1・疊字	祥	平	シヤウ	右注	ziɑŋ^{1}	陽韻
6932a	下洲・120ウ1・疊字	衰	平	スイ	右注	ṣiuei^{1} tṣ‘iue^{1}	脂韻 支韻
6932b	下洲・120ウ1・疊字	相	平	サウ	右注	siɑŋ$^{1/3}$	陽/漾韻
6933a	下洲・120ウ1・疊字	随	去	スイ	右注	ziue^{1}	支韻
6933b	下洲・120ウ1・疊字	喜	平	キ	右注	xiɐi$^{2/3}$	止/志韻

6934a	下洲・120ウ2・疊字	數	上	ス	右注	ṣiuʌ$^{2/3}$ sʌuk ṣauk	麌/遇韻 屋韻 覺韻
6934b	下洲・120ウ2・疊字	竒	平	キ	右注	gie^{1} kie^{1}	支韻 支韻
6935a	下洲・120ウ2・疊字	水	—	スイ	左注	śiuei^{2}	旨韻
6935b	下洲・120ウ2・疊字	驛	—	エキ	左注	jiek	昔韻
6936a	下洲・120ウ2・疊字	髓	—	スイ	左注	siue^{2}	紙韻
6936b	下洲・120ウ2・疊字	脳	—	ナウ	左注	nɑu$^{2/3}$	晧/号韻
6937a	下洲・120ウ2・疊字	随	—	スイ	左注	ziue^{1}	支韻
6937b	下洲・120ウ2・疊字	逐	—	チク	左注	ḍiʌuk	屋韻
6938a	下洲・120ウ2・疊字	遵	平濁	スヰン	左注	tsiuen^{1}	諄韻
6938b	下洲・120ウ2・疊字	行	平濁	キヤウ	左注	ɣaŋ$^{1/3}$ ɣɑŋ$^{1/3}$	庚/映韻 唐/宕韻
6939a	下洲・120ウ3・疊字	取	—	ス	左注	tsʻiuʌ^{2} tsʻuʌ^{2}	麌韻 厚韻
6939b	下洲・120ウ3・疊字	虵	—	サ	左注	dźia^{1} jia^{2} jie^{1}	麻韻 馬韻 支韻
6939c	下洲・120ウ3・疊字	尾	—	ヒ	左注	miʌi^{2}	尾韻
6940a	下洲・120ウ3・疊字	醉	去	スイ	右傍	tsiuei^{3}	至韻
6940b	下洲・120ウ3・疊字	吟	平濁	キム	右傍	ŋiem$^{1/3}$	侵/沁韻
6941a	下洲・120ウ3・疊字	趍	平	—	—	ḍie^{1} tsʻiuʌ^{1}	支韻 虞韻
6941b	下洲・120ウ3・疊字	拜	去	—	—	pɐi^{3}	怪韻
6942a	下洲・120ウ4・疊字	垂	平	スイ	左注	źiue^{1}	支韻
6942b	下洲・120ウ4・疊字	露	去	ロ	左注	luʌ^{3}	暮韻
6943a	下洲・120ウ4・疊字	翆	去	スイ	左注	tsʻiuei^{3}	至韻
6943b	下洲・120ウ4・疊字	羽	上	ウ	左注	ɣiuʌ$^{2/3}$	麌/遇韻
6944a	下洲・120ウ4・疊字	随	平	スイ	左注	ziue^{1}	支韻
6944b	下洲・120ウ4・疊字	車	平	シヤ	左注	tśʻia^{1} kiʌ^{1}	麻韻 魚韻
6945a	下洲・120ウ4・疊字	綏	平	スヰ	左注	siuei^{1}	脂韻
6945b	下洲・120ウ4・疊字	山	—	サン	左注	ṣɐn^{1}	山韻
6946a	下洲・120ウ4・疊字	翆	—	スイ	左注	tsʻiuei^{3}	至韻
6946b	下洲・120ウ4・疊字	質	—	シチ	左注	tśʻiet ṭiei^{3}	質韻 至韻
6947a	下洲・120ウ5・疊字	熟	入	スク	左注	źiʌuk	屋韻
6947b	下洲・120ウ5・疊字	金	—	キム	左注	kiem^{1}	侵韻
6948a	下洲・120ウ5・疊字	准	—	スン	右注	tśiuen^{2}	準韻
6948b	下洲・120ウ5・疊字	的	—	テキ	右注	tek	錫韻

6949a	下洲・121オ5・国郡	駿	―	スル	右注	tsiuen^{3} siuen^{3}	稕韻 稕韻
6949b	下洲・121オ5・国郡	河	―	カ	右注	ɣɑ^{1}	歌韻
6950a	下洲・121オ5・国郡	志	―	シ	右傍	tśiɐi^{3}	志韻
6950b	下洲・121オ5・国郡	太	―	タ	右傍	t'ɑi^{3}	泰韻
6951b	下洲・121オ5・国郡	頭	―	ツ	右傍	dʌu^{1}	侯韻
6952b	下洲・121オ5・国郡	度	―	ト	右傍	duʌ^{3} dɑk	暮韻 鐸韻
6953b	下洲・121オ5・国郡	倍	―	ヘ	右傍	bʌi^{2}	海韻
6954a	下洲・121オ5・国郡	冨	―	フ	右傍	piʌu^{3}	宥韻
6954b	下洲・121オ5・国郡	士	―	シ	右傍	dẓiɐi^{2}	止韻
6955a	下洲・121オ5・国郡	周	―	ス	右注	tśiʌu^{1}	尤韻
6955b	下洲・121オ5・国郡	防	―	ハウ	右注	biɑŋ$^{1/3}$	陽/漾韻
6956a	下洲・121オ5・国郡	玖	―	ク	右傍	kiʌu^{2}	有韻
6956b	下洲・121オ5・国郡	珂	―	カ	右傍	k'ɑ^{1}	歌韻
6957a	下洲・121オ5・国郡	都	―	ツ	右傍	tuʌ^{1}	模韻
6957b	下洲・121オ5・国郡	濃	―	ノ	右傍	ṇiauŋ^{1}	鍾韻
6958a	下洲・121オ5・国郡	佐	―	サ	右傍	tsɑ^{3}	箇韻
6958b	下洲・121オ5・国郡	波	―	ハ	右傍	pɑ^{1}	戈韻
6959a	下洲・121ウ1・官職	主	―	ス	右注	tśiuʌ^{2}	麌韻
6959b	下洲・121ウ1・官職	典	―	テン	右注	ten^{2}	銑韻
6960a	下洲・121ウ1・官職	主	―	ス	右傍	tśiuʌ^{2}	麌韻
6960b	下洲・121ウ1・官職	膳	―	サン	右傍	źian^{3}	線韻
6961a	下洲・121ウ1・官職	主	―	ス	右傍	tśiuʌ^{2}	麌韻
6961b	下洲・121ウ1・官職	馬	―	メ	右傍	ma^{2}	馬韻
6962a	下洲・121ウ1・官職	鑄	―	スウ	右傍	tśiuʌ^{3}	遇韻
6962b	下洲・121ウ1・官職	錢	―	セン	右注	dzian^{1} tsian^{2}	仙韻 獮韻
6962c	下洲・121ウ1・官職	司	―	シ	右注	siɐi^{1}	之韻
6963a	下洲・121ウ4・官職	主	―	スウ	右注	tśiuʌ^{2}	麌韻
6963b	下洲・121ウ4・官職	舩	―	セン	右注	dźiuan^{1}	仙韻
6964a	下洲・121ウ4・官職	随	―	スイ	右注	ziue^{1}	支韻
6964b	下洲・121ウ4・官職	身	―	シン	右注	śIen^{1}	眞韻
6965a	下洲・121ウ4・官職	主	―	ス	右注	tśiuʌ^{2}	麌韻
6965b	下洲・121ウ4・官職	典	―	テン	右注	ten^{2}	銑韻
6965c	下洲・121ウ4・官職	代	―	タイ	右注	dʌi^{3}	代韻

【表A-02】下巻＿跋文

番号	前田本所在	掲出字		仮名音注		中古音	韻目
6966a	下　・122ウ1・跋文	擁	上	ヨウ	右傍	'iauŋ^{2}	腫韻
6966b	下　・122ウ1・跋文	力	入	リヨク	右傍	liɐk	職韻

【表B-01】上巻_Ⅰɑ 歌韻

番号	前田本所在	掲出字		仮名音注		中古音	韻目
0360a	上伊・015ウ4・国郡	阿	—	ア［上］	右傍	'ɑ1	歌韻
2007b	上利・073ウ3・人事	河	平	カ	左注	ɣɑ1	歌韻
2576a	上加・095ウ6・人倫	河	平	カ	右傍	ɣɑ1	歌韻
2645a	上加・097ウ6・人事	河	平	カ	左注	ɣɑ1	歌韻
2650a	上加・097ウ7・人事	河	平	カ	左注	ɣɑ1	歌韻
2878a	上加・106ウ6・疊字	河	平	カ	左注	ɣɑ1	歌韻
2883a	上加・106ウ7・疊字	河	平	カ	左注	ɣɑ1	歌韻
3002a	上加・108ウ2・疊字	河	平	カ	左注	ɣɑ1	歌韻
0046	上伊・003ウ4・植物	苛	平	カ	右傍	ɣɑ1	歌韻
0220	上伊・011ウ4・辞字	苛	平	カ	右傍	ɣɑ1	歌韻
3016a	上加・108ウ5・疊字	苛	平	カ	左注	ɣɑ1	歌韻
3017a	上加・108ウ5・疊字	苛	平	カ	左注	ɣɑ1	歌韻
3018a	上加・108ウ5・疊字	苛	平	カ	右注	ɣɑ1	歌韻
2818	上加・102ウ7・辞字	苛	—	カ	右傍	ɣɑ1	歌韻
0524	上波・021ウ7・植物	荷	平	カ	右傍	ɣɑ1/2	歌/哿韻
3299	上波・022オ1・植物	荷	平	カ	右注	ɣɑ1/2	歌/哿韻
3096b	上加・109ウ7・疊字	荷	平	カ	右注	ɣɑ1/2	歌/哿韻
3112a	上加・110オ3・疊字	荷	去	カ	右注	ɣɑ1/2	歌/哿韻
2398b	上和・090オ6・疊字	歌	平	カ	左注	kɑ1	歌韻
2960a	上加・108オ1・疊字	歌	平	カ	中注	kɑ1	歌韻
2765b	上加・100ウ1・雜物	舸	平	カ	右傍	kɑ1	歌韻
0073b	上伊・004ウ1・動物	謌	—	コ	右傍	kɑ1	歌韻
3108b	上加・110オ3・疊字	軻	平	カ	右注	k'ɑ1/2/3	歌/哿/箇韻
2944a	上加・107ウ5・疊字	呵	去	カ	左注	xɑ1/3	歌/箇韻
2761a	上加・100オ6・雜物	呵	—	カ	右注	xɑ1/3	歌/箇韻
2851a	上加・106オ6・重點	峨	—	カ	右注	ŋɑ1	歌韻
2851b	上加・106オ6・重點	峨	—	カ	右注	ŋɑ1	歌韻
2520	上加・094オ4・動物	鵝	平濁	カ	右傍	ŋɑ1	歌韻
3122a	上加・110オ5・疊字	鵝	平濁	カ	右注	ŋɑ1	歌韻
3127a	上加・110オ6・疊字	鵝	平	カ	右注	ŋɑ1	歌韻
2929a	上加・107ウ2・疊字	娥	平濁	カ	左注	ŋɑ1	歌韻
0886b	上波・033ウ5・疊字	娑	平	サ	右注	sɑ1/2	歌/哿韻
0785b	上波・032オ5・疊字	磋	平	サ	右注	ts'ɑ1/3	歌/箇韻
3152b	上加・111ウ3・國郡	陁	—	タ	右傍	dɑ1	歌韻
2542	上加・094ウ4・動物	鼉	平	タ	右傍	dɑ1	歌韻
0746b	上波・031ウ4・疊字	沲	平	タ	右注	dɑ1/2	歌/哿韻
0544	上波・022ウ3・動物	鮀	平	タイ	右傍	dɑ1	歌韻
0358a	上伊・015ウ4・国郡	多	—	タ	右傍	tɑ1	歌韻
0370b	上伊・015ウ6・国郡	多	—	タ	右傍	tɑ1	歌韻

0373b	上伊・015ウ6・国郡	多	—	タ	右傍	tɑ^{1}	歌韻
0384b	上伊・016オ1・国郡	多	—	タ	右傍	tɑ^{1}	歌韻
1692b	上度・064オ3・国郡	多	—	タ	右傍	tɑ^{1}	歌韻
3285a	上波・034ウ6・國郡	多	—	タ	右傍	tɑ^{1}	歌韻
3288b	上波・034ウ7・國郡	多	—	タ	右注	tɑ^{1}	歌韻
3160b	上加・111ウ5・國郡	多	—	タ	右傍	tɑ^{1}	歌韻
3157a	上加・111ウ4・國郡	多	—	タ	右傍	tɑ^{1}	歌韻
2045b	上利・074ウ4・疊字	他	上	タ	左注	t‘ɑ^{1}	歌韻
0362a	上伊・015ウ4・国郡	那	—	ナ	右傍	nɑ$^{1/3}$	歌/箇韻
0376a	上伊・015ウ7・国郡	那	—	ナ	右傍	nɑ$^{1/3}$	歌/箇韻
3158a	上加・111ウ4・國郡	那	—	ナ	右傍	nɑ$^{1/3}$	歌/箇韻
0219	上伊・011ウ1・辞字	那	—	ナ	右傍	nɑ$^{1/3}$	歌/箇韻
1053b	上保・042ウ2・動物	羅	平	ラ	右傍	lɑ^{1}	歌韻
1517b	上度・057ウ5・雑物	羅	平	ラ	右傍	lɑ^{1}	歌韻
0459c	上呂・019ウ2・諸寺	羅	—	ラ	右注	lɑ^{1}	歌韻
2015b	上利・073ウ6・雑物	羅	—	ラ	右注	lɑ^{1}	歌韻

【表B-01】下巻_Ⅰɑ 歌韻

番号	前田本所在	掲出字		仮名音注		中古音	韻目
4365a	下阿・039オ6・疊字	阿	平	ア	右傍	'ɑ^{1}	歌韻
4366a	下阿・039オ6・疊字	阿	平	ア	左注	'ɑ^{1}	歌韻
4096a	下阿・026オ2・植物	阿	—	ア	右注	'ɑ^{1}	歌韻
4363a	下阿・039オ5・疊字	阿	—	ア	中注	'ɑ^{1}	歌韻
4412a	下阿・040ウ7・国郡	阿	—	ア	右注	'ɑ^{1}	歌韻
4413a	下阿・040ウ7・国郡	阿	—	ア	右傍	'ɑ^{1}	歌韻
4422a	下阿・041オ4・官職	阿	—	ア	右注	'ɑ^{1}	歌韻
4423a	下阿・041オ6・姓氏	阿	—	ア	右注	'ɑ^{1}	歌韻
4425a	下阿・041オ7・姓氏	阿	—	ア	右注	'ɑ^{1}	歌韻
4427a	下阿・041ウ2・姓氏	阿	—	ア	右注	'ɑ^{1}	歌韻
4428a	下阿・041ウ2・姓氏	阿	—	ア	右注	'ɑ^{1}	歌韻
4429a	下阿・041ウ2・姓氏	阿	—	ア	右注	'ɑ^{1}	歌韻
4807a	下佐・054オ3・國郡	阿	—	ア	右傍	'ɑ^{1}	歌韻
4812a	下佐・054オ4・國郡	阿	—	ア	右傍	'ɑ^{1}	歌韻
6382a	下飛・100オ3・國郡	阿	—	ア	右傍	'ɑ^{1}	歌韻
6555	下世・109ウ1・辞字	呵	平	カ	右傍	xɑ$^{1/3}$	歌/箇韻
6593b	下世・110オ6・疊字	河	—	カ	右注	ɣɑ^{1}	歌韻
6949b	下洲・121オ5・国郡	河	—	カ	右注	ɣɑ^{1}	歌韻
6122b	下飛・093オ3・人躰	舸	平	カ	右傍	k‘ɑ^{1}	歌韻
4808b	下佐・054オ3・國郡	珂	—	カ	右傍	k‘ɑ^{1}	歌韻
6358b	下飛・099ウ7・國郡	珂	—	カ	右傍	k‘ɑ^{1}	歌韻
6360b	下飛・099ウ7・國郡	珂	—	カ	右傍	k‘ɑ^{1}	歌韻

6386b	下飛・100オ3・國郡	珂	―	カ	右傍	k‘ɑ^{1}	歌韻
6956b	下洲・121オ5・国郡	珂	―	カ	右傍	k‘ɑ^{1}	歌韻
3752	下江・014ウ3・植物	柯	平	カ	右傍	kɑ^{1}	歌韻
5748b	下師・083ウ3・疊字	哥	平濁	カ	左注	kɑ^{1}	歌韻
6554	下世・109オ7・辞字	訶	―	カ	右傍	xɑ^{1}	歌韻
6555	下世・109ウ1・辞字	呵	平	カ	右傍	xɑ$^{1/3}$	歌/箇韻
4622	下佐・049ウ3・辞字	峩	―	カ	右傍	ŋɑ^{1}	歌韻
4815b	下佐・054オ5・國郡	峨	―	カ	右傍	ŋɑ^{1}	歌韻
5475a	下師・075オ3・光彩	鵝	平濁	カ	右傍	ŋɑ^{1}	歌韻
6093	下飛・092オ5・動物	蛾	平濁	カ	右傍	ŋɑ^{1} ŋie^{2}	歌韻 紙韻
6338b	下飛・099オ2・疊字	蛾	―	カ	左注	ŋɑ^{1} ŋie^{2}	歌韻 紙韻
4065	下阿・025オ2・地儀	嵯	平	サ	右傍	dzɑ^{1}	歌韻
4548	下佐・046ウ2・飲食	醝	平	サ	右傍	dzɑ^{1}	歌韻
4815a	下佐・054オ5・國郡	嵯	―	サ	右傍	dzɑ^{1} tṣ‘ie^{1}	歌韻 支韻
5924b	下師・086ウ2・國郡	瑳	―	サ	右傍	ts‘ɑ$^{1/2}$	歌/哿韻
6734b	下世・112オ4・疊字	磋	平	サ	右注	ts‘ɑ$^{1/3}$	歌/箇韻
5769a	下師・084オ2・疊字	娑	去	シヤ	左注	sɑ$^{1/2}$	歌/哿韻
4301	下阿・033オ6・光彩	酡	平	タ	右傍	dɑ^{1}	歌韻
4536b	下佐・046オ5・人事	陁	平	タ	右注	dɑ^{1}	歌韻
5195b	下木・064ウ6・諸寺	陁	―	タ	左注	dɑ^{1}	歌韻
6361b	下飛・099ウ7・國郡	驒	―	タ	中注	dɑ^{1} dɑn^{1} ten^{1}	歌韻 寒韻 先韻
3679b	下古・011ウ4・疊字	多	上	タ	左注	tɑ^{1}	歌韻
4809a	下佐・054オ3・國郡	多	―	タ	右傍	tɑ^{1}	歌韻
4812b	下佐・054オ4・國郡	多	―	タ	右傍	tɑ^{1}	歌韻
6360a	下飛・099ウ7・國郡	多	―	タ	右傍	tɑ^{1}	歌韻
6368b	下飛・100オ1・國郡	多	―	タ	右傍	tɑ^{1}	歌韻
6760b	下世・112ウ5・国郡	多	―	タ	右注	tɑ^{1}	歌韻
5895b	下師・085ウ2・疊字	他	―	タ	右傍	t‘ɑ^{1}	歌韻
5904d	下師・085ウ4・疊字	他	―	タ	右傍	t‘ɑ^{1}	歌韻
5905d	下師・085ウ4・疊字	他	―	タ	右傍	t‘ɑ^{1}	歌韻
6586b	下世・110オ5・疊字	那	上	ナ	左注	nɑ$^{1/3}$	歌/箇韻
4417a	下阿・040ウ7・国郡	那	―	ナ	右傍	nɑ$^{1/3}$	歌/箇韻
4429c	下阿・041ウ2・姓氏	那	―	ナ	右注	nɑ$^{1/3}$	歌/箇韻
4808a	下佐・054オ3・國郡	那	―	ナ	右傍	nɑ$^{1/3}$	歌/箇韻
5198a	下木・065オ1・国郡	那	―	ナ	右傍	nɑ$^{1/3}$	歌/箇韻
5927b	下師・086ウ3・國郡	那	―	ナ	右傍	nɑ$^{1/3}$	歌/箇韻
5935a	下師・086ウ3・國郡	那	―	ナ	右傍	nɑ$^{1/3}$	歌/箇韻

6358a	下飛・099ウ7・國郡	那	—	ナ	右傍	nɑ$^{1/3}$	歌/箇韻
6371b	下飛・100オ2・國郡	那	—	ナ	右傍	nɑ$^{1/3}$	歌/箇韻
6386a	下飛・100オ3・國郡	那	—	ナ	右傍	nɑ$^{1/3}$	歌/箇韻
5741b	下師・083オ6・疊字	羅	平	ラ	右注	lɑ^{1}	歌韻
5111b	下木・063オ4・疊字	羅	—	ラ	中注	lɑ^{1}	歌韻
6376b	下飛・100オ2・國郡	羅	—	ラ	右傍	lɑ^{1}	歌韻
5423b	下佐・047オ6・雜物	羅	—	ラ	右注	lɑ^{1}	歌韻
5417b	下師・073ウ7・雜物	羅	—	ラキ	右注	lɑ^{1}	歌韻
5453	下師・074ウ1・雜物	籮	平	ラ	右傍	lɑ^{1}	歌韻
3319	下古・002オ7・植物	蘿	平	ラ	右傍	lɑ^{1}	歌韻
6162a	下飛・094ウ2・雜物	蘿	平	ラ	右傍	lɑ^{1}	歌韻
4573b	下佐・047オ6・雜物	鑼	平	ラ	右傍	lɑ^{1}	歌韻
5422b	下佐・047オ6・雜物	鑼	平	ラ	右注	lɑ^{1}	歌韻
6141b	下飛・094オ2・飲食	饠	平	ラ	右注	lɑ^{1}	歌韻

【表B-01】上巻_Ⅰɑ 哿韻

番号	前田本所在	掲出字		仮名音注		中古音	韻目
0686	上波・027ウ3・雜物	舸	上	カ	右傍	kɑ^{2}	哿韻
3285b	上波・034ウ6・國郡	可	—	カ	右傍	k'ɑ^{2}	哿韻
3293b	上加・112ウ6・姓氏	可	—	カ	右注	k'ɑ^{2}	哿韻
2949a	上加・107ウ6・疊字	我	平濁	カ	左注	ŋɑ^{2}	哿韻
3115a	上加・110オ4・疊字	我	平濁	カ	右注	ŋɑ^{2}	哿韻
1690b	上度・064オ3・国郡	左	—	サ	右注	tsɑ$^{2/3}$	哿/箇韻

【表B-01】下巻_Ⅰɑ 哿韻

番号	前田本所在	掲出字		仮名音注		中古音	韻目
4364a	下阿・039オ5・疊字	婀	上	ア	左注	'ɑ^{2}	哿韻
3729b	下古・013オ5・国郡	我	—	カ	右注	ŋɑ^{2}	哿韻
5960b	下師・087オ6・姓氏	我	—	カ	右注	ŋɑ^{2}	哿韻
3606b	下古・010ウ2・疊字	可	平	カ	右注	k'ɑ^{2}	哿韻
6372b	下飛・100オ2・國郡	可		カ	右傍	k'ɑ^{2}	哿韻
4723a	下佐・052オ4・疊字	左	平	サ	左注	tsɑ$^{2/3}$	哿/箇韻
4739a	下佐・052ウ1・疊字	左	上	サ	左注	tsɑ$^{2/3}$	哿/箇韻
4364b	下阿・039オ5・疊字	娜	上	タ	左注	nɑ^{2}	哿韻

【表B-01】上巻_Ⅰɑ 箇韻

番号	前田本所在	掲出字		仮名音注		中古音	韻目
2649a	上加・097ウ7・人事	賀	去	カ	左注	ɣɑ^{3}	箇韻
2795	上加・101ウ1・辞字	賀	—	カ［平濁］	右注	ɣɑ^{3}	箇韻

0359b	上伊・015ウ4・国郡	賀	―	カ	右注	ɣa^{3}	箇韻
0362b	上伊・015ウ4・国郡	賀	―	カ	右傍	ɣa^{3}	箇韻
0363a	上伊・015ウ4・国郡	賀	―	カ	右傍	ɣa^{3}	箇韻
0376b	上伊・015ウ7・国郡	賀	―	カ	右傍	ɣa^{3}	箇韻
0393b	上伊・016ウ1・姓氏	賀	―	カ	右注	ɣa^{3}	箇韻
3280a	上波・034ウ5・國郡	賀	―	カ	右傍	ɣa^{3}	箇韻
3286a	上波・034ウ6・國郡	賀	―	カ	右傍	ɣa^{3}	箇韻
3177a	上加・112ウ3・姓氏	賀	―	カ	右注	ɣa^{3}	箇韻
2577a	上加・095ウ7・人倫	餓	平濁	カ	右傍	ŋa^{3}	箇韻
2994a	上加・108ウ1・疊字	餓	去濁	カ	左注	ŋa^{3}	箇韻
3284a	上波・034ウ6・國郡	佐	―	サ	右傍	tsa^{3}	箇韻
3161a	上加・111ウ5・國郡	佐	―	サ	右傍	tsa^{3}	箇韻
1687b	上度・064オ2・国郡	佐	―	サ	右傍	tsa^{3}	箇韻
1689a	上度・064オ2・国郡	佐	―	サ	右傍	tsa^{3}	箇韻
6208	下飛・095ウ4・辞字	拖	平	タ	右傍	tʻa^{3}	箇韻

【表B-01】下巻_Ⅰɑ 箇韻

番号	前田本所在	掲出字		仮名音注		中古音	韻目
4402b	下阿・040ウ5・国郡	賀	―	カ	右傍	ɣa^{3}	箇韻
4403b	下阿・040ウ5・国郡	賀	―	カ	右傍	ɣa^{3}	箇韻
4417b	下阿・040ウ7・国郡	賀	―	カ	右傍	ɣa^{3}	箇韻
5198b	下木・065オ1・国郡	賀	―	カ	右傍	ɣa^{3}	箇韻
5933b	下師・086ウ3・國郡	賀	―	カ	右傍	ɣa^{3}	箇韻
5934b	下師・086ウ3・國郡	賀	―	カ	右傍	ɣa^{3}	箇韻
5959b	下師・087オ6・姓氏	賀	―	カ	右注	ɣa^{3}	箇韻
6015b	下會・089ウ5・國郡	賀	―	カ	右傍	ɣa^{3}	箇韻
6367a	下飛・100オ1・國郡	賀	―	カ	右傍	ɣa^{3}	箇韻
6369b	下飛・100オ1・國郡	賀	―	カ	右傍	ɣa^{3}	箇韻
4096b	下阿・026オ2・植物	佐	―	サ[上]	右注	tsa^{3}	箇韻
4829a	下佐・055オ1・姓氏	佐	―	サ[上]	右注	tsa^{3}	箇韻
3871b	下江・017ウ7・疊字	佐	―	サ	左注	tsa^{3}	箇韻
4410a	下阿・040ウ6・国郡	佐	―	サ	右傍	tsa^{3}	箇韻
4827a	下佐・054ウ7・姓氏	佐	―	サ	右注	tsa^{3}	箇韻
4828a	下佐・054ウ7・姓氏	佐	―	サ	右注	tsa^{3}	箇韻
4830a	下佐・055オ1・姓氏	佐	―	サ	右傍	tsa^{3}	箇韻
4830b	下佐・055オ1・姓氏	佐	―	サ	右傍	tsa^{3}	箇韻
4831a	下佐・055オ1・姓氏	佐	―	サ	右注	tsa^{3}	箇韻
5931a	下師・086ウ3・國郡	佐	―	サ	右傍	tsa^{3}	箇韻
6379a	下飛・100オ2・國郡	佐	―	サ	右傍	tsa^{3}	箇韻
6958a	下洲・121オ5・国郡	佐	―	サ	右傍	tsa^{3}	箇韻

4567a	下佐・047オ4・雜物	作	去	サ ［去］	右注	tsɑ³ tsuʌ³ tsɑk	箇韻 暮韻 鐸韻
4679a	下佐・051ウ1・疊字	作	平	サ	中注	ts'ɑk ts'uʌ³	箇韻 暮韻 鐸韻

【表B-01】上巻_Ⅰuɑ 戈韻

番号	前田本所在	掲出字		仮名音注		中古音	韻目
2712	上加・099オ5・雜物	鍋	平	クワ	右傍	kuɑ¹	戈韻
0955	上仁・037ウ2・人躰	痤	平	サ	右傍	dzuɑ¹	戈韻
0744a	上波・031ウ4・疊字	波	平	ハ	左注	pɑ¹	戈韻
0745a	上波・031ウ4・疊字	波	平	ハ	右注	pɑ¹	戈韻
0812a	上波・032ウ4・疊字	波	平	ハ	中注	pɑ¹	戈韻
0857a	上波・033オ6・疊字	波	平	ハ	中注	pɑ¹	戈韻
1223b	上保・048オ4・疊字	波	平	ハ	左注	pɑ¹	戈韻
0834b	上波・033オ1・疊字	波	平濁	ハ	中注	pɑ¹	戈韻
0459b	上呂・019ウ2・諸寺	波	―	ハ	右注	pɑ¹	戈韻
3158b	上加・111ウ4・國郡	波	―	ハ	右傍	pɑ¹	戈韻
0716a	上波・031オ4・重點	皤	平	ハ	右注	pɑ¹ bɑ¹	戈韻 戈韻
0716b	上波・031オ4・重點	皤	平	ハ	右注	pɑ¹ bɑ¹	戈韻 戈韻
1354b	上邊・053オ2・疊字	頗	上濁	ハ	左注	p'ɑ^1/2/3	戈/果/過韻
0717a	上波・031オ4・重點	婆	平	ハ	右注	bɑ¹	戈韻
0717b	上波・031オ4・重點	婆	平	ハ	右注	bɑ¹	戈韻
0886a	上波・033ウ5・疊字	婆	平濁	ハ	右注	bɑ¹	戈韻
0785a	上波・032オ5・疊字	磨	平濁	ハ	右注	mɑ^1/3	戈/過韻
1613b	上度・062ウ4・疊字	磨	平濁	ハ	左注	mɑ^1/3	戈/過韻
1540	上度・059オ3・辞字	磨	―	ハ	右傍	mɑ^1/3	戈/過韻
2905b	上加・107オ4・疊字	磨	平	マ	左注	mɑ^1/3	戈/過韻
3279b	上波・034ウ5・國郡	磨	―	マ	右注	mɑ^1/3	戈/過韻
3283b	上波・034ウ5・國郡	磨		マ	右傍	mɑ^1/3	戈/過韻
0375b	上伊・015ウ7・国郡	摩	―	マ	右傍	mɑ^1/3	戈/過韻
0598	上波・024ウ2・人事	魔	平濁	ハ	右注	mɑ¹	戈韻
1112b	上保・045オ1・雜物	螺	―	ラ	右注	t'ɑ¹ dɑ²	歌韻 哿韻
2729	上加・099ウ3・雜物	螺	―	ラ	右傍	luɑ¹	戈韻
2350a	上和・088オ7・雜物	倭	去	ワ	右注	'uɑ^1/2	戈/果韻
1017b	上仁・041オ1・諸寺	和	―	クワ	右注	ɣuɑ^1/3	戈/過韻
2390a	上和・090オ4・疊字	和	平	ワ	中注	ɣuɑ^1/3	戈/過韻
2398a	上和・090オ6・疊字	和	平	ワ	左注	ɣuɑ^1/3	戈/過韻

2407a	上和・090オ7・疊字	和	平	ワ	左注	ɣuɑ$^{1/3}$	戈/過韻
0996b	上仁・040オ4・疊字	和	上	ワ	左注	ɣuɑ$^{1/3}$	戈/過韻
2379a	上和・090オ2・疊字	和	去	ワ	左注	ɣuɑ$^{1/3}$	戈/過韻
2386a	上和・090オ3・疊字	和	去	ワ	左注	ɣuɑ$^{1/3}$	戈/過韻
2394a	上和・090オ5・疊字	和	去	ワ	左注	ɣuɑ$^{1/3}$	戈/過韻
2399a	上和・090オ6・疊字	和	去	ワ	中注	ɣuɑ$^{1/3}$	戈/過韻
2361	上和・088ウ6・辞字	和	—	ワ ［去］	右注	ɣuɑ$^{1/3}$	戈/過韻
0385b	上伊・016オ1・国郡	和	—	ワ	右傍	ɣuɑ$^{1/3}$	戈/過韻
2415a	上和・091オ1・姓氏	和	—	ワ	右傍	ɣuɑ$^{1/3}$	戈/過韻
2416a	上和・091オ1・姓氏	和	—	ワ	右注	ɣuɑ$^{1/3}$	戈/過韻
2418a	上和・091オ2・姓氏	和	—	ワ	右注	ɣuɑ$^{1/3}$	戈/過韻

【表B-01】下巻_Ⅰuɑ 戈韻

番号	前田本所在	掲出字		仮名音注		中古音	韻目
4089	下阿・025ウ7・植物	禾	平	クワ	右傍	ɣuɑ^{1}	戈韻
6723b	下世・112オ2・疊字	窠	上	クワ	右傍	k‘uɑ^{1}	戈韻
5825b	下師・084ウ4・疊字	課	—	クワ	左注	k‘uɑ$^{1/3}$	戈/過韻
6967	下手・019オ6・動物	囮	平濁	クワ	右傍	ŋuɑ^{1} jiʌu^{1}	戈韻 尤韻
3334	下古・002ウ4・植物	莎	平	サ	右傍	suɑ^{1}	戈韻
6170	下飛・094ウ4・雜物	梭	平	サ	右傍	suɑ^{1}	戈韻
6892	下洲・119オ3・辞字	頗	平	ハ	右傍	p‘ɑ$^{1/2/3}$	戈/果/過韻
6532c	下世・108オ7・人事	波	平	ハ	左注	pɑ^{1}	戈韻
4412b	下阿・040ウ7・国郡	波	—	ハ	右注	pɑ^{1}	戈韻
4413b	下阿・040ウ7・国郡	波	—	ハ	右傍	pɑ^{1}	戈韻
6356b	下飛・099ウ7・國郡	波	—	ハ	右傍	pɑ^{1}	戈韻
6958b	下洲・121オ5・国郡	波	—	ハ	右傍	pɑ^{1}	戈韻
5769b	下師・084オ2・疊字	婆	上濁	ハ	左注	bɑ^{1}	戈韻
5282b	下師・069ウ1・植物	蕃	—	ハ	右傍	(pɑ^{1}) (bɑ^{1})	戈韻 戈韻
3894b	下手・019ウ4・人倫	魔	—	マ	左注	mɑ^{1}	戈韻
5333b	下師・071オ3・人倫	魔	—	マ	右注	mɑ^{1}	戈韻
6883	下洲・117ウ3・辞字	摩	平	マ	右傍	mɑ$^{1/3}$	戈/過韻
3607b	下古・010ウ2・疊字	摩	上	マ	左注	mɑ$^{1/3}$	戈/過韻
4810b	下佐・054オ4・國郡	摩	—	マ	右傍	mɑ$^{1/3}$	戈/過韻
5919b	下師・086ウ2・國郡	摩	—	マ	右注	mɑ$^{1/3}$	戈/過韻
5929b	下師・086ウ3・國郡	摩	—	マ	右傍	mɑ$^{1/3}$	戈/過韻
6385b	下飛・100オ3・國郡	磨	—	マ	右傍	mɑ$^{1/3}$	戈/過韻
4151c	下阿・027ウ5・動物	螺	平	ラ	右傍	luɑ^{1}	戈韻
4498b	下佐・044ウ2・動物	螺	平	ラ	右傍	luɑ^{1}	戈韻

5314b	下師・070ウ2・動物	羸	平(去)	ラ	右傍	luɑ$^{1/3}$	戈/過韻
6176b	下飛・094ウ6・雑物	和	―	ワ	右傍	ɣuɑ$^{1/3}$	戈/過韻
6363a	下飛・100オ1・國郡	和	―	ワ	右傍	ɣuɑ$^{1/3}$	戈/過韻

【表B-01】上巻_Ⅰuɑ 果韻

番号	前田本所在	掲出字		仮名音注		中古音	韻目
0835b	上波・033オ1・疊字	火	上	クワ	左注	xuɑ^{2}	果韻
0253b	上伊・012ウ5・疊字	果	平濁	クワ	左注	kuɑ^{2}	果韻
2675b	上加・098オ7・飲食	果	―	クワ	右傍	kuɑ^{2}	果韻
1911b	上池・070ウ2・疊字	菓	平	クワ	左注	kuɑ^{2}	果韻
2671a	上加・098オ5・飲食	粿	上	クワ	右傍	kuɑ^{2}	果韻
2717	上加・099オ6・雑物	鏁	上	サ	右傍	suɑ^{2}	果韻
0803b	上波・032ウ2・疊字	坐	平濁	サ	左注	dzuɑ$^{2/3}$	果/過韻
0818b	上波・032ウ5・疊字	坐	平濁	サ	左注	dzuɑ$^{2/3}$	果/過韻
2417c	上和・091オ1・姓氏	坐	―	サ	右注	dzuɑ$^{2/3}$	果/過韻
1440	上度・055オ4・植物	朶	―	タ	右傍	tuɑ^{2}	果韻
1053c	上保・042ウ2・動物	麼	上濁	マ	右傍	mɑ^{2}	果韻

【表B-01】下巻_Ⅰuɑ 果韻

番号	前田本所在	掲出字		仮名音注		中古音	韻目
3420	下古・006ウ1・飲食	菓	上	クワ	右傍	kuɑ^{2}	果韻
4285	下阿・032ウ4・雑物	輠	上	クワ	右傍	kuɑ^{2} ɣuɑ^{2} ɣuɑ^{2} ɣuʌi^{2}	果韻 果韻 馬韻 賄韻
5908d	下師・085ウ5・疊字	果	―	ワ	右傍	kuɑ^{2}	果韻
4718a	下佐・052オ2・疊字	坐	平	サ	左注	dzuɑ$^{2/3}$	果/過韻
4514	下佐・045オ7・人事	坐	―	リ［平濁］	左注	dzuɑ$^{2/3}$	果/過韻
5466	下師・074ウ6・雑物	鏁	上	サ	右傍	suɑ^{2}	果韻
4590a	下佐・047ウ7・雑物	鏁	―	サウ	右注	ɜɑu^{2}	果韻
4736a	下佐・052オ7・疊字	瑣	―	サ	右注	suɑ^{2}	果韻
4070b	下阿・025オ6・地儀	垛	上	タ	右傍	duɑ^{2}	果韻
5172b	下木・064オ4・疊字	惰	上濁	タ	左注	duɑ$^{2/3}$	果/過韻
6815	下洲・114ウ7・人躰	鬌	上	タ	右傍	tuɑ^{2} duɑ^{2} ḍiue^{1}	果韻 果韻 支韻

【表B-01】上巻_Ⅰuɑ 過韻

番号	前田本所在	掲出字		仮名音注		中古音	韻目
0582	上波・024オ2・人躰	屢	―	クワ	右傍	k‘uɑ^{3}	過韻
2382b	上和・090オ3・疊字	貨	去	クワ	右注	xuɑ^{3}	過韻
1237b	上保・048オ7・疊字	過	平濁	クワ	右注	kuɑ$^{1/3}$	戈/過韻
2704b	上加・099オ3・雜物	座	平濁	サ	左注	dzuɑ^{3}	過韻
0802b	上波・032ウ2・疊字	座	平濁	サ	左注	dzuɑ^{3}	過韻
2356b	上和・088ウ1・雜物	座	平濁	サ	右傍	dzuɑ^{3}	過韻
1718b	上池・065ウ3・地儀	座	―	サ	右注	dzuɑ^{3}	過韻
1741a	上池・066ウ6・人躰	唾	去	タ	右傍	ṭ‘uɑ^{3}	過韻
0820a	上波・032ウ5・疊字	破	去	ハ	左注	p‘ɑ^{3}	過韻
0845a	上波・033オ3・疊字	破	平	ハ	左注	p‘ɑ^{3}	過韻
0846a	上波・033オ4・疊字	破	平	ハ	左注	p‘ɑ^{3}	過韻
0599	上波・024ウ2・人事	破	平	ハ	右注	p‘ɑ^{3}	過韻
0838a	上波・033オ2・疊字	破	平	ハ	右注	p‘ɑ^{3}	過韻
0854a	上波・033オ5・疊字	破	平	ハ	左注	p‘ɑ^{3}	過韻
2359	上和・088ウ6・辞字	破	平	ハ	右注	p‘ɑ^{3}	過韻
0570a	上波・023ウ2・人倫	破	―	ハ	右傍	p‘ɑ^{3}	過韻
0698	上波・028ウ2・員數	破	―	ハ	右注	p‘ɑ^{3}	過韻
3279a	上波・034ウ5・國郡	播	―	ハリ	右注	pɑ^{3}	過韻
0741a	上波・031ウ3・疊字	播	去濁	ハン	左注	pɑ^{3}	過韻

【表B-01】下巻_Ⅰuɑ 過韻

番号	前田本所在	掲出字		仮名音注		中古音	韻目
3824b	下江・017オ5・疊字	臥	平 上	クワ	右傍	ŋuɑ^{3}	過韻
4718b	下佐・052オ2・疊字	臥	平	クワ	左注	ŋuɑ^{3}	過韻
4766b	下佐・053オ1・疊字	過	―	クワ	左注	kuɑ$^{1/3}$	戈/過韻
4589b	下佐・047ウ4・雜物	座	平濁	サ	右注	dzuɑ^{3}	過韻
4701a	下佐・051ウ6・疊字	座	平	サ	右注	dzuɑ^{3}	過韻
4823a	下佐・054ウ3・官職	座	―	サ	右注	dzuɑ^{3}	過韻
4826a	下佐・054ウ4・官職	座	―	サ	右注	dzuɑ^{3}	過韻
5953b	下師・087オ3・官職	座	―	サ	右注	dzuɑ^{3}	過韻
5915b	下師・086オ3・疊字	座	―	ソ	右傍	dzuɑ^{3}	過韻
5898b	下師・085ウ3・疊字	破	―	ハ	右注	p‘ɑ^{3}	過韻

【表B-01】上巻_Ⅰɑi 泰韻

番号	前田本所在	掲出字		仮名音注		中古音	韻目
1645b	上度・063オ3・疊字	害	平濁	カイ	左注	ɣɑi^{3}	泰韻
2833	上加・104ウ3・辞字	害	平濁	カイ	右注	ɣɑi^{3}	泰韻
2132b	上利・075ウ7・疊字	害	去	カイ	左注	ɣɑi^{3}	泰韻

0863b	上波・033オ7・疊字	艾	去濁	カイ	右注	ŋai^{3} ŋiai^{3}	泰韻 廢韻
2932a	上加・107ウ2・疊字	艾	去濁	カイ	左注	ŋai^{3} ŋiai^{3}	泰韻 廢韻
3186	上与・113ウ6・植物	艾	去濁	カイ	右傍	ŋai^{3} ŋiai^{3}	泰韻 廢韻
2742a	上加・100オ1・雑物	艾	去	カイ	右注	ŋai^{3} ŋiai^{3}	泰韻 廢韻
1169b	上保・047オ7・疊字	盖	去	カイ	左注	kai^{3} ɣap kap	泰韻 盇韻 盇韻
3118a	上加・110オ5・疊字	蓋	去	カイ	右注	kai^{3} ɣap kap	泰韻 盇韻 盇韻
2696b	上加・098ウ7・雑物	帶	去	タイ	右傍	tai^{3}	泰韻
1742	上池・066ウ6・人躰	⿸疒帶	去	タイ	右傍	tai^{3} ṭiai^{3}	泰韻 祭韻
1901b	上池・070オ7・疊字	鈦	上濁	タ	左注	dai^{3} dei^{3}	泰韻 霽韻
1902b	上池・070ウ1・疊字	鈦	上	タ	中注	dai^{3} dei^{3}	泰韻 霽韻
0870b	上波・033ウ1・疊字	大	平	タイ	右注	dai^{3}	泰韻
3169a	上加・112オ2・官職	大	平濁	タイ	右傍	dai^{3}	泰韻
2500	上加・093ウ2・植物	棕	去濁	タイ	右傍	nai^{3}	泰韻
0092b	上伊・005オ3・動物	貝	去	ハイ	右傍	pai^{3}	泰韻
0492a	上波・021オ1・植物	貝	去	ハイ	右傍	pai^{3}	泰韻
2547	上加・094ウ6・動物	貝	去	ハイ	右傍	pai^{3}	泰韻
0863a	上波・033オ7・疊字	沛	去	ハイ	右注	pai^{3} pʻai^{3}	泰韻 泰韻
0593b	上波・024オ6・人躰	癩	去	ライ	右傍	lai^{3} lat	泰韻 曷韻

【表B-01】下巻_Ⅰai泰韻

番号	前田本所在	掲出字		仮名音注		中古音	韻目
3851b	下江・017ウ3・疊字	害	平	カイ	左注	ɣai^{3}	泰韻
5177b	下木・064オ5・疊字	害	平	カイ	右注	ɣai^{3}	泰韻
6696b	下世・111ウ3・疊字	害	平	カイ	左注	ɣai^{3}	泰韻
5467b	下師・074ウ7・雑物	盖	去	カイ	右注	kai^{3} ɣap kap	泰韻 盇韻 盇韻

5844b	下師・084ウ7・疊字	盖	去	カイ	中注	kai^{3} ɣap kap	泰韻 盍韻 盍韻
6161b	下飛・094ウ2・雜物	盖	去	カイ	右注	kai^{3} ɣap kap	泰韻 盍韻 盍韻
4912	下木・058オ6・雜物	蓋	—	カイ	右傍	kai^{3} ɣap kap	泰韻 盍韻 盍韻
3708b	下古・012オ3・疊字	匃	去	カイ	右注	kai^{3} kat	泰韻 曷韻
4398b	下阿・040オ4・疊字	艾	—	カイ	右傍	ŋai^{3} ŋiai^{3}	泰韻 廢韻
4681b	下佐・051ウ1・疊字	汰	平	タ	中注	t'ai^{3}	泰韻
4804b	下佐・054オ2・國郡	太	—	タ	右傍	t'ai^{3}	泰韻
4827b	下佐・054ウ7・姓氏	太	—	タ	右注	t'ai^{3}	泰韻
5916b	下師・086オ5・諸社	太	—	タ	右注	t'ai^{3}	泰韻
6357b	下飛・099ウ7・國郡	太	—	タ	右傍	t'ai^{3}	泰韻
6950b	下洲・121オ5・国郡	太	—	タ	右傍	t'ai^{3}	泰韻
6159b	下飛・094ウ2・雜物	帶	去	タイ	右傍	tai^{3}	泰韻
6550b	下世・108ウ7・雜物	帶	平	タイ	左注	tai^{3}	泰韻
6173	下飛・094ウ6・雜物	艜	去	タイ	右傍	tai^{3}	泰韻
5315b	下師・070ウ2・動物	貝	去	ハイ	右傍	pai^{3}	泰韻
4794d	下佐・053ウ1・疊字	伂	平濁	ハイ	右傍	pai^{3}	泰韻
4034b	下手・023オ7・疊字	伂	—	ハイ	右注	pai^{3}	泰韻
4398a	下阿・040オ4・疊字	沛	—	ハイ	右傍	pai^{3} p'ai^{3}	泰韻 泰韻
6030	下飛・090オ7・天象	霈	去	ヘイ	右傍	p'ai^{3}	泰韻
3405	下古・005ウ5・人事	賴	—	ライ	右傍	lai^{1}	泰韻
6485	下世・106ウ3・地儀	瀨	—	ライ	右傍	lai^{3}	泰韻

【表B-01】上巻_Ⅰuai 泰韻

番号	前田本所在	掲出字		仮名音注		中古音	韻目
0304b	上伊・013ウ1・疊字	會	去	クワイ	左注	ɣuai^{3} kuai^{3}	泰韻 泰韻
2984b	上加・108オ6・疊字	會	去	クワイ	左注	ɣuai^{3} kuai^{3}	泰韻 泰韻
2985b	上加・108オ6・疊字	會	去	クワイ	左注	ɣuai^{3} kuai^{3}	泰韻 泰韻
1170b	上保・047オ7・疊字	會	平	ヱ	左注	ɣuai^{3} kuai^{3}	泰韻 泰韻

3103b	上加・110オ2・疊字	會	平	ヱ	右注	ɣuai^3 kuai^3	泰韻 泰韻
0643b	上波・026オ5・雜物	繪	―	ヱ	右注	ɣuai^3	泰韻
0566a	上波・023オ6・人倫	外	去濁	クワイ	右傍	ŋuai^3	泰韻
2127b	上利・075ウ6・疊字	外	去	クワイ	左注	ŋuai^3	泰韻
2095b	上利・075オ6・疊字	外	平	クワイ	左注	ŋuai^3	泰韻
1524	上度・058オ3・方角	外	―	クワイ	右傍	ŋuai^3	泰韻

【表B-01】下巻_Ⅰuɑi 泰韻

番号	前田本所在	掲出字		仮名音注		中古音	韻目
4509a	下佐・045オ4・人躰	噦	去	クワイ	右傍	xuai^3 'iuat 'iuat	泰韻 薛韻 月韻
4174b	下阿・028ウ7・人躰	會	去	クワイ	右傍	ɣuai^3 kuai^3	泰韻 泰韻
5999a	下會・089オ7・疊字	會	平	ヱ	左注	ɣuai^3 kuai^3	泰韻 泰韻
6144a	下飛・094オ5・雜物	檜	去	クワイ	右傍	kuai^3 kuat	泰韻 末韻
6483a	下阿・026オ1・植物	穭	―	クワイ	右傍	k'uai^3	泰韻
3651b	下古・011オ5・疊字	外	去濁	クワイ	左注	ŋuai^3	泰韻
5549b	下師・079オ5・疊字	外	―	クワイ	中注	ŋuai^3	泰韻
4537a	下佐・046オ5・人事	最	去	サイ	左注	tsuai^3	泰韻
4686a	下佐・051ウ2・疊字	最	去	サイ	左注	tsuai^3	泰韻
4667a	下佐・051オ6・疊字	最	去	（サイ）	―	tsuai^3	泰韻
4685a	下佐・051ウ2・疊字	冣	去	サイ	中注	tsuai^3	泰韻
4687a	下佐・051ウ3・疊字	冣	去	サイ	左注	tsuai^3	泰韻
4688a	下佐・051ウ3・疊字	冣	去	サイ	左注	tsuai^3	泰韻
5985	下會・088ウ7・雜物	繪	―	ヱ	右注	ɣuai^3	泰韻

【表B-01】上巻_Ⅰɑu 豪韻

番号	前田本所在	掲出字		仮名音注		中古音	韻目
1454a	上度・055ウ6・人倫	高	平	カウ	右傍	kau^1	豪韻
2866a	上加・106ウ3・疊字	高	平	カウ	左注	kau^1	豪韻
2971a	上加・108オ3・疊字	高	平	カウ	左注	kau^1	豪韻
3058a	上加・109オ7・疊字	高	平	カウ	左注	kau^1	豪韻
3009a	上加・108ウ4・疊字	高	東	カウ	左注	kau^1	豪韻
3012a	上加・108ウ4・疊字	高	東	カウ	左注	kau^1	豪韻
3014a	上加・108ウ5・疊字	高	東	カウ	左注	kau^1	豪韻
3029a	上加・109オ1・疊字	高	（東）	カウ	左注	kau^1	豪韻
3041a	上加・109オ3・疊字	高	東	カウ	左注	kau^1	豪韻

3085a	上加・109ウ5・疊字	髙	東	カウ	右注	kau[1]	豪韻
2704a	上加・099オ3・雜物	髙	去	カウ	左注	kau[1]	豪韻
2931a	上加・107ウ2・疊字	髙	去	カウ	左注	kau[1]	豪韻
2972a	上加・108オ3・疊字	髙	去	カウ	左注	kau[1]	豪韻
2987a	上加・108オ6・疊字	髙	去	カウ	左注	kau[1]	豪韻
3059a	上加・109オ7・疊字	髙	去	カウ	左注	kau[1]	豪韻
3080a	上加・109ウ4・疊字	髙	去	カウ	右注	kau[1]	豪韻
2703a	上加・099オ3・雜物	髙	―	カウ	右注	kau[1]	豪韻
3147a	上加・111オ7・諸寺	髙	―	カウ	右傍	kau[1]	豪韻
2455b	上加・092オ2・地儀	槹	―	カウ	右傍	kau[1]	豪韻
3187	上与・113ウ6・植物	蒿	東	カウ	右傍	xau[1]	豪韻
2865a	上加・106ウ3・疊字	膏	平	カウ	左注	kau[1/3]	豪/号韻
0083	上伊・004ウ5・動物	嘷	去濁	カウ	右傍	ɣau[1]	豪韻
1141	上保・046オ4・辞字	嘷	平	カウ	右傍	ɣau[1]	豪韻
2615	上加・096ウ4・人事	豪	平	カウ	右注	ɣau[1]	豪韻
2937a	上加・107ウ3・疊字	豪	平	カウ	左注	ɣau[1]	豪韻
2790	上加・101オ5・員數	毫	平濁	カウ	右注	ɣau[1]	豪韻
3077a	上加・109ウ3・疊字	毫	去濁	カウ	左注	ɣau[1]	豪韻
2551	上加・094ウ7・動物	螯	平濁	カウ	右傍	ŋau[1]	豪韻
2961a	上加・108オ1・疊字	遨	―	カウ	中注	ŋau[1]	豪韻
2847a	上加・106オ6・重點	嗷	平濁	カウ	右注	ŋau[1]	豪韻
2847b	上加・106オ6・重點	嗷	平濁	カウ	右注	ŋau[1]	豪韻
2819	上加・102ウ7・辞字	翺	平	カウ	右傍	ŋau[1]	豪韻
2541	上加・094ウ4・動物	鼇	平	カム	右傍	ŋau[1]	豪韻
2806	上加・101ウ7・辞字	搔	平	サウ	右傍	sau[1]	豪韻
1565	上度・061オ4・辞字	曺	平	チウ	右傍	dzau[1]	豪韻
2641	上加・097ウ3・人事	嘈	東?	サウ	右傍	dzau[1]	豪韻
2664	上加・098オ4・飲食	糟	平	サウ	右傍	tsau[1]	豪韻
0832b	上波・033オ1・疊字	刀	去	タウ	左注	tau[1]	豪韻
2718	上加・099オ6・雜物	刀	平	タウ	右傍	tau[1]	豪韻
1699a	上度・064オ7・官職	刀	―	ト	右注	tau[1]	豪韻
0047b	上伊・003ウ4・植物	桃	平	タウ	右傍	dau[1]	豪韻
1465a	上度・056ウ1・人事	陶	平	タウ	右傍	dau[1]	豪韻
0978	上仁・039オ1・辞字	逃	平	タウ	右傍	dau[1]	豪韻
0745b	上波・031ウ4・疊字	濤	平	タウ	右注	dau[1]	豪韻
0078	上伊・004ウ3・動物	獒	平	ハウ	右傍	ŋau[1]	豪韻
1210a	上保・048オ1・疊字	褒	平 去	ホウ	左注	pau[1]	豪韻
1227a	上保・048オ4・疊字	褒	平	ホウ	左注	pau[1]	豪韻
1266a	上保・048ウ6・疊字	褒	平	ホウ	左注	pau[1]	豪韻
1222a	上保・048オ3・疊字	褒	上	ホウ	左注	pau[1]	豪韻
1076	上保・043ウ2・人事	褒	―	ホウ	右傍	pau[1]	豪韻
1193a	上保・047ウ5・疊字	毛	平濁	ホウ	右注	mau[1/3]	豪/号韻

1216a	上保・048オ2・疊字	毛	平濁	ホウ	左注	mau$^{1/3}$	豪/号韻
1263a	上保・048ウ5・疊字	毛	平濁	ホウ	右注	mau$^{1/3}$	豪/号韻
1265a	上保・048ウ6・疊字	毛	平濁	ホウ	右注	mau$^{1/3}$	豪/号韻
2558b	上加・095オ2・動物	毛	平濁	ホウ	右傍	mau$^{1/3}$	豪/号韻
3127b	上加・110オ6・疊字	毛	平濁	ホウ	右注	mau$^{1/3}$	豪/号韻
0893b	上波・033ウ6・疊字	毛	去濁	ホウ	左注	mau$^{1/3}$	豪/号韻
1574b	上度・062オ3・疊字	毛	平	モ	左注	mau$^{1/3}$	豪/号韻
2583	上加・096オ2・人體	髦	平濁	ホウ	右傍	mau^{1}	豪韻
0650	上波・026オ7・雑物	旄	平	モウ	右傍	mau$^{1/3}$	豪/号韻
0145	上伊・007ウ2・人事	労	平	ラウ	右傍	lau$^{1/3}$	豪/号韻
0208	上伊・011オ2・辞字	労	平	ラウ	右傍	lau$^{1/3}$	豪/号韻
0999b	上仁・040オ5・疊字	労	上	ラウ	右注	lau$^{1/3}$	豪/号韻
0388b	上伊・016オ4・官職	労	−	ラウ	右注	lau$^{1/3}$	豪/号韻
0768b	上波・032オ2・疊字	労	平	シン	右注	lau$^{1/3}$	豪/号韻
2917b	上加・107オ6・疊字	澇	上	ラウ	左注	lau$^{1/2/3}$	豪/晧/号韻
2203	上遠・080オ2・地儀	窂	平	ラウ	右傍	lau^{1}	豪韻

【表B-01】下巻_Ⅰau 豪韻

番号	前田本所在	掲出字		仮名音注		中古音	韻目
4507	下佐・045オ3・人躰	毫	平	カウ	右傍	ɣau^{1}	豪韻
6241b	下飛・097ウ6・疊字	毫	去濁	カウ	左注	ɣau^{1}	豪韻
5337	下師・071オ6・人躰	尻	平	カウ	右傍	k'au^{1}	豪韻
4436	下佐・042ウ1・地儀	皐	平	カウ	右傍	kau^{1}	豪韻
4585	下佐・047ウ3・雑物	櫜	平	カウ	右傍	kau^{1}	豪韻
6084	下飛・092オ2・動物	羔	平	カウ	右傍	kau^{1}	豪韻
6167b	下飛・094ウ4・雑物	髙	−	カウ	右注	kau^{1}	豪韻
6430	下毛・102ウ7・飲食	餻	平	カウ	右傍	kau^{1}	豪韻
4187	下阿・029オ3・人躰	膏	平	カウ	右傍	kau$^{1/3}$	豪/号韻
6058c	下飛・091オ7・植物	蒿	−	カウ	右傍	xau^{1}	豪韻
4447a	下佐・042ウ6・地儀	曺	−	サウ	右注	dzau^{1}	豪韻
4819b	下佐・054ウ2・官職	曺	−	サウ	右傍	dzau^{1}	豪韻
6810b	下洲・114ウ2・植物	螬	平	サウ	右傍	dzau^{1}	豪韻
4568	下佐・047オ5・雑物	槽	平	サウ	右傍	dzau^{1} tsau^{1}	豪韻 豪韻
4143	下阿・027ウ3・動物	鰺	平	サウ	右傍	sau^{1}	豪韻
4523	下佐・045ウ5・人事	騒	平	サウ	右傍	sau^{1}	豪韻
4529	下佐・046オ1・人事	騒	平	サウ	右傍	sau^{1}	豪韻
4738a	下佐・052ウ1・疊字	騒	去	サウ	左注	sau^{1}	豪韻
4702a	下佐・051ウ6・疊字	操	去	サウ	左注	ts'au$^{1/3}$ sʌu^{2}	豪/号韻 厚韻

5621b	下師・081オ6・疊字	操	去濁	サウ	左注	ts‘ɑu$^{1/3}$ sʌu^{2}	豪/号韻 厚韻
4516	下佐・045オ7・人事	操	—	サウ ［平上］	右注	ts‘ɑu$^{1/3}$ sʌu^{2}	豪/号韻 厚韻
4776a	下佐・053オ4・疊字	操	—	サウ	左注	ts‘ɑu$^{1/3}$ sʌu^{2}	豪/号韻 厚韻
6250b	下飛・098オ1・疊字	操	—	サウ	右注	ts‘ɑu$^{1/3}$ sʌu^{2}	豪/号韻 厚韻
4773a	下佐・053オ3・疊字	糟	去	サウ	左注	tsɑu^{1}	豪韻
3339c	下古・002ウ6・植物	桃	平	タウ	右傍	dɑu^{1}	豪韻
6396	下毛・101オ6・植物	桃	平	タウ	右傍	dɑu^{1}	豪韻
6397a	下毛・101オ6・植物	桃	平	タウ	右傍	dɑu^{1}	豪韻
6399a	下毛・101オ6・植物	桃	平	タウ	右傍	dɑu^{1}	豪韻
5285c	下師・069ウ2・植物	桃	上	タウ	右傍	dɑu^{1}	豪韻
6398a	下毛・101オ6・植物	桃	—	（タウ）	右傍	dɑu^{1}	豪韻
3696b	下古・012オ1・疊字	逃	平濁	テウ	右注	dɑu^{1}	豪韻
3987a	下手・022ウ3・疊字	逃	平濁	テウ	左注	dɑu^{1}	豪韻
3982a	下手・022ウ2・疊字	逃	平	テウ	右注	dɑu^{1}	豪韻
3983a	下手・022ウ2・疊字	逃	平	テウ	中注	dɑu^{1}	豪韻
3984a	下手・022ウ2・疊字	逃	平	テウ	左注	dɑu^{1}	豪韻
3985a	下手・022ウ2・疊字	逃	平	テウ	左注	dɑu^{1}	豪韻
3986a	下手・022ウ3・疊字	逃	平	テウ	左注	dɑu^{1}	豪韻
4425b	下阿・041オ7・姓氏	刀	—	ト	右注	tɑu^{1}	豪韻
6049	下飛・091オ5・植物	匏	平	ハウ	右傍	bɑu^{1}	豪韻
4743b	下佐・052ウ2・疊字	袍	去	ハウ	左注	bɑu^{1}	豪韻
6753b	下世・112オ7・疊字	袍	去	ハウ	右注	bɑu^{1}	豪韻
3861b	下江・017ウ5・疊字	髦	平濁	ホウ	左注	mɑu^{1}	豪韻
5475b	下師・075オ3・光彩	毛	平濁	ホウ	右傍	mɑu$^{1/3}$	豪/号韻
6343b	下飛・099オ3・疊字	毛	平濁	ホウ	左注	mɑu$^{1/3}$	豪/号韻
4787b	下佐・053オ7・疊字	毛	—	モウ	右注	mɑu$^{1/3}$	豪/号韻
4547	下佐・046ウ2・飲食	醪	平	ラウ	右傍	lɑu^{1}	豪韻
6426	下毛・102ウ7・飲食	醪	平	ラウ	右傍	lɑu^{1}	豪韻
5171b	下木・064オ3・疊字	勞	上	ラウ	左注	lɑu$^{1/3}$	豪/号韻
5646b	下師・081ウ5・疊字	勞	上	ラウ	左注	lɑu$^{1/3}$	豪/号韻

【表B-01】上巻_Ⅰɑu 晧韻

番号	前田本所在	掲出字		仮名音注		中古音	韻目
2465b	上加・092ウ1・植物	芺	上	アウ	右傍	’ɑu^{2} ’iɑu^{2}	晧韻 小韻
2676	上加・098ウ1・飲食	腴	去	アウ	右傍	’ɑu$^{2/3}$	晧/号韻
2924a	上加・107ウ1・疊字	好	上	カウ	左注	xɑu$^{2/3}$	晧/号韻

2935a	上加・107ウ3・疊字	好	上	カウ	左注	xɑu$^{2/3}$	晧/号韻
3054a	上加・109オ6・疊字	好	上	カウ	左注	xɑu$^{2/3}$	晧/号韻
2854a	上加・106ウ1・疊字	晧	去	カウ	左注	ɣɑu^{2}	晧韻
2355	上和・088ウ1・雜物	藁	上	カウ	右傍	kɑu^{2}	晧韻
2809	上加・102オ3・辞字	槁	―	カウ	右傍	k'ɑu^{2}	晧韻
2907a	上加・107オ4・疊字	考	平	カウ	左注	k'ɑu^{2}	晧韻
3020a	上加・108ウ6・疊字	拷	平	カウ	左注	(k'ɑu^{2})	晧韻
3023a	上加・108ウ7・疊字	拷	平	カウ	右注	(k'ɑu^{2})	晧韻
2832	上加・104ウ3・辞字	拷	平	カウ	右注	(k'ɑu^{2})	晧韻
3021a	上加・108ウ6・疊字	拷	平濁	カウ	左注	(k'ɑu^{2})	晧韻
3197	上与・114オ7・人倫	嫂	上	サウ	右傍	sɑu^{2}	晧韻
0680a	上波・027オ6・雜物	掃	去	サウ	右傍	sɑu$^{2/3}$	晧/号韻
1438c	上度・055オ3・植物	草	―	サウ	右傍	ts'ɑu^{2}	晧韻
2471b	上加・092ウ4・植物	草	―	サウ	右傍	ts'ɑu^{2}	晧韻
2481b	上加・093オ1・植物	草	平濁	サウ	右注	ts'ɑu^{2}	晧韻
0940b	上仁・036ウ1・植物	藻	上	サウ	右傍	tsɑu^{2}	晧韻
1724c	上池・066オ1・植物	藻	上	サウ	左注	tsɑu^{2}	晧韻
3015b	上加・108ウ5・疊字	藻	上	サウ	左注	tsɑu^{2}	晧韻
1960a	上池・071ウ3・國郡	早	―	サワ	右傍	tsɑu^{2}	晧韻
2488a	上加・093オ6・植物	皀	―	サチ	右傍	dzɑu^{2}	晧韻
2643b	上加・097ウ3・人事	倒	上	タウ	右傍	tɑu$^{2/3}$	晧/号韻
1271b	上保・049オ1・疊字	倒	平	タウ	右傍	tɑu$^{2/3}$	晧/号韻
1404b	上邊・053ウ5・疊字	倒	平	タウ	右注	tɑu$^{2/3}$	晧/号韻
0704	上波・029ウ3・人事	討	―	タウ	右傍	t'ɑu^{2}	晧韻
1656b	上度・063オ5・疊字	道	平濁	タウ	左注	dɑu^{2}	晧韻
2886b	上加・106ウ7・疊字	道	平濁	タウ	左注	dɑu^{2}	晧韻
1708b	上池・065オ7・地儀	道	―	タウ	右注	dɑu^{2}	晧韻
0070a	上伊・004オ7・動物	稻	上	タウ	右傍	dɑu^{2}	晧韻
0038	上伊・003ウ1・植物	稻	上	タウ	右傍	dɑu^{2}	晧韻
2292b	上和・086オ3・植物	稻	上	タウ	右傍	dɑu^{2}	晧韻
1482b	上度・057オ2・飲食	腦	上濁	タウ	右傍	nɑu$^{2/3}$	晧/号韻
1481b	上度・057オ2・飲食	腦	上濁	ナウ	右注	nɑu$^{2/3}$	晧/号韻
2010b	上利・073ウ5・雜物	腦	平	ナウ	右注	nɑu$^{2/3}$	晧/号韻
1189b	上保・047ウ4・疊字	惱	平	ナウ	左注	nɑu^{2}	晧韻
0778a	上波・032オ4・疊字	抱	去	ハウ	左注	bɑu^{2}	晧韻
3282b	上波・034ウ5・國郡	保	―	ホ	右傍	pɑu^{2}	晧韻
1058a	上保・042ウ5・動物	保	―	ホ	右注	pɑu^{2}	晧韻
1277a	上保・049ウ3・官職	保	―	ホウ	右注	pɑu^{2}	晧韻
1176a	上保・047ウ1・疊字	寳	上	ホウ	左注	pɑu^{2}	晧韻
1218a	上保・048オ3・疊字	寳	上	ホウ	左注	pɑu^{2}	晧韻
1177a	上保・047ウ1・疊字	寳	上	ホフ	左注	pɑu^{2}	晧韻
1111a	上保・045オ1・雜物	寳	平	ホウ	右注	pɑu^{2}	晧韻

1168a	上保・047オ7・疊字	寳	平	ホウ	左注	pau^{2}	晧韻
1169a	上保・047オ7・疊字	寳	平	ホウ	左注	pau^{2}	晧韻
1247a	上保・048ウ2・疊字	寳	平	ホウ	右注	pau^{2}	晧韻
1888b	上池・070オ5・疊字	寳	平	ホウ	左注	pau^{2}	晧韻
1110a	上保・044ウ7・雜物	寳	—	ホウ	右注	pau^{2}	晧韻
1112a	上保・045オ1・雜物	寳	—	ホウ	右注	pau^{2}	晧韻
1275a	上保・049ウ1・諸寺	寳	—	ホウ	右注	pau^{2}	晧韻
0283b	上伊・013オ4・疊字	老	上	ラウ	左注	lau^{2}	晧韻
2957b	上加・107ウ7・疊字	老	上	ラウ	左注	lau^{2}	晧韻
1271a	上保・049オ1・疊字	潦	上	ラウ	右傍	$lau^{2/3}$	晧/号韻
0929	上仁・036オ2・地儀	潦	上	ラウ	右傍	$lau^{2/3}$	晧/号韻

【表B-01】下巻_Ⅰau 晧韻

番号	前田本所在	掲出字		仮名音注		中古音	韻目
4250	下阿・032オ2・雜物	襖	上	アウ	右注	$'au^{2}$	晧韻
4249a	下阿・032オ2・雜物	襖	—	アウ	右注	$'au^{2}$	晧韻
3645b	下古・011オ3・疊字	槁	上	カウ	左注	$k'au^{2}$	晧韻
4454a	下佐・043オ4・植物	藁	上	カウ	右傍	kau^{2}	晧韻
6701b	下世・111ウ4・疊字	好	上濁	カウ	左注	$xau^{2/3}$	晧/号韻
5277a	下師・069オ7・植物	皂	上	サウ	右傍	$dzau^{2}$	晧韻
4722a	下佐・052オ4・疊字	掃	去	サウ	左注	$sau^{2/3}$	晧/号韻
4118c	下阿・026ウ4・植物	澡	上	サウ	右傍	$tsau^{2}$	晧韻
4598a	下佐・047ウ7・雜物	澡	上	サク	左傍	$tsau^{2}$	晧韻
4599a	下佐・047ウ7・雜物	澡	上	サク	右注	$tsau^{2}$	晧韻
4452a	下佐・043オ2・地儀	藻	上	サウ	右傍	$tsau^{2}$	晧韻
4642a	下佐・050ウ7・疊字	早	上	サウ	中注	$tsau^{2}$	晧韻
4643a	下佐・050ウ7・疊字	早	上	サウ	左注	$tsau^{2}$	晧韻
4635a	下佐・050ウ4・重點	早	—	サウ	右注	$tsau^{2}$	晧韻
4635b	下佐・050ウ4・重點	早	—	サウ	右注	$tsau^{2}$	晧韻
4689a	下佐・051ウ3・疊字	早	—	サウ	左注	$tsau^{2}$	晧韻
4580a	下佐・047ウ1・雜物	草	上	サウ	右注	$ts'au^{2}$	晧韻
4749a	下佐・052ウ4・疊字	草	上	サウ	左注	$ts'au^{2}$	晧韻
4779a	下佐・053オ4・疊字	草	上	サウ	右注	$ts'au^{2}$	晧韻
4589a	下佐・047ウ4・雜物	草	平	サウ	右注	$ts'au^{2}$	晧韻
4814a	下佐・047ウ1・雜物	草	—	サウ［平平］	右注	$ts'au^{2}$	晧韻
4108b	下阿・026オ7・植物	草	平濁	サウ	右傍	$ts'au^{2}$	晧韻
4463c	下佐・043ウ1・植物	草	—	サウ	右注	$ts'au^{2}$	晧韻
4577a	下佐・047オ7・雜物	草	—	サウ	右注	$ts'au^{2}$	晧韻
4637a	下佐・050ウ5・重點	草	—	サウ	右注	$ts'au^{2}$	晧韻
4637b	下佐・050ウ5・重點	草	—	サウ	右注	$ts'au^{2}$	晧韻
5896c	下師・085ウ2・疊字	草	—	サウ	右傍	$ts'au^{2}$	晧韻

3628b	下古・010ウ6・疊字	道	平濁	タウ	左注	dau^{2}	晧韻
4739b	下佐・052ウ1・疊字	道	平	タウ	左注	dau^{2}	晧韻
4997b	下木・061オ6・疊字	道	平	タウ	左注	dau^{2}	晧韻
6301b	下飛・098ウ2・疊字	道	平	タウ	左注	dau^{2}	晧韻
3310b	下古・002オ1・地儀	道	去	タウ	右傍	dau^{2}	晧韻
4095a	下阿・026オ2・植物	嶋	上	タウ	右傍	tau^{2} teu^{2}	晧韻 篠韻
4027b	下手・023オ5・疊字	倒	平	タウ	左注	tau$^{2/3}$	晧/号韻
4988b	下木・061オ4・疊字	禱	上	タウ	左注	tau$^{2/3}$	晧/号韻
6936b	下洲・120ウ2・疊字	脳	—	ナウ	左注	nau$^{2/3}$	晧/号韻
4423b	下阿・041オ6・姓氏	保	—	ホ	右注	pau^{2}	晧韻
5038b	下木・062オ1・疊字	緥	去	ホウ	左注	pau^{2}	晧韻
5045b	下木・062オ2・疊字	老	上	ラウ	左注	lau^{2}	晧韻
3633b	下古・011オ1・疊字	老	平	ラウ	左注	lau^{2}	晧韻
4541c	下佐・046オ6・人事	老	平	ラウ	左注	lau^{2}	晧韻
5459b	下師・074ウ4・雑物	老	平	ラウ	右傍	lau^{2}	晧韻
5186b	下木・064オ6・疊字	老	—	ラウ	右注	lau^{2}	晧韻
5272b	下師・069オ5・植物	老	—	ラウ	右注	lau^{2}	晧韻

【表B-01】上巻_Ⅰau 号韻

番号	前田本所在	掲出字		仮名音注		中古音	韻目
3090a	上加・109ウ6・疊字	傲	去	カウ	右注	ŋau^{3}	号韻
2617	上加・096ウ4・人事	号	去	カウ [平上]	右注	ɣau^{3}	号韻
2458	上加・092オ3・地儀	竃	去	サウ	右傍	tsau^{3}	号韻
2714	上加・099オ5・雑物	竃	去	サウ	右傍	tsau^{3}	号韻
2672a	上加・098オ5・飲食	糙	去	サウ	右傍	ts‘au^{3}	号韻
0132	上伊・006ウ7・人事	悼	—	タウ	右傍	dau^{3}	号韻
0251b	上伊・012ウ5・疊字	導	平濁	タウ	左注	dau^{3}	号韻
3044b	上加・109オ4・疊字	盗	上濁	タウ	左注	dau^{3}	号韻
2155	上奴・077ウ1・人事	盗	—	タウ	右傍	dau^{3}	号韻
1152a	上保・047オ3・疊字	暴	去濁	ホ	左注	bau^{3} bʌuk	号韻 屋韻
1206a	上保・047ウ7・疊字	暴	去濁	ホ	左注	bau^{3} bʌuk	号韻 屋韻
1207a	上保・047ウ7・疊字	暴	去濁	ホ	左注	bau^{3} bʌuk	号韻 屋韻
0464a	上波・020オ2・天象	暴	去	ホウ	右傍	bau^{3} bʌuk	号韻 屋韻
1077	上保・043ウ2・人事	報	去	ホウ	右注	pau^{3}	号韻
1161a	上保・047オ5・疊字	報	去	ホウ	左注	pau^{3}	号韻
1214a	上保・048オ2・疊字	報	去	ホウ	左注	pau^{3}	号韻

1215a	上保・048オ2・疊字	報	去	ホウ	左注	pau^{3}	号韻
1230a	上保・048オ5・疊字	報	去	ホウ	右注	pau^{3}	号韻
1143	上保・046ウ1・辞字	報	去	ホウ [平平]	右注	pau^{3}	号韻
1200a	上保・047ウ6・疊字	報	平	ホウ	中注	pau^{3}	号韻
2272	上遠・083ウ6・辞字	冒	—	ホウ	右傍	mau^{3} mʌk	号韻 徳韻
1105a	上保・044ウ7・雑物	帽	去濁	ホウ	左注	mau^{3}	号韻
1079	上保・043ウ3・人事	耄	—	ホク [平濁上]	左注	mau^{3}	号韻

【表B-01】下巻_Ⅰɑu 号韻

番号	前田本所在	掲出字		仮名音注		中古音	韻目
4519	下佐・045ウ4・人事	號	—	カウ	右傍	ɣau$^{1/3}$	豪/号韻
6431a	下毛・103オ1・飲食	糙	去	サウ	右傍	ts‘au^{3}	号韻
3850b	下江・017ウ3・疊字	造	去	サウ	左注	ts‘au^{3} dzau^{2}	号韻 晧韻
4750a	下佐・052ウ4・疊字	造	去	サウ	左注	ts‘au^{3} dzau^{2}	号韻 晧韻
4786a	下佐・053オ6・疊字	造	去	サウ	右注	ts‘au^{3} dzau^{2}	号韻 晧韻
4794a	下佐・053ウ1・疊字	造	去	サウ	右傍	ts‘au^{3} dzau^{2}	号韻 晧韻
4737a	下佐・052ウ1・疊字	造	—	サウ	左注	ts‘au^{3} dzau^{2}	号韻 晧韻
4748a	下佐・052ウ4・疊字	造	—	サウ	左注	ts‘au^{3} dzau^{2}	号韻 晧韻
3672b	下古・011ウ2・疊字	盜	去	タウ	左注	dau^{3}	号韻
6295b	下飛・098ウ1・疊字	盜	上	タウ	左注	dau^{3}	号韻
3587	下古・009ウ1・辞字	眊	—	ネウ	右傍	mau^{3}	号韻
3780b	下江・015ウ7・雑物	帽	去	ホウ	右傍	mau^{3}	号韻
3781b	下江・015ウ7・雑物	帽	去	ホウ	右傍	mau^{3}	号韻
6443a	下毛・103オ6・雑物	帽	—	モ	右注	mau^{3}	号韻
6420	下毛・102オ7・人事	耄	—	モウ	右注	mau^{3}	号韻

【表B-01】上巻_Ⅰɑm 談韻

番号	前田本所在	掲出字		仮名音注		中古音	韻目
0934a	上仁・036オ5・植物	甘	平	カム	右傍	kam^{1}	談韻
2743a	上加・100オ1・雑物	甘	平	カム	右注	kam^{1}	談韻
2941a	上加・107ウ4・疊字	甘	平	カム	中注	kam^{1}	談韻
2983a	上加・108オ6・疊字	甘	平	カム	左注	kam^{1}	談韻

3098a	上加・110オ1・疊字	甘	去	カム	右注	kam^{1}	談韻
3156a	上加・111ウ4・國郡	甘	─	カム	右傍	kam^{1}	談韻
3178a	上加・112ウ3・姓氏	甘	─	カム	右傍	kam^{1}	談韻
2496a	上加・093ウ1・植物	柑	平	カム	右傍	kam^{1}	談韻
2654a	上加・098オ1・人事	泔	平	カム	左注	kam^{1}	談韻
3120a	上加・110オ5・疊字	酣	平	カム	右注	ɣam^{1}	談韻
2655a	上加・098オ1・人事	酣	上	カム	左注	ɣam^{1}	談韻
2481a	上加・093オ1・植物	苷	去	カン	右注	kam^{1}	談韻
0980	上仁・039オ3・辞字	擔	平	タム	右傍	tam$^{1/3}$	談/闞韻
3112b	上加・110オ3・疊字	擔	平	タム	右注	tam$^{1/3}$	談/闞韻
2970b	上加・108オ3・疊字	談	平濁	タム	右注	dam^{2}	談韻
0437b	上呂・019オ2・疊字	談	平濁	タン	左注	dam^{2}	談韻
0810b	上波・032ウ3・疊字	談	平	タン	右注	dam^{2}	談韻
0179	上伊・008ウ5・雜物	籃	平	ラム	右傍	lam^{1}	談韻
2438b	上加・091ウ6・地儀	藍	上	ラム	右注	lam^{1}	談韻
2895b	上加・107オ2・疊字	藍	上	ラム	左注	lam^{1}	談韻
1051a	上保・042オ7・動物	監+鳥	平	ラン	右傍	lam^{1}	談韻

【表B-01】下巻_Ⅰɑm 談韻

番号	前田本所在	掲出字		仮名音注		中古音	韻目
4864a	下木・056オ6・植物	甘	平	カム	右傍	kam^{1}	談韻
4108a	下阿・026オ7・植物	甘	去	カム	右傍	kam^{1}	談韻
4876	下木・056ウ6・動物	蚶	平	カム	右傍	xam^{1}	談韻
4492a	下佐・044オ6・動物	三	東	サム	右注	sam$^{1/3}$	談/闞韻
4781a	下佐・053オ5・疊字	三	東	サム	右注	sam$^{1/3}$	談/闞韻
4668a	下佐・051オ6・疊字	三	平	(サム)	左注	sam$^{1/3}$	談/闞韻
4587a	下佐・047ウ3・雜物	三	平	サム [平平]	右注	sam$^{1/3}$	談/闞韻
4588a	下佐・047ウ4・雜物	三	─	サム [平平]	右注	sam$^{1/3}$	談/闞韻
4658a	下佐・051オ4・疊字	三	去	(サム)	左注	sam$^{1/3}$	談/闞韻
4664a	下佐・051オ5・疊字	三	去	(サム)	左注	sam$^{1/3}$	談/闞韻
4693a	下佐・051ウ4・疊字	三		リム	右注	sam$^{1/3}$	談/闞韻
4717a	下佐・052オ2・疊字	三	─	サム	左注	sam$^{1/3}$	談/闞韻
4785a	下佐・053オ6・疊字	三	─	(サン)	左注	sam$^{1/3}$	談/闞韻
4790a	下佐・053オ7・疊字	三	─	(サン)	右注	sam$^{1/3}$	談/闞韻
4801a	下佐・054オ1・諸社	三	─	サイ	右注	sam$^{1/3}$	談/闞韻
5383c	下師・073オ3・人事	三	─	サハ	左傍	sam$^{1/3}$	談/闞韻
4674b	下佐・051オ7・疊字	慙	平	クヱ	中注	dzam^{1}	談韻
4741a	下佐・052ウ1・疊字	慚	去濁	サン	左注	dzam^{1}	談韻
5856b	下師・085オ2・疊字	談	平	タム	右注	dam^{2}	談韻
3396b	下古・005オ1・人事	談	平	タン	右傍	dam^{2}	談韻

4306	下阿・033オ7・光彩	藍	平	ラム	右傍	lam1	談韻

【表B-01】上巻_Ⅰam 敢韻

番号	前田本所在	掲出字		仮名音注		中古音	韻目
3248b	上与・117ウ3・疊字	敢	上	カム	中注	k'am2	敢韻
3030a	上加・109オ1・疊字	敢	去	カム	左注	k'am2	敢韻
0113	上伊・006オ3・人體	膽	上	タム	右傍	tam2	敢韻
0440b	上呂・019オ2・疊字	膽	上	タム	左注	tam2	敢韻
2952b	上加・107ウ6・疊字	膽	平	タム	左注	tam2	敢韻
0933b	上仁・036オ4・植物	膽	上濁	タウ	右傍	tam2	敢韻
1983b	上利・072ウ6・植物	膽	－	タウ	右注	tam2	敢韻
1984b	上利・072ウ6・植物	膽	－	タム	左注	tam2	敢韻
0822b	上波・032ウ6・疊字	覧	上	ラム	左注	lam2	敢韻
3085b	上加・109ウ5・疊字	覧	上	ラム	右注	lam2	敢韻
0300b	上伊・013ウ1・疊字	覧	上	ラン	右注	lam2	敢韻
1534	上度・058ウ2・辞字	攬	－	ラム	右傍	lam2	敢韻

【表B-01】下巻_Ⅰam 敢韻

番号	前田本所在	掲出字		仮名音注		中古音	韻目
3744b	下江・014オ7・植物	膽	上濁	タウ	右傍	tam2	敢韻

【表B-01】上巻_Ⅰam 闞韻

番号	前田本所在	掲出字		仮名音注		中古音	韻目
0959	上仁・037ウ5・人事	瞰	－	カム	右傍	k'am3	闞韻
1303b	上邊・051ウ1・飲食	脥	平濁 去濁	タム	右注	dam3	闞韻
2884b	上加・106ウ7・疊字	纜	上	ラム	左注	lam3	闞韻
1685b	上度・063ウ6・疊字	纜	－	ラン	右傍	lam3	闞韻
3033b	上加・109オ2・疊字	濫	去	ラン	左注	lam3	闞韻

【表B-01】上巻_Ⅰap 盍韻

番号	前田本所在	掲出字		仮名音注		中古音	韻目
3131b	上加・110ウ1・疊字	闔	入	カフ	右注	ɣap	盍韻
3218	上与・115ウ3・雜物	鉀	－	カフ	右傍	kap kap	盍韻 狎韻
2581	上加・096オ2・人體	顴	入	カフ	右傍	kap	盍韻
2894b	上加・107オ2・疊字	塔	入	タウ	左注	t'ap	盍韻
1489b	上度・057オ5・雜物	納	平	ナウ	右傍	nap	盍韻
2742b	上加・100オ1・雜物	納	平	ナウ	右注	nap	盍韻
1968b	上池・071ウ7・官職	納	－	ナウ	右注	nap	盍韻

0387b	上伊・016オ4・官職	臘	―	ラウ	右注	lap	盍韻

【表B-01】下巻_Ⅰap 盍韻

番号	前田本所在	掲出字		仮名音注		中古音	韻目
4578a	下佐・047オ7・雑物	靸	入	サウ ［平上］	右注	sap sʌp	盍韻 合韻
5441	下師・074オ5・雑物	榻	入	タウ	右傍	t'ap	盍韻
4021b	下手・023オ4・疊字	納	入	ナフ	左注	nap	盍韻
5675b	下師・082オ4・疊字	納	入	ナフ	左注	nap	盍韻
5886b	下師・085オ7・疊字	納	平	ナウ	右注	nap	盍韻
6763b	下世・112ウ7・官職	納	―	ナウ	右傍	nap	盍韻
5950b	下師・087オ1・官職	納	―	サウ	右注	nap	盍韻
6188b	下飛・095オ2・雑物	鑞	―	ラウ	右傍	lap	盍韻

【表B-01】上巻_Ⅰan 寒韻

番号	前田本所在	掲出字		仮名音注		中古音	韻目
1342b	上邊・052ウ6・疊字	安	平	アン	左注	'an[1]	寒韻
2415b	上和・091オ1・姓氏	安	―	アン	右傍	'an[1]	寒韻
2449a	上加・093オ2・植物	寒	平	カン	右傍	ɣan[1]	寒韻
2855a	上加・106ウ1・疊字	寒	平	カン	左注	ɣan[1]	寒韻
2856a	上加・106ウ1・疊字	寒	平	カン	左注	ɣan[1]	寒韻
2857a	上加・106ウ1・疊字	寒	平	カン	右注	ɣan[1]	寒韻
2858a	上加・106ウ2・疊字	寒	平	カン	左注	ɣan[1]	寒韻
2864a	上加・106ウ3・疊字	寒	平	カン	左注	ɣan[1]	寒韻
2995a	上加・108ウ1・疊字	寒	平	カン	左注	ɣan[1]	寒韻
2996a	上加・108ウ1・疊字	寒	平	カン	左注	ɣan[1]	寒韻
2997a	上加・108ウ1・疊字	寒	平	カン	左注	ɣan[1]	寒韻
2998a	上加・108ウ1・疊字	寒	平	カン	中注	ɣan[1]	寒韻
3106a	上加・110オ2・疊字	寒	平	カン	右注	ɣan[1]	寒韻
0961	上仁・038オ1・飲食	寒	平	カム	右傍	ɣan[1]	寒韻
2563a	上加・095オ4・動物	寒	平	カム	右傍	ɣan[1]	寒韻
3129a	上加・110オ7・疊字	邯	平	カン	右傍	ɣan[1]	寒韻
3073a	上加・109ウ3・疊字	邯	平	カム	左注	ɣan[1]	寒韻
0943	上仁・036ウ3・植物	翰	平	カン	右傍	ɣan[1/3]	寒/翰韻
3015a	上加・108ウ5・疊字	翰	去	カン	左注	ɣan[1/3]	寒/翰韻
1126	上保・045ウ5・方角	干	平	カン	右傍	kan[1]	寒韻
2479b	上加・092ウ7・植物	干	平	カン	左傍	kan[1]	寒韻
3040a	上加・109オ3・疊字	干	平	カン	左注	kan[1]	寒韻
1138	上保・046オ2・辞字	干	―	カン	右傍	kan[1]	寒韻
2271	上遠・083ウ6・辞字	干	―	カン	右傍	kan[1]	寒韻

2694a	上加・098ウ6・雜物	汗	―	カ ［上］	右注	ɣan$^{1/3}$ kan^{1}	寒/翰韻 寒韻
2952a	上加・107ウ6・疊字	肝	平	カン	左注	kan^{1}	寒韻
3087a	上加・109ウ5・疊字	肝	去	カン	右注	kan^{1}	寒韻
1117b	上保・045オ4・雜物	竿	平	カン	右傍	kan^{1}	寒韻
3055a	上加・109オ6・疊字	看	平	カン	左注	k‘an$^{1/3}$	寒/翰韻
2920a	上加・107オ7・疊字	看	去	カン	左注	k‘an$^{1/3}$	寒/翰韻
3172a	上加・112オ6・官職	看	―	カ	右傍	k‘an$^{1/3}$	寒/翰韻
1520b	上度・057ウ6・雜物	犴	去濁	カン	右注	ŋan$^{1/3}$	寒/翰韻
0867b	上波・033ウ1・疊字	飡	平濁	サン	左注	ts‘an^{1}	寒韻
3257b	上与・117ウ5・疊字	殘	平濁	セン	左注	dzan^{1}	寒韻
1584b	上度・062オ5・疊字	壇	平濁	タン	左注	dan^{1}	寒韻
1439b	上度・055オ3・植物	檀	平	タン	右傍	dan^{1}	寒韻
0709	上波・030オ3・人事	弾	―	タン	右傍	dan$^{1/3}$	寒/翰韻
0971	上仁・038ウ2・光彩	丹	平	タン	右注	tan^{1}	寒韻
1037b	上保・042オ1・植物	丹	平	タン	右注	tan^{1}	寒韻
1038b	上保・042オ1・植物	丹	平	タン	左注	tan^{1}	寒韻
1049a	上保・042オ7・動物	丹	平	タン	右傍	tan^{1}	寒韻
2372b	上和・090オ1・疊字	丹	上	タン	中注	tan^{1}	寒韻
0629c	上波・025ウ5・人事	丹	―	タン	左注	tan^{1}	寒韻
3149a	上加・111ウ2・國郡	丹	―	タ	右傍	tan^{1}	寒韻
3129b	上加・110オ7・疊字	鄲	平	タン	右傍	tan^{1}	寒韻
1379b	上邊・053オ7・疊字	難	平	ナン	左注	nan$^{1/3}$	寒/翰韻
1890b	上池・070オ5・疊字	難	平	ナン	左注	nan$^{1/3}$	寒/翰韻
2181b	上留・079ウ1・疊字	難	平	ナン	中注	nan$^{1/3}$	寒/翰韻
3002b	上加・108ウ2・疊字	難	平	ナン	左注	nan$^{1/3}$	寒/翰韻
3069b	上加・109ウ2・疊字	難	平	ナン	左注	nan$^{1/3}$	寒/翰韻
2483b	上加・093オ2・植物	蘭	平	ラン	左傍	lan^{1}	寒韻
0320b	上伊・013ウ5・疊字	蘭	上	ラン	右注	lan^{1}	寒韻
0487a	上波・020ウ4・地儀	欄	平	ラン	右傍	lan^{1}	寒韻
2448b	上加・092オ1・地儀	欄	―	ラン	右注	lan^{1}	寒韻

【表B-01】下巻_Ⅰan 寒韻

番号	前田本所在	掲出字		仮名音注		中古音	韻目
4078a	下阿・025ウ2・地儀	安	平	アン	右傍	’an^{1}	寒韻
4079a	下阿・025ウ2・地儀	安	平	アン	右傍	’an^{1}	寒韻
4115a	下阿・026ウ3・植物	安	平	アン	右注	’an^{1}	寒韻
4381a	下阿・039ウ2・疊字	安	平	アン	左注	’an^{1}	寒韻
4389a	下阿・039ウ4・疊字	安	平	アン	左注	’an^{1}	寒韻
3723b	下古・012オ6・疊字	安	平	アン	右注	’an^{1}	寒韻
6013b	下會・089ウ3・疊字	安	平	アン	左注	’an^{1}	寒韻

4357a	下阿・039オ4・疉字	安	去	アン	中注	'ɑn^1	寒韻
4359a	下阿・039オ4・疉字	安	去	アン	中注	'ɑn^1	寒韻
4382a	下阿・039ウ2・疉字	安	去	アン	右注	'ɑn^1	寒韻
4421a	下阿・041オ3・官職	安	―	アン	右注	'ɑn^1	寒韻
4399a	下阿・040ウ5・国郡	安	―	ア	右注	'ɑn^1	寒韻
4401a	下阿・040ウ5・国郡	安	―	ア	右傍	'ɑn^1	寒韻
4407a	下阿・040ウ6・国郡	安	―	ア	右注	'ɑn^1	寒韻
4409a	下阿・040ウ6・国郡	安	―	ア	右傍	'ɑn^1	寒韻
4424a	下阿・041オ7・姓氏	安	―	ア	右注	'ɑn^1	寒韻
4426a	下阿・041ウ1・姓氏	安	―	ア	右注	'ɑn^1	寒韻
5930a	下師・086ウ3・國郡	安	―	ア	右傍	'ɑn^1	寒韻
5932a	下師・086ウ3・國郡	安	―	ア	右傍	'ɑn^1	寒韻
4584	下佐・047ウ2・雜物	竿	平	ウ	右傍	kɑn^1	寒韻
5080b	下木・062ウ3・疉字	寒	平	カン	左注	ɣɑn^1	寒韻
3421	下古・006ウ1・飲食	寒	―	カン	右傍	ɣɑn^1	寒韻
4806a	下佐・054オ3・國郡	寒	―	カン	右傍	ɣɑn^1	寒韻
4883	下木・057オ5・人躰	肝	平	カン	右傍	kɑn^1	寒韻
6849b	下洲・116オ6・雜物	干	―	カン	右注	kɑn^1	寒韻
4185	下阿・029オ2・人躰	汗	平・去	カン	左傍	ɣɑn^1/3 kɑn^1	寒/翰韻 寒韻
4137a	下阿・027オ7・動物	汗	去	カン	右傍	ɣɑn^1/3 kɑn^1	寒/翰韻 寒韻
4784a	下佐・053オ5・疉字	珊	平	サン	右注	sɑn^1	寒韻
4574a	下佐・047オ7・雜物	珊	平	サン [平平]	右注	sɑn^1	寒韻
5218a	下由・066オ3・地儀	珊	―	サン	右傍	sɑn^1	寒韻
6062b	下飛・091ウ1・植物	檀	平濁	タン	右注	dɑn^1	寒韻
5289b	下師・069ウ4・植物	檀	平	タン	右注	dɑn^1	寒韻
6505b	下世・107オ2・植物	檀	平	タン	右注	dɑn^1	寒韻
5098b	下木・063オ1・疉字	彈	平濁	タン	左注	dɑn^1/3	寒/翰韻
4028b	下手・023オ5・疉字	丹	平	タン	左注	tɑn^1	寒韻
4090a	下阿・025ウ7・植物	丹	平	タン	右傍	tɑn^1	寒韻
5253b	下由・068オ2・雜物	單	平	タン	右注	tɑn^1 źian^1/2/3	寒韻 仙/獮/線韻
6158a	下飛・094ウ1・雜物	單	平	タン	右傍	tɑn^1 źian^1/2/3	寒韻 仙/獮/線韻
4661b	下佐・051オ4・疉字	嘆	平濁	タン	右注	t'ɑn^1/3	寒/翰韻
5348a	下師・071ウ4・人躰	磾	平	タン	右傍	t'ɑn^1 den^1	寒韻 先韻
6486	下世・106ウ3・地儀	灘	平	タン	右傍	t'ɑn^1 ɣɑn^2 xɑn^3 nɑn^3	寒韻 旱韻 翰韻 翰韻

4692b	下佐・051ウ4・疊字	難	平	ナン	左注	nan$^{1/3}$	寒/翰韻
5602b	下師・080ウ7・疊字	難	平	ナン	左注	nan$^{1/3}$	寒/翰韻
4102a	下阿・026オ5・植物	蘭	平	ラン	右傍	lan^{1}	寒韻
4103b	下阿・026オ5・植物	蘭	平	ラン	右傍	lan^{1}	寒韻
4455b	下佐・043オ4・植物	蘭	平	ラン	右傍	lan^{1}	寒韻
5677b	下師・082オ4・疊字	蘭	平	ラン	左注	lan^{1}	寒韻
6403b	下毛・101オ7・植物	蘭	―	ラン [平平]	右傍	lan^{1}	寒韻

【表B-01】上巻_Ⅰan 旱韻

番号	前田本所在	掲出字		仮名音注		中古音	韻目
2916a	上加・107オ6・疊字	旱	去	カン	左注	ɣan^{2}	旱韻
2917a	上加・107オ6・疊字	旱	去	カン	左注	ɣan^{2}	旱韻
2992b	上加・108オ7・疊字	散	去	サン	中注	san$^{2/3}$	旱/翰韻
0866b	上波・033ウ1・疊字	散	平濁	サン	右注	san$^{2/3}$	旱/翰韻
2632a	上加・097オ5・人事	襢	去	タン	右傍	dan^{2}	旱韻
3138a	上加・110ウ4・疊字	襢	去	タン	左注	dan^{2}	旱韻
2306b	上和・086ウ7・人躰	疸	上	タン	右傍	tan$^{2/3}$	旱/翰韻

【表B-01】下巻_Ⅰan 旱韻

番号	前田本所在	掲出字		仮名音注		中古音	韻目
6212	下飛・096オ1・辞字	暵	―	カン	右傍	xan$^{2/3}$	旱/翰韻
4543a	下佐・046オ7・人事	散	上	サン	左注	san$^{2/3}$	旱/翰韻
4583a	下佐・047ウ2・雑物	散	上	サン	右注	san$^{2/3}$	旱/翰韻
4680a	下佐・051ウ1・疊字	散	去	サン	中注	san$^{2/3}$	旱/翰韻
5889b	下師・085ウ1・疊字	散	去	(サン)	右注	san$^{2/3}$	旱/翰韻
3987b	下手・022ウ3・疊字	散	平	サン	左注	san$^{2/3}$	旱/翰韻
4655a	下佐・051オ3・疊字	散	平	サン	左注	san$^{2/3}$	旱/翰韻
4669a	下佐・051オ6・疊字	散	平	(サン)	左注	san$^{2/3}$	旱/翰韻
4531a	下佐・046オ3・人事	散	―	サン [平平]	右注	san$^{2/3}$	旱/翰韻
4557a	下佐・046ウ5・飲食	散	―	サン [平平]	右注	san$^{2/3}$	旱/翰韻
4623	下佐・049ウ4・辞字	散	―	サン [去平]	右注	san$^{2/3}$	旱/翰韻
4634a	下佐・050ウ4・重點	散	―	サン	右注	san$^{2/3}$	旱/翰韻
4634b	下佐・050ウ4・重點	散	―	サン	右注	san$^{2/3}$	旱/翰韻
4763a	下佐・052ウ7・疊字	散	―	サン	左注	san$^{2/3}$	旱/翰韻
4764a	下佐・053オ1・疊字	散	―	サン	左注	san$^{2/3}$	旱/翰韻
4825a	下佐・054ウ3・官職	散	―	サン	右注	san$^{2/3}$	旱/翰韻
6189b	下飛・095オ2・雑物	繖	上濁	サン	右注	san$^{2/3}$	旱/翰韻
4891b	下木・057ウ1・人躰	疸	―	タン	右傍	tan$^{2/3}$	旱/翰韻

5056b	下木・062オ5・疊字	誕	平	タン	左注	dan^2	旱韻

【表B-01】上巻_Ⅰan 翰韻

番号	前田本所在	掲出字		仮名音注		中古音	韻目
1897b	上池・070オ7・疊字	案	平	アン	左注	$'an^3$	翰韻
2939a	上加・107ウ4・疊字	幹	去濁	カン	左注	kan^3	翰韻
2081b	上利・075オ4・疊字	幹	平	カン	中注	kan^3	翰韻
0864b	上波・033オ7・疊字	漢	平	カン	右注	xan^3	翰韻
1510	上度・057ウ3・雜物	皸	去	カン	右傍	$ɣan^3$	翰韻
2838	上加・105オ2・辞字	扞	去	カン	右傍	$ɣan^3$	翰韻
0540	上波・022ウ1・動物	馯	去	カン	右傍	$ɣan^3$ $k'an^1$	翰韻 刪韻
1810b	上池・069オ3・疊字	岸	去濁	カン	左注	$ŋan^3$	翰韻
2880b	上加・106ウ6・疊字	岸	去濁	カン	中注	$ŋan^3$	翰韻
2410b	上和・090ウ1・疊字	粲	―	サム	右注	$ts'an^3$	翰韻
3095b	上加・109ウ7・疊字	歎	平	タム	右注	$t'an^3$	翰韻
0237b	上伊・012ウ2・疊字	旦	去	タン	左注	tan^3	翰韻
1328b	上邊・052ウ3・疊字	旦	平	タン	左注	tan^3	翰韻
1671b	上度・063ウ2・疊字	炭	去	タン	右注	$t'an^3$	翰韻

【表B-01】下巻_Ⅰan 翰韻

番号	前田本所在	掲出字		仮名音注		中古音	韻目
4338	下阿・036ウ6・辞字	按	―	アン [平平]	左注	$'an^3$	翰韻
4419a	下阿・041オ3・官職	按	―	アン	右注	$'an^3$	翰韻
4292	下阿・032ウ6・雜物	案	―	アン [平平]	右注	$'an^3$	翰韻
4337	下阿・036ウ4・辞字	案	―	アン [平平]	右注	$'an^3$	翰韻
4383a	下阿・039ウ2・疊字	案	―	アン	中注	$'an^3$	翰韻
6012b	下會・089ウ3・疊字	岸	去	カン	左注	$ŋan^3$	翰韻
3875b	下手・018ウ4・天象	漢	去	カン	左注	xan^3	翰韻
4964b	下木・060ウ6・疊字	漢	去	カン	右傍	xan^3	翰韻
3639b	下古・011オ2・疊字	捍	上	カン	左注	$ɣan^3$ $ɣan^2$	翰韻 潸韻
3397b	下古・005オ1・人事	燦	去	サム	右傍	$ts'an^3$	翰韻
4661a	下佐・051オ4・疊字	讃	平	サン	右注	$tsan^3$	翰韻
4676a	下佐・051オ7・疊字	讃	平	サン	左注	$tsan^3$	翰韻
5904b	下師・085ウ4・疊字	讃	―	サン	右傍	$tsan^3$	翰韻
4805a	下佐・054オ3・國郡	讃	―	サヌ	右傍	$tsan^3$	翰韻
4707b	下佐・051ウ7・疊字	歎	平	タン	左注	$t'an^3$	翰韻
5726b	下師・083オ3・疊字	歎	―	タン	左注	$t'an^3$	翰韻

5745b	下師・083ウ1・疊字	歎	―	タン	左注	t‘an^{3}	翰韻
6842	下洲・116オ3・雑物	炭	去	タン	右傍	t‘an^{3}	翰韻
6843a	下洲・116オ4・雑物	炭	去	タン	右傍	t‘an^{3}	翰韻
6446b	下毛・103オ7・雑物	爛	―	ラン	右傍	lan^{3}	翰韻

【表B-01】上巻_Ⅰɑt 曷韻

番号	前田本所在	掲出字		仮名音注		中古音	韻目
0572	上波・023ウ4・人躰	齃	入	アツ	右傍	’ɑt	曷韻
2612b	上加・096ウ2・人體	瘑	入	カチ	右傍	k‘ɑt	曷韻
1488b	上度・057オ4・雑物	褐	入	カチ	右傍	kɑt	曷韻
2693a	上加・098ウ6・雑物	褐	―	カチ ［平平］	右注	kɑt	曷韻
2892a	上加・107オ1・疊字	渇	入	カツ	中注	k‘ɑt giɑt	曷韻 薛韻
0258b	上伊・012ウ6・疊字	割	入	カツ	左注	kɑt	曷韻
3099a	上加・110オ1・疊字	割	入	カツ	右注	kɑt	曷韻
2487	上加・093オ6・植物	葛	―	カツ	右傍	kɑt	曷韻
2674a	上加・098オ7・飲食	餲	―	カツ	右注	ɣɑt	曷韻
2767a	上加・100ウ1・雑物	鶡	入	カツ	右注	ɣɑt	曷韻
1066b	上保・043オ2・人倫	薩	―	サツ	右注	sɑt	曷韻

【表B-01】下巻_Ⅰɑt 曷韻

番号	前田本所在	掲出字		仮名音注		中古音	韻目
4380a	下阿・039ウ2・疊字	遏	入	アツ	左注	’ɑt	曷韻
4386a	下阿・039ウ3・疊字	遏	入	アツ	右注	’ɑt	曷韻
5096b	下木・063オ1・疊字	遏	―	アツ	左注	’ɑt	曷韻
4281a	下阿・032ウ3・雑物	閼	入	アツ	右注	’ɑt ’iɑt ’en^{1} ’ian^{1}	曷韻 月韻 先韻 仙韻
5391c	下師・073オ5・人事	鶡	―	カ	左注	ɣɑt	曷韻
6524b	下世・108オ1・人躰	瘑	入	カチ	右傍	k‘ɑt	曷韻
5922a	下師・086ウ2・國郡	葛	―	カト	右傍	kɑt	曷韻
4810a	下佐・054オ4・國郡	薩	―	サツ	右傍	sɑt	曷韻
5804b	下師・084ウ1・疊字	達	入	タツ	左注	t‘ɑt dɑt	曷韻 曷韻
6519b	下世・107ウ5・人倫	達	―	タツ	右注	t‘ɑt dɑt	曷韻 曷韻
6139	下飛・094オ1・飲食	糲	入	ラツ	右傍	lɑt liɑi^{3} lɑi^{3}	曷韻 祭韻 泰韻

【表B-01】上巻_Ⅰuan 桓韻

番号	前田本所在	掲出字		仮名音注		中古音	韻目
2909b	上加・107オ5・疊字	官	平	クワン	中注	$kuan^{1}$	桓韻
0916b	上波・035オ2・官職	官	—	クワン	右注	$kuan^{1}$	桓韻
1973b	上池・072オ1・官職	官	—	クワン	右注	$kuan^{1}$	桓韻
2165	上奴・078オ5・辞字	貫	—	クワン	右傍	$kuan^{1/3}$	桓/換韻
2678	上加・098ウ3・雑物	冠	平	クワン	右傍	$kuan^{1/3}$	桓/換韻
0326b	上伊・013ウ7・疊字	冠	平	クワン	左注	$kuan^{1/3}$	桓/換韻
1441b	上度・055オ5・植物	冠	平	クワン	右傍	$kuan^{1/3}$	桓/換韻
1447	上度・055ウ1・動物	冠	平	クワン	右傍	$kuan^{1/3}$	桓/換韻
2507b	上加・093ウ4・植物	冠	平	クワン	右傍	$kuan^{1/3}$	桓/換韻
3052b	上加・109オ5・疊字	冠	平	クワン	左注	$kuan^{1/3}$	桓/換韻
1247b	上保・048ウ2・疊字	冠	去	クワン	右注	$kuan^{1/3}$	桓/換韻
2843	上加・105ウ5・辞字	冠	—	クワン	右傍	$kuan^{1/3}$	桓/換韻
2483a	上加・093オ2・植物	莞	平	クワン	左傍	γuan^{1}	桓/換韻
1717b	上池・065ウ3・地儀	観	平濁	クワン	左注	$kuan^{1/3}$	桓/換韻
0255b	上伊・012ウ6・疊字	観	去	クワン	左注	$kuan^{1/3}$	桓/換韻
2648b	上加・097ウ6・人事	歓	平	クワン	左注	$xuan^{1}$	桓韻
2966b	上加・108オ2・疊字	歓	平	クワン	右注	$xuan^{1}$	桓韻
3210	上与・115オ2・人事	歓	平	クワン	右傍	$xuan^{1}$	桓韻
1039a	上保・042オ1・植物	酸	平	サン	右傍	$suan^{1}$	桓韻
1476a	上度・056ウ6・人事	團	平	ト	左注	$duan^{1}$	桓韻
0693	上波・028オ4・方角	端	平	ハン	右傍	$tuan^{1}$	桓韻
0852a	上波・033オ5・疊字	般	平	ハン	左注	ban^{1} pan^{1} pan^{1} pat	桓韻 桓韻 刪韻 末韻
0458b	上呂・019オ6・疊字	盤	平	ハン	右注	ban^{1}	桓韻
0844b	上波・033オ3・疊字	盤	平	ハン	左注	ban^{1}	桓韻
0456b	上呂・019オ6・疊字	盤	平	ハム	右注	ban^{1}	桓韻
0631a	上波・025ウ6・人事	盤	去濁	ハン	右注	ban^{1}	桓韻
2178b	上留・079オ6・雑物	盤	—	ハン［上濁上］	右注	ban^{1}	桓韻
0632a	上波・025ウ6・人事	盤	—	ハン	右傍	ban^{1}	桓韻
0662	上波・026ウ6・雑物	盤	—	ハン	右注	ban^{1}	桓韻
1709a	上池・065ウ1・地儀	盤	—	ハン	右傍	ban^{1}	桓韻
2602	上加・096オ7・人體	瘢	—	ハン	右傍	ban^{1}	桓韻
0882a	上波・033ウ4・疊字	磻	平	ハム	右注	ban^{1} ba^{1} $p‘a^{1}$	桓韻 戈韻 戈韻
2363	上和・089ウ3・辞字	蟠	平	ハン	右傍	ban^{1} $bian^{1}$	桓韻 元韻

0668	上波・027オ1・雜物	鞶	平	ハン	右傍	ban^{1}	桓韻
0062a	上伊・004オ3・植物	蔓	去	マン	右傍	man^{1} mian^{3}	桓韻 願韻
0500a	上波・021オ3・植物	蔓	去	マン	右傍	man^{1} mian^{3}	桓韻 願韻
1045a	上保・042オ4・植物	蔓	去	マン	右傍	man^{1} mian^{3}	桓韻 願韻
0548a	上波・022ウ5・動物	鰻	平	マン	右傍	man^{1} mian^{3}	桓韻 願韻
1774b	上池・067ウ5・雜物	垸	上	ワン	右注	ɣuan$^{1/3}$	桓/換韻
1913b	上池・070ウ3・疊字	垸	上	ワン	中注	ɣuan$^{1/3}$	桓/換韻
2349	上和・088オ6・雜物	垸	上	ワン	右注	ɣuan$^{1/3}$	桓/換韻
2339a	上和・088オ3・飲食	垸	上	ワウ	右注	ɣuan$^{1/3}$	桓/換韻
2396a	上和・090オ5・疊字	垸	上	ワウ	左注	ɣuan$^{1/3}$	桓/換韻

【表B-01】下巻_Ⅰuan 桓韻

番号	前田本所在	掲出字		仮名音注		中古音	韻目
5180b	下木・064オ5・疊字	官	—	クワン	左注	kuan^{1}	桓韻
5943b	下師・086ウ7・官職	官	—	クワン	右注	kuan^{1}	桓韻
5949b	下師・087オ1・官職	官	—	クワン	右傍	kuan^{1}	桓韻
4965b	下木・060ウ6・疊字	丸	—	クワン	右傍	ŋuan^{1}	桓韻
5571b	下師・079ウ7・疊字	觀	—	クワン	右注	kuan$^{1/3}$	桓/換韻
6183	下飛・094ウ7・雜物	棺	平 去	クワン	右傍	kuan$^{1/3}$	桓/換韻
4910	下木・058オ5・雜物	紈	平	クワン	左注	ɣuan^{1}	桓韻
4475	下佐・044オ2・動物	冠	平	クワン	右傍	kuan$^{1/3}$	桓/換韻
3906b	下手・020ウ4・雜物	冠	—	火ン	左注	kuan$^{1/3}$	桓/換韻
4732a	下佐・052オ6・疊字	鑽	去	サン	左注	tsuan$^{1/3}$	桓/換韻
4944	下木・059オ6・辞字	鑽	平	サン	右傍	tsuan$^{1/3}$	桓/換韻
6157	下飛・094ウ1・雜物	鑽	—	サン	右傍	tsuan$^{1/3}$	桓/換韻
6830	下洲・115ウ4・飲食	酸	平	シユン	右傍	suan^{1}	桓韻
6487	下世・106ウ3・地儀	湍	平	タン	右傍	tʻuan^{1} tsiuan^{1}	桓韻 仙韻
4886	下木・057オ7・人躰	瘢	平	ハン	右傍	ban^{1}	桓韻
5405b	下師・073ウ5・雜物	盤	平	ハン	右傍	ban^{1}	桓韻
3562b	下古・007オ7・雜物	鏝	平濁	ハン	右傍	man$^{1/3}$	桓/換韻
4214	下阿・030オ3・人事	謾	平	ハン	右傍	man$^{1/3}$ man$^{1/3}$ mian^{1}	桓/換韻 刪/諫韻 仙韻
4099a	下阿・026オ4・植物	蔓	去	マン	右傍	man^{1} mian^{3}	桓韻 願韻
4264	下阿・032オ6・雜物	鑾	平	ラン	右傍	luan^{1}	桓韻

6078	下飛・092オ1・動物	鸞	—	ラン	右傍	$luan^1$	桓韻
6857	下洲・116オ7・雜物	鑾	平	ラン	右傍	$luan^1$	桓韻

【表B-01】上巻_Ⅰuan 緩韻

番号	前田本所在	掲出字		仮名音注		中古音	韻目
2024b	上利・074オ7・疊字	暖	上	タム	左注	$nuan^2$	緩韻
1952b	上池・071オ4・疊字	短	上濁	タン	左注	$tuan^2$	緩韻
0827b	上波・032ウ7・疊字	断	平濁	タン	左注	$duan^2$ $tuan^{2/3}$	緩韻 緩/換韻
1591b	上度・062オ6・疊字	断	平	タン	中注	$duan^2$ $tuan^{2/3}$	緩韻 緩/換韻
0509b	上波・021オ6・植物	断	—	タン	右傍	$duan^2$ $tuan^{2/3}$	緩韻 緩/換韻
0811a	上波・032ウ4・疊字	伴	平濁	ハン	中注	$ban^{2/3}$	緩/換韻
0766a	上波・032オ1・疊字	伴	去濁	ハン	右注	$ban^{2/3}$	緩/換韻
0780a	上波・032オ4・疊字	伴	去	ハン	右注	$ban^{2/3}$	緩/換韻
0843b	上波・033オ3・疊字	滿	平	マン	左注	man^2	緩韻
1389b	上邊・053ウ2・疊字	滿	平	マン	左注	man^2	緩韻
1880b	上池・070オ3・疊字	滿	上	マン	左注	man^2	緩韻
0910b	上波・034オ6・疊字	滿	—	マン	右注	man^2	緩韻
2521	上加・094オ4・動物	卵	上	ラン	右傍	$luan^2$ lua^2	緩韻 果韻

【表B-01】下巻_Ⅰuan 緩韻

番号	前田本所在	掲出字		仮名音注		中古音	韻目
6328b	下飛・099オ1・疊字	管	—	クワン	左注	$kuan^2$	緩韻
5094b	下木・062ウ7・疊字	断	平濁	タン	左注	$duan^2$ $tuan^{2/3}$	緩韻 緩/換韻
5099b	下木・063オ2・疊字	断	平濁	タン	左注	$duan^2$ $tuan^{2/3}$	緩韻 緩/換韻
5768b	下師・084オ2・疊字	滿	平	マン	左注	man^2	緩韻

【表B-01】上巻_Ⅰuan 換韻

番号	前田本所在	掲出字		仮名音注		中古音	韻目
0390b	上伊・016オ5・官職	灌	去	クワン	右注	$kuan^3$	換韻
3004b	上加・108ウ3・疊字	館	去	クワン	左注	$kuan^3$	換韻
3191a	上与・114オ2・動物	喚	去	クワン	右傍	$xuan^3$	換韻
3104b	上加・110オ2・疊字	爨	—	キウ	右注	$ts‘uan^3$	換韻
2570a	上加・095ウ3・人倫	鍛	上・去	タン	右傍	$tuan^3$	換韻
1926a	上池・070ウ5・疊字	筭	去	チウ	左注	$suan^3$	換韻

0864a	上波・033オ7・疊字	半	去	ハン	右注	pan³	換韻
0891a	上波・033ウ6・疊字	半	去	ハン	右注	pan³	換韻
0640a	上波・026オ4・雜物	半	去	ハム	右注	pan³	換韻
0569a	上波・023ウ1・人倫	半	平	ハン	右傍	pan³	換韻
0659a	上波・026ウ3・雜物	半	平	ハン	右注	pan³	換韻
0727a	上波・031ウ1・疊字	半	平	ハン	右注	pan³	換韻
0761a	上波・031ウ7・疊字	半	平	ハン	中注	pan³	換韻
1036a	上保・042オ1・植物	半	平	ハン	右傍	pan³	換韻
0647a	上波・026オ6・雜物	半	―	ハン	右注	pan³	換韻
0448b	上呂・019オ4・疊字	畔	平	ハン	左注	ban³	換韻
1335b	上邊・052ウ5・疊字	畔	平	ハン	右注	ban³	換韻
0833b	上波・033オ1・疊字	畔	去	ホ	右注	ban³	換韻
0827a	上波・032ウ7・疊字	判	(平)	ハン	左注	p'an³	換韻
0712	上波・030ウ1・人事	判	―	ハン［平平］	右注	p'an³	換韻
0916a	上波・035オ2・官職	判	―	ハン	右注	p'an³	換韻
0917a	上波・035オ3・官職	判	―	ハン	右注	p'an³	換韻
1114	上保・045オ2・雜物	絆	去	ハン	右傍	pan³	換韻
1308b	上邊・051ウ3・雜物	幔	―	マン［平平］	右傍	man³	換韻
1476b	上度・056ウ6・人事	乱	去	ラン	左注	luan³	換韻
1642b	上度・063オ3・疊字	乱	平	ラン	左注	luan³	換韻
2134b	上利・075ウ7・疊字	乱	平	ラム	左注	luan³	換韻

【表B-01】下巻_Ⅰuan 換韻

番号	前田本所在	掲出字		仮名音注		中古音	韻目
4371b	下阿・039オ7・疊字	翫	平	クワン	左注	ŋuan³	換韻
4370b	下阿・039オ7・疊字	翫	平	クヱン	中注	ŋuan³	換韻
4756a	下佐・052ウ5・疊字	笇	平	サン	左注	suan³	換韻
4611	下佐・048オ7・員數	笇	平	サン［平平］	右注	suan³	換韻
4754a	下佐・052ウ5・疊字	笇	―	サン	中注	suan³	換韻
4755a	下佐・052ウ5・疊字	笇	―	サン	左注	suan³	換韻
4820a	下佐・054ウ2・官職	笇	―	サン	右注	suan³	換韻
6918b	下洲・120オ5・疊字	爨	去	サン	左注	ts'uan³	換韻
4325	下阿・035オ5・辞字	攢	平	サン	右傍	dzuan³ tsan³	換韻 翰韻
6428	下毛・102ウ7・飲食	糯	去濁	タン	右傍	nuan²ᐟ³ nua³	緩/換韻 過韻
6807	下洲・114オ6・動物	[illegible]	去	タン	右傍	duan³	換韻
4067	下阿・025オ3・地儀	畔	―	ハン	右傍	ban³	換韻
3835b	下江・017オ7・疊字	乱	上	ラン	中注	luan³	換韻
5909c	下師・085ウ5・疊字	乱	―	ラン	右傍	luan³	換韻

【表B-01】上巻_Ⅰuat 末韻

番号	前田本所在	掲出字		仮名音注		中古音	韻目
2478a	上加・092ウ6・植物	栝	入	クワツ	左傍	kuat t'em^2	末韻 忝韻
0119	上伊・006オ7・人事	活	―	クワツ	右傍	kuat ɣuat	末韻 末韻
2555a	上加・095オ1・動物	蛞	―	クワツ	右傍	k'uat	末韻
2005d	上利・073ウ3・人事	脱	入濁	タツ	右傍	duat t'uat	末韻 末韻
3113b	上加・110オ4・疊字	脱	入	タツ	右注	duat t'uat	末韻 末韻
3267b	上与・117ウ7・疊字	奪	入	タツ	右注	duat	末韻
0666	上波・027オ1・雜物	鉢	入	ハチ	右注	pat	末韻
0880a	上波・033ウ3・疊字	撥	入	ハツ	右注	pat	末韻
2473b	上加・092ウ5・植物	跋	入	ハツ	右傍	bat	末韻
0748a	上波・031ウ5・疊字	抜	入	ハツ	左注	bat biat bɐt	末韻 月韻 黠韻
0825a	上波・032ウ6・疊字	抜	入	ハツ	左注	bat biat bɐt	末韻 月韻 黠韻
0826a	上波・032ウ7・疊字	抜	入	ハツ	左注	bat biat bɐt	末韻 月韻 黠韻
0830a	上波・032ウ7・疊字	抜	入	ハツ	中注	bat biat bɐt	末韻 月韻 黠韻
0832a	上波・033オ1・疊字	抜	入	ハツ	左注	bat biat bɐt	末韻 月韻 黠韻
0628a	上波・026ウ5・人事	抜	上濁	ハ	左注	bat biat bɐt	末韻 月韻 黠韻
2163	上奴・078オ4・辞字	抜	平	チウ	右傍	bat biat bɐt	末韻 月韻 黠韻
2169	上奴・078ウ2・辞字	抜	―	チウ	右傍	bat biat bɐt	末韻 月韻 黠韻
1512b	上度・057ウ4・雜物	鈸	入	ハツ	左傍	bat	末韻
1568b	上度・057ウ4・雜物	鈸	入	ヒヤウ	右注	bat	末韻
2916b	上加・107オ6・疊字	魃	入濁	ハツ	左注	bat	末韻
0783a	上波・032オ5・疊字	末	入濁	ハツ	中注	mat	末韻
0802a	上波・032ウ2・疊字	末	入濁	ハツ	左注	mat	末韻
1185b	上保・047ウ3・疊字	末	入	マツ	中注	mat	末韻

1490a	上度・057オ5・雜物	末	入	マツ	右傍	mɑt	末韻
0765a	上波・032オ1・疊字	末	去濁	ハ	右注	mɑt	末韻
2535	上加・094ウ3・動物	鮇	入	ハツ	右傍	mɑt	末韻
2536	上加・094ウ3・動物	鮇	入	ヘツ	右傍	mɑt	末韻
2324	上和・087オ6・人事	怽	―	マツ	右傍	mɑt	末韻

【表B-01】下巻_Ⅰuɑt 末韻

番号	前田本所在	掲出字		仮名音注		中古音	韻目
6438	下毛・103オ4・雜物	鬠	入	クワツ	右傍	ɣuɑt kuɑi^{3}	末韻 泰韻
4456b	下佐・043オ5・植物	葀	―	クワツ	右傍	(kuɑt)	末韻
4609	下佐・048オ7・員數	撮	―	サチ	右注	ts‘uɑt tsuɑt	末韻 末韻
3986b	下手・022ウ3・疊字	脱	入	タツ	左注	duɑt t‘uɑt	末韻 末韻
5350a	下師・071ウ5・人躰	脱	入	タツ	右傍	duɑt t‘uɑt	末韻 末韻
4603b	下佐・048オ3・雜物	鉢	―	ハチ	右注	pɑt	末韻
4456a	下佐・043オ5・植物	茇	入	ハツ	右傍	bɑt bɐt	末韻 黠韻
5391b	下師・073オ5・人事	靺	―	マ	左注	mɑt	末韻
6872	下洲・116ウ7・方角	末	―	マツ	右傍	mɑt	末韻

【表B-01】上巻_Ⅰɑŋ 唐韻

番号	前田本所在	掲出字		仮名音注		中古音	韻目
2221b	上遠・080ウ3・動物	鴦	平	アウ	右傍	'ɑŋ^{1} 'iɑŋ^{1}	唐韻 陽韻
2083b	上利・075オ4・疊字	亢	平	カウ	左注	kɑŋ^{1} k‘ɑŋ^{3}	唐韻 宕韻
2084b	上利・075オ4・疊字	亢	平	カウ	左傍	kɑŋ^{1} k‘ɑŋ^{3}	唐韻 宕韻
0580	上波・024オ1・人躰	胻	平	カウ	右傍	ɣɑŋ^{1} ɣaŋ$^{1/3}$	唐韻 庚/映韻
1119b	上保・045オ5・雜物	綱	平	カウ	右傍	kɑŋ^{1}	唐韻
3072a	上加・109ウ2・疊字	綱	平	カウ	左注	kɑŋ^{1}	唐韻
3174a	上加・112オ7・官職	綱	―	カウ	右傍	kɑŋ^{1}	唐韻
3175a	上加・112オ7・官職	綱	―	カウ	右傍	kɑŋ^{1}	唐韻
1977b	上池・072オ2・官職	綱	―	カフ	右注	kɑŋ^{1}	唐韻
2159	上奴・077ウ5・飲食	糠	平	カウ	右傍	k‘ɑŋ^{1}	唐韻
2199	上遠・080オ1・地儀	崗	平	カウ	右傍	kɑŋ^{1}	唐韻
3183	上与・113ウ4・地儀	枊	去	カウ	右傍	ŋɑŋ$^{1/3}$	唐/宕韻
3116b	上加・110オ4・疊字	藏	平	サウ	右注	dzɑŋ$^{1/3}$	唐/宕韻

2765a	上加・100ウ1・雜物	戕	平	サウ	右傍	tsaŋ^{1}	唐韻
2259a	上遠・083オ2・雜物	煻	平	タウ	右傍	daŋ^{1}	唐韻
3022b	上加・108ウ6・疊字	當	上濁	タウ	左注	taŋ$^{1/3}$	唐/宕韻
1412b	上邊・054オ1・官職	當	―	タウ	右注	taŋ$^{1/3}$	唐/宕韻
0563b	上波・023オ5・人倫	堂	平	タウ	右傍	daŋ^{1}	唐韻
1199b	上保・047ウ6・疊字	堂	平	タウ	右注	daŋ^{1}	唐韻
2437b	上加・091ウ5・地儀	堂	上濁	タウ	右注	daŋ^{1}	唐韻
2893b	上加・107オ2・疊字	堂	上濁	タウ	左注	daŋ^{1}	唐韻
3005b	上加・108ウ3・疊字	堂	去	タウ	左注	daŋ^{1}	唐韻
0912b	上波・034ウ3・諸寺	堂	―	タウ	右傍	daŋ^{1}	唐韻
0095a	上伊・005オ5・動物	螗	平	タウ	右傍	taŋ^{1}	唐韻
2016b	上利・073ウ6・雜物	襠	平濁	タウ	右注	taŋ^{1}	唐韻
2550b	上加・094ウ7・動物	囊	平	ナウ	右傍	naŋ^{1}	唐韻
2757b	上加・100オ5・雜物	囊	―	ナウ	右注	naŋ^{1}	唐韻
3287b	上波・034ウ6・國郡	囊	―	ナキ	右傍	naŋ^{1}	唐韻
0759a	上波・031ウ7・疊字	傍	平	ハウ	中注	baŋ$^{1/3}$	唐/宕韻
0763a	上波・032オ1・疊字	傍	平	ハウ	左注	baŋ$^{1/3}$	唐/宕韻
0764a	上波・032オ1・疊字	傍	平	ハウ	右注	baŋ$^{1/3}$	唐/宕韻
0803a	上波・032ウ2・疊字	傍	平	ハウ	左注	baŋ$^{1/3}$	唐/宕韻
0206	上伊・010ウ7・辞字	忙	平濁	ハウ	右傍	maŋ^{1}	唐韻
0209	上伊・011オ2・辞字	忙	平濁	ハウ	右傍	maŋ^{1}	唐韻
0224	上伊・011ウ6・辞字	忙	平濁	ハウ	右傍	maŋ^{1}	唐韻
1338b	上邊・052ウ5・疊字	茫	平濁	ハウ	左注	maŋ^{1}	唐韻
0719a	上波・031オ4・重點	茫	―	ハウ	右注	maŋ^{1}	唐韻
0719b	上波・031オ4・重點	茫	―	ハウ	右注	maŋ^{1}	唐韻
2839	上加・105オ4・辞字	旁	―	ハウ	右傍	baŋ^{1}	唐韻
0856a	上波・033オ6・疊字	彷	平	ハウ	左注	baŋ^{1} p‘iaŋ^{2}	唐韻 養韻
0746a	上波・031ウ4・疊字	滂	平	ハウ	右注	p‘aŋ^{1}	唐韻
0095b	上伊・005オ5・動物	蜋	平	ラウ	右傍	laŋ^{1} liaŋ^{1}	唐韻 陽韻
1033	上保・041ウ5・地儀	廊	平	ラウ	右注	laŋ^{1}	唐韻
0744b	上波・031ウ4・疊字	浪	平	ラウ	左注	laŋ$^{1/3}$	唐/宕韻
2188b	上留・079ウ2・疊字	浪	上	ラウ	右注	laŋ$^{1/3}$	唐/宕韻

【表B-01】下巻_Ⅰaŋ 唐韻

番号	前田本所在	掲出字		仮名音注		中古音	韻目
4773b	下佐・053オ3・疊字	糠	上	カウ	左注	k‘aŋ^{1}	唐韻
3579	下古・009オ2・辞字	剛	平	カウ	右傍	kaŋ^{1}	唐韻
3440b	下古・007オ1・雜物	剛	上	カウ [上濁上]	右注	kaŋ^{1}	唐韻
5247b	下由・067ウ6・雜物	堈	平	カウ	右傍	kaŋ^{1}	唐韻

5956b	下師・087オ3・官職	綱	―	カウ	右傍	kɑŋ^{1}	唐韻
6268b	下飛・098オ4・疊字	藏	平	サウ	左注	dzɑŋ$^{1/3}$	唐/宕韻
6591b	下世・110オ6・疊字	藏	平	サウ	左注	dzɑŋ$^{1/3}$	唐/宕韻
3387b	下古・004ウ3・人躰	藏	―	サウ［平濁平］	左注	dzɑŋ$^{1/3}$	唐/宕韻
4506a	下佐・045オ2・人躰	藏	―	サウ	右注	dzɑŋ$^{1/3}$	唐/宕韻
4714a	下佐・052オ2・疊字	藏	―	サウ	左注	dzɑŋ$^{1/3}$	唐/宕韻
4671a	下佐・051オ6・疊字	桒	―	サウ	右注	sɑŋ^{1}	唐韻
4541b	下佐・046オ6・人事	桒	平	シヤウ	左注	sɑŋ^{1}	唐韻
5819b	下師・084ウ3・疊字	喪	平濁	サウ	左注	sɑŋ$^{1/3}$	唐/宕韻
6424b	下毛・102ウ3・人事	喪	―	サウ	右注	sɑŋ$^{1/3}$	唐/宕韻
4644a	下佐・051オ1・疊字	倉	上	サウ	左注	tsʻɑŋ^{1}	唐韻
6075a	下飛・091ウ7・動物	鶬	―	サウ	右傍	tsʻɑŋ^{1}	唐韻
4294	下阿・033オ4・光彩	蒼	平	サウ	右傍	tsʻɑŋ$^{1/2}$	唐/蕩韻
4778a	下佐・053オ4・疊字	蒼	平	サウ	右注	tsʻɑŋ$^{1/2}$	唐/蕩韻
4678a	下佐・051ウ1・疊字	蒼	―	サウ	右傍	tsʻɑŋ$^{1/2}$	唐/蕩韻
4768a	下佐・053オ1・疊字	臧	平 去濁	サウ	左注	tsɑŋ^{1}	唐韻
5239	下由・067ウ2・飲食	湯	平	タウ	右傍	tʻɑŋ$^{1/3}$ śiɑŋ^{1}	唐/宕韻 陽韻
3311b	下古・002オ2・地儀	堂	上	タウ	右傍	dɑŋ^{1}	唐韻
4226	下阿・031オ4・飲食	糖	平	タウ	右傍	dɑŋ^{1}	唐韻
6544b	下世・108ウ6・雑物	糖	平	タウ	右注	dɑŋ^{1}	唐韻
3733b	下古・013ウ1・官職	當	―	タウ	右注	tɑŋ$^{1/3}$	唐/宕韻
5952b	下師・087オ3・官職	當	―	タウ	右注	tɑŋ$^{1/3}$	唐/宕韻
6768b	下世・113オ3・官職	當	―	タウ	右傍	tɑŋ$^{1/3}$	唐/宕韻
3454	下古・007オ5・雑物	璫	平	タウ	右傍	tɑŋ^{1}	唐韻
5226a	下由・066ウ4・人躰	膀	平	ハウ	右傍	bɑŋ^{1}	唐韻
4608	下佐・048オ5・方角	芒	平	ハウ	右傍	mɑŋ^{1} miɑŋ^{1}	唐韻 陽韻
6195	下飛・095オ4・光彩	芒	平濁	ハウ	右傍	mɑŋ^{1} miɑŋ^{1}	唐韻 陽韻
3333a	下古・002ウ4・植物	狼	平	ラウ	右傍	lɑŋ^{1}	唐韻
4166b	下阿・028ウ1・人倫	郎	平	ラウ	右傍	lɑŋ^{1}	唐韻
4796b	下佐・053ウ2・疊字	浪	平	ラウ	右傍	lɑŋ$^{1/3}$	唐/宕韻
6066b	下飛・091ウ2・植物	榔	平	ラウ	右注	lɑŋ$^{1/2}$	唐/蕩韻
6063b	下飛・091ウ1・植物	榔	―	リヤウ	右傍	lɑŋ$^{1/2}$	唐/蕩韻

【表B-01】上巻_Ｉɑŋ 蕩韻

番号	前田本所在	掲出字		仮名音注		中古音	韻目
3089a	上加・109ウ6・疊字	慷	去	カウ	右注	kʻɑŋ^{2}	蕩韻
1390b	上邊・053ウ2・疊字	黨	上	タウ	右注	tɑŋ^{2}	蕩韻

2903b	上加・107オ4・疊字	黨	上	タウ	左注	$taŋ^{2}$	蕩韻
0774b	上波・032オ3・疊字	儻	上	タウ	右注	$t'aŋ^{2/3}$	蕩/宕韻
0303b	上伊・013ウ1・疊字	蕩	去	タウ	左注	$daŋ^{2}$ $t'aŋ^{1/3}$	蕩韻 唐/宕韻
0738a	上波・031ウ3・疊字	牓	上	ハウ	左注	$paŋ^{2}$	蕩韻
1147	上保・046ウ8・辞字	朗	上	ラウ	右傍	$laŋ^{2}$	蕩韻

【表B-01】下巻_Ⅰɑŋ 蕩韻

番号	前田本所在	掲出字		仮名音注		中古音	韻目
4366b	下阿・039オ6・疊字	黨	平	タウ	左注	$taŋ^{2}$	蕩韻
5859b	下師・085オ3・疊字	黨	上	タン	右注	$taŋ^{2}$	蕩韻
3336b	下古・002ウ5・植物	蒡	上濁	ハウ ［上濁上］	右傍	$paŋ^{2}$ $baŋ^{1}$	蕩韻 庚韻
5288a	下師・069ウ4・植物	莽	上	マウ	右傍	$maŋ^{2}$ $mʌu^{2}$ $muʌ^{2}$	蕩韻 厚韻 姥韻

【表B-01】上巻_Ⅰɑŋ 宕韻

番号	前田本所在	掲出字		仮名音注		中古音	韻目
2956a	上加・107ウ7・疊字	伉	去	カウ	左注	$k'aŋ^{3}$	宕韻

【表B-01】下巻_Ⅰɑŋ 宕韻

番号	前田本所在	掲出字		仮名音注		中古音	韻目
4530a	下佐・046オ3・人事	葬	—	サウ	右注	$tsaŋ^{3}$	宕韻
4395b	下阿・040オ1・疊字	宕	去	タウ	右傍	$daŋ^{3}$	宕韻
4418b	下阿・041オ1・国郡	宕	—	タ	右注	$daŋ^{3}$	宕韻
6258b	下飛・098オ2・疊字	謗	平	ハウ	左注	$paŋ^{3}$	宕韻

【表B-01】上巻_Ⅰɑk 鐸韻

番号	前田本所在	掲出字		仮名音注		中古音	韻目
1206b	上保・047ウ7・疊字	悪	入	アク	左注	'ak $'uʌ^{1/3}$	鐸韻 模/暮韻
2452a	上加・092オ1・地儀	格	—	カウ	右注	kak kak	鐸韻 陌韻
3179a	上加・112ウ6・姓氏	各	—	カヽ	右注	kak	鐸韻
2999a	上加・108ウ2・疊字	恪	入	カク	左注	k'ak	鐸韻
2933a	上加・107ウ3・疊字	鶴	入	カク	左注	ɣak	鐸韻
3084a	上加・109ウ5・疊字	鶴	入	カク	右注	ɣak	鐸韻
3053a	上加・109オ6・疊字	鶴	入	カウ	左注	ɣak	鐸韻

2673a	上加・098オ6・飲食	鸖	—	カウ	右注	ɣɑk	鐸韻
2585a	上加・096オ3・人體	鸖	—	カフ	右注	ɣɑk	鐸韻
2059b	上利・074ウ7・疊字	閣	入	カク	左注	kɑk	鐸韻
2435	上加・091ウ5・地儀	閣	—	カク ［上上］	右注	kɑk	鐸韻
1631b	上度・062ウ7・疊字	閣	入	カフ	右注	kɑk	鐸韻
0523	上波・021ウ4・植物	萼	入濁	カク	右傍	ŋɑk	鐸韻
1575b	上度・062オ3・疊字	作	入	サク	中注	tsɑk tsuʌ^{3} tsɑ^{3}	鐸韻 暮韻 箇韻
2871b	上加・106ウ4・疊字	作	入	サク	左注	tsɑk tsuʌ^{3} tsɑ^{3}	鐸韻 暮韻 箇韻
1673b	上度・063ウ2・疊字	作	入濁	サク	右注	tsɑk tsuʌ^{3} tsɑ^{3}	鐸韻 暮韻 箇韻
0513	上波・021オ7・植物	柞	入	サク	右傍	tsɑk dzɑk	鐸韻
2387b	上和・090オ4・疊字	錯	入	シヤク	中注	ts'ɑk ts'uʌ^{3}	鐸韻 暮韻
2475a	上加・092ウ5・植物	酢	去	ソ	左傍	dzɑk	鐸韻
1385b	上邊・053ウ1・疊字	索	入	サク	左注	sɑk ṣak ṣək	鐸韻 陌韻 麥韻
3294	上加・110ウ3・疊字	索	入	サク	右傍	sɑk ṣak ṣək	鐸韻 陌韻 麥韻
2772b	上加・100ウ2・雜物	索	—	サク	右傍	sɑk ṣak ṣək	鐸韻 陌韻 麥韻
0635b	上波・026オ2・飲食	飥	入	タク	右傍	t'ɑk	鐸韻
0636b	上波・026オ2・飲食	飥	入	タウ	右注	t'ɑk	鐸韻
0620	上波・025オ5・人事	度	—	タク	右傍	dɑk duʌ^{3}	鐸韻 暮韻
0697	上波・028ウ2・員數	度	—	タク	右傍	dɑk duʌ^{3}	鐸韻 暮韻
0308b	上伊・013ウ3・疊字	（諾）	（入）	タク	左注	nɑk	鐸韻
1111b	上保・045オ1・雜物	鐸	入	チヤク	右注	dɑk	鐸韻
0671	上波・027オ3・雜物	薄	入	ハク	右傍	bɑk	鐸韻
0736a	上波・031ウ2・疊字	薄	入	ハク	右注	bɑk	鐸韻
0874a	上波・033ウ2・疊字	薄	入	ハク	右注	bɑk	鐸韻
0499a	上波・021オ2・植物	薄	—	ハ ［平濁］	右注	bɑk	鐸韻
0488a	上波・020ウ4・地儀	搏	入	ハク	右傍	pɑk p'ɑk piuʌ^{3}	鐸韻 鐸韻 虞韻

0758a	上波・031ウ7・疊字	博	入	ハク	左注	pɑk	鐸韻
0819a	上波・032ウ5・疊字	博	入	ハク	中注	pɑk	鐸韻
0821a	上波・032ウ6・疊字	博	入	ハク	左注	pɑk	鐸韻
0822a	上波・032ウ6・疊字	博	入	ハク	左注	pɑk	鐸韻
0823a	上波・032ウ6・疊字	博	入	ハク	左注	pɑk	鐸韻
0877a	上波・033ウ3・疊字	博	入	ハク	右注	pɑk	鐸韻
0850a	上波・033オ4・疊字	博	入濁	ハク	左注	pɑk	鐸韻
0768a	上波・032オ2・疊字	博	入濁	ハン	右注	pɑk	鐸韻
3288a	上波・034ウ7・國郡	博	―	ハカ	右注	pɑk	鐸韻
0915a	上波・035オ2・官職	博	―	ハカ	右注	pɑk	鐸韻
0622a	上波・025オ7・人事	愽	―	ハク	右注	pɑk	鐸韻
0386b	上伊・016オ4・官職	愽	―	ハカ	右注	pɑk	鐸韻
0635a	上波・026オ2・飲食	餺	入	ハク	右傍	pɑk	鐸韻
0636a	上波・026オ2・飲食	餺	入	ハウ	右注	pɑk	鐸韻
1502	上度・057オ7・雜物	轉	入	ハク	右傍	pɑk bʌu3	鐸韻 候韻
2589	上加・096オ4・人體	髆	―	ハク	右傍	pɑk	鐸韻
1418	上度・054ウ1・地儀	泊	―	ハク	右傍	bɑk	鐸韻
0870a	上波・033ウ1・疊字	莫	入濁	ハク	右注	mɑk	鐸韻
1040b	上保・042オ1・植物	莫	入濁	ハク	右傍	mɑk	鐸韻
1326b	上邊・052ウ3・疊字	落	入	ラク	右注	lɑk	鐸韻
2709b	上加・099オ4・雜物	落	入	ラク	右傍	lɑk	鐸韻
2530a	上加・094オ7・動物	駱	―	ラク	右傍	lɑk	鐸韻
1936b	上池・070ウ7・疊字	樂	入	ラク	中注	lɑk ŋauk ŋau3	鐸韻 覺韻 効韻
0154c	上伊・008オ1・人事	樂	―	ラク	右注	lɑk ŋauk ŋau3	鐸韻 覺韻 効韻
0634c	上波・025ウ7・人事	樂	―	ラク	右傍	lɑk ŋauk ŋau3	鐸韻 覺韻 効韻
1302c	上邊・051オ6・人事	樂	―	ラク	左注	lɑk ŋauk ŋau3	鐸韻 覺韻 効韻
2645c	上加・097ウ6・人事	樂	―	ラク	左注	lɑk ŋauk ŋau3	鐸韻 覺韻 効韻
0153c	上伊・008オ1・人事	樂	平	ラウ	右注	lɑk ŋauk ŋau3	鐸韻 覺韻 効韻
3156b	上加・111ウ4・國郡	樂	―	ラ	右傍	lɑk ŋauk ŋau3	鐸韻 覺韻 効韻

3162b	上加・111ウ5・國郡	樂	―	ラキ	右傍	lɑk ŋauk ŋau^{3}	鐸韻 覺韻 効韻

【表B-01】下巻_Ⅰɑk 鐸韻

番号	前田本所在	掲出字		仮名音注		中古音	韻目
5651b	下師・081ウ6・疊字	悪	―	アク	左注	'ɑk 'uʌ$^{1/3}$	鐸韻 模/暮韻
5009b	下木・061ウ1・疊字	閣	入	カク	右注	kɑk	鐸韻
6335b	下飛・099オ2・疊字	閣	入	カク	右注	kɑk	鐸韻
4175	下阿・028ウ7・人躰	腭	入濁	カク	右傍	ŋɑk	鐸韻
5870b	下師・085オ5・疊字	蕚	入濁	カク	右注	ŋɑk	鐸韻
5281b	下師・069ウ1・植物	蕚	―	カク	右注	ŋɑk	鐸韻
4235	下阿・031オ6・飲食	臛	入	カク	右傍	xɑk xauk	鐸韻 沃韻
4748b	下佐・052ウ4・疊字	作	―	サク	左注	tsɑk tsɑ^{3} tsuʌ^{3}	鐸韻 箇韻 暮韻
4811b	下佐・054オ4・國郡	作	―	サク	右傍	tsɑk tsɑ^{3} tsuʌ^{3}	鐸韻 箇韻 暮韻
5223	下由・066オ6・植物	柞	入	サク	右傍	tsɑk dzɑk	鐸韻 鐸韻
3564a	下古・007オ7・雜物	錯	入	サク	右傍	ts'ɑk ts'uʌ^{3}	鐸韻 暮韻
5663b	下師・082オ2・疊字	錯	―	シヤク	左注	ts'ɑk ts'uʌ^{3}	鐸韻 暮韻
6829	下洲・115ウ4・飲食	酢	去	ソ	右傍	dzɑk	鐸韻
6472b	下毛・105ウ4・疊字	索	入	サク	左注	sɑk ṣak ṣɐk	鐸韻 陌韻 麥韻
6739b	下世・112オ5・疊字	索	入	サク	右傍	sɑk ṣak ṣɐk	鐸韻 陌韻 麥韻
6858	下洲・116オ7・雜物	鐸	―	タク	右傍	dɑk	鐸韻
5747b	下師・083ウ2・疊字	度	入	タク	左注	dɑk duʌ^{3}	鐸韻 暮韻
5903b	下師・085ウ4・疊字	度	―	タク	右傍	dɑk duʌ^{3}	鐸韻 暮韻
5175b	下木・064オ4・疊字	諾	入	タク	左注	nɑk	鐸韻
5665b	下師・082オ2・疊字	諾	入濁	タク	左注	nɑk	鐸韻
6669b	下世・111オ6・疊字	託	入	タク	右注	t'ɑk	鐸韻
4774b	下佐・053オ3・疊字	博	入濁	ハク	左注	pɑk	鐸韻
4820b	下佐・054ウ2・官職	博	―	ハカ	右注	pɑk	鐸韻

5942b	下師・086ウ7・官職	博	—	ハカ	右注	pak	鐸韻
5944b	下師・086ウ7・官職	博	—	ハカ	右注	pak	鐸韻
6481c	下毛・106オ1・官職	博	—	ハカ	右注	pak	鐸韻
3731a	下古・013オ7・官職	博	—	ハカ	左注	pak	鐸韻
3783b	下江・016オ1・雜物	薄	入	ハク	右傍	bak	鐸韻
6787	下洲・113ウ6・植物	薄	入	ハク	右傍	bak	鐸韻
3727b	下古・012オ7・疊字	薄	入	ハチ	左注	bak	鐸韻
6470b	下毛・105ウ4・疊字	簿	入濁	ハク	左注	bak buʌ^2	鐸韻 姥韻
4438a	下佐・042ウ1・地儀	泊	入	ハク	右傍	bak	鐸韻
6846	下洲・116オ5・雜物	箔	—	ハク	右傍	bak	鐸韻
6697b	下世・111ウ4・疊字	寞	入	ハク	中注	mak	鐸韻
4594	下佐・047ウ6・雜物	鎛	入	ハク	右注	pak	鐸韻
4913	下木・058オ6・雜物	襮	徳	ハク	右傍	pak	鐸韻
6107a	下飛・092ウ3・人倫	洛	入	ラク	右傍	lak	鐸韻
3874b	下手・018ウ4・天象	落	入	ラク	右注	lak	鐸韻
5550b	下師・079オ5・疊字	落	入	ラク	左注	lak	鐸韻
4791b	下佐・053オ7・疊字	落	—	ラク	右注	lak	鐸韻
3406b	下古・005ウ6・人事	樂	入	ラク	右傍	lak ŋauk ŋau^3	鐸韻 覺韻 効韻
4390b	下阿・039ウ4・疊字	樂	入	ラク	左注	lak ŋauk ŋau^3	鐸韻 覺韻 効韻
3704b	下古・012オ2・疊字	樂	—	ラク	左注	lak ŋauk ŋau^3	鐸韻 覺韻 効韻
5382c	下師・073オ2・人事	樂	—	ラク	左注	lak ŋauk ŋau^3	鐸韻 覺韻 効韻
5983c	下會・088ウ3・人事	樂	—	ラク	右傍	lak ŋauk ŋau^3	鐸韻 覺韻 効韻
6530c	下世・108オ6・人事	樂	—	ラク	左注	lak ŋauk ŋau^3	鐸韻 覺韻 効韻
4538c	下佐・046オ5・人事	樂	—	ラ ［平］	左注	lak ŋauk ŋau^3	鐸韻 覺韻 効韻

【表B-01】上巻_Ⅰuaŋ 唐韻

番号	前田本所在	掲出字		仮名音注		中古音	韻目
3123b	上加・110オ6・疊字	光	去	クワウ	右注	kuaŋ$^{1/3}$	唐/宕韻

2334a	上和・087ウ7・人事	皇	平	ワウ	右注	γuaŋ^1	唐韻
2371a	上和・090オ1・疊字	皇	去	ワウ	左注	γuaŋ^1	唐韻
2245	上遠・081ウ3・人事	惶	平	クワウ	右傍	γuaŋ^1	唐韻
0856b	上波・033オ6・疊字	徨	平	クワウ	左注	γuaŋ^1	唐韻
0210	上伊・011オ2・辞字	遑	―	クワウ	右傍	γuaŋ^1	唐韻
1047b	上保・042オ7・動物	凰	平	ワウ	中注	γuaŋ^1	唐韻
1048b	上保・042オ7・動物	凰	平	クワウ	左注	γuaŋ^1	唐韻
1587a	上度・062オ5・疊字	璜	平	トウ	左注	γuaŋ^1	唐韻
0691a	上波・028オ2・光彩	黄	平	クワウ	右傍	γuaŋ^1	唐韻
1521b	上度・058オ1・光彩	黄	上	ワウ	右注	γuaŋ^1	唐韻
1721b	上池・065ウ5・植物	黄	上	ワウ	右注	γuaŋ^1	唐韻
2306a	上和・086ウ7・人躰	黄	去	ワウ	右傍	γuaŋ^1	唐韻
2372a	上和・090オ1・疊字	黄	去	ワウ	中注	γuaŋ^1	唐韻
2294a	上和・086オ3・植物	黄	―	ワウ	右傍	γuaŋ^1	唐韻
2307a	上和・086ウ7・人躰	黄	―	ワウ	左注	γuaŋ^1	唐韻
2338a	上和・088オ3・飲食	黄	―	ワウ	右注	γuaŋ^1	唐韻
2358a	上和・088ウ4・光彩	黄	―	ワウ	右注	γuaŋ^1	唐韻
2468b	上加・092ウ3・植物	黄	―	ワウ	右傍	γuaŋ^1	唐韻
2384a	上和・090オ3・疊字	尫	平	ワウ	中注	'uaŋ^1	唐韻
2405a	上和・090オ7・疊字	尪	平	ワウ	左注	'uaŋ^1	唐韻

【表B-01】下巻_Ⅰuaŋ 唐韻

番号	前田本所在	掲出字		仮名音注		中古音	韻目
4133a	下阿・027オ6・動物	黄	平	クワウ	右傍	γuaŋ^1	唐韻
4936	下木・058ウ6・光彩	黄	平	クワウ	右傍	γuaŋ^1	唐韻
5213a	下由・065ウ7・天象	黄	平	クワウ	右傍	γuaŋ^1	唐韻
5707a	下師・082ウ6・疊字	黄	平	クワウ	右傍	γuaŋ^1	唐韻
5215c	下由・066オ2・地儀	黄	平	ワウ	右注	γuaŋ^1	唐韻
5479b	下師・075オ4・光彩	黄	上	ワウ	右注	γuaŋ^1	唐韻
4891a	下木・057ウ1・人躰	黄	―	ワウ	右傍	γuaŋ^1	唐韻
5771b	下師・084オ2・疊字	潢	平	ワウ	右傍	γuaŋ$^{1/3}$	唐/宕韻
6192	下飛・095オ4・光彩	光	平	クワウ	右傍	kuaŋ$^{1/3}$	唐/宕韻
5226b	下由・066ウ4・人躰	胱	平	クワウ	右傍	kuaŋ^1	唐韻

【表B-01】上巻_Ⅰuaŋ 蕩韻

番号	前田本所在	掲出字		仮名音注		中古音	韻目
1485	上度・057オ4・雑物	幌	上	クワウ	右傍	γuaŋ^2	蕩韻

【表B-01】上巻_Ⅰuɑŋ 宕韻

番号	前田本所在	掲出字		仮名音注		中古音	韻目
1587b	上度・062オ5・疊字	纊	去	ワウ	左注	k‘uɑŋ^{3}	宕韻

【表B-01】上巻_Ⅰuɑk 鐸韻

番号	前田本所在	掲出字		仮名音注		中古音	韻目
1268b	上保・048ウ7・疊字	廓	―	クワク	右傍	k‘uɑk	鐸韻

【表B-01】下巻_Ⅰuɑk 鐸韻

番号	前田本所在	掲出字		仮名音注		中古音	韻目
6179	下飛・094ウ7・雜物	籊	入	クワク	右傍	k‘uɑk dẓauk	鐸韻 覺韻
6187a	下飛・095オ2・雜物	鑊	―	クワク	右傍	ɣuɑk	鐸韻

【表B-01】上巻_Ⅰauŋ 冬韻

番号	前田本所在	掲出字		仮名音注		中古音	韻目
0735b	上波・031ウ2・疊字	冬	平	トウ	右注	tauŋ^{1}	冬韻
1796b	上池・068ウ7・疊字	冬	平	トウ	左注	tauŋ^{1}	冬韻
2482a	上加・093オ1・植物	冬	平	トウ	右傍	tauŋ^{1}	冬韻
1567a	上度・061ウ7・重點	鼕	平 上	トウ	右注	dauŋ^{1}	冬韻
1567b	上度・061ウ7・重點	鼕	平 上	トウ	右注	dauŋ^{1}	冬韻
2310	上和・087オ2・人事	儂	―	ノウ	右傍	nauŋ^{1}	冬韻

【表B-01】下巻_Ⅰauŋ 冬韻

番号	前田本所在	掲出字		仮名音注		中古音	韻目
4303	下阿・033オ7・光彩	彤	平	トウ	右傍	dauŋ^{1}	冬韻
6127	下飛・093オ4・人躰	疼	―	トウ	右傍	dauŋ^{1}	冬韻
6789c	下洲・113ウ6・植物	冬	上	トウ	右傍	tauŋ^{1}	冬韻

【表B-01】上巻_Ⅰauŋ 宋韻

番号	前田本所在	掲出字		仮名音注		中古音	韻目
1310	上邊・051ウ4・雜物	綜	去	ソウ	右傍	tsauŋ^{3}	宋韻
1697a	上度・064オ6・官職	統	―	トウ	右傍	t‘auŋ^{3}	宋韻

【表B-01】上巻_Ⅰauk 沃韻

番号	前田本所在	掲出字		仮名音注		中古音	韻目
3018b	上加・108ウ5・疊字	酷	入	コク	右注	k'auk	沃韻
3172b	上加・112オ6・官職	督	—	ト	右傍	tauk	沃韻
1483	上度・057オ2・飲食	毒	—	トク［平濁平］	右注	dauk	沃韻
1633b	上度・063オ1・疊字	僕	入濁	ホク	左注	bauk bʌuk	沃韻 屋韻

【表B-01】下巻_Ⅰauk 沃韻

番号	前田本所在	掲出字		仮名音注		中古音	韻目
3656a	下古・011オ6・疊字	酷	—	コク	左注	k'auk	沃韻
3352	下古・003オ6・動物	鵠	—	コフ	右注	ɣauk	沃韻
3702b	下古・012オ2・疊字	毒	—	トク	左注	dauk	沃韻
3693b	下古・011ウ7・疊字	篤	—	トク	左注	tauk	沃韻

【表B-02】上巻_Ⅰuʌ 模韻

番号	前田本所在	掲出字		仮名音注		中古音	韻目
2477b	上加・092ウ6・植物	瓳	—	コ	右傍	kuʌ^{1} ńiʌ^{2}	模韻 語韻
3195a	上与・114オ5・動物	蛄	平	コ	右傍	kuʌ^{1}	模韻
2808	上加・102オ3・辞字	枯	—	コ	右傍	k‘uʌ^{1}	模韻
2508a	上加・093ウ4・植物	吴	平濁	コ	右傍	ŋuʌ^{1}	模韻
0293b	上伊・013オ6・疊字	胡	平	コ	右注	ɣuʌ^{1}	模韻
2303a	上和・086ウ7・人躰	胡	平	コ	右傍	ɣuʌ^{1}	模韻
2005b	上利・073ウ3・人事	胡	上濁	コ	右傍	ɣuʌ^{1}	模韻
1451a	上度・055ウ2・動物	胡	—	コ	左注	ɣuʌ^{1}	模韻
3157b	上加・111ウ4・國郡	胡	—	コ	右傍	ɣuʌ^{1}	模韻
2674b	上加・098オ7・飲食	餬	—	コ	右注	ɣuʌ^{1}	模韻
3041b	上加・109オ3・疊字	湖	平	コ	左注	ɣuʌ^{1}	模韻
3111b	上加・110オ3・疊字	乎	平	コ	右注	ɣuʌ^{1}	模韻
0438b	上呂・019オ2・疊字	呼	東	コ	中注	xuʌ^{1}	模韻
0399b	上伊・016ウ6・姓氏	蘇	—	ソ	右注	suʌ^{1}	模韻
1479b	上度・057オ2・飲食	麻	—	ソ	右傍	suʌ^{1}	模韻
1480b	上度・057オ2・飲食	穌	—	ソ	右注	suʌ^{1}	模韻
3211	上与・115オ5・人事	穌		ソ	右傍	suʌ^{1}	模韻
0040	上伊・003ウ1・植物	稌	平	ト	左傍	t‘uʌ$^{1/2}$	模/姥韻
0039	上伊・003ウ1・植物	稌	去	シヨ	右傍	t‘uʌ$^{1/2}$	模/姥韻
1679a	上度・063ウ3・疊字	都	平	ト	左注	tuʌ^{1}	模韻
3151a	上加・111ウ3・國郡	都	—	ツ	右傍	tuʌ^{1}	模韻
0908a	上波・034オ5・疊字	徒	平	ト	右傍	duʌ^{1}	模韻
1588a	上度・062オ5・疊字	徒	平	ト	左注	duʌ^{1}	模韻
1609a	上度・062ウ3・疊字	徒	平	ト	左注	duʌ^{1}	模韻
0212	上伊・011オ3・辞字	徒	—	ト	右傍	duʌ^{1}	模韻
0411a	上呂・017ウ7・人事	圖	平	ト	右傍	duʌ^{1}	模韻
2800	上加・101ウ2・辞字	圖	平	ト	右傍	duʌ^{1}	模韻
1681a	上度・063ウ4・疊字	圖	平	トウ	左注	duʌ^{1}	模韻
3255b	上与・117ウ5・疊字	途	平濁	ト	左注	duʌ^{1}	模韻
2082b	上利・075オ1・疊字	途	平	ト	左注	duʌ^{1}	模韻
3079b	上加・109ウ4・疊字	途	平	ト	右注	duʌ^{1}	模韻
1652a	上度・063オ5・疊字	途	上	ト	左注	duʌ^{1}	模韻
1671a	上度・063ウ2・疊字	塗	平	ト	右注	duʌ^{1} ḍa^{1}	模韻 麻韻
2167	上奴・078オ6・辞字	塗	平	ト	右傍	duʌ^{1} ḍa^{1}	模韻 麻韻
2574a	上加・095ウ4・人倫	塗	平	ト	右傍	duʌ^{1} ḍa^{1}	模韻 麻韻

1479a	上度・057オ2・飲食	廜	—	ト	右傍	duʌ^{1}	模韻
1083	上保・043ウ5・人事	屠	平	ト	右傍	duʌ^{1} ḍiʌ^{1}	模韻 魚韻
1480a	上度・057オ2・飲食	屠	—	ト	右注	duʌ^{1} ḍiʌ^{1}	模韻 魚韻
0616	上波・025オ4・人事	啚	—	ト	右傍	duʌ^{1} piei^{2}	模韻 旨韻
1788	上池・068ウ3・辞字	鍍	—	ト	右傍	duʌ$^{1/3}$	模/暮韻
1016a	上仁・040ウ2・疊字	駑	平濁	ト	右傍	nuʌ^{1}	模韻
1661a	上度・063オ6・疊字	駑	平濁	ト	左注	nuʌ^{1}	模韻
2227	上遠・080ウ5・動物	駑	平濁	ト	右傍	nuʌ^{1}	模韻
1515	上度・057ウ5・雜物	砮	平濁	ト	右傍	nuʌ$^{1/2}$	模/姥韻
1693a	上度・064オ4・国郡	奴	—	ト	右注	nuʌ^{1}	模韻
2170a	上奴・078ウ4・疊字	奴	去	ヌ	右注	nuʌ^{1}	模韻
1091	上保・044オ5・飲食	脯	平	フ	右傍	buʌ^{1}	模韻
1174a	上保・047ウ1・疊字	菩	去濁	ホ	左注	buʌ^{1} bʌi^{2} biʌu^{2} bʌk	模韻 海韻 有韻 徳韻
1066a	上保・043オ2・人倫	菩	—	ホ	右注	buʌ^{1} bʌi^{2} biʌu^{2} bʌk	模韻 海韻 有韻 徳韻
2637b	上加・097オ7・人事	蒲	平	ホ	右傍	buʌ^{1}	模韻
1198a	上保・047ウ6・疊字	蒲	平	ホ	左注	buʌ^{1}	模韻
1258a	上保・048ウ4・疊字	蒲	平	ホ	右注	buʌ^{1}	模韻
1380b	上邊・053オ7・疊字	蒲	平	ホ	中注	buʌ^{1}	模韻
1212a	上保・048オ1・疊字	蒲	—	ホ	右注	buʌ^{1}	模韻
2741	上加・099ウ7・雜物	模	平濁	ホ	右傍	muʌ^{1}	模韻
3094b	上加・109ウ7・疊字	摸	上濁	ホ	右注	muʌ^{1} mɑk	模韻 鐸韻
0088b	上伊・004ウ6・動物	⿰魚布	平	ホ	右傍	puʌ^{1}	模韻
0089a	上伊・004ウ7・動物	鯆	平	ホ	右傍	puʌ^{1} p'uʌ^{1} piuʌ^{2}	模韻 模韻 麌韻
1211a	上保・048オ1・疊字	匍	上	ホ	右注	buʌ^{1}	模韻
1080	上保・043ウ3・人事	酺	—	ホス ［平平］	右注	buʌ^{1}	模韻
0512	上波・021オ7・植物	櫨	平	ロ	右傍	luʌ^{1}	模韻
0691b	上波・028オ2・光彩	櫨	平	ロ	右傍	luʌ^{1}	模韻
2222a	上奴・076ウ4・植物	櫨	—	ロ	右傍	luʌ^{1}	模韻
2580	上加・096オ2・人體	顱	平	ロ	右傍	luʌ^{1}	模韻

0457a	上呂・019オ6・疊字	蘆	平	ロ	右注	luʌ^{1} liʌ^{1}	模韻 魚韻
0415b	上呂・018オ4・雜物	轤	上	ロ	右注	luʌ^{1}	模韻
0438a	上呂・019オ2・疊字	嚧	平	ロ	中注	luʌ^{1}	模韻
1496b	上度・057オ6・雜物	爐	上	ロ	右注	luʌ^{1}	模韻
1660b	上度・063オ6・疊字	爐	上	ロ	左注	luʌ^{1}	模韻
0418	上呂・018オ4・雜物	爐	—	ロ [平]	右注	luʌ^{1}	模韻
2756b	上加・100オ5・雜物	爐	—	ロ	右注	luʌ^{1}	模韻
1504	上度・057ウ2・雜物	艫	平	ロ	右傍	luʌ^{1}	模韻
0417	上呂・018オ4・雜物	艫	上	ロ [上]	右注	luʌ^{1}	模韻
0094a	上伊・005オ4・動物	烏	平	ヲ	右傍	'uʌ^{1}	模韻
1571b	上度・062オ2・疊字	烏	平	ヲ	右注	'uʌ^{1}	模韻
2128b	上利・075ウ6・疊字	烏	平	ヲ	左注	'uʌ^{1}	模韻
2262a	上遠・083オ3・雜物	烏	平	ヲ	右注	'uʌ^{1}	模韻
2513	上加・094オ2・動物	烏	平	ヲ	右傍	'uʌ^{1}	模韻
2558a	上加・095オ2・動物	烏	平	ヲ	右傍	'uʌ^{1}	模韻

【表B-02】下巻_Ⅰuʌ 模韻

番号	前田本所在	掲出字		仮名音注		中古音	韻目
3327a	下古・002ウ3・植物	胡	平	コ	右傍	ɣuʌ^{1}	模韻
3408a	下古・006オ1・人事	胡	平	コ	左注	ɣuʌ^{1}	模韻
4254a	下阿・032オ4・雜物	胡	平	コ	右傍	ɣuʌ^{1}	模韻
4855a	下木・056オ3・植物	胡	平	コ	右傍	ɣuʌ^{1}	模韻
5308	下師・070オ5・動物	胡	平	コ	右傍	ɣuʌ^{1}	模韻
5335	下師・071オ5・人躰	胡	平	コ	右傍	ɣuʌ^{1}	模韻
3571a	下古・007ウ4・光彩	胡	去	コ [去濁]	—	ɣuʌ^{1}	模韻
3332a	下古・002ウ4・植物	胡	—	コ	右注	ɣuʌ^{1}	模韻
3412a	下古・006オ4・人事	胡	—	コ	左注	ɣuʌ^{1}	模韻
4784b	下佐・053オ5・疊字	瑚	平	コ	右注	ɣuʌ^{1}	模韻
4574b	下佐・047オ7・雜物	瑚	平	コ [平濁]	右注	ɣuʌ^{1}	模韻
5218b	下由・066オ3・地儀	瑚	—	コ	右傍	ɣuʌ^{1}	模韻
6421	下毛・102ウ1・人事	餬	平	コ	右傍	ɣuʌ^{1}	模韻
3565	下古・007ウ1・雜物	糊	—	コ [去濁]	右注	ɣuʌ^{1}	模韻
3642a	下古・011オ2・疊字	狐	平	コ	左注	ɣuʌ^{1}	模韻
4870	下木・056ウ2・動物	狐	平	コ	右傍	ɣuʌ^{1}	模韻
3893b	下手・019ウ4・人倫	狐	—	ク	右注	ɣuʌ^{1}	模韻
5241	下由・067ウ4・雜物	弧	平	コ	右傍	ɣuʌ^{1}	模韻
5755b	下師・083ウ4・疊字	乎	平	コ	右注	ɣuʌ^{1}	模韻
6050	下飛・091オ5・植物	壷	平	コ	右傍	ɣuʌ^{1}	模韻

6166	下飛・094ウ3・雜物	壷	平	コ	右傍	ɣuʌ^{1}	模韻
3662a	下古・011オ7・疊字	孤	平	コ	左注	kuʌ^{1}	模韻
3663a	下古・011ウ1・疊字	孤	平	コ	左注	kuʌ^{1}	模韻
3664a	下古・011ウ1・疊字	孤	平	コ	左注	kuʌ^{1}	模韻
4261	下阿・032オ6・雜物	罛	平	コ	右傍	kuʌ^{1}	模韻
5319	下師・070ウ6・人倫	姑	平	コ	右傍	kuʌ^{1}	模韻
5320b	下師・070ウ7・人倫	姑	平	コ	右傍	kuʌ^{1}	模韻
5846b	下師・085オ1・疊字	姑	平	コ	右注	kuʌ^{1}	模韻
6512b	下世・107ウ2・動物	蛄	―	コ	右傍	kuʌ^{1}	模韻
4550	下佐・046ウ2・飲食	酤	―	コ	右傍	kuʌ$^{1/3}$ ɣuʌ^{2}	模/暮韻 姥韻
6509	下世・107オ7・動物	鮬	平	コ	右傍	k‘uʌ^{1}	模韻
3645a	下古・011オ3・疊字	枯	平	コ	左注	k‘uʌ^{1}	模韻
4778b	下佐・053オ4・疊字	梧	平濁	コ	右注	ŋuʌ^{1}	模韻
4860	下木・056オ4・植物	梧	平濁	コ	右傍	ŋuʌ^{1}	模韻
5192b	下木・064ウ2・疊字	齬	平	コ	右傍	ŋuʌ^{1} ŋiʌ$^{1/2}$	模韻 魚/語韻
6798a	下洲・114オ2・植物	蘇	平	ス	右注	suʌ^{1}	模韻
6866a	下洲・116ウ5・光彩	蕂	平	ス	右注	suʌ^{1}	模韻
6865a	下洲・116ウ5・光彩	蕂	平	ソ	右傍	suʌ^{1}	模韻
5932b	下師・086ウ3・國郡	蕂	平	ソ	右傍	suʌ^{1}	模韻
6375b	下飛・100オ2・國郡	蕂	―	ソ	右傍	suʌ^{1}	模韻
6382b	下飛・100オ3・國郡	蕂	―	ソ	右傍	suʌ^{1}	模韻
5359	下師・072オ5・人事	殂	―	ソ	右傍	dzuʌ^{1}	模韻
5933a	下師・086ウ3・國郡	都	―	ツ	右傍	tuʌ^{1}	模韻
6957a	下洲・121オ5・国郡	都	―	ツ	右傍	tuʌ^{1}	模韻
5197b	下木・065オ1・国郡	都	―	（ト）	右傍	tuʌ^{1}	模韻
6366a	下飛・100オ1・國郡	都	―	ト	右傍	tuʌ^{1}	模韻
5836b	下師・084ウ6・疊字	徒	平	ト	左注	duʌ^{1}	模韻
6479b	下毛・105ウ5・疊字	徒	―	ト	右注	duʌ^{1}	模韻
6663b	下世・111オ5・疊字	途	平	ト	左注	duʌ^{1}	模韻
6707b	下世・111ウ5・疊字	途	平	ト	左注	duʌ^{1}	模韻
4026b	下手・023オ5・疊字	塗	平	ト	左注	duʌ^{1} ḍa^{1}	模韻 麻韻
6032	下飛・090ウ5・地儀	塗	平	ト	右傍	duʌ^{1} ḍa^{1}	模韻 麻韻
5978a	下會・088オ4・人倫	屠	―	ト	右傍	duʌ^{1} ḍiʌ^{1}	模韻 魚韻
3449	下古・007オ4・雜物	笯	平	ト	右傍	nuʌ$^{1/3}$ ṇa^{1}	模/暮韻 麻韻
4697b	下佐・051ウ5・疊字	弩	上濁	ト	右注	nuʌ^{1}	模韻
4591b	下佐・047ウ5・雜物	奴	平濁	ト	右傍	nuʌ^{1}	模韻

6397b	下毛・101オ6・植物	奴	平濁	ト	右傍	nuʌ^{1}	模韻
6372a	下飛・100オ2・國郡	奴	―	ヌ	右傍	nuʌ^{1}	模韻
6374b	下飛・100オ2・國郡	奴	―	ノ	右傍	nuʌ^{1}	模韻
4105b	下阿・026オ6・植物	蒲	上	フ	右傍	buʌ^{1}	模韻
5279b	下師・069オ7・植物	蒲	上	フ	右注	buʌ^{1}	模韻
3312b	下古・002オ2・地儀	鋪	平	フ	右傍	p‘uʌ$^{1/3}$ p‘iuʌ^{1}	模/暮韻 虞韻
6038b	下飛・090ウ7・地儀	鋪	平	フ	右傍	p‘uʌ$^{1/3}$ p‘iuʌ^{1}	模/暮韻 虞韻
5212	下由・065ウ7・天象	晡	平	フ	右傍	puʌ^{1}	模韻
5020b	下木・061ウ4・疊字	摸	平濁	ホ	左注	muʌ^{1} mak	模韻 鐸韻
4257a	下阿・032オ5・雜物	籚	―	ロ	右傍	luʌ^{1}	模韻
5299a	下師・070オ3・動物	鸕	平	ロ	右傍	luʌ^{1}	模韻
6112	下飛・092ウ7・人躰	顱	平	ロ	右傍	luʌ^{1}	模韻
6154b	下飛・094オ7・雜物	爐	平	ロ	右傍	luʌ^{1}	模韻
6809	下洲・114ウ1・動物	鱸	平	ロ	右傍	luʌ^{1}	模韻
4085	下阿・025ウ5・植物	蘆	平	ロ	右傍	luʌ^{1} liʌ^{1}	模韻 魚韻
4368b	下阿・039オ6・疊字	悪	去	ヲ	左注	’uʌ$^{1/3}$ ’ak	模/暮韻 鐸韻
3781a	下江・015ウ7・雜物	烏	平	エ	右傍	’uʌ^{1}	模韻
3780a	下江・015ウ7・雜物	烏	平	ヲ	右傍	’uʌ^{1}	模韻
6152b	下飛・094オ7・雜物	烏	平	ヲ	右傍	’uʌ^{1}	模韻
4465a	下佐・043ウ2・植物	烏	―	ヲ	右傍	’uʌ^{1}	模韻
4184	下阿・029オ2・人躰	汙	平 去	ヲ	右傍	’uʌ$^{1/3}$	模/暮韻

【表B-02】上巻_Ⅰuʌ 姥韻

番号	前田本所在	掲出字		仮名音注		中古音	韻目
2997b	上加・108ウ1・疊字	苦	上	ク	左注	k‘uʌ$^{2/3}$	姥/暮韻
2998b	上加・108ウ1・疊字	苦	上	コ	中注	k‘uʌ$^{2/3}$	姥/暮韻
2465a	上加・092ウ1・植物	苦	―	コ	右傍	k‘uʌ$^{2/3}$	姥/暮韻
1843b	上池・069ウ3・疊字	古	上	コ	左注	kuʌ^{2}	姥韻
2374b	上和・090オ1・疊字	古	上濁	コ	左注	kuʌ^{2}	姥韻
0008	上伊・002オ6・天象	古	―	コ	右傍	kuʌ^{2}	姥韻
3280b	上波・034ウ5・國郡	古	―	コ	右傍	kuʌ^{2}	姥韻
1511b	上度・057ウ4・雜物	鈷	―	コ	右注	kuʌ^{2}	姥韻
2009b	上利・073ウ5・雜物	皷	上濁	コ	右注	kuʌ^{2}	姥韻
2767b	上加・100ウ1・雜物	皷	上	コ	右注	kuʌ^{2}	姥韻
0187c	上伊・009オ1・雜物	皷	―	コ	右注	kuʌ^{2}	姥韻
1747a	上池・067オ3・人事	股	上	コ	右傍	kuʌ^{2}	姥韻

0053a	上伊・003ウ7・植物	乕	上	コ	右傍	xuʌ^{2}	姥韻
1449	上度・055ウ2・動物	乕	上	コ	右傍	xuʌ^{2}	姥韻
0557b	上波・023オ1・動物	乕	上	コ	右傍	xuʌ^{2}	姥韻
1242b	上保・048ウ1・疊字	戸	上	コ	右注	ɣuʌ^{2}	姥韻
1283	上邊・050オ1・地儀	戸	上	コ	右傍	ɣuʌ^{2}	姥韻
1420	上度・054ウ2・地儀	戸	上	コ	右傍	ɣuʌ^{2}	姥韻
1915b	上池・070ウ3・疊字	戸	上	コ	左注	ɣuʌ^{2}	姥韻
1334b	上邊・052ウ5・疊字	戸	去	コ	左注	ɣuʌ^{2}	姥韻
0830b	上波・032ウ7・疊字	扈	平	コ	中注	ɣuʌ^{2}	姥韻
1454b	上度・055ウ6・人倫	祖	上	ソ	右傍	tsuʌ^{2}	姥韻
2073a	上利・075オ2・疊字	祖	上	ソ	左注	tsuʌ^{2}	姥韻
2185b	上留・079ウ1・疊字	祖	上	ソ	右注	tsuʌ^{2}	姥韻
2504	上加・093ウ3・植物	楮	―	ト	右傍	tuʌ^{2} ṭʻiʌ^{2}	姥韻 語韻
0641b	上波・026オ4・雜物	肚	上	ト	右傍	tuʌ^{2} duʌ^{2}	姥韻 姥韻
1336b	上邊・052ウ5・疊字	土	平濁	ト	右注	tʻuʌ^{2} duʌ^{2}	姥韻 姥韻
1574a	上度・062オ3・疊字	土	平濁	ト	左注	tʻuʌ^{2} duʌ^{2}	姥韻 姥韻
1636a	上度・063オ1・疊字	土	平濁	ト	左注	tʻuʌ^{2} duʌ^{2}	姥韻 姥韻
1649a	上度・063オ4・疊字	土	平濁	ト	中注	tʻuʌ^{2} duʌ^{2}	姥韻 姥韻
1595a	上度・062オ7・疊字	土	平	ト	左注	tʻuʌ^{2} duʌ^{2}	姥韻 姥韻
1805b	上池・069オ2・疊字	土	平	ト	左注	tʻuʌ^{2} duʌ^{2}	姥韻 姥韻
1572a	上度・062オ2・疊字	土	上	ト	中注	tʻuʌ^{2} duʌ^{2}	姥韻 姥韻
1573a	上度・062オ2・疊字	土	上	ト	中注	tʻuʌ^{2} duʌ^{2}	姥韻 姥韻
1597a	上度・062オ7・疊字	土	上	ト	左注	tʻuʌ^{2} duʌ^{2}	姥韻 姥韻
1598a	上度・062オ7・疊字	土	上	ト	左注	tʻuʌ^{2} duʌ^{2}	姥韻 姥韻
1601a	上度・062ウ1・疊字	土	上	ト	左注	tʻuʌ^{2} duʌ^{2}	姥韻 姥韻
1651a	上度・063オ4・疊字	土	去	ト	中注	tʻuʌ^{2} duʌ^{2}	姥韻 姥韻
1458a	上度・056オ3・人倫	土	―	ト	右注	tʻuʌ^{2} duʌ^{2}	姥韻 姥韻

1690a	上度・064オ3・国郡	土	―	ト	右注	t‘uʌ^{2} duʌ^{2}	姥韻 姥韻
1958b	上池・071ウ3・國郡	土	―	ト	右傍	t‘uʌ^{2} duʌ^{2}	姥韻 姥韻
2358b	上和・088ウ4・光彩	土	―	ト	右注	t‘uʌ^{2} duʌ^{2}	姥韻 姥韻
1296b	上邊・051オ1・人躰	吐	上	ト	右傍	t‘uʌ$^{2/3}$	姥/暮韻
0514a	上波・021ウ1・植物	杜	上	ト	右傍	duʌ^{2}	姥韻
2258b	上遠・083オ1・雜物	弩	平濁	ト	右傍	nuʌ^{2}	姥韻
0139	上伊・007オ3・人事	怒	上	ト	右傍	nuʌ$^{2/3}$	姥/暮韻
1604a	上度・062ウ2・疊字	怒	上	ト	左注	nuʌ$^{2/3}$	姥/暮韻
1605a	上度・062ウ2・疊字	怒	上	ト	左注	nuʌ$^{2/3}$	姥/暮韻
1007b	上仁・040オ7・疊字	部	平	フ	左注	buʌ^{2} bʌu^{2}	姥韻 厚韻
1042b	上保・042オ3・植物	部	平	フ	右傍	buʌ^{2} bʌu^{2}	姥韻 厚韻
1966b	上池・071ウ7・官職	部	―	フ	右注	buʌ^{2} bʌu^{2}	姥韻 厚韻
0454b	上呂・019オ5・疊字	簿	上	フ	右注	buʌ^{2} bak	姥韻 鐸韻
1387b	上邊・053ウ1・疊字	補	上	フ	左注	puʌ^{2}	姥韻
1158a	上保・047オ4・疊字	補	上	ホ	右注	puʌ^{2}	姥韻
1246a	上保・048ウ1・疊字	補	上	ホ	左注	puʌ^{2}	姥韻
1151a	上保・047オ3・疊字	普	平	ホ	左注	p‘uʌ^{2}	姥韻
2094a	上利・075オ6・疊字	虜	上	リヨ	中注	luʌ^{2}	姥韻
2096a	上利・075オ7・疊字	虜	上	リヨ	左注	luʌ^{2}	姥韻
2095a	上利・075オ6・疊字	虜	去	リヨ	左注	luʌ^{2}	姥韻
0452a	上呂・019オ5・疊字	虜	上	ロ	右注	luʌ^{2}	姥韻
0453a	上呂・019オ5・疊字	魯	平	ロ	右注	luʌ^{2}	姥韻
0455a	上呂・019オ5・疊字	魯	上	ロ	右注	luʌ^{2}	姥韻
0454a	上呂・019オ5・疊字	鹵	上	ロ	右注	luʌ^{2}	姥韻

【表B-02】下巻_Ⅰuʌ 姥韻

番号	前田本所在	掲出字		仮名音注		中古音	韻目
5605b	下師・080ウ7・疊字	苦	平濁	ク	左注	k‘uʌ$^{2/3}$	姥/暮韻
3409a	下古・006オ1・人事	古	平	コ	左注	kuʌ^{2}	姥韻
3633a	下古・011オ1・疊字	古	平	コ	左注	kuʌ^{2}	姥韻
3688a	下古・011ウ6・疊字	古	平	コ	左注	kuʌ^{2}	姥韻
6018a	下會・089ウ6・國郡	古	―	コ	右傍	kuʌ^{2}	姥韻
4587b	下佐・047ウ3・雜物	鈷	上濁	コ ［上濁］	右注	kuʌ^{2}	姥韻

3443b	下古・007オ1・雜物	鈷	平	コ［平］	右注	kuʌ^{2}	姥韻
6151b	下飛・094オ6・雜物	皷	平	ク	右傍	kuʌ^{2}	姥韻
3709a	下古・012オ3・疊字	皷	上	コ	左注	kuʌ^{2}	姥韻
4657b	下佐・051オ4・疊字	皷	上	コ	左注	kuʌ^{2}	姥韻
3705a	下古・012オ3・疊字	皷	一	コ	左注	kuʌ^{2}	姥韻
3428b	下古・006ウ5・雜物	鼓	平	ク［平濁］	右注	kuʌ^{2}	姥韻
5420b	下師・073ウ7・雜物	鼓	上濁	コ	右注	kuʌ^{2}	姥韻
6859b	下洲・116ウ1・雜物	鼓	上	コ	右傍	kuʌ^{2}	姥韻
3619a	下古・010ウ4・疊字	股	上	コ	右注	kuʌ^{2}	姥韻
6417	下毛・102オ3・人躰	股	上	コ	右傍	kuʌ^{2}	姥韻
3628a	下古・010ウ6・疊字	蠱	去	コ	左注	kuʌ^{2}	姥韻
3702a	下古・012オ2・疊字	蠱	一	コ	左注	kuʌ^{2}	姥韻
3720b	下古・012オ6・疊字	羖	上	コ	右注	kuʌ^{2}	姥韻
6082b	下飛・092オ2・動物	羖	平	コ	右傍	kuʌ^{2}	姥韻
4260	下阿・032オ6・雜物	罟	上	コ	右傍	kuʌ^{2}	姥韻
5251	下由・068オ1・雜物	扈	去	コ	右傍	xuʌ$^{2/3}$ ɣuʌ^{2}	姥/暮韻 姥韻
3393	下古・005オ1・人事	戸	一	コ［去］	右注	ɣuʌ^{2}	姥韻
3456a	下古・007オ5・雜物	戸	平	コ［平］	右注	ɣuʌ^{2}	姥韻
3589a	下古・010オ3・重點	戸	一	コ［上］	右注	ɣuʌ^{2}	姥韻
3589b	下古・010オ3・重點	戸	一	コ［上］	右注	ɣuʌ^{2}	姥韻
3856b	下江・017ウ4・疊字	怙	平	コ	右注	ɣuʌ^{2}	姥韻
5833b	下師・084ウ6・疊字	怙	平	コ	右注	ɣuʌ^{2}	姥韻
3939b	下手・021ウ7・疊字	午	上	コ	左注	ŋuʌ^{2}	姥韻
3596a	下古・010オ6・疊字	五	上	コ	左注	ŋuʌ^{2}	姥韻
3720a	下古・012オ6・疊字	五	上	コ	右注	ŋuʌ^{2}	姥韻
6082a	下飛・092オ2・動物	五	上濁	コ	右傍	ŋuʌ^{2}	姥韻
3443a	下古・007オ1・雜物	五	去濁	コ［上］	右注	ŋuʌ^{2}	姥韻
3387a	下古・004ウ3・人躰	五	一	ゴ［平濁］	左注	ŋuʌ^{2}	姥韻
3343a	下古・002ウ7・植物	五	一	コ	右注	ŋuʌ^{2}	姥韻
3344a	下古・002ウ7・植物	五	一	コ	右注	ŋuʌ^{2}	姥韻
3900a	下古・006オ6・飲食	五	一	コ	中注	ŋuʌ^{2}	姥韻
3609a	下古・010ウ2・疊字	五	一	コ	中注	ŋuʌ^{2}	姥韻
3719a	下古・012オ5・疊字	五	一	コ	左注	ŋuʌ^{2}	姥韻
3918b	下手・021オ2・雜物	土	平濁	ト	右注	tʻuʌ^{2} duʌ^{2}	姥韻 姥韻
6384b	下飛・100オ3・國郡	土	一	ト	右傍	tʻuʌ^{2} duʌ^{2}	姥韻 姥韻

4357b	下阿・039オ4・疊字	堵	上	ト	中注	tuʌ^{2} tśia^{2}	姥韻 馬韻
5159b	下木・064オ1・疊字	怒	平濁	ト	左注	nuʌ$^{2/3}$	姥/暮韻
5201b	下木・065オ4・官職	部	―	フ	右注	buʌ^{2} bʌu^{2}	姥韻 厚韻
5936b	下師・086ウ6・官職	部	―	フ	右傍	buʌ^{2} bʌu^{2}	姥韻 厚韻
6389b	下飛・100オ6・官職	部	―	フ	右注	buʌ^{2} bʌu^{2}	姥韻 厚韻
6482b	下毛・106オ1・官職	部	―	フ	右注	buʌ^{2} bʌu^{2}	姥韻 厚韻

【表B-02】上巻_Ⅰuʌ 暮韻

番号	前田本所在	掲出字		仮名音注		中古音	韻目
1106b	上保・044ウ7・雜物	故	―	コ	左注	kuʌ^{3}	暮韻
1107b	上保・044ウ7・雜物	故	―	ク	右注	kuʌ^{3}	暮韻
0638	上波・026オ4・雜物	袴	去	コ	右傍	k‘uʌ^{3}	暮韻
1857b	上池・069ウ6・疊字	袴	去	コ	左注	k‘uʌ^{3}	暮韻
1245b	上保・048ウ1・疊字	袴	平	コ	右注	k‘uʌ^{3}	暮韻
1815b	上池・069オ4・疊字	護	平濁	コ	右注	ɣuʌ^{3}	暮韻
2890b	上加・107オ1・疊字	護	平濁	コ	左注	ɣuʌ^{3}	暮韻
2934b	上加・107ウ3・疊字	悟	平濁	コ	左注	ŋuʌ^{3}	暮韻
1176b	上保・047ウ1・疊字	祚	去	ソ	左注	dzuʌ^{3}	暮韻
3047b	上加・109オ4・疊字	素	去	ソ	左注	suʌ^{3}	暮韻
2995b	上加・108ウ1・疊字	素	上 去	ソ	左注	suʌ^{3}	暮韻
2993b	上加・108ウ1・疊字	素	上	ソ	左注	suʌ^{3}	暮韻
0115a	上伊・006オ5・人體	兎	去	ト	右傍	t‘uʌ^{3}	暮韻
1488a	上度・057オ4・雜物	兎	去	ト	右傍	t‘uʌ^{3}	暮韻
0340b	上伊・014オ2・疊字	度	平	ト	右注	duʌ^{3} dak	暮韻 鐸韻
1583a	上度・062オ4・疊字	度	平	ト	左注	duʌ^{3} dak	暮韻 鐸韻
3256b	上与・117ウ5・疊字	度	平濁	ト	左注	duʌ^{3} dak	暮韻 鐸韻
1526	上度・058オ5・員數	度	―	ト ［平濁］	右注	duʌ^{3} dak	暮韻 鐸韻
1579a	上度・062オ4・疊字	渡	平	ト	中注	duʌ^{3}	暮韻
2362	上和・089オ4・辞字	渡	―	ト	右傍	duʌ^{3}	暮韻
3276b	上与・118ウ3・國郡	渡	―	ト	右注	duʌ^{3}	暮韻
1638a	上度・063オ2・疊字	蠹	去	ト	中注	tuʌ^{3}	暮韻
1645a	上度・063オ3・疊字	蠹	去	ト	左注	tuʌ^{3}	暮韻

1157a	上保・047オ4・疊字	暮	去濁	ホ	左注	muʌ^{3}	暮韻
1252a	上保・048ウ3・疊字	暮	去濁	ホ	左注	muʌ^{3}	暮韻
1196a	上保・047ウ5・疊字	嫫	平濁	ホ	中注	muʌ^{1}	暮韻
1244a	上保・048ウ1・疊字	布	去	ホ	左注	puʌ^{3}	暮韻
1245a	上保・048ウ1・疊字	布	去	ホ	右注	puʌ^{3}	暮韻
2161	上奴・077ウ7・雑物	布	去	ホ	右傍	puʌ^{3}	暮韻
3219b	上与・115ウ3・雑物	布	—	フ	右傍	puʌ^{3}	暮韻
2246	上遠・081ウ3・人事	怖	—	ホ	右傍	p‘uʌ^{3}	暮韻
1221a	上保・048オ3・疊字	歩	去	ホ	左注	buʌ^{3}	暮韻
1250a	上保・048ウ2・疊字	歩	去	ホ	左注	buʌ^{3}	暮韻
2636a	上加・097オ7・人事	歩	去	ホ	右傍	buʌ^{3}	暮韻
3129c	上加・110オ7・疊字	歩	去	ホ	右傍	buʌ^{3}	暮韻
1616b	上度・062ウ4・疊字	歩	上 去	ホ	中注	buʌ^{3}	暮韻
3074b	上加・109ウ3・疊字	歩	上	ホ	左注	buʌ^{3}	暮韻
1075	上保・043ウ1・人事	哺	—	ホ ［上］	右傍	buʌ^{3}	暮韻
0241b	上伊・012ウ3・疊字	路	去	ロ	左注	luʌ^{3}	暮韻
0446a	上呂・019オ4・疊字	路	去	ロ	左注	luʌ^{3}	暮韻
0448a	上呂・019オ4・疊字	路	去	ロ	左注	luʌ^{3}	暮韻
0445a	上呂・019オ3・疊字	路	上	ロ	左注	luʌ^{3}	暮韻
0447a	上呂・019オ4・疊字	路	上	ロ	左注	luʌ^{3}	暮韻
3250b	上与・117ウ4・疊字	路	上	ロ	左注	luʌ^{3}	暮韻
2193b	上留・079ウ3・疊字	路	平	ロ	左注	luʌ^{3}	暮韻
2032b	上利・074ウ1・疊字	路	—	ロ	右注	luʌ^{3}	暮韻
2381b	上和・090オ2・疊字	賂	—	ロ	中注	luʌ^{3}	暮韻
0344b	上伊・014オ3・疊字	露	去	ロ	右注	luʌ^{3}	暮韻
0436a	上呂・019オ2・疊字	露	去	ロ	中注	luʌ^{3}	暮韻
0444a	上呂・019オ3・疊字	露	去	ロ	右傍	luʌ^{3}	暮韻
0458a	上呂・019オ6・疊字	露	去	ロ	右注	luʌ^{3}	暮韻
2178a	上留・079オ6・雑物	露	—	ロ ［去］	右注	luʌ^{3}	暮韻
0440a	上呂・019オ2・疊字	露	上	ロ	左注	luʌ^{3}	暮韻
1172b	上保・047オ7・疊字	露	平	ロ	左注	luʌ^{3}	暮韻
3098b	上加・110オ1・疊字	露	平	ロ	右注	luʌ^{3}	暮韻

【表B-02】下巻_Ｉuʌ 暮韻

番号	前田本所在	掲出字		仮名音注		中古音	韻目
3624a	下古・010ウ5・疊字	故	去	コ	左注	kuʌ^{3}	暮韻
3649a	下古・011オ4・疊字	故	去	コ	左注	kuʌ^{3}	暮韻
3658a	下古・011オ7・疊字	故	去	コ	左注	kuʌ^{3}	暮韻
5173b	下木・064オ4・疊字	故	平	コ	左注	kuʌ^{3}	暮韻
3373a	下古・004オ3・人倫	故	—	コ	右注	kuʌ^{3}	暮韻

3597a	下古・010オ6・疊字	沽	去	コ	左注	kuʌ$^{1/2/3}$	模/姥/暮韻
3650a	下古・011オ5・疊字	固	去	コ	左注	kuʌ^{3}	暮韻
3723a	下古・012オ6・疊字	固	去	コ	右注	kuʌ^{3}	暮韻
5097b	下木・063オ1・疊字	固	平	コ	左注	kuʌ^{3}	暮韻
3689a	下古・011ウ6・疊字	顧	去	コ	左注	kuʌ^{3}	暮韻
3697a	下古・012オ1・疊字	顧	去	コ	左注	kuʌ^{3}	暮韻
3607a	下古・010ウ2・疊字	護	平濁	コ	左注	ɣuʌ^{3}	暮韻
3704a	下古・012オ2・疊字	娯	去濁	コ	左注	ŋuʌ^{3} ŋiuʌ^{1}	暮韻 虞韻
6611b	下世・110ウ2・疊字	祚	去	ソ	左注	dzuʌ^{3}	暮韻
3715b	下古・012オ5・疊字	素	去	ソ	左注	suʌ^{3}	暮韻
5878b	下師・085オ6・疊字	素	上	ソ	右注	suʌ^{3}	暮韻
6410	下毛・101ウ4・動物	膆	―	ソ	右傍	suʌ^{3}	暮韻
3919b	下手・021オ2・雑物	度	平濁	ト	右注	duʌ^{3} dak	暮韻 鐸韻
4019b	下手・023オ3・疊字	度	平濁	ト	左注	duʌ^{3} dak	暮韻 鐸韻
4809b	下佐・054オ3・國郡	度	―	ト	右傍	duʌ^{3} dak	暮韻 鐸韻
6952b	下洲・121オ5・国郡	度	―	ト	右傍	duʌ^{3} dak	暮韻 鐸韻
3350b	下古・003オ3・植物	布	―	フ	右注	puʌ^{3}	暮韻
3907b	下手・020ウ4・雑物	布	―	フ	左注	puʌ^{3}	暮韻
5194b	下木・064ウ4・諸社	布	―	フ	左注	puʌ^{3}	暮韻
6580b	下世・110オ4・疊字	暮	去	ホ	左注	muʌ^{3}	暮韻
4474	下佐・044オ1・動物	鷺	去	ロ	右傍	luʌ^{3}	暮韻
6589b	下世・110オ5・疊字	路	平	ロ	中注	luʌ^{3}	暮韻
3663b	下古・011ウ1・疊字	露	去	ロ	左注	luʌ^{3}	暮韻
6942b	下洲・120ウ4・疊字	露	去	ロ	左注	luʌ^{3}	暮韻
4341	下阿・037オ5・辞字	露	―	ロ	右傍	luʌ^{3}	暮韻
6319b	下飛・098ウ6・疊字	露	去	ロウ	左注	luʌ^{3}	暮韻

【表B-02】上巻_Ⅰʌi 咍韻

番号	前田本所在	掲出字		仮名音注		中古音	韻目
1070	上保・043オ5・人躰	胲	平 上	カイ	右傍	kʌi^{1}	咍韻
2789	上加・101オ5・員數	姟	平濁	カイ	右注	kʌi^{1}	咍韻
2460a	上加・092オ4・地儀	開	平	カイ	右傍	k‘ʌi^{1}	咍韻
2873a	上加・106ウ5・疊字	開	平	カイ	左注	k‘ʌi^{1}	咍韻
3093a	上加・109ウ7・疊字	開	平	カイ	右注	k‘ʌi^{1}	咍韻
3131a	上加・110ウ1・疊字	開	平	カイ	右注	k‘ʌi^{1}	咍韻
2875a	上加・106ウ5・疊字	開	去	カイ	左注	k‘ʌi^{1}	咍韻

1035b	上保・041ウ6・地儀	財	―	サイ	右注	dzʌi^{1}	咍韻
1889b	上池・070オ5・疊字	財	―	サイ	左注	dzʌi^{1}	咍韻
0341b	上伊・014オ3・疊字	才	平	サイ	右注	dzʌi^{1}	咍韻
3009b	上加・108ウ4・疊字	才	平	サイ	左注	dzʌi^{1}	咍韻
3266b	上与・117ウ7・疊字	才	平	サイ	右注	dzʌi^{1}	咍韻
1373b	上邊・053オ5・疊字	才	去濁	サイ	左注	dzʌi^{1}	咍韻
0575	上波・023ウ5・人躰	胎	平	タイ	右傍	tʻʌi^{1}	咍韻
0900b	上波・033ウ7・疊字	苔	平	タイ	右注	dʌi^{1}	咍韻
2512b	上加・093ウ6・植物	苔	平	タイ	右傍	dʌi^{1}	咍韻
0926b	上仁・036オ2・地儀	苔	―	タイ	右傍	dʌi^{1}	咍韻
2006b	上利・073ウ3・人事	臺	平	タイ	左注	dʌi^{1}	咍韻
1495b	上度・057オ6・雜物	臺	上濁	タイ	右注	dʌi^{1}	咍韻
2706b	上加・099オ4・雜物	臺	上濁	タイ	右傍	dʌi^{1}	咍韻
2208b	上遠・080オ4・植物	薹	平	タイ	右傍	dʌi^{1}	咍韻
1016b	上仁・040ウ2・疊字	駘	平	タイ	右傍	dʌi$^{1/2}$	咍/海韻
1661b	上度・063オ6・疊字	駘	平	タイ	左注	dʌi$^{1/2}$	咍/海韻
2228	上遠・080ウ5・動物	駘	―	タイ	右傍	dʌi$^{1/2}$	咍/海韻
2540	上加・094ウ4・動物	能	平	タイ	右傍	nʌi$^{1/3}$ nʌŋ$^{1/2}$	咍/代韻 登/等韻
0260b	上伊・012ウ7・疊字	來	平	ライ	左注	lʌi^{1}	咍韻
0725b	上波・031オ7・疊字	來	平	ライ	左注	lʌi^{1}	咍韻
2400b	上和・090オ6・疊字	來	平	ライ	中注	lʌi^{1}	咍韻
0760b	上波・031ウ7・疊字	來	上	ライ	中注	lʌi^{1}	咍韻
1159b	上保・047オ5・疊字	萊	平	ライ	右注	lʌi$^{1/3}$	咍/代韻

【表B-02】下巻_Ⅰʌi 咍韻

番号	前田本所在	掲出字		仮名音注		中古音	韻目
4372a	下阿・039オ7・疊字	哀	平	アイ	左注	ʼʌi^{1}	咍韻
4375a	下阿・039ウ1・疊字	哀	平	アイ	左注	ʼʌi^{1}	咍韻
4390a	下阿・039ウ4・疊字	哀	平	アイ	左注	ʼʌi^{1}	咍韻
5183b	下木・064オ6・疊字	哀	平	アイ	右注	ʼʌi^{1}	咍韻
4373a	下阿・039オ7・疊字	哀	去	アイ	左注	ʼʌi^{1}	咍韻
3817b	下江・017オ3・疊字	孩	平濁 去	カイ	左注	ɣʌi^{1}	咍韻
3763b	下江・015オ3・人倫	孩	―	カイ	左注	ɣʌi^{1}	咍韻
5476	下師・075オ3・光彩	皚	平	キ	右傍	ŋʌi^{1}	咍韻
3814b	下江・017オ3・疊字	才	平	サイ	中注	dzʌi^{1}	咍韻
3714b	下古・012オ4・疊字	才	―	サイ	左注	dzʌi^{1}	咍韻
4515	下佐・045オ7・人事	才	―	サイ	右注	dzʌi^{1}	咍韻
4736b	下佐・052オ7・疊字	才	―	サイ	右注	dzʌi^{1}	咍韻
5324b	下師・070ウ7・人倫	才	―	サイ	右傍	dzʌi^{1}	咍韻
5947b	下師・087オ1・官職	才	―	サイ	右注	dzʌi^{1}	咍韻

4604a	下佐・048オ3・雜物	材	―	サイ	右注	dzʌi^{1}	咍韻
5761b	下師・083ウ6・疊字	財	上	サイ	左注	dzʌi^{1}	咍韻
4744a	下佐・052ウ2・疊字	裁	平	サイ	左注	dzʌi$^{1/3}$	咍/代韻
6507b	下世・107オ3・植物	栽	―	サイ［上上］	右注	tsʌi$^{1/3}$	咍/代韻
3357	下古・003ウ2・動物	鰓	平	サイ	右傍	sʌi^{1}	咍韻
4691a	下佐・051ウ4・疊字	災	平	サイ	中注	tsʌi^{1}	咍韻
4692a	下佐・051ウ4・疊字	災	去	サイ	左注	tsʌi^{1}	咍韻
4617	下佐・049オ1・辞字	災	―	サイ［平平］	右傍	tsʌi^{1}	咍韻
3318	下古・002オ6・植物	苔	平	タイ	右傍	dʌi^{1}	咍韻
6172b	下飛・094ウ6・雜物	臺	上濁	タイ	右傍	dʌi^{1}	咍韻
4920b	下木・058オ7・雜物	臺	―	タイ	右注	dʌi^{1}	咍韻
5383d	下師・073オ3・人事	臺	―	タイ	左傍	dʌi^{1}	咍韻
6457	下毛・104ウ7・辞字	擡	―	タイ	右傍	dʌi^{1}	咍韻
6863a	下洲・116ウ3・雜物	炲	平	タイ	右傍	dʌi^{1}	咍韻
4495	下佐・044オ7・動物	鮐	―	タイ	右傍	tʻʌi^{1}	咍韻
5024b	下木・061ウ4・疊字	來	平	（ラヒ）	左注	lʌi^{1}	咍韻
5599b	下師・080ウ6・疊字	来	上	ライ	左注	lʌi^{1}	咍韻
5270a	下師・069オ5・植物	萊	平	ライ	右傍	lʌi$^{1/3}$	咍/代韻

【表B-02】上巻_Ⅰʌi 海韻

番号	前田本所在	掲出字		仮名音注		中古音	韻目
1391b	上邊・053ウ2・疊字	改	上濁	カイ	右注	kʌi^{2}	海韻
2861a	上加・106ウ2・疊字	改	平	カイ	左注	kʌi^{2}	海韻
3026a	上加・108ウ7・疊字	改	平	カイ	左注	kʌi^{2}	海韻
3102a	上加・110オ1・疊字	改	平	カイ	右注	kʌi^{2}	海韻
3215	上与・115ウ3・雜物	鎧	去	カイ	右傍	kʻʌi$^{2/3}$	海/代韻
0403b	上呂・017オ5・地儀	海	上	カイ	右傍	xʌi^{2}	海韻
0899b	上波・033ウ7・疊字	海	上	カイ	右注	xʌi^{2}	海韻
1579b	上度・062オ4・疊字	海	上	カイ	中注	xʌi^{2}	海韻
1634b	上度・063オ1・疊字	海	上	カイ	左注	xʌi^{2}	海韻
1724b	上池・066オ1・植物	海	上	カイ	右注	xʌi^{2}	海韻
2878b	上加・106ウ6・疊字	海	上	カイ	左注	xʌi^{2}	海韻
2879a	上加・106ウ6・疊字	海	上	カイ	左注	xʌi^{2}	海韻
2881a	上加・106ウ6・疊字	海	上	カイ	左注	xʌi^{2}	海韻
2882b	上加・106ウ6・疊字	海	上	カイ	左注	xʌi^{2}	海韻
2885a	上加・106ウ7・疊字	海	上	カイ	左注	xʌi^{2}	海韻
2886a	上加・106ウ7・疊字	海	平	カイ	左注	xʌi^{2}	海韻
3043a	上加・109オ4・疊字	海	平	カイ	左注	xʌi^{2}	海韻
1183b	上保・047ウ3・疊字	宰	上	サイ	右注	tsʌi^{2}	海韻

1416	上度・054オ5・天象	載	―	サイ	右傍	tsʌi$^{2/3}$ dzʌi^{3}	海/代韻 代韻
1538	上度・058ウ5・辞字	采	―	サイ	右傍	ts‘ʌi^{2}	海韻
0922a	上仁・035ウ7・天象	採	上	サイ	右傍	ts‘ʌi^{2}	海韻
0342b	上伊・014オ3・疊字	彩	上	サイ	右注	ts‘ʌi^{2}	海韻
0351a	上伊・015オ2・疊字	綵	上	サイ	右傍	ts‘ʌi^{2}	海韻
1847b	上池・069ウ4・疊字	怠	去	タイ	左注	dʌi^{2}	海韻
1879b	上池・070オ3・疊字	怠	去	タイ	左注	dʌi^{2}	海韻
2280b	上遠・084ウ7・疊字	怠	平濁	タイ	中注	dʌi^{2}	海韻
1785	上池・068オ7・辞字	殆	去	タイ	右傍	dʌi^{2}	海韻
1053a	上保・042ウ2・動物	倍	上	ハイ	右傍	bʌi^{2}	海韻
0762a	上波・032オ1・疊字	倍	平濁	ハイ	右注	bʌi^{2}	海韻

【表B-02】下巻_Ⅰʌi 海韻

番号	前田本所在	掲出字		仮名音注		中古音	韻目
5398	下師・073ウ2・飲食	醢	上	カイ	右傍	xʌi^{2}	海韻
6532b	下世・108オ7・人事	海	去濁	カイ	左注	xʌi^{2}	海韻
3869b	下江・017ウ7・疊字	海	―	カイ	左注	xʌi^{2}	海韻
6847b	下洲・116オ5・雑物	海	―	カイ	右注	xʌi^{2}	海韻
5647b	下師・081ウ5・疊字	在	平濁	サイ	左注	dzʌi$^{2/3}$	海/代韻
4633a	下佐・050ウ4・重點	在	―	サイ	右注	dzʌi$^{2/3}$	海/代韻
4633b	下佐・050ウ4・重點	在	―	サイ	右注	dzʌi$^{2/3}$	海/代韻
4764b	下佐・053オ1・疊字	在	―	サイ	左注	dzʌi$^{2/3}$	海/代韻
4822a	下佐・054ウ3・官職	在	―	サイ	右注	dzʌi$^{2/3}$	海/代韻
4597	下佐・047ウ7・雑物	采	―	サイ	右注	ts‘ʌi^{2}	海韻
6862c	下洲・116ウ2・雑物	采	―	サイ	左注	ts‘ʌi^{2}	海韻
4682a	下佐・051ウ2・疊字	採	上	サイ	左注	ts‘ʌi^{2}	海韻
4683a	下佐・051ウ2・疊字	採	上	サイ	左注	ts‘ʌi^{2}	海韻
4684a	下佐・051ウ2・疊字	採	上	サイ	左注	ts‘ʌi^{2}	海韻
4777a	下佐・053オ4・疊字	採	上	サイ	右注	ts‘ʌi^{2}	海韻
4782a	下佐・053オ5・疊字	採	上	サイ	右注	ts‘ʌi^{2}	海韻
4541a	下佐・046オ6・人事	採	去	サイ	左注	ts‘ʌi^{2}	海韻
4666a	下佐・051オ5・疊字	彩	平	サイ	左注	ts‘ʌi^{2}	海韻
5189b	下木・064オ7・疊字	彩	平	サイ	右注	ts‘ʌi^{2}	海韻
4765a	下佐・053オ1・疊字	綵	上	サイ	左注	ts‘ʌi^{2}	海韻
4789a	下佐・053オ7・疊字	綵	上	サイ	右注	ts‘ʌi^{2}	海韻
4660a	下佐・051オ4・疊字	綵	平	サイ	左注	ts‘ʌi^{2}	海韻
3960b	下手・022オ4・疊字	宰	上	サイ	左注	tsʌi^{2}	海韻
3655b	下古・011オ6・疊字	宰	―	サイ	左注	tsʌi^{2}	海韻
4821a	下佐・054ウ2・官職	宰	―	サイ	右注	tsʌi^{2}	海韻

5772b	下師・084オ2・疊字	載	平濁	サイ	右注	tsʌi$^{2/3}$ dzʌi^{3}	海/代韻 代韻
3805b	下江・017オ1・疊字	怠	去	タイ	左注	dʌi^{2}	海韻
5062b	下木・062オ6・疊字	殆	平	タイ	左注	dʌi^{2}	海韻
3734c	下古・013ウ3・姓氏	倍	―	ヘ	右注	bʌi^{2}	海韻
4424b	下阿・041オ7・姓氏	倍	―	ヘ	右注	bʌi^{2}	海韻
6953b	下洲・121オ5・国郡	倍	―	ヘ	右傍	bʌi^{2}	海韻

【表B-02】上巻_Ⅰʌi 代韻

番号	前田本所在	掲出字		仮名音注		中古音	韻目
0775b	上波・032オ3・疊字	愛	平	アイ	右注	'ʌi^{3}	代韻
0877b	上波・033ウ3・疊字	愛	去	アイ	右注	'ʌi^{3}	代韻
1932b	上池・070ウ7・疊字	愛	去	アイ	左注	'ʌi^{3}	代韻
1529b	上度・058オ5・員數	概	―	キ	右傍	kʌi^{3}	代韻
3088b	上加・109ウ6・疊字	槩	平濁	カイ	右注	kʌi^{3}	代韻
3089b	上加・109ウ6・疊字	慨	去	カイ	右注	k'ʌi^{3}	代韻
1408b	上邊・053ウ6・疊字	塞	去	サイ	右注	sʌi^{3} sʌk	代韻 徳韻
1161b	上保・047オ5・疊字	賽	去	サイ	左注	sʌi^{3}	代韻
2338b	上和・088オ3・飲食	菜	―	サイ	右注	ts'ʌi^{3}	代韻
2268	上遠・083ウ4・辞字	逮	―	タイ	右傍	dʌi^{3} dei^{3}	代韻 霽韻
1270b	上保・049オ1・疊字	靆	―	タイ	右傍	dʌi^{3}	代韻
2186b	上留・079ウ2・疊字	代	去	タイ	左注	dʌi^{3}	代韻
1636b	上度・063オ1・疊字	代	上濁	タイ	左注	dʌi^{3}	代韻
1874b	上池・070オ2・疊字	代	上濁	タイ	左注	dʌi^{3}	代韻
3298c	上波・035オ3・官職	代	―	タイ	右注	dʌi^{3}	代韻
2375b	上和・090オ1・疊字	代	―	タイ	左注	dʌi^{3}	代韻
2065b	上利・075オ1・疊字	黛	去	タイ	左注	dʌi^{3}	代韻
2269	上遠・083ウ5・辞字	態		タイ	右傍	t'ʌi^{3}	代韻
2313	上和・087オ3・人事	態	―	タイ	右傍	t'ʌi^{3}	代韻
2315	上和・087オ3・人事	儱	去	タイ	右傍	t'ʌi^{3}	代韻
1817b	上池・069オ5・疊字	戴	平	タイ	左注	tʌi^{3}	代韻
0213	上伊・011オ3・辞字	戴	―	タイ	右傍	tʌi^{3}	代韻

【表B-02】下巻_Ⅰʌi 代韻

番号	前田本所在	掲出字		仮名音注		中古音	韻目
4368a	下阿・039オ6・疊字	愛	平	アイ	左注	'ʌi^{3}	代韻
5638b	下師・081ウ3・疊字	愛	去	アイ	左注	'ʌi^{3}	代韻
4210	下阿・029ウ7・人事	愛	―	アイ	右注	'ʌi^{3}	代韻

4369a	下阿・039オ7・疊字	愛	―	アイ	左注	'ʌi^{3}	代韻
4384a	下阿・039ウ3・疊字	愛	―	アイ	左注	'ʌi^{3}	代韻
4803a	下佐・054オ2・國郡	愛	―	アイ	右傍	'ʌi^{3}	代韻
4405a	下阿・040ウ5・国郡	愛	―	エ	右傍	'ʌi^{3}	代韻
4418a	下阿・041オ1・国郡	愛	―	ア	右注	'ʌi^{3}	代韻
5349a	下師・071ウ4・人躰	欬	去	カイ	右傍	k'ʌi^{3} 'ai^{3}	代韻 夬韻
5580b	下師・080オ4・疊字	礙	平	ケ	左注	ŋʌi^{3}	代韻
4939b	下木・059オ1・方角	塞	去	サイ	右傍	sʌi^{3} sʌk	代韻 徳韻
4657a	下佐・051オ4・疊字	賽	去	サイ	左注	sʌi^{3}	代韻
5564b	下師・079ウ4・疊字	賽	―	サイ	左注	sʌi^{3}	代韻
4100b	下阿・026オ4・植物	菜	去	サイ	右傍	ts'ʌi^{3}	代韻
4747a	下佐・052ウ3・疊字	菜	平	サイ	左注	ts'ʌi^{3}	代韻
5274c	下師・069オ6・植物	菜	―	シ	右傍	ts'ʌi^{3}	代韻
5106b	下木・063オ3・疊字	代	平	タイ	左注	dʌi^{3}	代韻
5820b	下師・084ウ3・疊字	代	平	タイ	左注	dʌi^{3}	代韻
4931b	下木・058ウ3・雜物	代	―	タイ	右傍	dʌi^{3}	代韻
6965c	下洲・121ウ4・官職	代	―	タイ	右注	dʌi^{3}	代韻
4917b	下木・058オ7・雜物	袋	去	タイ	中注	dʌi^{3}	代韻
4918b	下木・058オ7・雜物	袋	去	タイ	右注	dʌi^{3}	代韻
6551b	下世・109オ2・光彩	黛	去	タイ	右注	dʌi^{3}	代韻
3863b	下江・017ウ6・疊字	態	去	タイ	左注	t'ʌi^{3}	代韻
3356a	下古・003ウ1・動物	戴	去	タイ	右傍	tʌi^{3}	代韻

【表B-02】上巻_Ⅰuʌi 灰韻

番号	前田本所在	掲出字		仮名音注		中古音	韻目
0543	上波・022ウ2・動物	鮠	平	クワ	右傍	ŋuʌi^{1}	灰韻
0052	上伊・003ウ6・植物	魁	平	クワイ	右傍	k'uʌi^{1}	灰韻
0109	上伊・005ウ6・人倫	魁	平	クワイ	右傍	k'uʌi^{1}	灰韻
0690	上波・027ウ4・雜物	灰	平	クワイ	右傍	xuʌi^{1}	灰韻
0183b	上伊・008ウ7・雜物	灰	平	クワヒ	右傍	xuʌi^{1}	灰韻
0858b	上波・033オ6・疊字	徊	平	クワイ	右注	ɣuʌi^{1}	灰韻
0627a	上波・025ウ5・人事	陪	平濁	ハイ	左注	buʌi^{1}	灰韻
0813a	上波・032ウ4・疊字	陪	平濁	ハイ	左注	buʌi^{1}	灰韻
1401a	上邊・053ウ4・疊字	陪	平濁	ヘイ	右注	buʌi^{1}	灰韻
0720a	上波・031オ5・重點	陪	―	ハイ	右注	buʌi^{1}	灰韻
0720b	上波・031オ5・重點	陪	―	ハイ	右注	buʌi^{1}	灰韻
0858a	上波・033オ6・疊字	徘	平	ハイ	右注	buʌi^{1}	灰韻
2663	上加・098オ3・飲食	醅	平	ハイ	右傍	p'uʌi^{1}	灰韻
0558	上和・088オ3・飲食	醅	平濁	ハイ	右傍	p'uʌi^{1}	灰韻

0900a	上波・033ウ7・疊字	莓	平濁	ハイ	右注	muʌi$^{1/3}$ miʌu^{3}	灰/隊韻 宥韻
0926a	上仁・036オ2・地儀	莓	—	ハイ	右傍	muʌi$^{1/3}$ miʌu^{3}	灰/隊韻 宥韻
0715a	上波・031オ4・重點	莓	—	ハイ	右注	muʌi$^{1/3}$ miʌu^{3}	灰/隊韻 宥韻
0715b	上波・031オ4・重點	莓	—	ハイ	右注	muʌi$^{1/3}$ miʌu^{3}	灰/隊韻 宥韻
0722a	上波・031オ7・疊字	梅	平濁	ハイ	左注	muʌi^{1}	灰韻
0905a	上波・034オ1・疊字	梅	平濁	ハイ	右注	muʌi^{1}	灰韻
0784a	上波・032オ5・疊字	媒	平濁	ハイ	左注	muʌi^{1}	灰韻
1875b	上池・070オ2・疊字	媒	平濁	ハイ	左注	muʌi^{1}	灰韻
2074b	上利・075オ2・疊字	媒	平濁	ハイ	左注	muʌi^{1}	灰韻
1399b	上邊・053ウ4・疊字	坏	平	ハイ	右注	puʌi^{1}	灰韻
0844a	上波・033オ3・疊字	盃	平	ハイ	左注	puʌi^{1}	灰韻
0847a	上波・033オ4・疊字	盃	平	ハイ	左注	puʌi^{1}	灰韻
2072b	上利・075オ2・疊字	盃	平	ハイ	左注	puʌi^{1}	灰韻
2124b	上利・075ウ5・疊字	盃	平	ハイ	左注	puʌi^{1}	灰韻
0607	上波・024ウ6・人事	肧	—	ハイ	右傍	p'uʌi^{1} p'ʌi^{1} p'iʌu^{1}	灰韻 咍韻 尤韻
0001	上伊・002オ3・天象	雷	平	ライ	右傍	luʌi^{1}	灰韻
0002a	上伊・002オ3・天象	雷	平	ライ	右傍	luʌi^{1}	灰韻
2259b	上遠・083オ2・雜物	煨	平	ワイ	右傍	'uʌi^{1}	灰韻

【表B-02】下巻_Ⅰuʌi 灰韻

番号	前田本所在	掲出字		仮名音注		中古音	韻目
6218	下飛・096ウ3・辞字	恢	平	クワイ	右傍	k'uʌi^{2}	灰韻
6848	下洲・116オ5・雜物	磓	去濁	タイ	右傍	ŋuʌi$^{1/3}$	灰/隊韻
4310b	下阿・033ウ2・光彩	灰	平	クワイ	右傍	xuʌi^{1}	灰韻
5997a	下會・089オ7・疊字	廻	去	ヱ	中注	ɣuʌi$^{1/3}$	灰/隊韻
4842	下木・055ウ3・地儀	堆	平	ツイ	右傍	tuʌi^{1}	灰韻
4068b	下阿・025オ6・地儀	堆	去	クワイ	右傍	tuʌi^{1}	灰韻
4772a	下佐・053オ3・疊字	催	平	サイ	左注	ts'uʌi^{1}	灰韻
4538a	下佐・046オ5・人事	催	—	サイ [平上]	左注	ts'uʌi^{1}	灰韻
3777b	下江・015ウ5・飲食	梅	平濁	ハイ	右注	muʌi^{1}	灰韻
3340b	下古・002ウ7・植物	梅	平	ハイ	右注	muʌi^{1}	灰韻
3837b	下江・017オ7・疊字	梅	平	ハイ	左注	muʌi^{1}	灰韻
6863b	下洲・116ウ3・雜物	煤	平濁	ハイ	右傍	muʌi^{1}	灰韻
4269	下阿・032オ7・雜物	䍙	平濁	ハイ	右傍	muʌi$^{1/3}$ miuʌ^{2}	灰/隊韻 麌韻

4545	下佐・046ウ2・飲食	醅	平	ハイ	右傍	p‘uʌi^{1}	灰韻
4558	下佐・047オ1・雜物	盃	平	ハイ	右傍	puʌi^{1}	灰韻
6432	下毛・103オ3・雜物	罍	平	ライ	右傍	luʌi^{1}	灰韻

【表B-02】上巻_Ⅰuʌi 賄韻

番号	前田本所在	掲出字		仮名音注		中古音	韻目
3012b	上加・108ウ4・疊字	悔	去	クワイ	左注	xuʌi$^{2/3}$	賄/隊韻
1238b	上保・048オ7・疊字	罪	平濁	サイ	右注	dzuʌi^{2}	賄韻
2191b	上留・079ウ3・疊字	罪	平	サイ	右注	dzuʌi^{2}	賄韻
3271c	上与・118オ1・疊字	罪	—	サイ	左注	dzuʌi^{2}	賄韻
2380a	上和・090オ2・疊字	猥	上	ワイ	中注	’uʌi^{2}	賄韻
2387a	上和・090オ4・疊字	猥	上	ワイ	中注	’uʌi^{2}	賄韻
2388a	上和・090オ4・疊字	猥	上	ワイ	左注	’uʌi^{2}	賄韻
2381a	上和・090オ2・疊字	賄	上	ワイ	中注	xuʌi^{2}	賄韻
2382a	上和・090オ3・疊字	賄	上	ワイ	右注	xuʌi^{2}	賄韻

【表B-02】下巻_Ⅰuʌi 賄韻

番号	前田本所在	掲出字		仮名音注		中古音	韻目
4705a	下佐・051ウ7・疊字	罪	平濁	サイ	左注	dzuʌi^{2}	賄韻
4704a	下佐・051ウ6・疊字	罪	—	サイ	左注	dzuʌi^{2}	賄韻
4766a	下佐・053オ1・疊字	罪	—	サイ	左注	dzuʌi^{2}	賄韻
5822b	下師・084ウ4・疊字	罪	—	サイ	左注	dzuʌi^{2}	賄韻

【表B-02】上巻_Ⅰuʌi 隊韻

番号	前田本所在	掲出字		仮名音注		中古音	韻目
2610a	上加・096ウ1・人體	蚘	平	クワイ	右傍	ɣuʌi^{3}	隊韻
2752	上加・100オ4・雜物	碓	去	タイ	右傍	tuʌi^{3}	隊韻
2413a	上和・090ウ2・疊字	憞	去	タン	右傍	duʌi^{3}	隊韻
0788b	上波・032オ6・疊字	内	平	ナイ	左注	nuʌi^{3}	隊韻
2698a	上加・099オ1・雜物	背	去	ハイ	右傍	puʌi^{3} buʌi^{3}	隊韻 隊韻
0764b	上波・032オ1・疊字	輩	去濁	ハイ	右注	puʌi^{3}	隊韻
1623b	上度・062ウ6・疊字	輩	平濁	ハイ	左注	puʌi^{3}	隊韻
0789a	上波・032オ6・疊字	配	去	ハイ	右注	p‘uʌi^{3}	隊韻
0814a	上波・032ウ4・疊字	配	平	ハイ	左注	p‘uʌi^{3}	隊韻
0713	上波・030ウ1・人事	配	—	ハイス ［平上平］	右注	p‘uʌi^{3}	隊韻
0101	上伊・005ウ2・人倫	妹	去	マイ	右注	muʌi^{3}	隊韻
0171	上伊・008ウ4・雜物	纇	—	ライ	右傍	luʌi^{3}	隊韻

【表B-02】下巻_Ⅰuʌi 隊韻

番号	前田本所在	掲出字		仮名音注		中古音	韻目
6717b	下世・111ウ7・疊字	碎	去	スイ	左注	suʌi³	隊韻
6916a	下洲・120オ5・疊字	綷	去	スイ	左注	tsuʌi³	隊韻
5588b	下師・080ウ2・疊字	退	去	タイ	右注	t'uʌi³	隊韻
5068b	下木・062オ7・疊字	退	平	タイ	右注	t'uʌi³	隊韻
5758b	下師・083ウ5・疊字	退	平濁	タイ	左注	t'uʌi³	隊韻
4003b	下手・022ウ7・疊字	對	平	タイ	中注	tuʌi³	隊韻
4383b	下阿・039ウ2・疊字	内	—	ナイ	中注	nuʌi³	隊韻
4618	下佐・049オ2・辞字	悖	—	ハイ	右傍	buʌi³ buʌt	隊韻 没韻
5628b	下師・081ウ1・疊字	配	去	ハイ	右注	p'uʌi³	隊韻
6521	下世・107ウ7・人躰	背	去	ハイ	右傍	puʌi³ buʌi³	隊韻 隊韻
5049b	下木・062オ3・疊字	背	平濁	ハイ	左注	puʌi³ buʌi³	隊韻 隊韻
4658b	下佐・051オ4・疊字	昧	平	（マイ）	左注	muʌi³	隊韻
6442	下毛・103オ6・雜物	錑	去	ライ	右傍	luʌi³	隊韻

【表B-02】上巻_Ⅰʌu 侯韻

番号	前田本所在	掲出字		仮名音注		中古音	韻目
2751	上加・100オ4・雜物	篝	平	コウ	右傍	kʌu¹	侯韻
2716a	上加・099オ6・雜物	鈎	平	コウ	右傍	kʌu¹	侯韻
2145a	上奴・076ウ3・植物	枸	上	コウ	右傍	kʌu¹ᐟ² kiuʌ²	侯/厚韻 麌韻
2242a	上遠・081オ7・人體	齵	平濁	コウ	右傍	ŋʌu¹ ŋiuʌ¹	侯韻 虞韻
2373b	上和・090オ1・疊字	侯	去	コウ	中注	ɣuʌ¹	侯韻
2776	上加・100ウ3・雜物	帿	—	カウ	右傍	ɣuʌ¹	侯韻
0367b	上伊・015ウ6・国郡	頭	—	ツ	右傍	dʌu¹	侯韻
0688b	上波・027ウ4・雜物	頭	—	ツ	右注	dʌu¹	侯韻
0445b	上呂・019オ3・疊字	頭	平	トウ	左注	dʌu¹	侯韻
0628b	上波・025ウ5・人事	頭	平	トウ	左注	dʌu¹	侯韻
1481a	上度・057オ2・飲食	頭	平	トウ	右注	dʌu¹	侯韻
1482a	上度・057オ2・飲食	頭	平	トウ	右傍	dʌu¹	侯韻
2126b	上利・075ウ6・疊字	頭	平	トウ	左注	dʌu¹	侯韻
2150b	上奴・077オ1・動物	頭	平	トウ	右傍	dʌu¹	侯韻
2579	上加・096オ2・人體	頭	平	トウ	右傍	dʌu¹	侯韻
3053b	上加・109オ6・疊字	頭	平	トウ	左注	dʌu¹	侯韻
0729b	上波・031ウ1・疊字	頭	平濁	トウ	右注	dʌu¹	侯韻
2013b	上利・073ウ5・雜物	頭	平濁	トウ	右注	dʌu¹	侯韻

1696	上度・064オ6・官職	頭	―	トウ	右注	dʌu^{1}	侯韻
1831b	上池・069オ7・疊字	頭	―	トウ	左注	dʌu^{1}	侯韻
2673b	上加・098オ6・飲食	頭	―	トウ	右注	dʌu^{1}	侯韻
1195b	上保・047ウ5・疊字	頭	去濁	トウ	左注	dʌu^{1}	侯韻
1647a	上度・063オ4・疊字	頭	平	ト	左注	dʌu^{1}	侯韻
1487a	上度・057オ4・雜物	頭	―	ト	右傍	dʌu^{1}	侯韻
1769a	上池・067ウ4・雜物	鍮	―	チウ	中注	t‘ʌu^{1}	侯韻
2152a	上奴・077オ3・人倫	偷	平 去	トウ	右傍	t‘ʌu^{1}	侯韻
2151a	上奴・077オ3・人倫	偷	平 去	チウ	右傍	t‘ʌu^{1}	侯韻
2156	上奴・077ウ1・人事	偷	去	チウ	右傍	t‘ʌu^{1}	侯韻
0236a	上伊・012ウ2・疊字	偷	平	イウ	右注	t‘ʌu^{1}	侯韻
2446	上加・091ウ7・地儀	窬	―	ト	右傍	dʌu$^{1/3}$ jiuʌ^{1}	侯/候韻 虞韻
1489a	上度・057オ5・雜物	兜	去	ト	右傍	tʌu^{1}	侯韻
1490a	上度・057オ5・雜物	兜	去	ト	右傍	tʌu^{1}	侯韻
0685	上波・027ウ2・雜物	篼	平	トウ	右傍	tʌu^{1}	侯韻
0204	上伊・010ウ2・辞字	投	平	トウ	右傍	dʌu^{1}	侯韻
0225	上伊・011ウ7・辞字	投	平	トウ	右傍	dʌu^{1}	侯韻
1657a	上度・063オ6・疊字	投	平	トウ	左注	dʌu^{1}	侯韻
1665a	上度・063オ7・疊字	投	平	トウ	左注	dʌu^{1}	侯韻
1992a	上利・073オ2・動物	投	平	トウ	右傍	dʌu^{1}	侯韻
2647b	上加・097ウ6・人事	樓	上	レウ	左注	lʌu^{1}	侯韻
2058b	上利・074ウ6・疊字	樓	平	ロウ	左注	lʌu^{1}	侯韻
0400	上呂・017オ5・地儀	樓	平	ロウ ［平平］	右注	lʌu^{1}	侯韻
0423a	上呂・018オ5・雜物	樓	―	ロウ	右注	lʌu^{1}	侯韻
0401	上呂・017オ5・地儀	樓	平	ル	右傍	lʌu^{1}	侯韻
1459b	上度・056オ5・人體	髏	―	ロ	右注	lʌu^{1}	侯韻
2357	上和・088ウ2・雜物	艛	―	ロウ	右傍	lʌu^{1}	侯韻
2554a	上加・095オ1・動物	螻	―	ロウ	右傍	lʌu^{1}	侯韻
0495b	上波・021オ1・植物	蔞	平	ロウ	右傍	lʌu^{1} liuʌ$^{1/2}$	侯韻 虞/麌韻
2517	上加・094オ3・動物	鷗	平	ヲウ	右傍	’ʌu^{1}	侯韻
1296a	上邊・051オ1・人躰	歐	上	ヲウ	右傍	’ʌu$^{1/2}$	侯/厚韻

【表B-02】下巻_Ｉʌu 侯韻

番号	前田本所在	掲出字		仮名音注		中古音	韻目
4137b	下阿・027オ7・動物	溝	平	コウ	右傍	kʌu^{1}	侯韻
5012b	下木・061ウ2・疊字	溝	平	コウ	左注	kʌu^{1}	侯韻
3800b	下江・016ウ7・疊字	溝	上	コウ	左注	kʌu^{1}	侯韻
6843b	下洲・116オ4・雜物	鉤	平	コウ	右傍	kʌu^{1}	侯韻

3563b	下古・007オ7・雜物	篝	平	コウ	右傍	kʻʌu^{1}	侯韻
4880	下木・057オ1・人倫	侯	―	コウ	右傍	ɣʌu^{1}	侯韻
3388a	下古・004ウ4・人躰	喉	平	コウ	右傍	ɣʌu^{1}	侯韻
3426b	下古・006ウ4・雜物	篌	平	コウ	右注	ɣʌu^{1}	侯韻
4485b	下佐・044オ4・動物	猴	平	コウ	右傍	ɣʌu^{1}	侯韻
3339b	下古・002ウ6・植物	猴	上	コ	右傍	ɣʌu^{1}	侯韻
5285b	下師・069ウ2・植物	猴	上	コ	右傍	ɣʌu^{1}	侯韻
3568b	下古・007ウ2・雜物	頭	―	ツ	右注	dʌu^{1}	侯韻
6951b	下洲・121オ5・国郡	頭	―	ツ	右傍	dʌu^{1}	侯韻
6975b	下飛・092オ4・動物	頭	―	ツ	右注	dʌu^{1}	侯韻
5842b	下師・084ウ7・疉字	頭	平	トウ	右傍	dʌu^{1}	侯韻
4032b	下手・023オ7・疉字	頭	平濁	トウ	左注	dʌu^{1}	侯韻
4823b	下佐・054ウ3・官職	頭	―	トウ	右注	dʌu^{1}	侯韻
6168b	下飛・094ウ4・雜物	窬	平	トウ	右傍	dʌu$^{1/3}$ jiuʌ^{1}	侯/候韻 虞韻
6211	下飛・095ウ7・辞字	婁	―	ル	右傍	lʌu^{1} liuʌ^{1}	侯韻 虞韻
5199b	下木・065オ1・国郡	婁	―	ロ	右傍	lʌu^{1} liuʌ^{1}	侯韻 虞韻
6776b	下洲・113ウ2・地儀	樓	平	ロウ	右注	lʌu^{1}	侯韻

【表B-02】上巻_Ｉʌu 厚韻

番号	前田本所在	掲出字		仮名音注		中古音	韻目
0075	上伊・004ウ2・動物	猗	―	コウ	右傍	kʌu^{2}	厚韻
0099a	上伊・005オ6・動物	猗	上	コウ	右傍	kʌu^{2}	厚韻
0314b	上伊・013ウ4・疉字	口	上	コウ	中注	kʻʌu^{2}	厚韻
0905b	上波・034オ1・疉字	口	上	コウ	右注	kʻʌu^{2}	厚韻
1367b	上邊・053オ4・疉字	口	上	コウ	左注	kʻʌu^{2}	厚韻
2088b	上利・075オ5・疉字	口	上	コウ	左注	kʻʌu^{2}	厚韻
3038b	上加・109オ3・疉字	口	上	コウ	左注	kʻʌu^{2}	厚韻
2150a	上奴・077オ1・動物	叩	上	コウ	右傍	kʻʌu^{2}	厚韻
0527	上波・021ウ7・植物	藕	上濁	コウ	右傍	ŋʌu^{2}	厚韻
0789b	上波・032オ6・疉字	偶	上濁	コウ	右注	ŋʌu$^{2/3}$	厚/候韻
1961b	上池・071ウ4・國郡	後	―	コ	右注	ɣʌu$^{2/3}$	厚/候韻
0904b	上波・034オ1・疉字	后	去	コウ	右注	ɣʌu$^{2/3}$	厚/候韻
1044a	上保・042オ4・植物	厚	上	コウ	右傍	ɣʌu$^{2/3}$	厚/候韻
1582b	上度・062オ4・疉字	藪	上	ソウ	左注	sʌu^{2}	厚韻
1249b	上保・048ウ2・疉字	走	平濁	ソウ	中注	tsʌu$^{2/3}$	厚/候韻
1939b	上池・071オ1・疉字	走	平	ソウ	右注	tsʌu$^{2/3}$	厚/候韻
1150b	上保・047オ3・疉字	斗	上	ト	中注	tʌu^{2}	厚韻
1528	上度・058オ5・員數	斗	去	ト	右注	tʌu^{2}	厚韻

1029b	上保・041ウ1・天象	斗	―	ト	左注	tʌu^{2}	厚韻
1582a	上度・062オ4・疊字	斗	上	トウ	左注	tʌu^{2}	厚韻
1028b	上保・041ウ1・天象	斗	―	トウ ［上上］	右注	tʌu^{2}	厚韻
1527	上度・058オ5・員數	斗	去	トウ	右傍	tʌu^{2}	厚韻
1428	上度・054ウ5・地儀	枓	上	トウ	右傍	tʌu^{2} tśiuʌ^{2}	厚韻 麌韻
0492b	上波・021オ1・植物	母	上濁	ホ	右傍	mʌu^{2}	厚韻
1190a	上保・047ウ4・疊字	母	上濁	ホ	右注	mʌu^{2}	厚韻
1196b	上保・047ウ5・疊字	母	上濁	ホ	中注	mʌu^{2}	厚韻
1593b	上度・062オ6・疊字	母	上濁	ホ	左注	mʌu^{2}	厚韻
2231b	上遠・081オ3・人倫	母	上濁	ホ	右傍	mʌu^{2}	厚韻
2409b	上和・090ウ1・疊字	母	上濁	ホ	右注	mʌu^{2}	厚韻
1199a	上保・047ウ6・疊字	母	―	ホ	右注	mʌu^{2}	厚韻
2226	上遠・080ウ5・動物	牡	上濁	ホ	右傍	mʌu^{2}	厚韻
1037a	上保・042オ1・植物	牡	去濁	ホ	右注	mʌu^{2}	厚韻
1038a	上保・042オ1・植物	牡	上	ホウ	左注	mʌu^{2}	厚韻
2042b	上利・074ウ3・疊字	畝	上	ホ	左注	mʌu^{2}	厚韻

【表B-02】下巻_Ⅰʌu 厚韻

番号	前田本所在	掲出字		仮名音注		中古音	韻目
3326a	下古・002ウ2・植物	芶	―	コ	右注	kʌu^{2} kiɐk	厚韻 職韻
5910b	下師・085ウ5・疊字	狗	上	コ	右傍	kʌu^{2}	厚韻
5972a	下會・087ウ6・植物	狗	上	コウ	右傍	kʌu^{2}	厚韻
5976	下會・088オ2・動物	狗	―	コウ	右傍	kʌu^{2}	厚韻
4186	下阿・029オ3・人躰	垢	去	コウ	右傍	kʌu^{2}	厚韻
6047b	下飛・091オ4・植物	茩	―	コウ	右傍	kʌu^{2}	厚韻
3652a	下古・011オ5・疊字	偶	上	コウ	左注	ŋʌu$^{2/3}$	厚/候韻
6110a	下飛・092ウ5・人倫	偶	上濁	コウ	右傍	ŋʌu$^{2/3}$	厚/候韻
3673a	下古・011ウ3・疊字	後	平	コ	左注	ɣʌu$^{2/3}$	厚/候韻
3674a	下古・011ウ3・疊字	後	平	コ	中注	ɣʌu$^{2/3}$	厚/候韻
4687b	下佐・051ウ3・疊字	後	平	コ	左注	ɣʌu$^{2/3}$	厚/候韻
3701a	下古・012オ2・疊字	後	―	コ	左注	ɣʌu$^{2/3}$	厚/候韻
6017b	下會・089ウ6・國郡	後	―	コ	右注	ɣʌu$^{2/3}$	厚/候韻
6370b	下飛・100オ2・國郡	後	―	コ	右傍	ɣʌu$^{2/3}$	厚/候韻
5028b	下木・061ウ5・疊字	後	平	コウ	左注	ɣʌu$^{2/3}$	厚/候韻
3316a	下古・002オ4・地儀	後	去	コウ	右傍	ɣʌu$^{2/3}$	厚/候韻
3715a	下古・012オ5・疊字	後	去	コウ	左注	ɣʌu$^{2/3}$	厚/候韻
5699b	下師・082ウ3・疊字	後	―	コウ	左注	ɣʌu$^{2/3}$	厚/候韻
3599a	下古・010オ7・疊字	厚	去	コウ	左注	ɣʌu$^{2/3}$	厚/候韻
3727a	下古・012オ7・疊字	厚	去	コウ	左注	ɣʌu$^{2/3}$	厚/候韻

5085b	下木・062ウ5・疊字	厚	平濁	コウ	左注	$\text{ɣʌu}^{2/3}$	厚/候韻
6838b	下洲・116オ3・雜物	斗	上	トウ	右傍	tʌu^{2}	厚韻
3921b	下手・021オ2・雜物	斗	上	トウ［上上］	左注	tʌu^{2}	厚韻
6315b	下飛・098ウ5・疊字	牡	上	ホ	右注	mʌu^{2}	厚韻

【表B-02】上巻_Ⅰʌu 候韻

番号	前田本所在	掲出字		仮名音注		中古音	韻目
3039b	上加・109オ3・疊字	逅	去	コウ	左注	ɣʌu^{3}	候韻
0361b	上伊・015ウ4・国郡	豆	―	ツ	右注	dʌu^{3}	候韻
1560	上度・060ウ2・辞字	逗	―	トウ	右傍	dʌu^{3} ḍiuʌ^{3}	候韻 遇韻
1655a	上度・063オ5・疊字	逗	平	トウ	左注	dʌu^{3} ḍiuʌ^{3}	候韻 遇韻
1475a	上度・056ウ5・人事	鬪	去	トウ	左傍	tʌu^{3}	候韻
1642a	上度・063オ3・疊字	鬪	去	トウ	左注	tʌu^{3}	候韻
1643a	上度・063オ3・疊字	鬪	平 去	トウ	左注	tʌu^{3}	候韻
1644a	上度・063オ3・疊字	鬪	平	トウ	左注	tʌu^{3}	候韻
0049	上伊・003ウ5・植物	莓	―	ホ	右傍	mʌu^{3}	候韻
0363b	上伊・015ウ4・国郡	茂	―	モ	右傍	mʌu^{3}	候韻
3286b	上波・034ウ6・國郡	茂	―	モ	右傍	mʌu^{3}	候韻
3177b	上加・112ウ3・姓氏	茂	―	モ	右注	mʌu^{3}	候韻
0431a	上呂・019オ1・疊字	漏	平	ロ	中注	lʌu^{3}	候韻
0450a	上呂・019オ4・疊字	漏	平	ロ	右注	lʌu^{3}	候韻
0451a	上呂・019オ5・疊字	漏	平	ロ	右注	lʌu^{3}	候韻
0460a	上呂・019ウ5・官職	漏	―	ロ	右注	lʌu^{3}	候韻
2179	上留・079オ6・雜物	漏	―	ル［去］	右注	lʌu^{3}	候韻
0124	上伊・006ウ3・人事	陋	去	ロウ	右傍	lʌu^{3}	候韻
0407b	上呂・017ウ5・人體	瘻	去	ロウ	右傍	lʌu^{3} liuʌ^{1}	候韻 虞韻
0456a	上呂・019オ6・疊字	鏤	平	ロウ	右注	lʌu^{3} liuʌ^{1}	候韻 虞韻
1787	上池・068ウ2・辞字	鏤	平	ロウ	右傍	lʌu^{3} liuʌ^{1}	候韻 虞韻

【表B-02】下巻_Ⅰʌu 候韻

番号	前田本所在	掲出字		仮名音注		中古音	韻目
3733a	下古・013ウ1・官職	勾	―	コウ	右注	kʌu^{3}	候韻
5746b	下師・083ウ2・疊字	搆	去	コウ	左注	kʌu^{3}	候韻
3672a	下古・011ウ2・疊字	寇	去	コウ	左注	kʻʌu^{3}	候韻

4212	下阿・030オ1・人事	冦	去	コウ	右傍	k‘ʌu^{3}	候韻
5693b	下師・082ウ1・疊字	候	去	コウ	左注	ɣʌu^{3}	候韻
5125b	下木・063ウ1・疊字	奏	去	ソウ	右注	tsʌu^{3}	候韻
5340	下師・071オ7・人躰	腠	—	ソウ	右注	ts‘ʌu^{3}	候韻
4583b	下佐・047ウ2・雜物	豆	上濁	ツ	右注	dʌu^{3}	候韻
4096c	下阿・026オ2・植物	豆	—	ツ	右注	dʌu^{3}	候韻
4599b	下佐・047ウ7・雜物	豆	—	ツ	右注	dʌu^{3}	候韻
5971b	下會・087ウ6・植物	豆	—	トウ	右傍	dʌu^{3}	候韻
4408b	下阿・040ウ6・国郡	茂	—	モ	右傍	mʌu^{3}	候韻
3664b	下古・011ウ1・疊字	陋	平	ロウ	左注	lʌu^{3}	候韻
4377b	下阿・039ウ1・疊字	陋	去	ヘイ	左注	lʌu^{3}	候韻

【表B-02】上巻_Ⅰʌm 覃韻

番号	前田本所在	掲出字		仮名音注		中古音	韻目
0028	上伊・003オ2・地儀	庵	—	アム	右傍	'ʌm^{1}	覃韻
0496a	上波・021オ2・植物	菴	平	アム	右傍	'ʌm^{1} 'iam^{1}	覃韻 鹽韻
3103a	上加・110オ2・疊字	堪	平	カム	右注	k‘ʌm^{1}	覃韻
3081a	上加・109ウ4・疊字	堪	去	カム	左注	k‘ʌm^{1}	覃韻
2798	上加・101ウ2・辞字	戡	—	カム	右傍	k‘ʌm^{1} ṭiem^{2}	覃韻 寢韻
2463a	上加・092オ4・地儀	含	平	カム	右傍	ɣʌm^{1}	覃韻
2887a	上加・106ウ7・疊字	含	平	カム	中注	ɣʌm^{1}	覃韻
2464a	上加・092オ7・植物	筨	平	カム	右注	ɣʌm^{1}	覃韻
2782	上加・100ウ6・光彩	黔	—	カム	右傍	xʌm^{1}	覃韻
0673	上波・027オ3・雜物	函	平	カム	右傍	ɣʌm^{1} ɣɐm^{1}	覃韻 咸韻
3117a	上加・110オ4・疊字	函	東?	カム	右注	ɣʌm^{1} ɣɐm^{1}	覃韻 咸韻
3216	上与・115ウ3・雜物	餰	—	カム	右傍	ɣʌm^{1}	覃韻
1848b	上池・069ウ4・疊字	参	平	サム	左注	ts‘ʌm$^{1/3}$ sɑm^{1} ṣiem^{1} tṣ‘iem^{1}	覃/勘韻 談韻 侵韻 侵韻
0632c	上波・025ウ6・人事	参	—	サン	右傍	ts‘ʌm$^{1/3}$ sɑm^{1} ṣiem^{1} tṣ‘iem^{1}	覃/勘韻 談韻 侵韻 侵韻
2557	上加・095オ2・動物	蠶	平	サム	右傍	dzʌm^{1}	覃韻
1602a	上度・062ウ1・疊字	貪	去	トン	左注	t‘ʌm^{1}	覃韻
2650b	上加・097ウ7・人事	南	平	ナム	左注	nʌm^{1}	覃韻

3178b	上加・112ウ3・姓氏	南	—	ナ	右傍	nʌm^{1}	覃韻
3281b	上波・034ウ5・國郡	南	—	ナミ	右傍	nʌm^{1}	覃韻
1438b	上度・055オ3・植物	楠	平	ナム	右傍	nʌm^{1}	覃韻
2236a	上遠・081オ4・人倫	男	平 去	ナム	右傍	nʌm^{1}	覃韻

【表B-02】下巻_Ⅰʌm 覃韻

番号	前田本所在	掲出字		仮名音注		中古音	韻目
4075a	下阿・025ウ1・地儀	庵	平	アン	右注	ʼʌm^{1}	覃韻
3366	下古・003ウ6・動物	蚕	平	サム	右注	dzʌm^{2} tʻen^{2}	覃韻 銑韻
3367a	下古・003ウ6・動物	蚕	平	サウ	右傍	dzʌm^{2} tʻen^{2}	覃韻 銑韻
4769a	下佐・053オ2・疉字	參	平	サム	左注	tsʻʌm$^{1/3}$ sɑm^{1} ṣiem^{1} tṣʻiem^{1}	覃/勘韻 談韻 侵韻 侵韻
4771a	下佐・053オ2・疉字	參	平	サム	左注	tsʻʌm$^{1/3}$ sɑm^{1} ṣiem^{1} tṣʻiem^{1}	覃/勘韻 談韻 侵韻 侵韻
4770a	下佐・053オ2・疉字	參	—	サム	左注	tsʻʌm$^{1/3}$ sɑm^{1} ṣiem^{1} tṣʻiem^{1}	覃/勘韻 談韻 侵韻 侵韻
4775a	下佐・053オ3・疉字	參	—	サム	左注	tsʻʌm$^{1/3}$ sɑm^{1} ṣiem^{1} tṣʻiem^{1}	覃/勘韻 談韻 侵韻 侵韻
4824a	下佐・054ウ3・官職	參	—	サン	右注	tsʻʌm$^{1/3}$ sɑm^{1} ṣiem^{1} tṣʻiem^{1}	覃/勘韻 談韻 侵韻 侵韻
4923	下木・058ウ1・雜物	鐕	平	サム	右傍	tsʌm^{1}	覃韻
5507	下師・077オ6・辞字	譚	平	タム	右傍	dʌm$^{1/2}$	覃/咸韻
4173b	下阿・028ウ5・人倫	探	平	タム	右傍	tʻʌm^{1}	覃韻
4619	下佐・049オ4・辞字	探	平	タム	右傍	tʻʌm^{1}	覃韻
6462	下毛・105オ6・辞字	耽	平	タム	右傍	tʌm^{1}	覃韻
5572b	下師・079ウ7・疉字	曇	去	タム	右注	dʌm^{1}	覃韻
5930b	下師・086ウ3・國郡	曇	—	ツミ	右傍	dʌm^{1}	覃韻

4056a	下阿・024ウ2・天象	南	平	ナム	右注	nʌm¹	覃韻
5463b	下師・074ウ5・雑物	南	—	ナム	右傍	nʌm¹	覃韻
5757b	下師・083ウ5・疊字	南	去	ナム	左注	nʌm¹	覃韻
4463b	下佐・043ウ1・植物	楠	平	サム	右注	nʌm¹	覃韻
4050	下阿・024ウ1・天象	嵐	東?	ラム	右傍	lʌm¹	覃韻

【表B-02】上巻_Ⅰʌm 感韻

番号	前田本所在	掲出字		仮名音注		中古音	韻目
1364b	上邊・053オ4・疊字	感	上	カム	右注	kʌm²	感韻
2651a	上加・097ウ7・人事	感	上	カム	左注	kʌm²	感韻
2962a	上加・108オ1・疊字	感	上	カム	左注	kʌm²	感韻
2963a	上加・108オ2・疊字	感	上	カム	左注	kʌm²	感韻
2964a	上加・108オ2・疊字	感	上	カム	左注	kʌm²	感韻
2965a	上加・108オ2・疊字	感	上	カム	右注	kʌm²	感韻
2966a	上加・108オ2・疊字	感	上	カム	右注	kʌm²	感韻
2968a	上加・108オ3・疊字	感	上	カン	右注	kʌm²	感韻
2984a	上加・108オ6・疊字	感	上	カム	左注	kʌm²	感韻
3095a	上加・109ウ7・疊字	感	上	カム	右注	kʌm²	感韻
3096a	上加・109ウ7・疊字	感	上	カム	右注	kʌm²	感韻
2462a	上加・092オ4・地儀	感	上	カン	右傍	kʌm²	感韻
2967a	上加・108オ2・疊字	感	上	カン	右注	kʌm²	感韻
3108a	上加・110オ3・疊字	轗	上	カム	右注	k‘ʌm²/³	感/勘韻
3109a	上加・110オ3・疊字	坎	上	カム	右注	k‘ʌm²	感韻
0531a	上波・022オ1・植物	菡	上	(カム)	右傍	ɣʌm²	感韻
0131	上伊・006ウ7・人事	慘	—	サム	右傍	ts‘ʌm²	感韻
0531b	上波・022オ1・植物	萏	上	タム	右傍	dʌm²	感韻
3109b	上加・110オ3・疊字	壈	上	リム	右注	lʌm²	感韻

【表B-02】下巻_Ⅰʌm 感韻

番号	前田本所在	掲出字		仮名音注		中古音	韻目
5162b	下木・064オ2・疊字	感	上	カン	左注	kʌm²	感韻
4975b	下木・061オ1・疊字	坎	上	カム	左注	k‘ʌm²	感韻

【表B-02】上巻_Ⅰʌm 勘韻

番号	前田本所在	掲出字		仮名音注		中古音	韻目
2050b	上利・074ウ5・疊字	闇	上	アム	中注	’ʌm³	勘韻
2913a	上加・107オ6・疊字	勘	平	カム	中注	k‘ʌm³	勘韻
2914a	上加・107オ6・疊字	勘	平	カム	左注	k‘ʌm³	勘韻
2945a	上加・107ウ5・疊字	勘	平	カム	左注	k‘ʌm³	勘韻
2975a	上加・108オ4・疊字	勘	平	カム	左注	k‘ʌm³	勘韻

2976a	上加・108オ4・疊字	勘	平	カム	右注	k‘ʌm^3	勘韻
3024a	上加・108ウ7・疊字	勘	平	カム	左注	k‘ʌm^3	勘韻
3076a	上加・109ウ3・疊字	勘	平	カム	左注	k‘ʌm^3	勘韻
3022a	上加・108ウ6・疊字	勘	去	カム	左注	k‘ʌm^3	勘韻
3164a	上加・112オ1・官職	勘	—	カム	右傍	k‘ʌm^3	勘韻
3019a	上加・108ウ6・疊字	勘	平	カン	左注	k‘ʌm^3	勘韻

【表B-02】下巻_Ⅰʌm 勘韻

番号	前田本所在	掲出字		仮名音注		中古音	韻目
4378a	下阿・039ウ1・疊字	暗	去	アン	中注	’ʌm^3	勘韻
4049a	下阿・024オ7・天象	暗	上	アン	左注	’ʌm^3	勘韻
4356a	下阿・039オ4・疊字	暗	上	アン	左注	’ʌm^3	勘韻
4377a	下阿・039ウ1・疊字	暗	上	アン	左注	’ʌm^3	勘韻
6458	下毛・104ウ7・辞字	闇	平	イム	右傍	’ʌm^3	勘韻
3570	下古・007ウ4・光彩	紺	平	コム	右注	kʌm^3	勘韻
3573a	下古・007ウ4・光彩	紺	—	コム	右注	kʌm^3	勘韻

【表B-02】上巻_Ⅰʌp 合韻

番号	前田本所在	掲出字		仮名音注		中古音	韻目
0068	上伊・004オ7・動物	鴿	入	カフ	右傍	kʌp	合韻
0551	上波・022ウ6・動物	蛤	入	カフ	右傍	kʌp	合韻
2436	上加・091ウ5・地儀	閤	—	カフ ［上上］	右注	kʌp	合韻
2648a	上加・097ウ6・人事	合	入	カフ	左注	ɣʌp kʌp	合韻 合韻
2826	上加・103ウ2・辞字	合	入	カフ	右傍	ɣʌp kʌp	合韻 合韻
2901a	上加・107オ3・疊字	合	入	カフ	右注	ɣʌp kʌp	合韻 合韻
2903a	上加・107オ4・疊字	合	入	カフ	左注	ɣʌp kʌp	合韻 合韻
2955a	上加・107ウ7・疊字	合	入	カフ	左注	ɣʌp kʌp	合韻 合韻
3031a	上加・109オ1・疊字	合	入	カフ	左注	ɣʌp kʌp	合韻 合韻
3083a	上加・109ウ5・疊字	合	入	カフ	右注	ɣʌp kʌp	合韻 合韻
3105a	上加・110オ2・疊字	合	入濁	カフ	右注	ɣʌp kʌp	合韻 合韻
2794	上加・101オ6・員數	合	—	カフ	右注	ɣʌp kʌp	合韻 合韻
3130a	上加・110オ7・疊字	合	—	カフ	左注	ɣʌp kʌp	合韻 合韻

2918a	上加・107オ7・疊字	合	入濁	カウ	左注	ɣʌp kʌp	合韻 合韻
2724a	上加・099ウ2・雜物	合	―	カウ ［上濁上］	右注	ɣʌp kʌp	合韻 合韻
2379b	上和・090オ2・疊字	合	入	カウ	左注	ɣʌp kʌp	合韻 合韻
2947a	上加・107ウ5・疊字	合	入	カウ	左注	ɣʌp kʌp	合韻 合韻
2948a	上加・107ウ6・疊字	合	入	カウ	左注	ɣʌp kʌp	合韻 合韻
3076b	上加・109ウ3・疊字	合	入	カウ □フ	左注	ɣʌp kʌp	合韻 合韻
1637b	上度・063オ2・疊字	合	平濁	カウ	右注	ɣʌp kʌp	合韻 合韻
0192b	上伊・009オ7・員數	匝	―	サウ	右注	tsʌp	合韻
2388b	上和・090オ4・疊字	雜	入	サフ	左注	dzʌp	合韻
1214b	上保・048オ2・疊字	荅	入	タウ	左注	tʌp	合韻
1829b	上池・069オ7・疊字	荅	平	タウ	左注	tʌp	合韻
2322	上和・087オ5・人事	諮	―	タウ	右傍	dʌp	合韻

【表B-02】下巻_Ⅰʌp 合韻

番号	前田本所在	掲出字		仮名音注		中古音	韻目
5219b	下由・066オ5・植物	合	平濁	カフ	右傍	ɣʌp kʌp	合韻 合韻
5732b	下師・083オ5・疊字	合	入濁	カウ	左注	ɣʌp kʌp	合韻 合韻
3706b	下古・012オ3・疊字	合	―	カウ	左注	ɣʌp kʌp	合韻 合韻
5924a	下師・086ウ2・國郡	匝	―	サフ	右傍	tsʌp	合韻
5567b	下師・079ウ5・疊字	迊	去	サウ	右注	tsʌp	合韻
3683b	下古・011ウ5・疊字	雜	入	サフ	右注	dzʌp	合韻
4743a	下佐・052ウ2・疊字	雜	入	サフ	左注	dzʌp	合韻
4804a	下佐・054オ2・國郡	雜	―	サフ	右傍	dzʌp	合韻
5423a	下佐・047オ6・雜物	雜	―	サフ	右注	dzʌp	合韻
4751a	下佐・052ウ4・疊字	雜	入濁	サウ	左注	dzʌp	合韻
4503a	下佐・044ウ5・人倫	雜	―	サウ	右注	dzʌp	合韻
4504a	下佐・044ウ6・人倫	雜	―	サウ	右注	dzʌp	合韻
4638a	下佐・050ウ5・重點	雜	―	サウ	右注	dzʌp	合韻
4638b	下佐・050ウ5・重點	雜	―	サウ	右注	dzʌp	合韻
6476b	下毛・105ウ5・疊字	荅	入濁	タフ	右注	tʌp	合韻
5920a	下師・086ウ2・國郡	荅	―	タウ	右傍	tʌp	合韻

【表B-02】上巻_Ⅰʌn 痕韻

番号	前田本所在	掲出字		仮名音注		中古音	韻目
2086b	上利・075オ5・疊字	根	去	コン	中注	kʌn[1]	痕韻

1608b	上度・062ウ2・疊字	根	去濁	コン	左注	kʌn^{1}	痕韻
2603	上加・096オ7・人體	痕	平	コン	右傍	ɣʌn^{1}	痕韻
1663a	上度・063オ7・疊字	呑	平	トム	中注	t'ʌn^{1} t'en^{1}	痕韻 先韻
1200b	上保・047ウ6・疊字	恩	去	ヲム	中注	'ʌn^{1}	痕韻

【表B-02】下巻_Ⅰʌn 痕韻

番号	前田本所在	掲出字		仮名音注		中古音	韻目
3634a	下古・011オ1・疊字	根	去	コン	左注	kʌn^{1}	痕韻
3684a	下古・011ウ5・疊字	根	去	コン	右注	kʌn^{1}	痕韻
3686a	下古・011ウ5・疊字	根	去	コン	中注	kʌn^{1}	痕韻
4704b	下佐・051ウ6・疊字	根	—	コン	左注	kʌn^{1}	痕韻
5176b	下木・064オ4・疊字	根	上	コン	左注	kʌn^{1}	痕韻
4196	下阿・029オ6・人躰	痕	平	コン	右傍	ɣʌn^{1}	痕韻
4890	下木・057ウ1・人躰	痕	平	コン	右傍	ɣʌn^{1}	痕韻
5231a	下由・067オ1・人事	呑	平	トム	右傍	t'ʌn^{1} t'en^{1}	痕韻 先韻

【表B-02】上巻_Ⅰʌn 很韻

番号	前田本所在	掲出字		仮名音注		中古音	韻目
2875b	上加・106ウ5・疊字	墾	上	メウ	左注	k'ʌn^{2}	很韻

【表B-02】下巻_Ⅰʌn 很韻

番号	前田本所在	掲出字		仮名音注		中古音	韻目
3637a	下古・011オ1・疊字	懇	上	—	—	k'ʌn^{2}	很韻
3622a	下古・010ウ5・疊字	懇	上	コン	右注	k'ʌn^{2}	很韻
3694a	下古・011ウ7・疊字	懇	上	コン	左注	k'ʌn^{2}	很韻
3693a	下古・011ウ7・疊字	懇	—	コン	左注	k'ʌn^{2}	很韻
3695a	下古・011ウ7・疊字	懇	—	コン	左注	k'ʌn^{2}	很韻

【表B-02】上巻_Ⅰuʌn 魂韻

番号	前田本所在	掲出字		仮名音注		中古音	韻目
2856b	上加・106ウ1・疊字	温	平	ウン	左注	'uʌn^{1}	魂韻
0906b	上波・034オ2・疊字	魂	平	コム	左注	ɣuʌn^{1}	魂韻
1812b	上池・069オ4・疊字	魂	平濁	コン	左注	ɣuʌn^{1}	魂韻
2005c	上利・073ウ3・人事	褌	平	ク	右傍	kuʌn^{1}	魂韻
1471	上度・056ウ3・人事	婚	平	コン	右傍	xuʌn^{1}	魂韻
0983	上仁・039オ5・辞字	渾	平	コン	右注	ɣuʌn$^{1/2}$	魂/混韻

0763b	上波・032オ1・疊字	孫	平	ソン	左注	suʌn^{1}	魂韻
1666b	上度・063ウ1・疊字	孫	平	ソン	左注	suʌn^{1}	魂韻
2389b	上和・090オ4・疊字	孫	平濁	ソン	左注	suʌn^{1}	魂韻
2370b	上和・089ウ7・疊字	孫	—	ソン	左注	suʌn^{1}	魂韻
2142	上奴・076ウ2・植物	蓀	平	ソン	右傍	suʌn^{1}	魂韻
1530	上度・058オ5・員數	屯	—	トン	右注	duʌn^{1} ṭiuen^{1}	魂韻 諄韻
1650a	上度・063オ4・疊字	屯	—	トン	左注	duʌn^{1} ṭiuen^{1}	魂韻 諄韻
2670b	上加・098オ5・飲食	饙	平	フン	右傍	p‘uʌn$^{1/3}$	魂韻 慁韻
0611	上波・025オ2・人事	奔	平	ホン	左注	puʌn$^{1/3}$	魂韻 慁韻
1208a	上保・048オ1・疊字	奔	平	ホン	左注	puʌn$^{1/3}$	魂韻 慁韻
1223a	上保・048オ4・疊字	奔	平	ホン	左注	puʌn$^{1/3}$	魂韻 慁韻
1249a	上保・048ウ2・疊字	奔	平	ホン	中注	puʌn$^{1/3}$	魂韻 慁韻
0273b	上伊・013オ2・疊字	奔	平濁	ホン	左注	puʌn$^{1/3}$	魂韻 慁韻
2590b	上加・096オ4・人體	盆	平	ホン	右傍	buʌn^{1}	魂韻
0050b	上伊・003ウ5・植物	葐	平	ホン	右傍	buʌn^{1} biuʌŋ^{1}	魂韻 文韻
0268b	上伊・013オ1・疊字	門	平	モン	左注	muʌn^{1}	魂韻
1625b	上度・062ウ6・疊字	門	平	モン	左注	muʌn^{1}	魂韻
2131b	上利・075ウ7・疊字	門	平	モン	左注	muʌn^{1}	魂韻
2991b	上加・108オ7・疊字	門	平	モン	左注	muʌn^{1}	魂韻
2996b	上加・108ウ1・疊字	門	平	モン	左注	muʌn^{1}	魂韻
3008b	上加・108ウ3・疊字	門	平	モン	左注	muʌn^{1}	魂韻
1241b	上保・048オ7・疊字	門	—	モン	左注	muʌn^{1}	魂韻
0485b	上波・020ウ3・地儀	門	上	モン	右注	muʌn^{1}	魂韻
1819b	上池・069オ5・疊字	門	上	モン	左注	muʌn^{1}	魂韻
1539	上度・058ウ5・辞字	捫	平	モン	右傍	muʌn^{1}	魂韻
0433a	上呂・019オ1・疊字	論	平	ロン	左注	luʌn$^{1/3}$ liuen^{1}	魂/慁韻 諄韻
0434a	上呂・019オ1・疊字	論	平	ロン	左注	luʌn$^{1/3}$ liuen^{1}	魂/慁韻 諄韻
2092b	上利・075オ6・疊字	論	平	ロン	左注	luʌn$^{1/3}$ liuen^{1}	魂/慁韻 諄韻
0409	上呂・017ウ7・人事	論	去	ロン	右注	luʌn$^{1/3}$ liuen^{1}	魂/慁韻 諄韻
0437a	上呂・019オ2・疊字	論	去	ロン	左注	luʌn$^{1/3}$ liuen^{1}	魂/慁韻 諄韻

3034b	上加・109オ2・疊字	論	去	ロン	左注	luʌn1/3 liuen1	魂/慁韻 諄韻
0420	上呂・018オ5・雜物	論	—	ロン	右注	luʌn1/3 liuen1	魂/慁韻 諄韻
0427	上呂・018ウ4・辞字	論	—	ロンス	右注	luʌn1/3 liuen1	魂/慁韻 諄韻

【表B-02】下巻_Ⅰuʌn 魂韻

番号	前田本所在	掲出字		仮名音注		中古音	韻目
3323a	下古・002ウ2・植物	温	平	ヲン	右傍	'uʌn1	魂韻
5214a	下由・066オ2・地儀	温	平	ヲン	右傍	'uʌn1	魂韻
3370	下古・004オ1・人倫	昆	平	コン	右傍	kuʌn1	魂韻
3350a	下古・003オ3・植物	昆	—	コン	右注	kuʌn1	魂韻
6850	下洲・116オ6・雜物	褌	—	コン	右傍	kuʌn1	魂韻
6203	下飛・095オ7・方角	坤	平	コン	右傍	k'uʌn1	魂韻
3648a	下古・011オ4・疊字	婚	—	コン	右注	xuʌn1	魂韻
5213b	下由・065ウ7・天象	昏	東	コン	右傍	xuʌn1	魂韻
5533b	下師・078ウ7・疊字	昏	東濁	コン	左注	xuʌn1	魂韻
3419a	下古・006ウ1・飲食	餛	平	コン [平平]	右注	ɣuʌn1	魂韻
4857b	下木・056オ4・植物	孫	平	ソン	右傍	suʌn1	魂韻
6096b	下飛・092ウ1・人倫	孫	平	ソン	右傍	suʌn1	魂韻
5700b	下師・082ウ3・疊字	孫	—	ソン	左注	suʌn1	魂韻
5907c	下師・085ウ5・疊字	孫	—	ソン	右傍	suʌn1	魂韻
5907d	下師・085ウ5・疊字	孫	—	ソン	右傍	suʌn1	魂韻
6790a	下洲・113ウ7・植物	蓀	平	ソン	右傍	suʌn1	魂韻
4332	下阿・036オ2・辞字	敦	平	トン	右傍	tuʌn1/3 duɑn1 tuʌi1	魂/慁韻 桓韻 灰韻
6015a	下會・089ウ5・國郡	敦	—	ツル	右傍	tuʌn1/3 duɑn1 tuʌi1	魂/慁韻 桓韻 灰韻
4814b	下佐・047ウ1・雜物	墪	—	トン [平濁平]	右注	tuʌn1	魂韻
6027	下飛・090オ5・天象	暾	平	トン	右傍	t'uʌn1	魂韻
6451	下毛・103ウ7・員數	屯	平	トン	右傍	duʌn1 ṭiuen1	魂韻 諄韻
3419b	下古・006ウ1・飲食	飩	平濁	トン [平濁平]	右注	duʌn1	魂韻
6177	下飛・094ウ7・雜物	盆	—	ヒン	右傍	buʌn1	魂韻
6464a	下毛・105ウ1・重點	門	平	モン	右注	muʌn1	魂韻
6464b	下毛・105ウ1・重點	門	平	モン	右注	muʌn1	魂韻
6777b	下洲・113ウ2・地儀	門	平	モン	左注	muʌn1	魂韻

番号	前田本所在	掲出字		仮名音注		中古音	韻目
6789b	下洲・113ウ6・植物	門	上	モン	右傍	muʌn^{1}	魂韻
3742c	下江・014オ5・地儀	門	—	モン	右注	muʌn^{1}	魂韻
4671b	下佐・051オ6・疊字	門	—	モン	右注	muʌn^{1}	魂韻
6019b	下會・090オ1・官職	門	—	モン	右注	muʌn^{1}	魂韻
6393	下毛・101オ3・地儀	門	—	モン	右注	muʌn^{1}	魂韻
6479a	下毛・105ウ5・疊字	門	—	モン	右注	muʌn^{1}	魂韻
6482a	下毛・106オ1・官職	門	—	モン	右注	muʌn^{1}	魂韻
6684b	下世・111ウ1・疊字	門	—	モン	右注	muʌn^{1}	魂韻

【表B-02】上巻_Ｉuʌn 混韻

番号	前田本所在	掲出字		仮名音注		中古音	韻目
0845b	上波・033オ3・疊字	損	平	ソン	左注	suʌn^{2}	混韻
1398b	上邊・053ウ4・疊字	損	平濁	ソン	右注	suʌn^{2}	混韻
1615a	上度・062ウ4・疊字	遁	去	トン	左注	duʌn$^{2/3}$	混/慁韻
1672a	上度・063ウ2・疊字	遁	去	トン	右注	duʌn$^{2/3}$	混/慁韻
1185a	上保・047ウ3・疊字	本	平	ホン	中注	puʌn^{2}	混韻
1201a	上保・047ウ6・疊字	本	平	ホン	左注	puʌn^{2}	混韻
1234a	上保・048オ6・疊字	本	平	ホン	左注	puʌn^{2}	混韻
1259a	上保・048ウ4・疊字	本	平	ホン	左注	puʌn^{2}	混韻
1260a	上保・048ウ5・疊字	本	平	ホン	右注	puʌn^{2}	混韻
1840b	上池・069ウ2・疊字	本	平濁	ホン	左注	puʌn^{2}	混韻

【表B-02】下巻_Ｉuʌn 混韻

番号	前田本所在	掲出字		仮名音注		中古音	韻目
4382b	下阿・039ウ2・疊字	穏	平	オン	右注	ʼuʌn^{2}	混韻
3651a	下古・011オ5・疊字	閫	上	コン	左注	kʻuʌn^{2}	混韻
3683a	下古・011ウ5・疊字	混	去	コン	右注	ɣuʌn^{2}	混韻
3687a	下古・011ウ6・疊字	混	去	コン	右注	ɣuʌn^{2}	混韻
6220	下飛・096ウ4・辞字	混	去	コン	右傍	ɣuʌn^{2}	混韻
3706a	下古・012オ3・疊字	混	—	コン	左注	ɣuʌn^{2}	混韻
4141	下阿・027ウ2・動物	鯇	上	コン	右傍	ɣuʌn^{2} ɣuan^{2}	混韻 潸韻
3686b	下古・011ウ5・疊字	本	平	ホン	右注	puʌn^{2}	混韻

【表B-02】上巻_Ｉuʌn 慁韻

番号	前田本所在	掲出字		仮名音注		中古音	韻目
1850b	上池・069ウ4・疊字	困	去	コン	左注	kʻuʌn^{3}	慁韻
2413b	上和・090ウ2・疊字	溷	去	コン	右傍	ɣuʌn^{3}	慁韻
0312b	上伊・013ウ4・疊字	頓	去	トン	右注	tuʌn^{3}	慁韻

1676a	上度・063ウ3・疊字	頓	去	トン	左注	tuʌn^3	慁韻
1610a	上度・062ウ3・疊字	頓	去濁	トン	左注	tuʌn^3	慁韻
1673a	上度・063ウ2・疊字	頓	平	トン	右注	tuʌn^3	慁韻
1466b	上度・056ウ1・人事	頓	去	トム	右傍	tuʌn^3	慁韻
1513a	上度・057ウ4・雜物	頓	―	ト	右注	tuʌn^3	慁韻
1586a	上度・062オ5・疊字	頓	平	トウ	左注	tuʌn^3	慁韻
1866b	上池・069ウ7・疊字	鈍	去濁	トン	左注	duʌn^3	慁韻
0455b	上呂・019オ5・疊字	鈍	平濁	トン	右注	duʌn^3	慁韻
1608a	上度・062ウ2・疊字	鈍	平濁	トン	左注	duʌn^3	慁韻
2133b	上利・075ウ7・疊字	鈍	平	トン	左注	duʌn^3	慁韻
3023b	上加・108ウ7・疊字	悶	平	モン	右注	muʌn^3	慁韻

【表B-02】下巻_Ⅰuʌn 慁韻

番号	前田本所在	掲出字		仮名音注		中古音	韻目
5082b	下木・062ウ4・疊字	困	―	コン	左注	k‘uʌn^3	慁韻
6874	下洲・117オ3・員數	寸	―	スン	右注	ts‘uʌn^3	慁韻
6821a	下洲・115オ2・人躰	寸	―	ス	右傍	ts‘uʌn^3	慁韻
6467a	下毛・105ウ3・疊字	悶	平	モン	左注	muʌn^3	慁韻

【表B-02】上巻_Ⅰuʌt 没韻

番号	前田本所在	掲出字		仮名音注		中古音	韻目
0021	上伊・003オ1・地儀	窟	入	コツ	右傍	k‘uʌt	没韻
1071	上保・043オ5・人躰	骨	入	コツ	右傍	kuʌt	没韻
2511a	上加・093ウ6・植物	骨	入	コツ	右傍	kuʌt	没韻
0535	上波・022オ3・動物	鶻	入	コツ	右傍	kuʌt ɣuʌt ɣuɐt	没韻 没韻 黠韻
1221b	上保・048オ3・疊字	卒	入	ソツ	左注	tsuʌt tɛ‘uʌt tsiuet	没韻 没韻 術韻
2572b	上加・095ウ3・人倫	卒	―	ソツ	右傍	tsuʌt tɛ‘uʌt tsiuet	没韻 没韻 術韻
1613a	上度・062ウ4・疊字	突	入	トツ	左注	duʌt	没韻
1876b	上池・070オ2・疊字	突	入	トツ	左注	duʌt	没韻
2924b	上加・107ウ1・疊字	突	入	トツ	左注	duʌt	没韻
1240b	上保・048オ7・疊字	訥	入濁	トツ	右注	nuʌt	没韻
0989b	上仁・040オ3・疊字	沒	入	モツ	中注	muʌt	没韻

【表B-02】下巻_Ⅰuʌt 没韻

番号	前田本所在	掲出字		仮名音注		中古音	韻目
6794	下洲・114オ1・植物	榲	上	ウン	右傍	'uʌt	没韻
3621a	下古・010ウ5・疊字	骨	入	コツ	左注	kuʌt	没韻
5090b	下木・062ウ6・疊字	骨	入	コツ	左注	kuʌt	没韻
3631a	下古・010ウ7・疊字	骨	―	コツ	左注	kuʌt	没韻
3647a	下古・011オ4・疊字	骨	―	コツ	左注	kuʌt	没韻
3698a	下古・012オ1・疊字	骨	―	コツ	左注	kuʌt	没韻
3713a	下古・012オ4・疊字	骨	―	コツ	左注	kuʌt	没韻
3901b	下手・020オ4・人事	骨	―	コツ	右注	kuʌt	没韻
3557a	下古・007オ6・雜物	兀	入濁	コツ［上上］	右注	ŋuʌt	没韻
3692a	下古・011ウ7・疊字	忽	入	コツ	左注	xuʌt	没韻
3699a	下古・012オ1・疊字	忽	入	コツ	左注	xuʌt	没韻
3700a	下古・012オ1・疊字	忽	―	コツ	左注	xuʌt	没韻
5430	下師・074オ2・雜物	笏	入	コツ	右傍	xuʌt	没韻
4644b	下佐・051オ1・疊字	卒	入	ソツ	左注	tsuʌt ts'uʌt tsiuet	没韻 没韻 術韻
6336b	下飛・099オ2・疊字	突	―	トツ	左注	duʌt	没韻
6447a	下毛・103オ7・雜物	沒	―	モツ	右注	muʌt	没韻

【表B-02】上巻_Ⅰʌŋ 登韻

番号	前田本所在	掲出字		仮名音注		中古音	韻目
0766b	上波・032オ1・疊字	僧	上濁	ソウ	右注	$sʌŋ^{1}$	登韻
1018c	上仁・041オ3・官職	僧	―	ソウ	右注	$sʌŋ^{1}$	登韻
0762b	上波・032オ1・疊字	增	去濁	ソウ	右注	$tsʌŋ^{1/3}$	登/嶝韻
0957	上仁・037ウ4・人事	憎	平	ソウ	右傍	$tsʌŋ^{1}$	登韻
1429a	上度・054ウ6・地儀	登	平	トウ	右傍	$tʌŋ^{1}$	登韻
1569a	上度・062オ2・疊字	登	平	トウ	中注	$tʌŋ^{1}$	登韻
1584a	上度・062オ5・疊字	登	平	トウ	左注	$tʌŋ^{1}$	登韻
1585a	上度・062オ5・疊字	登	平	トウ	中注	$tʌŋ^{1}$	登韻
1590a	上度・062オ6・疊字	登	平	トウ	中注	$tʌŋ^{1}$	登韻
1635a	上度・063オ1・疊字	登	平	トウ	左注	$tʌŋ^{1}$	登韻
1639a	上度・063オ2・疊字	登	平	トウ	左注	$tʌŋ^{1}$	登韻
1614a	上度・062ウ4・疊字	登	去	トウ	右注	$tʌŋ^{1}$	登韻
1701a	上度・064ウ2・姓氏	登	―	ト	右注	$tʌŋ^{1}$	登韻
1491	上度・057オ5・雜物	燈	平	トウ	右傍	$tʌŋ^{1}$	登韻
1659a	上度・063オ6・疊字	燈	平	トウ	左注	$tʌŋ^{1}$	登韻
1494a	上度・057オ5・雜物	燈	去	トウ	右傍	$tʌŋ^{1}$	登韻
1495a	上度・057オ6・雜物	燈	去	トウ	右注	$tʌŋ^{1}$	登韻
1496a	上度・057オ6・雜物	燈	去	トウ	右注	$tʌŋ^{1}$	登韻
1580a	上度・062オ4・疊字	燈	去	トウ	左注	$tʌŋ^{1}$	登韻

1660a	上度・063オ6・疊字	燈	去	トウ	左注	tʌŋ^{1}	登韻
1497a	上度・057オ6・雜物	燈	—	トウ	右注	tʌŋ^{1}	登韻
1498a	上度・057オ6・雜物	燈	—	トウ	右注	tʌŋ^{1}	登韻
1668a	上度・063ウ1・疊字	騰	平	トウ	右注	dʌŋ^{1}	登韻
1669a	上度・063ウ1・疊字	藤	平	トウ	左注	dʌŋ^{1}	登韻
0331b	上伊・014オ1・疊字	能	平	ノウ	左注	nʌŋ$^{1/2}$ nʌi$^{1/3}$	登/等韻 咍/代韻
3081b	上加・109ウ4・疊字	能	上	ノウ	左注	nʌŋ$^{1/2}$ nʌi$^{1/3}$	登/等韻 咍/代韻
0372a	上伊・015ウ6・国郡	能	—	ノ	右傍	nʌŋ$^{1/2}$ nʌi$^{1/3}$	登/等韻 咍/代韻
3163a	上加・111ウ5・國郡	能	—	ノ	右傍	nʌŋ$^{1/2}$ nʌi$^{1/3}$	登/等韻 咍/代韻
1626b	上度・062ウ6・疊字	朋	平濁	ホウ	左注	bʌŋ^{1}	登韻
1217a	上保・048オ2・疊字	朋	去濁	ホウ	右傍	bʌŋ^{1}	登韻
1084	上保・043ウ6・人事	崩	平	ホウ [上平]	右注	pʌŋ^{1}	登韻

【表B-02】下巻_Ⅰʌŋ 登韻

番号	前田本所在	掲出字		仮名音注		中古音	韻目
5260	下由・068ウ7・辞字	摦	—	クワン	右傍	kʌŋ$^{1/3}$	登/嶝韻
6096a	下飛・092ウ1・人倫	曽	平	ソウ	右傍	tsʌŋ^{1} dzʌŋ^{1}	登韻 登韻
3734b	下古・013ウ3・姓氏	曽	—	ソ	右注	tsʌŋ^{1} dzʌŋ^{1}	登韻 登韻
3313	下古・002オ2・地儀	層	平	ソウ	右傍	dzʌŋ^{1}	登韻
5327b	下師・071オ1・人倫	僧	—	ソウ	右注	sʌŋ^{1}	登韻
5329b	下師・071オ1・人倫	僧	—	ソウ	右傍	sʌŋ^{1}	登韻
4263	下阿・032オ6・雜物	罾	平	ソウ	右傍	tsʌŋ^{1}	登韻
5773b	下師・084オ3・疊字	燈	—	トウ	左注	tʌŋ^{1}	登韻
6300b	下飛・098ウ2・疊字	騰	平	トウ	左注	dʌŋ^{1}	登韻
3717b	下古・012オ5・疊字	藤	平	トウ	左注	dʌŋ^{1}	登韻
4071	下阿・025オ6・地儀	堋	平	ホウ	左注	bʌŋ^{1} p'ʌŋ^{1} pʌŋ^{3}	登韻 登韻 嶝韻

【表B-02】上巻_Ⅰʌŋ 等韻

番号	前田本所在	掲出字		仮名音注		中古音	韻目
1564	上度・061オ3・辞字	等	上	トウ	右傍	tʌŋ^{2}	等韻
1603a	上度・062ウ1・疊字	等	上	トウ	左注	tʌŋ^{2}	等韻
1623a	上度・062ウ6・疊字	等	上	トウ	左注	tʌŋ^{2}	等韻

1629a	上度・062ウ7・疊字	等	平	トウ	左注	tʌŋ2	等韻
1658a	上度・063オ6・疊字	等	平	トウ	中注	tʌŋ2	等韻
1674a	上度・063ウ2・疊字	等	平	トウ	右注	tʌŋ2	等韻
1675b	上度・063ウ2・疊字	等	去濁	トウ	右注	tʌŋ2	等韻

【表B-02】下巻_Ⅰʌŋ 等韻

番号	前田本所在	掲出字		仮名音注		中古音	韻目
6311b	下飛・098ウ4・疊字	等	平濁	トウ	中注	tʌŋ2	等韻

【表B-02】下巻_Ⅰʌŋ 嶝韻

番号	前田本所在	掲出字		仮名音注		中古音	韻目
4138b	下阿・027オ7・動物	鐙	去	トウ	右傍	tʌŋ3	嶝韻
4434	下佐・042ウ1・地儀	嶝	去	トウ	右傍	tʌŋ3	嶝韻

【表B-02】上巻_Ⅰʌk 徳韻

番号	前田本所在	掲出字		仮名音注		中古音	韻目
0431b	上呂・019オ1・疊字	尅	入	コク	中注	k'ʌk	徳韻
0460b	上呂・019ウ5・官職	尅	—	コク	右注	k'ʌk	徳韻
0596a	上波・024オ7・人躰	黒	入	コク	右傍	xʌk	徳韻
0679a	上波・027オ6・雜物	黒	入	コク	右傍	xʌk	徳韻
0235b	上伊・012ウ2・疊字	則	入	ソク	右注	tsʌk	徳韻
3043b	上加・109オ4・疊字	賊	入濁	ソク	左注	dzʌk	徳韻
0094b	上伊・005オ4・動物	賊	入	ソク	—	dzʌk	徳韻
1434b	上度・055オ1・植物	賊	入	ソク	右傍	dzʌk	徳韻
0584a	上波・024オ3・人躰	塞	入	ソク	右傍	sʌk sʌi3	徳韻 代韻
1576a	上度・062オ3・疊字	得	入	トク	左注	tʌk	徳韻
1621a	上度・062ウ5・疊字	得	入	トク	左注	tʌk	徳韻
1622a	上度・062ウ5・疊字	得	入	トク	左注	tʌk	徳韻
1678a	上度・063ウ3・疊字	得	入	トク	左注	tʌk	徳韻
1470	上度・056ウ2・人事	得	—	トク	右注	tʌk	徳韻
1700a	上度・064オ7・官職	得	—	トク	右注	tʌk	徳韻
1702	上度・065オ3・名字	得	—	トク	右注	tʌk	徳韻
1630a	上度・062ウ7・疊字	徳	入	トク	中注	tʌk	徳韻
1640a	上度・063オ2・疊字	徳	入	トク	左注	tʌk	徳韻
1641a	上度・063オ2・疊字	徳	入	トク	左注	tʌk	徳韻
1680a	上度・063ウ3・疊字	徳	入	トク	右注	tʌk	徳韻
1050b	上保・042オ7・動物	德	入	トク	右傍	tʌk	徳韻
1598b	上度・062オ7・疊字	德	入	トク	左注	tʌk	徳韻
1664b	上度・063オ7・疊字	德	入	トク	左注	tʌk	徳韻
2129b	上利・075ウ6・疊字	德	入	トク	左注	tʌk	徳韻
0156b	上伊・008オ2・人事	德	—	トク	右注	tʌk	徳韻

1703	上度・065オ3・名字	徳	―	トク	右注	tʌk	徳韻
1149a	上保・047オ3・疊字	北	入	ホク	中注	pʌk	徳韻
1150a	上保・047オ3・疊字	北	入	ホク	中注	pʌk	徳韻
1028a	上保・041ウ1・天象	北	―	ホク [上上]	右注	pʌk	徳韻
0979	上仁・039オ1・辞字	北	―	ホク	右傍	pʌk	徳韻
1029a	上保・041ウ1・天象	北	―	ホク	左注	pʌk	徳韻
1087a	上保・044オ2・人事	北	―	ホク	右傍	pʌk	徳韻
1251a	上保・048ウ2・疊字	北	―	ホク	左注	pʌk	徳韻
1272a	上保・049オ6・諸社	北	―	ホク	右注	pʌk	徳韻
3149b	上加・111ウ2・國郡	北	―	ホク	右傍	pʌk	徳韻
1264a	上保・048ウ5・疊字	墨	入濁	ホク	左注	mʌk	徳韻
2797	上加・101ウ2・辞字	克	―	ヨク	右傍	k'ʌk	徳韻
0641a	上波・026オ4・雑物	勒	入	ロク	右傍	lʌk	徳韻
0426	上呂・018ウ4・辞字	勒	入	ロク	右注	lʌk	徳韻
2761c	上加・100オ6・雑物	勒	―	ロク	右注	lʌk	徳韻

【表B-02】下巻_Ⅰʌk 徳韻

番号	前田本所在	掲出字		仮名音注		中古音	韻目
3588a	下古・010オ3・重點	尅	―	コク	右注	k'ʌk	徳韻
3588b	下古・010オ3・重點	尅	―	コク	右注	k'ʌk	徳韻
4054b	下阿・024ウ2・天象	則	入	ソク	右注	tsʌk	徳韻
3354a	下古・003オ7・動物	特	入	トク	右傍	dʌk	徳韻
5151b	下木・063ウ6・疊字	特	入	トク	左注	dʌk	徳韻
6629b	下世・110ウ5・疊字	徳	入	トク	右注	tʌk	徳韻
3609b	下古・010ウ2・疊字	徳	―	トク	中注	tʌk	徳韻
5001b	下木・061オ7・疊字	徳	―	トク	右注	tʌk	徳韻
6743b	下世・112オ5・疊字	徳	―	トク	左注	tʌk	徳韻
5824b	下師・084ウ4・疊字	得	―	トク	左注	tʌk	徳韻
5908c	下師・085ウ5・疊字	得	―	ト	右傍	tʌk	徳韻
4123a	下阿・026ウ6・植物	蔔	―	フク	右傍	bʌk	徳韻
6834	下洲・116オ2・雜物	墨	入濁	ホク	右傍	bʌk	徳韻
6838a	下洲・116オ3・雜物	墨	入濁	ホク	右傍	bʌk	徳韻
6839b	下洲・116オ3・雜物	墨	―	ホク	右傍	bʌk	徳韻
6477a	下毛・105ウ5・疊字	黙	―	モク	右注	mʌk	徳韻
5493	下師・076オ3・辞字	勒		ロク	右傍	lʌk	徳韻
4286	下阿・032ウ5・雜物	朸	入	ロク	右傍	lʌk liɐk	徳韻 職韻

【表B-02】上巻_Ⅰuʌŋ 登韻

番号	前田本所在	掲出字		仮名音注		中古音	韻目
1747b	上池・067オ3・人事	肱	上	コウ	右傍	kuʌŋ[1]	登韻

【表B-02】下巻_Ⅰuʌŋ 登韻

番号	前田本所在	掲出字		仮名音注		中古音	韻目
3619b	下古・010ウ4・疊字	肱	平	コウ	右注	kuʌŋ^{1}	登韻
6120	下飛・093オ2・人躰	肱	平	トウ	右傍	kuʌŋ^{1}	登韻
3716b	下古・012オ5・疊字	肱	—	コウ	左注	kuʌŋ^{1}	登韻
3317a	下古・002オ4・地儀	弘	平	コウ	右注	ɣuʌŋ^{1}	登韻

【表B-02】上巻_Ⅰuʌk 徳韻

番号	前田本所在	掲出字		仮名音注		中古音	韻目
2034b	上利・074ウ2・疊字	國	入濁	コク	左注	kuʌk	徳韻
1693c	上度・064オ4・国郡	國	—	コク	右注	kuʌk	徳韻
2392b	上和・090オ5・疊字	惑	入	ホウ	中注	ɣuʌk	徳韻
1405b	上邊・053ウ5・疊字	惑	入	ワク	右注	ɣuʌk	徳韻
1954b	上池・071オ5・疊字	惑	—	ワク	右傍	ɣuʌk	徳韻

【表B-02】下巻_Ⅰuʌk 徳韻

番号	前田本所在	掲出字		仮名音注		中古音	韻目
3654a	下古・011オ6・疊字	國	—	コク	左注	kuʌk	徳韻
3655a	下古・011オ6・疊字	國	—	コク	左注	kuʌk	徳韻

【表B-02】上巻_Ⅰʌuŋ 東韻

番号	前田本所在	掲出字		仮名音注		中古音	韻目
1458b	上度・056オ3・人倫	公	—	クウ	右注	kʌuŋ^{1}	東韻
0002b	上伊・002オ3・天象	公	平	コウ	右傍	kʌuŋ^{1}	東韻
1184b	上保・047ウ3・疊字	公	平	コウ	中注	kʌuŋ^{1}	東韻
2707	上加・099オ4・雜物	釭	平	コウ	右傍	kʌuŋ^{1} kɑuŋ^{1} kauŋ^{1}	東韻 冬韻 江韻
2148	上奴・076ウ6・動物	�	平	コウ	右傍	k'ʌuŋ^{1}	東韻
0054	上伊・003ウ7・植物	葒	平	コウ	右傍	ɣʌuŋ^{1}	東韻
0090	上伊・004ウ7・動物	鯼	平	ソウ	右傍	tsʌuŋ$^{1/3}$	東/送韻
1727	上池・066オ5・動物	鯼	平	ソウ	右傍	tsʌuŋ$^{1/3}$	東/送韻
0223	上伊・011ウ6・辞字	悤	平	ソウ	右傍	ts'ʌuŋ^{1}	東韻
1542	上度・059オ5・辞字	聡	平	ソウ	右傍	ts'ʌuŋ^{1}	東韻
0432b	上呂・019オ1・疊字	通	去	ツウ	左注	t'ʌuŋ^{1}	東韻
2192b	上留・079ウ3・疊字	通	上	ツウ	中注	t'ʌuŋ^{1}	東韻
1430a	上度・054ウ6・地儀	通	平	トウ	右傍	t'ʌuŋ^{1}	東韻
1612a	上度・062ウ3・疊字	通	平	トウ	左注	t'ʌuŋ^{1}	東韻
1648a	上度・063オ4・疊字	通	平	トウ	中注	t'ʌuŋ^{1}	東韻
1664a	上度・063オ7・疊字	通	平	トウ	左注	t'ʌuŋ^{1}	東韻

2524b	上加・094オ5・動物	通	—	トウ	右傍	t'ʌuŋ1	東韻
1575a	上度・062オ3・疊字	東	平	トウ	中注	tʌuŋ1	東韻
1577a	上度・062オ3・疊字	東	平	トウ	右注	tʌuŋ1	東韻
1653a	上度・063オ5・疊字	東	平	トウ	左注	tʌuŋ1	東韻
1667a	上度・063ウ1・疊字	東	平	トウ	左注	tʌuŋ1	東韻
1631a	上度・062ウ7・疊字	東	去	トウ	右注	tʌuŋ1	東韻
1634a	上度・063オ1・疊字	東	去	トウ	左注	tʌuŋ1	東韻
1654a	上度・063オ5・疊字	東	去	トウ	左注	tʌuŋ1	東韻
1695a	上度・064オ6・官職	東	—	トウ	右傍	tʌuŋ1	東韻
3289b	上波・034ウ7・國郡	東	—	トウ	右注	tʌuŋ1	東韻
0924b	上仁・035ウ7・天象	蝀	—	トウ	右傍	tʌuŋ1/2	東/董韻
2555b	上加・095オ1・動物	蝀	—	トウ	右傍	tʌuŋ1/2	東/董韻
1591a	上度・062オ6・疊字	童	平	トウ	中注	dʌuŋ1	東韻
1599a	上度・062ウ1・疊字	童	平	トウ	左注	dʌuŋ1	東韻
1600a	上度・062ウ1・疊字	童	平	トウ	左注	dʌuŋ1	東韻
2299	上和・086ウ3・人倫	童	平	トウ	右傍	dʌuŋ1	東韻
1457a	上度・056オ2・人倫	童	—	トウ	右注	dʌuŋ1	東韻
1633a	上度・063オ1・疊字	僮	平	トウ	左注	dʌuŋ1	東韻
1592a	上度・062オ6・疊字	同	平	トウ	中注	dʌuŋ1	東韻
1596a	上度・062オ7・疊字	同	平	トウ	左注	dʌuŋ1	東韻
1611a	上度・062ウ3・疊字	同	平	トウ	左注	dʌuŋ1	東韻
1625a	上度・062ウ6・疊字	同	平	トウ	左注	dʌuŋ1	東韻
1662a	上度・063オ7・疊字	同	平	トウ	左注	dʌuŋ1	東韻
1675a	上度・063ウ2・疊字	同	平	トウ	右注	dʌuŋ1	東韻
1593a	上度・062オ6・疊字	同	平 去	トウ	左注	dʌuŋ1	東韻
1594a	上度・062オ7・疊字	同	平 去	トウ	左注	dʌuŋ1	東韻
1624a	上度・062ウ6・疊字	同	平 去濁	トウ	左注	dʌuŋ1	東韻
1521a	上度・058オ1・光彩	同	去濁	トウ	右注	dʌuŋ1	東韻
1607a	上度・062ウ2・疊字	同	去濁	トウ	右注	dʌuŋ1	東韻
1626a	上度・062ウ6・疊字	同	去濁	トウ	左注	dʌuŋ1	東韻
1627a	上度・062ウ6・疊字	同	去濁	トウ	左注	dʌuŋ1	東韻
1628a	上度・062ウ7・疊字	同	去濁	トウ	左注	dʌuŋ1	東韻
1656a	上度・063オ5・疊字	同	去濁	トウ	左注	dʌuŋ1	東韻
1674b	上度・063ウ2・疊字	同	去濁	トウ	右注	dʌuŋ1	東韻
3271b	上与・118オ1・疊字	同	—	トウ	右注	dʌuŋ1	東韻
0263b	上伊・012ウ7・疊字	桐	平	トウ	中注	dʌuŋ1	東韻
1666a	上度・063ウ1・疊字	桐	平	トウ	左注	dʌuŋ1	東韻
1463a	上度・056ウ1・人事	銅	平	トウ	右傍	dʌuŋ1	東韻
1512a	上度・057ウ4・雜物	銅	平	トウ	左傍	dʌuŋ1	東韻
1571a	上度・062オ2・疊字	銅	平	トウ	右注	dʌuŋ1	東韻
1632a	上度・063オ1・疊字	銅	平	トウ	中注	dʌuŋ1	東韻

1646a	上度・063オ3・疊字	銅	平	トウ	左注	dʌuŋ[1]	東韻
1568a	上度・057ウ4・雜物	銅	平	ト	右注	dʌuŋ[1]	東韻
1578a	上度・062オ3・疊字	洞	去	トウ	左注	dʌuŋ[1/3]	東/送韻
1519	上度・057ウ6・雜物	筒	平	トウ ［平濁上］	右注	dʌuŋ[1/3]	東/送韻
1554	上度・059ウ3・辞字	筒	―	トウ ［平濁上］	右注	dʌuŋ[1/3]	東/送韻
0133	上伊・007オ1・人事	恫	―	トウ	右傍	t'ʌuŋ[1] dʌuŋ[3]	東/送韻
0554	上波・022ウ7・動物	蜂	平	ホウ	右傍	bʌuŋ[1] p'iauŋ[1]	東韻 鍾韻
1236a	上保・048オ6・疊字	蜂	平	ホウ	中注	bʌuŋ[1] p'iauŋ[1]	東韻 鍾韻
1159a	上保・047オ5・疊字	蓬	平	ホウ	右注	bʌuŋ[1]	東韻
1179a	上保・047ウ2・疊字	蓬	平	ホウ	左注	bʌuŋ[1]	東韻
1195a	上保・047ウ5・疊字	蓬	平	ホウ	左注	bʌuŋ[1]	東韻
1197a	上保・047ウ5・疊字	蓬	平	ホウ	左注	bʌuŋ[1]	東韻
1205a	上保・047ウ7・疊字	蓬	平	ホウ	左注	bʌuŋ[1]	東韻
1242a	上保・048ウ1・疊字	蓬	平	ホウ	右注	bʌuŋ[1]	東韻
1243a	上保・048ウ1・疊字	蓬	平	ホウ	左注	bʌuŋ[1]	東韻
2511b	上加・093ウ6・植物	蓬	平	ホウ	右傍	bʌuŋ[1]	東韻
3184	上与・113ウ6・植物	蓬	平	ホウ	右傍	bʌuŋ[1]	東韻
1241a	上保・048オ7・疊字	蓬	去	ホウ	左注	bʌuŋ[1]	東韻
1505	上度・057ウ2・雜物	篷	―	ホウ	右傍	bʌuŋ[1]	東韻
0602	上波・024ウ4・人事	懜	平濁	ホウ	右傍	mʌuŋ[1] miʌuŋ[1] mʌŋ[3]	東韻 東韻 嶝韻
1599b	上度・062ウ1・疊字	蒙	平	モウ	左注	mʌuŋ[1]	東韻
0181a	上伊・008ウ6・雜物	艨	平	モウ	右傍	mʌuŋ[1] miʌuŋ[3]	東韻 送韻
2283a	上遠・085オ1・疊字	朦	平	モウ	右傍	mʌuŋ[1]	東韻
2562b	上加・095オ4・動物	蠓	上	モウ	右傍	mʌuŋ[1/2]	東/董韻
0435a	上呂・019オ1・疊字	籠	平	ロウ	右注	lʌuŋ[1/2] liauŋ[1]	東/董韻 鍾韻
0441a	上呂・019オ3・疊字	籠	平	ロウ	中注	lʌuŋ[1/2] liauŋ[1]	東/董韻 鍾韻
1518b	上度・057ウ5・雜物	籠	平	ロウ	右傍	lʌuŋ[1/2] liauŋ[1]	東/董韻 鍾韻
0422a	上呂・018オ5・雜物	籠	―	ロウ	右注	lʌuŋ[1/2] liauŋ[1]	東/董韻 鍾韻
2196	上遠・079ウ5・天象	朧	平	ロウ	右注	lʌuŋ[1]	東韻
2283b	上遠・085オ1・疊字	朧	平	ロウ	右傍	lʌuŋ[1]	東韻
2708	上加・099オ4・雜物	櫳	平	ロウ	右傍	lʌuŋ[1]	東韻

0055	上伊・003ウ7・植物	蘢	平	ロウ	右注	lʌuŋ[1] liɑuŋ[1]	東韻 鍾韻

【表B-02】下巻_Ⅰʌuŋ 東韻

番号	前田本所在	掲出字		仮名音注		中古音	韻目
4502b	下佐・044ウ5・人倫	工	―	コウ	右注	kʌuŋ[1]	東韻
4524b	下佐・045ウ6・人事	工	―	ク	右注	kʌuŋ[1]	東韻
4879	下木・057オ1・人倫	公	平	コウ	右傍	kʌuŋ[1]	東韻
5084b	下木・062ウ4・疊字	公	平濁	コウ	左注	kʌuŋ[1]	東韻
5350b	下師・071ウ5・人躰	疘	平	コウ	右傍	kʌuŋ[1]	東韻
6553	下世・109オ6・辞字	攻	平	コウ	右傍	kʌuŋ[1] kɑuŋ[1]	東韻 冬韻
3398	下古・005オ4・人事	功	―	コウ [上平]	中注	kʌuŋ[1]	東韻
3685a	下古・011ウ5・疊字	空	平	クウ	中注	k‘ʌuŋ[1/3]	東/送韻
3426a	下古・006ウ4・雑物	箜	平	コウ	右注	k‘ʌuŋ[1]	東韻
3340a	下古・002ウ7・植物	紅	平	コウ	右注	ɣʌuŋ[1]	東韻
3717a	下古・012オ5・疊字	紅	平	コウ	左注	ɣʌuŋ[1]	東韻
3722a	下古・012オ6・疊字	紅	平	コウ	右注	ɣʌuŋ[1]	東韻
3724a	下古・012オ7・疊字	紅	平	コウ	右注	ɣʌuŋ[1]	東韻
3575a	下古・007ウ5・光彩	紅	―	コウ	右注	ɣʌuŋ[1]	東韻
3726a	下古・012オ7・疊字	紅	―	コウ	右注	ɣʌuŋ[1]	東韻
3725a	下古・012オ7・疊字	紅	平	コ	右注	ɣʌuŋ[1]	東韻
3718a	下古・012オ5・疊字	虹	―	コウ	右注	ɣʌuŋ[1] kʌuŋ[3] kauŋ[3]	東韻 送韻 絳韻
3613a	下古・010ウ3・疊字	鴻	平	コウ	中注	ɣʌuŋ[1/2]	東/董韻
3308a	下古・001ウ7・地儀	鴻	―	コウ	右注	ɣʌuŋ[1/2]	東/董韻
3714a	下古・012オ4・疊字	鴻	―	コウ	左注	ɣʌuŋ[1/2]	東/董韻
4295	下阿・033オ4・光彩	葱	平	ソウ	右傍	ts‘ʌuŋ[1]	東韻
4853	下木・056オ1・植物	葱	平	ソウ	右傍	ts‘ʌuŋ[1]	東韻
4132a	下阿・027オ5・動物	驄	平	ソウ	右傍	ts‘ʌuŋ[1]	東韻
3750	下江・014ウ2・植物	椶	平	ソウ	右傍	tsʌuŋ[1]	東韻
5290a	下師・069ウ4・植物	椶	―	ソウ	右傍	tsʌuŋ[1]	東韻
6971a	下師・069ウ4・植物	椶	―	シウ	右注	tsʌuŋ[1]	東韻
6972a	下師・069ウ4・植物	椶	―	ス	左注	tsʌuŋ[1]	東韻
6792a	下洲・114オ1・植物	椶	―	ス [去]	右注	tsʌuŋ[1]	東韻
3751	下江・014ウ3・植物	葼	平	ソウ	右傍	tsʌuŋ[1]	東韻
6799	下洲・114オ2・植物	葼	平	ソウ	右注	tsʌuŋ[1]	東韻
5291	下師・069ウ5・植物	葼	―	ソウ	右傍	tsʌuŋ[1]	東韻
6270b	下飛・098オ4・疊字	通	平	トウ	左注	t‘ʌuŋ[1]	東韻

4415b	下阿・040ウ7・国郡	東	—	トウ	右傍	tʌuŋ^{1}	東韻
3305	下古・001ウ7・地儀	凍	平	トウ	右傍	tʌuŋ$^{1/3}$	東/送韻
3687b	下古・011ウ6・疊字	同	平	トウ	右注	dʌuŋ^{1}	東韻
5901d	下師・085ウ3・疊字	同	—	トウ	右傍	dʌuŋ^{1}	東韻
5902d	下師・085ウ3・疊字	同	—	トウ	右傍	dʌuŋ^{1}	東韻
4857a	下木・056オ4・植物	桐	平	トウ	右傍	dʌuŋ^{1}	東韻
4858	下木・056オ4・植物	桐	平	トウ	右傍	dʌuŋ^{1}	東韻
4242	下阿・031ウ6・雑物	銅	平 去	トウ	右傍	dʌuŋ^{1}	東韻
5421b	下師・073ウ7・雑物	銅	—	トウ	右注	dʌuŋ^{1}	東韻
4262	下阿・032オ6・雑物	罿	平	トウ	右傍	dʌuŋ^{1} tś'iauŋ^{1}	東韻 鍾韻
4836	下木・055オ7・天象	雺	平	モウ	右傍	mʌuŋ^{1} miʌu^{1} mauŋ^{3} mʌu^{3}	東韻 尤韻 宋韻 候韻
5296	下師・070オ2・動物	鸗	平	ロウ	右傍	lʌuŋ^{1} lauŋ^{1}	東韻 鍾韻
3448	下古・007オ4・雑物	籠	—	ロウ	右傍	lʌuŋ$^{1/2}$ liauŋ^{1}	東/董韻 鍾韻
4499b	下佐・044ウ3・動物	蓊	平	ヲウ	右傍	'ʌuŋ^{1}	東韻

【表B-02】上巻_Ⅰʌuŋ 董韻

番号	前田本所在	掲出字		仮名音注		中古音	韻目
2265	上遠・083ウ2・辞字	捴	—	ソフ	右傍	tsʌuŋ^{2}	董韻
0240b	上伊・012ウ3・疊字	動	去	トウ	右注	dʌuŋ^{2}	董韻
1620a	上度・062ウ5・疊字	動	去	トウ	左注	dʌuŋ^{2}	董韻
1677a	上度・063ウ3・疊字	動	平	トウ	左注	dʌuŋ^{2}	董韻
1188b	上保・047ウ4・疊字	動	平濁	トウ	左注	dʌuŋ^{2}	董韻
0519	上波・021ウ4・植物	菶	平	フ	右傍	pʌuŋ^{2} bʌuŋ^{2}	董韻 董韻

【表B-02】下巻_Ⅰʌuŋ 董韻

番号	前田本所在	掲出字		仮名音注		中古音	韻目
4169a	下阿・028ウ2・人倫	総	上	ソウ	右傍	tsʌuŋ^{2}	董韻
3709b	下古・012オ3・疊字	動	去	トウ	左注	dʌuŋ^{2}	董韻
5036b	下木・061ウ7・疊字	動	去濁	トウ	左注	dʌuŋ^{2}	董韻
4738b	下佐・052ウ1・疊字	動	平	トウ	左注	dʌuŋ^{2}	董韻
5838b	下師・084ウ6・疊字	動	平濁	トウ	左注	dʌuŋ^{2}	董韻

【表B-02】上巻_Ⅰʌuŋ 送韻

番号	前田本所在	掲出字		仮名音注		中古音	韻目
1761	上池・067ウ1・飲食	糉	去	ソウ	右傍	tsʌuŋ3	送韻
1670a	上度・063ウ1・疉字	痛	去	トウ	右注	t'ʌuŋ3	送韻
0127	上伊・006ウ5・人事	痛	—	トウ	右傍	t'ʌuŋ3	送韻
1589a	上度・062オ6・疉字	棟	去	トウ	中注	tʌuŋ3	送韻
1153a	上保・047オ3・疉字	夢	去濁	ホウ	左注	mʌuŋ3 miʌuŋ1	送韻 東韻
1103	上保・044ウ6・雑物	瓮	平	ホン	右傍	'ʌuŋ3	送韻
0443a	上呂・019オ3・疉字	弄	去	ロウ	中注	lʌuŋ3	送韻
1086a	上保・044オ2・人事	弄	去	ロウ	右傍	lʌuŋ3	送韻
0153b	上伊・008オ1・人事	弄	上	ロ	右注	lʌuŋ3	送韻
0414a	上呂・018オ1・人事	哢	去	ロウ	中注	lʌuŋ3	送韻
0439a	上呂・019オ2・疉字	哢	去	ロウ	右注	lʌuŋ3	送韻

【表B-02】下巻_Ⅰʌuŋ 送韻

番号	前田本所在	掲出字		仮名音注		中古音	韻目
6433	下毛・103オ3・雑物	甕	去	オウ	右傍	'ʌuŋ3	送韻
4530b	下佐・046オ3・人事	送		ソウ	右注	sʌuŋ3	送韻
4835a	下木・055オ7・天象	夢	去	ホウ	右傍	mʌuŋ3 miʌuŋ1	送韻 東韻
5229	下由・067オ1・人事	夢	平	ホウ	右傍	mʌuŋ3 miʌuŋ1	送韻 東韻
3848b	下江・017ウ3・疉字	夢	—	ホウ	左注	mʌuŋ3 miʌuŋ1	送韻 東韻

【表B-02】上巻_Ⅰʌuk 屋韻

番号	前田本所在	掲出字		仮名音注		中古音	韻目
1503	上度・057ウ1・雑物	轂	入	コク	右傍	kʌuk	屋韻
2503	上加・093ウ3・植物	穀	—	コク	右傍	kʌuk	屋韻
0246b	上伊・012ウ4・疉字	谷	入	コク	左注	kʌuk lʌuk jiauk giak	屋韻 屋韻 燭韻 藥韻
3117b	上加・110オ4・疉字	谷	入	コク	右注	kʌuk lʌuk jiauk giak	屋韻 屋韻 燭韻 藥韻

3126b	上加・110オ6・疊字	谷	入	コク	右注	kʌuk lʌuk jiauk giak	屋韻 屋韻 燭韻 藥韻
0267b	上伊・013オ1・疊字	族	入	ソク	左注	dzʌuk	屋韻
1594b	上度・062オ7・疊字	族	入	ソク	左注	dzʌuk	屋韻
1845b	上池・069ウ3・疊字	速	入	ソク	左注	sʌuk	屋韻
1520a	上度・057ウ6・雜物	獨	入	トク	右注	dʌuk	屋韻
1616a	上度・062ウ4・疊字	獨	入	トク	中注	dʌuk	屋韻
1617a	上度・062ウ4・疊字	獨	入	トク	左注	dʌuk	屋韻
1618a	上度・062ウ5・疊字	獨	入	トク	左注	dʌuk	屋韻
1619a	上度・062ウ5・疊字	獨	入	トク	左注	dʌuk	屋韻
1511a	上度・057ウ4・雜物	獨	―	ト	右注	dʌuk	屋韻
1459a	上度・056オ5・人體	髑	―	トク	右注	dʌuk	屋韻
1581a	上度・062オ4・疊字	讀	入	トク	左注	dʌuk	屋韻
1637a	上度・063オ2・疊字	讀	入	トク	右注	dʌuk	屋韻
1456a	上度・056オ2・人倫	讀	―	トク	右注	dʌuk	屋韻
2599	上加・096オ6・人體	禿	入	トク	右傍	tʻʌuk	屋韻
0849b	上波・033オ4・疊字	木	入濁	ホク	左注	mʌuk	屋韻
1240a	上保・048オ7・疊字	木	入濁	ホク	右注	mʌuk	屋韻
1262a	上保・048ウ5・疊字	木	入濁	ホク	右注	mʌuk	屋韻
1651b	上度・063オ4・疊字	木	入濁	ホク	中注	mʌuk	屋韻
1068	上保・043オ2・人倫	僕	入濁	ホク	右注	bʌuk bauk	屋韻 沃韻
1219a	上保・048オ3・疊字	僕	入濁	ホク	中注	bʌuk bauk	屋韻 沃韻
1220a	上保・048オ3・疊字	僕	入濁	ホク	左注	bʌuk bauk	屋韻 沃韻
1186a	上保・047ウ3・疊字	ト	入濁	ホク	右傍	pʌuk	屋韻
1226b	上保・048オ4・疊字	禄	入	ロク	右注	lʌuk	屋韻
0408	上呂・017ウ7・人事	禄	―	ロク	右注	lʌuk	屋韻
0419a	上呂・018オ4・雜物	禄	―	ロク	右注	lʌuk	屋韻
0410	上呂・017ウ7・人事	籙	―	ロク ［上上］	右注	lʌuk	屋韻
0490a	上波・020ウ7・植物	鹿	入	ロク	右傍	lʌuk	屋韻
0742b	上波・031ウ4・疊字	鹿	入	ロク	中注	lʌuk	屋韻
2525	上加・094オ6・動物	鹿	入	ロク	右傍	lʌuk	屋韻
2719a	上加・099オ7・雜物	鹿	入	ロク	右傍	lʌuk	屋韻
0404	上呂・017ウ1・動物	鹿	―	ロク	右注	lʌuk	屋韻
0421a	上呂・018オ5・雜物	簏	―	ロウ ［上上］	右傍	lʌuk	屋韻
0415a	上呂・018オ4・雜物	轆	入	ロク	右注	lʌuk	屋韻
0430a	上呂・018ウ6・重點	轆	―	ロク	右注	lʌuk	屋韻
0430b	上呂・018ウ6・重點	轆	―	ロク	右注	lʌuk	屋韻
3045b	上加・109オ4・疊字	屋	入	オク	左注	ʼʌuk	屋韻
0841b	上波・033オ3・疊字	屋	入	ヲク	右注	ʼʌuk	屋韻
1243b	上保・048ウ1・疊字	屋	入	ヲク	左注	ʼʌuk	屋韻

【表B-02】下巻_Ⅰʌuk 屋韻

番号	前田本所在	掲出字		仮名音注		中古音	韻目
3415	下古・006オ6・飲食	穀	入	コク	右傍	kʌuk	屋韻
6427	下毛・102ウ7・飲食	穀	入	コク	右傍	kʌuk	屋韻
3900b	下古・006オ6・飲食	穀	―	コク	中注	kʌuk	屋韻
6924b	下洲・120オ7・疊字	轂	―	コク	左注	kʌuk	屋韻
3436	下古・006ウ7・雜物	穀	入	コク	右傍	ɣʌuk	屋韻
5250	下由・067ウ7・雜物	斛	入	コク	右傍	ɣʌuk	屋韻
3576	下古・007ウ7・員數	斛	―	コク	右注	ɣʌuk	屋韻
6791b	下洲・113ウ7・植物	槲	入	コク	右傍	ɣʌuk	屋韻
5029b	下木・061ウ5・疊字	速	入	ソク	左注	sʌuk	屋韻
5818b	下師・084ウ3・疊字	速	入	ソク	左注	sʌuk	屋韻
4689b	下佐・051ウ3・疊字	速	―	ソク	左注	sʌuk	屋韻
5513	下師・078オ1・辞字	數	入	ソク	右傍	sʌuk ṣauk ṣiuʌ$^{2/3}$	屋韻 覺韻 麌/遇韻
5349b	下師・071ウ4・人躰	嗽	入	ソク	右傍	sʌuk ṣauk sʌu^{3}	屋韻 覺韻 候韻
3406a	下古・005ウ6・人事	獨	入	トク	右傍	dʌuk	屋韻
3662b	下古・011オ7・疊字	獨	入	トク	左注	dʌuk	屋韻
6034a	下飛・090ウ5・地儀	獨	入	トク	右傍	dʌuk	屋韻
6694b	下世・111ウ3・疊字	犢	入	トク	中注	dʌuk	屋韻
3300b	下古・001ウ2・天象	霂	入濁	ホク	右傍	mʌuk	屋韻
5254a	下由・068オ2・雜物	木	入濁	ホク	右注	mʌuk	屋韻
5855b	下師・085オ2・疊字	木	入濁	ホク	右注	mʌuk	屋韻
5709b	下師・082ウ6・疊字	木	―	ホク	右傍	mʌuk	屋韻
6472a	下毛・105ウ4・疊字	木	入濁	モク	左注	mʌuk	屋韻
6404a	下毛・101オ7・植物	木	―	モク ［平平］	右傍	mʌuk	屋韻
4604b	下佐・048オ3・雜物	木	―	モク	右注	mʌuk	屋韻
5278b	下師・069オ7・植物	木	―	モク	右傍	mʌuk	屋韻
6446a	下毛・103オ7・雜物	木	―	モク	右傍	mʌuk	屋韻
6480a	下毛・106オ1・官職	木	―	モク	右注	mʌuk	屋韻
5845b	下師・084ウ7・疊字	卜	入濁	ホク	右傍	pʌuk	屋韻
4135b	下阿・027オ6・動物	鹿	入	ロク	右傍	lʌuk	屋韻
5302	下師・070オ4・動物	鹿	入	ロク	右傍	lʌuk	屋韻
6864a	下洲・116ウ3・雜物	簏	―	ロク	右傍	lʌuk	屋韻
5657b	下師・082オ1・疊字	禄	―	ロク	右傍	lʌuk	屋韻
6627b	下世・110ウ5・疊字	籙	入	ロク	右傍	lʌuk	屋韻
6237b	下飛・097ウ6・疊字	屋	入	ヲク	左注	'ʌuk	屋韻

【表B-03】上巻_Ⅱa 麻韻

番号	前田本所在	掲出字		仮名音注		中古音	韻目
0023	上伊・003オ1・地儀	家	平	カ	左傍	ka^{1}	麻韻
0756b	上波・031ウ6・疊字	家	平	カ	右注	ka^{1}	麻韻
1612b	上度・062ウ3・疊字	家	平	カ	左注	ka^{1}	麻韻
2923a	上加・107ウ1・疊字	家	平	カ	中注	ka^{1}	麻韻
3045a	上加・109オ4・疊字	家	平	カ	左注	ka^{1}	麻韻
3078a	上加・109ウ4・疊字	家	平	カ	右注	ka^{1}	麻韻
3079a	上加・109ウ4・疊字	家	平	カ	右注	ka^{1}	麻韻
1748b	上池・067オ3・人事	家	―	カ	右傍	ka^{1}	麻韻
1972b	上池・072オ1・官職	家	―	ケ	右注	ka^{1}	麻韻
1995b	上利・073オ4・人倫	家	―	ケ	右注	ka^{1}	麻韻
0022	上伊・003オ1・地儀	家	去	ケ俗	右傍	ka^{1}	麻韻
0265b	上伊・013オ1・疊字	家	上	ケ	左注	ka^{1}	麻韻
1231b	上保・048オ5・疊字	家	上	ケ	左注	ka^{1}	麻韻
2987b	上加・108オ6・疊字	家	上	ケ	左注	ka^{1}	麻韻
2889a	上加・107オ1・疊字	加	去	カ	右注	ka^{1}	麻韻
2890a	上加・107オ1・疊字	加	去	カ	左注	ka^{1}	麻韻
2902a	上加・107オ3・疊字	加	去	カ	左注	ka^{1}	麻韻
2910a	上加・107オ5・疊字	加	去	カ	左注	ka^{1}	麻韻
2911a	上加・107オ5・疊字	加	去	カ	左注	ka^{1}	麻韻
3052a	上加・109オ5・疊字	加	去	カ	左注	ka^{1}	麻韻
3176a	上加・112ウ2・姓氏	加	―	カ	右注	ka^{1}	麻韻
3196	上与・114オ5・動物	蛪	―	カ	右傍	ka^{1}	麻韻
2647a	上加・097ウ6・人事	迦	去	カ	左注	ka^{1} kiɑ^{1}	麻韻 歌韻
2753b	上加・100オ4・雜物	枷	平	カ	右傍	ka^{1} ɡiɑ^{1}	麻韻 歌韻
0529	上波・022オ1・植物	茄	平	カ	右傍	ka^{1} ɡiɑ^{1}	麻韻 歌韻
2604	上加・096オ7・人體	痂	平	カ	右傍	ka^{1}	麻韻
2461a	上加・092オ4・地儀	嘉	平	カ	右傍	ka^{1}	麻韻
2915a	上加・107オ6・疊字	嘉	平	カ	中注	ka^{1}	麻韻
2985a	上加・108オ6・疊字	嘉	平	カ	左注	ka^{1}	麻韻
2986a	上加・108オ6・疊字	嘉	平	カ	左注	ka^{1}	麻韻
2229	上遠・080ウ5・動物	麚	―	カ	右傍	ka^{1}	麻韻
2611b	上加・096ウ2・人體	瘕	去	カ	右傍	ka$^{1/2/3}$	麻/馬/禡韻
2434	上加・091ウ5・地儀	衙	―	カ ［平濁］	右注	ŋa^{1}	麻韻
2852a	上加・106オ6・重點	颬	平	カ	右注	xa^{1}	麻韻
2852b	上加・106オ6・重點	颬	平	カ	右注	xa^{1}	麻韻
2553a	上加・095オ1・動物	蝦	平	カ	右傍	ɣa^{1}	麻韻

3091a	上加・109ウ6・疊字	瑕	平	カ	右注	ɣa¹	麻韻
3092a	上加・109ウ6・疊字	瑕	平	カ	右注	ɣa¹	麻韻
1585b	上度・062オ5・疊字	霞	平濁	カ	中注	ɣa¹	麻韻
2424	上加・091オ5・天象	霞	平	カ	右傍	ɣa¹	麻韻
3123a	上加・110オ6・疊字	霞	平	カ	右注	ɣa¹	麻韻
2867a	上加・106ウ3・疊字	遐	平	カ	左注	ɣa¹	麻韻
0530	上波・022オ1・植物	蕸	平	カ	右傍	ɣa¹	麻韻
0013	上伊・002ウ4・地儀	沙	平	サ	右傍	ṣa^1/3	麻/禡韻
1716b	上池・065ウ2・地儀	沙	平	サ	右傍	ṣa^1/3	麻/禡韻
2550a	上加・094ウ7・動物	沙	平	サ	右傍	ṣa^1/3	麻/禡韻
3121b	上加・110オ5・疊字	沙	平	サ	右注	ṣa^1/3	麻/禡韻
2137b	上利・076オ3・國郡	沙	―	サ	右注	ṣa^1/3	麻/禡韻
0956a	上仁・037ウ2・人躰	皶	平	サ	右傍	tṣa¹	麻韻
2902b	上加・107オ3・疊字	茶	上濁	タ	左注	ḍa¹ dźia¹ duʌ¹	麻韻 麻韻 模韻
1774a	上池・067ウ5・雜物	茶	平	チヤ	右注	ḍa¹	麻韻
1723	上池・065ウ7・植物	茶	平	チヤ	右注	ḍa¹	麻韻
1760	上池・067ウ1・飲食	茶	―	チヤ	右注	ḍa¹	麻韻
0853a	上波・033オ5・疊字	麻	平濁	ハ	左注	ma¹	麻韻
0892b	上波・033ウ6・疊字	麻	平濁	ハ	右注	ma¹	麻韻
2205	上遠・080オ4・植物	麻	平濁	ハ	右傍	ma¹	麻韻
1435b	上度・055オ2・植物	麻	平	ハ	右傍	ma¹	麻韻
0380b	上伊・015ウ7・国郡	麻	―	マ	右傍	ma¹	麻韻
1959b	上池・071ウ3・國郡	麻	―	マ	右傍	ma¹	麻韻
3150b	上加・111ウ3・國郡	麻	―	マ	右傍	ma¹	麻韻
2468a	上加・092ウ3・植物	麻	―	マ	右傍	ma¹	麻韻
0894a	上波・033ウ6・疊字	巴	平	ハ	右注	pa¹	麻韻
0688a	上波・027ウ4・雜物	巴	―	ハ	右注	pa¹	麻韻
0497a	上波・021オ2・植物	芭	平	ハ	右傍	pa¹	麻韻
0521	上波・021ウ4・植物	葩	平	ハ	右傍	p'a¹	麻韻
2553b	上加・095オ1・動物	蟇	平濁	ハ	右傍	ma¹	麻韻

【表B-03】下巻_Ⅱa 麻韻

番号	前田本所在	掲出字		仮名音注		中古音	韻目
3741b	下江・014オ5・地儀	嘉	平	カ	右注	ka¹	麻韻
6379b	下飛・100オ2・國郡	嘉	―	カ	右傍	ka¹	麻韻
3943b	下手・022オ1・疊字	家	平	カ	左注	ka¹	麻韻
4183	下阿・029オ2・人躰	跏	平	カ	右傍	ka¹	麻韻
4488	下佐・044オ5・動物	騢	―	カ	右傍	ka¹	麻韻
5303	下師・070オ4・動物	騢	平	カ	右傍	ka¹	麻韻

4086b	下阿・025ウ6・植物	葭	平	カ	右傍	ka^{1} ɣa^{1}	麻韻 麻韻
3333b	下古・002ウ4・植物	牙	平濁	カ	右傍	ŋa^{1}	麻韻
4490	下佐・044オ5・動物	牙	平濁	カ	右傍	ŋa^{1}	麻韻
4885	下木・057オ5・人躰	牙	平濁	カ	右傍	ŋa^{1}	麻韻
4713b	下佐・052オ1・疊字	牙	平	カ	左注	ŋa^{1}	麻韻
4643b	下佐・050ウ7・疊字	衙	平濁	カ	左注	ŋa^{1}	麻韻
3755	下江・014ウ7・動物	鰕	平	カ	右傍	ɣa^{1}	麻韻
4156b	下阿・028オ2・動物	蝦	平	カ	右傍	ɣa^{1}	麻韻
4950	下木・059ウ3・辞字	瑕	平	カ	右傍	ɣa^{1}	麻韻
4334	下阿・036オ3・辞字	叉	平	サ	右傍	tṣ‘a^{1} tṣ‘ɐ^{1}	麻韻 佳韻
6178a	下飛・094ウ7・雜物	叉	―	サ	右傍	tṣ‘a^{1} tṣ‘ɐ^{1}	麻韻 佳韻
5248	下由・067ウ6・雜物	靫	平	ヒ	右傍	tṣ‘a^{1} tṣ‘ɐ^{1}	麻韻 佳韻
4449a	下佐・043オ1・地儀	杈	―	サ	右傍	tṣ‘a^{1} tṣ‘ɐ^{3}	麻韻 卦韻
4707a	下佐・051ウ7・疊字	嗟	平	サ	左注	tsa^{1}	麻韻
5625a	下師・081オ7・疊字	差	上	シヤ	左注	tṣ‘a^{1} tṣ‘ie^{1} tṣ‘ɐ$^{1/3}$ tṣ‘ɐi^{1}	麻韻 支韻 佳/卦韻 皆韻
4652a	下佐・051オ2・疊字	砂	平	サ	左注	ṣa^{1}	麻韻
6772	下洲・113オ8・地儀	砂	平	サ	右傍	ṣa^{1}	麻韻
3440c	下古・007オ1・雜物	砂	上	サ	右注	ṣa^{1}	麻韻
4603a	下佐・048オ3・雜物	砂	―	サ	右注	ṣa^{1}	麻韻
3441c	下古・007オ1・雜物	砂	上	シヤ ［上濁上］	右注	ṣa^{1}	麻韻
5461b	下師・074ウ5・雜物	砂	―	シヤ	右傍	ṣa^{1}	麻韻
5434	下師・074オ4・雜物	紗	平	サ	右傍	ṣa^{1}	麻韻
5435	下師・074オ4・雜物	紗	平	シヤ	右注	ṣa^{1}	麻韻
5477b	下師・075オ4・光彩	紗	上	シヤ	右注	ṣa^{1}	麻韻
5478b	下師・075オ4・光彩	紗	上	シヤ	右傍	ṣa^{1}	麻韻
3367b	下古・003ウ6・動物	沙	平	サ	右傍	ṣa$^{1/3}$	麻/禡韻
4536a	下佐・046オ5・人事	沙	平	サ	右注	ṣa$^{1/3}$	麻/禡韻
4681a	下佐・051ウ1・疊字	沙	平	サ	中注	ṣa$^{1/3}$	麻/禡韻
4411a	下阿・040ウ6・国郡	沙	―	サ	左傍	ṣa$^{1/3}$	麻/禡韻
4832a	下佐・055オ2・姓氏	沙	―	サ	右注	ṣa$^{1/3}$	麻/禡韻
5328a	下師・071オ1・人倫	沙	―	シヤ	右注	ṣa$^{1/3}$	麻/禡韻
4206	下阿・029ウ2・人躰	皻	平	サ	右傍	tṣa^{1}	麻韻
6351a	下飛・099オ6・疊字	拏	平濁	タ	右傍	na^{1}	麻韻

6146b	下飛・094オ6・雜物	琶	平	ハ	右注	ba^{1}	麻韻
6064b	下飛・091ウ1・植物	杷	平	ハ	右注	$ba^{1/3}$ bue^{3}	麻/禡韻 卦韻
4077a	下阿・025ウ1・地儀	麻	平濁	ハ	右傍	ma^{1}	麻韻
4092	下阿・026オ1・植物	麻	平濁	ハ	右傍	ma^{1}	麻韻
3332b	下古・002ウ4・植物	麻	—	マ	右注	ma^{1}	麻韻
6383b	下飛・100オ3・國郡	麻	—	マ	右傍	ma^{1}	麻韻
4156c	下阿・028オ2・動物	蟇	平濁	ハ	右傍	ma^{1}	麻韻
4483a	下佐・044オ3・動物	巴	平	ハ	右傍	pa^{1}	麻韻
3725b	下古・012オ7・疊字	葩	平	ハウ	右注	$p‘a^{1}$	麻韻

【表B-03】上巻_Ⅱa 馬韻

番号	前田本所在	掲出字		仮名音注		中古音	韻目
2243b	上遠・081オ7・人體	瘂	平	ア	右傍	$'a^{2}$	馬韻
2938a	上加・107ウ4・疊字	雅	上濁	カ	左注	$ŋa^{2}$	馬韻
3065a	上加・109ウ1・疊字	雅	上濁	カ	左注	$ŋa^{2}$	馬韻
3063a	上加・109ウ1・疊字	雅	平濁 去濁	カ	中注	$ŋa^{2}$	馬韻
3064a	上加・109ウ1・疊字	雅	去濁	カ	左注	$ŋa^{2}$	馬韻
1340b	上邊・052ウ6・疊字	下	去	カ	中注	$ɣa^{2/3}$	馬/禡韻
2989a	上加・108オ7・疊字	下	去	カ	左注	$ɣa^{2/3}$	馬/禡韻
2990a	上加・108オ7・疊字	下	去	カ	左注	$ɣa^{2/3}$	馬/禡韻
2943b	上加・107ウ5・疊字	下	平	カ	左注	$ɣa^{2/3}$	馬/禡韻
2988a	上加・108オ7・疊字	下	平	カ	左注	$ɣa^{2/3}$	馬/禡韻
0316b	上伊・013ウ5・疊字	夏	上	カ	右傍	$ɣa^{2/3}$	馬/禡韻
0733b	上波・031ウ2・疊字	夏	去	カ	右注	$ɣa^{2/3}$	馬/禡韻
1794b	上池・068ウ7・疊字	夏	平	カ	左注	$ɣa^{2/3}$	馬/禡韻
1036b	上保・042オ1・植物	夏	上	ケ	右傍	$ɣa^{2/3}$	馬/禡韻
0695	上波・028ウ1・員數	把	—	ハ	右注	pa^{2}	馬韻
0333b	上伊・014オ1・疊字	馬	上濁	ハ	左注	$mɑ^{2}$	馬韻
0751b	上波・031ウ5・疊字	馬	上濁	ハ	左注	ma^{2}	馬韻
0889a	上波・033ウ5・疊字	馬	上濁	ハ	右注	ma^{2}	馬韻
0904a	上波・034オ1・疊字	馬	上濁	ハ	右注	ma^{2}	馬韻
1646b	上度・063オ3・疊字	馬	上濁	ハ	左注	ma^{2}	馬韻
2116b	上利・075ウ4・疊字	馬	上濁	ハ	左注	ma^{2}	馬韻
1859b	上池・069ウ6・疊字	馬	上	ハ	左注	ma^{2}	馬韻
3159b	上加・111ウ4・國郡	馬	—	マ	右傍	ma^{2}	馬韻

【表B-03】下巻_Ⅱa 馬韻

番号	前田本所在	掲出字		仮名音注		中古音	韻目
3747	下江・014ウ2・植物	榎	—	カ	右傍	ka^{2}	馬韻

4397b	下阿・040オ3・疊字	賈	上	カ	右傍	ka$^{2/3}$ kuʌ^{2}	馬/禡韻 姥韻
6851a	下洲・116オ6・雑物	假	上	カ	右傍	ka$^{2/3}$	馬/禡韻
5222b	下由・066オ6・植物	椵	上	カ	右傍	ka$^{2/3}$	馬/禡韻
6006b	下會・089ウ1・疊字	下	去	カ	中注	ɣa$^{2/3}$	馬/禡韻
4783b	下佐・053オ5・疊字	下	―	カ	右注	ɣa$^{2/3}$	馬/禡韻
6252b	下飛・098オ1・疊字	下	平濁	ケ	左注	ɣa$^{2/3}$	馬/禡韻
5888b	下師・085ウ1・疊字	下	―	ケ	右注	ɣa$^{2/3}$	馬/禡韻
4791a	下佐・053オ7・疊字	灑	―	サ	右注	ṣa^{2} ṣɐ^{2} ṣie$^{2/3}$	馬韻 蟹韻 紙/寘韻
5118b	下木・063オ6・疊字	把	上	ハ	左注	pa^{2}	馬韻
4153a	下阿・027ウ7・動物	馬	上濁	ハ	右傍	ma^{2}	馬韻
5462b	下師・074ウ5・雑物	馬	上濁	ハ	右傍	ma^{2}	馬韻
6147a	下飛・094オ6・雑物	馬	上濁	ハ	中注	ma^{2}	馬韻
4538b	下佐・046オ5・人事	馬	―	ハ [上濁]	左注	ma^{2}	馬韻
6961b	下洲・121ウ1・官職	馬	―	メ	右傍	ma^{2}	馬韻
4414b	下阿・040ウ7・国郡	馬	―	マ	右傍	ma^{2}	馬韻
5925b	下師・086ウ2・國郡	馬	―	マ	右傍	ma^{2}	馬韻

【表B-03】上巻_Ⅱa 禡韻

番号	前田本所在	掲出字		仮名音注		中古音	韻目
0172b	上伊・008ウ4・雑物	架	平	カ [平]	右注	ka^{3}	禡韻
2870a	上加・106ウ4・疊字	稼	平	カ	左注	ka^{3}	禡韻
3060a	上加・109オ7・疊字	稼	平	カ	左注	ka^{3}	禡韻
2485	上加・093オ3・植物	稼	―	カ	右注	ka^{3}	禡韻
2925a	上加・107ウ1・疊字	嫁	去	カ	左注	ka^{3}	禡韻
1191b	上保・047ウ4・疊字	駕	平	カ	中注	ka^{3}	禡韻
3171a	上加・112オ6・官職	駕	―	カ	右注	ka^{3}	禡韻
3049b	上加・109オ5・疊字	暇	上濁	カ	左注	ɣa^{3}	禡韻
0148	上伊・007ウ3・人事	詐	―	サ	右傍	tṣa^{3}	禡韻

【表B-03】下巻_Ⅱa 禡韻

番号	前田本所在	掲出字		仮名音注		中古音	韻目
4163	下阿・028オ6・人倫	娅	去	ア	右傍	'a^{3}	禡韻
4387b	下阿・039ウ3・疊字	駕	平濁	カ	右注	ka^{3}	禡韻
4708a	下佐・051ウ7・疊字	詐	上 去	サ	左注	tṣa^{3}	禡韻
6383a	下飛・100オ3・國郡	詫	―	タク	右傍	ṭ'a^{3}	禡韻
3431a	下古・006ウ6・雑物	帊	去	ハ	右傍	p'a^{3}	禡韻

【表B-03】上巻_Ⅱua 麻韻

番号	前田本所在	掲出字		仮名音注		中古音	韻目
2529a	上加・094オ7・動物	騧	平	クワ	右傍	kua¹ kuɐ¹	麻韻 佳韻
2549a	上加・094ウ6・動物	蝸	平	クワ	右傍	kua¹ kuɐ¹	麻韻 佳韻
2395a	上和・090オ5・疊字	蝸	平	ワ	左注	kua¹ kuɐ¹	麻韻 佳韻
2393a	上和・090オ5・疊字	蝸	去	ワ	右傍	kua¹ kuɐ¹	麻韻 佳韻
1082	上保・043ウ4・人事	誇	平	クワ	右傍	kʻua¹	麻韻
1640b	上度・063オ2・疊字	誇	平	クワ	左注	kʻua¹	麻韻
1429b	上度・054ウ6・地儀	華	平	クワ	右傍	xua¹ ɣua¹/³	麻韻 麻/禡韻
3236b	上与・117ウ1・疊字	華	平	クワ	中注	xua¹ ɣua¹/³	麻韻 麻/禡韻
1167b	上保・047オ6・疊字	華	上	クヱ	左注	xua¹ ɣua¹/³	麻韻 麻/禡韻
1273b	上保・049ウ1・諸寺	華	—	クヱ	右注	xua¹ ɣua¹/³	麻韻 麻/禡韻
0517	上波・021ウ2・植物	花	平	クワ	右傍	xua¹	麻韻
1669b	上度・063ウ1・疊字	花	平	クワ	左注	xua¹	麻韻
2004b	上利・073ウ2・人事	花	上	クワ	右注	xua¹	麻韻
2888b	上加・107オ1・疊字	花	上濁	クワ	左注	xua¹	麻韻
2509	上加・093ウ4・植物	樺	平 去	クワ	右傍	ɣua¹/³	麻/禡韻
2406a	上和・090オ7・疊字	窪	平	ワ	左注	ʼua¹	麻韻
2552	上加・095オ1・動物	蛙	—	ワ	右傍	ʼua¹ ʼuɐ¹	麻韻 佳韻

【表B-03】下巻_Ⅱua 麻韻

番号	前田本所在	掲出字		仮名音注		中古音	韻目
4098b	下阿・026オ3・植物	瓜	平	クワ	右傍	kua¹	麻韻
6401b	下毛・101オ7・植物	瓜	平	クワ	右傍	kua¹	麻韻
4846b	下木・055ウ5・地儀	華	平	クワ	右傍	xua¹ ɣua¹/³	麻韻 麻/禡韻
6001b	下會・089オ7・疊字	華	平	クワ	左注	xua¹ ɣua¹/³	麻韻 麻/禡韻
3946b	下手・022オ2・疊字	花	平	クワ	左注	xua¹	麻韻

3330c	下古・002ウ3・植物	花	―	クヱ	左注	xua^{1}	麻韻
4669b	下佐・051オ6・疊字	花	上濁	（ケ）	―	xua^{1}	麻韻

【表B-03】上巻_Ⅱua 馬韻

番号	前田本所在	掲出字		仮名音注		中古音	韻目
2768	上加・100ウ1・雜物	瓦	去濁	クワ	右傍	ŋua$^{2/3}$	馬/禡韻

【表B-03】下巻_Ⅱua 馬韻

番号	前田本所在	掲出字		仮名音注		中古音	韻目
6879	下洲・117オ5・員數	寡	上	クワ	右傍	kua^{2}	馬韻

【表B-03】上巻_Ⅱua 禡韻

番号	前田本所在	掲出字		仮名音注		中古音	韻目
1641b	上度・063オ2・疊字	化	去	クワ	左注	xua^{3}	禡韻
2462b	上加・092オ4・地儀	化	去	クワ	右傍	xua^{3}	禡韻

【表B-03】下巻_Ⅱua 禡韻

番号	前田本所在	掲出字		仮名音注		中古音	韻目
4750b	下佐・052ウ4・疊字	化	去	クワ	左注	xua^{3}	禡韻
5905c	下師・085ウ4・疊字	化	―	クヱ	右傍	xua^{3}	禡韻

【表B-03】上巻_Ⅱai 夬韻

番号	前田本所在	掲出字		仮名音注		中古音	韻目
0555	上波・022ウ7・動物	蠆	―	タイ	右傍	ṭ‘ai^{3}	夬韻

【表B-03】下巻_Ⅱuai 夬韻

番号	前田本所在	掲出字		仮名音注		中古音	韻目
6744b	下世・112オ6・疊字	敗	去	ハイ	右注	bai^{3} pai^{3}	夬韻 夬韻
3681b	下古・011ウ4・疊字	敗	平	ヘン	左注	bai^{3} pai^{3}	夬韻 夬韻
5044b	下木・062オ2・疊字	邁	去	マイ	左注	mai^{3}	夬韻
6906b	下洲・120オ2・疊字	邁	去	マイ	右注	mai^{3}	夬韻

【表B-03】上巻_Ⅱau 肴韻

番号	前田本所在	掲出字		仮名音注		中古音	韻目
0309b	上伊・013ウ3・疊字	交	平	カウ	左注	kau^{1}	肴韻
2979a	上加・108オ5・疊字	交	平	カウ	左注	kau^{1}	肴韻
2982a	上加・108オ5・疊字	交	平	カウ	左注	kau^{1}	肴韻
2849a	上加・106オ6・重點	咬	—	カウ	右注	kau^{1}	肴韻
2849b	上加・106オ6・重點	咬	—	カウ	右注	kau^{1}	肴韻
0072a	上伊・004ウ1・動物	鵁	平	カウ	右傍	kau^{1}	肴韻
0510b	上波・021オ6・植物	芁	平	カウ	右傍	kau^{1}	肴韻
0967	上仁・038オ6・雑物	膠	平	カウ	右傍	kau$^{1/3}$	肴/効韻
2974a	上加・108オ4・疊字	膠	平	カウ	左注	kau$^{1/3}$	肴/効韻
2980a	上加・108オ5・疊字	膠	平	カウ	左注	kau$^{1/3}$	肴/効韻
2981a	上加・108オ5・疊字	膠	平	カウ	左注	kau$^{1/3}$	肴/効韻
3014b	上加・108ウ5・疊字	教	平	カウ	左注	kau$^{1/3}$	肴/効韻
2459a	上加・092オ4・地儀	教	去	カウ	右傍	kau$^{1/3}$	肴/効韻
0750b	上波・031ウ5・疊字	教	平	ケウ	右注	kau$^{1/3}$	肴/効韻
0677a	上波・027オ5・雑物	鉸	去	カウ	右傍	kau$^{1/2/3}$	肴/巧/効韻
2697a	上加・099オ1・雑物	鉸	去	カウ	右傍	kau$^{1/2/3}$	肴/巧/効韻
2433	上加・091ウ4・地儀	郊	—	カウ [ト平]	右注	kau^{1}	肴韻
0581	上波・024オ1・人躰	跤	平	カウ	右傍	k‘au^{1}	肴韻
0984	上仁・039オ5・辞字	淆	平	カウ	右傍	ɣau^{1}	肴韻
2164	上奴・078オ4・辞字	抄	平	セウ	右傍	tṣ‘au$^{1/3}$	肴/効韻
2584	上加・096オ2・人體	髾	平	セム	右傍	ṣau^{1}	肴韻
0841a	上波・033オ3・疊字	茅	平濁	ハウ	右注	mau^{1}	肴韻
1719	上池・065ウ5・植物	茅	平濁	ハウ	右傍	mau^{1}	肴韻
0885a	上波・033ウ4・疊字	茅	平	ハウ	右注	mau^{1}	肴韻
0842a	上波・033オ3・疊字	庖	去	ハウ	左注	bau^{1}	肴韻
1140	上保・046オ3・辞字	咆	平	ハウ	右傍	bau^{1}	肴韻
2423	上加・091オ4・天象	颮	平	ハウ	右傍	bau^{1} pauk	肴韻 覺韻
0091	上伊・005オ1・動物	脬	去	ハウ	右傍	pau^{1}	肴韻
2814	上加・102ウ2・辞字	包	平	ハウ	右傍	pau^{1}	肴韻
0718a	上波・031オ4・重點	苞	—	ハウ	右注	pau^{1}	肴韻
0718b	上波・031オ4・重點	苞	—	ハウ	右注	pau^{1}	肴韻
0792a	上波・032オ7・疊字	苞	平	ハウ	右注	pau^{1}	肴韻

【表B-03】下巻_Ⅱau 肴韻

番号	前田本所在	掲出字		仮名音注		中古音	韻目
6737b	下世・112オ4・疊字	交	上	カウ	右注	kau^{1}	肴韻
3321a	下古・002ウ1・植物	茭	東	カウ	右傍	kau^{1}	肴韻

4494	下佐・044オ7・動物	鮫	平	カウ	右傍	kau^{1}	肴韻
5230b	下由・067オ1・人事	蛟	去	カウ	右傍	kau^{1}	肴韻
5569b	下師・079ウ6・疊字	教	平濁	ケウ	右注	kau$^{1/3}$	肴/効韻
5940b	下師・086ウ6・官職	教	―	ケウ	右注	kau$^{1/3}$	肴/効韻
6749b	下世・112オ7・疊字	骹	平	カウ	右注	k‘au^{1}	肴韻
6750b	下世・112オ7・疊字	骹	平	ヤウ	右注	k‘au^{1}	肴韻
4554	下佐・046ウ5・飲食	肴	平	カウ	右傍	ɣau^{1}	肴韻
4968b	下木・060ウ7・疊字	殽	平	カウ	右注	ɣau^{1}	肴韻
4573a	下佐・047オ6・雜物	鈔	平	サ	右傍	tṣ‘au$^{1/3}$	肴/効韻
5422a	下佐・047オ6・雜物	鈔	平	サフ	右注	tṣ‘au$^{1/3}$	肴/効韻
6775	下洲・113ウ1・地儀	巢	平	サウ	右傍	dẓau^{1}	肴韻
4270	下阿・032オ7・雜物	罺	平	サウ	右傍	tṣau^{1} tṣ‘au^{3}	肴韻 効韻
4157b	下阿・028オ3・動物	蛸	平	サウ	右傍	ṣau^{1} siau^{1}	肴韻 宵韻
4520	下佐・045ウ5・人事	呶	平	サン	右傍	ṇau^{1}	肴韻
3345	下古・003オ1・植物	梢	平	セウ	右傍	ṣau^{1}	肴韻
3830a	下江・017オ6・疊字	茅	平濁	ハウ	右傍	mau^{1}	肴韻
4266	下阿・032オ7・雜物	罞	平	ハウ	右傍	mau^{1} mʌuŋ^{1}	肴韻 東韻
4293a	下阿・033オ1・雜物	苞	平	ハウ	右傍	pau^{1}	肴韻
6454	下毛・104ウ2・辞字	苞	平	ハウ	右傍	pau^{1}	肴韻

【表B-03】上巻_Ⅱau 巧韻

番号	前田本所在	掲出字		仮名音注		中古音	韻目
1683b	上度・063ウ5・疊字	狡	上	カウ	右傍	kau^{2}	巧韻
2973a	上加・108オ4・疊字	巧	上	カウ	左注	k‘au$^{2/3}$	巧/効韻
0843a	上波・033オ3・疊字	飽	去濁	ハウ	左注	pau^{2}	巧韻
0910a	上波・034オ6・疊字	飽	―	ハウ	右注	pau^{2}	巧韻

【表B-03】下巻_Ⅱau 巧韻

番号	前田本所在	掲出字		仮名音注		中古音	韻目
5031b	下木・061ウ6・疊字	巧	上	カウ	左注	k‘au$^{2/3}$	巧/効韻
4713a	下佐・052オ1・疊字	爪	―	サウ	左注	tṣau^{2}	巧韻
6142a	下飛・094オ3・飲食	炒	上	サウ	右傍	tṣ‘au^{2}	巧韻
4149	下阿・027ウ5・動物	鮑	―	ハウ	右傍	bau^{2}	巧韻
4319	下阿・034ウ4・辞字	飽	去	ハウ	右傍	pau^{2}	巧韻
4346	下阿・037ウ3・辞字	飽	平 去	ハウ	右傍	pau^{2}	巧韻
6769a	下洲・113オ5・天象	昴	上濁	ハウ	右傍	mau^{2}	巧韻

【表B-03】上巻_Ⅱau 効韻

番号	前田本所在	掲出字		仮名音注		中古音	韻目
2149	上奴・076ウ7・動物	觘	—	セウ	右傍	tṣʻau^{3}	効韻
2837	上加・105オ1・辞字	觘	去	セウ	右傍	tṣʻau^{3}	効韻
2764	上加・100オ7・雑物	棹	去	タウ	右傍	ḍau^{3}	效韻
0117a	上伊・006オ5・人體	皰	去	ハウ	右傍	pʻau^{3} bau^{3}	効韻
0731a	上波・031ウ1・疉字	豹	去	ハウ	右注	pau^{3}	効韻
2408b	上和・090ウ1・疉字	豹	去	ハウ	右注	pau^{3}	効韻
1289	上邊・050ウ1・動物	豹	去	ヘウ ［平去］	右注	pau^{3}	効韻
3242b	上与・117ウ2・疉字	貌	去	メウ	左注	mau^{3} mauk	効韻 覺韻
3244b	上与・117ウ3・疉字	皃	去	ハウ	左注	mau^{3} mauk	効韻 覺韻

【表B-03】下巻_Ⅱau 効韻

番号	前田本所在	掲出字		仮名音注		中古音	韻目
5394	下師・073オ7・飲食	酵	去	カウ	右傍	kau^{3}	効韻
5710b	下師・082ウ7・疉字	挍	去	カウ	左注	kau^{3} ɣau^{3}	効韻 効韻
6292b	下飛・098ウ1・疉字	校	去	ケウ	右注	kau^{3} ɣau^{3}	効韻 効韻
6419a	下毛・102オ4・人躰	皰	去	ハウ	右傍	pʻau^{3} bau^{3}	効韻 効韻
4134b	下阿・027オ6・動物	豹	去	ハウ	右傍	pau^{3}	効韻
4834a	下木・055オ7・天象	豹	去	ハウ	右傍	pau^{3}	効韻

【表B-03】上巻_Ⅱam 銜韻

番号	前田本所在	掲出字		仮名音注		中古音	韻目
0920b	上波・035オ3・官職	監	—	クワン	右注	kam$^{1/3}$	銜/鑑韻
3013a	上加・108ウ4・疉字	鑒	去	カム	左注	kam$^{1/3}$	銜/鑑韻
3086a	上加・109ウ5・疉字	鑒	去	カム	左注	kam$^{1/3}$	銜/鑑韻
3110a	上加・110オ3・疉字	鑒	平	カム	右注	kam$^{1/3}$	銜/鑑韻
0016	上伊・002ウ5・地儀	巖	平濁	カム	右傍	ŋam^{1}	銜韻
3124a	上加・110オ6・疉字	銜	平濁	カム	右注	ɣam^{1}	銜韻
1991a	上利・073オ2・動物	銜	平	カム	右傍	ɣam^{1}	銜韻
3125a	上加・110オ6・疉字	銜	平	カム	右注	ɣam^{1}	銜韻
0425b	上呂・018オ7・光彩	衫	—	サウ	右注	ṣam^{1}	銜韻

2694b	上加・098ウ6・雜物	衫	—	サミ [平平]	右注	ṣam^{1}	銜韻
2749	上加・100オ3・雜物	鑱	平	サム	右傍	dẓam$^{1/3}$	銜/鑑韻
2807	上加・102オ2・辞字	芟	平	サム	右傍	ṣam^{1}	銜韻

【表B-03】下巻_Ⅱam 銜韻

番号	前田本所在	掲出字		仮名音注		中古音	韻目
6766b	下世・113オ1・官職	監	—	ケム	右傍	kam$^{1/3}$	銜/鑑韻
4601b	下佐・048オ2・雜物	鑱	平	サム	右傍	dẓam$^{1/3}$	銜/鑑韻

【表B-03】上巻_Ⅱam 檻韻

番号	前田本所在	掲出字		仮名音注		中古音	韻目
2448a	上加・092オ1・地儀	檻	—	カン	右注	ɣam^{2}	檻韻

【表B-03】上巻_Ⅱam 鑑韻

番号	前田本所在	掲出字		仮名音注		中古音	韻目
0603	上波・024ウ5・人事	懺	平	サム	右傍	tṣʻam^{3}	鑑韻

【表B-03】下巻_Ⅱam 鑑韻

番号	前田本所在	掲出字		仮名音注		中古音	韻目
4675a	下佐・051オ7・疊字	懺	去濁	サム	左注	tṣʻam^{3}	鑑韻
4521	下佐・045ウ5・人事	懺	去濁	サム [去濁上]	右注	tṣʻam^{3}	鑑韻
4674a	下佐・051オ7・疊字	懺	平	サン	中注	tṣʻam^{3}	鑑韻

【表B-03】上巻_Ⅱap 狎韻

番号	前田本所在	掲出字		仮名音注		中古音	韻目
2515	上加・094オ3・動物	鴨	入	アフ	右傍	ʼap	狎韻
2524a	上加・094オ5・動物	鴨	—	アフ	右傍	ʼap	狎韻
2453a	上加・092オ1・地儀	鴨	入	アウ	右傍	ʼap	狎韻
2876a	上加・106ウ5・疊字	甲	入	カフ	左注	kap	狎韻
3217	上与・115ウ3・雜物	甲	入	カフ	右傍	kap	狎韻
2744a	上加・100オ1・雜物	甲	—	カフ	右注	kap	狎韻
3293a	上加・112ウ6・姓氏	甲	—	カフ	右注	kap	狎韻
3027a	上加・108ウ7・疊字	甲	入	カウ	左注	kap	狎韻
3028a	上加・109オ1・疊字	甲	入	カウ	左注	kap	狎韻
3132a	上加・110ウ1・疊字	甲	—	カウ	中注	kap	狎韻
2592	上加・096オ5・人體	胛	入	カフ	右傍	kap	狎韻
3000a	上加・108ウ2・疊字	狎	入	カフ	左注	ɣap	狎韻

2523	上加・094オ5・動物	翈	入	カフ	右傍	ɣap	狎韻

【表B-03】下巻_Ⅱap 狎韻

番号	前田本所在	掲出字		仮名音注		中古音	韻目
3862a	下江・017ウ5・疊字	壓	平	エン	左注	ʼap	狎韻
4385a	下阿・039ウ3・疊字	押	入	アフ	中注	ʼap kap	狎韻 押韻
4388a	下阿・039ウ3・疊字	押	入	アフ	右注	ʼap kap	狎韻 押韻
4420a	下阿・041オ3・官職	押	―	アフ	右注	ʼap kap	狎韻 押韻
6374a	下飛・100オ2・國郡	甲	―	カフ	右傍	kap	狎韻
4403a	下阿・040ウ5・国郡	甲	―	カウ	右傍	kap	狎韻
4803b	下佐・054オ2・國郡	甲	―	カウ	右傍	kap	狎韻
3364	下古・003ウ5・動物	甲	入	コフ	右傍	kap	狎韻
3382	下古・004オ7・人躰	甲	―	コフ	右注	kap	狎韻

【表B-03】上巻_Ⅱan 刪韻

番号	前田本所在	掲出字		仮名音注		中古音	韻目
2631	上加・097オ4・人事	姦	平	カン	右傍	kan^{1}	刪韻
3036a	上加・109オ2・疊字	姦	平	カン	左注	kan^{1}	刪韻
2623	上加・097オ1・人事	姧	平	カン	右傍	kan^{1}	刪韻
2630	上加・097オ4・人事	姧	平	カン	右傍	kan^{1}	刪韻
3033a	上加・109オ2・疊字	姧	平	カン	左注	kan^{1}	刪韻
2386b	上和・090オ3・疊字	姧	上	カン	左注	kan^{1}	刪韻
2954b	上加・107ウ7・疊字	姧	上	カン	左注	kan^{1}	刪韻
3035a	上加・109オ2・疊字	姧	去	カム	右注	kan^{1}	刪韻
3037a	上加・109オ2・疊字	姧	去	カン	左注	kan^{1}	刪韻
1074a	上保・043オ6・人躰	顔	平濁	カン	右傍	ŋan^{1}	刪韻
1192b	上保・047ウ4・疊字	顔	平濁	カン	左注	ŋan^{1}	刪韻
2390b	上和・090オ4・疊字	顔	平濁	カン	中注	ŋan^{1}	刪韻
2950a	上加・107ウ6・疊字	顔	平	カン	左注	ŋan^{1}	刪韻
3245b	上与・117ウ3・疊字	顔	平濁	カム	左注	ŋan^{1}	刪韻

【表B-03】下巻_Ⅱan 刪韻

番号	前田本所在	掲出字		仮名音注		中古音	韻目
4006b	下手・022ウ7・疊字	姧	平	カン	左注	kan^{1}	刪韻
6920b	下洲・120オ5・疊字	顔	―	カン	左注	ŋan^{1}	刪韻
4735a	下佐・052オ7・疊字	刪	平	サン	左注	ṣan$^{1/3}$	刪/諫韻
5252	下由・068オ1・雜物	潸	平	ハン	右傍	ṣan$^{1/2}$	刪/潸韻

【表B-03】上巻_Ⅱan 諫韻

番号	前田本所在	掲出字		仮名音注		中古音	韻目
2275	上遠・084オ2・辞字	晏	―	アン	右傍	’an^{3} ’ɑn^{3}	諫韻 翰韻
2518	上加・094オ3・動物	鴳	去	アン	右傍	’an^{3}	諫韻
2454a	上加・092オ2・地儀	鴈	去濁	カン	右注	ŋan^{3}	諫韻
2894a	上加・107オ2・疊字	鴈	去濁	カン	左注	ŋan^{3}	諫韻
2912a	上加・107オ5・疊字	鴈	去濁	カン	左注	ŋan^{3}	諫韻
3006a	上加・108ウ3・疊字	鴈	去濁	カン	左注	ŋan^{3}	諫韻

【表B-03】下巻_Ⅱan 諫韻

番号	前田本所在	掲出字		仮名音注		中古音	韻目
4387a	下阿・039ウ3・疊字	晏	平	アン	右注	’an^{3} ’ɑn^{3}	諫韻 翰韻

【表B-03】下巻_Ⅱat 鎋韻

番号	前田本所在	掲出字		仮名音注		中古音	韻目
6586a	下世・110オ5・疊字	刹	入	セツ	左注	ts‘at	鎋韻

【表B-03】上巻_Ⅱuan 刪韻

2638	上加・097ウ1・人事	頑	平	クワン	右傍	ŋuan^{1}	刪韻
1427a	上度・054ウ5・地儀	鐶	平	クワン	右傍	ɣuan^{1}	刪韻
2401b	上和・090オ6・疊字	還	平濁	クヱン	中注	ɣuan^{1}	刪韻
2402b	上和・090オ6・疊字	還	平濁	クワン	左注	ɣuan^{1}	刪韻
0740a	上波・031ウ3・疊字	蠻	平濁	ハン	中注	man^{1}	刪韻
1302b	上邊・051オ6・人事	蠻	平濁	ハン	左注	man^{1}	刪韻
0643a	上波・026オ5・雑物	蠻	―	ハン	右注	man^{1}	刪韻
3229	上与・116ウ3・辞字	攀	平	ハン	右傍	p‘an^{1}	刪韻
0797a	上波・032ウ1・疊字	班	去濁	ハン	左注	pan^{1}	刪韻
0839a	上波・033オ2・疊字	斑	平	ハン	左注	pan^{1}	刪韻
0868a	上波・033ウ1・疊字	斑	平	ハン	右注	pan^{1}	刪韻
0642a	上波・026オ5・雑物	班	―	ハン	右注	pan^{1}	刪韻
1287a	上邊・050オ4・植物	斑	平	ヘン	右注	pan^{1}	刪韻
1308a	上邊・051ウ3・雑物	斑	―	ヘン ［上上］	右傍	pan^{1}	刪韻

【表B-03】下巻_Ⅱuan 刪韻

番号	前田本所在	掲出字		仮名音注		中古音	韻目
6489	下世・106ウ3・地儀	關	平	クワン	右傍	kuan^{1}	刪韻
6557	下世・109ウ1・辞字	關	平	クワン	右傍	kuan^{1}	刪韻
5129b	下木・063ウ1・疊字	關	上	クワン	左注	kuan^{1}	刪韻
5255	下由・068オ2・雜物	鐶	平	クワン	右注	ɣuan^{1}	刪韻
6185a	下飛・095オ1・雜物	鐶	平	クワン	右傍	ɣuan^{1}	刪韻
5849b	下師・085オ1・疊字	環	平	クワン	右注	ɣuan^{1}	刪韻
3758	下江・015オ2・人倫	蠻	平濁	ハン	右傍	man^{1}	刪韻
4680b	下佐・051ウ1・疊字	班	平	ハン	中注	pan^{1}	刪韻
4211	下阿・029ウ7・人事	班	―	ハン	右傍	pan^{1}	刪韻
6488	下世・106ウ3・地儀	灣	平	ラン	右傍	'uan^{1}	刪韻

【表B-03】上巻_Ⅱuan 潸韻

番号	前田本所在	掲出字		仮名音注		中古音	韻目
0547a	上波・022ウ5・動物	鲃	上	ハン	右傍	ban^{2}	潸韻
0174	上伊・008ウ4・雜物	板	上	ハン	右傍	pan^{2}	潸韻
2153a	上奴・077オ5・人躰	板	上	ハン	右傍	pan^{2}	潸韻
3289a	上波・034ウ7・國郡	板	―	ハン	右注	pan^{2}	潸韻
1307a	上邊・051ウ3・雜物	版	去	ヘン	右注	pan^{2}	潸韻
0754a	上波・031ウ6・疊字	版	去	ハム	左注	pan^{2}	潸韻

【表B-03】上巻_Ⅱuan 諫韻

番号	前田本所在	掲出字		仮名音注		中古音	韻目
2949b	上加・107ウ6・疊字	慢	平	マン	左注	man^{3}	諫韻

【表B-03】下巻_Ⅱuan 諫韻

番号	前田本所在	掲出字		仮名音注		中古音	韻目
6404b	下毛・101オ7・植物	槵		クヱン［去濁去平］	右傍	ɣuan^{3}	諫韻
5057b	下木・062オ5・疊字	慢	上	マン	左注	man^{3}	諫韻

【表B-03】上巻_Ⅱaŋ 庚韻

番号	前田本所在	掲出字		仮名音注		中古音	韻目
2908a	上加・107オ5・疊字	更	上	カウ	左注	kaŋ$^{1/3}$	庚/映韻
2922a	上加・107オ7・疊字	更	去	カウ	左注	kaŋ$^{1/3}$	庚/映韻
2783	上加・101オ2・方角	庚	平	カウ	右傍	kaŋ^{1}	庚韻

3226	上与・116オ5・辞字	享	―	カウ	右傍	xaŋ^{1} xiɑŋ^{2}	庚韻 養韻
2510b	上加・093ウ5・植物	衡	平	カウ	右傍	ɣaŋ^{1}	庚韻
2766	上加・100ウ1・雑物	衡	平	カウ	右傍	ɣaŋ^{1}	庚韻
2991a	上加・108オ7・疊字	衡	平濁	カウ	左注	ɣaŋ^{1}	庚韻
0041	上伊・003ウ1・植物	杭	平	カウ	右傍	kaŋ^{1}	庚韻
1250b	上保・048ウ2・疊字	行	平	カウ	左注	ɣaŋ$^{1/3}$ ɣɑŋ$^{1/3}$	庚/映韻 唐/宕韻
2101b	上利・075ウ1・疊字	行	平	カウ	左注	ɣaŋ$^{1/3}$ ɣɑŋ$^{1/3}$	庚/映韻 唐/宕韻
2616	上加・096ウ4・人事	行	平	カウ	右注	ɣaŋ$^{1/3}$ ɣɑŋ$^{1/3}$	庚/映韻 唐/宕韻
2774a	上加・100ウ2・雑物	行	平	カウ	右注	ɣaŋ$^{1/3}$ ɣɑŋ$^{1/3}$	庚/映韻 唐/宕韻
2912b	上加・107オ5・疊字	行	平	カウ	左注	ɣaŋ$^{1/3}$ ɣɑŋ$^{1/3}$	庚/映韻 唐/宕韻
3056a	上加・109オ6・疊字	行	平	カウ	左注	ɣaŋ$^{1/3}$ ɣɑŋ$^{1/3}$	庚/映韻 唐/宕韻
3067a	上加・109ウ1・疊字	行	平	カウ	左注	ɣaŋ$^{1/3}$ ɣɑŋ$^{1/3}$	庚/映韻 唐/宕韻
3071a	上加・109ウ2・疊字	行	平	カウ	左注	ɣaŋ$^{1/3}$ ɣɑŋ$^{1/3}$	庚/映韻 唐/宕韻
3074a	上加・109ウ3・疊字	行	平	カウ	左注	ɣaŋ$^{1/3}$ ɣɑŋ$^{1/3}$	庚/映韻 唐/宕韻
3116a	上加・110オ4・疊字	行	平	カウ	右注	ɣaŋ$^{1/3}$ ɣɑŋ$^{1/3}$	庚/映韻 唐/宕韻
1818b	上池・069オ5・疊字	行	上濁	カウ	左注	ɣaŋ$^{1/3}$ ɣɑŋ$^{1/3}$	庚/映韻 唐/宕韻
1619b	上度・062ウ5・疊字	行	平	キヤウ	左注	ɣaŋ$^{1/3}$ ɣɑŋ$^{1/3}$	庚/映韻 唐/宕韻
3037b	上加・109オ2・疊字	行	平	キヤウ	左注	ɣaŋ$^{1/3}$ ɣɑŋ$^{1/3}$	庚/映韻 唐/宕韻
1173b	上保・047ウ1・疊字	行	平濁	キヤウ	左注	ɣaŋ$^{1/3}$ ɣɑŋ$^{1/3}$	庚/映韻 唐/宕韻
1628b	上度・062ウ7・疊字	行	平濁	キヤウ	左注	ɣaŋ$^{1/3}$ ɣɑŋ$^{1/3}$	庚/映韻 唐/宕韻
1680b	上度・063ウ3・疊字	行	平濁	キヤウ	右注	ɣaŋ$^{1/3}$ ɣɑŋ$^{1/3}$	庚/映韻 唐/宕韻
0443b	上呂・019オ3・疊字	槍	平	サウ	中注	tʂʻaŋ^{1} tsʻiɑŋ^{1}	庚韻 陽韻
0463b	上波・020オ2・天象	槍	平	サウ	右傍	tʂʻaŋ^{1} tsʻiɑŋ^{1}	庚韻 陽韻

0414b	上呂・018オ1・人事	槍	平濁	サウ	中注	tṣ‘aŋ^{1} ts‘iɑŋ^{1}	庚韻 陽韻
3003b	上加・108ウ2・疊字	生	上	シヤウ	左注	ṣaŋ$^{1/3}$	庚/映韻
1725b	上池・066オ4・動物	生	―	シヤウ	右注	ṣaŋ$^{1/3}$	庚/映韻
1854b	上池・069ウ5・疊字	生	上	セイ	左注	ṣaŋ$^{1/3}$	庚/映韻
2234	上遠・081オ3・人倫	甥	平	セイ	右傍	ṣaŋ^{1}	庚韻
1034	上保・041ウ5・地儀	棖	平	タウ	右傍	ḍaŋ^{1}	庚韻
0976	上仁・039オ1・辞字	亨	平	ハウ	右傍	p‘aŋ^{1}	庚韻

【表B-03】下巻_Ⅱaŋ 庚韻

番号	前田本所在	掲出字		仮名音注		中古音	韻目
5211b	下由・065ウ6・天象	庚	平	カウ	右傍	kaŋ^{1}	庚韻
5538b	下師・079オ1・疊字	更	―	カウ	左注	kaŋ$^{1/3}$	庚/映韻
4975a	下木・061オ1・疊字	坑	去	キヤウ	左注	k‘aŋ^{1}	庚韻
4469	下佐・043ウ4・植物	衡	平	カウ	右注	ɣaŋ^{1}	庚韻
6217	下飛・096ウ2・辞字	衡	平	カウ	右傍	ɣaŋ^{1}	庚韻
4702b	下佐・051ウ6・疊字	行	平	カウ	左注	ɣaŋ$^{1/3}$ ɣɑŋ$^{1/3}$	庚/映韻 唐/宕韻
6310b	下飛・098ウ4・疊字	行	平濁	カウ	左注	ɣaŋ$^{1/3}$ ɣɑŋ$^{1/3}$	庚/映韻 唐/宕韻
4998a	下木・061オ6・疊字	行	平	キヤウ	左注	ɣaŋ$^{1/3}$ ɣɑŋ$^{1/3}$	庚/映韻 唐/宕韻
5003a	下木・061オ7・疊字	行	平	キヤウ	左注	ɣaŋ$^{1/3}$ ɣɑŋ$^{1/3}$	庚/映韻 唐/宕韻
5597b	下師・080ウ5・疊字	行	平濁	キヤウ	左注	ɣaŋ$^{1/3}$ ɣɑŋ$^{1/3}$	庚/映韻 唐/宕韻
6938b	下洲・120ウ2・疊字	行	平濁	キヤウ	左注	ɣaŋ$^{1/3}$ ɣɑŋ$^{1/3}$	庚/映韻 唐/宕韻
5604b	下師・080ウ7・疊字	行	上濁	キヤウ	中注	ɣaŋ$^{1/3}$ ɣɑŋ$^{1/3}$	庚/映韻 唐/宕韻
4997a	下木・061オ6・疊字	行	去	キヤウ	左注	ɣaŋ$^{1/3}$ ɣɑŋ$^{1/3}$	庚/映韻 唐/宕韻
4902	下木・057ウ5・人事	行	―	キヤウ	右注	ɣaŋ$^{1/3}$ ɣɑŋ$^{1/3}$	庚/映韻 唐/宕韻
5004a	下木・061オ7・疊字	行	―	キヤウ	左注	ɣaŋ$^{1/3}$ ɣɑŋ$^{1/3}$	庚/映韻 唐/宕韻
5326b	下師・071オ1・人倫	行	―	キヤウ	右注	ɣaŋ$^{1/3}$ ɣɑŋ$^{1/3}$	庚/映韻 唐/宕韻
5577b	下師・080オ3・疊字	行	―	キヤウ	左注	ɣaŋ$^{1/3}$ ɣɑŋ$^{1/3}$	庚/映韻 唐/宕韻

5905b	下師・085ウ4・疊字	行	―	キヤウ	右傍	ɣaŋ$^{1/3}$ ɣɑŋ$^{1/3}$	庚/映韻 唐/宕韻
5951b	下師・087オ3・官職	行	―	キヤウ	右注	ɣaŋ$^{1/3}$ ɣɑŋ$^{1/3}$	庚/映韻 唐/宕韻
5138a	下木・063ウ3・疊字	行	―	キヤウ	右注	ɣaŋ$^{1/3}$ ɣɑŋ$^{1/3}$	庚/映韻 唐/宕韻
5410	下師・073ウ6・雜物	笙	東	セイ	右傍	ṣaŋ^{1}	庚韻
5411	下師・073ウ6・雜物	笙	東	シヤウ	右注	ṣaŋ^{1}	庚韻
5810a	下師・084ウ2・疊字	生	去	シヤウ	右注	ṣaŋ$^{1/3}$	庚/映韻
5460a	下師・074ウ5・雜物	生	―	シヤウ	右注	ṣaŋ$^{1/3}$	庚/映韻
5516a	下師・078ウ1・重點	生	―	シヤウ	右注	ṣaŋ$^{1/3}$	庚/映韻
5516b	下師・078ウ1・重點	生	―	シヤウ	右注	ṣaŋ$^{1/3}$	庚/映韻
5900b	下師・085ウ3・疊字	生	―	シヤウ	右傍	ṣaŋ$^{1/3}$	庚/映韻
5908a	下師・085ウ5・疊字	生	―	シヤウ	右傍	ṣaŋ$^{1/3}$	庚/映韻
4100a	下阿・026オ4・植物	生	平	セイ	右傍	ṣaŋ$^{1/3}$	庚/映韻
5863b	下師・085オ3・疊字	生	平	セイ	右傍	ṣaŋ$^{1/3}$	庚/映韻
3371	下古・004オ3・人倫	甥	平	セイ	右傍	ṣaŋ^{1}	庚韻
5035b	下木・061ウ7・疊字	甥	上	セイ	左注	ṣaŋ^{1}	庚韻
4152a	下阿・027ウ6・動物	髣	平	ハウ	右傍	baŋ^{1}	庚韻
4154	下阿・028オ1・動物	蝱	平濁	ハウ	右傍	maŋ^{1}	庚韻

【表B-03】上巻_Ⅱaŋ 梗韻

番号	前田本所在	掲出字		仮名音注		中古音	韻目
3088a	上加・109ウ6・疊字	挭	上	カウ	右注	kaŋ^{2}	梗韻
1635b	上度・063オ1・疊字	省	上濁	シヤウ	左注	ṣaŋ^{2} sieŋ^{2}	梗韻 靜韻
1966c	上池・071ウ7・官職	省	―	シヤウ	右注	ṣaŋ^{2} sieŋ^{2}	梗韻 靜韻
0098b	上伊・005オ6・動物	蜢	上	マウ	右傍	maŋ^{2}	梗韻

【表B-03】下巻_Ⅱaŋ 梗韻

番号	前田本所在	掲出字		仮名音注		中古音	韻目
3621b	下古・010ウ5・疊字	鯁	平	カウ	左注	kaŋ^{2}	梗韻
4104b	下阿・026オ6・植物	梗	上	キヤウ	右傍	kaŋ^{2}	梗韻
4852b	下木・056オ1・植物	梗	上	キヤウ	右傍	kaŋ^{2}	梗韻
4121	下阿・026ウ5・植物	荇	上	カウ	右傍	ɣaŋ^{2}	梗韻
4927a	下木・058ウ2・雜物	杏	去濁	キヤウ	右注	ɣaŋ^{2}	梗韻
5011b	下木・061ウ2・疊字	省	上	シヤウ	右注	ṣaŋ^{2} sieŋ^{2}	梗韻 靜韻

5201c	下木・065オ4・官職	省	―	シヤウ	右注	ṣaŋ² sieŋ²	梗韻 靜韻
5936c	下師・086ウ6・官職	省	―	シヤウ	右傍	ṣaŋ² sieŋ²	梗韻 靜韻
4653b	下佐・051オ3・疊字	艋	去	マウ	左注	maŋ²	梗韻

【表B-03】上巻_Ⅱak 陌韻

番号	前田本所在	掲出字		仮名音注		中古音	韻目
2328	上和・087オ7・人事	啞	―	アク	右傍	'ak 'ɐk 'a²/³	陌韻 麥韻 馬/禡韻
2848a	上加・106オ6・重點	啞	―	カウ	右注	'ak 'ɐk 'a²/³	陌韻 麥韻 馬/禡韻
2848b	上加・106オ6・重點	啞	―	カウ	右注	'ak 'ɐk 'a²/³	陌韻 麥韻 馬/禡韻
2978b	上加・108オ5・疊字	客	入	カク	中注	k'ak	陌韻
3000b	上加・108ウ2・疊字	客	入	カク	左注	k'ak	陌韻
3068a	上加・109ウ2・疊字	客	入	カク	左注	k'ak	陌韻
3101a	上加・110オ1・疊字	客	入	カク	右注	k'ak	陌韻
0487b	上波・020ウ4・地儀	額	入	カク	右傍	ŋak	陌韻
2770	上加・100ウ1・雜物	額	―	カク［上上］	右注	ŋak	陌韻
3291	上奴・077オ5・人躰	額	―	カク	右傍	ŋak	陌韻
1978b	上池・072オ3・官職	額	―	キヤク	右注	ŋak	陌韻
2850a	上加・106オ6・重點	赫	―	カク	右注	xak	陌韻
2850b	上加・106オ6・重點	赫	―	カク	右注	xak	陌韻
0098a	上伊・005オ6・動物	蚱	入	サク	右傍	tṣak	陌韻
1153b	上保・047オ3・疊字	澤	入	タク	左注	ḍak	陌韻
2224a	上遠・080ウ3・動物	鸐	入	タク	右傍	ḍak	陌韻
0025	上伊・003オ2・地儀	宅	入	タク	右傍	ḍak	陌韻
1383b	上邊・053オ7・疊字	宅	入	タク	左注	ḍak	陌韻
2244	上遠・081ウ2・人事	宅	入	タク	右傍	ḍak	陌韻
2989b	上加・108オ7・疊字	宅	入	タク	左注	ḍak	陌韻
2222a	上奴・076ウ4・植物	杔	―	タク	右傍	tak	陌韻
1731a	上池・066オ7・人倫	嫡	入	チヤク	右注	ṭak tek	陌韻 錫韻
1791a	上池・068ウ5・重點	嫡	―	チヤク	右注	ṭak tek	陌韻 錫韻
1791b	上池・068ウ5・重點	嫡	―	チヤク	右注	ṭak tek	陌韻 錫韻
1851a	上池・069ウ4・疊字	嫡	入	チヤウ	左注	ṭak tek	陌韻 錫韻
0633a	上波・025ウ6・人事	白	入	ハク	左注	bak	陌韻

0689a	上波・027ウ4・雜物	白	入	ハク	右注	bak	陌韻
0724a	上波・031オ7・疊字	白	入	ハク	左注	bak	陌韻
0726a	上波・031オ7・疊字	白	入	ハク	右注	bak	陌韻
0730a	上波・031ウ1・疊字	白	入	ハク	左注	bak	陌韻
0742a	上波・031ウ4・疊字	白	入	ハク	中注	bak	陌韻
0751a	上波・031ウ5・疊字	白	入	ハク	左注	bak	陌韻
0770a	上波・032オ2・疊字	白	入	ハク	左注	bak	陌韻
0779a	上波・032オ4・疊字	白	入	ハク	左注	bak	陌韻
0796a	上波・032ウ1・疊字	白	入	ハク	左注	bak	陌韻
0817a	上波・032ウ5・疊字	白	入	ハク	左注	bak	陌韻
0834a	上波・033オ1・疊字	白	入	ハク	中注	bak	陌韻
0840a	上波・033オ2・疊字	白	入	ハク	中注	bak	陌韻
0890a	上波・033ウ5・疊字	白	入	ハク	左注	bak	陌韻
0892a	上波・033ウ6・疊字	白	入	ハク	右注	bak	陌韻
0893a	上波・033ウ6・疊字	白	入	ハク	左注	bak	陌韻
0895a	上波・033ウ6・疊字	白	入	ハク	左注	bak	陌韻
0898a	上波・033ウ7・疊字	白	入	ハク	右注	bak	陌韻
0623a	上波・025オ7・人事	白	―	ハク	右注	bak	陌韻
0637a	上波・026オ2・飲食	白	―	ハク	左注	bak	陌韻
0771a	上波・032オ3・疊字	白	―	ハク	左注	bak	陌韻
1464b	上度・056ウ1・人事	白	―	ハク	右傍	bak	陌韻
0723a	上波・031オ7・疊字	白	入	ハツ	左注	bak	陌韻
1403b	上邊・053ウ5・疊字	白	入	ヒヤク	右注	bak	陌韻
0657	上波・026ウ3・雜物	帛	入	ハク	右傍	bak	陌韻
1896b	上池・070オ6・疊字	帛	入	ハク	右注	bak	陌韻
3006b	上加・108ウ3・疊字	帛	入	ハク	左注	bak	陌韻
0901a	上波・034オ1・疊字	百	入	ハク	右注	pak	陌韻
0902a	上波・034オ1・疊字	百	入	ハク	右注	pak	陌韻
0903a	上波・034オ1・疊字	百	入	ハク	左注	pak	陌韻
1042a	上保・042オ3・植物	百	入	ハク	右傍	pak	陌韻
2576b	上加・095ウ6・人倫	伯	入	ハク	右傍	pak	陌韻
0913	上波・035オ2・官職	伯	―	ハク	右注	pak	陌韻
3165	上加・112オ2・官職	伯	―	ハク	右傍	pak	陌韻
3277a	上波・034ウ5・國郡	伯	―	ハヽ	右注	pak	陌韻
0059b	上伊・004オ2・植物	栢	入	ハク	右傍	pak	陌韻
2491	上加・093オ7・植物	栢	―	ハク	右傍	pak	陌韻
0725a	上波・031オ7・疊字	迫	入	ハク	左注	pak	陌韻
2261a	上遠・083オ3・雜物	拍	入	ハク	右傍	p‘ak	陌韻
1513b	上度・057ウ4・雜物	拍	―	ヒヤウ	右注	p‘ak	陌韻

【表B-03】下巻_Ⅱak 陌韻

番号	前田本所在	掲出字		仮名音注		中古音	韻目
6443b	下毛・103オ6・雜物	額	―	カウ	右注	ŋak	陌韻
6111	下飛・092ウ7・人躰	額	入濁	カク	右傍	ŋak	陌韻
4653a	下佐・051オ3・疊字	舴	入	サク	左注	tṣak ṭak	陌韻 陌韻

6137b	下飛・094オ1・飲食	糄	入	サク	右傍	ṣak	陌韻
5735b	下師・083オ6・疊字	柵	入	サク	右注	tṣʻak tṣʻɐk ṣan^{3}	陌韻 麥韻 諫韻
4103a	下阿・026オ5・植物	澤	入	タク	右傍	ḍak	陌韻
4280	下阿・032ウ3・雜物	澤	入	タク	右傍	ḍak	陌韻
4435	下佐・042ウ1・地儀	澤	入	タク	右傍	ḍak	陌韻
4455a	下佐・043オ4・植物	澤	入	タク	右傍	ḍak	陌韻
4835b	下木・055オ7・天象	澤	入	タク	右傍	ḍak	陌韻
4682b	下佐・051ウ2・疊字	擇	入	タク	左注	ḍak	陌韻
6636b	下世・110ウ7・疊字	擇	入	タク	左注	ḍak	陌韻
6590b	下世・110オ6・疊字	陌	入	ハク	左注	mak	陌韻
5851b	下師・085オ1・疊字	白	徳?	ハク	右傍	bak	陌韻
6758d	下世・112ウ2・疊字	白	入	ハク	右傍	bak	陌韻
6821b	下洲・115オ2・人躰	白	—	ハク	右傍	bak	陌韻
6062a	下飛・091ウ1・植物	白	入濁	ヒヤク	右注	bak	陌韻
6201a	下飛・095オ5・光彩	白	入濁	ヒヤク	右傍	bak	陌韻
6241a	下飛・097ウ6・疊字	白	入濁	ヒヤク	左注	bak	陌韻
6072a	下飛・091ウ4・植物	白	—	ヒヤク	右注	bak	陌韻
6102a	下飛・092ウ3・人倫	白	—	ヒヤク	右傍	bak	陌韻
6161a	下飛・094ウ2・雜物	白	—	ヒヤク	右注	bak	陌韻
6188a	下飛・095オ2・雜物	白	—	ヒヤク	右傍	bak	陌韻
5219a	下由・066オ5・植物	百	入	ヒヤク	右傍	pak	陌韻
6176a	下飛・094ウ6・雜物	百	—	ヒヤク	右傍	pak	陌韻
4410b	下阿・040ウ6・国郡	伯	—	ヘキ	右傍	pak	陌韻
4828b	下佐・054ウ7・姓氏	伯	—	ヘキ	右注	pak	陌韻
4438b	下佐・042ウ1・地儀	湘	入	ハク	右傍	pak	陌韻
6150a	下飛・094オ6・雜物	拍	入	ハク	右傍	pʻak	陌韻
6149a	下飛・094オ6・雜物	拍	入	ヒヤウ	右注	pʻak	陌韻

【表B-03】上巻_Ⅱuaŋ 庚韻

番号	前田本所在	掲出字		仮名音注		中古音	韻日
2351a	上和・088オ7・雜物	横	平	クワウ	右傍	ɣuaŋ$^{1/3}$ kuɑŋ^{1}	庚/映韻 唐韻
3222a	上与・115ウ4・雜物	横	平	クソウ	右傍	ɣuaŋ$^{1/3}$ kuɑŋ^{1}	庚/映韻 唐韻
2444a	上和・088オ6・雜物	横	平	ワウ	右注	ɣuaŋ$^{1/3}$ kuɑŋ^{1}	庚/映韻 唐韻
2805a	上和・088オ7・雜物	横	平	ワウ	右傍	ɣuaŋ$^{1/3}$ kuɑŋ^{1}	庚/映韻 唐韻
2385a	上和・090オ3・疊字	横	平	ワウ	左注	ɣuaŋ$^{1/3}$ kuɑŋ^{1}	庚/映韻 唐韻
2397a	上和・090オ6・疊字	横	平	ワウ	中注	ɣuaŋ$^{1/3}$ kuɑŋ^{1}	庚/映韻 唐韻

【表B-03】下巻_Ⅱuaŋ 庚韻

番号	前田本所在	掲出字		仮名音注		中古音	韻目
4564	下佐・047オ3・雜物	觥	平	クワウ	右傍	kuaŋ^{1}	庚韻
5873b	下師・085オ5・疊字	觥	平	クワウ	右注	kuaŋ^{1}	庚韻
4916	下木・058オ7・雜物	横	―	クワウ	右傍	ɣuaŋ$^{1/3}$ kuɑŋ^{1}	庚/映韻 唐韻
5874b	下師・085オ5・疊字	横	平	ワウ	右注	ɣuaŋ$^{1/3}$ kuɑŋ^{1}	庚/映韻 唐韻

【表B-03】下巻_Ⅱuaŋ 梗韻

番号	前田本所在	掲出字		仮名音注		中古音	韻目
4282	下阿・032ウ4・雜物	礦	上	クワウ	右傍	kuaŋ^{2}	梗韻

【表B-03】上巻_Ⅱauŋ 江韻

番号	前田本所在	掲出字		仮名音注		中古音	韻目
0019	上伊・002ウ6・地儀	矼	平	カウ	右傍	kauŋ^{1}	江韻
2882a	上加・106ウ6・疊字	江	平	カウ	左注	kauŋ^{1}	江韻
1493	上度・057オ5・雜物	釭	平	カウ	右傍	kauŋ^{1} kʌuŋ^{1} kɑuŋ^{1}	江韻 東韻 冬韻
2891a	上加・107オ1・疊字	降	去濁	カウ	中注	ɣauŋ^{1} kauŋ^{3}	江韻 絳韻
0261b	上伊・012ウ7・疊字	降	平	カウ	左注	ɣauŋ^{1} kauŋ^{3}	江韻 絳韻
3032a	上加・109オ1・疊字	降	平	カウ	左注	ɣauŋ^{1} kauŋ^{3}	江韻 絳韻
3141b	上加・110ウ6・疊字	降	―	コウ	右注	ɣauŋ^{1} kauŋ^{3}	江韻 絳韻
0654	上波・026ウ1・雜物	幢	平	トウ	右傍	ḍauŋ$^{1/3}$	江/絳韻
0922b	上仁・035ウ7・天象	幢	平	トウ	右傍	ḍauŋ$^{1/3}$	江/絳韻
1275b	上保・049ウ1・諸寺	幢	去濁	タウ	右注	ḍauŋ$^{1/3}$	江/絳韻
1168b	上保・047オ7・疊字	幢	去濁	トウ	左注	ḍauŋ$^{1/3}$	江/絳韻
1110b	上保・044ウ7・雜物	幢	―	トウ	右注	ḍauŋ$^{1/3}$	江/絳韻
2642	上加・097ウ3・人事	哤	平	マウ	右傍	mauŋ^{1}	江韻
2126a	上利・075ウ6・疊字	瀧	上	リヨウ	左注	lauŋ^{1} ṣauŋ^{1} lʌuŋ^{1}	江韻 江韻 東韻

2127a	上利・075ウ6・疊字	瀧	上	リヨウ	左注	lauŋ[1] ṣauŋ[1] lʌuŋ[1]	江韻 江韻 東韻

【表B-03】下巻_Ⅱauŋ 江韻

番号	前田本所在	掲出字		仮名音注		中古音	韻目
3737	下江・014オ3・地儀	江	平	カウ	右傍	kauŋ[1]	江韻
5865b	下師・085オ4・疊字	江	平	カウ	右注	kauŋ[1]	江韻
4316	下阿・034ウ1・辞字	扛	平	カウ	右傍	kauŋ[1]	江韻
6434	下毛・103オ3・雑物	缸	平	カウ	右傍	ɣauŋ[1]	江韻
5881b	下師・085オ6・疊字	降	平	カウ	右注	ɣauŋ[1] kauŋ[3]	江韻 絳韻
5736b	下師・083オ6・疊字	窓	平	サウ	右注	tṣ‘auŋ[1]	江韻
6827a	下洲・115ウ1・人事	雙	平	サウ	右傍	ṣauŋ[1]	江韻
6828a	下洲・115ウ1・人事	雙	平	スク	右注	ṣauŋ[1]	江韻
6862a	下洲・116ウ2・雑物	雙	—	スク	右注	ṣauŋ[1]	江韻
4777b	下佐・053オ4・疊字	幢	平	トウ	右注	ḍauŋ[1/3]	江/絳韻
4323	下阿・035オ2・辞字	痝	平	ハウ	右傍	mauŋ[1]	江韻
6510a	下世・107ウ1・動物	尨	—	マウ	右傍	mauŋ[1]	江韻

【表B-03】上巻_Ⅱauŋ 講韻

番号	前田本所在	掲出字		仮名音注		中古音	韻目
0749b	上波・031ウ5・疊字	講	平	カウ	左注	kauŋ[2]	講韻
2437a	上加・091ウ5・地儀	講	平	カウ	右注	kauŋ[2]	講韻
2893a	上加・107オ2・疊字	講	平	カウ	左注	kauŋ[2]	講韻
2896a	上加・107オ2・疊字	講	平	カウ	左注	kauŋ[2]	講韻
2897a	上加・107オ2・疊字	講	平	カウ	左注	kauŋ[2]	講韻
2898a	上加・107オ3・疊字	講	平	カウ	左注	kauŋ[2]	講韻
2899a	上加・107オ3・疊字	講	平	カウ	左注	kauŋ[2]	講韻
2900a	上加・107オ3・疊字	講	平	カウ	左注	kauŋ[2]	講韻
1814b	上池・069オ4・疊字	講	平濁	カウ	左注	kauŋ[2]	講韻
0389b	上伊・016オ5・官職	講	—	カウ	右注	kauŋ[2]	講韻
1971b	上池・072オ1・官職	講	—	カウ	右注	kauŋ[2]	講韻
2860a	上加・106ウ2・疊字	項	去	カウ	左注	ɣauŋ[2]	講韻
0687	上波・027ウ3・雑物	棒	上濁	ハウ	右注	bauŋ[2]	講韻
0552	上波・022ウ6・動物	蚌	去	ハン	右傍	bauŋ[2]	講韻

【表B-03】上巻_Ⅱauŋ 絳韻

番号	前田本所在	掲出字		仮名音注		中古音	韻目
1716a	上池・065ウ2・地儀	絳	去	カウ	右傍	kauŋ³	絳韻
3121a	上加・110オ5・疊字	絳	去	カウ	右注	kauŋ³	絳韻
1711	上池・065ウ1・地儀	巷	去	カウ	右傍	ɣauŋ³	絳韻
2038b	上利・074ウ2・疊字	巷	去	カウ	左注	ɣauŋ³	絳韻
2432a	上加・091ウ3・地儀	巷	平濁	カウ	右注	ɣauŋ³	絳韻

【表B-03】上巻_Ⅱauk 覺韻

番号	前田本所在	掲出字		仮名音注		中古音	韻目
2959a	上加・108オ1・疊字	角	入	カク	左注	kauk lʌuk	覺韻 屋韻
2653a	上加・098オ1・人事	角	—	カク	左注	kauk lʌuk	覺韻 屋韻
1235b	上保・048オ6・疊字	覺	入	カク	左注	kauk kau³	覺韻 効韻
2934a	上加・107ウ3・疊字	覺	入	カク	左注	kauk kau³	覺韻 効韻
2958a	上加・108オ1・疊字	覺	入	カク	左注	kauk kau³	覺韻 効韻
2977a	上加・108オ4・疊字	覺	入	カク	左注	kauk kau³	覺韻 効韻
2566	上加・095オ6・動物	殼	入	カク	右傍	kʻauk	覺韻
2942a	上加・107ウ4・疊字	確	入	カク	左注	kʻauk	覺韻
3034a	上加・109オ2・疊字	確	入	カク	左注	kʻauk	覺韻
3111a	上加・110オ3・疊字	確	入	カク	右注	kʻauk	覺韻
2197	上遠・080オ1・地儀	岳	—	カク	右傍	ŋauk	覺韻
2769	上加・100ウ1・雜物	樂	—	カク ［平濁平］	右注	ŋauk lɑk ŋau³	覺韻 鐸韻 効韻
3062a	上加・109オ7・疊字	樂	入濁	カク	左注	ŋauk lɑk ŋau³	覺韻 鐸韻 効韻
3063b	上加・109ウ1・疊字	樂	入濁	カク	中注	ŋauk lɑk ŋau³	覺韻 鐸韻 効韻
1009b	上仁・040オ7・疊字	學	入濁	カク	左注	ɣauk	覺韻
3003a	上加・108ウ2・疊字	學	入濁	カク	左注	ɣauk	覺韻
3008a	上加・108ウ3・疊字	學	入濁	カク	左注	ɣauk	覺韻
0821b	上波・032ウ6・疊字	学	入	カク	左注	ɣauk	覺韻
3004a	上加・108ウ3・疊字	學	入	カク	左注	ɣauk	覺韻
3005a	上加・108ウ3・疊字	學	入	カク	左注	ɣauk	覺韻
2734	上加・099ウ4・雜物	錠	入	サク	右傍	dẓauk	覺韻

1914a	上池・070ウ3・疊字	濁	入濁	チヨク	左注	ḍauk	覺韻
1948a	上池・071オ3・疊字	濁	入濁	チヨク	右注	ḍauk	覺韻
0982	上仁・039オ5・辞字	濁	―	タク	右注	ḍauk	覺韻
1331b	上邊・052ウ4・疊字	邈	入	ハク	中注	mauk	覺韻
0868b	上波・033ウ1・疊字	駮	入	ハク	右注	pauk	覺韻
1043	上保・042オ4・植物	朴	入	ハク	右傍	p‘auk	覺韻

【表B-03】下巻_Ⅱauk 覺韻

番号	前田本所在	掲出字		仮名音注		中古音	韻目
4076	下阿・025ウ1・地儀	幄	入	アク	右傍	'auk	覺韻
6693b	下世・111ウ3・疊字	角	入	カク	中注	kauk lʌuk	覺韻 屋韻
4169b	下阿・028ウ2・人倫	角	―	カク	右傍	kauk lʌuk	覺韻 屋韻
6779	下洲・113ウ3・地儀	桷	入	カク	右傍	kauk	覺韻
4531b	下佐・046オ3・人事	樂	―	カク ［平濁平］	右注	ŋauk lɑk ŋau³	覺韻 鐸韻 効韻
3899b	下手・020オ4・人事	樂	―	カク	左注	ŋauk lɑk ŋau³	覺韻 鐸韻 効韻
5576b	下師・080オ3・疊字	學	―	カク	左注	ɣauk	覺韻
4450a	下佐・043オ2・地儀	朔	入	サク	右傍	ṣauk	覺韻
3889a	下手・019オ6・動物	斲	入	タク	右傍	tauk	覺韻
4288a	下阿・032ウ5・雑物	椓	入	タク	右傍	tauk	覺韻
4473a	下佐・043ウ7・動物	鸀	入	タク	右傍	dauk tśiauk	覺韻 燭韻
4684b	下佐・051ウ2・疊字	擢	入	タク	左注	ḍauk	覺韻
5120b	下木・063オ7・疊字	濁	入	タク	左注	ḍauk	覺韻
6745b	下世・112オ6・疊字	濁	―	タク	右注	ḍauk	覺韻
6699b	下世・111ウ4・疊字	濯	入	タク	左注	ḍauk ḍau³	覺韻 効韻
4243	下阿・031ウ6・雑物	璞	入	ハク	右傍	p‘auk	覺韻
5634b	下師・081ウ2・疊字	朴	―	ハク	右注	p‘auk	覺韻
6908b	下洲・120オ3・疊字	朴	入濁	ホク	左注	p‘auk	覺韻
4051	下阿・024ウ1・天象	雹	入	ハク	右傍	bauk	覺韻

【表B-04】上巻_Ⅱɐ 佳韻

番号	前田本所在	掲出字		仮名音注		中古音	韻目
2859a	上加・106ウ2・疊字	佳	平	カ	左注	kɐ^{1}	佳韻
2926a	上加・107ウ1・疊字	佳	平	カ	左注	kɐ^{1}	佳韻
2978a	上加・108オ5・疊字	佳	平	カ	中注	kɐ^{1}	佳韻
3119a	上加・110オ5・疊字	佳	平	カ	右注	kɐ^{1}	佳韻
2928a	上加・107ウ2・疊字	佳	平	カイ	左注	kɐ^{1}	佳韻
2869a	上加・106ウ4・疊字	街	平	カイ	左注	kɐ^{1} kɐi^{1}	佳韻 皆韻
2880a	上加・106ウ6・疊字	涯	平濁	カイ	中注	ŋɐ^{1}	佳韻
3082a	上加・109ウ4・疊字	涯	平	カイ	左注	ŋɐ^{1}	佳韻
3100a	上加・110オ1・疊字	涯	去濁	カイ	右注	ŋɐ^{1}	佳韻
2946a	上加・107ウ5・疊字	睚	去濁	カイ	左注	ŋɐ$^{1/3}$	佳/卦韻
1092	上保・044オ5・飲食	膎	平	ケイ	右傍	ɣɐ^{1}	佳韻

【表B-04】下巻_Ⅱɐ 佳韻

番号	前田本所在	掲出字		仮名音注		中古音	韻目
6803a	下洲・114オ6・動物	佳	平	カ	右傍	kɐ^{1}	佳韻
4840	下木・055ウ3・地儀	涯	平濁	カイ	右傍	ŋɐ^{1} ŋie^{1}	佳韻 支韻
5810b	下師・084ウ2・疊字	涯	平濁	カイ	右注	ŋɐ^{1} ŋie^{1}	佳韻 支韻
4841	下木・055ウ3・地儀	崖	平濁	カイ	右傍	ŋɐ^{1} ŋie^{1}	佳韻 支韻
4578b	下佐・047オ7・雜物	鞋	―	カ [平]	右注	ɣɐ^{1} ɣɐi^{1}	佳韻 皆韻
4579b	下佐・047オ7・雜物	鞋	―	カ [平]	右注	ɣɐ^{1} ɣɐi^{1}	佳韻 皆韻
4449a	下佐・043オ1・地儀	杈	―	サ	右傍	tṣʻa^{1}	麻韻
5293	下師・069ウ6・植物	柴	平	サイ	右傍	dẓɐ^{1}	佳韻
5515	下師・078オ3・辞字	祡	平	シ	右傍	dẓɐ^{1}	佳韻
6174	下飛・094ウ6・雜物	棑	―	ヒ	右注	bɐ^{1} bɐi^{3}	佳韻 怪韻

【表B-04】上巻_Ⅱɐ 蟹韻

番号	前田本所在	掲出字		仮名音注		中古音	韻目
2884a	上加・106ウ7・疊字	解	上	カイ	左注	kɐ$^{2/3}$ ɣɐ$^{2/3}$	蟹/卦韻 蟹/卦韻
3113a	上加・110オ4・疊字	解	上	カイ	右注	kɐ$^{2/3}$ ɣɐ$^{2/3}$	蟹/卦韻 蟹/卦韻

3126a	上加・110オ6・疊字	解	上	カイ	右注	kɐ$^{2/3}$ ɣɐ$^{2/3}$	蟹/卦韻 蟹/卦韻
3164b	上加・112オ1・官職	解	—	ケ	右傍	kɐ$^{2/3}$ ɣɐ$^{2/3}$	蟹/卦韻 蟹/卦韻
1685a	上度・063ウ6・疊字	解	—	カン	右傍	kɐ$^{2/3}$ ɣɐ$^{2/3}$	蟹/卦韻 蟹/卦韻
2493	上加・093ウ1・植物	槲	上	カイ	右傍	kɐ^{2}	蟹韻
1433	上度・055オ1・植物	薢	上	カイ	右傍	kɐ$^{2/3}$ kɐi^{1}	蟹/卦韻 皆韻
2544	上加・094ウ4・動物	蟹	上	カイ	右傍	ɣɐ^{2}	蟹韻
0859b	上波・033オ6・疊字	買	上濁	ハイ	左注	mɐ^{2}	蟹韻

【表B-04】下巻_Ⅱɐ 蟹韻

番号	前田本所在	掲出字		仮名音注		中古音	韻目
4595	下佐・047ウ6・雑物	灑	上	サイ	右傍	ṣɐ^{2} ṣie$^{2/3}$ ṣa^{2}	蟹韻 紙/寘韻 馬韻

【表B-04】上巻_Ⅱɐ 卦韻

番号	前田本所在	掲出字		仮名音注		中古音	韻目
3039a	上加・109オ3・疊字	邂	上	カイ	左注	ɣɐ^{3}	卦韻
0859a	上波・033オ6・疊字	賣	去濁	ハイ	左注	mɐ^{3}	卦韻
0881a	上波・033ウ4・疊字	賣	去	ハイ	右注	mɐ^{3}	卦韻
2490a	上加・093オ7・植物	賣	平	ハイ	右傍	mɐ^{3}	卦韻

【表B-04】下巻_Ⅱɐ 卦韻

番号	前田本所在	掲出字		仮名音注		中古音	韻目
5396a	下師・073ウ1・飲食	粺	去	ハイ	右傍	bɐ^{3}	卦韻
6056	下飛・091オ7・植物	稗	—	ト	右傍	bɐ^{3}	卦韻

【表B-04】上巻_Ⅱuɐ 卦韻

番号	前田本所在	掲出字		仮名音注		中古音	韻目
1681b	上度・063ウ4・疊字	畫	去濁	クワ	左注	ɣuɐ^{3} ɣuɐk	卦韻 麥韻
2799	上加・101ウ2・辞字	畫	去濁	クワ	右傍	ɣuɐ^{3} ɣuɐk	卦韻 麥韻

【表B-04】下巻_Ⅱuɐ 卦韻

番号	前田本所在	掲出字		仮名音注		中古音	韻目
5977a	下會・088オ4・人倫	畫	—	クワ	右傍	ɣuɐ^{3} ɣuɐk	卦韻 麥韻

【表B-04】上巻_Ⅱɐi 皆韻

番号	前田本所在	掲出字		仮名音注		中古音	韻目
0480	上波・020ウ2・地儀	階	平	カイ	右傍	kɐi^{1}	皆韻
2910b	上加・107オ5・疊字	階	上	カイ	左注	kɐi^{1}	皆韻
0481	上波・020ウ2・地儀	堦	—	カイ	右傍	kɐi^{1}	皆韻
2957a	上加・107ウ7・疊字	偕	平	カイ	中注	kɐi^{1}	皆韻
3094a	上加・109ウ7・疊字	揩	平	カイ	右注	k‘ɐi$^{1/3}$	皆/怪韻
2598	上加・096オ6・人體	骸	平	カイ	右傍	ɣɐi^{1}	皆韻
2953a	上加・107ウ7・疊字	骸	平濁	カイ	左注	ɣɐi^{1}	皆韻
0142	上伊・007ウ1・人事	齋	平	サイ [朱]	右傍	tʂɐi^{1}	皆韻
0150b	上伊・007ウ5・人事	齋	平	サイ	右傍	tʂɐi^{1}	皆韻
1811b	上池・069オ3・疊字	齋	平濁	サイ	中注	tʂɐi^{1}	皆韻
0777a	上波・032オ4・疊字	排	平	ハイ	左注	bɐi^{1}	皆韻
2278	上遠・084ウ3・辞字	排	平	ハイ	右傍	bɐi^{1}	皆韻
2284a	上遠・085オ1・疊字	排	平	ハイ	右傍	bɐi^{1}	皆韻
0855a	上波・033オ5・疊字	俳	平	ハイ	左注	bɐi^{1}	皆韻
1500	上度・057オ7・雜物	韛	—	ハイ	右注	bɐi^{1} buʌi^{1}	皆韻 灰韻

【表B-04】下巻_Ⅱɐi 皆韻

番号	前田本所在	掲出字		仮名音注		中古音	韻目
6047a	下飛・091オ4・植物	薢	—	カイ	右傍	kɐi^{1} kɐ$^{2/3}$	皆韻 蟹/卦韻
6859a	下洲・116ウ1・雜物	揩	去	カイ	右傍	k‘ɐi$^{1/3}$	皆/怪韻
5432b	下師・074オ3・雜物	鞋	—	カイ [上平]	右注	ɣɐi^{1} ɣɐ^{1}	皆韻 佳韻
4932b	下木・058ウ3・雜物	鞋	—	カイ	右注	ɣɐi^{1} ɣɐ^{1}	皆韻 佳韻
6546b	下世・108ウ7・雜物	鞋	—	カイ	右注	ɣɐi^{1} ɣɐ^{1}	皆韻 佳韻

【表B-04】上巻_Ⅱɐi 怪韻

番号	前田本所在	掲出字		仮名音注		中古音	韻目
0784b	上波・032オ5・疊字	介	去	カイ	左注	kɐi^{3}	怪韻
3107b	上加・110オ2・疊字	介	去	カイ	右注	kɐi^{3}	怪韻
0593a	上波・024オ6・人躰	疥	去	カイ	右傍	kɐi^{3}	怪韻
3297a	上加・092ウ1・植物	芥	去	カイ	右傍	kɐi^{3}	怪韻
2930a	上加・107ウ2・疊字	芥	去	カイ	左注	kɐi^{3}	怪韻
2046b	上利・074ウ4・疊字	界	平濁	カイ	左注	kɐi^{3}	怪韻
2904a	上加・107オ4・疊字	戒	平	カイ	左注	kɐi^{3}	怪韻
2620	上加・096ウ5・人事	戒	―	カイ	右注	kɐi^{3}	怪韻
0216	上伊・011オ5・辞字	誡	去	カイ	右傍	kɐi^{3}	怪韻
3013b	上加・108ウ4・疊字	誡	去	カイ	左注	kɐi^{3}	怪韻
3110b	上加・110オ3・疊字	誡	去	カイ	右注	kɐi^{3}	怪韻
0930	上仁・036オ4・植物	薤	去	カイ	右傍	ɣɐi^{3}	怪韻
1497b	上度・057オ6・雑物	械	平濁	カイ	左注	ɣɐi^{3}	怪韻
0590a	上波・024オ5・人躰	齘	去	カイ	右傍	ɣɐi^{3}	怪韻
0753a	上波・031ウ6・疊字	拜	去	ハイ	右注	pɐi^{3}	怪韻
0804a	上波・032ウ2・疊字	拜	去	ハイ	右注	pɐi^{3}	怪韻
0805a	上波・032ウ2・疊字	拜	去	ハイ	右注	pɐi^{3}	怪韻
0884a	上波・033ウ4・疊字	拜	去	ハイ	右注	pɐi^{3}	怪韻
0755a	上波・031ウ6・疊字	拜	平	ハイ	右注	pɐi^{3}	怪韻
0605	上波・024ウ6・人事	拜	―	ハイ［平上］	右注	pɐi^{3}	怪韻
0360b	上伊・015ウ4・国郡	拜	―	ヘ［平濁］	右傍	pɐi^{3}	怪韻

【表B-04】下巻_Ⅱɐi 怪韻

番号	前田本所在	掲出字		仮名音注		中古音	韻目
6667b	下世・111オ5・疊字	介	去	カイ	中注	kɐi^{3}	怪韻
6716b	下世・111ウ7・疊字	芥	去	カイ	左注	kɐi^{3}	怪韻
4069	下阿・025オ6・地儀	芥	―	カイ	右傍	kɐi^{3}	怪韻
4673b	下佐・051オ7・疊字	戒	去	カイ	左注	kɐi^{3}	怪韻
5578b	下師・080オ3・疊字	戒	―	カイ	左注	kɐi^{3}	怪韻
4770b	下佐・053オ2・疊字	拜	―	ハイ	左注	pɐi^{3}	怪韻

【表B-04】上巻_Ⅱuɐi 皆韻

番号	前田本所在	掲出字		仮名音注		中古音	韻目
1944b	上池・071オ2・疊字	懐	平	クワイ	右注	ɣuɐi^{1}	皆韻
1359b	上邊・053オ3・疊字	懐	平濁	クワイ	左注	ɣuɐi^{1}	皆韻
3153b	上加・111ウ3・國郡	淮	―	ヱ	右傍	ɣuɐi^{1}	皆韻

【表B-04】下巻_Ⅱuɐi 皆韻

番号	前田本所在	掲出字		仮名音注		中古音	韻目
5973	下會・087ウ7・植物	槐	平	クワイ	右傍	ɣuɐi¹ ɣuʌi¹	皆韻 灰韻
5975	下會・087ウ7・植物	櫰	平	クワイ	右傍	ɣuɐi¹ kuʌi¹	皆韻 灰韻

【表B-04】上巻_Ⅱuɐi 怪韻

番号	前田本所在	掲出字		仮名音注		中古音	韻目
3190a	上与・114オ2・動物	恠	去	クワイ	右傍	kuɐi³	怪韻
0846b	上波・033オ4・疊字	壊	平	ヱ	左注	ɣuɐi³ kuɐi³	怪韻 怪韻

【表B-04】下巻_Ⅱuɐi 怪韻

番号	前田本所在	掲出字		仮名音注		中古音	韻目
5105b	下木・063オ3・疊字	恠	去	クワイ	中注	kuɐi³	怪韻
5230a	下由・067オ1・人事	壊	平	クワイ	右傍	ɣuɐi³ kuɐi³	怪韻 怪韻

【表B-04】下巻_Ⅱɐm 咸韻

番号	前田本所在	掲出字		仮名音注		中古音	韻目
5192a	下木・064ウ2・疊字	嵒	平	カム	右傍	ŋɐm¹ ńiap	咸韻 葉韻
5401	下師・073ウ3・飲食	醎	―	（カム）	左注	ɣɐm¹	咸韻
5402	下師・073ウ3・飲食	鹹	平	カム	右注	ɣɐm¹	咸韻
4612	下佐・048ウ3・辞字	欃	平	カン	右傍	dẓɐm¹ dẓam³	咸韻 鑑韻
4522	下佐・045ウ5・人事	讒	平濁	サム ［平濁平］	右注	dẓɐm¹ dẓam¹/³	咸韻 銜/鑑韻
4710a	下佐・052オ1・疊字	讒	平	サム	左注	dẓɐm¹ dẓam¹/³	咸韻 銜/鑑韻
4712a	下佐・052オ1・疊字	讒	平	サン	左注	dẓɐm¹ dẓam¹/³	咸韻 銜/鑑韻
6793	下洲・114オ1・植物	杴	―	サム	右傍	ṣɐm¹	咸韻

【表B-04】下巻_Ⅱɐm 鑑韻

番号	前田本所在	掲出字		仮名音注		中古音	韻目
4943	下木・059オ6・辞字	斬	上	サム	右傍	tʂɐm^{2}	鑑韻

【表B-04】上巻_Ⅱɐp 洽韻

番号	前田本所在	掲出字		仮名音注		中古音	韻目
0894b	上波・033ウ6・疊字	峡	徳?	カフ	右注	ɣɐp	洽韻
2429	上加・091ウ2・地儀	峡	入	カフ	右傍	ɣɐp	洽韻
3011a	上加・108ウ4・疊字	洽	入	カフ	左注	ɣɐp	洽韻
2689a	上加・098ウ5・雑物	挿	入	サフ	右傍	tʂʻɐp	洽韻

【表B-04】下巻_Ⅱɐp 洽韻

番号	前田本所在	掲出字		仮名音注		中古音	韻目
4483b	下佐・044オ3・動物	峡	入	カウ	右傍	ɣɐp	洽韻
4760a	下佐・052ウ6・疊字	挿	入	サフ	右注	tʂʻɐp	洽韻
4579a	下佐・047オ7・雑物	挿	—	サウ［平上］	右注	tʂʻɐp	洽韻

【表B-04】上巻_Ⅱɐn 山韻

番号	前田本所在	掲出字		仮名音注		中古音	韻目
3069a	上加・109ウ2・疊字	艱	去	カン	左注	kɐn^{1}	山韻
1006b	上仁・040オ6・疊字	間	上濁	ケン	左注	kɐn$^{1/3}$	山/襇韻
1800b	上池・069オ1・疊字	間	上濁	ケン	左注	kɐn$^{1/3}$	山/襇韻
0236b	上伊・012ウ2・疊字	閑	平	カン	右注	ɣɐn^{1}	山韻
0324b	上伊・013ウ6・疊字	閑	平	カン	中注	ɣɐn^{1}	山韻
1603b	上度・062ウ1・疊字	閑	平	カン	左注	ɣɐn^{1}	山韻
2862a	上加・106ウ2・疊字	閑	平	カン	左注	ɣɐn^{1}	山韻
2863a	上加・106ウ3・疊字	閑	平	カン	左注	ɣɐn^{1}	山韻
2909a	上加・107オ5・疊字	閑	平	カン	中注	ɣɐn^{1}	山韻
2927a	上加・107ウ1・疊字	閑	平	カン	左注	ɣɐn^{1}	山韻
2969a	上加・108オ3・疊字	閑	平	カン	左注	ɣɐn^{1}	山韻
2970a	上加・108オ3・疊字	閑	平	カン	右注	ɣɐn^{1}	山韻
2992a	上加・108オ7・疊字	閑	平	カン	中注	ɣɐn^{1}	山韻
2993a	上加・108ウ1・疊字	閑	平	カン	左注	ɣɐn^{1}	山韻
3046a	上加・109オ4・疊字	閑	平	カン	中注	ɣɐn^{1}	山韻
3047a	上加・109オ4・疊字	閑	平	カン	左注	ɣɐn^{1}	山韻
3048a	上加・109オ5・疊字	閑	平	カン	左注	ɣɐn^{1}	山韻
3049a	上加・109オ5・疊字	閑	平	カン	左注	ɣɐn^{1}	山韻
3050a	上加・109オ5・疊字	閑	平	カン	左注	ɣɐn^{1}	山韻
3051a	上加・109オ5・疊字	閑	平	カン	左注	ɣɐn^{1}	山韻

0885b	上波・033ウ4・疊字	山	平	サン	右注	ṣɐn^{1}	山韻
1157b	上保・047オ4・疊字	山	平	サン	左注	ṣɐn^{1}	山韻
2130b	上利・075ウ6・疊字	山	平	サン	左注	ṣɐn^{1}	山韻
2291a	上和・086オ2・植物	山	平	サン	右傍	ṣɐn^{1}	山韻
1632b	上度・063オ1・疊字	山	平濁	サン	中注	ṣɐn^{1}	山韻
1463b	上度・056ウ1・人事	山	―	サム	右傍	ṣɐn^{1}	山韻

【表B-04】下巻_Ⅱɐŋ 山韻

番号	前田本所在	掲出字		仮名音注		中古音	韻目
3830b	下江・017オ6・疊字	山	平	サン	右傍	ṣɐn^{1}	山韻
4114a	下阿・026ウ3・植物	山	平	サン	右傍	ṣɐn^{1}	山韻
4481b	下佐・044オ3・動物	山	平	サン	右傍	ṣɐn^{1}	山韻
4649a	下佐・051オ2・疊字	山	平	サン	左注	ṣɐn^{1}	山韻
4752a	下佐・052ウ5・疊字	山	東	サン	右傍	ṣɐn^{1}	山韻
4753a	下佐・052ウ5・疊字	山	―	サン	左注	ṣɐn^{1}	山韻
6355c	下飛・099ウ5・諸寺	山	―	サン	右傍	ṣɐn^{1}	山韻
6945b	下洲・120ウ4・疊字	山	―	サン	左注	ṣɐn^{1}	山韻
4199	下阿・029オ6・人躰	疝	平	サン	右傍	ṣɐn^{1} ṣan^{3}	山韻 諫韻
5344	下師・071ウ3・人躰	疝	平	サン	右傍	ṣɐn^{1} ṣan^{3}	山韻 諫韻

【表B-04】上巻_Ⅱɐn 産韻

番号	前田本所在	掲出字		仮名音注		中古音	韻目
1638b	上度・063オ2・疊字	簡	上	カン	中注	kɐn^{2}	産韻
2906a	上加・107オ4・疊字	簡	上	カン	中注	kɐn^{2}	産韻
3025a	上加・108ウ7・疊字	簡	上	カン	左注	kɐn^{2}	産韻
3097a	上加・109ウ7・疊字	簡	上	カン	右注	kɐn^{2}	産韻
1934b	上池・070ウ7・疊字	簡	平	カン	右注	kɐn^{2}	産韻
2948b	上加・107ウ6・疊字	眼	上濁	カン	左注	ŋɐn^{2}	産韻
3122b	上加・110オ5・疊字	眼	上濁	カン	右注	ŋɐn^{2}	産韻
3193b	上与・114オ3・動物	眼	上	カン	右傍	ŋɐn^{2}	産韻
2943a	上加・107ウ5・疊字	眼	平濁	カン	左注	ŋɐn^{2}	産韻
1280b	上保・049ウ4・官職	眼	―	ケン	右注	ŋɐn^{2}	産韻
1008b	上仁・040オ7・疊字	限	平濁	ケン	右注	ɣɐn^{2}	産韻
2457	上加・092オ2・地儀	棧	上	サン	右傍	dẓɐn^{2} dẓan^{3} dẓian^{2}	産韻 諫韻 獮韻
0330b	上伊・013ウ7・疊字	盞	上	サン	左注	tṣɐn^{2}	産韻
0848b	上波・033オ4・疊字	盞	上	サン	右注	tṣɐn^{2}	産韻

1573b	上度・062オ2・疊字	産	上	サン	中注	ṣɐn2	産韻

【表B-04】下巻_Ⅱɐŋ 産韻

番号	前田本所在	掲出字		仮名音注		中古音	韻目
5708b	下師・082ウ6・疊字	簡	平	カン	右傍	kɐn2	産韻
5458b	下師・074ウ4・雑物	眼	―	カン［上濁上］	右注	ŋɐn2	産韻
3740	下江・014オ4・地儀	棧	上	サン	右傍	dẓɐn2 dẓan3 dẓian2	産韻 諫韻 獮韻
4446	下佐・042ウ6・地儀	棧	―	サン	右注	dẓɐn2 dẓan3 dẓian2	産韻 諫韻 獮韻
4559	下佐・047オ1・雑物	醆	上	サン	右傍	tṣɐn2	産韻
4279b	下阿・032ウ3・雑物	醆	上	セン	右傍	tṣɐn2	産韻
6540	下世・108ウ5・雑物	鏟	平	セン	右注	tṣ'ɐn2 tṣ'an3	産韻 諫韻
4757a	下佐・052ウ6・疊字	産	上	サン	左注	ṣɐn2	産韻
5355a	下師・071ウ6・人躰	産	上	サン	右傍	ṣɐn2	産韻
4517	下佐・045ウ1・人事	産	―	サン［平上］	右注	ṣɐn2	産韻

【表B-04】下巻_Ⅱɐŋ 襇韻

番号	前田本所在	掲出字		仮名音注		中古音	韻目
4309b	下阿・033ウ1・光彩	莧	去	ケン	右傍	ɣɐn3	襇韻
6044	下飛・091オ4・植物	莧	去	クワン	右傍	ɣɐn3	襇韻

【表B-04】上巻_Ⅱɐt 黠韻

番号	前田本所在	掲出字		仮名音注		中古音	韻目
0824b	上波・032ウ6・疊字	札	入	サツ	右注	tṣɐt	黠韻
2901b	上加・107オ3・疊字	煞	入	サツ	右注	ṣɐt	黠韻
3086b	上加・109ウ5・疊字	察	入	サツ	左注	ṣɐt	黠韻
0836a	上波・033オ2・疊字	八	入	ハチ	右注	pɐt	黠韻
0749a	上波・031ウ5・疊字	八	入	ハツ	左注	pɐt	黠韻
0750a	上波・031ウ5・疊字	八	入	ハツ	右注	pɐt	黠韻
0849a	上波・033オ4・疊字	八	入	ハツ	左注	pɐt	黠韻
0887a	上波・033ウ5・疊字	八	入	ハツ	右注	pɐt	黠韻
0896a	上波・033ウ7・疊字	八	入	ハツ	左注	pɐt	黠韻
0911a	上波・034ウ1・諸社	八	―	ハツ	右注	pɐt	黠韻

【表B-04】下巻_Ⅱɐt 黠韻

番号	前田本所在	掲出字		仮名音注		中古音	韻目
5801b	下師・084オ7・疊字	察	入	サツ	左注	tʂʻɐt	黠韻
6929b	下洲・120ウ1・疊字	察	入	サツ	右注	tʂʻɐt	黠韻
4624	下佐・049ウ5・辞字	察	—	サツ［平平］	右注	tʂʻɐt	黠韻
4636a	下佐・050ウ4・重點	察	—	サツ	右注	tʂʻɐt	黠韻
4636b	下佐・050ウ4・重點	察	—	サツ	右注	tʂʻɐt	黠韻
サツ	下阿・041オ3・官職	察	—	サツ	右注	tʂʻɐt	黠韻
4792a	下佐・053ウ1・疊字	煞	入	セツ	右注	ʂɐt ʂɐi³	黠韻 怪韻
6696a	下世・111ウ3・疊字	煞	入	セツ	左注	ʂɐt ʂɐi³	黠韻 怪韻
5424b	下師・074オ1・雑物	八	入	ハチ	右注	pɐt	黠韻
3782	下江・016オ1・雑物	朳	徳	ハツ	右傍	pɐt	黠韻

【表B-04】下巻_Ⅱuɐt 黠韻

番号	前田本所在	掲出字		仮名音注		中古音	韻目
4118a	下阿・026ウ4・植物	滑	入	クワツ	右傍	ɣuɐt kuʌt ɣuʌt	黠韻 没韻 没韻
5107b	下木・063オ3・疊字	猾	入	クワク	左注	ɣuɐt	黠韻
4152b	下阿・027ウ6・動物	螖	入	クワツ	右傍	ɣuɐt	黠韻

【表B-04】上巻_Ⅱɐŋ 耕韻

番号	前田本所在	掲出字		仮名音注		中古音	韻目
2871a	上加・106ウ4・疊字	耕	平	カウ	左注	kɐŋ¹	耕韻
2872a	上加・106ウ4・疊字	耕	平	カウ	左注	kɐŋ¹	耕韻
2874a	上加・106ウ5・疊字	耕	平	カウ	左注	kɐŋ¹	耕韻
3066a	上加・109ウ1・疊字	鏗	平	カウ	中注	kʻɐŋ¹	耕韻
0583b	上波・024オ2・人躰	莖	平濁	カウ	右傍	ɣɐŋ¹ ʼɐŋ¹	耕韻 耕韻
0030	上伊・003オ3・地儀	甍	—	マウ	右傍	mɐŋ¹	耕韻
0073a	上伊・004ウ1・動物	鸚	—	イン	右傍	ʼɐŋ¹	耕韻
0074a	上伊・004ウ1・動物	鸚	—	ワウ	左傍	ʼɐŋ¹	耕韻

【表B-04】下巻_Ⅱɐŋ 耕韻

番号	前田本所在	掲出字		仮名音注		中古音	韻目
4116a	下阿・026ウ3・植物	罌	—	アウ	右注	ʼɐŋ¹	耕韻
5379b	下師・073オ1・人事	罌	平	ナウ	右注	ʼɐŋ¹	耕韻

4128a	下阿・027オ3・動物	鸚	去	アウ	中注	'ɐŋ^{1}	耕韻
4354a	下阿・039オ2・重點	嚶	—	アウ	右注	'ɐŋ^{1}	耕韻
4459	下佐・043オ7・植物	櫻	平	アウ	右傍	'ɐŋ^{1}	耕韻
5415	下師・073ウ6・雜物	箏	去	シヤウ	右注	tṣɐŋ^{1}	耕韻
5416	下師・073ウ6・雜物	箏	去	シヤウ	中注	tṣɐŋ^{1}	耕韻
4112	下阿・026ウ2・植物	橙	平	タウ	右傍	ḍɐŋ^{1} tʌŋ^{3}	耕韻 嶝韻

【表B-04】上巻_Ⅱɐŋ 耿韻

番号	前田本所在	掲出字		仮名音注		中古音	韻目
3107a	上加・110オ2・疊字	耿	平	カウ	右注	kɐŋ^{2}	耿韻
2051b	上利・074ウ5・疊字	幸	去	カウ	左注	ɣɐŋ^{2}	耿韻

【表B-04】下巻_Ⅱɐŋ 耿韻

番号	前田本所在	掲出字		仮名音注		中古音	韻目
5003b	下木・061オ7・疊字	幸	上	カウ	左注	ɣɐŋ^{2}	耿韻
4505a	下佐・044ウ7・人倫	幸	—	カウ	右傍	ɣɐŋ^{2}	耿韻
6621b	下世・110ウ4・疊字	幸	—	カウ	右注	ɣɐŋ^{2}	耿韻

【表B-04】上巻_Ⅱɐŋ 諍韻

番号	前田本所在	掲出字		仮名音注		中古音	韻目
1644b	上度・063オ3・疊字	諍	平濁	シヤウ	左注	tṣɐŋ^{3}	諍韻

【表B-04】上巻_Ⅱɐŋ 麥韻

番号	前田本所在	掲出字		仮名音注		中古音	韻目
2696a	上加・098ウ7・雜物	革	入	カク	右傍	kɐk	麥韻
2745	上加・100オ1・雜物	革	—	カク	右傍	kɐk	麥韻
2450a	上加・092オ1・地儀	鬲	—	カク	右傍	kɐk	麥韻
2451a	上加・092オ1・地儀	鬲	—	カウ	右注	kɐk	麥韻
2868a	上加・106ウ4・疊字	隔	入	カク	左注	kɐk	麥韻
2936a	上加・107ウ3・疊字	隔	入	カク	左注	kɐk	麥韻
0539	上波・022オ5・動物	翮	入	カク	右傍	ɣɐk	麥韻
1293b	上邊・050ウ6・人躰	核	入	カク	右傍	ɣɐk	麥韻
0660	上波・026ウ5・雜物	揀	入	サク	右傍	ṣɐk	麥韻
1937b	上池・071オ1・疊字	策	入	シヤク	右注	tṣ'ɐk	麥韻
2944b	上加・107ウ5・疊字	責	入	セキ	左注	tṣɐk	麥韻
2945b	上加・107ウ5・疊字	責	入	セキ	左注	tṣɐk	麥韻
1369b	上邊・053オ5・疊字	謫	入	チヤク	左注	ṭɐk ḍɐk	麥韻 麥韻

0732a	上波・031ウ2・疊字	麦	入濁	ハク	右注	mɐk	麥韻
1432b	上度・055オ1・植物	麦	入濁	ハク	右傍	mɐk	麥韻
2484a	上加・093オ3・植物	麦	入濁	ハク	右傍	mɐk	麥韻
1738b	上池・066ウ5・人躰	脉	入	ミヤク	右傍	mɐk	麥韻

【表B-04】下巻_Ⅱɐk 麥韻

番号	前田本所在	掲出字		仮名音注		中古音	韻目
4467	下佐・043ウ3・植物	核	入	カク	右傍	ɣɐk	麥韻
4102b	下阿・026オ5・植物	蒚	入	カク	右傍	ɣɐk lek	麥韻 錫韻
6780a	下洲・113ウ3・地儀	簀	入	サク	右傍	tsɐk	麥韻
5113b	下木・063オ5・疊字	筞	入	シヤク	左注	tʂ‘ɐk	麥韻
5494	下師・076オ4・辞字	筞	―	シヤク	右傍	tʂ‘ɐk	麥韻
5763b	下師・083ウ7・疊字	債	―	セキ	左注	tʂɐk tʂɐ^{3}	麥韻 卦韻
6686b	下世・111ウ2・疊字	讁	入	タク	中注	ṭɐk ḍɐk	麥韻 麥韻
3946a	下手・022オ2・疊字	摘	入	テキ	左注	ṭɐk t‘ek	麥韻 錫韻
3300a	下古・001ウ2・天象	霢	入濁	ハク	右傍	mɐk	麥韻
3328b	下古・002ウ3・植物	麦	入濁	ハク	右傍	mɐk	麥韻
4464a	下佐・043ウ2・植物	麦	入濁	ハク	右傍	mɐk	麥韻
4937b	下木・058ウ6・光彩	蘗	入	ハク	右傍	pɐk	麥韻
5603b	下師・080ウ7・疊字	脉	入	ミヤク	中注	mɐk	麥韻

【表B-04】上巻_Ⅱuɐŋ 耕韻

番号	前田本所在	掲出字		仮名音注		中古音	韻目
2682	上加・098ウ3・雑物	紘	平	クワウ	右傍	ɣuɐŋ^{1}	耕韻

【表B-04】上巻_Ⅱuɐk 麥韻

番号	前田本所在	掲出字		仮名音注		中古音	韻目
3200	上与・114ウ3・人軄	膕	―	クワク	右傍	kuɐk	麥韻
1762	上池・067ウ3・雑物	幗	入	クワク	右傍	kuɐk kuʌi^{3}	麥韻 隊韻

【表B-05】上巻_Ⅳei 齊韻

番号	前田本所在	掲出字		仮名音注		中古音	韻目
0644	上波・026オ5・雜物	翳	去	エイ	右傍	'ei[1/3]	齊/霽韻
2685	上加・098ウ4・雜物	笄	平	ケイ	右傍	kei[1]	齊韻
0882b	上波・033ウ4・疊字	溪	平	ケイ	右注	k'ei[1]	齊韻
0941	上仁・036ウ3・植物	鷄	平	ケイ	右傍	kei[1]	齊韻
1426a	上度・054ウ5・地儀	鷄	平	ケイ	右傍	kei[1]	齊韻
1441a	上度・055オ5・植物	鷄	平	ケイ	右傍	kei[1]	齊韻
1475b	上度・056ウ5・人事	鷄	平	ケイ	左傍	kei[1]	齊韻
2507a	上加・093ウ4・植物	鷄	平	ケイ	右傍	kei[1]	齊韻
2930b	上加・107ウ2・疊字	鷄	平	ケイ	左注	kei[1]	齊韻
0923	上仁・035ウ7・天象	霓	平	ケイ	右傍	ŋei[1/3] ŋet	齊/霽韻 屑韻
0559a	上波・023オ2・動物	螇	平	ケイ	右傍	ɣei[1] k'ei[1]	齊韻 齊韻
1484b	上度・057オ2・飲食	虀	―	ヒ	右傍	tsei[1]	齊韻
1825b	上池・069オ6・疊字	齊	上	サイ	右注	dzei[1/3]	齊/霽韻
1072	上保・043オ5・人躰	臍	平	サイ	右傍	dzei[1]	齊韻
1291	上邊・050ウ6・人躰	臍	平	セイ	右傍	dzei[1]	齊韻
0839b	上波・033オ2・疊字	犀	平濁	サイ	左注	sei[1]	齊韻
0642b	上波・026オ5・雜物	犀	―	サイ	右注	sei[1]	齊韻
1654b	上度・063オ5・疊字	西	上濁	サイ	左注	sei[1]	齊韻
2063b	上利・074ウ7・疊字	西	上	サイ	中注	sei[1]	齊韻
1962b	上池・071ウ5・國郡	西	―	セイ	右注	sei[1]	齊韻
1426b	上度・054ウ5・地儀	栖	平	セイ	右傍	sei[1/3]	齊/霽韻
0082	上伊・004ウ4・動物	嘶	平	セイ	右傍	sei[1]	齊韻
0130	上伊・006ウ6・人事	棲	平	セイ	右傍	sei[1]	齊韻
0467	上波・020オ3・天象	霋	平	セイ	右傍	ts'ei[1]	齊韻
0820b	上波・032ウ5・疊字	題	上濁	タイ	左注	dei[1/3]	齊/薺韻
0184b	上伊・008ウ7・雜物	題	平	テイ	右傍	dei[1/3]	齊/薺韻
1174b	上保・047ウ1・疊字	提	上濁	タイ	左注	dei[1] źie[1]	齊韻 支韻
2107b	上利・075ウ2・疊字	蹄	平 去	テイ	左注	dei[1]	齊韻
2354	上和・088ウ1・雜物	蹄	平	テイ	右傍	dei[1]	齊韻
0945b	上仁・036ウ4・動物	鵜	平	テイ	右傍	dei[1]	齊韻
2431	上加・091ウ3・地儀	梯	平	テイ	右傍	t'ei[1]	齊韻
2866b	上加・106ウ3・疊字	低	去	テイ	左注	tei[1]	齊韻
3214b	上加・110オ6・疊字	泥	平濁	テイ	右注	nei[1/3]	齊/霽韻
0178	上伊・008ウ5・雜物	箄	去濁	ヘイ	右傍	pei[1] pjie[1/2]	齊韻 支/紙韻
1405a	上邊・053ウ5・疊字	迷	平濁	メイ	右注	mei[1]	齊韻

2526	上加・094オ6・動物	麡	平	スイ	右傍	mei^{1}	齊韻
2760	上加・100オ6・雜物	犂	平	レイ	右傍	lei^{1} liei^{1}	齊韻 脂韻

【表B-05】下巻_Ⅳei 齊韻

番号	前田本所在	掲出字		仮名音注		中古音	韻目
6128b	下飛・093オ5・人躰	翳	去	エイ	右傍	'ei$^{1/3}$	齊/霽韻
4136a	下阿・027オ7・動物	鼷	平	ケイ	右傍	ɣei^{1}	齊韻
6756b	下世・112ウ1・疊字	蹊	―	ケイ	右注	ɣei^{1}	齊韻
6041	下飛・090ウ7・地儀	枅	平	ケイ	右傍	kei^{1}	齊韻
6797b	下洲・114オ1・植物	蹊	―	ケイ	右注	ɣei^{1}	齊韻
4581a	下佐・047ウ1・雜物	笄	平	ケイ	右傍	kei^{1}	齊韻
4672a	下佐・051オ7・疊字	齊	平	サイ	中注	dzei$^{1/3}$	齊/霽韻
4673a	下佐・051オ7・疊字	齊	平	サイ	左注	dzei$^{1/3}$	齊/霽韻
4816a	下佐・054オ7・官職	齊	―	サイ	右注	dzei$^{1/3}$	齊/霽韻
4817a	下佐・054オ7・官職	齊	―	サイ	右注	dzei$^{1/3}$	齊/霽韻
4655b	下佐・051オ3・疊字	齊	平	セイ	左注	dzei$^{1/3}$	齊/霽韻
6216	下飛・096ウ1・辞字	齊	―	セイ	右傍	dzei$^{1/3}$	齊/霽韻
6493a	下世・106ウ4・地儀	栖	平	サイ	右傍	sei$^{1/3}$	齊/霽韻
4697a	下佐・051ウ5・疊字	妻	平	サイ	右注	ts'ei$^{1/3}$	齊/霽韻
3372b	下古・004オ3・人倫	妻	平	セイ	右傍	ts'ei$^{1/3}$	齊/霽韻
4477	下佐・044オ3・動物	犀	平 去	サイ ［平上］	右注	sei^{1}	齊韻
6550a	下世・108ウ7・雜物	犀	平	セイ	左注	sei^{1}	齊韻
4458	下佐・043オ6・植物	屖	平	サイ	右傍	sei^{1}	齊韻
3905b	下手・020ウ2・飲食	臍	去	セイ	右注	dzei^{1}	齊韻
6810a	下洲・114ウ2・植物	蠐	平	セイ	右傍	dzei^{1}	齊韻
3998b	下手・022ウ5・疊字	撕	―	セイ	中注	sei^{1}	齊韻
6105a	下飛・092ウ3・人倫	西	平	セイ	右傍	sei^{1}	齊韻
6591a	下世・110オ6・疊字	西	平	セイ	左注	sei^{1}	齊韻
6646a	下世・111オ2・疊字	西	平	セイ	中注	sei^{1}	齊韻
4416b	下阿・040ウ7・国郡	西	―	セイ	右傍	sei^{1}	齊韻
6773	下洲・113ウ1・地儀	棲	平	セイ	右傍	sei^{1}	齊韻
6822	下洲・115オ4・人事	棲	平	セイ	右傍	sei^{1}	齊韻
6570a	下世・110オ1・重點	淒	平	セイ	右注	ts'ei$^{1/2}$	齊/薺韻
6570b	下世・110オ1・重點	淒	平	セイ	右注	ts'ei$^{1/2}$	齊/薺韻
4237	下阿・031オ7・飲食	齏	平	セイ	右傍	tsei^{1}	齊韻
4238	下阿・031オ7・飲食	齎	平	セイ	右傍	tsei^{1}	齊韻
3407b	下古・005ウ7・人事	揥	平	タイ	右傍	tei^{1} t'ei^{3} ṭ'iai^{3}	齊韻 霽韻 祭韻

5274b	下師・069オ6・植物	蹄	平	テイ	右傍	dei^{1}	齊韻
6510b	下世・107ウ1・動物	蹄	平	テイ	右傍	dei^{1}	齊韻
6087	下飛・092オ3・動物	蹄	―	テイ	右傍	dei^{1}	齊韻
4544	下佐・046ウ2・飲食	醍	平	テイ	右傍	dei^{1} t'ei^{2}	齊韻 薺韻
4299	下阿・033オ5・光彩	緹	―	テイ	右傍	dei^{1} t'ei^{2}	齊韻 薺韻
3994a	下手・022ウ4・疊字	提	平	テイ	中注	dei^{1} źie^{1}	齊韻 支韻
3995a	下手・022ウ5・疊字	提	平	テイ	左注	dei^{1} źie^{1}	齊韻 支韻
3997a	下手・022ウ5・疊字	提	平	テイ	左注	dei^{1} źie^{1}	齊韻 支韻
3998a	下手・022ウ5・疊字	提	―	テイ	中注	dei^{1} źie^{1}	齊韻 支韻
6113	下飛・092ウ7・人躰	題	平	テイ	右傍	dei$^{1/3}$	齊/薺韻
4140	下阿・027ウ2・動物	鯷	平	テイ	右傍	dei$^{1/3}$ źie$^{1/2/3}$	齊/霽韻 支/紙/寘韻
6088a	下飛・092オ4・動物	鯷	―	テイ	右傍	dei$^{1/3}$ źie$^{1/2/3}$	齊/霽韻 支/紙/寘韻
3309	下古・001ウ7・地儀	泥	平濁	テイ	右注	nei$^{1/3}$	齊/霽韻
3877	下手・018ウ7・地儀	泥	平濁	テイ	右傍	nei$^{1/3}$	齊/霽韻
4026a	下手・023オ5・疊字	泥	平濁	テイ	左注	nei$^{1/3}$	齊/霽韻
4255b	下阿・032オ4・雜物	泥	平濁	テイ	右傍	nei$^{1/3}$	齊/霽韻
3878	下手・018ウ7・地儀	埿	―	テイ	右注	nei$^{1/3}$ bam^{3}	齊/霽韻 鑑韻
6083	下飛・092オ2・動物	羝	平	テイ	右傍	tei^{1}	齊韻
3970a	下手・022オ6・疊字	隄	平	テイ	左注	tei^{1} dei^{1}	齊韻 齊韻
3442b	下古・007オ1・雜物	鎞	平	ヘイ [平平]	左注	pei^{1}	齊韻
3447	下古・007オ4・雜物	榌	平	ヘイ	右傍	pei^{1} bjiei^{1}	齊韻 脂韻
6180a	下飛・094ウ7・雜物	砒	上	ヒ	右注	p'ei^{1}	齊韻
4083	下阿・025ウ4・植物	藜	平	レイ	右傍	lei^{1}	齊韻

【表B-05】上巻_Ⅳei 薺韻

番号	前田本所在	掲出字		仮名音注		中古音	韻目
0703	上波・029ウ2・人事	洒	―	サイ	右傍	sei^{2} ṣe^{3}	薺韻 卦韻
1413b	上邊・054オ1・官職	濟	―	サイ	右注	tsei$^{2/3}$	薺/霽韻

2286	上和・085ウ6・地儀	濟	上	セイ	右傍	tsei$^{2/3}$	薺/霽韻
1343b	上邊・052ウ6・疊字	濟	上濁	セイ	中注	tsei$^{2/3}$	薺/霽韻
2976b	上加・108オ4・疊字	濟	上濁	セイ	右注	tsei$^{2/3}$	薺/霽韻
2114b	上利・075ウ3・疊字	躰	平	タイ	右注	t'ei^{2}	薺韻
1004b	上仁・040オ6・疊字	軆	平濁	タイ	左注	t'ei^{2}	薺韻
1259b	上保・048ウ4・疊字	軆	平濁	タイ	左注	t'ei^{2}	薺韻
0291b	上伊・013オ6・疊字	軆	上	テイ	右注	t'ei^{2}	薺韻
2068b	上利・075オ1・疊字	涕	去	テイ	左注	t'ei$^{2/3}$	薺/霽韻
2069b	上利・075オ2・疊字	涕	去	テイ	左注	t'ei$^{2/3}$	薺/霽韻
1699b	上度・064オ7・官職	祢	―	ネ	右注	nei^{2}	薺韻
1340a	上邊・052ウ6・疊字	陛	去	ヘイ	中注	bei^{2}	薺韻
3213	上与・115ウ1・人事	米	上濁	ヘイ	右傍	mei^{2}	薺韻
2671b	上加・098オ5・飲食	米	上	ヘイ	右傍	mei^{2}	薺韻
0637b	上波・026オ2・飲食	米	―	マイ	左注	mei^{2}	薺韻
3278b	上波・034ウ5・國郡	米	―	メ	右傍	mei^{2}	薺韻
0383b	上伊・015ウ7・国郡	米	―	メ	右傍	mei^{2}	薺韻
0755b	上波・031ウ6・疊字	礼	平	ライ	右注	lei^{2}	薺韻
0992b	上仁・040オ3・疊字	礼	平	ライ	中注	lei^{2}	薺韻
0747b	上波・031ウ5・疊字	礼	上	レイ	左注	lei^{2}	薺韻
2983b	上加・108オ6・疊字	醴	上	レイ	左注	lei^{2}	薺韻
0545a	上波・022ウ4・動物	鱧	―	レイ	右傍	lei^{2}	薺韻
0548b	上波・022ウ5・動物	鱺	平	レイ	右傍	lei^{2}	薺韻
2733	上加・099ウ4・雜物	蠡	平	レイ	右傍	lei^{2} lie^{1} lua^{1}	薺韻 支韻 戈韻
0546a	上波・022ウ4・動物	蠡	―	レイ	右傍	lei^{2} lie^{1} lua^{1}	薺韻 支韻 戈韻

【表B-05】下巻_Ⅳei 薺韻

番号	前田本所在	掲出字		仮名音注		中古音	韻目
3845b	下江・017ウ2・疊字	啓	上	ケイ	左注	k'ei^{2}	薺韻
5805b	下師・084ウ1・疊字	啓	上	ケイ	左注	k'ei^{2}	薺韻
5004b	下木・061オ7・疊字	啓	―	ケイ	左注	k'ei^{2}	薺韻
5803b	下師・084ウ1・疊字	啓	―	ケイ	左注	k'ei^{2}	薺韻
6566a	下世・109ウ7・重點	濟	―	セイ	右注	tsei$^{2/3}$	薺/霽韻
6566b	下世・109ウ7・重點	濟	―	セイ	右注	tsei$^{2/3}$	薺/霽韻
4884b	下木・057オ5・人躰	躰	―	タイ	右注	t'ei^{2}	薺韻
4040b	下手・023ウ2・疊字	躰	―	テイ	右注	t'ei^{2}	薺韻
3895	下手・019ウ6・人體	軆	上濁	テイ ［上上］	右注	t'ei^{2}	薺韻
4688b	下佐・051ウ3・疊字	弟	上	テイ	左注	dei$^{2/3}$	薺/霽韻

3892a	下手・019ウ3・人倫	弟	―	テ ［平濁］	右注	$dei^{2/3}$	薺/霽韻
4453b	下佐・043オ4・植物	苨	上濁	テイ	右傍	nei^{2}	薺韻
5194c	下木・064ウ4・諸社	祢	―	ネ	左注	nei^{2}	薺韻
4218	下阿・030ウ2・人事	俳	平	ヘイ	右傍	bei^{2}	薺韻
3414	下古・006オ6・飲食	米	上濁	ヘイ	右傍	mei^{2}	薺韻
5557b	下師・079ウ2・疊字	米	―	ヘイ	左注	mei^{2}	薺韻
5591b	下師・080ウ4・疊字	礼	平	ライ	左注	lei^{2}	薺韻
5662b	下師・082オ1・疊字	礼	平	ライ	右注	lei^{2}	薺韻
3416	下古・006オ7・飲食	醴	上	レイ	右傍	lei^{2}	薺韻

【表B-05】上巻_Ⅳei 霽韻

番号	前田本所在	掲出字		仮名音注		中古音	韻目
1253b	上保・048ウ3・疊字	計	去	ケイ	右注	kei^{3}	霽韻
3078b	上加・109ウ4・疊字	計	去	ケイ	右注	kei^{3}	霽韻
0801b	上波・032ウ2・疊字	契	上濁	ケイ	左注	$k‘ei^{3}$ k‘iʌt k‘et	霽韻 迄韻 屑韻
0748b	上波・031ウ5・疊字	禊	上濁	ケイ	左注	$ɣei^{3}$	霽韻
0608	上波・024ウ6・人事	禊	―	ケイ	右傍	$ɣei^{3}$	霽韻
1234b	上保・048オ6・疊字	系	上濁	ケイ	左注	$ɣei^{3}$	霽韻
2946b	上加・107ウ5・疊字	眦	平	サイ	左注	$dzei^{3}$ $dzie^{3}$	霽韻 寘韻
2955b	上加・107ウ7・疊字	智	去	セイ	左注	sei^{3}	霽韻
0336b	上伊・014オ2・疊字	滯	去	テイ	右注	tei^{3}	霽韻
0924a	上仁・035ウ7・天象	螮	―	テイ	右傍	tei^{3}	霽韻
1041	上保・042オ2・植物	疐	去	テイ	右傍	tei^{3}	霽韻
1621b	上度・062ウ5・疊字	替	去	タイ	左注	$t‘ei^{3}$	霽韻
0024	上伊・003オ1・地儀	苐	―	キ	右傍	dei^{3}	霽韻
1346b	上邊・052ウ7・疊字	閇	平	ハイ	右注	pei^{3} pet	霽韻 屑韻
1367a	上邊・053オ4・疊字	閇	去	ヘイ	左注	pei^{3} pet	霽韻 屑韻
1532	上度・058ウ1・辞字	閇	―	ヘイ	右傍	pei^{3} pet	霽韻 屑韻
1299	上邊・051オ4・人事	嬖	去	ヘイ	右注	pei^{3}	霽韻
2703b	上加・099オ3・雑物	麗	―	ライ	右注	lei^{3}	霽韻
2956b	上加・107ウ7・疊字	儷	去	レイ	左注	lei^{3}	霽韻
1627b	上度・062ウ6・疊字	隷	上	レイ	左注	lei^{3}	霽韻

【表B-05】下巻_Ⅳei 霽韻

番号	前田本所在	掲出字		仮名音注		中古音	韻目
6334b	下飛・099オ2・疉字	計	平 去	ケイ	左注	kei3	霽韻
4754b	下佐・052ウ5・疉字	計	—	ケ	中注	kei3	霽韻
6415	下毛・102オ3・人躰	髻	平 去	ケイ	右傍	kei3	霽韻
6416	下毛・102オ3・人躰	髻	平	ケ	左注	kei3	霽韻
6851b	下洲・116オ6・雑物	髻	上	ケイ	右傍	kei3	霽韻
4101	下阿・026オ5・植物	薊	去	ケイ	右傍	kei3	霽韻
6475b	下毛・105ウ5・疉字	契	上濁	ケイ	右注	k‘ei3 k‘iʌt k‘et	霽韻 迄韻 屑韻
3611b	下古・010ウ3・疉字	禊	上	ケイ	左注	ɣei3	霽韻
4524a	下佐・045ウ6・人事	細	—	サイ	右注	sei3	霽韻
4632a	下佐・050ウ4・重點	細	—	サイ	右注	sei3	霽韻
5767b	下師・084オ2・疉字	細	—	サイ	左注	sei3	霽韻
4632b	下佐・050ウ4・重點	細	—	サイ	右注	sei3	霽韻
4745a	下佐・052ウ3・疉字	細	—	サイ	右傍	sei3	霽韻
4439a	下佐・042ウ2・地儀	細	去	セイ	右傍	sei3	霽韻
6055a	下飛・091オ6・植物	細	去	セイ	右傍	sei3	霽韻
6717a	下世・111ウ7・疉字	細	去	セイ	左注	sei3	霽韻
5658b	下師・082オ1・疉字	聟	去濁	セイ	左注	sei3	霽韻
6573a	下世・110オ3・疉字	霽	去	セイ	左注	sei3	霽韻
4525	下佐・045ウ7・人事	褅	平	シ	右傍	dei3	霽韻
5615b	下師・081オ5・疉字	第	平濁	タイ	左注	dei3	霽韻
5902b	下師・085ウ3・疉字	第	—	タイ	右傍	dei3	霽韻
3884	下手・019オ3・地儀	第	—	テイ [平上]	右注	dei3	霽韻
5136b	下木・063ウ3・疉字	睇	去	テイ	左注	dei3 t‘ei1	齊韻 霽韻
6677b	下世・111オ7・疉字	替	去	タイ	左注	t‘ei3	霽韻
4427b	下阿・041ウ2・姓氏	閇	—	ヘ	右注	pei3	霽韻
4428b	下阿・041ウ2・姓氏	閇	—	ヘ	注	pei3	霽韻
5960c	下師・087オ6・姓氏	閇	—	ヘ	右注	pei3	霽韻
6022a	下飛・090オ5・天象	麗	去	レイ	右傍	lei3	霽韻
6249b	下飛・098オ1・疉字	麗	平	レイ	左注	lei3	霽韻

【表B-05】上巻_Ⅳuei 齊韻

番号	前田本所在	掲出字		仮名音注		中古音	韻目
2477a	上加・092ウ6・植物	瓹	—	ケイ	右傍	k‘uei1	齊韻

2802	上加・101ウ4・辞字	纗	平	ケイ	右傍	ɣuei^{1} tsie^{1} ɣuɐ^{3} jiue^{3}	齊韻 支韻 卦韻 寘韻
2543	上加・094ウ4・動物	蠵	平	スイ	右傍	ɣuei^{1} jiue^{1}	齊韻 支韻

【表B-05】下巻_Ⅳuei 齊韻

番号	前田本所在	掲出字		仮名音注		中古音	韻目
4493	下佐・044オ6・動物	鮭	―	ケイ	右傍	kuei^{1} k'uei^{1} ɣɐ^{1}	齊韻 齊韻 佳韻
3995b	下手・022ウ5・疊字	携	平	タイ	左注	ɣuei^{1}	齊韻

【表B-05】上巻_Ⅳuei霽韻

番号	前田本所在	掲出字		仮名音注		中古音	韻目
1893b	上池・070オ6・疊字	慧	平	ヱ	中注	ɣuei^{3}	霽韻

【表B-05】下巻_Ⅳuei 霽韻

番号	前田本所在	掲出字		仮名音注		中古音	韻目
5640b	下師・081ウ4・疊字	恵	去	―	―	ɣuei^{3}	霽韻
3876	下手・018ウ4・天象	呑	―	テン	右注	kuei^{3}	霽韻
6375a	下飛・100オ2・國郡	恵	―	ヱ	右傍	ɣuei^{3}	霽韻
6512a	下世・107ウ2・動物	蟪	―	ヱ	右傍	ɣuei^{3}	霽韻

【表B-05】上巻_Ⅳeu 蕭韻

番号	前田本所在	掲出字		仮名音注		中古音	韻目
0140	上伊・007オ6・人事	驍	平	ケウ	右傍	keu^{1}	蕭韻
0491	上波・020ウ7・植物	蕭	平	セウ	右傍	seu^{1}	蕭韻
3188	上与・113ウ6・植物	蕭	平	セウ	右傍	seu^{1}	蕭韻
3137a	上加・110ウ3・疊字	蕭	東	セウ	右傍	seu^{1}	蕭韻
1085	上保・044オ1・人事	跳	―	セウ	右傍	deu^{1}	蕭韻
0706	上波・029ウ5・人事	迢	平	テウ	右傍	deu^{1}	蕭韻
2563b	上加・095オ4・動物	蜩	平	テウ	右傍	deu^{1}	蕭韻
1232b	上保・048オ6・疊字	條	平濁	テウ	右注	deu^{1}	蕭韻
2090b	上利・075オ5・疊字	條	平濁	テウ	左注	deu^{1}	蕭韻

0152c	上伊・008オ1・人事	調	―	テウ	右注	deu$^{1/3}$ ṭiʌu^{1}	蕭/嘯韻 尤韻
1484a	上度・057オ2・飲食	調	―	テウ	右傍	deu$^{1/3}$ ṭiʌu^{1}	蕭/嘯韻 尤韻
2653b	上加・098オ1・人事	調	―	テウ	左注	deu$^{1/3}$ ṭiʌu^{1}	蕭/嘯韻 尤韻
0631c	上波・025ウ6・人事	調	―	テフ	左注	deu$^{1/3}$ ṭiʌu^{1}	蕭/嘯韻 尤韻
0126	上伊・006ウ5・人事	佻	平	テウ	右傍	t'eu^{1} deu^{1}	蕭韻 蕭韻
2296	上和・086オ6・動物	鵰	―	テウ	右傍	teu^{1}	蕭韻
1225b	上保・048オ4・疊字	料	平	レウ	右注	leu$^{1/3}$	蕭/嘯韻
1927b	上池・070ウ6・疊字	料	平	レウ	左注	leu$^{1/3}$	蕭/嘯韻
1553	上度・059ウ3・辞字	僚	平	レウ	右傍	leu$^{1/2}$	蕭/小韻
1624b	上度・062ウ6・疊字	僚	平	レウ	左注	leu$^{1/2}$	蕭/小韻
1694c	上度・064オ6・官職	寮	―	レウ	右傍	leu^{1}	蕭韻
1967c	上池・071ウ7・官職	寮	―	レウ	右注	leu^{1}	蕭韻
2172c	上奴・078ウ7・官職	寮	―	レウ	右注	leu^{1}	蕭韻
0705	上波・029ウ5・人事	遼	―	レウ	右傍	leu^{1}	蕭韻
1268a	上保・048ウ7・疊字	寥	―	レウ	右傍	leu^{1} lek	蕭韻 錫韻

【表B-05】下巻_Ⅳe 蕭韻

番号	前田本所在	掲出字		仮名音注		中古音	韻目
6878	下洲・117オ5・員數	幺	平	エウ	右傍	'eu^{1}	蕭韻
4471	下佐・043ウ7・動物	梟	平	ケウ	右傍	keu^{1}	蕭韻
3310a	下古・002オ1・地儀	徼	去	ケウ	右傍	keu$^{1/3}$	蕭/嘯韻
4234	下阿・031オ6・飲食	膮	平	ケウ	右傍	xeu$^{1/2}$	蕭/篠韻
6816	下洲・114ウ7・人躰	髫	平	セウ	右傍	deu^{1}	蕭韻
6542	下世・108ウ6・雑物	簫	東 去	セウ	右傍	seu^{1}	蕭韻
6543	下世・108ウ6・雑物	簫	東 去	セウ	左注	seu^{1}	蕭韻
6572a	下世・110オ1・重點	蕭	―	セウ	右注	seu^{1}	蕭韻
6572b	下世・110オ1・重點	蕭	―	セウ	右注	seu^{1}	蕭韻
6739a	下世・112オ5・疊字	蕭	平	セウ	右傍	seu^{1}	蕭韻
4191	下阿・029オ4・人躰	竅	去	チウ	右傍	k'eu^{3}	嘯韻
4157a	下阿・028オ3・動物	蟰	平	セウ	右傍	seu^{1} siʌuk	蕭韻 屋韻
4236	下阿・031オ6・飲食	䐹	去	セウ	右傍	seu^{3} ṣiʌu^{1}	嘯韻 尤韻
3749	下江・014ウ2・植物	條	平	テウ	右傍	deu^{1}	蕭韻

3879	下手・018ウ7・地儀	條	—	テウ [平濁平]	右注	deu^{1}	蕭韻
3935a	下手・021ウ5・重點	條	去濁	テウ	右注	deu^{1}	蕭韻
3935b	下手・021ウ5・重點	條	去濁	テウ	右注	deu^{1}	蕭韻
6513	下世・107ウ3・動物	蜩	平	テウ	右傍	deu^{1}	蕭韻
3919a	下手・021オ2・雜物	調	平濁	テウ	右注	deu$^{1/3}$ ṭiʌu^{1}	蕭/嘯韻 尤韻
4008a	下手・023オ1・疊字	調	平	テウ	左注	deu$^{1/3}$ ṭiʌu^{1}	蕭/嘯韻 尤韻
4019a	下手・023オ3・疊字	調	平	テウ	左注	deu$^{1/3}$ ṭiʌu^{1}	蕭/嘯韻 尤韻
4061	下阿・024ウ2・天象	調	平	テウ	右傍	deu$^{1/3}$ ṭiʌu^{1}	蕭/嘯韻 尤韻
5512	下師・077ウ7・辞字	調	平	テウ	右傍	deu$^{1/3}$ ṭiʌu^{1}	蕭/嘯韻 尤韻
4035a	下手・023オ7・疊字	調	去	テウ	左注	deu$^{1/3}$ ṭiʌu^{1}	蕭/嘯韻 尤韻
4036a	下手・023ウ1・疊字	調	去	テウ	左注	deu$^{1/3}$ ṭiʌu^{1}	蕭/嘯韻 尤韻
3907a	下手・020ウ4・雜物	調	—	テウ	左注	deu$^{1/3}$ ṭiʌu^{1}	蕭/嘯韻 尤韻
4009a	下手・023オ1・疊字	調	—	テウ	左注	deu$^{1/3}$ ṭiʌu^{1}	蕭/嘯韻 尤韻
4536c	下佐・046オ5・人事	調	—	テウ	右注	deu$^{1/3}$ ṭiʌu^{1}	蕭/嘯韻 尤韻
3890	下手・019オ7・動物	貂	平	テウ	右傍	teu^{1}	蕭韻
3944a	下手・022オ1・疊字	凋	平	テウ	左注	teu^{1}	蕭韻
5501	下師・076ウ6・辞字	凋	平	テウ	右傍	teu^{1}	蕭韻
5986	下會・089オ2・辞字	彫	平	テウ	右傍	teu^{1}	蕭韻
3921a	下手・021オ2・雜物	刁	東	テウ [上平]	左注	teu^{1}	蕭韻
4571	下佐・047オ5・雜物	刁	東	テウ	右傍	teu^{1}	蕭韻
4087	下阿・025ウ6・植物	苅	平	テウ	左注	teu^{1} deu^{1}	蕭韻 蕭韻
3916a	下手・021オ1・雜物	銚	平	テウ [平平]	右注	t'eu^{1} deu^{3} jiau^{1}	蕭韻 嘯韻 宵韻
4043c	下手・023ウ5・官職	寮	—	レウ	左注	leu^{1}	蕭韻
4816c	下佐・054オ7・官職	寮	—	レウ	右注	leu^{1}	蕭韻
6480b	下毛・106オ1・官職	寮	—	レウ	右注	leu^{1}	蕭韻
4394a	下阿・040オ1・疊字	嶚	上	レウ	右傍	leu^{1}	蕭韻

6698b	下世・111ウ4・疊字	寥	平	レウ	左注	leu^{1} lek	蕭韻 錫韻
4472b	下佐・043ウ7・動物	鷯	平	レウ	右傍	leu^{1} liau^{3}	蕭韻 笑韻
3404	下古・005ウ5・人事	僚	―	レウ	右傍	leu$^{1/2}$ liau^{2}	蕭/篠韻 小韻
5205b	下木・065オ5・官職	料	―	レウ	左注	leu$^{1/3}$	蕭/嘯韻
5827b	下師・084ウ5・疊字	料	―	レウ	右注	leu$^{1/3}$	蕭/嘯韻

【表B-05】上巻_Ⅳeu 篠韻

番号	前田本所在	掲出字		仮名音注		中古音	韻目
0441b	上呂・019オ3・疊字	鳥	上	テウ	中注	teu^{2}	篠韻
1442	上度・055オ7・動物	鳥	上	テウ	右傍	teu^{2}	篠韻
1663b	上度・063オ7・疊字	鳥	上	テウ	中注	teu^{2}	篠韻
2295c	上和・086オ4・植物	蓼	上	レウ	右傍	leu^{2}	篠韻
2939b	上加・107ウ4・疊字	了	上	レウ	左注	leu^{2}	篠韻

【表B-05】下巻_Ⅳeu 篠韻

番号	前田本所在	掲出字		仮名音注		中古音	韻目
3810a	下江・017オ2・疊字	窈	上	エウ	中注	'eu^{2}	篠韻
3812a	下江・017オ2・疊字	窈	上	エウ	左注	'eu^{2}	篠韻
3810b	下江・017オ2・疊字	窕	平	テウ	中注	deu^{2}	篠韻

【表B-05】下巻_Ⅳeu 嘯韻

番号	前田本所在	掲出字		仮名音注		中古音	韻目
4236	下阿・031オ6・飲食	䐹	去	セウ	右傍	seu^{3} ṣiʌu^{1}	嘯韻 尤韻
4191	下阿・029オ4・人躰	竅	去	チウ	右傍	k'eu^{3}	嘯韻
3980a	下手・022ウ1・疊字	眺	去	テウ	左注	t'eu^{3}	嘯韻
4020b	下手・023オ4・疊字	耀	入	テウ	左注	t'eu^{3}	嘯韻
5227	下由・066ウ4・人躰	尿	去	ネウ	右注	neu^{3}	嘯韻

【表B-05】上巻_Ⅳem 添韻

番号	前田本所在	掲出字		仮名音注		中古音	韻目
1297	上邊・051オ3・人事	謙	平	ケム	右傍	k'em^{1}	添韻
2702	上加・099オ2・雑物	縑	平	ケム	右傍	kem^{1}	添韻
2781	上加・100ウ6・光彩	黬	平	ケム	右傍	xem^{1}	添韻

【表B-05】下巻_Ⅳem 添韻

番号	前田本所在	掲出字		仮名音注		中古音	韻目
5608b	下師・081オ3・疊字	謙	平	ケム	中注	k‘em1	添韻
6079	下飛・092オ1・動物	鶼	平	ケム	右傍	kem1	添韻
4241	下阿・031ウ3・飲食	甜	平	テム	右傍	dem1	添韻
5505	下師・077オ5・辞字	恬	平	テム	右傍	dem1	添韻
4139	下阿・027ウ1・動物	鮎	平	テム	右傍	nem1	添韻

【表B-05】下巻_Ⅳem 忝韻

番号	前田本所在	掲出字		仮名音注		中古音	韻目
4489b	下佐・044オ5・動物	嗛	上	ケム	右傍	k‘em2	忝韻
3833b	下江・017オ7・疊字	點	平	テム	中注	tem2	忝韻
4002a	下手・022ウ6・疊字	點	平	テム	左注	tem2	忝韻
3834b	下江・017オ7・疊字	點	―	テム	右傍	tem2	忝韻
3929	下手・021ウ3・辞字	點	―	テム［平平］	右注	tem2	忝韻
3908	下手・020ウ4・雑物	簟	上濁	テム［平上］	中注	dem2	忝韻

【表B-05】上巻_Ⅳem 㮇韻

番号	前田本所在	掲出字		仮名音注		中古音	韻目
0465	上波・020オ3・天象	霑	去	テン	右傍	tem3 ṭiep	㮇韻 緝韻

【表B-05】下巻_Ⅳem 㮇韻

番号	前田本所在	掲出字		仮名音注		中古音	韻目
3943a	下手・022オ1・疊字	店	平	テム	左注	tem3	㮇韻
4992b	下木・061オ5・疊字	念	平	ネム	左注	nem3	㮇韻

【表B-05】上巻_Ⅳep 帖韻

番号	前田本所在	掲出字		仮名音注		中古音	韻目
0676	上波・027オ4・雑物	篋	―	ケウ	右傍	k‘ep	帖韻
0665	上波・026ウ7・雑物	筴	―	ケフ	右傍	ɣep kɐp	帖韻 洽韻
2488b	上加・093オ6・植物	筴	―	ケフ	右傍	ɣep kɐp	帖韻 洽韻
1069	上保・043オ5・人躰	頰	―	ケフ	右注	kep	帖韻

1059b	上保・042ウ6・動物	蝶	—	テウ	右注	t‘ep dep	帖韻 帖韻
1929b	上池・070ウ6・疊字	疊	入濁	テウ	左注	dep	帖韻
2904b	上加・107オ4・疊字	牒	平	テウ	左注	dep	帖韻

【表B-05】下巻_Ⅳep 帖韻

番号	前田本所在	掲出字		仮名音注		中古音	韻目
5277b	下師・069オ7・植物	筴	入	ケフ	右傍	ɣep kɐp	帖韻 洽韻
6628a	下世・110ウ5・疊字	爕	入	セフ	左注	sep	帖韻
3925	下手・021オ7・員數	帖	平濁	テウ ［平濁平］	右注	t‘ep	帖韻
3927a	下手・021オ7・員數	帖	—	テツ	右傍	t‘ep	帖韻
3930	下手・021ウ3・辞字	帖	—	テツ ［平濁平］	右注	t‘ep	帖韻
3891	下手・019ウ1・動物	蝶	入	テフ	右注	t‘ep dep	帖韻 帖韻
3412b	下古・006オ4・人事	蝶	—	テフ	左注	t‘ep dep	帖韻 帖韻
3910	下手・020ウ6・雜物	牒	入	テウ ［平平］	右注	dep	帖韻
3920a	下手・021オ2・雜物	疊	—	テウ	右注	dep	帖韻

【表B-05】上巻_Ⅳen 先韻

番号	前田本所在	掲出字		仮名音注		中古音	韻目
2588	上加・096オ4・人體	肩	平	ケン	右傍	ken^{1}	先韻
0007a	上伊・002オ4・天象	牽	平	ケン	右傍	k‘en$^{1/3}$	先/霰韻
1063	上保・042ウ6・動物	蚈	平	ケン	右傍	k‘en^{1}	先韻
3225	上与・116オ5・辞字	妍	—	ケン	右傍	ŋen^{1}	先韻
2624	上加・097オ2・人事	賢	平	ケン	右傍	ɣen^{1}	先韻
1957b	上池・071ウ3・國郡	前	—	セン	右注	dzen^{1}	先韻
3192	上与・114オ3・動物	騚	—	セン	右傍	dzen^{1}	先韻
1807b	上池・069オ3・疊字	田	上濁	テン	左注	den^{1}	先韻
2876b	上加・106ウ5・疊字	田	上濁	テン	左注	den^{1}	先韻
2686	上加・098ウ4・雜物	鈿	平	テン	右傍	den$^{1/3}$	先/霰韻
2618	上加・096ウ5・人事	畋	平	テン	右傍	den$^{1/3}$	先/霰韻
0112	上伊・006オ3・人體	顛	平	テン	右傍	ten^{1}	先韻
0017	上伊・002ウ6・地儀	巔	平	テン	右傍	ten^{1}	先韻
0190	上伊・009オ5・方角	巔	平	テン	右注	ten^{1}	先韻
0233b	上伊・012ウ1・疊字	天	平	テン	左注	t‘en^{1}	先韻
0722b	上波・031オ7・疊字	天	平	テン	左注	t‘en^{1}	先韻
1151b	上保・047オ3・疊字	天	平	テン	左注	t‘en^{1}	先韻
1158b	上保・047オ4・疊字	天	平	テン	右注	t‘en^{1}	先韻

1639b	上度・063オ2・疊字	天	平濁	テン	左注	t‘en^{1}	先韻
1648b	上度・063オ4・疊字	天	平濁	テン	中注	t‘en^{1}	先韻
0244b	上伊・012ウ3・疊字	年	平	ネン	中注	nen^{1}	先韻
1414	上度・054オ5・天象	年	平	ネン	右傍	nen^{1}	先韻
2861b	上加・106ウ2・疊字	年	平	ネン	左注	nen^{1}	先韻
1156b	上保・047オ4・疊字	年	平	ネム	左注	nen^{1}	先韻
2366b	上和・089ウ7・疊字	年	平	ネム	中注	nen^{1}	先韻
2931b	上加・107ウ2・疊字	年	平	ネム	左注	nen^{1}	先韻
2860b	上加・106ウ2・疊字	年	上	ネン	左注	nen^{1}	先韻
1124	上保・045ウ3・方角	邊	平	ヘン	右傍	pen^{1}	先韻
1333a	上邊・052ウ4・疊字	邊	平	ヘン	中注	pen^{1}	先韻
1335a	上邊・052ウ5・疊字	邊	平	ヘン	右注	pen^{1}	先韻
1336a	上邊・052ウ5・疊字	邊	去	ヘン	右注	pen^{1}	先韻
1337a	上邊・052ウ5・疊字	邊	去	ヘン	左注	pen^{1}	先韻
1392a	上邊・053ウ2・疊字	邊	去	ヘン	右注	pen^{1}	先韻
1408a	上邊・053ウ6・疊字	邊	去	ヘン	右注	pen^{1}	先韻
1286a	上邊・050オ2・地儀	邊	―	ヘン	右注	pen^{1}	先韻
2560a	上加・095オ3・動物	蝙	平	ヘン	右傍	pen^{1}	先韻
0817b	上波・032ウ5・疊字	眠	去	メン	左注	men^{1}	先韻
2067a	上利・075オ1・疊字	憐	去	リン	中注	len^{1}	先韻
0525	上波・021ウ7・植物	蓮	平	レン	右傍	len^{1} lian^{2}	先韻 獮韻

【表B-05】下巻_Ⅳen 先韻

番号	前田本所在	掲出字		仮名音注		中古音	韻目
3786a	下江・016オ5・光彩	燕	平	エン [平平]	右注	’en$^{1/3}$	先/霰韻
3848a	下江・017ウ3・疊字	燕	平	エム	左注	’en$^{1/3}$	先/霰韻
3842a	下江・017ウ1・疊字	煙	平	エン	中注	’en^{1}	先韻
6683b	下世・111ウ1・疊字	煙	平	エン	左注	’en^{1}	先韻
5858b	下師・085オ3・疊字	煙	―	エム	右注	’en^{1}	先韻
5210a	下由・065ウ6・天象	弦	―	クエン	右傍	ɣen^{1}	先韻
5190b	下木・004オ7・疊字	肩	上	ケム	右注	ken^{1}	先韻
4084a	下阿・025ウ4・植物	牽	平	ケン	右傍	k‘en$^{1/3}$	先/霰韻
6029a	下飛・090オ7・天象	牽	平	ケン	右傍	k‘en$^{1/3}$	先/霰韻
6545a	下世・108ウ6・雑物	浅	平	セン	右注	tsen^{1} ts‘ian^{2}	先韻 獮韻
5443	下師・074オ5・雑物	韉	平	セン	右傍	tsen^{1}	先韻
6552	下世・109オ4・員數	千	―	セン	右注	ts‘en^{1}	先韻
6974	下世・109オ4・員數	阡	―	セン	右注	ts‘en^{1}	先韻
6590a	下世・110オ6・疊字	阡	去	セン	左注	ts‘en^{1}	先韻
3372a	下古・004オ3・人倫	前	平	セン	右傍	dzen^{1}	先韻

4607	下佐・048オ5・方角	前	平	セン	右傍	dzen^{1}	先韻
6682a	下世・111ウ1・疊字	前	平	セン	左注	dzen^{1}	先韻
6707a	下世・111ウ5・疊字	前	平	セン	左注	dzen^{1}	先韻
6729b	下世・112オ3・疊字	前	平濁	セン	右注	dzen^{1}	先韻
4685b	下佐・051ウ2・疊字	前	上	セン	中注	dzen^{1}	先韻
6507a	下世・107オ3・植物	前	―	セン ［平上］	右注	dzen^{1}	先韻
6014b	下會・089ウ5・國郡	前	―	セン	右注	dzen^{1}	先韻
6362b	下飛・100オ1・國郡	前	―	セン	右傍	dzen^{1}	先韻
6377b	下飛・100オ2・國郡	前	―	セン	右傍	dzen^{1}	先韻
6585a	下世・110オ5・疊字	先	去	セン	左注	sen$^{1/3}$	先/霰韻
6638a	下世・111オ1・疊字	先	去	セン	中注	sen$^{1/3}$	先/霰韻
6640a	下世・111オ1・疊字	先	去濁	セン	左注	sen$^{1/3}$	先/霰韻
6519a	下世・107ウ5・人倫	先	―	セン	右注	sen$^{1/3}$	先/霰韻
3347	下古・003オ1・植物	槙	―	テン	右傍	ten^{1} tśien^{2}	先韻 軫韻
4794a	下佐・053ウ1・疊字	顛	平	テン	右傍	ten^{1}	先韻
4027a	下手・023オ5・疊字	顛	平	テン	左注	ten^{1}	先韻
4034a	下手・023オ7・疊字	顛	―	テン	右注	ten^{1}	先韻
3965a	下手・022オ5・疊字	癲	平	テン	中注	ten^{1}	先韻
6418a	下毛・102オ4・人躰	癲	平	テン	右傍	ten^{1}	先韻
3872	下手・018ウ4・天象	天	平	テン	右注	t‘en^{1}	先韻
3973a	下手・022オ7・疊字	天	平	テン	左注	t‘en^{1}	先韻
6231b	下飛・097ウ5・疊字	天	平	テン	中注	t‘en^{1}	先韻
3885a	下手・019オ3・地儀	天	去	テン	左注	t‘en^{1}	先韻
6789a	下洲・113ウ6・植物	天	去	テン	右傍	t‘en^{1}	先韻
3893a	下手・019ウ4・人倫	天	―	テン	右注	t‘en^{1}	先韻
3894a	下手・019ウ4・人倫	天	―	テン	左注	t‘en^{1}	先韻
3901a	下手・020オ4・人事	天	―	テン	右注	t‘en^{1}	先韻
3906a	下手・020ウ4・雜物	天	―	テン	左注	t‘en^{1}	先韻
4042a	下手・023ウ5・官職	天	―	テン	右注	t‘en^{1}	先韻
5908b	下師・085ウ5・疊字	天	―	テン	右傍	t‘en^{1}	先韻
5348b	下師・071ウ4・人躰	誕	―	テン	右傍	t‘en^{1}	先韻
3899a	下手・020オ4・人事	田	―	テン	左注	den^{1}	先韻
4021a	下手・023オ4・疊字	填	平	テン	左注	den$^{1/3}$ ṭien$^{1/3}$	先/霰韻 眞/震韻
5496	下師・076ウ1・辞字	填	平	テン	右傍	den$^{1/3}$ ṭien$^{1/3}$	先/霰韻 眞/震韻
4971b	下木・060ウ7・疊字	年	平	ネン	左注	nen^{1}	先韻
3868b	下江・017ウ6・疊字	邊	平	ヘン	左注	pen^{1}	先韻
4939a	下木・059オ1・方角	邊	平	ヘン	右傍	pen^{1}	先韻

4314	下阿・034オ3・辞字	編	平	ヘン	右傍	$pen^{1/2}$ $pjian^{1}$	先/銑韻 仙韻
4216	下阿・030オ6・人事	憐	平	レン	―	len^{1}	先韻
4539c	下佐・046オ6・人事	憐	平	レン	左注	len^{1}	先韻
4372b	下阿・039オ7・疊字	憐	平	レム	左注	len^{1}	先韻

【表B-05】上巻_Ⅳen 銑韻

番号	前田本所在	掲出字		仮名音注		中古音	韻目
0278b	上伊・013オ3・疊字	宴	去	エン	右注	$'en^{2/3}$	銑/霰韻
3238b	上与・117ウ1・疊字	宴	去	エン	右注	$'en^{2/3}$	銑/霰韻
1453a	上度・055ウ4・動物	蝘	上	エン	右傍	$'en^{2}$ $'i\alpha n^{2}$	銑韻 阮韻
0436b	上呂・019オ2・疊字	顕	上	ケン	中注	xen^{2}	銑韻
1609b	上度・062ウ3・疊字	跣	上	セン	左注	sen^{2}	銑韻
0908b	上波・034オ5・疊字	跣	平	セン	右傍	sen^{2}	銑韻
1350a	上邊・053オ1・疊字	扁	去	ヘン	右注	ben^{2} pen^{2} $p'jian^{1}$ $bjian^{2}$	銑韻 銑韻 仙韻 獮韻
2110b	上利・075ウ2・疊字	眄	―	メン	右注	$men^{2/3}$	銑/霰韻

【表B-05】下巻_Ⅳen 銑韻

番号	前田本所在	掲出字		仮名音注		中古音	韻目
3859a	下江・017ウ5・疊字	宴	去	エン	左注	$'en^{2/3}$	銑/霰韻
3770	下江・015ウ1・人事	宴	平	エン [平平]	右注	$'en^{2/3}$	銑/霰韻
3674b	下古・011ウ3・疊字	宴	―	エン	中注	$'en^{2/3}$	銑/霰韻
4193a	下阿・029オ5・人躰	齞	上	ケン	右傍	ηen^{2}	銑韻
5315a	下師・070ウ2・動物	蜆	上	ケン	右傍	xen^{2} γen^{2}	銑韻 銑韻
3597b	下古・010オ6・疊字	洗	去	セン	左注	sen^{2} sei^{2}	銑韻 薺韻
5594b	下師・080ウ5・疊字	典	上	テン	左注	ten^{2}	銑韻
4041a	下手・023ウ5・官職	典	―	テン	右注	ten^{2}	銑韻
4043a	下手・023ウ5・官職	典	―	テン	右注	ten^{2}	銑韻
6959b	下洲・121ウ1・官職	典	―	テン	右注	ten^{2}	銑韻
6965b	下洲・121ウ4・官職	典	―	テン	右注	ten^{2}	銑韻
4038a	下手・023ウ1・疊字	殄	去濁	テン	右注	den^{2}	銑韻
6137a	下飛・094オ1・飲食	蝙	上	ヘン	右傍	pen^{2}	銑韻
3689b	下古・011ウ6・疊字	眄	去	メン	左注	$men^{2/3}$	銑/霰韻

【表B-05】上巻_Ⅳen 霰韻

番号	前田本所在	掲出字		仮名音注		中古音	韻目
0256b	上伊・012ウ6・疊字	見	平	ケン	左注	ken^3 $ɣen^3$	霰韻 霰韻
2123b	上利・075ウ5・疊字	見	平	ケン	右注	ken^3 $ɣen^3$	霰韻 霰韻
1799b	上池・069オ1・疊字	電	去	テン	左注	den^3	霰韻
0006	上伊・002オ4・天象	電	平	テン	右傍	den^3	霰韻
1419	上度・054ウ2・地儀	殿	―	テン	右傍	den^3 ten^3	霰韻 霰韻
1717c	上池・065ウ3・地儀	殿	―	テン	左注	den^3 ten^3	霰韻 霰韻
1982c	上利・072ウ4・地儀	殿	―	テン	右注	den^3 ten^3	霰韻 霰韻
1325a	上邊・052ウ3・疊字	片	去	ヘン	左注	$p‘en^3$	霰韻
1361a	上邊・053オ3・疊字	片	去	ヘン	左注	$p‘en^3$	霰韻
1323a	上邊・052ウ1・重點	片	―	ヘン	右注	$p‘en^3$	霰韻
1323b	上邊・052ウ1・重點	片	―	ヘン	右注	$p‘en^3$	霰韻
0901b	上波・034オ1・疊字	錬	去	レン	右注	len^3	霰韻

【表B-05】下巻_Ⅳen 霰韻

番号	前田本所在	掲出字		仮名音注		中古音	韻目
3779a	下江・015ウ7・雜物	鷰	―	エン [平平]	右注	$’en^3$	霰韻
3771	下江・015ウ1・人事	讌	―	エン [平平]	左注	$’en^3$	霰韻
3772	下江・015ウ1・人事	醼	―	エン [平平]	左注	$’en^3$	霰韻
5624b	下師・081オ7・疊字	見	平	ケン	左注	ken^3 $ɣen^3$	霰韻 霰韻
4780b	下佐・053オ4・疊字	見	―	ケン	右注	ken^3 $ɣen^3$	霰韻 霰韻
5893c	下師・085ウ2・疊字	見	―	ケン	右注	ken^3 $ɣen^3$	霰韻 霰韻
3566	下古・007ウ1・雜物	薦	去	セン	右傍	$tsen^3$	霰韻
6735a	下世・112オ4・疊字	薦	去	セン	右注	$tsen^3$	霰韻
4305	下阿・033オ7・光彩	茜	去	サン	右傍	$ts‘en^3$	霰韻
3880	下手・019オ2・地儀	殿	去	テン	右注	den^3 ten^3	霰韻 霰韻
3316c	下古・002オ4・地儀	殿	―	テン	右傍	den^3 ten^3	霰韻 霰韻

3317c	下古・002オ4・地儀	殿	—	テン	右注	den^3 ten^3	霰韻 霰韻
3888a	下手・019オ4・地儀	殿	—	テン	右注	den^3 ten^3	霰韻 霰韻
4111	下阿・026ウ2・植物	楝	去	レン	右傍	len^3	霰韻

【表B-05】上巻_Ⅳet 屑韻

番号	前田本所在	掲出字		仮名音注		中古音	韻目
2699b	上加・099オ1・雑物	纈	入	ケチ	右注	ɣet	屑韻
0902b	上波・034オ1・疊字	結	入	ケツ	右注	ket	屑韻
2675a	上加・098オ7・飲食	結	—	ケツ	右傍	ket	屑韻
2455a	上加・092オ2・地儀	桔	—	ケツ	右傍	ket	屑韻
2722	上加・099ウ1・雑物	鍥	—	ケツ	右傍	ket k‘et	屑韻
2565a	上加・095オ6・動物	齧	入	ケツ	右傍	ŋet	屑韻
0311b	上伊・013ウ4・疊字	截	入	セチ	右注	dzet	屑韻
1862b	上池・069ウ7・疊字	節	入	セチ	左注	tset	屑韻
2607	上加・096オ7・人體	癤	入	セツ	右傍	tset	屑韻
1113	上保・045オ1・雑物	爈	入	セツ	右傍	tset	屑韻
0335b	上伊・014オ1・疊字	切	入	セツ	右注	ts‘et	屑韻
3042b	上加・109オ3・疊字	竊	入	セツ	左注	ts‘et	屑韻
2235a	上遠・081オ3・人倫	姪	入	テツ	左傍	det ḍiet	屑韻 質韻
2564b	上加・095オ5・動物	蛭	入	テツ	右傍	tet tiet tśiet	屑韻 質韻 質韻
2709a	上加・099オ4・雑物	鐵	入	テツ	右傍	t‘et	屑韻
1357a	上邊・053オ2・疊字	蔑	入濁	ヘツ	中注	met	屑韻
1358a	上邊・053オ2・疊字	蔑	入濁	ヘツ	左注	met	屑韻
1360a	上邊・053オ3・疊字	蔑	入濁	ヘツ	左注	met	屑韻
2562a	上加・095オ4・動物	蠛	入濁	ヘツ	右傍	met	屑韻
1313a	上邊・051ウ4・雑物	丿	—	ヘツ	右注	p‘et jiai^3	屑韻 祭韻

【表B-05】下巻_Ⅳet 屑韻

番号	前田本所在	掲出字		仮名音注		中古音	韻目
4499a	下佐・044ウ3・動物	蠮	入	エツ	右傍	’et	屑韻
4509b	下佐・045オ4・人躰	噎	入	エツ	右傍	’et	屑韻
4104a	下阿・026オ6・植物	桔	入	キツ	右傍	ket	屑韻
4852a	下木・056オ1・植物	桔	入	キツ	右傍	ket	屑韻
5938b	下師・069オ7・植物	結	—	ケチ	右注	ket	屑韻
5460b	下師・074ウ5・雑物	結	—	ケツ	右注	ket	屑韻
6758c	下世・112ウ2・疊字	潔	入	ケツ	右傍	ket	屑韻
6728b	下世・112オ3・疊字	潔	—	ケツ	右注	ket	屑韻

5170b	下木・064オ3・疊字	節	入	セツ	左注	tset	屑韻
6527	下世・108オ3・人事	節	一	セツ ［上上］	右傍	tset	屑韻
6484	下世・106ウ1・天象	節	一	セチ	右注	tset	屑韻
3694b	下古・011ウ7・疊字	切	入	セチ	左注	ts‘et	屑韻
5030b	下木・061ウ6・疊字	切	一	セチ	左注	ts‘et	屑韻
6587a	下世・110オ5・疊字	切	入	セツ	左注	ts‘et	屑韻
6734a	下世・112オ4・疊字	切	入	セツ	右注	ts‘et	屑韻
6564	下世・109ウ5・辞字	切	一	セツ	右注	ts‘et	屑韻
3446b	下古・007オ3・雜物	屑	入	セツ	右傍	set	屑韻
5914b	下師・086オ2・疊字	屑	入	セツ	右傍	set	屑韻
6225	下飛・097オ3・辞字	垤	入	テチ	右注	det	屑韻
6092b	下飛・092オ5・動物	蛭	入	テツ	右傍	tet tiet tśiet	屑韻 質韻 質韻
3917a	下手・021オ1・雜物	鐵	一	テツ ［平上］	右注	t‘et	霄韻
5914a	下師・086オ2・疊字	瞥	入	ヘツ	右傍	p‘et	屑韻

【表B-05】上巻_Ⅳuen 先韻

番号	前田本所在	掲出字		仮名音注		中古音	韻目
0239b	上伊・012ウ2・疊字	玄	平	クヱン	左注	ɣuen^{1}	先韻

【表B-05】下巻_Ⅳuen 先韻

番号	前田本所在	掲出字		仮名音注		中古音	韻目
3838a	下江・017オ7・疊字	渕	平	ヱン	中注	'uen^{1}	先韻
3673b	下古・011ウ3・疊字	懸	平	クヱン	左注	ɣuen^{1}	先韻
4511a	下佐・045オ4・人躰	懸	平	クヱ	右傍	ɣuen^{1}	先韻
4030b	下手・023オ6・疊字	縣	去	クヱン	左注	ɣuen$^{1/3}$	先/霰韻

【表B-05】上巻_Ⅳuen 銑韻

番号	前田本所在	掲出字		仮名音注		中古音	韻目
2772a	上加・100ウ2・雜物	罥	去	クヱン	右傍	kuen^{2}	銑韻

【表B-05】上巻_Ⅳuet 屑韻

番号	前田本所在	掲出字		仮名音注		中古音	韻目
1049b	上保・042オ7・動物	穴	入	クヱツ	右傍	ɣuet	屑韻
1611b	上度・062ウ3・疊字	穴	入	クヱツ	左注	ɣuet	屑韻
1737	上池・066ウ4・人躰	血	入	クヱツ	右傍	xuet	屑韻
1377b	上邊・053オ6・疊字	决	入	クヱツ	左注	kuet xuet	屑韻 屑韻

0115b	上伊・006オ5・人體	缺	入	クヱツ	右傍	k‘uet k‘jiuat	屑韻 薛韻
2343a	上和・088オ5・雜物	缺	入	クヱツ	右傍	k‘uet k‘jiuat	屑韻 薛韻
2590a	上加・096オ4・人體	缺	入	クヱツ	右傍	k‘uet k‘jiuat	屑韻 薛韻

【表B-05】上巻_Ⅳeŋ 青韻

番号	前田本所在	掲出字		仮名音注		中古音	韻目
2898b	上加・107オ3・疊字	經	去濁	キヤウ	左注	keŋ$^{1/3}$	青/徑韻
1581b	上度・062オ4・疊字	経	上	キヤウ	左注	keŋ$^{1/3}$	青/徑韻
1802b	上池・069オ2・疊字	形	上濁	キヤウ	左注	ɣeŋ^{1}	青韻
0953b	上仁・037オ6・人倫	形	―	キヤウ	右注	ɣeŋ^{1}	青韻
1516	上度・057ウ5・雜物	硎	平	ケン	右傍	ɣeŋ^{1} k‘aŋ^{1}	青韻 庚韻
1022	上保・041ウ1・天象	星	上	シヤウ	右傍	seŋ^{1}	青韻
3180b	上与・113オ6・天象	星	上	シヤウ	右注	seŋ^{1}	青韻
0462b	上波・020オ2・天象	星	平	セイ	右傍	seŋ^{1}	青韻
1023	上保・041ウ1・天象	星	平	セイ	左注	seŋ^{1}	青韻
0424b	上呂・018オ7・光彩	青	―	シヤウ	右注	ts‘eŋ^{1}	青韻
2561a	上加・095オ3・動物	蜻	平	セイ	右傍	ts‘eŋ^{1} tsieŋ^{1}	青韻 清韻
0505a	上波・021オ4・植物	亭	去濁	チヤウ	右傍	deŋ^{1}	青韻
1905a	上池・070ウ1・疊字	停	上	チヤウ	左注	deŋ^{1}	青韻
1906a	上池・070ウ1・疊字	停	上	チヤウ	左注	deŋ^{1}	青韻
1821a	上池・069オ5・疊字	聴	平	チヤウ	左注	t‘eŋ$^{1/3}$	青/徑韻
1822a	上池・069オ6・疊字	聴	平	チヤウ	左注	t‘eŋ$^{1/3}$	青/徑韻
1713	上池・065ウ2・地儀	廳	平	テイ	右傍	t‘eŋ^{1}	青韻
1714	上池・065ウ2・地儀	廳	平	チヤウ	右注	t‘eŋ^{1}	青韻
1839a	上池・069ウ2・疊字	廳	平	チヤウ	中注	t‘eŋ^{1}	青韻
1973a	上池・072オ1・官職	廳	―	チヤウ	右注	t‘eŋ^{1}	青韻
1974a	上池・072オ1・官職	庁		チヤウ	右注	t‘eŋ^{1}	青韻
1778	上池・068オ1・員數	町	去	チヤウ	右注	t‘eŋ$^{1/2}$ deŋ^{2} t‘en^{2}	青/迥韻 迥韻 銑韻
1779	上池・068オ1・員數	挺	平	チヤウ	右注	deŋ$^{1/2}$	青/迥韻
3072b	上加・109ウ2・疊字	丁	平	チヤウ	左注	teŋ^{1} ṭɐŋ^{1}	青韻 耕韻
3199	上与・114ウ1・人倫	丁	平	テイ	右傍	teŋ^{1} ṭɐŋ^{1}	青韻 耕韻

0842b	上波・033オ3・疊字	丁	上	チヤウ	左注	teŋ^{1} ṭeŋ^{1}	青韻 耕韻
1773a	上池・067ウ5・雜物	丁	去	チヤウ	右注	teŋ^{1} ṭeŋ^{1}	青韻 耕韻
1743a	上池・066ウ7・人躰	丁	―	チヤウ	右注	teŋ^{1} ṭeŋ^{1}	青韻 耕韻
3171c	上加・112オ6・官職	丁	―	チヤウ	右注	teŋ^{1} ṭeŋ^{1}	青韻 耕韻
0004	上伊・002オ3・天象	霆	平	テイ	右傍	deŋ$^{1/2}$	青/迥韻
0482	上波・020ウ3・地儀	庭	平	テイ	右傍	deŋ^{1}	青韻
0925	上仁・036オ2・地儀	庭	平	テイ	右傍	deŋ^{1}	青韻
0968a	上仁・038オ6・雜物	庭	平	テイ	右傍	deŋ^{1}	青韻
1087b	上保・044オ2・人事	庭	平	テイ	右傍	deŋ^{1}	青韻
1578b	上度・062オ3・疊字	庭	平	テイ	左注	deŋ^{1}	青韻
1453b	上度・055ウ4・動物	蜓	去	テイ	右傍	deŋ$^{1/2}$ den^{2}	青/迥韻 銑韻
1305a	上邊・051ウ3・雜物	瓶	平	ヘイ	右傍	beŋ^{1}	青韻
2726	上加・099ウ2・雜物	瓶	平	ヘイ	右傍	beŋ^{1}	青韻
1985a	上利・072ウ6・植物	零	―	リヤウ	右注	leŋ$^{1/3}$	青/徑韻
2143a	上奴・076ウ2・植物	零	平	レイ	右傍	leŋ$^{1/3}$	青/徑韻
2047a	上利・074ウ4・疊字	霊	去	リヤウ	左注	leŋ^{1}	青韻
2887b	上加・106ウ7・疊字	霊	去	レイ	中注	leŋ^{1}	青韻
2561b	上加・095オ3・動物	蛉	平	レイ	右傍	leŋ^{1}	青韻
2750a	上加・100オ3・雜物	笭	平	レイ	右傍	leŋ$^{1/2}$	青/迥韻
2527a	上加・094オ6・動物	麢	平	レイ	右傍	leŋ^{1}	青韻
2528	上加・094オ6・動物	羻	平	レイ	右傍	leŋ^{1}	青韻
0944b	上仁・036ウ3・植物	鴒	平	レイ	右傍	leŋ^{1}	青韻
1446b	上度・055ウ1・動物	鴒	平	レイ	右傍	leŋ^{1}	青韻
2727	上加・099ウ3・雜物	瓴	平	レイ	右傍	leŋ^{1}	青韻
3206	上与・114ウ7・人事	齡	平	レイ	右傍	leŋ^{1}	青韻

【表B-05】下巻_Ⅳeŋ 青韻

番号	前田本所在	掲出字		仮名音注		中古音	韻目
3718b	下古・012オ5・疊字	形	平	ケイ	右注	ɣeŋ^{1}	青韻
5790b	下師・084オ5・疊字	形	―	ケイ	右注	ɣeŋ^{1}	青韻
5070a	下木・062オ7・疊字	形	―	キヤウ	左注	ɣeŋ^{1}	青韻
5201a	下木・065オ4・官職	刑	―	キヤウ	右注	ɣeŋ^{1}	青韻
5174a	下木・064オ4・疊字	經	去	キヤウ	左注	keŋ$^{1/3}$	青/徑韻
6602b	下世・110ウ1・疊字	經	上	キヤウ	左注	keŋ$^{1/3}$	青/徑韻
4882a	下木・057オ3・人倫	經	―	キヤウ	右注	keŋ$^{1/3}$	青/徑韻

4926	下木・058ウ2・雜物	經	—	キヤウ	右注	keŋ$^{1/3}$	青/徑韻
4098a	下阿・026オ3・植物	青	平	セイ	右傍	ts‘eŋ^{1}	青韻
6532a	下世・108オ7・人事	青	平	セイ	左注	ts‘eŋ^{1}	青韻
6551a	下世・109オ2・光彩	青	平	セイ	右注	ts‘eŋ^{1}	青韻
6694a	下世・111ウ3・疊字	青	平	セイ	中注	ts‘eŋ^{1}	青韻
6748a	下世・112オ7・疊字	青	平	セイ	右傍	ts‘eŋ^{1}	青韻
6749a	下世・112オ7・疊字	青	平	セイ	右注	ts‘eŋ^{1}	青韻
6753a	下世・112オ7・疊字	青	平	セイ	右注	ts‘eŋ^{1}	青韻
6755a	下世・112ウ1・疊字	青	平	セイ	右注	ts‘eŋ^{1}	青韻
6757a	下世・112ウ1・疊字	青	平	セイ	右注	ts‘eŋ^{1}	青韻
6703a	下世・111ウ5・疊字	青	—	セイ	右注	ts‘eŋ^{1}	青韻
6180b	下飛・094ウ7・雜物	青	平	サイ	右注	ts‘eŋ^{1}	青韻
6201b	下飛・095オ5・光彩	青	上	シヤウ	右傍	ts‘eŋ^{1}	青韻
3572b	下古・007ウ4・光彩	青	上濁	シヤウ	右注	ts‘eŋ^{1}	青韻
3573b	下古・007ウ4・光彩	青	—	シヤウ	右注	ts‘eŋ^{1}	青韻
5278a	下師・069オ7・植物	青	—	シヤウ	右傍	ts‘eŋ^{1}	青韻
4142	下阿・027ウ3・動物	鯖	平	セイ	右傍	ts‘eŋ^{1} tṣieŋ^{1}	青韻 清韻
4497	下佐・044ウ1・動物	鯖	平	セイ	右傍	ts‘eŋ^{1} tṣieŋ^{1}	青韻 清韻
3356b	下古・003ウ1・動物	星	平	セイ	右傍	seŋ^{1}	青韻
5185b	下木・064オ6・疊字	星	平	セイ	右注	seŋ^{1}	青韻
4046b	下阿・024オ7・天象	星	上	シヤウ	右傍	seŋ^{1}	青韻
4496	下佐・044オ7・動物	鮏	—	セイ	右傍	seŋ^{1}	青韻
5309	下師・070オ5・動物	猩	平	セイ	右傍	seŋ^{1} ṣaŋ^{1}	青韻 庚韻
3972a	下手・022オ7・疊字	丁	平	テイ	左注	teŋ^{1} ṭɐŋ^{1}	青韻 耕韻
4336	下阿・036オ7・辭字	丁	平	テイ	右傍	teŋ^{1} ṭɐŋ^{1}	青韻 耕韻
5689b	下師・082ウ1・疊字	丁	平	テイ	左注	teŋ^{1} ṭɐŋ^{1}	青韻 耕韻
3858b	下江・017ウ5・疊字	丁	平	チヤウ	左注	teŋ^{1} ṭɐŋ^{1}	青韻 耕韻
6102b	下飛・092ウ3・人倫	丁	—	チヤウ	右傍	teŋ^{1} ṭɐŋ^{1}	青韻 耕韻
4800b	下佐・053ウ6・疊字	仃	—	テイ	右傍	teŋ^{1}	青韻
3939a	下手・021ウ7・疊字	亭	平	テイ	左注	deŋ^{1}	青韻
3883	下手・019オ2・地儀	亭	東?	テイ [平平]	左注	deŋ^{1}	青韻
4074	下阿・025ウ1・地儀	亭	—	テイ	右傍	deŋ^{1}	青韻

4023a	下手・023オ4・疊字	停	平	テイ	左注	deŋ^{1}	青韻
6010b	下會・089ウ2・疊字	挺	―	テイ	右注	deŋ$^{1/2}$	青/迥韻
3955b	下手・022オ3・疊字	廷	去	テイ	左注	deŋ$^{1/3}$	青/徑韻
4898	下木・057ウ4・人事	聴	平	テイ	右傍	t‘eŋ$^{1/3}$	青/徑韻
5880b	下師・085オ6・疊字	聴	去	テイ	右注	t‘eŋ$^{1/3}$	青/徑韻
4822b	下佐・054ウ3・官職	廳	―	チヤウ	右注	t‘eŋ^{1}	青韻
3972b	下手・022オ7・疊字	寧	平	ネイ	左注	neŋ^{1}	青韻
5964b	下會・087ウ4・地儀	寧	平	ネイ	右傍	neŋ^{1}	青韻
4278b	下阿・032ウ3・雑物	瓶	上濁	ヒヤウ	右傍	beŋ^{1}	青韻
5581b	下師・080オ4・疊字	瓶	上	ヒヤウ	左注	beŋ^{1}	青韻
4159a	下阿・028オ3・動物	螟	―	メイ	右傍	meŋ^{1}	青韻
4159b	下阿・028オ3・動物	蛉	―	レイ	右傍	leŋ^{1}	青韻
4627	下佐・050オ6・辞字	伶	平	レイ	右傍	leŋ^{1}	青韻
4897	下木・057ウ4・人事	聆	平	レイ	右傍	leŋ^{1}	青韻
6036a	下飛・090ウ6・地儀	囹	平	レイ	右傍	leŋ^{1}	青韻
6061	下飛・091ウ1・植物	柃	平	レイ	右傍	leŋ^{1} lieŋ^{2}	青韻 靜韻
6202a	下飛・095オ5・光彩	柃	平	レイ	右傍	leŋ^{1} lieŋ^{2}	青韻 靜韻
6855	下洲・116オ7・雑物	鈴	平	レイ	右傍	leŋ^{1}	青韻

【表B-05】上巻_Ⅳeŋ 迥韻

番号	前田本所在	掲出字		仮名音注		中古音	韻目
1921a	上池・070ウ4・疊字	打	上	チヤウ	左注	teŋ^{2} taŋ^{2}	迥韻 梗韻
0390c	上伊・016オ5・官職	頂	上濁	チヤウ	左注	teŋ^{2}	迥韻
1817a	上池・069オ5・疊字	頂	平	チヤウ	左注	teŋ^{2}	迥韻
0110	上伊・006オ3・人體	頂	上	テイ	右傍	teŋ^{2}	迥韻
0111	上伊・006オ3・人體	顊	―	ネイ	右傍	neŋ^{2}	迥韻

【表B-05】下巻_Ⅳeŋ 迥韻

番号	前田本所在	掲出字		仮名音注		中古音	韻目
4244	下阿・031ウ6・雑物	鼎	上	テイ	右傍	teŋ^{2}	迥韻

【表B-05】上巻_Ⅳeŋ 徑韻

番号	前田本所在	掲出字		仮名音注		中古音	韻目
1109b	上保・044ウ7・雑物	磬	平濁	キヤウ	右注	k‘eŋ^{3}	徑韻
0991b	上仁・040オ3・疊字	定	平濁	チヤウ	右注	teŋ^{3} deŋ^{3}	徑韻 徑韻

1376b	上邊・053オ6・疊字	定	平濁	チヤウ	中注	teŋ3 deŋ3	徑韻 徑韻
1823a	上池・069オ6・疊字	定	平濁	チヤウ	左注	teŋ3 deŋ3	徑韻 徑韻
2103b	上利・075ウ1・疊字	定	平濁	チヤウ	中注	teŋ3 deŋ3	徑韻 徑韻
2907b	上加・107オ4・疊字	定	平濁	チヤウ	左注	teŋ3 deŋ3	徑韻 徑韻
3026b	上加・108ウ7・疊字	定	平濁	チヤウ	左注	teŋ3 deŋ3	徑韻 徑韻
3025b	上加・108ウ7・疊字	定	平	チヤウ	左注	teŋ3 deŋ3	徑韻 徑韻
1978a	上池・072オ3・官職	定	―	チヤウ	右注	teŋ3 deŋ3	徑韻 徑韻

【表B-05】下巻_Ⅳeŋ 徑韻

番号	前田本所在	掲出字		仮名音注		中古音	韻目
5547b	下師・079オ4・疊字	俓	去	ケイ	右注	keŋ3 ŋeŋ1 ŋen1	徑韻 耕韻 先韻
6317b	下飛・098ウ5・疊字	定	平濁	チヤウ	左注	teŋ3 deŋ3	徑韻 徑韻
4002b	下手・022ウ6・疊字	定	平	チヤウ	左注	teŋ3 deŋ3	徑韻 徑韻
5101b	下木・063オ2・疊字	定	平	チヤウ	左注	teŋ3 deŋ3	徑韻 徑韻
6296b	下飛・098ウ2・疊字	定	平	チヤウ	左注	teŋ3 deŋ3	徑韻 徑韻
4735b	下佐・052オ7・疊字	定	去	テイ	左注	teŋ3 deŋ3	徑韻 徑韻
4024a	下手・023オ4・疊字	定	平	テイ	左注	teŋ3 deŋ3	徑韻 徑韻
4033b	下手・023オ7・疊字	佞	―	ネイ	左注	neŋ3	徑韻
5896b	下師・085ウ2・疊字	佞	―	ネイ	右傍	neŋ3	徑韻

【表B-05】上巻_Ⅳek 錫韻

番号	前田本所在	掲出字		仮名音注		中古音	韻目
2568	上加・095ウ2・人倫	覡	入濁	ケキ	右傍	ɣek	錫韻
2237	上遠・081オ4・人倫	覡	入	ケキ	右傍	ɣek	錫韻
2632b	上加・097オ5・人事	裼	入	セキ	右傍	sek	錫韻

3138b	上加・110ウ4・疊字	裼	入	セキ	左注	sek	錫韻
3048b	上加・109オ5・疊字	寂	入	セキ	左注	dzek	錫韻
2397b	上和・090オ6・疊字	笛	入	テキ	中注	dek	錫韻
3222b	上与・115ウ4・雑物	笛	入	テキ	右傍	dek	錫韻
2805b	上和・088オ7・雑物	笛	入	チヤク	右傍	dek	錫韻
2351b	上和・088オ7・雑物	笛	入	チク	右傍	dek	錫韻
2569	上加・095ウ2・人倫	敵	―	テキ	右傍	dek	錫韻
2827	上加・103ウ2・辞字	適	―	テキ	右傍	tek tśiek śiek	錫韻 昔韻 昔韻
2812	上加・102オ7・辞字	糴	―	テキ	右傍	dek	錫韻
0242b	上伊・012ウ3・疊字	狄	入	テキ	左注	dek	錫韻
1251b	上保・048ウ2・疊字	狄	―	テキ	左注	dek	錫韻
2440	上加・091ウ6・地儀	壁	入	ヘキ	右傍	pek	錫韻
2868b	上加・106ウ4・疊字	壁	入	ヘキ	左注	pek	錫韻
0005a	上伊・002オ4・天象	霹	入	ヘキ	右傍	p‘ek	錫韻
1324a	上邊・052ウ3・疊字	霹	入	ヘキ	右注	p‘ek	錫韻
0945a	上仁・036ウ4・動物	鸊	入	ヘキ	右傍	bek	錫韻
0505b	上波・021オ4・植物	歴	―	リヤク	右傍	lek	錫韻
0588a	上波・024オ5・人躰	歴	―	レキ	右傍	lek	錫韻
0005b	上伊・002オ4・天象	靂	入	レキ	右傍	lek	錫韻
1324b	上邊・052ウ3・疊字	靂	入	レキ	右注	lek	錫韻
1175b	上保・047ウ1・疊字	暦	入	レキ	左注	lek	錫韻
0061	上伊・004オ3・植物	櫟	入	レキ	右傍	lek jiak	錫韻 薬韻
0065a	上伊・004オ3・植物	櫟	入	レキ	右傍	lek jiak	錫韻 薬韻
2687a	上加・098ウ4・雑物	櫟	入	レキ	右傍	lek jiak	錫韻 薬韻

【表B-05】下巻_Ⅳek 錫韻

番号	前田本所在	掲出字		仮名音注		中古音	韻目
4288b	下阿・032ウ5・雑物	擊	―	ケキ	右傍	kek	錫韻
4290	下阿・032ウ5・雑物	篙	入	ケキ	右傍	xek	錫韻
5408	下師・073ウ5・雑物	錫	入	シヤク	右注	sek	錫韻
5455a	下師・074ウ3・雑物	錫	入	シヤク	右注	sek	錫韻
5407	下師・073ウ5・雑物	錫	入	セキ	右傍	sek	錫韻
6571a	下世・110オ1・重點	寂	入	セキ	右注	dzek	錫韻
6571b	下世・110オ1・重點	寂	入	セキ	右注	dzek	錫韻
6697a	下世・111ウ4・疊字	寂	入	セキ	中注	dzek	錫韻
6698a	下世・111ウ4・疊字	寂	入	セキ	左注	dzek	錫韻
6610a	下世・110ウ2・疊字	戚	―	セキ	右注	ts‘ek	錫韻
5370	下師・072ウ2・人事	戚	―	セキ	右傍	ts‘ek	錫韻
6520	下世・107ウ5・人倫	戚	―	セキ	左注	ts‘ek	錫韻
3760	下江・015オ2・人倫	狄	―	テキ	右傍	dek	錫韻

4616	下佐・048ウ4・辞字	勢	—	テキ	右傍	tʻek	錫韻
4213	下阿・030オ1・人事	䞶	入	テキ	右傍	tʻek ṭʻiʌu^{1}	錫韻 尤韻
4003a	下手・022ウ7・疊字	敵	入	テキ	中注	dek	錫韻
5727b	下師・083オ4・疊字	敵	入	テキ	左注	dek	錫韻
4011a	下手・023オ1・疊字	滴	入	テキ	中注	tek	錫韻
6833b	下洲・116オ2・雜物	滴	—	テキ	右傍	tek	錫韻
6086	下飛・092オ3・動物	蹢	—	テキ	右傍	tek ḍiek	錫韻 昔韻
4020a	下手・023オ4・疊字	糴	去	テキ	左注	dek	錫韻
5806b	下師・084ウ1・疊字	的	入	テキ	右注	tek	錫韻
6948b	下洲・120ウ5・疊字	的	—	テキ	右注	tek	錫韻
4030a	下手・023オ6・疊字	酈	入	テキ	左注	lek lie^{1}	錫韻 支韻
3721b	下古・012オ6・疊字	壁	徳	ヘキ	右注	pek	錫韻
5474b	下師・075オ3・光彩	壁	徳	ヘキ	右傍	pek	錫韻
4875b	下木・056ウ5・動物	壁	—	ヘキ	右傍	pek	錫韻
5184b	下木・064オ6・疊字	壁	—	ヘキ	右注	pek	錫韻
3444	下古・007オ2・雜物	暦	入	リヤク	右傍	lek	錫韻
5174b	下木・064オ4・疊字	暦	入	リヤク	左注	lek	錫韻
4011b	下手・023オ1・疊字	瀝	入	レキ	中注	lek	錫韻
5346b	下師・071ウ3・人躰	瀝	入	レキ	右傍	lek	錫韻
4440	下佐・042ウ2・地儀	礫	—	レキ	右傍	lek	錫韻

【表B-05】上巻_Ⅳueŋ 青韻

番号	前田本所在	掲出字		仮名音注		中古音	韻目
1060	上保・042ウ6・動物	螢	平	ケイ	右傍	ɣueŋ^{1}	青韻
1423	上度・054ウ3・地儀	扃	平	ケイ	右傍	kueŋ^{1}	青韻

【表B-05】下巻 Ⅳueŋ 青韻

番号	前田本所在	掲出字		仮名音注		中古音	韻目
3794a	下江・016ウ5・重點	營		エイ	右注	ɣueŋ^{1}	青韻
3794b	下江・016ウ5・重點	營	—	エイ	右注	ɣueŋ^{1}	青韻
5703b	下師・082ウ5・疊字	螢	—	ケイ	左注	ɣueŋ^{1}	青韻
6198	下飛・095オ4・光彩	熒	平	ケイ	右傍	ɣueŋ^{1}	青韻

【表B-06】上巻_ⅢBia 歌韻

番号	前田本所在	掲出字		仮名音注		中古音	韻目
2438a	上加・091ウ6・地儀	伽	去濁	カ	右注	gia^{1}	歌韻
2895a	上加・107オ2・疊字	伽	去濁	カ	左注	gia^{1}	歌韻

【表B-06】下巻_ⅢBia 歌韻

番号	前田本所在	掲出字		仮名音注		中古音	韻目
4281b	下阿・032ウ3・雜物	伽	平	カ	右注	gia^{1}	歌韻

【表B-06】上巻_ⅢBiua 戈韻

番号	前田本所在	掲出字		仮名音注		中古音	韻目
0647b	上波・026オ6・雜物	靴	―	クワ	右注	xiua^{1}	戈韻

【表B-06】上巻_ⅢBiai廢韻

番号	前田本所在	掲出字		仮名音注		中古音	韻目
0794a	上波・032オ7・疊字	癈	平	ハイ	右注	piai^{3}	廢韻
0873a	上波・033ウ2・疊字	癈	平	ハイ	右注	piai^{3}	廢韻
1906b	上池・070ウ1・疊字	癈	平	ハイ	左注	piai^{3}	廢韻
1311	上邊・051ウ4・雜物	鱍	去	ヘウ	右傍	piai^{3} bat	廢韻 末韻

【表B-06】下巻_ⅢBiai 廢韻

番号	前田本所在	掲出字		仮名音注		中古音	韻目
4257b	下阿・032オ5・雜物	䉬	―	ハイ	右傍	piai^{3}	廢韻
5222a	下由・066オ6・植物	橃	去	ヘイ	右傍	piai^{3} biat	廢韻 月韻

【表B-06】下巻_ⅢBiuai 廢韻

番号	前田本所在	掲出字		仮名音注		中古音	韻目
5981	下會・088ウ1・人事	穢	―	ヱ ［平］	右注	'iuai^{3}	廢韻
5987	下會・089オ2・辭字	穢	―	ヱ	右注	'iuai^{3}	廢韻

【表B-06】上巻_ⅢBiam 嚴韻

番号	前田本所在	掲出字		仮名音注		中古音	韻目
2877a	上加・106ウ5・疊字	嚴	平濁	カム	左注	ŋiam^{1}	嚴韻

1931b	上池・070ウ6・疊字	嚴	平濁	ケム	左注	ŋiam^{1}	嚴韻
2755a	上加・100オ4・雜物	嚴	平濁	ケム	右傍	ŋiam^{1}	嚴韻

【表B-06】下巻_ⅢBiam 嚴韻

番号	前田本所在	掲出字		仮名音注		中古音	韻目
5955	下古・007ウ1・雜物	杴	—	ケム	右傍	xiam^{1}	嚴韻
5566b	下師・079ウ5・疊字	嚴	上濁	コム	右注	ŋiam^{1}	嚴韻

【表B-06】上巻_ⅢBiap 業韻

番号	前田本所在	掲出字		仮名音注		中古音	韻目
1332b	上邊・052ウ4・疊字	業	入濁	ケフ	左注	ŋiap	業韻
2459b	上加・092オ4・地儀	業	入	ケフ	右傍	ŋiap	業韻
2593	上加・096オ5・人體	脅	入	ケフ	右傍	xiap xiam^{3}	業韻 釅韻

【表B-06】下巻_ⅢBiap業韻

番号	前田本所在	掲出字		仮名音注		中古音	韻目
5368	下師・072ウ1・人事	業	入濁	ケウ	右傍	ŋiap	業韻
4757b	下佐・052ウ6・疊字	業	入	ケフ	左注	ŋiap	業韻

【表B-06】上巻_ⅢBian 元韻

番号	前田本所在	掲出字		仮名音注		中古音	韻目
0439b	上呂・019オ2・疊字	言	平濁	ケン	右注	ŋian^{1}	元韻
1361b	上邊・053オ3・疊字	言	平濁	ケン	左注	ŋian^{1}	元韻
2308	上和・087オ2・人事	言	平濁	ケン	右傍	ŋian^{1}	元韻
2052b	上利・074ウ5・疊字	言	平濁	ケム	左注	ŋian^{1}	元韻
2075b	上利・075オ3・疊字	言	平濁	ケム	左注	ŋian^{1}	元韻
2973b	上加・108オ4・疊字	言	平濁	ケム	左注	ŋian^{1}	元韻
2974b	上加・108オ4・疊字	言	平濁	ケム	左注	ŋian^{1}	元韻
3030b	上加・109オ1・疊字	言	平	ケム	左注	ŋian^{1}	元韻
0776b	上波・032オ4・疊字	言	上濁	コン	中注	ŋian^{1}	元韻
1968c	上池・071ウ7・官職	言	—	コン	右注	ŋian^{1}	元韻
1548	上度・059ウ1・辞字	騫	平	ケン	右傍	xian^{1}	元韻
0851a	上波・033オ5・疊字	番	去濁	ハン	中注	bian^{1} p'ian^{1} ban^{1} p'an^{1} pa$^{1/3}$	元韻 元韻 桓韻 桓韻 戈/過韻

0696	上波・028ウ2・員數	番	―	ハン	右注	bian1 p‘ian1 ban1 p‘an1 pa1/3	元韻 元韻 桓韻 桓韻 戈/過韻
0721a	上波・031オ5・重點	番	―	ハン	右注	bian1 p‘ian1 ban1 p‘an1 pa1/3	元韻 元韻 桓韻 桓韻 戈/過韻
0721b	上波・031オ5・重點	番	―	ハン	右注	bian1 p‘ian1 ban1 p‘an1 pa1/3	元韻 元韻 桓韻 桓韻 戈/過韻
0919a	上波・035オ3・官職	番	―	ハン	右注	bian1 p‘ian1 ban1 p‘an1 pa1/3	元韻 元韻 桓韻 桓韻 戈/過韻
1165a	上保・047オ6・疊字	翻	去	ホン	左注	p‘ian1	元韻
0652	上波・026ウ1・雜物	幡	平	ハン	右傍	p‘ian1	元韻
0364b	上伊・015ウ5・国郡	幡	―	ハ	右注	p‘ian1	元韻
1692a	上度・064オ3・国郡	幡	―	ハ	右傍	p‘ian1	元韻
0911b	上波・034ウ1・諸社	幡	―	マン	右注	p‘ian1	元韻
2445	上加・091ウ7・地儀	藩	平	ハン	右傍	pian1 bian1	元韻 元韻
2533a	上加・094ウ2・動物	鐇	平	ハン	右傍	pian1	元韻
1031a	上保・041ウ4・地儀	礬	平 去濁	ホン	右注	bian1	元韻
1032a	上保・041ウ4・地儀	礬	平 去濁	ハン	右傍	bian1	元韻
0472a	上波・020オ6・地儀	礬	―	ハン	右注	bian1	元韻
2840	上加・105オ6・辞字	礬	―	シウ	右傍	bian1	元韻
2329	上和・087ウ2・人事	煩	平	ハン	右傍	bian1	元韻
1189a	上保・047ウ4・疊字	煩	去濁	ホン	左注	bian1	元韻
0831a	上波・033オ1・疊字	繁	平	ハン	右注	bian1 ban1 ba1	元韻 桓韻 戈韻
0871a	上波・033ウ2・疊字	繁	平	ハン	右注	bian1 ban1 ba1	元韻 桓韻 戈韻

0495a	上波・021オ1・植物	蘩	平	ハン	右傍	bian1	元韻

【表B-06】下巻_ⅢBian 元韻

番号	前田本所在	掲出字		仮名音注		中古音	韻目
4712b	下佐・052オ1・疊字	言	平濁	ケム	左注	ŋian1	元韻
5053b	下木・062オ4・疊字	言	平	ケン	左注	ŋian1	元韻
6274b	下飛・098オ5・疊字	言	—	ケン	左注	ŋian1	元韻
6732b	下世・112オ3・疊字	言	上濁	コム	右注	ŋian1	元韻
3712a	下古・012オ4・疊字	言	—	コン	左注	ŋian1	元韻
5325b	下師・071オ1・人倫	言	—	コン	右注	ŋian1	元韻
5570b	下師・079ウ7・疊字	言	—	コン	右注	ŋian1	元韻
6763c	下世・112ウ7・官職	言	—	コン	右傍	ŋian1	元韻
5866b	下師・085オ4・疊字	軒	平	ケム	右注	xian1	元韻
4328	下阿・035ウ3・辞字	軒	平	ケン	右傍	xian1	元韻
6868	下洲・116ウ5・光彩	馨	—	シウ	右傍	bian1	元韻
4231	下阿・031オ5・飲食	燔	平	ハン	右傍	bian1	元韻
6409	下毛・101ウ4・動物	鷭	—	ハン	右傍	bian1	元韻
5492	下師・076オ2・辞字	蕃	平	ハン	右傍	bian1 pian1	元韻 元韻
4666b	下佐・051オ5・疊字	幡	去	ハン	左注	p'ian1	元韻
5923b	下師・086ウ2・國郡	幡	—	ハン	右傍	p'ian1	元韻
6221	下飛・096ウ6・辞字	繙	—	ハン	右傍	p'ian1	元韻
6227	下飛・097ウ1・辞字	飜	平	ハン	右傍	p'ian1	元韻
5491	下師・076オ2・辞字	繁	平	ハン	右傍	bian1 ban1 ba1	元韻 桓韻 戈韻
5282a	下師・069ウ1・植物	蘩	—	ハン	右傍	bian1	元韻

【表B-06】上巻_ⅢBian 阮韻

番号	前田本所在	掲出字		仮名音注		中古音	韻目
2274	上遠・084オ2・辞字	晩	上	ハン	右傍	mian2	阮韻
0728a	上波・031ウ1・疊字	晩	上濁	ハム	右注	mian2	阮韻
0729a	上波・031ウ1・疊字	晩	上濁	ハム	右注	mian2	阮韻
0733a	上波・031ウ2・疊字	晩	上濁	ハム	右注	mian2	阮韻
0734a	上波・031ウ2・疊字	晩	上濁	ハム	左注	mian2	阮韻
0735a	上波・031ウ2・疊字	晩	上濁	ハム	右注	mian2	阮韻
0833a	上波・033オ1・疊字	反	上	ハン	右注	pian2	阮韻
0906a	上波・034オ2・疊字	反	上	ハン	左注	pian2	阮韻
2403b	上和・090オ7・疊字	反	上濁	ハン	左注	pian2	阮韻
1379a	上邊・053オ7・疊字	反	平	ヘン	左注	pian2	阮韻

1398a	上邊・053ウ4・疊字	反	平	ヘン	右注	pian^{2}	阮韻
1106a	上保・044ウ7・雜物	反	—	ホン	左注	pian^{2}	阮韻
1107a	上保・044ウ7・雜物	反	—	ホ	右注	pian^{2}	阮韻
1346a	上邊・052ウ7・疊字	返	平	ヘン	右注	pian^{2}	阮韻
1393a	上邊・053ウ2・疊字	返	平	ヘム	右注	pian^{2}	阮韻
2913b	上加・107オ6・疊字	返	平濁	ヘム	中注	pian^{2}	阮韻
0158	上伊・008オ5・飲食	飯	去	ハン	右傍	bian$^{2/3}$	阮/願韻
2339b	上和・088オ3・飲食	飯	平濁	ハン	右注	bian$^{2/3}$	阮/願韻
2396b	上和・090オ5・疊字	飯	平濁	ハン	左注	bian$^{2/3}$	阮/願韻

【表B-06】下巻_ⅢBian 阮韻

番号	前田本所在	掲出字		仮名音注		中古音	韻目
4642b	下佐・050ウ7・疊字	晩	上	ハン	中注	mian^{2}	阮韻
3417b	下古・006オ7・飲食	飯	去	ハン	右傍	bian$^{2/3}$	阮/願韻
4557b	下佐・046ウ5・飲食	飯	—	ハ ［上濁］	右注	bian$^{2/3}$	阮/願韻
4433	下佐・042ウ1・地儀	坂	上	ハン	右傍	pian^{2}	阮韻
4977b	下木・061オ2・疊字	坂	上濁	ハム	左注	pian^{2}	阮韻
3800a	下江・016ウ7・疊字	偃	上	エン	左注	'ian^{2}	阮韻
3823a	下木・061オ2・疊字	偃	上	エン	左注	'ian^{2}	阮韻
3824a	下江・017オ5・疊字	偃	平 上	エン	右傍	'ian^{2}	阮韻

【表B-06】上巻_ⅢBian 願韻

番号	前田本所在	掲出字		仮名音注		中古音	韻目
2460b	上加・092オ4・地儀	建	去	ケン	右傍	kian^{3}	願韻
0737a	上波・031ウ3・疊字	万	去濁	ハン	左注	mian^{3} mʌk	願韻 徳韻
0752a	上波・031ウ6・疊字	万	去濁	ハン	中注	mian^{3} mʌk	願韻 徳韻
0757a	上波・031ウ7・疊字	万	去濁	ハン	中注	mian^{3} mʌk	願韻 徳韻
0888a	上波・033ウ5・疊字	万	去濁	ハン	右注	mian^{3} mʌk	願韻 徳韻

【表B-06】下巻_ⅢBian 願韻

番号	前田本所在	掲出字		仮名音注		中古音	韻目
3732a	下古・013ウ1・官職	健	—	コ	左注	gian^{3}	願韻
6099b	下飛・092ウ2・人倫	販	平	ハン	右傍	pian^{3}	願韻

【表B-06】上巻_ⅢBiat 月韻

番号	前田本所在	掲出字		仮名音注		中古音	韻目
0805b	上波・032ウ2・疊字	謁	入	エツ	右注	'iat	月韻
2905a	上加・107オ4・疊字	羯	入	カツ	左注	kiat	月韻
0786a	上波・032オ6・疊字	發	入	ハツ	右注	piat	月韻
0875a	上波・033ウ2・疊字	發	入	ハツ	右注	piat	月韻
0876a	上波・033ウ3・疊字	發	入	ハツ	右注	piat	月韻
0878a	上波・033ウ3・疊字	發	入	ハツ	右注	piat	月韻
0879a	上波・033ウ3・疊字	發	入	ハツ	右注	piat	月韻
1172a	上保・047オ7・疊字	發	入	ホツ	左注	piat	月韻
1188a	上保・047ウ4・疊字	發	入	ホツ	左注	piat	月韻
1213a	上保・048オ2・疊字	發	入	ホツ	左注	piat	月韻
1228a	上保・048オ5・疊字	發	入	ホツ	左注	piat	月韻
1235a	上保・048オ6・疊字	發	入	ホツ	左注	piat	月韻
2873b	上加・106ウ5・疊字	發	入	ホツ	左注	piat	月韻
2922b	上加・107オ7・疊字	發	入	ホツ	左注	piat	月韻
2914b	上加・107オ6・疊字	發	入濁	ホツ	左注	piat	月韻
0782a	上波・032オ5・疊字	髮	入	ハツ	左注	piat	月韻
1855b	上池・069ウ5・疊字	髮	入	ハツ	左注	piat	月韻
2098b	上利・075オ7・疊字	髮	入	ハツ	左注	piat	月韻
2565b	上加・095オ6・動物	髮	入	ハツ	右傍	piat	月韻
2582	上加・096オ2・人體	髮	入	ハツ	右傍	piat	月韻
2932b	上加・107ウ2・疊字	髮	入	ハツ	左注	piat	月韻
2933b	上加・107ウ3・疊字	髮	入	ハツ	左注	piat	月韻
0771b	上波・032オ3・疊字	髮	—	ハツ	左注	piat	月韻
0175	上伊・008ウ4・雜物	筏	入	ハツ	右傍	biat pat	月韻 末韻
0604	上波・024ウ5・人事	罰	—	ハツ ［平濁平］	右注	biat	月韻
0621	上波・025オ7・人事	罰	入濁	ハツ	右注	biat	月韻
2099b	上利・075オ7・疊字	韈	入濁	ヘツ	左注	miat	月韻

【表B-06】下巻_ⅢBian 月韻

番号	前田本所在	掲出字		仮名音注		中古音	韻目
3773	下江・015ウ1・人事	謁	—	エツ ［上上］	右注	'iat	月韻
5680b	下師・082オ6・疊字	謁	入	エツ	左注	'iat	月韻
5166b	下木・064オ2・疊字	謁	—	エツ	左注	'iat	月韻
6160b	下飛・094ウ2・雜物	髮	入	ハチ	右傍	piat	月韻
6587b	下世・110オ5・疊字	髮	入	ハツ	左注	piat	月韻
6754b	下世・112ウ1・疊字	髮	入	ハツ	右注	piat	月韻
5753b	下師・083ウ4・疊字	發	入	ハツ	左注	piat	月韻
5431	下師・074オ2・雜物	襪	入濁	ヘツ	右傍	miat	月韻

【表B-06】上巻_ⅢBiuan 元韻

番号	前田本所在	掲出字		仮名音注		中古音	韻目
0475	上波・020オ6・地儀	原	平濁	クヱン	右傍	ŋiuan¹	元韻
2539	上加・094ウ4・動物	黿	平濁	クヱン	右傍	ŋiuan¹ ŋuan¹	元韻 桓韻
2559a	上加・095オ2・動物	蚖	平	クヱン	右傍	ŋiuan¹ ŋuan¹	元韻 桓韻
2221a	上遠・080ウ3・動物	鴛	平	ヱン	右傍	'iuan¹ 'uʌn¹	元韻 魂韻
2288a	上和・086オ2・植物	萱	平	クワン	右傍	xiuan¹	元韻
2325	上和・087オ6・人事	諼	平濁	クヱン	右傍	xiuan¹/²	元/阮韻
2640	上加・097ウ2・人事	喧	平	クヱン	右傍	xiuan¹	元韻
1667b	上度・063ウ1・疊字	園	平	ヱン	左注	ɣiuan¹	元韻
2442	上加・091ウ7・地儀	垣	平	ヱン	右傍	ɣiuan¹	元韻

【表B-06】下巻_ⅢBiuan 元韻

番号	前田本所在	掲出字		仮名音注		中古音	韻目
3684b	下古・011ウ5・疊字	源	上	クヱン	右注	ŋiuan¹	元韻
4462a	下佐・043ウ1・植物	杬	平	クヱン	右傍	ŋiuan¹	元韻
5366	下師・072オ7・人事	寃	平	ヱン	右傍	'iuan¹	元韻
5374	下師・072ウ3・人事	寃	平	ヱン	右傍	'iuan¹	元韻
5996a	下會・089オ7・疊字	冤	去	ヱン	中注	'iuan¹	元韻
6005a	下會・089ウ1・疊字	冤	平	ヱン	左注	'iuan¹	元韻
4352	下阿・038ウ3・辭字	暄	平	クヱン	右傍	xiuan¹	元韻
5236	下由・067オ4・人事	讙	去	クヱン	右傍	xiuan¹ xuan¹	元韻 桓韻
3582	下古・009オ3・辭字	爰	平	ヱン	右傍	ɣiuan¹	元韻
5188b	下木・064オ7・疊字	園	東?	ヱン	右注	ɣiuan¹	元韻
5971a	下會・087ウ6・植物	園	一	ヱン	右傍	ɣiuan¹	元韻
5193b	下木・064ウ4・諸社	園	一	ヲン	左注	ɣiuan¹	元韻
5276a	下師・069オ6・植物	垣	平	ヱン	右傍	ɣiuan¹	元韻
6006a	下會・089ウ1・疊字	垣	平	ヱン	中注	ɣiuan¹	元韻
4482	下佐・044オ3・動物	猿	平	ヱン	右傍	ɣiuan¹	元韻
4484	下佐・044オ3・動物	猨	平	ヱン	右注	ɣiuan¹	元韻
4489a	下佐・044オ5・動物	猿	平	ヱン	右傍	ɣiuan¹	元韻

【表B-06】上巻_ⅢBiuan 阮韻

番号	前田本所在	掲出字		仮名音注		中古音	韻目
2627	上加・097オ3・人事	婉	上	ヱン	右傍	'iuan²	阮韻
2004c	上利・073ウ2・人事	苑	平	ヱン	右注	'iuan²	阮韻

1330b	上邊・052ウ4・疊字	遠	上	ヱン	中注	ɣiuan$^{2/3}$	阮/願韻
1474a	上度・056ウ4・人事	遠	上	ヱン	右傍	ɣiuan$^{2/3}$	阮/願韻
2210a	上遠・080オ5・植物	遠	—	ヲ ［上］	右注	ɣiuan$^{2/3}$	阮/願韻
0059a	上伊・004オ2・植物	卷	去	クワン	右傍	giuan^{2} giuan$^{1/3}$ kiuan^{2}	阮韻 仙/線韻 獮韻

【表B-06】下巻_ⅢBiuan 阮韻

番号	前田本所在	掲出字		仮名音注		中古音	韻目
5275b	下師・069オ6・植物	菀	上	ヲン	右注	'iuan^{2}	阮韻
6007a	下會・089ウ1・疊字	遠	上	ヱン	中注	ɣiuan$^{2/3}$	阮/願韻
6012a	下會・089ウ3・疊字	遠	上	ヱン	左注	ɣiuan$^{2/3}$	阮/願韻
5989a	下會・089オ4・重點	遠	—	ヱン	右注	ɣiuan$^{2/3}$	阮/願韻
5989b	下會・089オ4・重點	遠	—	ヱン	右注	ɣiuan$^{2/3}$	阮/願韻

【表B-06】下巻_ⅢBiuan 願韻

番号	前田本所在	掲出字		仮名音注		中古音	韻目
4993b	下木・061オ5・疊字	願	平	クワン	左注	ŋiuan^{3}	願韻
5821b	下師・084ウ4・疊字	券	—	クヱン	左注	k'iuan^{3}	願韻

【表B-06】上巻_ⅢBiuat 月韻

番号	前田本所在	掲出字		仮名音注		中古音	韻目
0891b	上波・033ウ6・疊字	月	入濁	クワツ	右注	ŋiuat	月韻
2290	上和・086オ2・植物	蕨	入	クヱツ	右傍	kiuat	月韻
0876b	上波・033ウ3・疊字	越	入	ヱツ	右注	ɣiuat	月韻
0152b	上伊・008オ1・人事	越	—	ヲツ	右注	ɣiuat	月韻
0382a	上伊・015ウ7・国郡	越	—	ヲ	右傍	ɣiuat	月韻
2285a	上遠・085ウ2・姓氏	越	—	ヲ	右注	ɣiuat	月韻

【表B-06】下巻_ⅢBiuat 月韻

番号	前田本所在	掲出字		仮名音注		中古音	韻目
4508a	下佐・045オ3・人躰	月	入	クワツ	右傍	ŋiuat	月韻
5770b	下師・084オ2・疊字	闕	入	クヱツ	左注	k'iuat	月韻
3314	下古・002オ2・地儀	橛	入	クヱツ	右傍	kiuat giuat	月韻 月韻
4145	下阿・027ウ3・動物	鱖	入	クヱツ	右傍	kiuat kiuai^{3}	月韻 祭韻
6010a	下會・089ウ2・疊字	越	—	ヱツ	右注	ɣiuat	月韻
6014a	下會・089ウ5・國郡	越	—	ヱツ	右注	ɣiuat	月韻

6016a	下會・089ウ5・國郡	越	—	ヱツ	右注	ɣiuat	月韻
6017a	下會・089ウ6・國郡	越	—	ヱツ	右注	ɣiuat	月韻
3963b	下手・022オ5・疊字	越	入	ヲツ	左注	ɣiuat	kiuat kiuai³

【表B-06】上巻_ⅢBiaŋ 陽韻

番号	前田本所在	掲出字		仮名音注		中古音	韻目
2940a	上加・107ウ4・疊字	強	平濁	カウ	左注	giaŋ¹	陽韻
2951a	上加・107ウ6・疊字	強	平濁	カウ	左注	giaŋ¹	陽韻
3001a	上加・108ウ2・疊字	強	平濁	カウ	左注	giaŋ¹	陽韻
3061a	上加・109オ7・疊字	強	平濁	カウ	左注	giaŋ¹	陽韻
3114a	上加・110オ4・疊字	強	平濁	カウ	右注	giaŋ¹	陽韻
2954a	上加・107ウ7・疊字	強	去	カウ	左注	giaŋ¹	陽韻
3010a	上加・108ウ4・疊字	強	去濁	カウ	左注	giaŋ¹	陽韻
3042a	上加・109オ3・疊字	強	去濁	カウ	左注	giaŋ¹	陽韻
3044a	上加・109オ4・疊字	強	去濁	カム	左注	giaŋ¹	陽韻
1262b	上保・048ウ5・疊字	強	平	キヤウ	右注	giaŋ¹	陽韻
0498	上波・021オ2・植物	薑	平	キヤウ	右傍	kiaŋ¹	陽韻
2501	上加・093ウ2・植物	橿	平	キヤウ	右傍	kiaŋ¹	陽韻
0906c	上波・034オ2・疊字	香	去	カウ	左注	xiaŋ¹	陽韻
2888a	上加・107オ1・疊字	香	去	カウ	左注	xiaŋ¹	陽韻
2919a	上加・107オ7・疊字	香	去	カウ	左注	xiaŋ¹	陽韻
0532	上加・100ウ2・雜物	香	平	カウ	右注	xiaŋ¹	陽韻
1772b	上池・067ウ5・雜物	香	上	カウ	右注	xiaŋ¹	陽韻
1985c	上利・072ウ6・植物	香	—	カウ	右注	xiaŋ¹	陽韻
2744b	上加・100オ1・雜物	香	—	カウ	右注	xiaŋ¹	陽韻
2756a	上加・100オ5・雜物	香	—	カウ	右注	xiaŋ¹	陽韻
2757a	上加・100オ5・雜物	香	—	カウ	右注	xiaŋ¹	陽韻
2773a	上加・100ウ2・雜物	香	—	カウ	右注	xiaŋ¹	陽韻
3128a	上加・110オ7・疊字	香	—	カウ	右注	xiaŋ¹	陽韻
2771	上加・100ウ2・雜物	香	平	キヤウ	右傍	xiaŋ¹	陽韻
2777	上加・100ウ5・光彩	香	平	キヤウ	右傍	xiaŋ¹	陽韻
3173a	上加・112オ6・官職	郷	—	カウ	右注	xiaŋ¹	陽韻
1205b	上保・047ウ7・疊字	郷	平	キヤウ	左注	xiaŋ¹	陽韻
3166	上加・112オ2・官職	郷	—	キヤウ	右傍	xiaŋ¹	陽韻
1856b	上池・069ウ5・疊字	粧	平	サウ	中注	tṣiaŋ¹	陽韻
2823	上加・103オ6・辞字	粧	平	サウ	右傍	tṣiaŋ¹	陽韻
3207	上与・115オ1・人事	粧	平	サウ	右傍	tṣiaŋ¹	陽韻
0117b	上伊・006オ5・人體	瘡	平	サウ	右傍	tṣ'iaŋ¹	陽韻
1743b	上池・066ウ7・人躰	瘡	上	サウ	右注	tṣ'iaŋ¹	陽韻
2600	上加・096オ7・人體	瘡	平 上	サウ	右傍	tṣ'iaŋ¹	陽韻

1135	上保・045ウ7・方角	將	平	シヤウ	右傍	tsiaŋ 1/3	陽/漾韻
1531	上度・058オ7・辞字	将	―	シヤウ	右傍	tsiaŋ 1/3	陽/漾韻
1969b	上池・071ウ7・官職	将	―	シヤウ	右注	tsiaŋ 1/3	陽/漾韻
0920a	上波・035オ3・官職	将	―	ハン	右注	tsiaŋ 1/3	陽/漾韻
0962	上仁・038オ2・飲食	漿	―	シヤウ	右傍	tsiaŋ 1	陽韻
1039b	上保・042オ1・植物	漿	―	シヤウ	右傍	tsiaŋ 1	陽韻
2334b	上和・087ウ7・人事	蘠	平濁	シヤウ	右注	tsiaŋ 1	陽韻
1086b	上保・044オ2・人事	槍	平	サウ	右傍	ts'iaŋ 1 tṣ'iaŋ 1	陽韻 庚韻
2252	上遠・082オ4・人事	蹌	平	シヤウ	右傍	ts'iaŋ 1	陽韻
2331	上和・087ウ3・人事	倡	平	シヤウ	右傍	ts'iaŋ 1/3	陽/漾韻
3066b	上加・109ウ1・疊字	鏘	平濁	シヤウ	中注	ts'iaŋ 1	陽韻
1193b	上保・047ウ5・疊字	嬙	平	シヤウ	右注	dziaŋ 1	陽韻
2774b	上加・100ウ2・雜物	障	平	シヤウ	右注	tśiaŋ 1/3	陽/漾韻
0831b	上波・033オ1・疊字	昌	平濁	シヤウ	右注	tś'iaŋ 1	陽韻
1166b	上保・047オ6・疊字	相	平	サウ	左注	siaŋ 1/3	陽/漾韻
1345b	上邊・052ウ7・疊字	相	平	サウ	左注	siaŋ 1/3	陽/漾韻
0977	上仁・039オ1・辞字	湘	平	シヤウ	右傍	siaŋ 1	陽韻
0667	上波・027オ1・雜物	纕	平	シヤウ	右傍	siaŋ 1	陽韻
0675	上波・027オ4・雜物	箱	平	シヤウ	右傍	siaŋ 1	陽韻
0057a	上伊・004オ1・植物	商	平	シヤウ	右傍	śiaŋ 1	陽韻
0615	上波・025オ4・人事	商	―	シヤウ	右傍	śiaŋ 1	陽韻
0128	上伊・006ウ5・人事	傷	平	シヤウ	右傍	śiaŋ 1/3	陽/漾韻
1011b	上仁・040オ7・疊字	傷	上濁	シヤウ	左注	śiaŋ 1/3	陽/漾韻
2915b	上加・107オ6・疊字	祥	平	シヤウ	中注	ziaŋ 1	陽韻
0325b	上伊・013ウ6・疊字	裳	平	シヤウ	左注	źiaŋ 1	陽韻
1858b	上池・069ウ6・疊字	裳	去	シヤウ	左注	źiaŋ 1	陽韻
0576	上波・023ウ6・人躰	腸	平	チヤウ	右傍	ḍiaŋ 1	陽韻
0928	上仁・036オ2・地儀	場	去	チヤウ	右傍	ḍiaŋ 1	陽韻
1780	上池・068オ1・員數	張	平	チヤウ	右注	ḍiaŋ 1/3	陽/漾韻
1933a	上池・070ウ7・疊字	張	平	チヤウ	右注	ḍiaŋ 1/3	陽/漾韻
1840a	上池・069ウ2・疊字	張	上	チヤウ	左注	ḍiaŋ 1/3	陽/漾韻
0699	上波・028ウ5・人事	張	―	チヤウ	右傍	ḍiaŋ 1/3	陽/漾韻
1756a	上池・067オ5・人事	長	平	チヤウ	右注	ḍiaŋ 1/3 ṭiaŋ 2	陽/漾韻 養韻
1814a	上池・069オ4・疊字	長	平	チヤウ	左注	ḍiaŋ 1/3 ṭiaŋ 2	陽/漾韻 養韻
1834a	上池・069ウ1・疊字	長	平	チヤウ	左注	ḍiaŋ 1/3 ṭiaŋ 2	陽/漾韻 養韻
1854a	上池・069ウ5・疊字	長	平	チヤウ	左注	ḍiaŋ 1/3 ṭiaŋ 2	陽/漾韻 養韻

1855a	上池・069ウ5・疊字	長	平	チヤウ	左注	ḍiaŋ$^{1/3}$ ṭiaŋ^{2}	陽/漾韻 養韻
1936a	上池・070ウ7・疊字	長	平	チヤウ	中注	ḍiaŋ$^{1/3}$ ṭiaŋ^{2}	陽/漾韻 養韻
1952a	上池・071オ4・疊字	長	平	チヤウ	左注	ḍiaŋ$^{1/3}$ ṭiaŋ^{2}	陽/漾韻 養韻
1818a	上池・069オ5・疊字	長	去濁	チヤウ	左注	ḍiaŋ$^{1/3}$ ṭiaŋ^{2}	陽/漾韻 養韻
1897a	上池・070オ7・疊字	長	去	チヤウ	左注	ḍiaŋ$^{1/3}$ ṭiaŋ^{2}	陽/漾韻 養韻
0919b	上波・035オ3・官職	長	―	チヤウ	右注	ḍiaŋ$^{1/3}$ ṭiaŋ^{2}	陽/漾韻 養韻
1852a	上池・069ウ5・疊字	長	―	チヤウ	左注	ḍiaŋ$^{1/3}$ ṭiaŋ^{2}	陽/漾韻 養韻
1975a	上池・072オ2・官職	長	―	チヤウ	右注	ḍiaŋ$^{1/3}$ ṭiaŋ^{2}	陽/漾韻 養韻
2667	上加・098オ4・飲食	粻	平	チヤウ	右傍	ṭiaŋ^{1}	陽韻
0828a	上波・032ウ7・疊字	防	去	ハウ	左注	biaŋ$^{1/3}$	陽/漾韻
0787a	上波・032オ6・疊字	房	去濁	ハウ	左注	biaŋ^{1} baŋ^{1}	陽韻 唐韻
0788a	上波・032オ6・疊字	房	去濁	ハウ	左注	biaŋ^{1} baŋ^{1}	陽韻 唐韻
0483	上波・020ウ3・地儀	房	平 去	ハウ [平濁上]	右注	biaŋ^{1} baŋ^{1}	陽韻 唐韻
0485a	上波・020ウ3・地儀	坊	平 去濁	ハウ	右注	biaŋ^{1} piaŋ^{1}	陽韻 陽韻
0484	上波・020ウ3・地儀	坊	―	ハウ [平濁上]	右注	biaŋ^{1} piaŋ^{1}	陽韻 陽韻
0914	上波・035オ2・官職	坊	―	ハウ	右注	biaŋ^{1} piaŋ^{1}	陽韻 陽韻
1035c	上保・041ウ6・地儀	坊	―	ハウ	右注	biaŋ^{1} piaŋ^{1}	陽韻 陽韻
2786	上加・101オ3・方角	方	平	ハウ	右傍	piaŋ^{1} biaŋ^{1}	陽韻 陽韻
0264b	上伊・012ウ7・疊字	方	上	ハウ	左注	piaŋ^{1} biaŋ^{1}	陽韻 陽韻
1942b	上池・071オ2・疊字	方	上	ホウ	右注	piaŋ^{1} biaŋ^{1}	陽韻 陽韻
0760a	上波・031ウ7・疊字	方	去	ハウ	中注	piaŋ^{1} biaŋ^{1}	陽韻 陽韻

1108a	上保・044ウ7・雜物	方	去	ホウ	右注	piaŋ^{1} biaŋ^{1}	陽韻 陽韻
1109a	上保・044ウ7・雜物	方	去	ホウ	右注	piaŋ^{1} biaŋ^{1}	陽韻 陽韻
1187a	上保・047ウ3・疊字	方	去	ホウ	左注	piaŋ^{1} biaŋ^{1}	陽韻 陽韻
1229a	上保・048オ5・疊字	方	去	ホウ	左注	piaŋ^{1} biaŋ^{1}	陽韻 陽韻
1248a	上保・048ウ2・疊字	方	去	ホウ	左注	piaŋ^{1} biaŋ^{1}	陽韻 陽韻
1137	上保・045ウ7・方角	方	―	ホウ	右傍	piaŋ^{1} biaŋ^{1}	陽韻 陽韻
1267a	上保・048ウ6・疊字	方	―	ホウ	左注	piaŋ^{1} biaŋ^{1}	陽韻 陽韻
0769a	上波・032オ2・疊字	芳	平	ハウ	左注	p'iaŋ^{1}	陽韻
0799a	上波・032ウ1・疊字	芳	平	ハウ	中注	p'iaŋ^{1}	陽韻
0810a	上波・032ウ3・疊字	芳	平	ハウ	右注	p'iaŋ^{1}	陽韻
0824a	上波・032ウ6・疊字	芳	平	ハウ	右注	p'iaŋ^{1}	陽韻
0872a	上波・033ウ2・疊字	芳	平	ハウ	右注	p'iaŋ^{1}	陽韻
0897a	上波・033ウ7・疊字	芳	平	ハウ	左注	p'iaŋ^{1}	陽韻
0801a	上波・032ウ2・疊字	芳	去	ハウ	左注	p'iaŋ^{1}	陽韻
0739a	上波・031ウ3・疊字	亡	平濁	ハウ	左注	miaŋ^{1}	陽韻
0793a	上波・032オ7・疊字	亡	平濁	ハウ	左注	miaŋ^{1}	陽韻
0816a	上波・032ウ5・疊字	亡	去濁	ハウ	左注	miaŋ^{1}	陽韻
0337b	上伊・014オ2・疊字	望	平濁	ハウ	右注	miaŋ$^{1/3}$	陽/漾韻
1630b	上度・062ウ7・疊字	望	平濁	ハウ	中注	miaŋ$^{1/3}$	陽/漾韻
1877b	上池・070オ3・疊字	望	平濁	ハウ	左注	miaŋ$^{1/3}$	陽/漾韻
1887b	上池・070オ5・疊字	望	平濁	ハウ	中注	miaŋ$^{1/3}$	陽/漾韻
1898b	上池・070オ7・疊字	望	平濁	ハウ	左注	miaŋ$^{1/3}$	陽/漾韻
3084b	上加・109ウ5・疊字	望	平濁	ハウ	右注	miaŋ$^{1/3}$	陽/漾韻
0403a	上呂・017オ5・地儀	望	去濁	ハウ	右傍	miaŋ$^{1/3}$	陽/漾韻
0743a	上波・031ウ4・疊字	望	去濁	ハウ	右注	miaŋ$^{1/3}$	陽/漾韻
0747a	上波・031ウ5・疊字	望	去濁	ハウ	左注	miaŋ$^{1/3}$	陽/漾韻
0899a	上波・033ウ7・疊字	望	去濁	ハウ	右注	miaŋ$^{1/3}$	陽/漾韻
1865b	上池・069ウ7・疊字	望	去濁	ハウ	左注	miaŋ$^{1/3}$	陽/漾韻
3152a	上加・111ウ3・國郡	望	―	マウ	右傍	miaŋ$^{1/3}$	陽/漾韻
2320	上和・087オ5・人事	忘	平濁	ハウ	右傍	miaŋ$^{1/3}$	陽/漾韻
0756a	上波・031ウ6・疊字	忘	去濁	ハウ	右注	miaŋ$^{1/3}$	陽/漾韻
0883a	上波・033ウ4・疊字	忘	去濁	ハウ	右注	miaŋ$^{1/3}$	陽/漾韻
1748a	上池・067オ3・人事	忘	―	ハウ	右傍	miaŋ$^{1/3}$	陽/漾韻
0794b	上波・032オ7・疊字	忘	去	マウ	右注	miaŋ$^{1/3}$	陽/漾韻
1806b	上池・069オ2・疊字	央	平	ヤウ	左注	'iaŋ^{1}	陽韻

1469	上度・056ウ2・人事	殃	平	アウ	右傍	'iaŋ^{1}	陽韻
2332	上和・087ウ3・人事	殃	平	アウ	右傍	'iaŋ^{1}	陽韻
0470b	上波・020オ4・天象	陽	平	ヤウ	右傍	jiaŋ^{1}	陽韻
1430b	上度・054ウ6・地儀	陽	平	ヤウ	右傍	jiaŋ^{1}	陽韻
1792b	上池・068ウ7・疊字	陽	平	ヤウ	中注	jiaŋ^{1}	陽韻
0973b	上仁・038ウ4・方角	陽	―	ヤウ	左傍	jiaŋ^{1}	陽韻
3176b	上加・112ウ2・姓氏	陽	―	ヤ	右注	jiaŋ^{1}	陽韻
0047a	上伊・003ウ4・植物	羊	平	ヤウ	右傍	jiaŋ^{1}	陽韻
0064a	上伊・004オ3・植物	羊	平	ヤウ	右傍	jiaŋ^{1}	陽韻
0149	上伊・007ウ3・人事	佯	―	ヤウ	右傍	jiaŋ^{1}	陽韻
2605	上加・096オ7・人體	瘍	平	ヤウ	右傍	jiaŋ^{1}	陽韻
0479	上波・020ウ1・地儀	梁	平	リヤウ	右傍	liaŋ^{1}	陽韻
1589b	上度・062オ6・疊字	梁	平	リヤウ	中注	liaŋ^{1}	陽韻
2043a	上利・074ウ3・疊字	梁	平	リヤウ	左注	liaŋ^{1}	陽韻
2106b	上利・075ウ2・疊字	梁	平	リヤウ	左注	liaŋ^{1}	陽韻
2130a	上利・075ウ6・疊字	梁	平	リヤウ	左注	liaŋ^{1}	陽韻
1996a	上利・073オ6・人躰	良	平	リヤウ	右注	liaŋ^{1}	陽韻
2026a	上利・074オ7・疊字	良	平	リヤウ	左注	liaŋ^{1}	陽韻
2027a	上利・074オ7・疊字	良	平	リヤウ	左注	liaŋ^{1}	陽韻
2064a	上利・075オ1・疊字	良	平	リヤウ	中注	liaŋ^{1}	陽韻
2074a	上利・075オ2・疊字	良	平	リヤウ	左注	liaŋ^{1}	陽韻
2079a	上利・075オ3・疊字	良	平	リヤウ	左傍	liaŋ^{1}	陽韻
2115a	上利・075ウ3・疊字	良	平	リヤウ	右注	liaŋ^{1}	陽韻
3224	上与・116オ1・辞字	良	平	リヤウ	右傍	liaŋ^{1}	陽韻
1995a	上利・073オ4・人倫	良	―	リヤウ	右注	liaŋ^{1}	陽韻
1960b	上池・071ウ3・國郡	良	―	ラ	右傍	liaŋ^{1}	陽韻
2666	上加・098オ4・飲食	粮	平	リヤウ	右傍	liaŋ^{1}	陽韻
2096b	上利・075オ7・疊字	椋	去	リヤウ	左注	liaŋ^{1}	陽韻
2024a	上利・074オ7・疊字	凉	平	リヤウ	左注	liaŋ$^{1/3}$	陽/漾韻
2025a	上利・074オ7・疊字	凉	平	リヤウ	左注	liaŋ$^{1/3}$	陽/漾韻
0614	上波・025オ4・人事	量	平 去	リヤウ	右傍	liaŋ$^{1/3}$	陽/漾韻
1926b	上池・070ウ5・疊字	量	平	リヤウ	左注	liaŋ$^{1/3}$	陽/漾韻
2103a	上利・075ウ1・疊字	量	平	リヤウ	中注	liaŋ$^{1/3}$	陽/漾韻
2104a	上利・075ウ1・疊字	量	平	リヤウ	左注	liaŋ$^{1/3}$	陽/漾韻
0694	上波・028ウ1・員數	量	―	リヤウ	右傍	liaŋ$^{1/3}$	陽/漾韻

【表B-06】下巻_ⅢBiaŋ 陽韻

番号	前田本所在	掲出字		仮名音注		中古音	韻目
3417a	下古・006オ7・飲食	強	平	キヤウ	右傍	giaŋ^{1}	陽韻
3578	下古・009オ1・辞字	強	平	キヤウ	右傍	giaŋ^{1}	陽韻

3580	下古・009オ2・辞字	彊	平	キヤウ	右傍	giaŋ$^{1/2}$ kiaŋ^{3}	陽/養韻 漾韻
6545b	下世・108ウ6・雑物	香	上	カウ	右注	xiaŋ^{1}	陽韻
3784c	下江・016オ3・雑物	香	―	カウ	右注	xiaŋ^{1}	陽韻
5278c	下師・069オ7・植物	香	―	カウ	右傍	xiaŋ^{1}	陽韻
5464b	下師・074ウ6・雑物	香	―	カウ	右傍	xiaŋ^{1}	陽韻
6176c	下飛・094ウ6・雑物	香	―	カウ	右傍	xiaŋ^{1}	陽韻
4406b	下阿・040ウ6・国郡	香	―	カコ	右傍	xiaŋ^{1}	陽韻
3881b	下手・019オ2・地儀	香	平	キヤウ	右傍	xiaŋ^{1}	陽韻
6043b	下飛・091オ2・地儀	香	平	キヤウ	右傍	xiaŋ^{1}	陽韻
6342b	下飛・099オ3・疊字	香	平	キヤウ	左注	xiaŋ^{1}	陽韻
4443	下佐・042ウ5・地儀	郷	平	キヤウ	右傍	xiaŋ^{1}	陽韻
4980a	下木・061オ2・疊字	郷	平	キヤウ	左注	xiaŋ^{1}	陽韻
6919b	下洲・120オ5・疊字	郷	平	キヤウ	左注	xiaŋ^{1}	陽韻
5280a	下師・069オ7・植物	薔	平	シヤウ	右注	dziaŋ^{1} ṣiɐk	陽韻 職韻
6054b	下飛・091オ6・植物	床	平	サウ	右傍	dẓiaŋ^{1}	陽韻
4254b	下阿・032オ4・雑物	床	平	シヤウ	右傍	dẓiaŋ^{1}	陽韻
5217	下由・066オ3・地儀	床	平	シヤウ	右傍	dẓiaŋ^{1}	陽韻
5465a	下師・074ウ6・雑物	床	平	シヤウ	右傍	dẓiaŋ^{1}	陽韻
4716a	下佐・052オ2・疊字	相	平	サウ	右注	siaŋ$^{1/3}$	陽/漾韻
4767a	下佐・053オ1・疊字	相	平	サウ	左注	siaŋ$^{1/3}$	陽/漾韻
4774a	下佐・053オ3・疊字	相	平	サウ	左注	siaŋ$^{1/3}$	陽/漾韻
6932b	下洲・120ウ1・疊字	相	平	サウ	右注	siaŋ$^{1/3}$	陽/漾韻
4539a	下佐・046オ6・人事	相	上	サウ	左注	siaŋ$^{1/3}$	陽/漾韻
4740a	下佐・052ウ1・疊字	相	上	サウ	左注	siaŋ$^{1/3}$	陽/漾韻
4662a	下佐・051オ5・疊字	相	去	サウ	左注	siaŋ$^{1/3}$	陽/漾韻
4502a	下佐・044ウ5・人倫	相	―	サウ	右注	siaŋ$^{1/3}$	陽/漾韻
4513	下佐・045オ7・人事	相	―	サウ	右注	siaŋ$^{1/3}$	陽/漾韻
4780a	下佐・053オ4・疊字	相	―	サウ	右注	siaŋ$^{1/3}$	陽/漾韻
5903c	下師・085ウ4・疊字	相	―	サウ	右傍	siaŋ$^{1/3}$	陽/漾韻
5906c	下師・085ウ4・疊字	相	―	サウ	右傍	siaŋ$^{1/3}$	陽/漾韻
5925a	下師・086ウ2・國郡	相		リウ	右傍	siaŋ$^{1/3}$	陽/漾韻
5861a	下師・085オ3・疊字	相	平	シヤウ	右注	siaŋ$^{1/3}$	陽/漾韻
4501a	下佐・044ウ5・人倫	相	―	シヤウ	右傍	siaŋ$^{1/3}$	陽/漾韻
4821b	下佐・054ウ2・官職	相	―	シヤウ	右注	siaŋ$^{1/3}$	陽/漾韻
4715a	下佐・052オ2・疊字	相	平	サム	中注	siaŋ$^{1/3}$	陽/漾韻
4802a	下佐・054オ2・國郡	相	―	サカ	右注	siaŋ$^{1/3}$	陽/漾韻
5872a	下師・085オ5・疊字	湘	平	シヤウ	右注	siaŋ^{1}	陽韻
4787a	下佐・053オ7・疊字	霜	平	サウ	右注	ṣiaŋ^{1}	陽韻
4783a	下佐・053オ5・疊字	霜	―	サウ	右注	ṣiaŋ^{1}	陽韻
4047a	下阿・024オ7・天象	商	平	シヤウ	右注	śiaŋ^{1}	陽韻

4397a	下阿・040オ3・疊字	商	平	シヤウ	右傍	śiaŋ^{1}	陽韻
6639a	下師・079オ1・疊字	商	平	シヤウ	右注	śiaŋ^{1}	陽韻
4059	下阿・024ウ2・天象	商	東	シヤウ	右傍	śiaŋ^{1}	陽韻
4167a	下阿・028ウ1・人倫	商	東	シヤウ	右傍	śiaŋ^{1}	陽韻
5788a	下師・084オ5・疊字	商	東	シヤウ	右注	śiaŋ^{1}	陽韻
4562	下佐・047オ1・雜物	觴	平	シヤウ	右傍	śiaŋ^{1}	陽韻
5659a	下師・082オ1・疊字	觴	平	シヤウ	左注	śiaŋ^{1}	陽韻
4375b	下阿・039ウ1・疊字	傷	平	シヤウ	左注	śiaŋ$^{1/3}$	陽/漾韻
5521a	下師・078ウ2・重點	湯	東	シヤウ	右注	śiaŋ^{1} tʻaŋ$^{1/3}$	陽韻 唐/宕韻
5521b	下師・078ウ2・重點	湯	東	シヤウ	右注	śiaŋ^{1} tʻaŋ$^{1/3}$	陽韻 唐/宕韻
4749b	下佐・052ウ4・疊字	創	去	サウ	左注	tsʻiaŋ$^{1/3}$	陽/漾韻
5517a	下師・078ウ1・重點	鏘	—	シヤウ	右注	tsʻiaŋ^{1}	陽韻
5517b	下師・078ウ1・重點	鏘	—	シヤウ	右注	tsʻiaŋ^{1}	陽韻
6419b	下毛・102オ4・人躰	瘡	平	サウ	右傍	tṣʻiaŋ^{1}	陽韻
5354c	下師・071ウ6・人躰	瘡	—	サウ ［上上］		tṣʻiaŋ^{1}	陽韻
5963b	下會・087ウ4・地儀	昌	上	シヤ	右傍	tśʻiaŋ^{1}	陽韻
4105a	下阿・026オ6・植物	昌	去	シヤウ	右傍	tśʻiaŋ^{1}	陽韻
5279a	下師・069オ7・植物	昌	去	シヤウ	右注	tśʻiaŋ^{1}	陽韻
5750a	下師・083ウ3・疊字	倡	—	シヤウ	右注	tsʻiaŋ$^{1/3}$	陽/漾韻
5520a	下師・078ウ1・重點	牆	平	シヤウ	右注	tsʻiaŋ^{1}	陽韻
5520b	下師・078ウ1・重點	牆	平	シヤウ	右注	tsʻiaŋ^{1}	陽韻
6136b	下飛・093ウ7・飲食	漿	平	シヤウ	右傍	tsiaŋ^{1}	陽韻
4984b	下木・061オ3・疊字	漿	—	シヤウ	左注	tsiaŋ^{1}	陽韻
6514	下世・107ウ3・動物	螿	平	シヤウ	右傍	tsiaŋ^{1}	陽韻
5599a	下師・080ウ6・疊字	将	去	シヤウ	左注	tsiaŋ$^{1/3}$	陽/漾韻
4819a	下佐・054ウ2・官職	将	—	シヤウ	右傍	tsiaŋ$^{1/3}$	陽/漾韻
6762b	下世・112ウ7・官職	将	—	シヤウ	右傍	tsiaŋ$^{1/3}$	陽/漾韻
6766a	下世・113オ1・官職	将	—	シヤウ	右傍	tsiaŋ$^{1/3}$	陽/漾韻
5771a	下師・084オ2・疊字	装	平	シヤウ	右傍	tṣiaŋ$^{1/3}$	陽/漾韻
3951b	下手・022オ2・疊字	章	平	シヤウ	左注	tśiaŋ^{1}	陽韻
4392b	下阿・039ウ5・疊字	章	平	シヤウ	右傍	tśiaŋ^{1}	陽韻
5784b	下師・084オ4・疊字	章	平	シヤウ	右注	tśiaŋ^{1}	陽韻
6481b	下毛・106オ1・官職	章	—	シヤウ	右注	tśiaŋ^{1}	陽韻
3649b	下古・011オ4・疊字	障	平	シヤウ	左注	tśiaŋ$^{1/3}$	陽/漾韻
4255a	下阿・032オ4・雜物	障	平	シヤウ	右傍	tśiaŋ$^{1/3}$	陽/漾韻
4621	下佐・049オ7・辞字	障	平	シヤウ	右傍	tśiaŋ$^{1/3}$	陽/漾韻
4705b	下佐・051ウ7・疊字	障	平	シヤウ	左注	tśiaŋ$^{1/3}$	陽/漾韻
5580a	下師・080オ4・疊字	障	平	シヤウ	左注	tśiaŋ$^{1/3}$	陽/漾韻
5602a	下師・080ウ7・疊字	障	平	シヤウ	左注	tśiaŋ$^{1/3}$	陽/漾韻

6547b	下世・108ウ7・雜物	障	—	シヤウ [平平平]	右傍	tśiaŋ$^{1/3}$	陽/漾韻
5601a	下師・080ウ6・疊字	祥	平	シヤウ	左注	ziaŋ^{1}	陽韻
6931b	下洲・120ウ1・疊字	祥	平	シヤウ	右注	ziaŋ^{1}	陽韻
5032b	下木・061ウ6・疊字	祥	—	シヤウ	左注	ziaŋ^{1}	陽韻
5594a	下師・080ウ5・疊字	常	平	シヤウ	左注	źiaŋ^{1}	陽韻
5863a	下師・085オ3・疊字	常	平	シヤウ	右傍	źiaŋ^{1}	陽韻
6305b	下飛・098ウ3・疊字	常	平	シヤウ	左注	źiaŋ^{1}	陽韻
5310b	下師・070オ5・動物	常	上	シヤウ [上上上]	右傍	źiaŋ^{1}	陽韻
5777b	下師・084オ3・疊字	常	上濁	シヤウ	右注	źiaŋ^{1}	陽韻
6436	下毛・103オ4・雜物	裳	平	シヤウ	右傍	źiaŋ^{1}	陽韻
5562a	下師・079ウ3・疊字	尚	—	シヤウ	右注	źiaŋ$^{1/3}$	陽/漾韻
5211a	下由・065ウ6・天象	長	平	チヤウ	右傍	ḍiaŋ$^{1/3}$ ṭiaŋ^{2}	陽/漾韻 養韻
5841b	下師・084ウ7・疊字	張	上	チヤウ	右注	ḍiaŋ$^{1/3}$	陽/漾韻
3713b	下古・012オ4・疊字	張	—	チヤウ	左注	ḍiaŋ$^{1/3}$	陽/漾韻
3812b	下江・017オ2・疊字	娘	平	ラウ	左注	ṇiaŋ^{1}	陽韻
3936a	下手・021ウ5・重點	蘘	上濁	テウ	右注	ńiaŋ^{1}	陽韻
3936b	下手・021ウ5・重點	蘘	上濁	テウ	右注	ńiaŋ^{1}	陽韻
4399b	下阿・040ウ5・国郡	房	—	ハ	右注	biaŋ^{1} baŋ^{1}	陽韻 唐韻
4401b	下阿・040ウ5・国郡	房	—	ハ	右傍	biaŋ^{1} baŋ^{1}	陽韻 唐韻
3361	下古・003ウ3・動物	魴	—	ハウ	右傍	biaŋ^{1}	陽韻
4189	下阿・029オ4・人躰	肪	平	ハウ	右注	biaŋ^{1} piaŋ^{1}	陽韻 陽韻
5963c	下會・087ウ4・地儀	坊	—	ハウ	右傍	biaŋ^{1} piaŋ^{1}	陽韻 陽韻
3970b	下手・022オ6・疊字	防	平	ハウ	左注	biaŋ$^{1/3}$	陽/漾韻
6955b	下洲・121オ5・国郡	防	—	ハウ	右注	biaŋ$^{1/3}$	陽/漾韻
3982b	下手・022ウ2・疊字	亡	平	ホウ	右注	miaŋ^{1}	陽韻
3699b	下古・012オ1・疊字	忘	去濁	ハウ	左注	miaŋ$^{1/3}$	陽/漾韻
3980b	下手・022ウ1・疊字	望	平濁	ハウ	左注	miaŋ$^{1/3}$	陽/漾韻
5815b	下師・084ウ3・疊字	望	平濁	ハウ	左注	miaŋ$^{1/3}$	陽/漾韻
3622b	下古・010ウ5・疊字	望	去	ハウ	右注	miaŋ$^{1/3}$	陽/漾韻
5139b	下木・063ウ3・疊字	望	去	ハウ	左注	miaŋ$^{1/3}$	陽/漾韻
5610b	下師・081オ3・疊字	望	—	ハウ	左注	miaŋ$^{1/3}$	陽/漾韻
6392a	下毛・101オ1・天象	望	—	ハウ	右傍	miaŋ$^{1/3}$	陽/漾韻
6865b	下洲・116ウ5・光彩	枋	平	ハウ	右傍	piaŋ^{1}	陽韻
6866b	下洲・116ウ5・光彩	枋	平	ハウ	右注	piaŋ^{1}	陽韻
6798b	下洲・114オ2・植物	枋	上	ハウ	右注	piaŋ^{1}	陽韻

6324b	下飛・098ウ7・疊字	方	平	ホウ	右注	piaŋ^{1} biaŋ^{1}	陽韻 陽韻
6713b	下世・111ウ7・疊字	方	―	ハウ	左注	piaŋ^{1} biaŋ^{1}	陽韻 陽韻
5928b	下師・086ウ3・國郡	方	―	ハ	右傍	piaŋ^{1} biaŋ^{1}	陽韻 陽韻
5974a	下會・087ウ7・植物	芳	平	ハウ	右傍	p'iaŋ^{1}	陽韻
5934a	下師・086ウ3・國郡	芳	―	ハ	右傍	p'iaŋ^{1}	陽韻
6340b	下飛・099オ3・疊字	央	平	ヤウ	左注	'iaŋ^{1}	陽韻
3799b	下江・016ウ7・疊字	陽	平	ヤウ	左注	jiaŋ^{1}	陽韻
3849b	下江・017ウ3・疊字	陽	平	ヤウ	左注	jiaŋ^{1}	陽韻
4058b	下阿・024ウ2・天象	陽	平	ヤウ	右注	jiaŋ^{1}	陽韻
4109b	下阿・026ウ1・植物	陽	平	ヤウ	右傍	jiaŋ^{1}	陽韻
4847b	下木・055ウ5・地儀	陽	平	ヤウ	右傍	jiaŋ^{1}	陽韻
4859b	下木・056オ4・植物	陽	平	ヤウ	右傍	jiaŋ^{1}	陽韻
6490b	下世・106ウ4・地儀	陽	平	ヤウ	右傍	jiaŋ^{1}	陽韻
4887	下木・057オ7・人躰	瘍	平	ヤウ	右傍	jiaŋ^{1}	陽韻
4047b	下阿・024オ7・天象	羊	平	シヤ	右注	jiaŋ^{1}	陽韻
5274a	下師・069オ6・植物	羊	平	ヤウ	右傍	jiaŋ^{1}	陽韻
5539b	下師・079オ1・疊字	羊	平	ヤウ	右注	jiaŋ^{1}	陽韻
6081	下飛・092オ2・動物	羊	平	ヤウ	右傍	jiaŋ^{1}	陽韻
6402a	下毛・101オ7・植物	羊	平	ヤウ	右傍	jiaŋ^{1}	陽韻
6026	下飛・090オ5・天象	暘	平	ヤウ	右傍	jiaŋ^{1}	陽韻
4315	下阿・034オ7・辞字	揚	平	ヤウ	右傍	jiaŋ^{1}	陽韻
4831b	下佐・055オ1・姓氏	良	―	ラ	右注	liaŋ^{1}	陽韻
4831c	下佐・055オ1・姓氏	良	―	ラ	右注	liaŋ^{1}	陽韻
6387b	下飛・100オ4・國郡	良	―	ラ	右注	liaŋ^{1}	陽韻
4091a	下阿・025ウ7・植物	粱	平	リヤウ	右傍	liaŋ^{1}	陽韻
4239	下阿・031ウ1・飲食	粱	平	リヤウ	右傍	liaŋ^{1}	陽韻
4481a	下佐・044オ3・動物	粱	平	リヤウ	右傍	liaŋ^{1}	陽韻
6034b	下飛・090ウ5・地儀	粱	平	リヤウ	右傍	liaŋ^{1}	陽韻
3316b	下古・002オ4・地儀	凉	平	リヤウ	右傍	liaŋ^{1}	陽韻
4537b	下佐・046オ5・人事	凉	平	リヤウ	左注	liaŋ^{1}	陽韻
6770	下洲・113オ5・天象	凉	―	リヤウ	右傍	liaŋ^{1}	陽韻
6492b	下世・106ウ4・地儀	涼	平	リヤウ	右傍	liaŋ$^{1/3}$	陽/漾韻
5788b	下師・084オ5・疊字	量	平	リヤウ	右注	liaŋ$^{1/3}$	陽/漾韻
5037b	下木・061ウ7・疊字	量	上	リヤウ	左注	liaŋ$^{1/3}$	陽/漾韻
6907b	下洲・120オ3・疊字	量	去	リヤウ	左注	liaŋ$^{1/3}$	陽/漾韻

【表B-06】上巻_ⅢBiaŋ 養韻

番号	前田本所在	掲出字		仮名音注		中古音	韻目
2892b	上加・107オ1・疊字	仰	平濁	カウ	中注	ŋiaŋ$^{2/3}$	養/漾韻
1222b	上保・048オ3・疊字	賞	平 上	シヤウ	左注	śiaŋ^{2}	養韻
1842b	上池・069ウ3・疊字	賞	上	シヤウ	左注	śiaŋ^{2}	養韻
0279b	上伊・013オ3・疊字	賞	―	シヤウ	右注	śiaŋ^{2}	養韻
0447b	上呂・019オ4・疊字	上	去	シヤウ	左注	źiaŋ$^{2/3}$	養/漾韻
0889b	上波・033ウ5・疊字	上	去	シヤウ	右注	źiaŋ$^{2/3}$	養/漾韻
3234b	上与・117ウ1・疊字	上	平	シヤウ	中注	źiaŋ$^{2/3}$	養/漾韻
2475b	上加・092ウ5・植物	槳	―	シヤウ	左傍	tsiaŋ^{2}	養韻
2036b	上利・074ウ2・疊字	掌	―	シヤウ	右注	tśiaŋ^{2}	養韻
3175b	上加・112オ7・官職	掌	―	シヨウ	右傍	tśiaŋ^{2}	養韻
0305b	上伊・013ウ2・疊字	長	上	チヤウ	中注	ṭiaŋ^{2} ḍiaŋ$^{1/3}$	養韻 陽/漾韻
3168a	上加・112オ2・官職	長	上	チヤウ	右傍	ṭiaŋ^{2} ḍiaŋ$^{1/3}$	養韻 陽/漾韻
1777	上池・068オ1・員數	丈	去濁	チヤウ	右注	ḍiaŋ^{2}	養韻
1903b	上池・070ウ1・疊字	杖	去濁	チヤウ	左注	ḍiaŋ^{2}	養韻
0053b	上伊・003ウ7・植物	杖	去	チヤウ	右傍	ḍiaŋ^{2}	養韻
1665b	上度・063オ7・疊字	杖	去	チヤウ	左注	ḍiaŋ^{2}	養韻
1853a	上池・069ウ5・疊字	杖	去	チヤウ	中注	ḍiaŋ^{2}	養韻
1992b	上利・073オ2・動物	杖	去	チヤウ	右傍	ḍiaŋ^{2}	養韻
2719b	上加・099オ7・雜物	杖	去	チヤウ	右傍	ḍiaŋ^{2}	養韻
2225	上遠・080ウ3・動物	鴋	―	ハウ	右傍	p'iaŋ^{2}	養韻
0869a	上波・033ウ1・疊字	髣	上	ハウ	右注	p'iaŋ^{2}	養韻
1269a	上保・048ウ7・疊字	髣	上	ハウ	右傍	p'iaŋ^{2}	養韻
0301b	上伊・013ウ1・疊字	放	去	ハウ	右注	piaŋ$^{2/3}$	養/漾韻
0634a	上波・025ウ7・人事	放	去	ハウ	右傍	piaŋ$^{2/3}$	養/漾韻
0773a	上波・032オ3・疊字	放	去	ハウ	左注	piaŋ$^{2/3}$	養/漾韻
0774a	上波・032オ3・疊字	放	去	ハウ	右注	piaŋ$^{2/3}$	養/漾韻
0776a	上波・032オ4・疊字	放	去	ハウ	中注	piaŋ$^{2/3}$	養/漾韻
0701a	上波・032オ7・疊字	放	去	ハウ	右注	piaŋ$^{2/3}$	養/漾韻
0815a	上波・032ウ4・疊字	放	去	ハウ	右注	piaŋ$^{2/3}$	養/漾韻
0818a	上波・032ウ5・疊字	放	去	ハウ	左注	piaŋ$^{2/3}$	養/漾韻
0829a	上波・032ウ7・疊字	放	去	ハウ	左注	piaŋ$^{2/3}$	養/漾韻
0835a	上波・033オ1・疊字	放	去	ハウ	左注	piaŋ$^{2/3}$	養/漾韻
0865a	上波・033オ7・疊字	放	去	ハウ	左注	piaŋ$^{2/3}$	養/漾韻
0772a	上波・032オ3・疊字	放	平	ハウ	中注	piaŋ$^{2/3}$	養/漾韻
0848a	上波・033オ4・疊字	放	平	ハウ	右注	piaŋ$^{2/3}$	養/漾韻
0866a	上波・033ウ1・疊字	放	平	ハウ	右注	piaŋ$^{2/3}$	養/漾韻
0867a	上波・033ウ1・疊字	放	平	ハウ	左注	piaŋ$^{2/3}$	養/漾韻

0795a	上波・032オ7・疊字	惘	上濁	ハウ	右注	miaŋ^{2}	養韻
0493	上波・021オ1・植物	莔	平	マウ	左注	miaŋ^{2}	養韻
2075a	上利・075オ3・疊字	兩	上	リヤウ	左注	liaŋ$^{2/3}$	養/漾韻
2116a	上利・075ウ4・疊字	兩	上	リヤウ	左注	liaŋ$^{2/3}$	養/漾韻
2046a	上利・074ウ4・疊字	兩	平	リヤウ	左注	liaŋ$^{2/3}$	養/漾韻
2017	上利・074オ1・員數	兩	―	リヤウ	右注	liaŋ$^{2/3}$	養/漾韻
2049b	上利・074ウ5・疊字	養	平	ヤウ	左注	jiaŋ$^{2/3}$	養/漾韻
2608	上加・096ウ1・人體	癢	上	ヤウ	右傍	jiaŋ^{2}	養韻

【表B-06】下巻_ⅢBiaŋ 養韻

番号	前田本所在	掲出字		仮名音注		中古音	韻目
5780b	下師・084オ4・疊字	仰	平濁	カウ	左注	ŋiaŋ$^{2/3}$	養/漾韻
4732b	下佐・052オ6・疊字	仰	上濁	キヤウ	左注	ŋiaŋ$^{2/3}$	養/漾韻
5139a	下木・063ウ3・疊字	仰	上	キヤウ	左注	ŋiaŋ$^{2/3}$	養/漾韻
5038a	下木・062オ1・疊字	襁	平	キヤウ	左注	kiaŋ^{2}	養韻
6537	下世・108ウ5・雜物	鏹	―	キヤウ	右傍	kiaŋ^{2}	養韻
5058a	下木・062オ5・疊字	饗	上	キヤウ	左注	xiaŋ^{2}	養韻
5117a	下木・063オ6・疊字	饗	上	キヤウ	左注	xiaŋ^{2}	養韻
5562b	下師・079ウ3・疊字	饗	―	キヤウ	右注	xiaŋ^{2}	養韻
4500a	下佐・044ウ3・動物	蠁	上	キヤウ	右傍	xiaŋ$^{2/3}$	養/漾韻
4694a	下佐・051ウ4・疊字	爽	上	サウ	右注	ṣiaŋ^{2}	養韻
5364	下師・072オ7・人事	賞	―	シヤウ	右傍	śiaŋ^{2}	養韻
3994b	下手・022ウ4・疊字	奬	平	シヤウ	中注	tsiaŋ^{2}	養韻
5566a	下師・079ウ5・疊字	瘴	去	シヤウ	右注	tśiaŋ^{2}	養韻
5782b	下師・084オ4・疊字	掌	平	シヤウ	右注	tśiaŋ^{2}	養韻
5773a	下師・084オ3・疊字	掌	―	シヤウ	右注	tśiaŋ^{2}	養韻
6767a	下世・113オ2・官職	掌	―	セウ	右傍	tśiaŋ^{2}	養韻
4480	下佐・044オ3・動物	象	平 去	サウ	右注	ziaŋ^{2}	養韻
4869	下木・056ウ2・動物	象	平 去	サウ	右傍	ziaŋ^{2}	養韻
3303a	下古・001ウ7・地儀	象	去	シヤウ	右傍	ziaŋ^{2}	養韻
5847a	下師・085オ1・疊字	象	去	シヤウ	右注	ziaŋ^{2}	養韻
5310a	下師・070オ5・動物	象	去	シヤウ [平平上]	右傍	ziaŋ^{2}	養韻
5458a	下師・074ウ4・雜物	象	―	シヤウ [平平上]	右注	ziaŋ^{2}	養韻
5859a	下師・085オ3・疊字	上	去	シヤウ	右注	źiaŋ$^{2/3}$	養/漾韻
6147b	下飛・094オ6・雜物	上	去	シヤウ	中注	źiaŋ$^{2/3}$	養/漾韻
3888b	下手・019オ4・地儀	上	―	シヤウ	右注	źiaŋ^{2}	養韻
5206b	下木・065オ5・官職	上	―	シヤウ	右注	źiaŋ$^{2/3}$	養/漾韻
5803a	下師・084ウ1・疊字	上	―	シヤウ	左注	źiaŋ$^{2/3}$	養/漾韻
5888a	下師・085ウ1・疊字	上	―	シヤウ	右注	źiaŋ$^{2/3}$	養/漾韻

5953a	下師・087オ3・官職	上	一	シヤウ	右注	źiaŋ$^{2/3}$	養/漾韻
6651b	下世・111オ3・疊字	長	上	チヤウ	左注	ṭiaŋ^{2} ḍiaŋ$^{1/3}$	養韻 陽/漾韻
4930b	下木・058ウ3・雜物	杖	去	チヤウ	右傍	ḍiaŋ^{2}	養韻
5124b	下木・063オ7・疊字	杖	平	チヤウ	左注	ḍiaŋ^{2}	養韻
5455b	下師・074ウ3・雜物	杖	平	チヤウ	左注	ḍiaŋ^{2}	養韻
4258	下阿・032オ6・雜物	網	上濁	ハウ	右傍	miaŋ^{2}	養韻
5092b	下木・062ウ7・疊字	網	上	ハウ	中注	miaŋ^{2}	養韻
6380a	下飛・100オ2・國郡	養	一	ヤ	右傍	jiaŋ$^{2/3}$	養/漾韻

【表B-06】上巻_ⅢBiaŋ 漾韻

番号	前田本所在	掲出字		仮名音注		中古音	韻目
3057a	上加・109オ6・疊字	向	平	カウ	左注	xiaŋ^{3} śiaŋ^{3}	漾韻 漾韻
0434b	上呂・019オ1・疊字	匠	去濁	シヤウ	左注	dziaŋ^{3}	漾韻
0851b	上波・033オ5・疊字	匠	平濁	シヤウ	中注	dziaŋ^{3}	漾韻
2122b	上利・075ウ5・疊字	状	上濁	シヤウ	左注	dẓiaŋ^{3}	漾韻
0257b	上伊・012ウ6・疊字	讓	上濁	シヤウ	中注	ńiaŋ^{3}	漾韻
2668	上加・098オ4・飲食	餉	去	シヤウ	右傍	śiaŋ^{3}	漾韻
2293b	上和・086オ3・植物	醤	去	シヤウ	右傍	tsiaŋ^{3}	漾韻
0221	上伊・011ウ4・辞字	唱	去	シヤウ	右傍	tś'iaŋ^{3}	漾韻
0592	上波・024オ6・人躰	痮	去	チヤウ	右傍	ṭiaŋ^{3}	漾韻
1381b	上邊・053オ7・疊字	帳	平	チヤウ	左注	ṭiaŋ^{3}	漾韻
1764	上池・067ウ3・雜物	帳	去 平	チヤウ	右注	ṭiaŋ^{3}	漾韻
1824b	上池・069オ6・疊字	帳	平濁	チヤウ	左注	ṭiaŋ^{3}	漾韻
1715	上池・065ウ2・地儀	帳	一	チヤウ	右注	ṭiaŋ^{3}	漾韻
1864b	上池・069ウ7・疊字	悵	去	チヤウ	左注	ṭ'iaŋ^{3}	漾韻
1865a	上池・069ウ7・疊字	悵	去	チヤウ	左注	ṭ'iaŋ^{3}	漾韻
1877a	上池・070オ3・疊字	悵	去	チヤウ	左注	ṭ'iaŋ^{3}	漾韻
3120b	上加・110オ5・疊字	暢	去	チヤウ	右注	ṭ'iaŋ^{3}	漾韻
1260b	上保・048ウ5・疊字	様	平	ヤウ	右注	jiaŋ^{3}	漾韻
0290b	上伊・013オ5・疊字	様	一	ヤウ	右注	jiaŋ^{3}	漾韻
0452b	上呂・019オ5・疊字	掠	平	リヤウ	右注	liaŋ^{3}	漾韻
3020b	上加・108ウ6・疊字	掠	平	リヤウ	左注	liaŋ^{3}	漾韻
2050a	上利・074ウ5・疊字	諒	去	リヤウ	中注	liaŋ^{3}	漾韻

【表B-06】下巻_ⅢBiaŋ 漾韻

番号	前田本所在	掲出字		仮名音注		中古音	韻目
5997b	下會・089オ7・疊字	向	平	カウ	中注	xiaŋ^{3} śiaŋ^{3}	漾韻 漾韻
5028a	下木・061ウ5・疊字	向	去	キヤウ	左注	xiaŋ^{3} śiaŋ^{3}	漾韻 漾韻
5049a	下木・062オ3・疊字	向	去	キヤウ	左注	xiaŋ^{3} śiaŋ^{3}	漾韻 漾韻
3904b	下手・020オ7・人事	向	平	クワウ	右傍	xiaŋ^{3} śiaŋ^{3}	漾韻 漾韻
5579b	下師・080オ4・疊字	匠	—	シヤウ	左注	dziaŋ^{3}	漾韻
3862b	下江・017ウ5・疊字	状	上濁	シヤウ	左注	dẓiaŋ^{3}	漾韻
5157b	下木・064オ1・疊字	状	—	シヤウ	左注	dẓiaŋ^{3}	漾韻
6135	下飛・093ウ7・飲食	醤	平 去	シヤウ	右傍	tsiaŋ^{3}	漾韻
4610	下佐・048オ7・員數	壮	—	サウ	右注	tṣiaŋ^{3}	漾韻
4919b	下木・058オ7・雑物	帳	—	チヤウ	右注	ṭiaŋ^{3}	漾韻
6597b	下世・110オ7・疊字	舫	平	ハウ	左注	piaŋ^{3} paŋ^{3}	漾韻 宕韻
3644b	下古・011オ3・疊字	妄	平	マウ	中注	miaŋ^{3}	漾韻

【表B-06】上巻_ⅢBiaŋ 藥韻

番号	前田本所在	掲出字		仮名音注		中古音	韻目
2613a	上加・096ウ2・人體	脚	入	カク	右注	kiak	藥韻
2921a	上加・107オ7・疊字	脚	入	カク	左注	kiak	藥韻
3070a	上加・109ウ2・疊字	脚	入	カク	左注	kiak	藥韻
2353a	上和・088ウ1・雑物	屩	入	キヤク	右傍	kiak	藥韻
2352	上和・088オ7・雑物	屩	—	キヤク	右傍	kiak	藥韻
0777b	上波・032オ4・疊字	却	入	キヤク	左注	k‘iak	藥韻
2284b	上遠・085オ1・疊字	却	入	キヤク	右傍	k‘iak	藥韻
0816b	上波・032ウ5・疊字	却	—	キヤク	左注	k‘iak	藥韻
2304a	上和・086ウ7・人躰	瘧	—	キヤク	右傍	ŋiak	藥韻
0836b	上波・033オ2・疊字	虐	入濁	キヤク	右注	ŋiak	藥韻
1207b	上保・047ウ7・疊字	虐	入濁	キヤク	左注	ŋiak	藥韻
1005b	上仁・040オ6・疊字	弱	入濁	シヤク	左注	ńiak	藥韻
2384b	上和・090オ3・疊字	弱	入濁	シヤク	中注	ńiak	藥韻
2951b	上加・107ウ6・疊字	弱	入	ニヤク	左注	ńiak	藥韻
0780b	上波・032オ4・疊字	惹	入濁	シヤク	右注	ńiak ńia^{2}	藥韻 馬韻
3140b	上加・110ウ6・疊字	嚼	徳?	シヤク	右傍	dziak	藥韻
1350b	上邊・053オ1・疊字	鵲	入?	シヤク	右注	ts‘iak	藥韻
2519	上加・094オ4・動物	鵲	入	シヤク	右傍	ts‘iak	藥韻
1460a	上度・056オ6・人體	雀	徳	シヤク	右傍	tsiak	藥韻

1873a	上池・070オ2・疊字	著	入	チヤク	左注	ḍiak ṭiak ḍiʌ^{1} ṭiʌ$^{2/3}$	藥韻 藥韻 魚韻 語/御韻
1810a	上池・069オ3・疊字	着	入	チヤク	左注	ḍiak ṭiak	藥韻 藥韻
1857a	上池・069ウ6・疊字	着	入	チヤク	左注	ḍiak ṭiak	藥韻 藥韻
1882a	上池・070オ4・疊字	着	入	チヤク	左注	ḍiak ṭiak	藥韻 藥韻
1901a	上池・070オ7・疊字	着	入	チヤク	左注	ḍiak ṭiak	藥韻 藥韻
1902a	上池・070ウ1・疊字	着	入	チヤク	左注	ḍiak ṭiak	藥韻 藥韻
1858a	上池・069ウ6・疊字	着	入	チヤウ	左注	ḍiak ṭiak	藥韻 藥韻
1366b	上邊・053オ4・疊字	躍	入	ヤク	右注	jiak	藥韻
1668b	上度・063ウ1・疊字	躍	入	ヤク	右注	jiak	藥韻
2715	上加・099オ5・雜物	鑰	入	ヤク	右傍	jiak	藥韻
0881b	上波・033ウ4・疊字	藥	入	ヤク	右注	jiak	藥韻
1187b	上保・047ウ3・疊字	藥	入	ヤク	左注	jiak	藥韻
2115b	上利・075ウ3・疊字	藥	入	ヤク	右注	jiak	藥韻
2262b	上遠・083オ3・雜物	藥	入?	ヤク	右注	jiak	藥韻
2918b	上加・107オ7・疊字	藥	入	ヤク	左注	jiak	藥韻
2919b	上加・107オ7・疊字	藥	入	ヤク	左注	jiak	藥韻
0294b	上伊・013オ6・疊字	略	入	リヤク	右注	liak	藥韻
1229b	上保・048オ5・疊字	略	入	リヤク	左注	liak	藥韻
1254b	上保・048ウ3・疊字	略	入	リヤク	左注	liak	藥韻
1388b	上邊・053ウ1・疊字	略	入?	リヤク	右注	liak	藥韻
1883b	上池・070オ4・疊字	略	入	リヤク	左注	liak	藥韻
2114a	上利・075ウ3・疊字	略	入	リヤク	右注	liak	藥韻
2906b	上加・107オ4・疊字	略	入	リヤク	中注	liak	藥韻
2001	上利・073ウ1・人事	略	—	リヤク	右注	liak	藥韻
2021	上利・074オ3・辞字	略	—	リヤク	右注	liak	藥韻
2022a	上利・074オ5・重點	略	—	リヤク	右注	liak	藥韻
2022b	上利・074オ5・重點	略	—	リヤク	右注	liak	藥韻

【表B-06】下巻_ⅢBiak 藥韻

番号	前田本所在	掲出字		仮名音注		中古音	韻目
3827b	下江・017オ6・疊字	却	入	キヤク	左注	k'iak	藥韻
5186a	下木・064オ6・疊字	却	入	キヤク	右注	k'iak	藥韻
5272a	下師・069オ5・植物	却	—	キヤク	右注	k'iak	藥韻
4176	下阿・029オ1・人躰	脚	入	カク	右傍	kiak	藥韻
4048b	下阿・024オ7・天象	脚	入	キヤク	右注	kiak	藥韻

4177	下阿・029オ1・人躰	脚	入	キヤク	右傍	kiɑk	藥韻
5540b	下師・079オ2・疊字	脚	入	キヤク	右注	kiɑk	藥韻
4204a	下阿・029ウ1・人躰	脚	入濁	キヤク	右傍	kiɑk	藥韻
4899	下木・057ウ5・人事	虐	入濁	キヤク	右注	ŋiɑk	藥韻
4115b	下阿・026ウ3・植物	楉	入	サク	右注	ńiɑk	藥韻
3324b	下古・002ウ2・植物	蒻	入濁	シヤク	右傍	ńiɑk	藥韻
3325b	下古・002ウ2・植物	蒻	入濁	ニヤク	右注	ńiɑk	藥韻
3326b	下古・002ウ2・植物	若	―	ニヤク	右注	ńiɑk ńia[1/2]	藥韻 麻/馬韻
6290b	下飛・098ウ1・疊字	削	入	サク	右注	siɑk	藥韻
6165	下飛・094ウ3・雜物	杓	入	シヤク	右傍	dźiɑk tek pjiau[1] p'jiau[1]	藥韻 錫韻 宵韻 宵韻
3829b	下江・017オ6・疊字	爵	入	シヤク	右傍	tsiɑk	藥韻
5373	下師・072ウ2・人事	爵	―	シヤク	右注	tsiɑk	藥韻
5741a	下師・083オ6・疊字	雀	徳	シヤク	右注	tsiɑk	藥韻
5849a	下師・085オ1・疊字	雀	徳	シヤク	右注	tsiɑk	藥韻
5842a	下師・084ウ7・疊字	雀	入	シヤク	右傍	tsiɑk	藥韻
6802	下洲・114オ6・動物	雀	―	シヤク	右傍	tsiɑk	藥韻
5627b	下師・081オ7・疊字	酌	入	シヤク	右注	tśiɑk	藥韻
5452a	下師・074ウ1・雜物	酌	―	シヤク	右注	tśiɑk	藥韻
5485	下師・075ウ1・員數	勺	―	シヤク	右注	źiɑk tśiɑk	藥韻 藥韻
4347	下阿・037ウ5・辞字	擽	入	タツ	右傍	liɑk lek	藥韻 錫韻
4760b	下佐・052ウ6・疊字	着	入	チヤク	右注	ḍiɑk ṭiɑk	藥韻 藥韻
5778b	下師・084オ3・疊字	着	入濁	チヤク	右注	ḍiɑk ṭiɑk	藥韻 藥韻
4369b	下阿・039オ7・疊字	着	―	チヤク	左注	ḍiɑk ṭiɑk	藥韻 藥韻
4745b	下佐・052ウ3・疊字	着	―	チヤク	右傍	ḍiɑk ṭiɑk	藥韻 藥韻
3745a	下江・014オ7・植物	芍	入	チヤク	右傍	ṭiɑk dźiɑk ts'iɑk tek ɣeu[2]	藥韻 藥韻 藥韻 錫韻 篠韻
5153b	下木・063ウ7・疊字	約	入	ヤク	左注	'iɑk 'iau[3]	藥韻 笑韻
6675b	下世・111オ7・疊字	約	入	ヤク	左注	'iɑk 'iau[3]	藥韻 笑韻
3427	下古・006ウ5・雜物	籥	入	ヤク	右傍	jiɑk	藥韻
4043b	下手・023ウ5・官職	藥	―	ヤク	右注	jiɑk	藥韻

6447b	下毛・103オ7・雜物	藥	—	ヤク	右注	jiak	藥韻
6764b	下世・112ウ7・官職	藥	—	ヤク	右傍	jiak	藥韻

【表B-06】上巻_ⅢBiuaŋ 陽韻

番号	前田本所在	掲出字		仮名音注		中古音	韻目
3029b	上加・109オ1・疊字	匡	平	クヰヤウ	左注	k'iuaŋ^{1}	陽韻
2369a	上和・089ウ7・疊字	王	平	ワウ	左注	ɣiuaŋ$^{1/3}$	陽/漾韻
2373a	上和・090オ1・疊字	王	平	ワウ	中注	ɣiuaŋ$^{1/3}$	陽/漾韻
2389a	上和・090オ4・疊字	王	平	ワウ	左注	ɣiuaŋ$^{1/3}$	陽/漾韻
2408a	上和・090ウ1・疊字	王	平	ワウ	右注	ɣiuaŋ$^{1/3}$	陽/漾韻
2409a	上和・090ウ1・疊字	王	平	ワウ	右注	ɣiuaŋ$^{1/3}$	陽/漾韻
2410a	上和・090ウ1・疊字	王	平	ワウ	右注	ɣiuaŋ$^{1/3}$	陽/漾韻
2649b	上加・097ウ7・人事	王	平	ワウ	左注	ɣiuaŋ$^{1/3}$	陽/漾韻
2003b	上利・073ウ2・人事	王	—	ワウ	右注	ɣiuaŋ$^{1/3}$	陽/漾韻
2298	上和・086ウ3・人倫	王	—	ワウ	右傍	ɣiuaŋ$^{1/3}$	陽/漾韻
2370a	上和・089ウ7・疊字	王	—	ワウ	左注	ɣiuaŋ$^{1/3}$	陽/漾韻
2411a	上和・090ウ1・疊字	王	—	ワウ	右傍	ɣiuaŋ$^{1/3}$	陽/漾韻
2414a	上和・090ウ3・疊字	王	—	ワウ	右傍	ɣiuaŋ$^{1/3}$	陽/漾韻

【表B-06】下巻_ⅢBiuaŋ 陽韻

番号	前田本所在	掲出字		仮名音注		中古音	韻目
3965b	下手・022オ5・疊字	狂	平	クヰヤウ	中注	giuaŋ$^{1/3}$	陽/漾韻
6418b	下毛・102オ4・人躰	狂	平	クヰヤウ	右傍	giuaŋ$^{1/3}$	陽/漾韻
4291b	下阿・032ウ6・雜物	筐	平	クヰヤウ	右傍	k'iuaŋ^{1}	陽韻
5384b	下師・073オ3・人事	王	平	ワウ	左注	ɣiuaŋ$^{1/3}$	陽/漾韻

【表B-06】上巻_ⅢBiuaŋ 養韻

番号	前田本所在	掲出字		仮名音注		中古音	韻目
2391a	上和・090オ4・疊字	枉	平	（ワウ）	—	'iuaŋ^{2}	養韻
2392a	上和・090オ5・疊字	枉	平	ワウ	中注	'iuaŋ^{2}	養韻
0259b	上伊・012ウ6・疊字	往	上	ワウ	左注	ɣiuaŋ^{2}	養韻
1252b	上保・048ウ3・疊字	往	上	ワウ	左注	ɣiuaŋ^{2}	養韻
2366a	上和・089ウ7・疊字	往	上	ワウ	中注	ɣiuaŋ^{2}	養韻
2367a	上和・089ウ7・疊字	往	上	ワウ	左注	ɣiuaŋ^{2}	養韻
2368a	上和・089ウ7・疊字	往	上	ワウ	左注	ɣiuaŋ^{2}	養韻
2374a	上和・090オ1・疊字	往	上	ワウ	左注	ɣiuaŋ^{2}	養韻
2376a	上和・090オ2・疊字	往	上	ワウ	左注	ɣiuaŋ^{2}	養韻
2377a	上和・090オ2・疊字	往	上	ワウ	左注	ɣiuaŋ^{2}	養韻
2383a	上和・090オ3・疊字	往	上	ワウ	左注	ɣiuaŋ^{2}	養韻

2400a	上和・090オ6・疊字	往	上	ワウ	中注	ɣiuaŋ^{2}	養韻
2401a	上和・090オ6・疊字	往	上	ワウ	中注	ɣiuaŋ^{2}	養韻
2402a	上和・090オ6・疊字	往	上	ワウ	左注	ɣiuaŋ^{2}	養韻
2403a	上和・090オ7・疊字	往	上	ワウ	左注	ɣiuaŋ^{2}	養韻
2404a	上和・090オ7・疊字	往	上	ワウ	左注	ɣiuaŋ^{2}	養韻
2365a	上和・089ウ5・重點	往	—	ワウ	右注	ɣiuaŋ^{2}	養韻
2365b	上和・089ウ5・重點	往	—	ワウ	右注	ɣiuaŋ^{2}	養韻
2375a	上和・090オ1・疊字	往	—	ワウ	左注	ɣiuaŋ^{2}	養韻

【表B-06】下巻_ⅢBiuaŋ 養韻

番号	前田本所在	掲出字		仮名音注		中古音	韻目
5785b	下師・084オ5・疊字	怳	上	クヰヤウ	左注	xiuaŋ^{2}	養韻
6005b	下會・089ウ1・疊字	枉	上	ワウ	左注	'iuaŋ^{2}	養韻
5025b	下木・061ウ5・疊字	往	平	ワウ	左注	ɣiuaŋ^{2}	養韻

【表B-06】上巻_ⅢBiuaŋ 漾韻

番号	前田本所在	掲出字		仮名音注		中古音	韻目
2380b	上和・090オ2・疊字	誑	平	ワウ	中注	kiuaŋ^{3}	漾韻
0318b	上伊・013ウ5・疊字	况	平	クヰヤウ	左注	xiuaŋ^{3}	漾韻

【表B-06】上巻_ⅢBiuak 藥韻

番号	前田本所在	掲出字		仮名音注		中古音	韻目
2345	上和・088オ6・雜物	籰	入	ワク	右注	ɣiuak	藥韻
2346	上和・088オ6・雜物	籰	入	クワク	右傍	ɣiuak	藥韻

【表B-06】下巻_ⅢBiuak 藥韻

番号	前田本所在	掲出字		仮名音注		中古音	韻目
6351b	下飛・099オ6・疊字	攫	入	クヰヨク	右傍	kiuak	藥韻

【表B-06】上巻_ⅢBiauŋ 鍾韻

番号	前田本所在	掲出字		仮名音注		中古音	韻目
1551	上度・059ウ2・辞字	共	平	クヰヨウ	右傍	kiauŋ^{1} giauŋ^{3}	鍾韻 用韻
1555	上度・059ウ4・辞字	共	平	クヰヨウ	右傍	kiauŋ^{1} giauŋ^{3}	鍾韻 用韻
0813b	上波・032ウ4・疊字	従	去	シヨウ	左注	dziauŋ^{1} ts'iauŋ$^{1/3}$	鍾韻 鍾/用韻

1401b	上邊・053ウ4・疊字	従	上濁	シウ	右注	dziauŋ^{1} ts‘iauŋ$^{1/3}$	鍾韻 鍾/用韻
1219b	上保・048オ3・疊字	從	去濁	シユ	中注	dziauŋ^{1} ts‘iauŋ$^{1/3}$	鍾韻 鍾/用韻
0773b	上波・032オ3・疊字	縱	去	シヨウ	左注	tsiauŋ$^{1/3}$	鍾/用韻
2743b	上加・100オ1・雜物	松	平	シヨウ	右注	ziauŋ^{1}	鍾韻
2028b	上利・074オ7・疊字	鍾	平	シヨウ	右注	tśiauŋ^{1}	鍾韻
2113b	上利・075ウ3・疊字	鐘	平	シヨウ	右注	tśiauŋ^{1}	鍾韻
2710	上加・099オ4・雜物	鐘	平	スウ	右傍	tśiauŋ^{1}	鍾韻
0181b	上伊・008ウ6・雜物	艟	平	シヨウ	右傍	tś‘iauŋ^{1} ḍauŋ^{3}	鍾韻 絳韻
2250	上遠・082オ3・人事	惷	平	シヨウ	右傍	śiauŋ^{1} ṭ‘auŋ^{1} ṭ‘iauŋ^{3}	鍾韻 江韻 用韻
1643b	上度・063オ3・疊字	訟	上	ソウ	左注	źiauŋ$^{1/3}$	鍾/用韻
2531b	上加・094オ7・動物	茸	平濁	シヨウ	右傍	ńiauŋ^{1}	鍾韻
0896b	上波・033ウ7・疊字	重	平	チヨウ	左注	ḍiauŋ$^{1/2/3}$	鍾/腫/用韻
1792a	上池・068ウ7・疊字	重	平	チヨウ	中注	ḍiauŋ$^{1/2/3}$	鍾/腫/用韻
1929a	上池・070ウ6・疊字	重	平	チヨウ	左注	ḍiauŋ$^{1/2/3}$	鍾/腫/用韻
2828	上加・103ウ4・辭字	重	平	チヨウ	右傍	ḍiauŋ$^{1/2/3}$	鍾/腫/用韻
1837a	上池・069ウ2・疊字	重	去	チヨウ	左注	ḍiauŋ$^{1/2/3}$	鍾/腫/用韻
1878b	上池・070オ3・疊字	重	去	チヨウ	左注	ḍiauŋ$^{1/2/3}$	鍾/腫/用韻
1874a	上池・070オ2・疊字	重	平濁	テウ	左注	ḍiauŋ$^{1/2/3}$	鍾/腫/用韻
1946a	上池・071オ2・疊字	重	平濁	チウ	右注	ḍiauŋ$^{1/2/3}$	鍾/腫/用韻
1879a	上池・070オ3・疊字	重	平	チウ	左注	ḍiauŋ$^{1/2/3}$	鍾/腫/用韻
1790a	上池・068ウ5・重點	重	—	チウ	右注	ḍiauŋ$^{1/2/3}$	鍾/腫/用韻
1790b	上池・068ウ5・重點	重	—	チウ	右注	ḍiauŋ$^{1/2/3}$	鍾/腫/用韻
1856a	上池・069ウ5・疊字	濃	平濁	チヨウ	中注	ṇiauŋ^{1}	鍾韻
0356b	上伊・015ウ3・国郡	濃	—	ノ	右傍	ṇiauŋ^{1}	鍾韻
0365b	上伊・015ウ5・国郡	濃	—	ノ	右注	ṇiauŋ^{1}	鍾韻
0374b	上伊・015ウ7・国郡	濃	—	ノ	右傍	ṇiauŋ^{1}	鍾韻
0378b	上伊・015ウ7・国郡	濃	—	ノ	右傍	ṇiauŋ^{1}	鍾韻
0986	上仁・039ウ2・辭字	穠	—	ノウ	右傍	ṇiauŋ^{1} ńiauŋ^{1}	鍾韻 鍾韻
1144	上保・046ウ1・辭字	封	平	ホウ [上平]	右注	piaŋ$^{1/3}$	鍾/用韻
1508a	上度・057ウ3・雜物	烽	平	ホウ	右傍	p‘iauŋ^{1}	鍾韻
3128b	上加・110オ7・疊字	峯	—	フ	右注	p‘iauŋ^{1}	鍾韻
2166	上奴・078オ6・辭字	縫	—	ホウ	右傍	biauŋ$^{1/3}$	鍾/用韻
3264a	上与・117ウ7・疊字	雍	平	ヨウ	右注	’iauŋ$^{1/3}$	鍾/用韻
2606	上加・096オ7・人體	癰	—	ヲウ	右傍	’iauŋ^{1}	鍾韻
2659	上加・098オ3・飲食	饔	平	ヰヨウ	右傍	’iauŋ^{1}	鍾韻

2622	上加・096ウ7・人事	容	平	ヨウ	右傍	jiauŋ^{1}	鍾韻
3236a	上与・117ウ1・疊字	容	平	ヨウ	中注	jiauŋ^{1}	鍾韻
3237a	上与・117ウ1・疊字	容	平	ヨウ	左注	jiauŋ^{1}	鍾韻
3242a	上与・117ウ2・疊字	容	平	ヨウ	左注	jiauŋ^{1}	鍾韻
3243a	上与・117ウ2・疊字	容	平	ヨウ	左注	jiauŋ^{1}	鍾韻
3244a	上与・117ウ3・疊字	容	平	ヨウ	左注	jiauŋ^{1}	鍾韻
3245a	上与・117ウ3・疊字	容	平	ヨウ	左注	jiauŋ^{1}	鍾韻
3264b	上与・117ウ7・疊字	容	平	ヨ	右注	jiauŋ^{1}	鍾韻
0182	上伊・008ウ7・雑物	鎔	平	ヨウ	右傍	jiauŋ^{1}	鍾韻
0195	上伊・009ウ6・辞字	鎔	―	ヨウ	右傍	jiauŋ^{1}	鍾韻
1867b	上池・070オ1・疊字	庸	平	ヨウ	左注	jiauŋ^{1}	鍾韻
3239a	上与・117ウ2・疊字	庸	平	ヨウ	左注	jiauŋ^{1}	鍾韻
3266a	上与・117ウ7・疊字	庸	平	ヨウ	右注	jiauŋ^{1}	鍾韻
3246a	上与・117ウ3・疊字	庸	去	ヨウ	左注	jiauŋ^{1}	鍾韻
3219a	上与・115ウ3・雑物	庸	―	ヨウ	右傍	jiauŋ^{1}	鍾韻
2443	上加・091ウ7・地儀	墉	平	ヨウ	右傍	jiauŋ^{1}	鍾韻
3263a	上与・117ウ7・疊字	傭	平	ヨウ	右注	jiauŋ^{1} ṭʻiauŋ^{1}	鍾韻 鍾韻
1726	上池・066オ5・動物	鱅	平	ヨウ	右傍	jiauŋ^{1} dźiauŋ^{1}	鍾韻 鍾韻
1989	上利・073オ2・動物	龍	平 去	リヨウ	右注	liauŋ^{1}	鍾韻
1990	上利・073オ2・動物	龍	平 去	リウ	右傍	liauŋ^{1}	鍾韻
2008a	上利・073ウ5・雑物	龍	平	リウ	右注	liauŋ^{1}	鍾韻
2010a	上利・073ウ5・雑物	龍	去	リウ	右注	liauŋ^{1}	鍾韻
1983a	上利・072ウ6・植物	龍	―	リウ	右注	liauŋ^{1}	鍾韻
1984a	上利・072ウ6・植物	龍	―	リウ	左注	liauŋ^{1}	鍾韻
0933a	上仁・036オ4・植物	龍	平	リン	右傍	liauŋ^{1}	鍾韻
2013a	上利・073ウ5・雑物	龍	平	リヨウ	右注	liauŋ^{1}	鍾韻
2057a	上利・074ウ6・疊字	龍	平	リヨウ	左注	liauŋ^{1}	鍾韻
2058a	上利・074ウ6・疊字	龍	平	リヨウ	左注	liauŋ^{1}	鍾韻
2060a	上利・074ウ7・疊字	龍	平	リヨウ	中注	liauŋ^{1}	鍾韻
2107a	上利・075ウ2・疊字	龍	平	リヨウ	左注	liauŋ^{1}	鍾韻
0629b	上波・025ウ5・人事	龍	―	リヨウ	左注	liauŋ^{1}	鍾韻
2113a	上利・075ウ3・疊字	籠	平	リヨウ	右注	liauŋ^{1} lʌuŋ$^{1/2}$	鍾韻 東/董韻

【表B-06】下巻_ⅢBiauŋ 鍾韻

番号	前田本所在	掲出字		仮名音注		中古音	韻目
5909d	下師・085ウ5・疊字	胷	―	クキヨウ	右傍	kʻiauŋ^{1}	鍾韻
6912b	下洲・120オ4・疊字	拱	上	クキヨウ	左注	giauŋ^{1}	腫韻

6930b	下洲・120ウ1・疉字	従	平	シユ	左注	dziauŋ^{1} ts‘iauŋ$^{1/3}$	鍾韻 鍾/用韻
5874a	下師・085オ5・疉字	従	去濁	シユ	右注	dziauŋ^{1} ts‘iauŋ$^{1/3}$	鍾韻 鍾/用韻
5329a	下師・071オ1・人倫	従	—	シユ	右傍	dziauŋ^{1} ts‘iauŋ$^{1/3}$	鍾韻 鍾/用韻
5882b	下師・085オ7・疉字	従	—	シユ	右注	dziauŋ^{1} ts‘iauŋ$^{1/3}$	鍾韻 鍾/用韻
5939b	下師・086ウ6・官職	従	—	シユ	右注	dziauŋ^{1} ts‘iauŋ$^{1/3}$	鍾韻 鍾/用韻
5954a	下師・087オ3・官職	従	—	シユ	右注	dziauŋ^{1} ts‘iauŋ$^{1/3}$	鍾韻 鍾/用韻
5696a	下師・082ウ2・疉字	縦	平	シヨウ	左注	tsiauŋ$^{1/3}$	鍾/用韻
5343a	下師・071ウ2・人躰	縦	—	シヨウ [平上上]	右注	tsiauŋ$^{1/3}$	鍾/用韻
6395	下毛・101オ6・植物	樅	—	シヨウ	右傍	ts‘iauŋ^{1} tsiauŋ^{1}	鍾韻 鍾韻
5697a	下師・082ウ2・疉字	松	平	シヨウ	左注	ziauŋ^{1}	鍾韻
5736a	下師・083オ6・疉字	松	平	シヨウ	右注	ziauŋ^{1}	鍾韻
6517b	下世・107ウ5・人倫	松	平	シヤウ	右傍	ziauŋ^{1}	鍾韻
6747b	下世・112オ7・疉字	松	平	シヨウ	右注	ziauŋ^{1}	鍾韻
5858a	下師・085オ3・疉字	松	—	シヨウ	右注	ziauŋ^{1}	鍾韻
4473b	下佐・043ウ7・動物	鰆	平	シヨウ	右傍	śiauŋ^{1}	鍾韻
4563	下佐・047オ2・雑物	鍾	平	シヨウ	右傍	tśiauŋ^{1}	鍾韻
6776a	下洲・113ウ2・地儀	鍾	平	スウ	右注	tśiauŋ^{1}	鍾韻
5638a	下師・081ウ3・疉字	鐘	—	シヨウ	左注	tśiauŋ^{1}	鍾韻
6423	下毛・102ウ2・人事	慵	平	ヨウ	右傍	źiauŋ^{1}	鍾韻
6071b	下飛・091ウ4・植物	茸	平濁	シヨウ	右傍	ńiauŋ^{1}	鍾韻
5311b	下師・070オ6・動物	茸	—	シヨウ	右傍	ńiauŋ^{1}	鍾韻
3971b	下手・022オ6・疉字	重	平	チウ	左注	ḍiauŋ$^{1/2/3}$	鍾/腫/用韻
4058a	下阿・024ウ2・天象	重	平	チヨウ	右注	ḍiauŋ$^{1/2/3}$	鍾/腫/用韻
6327b	下飛・098ウ7・疉字	重	平	チヨウ	左注	ḍiauŋ$^{1/2/3}$	鍾/腫/用韻
5926b	下師・086ウ3・國郡	濃	—	ノ	右注	ṇiauŋ^{1}	鍾韻
6957b	下洲・121オ5・国郡	濃		ノ	右傍	ṇiauŋ^{1}	鍾韻
4492b	下佐・044オ6・動物	封	平	ホウ	右傍	piauŋ$^{1/3}$	鍾/用韻
3322	下古・002ウ2・植物	葑	平	ホウ	右傍	piauŋ$^{1/3}$	鍾/用韻
4602	下佐・048オ2・雑物	鋒	平	ホウ	右傍	p‘iauŋ^{1}	鍾韻
5429b	下師・074オ2・雑物	峯	—	ホウ	右傍	p‘iauŋ^{1}	鍾韻
4744b	下佐・052ウ2・疉字	縫	去	ホウ	左注	biauŋ$^{1/3}$	鍾/用韻
5980	下會・088オ6・人躰	癰	去	ヰヨウ	右傍	’iauŋ^{1}	鍾韻
4365b	下阿・039オ6・疉字	容	平	ヨウ	右傍	jiauŋ^{1}	鍾韻
5074b	下木・062ウ1・疉字	容	平	ヨウ	中注	jiauŋ^{1}	鍾韻
5696b	下師・082ウ2・疉字	容	平	ヨウ	左注	jiauŋ^{1}	鍾韻

5697b	下師・082ウ2・疊字	容	平	ヨウ	左注	jiauŋ^{1}	鍾韻
6909b	下洲・120オ3・疊字	容	平	ヨウ	左注	jiauŋ^{1}	鍾韻
4035b	下手・023オ7・疊字	庸	上	ヨウ	左注	jiauŋ^{1}	鍾韻
3744a	下江・014オ7・植物	龍	去	リウ	右傍	liauŋ^{1}	鍾韻

【表B-06】上巻_ⅢBiauŋ 腫韻

番号	前田本所在	掲出字		仮名音注		中古音	韻目
2872b	上加・106ウ4・疊字	種	平	シウ	左注	tśiauŋ$^{2/3}$	鍾/用韻
2988b	上加・108オ7・疊字	種	平	シウ	左注	tśiauŋ$^{2/3}$	鍾/用韻
0594	上波・024オ6・人躰	腫	上 去	シヨウ	右傍	tśiauŋ^{2}	腫韻
0595	上波・024オ6・人躰	腫	上 去	スウ	左注	tśiauŋ^{2}	腫韻
2085b	上利・075オ4・疊字	宂	上濁	シヨウ	右注	ńiauŋ^{2}	腫韻
1932a	上池・070ウ7・疊字	寵	上	チヨウ	左注	ṭ‘iauŋ^{2}	腫韻
1951a	上池・071オ3・疊字	寵	上	チヨウ	左注	ṭ‘iauŋ^{2}	腫韻
1752	上池・067オ4・人事	寵	—	チヨウ	右注	ṭ‘iauŋ^{2}	腫韻
1191a	上保・047ウ4・疊字	覂	上	ホウ	中注	piauŋ^{2}	腫韻
1178a	上保・047ウ2・疊字	奉	去	ホウ	左注	biauŋ^{2}	腫韻
1184a	上保・047ウ3・疊字	奉	去	ホウ	中注	biauŋ^{2}	腫韻
1224a	上保・048オ4・疊字	奉	去	ホウ	左注	biauŋ^{2}	腫韻
1393b	上邊・053ウ2・疊字	奉	去	ホウ	右注	biauŋ^{2}	腫韻
3170a	上加・112オ3・官職	奉	平濁	フ	右傍	biauŋ^{2}	腫韻
3230	上与・116ウ7・辞字	擁	上	ヨウ	右注	’iauŋ^{2}	腫韻
1684a	上度・063ウ6・疊字	擁	上	ヰヨウ	右傍	’iauŋ^{2}	腫韻
2545a	上加・094ウ5・動物	擁	上	ヰヨウ	右傍	’iauŋ^{2}	腫韻
3231	上与・116ウ7・辞字	擁	上	ヰヨウ	右傍	’iauŋ^{2}	腫韻
2279a	上遠・084ウ7・疊字	擁	上	ヲウ	中注	’iauŋ^{2}	腫韻
2280a	上遠・084ウ7・疊字	擁	上	ヲウ	中注	’iauŋ^{2}	腫韻
2281a	上遠・084ウ7・疊字	擁	上	ヲウ	左注	’iauŋ^{2}	腫韻
2282a	上遠・084ウ7・疊字	擁	上	ヲウ	左注	’iauŋ^{2}	腫韻
3248a	上与・117ウ3・疊字	勇	上	ヨウ	中注	jiauŋ^{2}	腫韻
3249a	上与・117ウ4・疊字	勇	上	ヨウ	左注	jiauŋ^{2}	腫韻
3250a	上与・117ウ4・疊字	勇	上	ヨウ	左注	jiauŋ^{2}	腫韻
3251a	上与・117ウ4・疊字	勇	上	ヨウ	左注	jiauŋ^{2}	腫韻
3252a	上与・117ウ4・疊字	勇	上	ヨウ	左注	jiauŋ^{2}	腫韻
2042a	上利・074ウ3・疊字	隴	上	リヨウ	左注	liauŋ^{1}	腫韻

【表B-06】下巻_ⅢBiauŋ 腫韻

番号	前田本所在	掲出字		仮名音注		中古音	韻目
5518a	下師・078ウ1・重點	種	―	シウ	右注	tśiauŋ$^{2/3}$	腫/絳韻
5518b	下師・078ウ1・重點	種	―	シウ	右注	tśiauŋ$^{2/3}$	腫/絳韻
5815a	下師・084ウ3・疊字	悚	上	シヨウ	左注	siauŋ^{2}	腫韻
5816a	下師・084ウ3・疊字	悚	上	シヨウ	左注	siauŋ^{2}	腫韻
5812a	下師・084ウ2・疊字	悚	―	シヨウ	左注	siauŋ^{2}	腫韻
3391	下古・004ウ5・人躰	尰	上	シヨウ	右傍	źiauŋ^{2}	腫韻
4037a	下手・023ウ1・疊字	寵	上	テウ	右注	ṭ'iauŋ^{2}	腫韻
3960a	下手・022オ4・疊字	冢	上	テウ	左注	ṭiauŋ^{2}	腫韻
5375a	下師・072ウ4・人事	冢	―	シヤウ	右注	ṭiauŋ^{2}	腫韻
6966a	下　・122ウ1・跋文	擁	上	ヨウ	右傍	'iauŋ^{2}	腫韻

【表B-06】上巻_ⅢBiauŋ 用韻

番号	前田本所在	掲出字		仮名音注		中古音	韻目
1225a	上保・048オ4・疊字	俸	去	ホウ	右注	biauŋ^{3} pʌuŋ^{2}	用韻 董韻
1226a	上保・048オ4・疊字	俸	去	ホウ	右注	biauŋ^{3} pʌuŋ^{2}	用韻 董韻
1081	上保・043ウ3・人事	俸	―	ホウ [平上]	右注	biauŋ^{3} pʌuŋ^{2}	用韻 董韻
1590b	上度・062オ6・疊字	用	去	ヨウ	中注	jiauŋ^{3}	用韻
3240a	上与・117ウ2・疊字	用	去	ヨウ	左注	jiauŋ^{3}	用韻
3269a	上与・118オ1・疊字	用	去	ヨウ	右注	jiauŋ^{3}	用韻
1171b	上保・047オ7・疊字	用	平	ヨウ	左注	jiauŋ^{3}	用韻
1239b	上保・048オ7・疊字	用	平	ヨウ	右注	jiauŋ^{3}	用韻
2119b	上利・075ウ4・疊字	用	平	ヨウ	左注	jiauŋ^{3}	用韻
3241a	上与・117ウ2・疊字	用	平	ヨウ	左注	jiauŋ^{3}	用韻
3255a	上与・117ウ5・疊字	用	平	ヨウ	左注	jiauŋ^{3}	用韻
3256a	上与・117ウ5・疊字	用	平	ヨウ	左注	jiauŋ^{3}	用韻
3257a	上与・117ウ5・疊字	用	平	ヨウ	左注	jiauŋ^{3}	用韻
3258a	上与・117ウ5・疊字	用	平	ヨウ	左注	jiauŋ^{3}	用韻
3284b	上波・034ウ6・國郡	用	―	ヨ	右傍	jiauŋ^{3}	用韻

【表B-06】下巻_ⅢBiauŋ 用韻

番号	前田本所在	掲出字		仮名音注		中古音	韻目
4378b	下阿・039ウ1・疊字	誦	平	シウ	中注	ziauŋ^{3}	用韻
3710b	下古・012オ4・疊字	用	平	ヨウ	左注	jiauŋ^{3}	用韻
4683b	下佐・051ウ2・疊字	用	平	ヨウ	左注	jiauŋ^{3}	用韻
5131b	下木・063ウ2・疊字	用	平	ヨウ	左注	jiauŋ^{3}	用韻

5160b	下木・064オ1・疊字	用	平	ヨウ	左注	jiauŋ³	用韻
5775b	下師・084オ3・疊字	用	平	ヨウ	右注	jiauŋ³	用韻
6320b	下飛・098ウ6・疊字	用	平	ヨウ	左注	jiauŋ³	用韻
3853b	下江・017ウ4・疊字	用	―	ヨウ	左注	jiauŋ³	用韻
4763b	下佐・052ウ7・疊字	用	―	ヨウ	左注	jiauŋ³	用韻
5158b	下木・064オ1・疊字	用	―	ヨウ	左注	jiauŋ³	用韻

【表B-06】上巻_ⅢBiauk 燭韻

番号	前田本所在	掲出字		仮名音注		中古音	韻目
0471a	上波・020オ4・天象	曲	入	コク	右傍	k'iauk	燭韻
0663	上波・026ウ6・雑物	局	―	ハン	右注	giauk	燭韻
0840b	上波・033オ2・疊字	玉	入濁	キヨク	中注	ŋiauk	燭韻
0561a	上波・023オ2・動物	促	入	ソク	右傍	ts'iauk	燭韻
1991b	上利・073オ2・動物	燭	入	シヨク	右傍	tśiauk	燭韻
3125b	上加・110オ6・疊字	燭	入	シヨク	右注	tśiauk	燭韻
1329b	上邊・052ウ4・疊字	燭	入	ソク	左注	tśiauk	燭韻
1492	上度・057オ5・雑物	燭	入	ソク	右傍	tśiauk	燭韻
1659b	上度・063オ6・疊字	燭	入	ソク	左注	tśiauk	燭韻
0509a	上波・020オ6・植物	續	―	シヨク	右傍	ziauk	燭韻
2041b	上利・074ウ3・疊字	俗	入	シヨク	左注	ziauk	燭韻
1951b	上池・071オ3・疊字	辱	入濁	シヨク	左注	ńiauk	燭韻
1907b	上池・070ウ2・疊字	辱	入	シヨク	中注	ńiauk	燭韻
0993b	上仁・040オ3・疊字	辱	入	ニク	右注	ńiauk	燭韻
0064c	上伊・004オ3・植物	躅	入	チヨク	右傍	ḍiauk	燭韻
2680a	上加・098ウ3・雑物	幞	入濁	ホク	右傍	biauk	燭韻
0274b	上伊・013オ2・疊字	欲	入	ヨク	右注	jiauk	燭韻
1602b	上度・062ウ1・疊字	欲	入	ヨク	左注	jiauk	燭韻
3260a	上与・117ウ6・疊字	欲	入	ヨク	左注	jiauk	燭韻
3261a	上与・117ウ6・疊字	欲	入	ヨク	左注	jiauk	燭韻
3295	上与・114ウ6・人事	欲	―	ヨク［平平］	右注	jiauk	燭韻
3205	上与・114ウ6・人事	慾	―	ヨク［平平］	右注	jiauk	燭韻
3270a	上与・118オ1・疊字	慾	入	ヨク	右注	jiauk	燭韻
2066a	上利・075オ1・疊字	緑	入	リヨク	左注	liauk	燭韻
2097a	上利・075オ7・疊字	緑	入	リヨク	左注	liauk	燭韻
0424a	上呂・018オ5・光彩	緑	―	ロク	右注	liauk	燭韻
0425a	上呂・018オ5・光彩	緑	―	ロウ	右注	liauk	燭韻
0442a	上呂・019オ3・疊字	録	入	ロク	中注	liauk	燭韻
1371b	上邊・053オ5・疊字	録	入	ロク	中注	liauk	燭韻
0428	上呂・018ウ4・辞字	録	―	ロク	右注	liauk	燭韻
0429a	上呂・018ウ6・重點	録	―	ロク	右注	liauk	燭韻
0429b	上呂・018ウ6・重點	録	―	ロク	右注	liauk	燭韻
0461	上呂・019ウ5・官職	録	―	ロク	右注	liauk	燭韻

【表B-06】下巻_ⅢBiauk 燭韻

番号	前田本所在	掲出字		仮名音注		中古音	韻目
3847b	下江・017ウ2・疊字	曲	入	クヰヨク	左注	k‘iauk	燭韻
3598a	下古・010オ6・疊字	曲	入	コク	左注	k‘iauk	燭韻
4005b	下手・022ウ7・疊字	曲	入	コク	左注	k‘iauk	燭韻
3716a	下古・012オ5・疊字	曲	—	コク	左注	k‘iauk	燭韻
3559b	下古・007オ6・雜物	局	入	キヨク	右傍	giauk	燭韻
6978b	下古・007オ6・雜物	局	入	ハン	右注	giauk	燭韻
5048a	下木・062オ2・疊字	跼	入	キヨク	左注	giauk	燭韻
5847b	下師・085オ1・疊字	玉	—	キヨク	右注	ŋiauk	燭韻
6035	下飛・090ウ6・地儀	獄	入濁	コク	右傍	ŋiauk	燭韻
3703a	下古・012オ2・疊字	獄	—	コク	左注	ŋiauk	燭韻
5473b	下師・075オ1・雜物	足	—	ソク	右注	tsiauk tsiuʌ[3]	燭韻 遇韻
4772b	下佐・053オ3・疊字	促	入	ソク	左注	ts‘iauk	燭韻
4088	下阿・025ウ6・植物	粟	—	シヨク	右傍	siauk	燭韻
6730b	下世・112オ3・疊字	俗	入濁	ソク	右注	ziauk	燭韻
5867a	下師・085オ4・疊字	燭	入	シヨク	右注	tśiauk	燭韻
5449b	下師・074ウ1・雜物	燭	—	ソク	右注	tśiauk	燭韻
5865a	下師・085オ4・疊字	蜀	入	シヨク	右注	źiauk	燭韻
4037b	下手・023ウ1・疊字	辱	入	シヨク	右注	ńiauk	燭韻
5732a	下師・083オ5・疊字	辱	入	シヨク	左注	ńiauk	燭韻
6402c	下毛・101オ7・植物	躅	入	チヨク	右傍	ḍiauk	燭韻
5347	下師・071ウ3・人躰	瘃	入	キク	右傍	ṭiauk	燭韻
6129	下飛・093オ5・人躰	瘃	入	キク	右傍	ṭiauk	燭韻
3431b	下古・006ウ6・雜物	幞	入	ホク	右傍	biauk	燭韻
5216a	下由・066オ3・地儀	浴	入	ヨク	右傍	jiauk	燭韻
5249	下由・067ウ7・雜物	浴	入	ヨク	右注	jiauk	燭韻
5235	下由・067オ4・人事	浴	—	ヨク	右傍	jiauk	燭韻
6106a	下飛・092ウ3・人倫	緑	入	リヨク	右傍	liauk	燭韻
5091b	下木・062ウ7・疊字	録	入	ロク	左注	liauk	燭韻
6469b	下毛・105ウ3・疊字	録	—	ロク	左注	liauk	燭韻

【表B-07】上巻_ⅢBiʌ 魚韻

番号	前田本所在	掲出字		仮名音注		中古音	韻目
0321b	上伊・013ウ6・疊字	居	平	キヨ	左注	kiʌ¹ kiɐi¹	魚韻 之韻
0322b	上伊・013ウ6・疊字	居	平	キヨ	左注	kiʌ¹ kiɐi¹	魚韻 之韻
0329b	上伊・013ウ7・疊字	居	平	キヨ	中注	kiʌ¹ kiɐi¹	魚韻 之韻
0435b	上呂・019オ1・疊字	居	平	キヨ	右注	kiʌ¹ kiɐi¹	魚韻 之韻
1378b	上邊・053オ6・疊字	居	平	キヨ	左注	kiʌ¹ kiɐi¹	魚韻 之韻
1382b	上邊・053オ7・疊字	居	平	キヨ	左注	kiʌ¹ kiɐi¹	魚韻 之韻
1945b	上池・071オ2・疊字	居	平	キヨ	右注	kiʌ¹ kiɐi¹	魚韻 之韻
3046b	上加・109オ4・疊字	居	平	キヨ	中注	kiʌ¹ kiɐi¹	魚韻 之韻
1288	上邊・050オ5・植物	椐	平	キヨ	右傍	kiʌ1/3 k'iʌ¹	魚/御韻 魚韻
1090	上保・044オ5・飲食	腒	平	コ	右傍	kiʌ¹ giʌ¹	魚韻 魚韻
2201	上遠・080オ1・地儀	墟	平	キウ	右傍	k'iʌ¹	魚韻
0526b	上波・021ウ7・植物	蕖	平	キヨ	右傍	giʌ¹	魚韻
0084	上伊・004ウ6・動物	魚	平	キヨ	右傍	ŋiʌ¹	魚韻
1353b	上邊・053オ1・疊字	魚	平	キヨ	左注	ŋiʌ¹	魚韻
0950b	上仁・037オ1・動物	魚	上濁	キヨ	右傍	ŋiʌ¹	魚韻
0105a	上伊・005ウ5・人倫	漁	平	キヨ	右傍	ŋiʌ¹	魚韻
2532	上加・094ウ1・動物	鰅	—	キヨ	右傍	ŋiʌ¹	魚韻
1356b	上邊・053オ2・疊字	虛	平	キヨ	右注	xiʌ¹ k'iʌ¹	魚韻 魚韻
3134b	上加・110ウ2・疊字	且	—	シヨ	右傍	tsiʌ¹ ts'ia²	魚韻 馬韻
0792b	上波・032オ7・疊字	苴	平	シヨ	右注	tsiʌ1/2 ts'iʌ¹ dza¹	魚/麌韻 魚韻 麻韻
1295b	上邊・051オ1・人躰	疽	上	ソ	右注	ts'iʌ¹	魚韻
0960	上仁・038オ1・飲食	葅	平	（ソ）	右傍	tṣiʌ¹	魚韻
0692	上波・028オ4・方角	初	平	シヨ	右傍	tṣ'iʌ¹	魚韻
2157	上奴・077ウ1・人事	諝	—	シヨ	右傍	siʌ1/2	魚韻
1557	上度・060オ2・辞字	蹠	平	ソ	右傍	ṣiʌ1/3	魚/御韻
2637a	上加・097オ7・人事	摢	平	チヨ	右傍	ṭ'iʌ¹	魚韻

0478	上波・020ウ1・地儀	除	平	チヨ	右傍	ḍiʌ$^{1/3}$	魚/御韻
0753b	上波・031ウ6・疊字	除	平	チヨ	右注	ḍiʌ$^{1/3}$	魚/御韻
1892a	上池・070オ6・疊字	除	平	チヨ	中注	ḍiʌ$^{1/3}$	魚/御韻
1824a	上池・069オ6・疊字	除	去濁	チヨ	左注	ḍiʌ$^{1/3}$	魚/御韻
1827a	上池・069オ7・疊字	除	去濁	チ	左注	ḍiʌ$^{1/3}$	魚/御韻
1826a	上池・069オ6・疊字	儲	平	チヨ	中注	ḍiʌ^{1}	魚韻
1927a	上池・070ウ6・疊字	儲	平	チヨ	左注	ḍiʌ^{1}	魚韻
1358b	上邊・053オ2・疊字	如	平濁	シヨ	左注	ńiʌ$^{1/3}$	魚/御韻
0969a	上仁・038オ7・雜物	如	去	ニヨ	右注	ńiʌ$^{1/3}$	魚/御韻
0970a	上仁・038オ7・雜物	如	去	ニヨ	右注	ńiʌ$^{1/3}$	魚/御韻
1003a	上仁・040オ6・疊字	如	去	ニヨ	左注	ńiʌ$^{1/3}$	魚/御韻
1012a	上仁・040ウ1・疊字	如	去	ニヨ	左注	ńiʌ$^{1/3}$	魚/御韻
0936b	上仁・036オ5・植物	茹	平	シヨ	右傍	ńiʌ$^{1/2/3}$	魚/語/御韻
2312	上和・087オ2・人事	余	平	ヨ	右傍	jiʌ^{1} źia^{1}	魚韻 麻韻
2143b	上奴・076ウ2・植物	餘	平	ヨ	右傍	jiʌ^{1}	魚韻
3235a	上与・117ウ1・疊字	餘	平	ヨ	左注	jiʌ^{1}	魚韻
3265a	上与・117ウ7・疊字	餘	平	ヨ	右注	jiʌ^{1}	魚韻
3234a	上与・117ウ1・疊字	餘	去	ヨ	中注	jiʌ^{1}	魚韻
2977b	上加・108オ4・疊字	舉	平	ヨ	左注	jiʌ^{1} kiʌ^{2}	魚韻 語韻
1210b	上保・048オ1・疊字	誉	平	ヨ	左注	jiʌ$^{1/3}$	魚/御韻
2958b	上加・108オ1・疊字	譽	平	ヨ	左注	jiʌ$^{1/3}$	魚/御韻
2796	上加・101ウ1・辞字	歟	―	ヨ	右傍	jiʌ$^{1/2/3}$	魚/語/御韻
2311	上和・087オ2・人事	予	平	ヨ	右傍	jiʌ$^{1/2}$	魚/語韻
3204	上与・114ウ5・人事	予	―	ヨ	右注	jiʌ$^{1/2}$	魚/語韻
3259a	上与・117ウ6・疊字	輿	平	ヨ	中注	jiʌ$^{1/3}$	魚/御韻
1501	上度・057オ7・雜物	輿	―	ヨ	右注	jiʌ$^{1/3}$	魚/御韻
1132	上保・045ウ6・方角	閭	平	リヨ	右傍	liʌ^{1}	魚韻
2037a	上利・074ウ2・疊字	閭	平	リヨ	左注	liʌ^{1}	魚韻
2038a	上利・074ウ2・疊字	閭	平	リヨ	左注	liʌ^{1}	魚韻
2039a	上利・074ウ3・疊字	閭	平	リヨ	左注	liʌ^{1}	魚韻
0936a	上仁・036オ5・植物	藺	平	リヨ	右傍	liʌ^{1}	魚韻
0026	上伊・003オ2・地儀	廬	平	リヨ	右傍	liʌ^{1}	魚韻
0627b	上波・025ウ5・人事	廬	平	ロ	左注	liʌ^{1}	魚韻
2395b	上和・090オ5・疊字	廬	上	ロ	左注	liʌ^{1}	魚韻
0496b	上波・021オ2・植物	蘆	―	リヨ	右傍	liʌ^{1} luʌ^{1}	魚韻 模韻

【表B-07】下巻_ⅢBiʌ 魚韻

番号	前田本所在	掲出字		仮名音注		中古音	韻目
4972a	下木・061オ1・疊字	居	平	キヨ	右注	kiʌ^{1} kiɐi^{1}	魚韻 之韻
5073b	下木・062ウ1・疊字	居	平	キヨ	左注	kiʌ^{1} kiɐi^{1}	魚韻 之韻
5184a	下木・064オ6・疊字	居	―	キヨ	右注	kiʌ^{1} kiɐi^{1}	魚韻 之韻
4359b	下阿・039オ4・疊字	居	上	コ	中注	kiʌ^{1} kiɐi^{1}	魚韻 之韻
3721a	下古・012オ6・疊字	居	―	コ	右注	kiʌ^{1} kiɐi^{1}	魚韻 之韻
3453	下古・007オ5・雜物	車	平	キヨ	右傍	kiʌ^{1} tś‘ia^{1}	魚韻 麻韻
4907	下木・058オ5・雜物	裾	平	キヨ	右傍	kiʌ^{1}	魚韻
6840	下洲・116オ3・雜物	裾	平	キヨ	右傍	kiʌ^{1}	魚韻
3432	下古・006ウ6・雜物	裾	―	キ	右傍	kiʌ^{1}	魚韻
4905	下木・058オ3・飲食	腒	―	キヨ	右傍	kiʌ^{1} giʌ^{1}	魚韻 魚韻
4976b	下木・061オ2・疊字	墟	平	キヨ	左注	k‘iʌ^{1}	魚韻
6914b	下洲・120オ4・疊字	噓	上	キヨ	右注	xiʌ$^{1/3}$	魚/御韻
4256a	下阿・032オ5・雜物	籧	平	キヨ	右傍	giʌ^{1}	魚韻
5409b	下師・073ウ6・雜物	磲	平	コ	右傍	giʌ^{1}	魚韻
4871a	下木・056ウ4・動物	魚	平濁	キヨ	右傍	ŋiʌ^{1}	魚韻
4917a	下木・058オ7・雜物	魚	平濁	キヨ	中注	ŋiʌ^{1}	魚韻
4966a	下木・060ウ6・疊字	魚	平濁	キヨ	右傍	ŋiʌ^{1}	魚韻
5092a	下木・062ウ7・疊字	魚	平	キヨ	中注	ŋiʌ^{1}	魚韻
4986a	下木・061オ4・疊字	漁	平	キヨ	左注	ŋiʌ^{1}	魚韻
6825	下洲・115ウ1・人事	漁	平	キヨ	右傍	ŋiʌ^{1}	魚韻
6826	下洲・115ウ1・人事	敜	平	キヨ	右傍	ŋiʌ^{1}	魚韻
5053a	下木・062オ4・疊字	虚	平	キヨ	左注	xiʌ^{1} k‘iʌ^{1}	魚韻 魚韻
5056a	下木・062オ5・疊字	虚	平 上	キヨ	左注	xiʌ^{1} k‘iʌ^{1}	魚韻 魚韻
5179a	下木・064オ5・疊字	虚	上	キヨ	左注	xiʌ^{1} k‘iʌ^{1}	魚韻 魚韻
5119a	下木・063オ6・疊字	虚	―	キヨ	左注	xiʌ^{1} k‘iʌ^{1}	魚韻 魚韻
3644a	下古・011オ3・疊字	虚	去	コ	中注	xiʌ^{1} k‘iʌ^{1}	魚韻 魚韻
4722b	下佐・052オ4・疊字	除	上濁	チ	左注	ḍiʌ$^{1/3}$	魚/御韻
4256b	下阿・032オ5・雜物	篨	平	チヨ	右傍	ḍiʌ^{1}	魚韻

4586	下佐・047ウ3・雜物	樗	平	ト	右傍	ṇiʌ^{1}	魚韻
4293b	下阿・033オ1・雜物	苴	平	シヨ	右傍	tsiʌ$^{1/2}$ ts‘iʌ^{1} dza^{1}	魚/麌韻 魚韻 麻韻
5794b	下師・084オ6・疊字	趄	平	シヨ	左注	ts‘iʌ^{1}	魚韻
5536a	下師・078ウ7・疊字	初	去	シヨ	右注	tṣ‘iʌ^{1}	魚韻
6860	下洲・116ウ1・雜物	鋤	—	ソ	右傍	dẓiʌ^{1}	魚韻
6450	下毛・103ウ6・員數	諸	平	ソ	右傍	tśiʌ^{1} tśia^{1}	魚韻 麻韻
4972b	下木・061オ1・疊字	諸	上	ソ	右注	tśiʌ^{1} tśia^{1}	魚韻 麻韻
6090b	下飛・092オ5・動物	蜍	平	シヨ	右傍	dźiʌ^{1} jiʌ^{1}	魚韻 魚韻
6053a	下飛・091オ6・植物	徐	平	シヨ	右傍	ziʌ^{1}	魚韻
5883b	下師・085オ7・疊字	疎	上	ソ	右注	ṣiʌ^{1}	魚韻
3825b	下江・017オ5・疊字	書	平	シヨ	左注	śiʌ^{1}	魚韻
4388b	下阿・039ウ3・疊字	書	上	シヨ	右注	śiʌ^{1}	魚韻
5868b	下師・085オ4・疊字	書	上	シヨ	右注	śiʌ^{1}	魚韻
5918a	下師・086オ7・諸寺	書	—	シヨ	右注	śiʌ^{1}	魚韻
5944a	下師・086ウ7・官職	書	—	シヨ	右注	śiʌ^{1}	魚韻
5846a	下師・085オ1・疊字	舒	平	シヨ	右注	śiʌ^{1}	魚韻
5848a	下師・085オ1・疊字	如	平濁	シヨ	右注	ńiʌ$^{1/3}$	魚/御韻
5861b	下師・085オ3・疊字	如	平濁	シヨ	右注	ńiʌ$^{1/3}$	魚/御韻
5238	下由・067ウ2・飲食	茹	去濁	シヨ	右傍	ńiʌ$^{1/2/3}$	魚/語/御韻
6806	下洲・114オ6・動物	鴽	平	ソ	右傍	ńiʌ^{1}	魚韻
4313	下阿・033ウ7・員數	餘	平	ヨ	右傍	jiʌ^{1}	魚韻
3450	下古・007オ4・雜物	轝	平	ヨ	右傍	jiʌ$^{1/3}$	魚/御韻
4444	下佐・042ウ5・地儀	閭	平	リヨ	右傍	liʌ^{1}	魚韻
4448a	下佐・042ウ7・地儀	閭	平	リヨ	右傍	liʌ^{1}	魚韻
5290b	下師・069ウ4・植物	櫚	—	ロ	右傍	liʌ^{1}	魚韻
6971b	下師・069ウ4・植物	櫚		ロ	右注	liʌ^{1}	魚韻
6972b	下師・069ウ4・植物	櫚	—	ロ	左注	liʌ^{1}	魚韻
6792b	下洲・114オ1・植物	櫚		ロ ［上］	右注	liʌ^{1}	魚韻

【表B-07】上巻_ⅢBiʌ 語韻

番号	前田本所在	掲出字		仮名音注		中古音	韻目
0345b	上伊・014オ3・疊字	舉	上	キヨ	右注	kiʌ^{2} jiʌ^{1}	語韻 魚韻
1216b	上保・048オ2・疊字	挙	平	キヨ	左注	kiʌ^{2} jiʌ^{1}	語韻 魚韻
1720	上池・065ウ5・植物	莒	上	キヨ	右傍	giʌ^{2}	語韻

0365a	上伊・015ウ5・国郡	巨	―	コ	右注	giʌ2	語韻
3150a	上加・111ウ3・國郡	巨	―	コ	右傍	giʌ2	語韻
0786b	上波・032オ6・疊字	語	上濁	キヨ	右注	ŋiʌ2/3	語/御韻
0878b	上波・033ウ3・疊字	語	上濁	キヨ	右注	ŋiʌ2/3	語/御韻
2969b	上加・108オ3・疊字	語	上濁	コ	左注	ŋiʌ2/3	語/御韻
1164b	上保・047オ6・疊字	語	平濁	コ	左注	ŋiʌ2/3	語/御韻
0186	上伊・009オ1・雜物	籞	上濁	キヨ	右傍	ŋiʌ2	語韻
3140a	上加・110ウ6・疊字	咀	去	シヨ	右傍	dziʌ2 tsiʌ2	語韻 語韻
1437	上度・055オ3・植物	杼	上	シヨ	右傍	dźiʌ2 ḍiʌ2	語韻 語韻
1920b	上池・070ウ4・疊字	礎	上	ソ	中注	tṣ'iʌ2	語韻
2881b	上加・106ウ6・疊字	渚	上	ソ	左注	tśiʌ2	語韻
0262b	上伊・012ウ7・疊字	緒	上	シヨ	左注	ziʌ2	語韻
2968b	上加・108オ3・疊字	緒	上	ソ	右注	ziʌ2	語韻
3050b	上加・109オ5・疊字	所	平濁	シヨ	左注	ṣiʌ2	語韻
3174b	上加・112オ7・官職	所	―	シヨ	右傍	ṣiʌ2	語韻
2432b	上加・091ウ3・地儀	所	平濁	ソ	右注	ṣiʌ2	語韻
0037c	上伊・003オ6・地儀	所	―	ソ	右傍	ṣiʌ2	語韻
0589	上波・024オ5・人躰	齭	―	ソ	右注	ṣiʌ2 tṣ'iʌ2	語韻 語韻
2258a	上遠・083オ1・雜物	鼠	上	シヨ	右傍	śiʌ2	語韻
2858b	上加・106ウ2・疊字	暑	上	シヨ	左注	śiʌ2	語韻
1924a	上池・070ウ5・疊字	佇	平	チヨ	右注	ḍiʌ2	語韻
2206	上遠・080オ4・植物	苧	上	チヨ	右傍	ḍiʌ2	語韻
2474	上加・092ウ5・植物	苧	上	チヨ	右傍	ḍiʌ2	語韻
0248b	上伊・012ウ4・疊字	女	上濁	チヨ	中注	ṇiʌ2/3	語/御韻
1922a	上池・070ウ5・疊字	女	上濁	チヨ	中注	ṇiʌ2/3	語/御韻
1950a	上池・071オ3・疊字	女	上濁	チヨ	右注	ṇiʌ2/3	語/御韻
1000a	上仁・040オ5・疊字	女	平	ニヨ	右注	ṇiʌ2/3	語/御韻
1019a	上仁・041オ3・官職	女	―	ニヨ	右注	ṇiʌ2/3	語/御韻
3247a	上与・117ウ3・疊字	与	平	ヨ	左注	jiʌ2	語韻
3267a	上与・117ウ7・疊字	与	平	ヨ	右注	jiʌ2	語韻
3276a	上与・118ウ3・國郡	与	―	ヨ	右注	jiʌ2	語韻
3271a	上与・118オ1・疊字	与	―	ヨウ	右注	jiʌ2	語韻
2100b	上利・075オ7・疊字	呂	上	リヨ	中注	liʌ2	語韻
2102a	上利・075ウ1・疊字	旅	上	リヨ	左注	liʌ2	語韻
3067b	上加・109ウ1・疊字	旅	上	リヨ	左注	liʌ2	語韻
2204	上遠・080オ4・植物	穭	上	リヨ	右傍	liʌ2	語韻
3268a	上与・118オ1・疊字	膂	上	ヨウ	右注	liʌ2	語韻

【表B-07】下巻_ⅢBiʌ 語韻

番号	前田本所在	掲出字		仮名音注		中古音	韻目
6735b	下世・112オ4・疊字	舉	上	キヨ	右注	kiʌ^{2} jiʌ^{1}	語韻 魚韻
5157a	下木・064オ1・疊字	舉	—	キヨ	左注	kiʌ^{2} jiʌ^{1}	語韻 魚韻
5158a	下木・064オ1・疊字	舉	—	キヨ	左注	kiʌ^{2} jiʌ^{1}	語韻 魚韻
5676b	下師・082オ4・疊字	舉	—	コ	中注	kiʌ^{2} jiʌ^{1}	語韻 魚韻
3984b	下手・022ウ2・疊字	去	去	キヨ	左注	kʻiʌ$^{2/3}$	語/御韻
4129	下阿・027オ4・動物	距	上	キヨ	右傍	giʌ^{2}	語韻
5177a	下木・064オ5・疊字	巨	去	キヨ	右注	giʌ^{2}	語韻
5107a	下木・063オ3・疊字	巨	去	キヨ	左注	giʌ^{2}	語韻
3679a	下古・011ウ4・疊字	巨	去	コ	左注	giʌ^{2}	語韻
3735a	下古・013ウ3・姓氏	巨	—	コ	右注	giʌ^{2}	語韻
3639a	下古・011オ2・疊字	拒	去	コ	左注	giʌ^{2}	語韻
3652b	下古・011オ5・疊字	語	上濁	キヨ	左注	ŋiʌ$^{2/3}$	語/御韻
5664b	下師・082オ2・疊字	語	上濁	キヨ	左注	ŋiʌ$^{2/3}$	語/御韻
6273b	下飛・098オ5・疊字	語	上	コ	右傍	ŋiʌ$^{2/3}$	語/御韻
3696a	下古・012オ1・疊字	語	去濁	コ	右注	ŋiʌ$^{2/3}$	語/御韻
6036b	下飛・090ウ6・地儀	圄	上濁	コ	右傍	ŋiʌ^{2}	語韻
5074a	下木・062ウ1・疊字	許	上	キヨ	中注	xiʌ^{2}	語韻
5175a	下木・064オ4・疊字	許	去	キヨ	左注	xiʌ^{2}	語韻
3606a	下古・010ウ2・疊字	許	平	コ	右注	xiʌ^{2}	語韻
3374	下古・004オ3・人倫	許	—	コ [平濁]	右注	xiʌ^{2}	語韻
3734a	下古・013ウ3・姓氏	許	—	コ	右注	xiʌ^{2}	語韻
5898a	下師・085ウ3・疊字	序	—	シヨ	右注	ziʌ^{2}	語韻
6145b	下飛・094オ5・雜物	楚	—	ソ	右注	tṣʻiʌ$^{2/3}$	語/御韻
5737a	下師・083オ6・疊字	所	平	シヨ	左注	ṣiʌ^{2}	語韻
5762a	下師・083ウ7・疊字	所	平	シヨ	左注	ṣiʌ^{2}	語韻
5809a	下師・084ウ2・疊字	所	平	シヨ	右注	ṣiʌ^{2}	語韻
5825a	下師・084ウ4・疊字	所	平	シヨ	左注	ṣiʌ^{2}	語韻
5832a	下師・084ウ5・疊字	所	平	シヨ	左注	ṣiʌ^{2}	語韻
5833a	下師・084ウ6・疊字	所	平	シヨ	右注	ṣiʌ^{2}	語韻
5834a	下師・084ウ6・疊字	所	平	シヨ	右注	ṣiʌ^{2}	語韻
5269c	下師・069オ3・地儀	所	—	シヨ	右注	ṣiʌ^{2}	語韻
5807a	下師・084ウ1・疊字	所	—	シヨ	右注	ṣiʌ^{2}	語韻
5824a	下師・084ウ4・疊字	所	—	シヨ	左注	ṣiʌ^{2}	語韻
5826a	下師・084ウ4・疊字	所	—	シヨ	左注	ṣiʌ^{2}	語韻
5897b	下師・085ウ2・疊字	所	—	シヨ	右傍	ṣiʌ^{2}	語韻

5957a	下師・087オ3・官職	所	―	シヨ	右傍	ṣiʌ^{2}	語韻
5557a	下師・079ウ2・疊字	稰	―	シヨ	左注	ṣiʌ^{2} siʌ^{2}	語韻 語韻
5554b	下師・079オ7・疊字	渚	―	ス	左注	tśiʌ^{2}	語韻
5797a	下師・084オ7・疊字	處	―	シヨ	左注	tś'iʌ$^{2/3}$	語/御韻
4090b	下阿・025ウ7・植物	黍	―	シヨ	右傍	śiʌ^{2}	語韻
6232b	下飛・097ウ5・疊字	暑	上	シヨ	左注	śiʌ^{2}	語韻
3839b	下江・017ウ1・疊字	佇	去	チヨ	中注	ḍiʌ^{2}	語韻
4252a	下阿・032オ3・雑物	紵	上	チヨ	右傍	ḍiʌ^{2}	語韻
6169	下飛・094ウ4・雑物	杼	上	チヨ	右傍	ḍiʌ^{2} dźiʌ^{2}	語韻 語韻
5606b	下師・081オ3・疊字	女	上	チヨ	左注	ṇiʌ$^{2/3}$	語/御韻
6757b	下世・112ウ1・疊字	女	上	チヨ	右注	ṇiʌ$^{2/3}$	語/御韻
5970a	下會・087ウ6・植物	女	去	チヨ	右傍	ṇiʌ$^{2/3}$	語/御韻
5894b	下師・085ウ2・疊字	女	―	チヨ	右注	ṇiʌ$^{2/3}$	語/御韻
4056b	下阿・024ウ2・天象	呂	上	リヨ	右注	liʌ^{2}	語韻
5127b	下木・063ウ1・疊字	旅	上	リヨ	左注	liʌ^{2}	語韻
5126b	下木・063ウ1・疊字	旅	上	レウ	左注	liʌ^{2}	語韻
6052	下飛・091オ6・植物	穭	上	リヨ	右傍	liʌ^{2}	語韻

【表B-07】上巻_ⅢBiʌ 御韻

番号	前田本所在	掲出字		仮名音注		中古音	韻目
1000b	上仁・040オ5・疊字	御	平濁	コ	右注	ŋiʌ^{3}	御韻
0297b	上伊・013オ7・疊字	恕	上濁	シヨ	左注	śiʌ^{3}	御韻
0664	上波・026ウ7・雑物	箸	去	チヨ	右傍	ḍiʌ^{3}	御韻
2341	上和・088オ5・雑物	絮	上濁	シヨ	右傍	ṇiʌ^{3} ṭ'iʌ^{3} siʌ^{3}	御韻 御韻 御韻
0379b	上伊・015ウ7・国郡	豫	―	ヨ	右注	jiʌ^{3}	御韻
0397b	上伊・016ウ4・姓氏	豫	―	ヨ	右注	jiʌ^{3}	御韻
0296b	上伊・013オ7・疊字	預	平 去	ヨ	中注	jiʌ^{3}	御韻
3238a	上与・117ウ1・疊字	飫	去	ヨ	右注	'iʌ^{3}	御韻
3262a	上与・117ウ6・疊字	飫	去	ヨ	右注	'iʌ^{3}	御韻

【表B-07】下巻_ⅢBiʌ 御韻

番号	前田本所在	掲出字		仮名音注		中古音	韻目
5737b	下師・083オ6・疊字	據	上	キヨ	左注	kiʌ^{3}	御韻
6333b	下飛・099オ1・疊字	據	上	キヨ	左注	kiʌ^{3}	御韻
5796b	下師・084オ7・疊字	據	―	キヨ	左注	kiʌ^{3}	御韻

5722b	下師・083オ2・疊字	據	上	コ	左注	kiʌ^{3}	御韻
5738b	下師・083オ6・疊字	據	上	コ	右傍	kiʌ^{3}	御韻
5012a	下木・061ウ2・疊字	御	上	キヨ	左注	ŋiʌ^{3}	御韻
5169a	下木・064オ3・疊字	御	—	キヨ	左注	ŋiʌ^{3}	御韻
3611a	下古・010ウ3・疊字	御	平	コ	左注	ŋiʌ^{3}	御韻
3612a	下古・010ウ3・疊字	御	平	コ	左注	ŋiʌ^{3}	御韻
5600b	下師・080ウ6・疊字	詛	—	シヨ	中注	tṣiʌ^{3}	御韻
5940a	下師・086ウ6・官職	助	—	シヨ	右注	dẓiʌ^{3}	御韻
3312a	下古・002オ2・地儀	助	去	ソ	右傍	dẓiʌ^{3}	御韻
6038a	下飛・090ウ7・地儀	助	去	ソ	右傍	dẓiʌ^{3}	御韻
4385b	下阿・039ウ3・疊字	署	平濁	シヨ	中注	źiʌ^{3}	御韻
5622a	下師・081オ6・疊字	庶	去	シヨ	左注	śiʌ^{3}	御韻
5383a	下師・073オ3・人事	庶	—	シヨ	左傍	śiʌ^{3}	御韻
6155b	下飛・094オ7・雜物	筯	去	チヨ	右傍	ḍiʌ^{3}	御韻
6344b	下飛・099オ3・疊字	絮	上濁	シヨ	左注	ṇiʌ^{3} ṭ'iʌ^{3} siʌ^{3}	御韻 御韻 御韻
5617b	下師・081オ6・疊字	慮	平	リヨ	左注	liʌ^{3}	御韻

【表B-07】上巻_ⅢBiuʌ 虞韻

番号	前田本所在	掲出字		仮名音注		中古音	韻目
0723b	上波・031オ7・疊字	駒	平	ク	左注	kiuʌ^{1}	虞韻
1552	上度・059ウ3・辭字	倶	平	ク	右傍	kiuʌ^{1}	虞韻
1556	上度・059ウ4・辭字	倶	平	ク	右傍	kiuʌ^{1}	虞韻
2821	上加・103オ4・辭字	拘	—	コウ	右傍	kiuʌ^{1}	虞韻
1228b	上保・048オ5・疊字	句	平	ク	左注	giuʌ^{1} kiuʌ^{3} kʌu$^{1/3}$	虞韻 遇韻 侯/候韻
0146	上伊・007ウ3・人事	劬	平	ク	右傍	giuʌ^{1}	虞韻
0211	上伊・011オ3・辭字	劬	平	ク	右傍	giuʌ^{1}	虞韻
2869b	上加・106ウ4・疊字	衢	平	ク	左注	giuʌ^{1}	虞韻
1432a	上度・055オ1・植物	瞿	平	ク	右傍	giuʌ^{1} kiuʌ^{3}	虞韻 遇韻
2224b	上遠・080ウ3・動物	鸜	平濁	ク	右傍	ŋiuʌ^{1}	虞韻
2591	上加・096オ4・人體	髃	平	ク	右傍	ŋiuʌ^{1} ŋʌu^{2}	虞韻 厚韻
0453b	上呂・019オ5・疊字	愚	平	ク	右注	ŋiuʌ^{1}	虞韻
2249	上遠・082オ3・人事	愚	平濁	ク	右傍	ŋiuʌ^{1}	虞韻
2990b	上加・108オ7・疊字	愚	平濁	ク	左注	ŋiuʌ^{1}	虞韻
5921b	下師・086ウ2・國郡	虞	—	コ	右傍	ŋiuʌ^{1}	虞韻
0051	上伊・003ウ6・植物	芋	去	ウ	右傍	ɣiuʌ$^{1/3}$	虞/遇韻

0939b	上仁・036オ6・植物	芋	去	ウ	右傍	ɣiuʌ$^{1/3}$	虞/遇韻
2216b	上遠・080ウ1・植物	芋	去	ウ	右傍	ɣiuʌ$^{1/3}$	虞/遇韻
0613	上波・025オ3・人事	諏	平	シユ	右傍	tsiuʌ^{1} tsʌu^{1}	虞韻 侯韻
0626	上波・025ウ2・人事	諏	平	シユ	右傍	tsiuʌ^{1} tsʌu^{1}	虞韻 侯韻
0292b	上伊・013オ6・疊字	趣	平	シウ	右注	ts'iuʌ$^{1/3}$ ts'ʌu^{2}	虞/遇韻 厚韻
0449b	上呂・019オ4・疊字	趣	平	シウ	左注	ts'iuʌ$^{1/3}$ ts'ʌu^{2}	虞/遇韻 厚韻
2925b	上加・107ウ1・疊字	娶	平 入濁	ス	左注	siuʌ^{1} ts'iuʌ^{3}	虞韻 遇韻
1465b	上度・056ウ1・人事	朱	平	ス	右傍	tśiuʌ^{1}	虞韻
1996b	上利・073オ6・人躰	朱	平濁	スウ	右注	tśiuʌ^{1}	虞韻
2508b	上加・093ウ4・植物	朱	平	スユ	右傍	tśiuʌ^{1}	虞韻
2064b	上利・075オ1・疊字	朱	平濁	シユ	中注	tśiuʌ^{1}	虞韻
0890b	上波・033ウ5・疊字	珠	平	シユ	左注	tśiuʌ^{1}	虞韻
2066b	上利・075オ1・疊字	珠	上	シユ	左注	tśiuʌ^{1}	虞韻
1904a	上池・070ウ1・疊字	秼	平	チウ	左注	tśiuʌ^{1}	虞韻
1422	上度・054ウ3・地儀	樞	平	シユ	右傍	tś'iuʌ^{1}	虞韻
2626	上加・097オ2・人事	姝	―	ユ	右傍	tś'iuʌ^{1}	虞韻
1209b	上保・048オ1・疊字	雛	平	ス	中注	dẓiuʌ^{1}	虞韻
0852b	上波・033オ5・疊字	輸	上	シウ	左注	śiuʌ$^{1/3}$	虞/遇韻
0639	上波・026オ4・雜物	襦	平濁	シウ	右傍	ńiuʌ^{1}	虞韻
2089b	上利・075オ5・疊字	儒	平濁	シユ	左注	ńiuʌ^{1}	虞韻
2811	上加・102オ6・辞字	濡	平	シユ	右傍	ńiuʌ^{1} nuɑn^{1}	虞韻 寒韻
1750	上池・067オ3・人事	誅	―	チウ ［□平］	右注	ṭiuʌ^{1}	虞韻
1923b	上池・070ウ5・疊字	蹰	平	チウ	中注	ḍiuʌ^{1}	虞韻
0578	上波・023ウ7・人躰	膚	平	フ	右傍	piuʌ^{1}	虞韻
0743b	上波・031ウ4・疊字	夫	平	フ	右注	piuʌ^{1} biuʌ^{1}	虞韻 虞韻
1220b	上保・048オ3・疊字	夫	平	フ	左注	piuʌ^{1} biuʌ^{1}	虞韻 虞韻
2239	上遠・081オ5・人倫	夫	平	フ	右傍	piuʌ^{1} biuʌ^{1}	虞韻 虞韻
3169b	上加・112オ2・官職	夫	上濁	フ	右傍	piuʌ^{1} biuʌ^{1}	虞韻 虞韻
3239b	上与・117ウ2・疊字	夫	上	フ	左注	piuʌ^{1} biuʌ^{1}	虞韻 虞韻
0042	上伊・003ウ1・植物	稃	平	フ	右傍	p'iuʌ^{1}	虞韻
0381b	上伊・015ウ7・国郡	敷	―	フ	右傍	p'iuʌ^{1}	虞韻

1686a	上度・064オ2・国郡	敷	—	フ	右傍	p'iuʌ[1]	虞韻
2522	上加・094オ5・動物	孵	—	フ	右傍	p'iuʌ[1]	虞韻
0088a	上伊・004ウ6・動物	鯆	平	フ	右傍	p'iuʌ[1] biʌu[1]	虞韻 尤韻
0089b	上伊・004ウ7・動物	鯆	平	フ	右傍	p'iuʌ[1] biʌu[1]	虞韻 尤韻
0177	上伊・008ウ5・雜物	桴	平	フ	右傍	p'iuʌ[1] biʌu[1]	虞韻 尤韻
0176	上伊・008ウ5・雜物	澓	平	フ	右傍	biuʌ[1]	虞韻
2209a	上遠・080オ5・植物	苻	平	フ	右傍	biuʌ[1]	虞韻
2516	上加・094オ3・動物	鳧	平	フ	右傍	biuʌ[1]	虞韻
0526a	上波・021ウ7・植物	芙	平	フ	右傍	biuʌ[1]	虞韻
0681	上波・027オ6・雜物	枹	—	フ	右傍	biuʌ[1] pau[1] biʌu[1]	虞韻 肴韻 尤韻
2215b	上遠・080オ7・植物	蕪	—	フ	右傍	miuʌ[1]	虞韻
2813	上加・102オ7・辞字	渝	平	シユ	右傍	jiuʌ[1]	虞韻
1301	上邊・051オ5・人事	諛	平	ユ	右傍	jiuʌ[1]	虞韻
2508c	上加・093ウ4・植物	萸	—	ユ	右傍	jiuʌ[1]	虞韻
1347b	上邊・052ウ7・疊字	瘉	平	ユ	中注	jiuʌ[1/2]	虞/麌韻
0937	上仁・036オ6・植物	楡	平	ユ	右傍	jiuʌ[1]	虞韻
2865b	上加・106ウ3・疊字	腴	平	ハシ	左注	jiuʌ[1]	虞韻

【表B-07】下巻_ⅢBiuʌ 虞韻

番号	前田本所在	掲出字		仮名音注		中古音	韻目
3320	下古・002オ7・植物	菰	平	コ	右傍	kiuʌ[1]	虞韻
3677a	下古・011ウ4・疊字	拘	平	コウ	中注	kiuʌ[1]	虞韻
3728a	下古・013オ1・疊字	拘	—	コウ	右傍	kiuʌ[1]	虞韻
6682b	下世・111ウ1・疊字	駈	平	クウ	左注	k'iuʌ[1/3]	虞/遇韻
4593	下佐・047ウ6・雜物	欋	平	ク	右傍	giuʌ[1]	虞韻
5848b	下師・085オ1・疊字	愚	平濁	ク	右注	ŋiuʌ[1]	虞韻
6869	下洲・116ウ7・方角	隅	平濁	ク	右傍	ŋiuʌ[1]	虞韻
4457	下佐・043オ6・植物	荂	平	クワ	右傍	xiuʌ[1] p'iuʌ[1]	虞韻 虞韻
4220	下阿・030ウ6・人事	雩	—	ウ	右注	ɣiuʌ[1]	虞韻
6435	下毛・103オ3・雜物	盂	平	ウ	右傍	ɣiuʌ[1]	虞韻
5928a	下師・086ウ3・國郡	諏	—	ス	右傍	tsiuʌ[1] tsʌu[1]	虞韻 侯韻
6774	下洲・113ウ1・地儀	陬	平	ス	右傍	tsiuʌ[1] tsʌu[1] tṣiʌu[1]	虞韻 侯韻 尤韻

5791b	下師・084オ6・疊字	趣	去	シユ	左注	tsʻiuʌ 1/3 tsʻʌu 2	虞/遇韻 厚韻
3843b	下江・017ウ2・疊字	樞	平	ス	左注	tsʻiuʌ 1	虞韻
3844b	下江・017ウ2・疊字	須	平	ス	左注	siuʌ 1	虞韻
5935b	下師・086ウ3・國郡	須	―	ス	右傍	siuʌ 1	虞韻
5541a	下師・079オ2・疊字	須	去	シユ	左注	siuʌ 1	虞韻
6118	下飛・093オ2・人躰	鬚	平	ス	右傍	siuʌ 1	虞韻
5336a	下師・071オ6・人躰	鬚	平	スユ	右傍	siuʌ 1	虞韻
6077	下飛・092オ1・動物	鶵	平	スユ	右傍	dẓiuʌ 1	虞韻
4297	下阿・033オ4・光彩	朱	平	シユ	右傍	tśiuʌ 1	虞韻
5480a	下師・075オ4・光彩	朱	―	シユ	右注	tśiuʌ 1	虞韻
5850a	下師・085オ1・疊字	朱	平	シウ	右注	tśiuʌ 1	虞韻
5871a	下師・085オ5・疊字	朱	去	シウ	右注	tśiuʌ 1	虞韻
5477a	下師・075オ4・光彩	朱	去	シウ	右注	tśiuʌ 1	虞韻
5478a	下師・075オ4・光彩	朱	去	スウ	右傍	tśiuʌ 1	虞韻
5786a	下師・084オ5・疊字	珠	東	シウ	右注	tśiuʌ 1	虞韻
6106b	下飛・092ウ3・人倫	珠	東	シユ	右傍	tśiuʌ 1	虞韻
3304b	下古・001ウ7・地儀	珠	平	ス	右傍	tśiuʌ 1	虞韻
6339b	下飛・099オ3・疊字	珠	平	ス	左注	tśiuʌ 1	虞韻
6852b	下洲・116オ7・雜物	珠	―	ス ［平］	右注	tśiuʌ 1	虞韻
6910a	下洲・120オ3・疊字	侏	平	スウ	左注	tśiuʌ 1	虞韻
5879b	下師・085オ6・疊字	銖	平	シユ	右注	źiuʌ 1	虞韻
6875	下洲・117オ3・員數	銖	平	シユ	右傍	źiuʌ 1	虞韻
5482	下師・075ウ1・員數	銖	―	シユ	右注	źiuʌ 1	虞韻
5682a	下師・082オ6・疊字	殊	去	シユ	左注	źiuʌ 1	虞韻
6910b	下洲・120オ3・疊字	儒	平	シユ	左注	ńiuʌ 1	虞韻
5699a	下師・082ウ3・疊字	儒	―	シユ	左注	ńiuʌ 1	虞韻
5700a	下師・082ウ3・疊字	儒	―	シユ	左注	ńiuʌ 1	虞韻
5701a	下師・082ウ3・疊字	儒	―	シユ	左注	ńiuʌ 1	虞韻
5702a	下師・082ウ4・疊字	儒	―	シユ	左注	ńiuʌ 1	虞韻
5257	下由・068ウ3・辞字	臑	平	シユ	右傍	ńiuʌ 1	虞韻
3724b	下古・012オ7・疊字	膚	平	フ	右注	piuʌ 1	虞韻
6261b	下飛・098オ3・疊字	膚	平	フ	左注	piuʌ 1	虞韻
6262b	下飛・098オ3・疊字	膚	―	フ	右注	piuʌ 1	虞韻
6515b	下世・107ウ5・人倫	夫	平濁	フ	右注	piuʌ 1 biuʌ 1	虞韻 虞韻
6681b	下世・111ウ1・疊字	夫	平	フ	左注	piuʌ 1 biuʌ 1	虞韻 虞韻
6103b	下飛・092ウ3・人倫	夫	―	フ ［平］	右注	piuʌ 1 biuʌ 1	虞韻 虞韻
4539b	下佐・046オ6・人事	夫	上濁	フ	左注	piuʌ 1 biuʌ 1	虞韻 虞韻

6277b	下飛・098オ5・疊字	夫	上	フ	左注	piuʌ^{1} biuʌ^{1}	虞韻 虞韻
4179	下阿・029オ2・人躰	跗	平	フ	右傍	piuʌ$^{1/3}$	虞韻
4180	下阿・029オ2・人躰	趺	平	フ	右傍	piuʌ^{1}	虞韻
4714b	下佐・052オ2・疊字	苻	—	フ	左注	biuʌ^{1}	虞韻
5179b	下木・064オ5・疊字	無	平濁	フ	左注	miuʌ^{1}	虞韻
6790b	下洲・113ウ7・植物	蕪	平濁	フ	右傍	miuʌ^{1}	虞韻
5297	下師・070オ2・動物	鵐	平濁	フ	右傍	miuʌ^{1}	虞韻
5360	下師・072オ5・人事	誣	平	フ	右傍	miuʌ^{1}	虞韻
3821a	下江・017オ4・疊字	諛	上	エイ	左注	jiuʌ^{1}	虞韻

【表B-07】上巻_ⅢBiuʌ 麌韻

番号	前田本所在	掲出字		仮名音注		中古音	韻目
2293a	上和・086オ3・植物	蒟	上	ク	右傍	kiuʌ$^{2/3}$	麌/遇韻
2505b	上加・093ウ3・植物	椇	上	ク	右傍	kiuʌ^{2}	麌韻
2146a	上奴・076ウ3・植物	枸	上	ク ［去］	左注	kiuʌ^{2} kʌu$^{1/2}$	麌韻 侯/厚韻
2506a	上加・093ウ3・植物	枸	上	ク	右傍	kiuʌ^{2} kʌu$^{1/3}$	麌韻 侯/候韻
0222	上伊・011ウ5・辞字	煦	—	ク	右傍	xiuʌ^{2}	麌韻
0232b	上伊・012ウ1・疊字	雨	上	ウ	右注	ɣiuʌ$^{2/3}$	麌/遇韻
2029b	上利・074ウ1・疊字	雨	上	ウ	左注	ɣiuʌ$^{2/3}$	麌/遇韻
0343b	上伊・014オ3・疊字	羽	上	ウ	右注	ɣiuʌ$^{2/3}$	麌/遇韻
0538	上波・022オ5・動物	羽	上	ウ	右傍	ɣiuʌ$^{2/3}$	麌/遇韻
0898b	上波・033ウ7・疊字	羽	上	ウ	右注	ɣiuʌ$^{2/3}$	麌/遇韻
0371b	上伊・015ウ6・国郡	宇	—	ウ	右傍	ɣiuʌ^{2}	麌韻
0380a	上伊・015ウ7・国郡	宇	—	ウ	右傍	ɣiuʌ^{2}	麌韻
0385a	上伊・016オ1・国郡	宇	—	ウ	右傍	ɣiuʌ^{2}	麌韻
2486	上加・093オ4・植物	蒳	平	スユ	右傍	tṣ'iuʌ^{1}	麌韻
2048a	上利・074ウ4・疊字	竪	平	リウ	左注	źiuʌ^{2}	麌韻
2139a	上利・076オ4・官職	竪	—	リツ	右注	źiuʌ^{2}	麌韻
2300	上和・086ウ3・人倫	竪		リワ	右傍	źiuʌ^{2}	麌韻
1736	上池・066ウ4・人躰	乳	—	ス	右傍	ńiuʌ^{2}	麌韻
0486	上波・020ウ4・地儀	柱	上	チウ	右傍	ḍiuʌ^{2} ṭiuʌ^{2}	麌韻 麌韻
0633b	上波・025ウ6・人事	柱	去	チウ	左注	ḍiuʌ^{2} ṭiuʌ^{2}	麌韻 麌韻
0853b	上波・033オ5・疊字	柱	去	チウ	左注	ḍiuʌ^{2} ṭiuʌ^{2}	麌韻 麌韻

1835a	上池・069ウ1・疊字	柱	平	チウ	中注	ḍiuʌ^2 ṭiuʌ^2	麌韻 麌韻
1920a	上池・070ウ4・疊字	柱	平	チウ	中注	ḍiuʌ^2 ṭiuʌ^2	麌韻 麌韻
2981b	上加・108オ5・疊字	柱	平	チウ	左注	ḍiuʌ^2 ṭiuʌ^2	麌韻 麌韻
0266b	上伊・013オ1・疊字	父	上	フ	左注	piuʌ^2 biuʌ^2	麌韻 麌韻
0406b	上呂・017ウ4・人體	府	上	フ	右注	piuʌ^2	麌韻
1964c	上池・071ウ5・國郡	府	―	フ	右注	piuʌ^2	麌韻
3220	上与・115ウ3・雜物	斧	上	フ	右傍	piuʌ^2	麌韻
1095b	上保・044オ6・飲食	脯	上	フ	右傍	piuʌ^2	麌韻
2711	上加・099オ5・雜物	釜	上	フ	右傍	biuʌ^2	麌韻
0591b	上波・024オ5・人躰	腑	―	フ	右注	biuʌ^2	麌韻
1181a	上保・047ウ2・疊字	輔	去	ホ	中注	biuʌ^2	麌韻
1182a	上保・047ウ2・疊字	輔	去	ホ	左注	biuʌ^2	麌韻
0782b	上波・032オ5・疊字	腐	平	フ	左注	biuʌ^2	麌韻
2960b	上加・108オ1・疊字	舞	上濁	フ	中注	miuʌ^2	麌韻
0880b	上波・033ウ3・疊字	撫	上濁	フ	右注	miuʌ^2	麌韻
3155a	上加・111ウ4・國郡	武	―	ム	右傍	miuʌ^2	麌韻
1051b	上保・042オ7・動物	�	上	ル	右傍	liuʌ^2	麌韻

【表B-07】下巻_ⅢBiuʌ 麌韻

番号	前田本所在	掲出字		仮名音注		中古音	韻目
3324a	下古・002ウ2・植物	蒟	平 上	ク	右傍	kiuʌ$^{2/3}$	麌/遇韻
3325a	下古・002ウ2・植物	蒟	平 上	コ	右注	kiuʌ$^{2/3}$	麌/遇韻
5154b	下木・063ウ7・疊字	矩	平	ク	右注	kiuʌ^2	麌韻
5525b	下師・078ウ4・疊字	雨	上	ウ	右注	ɣiuʌ$^{2/3}$	麌/遇韻
3829a	下江・017オ6・疊字	羽	上	ウ	右傍	ɣiuʌ$^{2/3}$	麌/遇韻
5471c	下師・074ウ7・雜物	羽	上	ウ	右傍	ɣiuʌ$^{2/3}$	麌/遇韻
6341b	下飛・099オ3・疊字	羽	上	ウ	左注	ɣiuʌ$^{2/3}$	麌/遇韻
6943b	下洲・120ウ4・疊字	羽	上	ウ	左注	ɣiuʌ$^{2/3}$	麌/遇韻
6845b	下洲・116オ4・雜物	羽	―	ウ	右傍	ɣiuʌ$^{2/3}$	麌/遇韻
6366b	下飛・100オ1・國郡	宇	―	ウ	右傍	ɣiuʌ^2	麌韻
6384a	下飛・100オ3・國郡	宇	―	ウ	右傍	ɣiuʌ^2	麌韻
5789a	下師・084オ5・疊字	取	上	シユ	左注	ts‘iuʌ^2 ts‘uʌ^2	麌韻 厚韻
5884a	下師・085オ7・疊字	取	平	シユ	右注	ts‘iuʌ^2 ts‘uʌ^2	麌韻 厚韻

6939a	下洲・120ウ3・疊字	取	―	ス	左注	tsʻiuʌ^{2} tsʻuʌ^{2}	麌韻 厚韻
5550a	下師・079オ5・疊字	聚	平	シウ	左注	dziuʌ$^{2/3}$	麌/遇韻
5704a	下師・082ウ5・疊字	聚	去	シウ	左注	dziuʌ$^{2/3}$	麌/遇韻
5889a	下師・085ウ1・疊字	聚	平	シユ	右注	dziuʌ$^{2/3}$	麌/遇韻
4756b	下佐・052ウ5・疊字	數	平	ス	左注	ṣiuʌ$^{2/3}$ sʌuk ṣauk	麌/遇韻 屋韻 覺韻
6934a	下洲・120ウ2・疊字	數	上	ス	右注	ṣiuʌ$^{2/3}$ sʌuk ṣauk	麌/遇韻 屋韻 覺韻
6852a	下洲・116オ7・雜物	數	―	ス ［平濁］	右注	ṣiuʌ$^{2/3}$ sʌuk ṣauk	麌/遇韻 屋韻 覺韻
5163b	下木・064オ2・疊字	主	平	シユ	左注	tśiuʌ^{2}	麌韻
5269a	下師・069オ3・地儀	主	上	シユ	右注	tśiuʌ^{2}	麌韻
4044b	下手・023ウ6・官職	主	―	シユ	右注	tśiuʌ^{2}	麌韻
4421b	下阿・041オ3・官職	主	―	シユ	左注	tśiuʌ^{2}	麌韻
5882a	下師・085オ7・疊字	主	―	シユ	右注	tśiuʌ^{2}	麌韻
4826b	下佐・054ウ4・官職	主	―	ス	右注	tśiuʌ^{2}	麌韻
6813a	下洲・114ウ4・人倫	主	―	ス	右注	tśiuʌ^{2}	麌韻
6959a	下洲・121ウ1・官職	主	―	ス	右注	tśiuʌ^{2}	麌韻
6960a	下洲・121ウ1・官職	主	―	ス	右傍	tśiuʌ^{2}	麌韻
6961a	下洲・121ウ1・官職	主	―	ス	右傍	tśiuʌ^{2}	麌韻
6965a	下洲・121ウ4・官職	主	―	ス	右注	tśiuʌ^{2}	麌韻
6963a	下洲・121ウ4・官職	主	―	スウ	右注	tśiuʌ^{2}	麌韻
6445b	下毛・103オ6・雜物	炷	去	チウ	右傍	tśiuʌ$^{2/3}$	麌/遇韻
5456a	下師・074ウ3・雜物	麈	―	シユ ［平平］	中注	tśiuʌ^{2}	麌韻
6841a	下洲・116オ3・雜物	麈	―	ス	右注	tśiuʌ^{2}	麌韻
3375a	下古・004オ4・人倫	樹	平濁	スユ	右傍	źiuʌ$^{2/3}$	麌/遇韻
5181b	下木・064オ5・疊字	乳	去濁	シウ	右注	ńiuʌ^{2}	麌韻
5910a	下師・085ウ5・疊字	乳	去濁	シウ	右傍	ńiuʌ^{2}	麌韻
5121b	下木・063オ7・疊字	柱	去	チウ	中注	ḍiuʌ^{2} ṭiuʌ^{2}	麌韻 麌韻
4986b	下木・061オ4・疊字	父	上	フ	左注	piuʌ^{2} biuʌ^{2}	麌韻 麌韻
6380b	下飛・100オ2・國郡	父	―	フ	右傍	piuʌ^{2} biuʌ^{2}	麌韻 麌韻
3730c	下古・013オ7・官職	府	―	フ	中注	piuʌ^{2}	麌韻
4419d	下阿・041オ3・官職	府	―	フ	左注	piuʌ^{2}	麌韻
4506b	下佐・045オ2・人躰	府	―	フ	右注	piuʌ^{2}	麌韻

6019c	下會・090オ1・官職	府	―	フ	右注	piuʌ^{2}	麌韻
6391c	下飛・100オ6・官職	府	―	フ	右注	piuʌ^{2}	麌韻
5155b	下木・063ウ7・疊字	甫	―	フ	右注	piuʌ^{2}	麌韻
4128b	下阿・027オ3・動物	鵡	平	ム	中注	miuʌ^{2}	麌韻

【表B-07】上巻_ⅢBiuʌ 遇韻

番号	前田本所在	掲出字		仮名音注		中古音	韻目
1930a	上池・070ウ6・疊字	注	平	チウ	左注	tśiuʌ^{3}	遇韻
1938a	上池・071オ1・疊字	注	平	チウ	右注	tśiuʌ^{3}	遇韻
1976a	上池・072オ2・官職	注	―	チウ	右注	tśiuʌ^{3}	遇韻
1019b	上仁・041オ3・官職	孺	―	シウ	右注	ńiuʌ^{3}	遇韻
1820a	上池・069オ5・疊字	住	平濁	チウ	左注	ḍiuʌ^{3} ṭiuʌ^{3}	遇韻 遇韻
1734a	上池・066ウ1・人倫	住	―	チウ	右注	ḍiuʌ^{3} ṭiuʌ^{3}	遇韻 遇韻
2629	上加・097オ3・人事	傅	去	フ	右傍	piuʌ^{3}	遇韻
2053b	上利・074ウ5・疊字	務	平	ム	右注	miuʌ^{3}	遇韻
1278b	上保・049ウ4・官職	務	―	ム	右注	miuʌ^{3}	遇韻
3179b	上加・112ウ6・姓氏	務	―	ミ	右注	miuʌ^{3}	遇韻

【表B-07】下巻_ⅢBiuʌ 遇韻

番号	前田本所在	掲出字		仮名音注		中古音	韻目
4512a	下佐・045オ4・人躰	酗	去	ク	右傍	xiuʌ^{3}	遇韻
6962a	下洲・121ウ1・官職	鑄	―	スウ	右傍	tśiuʌ^{3}	遇韻
6240b	下飛・097ウ6・疊字	喩	平	ユ	中注	jiuʌ^{3}	遇韻
4321	下阿・034ウ5・辞字	傴	去	ヨ	右傍	'iuʌ^{3}	遇韻
4322	下阿・034ウ5・辞字	傴	去	ウ	右傍	'iuʌ^{3}	遇韻
4833	下木・055オ7・天象	霧	去濁	フ	右傍	miuʌ^{3}	遇韻

【表B-07】上巻_ⅢBiʌi 微韻

番号	前田本所在	掲出字		仮名音注		中古音	韻目
1244b	上保・048ウ1・疊字	衣	平	イ	左注	'iʌi$^{1/3}$	微/未韻
1265b	上保・048ウ6・疊字	衣	平	イ	右注	'iʌi$^{1/3}$	微/未韻
2908b	上加・107オ5・疊字	衣	平	イ	左注	'iʌi$^{1/3}$	微/未韻
0172a	上伊・008ウ4・雑物	衣	上	イ [上]	右注	'iʌi$^{1/3}$	微/未韻
0325a	上伊・013ウ6・疊字	衣	上	イ	左注	'iʌi$^{1/3}$	微/未韻
0326a	上伊・013ウ7・疊字	衣	上	イ	左注	'iʌi$^{1/3}$	微/未韻
0319a	上伊・013ウ5・疊字	依	平	イ	中注	'iʌi^{1}	微韻

3228	上与・116オ6・辞字	依	平	イ	右傍	'iʌi^{1}	微韻
1670b	上度・063ウ1・疊字	偯	上	イ	右注	'iʌi^{1}	微韻
0144	上伊・007ウ2・人事	饑	―	キ	右傍	kiʌi^{1}	微韻
0658	上波・026ウ3・雑物	機	平	キ	右傍	kiʌi^{1}	微韻
0757b	上波・031ウ7・疊字	機	平	キ	中注	kiʌi^{1}	微韻
0012	上伊・002ウ4・地儀	磯	―	キイ	右傍	kiʌi^{1}	微韻
1146	上保・046ウ3・辞字	希	―	ケ	右傍	xiʌi^{1}	微韻
2091b	上利・075オ6・疊字	非	上	ヒ	左注	piʌi^{1}	微韻
1421	上度・054ウ2・地儀	扉	平	ヒ	右傍	piʌi^{1}	微韻
0288b	上伊・013オ5・疊字	飛	平	ヒ	右注	piʌi^{1}	微韻
1499a	上度・057オ7・雑物	飛	平	ヒ	右傍	piʌi^{1}	微韻
0872b	上波・033ウ2・疊字	菲	平	ヒ	右注	p'iʌi$^{1/2}$ biʌi^{3}	微/尾韻 未韻
1547	上度・059ウ1・辞字	霏	平	ヒ	右傍	p'iʌi^{1}	微韻
0125	上伊・006ウ5・人事	微	平	ヒ	右傍	miʌi^{1}	微韻
2289	上和・086オ2・植物	薇	平	ヒ	右傍	miʌi^{1} miei^{1}	微韻 脂韻

【表B-07】下巻_ⅢBiʌi 微韻

番号	前田本所在	掲出字		仮名音注		中古音	韻目
3429	下古・006ウ5・雑物	衣	平	イ	右傍	'iʌi$^{1/3}$	微/未韻
3846b	下江・017ウ2・疊字	衣	平	イ	左注	'iʌi$^{1/3}$	微/未韻
4253b	下阿・032オ3・雑物	衣	平	イ	右傍	'iʌi$^{1/3}$	微/未韻
5276b	下師・069オ6・植物	衣	平	イ	右傍	'iʌi$^{1/3}$	微/未韻
6158b	下飛・094ウ1・雑物	衣	平	イ	右傍	'iʌi$^{1/3}$	微/未韻
6902b	下洲・120オ1・疊字	衣	平	イ	右注	'iʌi$^{1/3}$	微/未韻
4588b	下佐・047ウ4・雑物	衣	―	エ ［上］	右注	'iʌi$^{1/3}$	微/未韻
3784a	下江・016オ3・雑物	衣	―	エ	右注	'iʌi$^{1/3}$	微/未韻
3856a	下江・017ウ4・疊字	依	去	エ	右注	'iʌi^{1}	微韻
5832b	下師・084ウ5・疊字	依	上	エ	左注	'iʌi^{1}	微韻
5129a	下木・063ウ1・疊字	機	平	キ	左注	kiʌi^{1}	微韻
5161a	下木・064オ1・疊字	機	去	キ	左注	kiʌi^{1}	微韻
5162a	下木・064オ2・疊字	機	去	キ	左注	kiʌi^{1}	微韻
5176a	下木・064オ4・疊字	機	去	キ	左注	kiʌi^{1}	微韻
5622b	下師・081オ6・疊字	幾	平	キ	左注	kiʌi$^{1/2}$ giʌi$^{1/3}$	微/尾韻 微/未韻
6877	下洲・117オ5・員數	幾	平	キ	右傍	kiʌi$^{1/2}$ giʌi$^{1/3}$	微/尾韻 微/未韻
3909a	下手・020ウ4・雑物	蘄	平	キ	右傍	kiʌi^{1} giɐi^{1} kiʌn^{1}	微韻 之韻 欣韻

5182a	下木・064オ6・疊字	蘄	平	キ	右注	kiʌi[1] giɐi[1] kiʌn[1]	微韻 之韻 欣韻
4941	下木・059オ2・方角	畿	平	キ	右傍	giʌi[1]	微韻
4988a	下木・061オ4・疊字	祈	去	キ	左注	giʌi[1]	微韻
4989a	下木・061オ4・疊字	祈	去	キ	左注	giʌi[1]	微韻
4992a	下木・061オ5・疊字	祈	去	キ	左注	giʌi[1]	微韻
4993a	下木・061オ5・疊字	祈	去	キ	左注	giʌi[1]	微韻
6422	下毛・102ウ1・人事	祈	平	キ	右傍	giʌi[1]	微韻
5106a	下木・063オ3・疊字	希	去	キ	左注	xiʌi[1]	微韻
4304	下阿・033オ7・光彩	緋	平	ヒ	右傍	piʌi[1]	微韻
6040a	下飛・090ウ7・地儀	飛	平	ヒ	右注	piʌi[1]	微韻
6043a	下飛・091オ2・地儀	飛	平	ヒ	右傍	piʌi[1]	微韻
6239a	下飛・097ウ6・疊字	飛	平	ヒ	左注	piʌi[1]	微韻
6300a	下飛・098ウ2・疊字	飛	平	ヒ	左注	piʌi[1]	微韻
6341a	下飛・099オ3・疊字	飛	平	ヒ	左注	piʌi[1]	微韻
6344a	下飛・099オ3・疊字	飛	平	ヒ	左注	piʌi[1]	微韻
6309a	下飛・098ウ4・疊字	飛	―	ヒ	左注	piʌi[1]	微韻
6338a	下飛・099オ2・疊字	飛	―	ヒ	左注	piʌi[1]	微韻
6361a	下飛・099ウ7・國郡	飛	―	ヒ	中注	piʌi[1]	微韻
6301a	下飛・098ウ2・疊字	非	去	ヒ	左注	piʌi[1]	微韻
6302a	下飛・098ウ3・疊字	非	去	ヒ	右注	piʌi[1]	微韻
6303a	下飛・098ウ3・疊字	非	去	ヒ	左注	piʌi[1]	微韻
6304a	下飛・098ウ3・疊字	非	去	（ヒ）	左注	piʌi[1]	微韻
6333a	下飛・099オ1・疊字	非	去	ヒ	左注	piʌi[1]	微韻
6305a	下飛・098ウ3・疊字	非	上	ヒ	左注	piʌi[1]	微韻
6691b	下世・111ウ2・疊字	非	上	ヒ	左注	piʌi[1]	微韻
6258a	下飛・098オ2・疊字	誹	平	ヒ	左注	piʌi[1/3]	微/未韻
6098	下飛・092ウ2・人倫	妃	平	ヒ	右傍	pʻiʌi[1] pʻuʌi[3]	微韻 隊韻
6262a	下飛・098オ3・疊字	肥	―	ヒ	右注	biʌi[1]	微韻
6377a	下飛・100オ2・國郡	肥	―	ヒ	右傍	biʌi[1]	微韻
3384	下古・004ウ1・人躰	腓	平	ヒ	右傍	biʌi[1/3]	微/未韻
3301a	下古・001ウ2・天象	微	平濁	ヒ	右傍	miʌi[1]	微韻
3873b	下手・018ウ4・天象	微	平濁	ヒ	右注	miʌi[1]	微韻
5529b	下師・078ウ5・疊字	微	平濁	ヒ	中注	miʌi[1]	微韻
6310a	下飛・098ウ4・疊字	微	平	ヒ	左注	miʌi[1]	微韻
5280b	下師・069オ7・植物	薇	平濁	ヒ	右注	miʌi[1] miei[1]	微韻 脂韻
4782b	下佐・053オ5・疊字	薇	平	ヒ	右注	miʌi[1] miei[1]	微韻 脂韻

【表B-07】上巻_ⅢBiʌi尾韻

番号	前田本所在	掲出字		仮名音注		中古音	韻目
2492a	上加・093オ7・植物	榧	上	ヒ	右傍	$pi\Lambda i^2$	尾韻
1935b	上池・070ウ7・疊字	尾	上濁	ヒ	右注	$mi\Lambda i^2$	尾韻
2060b	上利・074ウ7・疊字	尾	上濁	ヒ	中注	$mi\Lambda i^2$	尾韻

【表B-07】下巻_ⅢBiʌi 尾韻

番号	前田本所在	掲出字		仮名音注		中古音	韻目
6257a	下飛・098オ2・疊字	匪	上	ヒ	右注	$pi\Lambda i^2$	尾韻
4271b	下阿・032ウ1・雜物	尾	上濁	ヒ	右傍	$mi\Lambda i^2$	尾韻
5875b	下師・085オ5・疊字	尾	上濁	ヒ	右注	$mi\Lambda i^2$	尾韻
5972b	下會・087ウ6・植物	尾	上濁	ヒ	右傍	$mi\Lambda i^2$	尾韻
3331b	下古・002ウ3・植物	尾	上	ヒ	右傍	$mi\Lambda i^2$	尾韻
3779b	下江・015ウ7・雜物	尾	―	ヒ ［平濁］	右注	$mi\Lambda i^2$	尾韻
5456b	下師・074ウ3・雜物	尾	―	ヒ ［平濁］	中注	$mi\Lambda i^2$	尾韻
6841b	下洲・116オ3・雜物	尾	―	ヒ	右注	$mi\Lambda i^2$	尾韻
6939c	下洲・120ウ3・疊字	尾	―	ヒ	左注	$mi\Lambda i^2$	尾韻

【表B-07】上巻_ⅢBiʌi 未韻

番号	前田本所在	掲出字		仮名音注		中古音	韻目
0295b	上伊・013オ6・疊字	氣	去	キ	右注	$k'i\Lambda i^3$ $xi\Lambda i^3$	未韻 未韻
1596b	上度・062オ7・疊字	氣	去	キ	左注	$k'i\Lambda i^3$ $xi\Lambda i^3$	未韻 未韻
0358b	上伊・015ウ4・国郡	氣	―	ケ	右傍	$k'i\Lambda i^3$ $xi\Lambda i^3$	未韻 未韻
0370a	上伊・015ウ6・国郡	氣	―	ケ	右傍	$k'i\Lambda i^3$ $xi\Lambda i^3$	未韻 未韻
2416b	上和・091オ1・姓氏	氣	―	ケ	右注	$k'i\Lambda i^3$ $xi\Lambda i^3$	未韻 未韻
3252b	上与・117ウ4・疊字	毅	去濁	キ	左注	$\eta i\Lambda i^3$	未韻
0869b	上波・033ウ1・疊字	髴	去	ヒ	右注	$p'i\Lambda i^3$ $piu\Lambda t$ $p'iu\Lambda t$	未韻 物韻 物韻
1269b	上保・048ウ7・疊字	髴	去	ヒ	右傍	$p'i\Lambda i^3$ $piu\Lambda t$ $p'iu\Lambda t$	未韻 物韻 物韻

0871b	上波・033ウ2・疊字	費	去	ヰ	右注	p'iʌi³ biʌi³ piei³	未韻 未韻 至韻
0205	上伊・010ウ6・辞字	未	―	ミ	右傍	miʌi³	未韻
1918b	上池・070ウ4・疊字	味	平	ミ	左注	miʌi³	未韻
0328b	上伊・013ウ7・疊字	味	平濁	（ヒ）	左注	miʌi³	未韻

【表B-07】下巻_ⅢBiʌi 未韻

番号	前田本所在	掲出字		仮名音注		中古音	韻目
5025a	下木・061ウ5・疊字	既	去	キ	左注	kiʌi³	未韻
5066a	下木・062オ7・疊字	氣	去	キ	左注	k'iʌi³ xiʌi³	未韻 未韻
5114a	下木・063オ5・疊字	氣	去	キ	左注	k'iʌi³ xiʌi³	未韻 未韻
5147a	下木・063ウ5・疊字	氣	去	キ	左注	k'iʌi³ xiʌi³	未韻 未韻
6895b	下洲・119ウ7・疊字	氣	去	キ	右注	k'iʌi³ xiʌi³	未韻 未韻
4204b	下阿・029ウ1・人躰	氣	―	キ	右傍	k'iʌi³ xiʌi³	未韻 未韻
4884a	下木・057オ5・人躰	氣	―	キ	右注	k'iʌi³ xiʌi³	未韻 未韻
5063a	下木・062オ6・疊字	氣	―	キ	左注	k'iʌi³ xiʌi³	未韻 未韻
5065a	下木・062オ6・疊字	氣	―	キ	左注	k'iʌi³ xiʌi³	未韻 未韻
5563b	下師・079ウ3・疊字	氣	―	ケ	右注	k'iʌi³ xiʌi³	未韻 未韻
6363b	下飛・100オ1・國郡	氣	―	ケ	右傍	k'iʌi³ xiʌi³	未韻 未韻
4205b	下阿・029ウ1・人躰	沸	入	フツ	右傍	piʌi³	未韻
6320a	下飛・098ウ6・疊字	費	平	ヒ	左注	p'iʌi³ biʌi³ piei³	未韻 未韻 至韻
6340a	下飛・099オ3・疊字	未	去濁	ヒ	左注	miʌi³	未韻
6234a	下飛・097ウ5・疊字	未	上	ヒ	右注	miʌi³	未韻
6881	下洲・117ウ2・辞字	未	―	ミ	右傍	miʌi³	未韻
5114b	下木・063オ5・疊字	味	平濁	ヒ	左注	miʌi³	未韻
4009b	下手・023オ1・疊字	味	―	ヒ	左注	miʌi³	未韻

【表B-07】上卷_ⅢBiuʌi 微韻

番号	前田本所在	掲出字		仮名音注		中古音	韻目
2824	上加・103オ7・辞字	歸	平	クヰ	右傍	kiuʌi^{1}	微韻
0048b	上伊・003ウ5・植物	韋	平	ヰ	右傍	ɣiuʌi^{1}	微韻
2253	上遠・082ウ6・雑物	韋	平	ヰ	右傍	ɣiuʌi^{1}	微韻
0319b	上伊・013ウ5・疊字	違	去	ヰ	中注	ɣiuʌi^{1}	微韻
1486	上度・057オ4・雑物	幃	平	ヰ	右傍	ɣiuʌi^{1} xiuʌi^{1}	微韻 微韻
2815	上加・102ウ3・辞字	圍	平	ヰ	右傍	ɣiuʌi$^{1/3}$	微/未韻
0020	上伊・002ウ6・地儀	械	―	ヰ	右傍	'iuʌi^{1}	微韻

【表B-07】下卷_ⅢBiuʌi 微韻

番号	前田本所在	掲出字		仮名音注		中古音	韻目
5774b	下師・084オ3・疊字	歸	上	クヰ	右注	kiuʌi^{1}	微韻
3317b	下古・002オ4・地儀	徽	平濁	クヰ	右注	xiuʌi^{1}	微韻
6193	下飛・095オ4・光彩	輝	平	クヰ	右傍	xiuʌi^{1}	微韻
6199	下飛・095オ4・光彩	煇	平	クヰ	右傍	xiuʌi^{1} ɣuʌn$^{1/2}$	微韻 魂/混韻
4740b	下佐・052ウ1・疊字	違	上	ヰ	左注	ɣiuʌi^{1}	微韻
5903d	下師・085ウ4・疊字	違	―	ヰ	右傍	ɣiuʌi^{1}	微韻
3315	下古・002オ3・地儀	闈	平	ヰ	右傍	ɣiuʌi^{1}	微韻
3394a	下古・005オ1・人事	圍	平	ヰ	右傍	ɣiuʌi$^{1/3}$	微/未韻
5010b	下木・061ウ1・疊字	圍	平	ヰ	左注	ɣiuʌi$^{1/3}$	微/未韻
6624b	下世・110ウ5・疊字	圍	平	ヰ	右注	ɣiuʌi$^{1/3}$	微/未韻
5954b	下師・087オ3・官職	威	―	ヰ	右注	'iuʌi^{1}	微韻
6168a	下飛・094ウ4・雑物	械	平	ヰ	右傍	'iuʌi^{1}	微韻
4093b	下阿・026オ2・植物	葳	平	ヰ	右傍	'iuʌi^{1}	微韻
5969b	下會・087ウ6・植物	葳	平	ヰ	右傍	'iuʌi^{1}	微韻

【表B-07】上卷_ⅢBiuʌi 尾韻

番号	前田本所在	掲出字		仮名音注		中古音	韻目
2577b	上加・095ウ7・人倫	鬼	平	クヰ	右傍	kiuʌi^{2}	尾韻

【表B-07】下卷_ⅢBiuʌi 尾韻

番号	前田本所在	掲出字		仮名音注		中古音	韻目
5996b	下會・089オ7・疊字	鬼	上	クヰ	中注	kiuʌi^{2}	尾韻
4135a	下阿・027オ6・動物	葦	上	ヰ	右傍	ɣiuʌi^{2}	尾韻

【表B-07】上巻_ⅢBiuʌi 未韻

番号	前田本所在	掲出字		仮名音注		中古音	韻目
2162	上奴・077ウ7・雜物	緯	一	ヰ	右傍	ɣiuʌi3	未韻
2248	上遠・081ウ3・人事	畏	一	ヰ	右傍	'iuʌi3	未韻

【表B-07】下巻_ⅢBiuʌi 未韻

番号	前田本所在	掲出字		仮名音注		中古音	韻目
5917b	下師・086オ7・諸寺	貴	一	クヰ	左注	kiuʌi3	未韻
4830c	下佐・055オ1・姓氏	貴	一	キ	右傍	kiuʌi3	未韻
5194a	下木・064ウ4・諸社	貴	一	キ	左注	kiuʌi3	未韻
5962b	下師・087オ7・姓氏	貴	一	キ	右注	kiuʌi3	未韻
5135b	下木・063ウ3・疊字	諱	平	クヰ	中注	xiuʌi3	未韻

【表B-07】上巻_ⅢBiʌu 尤韻

番号	前田本所在	掲出字		仮名音注		中古音	韻目
1468	上度・056ウ2・人事	尤	平	イウ	右傍	ɣiʌu1	尤韻
0116a	上伊・006オ5・人體	肬	平	イウ	右傍	ɣiʌu1	尤韻
0332a	上伊・014オ1・疊字	郵	平	イウ	中注	ɣiʌu1	尤韻
0857b	上波・033オ6・疊字	郵	平	イウ	中注	ɣiʌu1	尤韻
0234a	上伊・012ウ1・疊字	遊	平	イウ	左注	jiʌu1	尤韻
0248a	上伊・012ウ4・疊字	遊	平	イウ	中注	jiʌu1	尤韻
0255a	上伊・012ウ6・疊字	遊	平	イウ	左注	jiʌu1	尤韻
0300a	上伊・013ウ1・疊字	遊	平	イウ	右注	jiʌu1	尤韻
0301a	上伊・013ウ1・疊字	遊	平	イウ	右注	jiʌu1	尤韻
0302b	上伊・013ウ1・疊字	遊	平	イウ	右注	jiʌu1	尤韻
0316a	上伊・013ウ5・疊字	遊	平	イウ	右傍	jiʌu1	尤韻
0333a	上伊・014オ1・疊字	遊	平	イウ	左注	jiʌu1	尤韻
3068b	上加・109ウ2・疊字	遊	平	イウ	左注	jiʌu1	尤韻
3101b	上加・110オ1・疊字	遊	平	イフ	右注	jiʌu1	尤韻
0278a	上伊・013オ3・疊字	遊	上	イウ	右注	jiʌu1	尤韻
2961b	上加・108オ1・疊字	遊	一	イウ	左注	jiʌu1	尤韻
0262a	上伊・012ウ7・疊字	由	平	イウ	左注	jiʌu1	尤韻
3227	上与・116オ5・辞字	由	一	イウ	右傍	jiʌu1	尤韻
3164c	上加・112オ1・官職	由	一	ユ	右傍	jiʌu1	尤韻
1558	上度・060オ5・辞字	攸	平	イウ	右傍	jiʌu1	尤韻
0037a	上伊・003オ6・地儀	悠	一	イウ	右傍	jiʌu1	尤韻
2171b	上奴・078ウ5・疊字	悠	一	イウ	右傍	jiʌu1	尤韻
0296a	上伊・013オ7・疊字	猶	去	イウ	中注	jiʌu1/3	尤/宥韻
2846	上加・105ウ7・辞字	猶	一	イウ	右傍	jiʌu1/3	尤/宥韻
2171a	上奴・078ウ5・疊字	猶	一	ユ	右傍	jiʌu1/3	尤/宥韻

2830	上加・104オ2・辞字	輶	平	イウ	右傍	jiʌu$^{1/2/3}$	尤/有/宥韻
2842	上加・105ウ3・辞字	輶	平	イウ	右傍	jiʌu$^{1/2/3}$	尤/有/宥韻
0276a	上伊・013オ3・疊字	優	平	イウ	中注	’iʌu^{1}	尤韻
0277a	上伊・013オ3・疊字	優	平	イウ	左注	’iʌu^{1}	尤韻
0297a	上伊・013オ7・疊字	優	平	イウ	左注	’iʌu^{1}	尤韻
0298a	上伊・013オ7・疊字	優	平	イウ	左注	’iʌu^{1}	尤韻
0302a	上伊・013ウ1・疊字	優	平	イウ	右注	’iʌu^{1}	尤韻
0303a	上伊・013ウ1・疊字	優	平	イウ	左注	’iʌu^{1}	尤韻
0304a	上伊・013ウ1・疊字	優	平	イウ	左注	’iʌu^{1}	尤韻
0305a	上伊・013ウ2・疊字	優	平	イウ	中注	’iʌu^{1}	尤韻
0346a	上伊・014オ4・疊字	優	平	イウ	左注	’iʌu^{1}	尤韻
0855b	上波・033オ5・疊字	優	平	イウ	左注	’iʌu^{1}	尤韻
0279a	上伊・013オ3・疊字	優	―	イウ	右注	’iʌu^{1}	尤韻
2198	上遠・080オ1・地儀	丘	―	キウ	右傍	k‘iʌu^{1}	尤韻
0585	上波・024オ3・人躰	鼽	平	キウ	右傍	giʌu^{1}	尤韻
2692	上加・098ウ6・雑物	裘	平	キウ	右傍	giʌu^{1}	尤韻
0065b	上伊・004オ3・植物	梂	平	キウ	右傍	giʌu^{1}	尤韻
1921b	上池・070ウ4・疊字	球	平濁	キウ	左注	giʌu^{1}	尤韻
0007b	上伊・002オ4・天象	牛	平	キウ	右傍	ŋiʌu^{1}	尤韻
0071a	上伊・004ウ1・動物	鵂	平	キウ	右傍	xiʌu^{1}	尤韻
2266	上遠・083ウ3・辞字	遒	―	イウ	右傍	tsiʌu^{1} dziʌu^{1}	尤韻 尤韻
0732b	上波・031ウ2・疊字	秋	平	シウ	右注	ts‘iʌu^{1}	尤韻
0734b	上波・031ウ2・疊字	秋	平	シウ	左注	ts‘iʌu^{1}	尤韻
1795b	上池・068ウ7・疊字	秋	平	シウ	左注	ts‘iʌu^{1}	尤韻
1834b	上池・069ウ1・疊字	秋	平	シウ	左注	ts‘iʌu^{1}	尤韻
0489	上波・020ウ7・植物	萩	平	シウ	右傍	ts‘iʌu^{1}	尤韻
0601	上波・024ウ4・人事	羞	平	シウ	右傍	siʌu^{1}	尤韻
1093	上保・044オ5・飲食	羞	平	シユ	右傍	siʌu^{1}	尤韻
1094	上保・044オ6・飲食	脩	平	シウ	右傍	siʌu^{1}	尤韻
2670a	上加・098オ5・飲食	饈	―	シウ	右傍	siʌu^{1}	尤韻
2619	上加・096ウ5・人事	蒐	平	シウ	右傍	ṣiʌu^{1}	尤韻
2654b	上加・098オ1・人事	州	平	シウ	左注	tśiʌu^{1}	尤韻
0457b	上呂・019オ6・疊字	洲	平	シウ	右注	tśiʌu^{1}	尤韻
1128	上保・045ウ6・方角	周	平	シウ	右傍	tśiʌu^{1}	尤韻
1464a	上度・056ウ1・人事	周	平	シウ	右傍	tśiʌu^{1}	尤韻
0381a	上伊・015ウ7・国郡	周	―	シウ	右傍	tśiʌu^{1}	尤韻
1688a	上度・064オ2・国郡	周	―	ス	右傍	tśiʌu^{1}	尤韻
3153a	上加・111ウ3・國郡	周	―	ス	右傍	tśiʌu^{1}	尤韻
0198	上伊・010オ1・辞字	瘳	平	チウ	右傍	ṭ‘iʌu^{1}	尤韻
1841a	上池・069ウ2・疊字	抽	平	チウ	左注	ṭ‘iʌu^{1}	尤韻
1842a	上池・069ウ3・疊字	抽	平	チウ	左注	ṭ‘iʌu^{1}	尤韻

1864a	上池・069ウ7・疊字	惆	平	チウ	左注	ṭʻiʌu^{1}	尤韻
1886a	上池・070オ4・疊字	稠	平	チウ	左注	ḍiʌu^{1}	尤韻
1844a	上池・069ウ3・疊字	疇	平	チウ	左注	ḍiʌu^{1}	尤韻
1937a	上池・071オ1・疊字	籌	平	チウ	右注	ḍiʌu^{1}	尤韻
2792	上加・101オ5・員數	籌	平	チウ	右傍	ḍiʌu^{1}	尤韻
1566	上度・061オ4・辞字	儔	平	チウ	右傍	ḍiʌu^{1} dau^{3}	尤韻 号韻
2691	上加・098ウ6・雑物	幬	平	チウ	右傍	ḍiʌu^{1} dau^{3}	尤韻 号韻
0045b	上伊・003ウ3・植物	柔	平	シウ	右傍	ńiʌu^{1}	尤韻
0996a	上仁・040オ4・疊字	柔	去	ニウ	左注	ńiʌu^{1}	尤韻
0997a	上仁・040オ4・疊字	柔	去	ニウ	右注	ńiʌu^{1}	尤韻
1002a	上仁・040オ5・疊字	柔	去	ニウ	右注	ńiʌu^{1}	尤韻
1005a	上仁・040オ6・疊字	柔	去	ニウ	左注	ńiʌu^{1}	尤韻
2135b	上利・076オ1・疊字	不	―	フ	左注	piʌu$^{1/2/3}$ piuʌt	尤/有/宥韻 物韻
3247b	上与・117ウ3・疊字	不	上	フ	左注	piʌu$^{1/2/3}$ piuʌt	尤/有/宥韻 物韻
1285a	上邊・050オ2・地儀	罘	―	フ	右傍	biʌu^{1}	尤韻
2261b	上遠・083オ3・雑物	浮	平	フ	右傍	biʌu^{1}	尤韻
2430a	上加・091ウ2・地儀	浮	平	フ	右傍	biʌu^{1}	尤韻
0299b	上伊・013オ7・疊字	謀	平濁	ホウ	左注	miʌu^{1}	尤韻
0612	上波・025オ3・人事	謀	平濁	ホウ	右傍	miʌu^{1}	尤韻
0625	上波・025ウ2・人事	謀	平濁	ホウ	右傍	miʌu^{1}	尤韻
1254a	上保・048ウ3・疊字	謀	平濁	ホウ	左注	miʌu^{1}	尤韻
1253a	上保・048ウ3・疊字	謀	去濁	ホウ	右注	miʌu^{1}	尤韻
2489b	上加・093オ7・植物	矛	平濁	ホウ	右傍	miʌu^{1}	尤韻
2731b	上加・099ウ4・雑物	鍪	―	ホウ	右傍	miʌu^{1}	尤韻
0653	上波・026ウ1・雑物	旒	平	サウ	右傍	liʌu^{1}	尤韻
1341b	上邊・052ウ6・疊字	旒	平	リウ	左注	liʌu^{1}	尤韻
2041a	上利・074ウ3・疊字	流	平	リウ	左注	liʌu^{1}	尤韻
2044a	上利・074ウ4・疊字	流	平	リウ	中注	liʌu^{1}	尤韻
2062a	上利・074ウ7・疊字	流	平	リウ	左注	liʌu^{1}	尤韻
2068a	上利・075オ1・疊字	流	平	リウ	左注	liʌu^{1}	尤韻
2083a	上利・075オ4・疊字	流	平	リウ	左注	liʌu^{1}	尤韻
2084a	上利・075オ4・疊字	流	平	リウ	左傍	liʌu^{1}	尤韻
2085a	上利・075オ4・疊字	流	平	リウ	右注	liʌu^{1}	尤韻
2111a	上利・075ウ3・疊字	流	平	リウ	左注	liʌu^{1}	尤韻
2128a	上利・075ウ6・疊字	流	平	リウ	左注	liʌu^{1}	尤韻
3180a	上与・113オ6・天象	流	平	リウ	右注	liʌu^{1}	尤韻
2110a	上利・075ウ2・疊字	流	―	リウ	右注	liʌu^{1}	尤韻
2137a	上利・076オ3・官職	流	―	リウ	右注	liʌu^{1}	尤韻

0814b	上波・032ウ4・疊字	流	上	ル	左注	liʌu^{1}	尤韻
2187a	上留・079ウ2・疊字	流	去	ル	中注	liʌu^{1}	尤韻
2188a	上留・079ウ2・疊字	流	去	ル	右注	liʌu^{1}	尤韻
2191a	上留・079ウ3・疊字	流	去	ル	右注	liʌu^{1}	尤韻
2192a	上留・079ウ3・疊字	流	去	ル	中注	liʌu^{1}	尤韻
2195a	上留・079ウ3・疊字	流	去	ル	右注	liʌu^{1}	尤韻
2177a	上留・079オ6・雜物	流	―	ル	右注	liʌu^{1}	尤韻
2176a	上留・079オ6・雜物	瑠	去	リウ	左傍	liʌu^{1}	尤韻
2175a	上留・079オ6・雜物	瑠	去	ル	右傍	liʌu^{1}	尤韻
2194a	上留・079ウ3・疊字	瑠	去	ル	左注	liʌu^{1}	尤韻
1655b	上度・063オ5・疊字	留	平	リウ	左注	liʌu$^{1/3}$	尤/宥韻
3254b	上与・117ウ5・疊字	留	去	リウ	中注	liʌu$^{1/3}$	尤/宥韻
2189a	上留・079ウ2・疊字	留	平	ル	左注	liʌu$^{1/3}$	尤/宥韻
1924b	上池・070ウ5・疊字	留	上	ル	右注	liʌu$^{1/3}$	尤/宥韻
2181a	上留・079ウ1・疊字	留	去	ル	中注	liʌu$^{1/3}$	尤/宥韻
2190a	上留・079ウ2・疊字	留	去	ル	右注	liʌu$^{1/3}$	尤/宥韻
3151b	上加・111ウ3・國郡	留	―	ル	右傍	liʌu$^{1/3}$	尤/宥韻
2364	上和・089ウ3・辞字	摎	平	リウ	右傍	liʌu^{1} kau^{1}	尤韻 肴韻
2412a	上和・090ウ2・疊字	憀	平	リウ	右傍	liʌu^{1} leu^{1}	尤韻 蕭韻
0071b	上伊・004ウ1・動物	鶹	平	リウ	右傍	liʌu^{1}	尤韻

【表B-07】下巻_ⅢBiʌu 尤韻

番号	前田本所在	掲出字		仮名音注		中古音	韻目
3842b	下江・017ウ1・疊字	郵	平	イウ	中注	ɣiʌu^{1}	尤韻
4217	下阿・030ウ2・人事	郵	平	イウ	右傍	ɣiʌu^{1}	尤韻
4752b	下佐・052ウ5・疊字	郵	平	イウ	右傍	ɣiʌu^{1}	尤韻
6922b	下洲・120オ6・疊字	郵	平	イウ	中注	ɣiʌu^{1}	尤韻
6459	下毛・104ウ7・辞字	尤	平	イウ	右傍	ɣiʌu^{1}	尤韻
4219	下阿・030ウ3・人事	訧	平	イウ	右傍	ɣiʌu^{1}	尤韻
4511b	下佐・045オ4・人躰	疣	平	イウ	右傍	ɣiʌu^{1}	尤韻
3859b	下江・017ウ5・疊字	遊	平	イウ	左注	jiʌu^{1}	尤韻
4170a	下阿・028ウ2・人倫	遊	平	イウ	右傍	jiʌu^{1}	尤韻
5169b	下木・064オ3・疊字	遊	―	イウ	左注	jiʌu^{1}	尤韻
5224a	下由・066ウ1・動物	遊	―	ユ	右注	jiʌu^{1}	尤韻
6095b	下飛・092オ6・動物	蝣	―	イフ	右傍	jiʌu^{1}	尤韻
6209	下飛・095ウ5・辞字	揄	平	イウ	右傍	jiʌu^{1} jiuʌ^{1} dʌu$^{1/2}$	尤韻 虞韻 侯/厚韻
6460	下毛・105オ3・辞字	由	平	イウ	右傍	jiʌu^{1}	尤韻

4276	下阿・032ウ2・雜物	油	平 去	イウ	左注	jiʌu$^{1/3}$	尤/宥韻
4277	下阿・032ウ2・雜物	油	平 去	ユ	右傍	jiʌu$^{1/3}$	尤/宥韻
5253a	下由・068オ2・雜物	油	平	ユ	右傍	jiʌu$^{1/3}$	尤/宥韻
4278a	下阿・032ウ3・雜物	油	去	ユ	右傍	jiʌu$^{1/3}$	尤/宥韻
3835a	下江・017オ7・疊字	櫌	上	エウ	中注	'iʌu^{1}	尤韻
4976a	下木・061オ2・疊字	丘	平	キウ	左注	k'iʌu^{1}	尤韻
6101b	下飛・092ウ3・人倫	丘	上	ク	右注	k'iʌu^{1}	尤韻
4172	下阿・028ウ3・人倫	仇	平	キウ	右傍	giʌu^{1}	尤韻
6861	下洲・116ウ2・雜物	銶	平	キ	右傍	giʌu^{1}	尤韻
4930a	下木・058ウ3・雜物	毬	平	キウ	右傍	giʌu^{1}	尤韻
5069b	下木・062オ7・疊字	裘	平	キウ	左注	giʌu^{1}	尤韻
4931a	下木・058ウ3・雜物	裘	―	キウ	右傍	giʌu^{1}	尤韻
6385a	下飛・100オ3・國郡	球	―	ク	右傍	giʌu^{1}	尤韻
6029b	下飛・090オ7・天象	牛	平濁	キウ	右傍	ŋiʌu^{1}	尤韻
5183a	下木・064オ6・疊字	牛	平	キウ	右注	ŋiʌu^{1}	尤韻
5133a	下木・063ウ2・疊字	牛	―	（キウ）	左注	ŋiʌu^{1}	尤韻
6808b	下洲・114オ7・動物	牛	―	キウ	右傍	ŋiʌu^{1}	尤韻
3336a	下古・002ウ5・植物	牛	上濁	コ ［去］	右傍	ŋiʌu^{1}	尤韻
3912b	下手・020ウ7・雜物	牛	―	コ ［上濁］	右注	ŋiʌu^{1}	尤韻
3568a	下古・007ウ2・雜物	牛	―	コ	右注	ŋiʌu^{1}	尤韻
5068a	下木・062オ7・疊字	休	平	キウ	右注	xiʌu^{1}	尤韻
5828a	下師・084ウ5・疊字	啁	平	シウ	右注	ṭiʌu^{1} ṭau^{1}	尤韻 豪韻
4951	下木・059ウ5・辞字	稠	平	チウ	右傍	ḍiʌu^{1}	尤韻
4326	下阿・035ウ2・辞字	遒	平	イウ	右傍	tsiʌu^{1} dziʌu^{1}	尤韻 尤韻
6556	下世・109ウ1・辞字	遒	―	イウ	右傍	tsiʌu^{1} dziʌu^{1}	尤韻 尤韻
6563	下世・109ウ5・辞字	遒	―	イウ	右傍	tsiʌu^{1} dziʌu^{1}	尤韻 尤韻
4053	下阿・024ウ2・天象	秋	平	シウ	右傍	ts'iʌu^{1}	尤韻
4055b	下阿・024ウ2・天象	秋	平	シウ	右注	ts'iʌu^{1}	尤韻
5552a	下師・079オ6・疊字	秋	平	シウ	左注	ts'iʌu^{1}	尤韻
5868a	下師・085オ4・疊字	秋	去	シウ	右注	ts'iʌu^{1}	尤韻
6067b	下飛・091ウ2・植物	楸	平	シウ	右傍	ts'iʌu^{1}	尤韻
5523a	下師・078ウ2・重點	啾	―	シウ	右注	dziʌu^{1}	尤韻
5523b	下師・078ウ2・重點	啾	―	シウ	右注	dziʌu^{1}	尤韻
5300	下師・070オ3・動物	噍	―	シウ	右注	dziʌu^{1} tsiau^{1} dziau^{3}	尤韻 宵韻 笑韻

5522a	下師・078ウ2・重點	噍	—	シウ	右注	dziʌu[1] tsiau[1] dziau[3]	尤韻 宵韻 笑韻
5522b	下師・078ウ2・重點	噍	—	シウ	右注	dziʌu[1] tsiau[1] dziau[3]	尤韻 宵韻 笑韻
6889	下洲・118ウ3・辞字	羞	平	シウ	右傍	siʌu[1]	尤韻
4556	下佐・046ウ5・飲食	羞	平	シユ	右傍	siʌu[1]	尤韻
5326a	下師・071オ1・人倫	修	—	シユ	右注	siʌu[1]	尤韻
5565a	下師・079ウ4・疊字	修	—	シユ	左注	siʌu[1]	尤韻
5575a	下師・080オ3・疊字	修	—	シユ	左注	siʌu[1]	尤韻
5576a	下師・080オ3・疊字	修	—	シユ	左注	siʌu[1]	尤韻
5577a	下師・080オ3・疊字	修	—	シユ	左注	siʌu[1]	尤韻
5937a	下師・086ウ6・官職	修	—	シユ	右注	siʌu[1]	尤韻
5720a	下師・083オ2・疊字	囚	去	シウ	左注	ziʌu[1]	尤韻
3703b	下古・012オ2・疊字	囚	—	ス	左注	ziʌu[1]	尤韻
3789	下江・016オ7・辞字	蒐	平	シウ	右傍	ṣiʌu[1]	尤韻
5228	下由・066ウ5・人躰	溲	平	シウ	右傍	ṣiʌu[1/2]	尤/有韻
4537c	下佐・046オ5・人事	州	平	シウ	左注	tśiʌu[1]	尤韻
6748b	下世・112オ7・疊字	洲	平	シウ	右傍	tśiʌu[1]	尤韻
6771	下洲・113オ8・地儀	洲	—	シウ	右傍	tśiʌu[1]	尤韻
5554a	下師・079オ7・疊字	洲	—	シユ	左注	tśiʌu[1]	尤韻
4404b	下阿・040ウ5・国郡	州	—	ス	右傍	tśiʌu[1]	尤韻
4786b	下佐・053オ6・疊字	舟	平	シウ	右注	tśiʌu[1]	尤韻
5555a	下師・079オ7・疊字	舟	—	シフ	左注	tśiʌu[1]	尤韻
4392a	下阿・039ウ5・疊字	周	東	シウ	右傍	tśiʌu[1]	尤韻
5851a	下師・085オ1・疊字	周	東	シウ	右傍	tśiʌu[1]	尤韻
5784a	下師・084オ4・疊字	周	平	シウ	右注	tśiʌu[1]	尤韻
5845a	下師・084ウ7・疊字	周	平	シウ	右傍	tśiʌu[1]	尤韻
5829a	下師・084ウ5・疊字	周	去	シウ	右注	tśiʌu[1]	尤韻
5567a	下師・079ウ5・疊字	周	去	シユ	右注	tśiʌu[1]	尤韻
6955a	下洲・121オ5・国郡	周	—	ス	右注	tśiʌu[1]	尤韻
5237a	下由・067オ5・人事	鞦	平	シウ	右傍	ts'iʌu[1]	尤韻
5442	下師・074オ5・雑物	鞦	平	シウ	右傍	tś'iʌu[1]	尤韻
5751a	下師・083ウ3・疊字	鞦	平	シウ	右注	tś'iʌu[1]	尤韻
5675a	下師・082オ4・疊字	収	平	シフ	左注	śiʌu[1/3]	尤/宥韻
5552b	下師・079オ6・疊字	収	平	ス	左注	śiʌu[1/3]	尤/宥韻
5710a	下師・082ウ7・疊字	讎	平	シウ	左注	źiʌu[1]	尤韻
4171	下阿・028ウ3・人倫	讎	平	シユ	右注	źiʌu[1]	尤韻
5727a	下師・083オ4・疊字	讎	平	シユ	左注	źiʌu[1]	尤韻
5728a	下師・083オ4・疊字	蹂	入濁	シフ	左注	ńiʌu[1/2/3]	尤/有/宥韻
4215	下阿・030オ5・人事	侜	平	ヒウ	右傍	ṭiʌu[1]	尤韻

5900c	下師・085ウ3・疊字	不	—	フ	右傍	piʌu$^{1/2/3}$ piuʌt	尤/有/宥韻 物韻
5901c	下師・085ウ3・疊字	不	—	フ	右傍	piʌu$^{1/2/3}$ piuʌt	尤/有/宥韻 物韻
5902c	下師・085ウ3・疊字	不	—	フ	右傍	piʌu$^{1/2/3}$ piuʌt	尤/有/宥韻 物韻
5909b	下師・085ウ5・疊字	不	—	フ	右傍	piʌu$^{1/2/3}$ piuʌt	尤/有/宥韻 物韻
4265	下阿・032オ6・雜物	罘	平	フ	右傍	biʌu^{1}	尤韻
4395a	下阿・040オ1・疊字	浮	平	フ	右傍	biʌu^{1}	尤韻
6095a	下飛・092オ6・動物	蜉	—	フ	右傍	biʌu^{1}	尤韻
3914	下手・020ウ7・雜物	矛	平濁	ホウ	右傍	miʌu^{1}	尤韻
6114	下飛・092ウ7・人躰	眸	平濁	ホウ	右傍	miʌu^{1}	尤韻
5199a	下木・065オ1・国郡	牟	—	ム	右傍	miʌu^{1}	尤韻
6152a	下飛・094オ7・雜物	流	平	リウ	右傍	liʌu^{1}	尤韻
6456	下毛・104ウ5・辞字	流	平	リウ	右傍	liʌu^{1}	尤韻
6596b	下世・110オ7・疊字	流	平	リウ	右傍	liʌu^{1}	尤韻
3677b	下古・011ウ4・疊字	留	平	リウ	中注	liʌu$^{1/3}$	尤/宥韻
6245b	下飛・097ウ7・疊字	留	—	リウ	中注	liʌu$^{1/3}$	尤/宥韻
5352	下師・071ウ5・人躰	瘤	平	リウ	右傍	liʌu$^{1/3}$	尤/宥韻
4114b	下阿・026ウ3・植物	榴	平	リウ	右傍	liʌu^{1}	尤韻
4460b	下佐・043オ7・植物	榴	平	リウ	右傍	liʌu^{1}	尤韻
4115c	下阿・026ウ3・植物	榴	去	ロ	右注	liʌu^{1}	尤韻
3403	下古・005オ7・人事	劉	平	リウ	右傍	liʌu^{1}	尤韻
4956	下木・060ウ2・辞字	瀏	平	リウ	右傍	liʌu$^{1/2}$	尤/有韻

【表B-07】上巻_ⅢBiʌu 有韻

番号	前田本所在	掲出字		仮名音注		中古音	韻目
1455	上度・055ウ7・人倫	友	上	イウ	右傍	ɣiʌu^{2}	有韻
1550	上度・059ウ2・辞字	友	上	イウ	右傍	ɣiʌu^{2}	有韻
0309a	上伊・013ウ3・疊字	友	平	イウ	左注	ɣiʌu^{2}	有韻
1217b	上保・048オ2・疊字	友	平	イウ	右傍	ɣiʌu^{2}	有韻
0244a	上伊・012ウ3・疊字	有	上	イウ	中注	ɣiʌu^{2}	有韻
0284a	上伊・013オ4・疊字	有	上	イウ	中注	ɣiʌu^{2}	有韻
0311a	上伊・013ウ4・疊字	有	上	イウ	右注	ɣiʌu^{2}	有韻
0313a	上伊・013ウ4・疊字	有	上	イウ	左注	ɣiʌu^{2}	有韻
0314a	上伊・013ウ4・疊字	有	上	イウ	中注	ɣiʌu^{2}	有韻
0315a	上伊・013ウ4・疊字	有	上	イウ	左注	ɣiʌu^{2}	有韻
0240a	上伊・012ウ3・疊字	右	上	イウ	右注	ɣiʌu$^{2/3}$	有/宥韻
0310a	上伊・013ウ3・疊字	誘	去	イウ	右注	jiʌu^{2}	有韻
1523	上度・058オ3・方角	酉	—	イウ	右傍	jiʌu^{2}	有韻

0931	上仁・036オ4・植物	韮	上	キウ	右傍	kiʌu^{2}	有韻
1757b	上池・067オ6・人事	久	上	キウ	右傍	kiʌu^{2}	有韻
1832b	上池・069ウ1・疊字	久	上	キウ	左注	kiʌu^{2}	有韻
2027b	上利・074オ7・疊字	久	上	キウ	左注	kiʌu^{2}	有韻
0383a	上伊・015ウ7・国郡	久	―	ク	右傍	kiʌu^{2}	有韻
3278a	上波・034ウ5・國郡	久	―	ク	右傍	kiʌu^{2}	有韻
0565	上波・023オ5・人倫	舅	去	キウ	右傍	giʌu^{2}	有韻
1467	上度・056ウ1・人事	咎	―	ク	右傍	giʌu^{2} kɑu^{1}	有韻 豪韻
0847b	上波・033オ4・疊字	酒	上	シウ	左注	tsiʌu^{2}	有韻
1576b	上度・062オ3・疊字	酒	上	シユ	左注	tsiʌu^{2}	有韻
3056b	上加・109オ6・疊字	酒	上	シユ	左注	tsiʌu^{2}	有韻
3057b	上加・109オ6・疊字	酒	上	シユ	左注	tsiʌu^{2}	有韻
1914b	上池・070ウ3・疊字	酒	上	ス	左注	tsiʌu^{2}	有韻
0669	上波・027オ2・雜物	箒	上	シウ	右傍	tśiʌu^{2}	有韻
1676b	上度・063ウ3・疊字	首	上濁	シユ	左注	śiʌu$^{2/3}$	有/宥韻
2057b	上利・074ウ6・疊字	首	平	シウ	左注	śiʌu$^{2/3}$	有/宥韻
1813b	上池・069オ4・疊字	守	平濁	シユ	右注	śiʌu$^{2/3}$	有/宥韻
2190b	上留・079ウ2・疊字	守	平	ス	右注	śiʌu$^{2/3}$	有/宥韻
1964b	上池・071ウ5・國郡	守	―	ス	右注	śiʌu$^{2/3}$	有/宥韻
3246b	上与・117ウ3・疊字	受	上濁	シユ	左注	źiʌu^{2}	有韻
1102	上保・044ウ6・雜物	缶	―	フ	右傍	piʌu^{2}	有韻
1410b	上邊・053ウ6・疊字	否	上	フ	左注	piʌu^{2} biei^{2}	有韻 旨韻
2202	上遠・080オ1・地儀	阜	―	フ	右傍	biʌu^{2}	有韻
0070b	上伊・004オ7・動物	負	上	フ	右傍	biʌu^{2}	有韻
1698	上度・064オ7・官職	負	上	フ	右傍	biʌu^{2}	有韻
0568b	上波・023ウ1・人倫	婦	上	フ	右傍	biʌu^{2}	有韻
3198	上与・114オ7・人倫	婦	上	フ	右傍	biʌu^{2}	有韻
1198b	上保・047ウ6・疊字	栁	上	リウ	左注	liʌu^{2}	有韻
2004a	上利・073ウ2・人事	栁	上	リウ	右注	liʌu^{2}	有韻
2065a	上利・075オ1・疊字	栁	上	リウ	左注	liʌu^{2}	有韻

【表B-07】下巻_ⅢBiʌu 有韻

番号	前田本所在	掲出字		仮名音注		中古音	韻目
4781b	下佐・053オ5・疊字	友	去	イウ	右注	ɣiʌu^{2}	有韻
6094	下飛・092オ6・動物	舛	上	イウ	右傍	jiʌu$^{2/3}$ siʌu^{3}	有/宥韻 宥韻
3335	下古・002ウ5・植物	韮	上	キウ	右傍	kiʌu^{2}	有韻
4977a	下木・061オ2・疊字	九	上	キウ	左注	kiʌu^{2}	有韻
5125a	下木・063ウ1・疊字	九	上	キウ	右注	kiʌu^{2}	有韻

5187a	下木・064オ7・疊字	九	上	キウ	右注	kiʌu2	有韻
5808b	下師・084ウ1・疊字	九	上	キウ	右注	kiʌu2	有韻
5001a	下木・061オ7・疊字	九	—	キウ	右注	kiʌu2	有韻
5181a	下木・064オ5・疊字	九	—	キウ	右注	kiʌu2	有韻
4935b	下木・058ウ4・雜物	久	—	ク	右注	kiʌu2	有韻
5931b	下師・086ウ3・國郡	久	—	ク	右傍	kiʌu2	有韻
6359a	下飛・099ウ7・國郡	久	—	ク	右傍	kiʌu2	有韻
6364b	下飛・100オ1・國郡	久	—	ク	右傍	kiʌu2	有韻
3729a	下古・013オ5・国郡	久	—	コ	右注	kiʌu2	有韻
5124a	下木・063オ7・疊字	玖	平	キウ	左注	kiʌu2	有韻
6956a	下洲・121オ5・国郡	玖	—	ク	右傍	kiʌu2	有韻
6445a	下毛・103オ6・雜物	灸	去	キウ	右傍	kiʌu2/3	有/宥韻
5035a	下木・061ウ7・疊字	舅	去	キウ	左注	giʌu2	有韻
5318	下師・070ウ6・人倫	舅	去	キウ	右傍	giʌu2	有韻
5168a	下木・064オ3・疊字	咎	去	キウ	右注	giʌu2 kɑu1	有韻 豪韻
5164a	下木・064オ2・疊字	咎	—	キウ	左注	giʌu2 kɑu1	有韻 豪韻
5044a	下木・062オ2・疊字	朽	入	キウ	左注	xiʌu2	有韻
5909a	下師・085ウ5・疊字	酒	—	シユ	右傍	tsiʌu2	有韻
3408c	下古・006オ1・人事	酒	上	ス	左注	tsiʌu2	有韻
6847a	下洲・116オ5・雜物	酒	—	ス	右注	tsiʌu2	有韻
3376a	下古・004オ4・人倫	醜	上	シウ	右傍	tś'iʌu2	有韻
5334a	下師・071オ3・人倫	醜	上	シウ	右傍	tś'iʌu2	有韻
5606a	下師・081オ3・疊字	醜	上	シウ	左注	tś'iʌu2	有韻
5651a	下師・081ウ6・疊字	醜	去	シユ	左注	tś'iʌu2	有韻
3685b	下古・011ウ5・疊字	手	上	シウ	中注	śiʌu2	有韻
3896	下手・019ウ6・人體	手	上	シウ	右傍	śiʌu2	有韻
4543b	下佐・046オ7・人事	手	上濁	シユ	左注	śiʌu2	有韻
5856a	下師・085オ2・疊字	手	去	シユ	右注	śiʌu2	有韻
5875a	下師・085オ5・疊字	首	上	シユ	右注	śiʌu2/3	有/宥韻
5108b	下木・063オ3・疊字	首	上	ス	左注	śiʌu2/3	有/宥韻
4449b	下佐・043オ1・地儀	首	—	ス	右傍	śiʌu2/3	有/宥韻
5268a	下師・069オ2・地儀	壽	去	シウ	右傍	źiʌu2	有韻
5852a	下師・085オ2・疊字	壽	去	シウ	右注	źiʌu2	有韻
3831a	下江・017オ6・疊字	壽	去	シユ	右傍	źiʌu2	有韻
5669b	下師・082オ3・疊字	受	平濁	シユ	左注	źiʌu2	有韻
5573a	下師・080オ2・疊字	受	—	シユ	右注	źiʌu2	有韻
5578a	下師・080オ3・疊字	受	—	シユ	左注	źiʌu2	有韻
3915	下手・021オ1・雜物	杻	上	チウ	右傍	ṭ'iʌu2 ṇiʌu2	有韻 有韻

5723b	下師・083オ3・疊字	否	上	フ	左注	piʌu2 biei2	有韻 旨韻
5553b	下師・079オ6・疊字	婦	―	フ	左注	biʌu2	有韻
5887b	下師・085オ7・疊字	負	上濁	フ	右注	biʌu2	有韻
5762b	下師・083ウ7・疊字	負	平	フ	左注	biʌu2	有韻
5286	下師・069ウ3・植物	柳	上	リウ	右傍	liʌu2	有韻

【表B-07】上巻_ⅢBiʌu 宥韻

番号	前田本所在	掲出字		仮名音注		中古音	韻目
0080a	上伊・004ウ3・動物	鼬	―	イウ	右傍	jiʌu3	宥韻
2303b	上和・086ウ7・人躰	臭	―	シウ	右傍	tś'iʌu3	宥韻
0200	上伊・010オ2・辞字	祝	去	シウ	右傍	tśiʌu3 tśiʌuk	宥韻 屋韻
2160	上奴・077ウ7・雑物	繡	去	シウ	右傍	siʌu3	宥韻
0726b	上波・031オ7・疊字	晝	上	チウ	右注	ṭiʌu3	宥韻
1797a	上池・069オ1・疊字	晝	平	チウ	中注	ṭiʌu3	宥韻
1876a	上池・070オ2・疊字	晝	平	チウ	左注	ṭiʌu3	宥韻
2730	上加・099ウ3・雑物	冑	去	チウ	右傍	ḍiʌu3	宥韻
3028b	上加・109オ1・疊字	冑	去	チウ	左注	ḍiʌu3	宥韻
2669a	上加・098オ5・飲食	餌	去濁	チウ	右傍	ńiʌu3	宥韻
0035b	上伊・003オ5・地儀	冨	上	フ	右傍	piʌu3	宥韻

【表B-07】下巻_ⅢBiʌu 宥韻

番号	前田本所在	掲出字		仮名音注		中古音	韻目
5220	下由・066オ6・植物	柚	平	イウ	右傍	jiʌu3 ḍiʌuk	宥韻 屋韻
5221	下由・066オ6・植物	柚	平	ユ ［去］	右注	jiʌu3 ḍiʌuk	宥韻 屋韻
5052a	下木・062オ4・疊字	救	上	キウ	左注	kiʌu3	宥韻
3658b	下古・011オ7・疊字	舊	去	キウ	左注	giʌu3	宥韻
4971a	下木・060ウ7・疊字	舊	去	キウ	左注	giʌu3	宥韻
5173a	下木・064オ4・疊字	舊	去	キウ	左注	giʌu3	宥韻
5802b	下師・084オ7・疊字	就	―	シユ	左注	dziʌu3	宥韻
5433a	下師・074オ4・雑物	繡	去	シウ	右傍	siʌu3	宥韻
5112b	下木・063オ5・疊字	繡	―	シウ	左注	siʌu3	宥韻
5947a	下師・087オ1・官職	秀	―	シウ	右注	siʌu3	宥韻
5527b	下師・078ウ4・疊字	宿	去	シウ	左注	siʌu3 siʌuk	宥韻 屋韻
5600a	下師・080ウ6・疊字	咒	―	シユ	中注	tśiʌu3 źiʌu1	宥韻 尤韻

6823a	下洲・115オ5・人事	咒	―	ス	右傍	tśiʌu³ źiʌu¹	宥韻 尤韻
5191b	下木・064オ7・疊字	獣	去	シウ	左注	śiʌu³	宥韻
3855b	下江・017ウ4・疊字	授	上濁	シウ	右注	źiʌu³	宥韻
6175a	下飛・094ウ6・雜物	副	去	フ	右傍	p'iʌu³ p'iʌuk p'iɐk	宥韻 屋韻 職韻
4073	下阿・025オ7・地儀	霤	去	リウ	右傍	liʌu³	宥韻

【表B-07】上巻_ⅢBiʌm 凡韻

番号	前田本所在	掲出字		仮名音注		中古音	韻目
0767a	上波・032オ2・疊字	凡	平	ハン	右注	biʌm¹	凡韻
1116	上保・045オ3・雜物	帆	去	ハム	右傍	biʌm¹ᐟ³	凡/梵韻
1119a	上保・045オ5・雜物	帆	平	ハム	右傍	biʌm¹ᐟ³	凡/梵韻
1117a	上保・045オ4・雜物	帆	平	ハン	右傍	biʌm¹ᐟ³	凡/梵韻

【表B-07】下巻_ⅢBiʌm 凡韻

番号	前田本所在	掲出字		仮名音注		中古音	韻目
6239b	下飛・097ウ6・疊字	帆	平	ハム	左注	biʌm¹ᐟ³	凡/梵韻

【表B-07】上巻_ⅢBiʌm 范韻

番号	前田本所在	掲出字		仮名音注		中古音	韻目
1237a	上保・048オ7・疊字	犯	平濁	ホム	右注	biʌm²	范韻
1238a	上保・048オ7・疊字	犯	平濁	ホン	右注	biʌm²	范韻
1239a	上保・048オ7・疊字	犯	平濁	ホン	右注	biʌm²	范韻

【表B-07】下巻_ⅢBiʌm 范韻

番号	前田本所在	掲出字		仮名音注		中古音	韻目
4934b	下木・058ウ3・雜物	錽	上 去	ハム	右傍	miʌm²	范韻

【表B-07】上巻_ⅢBiʌm 梵韻

番号	前田本所在	掲出字		仮名音注		中古音	韻目
2104b	上利・075ウ1・疊字	欠	去	カン	左注	k'iʌm³	梵韻
3075a	上加・109ウ3・疊字	欠	去	カン	中注	k'iʌm³	梵韻
1427b	上度・054ウ5・地儀	劔	去	ケム	右傍	kiʌm³	梵韻
2545b	上加・094ウ5・動物	劔	去	ケム	右傍	kiʌm³	梵韻

1177b	上保・047ウ1・疊字	鋔	平	ケン	左注	kiʌm3	梵韻
0629a	上波・025ウ5・人事	汎	去	ハム	左注	p'iʌm3 biʌuŋ1	梵韻 東韻
0775a	上波・032オ3・疊字	汎	去	ハム	右注	p'iʌm3 biʌuŋ1	梵韻 東韻

【表B-07】下巻_ⅢBiʌm 梵韻

番号	前田本所在	掲出字		仮名音注		中古音	韻目
6185b	下飛・095オ1・雜物	劒	去	ケン	右傍	kiʌm3	梵韻

【表B-07】上巻_ⅢBiʌp 乏韻

番号	前田本所在	掲出字		仮名音注		中古音	韻目
0366a	上伊・015ウ5・国郡	法	—	ハフ	右注	piʌp	乏韻
3016b	上加・108ウ5・疊字	法	入	ハウ	左注	piʌp	乏韻
0912a	上波・034ウ3・諸寺	法	—	ハツ	右傍	piʌp	乏韻
1166a	上保・047オ6・疊字	法	入	ホフ	左注	piʌp	乏韻
1167a	上保・047オ6・疊字	法	入	ホフ	左注	piʌp	乏韻
1170a	上保・047オ7・疊字	法	入	ホフ	左注	piʌp	乏韻
1231a	上保・048オ5・疊字	法	入	ホフ	左注	piʌp	乏韻
1232a	上保・048オ6・疊字	法	入	ホフ	右注	piʌp	乏韻
1233a	上保・048オ6・疊字	法	入	ホフ	左注	piʌp	乏韻
1078	上保・043ウ2・人事	法	—	ホフ [平平]	右注	piʌp	乏韻
1067a	上保・043オ2・人倫	法	—	ホフ	右注	piʌp	乏韻
2391b	上和・090オ4・疊字	法	入濁	(ホウ)	—	piʌp	乏韻
1012b	上仁・040ウ1・疊字	法	入	ホウ	左注	piʌp	乏韻
1162a	上保・047オ5・疊字	法	入	ホウ	中注	piʌp	乏韻
1171a	上保・047オ7・疊字	法	入	ホウ	左注	piʌp	乏韻
1274a	上保・049ウ1・諸寺	法	—	ホウ	右注	piʌp	乏韻
1276a	上保・049ウ1・諸寺	法	—	ホウ	右注	piʌp	乏韻
1278a	上保・049ウ4・官職	法	—	ホウ	右注	piʌp	乏韻
1279a	上保・049ウ4・官職	法	—	ホウ	右注	piʌp	乏韻
1280a	上保・049ウ4・官職	法	—	ホウ	右注	piʌp	乏韻
1273a	上保・049ウ1・諸寺	法	—	ホ	右注	piʌp	乏韻
1281a	上保・049ウ4・官職	法	—	ホツ	右注	piʌp	乏韻
1120	上保・045オ6・雜物	乏	—	ホウ	右傍	biʌp	乏韻
1255a	上保・048ウ3・疊字	乏	入	ホク	左注	biʌp	乏韻

【表B-07】下巻_ⅢBiʌp 乏韻

番号	前田本所在	掲出字		仮名音注		中古音	韻目
6690b	下世・111ウ2・疊字	法	平	ハウ	左注	piʌp	乏韻
3698b	下古・012オ1・疊字	法	—	ハウ	左注	piʌp	乏韻

5093b	下木・062ウ7・疊字	法	―	ハウ	左注	piʌp	乏韻
6303b	下飛・098ウ3・疊字	法	入	ホフ	左注	piʌp	乏韻
4679b	下佐・051ウ1・疊字	法	入	ホウ	中注	piʌp	乏韻
5565b	下師・079ウ4・疊字	法	―	ホウ	左注	piʌp	乏韻
6603b	下世・110ウ1・疊字	法	―	ホウ	左注	piʌp	乏韻

【表B-07】上巻_ⅢBiʌn 欣韻

番号	前田本所在	掲出字		仮名音注		中古音	韻目
0228a	上伊・012オ5・重點	殷	平	イン	右傍	'iʌn[1] 'ɐn[1]	欣韻 山韻
0228b	上伊・012オ5・重點	殷	平	イン	右傍	'iʌn[1] 'ɐn[1]	欣韻 山韻
0287a	上伊・013オ5・疊字	慇	平	イン	右注	'iʌn[1]	欣韻
2609b	上加・096ウ1・人體	筋	平濁	キン	右傍	kiʌn[1]	欣韻
2999b	上加・108ウ2・疊字	勤	平濁	コン	左注	giʌn[1]	欣韻
0287b	上伊・013オ5・疊字	懃	平濁	キン	右注	giʌn[1]	欣韻
0574	上波・023ウ5・人躰	齗	平濁	キン	右傍	ŋiʌn[1] ŋien[2]	欣韻 軫韻
0958	上仁・037ウ5・人事	齗	平	キン	右傍	ŋiʌn[1] ŋien[2]	欣韻 軫韻
3209	上与・115オ2・人事	欣	平	キン	右傍	xiʌn[1]	欣韻
2967b	上加・108オ2・疊字	欣	平	キム	右注	xiʌn[1]	欣韻

【表B-07】下巻_ⅢBiʌn 欣韻

番号	前田本所在	掲出字		仮名音注		中古音	韻目
3911	下手・020ウ6・雜物	釿	平	キン	右傍	kiʌn[1] ŋien[2]	欣韻 軫韻
3392b	下古・004ウ5・人躰	筋	平	キン	右傍	kiʌn[1]	欣韻
6819	下洲・115オ1・人躰	筋	平	キン	右傍	kiʌn[1]	欣韻
3577	下古・007ウ7・員數	斤	―	コン [平平]	右注	kiʌn[1/3]	欣韻 焮韻
6506	下世・107オ3・植物	芹	平	キン	右傍	giʌn[1]	欣韻
5084a	下木・062ウ4・疊字	勤	平	キン	左注	giʌn[1]	欣韻
5170a	下木・064オ3・疊字	勤	平	キン	左注	giʌn[1]	欣韻
5171a	下木・064オ3・疊字	勤	平	キン	左注	giʌn[1]	欣韻
5172a	下木・064オ4・疊字	勤	平	キン	左注	giʌn[1]	欣韻
5085a	下木・062ウ5・疊字	勤	平	キム	左注	giʌn[1]	欣韻
5144a	下木・063ウ5・疊字	欣	平	キン	左注	xiʌn[1]	欣韻
5145a	下木・063ウ5・疊字	欣	―	キン	左注	xiʌn[1]	欣韻
5146a	下木・063ウ5・疊字	欣	平	キム	左注	xiʌn[1]	欣韻

【表B-07】上巻_ⅢBiʌn 隠韻

番号	前田本所在	掲出字		仮名音注		中古音	韻目
0307a	上伊・013ウ3・疊字	隠	上	イン	左注	ʼiʌn$^{2/3}$	隠/焮韻
0327a	上伊・013ウ7・疊字	隠	上	イン	中注	ʼiʌn$^{2/3}$	隠/焮韻
0329a	上伊・013ウ7・疊字	隠	上	イン	中注	ʼiʌn$^{2/3}$	隠/焮韻
0229a	上伊・012オ5・重點	隠	—	イン	右傍	ʼiʌn$^{2/3}$	隠/焮韻
0229b	上伊・012オ5・重點	隠	—	イン	右傍	ʼiʌn$^{2/3}$	隠/焮韻
0241a	上伊・012ウ3・疊字	隠	上	イム	左注	ʼiʌn$^{2/3}$	隠/焮韻
0731b	上波・031ウ1・疊字	隠	上	イム	右注	ʼiʌn$^{2/3}$	隠/焮韻
0269a	上伊・013オ1・疊字	隠	—	イム	右注	ʼiʌn$^{2/3}$	隠/焮韻
1744a	上池・066ウ7・人躰	癮	上	イン	右傍	ʼiʌn^{2}	隠韻
1891b	上池・070オ5・疊字	近	去	キン	左注	giʌn$^{2/3}$	隠/焮韻
0587	上波・024オ4・人躰	齔	上	シ	右傍	tʂiʌn^{2} tʂʻiɪn^{3}	隠韻 震韻

【表B-07】下巻_ⅢBiʌn 隠韻

番号	前田本所在	掲出字		仮名音注		中古音	韻目
3985b	下手・022ウ2・疊字	隠	上	イン	左注	ʼiʌn$^{2/3}$	隠/焮韻
4834b	下木・055オ7・天象	隠	上	イム	右傍	ʼiʌn$^{2/3}$	隠/焮韻
6788a	下洲・113ウ6・植物	菫	上	キン	右傍	kiʌn^{2} giʌn^{1}	隠韻 欣韻
5050a	下木・062オ3・疊字	謹	上	キン	左注	kiʌn^{2}	隠韻
4958a	下木・060ウ4・重點	謹	—	キム	右傍	kiʌn^{2}	隠韻
4958b	下木・060ウ4・重點	謹	—	キム	右傍	kiʌn^{2}	隠韻
4978a	下木・061オ2・疊字	近	去	キン	左注	giʌn$^{2/3}$	隠/焮韻
5083a	下木・062ウ4・疊字	近	去	キン	中注	giʌn$^{2/3}$	隠/焮韻
4957a	下木・060ウ4・重點	近	—	キン	右傍	giʌn$^{2/3}$	隠/焮韻
4957b	下木・060ウ4・重點	近	—	キン	右傍	giʌn$^{2/3}$	隠/焮韻
3629a	下古・010ウ7・疊字	近	平	コン	中注	giʌn$^{2/3}$	隠/焮韻
6898b	下洲・119ウ7・疊字	近	平	コン	中注	giʌn$^{2/3}$	隠/焮韻
5604b	下師・082ウ2・疊字	近	平濁	コン	左注	giʌn$^{2/3}$	隠/焮韻
3730a	下古・013オ7・官職	近	—	コン	中注	giʌn$^{2/3}$	隠/焮韻

【表B-07】上巻ⅢBiʌn 焮韻

番号	前田本所在	掲出字		仮名音注		中古音	韻目
1767b	上池・067ウ4・雑物	靳	—	ソ	右傍	kiʌn^{3}	焮韻

【表B-07】上巻_ⅢBiʌt 迄韻

番号	前田本所在	掲出字		仮名音注		中古音	韻目
2575a	上加・095ウ4・人倫	乞	入	コツ	右傍	k‘iʌt	迄韻

【表B-07】下巻_ⅢBiʌt 迄韻

番号	前田本所在	掲出字		仮名音注		中古音	韻目
3390	下古・004ウ4・人躰	吃	入	キツ	右傍	kiʌt	迄韻
4984a	下木・061オ3・疊字	乞	入	キツ	―	k‘iʌt	迄韻
5031a	下木・061ウ6・疊字	乞	入	キツ	左注	k‘iʌt	迄韻
3708a	下古・012オ3・疊字	乞	入	コツ	右注	k‘iʌt	迄韻
3711a	下古・012オ4・疊字	乞	―	コツ	左注	k‘iʌt	迄韻
3353a	下古・003ウ4・動物	乞	―	コツ	右注	k‘iʌt	迄韻
3362a	下古・003ウ4・動物	鮀	入	キツ	右傍	kiʌt	迄韻
6973a	下古・003ウ4・動物	鮀	入	コツ	右注	kiʌt	迄韻
3586	下古・009ウ1・辞字	忔	―	コツ	右傍	xiʌt	迄韻

【表B-07】上巻_ⅢBiuʌn 文韻

番号	前田本所在	掲出字		仮名音注		中古音	韻目
0114a	上伊・006オ4・人體	雲	平	ウン	右傍	ɣiuʌn^{1}	文韻
0231b	上伊・012ウ1・疊字	雲	平	ウン	左注	ɣiuʌn^{1}	文韻
1325b	上邊・052ウ3・疊字	雲	平	ウン	左注	ɣiuʌn^{1}	文韻
2208a	上遠・080オ4・植物	芸	平	ウン	右傍	ɣiuʌn^{1}	文韻
0354a	上伊・015ウ3・国郡	員	―	ヰナ ［上上］	右傍	ɣiuʌn$^{1/3}$ ɣiuan^{1}	文/問韻 仙韻
0107	上伊・005ウ5・人倫	軍	平	クン	右傍	kiuʌn^{1}	文韻
0632d	上波・025ウ6・人事	軍	―	クン	右傍	kiuʌn^{1}	文韻
1826b	上池・069オ6・疊字	君	平	クン	中注	kiuʌn^{1}	文韻
0826b	上波・032ウ7・疊字	群	平	クン	左注	giuʌn^{1}	文韻
1263b	上保・048ウ5・疊字	群	平	クン	右注	giuʌn^{1}	文韻
3290b	上邊・054オ3・姓氏	群	―	クリ	右注	giuʌn^{1}	文韻
2780	上加・100ウ6・光彩	薫	平	クン	右傍	xiuʌn$^{1/3}$	文/問韻
2778	上加・100ウ5・光彩	芬	平濁	フン	右傍	p‘iuʌn^{1}	文韻
2816	上加・102ウ3・辞字	焚	平	ハン	右傍	biuʌn^{1}	文韻
2556	上加・095オ1・動物	蚊	平	フン	右傍	miuʌn^{1}	文韻
0823b	上波・032ウ6・疊字	聞	平濁	フン	左注	miuʌn$^{1/3}$	文/問韻
2621	上加・096ウ5・人事	聞	去濁	フン	右傍	miuʌn$^{1/3}$	文/問韻
3011b	上加・108ウ4・疊字	聞	去	フン	左注	miuʌn$^{1/3}$	文/問韻
1822b	上池・069オ6・疊字	聞	去	モン	左注	miuʌn$^{1/3}$	文/問韻
0327b	上伊・013ウ7・疊字	文	去	モン	中注	miuʌn^{1}	文韻
1162b	上保・047オ5・疊字	文	去	モン	中注	miuʌn^{1}	文韻

【表B-07】下巻_ⅢBiuʌn 文韻

番号	前田本所在	掲出字		仮名音注		中古音	韻目
6703b	下世・111ウ5・疊字	雲	—	ウン	右注	ɣiuʌn^{1}	文韻
4861	下木・056オ5・植物	橒	平	ウン	右傍	ɣiuʌn^{1}	文韻
5817b	下師・084ウ3・疊字	員	上	ヰン	左注	ɣiuʌn$^{1/3}$ ɣiuan^{1}	文/問韻 仙韻
4534	下佐・046オ4・人事	醺	平	クン	右傍	xiuʌn^{1}	文韻
4878	下木・057オ1・人倫	君	平	クン	右傍	kiuʌn^{1}	文韻
4824b	下佐・054ウ3・官職	軍	—	ク	右注	kiuʌn^{1}	文韻
4197	下阿・029オ6・人躰	皸	平	クウン	右傍	kiuʌn$^{1/3}$	文/問韻
4400b	下阿・040ウ5・国郡	群	—	クリ	右傍	giuʌn^{1}	文韻
6437	下毛・103オ4・雜物	裙	平	クン	右傍	giuʌn^{1}	文韻
4837	下木・055オ7・天象	雰	平	フン	右傍	p‘iuʌn^{1}	文韻
3452	下古・007オ4・雜物	焚	平	ハン	右傍	biuʌn^{1}	文韻
3898	下手・019ウ6・人體	紋	平濁	フン	右注	miuʌn^{1}	文韻
4896	下木・057ウ4・人事	聞	平濁	フン	右傍	miuʌn$^{1/3}$	文/問韻
5811b	下師・084ウ2・疊字	聞	平濁	フン	左注	miuʌn$^{1/3}$	文/問韻
6194	下飛・095オ4・光彩	文	平濁	フン	右傍	miuʌn^{1}	文韻
6465a	下毛・105ウ1・重點	文	去	モン	右注	miuʌn^{1}	文韻
6470a	下毛・105ウ4・疊字	文	去	モン	左注	miuʌn^{1}	文韻
6471a	下毛・105ウ4・疊字	文	去	モン	右注	miuʌn^{1}	文韻
6465b	下毛・105ウ1・重點	文	上	モン	右注	miuʌn^{1}	文韻
4042b	下手・023ウ5・官職	文	—	モン	右注	miuʌn^{1}	文韻
6191b	下飛・095オ2・雜物	文	—	モン	右傍	miuʌn^{1}	文韻
6448	下毛・103ウ2・光彩	文	—	モン	右注	miuʌn^{1}	文韻
6475a	下毛・105ウ5・疊字	文	—	モン	右注	miuʌn^{1}	文韻
6481a	下毛・106オ1・官職	文	—	モン	右注	miuʌn^{1}	文韻

【表B-07】上巻_ⅢBiuʌn 吻韻

番号	前田本所在	掲出字		仮名音注		中古音	韻目
0678b	上波・027オ6・雜物	粉	上	フン	右傍	piuʌn^{2}	吻韻
1314b	上邊・051ウ5・雜物	粉	上	フン	右傍	piuʌn^{2}	吻韻
1604b	上度・062ウ2・疊字	忿	去	フン	左注	p‘iuʌn$^{2/3}$	吻/問韻
0701	上波・029オ4・人事	刎	上濁	フン	右傍	miuʌn^{2}	吻韻

【表B-07】下巻_ⅢBiuʌn 吻韻

番号	前田本所在	掲出字		仮名音注		中古音	韻目
3418	下古・006オ7・飲食	粉	上	フン	右傍	piuʌn^{2}	吻韻
5474a	下師・075オ3・光彩	粉	上	フン	右傍	piuʌn^{2}	吻韻

3571b	下古・007ウ4・光彩	粉	―	フン［上上］	―	piuʌn²	吻韻
4228b	下阿・031オ5・飲食	粉	平	フン		piuʌn²	吻韻
6321b	下飛・098ウ6・疊字	粉	平	フン	左注	piuʌn²	吻韻
5892b	下師・085ウ1・疊字	吻	―	フツ	右傍	miuʌn²	吻韻

【表B-07】上巻_ⅢBiuʌn 問韻

番号	前田本所在	掲出字		仮名音注		中古音	韻目
2425	上加・091オ5・天象	暈	去	ウン	右傍	ɣiuʌn³	問韻
2923b	上加・107ウ1・疊字	訓	去	クヰン	中注	xiuʌn³	問韻
3159a	上加・111ウ4・國郡	郡	―	クル	右傍	giuʌn³	問韻
2979b	上加・108オ5・疊字	分	去濁	フン	左注	biuʌn³	問韻
3082b	上加・109ウ4・疊字	分	去濁	フン	左注	biuʌn³	問韻
1025a	上保・041ウ1・天象	分	去濁	フム	右傍	biuʌn³	問韻
1658b	上度・063オ6・疊字	分	平濁	フン	中注	biuʌn³	問韻
2360	上和・088ウ6・辞字	分	平	フン	右傍	biuʌn³	問韻
2136b	上利・076オ3・官職	分	―	フン	右注	biuʌn³	問韻
3019b	上加・108ウ6・疊字	問	平	モン	左注	miuʌn³	問韻

【表B-07】下巻_ⅢBiuʌn 問韻

番号	前田本所在	掲出字		仮名音注		中古音	韻目
6504a	下世・106ウ7・地儀	訓	去	クヰン	右傍	xiuʌn³	問韻
4068a	下阿・025オ6・地儀	糞	去	フン	右傍	piuʌn³	問韻
5797b	下師・084オ7・疊字	分	―	フン	左注	biuʌn³	問韻
6927b	下洲・120オ7・疊字	分	―	フン	右注	biuʌn³	問韻
6476a	下毛・105ウ5・疊字	問	平	モン	右注	miuʌn³	問韻
6478a	下毛・105ウ5・疊字	問	平	モン	右注	miuʌn³	問韻
6424a	下毛・102ウ3・人事	問	―	モン	右注	miuʌn³	問韻

【表B-07】上巻_ⅢBiuʌt物韻

番号	前田本所在	掲出字		仮名音注		中古音	韻目
0334b	上伊・014オ1・疊字	欝	入	ウツ	左注	'iuʌt	物韻
0338b	上伊・014オ2・疊字	欝	入	ウツ	右注	'iuʌt	物韻
3253b	上与・117ウ4・疊字	屈	入	クヰツ	中注	k'iuʌt kiuʌt	物韻 物韻
2056b	上利・074ウ6・疊字	綍	去	ハイ	右注	piuʌt	物韻
2154	上奴・077オ5・人躰	髴	入	フツ	右傍	p'iuʌt	物韻
1313b	上邊・051ウ4・雜物	㇏	―	ホツ	右注	p'iuʌt	物韻
0609	上波・024ウ7・人事	拂	―	ホツ	右傍	p'iuʌt	物韻
0656b	上波・026ウ2・雜物	拂	―	ホツ	右傍	p'iuʌt	物韻
0271b	上伊・013オ2・疊字	物	入濁	フツ	右注	miuʌt	物韻

1912b	上池・070ウ3・疊字	物	入濁	フツ	左注	miuʌt	物韻
0272b	上伊・013オ2・疊字	物	入濁	モツ	左注	miuʌt	物韻
1218b	上保・048オ3・疊字	物	入	フツ	左注	miuʌt	物韻
0419b	上呂・018オ4・雑物	物	―	モツ	右注	miuʌt	物韻

【表B-07】下巻_ⅢBiuʌt 物韻

番号	前田本所在	掲出字		仮名音注		中古音	韻目
5145b	下木・063ウ5・疊字	欝	―	ウツ	左注	'iuʌt	物韻
5079b	下木・062ウ3・疊字	屈	入	クツ	中注	k'iuʌt kiuʌt	物韻 物韻
6968b	下木・062ウ3・疊字	屈	入	クヰツ	中注	k'iuʌt kiuʌt	物韻 物韻
6811b	下洲・114ウ2・植物	蝠	―	クヰツ	右傍	k'iuʌt	物韻
4676b	下佐・051オ7・疊字	佛	入	フツ	左注	biuʌt	物韻
6904b	下洲・120オ2・疊字	物	入	フツ	右注	miuʌt	物韻
4036b	下手・023ウ1・疊字	物	入	モツ	左注	miuʌt	物韻
4768b	下佐・053オ1・疊字	物	平 入	モツ	左注	miuʌt	物韻
5116b	下木・063オ6・疊字	物	―	（モツ）	左注	miuʌt	物韻
4952	下木・059ウ5・辞字	岉	平	ク	右傍	miuʌt	物韻

【表B-07】上巻_ⅢBiʌuŋ 東韻

番号	前田本所在	掲出字		仮名音注		中古音	韻目
0247a	上伊・012ウ4・疊字	熊	平	イウ	左注	ɣiʌuŋ^{1}	東韻
2220	上遠・080ウ3・動物	雄	平	イウ	右傍	ɣiʌuŋ^{1}	東韻
1179b	上保・047ウ2・疊字	宮	平	キウ	左注	kiʌuŋ^{1}	東韻
1834c	上池・069ウ1・疊字	宮	平	キウ	左注	kiʌuŋ^{1}	東韻
1586b	上度・062オ5・疊字	宮	上	クウ	左注	kiʌuŋ^{1}	東韻
1833b	上池・069ウ1・疊字	宮	上濁	クウ	左注	kiʌuŋ^{1}	東韻
1695b	上度・064オ6・官職	宮	―	クウ	右傍	kiʌuŋ^{1}	東韻
1965b	上池・071ウ7・官職	宮	―	ク	右注	kiʌuŋ^{1}	東韻
2214a	上遠・080オ7・植物	芎	去	キウ	左傍	k'iʌuŋ^{1}	東韻
2213a	上遠・080オ7・植物	芎	去	ク	右傍	k'iʌuŋ^{1}	東韻
2214b	上遠・080オ7・植物	藭	平	キウ	左傍	giʌuŋ^{1}	東韻
2213b	上遠・080オ7・植物	藭	平	ク	右傍	giʌuŋ^{1}	東韻
1821b	上池・069オ5・疊字	衆	平濁	シウ	左注	tśiʌuŋ$^{1/3}$	東/送韻
1652b	上度・063オ5・疊字	中	平	チウ	左注	ṭiʌuŋ$^{1/3}$	東/送韻
0954b	上仁・037ウ1・人躰	中	上	チウ	右注	ṭiʌuŋ$^{1/3}$	東/送韻
0990b	上仁・040オ3・疊字	中	上	チウ	左注	ṭiʌuŋ$^{1/3}$	東/送韻
1800a	上池・069オ1・疊字	中	去	チウ	左注	ṭiʌuŋ$^{1/3}$	東/送韻
1806a	上池・069オ2・疊字	中	去	チウ	左注	ṭiʌuŋ$^{1/3}$	東/送韻
0134	上伊・007オ1・人事	忡	平	チウ	右傍	ṭ'iʌuŋ^{1}	東韻

2317	上和・087オ4・人事	种	平	チウ	右傍	ḍiʌuŋ^{1}	東韻
1152b	上保・047オ3・疊字	風	平	フウ	左注	piʌuŋ$^{1/3}$	東/送韻
1572b	上度・062オ2・疊字	風	平	フウ	中注	piʌuŋ$^{1/3}$	東/送韻
0488b	上波・020ウ4・地儀	風	上	フウ	右傍	piʌuŋ$^{1/3}$	東/送韻
2217	上遠・080ウ1・植物	楓	平	フウ	右傍	piʌuŋ^{1}	東韻
1155a	上保・047オ4・疊字	豊	平	ホウ	右注	p'iʌuŋ^{1} lei^{2}	東韻 薺韻
1156a	上保・047オ4・疊字	豊	平	ホウ	左注	p'iʌuŋ^{1} lei^{2}	東韻 薺韻
1192a	上保・047ウ4・疊字	豊	平	ホウ	左注	p'iʌuŋ^{1} lei^{2}	東韻 薺韻
1035a	上保・041ウ6・地儀	豊	—	ホウ	右注	p'iʌuŋ^{1} lei^{2}	東韻 薺韻
0160	上伊・008オ6・飲食	麷	平	ホウ	右傍	p'iʌuŋ$^{1/3}$	東/送韻
1274b	上保・049ウ1・諸寺	隆	上	リウ	右注	liʌuŋ^{1}	東韻
2406b	上和・090オ7・疊字	窿	平	リウ	左注	liʌuŋ^{1}	東韻

【表B-07】下巻_ⅢBiʌuŋ 東韻

番号	前田本所在	掲出字		仮名音注		中古音	韻目
3813b	下江・017オ3・疊字	雄	平	イウ	中注	ɣiʌuŋ^{1}	東韻
5877b	下師・085オ6・疊字	雄	平	イウ	右注	ɣiʌuŋ^{1}	東韻
5240	下由・067ウ4・雜物	弓	平	キウ	右傍	kiʌuŋ^{1}	東韻
4816b	下佐・054オ7・官職	宮	—	ク	右注	kiʌuŋ^{1}	東韻
4678b	下佐・051ウ1・疊字	穹	—	キウ	右傍	k'iʌuŋ^{1}	東韻
5045a	下木・062オ2・疊字	窮	平 去	キウ	左注	giʌuŋ^{1}	東韻
5079a	下木・062ウ3・疊字	窮	平	キウ	中注	giʌuŋ^{1}	東韻
6968a	下木・062ウ3・疊字	窮	平	キウ	中注	giʌuŋ^{1}	東韻
5082a	下木・062ウ4・疊字	窮	—	キウ	左注	giʌuŋ^{1}	東韻
6282b	下飛・098オ6・疊字	窮	上	ク	左注	giʌuŋ^{1}	東韻
3754b	下江・014ウ6・動物	䱷	平濁	シウ	右傍	siʌuŋ^{1}	東韻
3323b	下古・002ウ2・植物	菘	平	シヨウ	右傍	siʌuŋ^{1}	東韻
4592a	下佐・047ウ5・雜物	柊	平	シウ	右傍	tśiʌuŋ^{1}	東韻
5535a	下師・078ウ7・疊字	終	平	シウ	左注	tśiʌuŋ^{1}	東韻
5598a	下師・080ウ6・疊字	終	平	シウ	左注	tśiʌuŋ^{1}	東韻
5534a	下師・078ウ7・疊字	終	—	シウ	左注	tśiʌuŋ^{1}	東韻
5793a	下師・084オ6・疊字	衆	平	シウ	左注	tśiʌuŋ$^{1/3}$	東/送韻
5836a	下師・084ウ6・疊字	衆	去	シウ	左注	tśiʌuŋ$^{1/3}$	東/送韻
6414	下毛・102オ1・人倫	衆	去	シウ	右傍	tśiʌuŋ$^{1/3}$	東/送韻
5901a	下師・085ウ3・疊字	衆	—	シウ	右傍	tśiʌuŋ$^{1/3}$	東/送韻
4079b	下阿・025ウ2・地儀	衆	去	シユ	右傍	tśiʌuŋ$^{1/3}$	東/送韻
5332	下師・071オ2・人倫	衆	—	シユ	左注	tśiʌuŋ$^{1/3}$	東/送韻

5768a	下師・084オ2・疊字	充	去濁	シユ	左注	tś'iʌuŋ^{1}	東韻
3759	下江・015オ2・人倫	戎	平濁	シウ	右傍	ńiʌuŋ^{1}	東韻
5725a	下師・083オ3・疊字	戎	去濁	シウ	左注	ńiʌuŋ^{1}	東韻
5168b	下木・064オ3・疊字	崇	平	ス	右注	dẓiʌuŋ^{1}	東韻
6785a	下洲・113ウ4・地儀	崇	平	ス	右傍	dẓiʌuŋ^{1}	東韻
6783a	下洲・113ウ4・地儀	崇	平	スウ	右傍	dẓiʌuŋ^{1}	東韻
5007b	下木・061ウ1・疊字	中	平	チウ	右注	ṭiʌuŋ$^{1/3}$	東韻
6016b	下會・089ウ5・國郡	中	―	チウ	右注	ṭiʌuŋ$^{1/3}$	東/送韻
6365b	下飛・100オ1・國郡	中	―	チウ	右傍	ṭiʌuŋ$^{1/3}$	東/送韻
4441b	下佐・042ウ2・地儀	風	平	フウ	左注	piʌuŋ$^{1/3}$	東/送韻
6494b	下世・106ウ5・地儀	風	東	フウ	右傍	piʌuŋ$^{1/3}$	東/送韻
6181b	下飛・094ウ7・雜物	風	上	フ	右傍	piʌuŋ$^{1/3}$	東/送韻
5258	下由・068ウ5・辭字	豊	平	ホウ	右傍	p'iʌuŋ^{1} lei^{2}	東韻 薺韻
5843b	下師・084ウ7・疊字	夢	平	ム	右注	miʌuŋ^{1} mʌuŋ^{3}	東韻 送韻
5983b	下會・088ウ3・人事	隆	平	リウ	右傍	liʌuŋ^{1}	東韻
6741b	下世・112オ5・疊字	隆	平	リウ	左注	liʌuŋ^{1}	東韻
3707b	下古・012オ3・疊字	隆	上	リウ	左注	liʌuŋ^{1}	東韻

【表B-07】上巻_ⅢBiʌuŋ 送韻

番号	前田本所在	掲出字		仮名音注		中古音	韻目
1793a	上池・068ウ7・疊字	仲	去	チウ	左注	ḍiʌuŋ^{3}	送韻
1794a	上池・068ウ7・疊字	仲	去	チウ	左注	ḍiʌuŋ^{3}	送韻
1795a	上池・068ウ7・疊字	仲	去	チウ	左注	ḍiʌuŋ^{3}	送韻
1796a	上池・068ウ7・疊字	仲	去	チウ	左注	ḍiʌuŋ^{3}	送韻
1047a	上保・042オ7・動物	鳳	去	ホウ	中注	biʌuŋ^{3}	送韻
1048a	上保・042オ7・動物	鳳	去	ホウ	左注	biʌuŋ^{3}	送韻
1175a	上保・047ウ1・疊字	鳳	去	ホウ	左注	biʌuŋ^{3}	送韻
1180a	上保・047ウ2・疊字	鳳	去	ホウ	左注	biʌuŋ^{3}	送韻
1209a	上保・048オ1・疊字	鳳	去	ホウ	中注	biʌuŋ^{3}	送韻
1257a	上保・048ウ4・疊字	鳳	去	ホウ	中注	biʌuŋ^{3}	送韻
1059a	上保・042ウ6・動物	鳳	―	ホヽ [上上]	右注	biʌuŋ^{3}	送韻

【表B-07】下巻_ⅢBiʌuŋ 送韻

番号	前田本所在	掲出字		仮名音注		中古音	韻目
6493b	下世・106ウ4・地儀	鳳	去	ホウ	右傍	biʌuŋ^{3}	送韻
5008a	下木・061ウ1・疊字	鳳	―	ホウ	右傍	biʌuŋ^{3}	送韻

【表B-07】上巻_ⅢBiʌuk 屋韻

番号	前田本所在	掲出字		仮名音注		中古音	韻目
2025b	上利・074オ7・疊字	燠	入	イク	左注	'iʌuk	屋韻
2857b	上加・106ウ1・疊字	燠	入	イク	右注	'iʌuk	屋韻
0342a	上伊・014オ3・疊字	育	入	イク	右注	jiʌuk	屋韻
0985	上仁・039オ7・辞字	掬	―	キク	右傍	kiʌuk	屋韻
2665	上加・098オ4・飲食	麹	入	キク	右傍	k'iʌuk	屋韻
1606b	上度・062ウ2・疊字	哭	入	コク	左注	k'iʌuk	屋韻
1473	上度・056ウ4・人事	宿	―	シク	右傍	siʌuk	屋韻
2102b	上利・075ウ1・疊字	宿	入	シユク	左注	siʌuk	屋韻
1949b	上池・071オ3・疊字	肅	入	シク	右注	siʌuk	屋韻
0918	上波・035オ3・官職	祝	入	シク	右注	tśiʌuk tśiʌu3	屋韻 宥韻
2658	上加・098オ3・飲食	粥	入	シク	右傍	tśiʌuk jiʌuk	屋韻 屋韻
0659b	上波・026ウ3・雜物	熟	入	スク	右注	źiʌuk	屋韻
0586	上波・024オ4・人躰	衄	入濁	チク	右傍	ńiʌuk niʌuk	屋韻 屋韻
1859a	上池・069ウ6・疊字	竹	入	チク	左注	ṭiʌuk	屋韻
1896a	上池・070オ6・疊字	竹	入	チク	右注	ṭiʌuk	屋韻
1917a	上池・070ウ4・疊字	竹	入	チク	左注	ṭiʌuk	屋韻
1934a	上池・070ウ7・疊字	竹	入	チク	右注	ṭiʌuk	屋韻
1287b	上邊・050オ4・植物	竹	―	チク	右注	ṭiʌuk	屋韻
1956a	上池・071ウ1・諸社	竹	―	チク	右注	ṭiʌuk	屋韻
2464b	上加・092オ7・植物	竹	―	チク	右注	ṭiʌuk	屋韻
1771	上池・067ウ5・雜物	筑	入	チク	右注	ṭiʌuk ḍiʌuk	屋韻 屋韻
1957a	上池・071ウ3・國郡	筑	―	チク	右注	ṭiʌuk ḍiʌuk	屋韻 屋韻
1961a	上池・071ウ4・國郡	筑	―	チク	右注	ṭiʌuk ḍiʌuk	屋韻 屋韻
1963a	上池・071ウ5・國郡	筑	―	チク	右注	ṭiʌuk ḍiʌuk	屋韻 屋韻
1980a	上池・072オ5・姓氏	筑	―	チク	右注	ṭiʌuk ḍiʌuk	屋韻 屋韻
0405b	上呂・017ウ1・動物	畜	―	チク	右注	ṭ'iʌuk xiʌuk ṭ'iʌu3 xiʌu3	屋韻 屋韻 宥韻 宥韻
1725a	上池・066オ4・動物	畜	―	チク	右注	ṭ'iʌuk xiʌuk ṭ'iʌu3 xiʌu3	屋韻 屋韻 宥韻 宥韻

1944a	上池・071オ2・疊字	蓄	入	チク	右注	ṭʻiʌuk xiʌuk	屋韻 屋韻
1304	上邊・051ウ3・雜物	舳	入	チク	右傍	ḍiʌuk	屋韻
1765	上池・067ウ3・雜物	舳	入濁	チク	右注	ḍiʌuk	屋韻
3221	上与・115ウ4・雜物	舳	入	チク	右傍	ḍiʌuk	屋韻
0815b	上波・032ウ4・疊字	逐	入	チク	右注	ḍiʌuk	屋韻
1799a	上池・069オ1・疊字	逐	入	チク	左注	ḍiʌuk	屋韻
3133a	上加・110ウ2・疊字	忸	入濁	チク	右傍	niʌuk	屋韻
1908a	上池・070ウ2・疊字	忸	入	チク	左注	niʌuk	屋韻
0577	上波・023ウ6・人躰	腹	入	フク	右傍	piʌuk	屋韻
1592b	上度・062オ6・疊字	腹	入	フク	中注	piʌuk	屋韻
2404b	上和・090オ7・疊字	複	入	フク	左注	piʌuk biʌu^3	屋韻 宥韻
2560b	上加・095オ3・動物	蝠	入	フク	右傍	piʌuk	屋韻
0392b	上伊・016ウ1・姓氏	福	—	フク	右注	piʌuk	屋韻
0050a	上伊・003ウ5・植物	蕧	入	フク	右傍	pʻiʌuk biʌuk	屋韻 屋韻
0560	上波・023オ2・動物	蝮	—	フク	右傍	pʻiʌuk	屋韻
1212b	上保・048オ1・疊字	伏	入	フク	右注	biʌuk	屋韻
2891b	上加・107オ1・疊字	伏	入濁	フク	中注	biʌuk	屋韻
1946b	上池・071オ2・疊字	服	入濁	フク	右注	biʌuk	屋韻
1348b	上邊・052ウ7・疊字	復	入	フク	右注	biʌuk	屋韻
2779	上加・100ウ6・光彩	馥	—	フク	右傍	biʌuk biɐk	屋韻 職韻
1211b	上保・048オ1・疊字	匐	入	ホク	右注	biʌuk bʌuk	屋韻 徳韻
0315b	上伊・013ウ4・疊字	目	入濁	ホク	左注	miʌuk	屋韻
1605b	上度・062ウ2・疊字	目	入濁	ホク	左注	miʌuk	屋韻
1919b	上池・070ウ4・疊字	目	入濁	ホク	右注	miʌuk	屋韻
0116b	上伊・006オ5・人體	目	—	ホク	右傍	miʌuk	屋韻
1827b	上池・069オ7・疊字	目	入	モク	左注	miʌuk	屋韻
1183a	上保・047ウ3・疊字	牧	入濁	ホク	右注	miʌuk	屋韻
2810	上加・102オ4・辞字	牧	—	モク	右傍	miʌuk	屋韻
1569b	上度・062オ2・疊字	睦	入	ホク	中注	miʌuk	屋韻
0758b	上波・031ウ7・疊字	陸	入	リク	左注	liʌuk	屋韻
2101a	上利・075ウ1・疊字	陸	入	リク	左注	liʌuk	屋韻
2106a	上利・075ウ2・疊字	陸	入	リク	左注	liʌuk	屋韻
0057b	上伊・004オ1・植物	陸		リク	右傍	liʌuk	屋韻
2032a	上利・074ウ1・疊字	陸	—	リク	右注	liʌuk	屋韻
0044	上和・086オ3・植物	稑	—	ロク	右傍	liʌuk	屋韻
2030a	上利・074ウ1・疊字	六	入	リク	左注	liʌuk	屋韻
2125a	上利・075ウ5・疊字	六	入	リク	左注	liʌuk	屋韻
2129a	上利・075ウ6・疊字	六	入	リク	左注	liʌuk	屋韻
0406a	上呂・017ウ4・人體	六	入	ロク	右注	liʌuk	屋韻
0432a	上呂・019オ1・疊字	六	入	ロク	左注	liʌuk	屋韻
0449a	上呂・019オ4・疊字	六	入	ロク	左注	liʌuk	屋韻
0405a	上呂・017ウ1・動物	六	—	ロク	右注	liʌuk	屋韻
0459a	上呂・019ウ2・諸寺	六	—	ロク	右注	liʌuk	屋韻

2070a	上利・075オ2・疊字	勠	入	リク	左注	liʌuk liʌu$^{1/3}$	屋韻 尤/宥韻

【表B-07】下巻_ⅢBiʌuk 屋韻

番号	前田本所在	掲出字		仮名音注		中古音	韻目
4125b	下阿・027オ1・植物	薁	—	イク	右傍	'iʌuk	屋韻
6100a	下飛・092ウ2・人倫	鬻	入	イク	右傍	jiʌuk	屋韻
6381a	下飛・100オ3・國郡	菊	—	キク	右傍	kiʌuk	屋韻
5110a	下木・063オ4・疊字	麹	—	キク	左注	k'iʌuk	屋韻
4938a	下木・058ウ6・光彩	麹	—	キ [上]	右傍	k'iʌuk	屋韻
5564a	下師・079ウ4・疊字	宿	—	シク	左注	siʌuk	屋韻
5746a	下師・083ウ2・疊字	宿	—	シク	左注	siʌuk	屋韻
5763a	下師・083ウ7・疊字	宿	—	シク	中注	siʌuk	屋韻
4813b	下佐・054オ4・國郡	宿	—	スキ	右傍	siʌuk	屋韻
5471a	下師・074ウ7・雜物	粛	徳	シク	右傍	siʌuk	屋韻
5589a	下師・080ウ3・疊字	夙	徳	シク	左注	siʌuk	屋韻
5461a	下師・074ウ5・雜物	縮	—	シク	右傍	ṣiʌuk	屋韻
5392	下師・073オ7・飲食	粥	入	シク	右傍	tśiʌuk jiʌuk	屋韻 屋韻
6131	下飛・093オ7・人事	粥	—	イク	右傍	jiʌuk tśiʌuk	屋韻 屋韻
3569b	下古・007ウ2・雜物	外	入	シク	右傍	śiʌuk	屋韻
6947a	下洲・120ウ5・疊字	熟	入	スク	左注	źiʌuk	屋韻
4138c	下阿・027オ7・動物	肉	入濁	シク	右傍	ńiʌuk	屋韻
4201b	下阿・029オ7・人躰	肉	入濁	シク	右傍	ńiʌuk	屋韻
5338	下師・071オ7・人躰	肉	入	シク	右傍	ńiʌuk	屋韻
5339	下師・071オ7・人躰	肉	入	ニク	右注	ńiʌuk	屋韻
3631b	下古・010ウ7・疊字	肉	—	シク	左注	ńiʌuk	屋韻
5182b	下木・064オ6・疊字	竹	入	チク	右注	ṭiʌuk	屋韻
5708a	下師・082ウ6・疊字	竹	入	チク	右傍	ṭiʌuk	屋韻
3909b	下手・020ウ4・雜物	竹	—	チク	右傍	ṭiʌuk	屋韻
4792b	下佐・053ウ1・疊字	竹	—	チク	右注	ṭiʌuk	屋韻
5929a	下師・086ウ3・國郡	筑	—	ツク	右傍	ṭiʌuk ḍiʌuk	屋韻 屋韻
6356a	下飛・099ウ7・國郡	筑	—	ツク	右傍	ṭiʌuk ḍiʌuk	屋韻 屋韻
6937b	下洲・120ウ2・疊字	逐	—	チク	左注	ḍiʌuk	屋韻
4164a	下阿・028オ7・人倫	妯	入 平	チク	右傍	ḍiʌuk ṭ'iʌu^{1}	屋韻 尤韻
5075b	下木・062ウ2・疊字	複	入濁	フク	中注	piʌuk biʌu^{3}	屋韻 宥韻
5165b	下木・064オ2・疊字	複	—	フク	左注	piʌuk biʌu^{3}	屋韻 宥韻

4572	下佐・047オ6・雜物	鍑	入	フク	右傍	piʌuk piʌu[3]	屋韻 宥韻
4078b	下阿・025ウ2・地儀	福	入	フク	右傍	piʌuk	屋韻
5148b	下木・063ウ6・疊字	伏	入	フク	左注	biʌuk	屋韻
5837b	下師・084ウ6・疊字	伏	入	フク	左注	biʌuk	屋韻
5671b	下師・082オ3・疊字	伏	—	フク	左注	biʌuk	屋韻
4945	下木・059ウ2・辞字	服	—	フク	右注	biʌuk	屋韻
4150	下阿・027ウ5・動物	鰒	入	フク	右傍	biʌuk	屋韻
4393a	下阿・039ウ6・疊字	馥	入	フク	右傍	biʌuk biɐk	屋韻 職韻
6263b	下飛・098オ3・疊字	目	—	ホク	右注	miʌuk	屋韻
6733b	下世・112オ4・疊字	目	—	ホク	右傍	miʌuk	屋韻
6921b	下洲・120オ6・疊字	目	—	ホク	中注	miʌuk	屋韻
5705b	下師・082ウ5・疊字	目	—	モク	左注	miʌuk	屋韻
6469a	下毛・105ウ3・疊字	目	—	モク	左注	miʌuk	屋韻
6644b	下世・111オ2・疊字	穆	入濁	ホク	中注	miʌuk	屋韻
6645b	下世・111オ2・疊字	穆	入濁	モク	右傍	miʌuk	屋韻
4153b	下阿・027ウ7・動物	陸	入	リク	右傍	liʌuk	屋韻
6827b	下洲・115ウ1・人事	六	—	リク	右傍	liʌuk	屋韻
6828b	下洲・115ウ1・人事	六	—	ロク	右注	liʌuk	屋韻
6862b	下洲・116ウ2・雜物	六	—	ロク	右注	liʌuk	屋韻

【表B-08】上巻_ⅢAia 麻韻

番号	前田本所在	掲出字		仮名音注		中古音	韻目
1662b	上度・063オ7・疊字	車	平濁	シヤ	左注	tś‘ia^{1} kiʌ^{1}	麻韻 魚韻
1922b	上池・070ウ5・疊字	車	平	シヤ	中注	tś‘ia^{1} kiʌ^{1}	麻韻 魚韻
3259b	上与・117ウ6・疊字	車	上	シヤ	中注	tś‘ia^{1} kiʌ^{1}	麻韻 魚韻
1290	上邊・050ウ2・動物	虵	平	シヤ	右傍	dźia^{1} jia^{2} jie^{1}	麻韻 馬韻 支韻
2559b	上加・095オ2・動物	虵	平	シヤ	右傍	dźia^{1} jia^{2} jie^{1}	麻韻 馬韻 支韻
1801a	上池・069オ1・疊字	虵	平濁	チ	左注	dźia^{1} jia^{2} jie^{1}	麻韻 馬韻 支韻
0708	上波・029ウ7・人事	賒	平	シヤ	右傍	śia^{1}	麻韻

【表B-08】下巻_ⅢAia 麻韻

番号	前田本所在	掲出字		仮名音注		中古音	韻目
4267	下阿・032オ7・雑物	罝	平	サ	右傍	tsia^{1}	麻韻
4048a	下阿・024オ7・天象	斜	平	シヤ	右注	zia^{1} jia^{1}	麻韻 麻韻
5547a	下師・079オ4・疊字	斜	平	シヤ	右注	zia^{1} jia^{1}	麻韻 麻韻
5540a	下師・079オ2・疊字	斜	平	シヤウ	右注	zia^{1} jia^{1}	麻韻 麻韻
4710b	下佐・052オ1・疊字	邪	平	シヤ	左注	źia^{1} jia^{1}	麻韻 麻韻
5624a	下師・081オ7・疊字	邪	去	シヤ	左注	źia^{1} jia^{1}	麻韻 麻韻
5333a	下師・071オ3・人倫	邪	—	シヤ	右注	źia^{1} jia^{1}	麻韻 麻韻
5563a	下師・079ウ3・疊字	邪	—	シヤ	右注	źia^{1} jia^{1}	麻韻 麻韻
4626	下佐・050オ3・辞字	遮	—	シヤ	右傍	tśia^{1}	麻韻
5504	下師・077オ2・辞字	遮	—	シヤ	右注	tśia^{1}	麻韻
6944b	下洲・120ウ4・疊字	車	平	シヤ	左注	tś‘ia^{1} kiʌ^{1}	麻韻 魚韻

5133b	下木・063ウ2・疊字	車	—	（シヤ）	左注	tśʻia^{1} kiʌ^{1}	麻韻 魚韻
5462c	下師・074ウ5・雜物	車	—	シヤ	右傍	tśʻia^{1} kiʌ^{1}	麻韻 魚韻
5463c	下師・074ウ5・雜物	車	—	シヤ	右傍	tśʻia^{1} kiʌ^{1}	麻韻 魚韻
5409a	下師・073ウ6・雜物	硨	去	シヤ	右傍	tśʻia^{1}	麻韻
5938a	下師・069オ7・植物	虵	—	シヤ	右注	dźia^{1} jia^{2} jie^{1}	麻韻 馬韻 支韻

【表B-08】上巻_ⅢAia 馬韻

番号	前田本所在	掲出字		仮名音注		中古音	韻目
1853b	上池・069ウ5・疊字	者	上	シヤ	中注	tśia^{2}	馬韻
2369b	上和・089ウ7・疊字	者	上	シヤ	左注	tśia^{2}	馬韻
3249b	上与・117ウ4・疊字	者	上	シヤ	左注	tśia^{2}	馬韻
1852b	上池・069ウ5・疊字	者	上濁	シヤ	左注	tśia^{2}	馬韻
1894b	上池・070オ6・疊字	者	平	シヤ	左注	tśia^{2}	馬韻
1823b	上池・069オ6・疊字	者	平濁	シヤ	左注	tśia^{2}	馬韻
2139b	上利・076オ4・官職	者	—	シヤ	右注	tśia^{2}	馬韻
2393b	上和・090オ5・疊字	舎	上	シヤ	右傍	śia$^{2/3}$	馬/禡韻
3269b	上与・118オ1・疊字	捨	去	シヤ	右注	śia^{2}	馬韻
1272b	上保・049オ6・諸社	野	—	ヤ	右注	jia^{2} źiʌ^{2}	馬韻 語韻
1689b	上度・064オ2・国郡	野	—	ヤ	右傍	jia^{2} źiʌ^{2}	馬韻 語韻
3147b	上加・111オ7・諸寺	野	—	ヤ	右傍	jia^{2} źiʌ^{2}	馬韻 語韻
2927b	上加・107ウ1・疊字	冶	上 去	ヤ	左注	jiɑ^{2}	馬韻
2570b	上加・095ウ3・人倫	冶	—	ヤ	右傍	jia^{2}	馬韻

【表B-08】下巻_ⅢAia 馬韻

番号	前田本所在	掲出字		仮名音注		中古音	韻目
5918a	下師・086オ7・諸寺	寫	—	シヤ	右注	sia^{2}	馬韻
5581a	下師・080オ4・疊字	瀉	去	シヤ	左注	sia$^{2/3}$	馬/禡韻
4998b	下木・061オ6・疊字	者	平	シヤ	左注	tśia^{2}	馬韻
5326c	下師・071オ1・人倫	者	—	シヤ	右注	tśia^{2}	馬韻
5701b	下師・082ウ3・疊字	者	—	シヤ	左注	tśia^{2}	馬韻
5789b	下師・084オ5・疊字	捨	平	シヤ	左注	śia^{2}	馬韻

4404a	下阿・040ウ5・国郡	野	―	ヤ	右傍	jia^{2} źiʌ^{2}	馬韻 語韻
4807b	下佐・054オ3・國郡	野	―	ヤ	右傍	jia^{2} źiʌ^{2}	馬韻 語韻
5200b	下木・065オ2・国郡	野	―	ヤ	右注	jia^{2} źiʌ^{2}	馬韻 語韻

【表B-08】上巻_ⅢAia 禡韻

番号	前田本所在	掲出字		仮名音注		中古音	韻目
0804b	上波・032ウ2・疊字	謝	去	シヤ	右注	zia^{3}	禡韻
2479a	上加・092ウ7・植物	射	去	ヤ	左傍	jia^{3} dźia^{3}	禡韻 禡韻
3155b	上加・111ウ4・國郡	射	―	サ	右傍	dźia^{3} jia^{3}	禡韻 禡韻
1026b	上保・041ウ1・天象	夜	去	ヤ	右傍	jia^{3}	禡韻
3193a	上与・114オ3・動物	夜	去	ヤ	右傍	jia^{3}	禡韻
0727b	上波・031ウ1・疊字	夜	平	ヤ	右注	jia^{3}	禡韻
1797b	上池・069オ1・疊字	夜	平	ヤ	中注	jia^{3}	禡韻
2862b	上加・106ウ2・疊字	夜	平	ヤ	左注	jia^{3}	禡韻
1058b	上保・042ウ5・動物	夜	―	ヤ	右注	jia^{3}	禡韻

【表B-08】下巻_ⅢAia 禡韻

番号	前田本所在	掲出字		仮名音注		中古音	韻目
5500	下師・076ウ5・辞字	謝	―	シヤ ［平去］	右注	zia^{3}	禡韻
4229	下阿・031オ5・飲食	炙	去	シヤ	右傍	tśia^{3} tśiek	禡韻 昔韻
4329	下阿・035ウ5・辞字	炙	去	シヤ	右傍	tśia^{3} tśiek	禡韻 昔韻
3563a	下古・007オ7・雑物	射	去	シヤ	右傍	dźia^{3} jia^{3}	禡韻 禡韻
5464a	下師・074ウ6・雑物	麝	去濁	シヤ	右傍	dźia^{3} dźiiek	禡韻 昔韻
5730a	下師・083オ5・疊字	赦	去	シヤ	左注	śia^{3}	禡韻
5787a	下師・084オ5・疊字	赦	去	シヤ	右注	śia^{3}	禡韻
5256	下由・068オ6・辞字	赦	―	シヤ	右傍	śia^{3}	禡韻
5530b	下師・078ウ5・疊字	夜	去	ヤ	右注	jia^{3}	禡韻
5853b	下師・085オ2・疊字	夜	去	ヤ	右注	jia^{3}	禡韻
5867b	下師・085オ4・疊字	夜	上	ヤ	右注	jia^{3}	禡韻
5536b	下師・078ウ7・疊字	夜	平	ヤ	右注	jia^{3}	禡韻
5589b	下師・080ウ3・疊字	夜	平	ヤ	左注	jia^{3}	禡韻

4717b	下佐・052オ2・疊字	夜	―	ヤ	左注	jia^3	禡韻
6367b	下飛・100オ1・國郡	夜	―	ヤ	右傍	jia^3	禡韻
5537b	下師・079オ1・疊字	夜	―	カウ	左注	jia^3	禡韻

【表B-08】上巻_ⅢAiai 祭韻

番号	前田本所在	掲出字		仮名音注		中古音	韻目
1351b	上邊・053オ1・疊字	褏	平	エイ	左注	jiai^3	祭韻
0567	上波・023オ7・人倫	褏	―	エイ	右傍	jiai^3	祭韻
1123	上保・045ウ3・方角	裔	―	エイ	右傍	jiai^3	祭韻
0355b	上伊・015ウ3・国郡	藝	―	キ［平濁］	右傍	ŋjiai^3	祭韻
1691b	上度・064オ3・国郡	藝	―	キ	右傍	ŋjiai^3	祭韻
1392b	上邊・053ウ2・疊字	際	平濁	サイ	右注	tsiai^3	祭韻
3100b	上加・110オ1・疊字	際	平	サイ	右注	tsiai^3	祭韻
1803b	上池・069オ2・疊字	勢	去	セイ	左注	śiai^3	祭韻
0143	上伊・007ウ2・人事	勢	―	セ	右傍	śiai^3	祭韻
0352b	上伊・015オ5・諸社	勢	―	セ	右注	śiai^3	祭韻
0353b	上伊・015ウ3・国郡	勢	―	セ	右注	śiai^3	祭韻
0391b	上伊・016ウ1・姓氏	勢	―	セ	右注	śiai^3	祭韻
3160a	上加・111ウ5・國郡	勢	―	セ	右傍	śiai^3	祭韻
1672b	上度・063ウ2・疊字	世	去	セイ	右注	śiai^3	祭韻
2184b	上留・079ウ1・疊字	世	去	セイ	左注	śiai^3	祭韻
1948b	上池・071オ3・疊字	世	平	セ	右注	śiai^3	祭韻
1186b	上保・047ウ3・疊字	筮	去濁	セイ	右傍	źiai^3	祭韻
1684b	上度・063ウ6・疊字	滞	去	タイ	右傍	ḍiai^3	祭韻
1871b	上池・070オ1・疊字	滞	去	タイ	左注	ḍiai^3	祭韻
2281b	上遠・084ウ7・疊字	滯	去	タイ	左注	ḍiai^3	祭韻
0739b	上波・031ウ3・疊字	弊	去	ヘイ	左注	bjiai^3	祭韻
1382a	上邊・053オ7・疊字	獘	去	ヘイ	左注	bjiai^3	祭韻
1383a	上邊・053オ7・疊字	獘	平	ヘイ	左注	bjiai^3	祭韻
1309	上邊・051ウ4・雜物	幣	―	ヘイ［平平］	右注	bjiai^3	祭韻
1319	上邊・052オ5・辞字	鷩	―	ヘイ	右注	bjiai^3	祭韻
0759b	上波・031ウ7・疊字	例	去	レイ	中注	liai^3	祭韻
2062b	上利・074ウ7・疊字	例	去	レイ	左注	liai^3	祭韻
1839b	上池・069ウ2・疊字	例	上	レイ	中注	liai^3	祭韻
1514	上度・057ウ4・雜物	礪	―	レイ	右傍	liai^3	祭韻
2546	上加・094ウ5・動物	蠣	去	レイ	右傍	liai^3	祭韻

【表B-08】下巻_ⅢAiai 祭韻

番号	前田本所在	掲出字		仮名音注		中古音	韻目
3796a	下江・016ウ5・重點	曳	―	エイ	右注	jiai³	祭韻
3796b	下江・016ウ5・重點	曳	―	エイ	右注	jiai³	祭韻
3871a	下江・017ウ7・疊字	曳	―	エイ	左注	jiai³	祭韻
3845a	下江・017ウ2・疊字	洩	去	エイ	左注	jiai³	祭韻
4751b	下佐・052ウ4・疊字	藝	去濁	ケイ	左注	ŋjiai³	祭韻
4901b	下木・057ウ5・人事	藝	平濁	ケイ	右注	ŋjiai³	祭韻
4407b	下阿・040ウ6・国郡	藝	―	キ	右注	ŋjiai³	祭韻
4409b	下阿・040ウ6・国郡	藝	―	キ	右傍	ŋjiai³	祭韻
6599a	下世・110オ7・疊字	祭	去	セイ	中注	tsiai³ tsɐi³	祭韻 怪韻
4795a	下佐・053ウ2・疊字	際	平	サイ	左注	tsiai³	祭韻
6560	下世・109ウ4・辞字	製	―	セイ ［平上］	右注	tśiai³	祭韻
3612b	下古・010ウ3・疊字	製	平	セイ	左注	tśiai³	祭韻
5095b	下木・063オ1・疊字	制	去	セイ	左注	tśiai³	祭韻
6690a	下世・111ウ2・疊字	制	去	セイ	左注	tśiai³	祭韻
6561	下世・109ウ4・辞字	制	―	セイ ［平上］	右注	tśiai³	祭韻
6726a	下世・112オ2・疊字	制	―	セイ	右注	tśiai³	祭韻
6589a	下世・110オ5・疊字	世	去	セイ	中注	śiai³	祭韻
6663a	下世・111オ5・疊字	世	去	セイ	左注	śiai³	祭韻
6730a	下世・112オ3・疊字	世	平	セ	右注	śiai³	祭韻
3701b	下古・012オ2・疊字	世	―	セ	左注	śiai³	祭韻
6376a	下飛・100オ2・國郡	世	―	セ	右傍	śiai³	祭韻
6565a	下世・109ウ7・重點	世	―	セ	右注	śiai³	祭韻
6565b	下世・109ウ7・重點	世	―	セ	右注	śiai³	祭韻
6293b	下飛・098ウ1・疊字	勢	平	セイ	左注	śiai³	祭韻
6743a	下世・112オ5・疊字	勢	―	セイ	左注	śiai³	祭韻
3735b	下古・013ウ3・姓氏	勢	―	セ	右注	śiai³	祭韻
6760a	下世・112ウ5・国郡	勢	―	セ	右注	śiai³	祭韻
3806b	下江・017オ1・疊字	筮	去	セイ	中注	źiai³	祭韻
6731a	下世・112オ3・疊字	誓	去	セイ	右注	źiai³	祭韻
6732a	下世・112オ3・疊字	誓	去	セイ	右注	źiai³	祭韻
6675a	下世・111オ7・疊字	誓	―	セイ	左注	źiai³	祭韻
4023b	下手・023オ4・疊字	滞	去	テイ	左注	ḍiai³	祭韻
6160a	下飛・094ウ2・雜物	蔽	去	ヘイ	右傍	pjiai³	祭韻
3688b	下古・011ウ6・疊字	幣	平	ヘイ	左注	bjiai³	祭韻
3944b	下手・022オ1・疊字	弊	平	ヘイ	左注	bjiai³	祭韻
6281b	下飛・098オ6・疊字	弊	平	ヘイ	左注	bjiai³	祭韻
5358	下師・072オ3・人事	斃	―	ヘイ	右傍	bjiai³	祭韻

6138	下飛・094オ1・飲食	糲	去	レイ	右傍	liai³ lɑi³ lɑt	祭韻 泰韻 曷韻
4200	下阿・029オ6・人躰	癘	去	レイ	右傍	liai³	祭韻
4283b	下阿・032ウ4・雑物	礪	去	レイ	右傍	liai³	祭韻

【表B-08】上巻_ⅢAiuai 祭韻

番号	前田本所在	掲出字		仮名音注		中古音	韻目
0462a	上波・020オ2・天象	彗	平	セイ	右傍	ziuai³ jiuai³ ziuei³	祭韻 祭韻 至韻
0946	上仁・036ウ4・動物	毳	去	セイ	右傍	tṣ‘iuai³ ts‘iuai³	祭韻 祭韻
2489a	上加・093オ7・植物	衛	去	ヱイ	右傍	ɣiuai³	祭韻

【表B-08】下巻_ⅢAiuai 祭韻

番号	前田本所在	掲出字		仮名音注		中古音	韻目
3776	下江・015ウ2・人事	叡		エイ [平上]	左注	jiuai³	祭韻
6355b	下飛・099ウ5・諸寺	叡	―	エイ	右傍	jiuai³	祭韻
6003a	下會・089ウ1・疊字	衛	平	ヱ	左注	jiuai³	祭韻
3730b	下古・013オ7・官職	衛	―	ヱ	中注	jiuai³	祭韻
6019a	下會・090オ1・官職	衛	―	ヱ	右注	jiuai³	祭韻
6020a	下會・090オ1・官職	衛	―	ヱ	右注	jiuai³	祭韻
6391b	下飛・100オ6・官職	衛	―	ヱ	右注	jiuai³	祭韻
4144	下阿・027ウ3・動物	鱖	去	クヱイ	右傍	kiuai³ kiuɑt	祭韻 月韻
6580a	下世・110オ4・疊字	歳	去	セイ	左注	siuai³	祭韻
3912a	下手・020ウ7・雑物	綴		テ [平]	右注	ṭiuai³ ṭiuat	祭韻 薛韻
5499	下師・076ウ4・辞字	涗	入	エツ	右傍	śiuai³	祭韻

【表B-08】上巻_ⅢAiau 宵韻

番号	前田本所在	掲出字		仮名音注		中古音	韻目
1872b	上池・070オ2・疊字	夭	平	エウ	左注	’iau^1/2^ ’ɑu²	宵/小韻 晧韻
2333	上和・087ウ4・人事	祅	平	エウ	右傍	’iau¹	宵韻
2625	上加・097オ2・人事	妖	平	エウ	右傍	’iau¹	宵韻
2928b	上加・107ウ2・疊字	妖	去	エウ	左注	’iau¹	宵韻

3097b	上加・109ウ7・疊字	要	平	エウ	右注	'jiau$^{1/3}$	宵/笑韻
0187b	上伊・009オ1・雜物	腰	―	エウ	右注	'jiau^{1}	宵韻
2439	上加・091ウ6・地儀	窯	平	エウ	右傍	jiau^{1}	宵韻
1452	上度・055ウ3・動物	鰩	平	エウ	右傍	jiau^{1}	宵韻
0536	上波・022オ4・動物	鷂	平	エウ	右傍	jiau$^{1/3}$	宵/笑韻
2411b	上和・090ウ1・疊字	喬	―	ケウ	右傍	kiau^{1} giau^{1}	宵韻 宵韻
1101	上保・044ウ3・雜物	蕎	平	ケウ	右傍	kiau^{1} giau^{1}	宵韻 宵韻
3090b	上加・109ウ6・疊字	憍	上	ケウ	右注	kiau^{1}	宵韻
0018b	上伊・002ウ6・地儀	橋	平	ケウ	右傍	giau^{1}	宵韻
1281b	上保・049ウ4・官職	橋	―	ケウ	右注	giau^{1}	宵韻
0058b	上伊・004オ2・植物	翹	上	シ	右傍	gjiau$^{1/3}$	宵/笑韻
3145a	上加・111オ2・疊字	顦	―	セウ	右傍	dziau^{1}	宵韻
2612a	上加・096ウ2・人體	痟	去	セウ	右傍	siau^{1}	宵韻
3182	上与・113オ7・天象	霄	平	セウ	右注	siau^{1}	宵韻
3272b	上与・118オ3・疊字	霄	平	セウ	右傍	siau^{1}	宵韻
0497b	上波・021オ2・植物	蕉	平	セウ	右傍	tsiau^{1}	宵韻
0515	上波・021ウ1・植物	椒	平	セウ	右傍	tsiau^{1}	宵韻
2986b	上加・108オ6・疊字	招	去	セウ	左注	tśiau^{1}	宵韻
0468a	上波・020オ4・天象	韶	平	セウ	右傍	źiau^{1}	宵韻
0506a	上波・021オ4・植物	蕘	平	セウ	右傍	ńiau^{1}	宵韻
1351a	上邊・053オ1・疊字	苗	去濁	ヘウ	左注	miau^{1}	宵韻
3058b	上加・109オ7・疊字	苗	去濁	ハウ	左注	miau^{1}	宵韻
1404a	上邊・053ウ5・疊字	漂	平	ヘウ	右注	p'jiau$^{1/3}$	宵/笑韻
1683a	上度・063ウ5・疊字	僄	去	ヘウ	右傍	p'jiau$^{1/3}$	宵/笑韻
1295a	上邊・051オ1・人躰	瘭	去	ヘウ	右注	pjiau^{1}	宵韻
1316	上邊・051ウ5・雜物	標	―	ヘウ	右注	pjiau$^{1/2}$	宵/小韻
0968b	上仁・038オ6・雜物	燎	平	レウ	右傍	liau$^{1/2/3}$	宵/小/笑韻
1509	上度・057ウ3・雜物	燎	平 去	レウ	右傍	liau$^{1/2/3}$	宵/小/笑韻
2754b	上加・100オ4・雜物	燎	上	レウ	右傍	liau$^{1/2/3}$	宵/小/笑韻

【表B-08】下巻_ⅢAiau 宵韻

番号	前田本所在	掲出字		仮名音注		中古音	韻目
3809a	下江・017オ2・疊字	妖	平	エウ	中注	'iau^{1}	宵韻
3870a	下江・017ウ7・疊字	妖	―	エウ	左注	'iau^{1}	宵韻
3843a	下江・017ウ2・疊字	要	平	エウ	左注	'jiau$^{1/3}$	宵/笑韻
3844a	下江・017ウ2・疊字	要	平	エウ	左注	'jiau$^{1/3}$	宵/笑韻
3852a	下江・017ウ3・疊字	要	平	エウ	左注	'jiau$^{1/3}$	宵/笑韻
5776b	下師・084オ3・疊字	要	平	エウ	右注	'jiau$^{1/3}$	宵/笑韻
3851a	下江・017ウ3・疊字	要	去	エウ	左注	'jiau$^{1/3}$	宵/笑韻

3790	下江・016ウ2・辞字	要	—	エウ	右注	'jiau$^{1/3}$	宵/笑韻
3791	下江・016ウ2・辞字	要	—	エウ	中注	'jiau$^{1/3}$	宵/笑韻
3853a	下江・017ウ4・畳字	要	—	エウ	左注	'jiau$^{1/3}$	宵/笑韻
3383	下古・004オ7・人躰	腰	平	エウ	右傍	'jiau^{1}	宵韻
3797a	下江・016ウ5・重點	喓	平	エウ	右注	'jiau^{1}	宵韻
3797b	下江・016ウ5・重點	喓	—	エウ	右注	'jiau^{1}	宵韻
3793	下江・016ウ3・辞字	傜	平	エウ	右傍	jiau^{1}	宵韻
3857a	下江・017ウ4・畳字	傜	去	エウ	左注	jiau^{1}	宵韻
3858a	下江・017ウ5・畳字	傜	去	エウ	左注	jiau^{1}	宵韻
3833a	下江・017オ7・畳字	遥	去	エウ	中注	jiau^{1}	宵韻
3855a	下江・017ウ4・畳字	遥	去	エウ	右注	jiau^{1}	宵韻
6670b	下世・111オ6・畳字	遥	上	エウ	左注	jiau^{1}	宵韻
6805b	下洲・114オ6・動物	鷂	平	エウ	右傍	jiau$^{1/3}$	宵/笑韻
6452	下毛・104ウ1・辞字	蘨	平	エウ	右傍	jiau^{1} jiʌu^{1}	宵韻 尤韻
6752b	下世・112オ7・畳字	喬	平	ケウ	右傍	kiau^{1} giau^{1}	宵韻 宵韻
4866	下木・056ウ1・動物	鷮	平	ケウ	右傍	kiau^{1} giau^{1}	宵韻 宵韻
6751b	下世・112オ7・畳字	橋	平	ケウ	右注	giau^{1}	宵韻
4317	下阿・034ウ2・辞字	翹	平	ケウ	右傍	gjiau$^{1/3}$	宵/笑韻
6080	下飛・092オ1・動物	翹	平	ケウ	右傍	gjiau$^{1/3}$	宵/笑韻
6132	下飛・093ウ2・人事	囂	平	ケウ	右傍	xiau^{1} ŋɑu^{1}	宵韻 豪韻
6490a	下世・106ウ4・地儀	昭	平	セウ	右傍	tsiau^{1}	宵韻
6500a	下世・106ウ6・地儀	昭	平	セウ	右傍	tsiau^{1}	宵韻
6504a	下世・106ウ7・地儀	昭	平	セウ	右傍	tsiau^{1}	宵韻
6644a	下世・111オ2・畳字	昭	平 去	セウ	中注	tsiau^{1}	宵韻
3585	下古・009オ6・辞字	焦	平	セウ	右傍	tsiau^{1}	宵韻
4472a	下佐・043ウ7・動物	鷦	平	セウ	右傍	tsiau^{1}	宵韻
5828b	下師・084ウ5・畳字	嶕	平	セウ	右注	tsiau^{1} dziau^{3} tsiʌu^{1}	宵韻 笑韻 尤韻
6662a	下世・111オ5・畳字	顦	平	セウ	中注	dziau^{1}	宵韻
6681a	下世・111ウ1・畳字	樵	平	セウ	左注	dziau^{1}	宵韻
3785b	下江・016オ3・雑物	消	平	セウ	右注	siau^{1}	宵韻
6688a	下世・111ウ2・畳字	消	去	セウ	左注	siau^{1}	宵韻
5524b	下師・078ウ4・畳字	霄	平	セウ	左注	siau^{1}	宵韻
5535b	下師・078ウ7・畳字	霄	平	セウ	左注	siau^{1}	宵韻
6670a	下世・111オ6・畳字	逍	去	セウ	左注	siau^{1}	宵韻
6524a	下世・108オ1・人躰	痟	去	セウ	右傍	siau^{1}	宵韻
4909	下木・058オ5・雑物	綃	平	セウ	右傍	siau^{1}	宵韻

6530a	下世・108オ6・人事	韶	―	セウ	左注	źiau[1]	宵韻
6581a	下世・110オ4・疊字	韶	―	セウ	右注	źiau[1]	宵韻
3963a	下手・022オ5・疊字	超	去	テウ	左注	ţ'iau[1]	宵韻
3951a	下手・022オ2・疊字	朝	平	テウ	左注	ţiau[1] ḍiau[1]	宵韻 宵韻
3957a	下手・022オ4・疊字	朝	平	テウ	左注	ţiau[1] ḍiau[1]	宵韻 宵韻
4060	下阿・024ウ2・天象	朝	平	テウ	右傍	ţiau[1] ḍiau[1]	宵韻 宵韻
3955a	下手・022オ3・疊字	朝	平 去	テウ	左注	ţiau[1] ḍiau[1]	宵韻 宵韻
3933a	下手・021ウ5・重點	朝	―	テウ	右注	ţiau[1] ḍiau[1]	宵韻 宵韻
3933b	下手・021ウ5・重點	朝	―	テウ	右注	ţiau[1] ḍiau[1]	宵韻 宵韻
5259	下由・068ウ5・辞字	14	平	ネウ	右傍	ńiau[1/3]	宵/笑韻
6048	下飛・091オ4・植物	瓢	平	ヘウ	右注	bjiau[1]	宵韻
6453	下毛・104ウ1・辞字	嫖	平	ヘウ	右傍	pjiau[1]	宵韻
3346	下古・003オ1・植物	標	平	ヘウ	右傍	pjiau[1/2]	宵/小韻
5444	下師・074オ6・雑物	標	平	ヘウ	右傍	pjiau[1/2]	宵/小韻
6873	下洲・117オ1・方角	標	平	ヘウ	右傍	pjiau[1/2]	宵/小韻
6228	下飛・097ウ1・辞字	飄	―	ヘウ	右傍	p'jiau[1] bjiau[1]	宵韻 宵韻

【表B-08】上巻_ⅢAiau 小韻

番号	前田本所在	掲出字		仮名音注		中古音	韻目
2263	上遠・083オ5・辞字	小	―	セウ	右注	siau[2]	小韻
1808b	上池・069オ3・疊字	沼	上	セウ	左注	tśiau[2]	小韻
2140	上奴・076オ6・地儀	沼	上	セウ	右注	tśiau[2]	小韻
1255b	上保・048ウ3・疊字	少	上	セウ	左注	śiau[2/3]	小/笑韻
1315	上邊・051ウ5・雑物	表	上	ヘウ ［上上］	右注	piau[2]	小韻
1409a	上邊・053ウ6・疊字	表	上	ヘウ	左注	piau[2]	小韻
1344a	上邊・052ウ7・疊字	表	去	ヘウ	左注	piau[2]	小韻
1345a	上邊・052ウ7・疊字	表	平	ヘウ	左注	piau[2]	小韻
1403a	上邊・053ウ5・疊字	表	平	ヘウ	右注	piau[2]	小韻
1306a	上邊・051ウ3・雑物	褾	平	ヘウ	右注	pjiau[2]	小韻
1056	上保・042ウ4・動物	鰾	上	ヘウ	右注	biau[2]	小韻
1331a	上邊・052ウ4・疊字	眇	上濁	ヘウ	中注	mjiau[2]	小韻
1320a	上邊・052ウ1・重點	眇	―	ヘウ	右注	mjiau[2]	小韻

1320b	上邊・052ウ1・重點	眇	—	ヘウ	右注	mjiau^{2}	小韻
1338a	上邊・052ウ5・疊字	淼	上濁	ヘウ	左注	mjiau^{2}	小韻
1321a	上邊・052ウ1・重點	淼	—	ヘウ	右注	mjiau^{2}	小韻
1321b	上邊・052ウ1・重點	淼	—	ヘウ	右注	mjiau^{2}	小韻

【表B-08】下巻_ⅢAiau 小韻

番号	前田本所在	掲出字		仮名音注		中古音	韻目
4318	下阿・034ウ2・辞字	矯	上	ケウ	右傍	kiau^{2}	小韻
5956a	下師・087オ3・官職	小	—	シヨウ	右傍	siau^{2}	小韻
3815b	下江・017オ3・疊字	少	平	セウ	左注	śiau$^{2/3}$	小/笑韻
6568a	下世・109ウ7・重點	少	—	セウ	右注	śiau$^{2/3}$	小/笑韻
6568b	下世・109ウ7・重點	少	—	セウ	右注	śiau$^{2/3}$	小/笑韻
6762a	下世・112ウ7・官職	少	—	セウ	右傍	śiau$^{2/3}$	小/笑韻
6763a	下世・112ウ7・官職	少	—	セウ	右傍	śiau$^{2/3}$	小/笑韻
6667a	下世・111オ5・疊字	紹	去	セウ	中注	źiau^{2}	小韻
6741a	下世・112オ5・疊字	紹	去	セウ	左注	źiau^{2}	小韻
6638b	下世・111オ1・疊字	兆	上	テウ	中注	ḍiau^{2}	小韻
3926	下手・021オ7・員數	兆	去	テウ［平平］	右注	ḍiau^{2}	小韻
4693b	下佐・051ウ4・疊字	兆	去	テウ	右注	ḍiau^{2}	小韻
3918a	下手・021オ2・雑物	兆	平濁	テウ	右注	ḍiau^{2}	小韻
6640b	下世・111オ1・疊字	摽	上濁	ヘウ	左注	bjiau^{2} p'jiau$^{1/3}$	小韻 宵/笑韻
6820	下洲・115オ2・人躰	眇	上濁	ヘウ	右傍	mjiau^{2}	小韻

【表B-08】上巻_ⅢAiau 笑韻

番号	前田本所在	掲出字		仮名音注		中古音	韻目
2463b	上加・092オ4・地儀	耀	去	エウ	右傍	jiau^{3}	笑韻
0796b	上波・032ウ1・疊字	咲	去	セウ	左注	siau^{3}	笑韻
2326	上和・087オ6・人事	嘆	—	セウ	右傍	siau^{3}	笑韻
1472a	上度・056ウ3・人事	照	去	ヤウ	右傍	tśiau^{3}	笑韻
1388a	上邊・053ウ1・疊字	廟	去濁	ヘウ	右注	miau^{3}	笑韻

【表B-08】下巻_ⅢAiau 笑韻

番号	前田本所在	掲出字		仮名音注		中古音	韻目
3923	下手・021オ4・光彩	曜	去	エウ	右傍	jiau^{3}	笑韻
3736	下江・014オ1・天象	曜	—	エウ	右注	jiau^{3}	笑韻
6000b	下會・089オ7・疊字	耀	去	エウ	左注	jiau^{3}	笑韻
6491b	下世・106ウ4・地儀	耀	去	エウ	右傍	jiau^{3}	笑韻

4575	下佐・047オ7・雑物	鞘	平	セウ	右傍	siau^{3} sau^{1}	笑韻 肴韻
3922	下手・021オ4・光彩	照	去	セウ	右傍	tśiau^{3}	笑韻
6023a	下飛・090オ5・天象	照	去	セウ	右傍	tśiau^{3}	笑韻
6577a	下世・110オ3・畳字	照	去	セウ	右注	tśiau^{3}	笑韻
4308	下阿・033ウ1・光彩	照	平	セウ	左傍	tśiau^{3}	笑韻
6710a	下世・111ウ6・畳字	詔	上	セウ	左注	tśiau^{3}	笑韻
6526	下世・108オ3・人事	詔	—	セウ	右傍	tśiau^{3}	笑韻
5307a	下師・070オ5・動物	驃	去	ヘウ	右傍	bjiau^{3} p'jiau^{3} piau^{3}	笑韻 笑韻 笑韻
5823b	下師・084ウ4・畳字	妙	去濁	ヘウ	左注	mjiau^{3}	笑韻

【表B-08】上巻_ⅢAiam 鹽韻

番号	前田本所在	掲出字		仮名音注		中古音	韻目
1561	上度・060ウ3・辞字	淹	—	エム	右注	'iam^{1} 'iʌm^{3}	鹽韻 梵韻
0201	上伊・010オ4・辞字	猒	去	エム	右傍	'jiam$^{1/3}$	鹽/豔韻
2039b	上利・074ウ3・畳字	閻	平	エム	左注	jiam^{1}	鹽韻
0156c	上伊・008オ2・人事	塩	—	エム	右注	jiam$^{1/3}$	鹽韻
2648c	上加・097ウ6・人事	塩	平	エン	左注	jiam$^{1/3}$	鹽韻
1121	上保・045ウ1・光彩	炎	東?	エム	右傍	ɣiam^{1}	鹽韻
2735	上加・099ウ4・雑物	鉗	平	ケム	右傍	giam^{1}	鹽韻
2739b	上加・099ウ6・雑物	鉗	平	ケム	右傍	giam^{1}	鹽韻
3038a	上加・109オ3・畳字	鉗	平	カム	左注	giam^{1}	鹽韻
2738	上加・099ウ6・雑物	鈐	平	ケム	右傍	giam^{1}	鹽韻
0203	上伊・010ウ2・辞字	漸	平	セム	右傍	tsiam^{1} dziam^{2}	鹽韻 琰韻
1543	上度・059オ6・辞字	銛	平	セム	右傍	siam^{1} t'em^{2} kɑt	鹽韻 忝韻 末韻
1155b	上保・047オ4・畳字	瞻	平	セム	右注	tśiam^{1}	鹽韻
2305	上和・086ウ7・人躰	痁	平	セム	右傍	śiam^{1} tem^{3}	鹽韻 㮇韻
1507	上度・057ウ2・雑物	苫	平	セム	右傍	śiam$^{1/3}$	鹽韻 豔韻
0951a	上仁・037オ3・動物	蚺	平	セム	右傍	ńiam^{1}	鹽韻
0674	上波・027オ4・雑物	匳	平	レム	右傍	liam^{1}	鹽韻
2012	上利・073ウ5・雑物	匳	平	レム	右傍	liam^{1}	鹽韻
2011	上利・073ウ5・雑物	匳	平	リン	右注	liam^{1}	鹽韻
2721	上加・099ウ1・雑物	鎌	平	レム	右傍	liam^{1}	鹽韻

【表B-08】下巻_ⅢAiam 鹽韻

番号	前田本所在	掲出字		仮名音注		中古音	韻目
6040b	下飛・090ウ7・地儀	檐	平	エム	右注	jiam^{1}	鹽韻
6171b	下飛・094ウ5・雜物	簷	平	エム	右傍	jiam^{1}	鹽韻
4448b	下佐・042ウ7・地儀	閻	平	エン	右傍	jiam^{1}	鹽韻
3777a	下江・015ウ5・飲食	塩	平	エム	右注	jiam$^{1/3}$	鹽/豔韻
3785a	下江・016オ3・雜物	塩	平	エム	右注	jiam$^{1/3}$	鹽/豔韻
3837a	下江・017オ7・疊字	塩	平	エム	左注	jiam$^{1/3}$	鹽/豔韻
5399	下師・073ウ2・飲食	塩	平	エム	右傍	jiam$^{1/3}$	鹽/豔韻
5400	下師・073ウ2・飲食	鹽	―	エム	右注	jiam$^{1/3}$	鹽/豔韻
3827a	下江・017オ6・疊字	猒	去	エン	左注	jiam$^{1/3}$	鹽/豔韻
6076	下飛・091ウ7・動物	鳹	平	ケム	右傍	giam^{1}	鹽韻
6222	下飛・096ウ7・辞字	熸	平	セム	右傍	tsiam^{1}	鹽韻
6630a	下世・110ウ6・疊字	僉	平	セム	左注	ts'iam^{1}	鹽韻
6567a	下世・109ウ7・重點	漸	―	セム	右注	tsiam^{1} dziam^{2}	鹽韻 琰韻
6567b	下世・109ウ7・重點	漸	―	セム	右注	tsiam^{1} dziam^{2}	鹽韻 琰韻
6226	下飛・097オ5・辞字	潜	平	サム	右傍	dziam^{1}	鹽韻
6544a	下世・108ウ6・雜物	詹	平	セム	右注	tśiam^{1}	鹽韻
6090a	下飛・092オ5・動物	蟾	平	セム	右傍	tśiam^{1} źiam^{1}	鹽韻
6541	下世・108ウ6・雜物	籤	平	セン	右注	ts'iam^{1}	鹽韻
6716a	下世・111ウ7・疊字	纎	平	セム	左注	śiam^{1}	鹽韻
3905a	下手・020ウ2・飲食	黏	平濁	テム	右注	ṇiam^{1}	鹽韻
6844	下洲・116オ4・雜物	簾	―	レム	右傍	liam^{1}	鹽韻
6656b	下世・111オ4・疊字	廉	平	レン	左注	liam^{1}	鹽韻

【表B-08】上巻_ⅢAiam 琰韻

番号	前田本所在	掲出字		仮名音注		中古音	韻目
0355a	上伊・015ウ3・国郡	奄	―	アム [平平]	右傍	'iam^{2}	琰韻
0202	上伊・010オ5・辞字	厭	―	エム	右傍	'jiam$^{2/3}$ 'jiap	琰/豔韻 葉韻
1300	上邊・051オ5・人事	諂	上	テム	右傍	ṭ'iam^{2}	琰韻
1266b	上保・048ウ6・疊字	貶	上	ヘン	左注	piam^{2}	琰韻
1369a	上邊・053オ5・疊字	貶	上	ヘイ	左注	piam^{2}	琰韻
1370a	上邊・053オ5・疊字	貶	去	ヘン	左注	piam^{2}	琰韻
3093b	上加・109ウ7・疊字	撿	平	ケム	右注	liam^{2}	琰韻

【表B-08】下巻_ⅢAiam 琰韻

番号	前田本所在	掲出字		仮名音注		中古音	韻目
3808a	下江・017オ2・疊字	厭	平	エム	左注	’jiam$^{2/3}$ ’jiap	琰/豔韻 葉韻
3807a	下江・017オ1・疊字	厭	平	エン	左注	’jiam$^{2/3}$ ’jiap	琰/豔韻 葉韻
3821b	下江・017オ4・疊字	諂	平	テム	左注	ṭʻiam^{2}	琰韻
4005a	下手・022ウ7・疊字	諂	平	テン	左注	ṭʻiam^{2}	琰韻
4006a	下手・022ウ7・疊字	諂	平	テン	左注	ṭʻiam^{2}	琰韻
4033a	下手・023オ7・疊字	諂	―	テン	左注	ṭʻiam^{2}	琰韻
5592b	下師・080ウ4・疊字	撿	平	ケン	中注	liam^{2}	琰韻
5593b	下師・080ウ5・疊字	撿	平	ケム	左注	liam^{2}	琰韻

【表B-08】上巻_ⅢAiam 豔韻

番号	前田本所在	掲出字		仮名音注		中古音	韻目
0470a	上波・020オ4・天象	艶	去	エム	右傍	jiam^{3}	豔韻
3237b	上与・117ウ1・疊字	艶	去	エム	左注	jiam^{3}	豔韻
0277b	上伊・013オ3・疊字	艶	去	エン	左注	jiam^{3}	豔韻
0769b	上波・032オ2・疊字	艶	去	エン	左注	jiam^{3}	豔韻
2047b	上利・074ウ4・疊字	驗	平濁	ケム	左注	ŋiam^{3}	豔韻

【表B-08】下巻_ⅢAiam 豔韻

番号	前田本所在	掲出字		仮名音注		中古音	韻目
3722b	下古・012オ6・疊字	艶	去	エム	右注	jiam^{3}	豔韻
3809b	下江・017オ2・疊字	艶	去	エム	中注	jiam^{3}	豔韻
3811a	下江・017オ2・疊字	艶	去	エム	左注	jiam^{3}	豔韻
3825a	下江・017オ5・疊字	艶	去	エム	左注	jiam^{3}	豔韻
3799a	下江・016ウ7・疊字	艶	去	エン	左注	jiam^{3}	豔韻
3775	下江・015ウ2・人事	艶	―	エム [平平]	右注	jiam^{3}	豔韻
3863a	下江・017ウ6・疊字	艶	平	エン	左注	jiam^{3}	豔韻
3774	下江・015ウ2・人事	豔	―	エム [平平]	中注	jiam^{3}	豔韻
5147b	下木・063ウ5・疊字	驗	上濁	ケム	左注	ŋiam^{3}	豔韻
5575b	下師・080オ3・疊字	驗	―	ケム	左注	ŋiam^{3}	豔韻

【表B-08】上巻_ⅢAiap 葉韻

番号	前田本所在	掲出字		仮名音注		中古音	韻目
0783b	上波・032オ5・疊字	葉	入	エフ	中注	jiap śiap	葉韻 葉韻

2183b	上留・079ウ1・疊字	葉	入	エフ	中注	jiap śiap	葉韻 葉韻
1917b	上池・070ウ4・疊字	葉	入	エウ	左注	jiap śiap	葉韻 葉韻
0522	上波・021ウ4・植物	葉	―	エフ	右傍	jiap śiap	葉韻 葉韻
2573a	上加・095ウ4・人倫	檝	入	セフ	右傍	tsiap dziep	葉韻 緝韻
2763	上加・100オ7・雜物	檝	入	セフ	右傍	tsiap dziep	葉韻 緝韻
2240	上遠・081オ5・人倫	妾	入	セフ	右傍	ts'iap	葉韻
0907b	上波・034オ4・疊字	捷	入	セウ	右傍	dziap	葉韻
0631b	上波・025ウ6・人事	涉	入	シキ	右注	dźiap tep	葉韻 帖韻
0632b	上波・025ウ6・人事	涉	―	シキ	右傍	dźiap tep	葉韻 帖韻
0250b	上伊・012ウ5・疊字	攝	去濁	セウ	左注	śiap nep	葉韻 帖韻
2571a	上加・095ウ3・人倫	獵	入	レフ	右傍	liap	葉韻

【表B-08】下巻_ⅢAiap 葉韻

番号	前田本所在	掲出字		仮名音注		中古音	韻目
5979	下會・088オ6・人躰	靨	入	エフ	右傍	'jiap	葉韻
3726b	下古・012オ7・疊字	葉	―	エフ	右注	jiap śiap	葉韻 葉韻
4927b	下木・058ウ2・雜物	葉	入	エウ	右注	jiap śiap	葉韻 葉韻
3344b	下古・002ウ7・植物	葉	―	エウ	右注	jiap śiap	葉韻 葉韻
3886a	下手・019オ3・地儀	鍱	―	テウ ［平濁平］	右注	jiap	葉韻
3887b	下手・019オ3・地儀	鍱	入	エウ	右注	jiap	葉韻
4630	下佐・050ウ1・辭字	接	入	セフ	右傍	tsiap	葉韻
6593a	下世・110オ6・疊字	接	―	セフ	右注	tsiap	葉韻
5555b	下師・079オ7・疊字	檝	―	セウ	左注	tsiap dziep	葉韻 緝韻
6653b	下世・111オ3・疊字	輒	―	テウ	左注	ṭiap	葉韻
5244	下由・067ウ5・雜物	諜	入	セフ	右傍	śiap	葉韻
3363a	下古・003ウ5・動物	攝	入	セフ	右傍	śiap nep	葉韻 帖韻
6627a	下世・110ウ5・疊字	攝	入	セウ	右傍	śiap nep	葉韻 帖韻
6562	下世・109ウ4・辭字	攝	―	セフ ［上上］	右注	śiap nep	葉韻 帖韻
6761a	下世・112ウ7・官職	攝	―	セフ	右傍	śiap nep	葉韻 帖韻

4024b	下手・023オ4・疊字	獵	入	レフ	左注	liap	葉韻
4127a	下阿・027オ3・動物	獦	入	レウ	右傍	liap kɑt	葉韻 曷韻

【表B-08】上巻_ⅢAian 仙韻

番号	前田本所在	掲出字		仮名音注		中古音	韻目
1400b	上邊・053ウ4・疊字	焉	平	エン	右注	’ian^{1} ɣian^{1} ’iɑn^{1}	仙韻 仙韻 元韻
0218	上伊・011ウ1・辭字	焉	—	エム	右傍	’ian^{1} ɣian^{1} ’iɑn^{1}	仙韻 仙韻 元韻
2897b	上加・107オ2・疊字	莚	平	エム	左注	jian$^{1/3}$	仙/線韻
2804	上加・101ウ6・辭字	褰	平	ケン	右傍	k‘ian^{1}	仙韻
2817	上加・102ウ6・辭字	褰	平	ケン	右傍	k‘ian^{1}	仙韻
0188	上伊・009オ5・方角	乾	平	ケン	右傍	gian^{1} kɑn^{1}	仙韻 寒韻
0795b	上波・032オ7・疊字	然	平濁	セン	右注	ńian^{1}	仙韻
1588b	上度・062オ5・疊字	然	平濁	セン	左注	ńian^{1}	仙韻
2087b	上利・075オ5・疊字	然	平濁	セン	左注	ńian^{1}	仙韻
3260b	上与・117ウ6・疊字	然	平濁	セン	左注	ńian^{1}	仙韻
0196	上伊・009ウ7・辭字	煎	平	セン	右傍	tsian$^{1/3}$	仙/線韻
1700b	上度・064オ7・官職	遷	—	セン	右注	ts‘ian^{1}	仙韻
1108b	上保・044ウ7・雜物	錢	上濁	セン	右注	dzian^{1} tsian^{2}	仙韻 獮韻
1248b	上保・048ウ2・疊字	錢	上濁	セン	左注	dzian^{1} tsian^{2}	仙韻 獮韻
2762b	上加・100オ7・雜物	錢	—	セニ	右注	dzian^{1} tsian^{2}	仙韻 獮韻
3203	上与・114ウ3・人職	涎	平	セン	右傍	zian^{1} jian^{3}	仙韻 線韻
0537	上波・022オ5・動物	鸇	—	セン	右傍	tśian^{1}	仙韻
2661	上加・098オ3・飲食	饘	平	セン	右傍	tśian^{1}	仙韻
2701	上加・099オ2・雜物	氈	平	セン	右傍	tśian^{1}	仙韻
0649	上波・026オ7・雜物	旃	平	タン	右傍	tśian^{1}	仙韻
0416	上呂・018オ4・雜物	鋋	去	セン	右傍	źian^{1} jian^{1}	仙韻 仙韻
1100	上保・044ウ3・雜物	鋋	—	セン	右傍	źian^{1} jian^{1}	仙韻 仙韻
0033	上伊・003オ4・地儀	廛	平	テン	右傍	ḍian^{1}	仙韻
0645b	上波・026オ5・雜物	纏	平	テン	右傍	ḍian$^{1/3}$	仙/線韻

1027	上保・041ウ1・天象	躔	平	テン	右傍	ḍian[1]	仙韻
1130	上保・045ウ6・方角	偏	平	ヘン	右傍	p'ian[1/3]	仙/線韻
1334a	上邊・052ウ5・疊字	偏	平	ヘン	左注	p'ian[1/3]	仙/線韻
1354a	上邊・053オ2・疊字	偏	平	ヘン	左注	p'ian[1/3]	仙/線韻
1355a	上邊・053オ2・疊字	偏	平	ヘン	左注	p'ian[1/3]	仙/線韻
1371a	上邊・053オ5・疊字	偏	平	ヘン	中注	p'ian[1/3]	仙/線韻
2785	上加・101オ2・方角	偏	―	ヘン	右傍	p'ian[1/3]	仙/線韻
1390a	上邊・053ウ2・疊字	偏	平	ヘム	右注	p'ian[1/3]	仙/線韻
1372a	上邊・053オ5・疊字	篇	平	ヘン	左注	p'jian[1]	仙韻
1317	上邊・052オ3・辞字	篇	上	ヘン	右注	p'jian[1]	仙韻
2340	上和・088オ5・雑物	綿	平	メン	右傍	mjian[1]	仙韻
0058a	上伊・004オ2・植物	連	平	レン	右傍	lian[1]	仙韻
0066b	上伊・004オ4・植物	連	平	レン	右傍	lian[1]	仙韻
2189b	上留・079ウ2・疊字	連	平	レン	左注	lian[1]	仙韻
2753a	上加・100オ4・雑物	連	平	レン	右傍	lian[1]	仙韻
2294b	上和・086オ3・植物	連	―	レン	右傍	lian[1]	仙韻

【表B-08】下巻_ⅢAian 仙韻

番号	前田本所在	掲出字		仮名音注		中古音	韻目
3692b	下古・011ウ7・疊字	焉	平	エン	左注	'ian[1] ɣian[1] 'iɑn[1]	仙韻 仙韻 元韻
4393b	下阿・039ウ6・疊字	焉	平	エン	右傍	'ian[1] ɣian[1] 'iɑn[1]	仙韻 仙韻 元韻
3741a	下江・014オ5・地儀	延	平	エン	右注	jian[1/3]	仙/線韻
3742a	下江・014オ5・地儀	延	平	エン	右注	jian[1/3]	仙/線韻
3804a	下江・017オ1・疊字	延	平	エン	中注	jian[1/3]	仙/線韻
3839a	下江・017ウ1・疊字	延	平	エン	中注	jian[1/3]	仙/線韻
3864a	下江・017ウ4・疊字	延	平	エン	左注	jian[1/3]	仙/線韻
3805a	下江・017オ1・疊字	延	平	エム	左注	jian[1/3]	仙/線韻
5262b	下師・069オ1・地儀	乾	平	ケン	右傍	gian[1] kɑn[1]	仙韻 寒韻
6505a	下世・107オ2・植物	栴	去	セン	右注	tsian[1]	仙韻
6534a	下世・108ウ3・飲食	煎	―	セン ［平平］	右注	tsian[1/3]	仙/線韻
6535	下世・108ウ3・飲食	煎	―	セン	右傍	tsian[1/3]	仙/線韻
6559	下世・109ウ4・辞字	煎	―	セン	右注	tsian[1/3]	仙/線韻
4723b	下佐・052オ4・疊字	遷	平	セン	左注	ts'ian[1]	仙韻
6677a	下世・111オ7・疊字	遷	平	セン	左注	ts'ian[1]	仙韻
6686a	下世・111ウ2・疊字	遷	平	セン	中注	ts'ian[1]	仙韻
6621a	下世・110ウ4・疊字	遷	―	セン	右注	ts'ian[1]	仙韻

6752a	下世・112オ7・畳字	遷	平	セム	右傍	ts‘ian^{1}	仙韻
5237b	下由・067オ5・人事	韆	平	セン	右傍	ts‘ian^{1}	仙韻
5751b	下師・083ウ3・畳字	韆	平	セン	右注	ts‘ian^{1}	仙韻
3330b	下古・002ウ3・植物	銭	平	セン	右注	dzian^{1} tsian^{2}	仙韻 獮韻
4789b	下佐・053オ7・畳字	銭	平	セン	右注	dzian^{1} tsian^{2}	仙韻 獮韻
5556b	下師・079ウ1・畳字	銭	平	セン	左注	dzian^{1} tsian^{2}	仙韻 獮韻
6962b	下洲・121ウ1・官職	銭	—	セン	右注	dzian^{1} tsian^{2}	仙韻 獮韻
3329b	下古・002ウ3・植物	銭	平	セム	右傍	dzian^{1} tsian^{2}	仙韻 獮韻
6529b	下世・108オ5・人事	錢	平	セン	右傍	dzian^{1} tsian^{2}	仙韻 獮韻
6536	下世・108ウ5・雑物	錢	平	セン	右傍	dzian^{1} tsian^{2}	仙韻 獮韻
4119b	下阿・026ウ4・植物	仙	平	セン	右傍	sian^{1}	仙韻
6516a	下世・107ウ5・人倫	仙	—	セン	右傍	sian^{1}	仙韻
6057b	下飛・091オ7・植物	鮮	平	セン	右傍	sian$^{1/2/3}$	仙/獮/線韻
6702a	下世・111ウ4・畳字	鮮	平	セン	左注	sian$^{1/2/3}$	仙/獮/線韻
6594a	下世・110オ6・畳字	潺	平	セン	左注	dẓian^{1} dzɐn^{1}	仙韻 山韻
6197	下飛・095オ4・光彩	燀	平	セン	右傍	tś‘ian$^{1/2}$ tśian^{2}	仙/獮韻 獮韻
6511	下世・107ウ2・動物	蟬	平	セン	右傍	źian^{1}	仙韻
6680a	下世・111ウ1・畳字	蟬	上	セン	右注	źian^{1}	仙韻
5506	下師・077オ6・辞字	禪	平	セン	右傍	źian$^{1/3}$	仙/線韻
3360	下古・003ウ3・動物	鱣	—	ツヰン	右傍	ṭian^{1}	仙韻
4032a	下手・023オ7・畳字	纏	平	テン	左注	ḍian$^{1/3}$	仙/線韻
5830b	下師・084ウ5・畳字	然	平濁	セン	右注	ńian^{1}	仙韻
5146b	下木・063ウ5・畳字	然	平	セン	左注	ńian^{1}	仙韻
5799b	下師・084オ7・畳字	然	—	セン	右注	ńian^{1}	仙韻
5800b	下師・084オ7・畳字	然	—	ネン	左注	ńian^{1}	仙韻
6477b	下毛・105ウ5・畳字	然	—	ネン	右注	ńian^{1}	仙韻
4275a	下阿・032ウ2・雑物	箯	平	ヘン	右傍	pjian^{1} bjian^{1}	仙韻 仙韻
6223	下飛・097オ2・辞字	偏	—	ヘン	右傍	p‘jian$^{1/3}$	仙/線韻
6323a	下飛・098ウ6・畳字	便	平	ヒン	右注	bjian$^{1/3}$	仙/線韻
5254b	下由・068オ2・雑物	綿	平	メン	右傍	mjian^{1}	仙韻
6804b	下洲・114オ6・動物	連	平	レン	右傍	lian^{1}	仙韻

【表B-08】上巻_ⅢAian 獮韻

番号	前田本所在	掲出字		仮名音注		中古音	韻目
2899b	上加・107オ3・疊字	演	平	エン	左注	$jian^2$	獮韻
1537	上度・058ウ3・辞字	搴	平	ケン	右傍	$kian^2$	獮韻
0879b	上波・033ウ3・疊字	遣	平	ケム	右注	$k'jian^{2/3}$	獮/線韻
2601	上加・096オ7・人體	癬	平	セン	右傍	$sian^2$	獮韻
1343a	上邊・052ウ6・疊字	辨	平濁	ヘン	中注	$bian^2$ ben^3	獮韻 裥韻
1373a	上邊・053オ5・疊字	弁	平濁	ヘン	左注	$bian^2$ ben^3	獮韻 裥韻
1375a	上邊・053オ6・疊字	弁	平濁	ヘン	左注	$bian^2$ ben^3	獮韻 裥韻
1376a	上邊・053オ6・疊字	弁	平濁	ヘン	中注	$bian^2$ ben^3	獮韻 裥韻
1377a	上邊・053オ6・疊字	弁	平濁	ヘン	左注	$bian^2$ ben^3	獮韻 裥韻
1384a	上邊・053ウ1・疊字	弁	平濁	ヘン	左注	$bian^2$ ben^3	獮韻 裥韻
1386a	上邊・053ウ1・疊字	弁	平濁	ヘン	中注	$bian^2$ ben^3	獮韻 裥韻
1387a	上邊・053ウ1・疊字	弁	平濁	ヘン	左注	$bian^2$ ben^3	獮韻 裥韻
1411	上邊・054オ1・官職	辨	―	ヘン	右注	$bian^2$ ben^3	獮韻 裥韻
1413a	上邊・054オ1・官職	弁	―	ヘン	右注	$bian^2$ ben^3	獮韻 裥韻
0354b	上伊・015ウ3・国郡	辨	―	ヘ ［平濁］	右傍	$bian^2$ ben^3	獮韻 裥韻
1341a	上邊・052ウ6・疊字	冕	上濁	ヘン	左注	$mian^2$	獮韻
1374a	上邊・053オ6・疊字	冕	上濁	ヘン	左注	$mian^2$	獮韻
2681	上加・098ウ3・雑物	冕	上濁	ヘン	右傍	$mian^2$	獮韻
0829b	上波・032ウ7・疊字	免	上	メン	左注	$mian^2$	獮韻
0298b	上伊・013オ7・疊字	免	平	メン	左注	$mian^2$	獮韻
0949	上仁・037オ1・動物	鮸	―	メン	右傍	$mian^2$	獮韻
1257b	上保・048ウ4・疊字	輦	上	レン	中注	$lian^2$	獮韻

【表B-08】下巻_ⅢAian 獮韻

番号	前田本所在	掲出字		仮名音注		中古音	韻目
4194	下阿・029オ5・人躰	蹇	上	ケン	右傍	$kian^2$ $kiɑn^2$	獮韻 阮韻

5149b	下木・063ウ6・疊字	讞	上濁	ケム	左注	ŋian^{2} ŋiat	獮韻 薛韻
6523	下世・108オ1・人躰	癬	上	セン	右傍	sian^{2}	獮韻
6439	下毛・103オ5・雜物	剪	上	セン	右傍	tsian^{1}	獮韻
6611a	下世・110ウ2・疊字	踐	平	セン	左注	dzian^{2}	獮韻
6708a	下世・111ウ6・疊字	餞	上	セン	左注	dzian$^{2/3}$	獮/線韻
6528	下世・108オ3・人事	餞	―	セン [上平]	右傍	dzian$^{2/3}$	獮/線韻
5117b	下木・063オ6・疊字	撰	平	セン	左注	dẓian^{2} dẓuan^{2}	獮韻 潸韻
6636a	下世・110ウ7・疊字	撰	―	セン	左注	dẓian^{2} dẓuan^{2}	獮韻 潸韻
5574b	下師・080オ2・疊字	善	平	セン	右注	źian^{2}	獮韻
5814b	下師・084ウ2・疊字	善	―	セン	右注	źian^{2}	獮韻
6286b	下飛・098オ7・疊字	俛	上	ハン	左注	mian^{2}	獮韻
6680b	下世・111ウ1・疊字	冕	上濁	ヘン	右注	mian^{2}	獮韻
5787b	下師・084オ5・疊字	免	去	メン	右注	mian^{2}	獮韻

【表B-08】上巻_ⅢAian 線韻

番号	前田本所在	掲出字		仮名音注		中古音	韻目
0184c	上伊・008ウ7・雜物	箭	去	セン	右傍	tsian^{3}	線韻
2480b	上加・092ウ7・植物	箭	―	セン	右傍	tsian^{3}	線韻
1360b	上邊・053オ3・疊字	賎	平	セン	左注	dzian^{3}	線韻
0122	上伊・006ウ2・人事	賎	―	セン	右傍	dzian^{3}	線韻
0170	上伊・008ウ3・雜物	線	―	セン	右傍	sian^{3}	線韻
3031b	上加・109オ1・疊字	戦	去	セン	左注	tśian^{3}	線韻
3170b	上加・112オ3・官職	膳	平濁	セン	右傍	źian^{3}	線韻
1910b	上池・070ウ2・疊字	膳	平	セン	左注	źian^{3}	線韻
1391a	上邊・053ウ2・疊字	變	去	ヘン	右注	pian^{3}	線韻
1402a	上邊・053ウ5・疊字	變	平	ハン	右注	pian^{3}	線韻
1318	上邊・052オ4・辞字	變	―	ヘン	右傍	pian^{3}	線韻
1322a	上邊・052ウ1・重點	變	―	ヘン	右注	pian^{3}	線韻
1322b	上邊・052ウ1・重點	變	―	ヘン	右注	pian^{3}	線韻
1389a	上邊・053ウ2・疊字	遍	平	ヘン	左注	pjian^{3}	線韻
1364a	上邊・053オ4・疊字	抃	去	ヘン	右注	bian^{3}	線韻
1366a	上邊・053オ4・疊字	抃	去	ヘン	右注	bian^{3}	線韻
1407a	上邊・053ウ6・疊字	抃	去	ヘン	右注	bian^{3}	線韻
1381a	上邊・053オ7・疊字	抃	平	ヘン	左注	bian^{3}	線韻
1365a	上邊・053オ4・疊字	抃	―	ヘン	右注	bian^{3}	線韻

【表B-08】下巻_ⅢAian 線韻

番号	前田本所在	掲出字		仮名音注		中古音	韻目
5433b	下師・074オ4・雜物	線	去	セン	右傍	$sian^3$	線韻
6546a	下世・108ウ7・雜物	線	—	セン	右注	$sian^3$	線韻
4041b	下手・023ウ5・官職	膳	—	セン	右注	$źian^3$	線韻
6412	下毛・101ウ6・動物	嬗	平	セン	右傍	$źian^3$ $t‘ɑn^1$ $tɑn^2$	線韻 寒韻 旱韻

【表B-08】上巻_ⅢAiat 薛韻

番号	前田本所在	掲出字		仮名音注		中古音	韻目
3214	上与・115ウ1・人事	孽	入濁	ケツ	右傍	ŋiat	薛韻
2383b	上和・090オ3・疊字	哲	入	テツ	左注	ṭiat	薛韻
2548	上加・094ウ6・動物	鼈	入	ヘツ	右傍	pjiat	薛韻
3130b	上加・110オ7・疊字	別	—	ヘチ	左注	biat piat	薛韻 薛韻
1332a	上邊・052ウ4・疊字	別	入	ヘツ	左注	biat piat	薛韻 薛韻
1362a	上邊・053オ3・疊字	別	入	ヘツ	左注	biat piat	薛韻 薛韻
2071b	上利・075オ2・疊字	別	入	ヘツ	左注	biat piat	薛韻 薛韻
1412a	上邊・054オ1・官職	別	—	ヘツ	右注	biat piat	薛韻 薛韻
1610b	上度・062ウ3・疊字	滅	入	メツ	左注	mjiat	薛韻
0994b	上仁・040オ4・疊字	滅	—	メツ	右注	mjiat	薛韻
0838b	上波・033オ2・疊字	裂	入	レツ	右注	liat	薛韻
1804b	上池・069オ2・疊字	裂	入	レツ	左注	liat	薛韻
2572a	上加・095ウ3・人倫	列	入	レツ	右傍	liat	薛韻

【表B-08】下巻_ⅢAiat 薛韻

番号	前田本所在	掲出字		仮名音注		中古音	韻目
3860b	下江・017ウ5・疊字	傑	入	ケツ	左注	giat	薛韻
6070	下飛・091ウ3・植物	孽	入濁	ケツ	右傍	ŋiat	薛韻
3870b	下江・017ウ7・疊字	孽	—	ケツ	左注	ŋiat	薛韻
4929	下木・058ウ3・雜物	紲	入	セツ	右傍	siat	薛韻
5457a	下師・074ウ4・雜物	褻	入	セツ	右傍	siat	薛韻
4767b	下佐・053オ1・疊字	折	入濁	セツ	左注	źiat tśiat dei^1	薛韻 薛韻 齊韻

6693a	下世・111ウ3・疊字	折	入	セツ	中注	źiat tśiat dei^{1}	薛韻 薛韻 齊韻
4205a	下阿・029ウ1・人躰	褻	入濁	セツ	右傍	ńiat	薛韻
4039a	下手・023ウ1・疊字	哲	入	テツ	右注	ṭiat	薛韻
3902	下手・020オ4・人事	哲	―	テツ	左注	ṭiat	薛韻
6368a	下飛・100オ1・國郡	哲	―	テイ	右傍	ṭiat	薛韻
3931	下手・021ウ3・辞字	撤	―	テツ [平平]	右注	ḍiat ṭ'iat	薛韻 薛韻
5625b	下師・081オ7・疊字	別	入	ヘツ	左注	biat piat	薛韻 薛韻
6708b	下世・111ウ6・疊字	別	入	ヘツ	左注	biat piat	薛韻 薛韻
4038b	下手・023ウ1・疊字	滅	入	メツ	右注	mjiat	薛韻
3365b	下古・003ウ6・動物	蛚	―	レツ	右傍	liat	薛韻
4535b	下佐・046オ4・人事	裂	入	レツ	右傍	liat	薛韻

【表B-08】上巻_ⅢAiuan 仙韻

番号	前田本所在	掲出字		仮名音注		中古音	韻目
0252b	上伊・012ウ5・疊字	縁	上	エン	中注	jiuan$^{1/3}$	仙/線韻
1583b	上度・062オ4・疊字	縁	上	エン	左注	jiuan$^{1/3}$	仙/線韻
3001b	上加・108ウ2・疊字	縁	去	エン	左注	jiuan$^{1/3}$	仙/線韻
2506b	上加・093ウ3・植物	櫞	平	エン	右傍	jiuan^{1}	仙韻
1312a	上邊・051ウ4・雜物	卷	去	クエン	右傍	giuan$^{1/3}$ kiuan^{2} giuɑn^{2}	仙/線韻 獮韻 阮韻
1544	上度・059オ6・辞字	撋	上	セム	右傍	ńiuan^{1}	仙韻
0883b	上波・033ウ4・疊字	筌	平	セン	右注	ts'iuan^{1}	仙韻
1349b	上邊・053オ1・疊字	痊	平	セン	右注	ts'iuan^{1}	仙韻
0010	上伊・002ウ3・地儀	泉	平	セン	右傍	dziuan^{1}	仙韻
0450b	上呂・019オ4・疊字	宣	平	セン	右注	siuan^{1}	仙韻
1828b	上池・069オ7・疊字	宣	平	セム	左注	siuan^{1}	仙韻
0501a	上波・021オ3・植物	旋	去	セン	右傍	ziuan$^{1/3}$	仙/線韻
1476c	上度・056ウ6・人事	旋	上濁	テン	左注	ziuan$^{1/3}$	仙/線韻
2427	上加・091ウ2・地儀	川	平	セン	右傍	tś'iuan^{1}	仙韻
1002b	上仁・040オ5・疊字	専	平	セン	右注	tśiuan^{1}	仙韻
0332b	上伊・014オ1・疊字	舩	上	セン	中注	dźiuan^{1}	仙韻
2323	上和・087オ6・人事	譞	―	タフ	右傍	xiuan^{1}	仙韻
2356a	上和・088ウ1・雜物	圓	平	ヱン	右傍	ɣiuan^{1}	仙韻
1267b	上保・048ウ6・疊字	圓	―	ヱン	左注	ɣiuan^{1}	仙韻
2791	上加・101オ5・員數	貟	平	ヱン	右傍	ɣiuan^{1} ɣiuʌn$^{1/3}$	仙韻 文/問韻

【表B-08】下巻_ⅢAiuan 仙韻

番号	前田本所在	掲出字		仮名音注		中古音	韻目
6884	下洲・117ウ5・辞字	捐	平	エン	右傍	ʼjiuan^{1}	仙韻
3331a	下古・002ウ3・植物	鳶	平	エン	右傍	jiuan^{1}	仙韻
3739	下江・014オ4・地儀	櫞	—	エン ［平平］	右注	jiuan^{1}	仙韻
3868a	下江・017ウ6・疊字	縁	平	エン	左注	jiuan$^{1/3}$	仙/線韻
3866a	下江・017ウ6・疊字	縁	去	キン	左注	jiuan$^{1/3}$	仙/線韻
3867a	下江・017ウ6・疊字	縁	去	エン	左注	jiuan$^{1/3}$	仙/線韻
5161b	下木・064オ1・疊字	縁	上	エン	左注	jiuan$^{1/3}$	仙/線韻
3738	下江・014オ4・地儀	縁	—	エン ［平平］	右注	jiuan$^{1/3}$	仙/線韻
3769	下江・015ウ1・人事	縁	—	エン ［上上］	右注	jiuan$^{1/3}$	仙/線韻
3795a	下江・016ウ5・重點	縁	—	エン	右注	jiuan$^{1/3}$	仙/線韻
3795b	下江・016ウ5・重點	縁	—	エン	右注	jiuan$^{1/3}$	仙/線韻
3869a	下江・017ウ7・疊字	縁	—	エン	左注	jiuan$^{1/3}$	仙/線韻
5807b	下師・084ウ1・疊字	縁	—	エン	右注	jiuan$^{1/3}$	仙/線韻
3380	下古・004オ7・人躰	拳	平	クヱン	右傍	giuan^{1}	仙韻
5683b	下師・082オ7・疊字	攉	平	クヱン	左注	giuan^{1}	仙韻
5707b	下師・082ウ6・疊字	巻	去	クヱン	右傍	giuan$^{1/3}$ kiuan^{2} giuɑn^{2}	仙/線韻 獮韻 阮韻
4569	下佐・047オ5・雑物	棬	平	クヱン	右傍	kʻiuan^{1}	仙韻
4351	下阿・038ウ2・辞字	詮	平	セン	右傍	tsʻiuan^{1}	仙韻
5897c	下師・085ウ2・疊字	詮	—	セン	右傍	tsʻiuan^{1}	仙韻
4166a	下阿・028ウ1・人倫	泉	平	セン	右傍	dziuan^{1}	仙韻
5214b	下由・066オ2・地儀	泉	平	セン	右傍	dziuan^{1}	仙韻
5834b	下師・084ウ6・疊字	宣	平	セン	右注	siuan^{1}	仙韻
6491a	下世・106ウ4・地儀	宣	平	セン	右傍	siuan^{1}	仙韻
6494a	下世・106ウ5・地儀	宣	平	セン	右傍	siuan^{1}	仙韻
6495a	下世・106ウ5・地儀	宣	平	セン	右傍	siuan^{1}	仙韻
6440a	下毛・103オ5・雑物	旋	平	セン	右傍	ziuan$^{1/3}$	仙/線韻
4924	下木・058ウ1・雑物	栓	平	セン	右傍	ṣiuan^{1}	仙韻
6727a	下世・112オ3・疊字	専	—	セン	右注	tśiuan^{1}	仙韻
6768a	下世・113オ3・官職	専	—	セン	右傍	tśiuan^{1}	仙韻
6653a	下世・111オ3・疊字	専	—	セ	左注	tśiuan^{1}	仙韻
6107b	下飛・092ウ3・人倫	川	平	セム	右傍	tśʻiuan^{1}	仙韻
6597a	下世・110オ7・疊字	舩	平	セン	左注	dźiuan^{1}	仙韻
6963b	下洲・121ウ4・官職	舩	—	セン	右注	dźiuan^{1}	仙韻
3840b	下江・017ウ1・疊字	傳	平	テン	左注	ḍiuan$^{1/3}$ ṭiuan^{3}	仙/線韻 線韻

4715b	下佐・052オ2・疊字	傳	平	テン	中注	ḍiuan1/3 ṭiuan3	仙/線韻 線韻
6969	下手・021ウ2・辞字	傳	―	テン ［平濁平］	右注	ḍiuan1/3 ṭiuan3	仙/線韻 線韻
4028a	下手・023オ5・疊字	傳	―	テン	左注	ḍiuan1/3 ṭiuan3	仙/線韻 線韻
5388c	下師・073オ5・人事	傳	上	テ	―	ḍiuan1/3 ṭiuan3	仙/線韻 線韻
4289	下阿・032ウ5・雑物	攣	平	レン	右傍	liuan1	仙韻
6011a	下會・089ウ3・疊字	圓	平	ヱン	左注	ɣiuan1	仙韻
6594b	下世・110オ6・疊字	湲	平	ヱン	左注	ɣiuan1 ɣuɐn1	仙韻 山韻

【表B-08】上巻_ⅢAiuan 獮韻

番号	前田本所在	掲出字		仮名音注		中古音	韻目
2609a	上加・096ウ1・人體	轉	上	テン	右傍	ṭiuan2/3	獮/線韻
2112b	上利・075ウ3・疊字	轉	平濁	テン	右注	ṭiuan2/3	獮/線韻
2187b	上留・079ウ2・疊字	轉	平	テン	中注	ṭiuan2/3	獮/線韻
0997b	上仁・040オ4・疊字	軟	平	ナン	右注	ńiuan2	獮韻
2628	上加・097オ3・人事	變	―	ヘン	右傍	liuan2/3	獮/線韻

【表B-08】下巻_ⅢAiuan 獮韻

番号	前田本所在	掲出字		仮名音注		中古音	韻目
4908	下木・058オ5・雑物	絹	去	ケム	右傍	kjiuan3	線韻
3392a	下古・004ウ5・人躰	轉	上	テン	右傍	ṭiuan2/3	獮/線韻
3934a	下手・021ウ5・重點	轉	平	テン	右注	ṭiuan2/3	獮/線韻
3934b	下手・021ウ5・重點	轉	平濁	テン	右注	ṭiuan2/3	獮/線韻
3932	下手・021ウ3・辞字	轉	―	テン ［上平］	右注	ṭiuan2/3	獮/線韻
3928	下手・021ウ2・辞字	篆	―	テン ［上平］	右注	ḍiuan2	獮韻
6548a	下世・108ウ7・雑物	軟	―	セン	右傍	ńiuan2	獮韻
4203a	下阿・029オ7・人躰	喘	―	セン	右傍	tśiuan2	獮韻

【表B-08】上巻_ⅢAiuan 線韻

番号	前田本所在	掲出字		仮名音注		中古音	韻目
0684	上波・027ウ2・雑物	桊	―	クヱン	右傍	kiuan3	線韻
2614b	上加・096ウ2・人體	面	去	メン	右傍	miuan3	線韻

1275c	上保・049ウ1・諸寺	院	—	ヰン	右注	ɣiuan³ ɣuɑn¹	線韻 桓韻
0828b	上波・032ウ7・疊字	援	上	ヱン	左注	ɣiuan³ ɣiuɑn¹	線韻 元韻

【表B-08】下巻_ⅢAiuan 線韻

番号	前田本所在	掲出字		仮名音注		中古音	韻目
6143	下飛・094オ5・雜物	釧	去	セン	右傍	tś'iuan³	線韻
4476	下佐・044オ2・動物	轉	去	テン	右傍	ṭiuan³	線韻
5379c	下師・073オ1・人事	囀	上濁	テン	右注	ṭiuan³	線韻
5730b	下師・083オ5・疊字	面	平	メン	左注	miuan³	線韻
4933b	下木・058ウ4・雜物	面	—	メン [平平]	右注	miuan³	線韻
4817b	下佐・054オ7・官職	院	—	ヰン	右注	ɣiuan³ ɣuɑn¹	線韻 桓韻
6764c	下世・112ウ7・官職	院	—	ヰン	右傍	ɣiuan³ ɣuɑn¹	線韻 桓韻

【表B-08】上巻_ⅢAiuat 薛韻

番号	前田本所在	掲出字		仮名音注		中古音	韻目
1407b	上邊・053ウ6・疊字	悅	入	エツ	右注	jiuat	薛韻
2965b	上加・108オ2・疊字	悅	入	エツ	右注	jiuat	薛韻
2687c	上加・098ウ4・雜物	馭	入	セツ	右傍	ṣiuat	薛韻
1375b	上邊・053オ6・疊字	說	入濁	セツ	左注	śiuat	薛韻
2896b	上加・107オ2・疊字	說	入濁	セツ	左注	śiuat	薛韻
1246b	上保・048ウ1・疊字	綴	入	テチ	左注	ṭiuat ṭiuai³	薛韻 祭韻
0791b	上波・032オ7・疊字	埒	入	ラツ	右注	liuat	薛韻
0346b	上伊・014オ4・疊字	劣	入	レツ	左注	liuat	薛韻

【表B-08】下巻_ⅢAiuat 薛韻

番号	前田本所在	掲出字		仮名音注		中古音	韻目
4510a	下佐・045オ4・人躰	噦	入	エツ	右傍	'iuat 'iuɑt xuɑi³	薛韻 月韻 泰韻
5137b	下木・063ウ3・疊字	悅	入	エツ	左注	jiuat	薛韻
5144b	下木・063ウ5・疊字	悅	入	エツ	左注	jiuat	薛韻
5835b	下師・084ウ6・疊字	悅	入	エツ	左注	jiuat	薛韻
6326b	下飛・098ウ7・疊字	閱	入	エツ	左注	jiuat	薛韻

6413	下毛・101ウ6・動物	蛻	入	セツ	右傍	jiuat śiuai^{3} t‘uɑi^{3} t‘uɑ^{3}	薛韻 祭韻 泰韻 過韻
6588a	下世・110オ5・疊字	絶	入	セチ	左注	dziuat	薛韻
6683a	下世・111ウ1・疊字	絶	入	セチ	左注	dziuat	薛韻
4380b	下阿・039ウ2・疊字	絶	入	セツ	左注	dziuat	薛韻
6467b	下毛・105ウ3・疊字	絶	入	セツ	左注	dziuat	薛韻
6736a	下世・112オ4・疊字	絶	入	セツ	右注	dziuat	薛韻
6737a	下世・112オ4・疊字	絶	入	セツ	右注	dziuat	薛韻
6738a	下世・112オ4・疊字	絶	—	セツ	左注	dziuat	薛韻
6759a	下世・112ウ2・疊字	絶	—	セツ	右傍	dziuat	薛韻
6742a	下世・112オ5・疊字	絶	—	セ	右注	dziuat	薛韻
5209	下由・065ウ6・天象	雪	入	セツ	右傍	siuat	薛韻
5704b	下師・082ウ5・疊字	雪	入	セツ	左注	siuat	薛韻
3575b	下古・007ウ5・光彩	雪	—	セツ	右注	siuat	薛韻
5470b	下師・074ウ7・雜物	雪	—	セツ	右注	siuat	薛韻
6272b	下飛・098オ4・疊字	說	入	セツ	左注	śiuat	薛韻
6602a	下世・110ウ1・疊字	說	入	セツ	左注	śiuat	薛韻
6569a	下世・109ウ7・重點	說	—	セツ	右注	śiuat	薛韻
6569b	下世・109ウ7・重點	說	—	セツ	右注	śiuat	薛韻
6603a	下世・110ウ1・疊字	說	—	セツ	左注	śiuat	薛韻
4348	下阿・037ウ5・辞字	埒	入	ラツ	右傍	liuat	薛韻
5885b	下師・085オ7・疊字	劣	入	レツ	右注	liuat	薛韻

【表B-08】上巻_ⅢAiaŋ 庚韻

番号	前田本所在	掲出字		仮名音注		中古音	韻目
0520	上波・021ウ4・植物	英	平	エイ	右傍	’iaŋ^{1}	庚韻
0500b	上波・021オ3・植物	荊	平	ケイ	右傍	kiaŋ^{1}	庚韻
2218	上遠・080ウ1・植物	荊	平	ケイ	右傍	kiaŋ^{1}	庚韻
1498b	上度・057オ6・雜物	擎	—	カイ	右注	giaŋ^{1}	庚韻
2230	上遠・080ウ6・動物	鯨	平	ケイ	右傍	giaŋ^{1}	庚韻
0884b	上波・033ウ4・疊字	迎	平	ケイ	右注	ŋiaŋ$^{1/3}$	庚/映韻
0162	上伊・008オ7・飲食	牲	平	セイ	右傍	ṣaŋ^{1}	庚韻
3027b	上加・108ウ7・疊字	兵	上	ヒヤウ	左注	piaŋ^{1}	庚韻
0617	上波・025オ4・人事	評	平	ヒヤウ	右傍	biaŋ$^{1/3}$	庚/映韻
0184a	上伊・008ウ7・雜物	平	平	ヘイ	右傍	biaŋ^{1} bjian^{1}	庚韻 仙韻
1302a	上邊・051オ6・人事	平	平	ヘイ	左注	biaŋ^{1} bjian^{1}	庚韻 仙韻
1327a	上邊・052ウ3・疊字	平	平	ヘイ	左注	biaŋ^{1} bjian^{1}	庚韻 仙韻

1328a	上邊・052ウ3・疊字	平	平	ヘイ	左注	bian¹ bjian¹	庚韻 仙韻
1342a	上邊・052ウ6・疊字	平	平	ヘイ	左注	bian¹ bjian¹	庚韻 仙韻
1347a	上邊・052ウ7・疊字	平	平	ヘイ	中注	bian¹ bjian¹	庚韻 仙韻
1348a	上邊・052ウ7・疊字	平	平	ヘイ	右注	bian¹ bjian¹	庚韻 仙韻
1349a	上邊・053オ1・疊字	平	平	ヘイ	右注	bian¹ bjian¹	庚韻 仙韻
1352a	上邊・053オ1・疊字	平	平	ヘイ	左注	bian¹ bjian¹	庚韻 仙韻
1359a	上邊・053オ3・疊字	平	平	ヘイ	左注	bian¹ bjian¹	庚韻 仙韻
1385a	上邊・053ウ1・疊字	平	平	ヘイ	左注	bian¹ bjian¹	庚韻 仙韻
1399a	上邊・053ウ4・疊字	平	平	ヘイ	右注	bian¹ bjian¹	庚韻 仙韻
1406a	上邊・053ウ5・疊字	平	平	ヘイ	右注	bian¹ bjian¹	庚韻 仙韻
1410a	上邊・053ウ6・疊字	平	平	ヘイ	左注	bian¹ bjian¹	庚韻 仙韻
3290a	上邊・054オ3・姓氏	平	―	ヘ	右注	bian¹ bjian¹	庚韻 仙韻
1580b	上度・062オ4・疊字	明	上	ミヤウ	左注	mian¹	庚韻
1327b	上邊・052ウ3・疊字	明	平	メイ	左注	mian¹	庚韻
0490b	上波・020ウ7・植物	鳴	平	メイ	右傍	mian¹	庚韻
2732a	上加・099ウ4・雜物	鳴	平	メイ	右傍	mian¹	庚韻
1751	上池・067オ4・人事	盟	―	メイ	右傍	mian¹ man³	庚韻 映韻

【表B-08】下巻 ⅢAian 庚韻

番号	前田本所在	掲出字		仮名音注		中古音	韻目
3813a	下江・017オ3・疊字	英	平	エイ	中注	'ian¹	庚韻
3814a	下江・017オ3・疊字	英	平	エイ	中注	'ian¹	庚韻
3860a	下江・017ウ5・疊字	英	平	エイ	左注	'ian¹	庚韻
3861a	下江・017ウ5・疊字	英	平	エイ	左注	'ian¹	庚韻
4117	下阿・026ウ3・植物	英	平	エイ	右傍	'ian¹	庚韻
5921a	下師・086ウ2・國郡	英	―	ア	右傍	'ian¹	庚韻
6369a	下飛・100オ1・國郡	英	―	ア	右傍	'ian¹	庚韻

4052	下阿・024ウ1・天象	霙	平	エイ	右傍	'iaŋ[1] 'iɑŋ[1]	庚韻 陽韻
4845	下木・055ウ4・地儀	京	平	キヤウ	右注	kiaŋ[1]	庚韻
5202a	下木・065オ4・官職	京	—	キヤウ	右注	kiaŋ[1]	庚韻
4844	下木・055ウ4・地儀	京	平	ケイ	右傍	kiaŋ[1]	庚韻
5204	下木・065オ4・官職	卿	平	キヤウ	中注	k'iaŋ[1]	庚韻
5203	下木・065オ4・官職	卿	平	ケイ	右注	k'iaŋ[1]	庚韻
4620	下佐・049オ5・辞字	擎	平	ケイ	右傍	giaŋ[1]	庚韻
5246	下由・067ウ6・雑物	檠	平	ケイ	右傍	giaŋ[1/3]	庚/映韻
6692b	下世・111ウ3・疊字	兵	上	ヒヤウ	左注	piaŋ[1]	庚韻
6389a	下飛・100オ6・官職	兵	—	ヒヤウ	右注	piaŋ[1]	庚韻
6390a	下飛・100オ6・官職	兵	—	ヒヤウ	右注	piaŋ[1]	庚韻
6391a	下飛・100オ6・官職	兵	—	ヒヤウ	右注	piaŋ[1]	庚韻
6311a	下飛・098ウ4・疊字	平	去濁	ヒヤウ	中注	biaŋ[1] bjian[1]	庚韻 仙韻
6191a	下飛・095オ2・雑物	平	—	ヒヤウ	右傍	biaŋ[1] bjian[1]	庚韻 仙韻
4400a	下阿・040ウ5・国郡	平	—	ヘ	右傍	biaŋ[1] bjian[1]	庚韻 仙韻
3560b	下古・007オ6・雑物	枰	平	ヒヤウ	右傍	biaŋ[1/3]	庚/映韻
6296a	下飛・098ウ2・疊字	評	平	ヒヤウ	左注	biaŋ[1/3]	庚/映韻
4046a	下阿・024オ7・天象	明	去	ミヤウ	右傍	miaŋ[1]	庚韻
3719b	下古・012オ5・疊字	明	平	メイ	左注	miaŋ[1]	庚韻
4272b	下阿・032ウ1・雑物	明	平	メイ	右傍	miaŋ[1]	庚韻
6234b	下飛・097ウ5・疊字	明	平	メイ	右注	miaŋ[1]	庚韻
6702b	下世・111ウ4・疊字	明	平	メイ	左注	miaŋ[1]	庚韻
6731b	下世・112オ3・疊字	盟	—	メイ	右注	miaŋ[1] maŋ[3]	庚韻 映韻

【表B-08】上巻_ⅢAiaŋ 梗韻

番号	前田本所在	掲出字		仮名音注		中古音	韻目
2033b	上利・074ウ1・疊字	境	上	ケイ	左注	kiaŋ[2]	梗韻
2080b	上利・075オ4・疊字	境	上	ケイ	左注	kiaŋ[2]	梗韻
0469b	上波・020オ4・天象	景	上	ケイ	右傍	kiaŋ[2]	梗韻
0728b	上波・031ウ1・疊字	景	上濁	ケイ	右注	kiaŋ[2]	梗韻
0215	上伊・011オ4・辞字	警	—	ケイ	右傍	kiaŋ[2]	梗韻
1329a	上邊・052ウ4・疊字	秉	上	ヘイ	左注	piaŋ[2]	梗韻
0043	上伊・003ウ2・植物	秉	—	ヘイ	右傍	piaŋ[2]	梗韻
1536	上度・058ウ3・辞字	秉	—	ヘイ	右傍	piaŋ[2]	梗韻
1400a	上邊・053ウ4・疊字	炳	上	ヘイ	右注	piaŋ[2]	梗韻

【表B-08】下巻_ⅢAiaŋ 梗韻

番号	前田本所在	掲出字		仮名音注		中古音	韻目
3762	下江・015オ3・人倫	影	—	エイ	右注	'iaŋ^{2}	梗韻
5113a	下木・063オ5・疊字	警	上	キヤウ	左注	kiaŋ^{2}	梗韻
5839b	下師・084ウ7・疊字	景	上	エイ	右注	kaŋ^{2}	梗韻
5840b	下師・084ウ7・疊字	景	上	ケイ	左注	kiaŋ^{2}	梗韻
6233b	下飛・097ウ5・疊字	景	上	ケイ	右注	kiaŋ^{2}	梗韻
6581b	下世・110オ4・疊字	景	上	ケイ	右注	kiaŋ^{2}	梗韻

【表B-08】上巻_ⅢAiaŋ 映韻

番号	前田本所在	掲出字		仮名音注		中古音	韻目
1838b	上池・069ウ2・疊字	敬	平	キヤウ	左注	kiaŋ^{3}	映韻
2633	上加・099オ4・雜物	鏡	去	ケイ	右傍	kiaŋ^{3}	映韻
2706a	上加・099オ4・雜物	鏡	平	キヤウ	右傍	kiaŋ^{3}	映韻
1756b	上池・067オ5・人事	慶	去濁	ケイ	右注	k'iaŋ^{3}	映韻
3265b	上与・117ウ7・疊字	慶	去	ケイ	右注	k'iaŋ^{3}	映韻
2453b	上加・092オ1・地儀	柄	去	ヘイ	右傍	piaŋ^{3}	映韻
1997b	上利・073オ6・人躰	病	平濁	ヒヤウ	右注	biaŋ^{3}	映韻
2920b	上加・107オ7・疊字	病	平濁	ヒヤウ	左注	biaŋ^{3}	映韻
2921b	上加・107オ7・疊字	病	平濁	ヒヤウ	左注	biaŋ^{3}	映韻
2613b	上加・096ウ2・人體	病	平	ヒヤウ	右注	biaŋ^{3}	映韻
2307b	上和・086ウ7・人躰	病	—	ヒヤウ	左注	biaŋ^{3}	映韻
2304b	上和・086ウ7・人躰	病	—	ヘイ	右傍	biaŋ^{3}	映韻
0793b	上波・032オ7・疊字	命	去	メイ	左注	miaŋ^{3}	映韻
0874b	上波・033ウ2・疊字	命	去	メイ	右注	miaŋ^{3}	映韻
1215b	上保・048オ2・疊字	命	平	メイ	左注	miaŋ^{3}	映韻

【表B-08】下巻_ⅢAiaŋ 映韻

番号	前田本所在	掲出字		仮名音注		中古音	韻目
3792	下江・016ウ2・辞字	映	—	エイ	左注	'iaŋ^{3} 'ɑŋ^{2}	映韻 蕩韻
4920a	下木・058オ7・雜物	鏡	—	キヤウ	右注	kiaŋ^{3}	映韻
6331b	下飛・099オ1・疊字	竟	—	キヤウ	左注	kiaŋ^{3}	映韻
6500b	下世・106ウ6・地儀	慶	去	ケイ	右傍	k'iaŋ^{3}	映韻
5684b	下師・082オ7・疊字	柄	上	ヘイ	左注	piaŋ^{3}	映韻
3697b	下古・012オ1・疊字	命	平	メイ	左注	miaŋ^{3}	映韻
6740b	下世・112オ5・疊字	命	平	メイ	右注	miaŋ^{3}	映韻

【表B-08】上卷_ⅢAiak 陌韻

番号	前田本所在	掲出字		仮名音注		中古音	韻目
1097	上保・044ウ3・雜物	戟	―	ケキ	右傍	kiak	陌韻
0502b	上波・021オ3・植物	戟	入	ケキ	右傍	kiak	陌韻
2471a	上加・092ウ4・植物	劇	入	ケキ	右傍	giak	陌韻
1767a	上池・067ウ4・雜物	逆	入	ケキ	右傍	ŋiak	陌韻

【表B-08】下卷_ⅢAiak 陌韻

番号	前田本所在	掲出字		仮名音注		中古音	韻目
5733b	下師・083オ5・疊字	隙	入	ケキ	右注	k‘iak	陌韻
6354b	下飛・099ウ1・疊字	隙	入	ケキ	右傍	k‘iak	陌韻
3852b	下江・017ウ3・疊字	劇	入	キヤク	左注	giak	陌韻
4273	下阿・032ウ1・雜物	屐	―	ケキ ［□平］	右傍	giak	陌韻
5126a	下木・063ウ1・疊字	逆	入	キヤク	左注	ŋiak	陌韻

【表B-08】上卷_ⅢAiuaŋ 庚韻

番号	前田本所在	掲出字		仮名音注		中古音	韻目
0102	上伊・005ウ2・人倫	兄	去	クヰヤウ	右傍	xiuaŋ^{1}	庚韻
3296	上伊・005ウ2・人倫	兄	去	クヱイ	左注	xiuaŋ^{1}	庚韻
0518	上波・021ウ3・植物	榮	平	ヱイ	右傍	ɣiuaŋ^{1}	庚韻

【表B-08】下卷_ⅢAiuaŋ 庚韻

番号	前田本所在	掲出字		仮名音注		中古音	韻目
4363b	下阿・039オ5・疊字	兄	―	クヰヤウ	中注	xiuaŋ^{1}	庚韻
3368	下古・004オ1・人倫	兄	平 去	クキヤウ	右傍	xiuaŋ^{1}	庚韻
3369	下古・004オ1・人倫	兄	平 去	クヱイ	左傍	xiuaŋ^{1}	庚韻
4161	下阿・028オ6・人倫	兄	平 去	クヰウ	右傍	xiuaŋ^{1}	庚韻
4162	下阿・028オ6・人倫	兄	平 去	クヱイ	左傍	xiuaŋ^{1}	庚韻
4498a	下佐・044ウ2・動物	榮	平	ヱイ	右傍	ɣiuaŋ^{1}	庚韻
6000a	下會・089オ7・疊字	榮	平	ヱイ	左注	ɣiuaŋ^{1}	庚韻
6001a	下會・089オ7・疊字	榮	平	ヱイ	左注	ɣiuaŋ^{1}	庚韻

【表B-08】下卷_ⅢAiuaŋ 梗韻

番号	前田本所在	掲出字		仮名音注		中古音	韻目
5963a	下會・087ウ4・地儀	永	上	ヱイ	右傍	ɣiuaŋ^{2}	梗韻
5964a	下會・087ウ4・地儀	永	上	ヱイ	右傍	ɣiuaŋ^{2}	梗韻

5983a	下會・088ウ3・人事	永	上	ヱイ	右傍	ɣiuaŋ²	梗韻
6013a	下會・089ウ3・疊字	永	上	ヱイ	左注	ɣiuaŋ²	梗韻

【表B-08】下巻_ⅢAiuaŋ 映韻

番号	前田本所在	掲出字		仮名音注		中古音	韻目
3409b	下古・006オ1・人事	詠	去	ヰヤウ	左注	ɣiuaŋ³	映韻
5659b	下師・082オ1・疊字	詠	去	ヱイ	左注	ɣiuaŋ³	映韻
5982	下會・088ウ2・人事	詠	—	ヱイ ［平上］	右注	ɣiuaŋ³	映韻
5071b	下木・062ウ1・疊字	咏	去	ヱイ	中注	ɣiuaŋ³	映韻

【表B-09】上巻_ⅢAiɐi 之韻

番号	前田本所在	掲出字		仮名音注		中古音	韻目
0264a	上伊・012ウ7・疊字	醫	去	イ	左注	'iɐi^{1}	之韻
0265a	上伊・013オ1・疊字	醫	去	イ	左注	'iɐi^{1}	之韻
0386a	上伊・016オ4・官職	醫	―	イ	右注	'iɐi^{1}	之韻
0661	上波・026ウ5・雜物	匜	平	イ	右傍	jiɐi^{1}	之韻
0087	上伊・004ウ6・動物	鮔	平	イ	右傍	jiɐi^{1}	之韻
2309	上和・087オ2・人事	台	―	イ	右傍	jiɐi^{1} t'ʌi^{1}	之韻 咍韻
0092a	上伊・005オ3・動物	貽	平	イ	右傍	jiɐi^{1}	之韻
1958a	上池・071ウ3・國郡	怡	―	イ	右傍	jiɐi^{1}	之韻
3202b	上与・114ウ3・人職	頤	平	イ	右傍	jiɐi^{1}	之韻
0286b	上伊・013オ5・疊字	期	上濁	コ	右注	giɐi^{1}	之韻
0648	上波・026オ6・雜物	旗	平	キ	右傍	giɐi^{1}	之韻
1415	上度・054オ5・天象	朞	平	キ	右傍	giɐi^{1}	之韻
1868b	上池・070オ1・疊字	疑	平濁	キ	左注	ŋiɐi^{1}	之韻
1869b	上池・070オ1・疊字	疑	上濁	キ	左注	ŋiɐi^{1}	之韻
1417	上度・054オ6・天象	茲	平	シ	右傍	tsiɐi^{1} dziɐi^{1}	之韻 之韻
0234b	上伊・012ウ1・疊字	糸	上	シ	左注	siɐi^{1} mek	之韻 錫韻
1026a	上保・041ウ1・天象	司	平	シ	右傍	siɐi^{1}	之韻
1277b	上保・049ウ3・官職	司	―	シ	右注	siɐi^{1}	之韻
3173b	上加・112オ6・官職	司	―	シ	右注	siɐi^{1}	之韻
1899b	上池・070オ7・疊字	思	去	シ	左注	siɐi$^{1/3}$	之/志韻
1285b	上邊・050オ2・地儀	罳	―	シ	右傍	siɐi^{1}	之韻
2723	上加・099ウ2・雜物	柌	―	シ	右傍	ziɐi^{1}	之韻
2422	上加・091オ4・天象	颸	平	シ	右傍	tṣ'iɐi^{1}	之韻
2327	上和・087オ6・人事	嗤	平	シ	右傍	tś'iɐi^{1}	之韻
1933b	上池・070ウ7・疊字	芝	平	シ	右注	tśiɐi^{1} p'iʌm^{1}	之韻 凡韻
2368b	上和・089ウ7・疊字	時	平	シ	左注	źiɐi^{1}	之韻
1425	上度・054ウ4・地儀	塒	平	シ	右傍	źiɐi^{1}	之韻
2456	上加・092オ2・地儀	榯	―	シ	右傍	źiɐi^{1}	之韻
1903a	上池・070ウ1・疊字	笞	平	チ	左注	ṭ'iɐi^{1}	之韻
0779b	上波・032オ4・疊字	痴	上	チ	左注	ṭ'iɐi^{1}	之韻
2251	上遠・082オ4・人事	癡	平	チ	右傍	ṭ'iɐi^{1}	之韻
0623b	上波・025オ7・人事	癡	―	チ	右注	ṭ'iɐi^{1}	之韻
0948	上仁・036ウ6・動物	鮐	平	タイ	右傍	ṭ'iɐi^{1} śiɐi^{1}	之韻 之韻
1869a	上池・070オ1・疊字	持	平	チ	左注	ḍiɐi^{1}	之韻

1820b	上池・069オ5・疊字	持	上濁	チ	左注	ḍiɐi^{1}	之韻
2889b	上加・107オ1・疊字	持	上濁	チ	右注	ḍiɐi^{1}	之韻
1825a	上池・069オ6・疊字	持	去濁	チ	右注	ḍiɐi^{1}	之韻
1783	上池・068オ5・辞字	持	―	チ［去濁］	右注	ḍiɐi^{1}	之韻
1734b	上池・066ウ1・人倫	持	―	チ	右注	ḍiɐi^{1}	之韻
0270b	上伊・013オ2・疊字	治	平濁	チ	右注	ḍiɐi$^{1/3}$ ḍiei^{3}	之/志韻 至韻
1807a	上池・069オ3・疊字	治	去濁	チ	左注	ḍiɐi$^{1/3}$ ḍiei^{3}	之/志韻 至韻
1883a	上池・070オ4・疊字	治	去濁	チ	左注	ḍiɐi$^{1/3}$ ḍiei^{3}	之/志韻 至韻
1942a	上池・071オ2・疊字	治	去濁	チ	右注	ḍiɐi$^{1/3}$ ḍiei^{3}	之/志韻 至韻
1943a	上池・071オ2・疊字	治	去濁	チ	右注	ḍiɐi$^{1/3}$ ḍiei^{3}	之/志韻 至韻
1282b	上保・049ウ6・姓氏	治	―	チ	右注	ḍiɐi$^{1/3}$ ḍiei^{3}	之/志韻 至韻
1966a	上池・071ウ7・官職	治		チ	右注	ḍiɐi$^{1/3}$ ḍiei^{3}	之/志韻 至韻
2018	上利・074オ1・員數	釐	―	リ	右注	liɐi^{1}	之韻
2053a	上利・074ウ5・疊字	釐	去	リイ	右注	liɐi^{1}	之韻
3077b	上加・109ウ3・疊字	氂	上	リ	左注	liɐi^{1}	之韻

【表B-09】下巻_ⅢAiɐi 之韻

番号	前田本所在	掲出字		仮名音注		中古音	韻目
5941b	下師・086ウ6・官職	醫	―	イ	右注	'iɐi^{1}	之韻
4224	下阿・031オ4・飲食	飴	平	イ	右傍	jiɐi^{1}	之韻
5122a	下木・063オ7・疊字	基	平	キ	中注	kiɐi^{1}	之韻
5269b	下師・069オ3・地儀	基	平	キ	右注	kiɐi^{1}	之韻
6449	下毛・103ウ4・方角	其	平	キ	右傍	kiɐi^{1}	之韻
5069a	下木・062オ7・疊字	箕	平	キ	左注	kiɐi^{1}	之韻
6097	下飛・092ウ2・人倫	姫	平	キ	右傍	kiɐi^{1} jiɐi^{1}	之韻 之韻
6210	下飛・095ウ6・辞字	抾	平	キヨ	右傍	k'iɐi^{1} k'iɑp	之韻 業韻
3394b	下古・005オ1・人事	碁	平	キ	右傍	giɐi^{1}	之韻
3561a	下古・007オ6・雑物	碁	平	キ	右傍	giɐi^{1}	之韻
3395b	下古・005オ1・人事	碁	平	コ	右注	giɐi^{1}	之韻
6378a	下飛・100オ2・國郡	碁	―	キ	右傍	giɐi^{1}	之韻

3559a	下古・007オ6・雜物	萁	平	キ	右傍	giɐi^{1}	之韻
3558	下古・007オ6・雜物	萁	平	コ	右注	giɐi^{1}	之韻
6978a	下古・007オ6・雜物	萁	平	コ	右注	giɐi^{1}	之韻
4868a	下木・056ウ2・動物	麒	平	キ	右傍	giɐi^{1}	之韻
5153a	下木・063ウ7・疊字	期	平	キ	左注	giɐi^{1}	之韻
3854b	下江・017ウ4・疊字	期	平	コ	左注	giɐi^{1}	之韻
4775b	下佐・053オ3・疊字	期	―	コ	左注	giɐi^{1}	之韻
5188a	下木・064オ7・疊字	淇	平	キ	右注	giɐi^{1}	之韻
3642b	下古・011オ2・疊字	疑	平	キ	左注	ŋiɐi^{1}	之韻
5185a	下木・064オ6・疊字	疑	平	キ	右注	ŋiɐi^{1}	之韻
5062a	下木・062オ6・疊字	疑	去濁	キ	左注	ŋiɐi^{1}	之韻
6219	下飛・096ウ4・辞字	煕	平	キ	右傍	xiɐi^{1}	之韻
4959a	下木・060ウ4・重點	煕	―	キ	右傍	xiɐi^{1}	之韻
4959b	下木・060ウ4・重點	煕	―	キ	右傍	xiɐi^{1}	之韻
6913b	下洲・120オ4・疊字	嬉	平	キ	中注	xiɐi$^{1/3}$	之/志韻
5486	下師・075ウ2・員數	滋	平	シ	右傍	tsiɐi^{1}	之韻
4402a	下阿・040ウ5・国郡	滋	―	シ	右傍	tsiɐi^{1}	之韻
3613b	下古・010ウ3・疊字	慈	去	シ	中注	dziɐi^{1}	之韻
6359b	下飛・099ウ7・國郡	慈	―	シ	右傍	dziɐi^{1}	之韻
5299b	下師・070オ3・動物	鷀	平	シ	右傍	dziɐi^{1} tsiɐi^{1}	之韻 之韻
5432a	下師・074オ3・雜物	絲	―	シ ［平］	右注	siɐi^{1} mek	之韻 錫韻
5530a	下師・078ウ5・疊字	司	平	シ	右注	siɐi^{1}	之韻
3654b	下古・011オ6・疊字	司	―	シ	左注	siɐi^{1}	之韻
4447b	下佐・042ウ6・地儀	司	―	シ	右注	siɐi^{1}	之韻
4817b	下佐・054オ7・官職	司	―	シ	右注	siɐi^{1}	之韻
5957b	下師・087オ3・官職	司	―	シ	右傍	siɐi^{1}	之韻
6962c	下洲・121ウ1・官職	司	―	シ	右注	siɐi^{1}	之韻
5733a	下師・083オ5・疊字	伺	平	シ	右注	siɐi$^{1/3}$	之/志韻
6354a	下飛・099ウ1・疊字	伺	平	シ	右傍	siɐi$^{1/3}$	之/志韻
5617a	下師・081オ6・疊字	思	去	シ	左注	siɐi$^{1/3}$	之/志韻
5839a	下師・084ウ7・疊字	思	去	シ	右注	siɐi$^{1/3}$	之/志韻
5840a	下師・084ウ7・疊字	思	去	シ	左注	siɐi$^{1/3}$	之/志韻
5618a	下師・081オ6・疊字	思	―	シ	左注	siɐi$^{1/3}$	之/志韻
3399	下古・005オ5・人事	詞	平	シ	右傍	ziɐi^{1}	之韻
5714a	下師・083オ1・疊字	詞	平	シ	左注	ziɐi^{1}	之韻
3650b	下古・011オ5・疊字	辞	平	シ	左注	ziɐi^{1}	之韻
5588a	下師・080ウ2・疊字	辞	平濁	シ	右注	ziɐi^{1}	之韻
5489	下師・075ウ4・辞字	辤	―	シ ［平濁］	中注	ziɐi^{1}	之韻
5878a	下師・085オ6・疊字	緇	去	シ	右注	tʂiɐi^{1}	之韻
5879a	下師・085オ6・疊字	緇	去	シ	右注	tʂiɐi^{1}	之韻

5677a	下師・082オ4・疊字	芝	平	シ	左注	tśiɐi^{1} pʻiʌm^{1}	之韻 凡韻
3584	下古・009オ5・辞字	之	平	シ	右傍	tśiɐi^{1}	之韻
5232	下由・067オ1・人事	之	平	シ	右傍	tśiɐi^{1}	之韻
3409c	下古・006オ1・人事	詩	上濁	シ	左注	śiɐi^{1}	之韻
5428	下師・074オ2・雜物	詩	—	シ [平]	右注	śiɐi^{1}	之韻
5604a	下師・080ウ7・疊字	時	去濁	シ	中注	źiɐi^{1}	之韻
5893a	下師・085ウ2・疊字	時	—	シ	右注	źiɐi^{1}	之韻
5893b	下師・085ウ2・疊字	時	—	シ	右注	źiɐi^{1}	之韻
5830a	下師・084ウ5・疊字	而	去	シ	右注	ńiɐi^{1}	之韻
5454	下師・074ウ3・雜物	笞	—	チ	右傍	ṭʻiɐi^{1}	之韻
5573b	下師・080オ2・疊字	持	—	チ	右注	ḍiɐi^{1}	之韻
6373b	下飛・100オ2・國郡	治	—	チ	右傍	ḍiɐi$^{1/3}$ ḍiei^{3}	之/志韻 至韻
4120b	下阿・026ウ5・植物	釐	平	テン	右傍	liɐi^{1}	之韻

【表B-09】上巻_ⅢAiɐi 止韻

番号	前田本所在	掲出字		仮名音注		中古音	韻目
0260a	上伊・012ウ7・疊字	以	上	イ	左注	jiɐi^{2}	止韻
0261a	上伊・012ウ7・疊字	以	上	イ	左注	jiɐi^{2}	止韻
0259a	上伊・012ウ6・疊字	以	去	イ	左注	jiɐi^{2}	止韻
0340a	上伊・014オ2・疊字	已	平	イ	右注	jiɐi$^{2/3}$	止/志韻
0390a	上伊・016オ5・官職	已	平	イ	右注	jiɐi$^{2/3}$	止/志韻
0389a	上伊・016オ5・官職	已	—	イ	右注	jiɐi$^{2/3}$	止/志韻
2267	上遠・083ウ3・辞字	已	—	イ	右傍	jiɐi$^{2/3}$	止/志韻
0714	上波・030ウ3・人事	已	上	キ	右傍	jiɐi$^{2/3}$	止/志韻
2241	上遠・081オ5・人倫	己	上	キ	右傍	kiɐi^{2}	止韻
1013b	上仁・040ウ1・疊字	己	上	コ	右注	kiɐi^{2}	止韻
1885b	上池・070オ4・疊字	己	平	コ	左注	kiɐi^{2}	止韻
3040b	上加・109オ3・疊字	紀	平	キ	左注	kiɐi^{2}	止韻
2145b	上奴・076ウ3・植物	杞	上	キ	右傍	kʻiɐi^{2}	止韻
2146b	上奴・076ウ3・植物	杞	上	コ [上]	左注	kʻiɐi^{2}	止韻
0875b	上波・033ウ2・疊字	起	平	キ	右注	kʻiɐi^{2}	止韻
1213b	上保・048オ2・疊字	起	平	キ	左注	kʻiɐi^{2}	止韻
1236b	上保・048オ6・疊字	起	平	キ	中注	kʻiɐi^{2}	止韻
2461b	上加・092オ4・地儀	喜	上	キ	右傍	xiɐi$^{2/3}$	止/志韻
0384a	上伊・016オ1・国郡	喜	—	キ	右傍	xiɐi$^{2/3}$	止/志韻
1365b	上邊・053オ4・疊字	喜	—	キ	右注	xiɐi$^{2/3}$	止/志韻
0596b	上波・024オ7・人躰	子	上	シ	右傍	tsiɐi^{2}	止韻
1105b	上保・044ウ7・雜物	子	上	シ	左注	tsiɐi^{2}	止韻

1264b	上保・048ウ5・疊字	子	上	シ	左注	tsiɐi²	止韻
1768b	上池・067ウ4・雜物	子	上	シ	右注	tsiɐi²	止韻
2301b	上和・086ウ3・人倫	子	上	シ	右傍	tsiɐi²	止韻
0173b	上伊・008ウ4・雜物	子	―	シ［上］	右注	tsiɐi²	止韻
2724b	上加・099ウ2・雜物	子	―	シ［上］	右注	tsiɐi²	止韻
1305b	上邊・051ウ3・雜物	子	上濁	シ	右注	tsiɐi²	止韻
0421b	上呂・018オ5・雜物	子	―	シ［上濁］	右傍	tsiɐi²	止韻
0422b	上呂・018オ5・雜物	子	―	シ［上濁］	右注	tsiɐi²	止韻
0423b	上呂・018オ5・雜物	子	―	シ［上濁］	右注	tsiɐi²	止韻
1731b	上池・066オ7・人倫	子	平	シ	右注	tsiɐi²	止韻
1756c	上池・067オ5・人事	子	平	シ	右注	tsiɐi²	止韻
1775b	上池・067ウ6・雜物	子	平	シ	右注	tsiɐi²	止韻
1851b	上池・069ウ4・疊字	子	平	シ	左注	tsiɐi²	止韻
3060b	上加・109オ7・疊字	子	平	シ	左注	tsiɐi²	止韻
1773b	上池・067ウ5・雜物	子	平濁	シ	右注	tsiɐi²	止韻
1457b	上度・056オ2・人倫	子	―	シ	右注	tsiɐi²	止韻
1568c	上度・057ウ4・雜物	子	―	シ	右注	tsiɐi²	止韻
1513c	上度・057ウ4・雜物	子	―	シ	右注	tsiɐi²	止韻
1995c	上利・073オ4・人倫	子	―	シ	右注	tsiɐi²	止韻
2451b	上加・092オ1・地儀	子	―	シ	右注	tsiɐi²	止韻
2452b	上加・092オ1・地儀	子	―	シ	右注	tsiɐi²	止韻
2496b	上加・093ウ1・植物	子	―	シ	右傍	tsiɐi²	止韻
2494a	上加・093ウ1・植物	萆	平	ヒ	右傍	siɐi² biek	止韻 昔韻
0819b	上波・032ウ5・疊字	士	去	シ	中注	dẓiɐi²	止韻
3251b	上与・117ウ4・疊字	士	平	シ	左注	dẓiɐi²	止韻
0386c	上伊・016オ4・官職	士	―	セ	右注	dẓiɐi²	止韻
0915b	上波・035オ2・官職	士	―	セ	右注	dẓiɐi²	止韻
0765b	上波・032オ1・疊字	仕	平	シ	右注	dẓiɐi²	止韻
1224b	上保・048オ4・疊字	仕	平濁	シ	左注	dẓiɐi²	止韻
1836b	上池・069ウ1・疊字	仕	平濁	シ	右注	dẓiɐi²	止韻
2497	上加・093ウ2・植物	柿	上	シ	右傍	dẓiɐi²	止韻
1413c	上邊・054オ1・官職	使	―	シ	右注	ṣiɐi²/³	止/志韻
3164d	上加・112オ1・官職	使	―	シ	右傍	ṣiɐi²/³	止/志韻
1905b	上池・070ウ1・疊字	止	上	シ	左注	tśiɐi²	止韻
2470b	上加・092ウ4・植物	芷	上	シ	右傍	tśiɐi²	止韻
3189b	上与・113ウ6・植物	芷	上	シ	右傍	tśiɐi²	止韻
0689b	上波・027ウ4・雜物	芷	―	シ	右注	tśiɐi²	止韻
0679b	上波・027オ6・雜物	齒	上	シ	右傍	tś‘iɐi²	止韻
2242b	上遠・081オ7・人體	齒	上	シ	右傍	tś‘iɐi²	止韻

2454b	上加・092オ2・地儀	歯	平濁	シ	右注	tś'iɐi^{2}	止韻
0573	上波・023ウ4・人躰	歯	―	シ	右傍	tś'iɐi^{2}	止韻
2399b	上和・090オ6・疊字	市	平	シ	中注	źiɐi^{2}	止韻
0031	上伊・003オ3・地儀	市	―	シ	右傍	źiɐi^{2}	止韻
2353b	上和・088ウ1・雑物	耳	上濁	チ	右注	ńiɐi^{2}	止韻
0247b	上伊・012ウ4・疊字	耳	去濁	シ	左注	ńiɐi^{2}	止韻
1907a	上池・070ウ2・疊字	恥	上	チ	中注	ṭ'iɐi^{2}	止韻
1740	上池・066ウ6・人躰	痔	上	チ	右傍	ḍiɐi^{2}	止韻
0737b	上波・031ウ3・疊字	里	上	リ	左注	liɐi^{2}	止韻
2037b	上利・074ウ2・疊字	里	上	リ	左注	liɐi^{2}	止韻
2040b	上利・074ウ3・疊字	里	上	リ	左注	liɐi^{2}	止韻
2089a	上利・075オ5・疊字	里	上	リ	左注	liɐi^{2}	止韻
1981	上利・072ウ3・地儀	里	平	リ	右注	liɐi^{2}	止韻
2134a	上利・075ウ7・疊字	理	上	リ	左注	liɐi^{2}	止韻
1801b	上池・069オ1・疊字	理	平	リ	左注	liɐi^{2}	止韻
2091a	上利・075オ6・疊字	理	平	リ	左注	liɐi^{2}	止韻
2092a	上利・075オ6・疊字	理	平	リ	左注	liɐi^{2}	止韻
2093a	上利・075オ6・疊字	理	平	リ	左注	liɐi^{2}	止韻
2098a	上利・075オ7・疊字	理	平	リ	左注	liɐi^{2}	止韻
2019	上利・074オ3・辞字	理	―	リ	右注	liɐi^{2}	止韻
2135a	上利・076オ1・疊字	理	―	リ	左注	liɐi^{2}	止韻
1409b	上邊・053ウ6・疊字	裏	上	リ	左注	liɐi^{2}	止韻
2510a	上加・093ウ5・植物	李	上	リ	右傍	liɐi^{2}	止韻
3071b	上加・109ウ2・疊字	李	上	リ	左注	liɐi^{2}	止韻
2131a	上利・075ウ7・疊字	李	―	リ	左注	liɐi^{2}	止韻

【表B-09】下巻_ⅢAiɐi 止韻

番号	前田本所在	掲出字		仮名音注		中古音	韻目
4126b	下阿・027オ1・植物	已	平	イ	右傍	jiɐi$^{2/3}$	止/志韻
4856a	下木・056オ3・植物	已	―	イ	右傍	jiɐi$^{2/3}$	止/志韻
6890	下洲・118ウ6・辞字	已	―	イ	右傍	jiɐi$^{2/3}$	止/志韻
3710a	下古・012オ4・疊字	己	去	コ	左注	kiɐi^{2}	止韻
4838	下木・055ウ1・天象	紀	―	キ	右注	kiɐi^{2}	止韻
5196a	下木・065オ1・国郡	紀	―	キ	右注	kiɐi^{2}	止韻
5207	下木・065オ7・姓氏	紀	―	キ	右注	kiɐi^{2}	止韻
5961b	下師・087オ7・姓氏	紀	―	キ	右注	kiɐi^{2}	止韻
5073a	下木・062ウ1・疊字	起	上	キ	左注	k'iɐi^{2}	止韻
5102a	下木・063オ2・疊字	起	上	キ	左注	k'iɐi^{2}	止韻
3866b	下江・017ウ6・疊字	起	平	キ	左注	k'iɐi^{2}	止韻
5118a	下木・063オ6・疊字	擬	上	キ	左注	ŋiɐi^{2}	止韻
5128a	下木・063ウ1・疊字	擬	去	キ	左注	ŋiɐi^{2}	止韻

5798b	下師・084オ7・疊字	擬	去濁	キ	左注	ŋiɐi^{2}	止韻
4158a	下阿・028オ3・動物	蟢	―	キ	右傍	xiɐi^{2}	止韻
5047a	下木・062オ2・疊字	喜	去	キ	左注	xiɐi$^{2/3}$	止/志韻
5137a	下木・063ウ3・疊字	喜	去	キ	左注	xiɐi$^{2/3}$	止/志韻
5033a	下木・061ウ6・疊字	喜	平	キ	左注	xiɐi$^{2/3}$	止/志韻
5159a	下木・064オ1・疊字	喜	平	キ	左注	xiɐi$^{2/3}$	止/志韻
6933b	下洲・120ウ1・疊字	喜	平	キ	右注	xiɐi$^{2/3}$	止/志韻
3557b	下古・007オ6・雜物	子	上	シ ［上］	右注	tsiɐi^{2}	止韻
3561b	下古・007オ6・雜物	子	上	シ	右傍	tsiɐi^{2}	止韻
4580b	下佐・047ウ1・雜物	子	上	シ	右注	tsiɐi^{2}	止韻
5465b	下師・074ウ6・雜物	子	上	シ	右傍	tsiɐi^{2}	止韻
5853a	下師・085オ2・疊字	子	上	シ	右注	tsiɐi^{2}	止韻
3916b	下手・021オ1・雜物	子	―	シ ［上］	右注	tsiɐi^{2}	止韻
3892b	下手・019ウ3・人倫	子	―	シ ［平］	右注	tsiɐi^{2}	止韻
6404c	下毛・101オ7・植物	子	―	シ ［平濁］	右傍	tsiɐi^{2}	止韻
3781c	下江・015ウ7・雜物	子	―	シ	右傍	tsiɐi^{2}	止韻
4249b	下阿・032オ2・雜物	子	―	シ	右注	tsiɐi^{2}	止韻
4596b	下佐・047ウ7・雜物	子	―	シ	右注	tsiɐi^{2}	止韻
5301b	下師・070オ4・動物	子	―	シ	右注	tsiɐi^{2}	止韻
5452b	下師・074ウ1・雜物	子	―	シ	右注	tsiɐi^{2}	止韻
5750b	下師・083ウ3・疊字	子	―	シ	右注	tsiɐi^{2}	止韻
5767a	下師・084オ2・疊字	子	―	シ	左注	tsiɐi^{2}	止韻
5894c	下師・085ウ2・疊字	子	―	シ	右注	tsiɐi^{2}	止韻
5907a	下師・085ウ5・疊字	子	―	シ	右傍	tsiɐi^{2}	止韻
5907b	下師・085ウ5・疊字	子	―	シ	右傍	tsiɐi^{2}	止韻
6066c	下飛・091ウ2・植物	子	―	シ	右注	tsiɐi^{2}	止韻
6072c	下飛・091ウ4・植物	子	―	シ	右注	tsiɐi^{2}	止韻
6149b	下飛・094オ6・雜物	子	―	シ	右注	tsiɐi^{2}	止韻
4110	下阿・026ウ2・植物	梓	上	シ	右傍	tsiɐi^{2}	止韻
6599b	下世・110オ7・疊字	祀	去	シ	中注	ziɐi^{2}	止韻
5330	下師・071オ2・人倫	士	―	シ	左注	dẓiɐi^{2}	止韻
5946b	下師・086ウ7・官職	士	―	シ	右注	dẓiɐi^{2}	止韻
5948b	下師・087オ1・官職	士	―	シ	右注	dẓiɐi^{2}	止韻
6020b	下會・090オ1・官職	士	―	シ	右注	dẓiɐi^{2}	止韻
6954b	下洲・121オ5・国郡	士	―	シ	右傍	dẓiɐi^{2}	止韻
3731b	下古・013オ7・官職	士	―	セ	左注	dẓiɐi^{2}	止韻
4820c	下佐・054ウ2・官職	士	―	セ	右注	dẓiɐi^{2}	止韻
5942c	下師・086ウ7・官職	士	―	セ	右注	dẓiɐi^{2}	止韻
5944c	下師・086ウ7・官職	士	―	セ	右注	dẓiɐi^{2}	止韻
6481d	下毛・106オ1・官職	士	―	セ	右注	dẓiɐi^{2}	止韻

4771b	下佐・053オ2・疊字	仕	平濁	シ	左注	dẓiɐi^{2}	止韻
6003b	下會・089ウ1・疊字	仕	平	シ	左注	dẓiɐi^{2}	止韻
4504b	下佐・044ウ6・人倫	仕	―	シ	右注	dẓiɐi^{2}	止韻
4825b	下佐・054ウ3・官職	仕	―	シ	右注	dẓiɐi^{2}	止韻
5958b	下師・087オ3・官職	仕	―	シ	右注	dẓiɐi^{2}	止韻
5945	下師・086ウ7・官職	史	―	シ	右注	ṣiɐi^{2}	止韻
5128b	下木・063ウ1・疊字	使	上	シ	左注	ṣiɐi$^{2/3}$	止/志韻
6710b	下世・111ウ6・疊字	使	上	シ	左注	ṣiɐi$^{2/3}$	止/志韻
5755a	下師・083ウ4・疊字	使	去	シ	右注	ṣiɐi$^{2/3}$	止/志韻
4419c	下阿・041オ3・官職	使	―	シ	左注	ṣiɐi$^{2/3}$	止/志韻
4420c	下阿・041オ3・官職	使	―	シ	左注	ṣiɐi$^{2/3}$	止/志韻
5630b	下師・081ウ1・疊字	止	上濁	シ	左注	tśiɐi^{2}	止韻
5571a	下師・079ウ7・疊字	止	―	シ	右注	tśiɐi^{2}	止韻
6726b	下世・112オ2・疊字	止	―	シ	右注	tśiɐi^{2}	止韻
5122b	下木・063オ7・疊字	趾	上	シ	中注	tśiɐi^{2}	止韻
4178	下阿・029オ1・人躰	趾	―	シ	右傍	tśiɐi^{2}	止韻
5598b	下師・080ウ6・疊字	始	去濁	シ	左注	śiɐi^{2}	止韻
3997b	下手・022ウ5・疊字	耳	上	シ	左注	ńiɐi^{2}	止韻
5664a	下師・082オ2・疊字	耳	去濁	シ	左注	ńiɐi^{2}	止韻
5351	下師・071ウ5・人躰	痔	上	チ	右傍	ḍiɐi^{2}	止韻
4980b	下木・061オ2・疊字	里	上	リ	左注	liɐi^{2}	止韻
4935c	下木・058ウ4・雜物	里	―	リ	右注	liɐi^{2}	止韻
6610b	下世・110ウ2・疊字	里	―	リ	右注	liɐi^{2}	止韻
5150b	下木・063ウ6・疊字	理	上	リ	左注	liɐi^{2}	止韻
6628b	下世・110ウ5・疊字	理	上	リ	左注	liɐi^{2}	止韻
6302b	下飛・098ウ3・疊字	理	平	リ	右注	liɐi^{2}	止韻
5343b	下師・071ウ2・人躰	理	―	リ [平]	右注	liɐi^{2}	止韻
5937b	下師・086ウ6・官職	理	―	リ	右注	liɐi^{2}	止韻
3358	下古・003ウ3・動物	鯉	―	リ	右傍	liɐi^{2}	止韻
4164b	下阿・028オ7・人倫	娌	上	リ	右傍	liɐi^{2}	止韻
4464b	下佐・043ウ2・植物	李	上	リ	右傍	liɐi^{2}	止韻
6795	下洲・114オ1・植物	李	上	リ	右傍	liɐi^{2}	止韻

【表B-09】上巻_ⅢAiɐi 志韻

番号	前田本所在	掲出字		仮名音注		中古音	韻目
0295a	上伊・013オ6・疊字	意	去	イ	右注	’iɐi^{3}	志韻
0256a	上伊・012ウ6・疊字	意	平	イ	左注	’iɐi^{3}	志韻
0292a	上伊・013オ6・疊字	意	平	イ	右注	’iɐi^{3}	志韻
0293a	上伊・013オ6・疊字	意	平	イ	右注	’iɐi^{3}	志韻
0294a	上伊・013オ6・疊字	意	平	イ	右注	’iɐi^{3}	志韻
0318a	上伊・013ウ5・疊字	意	平	イ	左注	’iɐi^{3}	志韻

0969b	上仁・038オ7・雜物	意	平	イ	右注	'iɐi^3	志韻
1003b	上仁・040オ6・疊字	意	平	イ	左注	'iɐi^3	志韻
1201b	上保・047ウ6・疊字	意	平	イ	左注	'iɐi^3	志韻
1622b	上度・062ウ5・疊字	意	平	イ	左注	'iɐi^3	志韻
2938b	上加・107ウ4・疊字	意	平	イ	左注	'iɐi^3	志韻
3240b	上与・117ウ2・疊字	意	平	イ	左注	'iɐi^3	志韻
0371a	上伊・015ウ6・国郡	意	—	イ	右傍	'iɐi^3	志韻
0243a	上伊・012ウ3・疊字	異	去	イ	右注	jiɐi^3	志韻
0266a	上伊・013オ1・疊字	異	去	イ	左注	jiɐi^3	志韻
0270a	上伊・013オ2・疊字	異	去	イ	右注	jiɐi^3	志韻
0328a	上伊・013ウ7・疊字	異	去	イ	左注	jiɐi^3	志韻
0331a	上伊・014オ1・疊字	異	去	イ	左注	jiɐi^3	志韻
0263a	上伊・012ウ7・疊字	異	平	イ	中注	jiɐi^3	志韻
0291a	上伊・013オ6・疊字	異	上	イ	右注	jiɐi^3	志韻
0290a	上伊・013オ5・疊字	異	—	イ	右注	jiɐi^3	志韻
1930b	上池・070ウ6・疊字	記	平	キ	左注	kiɐi^3	志韻
2195b	上留・079ウ3・疊字	記	平	キ	右注	kiɐi^3	志韻
3010b	上加・108ウ4・疊字	記	平	キ	左注	kiɐi^3	志韻
0037b	上伊・003オ6・地儀	記	—	キ	右傍	kiɐi^3	志韻
1976b	上池・072オ2・官職	記	—	キ	右注	kiɐi^3	志韻
3148b	上加・111ウ2・國郡	記	—	キ	右傍	kiɐi^3	志韻
0194	上伊・009ウ3・辞字	忌	—	キ	右傍	giɐi^3	志韻
1163b	上保・047オ6・疊字	字	平濁	シ	左注	dziɐi^3	志韻
1017c	上仁・041オ1・諸寺	寺	—	シ	右注	ziɐi^3	志韻
1018b	上仁・041オ3・官職	寺	—	シ	右注	ziɐi^3	志韻
1273c	上保・049ウ1・諸寺	寺	—	シ	右注	ziɐi^3	志韻
1274c	上保・049ウ1・諸寺	寺	—	シ	右注	ziɐi^3	志韻
1276c	上保・049ウ1・諸寺	寺	—	シ	右注	ziɐi^3	志韻
2614a	上加・096ウ2・人體	飼	去	シ	右傍	ziɐi^3	志韻
2447	上加・091ウ7・地儀	廁	去	シ	右傍	tṣʻiɐi^3	志韻
0442b	上呂・019オ3・疊字	事	上	シ	中注	dẓiɐi^3	志韻
1344b	上邊・052ウ7・疊字	事	平	シ	左注	dẓiɐi^3	志韻
1941b	上池・071オ1・疊字	事	平	シ	右注	dẓiɐi^3	志韻
2376b	上和・090オ2・疊字	事	平	シ	左注	dẓiɐi^3	志韻
0917b	上波・035オ3・官職	事	—	シ	右注	dẓiɐi^3	志韻
1972c	上池・072オ1・官職	事	—	シ	右注	dẓiɐi^3	志韻
2414b	上和・090ウ3・疊字	事	—	シ	右傍	dẓiɐi^3	志韻
2314	上和・087オ3・人事	事	—	シイ	右傍	dẓiɐi^3	志韻
0357b	上伊・015ウ3・国郡	志	—	シ ［上濁］	右傍	tśiɐi^3	志韻
2210b	上遠・080オ5・植物	志	—	シ ［平］	右注	tśiɐi^3	志韻
0399c	上伊・016ウ6・姓氏	志	—	シ	右注	tśiɐi^3	志韻

1959a	上池・071ウ3・國郡	志	―	シ	右傍	tśiɐi^3	志韻
3148a	上加・111ウ2・國郡	志	―	シ	右傍	tśiɐi^3	志韻
0597	上波・024オ7・人躰	誌	―	シ	右傍	tśiɐi^3	志韻
2260	上遠・083オ2・雜物	熾	―	シ	右傍	tś'iɐi^3	志韻
1597b	上度・062オ7・疊字	餌	上濁	シ	左注	ńiɐi^3	志韻
0873b	上波・033ウ2・疊字	置	上	チ	右注	ṭiɐi^3	志韻
3099b	上加・110オ1・疊字	置	上	チ	右注	ṭiɐi^3	志韻
1928a	上池・070ウ6・疊字	置	平	チ	左注	ṭiɐi^3	志韻
2079b	上利・075オ3・疊字	吏	去	リ	左傍	liɐi^3	志韻
2081a	上利・075オ4・疊字	吏	去	リ	中注	liɐi^3	志韻
2082a	上利・075オ4・疊字	吏	去	リ	左注	liɐi^3	志韻
1975b	上池・072オ2・官職	吏	―	リ	右注	liɐi^3	志韻
1994	上利・073オ4・人倫	吏	―	リ	右注	liɐi^3	志韻

【表B-09】下巻_ⅢAiɐi 志韻

番号	前田本所在	掲出字		仮名音注		中古音	韻目
4737b	下佐・052ウ1・疊字	意	―	イ	左注	'iɐi^3	志韻
5913b	下師・086オ2・疊字	意	―	ミ［平］	右注	'iɐi^3	志韻
4691b	下佐・051ウ4・疊字	異	平去	イ	中注	jiɐi^3	志韻
5091a	下木・062ウ7・疊字	記	上	キ	左注	kiɐi^3	志韻
4948	下木・059ウ3・辞字	記	―	キ［上］	―	kiɐi^3	志韻
5134b	下木・063ウ2・疊字	忌	平	キ	左注	giɐi^3	志韻
5135a	下木・063ウ3・疊字	忌	平	キ	中注	giɐi^3	志韻
5862b	下師・085オ3・疊字	字	平濁	シ	右注	dziɐi^3	志韻
6471b	下毛・105ウ4・疊字	字	平濁	シ	右注	dziɐi^3	志韻
5425	下師・074オ1・雜物	字	―	シ［平濁］	右傍	dziɐi^3	志韻
5138b	下木・063ウ3・疊字	事	―	シ	右注	dẓiɐi^3	志韻
5388a	下師・073オ5・人事	志	上	シ	左傍	tśiɐi^3	志韻
3695b	下古・011ウ7・疊字	志	―	シ	左注	tśiɐi^3	志韻
5919a	下師・086ウ2・國郡	志	―	シ	右注	tśiɐi^3	志韻
5920b	下師・086ウ2・國郡	志	―	シ	右傍	tśiɐi^3	志韻
5959a	下師・087オ6・姓氏	志	―	シ	右注	tśiɐi^3	志韻
5960a	下師・087オ6・姓氏	志	―	シ	右注	tśiɐi^3	志韻
5961a	下師・087オ7・姓氏	志	―	シ	右注	tśiɐi^3	志韻
5962a	下師・087オ7・姓氏	志	―	シ	右注	tśiɐi^3	志韻
6018b	下會・089ウ6・國郡	志	―	シ	右傍	tśiɐi^3	志韻
6950a	下洲・121オ5・国郡	志	―	シ	右傍	tśiɐi^3	志韻
5831a	下師・084ウ5・疊字	熾	平	シ	左注	tś'iɐi^3	志韻
5939a	下師・086ウ6・官職	侍	―	シ	右注	źiɐi^3	志韻

5941a	下師・086ウ6・官職	侍	―	シ	右注	źiɐi^{3}	志韻
6767b	下世・113オ2・官職	侍	―	シ	右傍	źiɐi^{3}	志韻
5984	下會・088ウ5・飲食	餌	去濁	シ	右傍	ńiɐi^{3}	志韻
4381b	下阿・039ウ2・疊字	置	上濁	チ	左注	ṭiɐi^{3}	志韻
5087b	下木・062ウ5・疊字	置	平	チ	左注	ṭiɐi^{3}	志韻

【表B-09】上巻_ⅢAiɐn 臻韻

番号	前田本所在	掲出字		仮名音注		中古音	韻目
0511	上波・021オ7・植物	榛	平	シム	右傍	tṣiɐn^{1}	臻韻
2219	上遠・080ウ1・植物	蓁	平	シン	右傍	dẓiɐn^{1}	臻韻

【表B-09】下巻_ⅢAiɐt 櫛韻

番号	前田本所在	掲出字		仮名音注		中古音	韻目
5317	下師・070ウ3・動物	虱	―	シチ	右傍	ṣiɐt	櫛韻
5414	下師・073ウ6・雑物	瑟	―	シチ ［上上］	右注	ṣiɐt	櫛韻

【表B-09】上巻_ⅢAiɐŋ 蒸韻

番号	前田本所在	掲出字		仮名音注		中古音	韻目
0634b	上波・025ウ7・人事	鷹	平	エウ	右傍	'iɐŋ^{1}	蒸韻
3083b	上加・109ウ5・疊字	應	平	ヰヨウ	右注	'iɐŋ$^{1/3}$	蒸/證韻
0099b	上伊・005オ6・動物	蝿	―	ヨウ	右傍	jiɐŋ^{1}	蒸韻
0556	上波・022ウ7・動物	蝿	―	コウ	右傍	jiɐŋ^{1}	蒸韻
0557a	上波・023オ1・動物	蝿	平	ヨウ	右傍	jiɐŋ^{1}	蒸韻
1562	上度・060ウ4・辞字	凝	平濁	キヨウ	右傍	ŋiɐŋ$^{1/3}$	蒸/證韻
1940b	上池・071オ1・疊字	興	平	キヨウ	右注	xiɐŋ$^{1/3}$	蒸/證韻
2962b	上加・108オ1・疊字	興	去	ケウ	左注	xiɐŋ$^{1/3}$	蒸/證韻
0289b	上伊・013オ5・疊字	稱	平	シヨウ	右注	tś'iɐŋ$^{1/3}$	蒸/證韻
1065b	上保・043オ2・人倫	乗	上濁	シヨウ	右傍	dźiɐŋ$^{1/3}$	蒸/證韻
0752b	上波・031ウ6・疊字	乗	去	（シヤウ）	中注	dźiɐŋ$^{1/3}$	蒸/證韻
2611a	上加・096ウ2・人體	癥	平	チヨウ	右傍	ṭiɐŋ^{1}	蒸韻
1949a	上池・071オ3・疊字	懲	平	チヨウ	右注	ḍiɐŋ^{1}	蒸韻
1353a	上邊・053オ1・疊字	氷	平	ヘウ	左注	piɐŋ^{1}	蒸韻
0135	上伊・007オ1・人事	憑	平	ヒヨウ	右傍	biɐŋ^{1}	蒸韻
1356a	上邊・053オ2・疊字	憑	平	ヘウ	右注	biɐŋ^{1}	蒸韻
3232	上与・117オ4・辞字	凭	平	ヒヨウ	右傍	biɐŋ$^{1/3}$	蒸/證韻
2247	上遠・081ウ3・人事	倰	平	リヨウ	右傍	liɐŋ^{1}	蒸韻
1982a	上利・072ウ4・地儀	綾	平	リヨウ	右注	liɐŋ^{1}	蒸韻
2015a	上利・073ウ6・雑物	綾	―	リヨウ	右注	liɐŋ^{1}	蒸韻

2120a	上利・075ウ4・疊字	陵	平	リヨウ	左注	lieŋ¹	蒸韻
2121a	上利・075ウ5・疊字	陵	平	リヨウ	右注	lieŋ¹	蒸韻
2200	上遠・080オ1・地儀	陵	平	リヨウ	右傍	lieŋ¹	蒸韻
2003a	上利・073ウ2・人事	陵	—	リヨウ	右注	lieŋ¹	蒸韻
1985b	上利・072ウ6・植物	陵	—	レウ	右注	lieŋ¹	蒸韻
1374b	上邊・053オ6・疊字	淩	平	レウ	左注	lieŋ¹	蒸韻

【表B-09】下巻_ⅢAieŋ 蒸韻

番号	前田本所在	掲出字		仮名音注		中古音	韻目
6508b	下世・107オ5・動物	鷹	平	キヨウ	右傍	'ieŋ¹	蒸韻
5058b	下木・062オ5・疊字	應	平	ヲウ	左注	'ieŋ1/3	蒸/證韻
6530b	下世・108オ6・人事	應	平	ヲウ	左注	'ieŋ1/3	蒸/證韻
4662b	下佐・051オ5・疊字	應	上	ヲウ	左注	'ieŋ1/3	蒸/證韻
5156a	下木・063ウ7・疊字	矜	平	キヨウ	左注	kieŋ¹	蒸韻
3351b	下古・003オ3・植物	凝	平濁	キヨ	右傍	ŋieŋ1/3	蒸/證韻
5120a	下木・063オ7・疊字	凝	平濁	キヨ	左注	ŋieŋ1/3	蒸/證韻
4846a	下木・055ウ5・地儀	凝	平濁	キヨウ	右傍	ŋieŋ1/3	蒸/證韻
5136a	下木・063ウ3・疊字	凝	平	キヨウ	左注	ŋieŋ1/3	蒸/證韻
4960a	下木・060ウ4・重點	兢	—	キヨウ	右傍	xieŋ¹	蒸韻
4960b	下木・060ウ4・重點	兢	—	キヨウ	右傍	xieŋ¹	蒸韻
5075a	下木・062ウ2・疊字	興	平	キヨウ	中注	xieŋ1/3	蒸/證韻
6781b	下洲・113ウ4・地儀	興	平	キヨウ	右傍	xieŋ1/3	蒸/證韻
4900	下木・057ウ5・人事	興	—	キヨウ	右注	xieŋ1/3	蒸/證韻
3681a	下古・011ウ4・疊字	興	平	コウ	左注	xieŋ1/3	蒸/證韻
3707a	下古・012オ3・疊字	興	去	コウ	左注	xieŋ1/3	蒸/證韻
5899c	下師・085ウ3・疊字	興	—	ケウ	左注	xieŋ1/3	蒸/證韻
5899d	下師・085ウ3・疊字	興	—	ケウ	左注	xieŋ1/3	蒸/證韻
4131a	下阿・027オ5・動物	驓	平	ソウ	右傍	dzieŋ¹	蒸韻
5514	下師・078オ3・辞字	稱	—	シヤウ	右注	tś'ieŋ1/3	蒸/證韻
4327	下阿・035ウ2・辞字	蒸	平	シヨウ	右傍	tśieŋ¹	蒸韻
6839a	下洲・116オ3・雜物	縄	—	シヨウ	右傍	dźieŋ¹	蒸韻
5866a	下師・085オ4・疊字	乗	平	シヨウ	右注	dźieŋ1/3	蒸/證韻
3603b	下古・010ウ1・疊字	乗	上	シヨウ	左注	dźieŋ1/3	蒸/證韻
5590a	下師・080ウ3・疊字	昇	平	シヨウ	左注	śieŋ¹	蒸韻
5881a	下師・085オ6・疊字	昇	平	シヨウ	右注	śieŋ¹	蒸韻
5915a	下師・086オ3・疊字	昇	—	シン	右傍	śieŋ¹	蒸韻
5682b	下師・082オ6・疊字	勝	平	シヨウ	左注	śieŋ1/3	蒸/證韻
5772a	下師・084オ2・疊字	勝	平	シヨウ	右注	śieŋ1/3	蒸/證韻
5790a	下師・084オ5・疊字	勝	平	シヨウ	右注	śieŋ1/3	蒸/證韻
5791a	下師・084オ6・疊字	勝	平	シヨウ	左注	śieŋ1/3	蒸/證韻
5885a	下師・085オ7・疊字	勝	平	シヨウ	右注	śieŋ1/3	蒸/證韻

5887a	下師・085オ7・疊字	勝	平	ショウ	右注	śiɐŋ$^{1/3}$	蒸/證韻
5895a	下師・085ウ2・疊字	勝	—	ショウ	右傍	śiɐŋ$^{1/3}$	蒸/證韻
4138a	下阿・027オ7・動物	乗	平	ショウ	右傍	źiɐŋ^{1}	蒸韻
5261a	下師・069オ1・地儀	乗	平	ショウ	右傍	źiɐŋ^{1}	蒸韻
5668a	下師・082オ2・疊字	乗	平	ショウ	右注	źiɐŋ^{1}	蒸韻
5667b	下師・082オ2・疊字	乗	平濁	ショウ	右注	źiɐŋ^{1}	蒸韻
5665a	下師・082オ2・疊字	乗	上濁	ショウ	左注	źiɐŋ^{1}	蒸韻
4716b	下佐・052オ2・疊字	乗	去濁	ショウ	右注	źiɐŋ^{1}	蒸韻
5472a	下師・075オ1・雜物	乗	—	ショウ	右注	źiɐŋ^{1}	蒸韻
5473a	下師・075オ1・雜物	乗	—	ショウ	右注	źiɐŋ^{1}	蒸韻
5671a	下師・082オ3・疊字	乗	—	ショウ	左注	źiɐŋ^{1}	蒸韻
5906d	下師・085ウ4・疊字	乗	—	ショウ	右傍	źiɐŋ^{1}	蒸韻
5958a	下師・087オ3・官職	乗	—	ショウ	右注	źiɐŋ^{1}	蒸韻
5502	下師・076ウ7・辞字	仍	平	ショウ	右傍	ńiɐŋ^{1}	蒸韻
5164b	下木・064オ2・疊字	徴	平	チョウ	左注	ṭiɐŋ^{1} ṭiɐi^{2}	蒸韻 止韻
6886	下洲・118オ3・辞字	澄	平	チョウ	右傍	ḍiɐŋ^{1} ḍaŋ^{1}	蒸韻 庚韻
3302	下古・001ウ7・地儀	氷	平	ヒョウ	右傍	piɐŋ^{1}	蒸韻
6033	下飛・090ウ5・地儀	氷	平	ヒョウ	右傍	piɐŋ^{1}	蒸韻
5433c	下師・074オ4・雜物	綾	平	リョウ	右傍	liɐŋ^{1}	蒸韻
3307	下古・001ウ7・地儀	凌	平	リョウ	右傍	liɐŋ^{1}	蒸韻
5497	下師・076ウ3・辞字	淩	—	リョク	右傍	liɐŋ^{1}	蒸韻
3359	下古・003ウ3・動物	鯪	—	リョウ	右傍	liɐŋ^{1}	蒸韻
6045a	下飛・091オ4・植物	菱	平	リョウ	右傍	liɐŋ^{1}	蒸韻

【表B-09】上巻_ⅢAiɐŋ 證韻

番号	前田本所在	掲出字		仮名音注		中古音	韻目
3075b	上加・109ウ3・疊字	剰	上	ショウ	中注	dźiɐŋ^{3}	證韻
1766	上池・067ウ4・雜物	縢	去	ショウ	右傍	śiɐŋ^{3}	證韻
0568a	上波・023ウ1・人倫	孕	去	ヨウ	右傍	jiɐŋ^{3}	證韻

【表B-09】下巻_ⅢAiɐŋ 證韻

番号	前田本所在	掲出字		仮名音注		中古音	韻目
5722a	下師・083オ2・疊字	證	平	ショウ	左注	tśiɐŋ^{3}	證韻

【表B-09】上巻_ⅢAiɐk 職韻

番号	前田本所在	掲出字		仮名音注		中古音	韻目
2502	上加・093ウ2・植物	檍	―	ヲク	右傍	'iɐk	職韻
2937b	上加・107ウ3・疊字	憶	入	ヲク	左注	'iɐk	職韻
3253a	上与・117ウ4・疊字	抑	入	ヨク	中注	'iɐk	職韻
3254a	上与・117ウ5・疊字	抑	入	ヨク	中注	'iɐk	職韻
1181b	上保・047ウ2・疊字	翼	入	ヨク	中注	jiɐk	職韻
0136	上伊・007オ2・人事	息	入	ソク	右傍	siɐk	職韻
2836	上加・104ウ5・辞字	昃	入	ショク	右傍	tṣiɐk	職韻
2935b	上加・107ウ3・疊字	色	入	ソク	左注	ṣiɐk	職韻
2950b	上加・107ウ6・疊字	色	入	ソク	左注	ṣiɐk	職韻
0307b	上伊・013ウ3・疊字	匿	入	チヨク	左注	ṇiɐk	職韻
3036b	上加・109オ2・疊字	匿	入	チヨク	左注	ṇiɐk	職韻
1965c	上池・071ウ7・官職	軄	―	シキ	右注	tśiɐk	職韻
0284b	上伊・013オ4・疊字	軄	入	ショク	中注	tśiɐk	職韻
1837b	上池・069ウ2・疊字	軄	入濁	ショク	左注	tśiɐk	職韻
0561b	上波・023オ2・動物	織	入	ショク	右傍	tśiɐk tśiɐi[3]	職韻 志韻
1010b	上仁・040オ7・疊字	食	入濁	シキ	中注	dźiɐk jiɐi[3]	職韻 志韻
1650b	上度・063オ4・疊字	食	―	シキ	左注	dźiɐk jiɐi[3]	職韻 志韻
3283a	上波・034ウ5・國郡	餝	―	シカ	右傍	śiɐk	職韻
1816b	上池・069オ4・疊字	識	入	シキ	右注	śiɐk śiɐi[3]	職韻 志韻
0477	上波・020ウ1・地儀	埴	入	ショク	右傍	źiɐk tśiɐi[3]	職韻 志韻
0741b	上波・031ウ3・疊字	殖	入	ショク	左注	źiɐk	職韻
1677b	上度・063ウ3・疊字	植	入	ショク	左注	źiɐk ḍiɐi[3]	職韻 志韻
1178b	上保・047ウ2・疊字	勑	入	チヨク	左注	ṭ'iɐk	職韻
1828a	上池・069オ7・疊字	勑	入	チヨク	左注	ṭ'iɐk	職韻
1829a	上池・069オ7・疊字	勅	入	チヨク	左注	ṭ'iɐk	職韻
1753	上池・067オ4・人事	勑	―	チヨク	右注	ṭ'iɐk	職韻
2223b	上遠・080ウ3・動物	鷘	―	チヨク	右傍	ṭ'iɐk	職韻
3080b	上加・109ウ4・疊字	直	入	チキ	右注	ḍiɐk	職韻
1925a	上池・070ウ5・疊字	直	入	チヨク	左注	ḍiɐk	職韻
1971a	上池・072オ1・官職	直	―	チヨク	右注	ḍiɐk	職韻
2940b	上加・107ウ4・疊字	力	入	リキ	左注	liɐk	職韻
3061b	上加・109オ7・疊字	力	入	リキ	左注	liɐk	職韻
3070b	上加・109ウ2・疊字	力	入	リキ	左注	liɐk	職韻
1739	上池・066ウ5・人躰	力	入	リヨク	右傍	liɐk	職韻
2070b	上利・075オ2・疊字	力	入	リヨク	左注	liɐk	職韻
2947b	上加・107ウ5・疊字	力	入	リヨク	左注	liɐk	職韻
3268b	上与・118オ1・疊字	力	入	リヨク	右注	liɐk	職韻

【表B-09】下巻_ⅢAiɐŋ 職韻

番号	前田本所在	掲出字		仮名音注		中古音	韻目
4113	下阿・026ウ2・植物	檍	入	ヨク	右傍	iɐk	職韻
5795b	下師・084オ6・疊字	極	—	コク	左注	giɐk	職韻
5178b	下木・064オ5・疊字	嶷	平濁	キヨク	右注	ŋiɐk ŋiei^{1}	職韻 之韻
3823b	下江・017オ5・疊字	息	入	ソク	左注	siɐk	職韻
5067b	下木・062オ7・疊字	息	入	ソク	左注	siɐk	職韻
6688b	下世・111ウ2・疊字	息	入	ソク	左注	siɐk	職韻
4203b	下阿・029オ7・人躰	息	—	ソク	右傍	siɐk	職韻
5812b	下師・084ウ2・疊字	息	—	ソク	左注	siɐk	職韻
4201a	下阿・029オ7・人躰	瘜	入	ソク	右傍	siɐk	職韻
4660b	下佐・051オ4・疊字	�	入	シキ	左注	ṣiɐk	職韻
5167b	下木・064オ3・疊字	�	入	シキ	左注	ṣiɐk	職韻
4503b	下佐・044ウ5・人倫	�	—	シキ	右注	ṣiɐk	職韻
5450a	下師・074ウ1・雑物	�	—	シキ	右注	ṣiɐk	職韻
5705a	下師・082ウ5・疊字	�	—	シキ	右注	ṣiɐk	職韻
3596b	下古・010オ6・疊字	�	入	ソク	左注	ṣiɐk	職韻
3865b	下江・017ウ6・疊字	�	入	ソク	左注	ṣiɐk	職韻
5686b	下師・082オ7・疊字	�	入	ヲク	左注	ṣiɐk	職韻
5063b	下木・062オ6・疊字	�	—	ソク	左注	ṣiɐk	職韻
6184b	下飛・095オ1・雑物	�	—	ソク	右注	ṣiɐk	職韻
5782a	下師・084オ4・疊字	職	入	シキ	右注	tśiɐk	職韻
5202b	下木・065オ4・官職	職	—	シキ	右注	tśiɐk	職韻
5372	下師・072ウ2・人事	職	—	シキ	左注	tśiɐk	職韻
5371	下師・072ウ2・人事	職	—	シヨク ［上上上］	右注	tśiɐk	職韻
5937c	下師・086ウ6・官職	職	—	シ	右注	tśiɐk	職韻
5551a	下師・079オ6・疊字	織	—	シヨク	左注	tśiɐk tśiei^{3}	職韻 志韻
5553a	下師・079オ6・疊字	織	—	シヨク	左注	tśiɐk tśiei^{3}	職韻 志韻
4672b	下佐・051オ7・疊字	食	入	シキ	中注	dźiɐk jiei^{3}	職韻 志韻
4747b	下佐・052ウ3・疊字	食	入	シキ	左注	dźiɐk jiei^{3}	職韻 志韻
3711b	下古・012オ4・疊字	食	—	シキ	左注	dźiɐk jiei^{3}	職韻 志韻
6116a	下飛・093オ1・人躰	食	入	シヨク	右傍	dźiɐk jiei^{3}	職韻 志韻
6306b	下飛・098ウ3・疊字	食	入	シヨク	左注	dźiɐk jiei^{3}	職韻 志韻
5745a	下師・083ウ1・疊字	食	—	シヨク	右注	dźiɐk jiei^{3}	職韻 志韻
5922b	下師・086ウ2・國郡	飾	—	シカ	右傍	śiɐk	職韻

5017b	下木・061ウ3・疊字	式	入	シキ	左注	śiɐk	職韻
5263a	下師・069オ1・地儀	式	入	シキ	右傍	śiɐk	職韻
5936a	下師・086ウ6・官軄	式	—	シキ	右傍	śiɐk	職韻
5262a	下師・069オ1・地儀	式	入	ショク	右傍	śiɐk	職韻
4120a	下阿・026ウ5・植物	陟	入	チョク	右傍	ṭiɐk	職韻
5781b	下師・084オ4・疊字	直	入濁	チキ	左注	ḍiɐk	職韻
5793b	下師・084オ6・疊字	力	入	リキ	左注	liɐk	職韻
5066b	下木・062オ7・疊字	力	入	リョク	左注	liɐk	職韻
6966b	下　・122ウ1・跋文	力	入	リョク	右傍	liɐk	職韻
4287	下阿・032ウ5・雜物	朸	入	リョク	右傍	liɐk lʌk	職韻 德韻

【表B-09】上巻_ⅢAiuɐk 職韻

番号	前田本所在	掲出字		仮名音注		中古音	韻目
1424	上度・054ウ4・地儀	閾	入	ヰキ	右傍	xiuɐk	職韻
0243b	上伊・012ウ3・疊字	域	入	ヰキ	右注	ɣiuɐk	職韻

【表B-09】下巻_ⅢAiuɐk 職韻

番号	前田本所在	掲出字		仮名音注		中古音	韻目
3831b	下江・017オ6・疊字	域	入	ヰキ	右傍	ɣiuɐk	職韻
6588b	下世・110オ5・疊字	域	入	ヰキ	左注	ɣiuɐk	職韻
5852b	下師・085オ2・疊字	域	入	イキ	右注	ɣiuɐk	職韻

【表B-10】上巻_ⅢAie 支韻

番号	前田本所在	掲出字		仮名音注		中古音	韻目
0312a	上伊・013ウ4・疉字	猗	平	イ	右注	ʼie$^{1/3}$	支/寘韻
1466a	上度・056ウ1・人事	猗	平	イ	右傍	ʼie$^{1/3}$	支/寘韻
0227a	上伊・012オ5・重點	猗	―	イ	右傍	ʼie$^{1/3}$	支/寘韻
0227b	上伊・012オ5・重點	猗	―	イ	右傍	ʼie$^{1/3}$	支/寘韻
0323a	上伊・013ウ6・疉字	移	平	イ	右注	jie^{1}	支韻
0193	上伊・009ウ2・辞字	移	―	イ ［平］	右注	jie^{1}	支韻
1115	上保・045オ3・雑物	羈	―	キ	右傍	kie^{1}	支韻
0238b	上伊・012ウ2・疉字	竒	平	キ	右注	gie^{1} kie^{1}	支韻 支韻
0249b	上伊・012ウ4・疉字	竒	平	キ	中注	gie^{1} kie^{1}	支韻 支韻
2713	上加・099オ5・雑物	錡	平	キ	右傍	gie$^{1/2}$ ŋie^{2}	支/紙韻 紙韻
1710	上池・065ウ1・地儀	岐	平	キ	右傍	gjie^{1}	支韻
0398b	上伊・016ウ5・姓氏	岐	―	キ	右注	gjie^{1}	支韻
0562b	上波・023オ5・人倫	儀	平濁	キ	右傍	ŋie^{1}	支韻
1190b	上保・047ウ4・疉字	儀	平濁	キ	右注	ŋie^{1}	支韻
3243b	上与・117ウ2・疉字	儀	平濁	キ	左注	ŋie^{1}	支韻
0161	上伊・008オ7・飲食	犧	平	キ	右傍	xie^{1}	支韻
2587	上加・096オ4・人體	髭	平	シ	右傍	tsie^{1}	支韻
0619	上波・025オ5・人事	訾	―	シ	右傍	tsie$^{1/2}$	支/紙韻
2736	上加・099ウ5・雑物	鐁	平	シ	右傍	sie^{1}	支韻
3136b	上加・110ウ3・疉字	差	平	シ	右傍	tṣʻie^{1} tṣʻɐ$^{1/3}$ tṣʻɐi^{1} tṣʻa^{1}	支韻 佳/卦韻 皆韻 麻韻
0897b	上波・033ウ7・疉字	枝	平	シ	左注	tśie^{1}	支韻
0903b	上波・034オ1・疉字	枝	平	シ	左注	tśie^{1}	支韻
2725	上加・099ウ2・雑物	匙	平	シ	右傍	źie^{1}	支韻
2716b	上加・099オ6・雑物	匙	平	シ	右傍	źie^{1}	支韻
3195b	上与・114オ5・動物	[illegible]	去	シ	右傍	śie$^{1/3}$	支/寘韻
1145	上保・046ウ2・辞字	施	―	シ	右傍	śie$^{1/3}$	支/寘韻
1099	上保・044ウ3・雑物	鉇	―	シ	右傍	śie$^{1/3}$ dźia^{1}	支/寘韻 麻韻
1895a	上池・070オ6・疉字	知	平	チ	左注	ṭie^{1}	支韻
1816a	上池・069オ4・疉字	知	去	チ	右注	ṭie^{1}	支韻
1885a	上池・070オ4・疉字	知	去	チ	左注	ṭie^{1}	支韻
0382b	上伊・015ウ7・国郡	知	―	チ	右傍	ṭie^{1}	支韻
1686b	上度・064オ2・国郡	知	―	チ	右傍	ṭie^{1}	支韻

1688b	上度・064オ2・国郡	知	—	チ	右傍	ṭie^{1}	支韻
1972a	上池・072オ1・官職	知	—	チ	右注	ṭie^{1}	支韻
2035b	上利・074ウ2・疊字	知	—	チ	左注	ṭie^{1}	支韻
1735a	上池・066ウ2・人倫	魑	—	チ［去］	右注	ṭie^{1}	支韻
1923a	上池・070ウ5・疊字	踟	平	チ	中注	ḍie^{1}	支韻
2318	上和・087オ4・人事	趍	平	シ	右傍	ḍie^{1} ts‘iuʌ^{1}	支韻 虞韻
2319	上和・087オ5・人事	趨	—	シ	右傍	ḍie^{1} ts‘iuʌ^{1}	支韻 虞韻
0009	上伊・002ウ3・地儀	池	—	チ	右傍	ḍie^{1}	支韻
1180b	上保・047ウ2・疊字	池	平	チ	左注	ḍie^{1}	支韻
1808a	上池・069オ3・疊字	池	平	チ	左注	ḍie^{1}	支韻
1809a	上池・069オ3・疊字	池	平	チ	左注	ḍie^{1}	支韻
0700	上波・028ウ6・人事	馳	平	チ	右傍	ḍie^{1}	支韻
1898a	上池・070オ7・疊字	馳	去	チ	左注	ḍie^{1}	支韻
1931a	上池・070ウ6・疊字	馳	去	チ	左注	ḍie^{1}	支韻
1939a	上池・071オ1・疊字	馳	去	チ	右注	ḍie^{1}	支韻
1708a	上池・065オ7・地儀	馳	—	チ	右注	ḍie^{1}	支韻
3135a	上加・110ウ2・疊字	陂	平	ヒ	右傍	pie$^{1/3}$	支/寘韻
2498	上加・093ウ2・植物	椑	平	ヒ	右傍	pjie^{1} bei^{1} biek bek	支韻 齊韻 昔韻 錫韻
2277	上遠・084オ5・辞字	裨	平	ヒ	右注	pjie^{1} bjie^{1}	支韻 支韻
1776c	上池・067ウ6・雜物	皮	平濁	ヒ	右注	bie^{1}	支韻
2594	上加・096オ5・人體	皮	平	ヒ	右傍	bie^{1}	支韻
2746	上加・100オ1・雜物	皮	平	ヒ	右傍	bie^{1}	支韻
2444	上加・091ウ7・地儀	陴	平	ヒ	右傍	bjie^{1}	支韻
3201	上与・114ウ3・人職	脾	平	ヒ	右傍	bjic^{1}	支韻
2660	上加・098オ3・飲食	糜	平濁	ヒ	右傍	mie^{1}	支韻
0683	上波・027オ7・雜物	縻	平濁	ヒ	右傍	mie^{1}	支韻
2215a	上遠・080オ7・植物	蘼	—	ヒ	右傍	mie$^{1/2}$	支/紙韻
2175b	上留・079オ6・雜物	璃	平上	リ	右傍	lie^{1}	支韻
2176b	上留・079オ6・雜物	璃	平上	リ	左傍	lie^{1}	支韻
2194b	上留・079ウ3・疊字	璃	上	ト	左注	lie^{1}	支韻
1362b	上邊・053オ3・疊字	離	平	リ	左注	lie$^{1/3}$ lei^{3}	支/寘韻 霽韻
2071a	上利・075オ2・疊字	離	平	リ	左注	lie$^{1/3}$ lei^{3}	支/寘韻 霽韻

2072a	上利・075オ2・疊字	離	平	リ	左注	lie$^{1/3}$ lei^{3}	支/寘韻 霽韻
2111b	上利・075ウ3・疊字	離	平	リ	左注	lie$^{1/3}$ lei^{3}	支/寘韻 霽韻
2023a	上利・074オ5・重點	離	―	リ	右注	lie$^{1/3}$ lei^{3}	支/寘韻 霽韻
2023b	上利・074オ5・重點	離	―	リ	右注	lie$^{1/3}$ lei^{3}	支/寘韻 霽韻
2177b	上留・079オ6・雜物	離	―	リ	右注	lie$^{1/3}$ lei^{3}	支/寘韻 霽韻
0034b	上伊・003オ4・地儀	籬	平	リ	右傍	lie^{1}	支韻

【表B-10】下巻_ⅢAie 支韻

番号	前田本所在	掲出字		仮名音注		中古音	韻目
6897b	下洲・119ウ7・疊字	移	平	イ	左注	jie^{1}	支韻
5127a	下木・063ウ1・疊字	羈	平	キ	左注	kie^{1}	支韻
5090a	下木・062ウ6・疊字	奇	平	キ	左注	gie^{1} kie^{1}	支韻 支韻
5105a	下木・063オ3・疊字	奇	平	キ	中注	gie^{1} kie^{1}	支韻 支韻
6934b	下洲・120ウ2・疊字	奇	平	キ	右注	gie^{1} kie^{1}	支韻 支韻
5151a	下木・063ウ6・疊字	奇	上	キ	左注	gie^{1} kie^{1}	支韻 支韻
4437	下佐・042ウ1・地儀	碕	平	キ	右傍	gie^{1} k‘ie$^{1/2}$ giʌi^{1}	支韻 支/紙韻 微韻
5131a	下木・063ウ2・疊字	騎	去	キ	左注	gie$^{1/3}$	支/寘韻
5388b	下師・073オ5・人事	岐	上	キ	左傍	gjie^{1}	支韻
5178a	下木・064オ5・疊字	岐	去	キ	右注	gjie^{1}	支韻
4096d	下阿・026オ2・植物	岐	―	キ	右注	gjie^{1}	支韻
4805b	下佐・054オ3・國郡	岐	―	キ	右傍	gjie^{1}	支韻
5193a	下木・064ウ4・諸社	祇	―	キ	左注	gjie^{1}	支韻
5195a	下木・064ウ6・諸寺	祇	―	キ	左注	gjie^{1}	支韻
6323b	下飛・098ウ6・疊字	宜	平	キ	右注	ŋie^{1}	支韻
4555	下佐・046ウ5・飲食	冝	平	キ	右傍	ŋie^{1}	支韻
4847a	下木・055ウ5・地儀	冝	平	キ	右傍	ŋie^{1}	支韻
4551a	下佐・046ウ3・飲食	冝	―	キ	右傍	ŋie^{1}	支韻
5115a	下木・063オ5・疊字	冝	―	キ	右注	ŋie^{1}	支韻
5017a	下木・061ウ3・疊字	儀	平	キ	左注	ŋie^{1}	支韻
5148a	下木・063ウ6・疊字	儀	平	キ	左注	ŋie^{1}	支韻

4895	下木・057ウ3・人事	儀	一	キ ［平濁］	右注	ŋie^{1}	支韻
5954c	下師・087オ3・官職	儀	一	キ	右注	tśiek tśia^{3}	昔韻 禡韻
6028	下飛・090オ6・天象	曦	平	キ	右傍	tśiek tśia^{3}	昔韻 禡韻
5375b	下師・072ウ4・人事	戲	一	キ	右注	xie$^{1/3}$ xuʌ^{1}	支/寘韻 模韻
4590a	下佐・047ウ4・雜物	貲	平	シ	右傍	tsie^{1}	支韻
6117	下飛・093オ1・人躰	髭	平	シ	右傍	tsie^{1}	支韻
5837a	下師・084ウ6・疊字	雌	平	シ	左注	ts‘ie^{1}	支韻
5877a	下師・085オ6・疊字	雌	去	シ	右注	ts‘ie^{1}	支韻
5479a	下師・075オ4・光彩	雌	一	シ	右注	ts‘ie^{1}	支韻
4198	下阿・029オ6・人躰	疵	平	シ	右傍	dzie^{1}	支韻
4889	下木・057オ7・人躰	疵	平	シ	右傍	dzie^{1}	支韻
5341	下師・071オ7・人躰	胔	平	シ	右傍	dzie$^{1/3}$	支/寘韻
3583	下古・009オ3・辞字	斯	平	シ	右傍	sie^{1}	支韻
5476b	下師・075オ3・光彩	斯	平	シ	右傍	sie^{1}	支韻
5689a	下師・082ウ1・疊字	廝	平	シ	左注	sie^{1}	支韻
5792b	下師・084オ6・疊字	差	平	シ	左注	tṣ‘ie^{1} tṣ‘ɐ$^{1/3}$ tṣ‘ɐi^{1} tṣ‘a^{1}	支韻 佳/卦韻 皆韻 麻韻
5912b	下師・085ウ6・疊字	差	一	シ	右傍	tṣ‘ie^{1} tṣ‘ɐ$^{1/3}$ tṣ‘ɐi^{1} tṣ‘a^{1}	支韻 佳/卦韻 皆韻 麻韻
5498	下師・076ウ4・辞字	釃	平	リ	右傍	ṣie$^{1/2}$ ṣiʌ^{1}	支/紙韻 魚韻
4391a	下阿・039ウ5・疊字	支	東	シ	右傍	tśie^{1}	支韻
5628a	下師・081ウ1・疊字	支	平	シ	右注	tśie^{1}	支韻
5747a	下師・083ウ2・疊字	支	平	シ	左注	tśie^{1}	支韻
4429b	下阿・041ウ2・姓氏	支	一	シ	右注	tśie^{1}	支韻
5903a	下師・085ウ4・疊字	支	一	シ	右傍	tśie^{1}	支韻
3748	下江・014ウ2・植物	枝	平	シ	右傍	tśie^{1}	支韻
5187b	下木・064オ7・疊字	枝	平	シ	右注	tśie^{1}	支韻
5974b	下會・087ウ7・植物	枝	平	シ	右傍	tśie^{1}	支韻
3764	下江・015オ5・人躰	肢	平	シ	右傍	tśie^{1}	支韻
4561	下佐・047オ1・雜物	巵	平	シ	右傍	tśie^{1}	支韻
6778a	下洲・113ウ2・地儀	楮	平	シ	右傍	tśie^{1}	支韻
5121a	下木・063オ7・疊字	楮	平	キ	中注	tśie^{1}	支韻
5597a	下師・080ウ5・疊字	施	平	シ	左注	śie$^{1/3}$	支/寘韻

6105b	下飛・092ウ3・人倫	施	平	シ	右傍	śie$^{1/3}$	支/寘韻
6646b	下世・111オ2・疊字	施	平	シ	中注	śie$^{1/3}$	支/寘韻
5568b	下師・079ウ6・疊字	施	一	セ	左注	śie$^{1/3}$	支/寘韻
6635a	下世・110ウ7・疊字	施	一	セ	右注	śie$^{1/3}$	支/寘韻
6764a	下世・112ウ7・官職	施	一	セ	右傍	śie$^{1/3}$	支/寘韻
5864b	下師・085オ4・疊字	知	平	チ	右注	ṭie^{1}	支韻
5826b	下師・084ウ4・疊字	知	一	チ	左注	ṭie^{1}	支韻
5900d	下師・085ウ3・疊字	知	一	チ	右傍	ṭie^{1}	支韻
6814a	下洲・114ウ5・人倫	魑	平	チ	右傍	ṭie^{1}	支韻
6441	下毛・103オ5・雜物	黐	平	チ	右傍	ṭ'ie^{1} lie^{1}	支韻 支韻
5008b	下木・061ウ1・疊字	池	一	チ	右傍	ḍie^{1}	支韻
3816b	下江・017オ3・疊字	兒	平	シ	左注	ńie^{1} ŋei^{1}	支韻 齊韻
6531c	下世・108オ7・人事	兒	平	シ	右傍	ńie^{1} ŋei^{1}	支韻 齊韻
5894a	下師・085ウ2・疊字	兒	一	シ	右注	ńie^{1} ŋei^{1}	支韻 齊韻
3732b	下古・013ウ1・官職	兒	一	ニ	左注	ńie^{1} ŋei^{1}	支韻 齊韻
5306	下師・070オ5・動物	羆	平	ヒ	右傍	pie^{1}	支韻
6182	下飛・094ウ7・雜物	碑	一	ヒ ［平］	右傍	pie^{1}	支韻
6252a	下飛・098オ1・疊字	卑	平	ヒ	左注	pjie^{1}	支韻
3388b	下古・004ウ4・人躰	痺	平	ヒ	右傍	pjie^{1}	支韻
6125b	下飛・093オ4・人躰	痺	去	ヒ	右傍	pjie^{1}	支韻
6099a	下飛・092ウ2・人倫	裨	平	ヒ	右傍	pjie^{1} bjie^{1}	支韻 支韻
6312a	下飛・098ウ5・疊字	裨	平	ヒ	左注	pjie^{1} bjie^{1}	支韻 支韻
6322a	下飛・098ウ6・疊字	裨	上	ヒ	右注	pjie^{1} bjie^{1}	支韻 支韻
6074	下飛・091ウ7・動物	鵯	平	ヒ	右傍	pjie^{1} p'jiet	支韻 質韻
4576	下佐・047オ7・雜物	鞞	一	ヒ	右傍	pjie$^{1/2}$ bei^{1} peŋ^{2}	支/紙韻 齊韻 迥韻
3881a	下手・019オ2・地儀	披	平	ヒ	左注	p'ie$^{1/2}$	支/紙韻
6319a	下飛・098ウ6・疊字	披	平	ヒ	左注	p'ie$^{1/2}$	支/紙韻
6325a	下飛・098ウ7・疊字	披	平	ヒ	左注	p'ie$^{1/2}$	支/紙韻
6326a	下飛・098ウ7・疊字	披	平	ヒ	左注	p'ie$^{1/2}$	支/紙韻
6342a	下飛・099オ3・疊字	披	平	ヒ	左注	p'ie$^{1/2}$	支/紙韻
4864b	下木・056オ6・植物	皮	平	ヒ	右傍	bie^{1}	支韻

6261a	下飛・098オ3・疊字	皮	平	ヒ	左注	bie^{1}	支韻
3912c	下手・020ウ7・雜物	皮	一	ヒ ［平］	右注	bie^{1}	支韻
4567b	下佐・047オ4・雜物	皮	一	ヒツ ［上平］	右注	bie^{1}	支韻
6271a	下飛・098オ4・疊字	紕	平	ヒ	左注	bjie^{1} p‘jiei^{1} tś‘iɐ^{i2}	支韻 脂韻 止韻
6245a	下飛・097ウ7・疊字	弥	平濁	ヒ	中注	mjie^{1}	支韻
5328b	下師・071オ1・人倫	弥	一	ミ	右注	mjie^{1}	支韻
3339a	下古・002ウ6・植物	猕	去	ミ	右傍	mjie^{1}	支韻
5285a	下師・069ウ2・植物	猕	去	ミ	右傍	mjie^{1}	支韻
4485a	下佐・044オ4・動物	猕	一	ミ	右傍	mjie^{1}	支韻
4391b	下阿・039ウ5・疊字	離	平	リ	右傍	lie$^{1/3}$ lei^{3}	支/寘韻 霽韻
5393	下師・073オ7・飲食	醨	平	リ	右傍	lie^{1}	支韻
6140b	下飛・094オ1・飲食	籬	平	リ	右傍	lie^{1}	支韻
6425	下毛・102ウ7・飲食	醨	平	リ	右傍	lie^{1}	支韻

【表B-10】上巻_ⅢAie 紙韻

番号	前田本所在	掲出字		仮名音注		中古音	韻目
0173a	上伊・008ウ4・雜物	倚	一	イ ［去］	右注	’ie$^{2/3}$	紙/寘韻
0320a	上伊・013ウ5・疊字	倚	去	イ	右注	’ie$^{2/3}$	紙/寘韻
2254	上遠・082ウ7・雜物	綺	上	キ	右傍	k‘ie^{2}	紙韻
2700	上加・099オ1・雜物	綺	上	キ	右傍	k‘ie^{2}	紙韻
1982b	上利・072ウ4・地儀	綺	上濁	キ	右注	k‘ie^{2}	紙韻
0970b	上仁・038オ7・雜物	紫	上	シ	右注	tsie^{2}	紙韻
0085a	上伊・004ウ6・動物	紫	去	シ	右傍	tsie^{2}	紙韻
1963b	上池・071ウ5・國郡	紫	一	シ	右注	tsie^{2}	紙韻
1980b	上池・072オ5・姓氏	紫	一	シ	右注	tsie^{2}	紙韻
0323b	上伊・013ウ6・疊字	徙	上	シ	右注	sie^{2}	紙韻
0646	上波・026オ6・雜物	屣	一	シ	右傍	ṣie$^{2/3}$	紙/寘韻
2505a	上加・093ウ3・植物	枳	上	シ	右傍	tśie^{2}	紙韻
2747	上加・100オ2・雜物	紙	上	シ	右傍	tśie^{2}	紙韻
1306b	上邊・051ウ3・雜物	紙	平	シ	右注	tśie^{2}	紙韻
3135b	上加・110ウ2・疊字	阤	平	チ	右傍	ḍie^{2} śie^{2}	紙韻 紙韻
1357b	上邊・053オ2・疊字	尒	平濁	シ	中注	ńie^{2}	紙韻
2867b	上加・106ウ3・疊字	迩	平濁	シ	左注	ńie^{2}	紙韻
0375a	上伊・015ウ7・国郡	迩	一	ニ	右傍	ńie^{2}	紙韻
2418b	上和・091オ2・姓氏	迩	一	ニ	右注	ńie^{2}	紙韻
2344b	上和・088オ6・雜物	被	平濁	ヒ	右注	bie^{2}	紙韻

2170b	上奴・078ウ4・疊字	婢	平濁	ヒ	右注	bjie^{2}	紙韻

【表B-10】下巻_ⅢAie 紙韻

番号	前田本所在	掲出字		仮名音注		中古音	韻目
5754b	下師・083ウ4・疊字	倚	上	イ	中注	'ie$^{2/3}$	紙/寘韻
5009a	下木・061ウ1・疊字	綺	上	キ	右注	k‘ie^{2}	紙韻
4911	下木・058オ5・雜物	綺	―	キ	右傍	k‘ie^{2}	紙韻
5111a	下木・063オ4・疊字	綺	―	キ	中注	k‘ie^{2}	紙韻
3746a	下江・014ウ1・植物	紫	上	シ	右傍	tsie^{2}	紙韻
4109a	下阿・026ウ1・植物	紫	上	シ	右傍	tsie^{2}	紙韻
5275a	下師・069オ6・植物	紫	上	シ	右注	tsie^{2}	紙韻
5289a	下師・069ウ4・植物	紫	上	シ	右注	tsie^{2}	紙韻
5524a	下師・078ウ4・疊字	紫	上	シ	左注	tsie^{2}	紙韻
5529a	下師・078ウ5・疊字	紫	上	シ	中注	tsie^{2}	紙韻
5844a	下師・084ウ7・疊字	紫	上	シ	中注	tsie^{2}	紙韻
3873a	下手・018ウ4・天象	紫	去	シ	右注	tsie^{2}	紙韻
5281a	下師・069ウ1・植物	紫	去	シ	右注	tsie^{2}	紙韻
5869a	下師・085オ4・疊字	紫	去	シ	右注	tsie^{2}	紙韻
5870a	下師・085オ5・疊字	紫	去	シ	右注	tsie^{2}	紙韻
5467a	下師・074ウ7・雜物	紫	平	シ	右注	tsie^{2}	紙韻
5469a	下師・074ウ7・雜物	紫	―	シ	右注	tsie^{2}	紙韻
5470a	下師・074ウ7・雜物	紫	―	シ	右注	tsie^{2}	紙韻
4949	下木・059ウ3・辞字	玼	平	シ	右傍	ts‘ie^{2} ts‘ei^{2}	紙韻 薺韻
5754a	下師・083ウ4・疊字	徙	平	シ	中注	sie^{2}	紙韻
5556a	下師・079ウ1・疊字	紙	上	シ	左注	tśie^{2}	紙韻
6539a	下世・108ウ5・雜物	紙	上	シ	右傍	tśie^{2}	紙韻
5459a	下師・074ウ4・雜物	紙	平	シ	右傍	tśie^{2}	紙韻
5449a	下師・074ウ1・雜物	紙	―	シ	右注	tśie^{2}	紙韻
5450b	下師・074ウ1・雜物	紙	―	シ	右注	tśie^{2}	紙韻
5548a	下師・079オ4・疊字	咫	去	シ	右注	tśie^{2}	紙韻
5841a	下師・084ウ7・疊字	弛	平	シ	右注	śie^{2}	紙韻
6691a	下世・111ウ2・疊字	是	平	セ	左注	źie^{2}	紙韻
3700b	下古・012オ1・疊字	尒	―	シ	左注	ńie^{2}	紙韻
6295a	下飛・098ウ1・疊字	被	去	ヒ	左注	bie^{2}	紙韻
6328a	下飛・099オ1・疊字	被	―	ヒ	左注	bie^{2}	紙韻
4394b	下阿・040オ1・疊字	剣	入	レツ	右傍	lie^{2}	紙韻

【表B-10】上巻_ⅢAie 寘韻

番号	前田本所在	掲出字		仮名音注		中古音	韻目
2048b	上利・074ウ4・疊字	義	平濁	キ	左注	ŋie^{3}	寘韻
0372b	上伊・015ウ6・国郡	義	—	キ	右傍	ŋie^{3}	寘韻
2394b	上和・090オ5・疊字	議	上濁	キ	左注	ŋie^{3}	寘韻
0433b	上呂・019オ1・疊字	議	平濁	キ	左注	ŋie^{3}	寘韻
1884a	上池・070オ4・疊字	智	平	チ	左注	ṭie^{3}	寘韻
1893a	上池・070オ6・疊字	智	平	チ	中注	ṭie^{3}	寘韻
1894a	上池・070オ6・疊字	智	平	チ	左注	ṭie^{3}	寘韻
0367a	上伊・015ウ6・国郡	智	—	チ	右傍	ṭie^{3}	寘韻
0377b	上伊・015ウ7・国郡	智	—	チ	右傍	ṭie^{3}	寘韻
1745	上池・067オ2・人事	智	—	チ	右注	ṭie^{3}	寘韻
2285b	上遠・085ウ2・姓氏	智	—	チ	右注	ṭie^{3}	寘韻
0640b	上波・026オ4・雑物	臂	上濁	ヒ	右注	pjie^{3}	寘韻
2688	上加・098ウ5・雑物	髲	去	ヒ	右傍	bie^{3}	寘韻
1615b	上度・062ウ4・疊字	避	平濁	ヒ	左注	bjie^{3}	寘韻

【表B-10】下巻_ⅢAie 寘韻

番号	前田本所在	掲出字		仮名音注		中古音	韻目
5150a	下木・063ウ6・疊字	義	去濁	キ	左注	ŋie^{3}	寘韻
6495b	下世・106ウ5・地儀	義	去	キ	右傍	ŋie^{3}	寘韻
4893	下木・057ウ3・人事	義	平濁	キ [去濁] [平]	右注	ŋie^{3}	寘韻
4894	下木・057ウ3・人事	議	—	キ [去濁]	右注	ŋie^{3}	寘韻
5101a	下木・063オ2・疊字	議	平	キ	左注	ŋie^{3}	寘韻
6630b	下世・110ウ6・疊字	議	平	キ	左注	ŋie^{3}	寘韻
5149a	下木・063ウ6・疊字	議	平濁	キ	左注	ŋie^{3}	寘韻
5901b	下師・085ウ3・疊字	議	—	キ	右傍	ŋie^{3}	寘韻
3306	下古・001ウ7・地儀	凘	平	シ	右傍	sie^{3}	寘韻
4405b	下阿・040ウ5・国郡	智	—	チ	右傍	ṭie^{3}	寘韻
4430b	下阿・041ウ4・姓氏	智		チ	右注	ṭie^{3}	寘韻
6119	下飛・093オ2・人躰	臂	去	ヒ	右傍	pjie^{3}	寘韻
6240a	下飛・097ウ6・疊字	譬	平	ヒ	中注	p‘jie^{3}	寘韻
6232a	下飛・097ウ5・疊字	避	去	ヒ	左注	bjie^{3}	寘韻

【表B-10】上巻_ⅢAiue 支韻

番号	前田本所在	掲出字		仮名音注		中古音	韻目
3275a	上与・118オ4・疊字	逶	—	ヰ	右傍	’iue^{1}	支韻
3275b	上与・118オ4・疊字	迤	—	イ	右傍	jiue^{1}	支韻

2803	上加・101ウ6・辞字	虧	平	キ	右傍	k‘iue^{1}	支韻
0159	上伊・008オ5・飲食	臇	平	スヰ	右傍	tsiue^{1} tsiuan^{2}	支韻 獮韻
2822	上加・103オ4・辞字	炊	上	スイ	右傍	tś‘iue^{1}	支韻
3104a	上加・110オ2・疊字	炊	—	カム	右注	tś‘iue^{1}	支韻
2758	上加・100オ5・雑物	䪎	平	スヰ	右傍	ṣiue^{1}	支韻
2405b	上和・090オ7・疊字	羸	平	ルイ	左注	liue^{1}	支韻

【表B-10】下巻_ⅢAiue 支韻

番号	前田本所在	掲出字		仮名音注		中古音	韻目
4094b	下阿・026オ2・植物	萎	平	ヰ	右傍	’iue$^{1/3}$	支/寘韻
5970b	下會・087ウ6・植物	萎	平	ヰ	右傍	’iue$^{1/3}$	支/寘韻
6125a	下飛・093オ4・人躰	痿	平	ヰ	右傍	’iue^{1} ńiue^{1}	支韻 支韻
4829b	下佐・055オ1・姓氏	為	—	ヰ ［平］	右注	ɣiue$^{1/3}$	支/寘韻
5020a	下木・061ウ4・疊字	規	平 上	キ	左注	kjiue^{1}	支韻
5154a	下木・063ウ7・疊字	規	上	キ	右注	kjiue^{1}	支韻
4389b	下阿・039ウ4・疊字	危	平	クヰ	左注	ŋiue^{1}	支韻
5508	下師・077オ7・辞字	随	平濁	スイ	右傍	ziue^{1}	支韻
6944a	下洲・120ウ4・疊字	随	平	スイ	左注	ziue^{1}	支韻
6930a	下洲・120ウ1・疊字	随	去	スイ	右注	ziue^{1}	支韻
6933a	下洲・120ウ1・疊字	随	去	スイ	右注	ziue^{1}	支韻
6898a	下洲・119ウ7・疊字	随	—	スイ	中注	ziue^{1}	支韻
6927a	下洲・120オ7・疊字	随	—	スイ	右注	ziue^{1}	支韻
6937a	下洲・120ウ2・疊字	随	—	スイ	左注	ziue^{1}	支韻
6964a	下洲・121ウ4・官軄	随	—	スイ	右注	ziue^{1}	支韻
6914a	下洲・120オ4・疊字	吹	平	スイ	右注	tś‘iue$^{1/3}$	支/寘韻
6918a	下洲・120オ5・疊字	炊	上	スイ	左注	tś‘iue^{1}	支韻
6902a	下洲・120オ1・疊字	垂	平	スイ	右注	źiue^{1}	支韻
6912a	下洲・120オ4・疊字	垂	平	スイ	左注	źiue^{1}	支韻
6917a	下洲・120オ5・疊字	垂	平	スイ	左注	źiue^{1}	支韻
6942a	下洲・120ウ4・疊字	垂	平	スイ	左注	źiue^{1}	支韻

【表B-10】上巻_ⅢAiue 紙韻

番号	前田本所在	掲出字		仮名音注		中古音	韻目
0100b	上伊・005オ7・動物	蟻	上濁	キ	右傍	giue^{2}	紙韻
2183a	上留・079ウ1・疊字	累	上	ルイ	中注	liue$^{2/3}$	紙/寘韻
2184a	上留・079ウ1・疊字	累	上	ルイ	左注	liue$^{2/3}$	紙/寘韻
2185a	上留・079ウ1・疊字	累	上	ルイ	右注	liue$^{2/3}$	紙/寘韻

2186a	上留・079ウ2・疊字	累	上	ルイ	左注	liue$^{2/3}$	紙/寘韻
2193a	上留・079ウ3・疊字	累	上	ルイ	左注	liue$^{2/3}$	紙/寘韻
2330	上和・087ウ2・人事	累	上	ルイ	右傍	liue$^{2/3}$	紙/寘韻
2759	上加・100オ5・雑物	樏	上	ルイ	右傍	liue^{2}	紙韻

【表B-10】下巻_ⅢAiue 紙韻

番号	前田本所在	掲出字		仮名音注		中古音	韻目
5904c	下師・085ウ4・疊字	毀	—	クヰ	右傍	xiue$^{2/3}$	紙/寘韻
6818	下洲・115オ1・人躰	髄	上濁	スイ	右傍	siue^{2}	紙韻
3647b	下古・011オ4・疊字	髄	—	スイ	左注	siue^{2}	紙韻
6936a	下洲・120ウ2・疊字	髄	—	スイ	左注	siue^{2}	紙韻
5292	下師・069ウ5・植物	蘂	上濁	スヰ	右傍	ńiue^{2}	紙韻

【表B-10】上巻_ⅢAiue 寘韻

番号	前田本所在	掲出字		仮名音注		中古音	韻目
0034a	上伊・003オ4・地儀	瑞	去	スイ	右傍	źiue^{3}	寘韻

【表B-10】下巻_ⅢAiue 寘韻

番号	前田本所在	掲出字		仮名音注		中古音	韻目
5629b	下師・081ウ1・疊字	恚	平	イ	右注	'jiue^{3}	寘韻
5891b	下師・085ウ1・疊字	偽	平濁	クヰ	右注	ŋiue^{3}	寘韻
4708b	下佐・051ウ7・疊字	偽	平	クヰ	左注	ŋiue^{3}	寘韻
5033b	下木・061ウ7・疊字	瑞	去	スイ	左注	źiue^{3}	寘韻
5601b	下師・080ウ6・疊字	瑞	平濁	スイ	左注	źiue^{3}	寘韻
6904a	下洲・120オ2・疊字	瑞	平	スイ	右注	źiue^{3}	寘韻
6931a	下洲・120ウ1・疊字	瑞	平	スイ	右注	źiue^{3}	寘韻

【表B-10】上巻_ⅢAiei 脂韻

番号	前田本所在	掲出字		仮名音注		中古音	韻目
0337a	上伊・014オ2・疊字	伊	平	イ	右注	'jiei^{1}	脂韻
0338a	上伊・014オ2・疊字	伊	平	イ	右注	'jiei^{1}	脂韻
0352a	上伊・015オ5・諸社	伊	—	イ	右注	'jiei^{1}	脂韻
0353a	上伊・015ウ3・国郡	伊	—	イ	右注	'jiei^{1}	脂韻
0359a	上伊・015ウ4・国郡	伊	—	イ	右注	'jiei^{1}	脂韻
0361a	上伊・015ウ4・国郡	伊	—	イ	右注	'jiei^{1}	脂韻
0379a	上伊・015ウ7・国郡	伊	—	イ	右注	'jiei^{1}	脂韻
0391a	上伊・016ウ1・姓氏	伊	—	イ	右注	'jiei^{1}	脂韻
0392a	上伊・016ウ1・姓氏	伊	—	イ	右注	'jiei^{1}	脂韻

0393a	上伊・016ウ1・姓氏	伊	―	イ	右注	'jiei^{1}	脂韻
0395a	上伊・016ウ2・姓氏	伊	―	イ	右注	'jiei^{1}	脂韻
0396a	上伊・016ウ3・姓氏	伊	―	イ	右注	'jiei^{1}	脂韻
0397a	上伊・016ウ4・姓氏	伊	―	イ	右注	'jiei^{1}	脂韻
0399a	上伊・016ウ6・姓氏	伊	―	イ	右注	'jiei^{1}	脂韻
0235a	上伊・012ウ2・疊字	夷	平	イ	右注	jiei^{1}	脂韻
0242a	上伊・012ウ3・疊字	夷	平	イ	左注	jiei^{1}	脂韻
0740b	上波・031ウ3・疊字	夷	平	イ	中注	jiei^{1}	脂韻
1653b	上度・063オ5・疊字	夷	平	イ	左注	jiei^{1}	脂韻
2121b	上利・075ウ5・疊字	夷	平	イ	右注	jiei^{1}	脂韻
0394b	上伊・016ウ2・姓氏	夷	―	イ	右注	jiei^{1}	脂韻
1693b	上度・064オ4・国郡	夷	―	イ	右注	jiei^{1}	脂韻
3154a	上加・111ウ4・國郡	夷	―	イ	右傍	jiei^{1}	脂韻
0104	上伊・005ウ4・人倫	姨	平	イ	右傍	jiei^{1}	脂韻
2232	上遠・081オ3・人倫	姨	平	イ	右傍	jiei^{1}	脂韻
1522	上度・058オ3・方角	寅	平	イ	右傍	jiei^{1} jien^{1}	脂韻 眞韻
2595	上加・096オ5・人體	肌	平	キ	右傍	kiei^{1}	脂韻
0579	上波・023ウ7・人躰	肌	―	キ	右傍	kiei^{1}	脂韻
0550	上波・022ウ5・動物	鰭	平	キ	右傍	giei^{1}	脂韻
3277b	上波・034ウ5・國郡	耆	―	キ	右注	giei^{1}	脂韻
0508	上波・021オ5・植物	茨	平	シ	右傍	dziei^{1}	脂韻
2728	上加・099ウ3・雑物	瓷	平	シ	右傍	dziei^{1}	脂韻
0306b	上伊・013ウ2・疊字	(私)	?	シ	左注	siei^{1}	脂韻
2874b	上加・106ウ5・疊字	私	平濁	シ	左注	siei^{1}	脂韻
2571b	上加・095ウ3・人倫	師	平	シ	右傍	ṣiei^{1}	脂韻
2900b	上加・107オ3・疊字	師	上濁	シ	左注	ṣiei^{1}	脂韻
1067b	上保・043オ2・人倫	師	―	シ	右注	ṣiei^{1}	脂韻
1456b	上度・056オ2・人倫	師	―	シ	右注	ṣiei^{1}	脂韻
2138b	上利・076オ4・官職	師	―	シ	右注	ṣiei^{1}	脂韻
2173b	上奴・079オ2・姓氏	師	―	シ	右注	ṣiei^{1}	脂韻
0114b	上伊・006オ4・人體	脂	平	シ	右傍	tśiei^{1}	脂韻
2586b	上加・096オ3・人體	脂	平	シ	右傍	tśiei^{1}	脂韻
1448b	上度・055ウ1・動物	胵	平	シ	右傍	tśiei^{1}	脂韻
2297b	上和・086オ6・動物	胵	平	シ	右傍	tśiei^{1}	脂韻
1445	上度・055オ7・動物	鴟	平	シ	右傍	tś'iei^{1}	脂韻
3190b	上与・114オ2・動物	鴟	平	シ	右傍	tś'iei^{1}	脂韻
2596	上加・096オ6・人體	尸	平	シ	右傍	śiei^{1}	脂韻
2597	上加・096オ6・人體	屍	平	シ	右傍	śiei$^{1/3}$	脂/至韻
0927	上仁・036オ2・地儀	墀	平	チ	右傍	ḍiei^{1}	脂韻
2120b	上利・075ウ4・疊字	遅	平濁	チ	左注	ḍiei$^{1/3}$	脂/至韻
1798a	上池・069オ1・疊字	遅	平	チ	左注	ḍiei$^{1/3}$	脂/至韻

1845a	上池・069ウ3・疊字	遅	平	チ	左注	ḍiei$^{1/3}$	脂/至韻
1846a	上池・069ウ3・疊字	遅	平	チ	左注	ḍiei$^{1/3}$	脂/至韻
1847a	上池・069ウ4・疊字	遅	平	チ	左注	ḍiei$^{1/3}$	脂/至韻
1848a	上池・069ウ4・疊字	遅	平	チ	左注	ḍiei$^{1/3}$	脂/至韻
1866a	上池・069ウ7・疊字	遅	平	チ	左注	ḍiei$^{1/3}$	脂/至韻
1868a	上池・070オ1・疊字	遅	平	チ	左注	ḍiei$^{1/3}$	脂/至韻
1789a	上池・068ウ5・重點	遅	―	チ	右注	ḍiei$^{1/3}$	脂/至韻
1789b	上池・068ウ5・重點	遅	―	チ	右注	ḍiei$^{1/3}$	脂/至韻
2273	上遠・084オ2・辞字	遅	―	チ	右傍	ḍiei$^{1/3}$	脂/至韻
1908b	上池・070ウ2・疊字	怩	平濁	チ	左注	ṇiei^{1}	脂韻
3133b	上加・110ウ2・疊字	怩	去濁	チ	右傍	ṇiei^{1}	脂韻
2347	上和・088オ6・雑物	柅	平濁	チ	右傍	ṇiei$^{1/2}$ ṇiai^{2}	脂/旨韻 紙韻
2634	上加・097オ5・人事	悲	平	ヒ	右傍	piei^{1}	脂韻
1448a	上度・055ウ1・動物	貔	平	ヒ	右傍	bjiei^{1}	脂韻
2297a	上和・086オ6・動物	貔	平	ヒ	右傍	bjiei^{1}	脂韻
1073	上保・043オ5・人躰	膍	平	ヘイ	右注	bjiei^{1}	脂韻
1292	上邊・050ウ6・人躰	膍	平	ヘイ	右傍	bjiei^{1}	脂韻
1125	上保・045ウ4・方角	湄	平	ヒ	右傍	miei^{1}	脂韻
2929b	上加・107ウ2・疊字	眉	平濁	ヒ	左注	miei^{1}	脂韻
2761b	上加・100オ6・雑物	梨	―	リ	右注	liei^{1}	脂韻
0507b	上波・021オ5・植物	蔾	平	リ	右傍	liei^{1} lei^{1}	脂韻 齊韻

【表B-10】下巻_ⅢAiei 脂韻

番号	前田本所在	掲出字		仮名音注		中古音	韻目
5927a	下師・086ウ3・國郡	伊	―	イ	右傍	'jiei^{1}	脂韻
4406a	下阿・040ウ6・国郡	伊	―	イ	右傍	'jiei^{1}	脂韻
4811a	下佐・054オ4・國郡	伊	―	イ	右傍	'jiei^{1}	脂韻
5196b	下木・065オ1・国郡	伊	―	イ	右注	'jiei^{1}	脂韻
5197a	下木・065オ1・国郡	伊	―	イ	右傍	'jiei^{1}	脂韻
3342b	下吉・002ウ7・植物	夷	平	イ	右傍	jiei^{1}	脂韻
4054a	下阿・024ウ2・天象	夷	平	イ	右注	jiei^{1}	脂韻
3757	下江・015オ2・人倫	夷	―	イ	右傍	jiei^{1}	脂韻
4888	下木・057オ7・人躰	痍	―	イ	右傍	jiei^{1}	脂韻
6817	下洲・114ウ7・人躰	洟	平	イ	右傍	jiei^{1} t'ei^{3}	脂韻 霽韻
5080a	下木・062ウ3・疊字	飢	去	キ	左注	kiei^{1}	脂韻
5081a	下木・062ウ4・疊字	飢	去	キ	左注	kiei^{1}	脂韻
3581	下古・009オ3・辞字	耆	平	キ	右傍	giei^{1}	脂韻
6089	下飛・092オ4・動物	鰭	平	キ	右傍	giei^{1}	脂韻

6831	下洲・115ウ5・飲食	鮨	去	シ	右傍	giei^{1}	脂韻
5395a	下師・073ウ1・飲食	粢	平	シ	右傍	tsiei^{1}	脂韻
5558a	下師・079ウ2・疊字	粢	―	シ	左注	tsiei^{1}	脂韻
5760a	下師・083ウ6・疊字	資	去	シ	左注	tsiei^{1}	脂韻
5761a	下師・083ウ6・疊字	資	去	シ	左注	tsiei^{1}	脂韻
5906b	下師・085ウ4・疊字	資	―	シ	右傍	tsiei^{1}	脂韻
3811b	下江・017オ2・疊字	姿	平	シ	左注	tsiei^{1}	脂韻
4628	下佐・050オ7・辞字	韲	平	シ	右傍	ts'iei^{1} dziei^{1} dẓɐ^{1}	脂韻 脂韻 佳韻
4631	下佐・050ウ2・辞字	韲	平	シ	右傍	ts'iei^{1} dziei^{1} dẓɐ^{1}	脂韻 脂韻 佳韻
5794a	下師・084オ6・疊字	趑	平	シ	左注	ts'iei^{1}	脂韻
5448b	下師・074オ7・雜物	瓷	平	シ	右注	dziei^{1}	脂韻
6977b	下師・074オ7・雜物	瓷	平	シ	右傍	dziei^{1}	脂韻
4284b	下阿・032ウ4・雜物	瓷	―	シ	右注	dziei^{1}	脂韻
5271	下師・069オ5・植物	茨	平	シ	右傍	dziei^{1}	脂韻
5323	下師・070ウ7・人倫	師	平	シ	右注	ṣiei^{1}	脂韻
4431b	下阿・041ウ6・姓氏	師	―	シ	右注	ṣiei^{1}	脂韻
4882b	下木・057オ3・人倫	師	―	シ	右注	ṣiei^{1}	脂韻
5301a	下師・070オ4・動物	師	―	シ	右注	ṣiei^{1}	脂韻
5325c	下師・071オ1・人倫	師	―	シ	右注	ṣiei^{1}	脂韻
5579a	下師・080オ4・疊字	師	―	シ	左注	ṣiei^{1}	脂韻
5906a	下師・085ウ4・疊字	師	―	シ	右傍	ṣiei^{1}	脂韻
5954d	下師・087オ3・官職	師	―	シ	右注	ṣiei^{1}	脂韻
5977b	下會・088オ4・人倫	師	―	シ	右傍	ṣiei^{1}	脂韻
6823b	下洲・115オ5・人事	師	―	シ	右傍	ṣiei^{1}	脂韻
3786b	下江・016オ5・光彩	脂	平濁	シ ［上濁］	右注	tśiei^{1}	脂韻
4188	下阿・029オ3・人躰	脂	平	シ	右傍	tśiei^{1}	脂韻
6399b	下毛・101オ6・植物	脂	平	シ	右傍	tśiei^{1}	脂韻
5667a	下師・082オ2・疊字	祗	平	シ	右注	tśiei^{1}	脂韻
5693a	下師・082ウ1・疊字	祗	平	シ	左注	tśiei^{1}	脂韻
5459c	下師・074ウ4・雜物	鴟	平	シ	右傍	tś'iei^{1}	脂韻
5298	下師・070オ2・動物	鵄	平	シ	右傍	tśiei$^{1/3}$	脂/至韻
4165	下阿・028オ7・人倫	尼	平	チ	右傍	ṇiei^{1}	脂韻
6146a	下飛・094オ6・雜物	琵	平	ヒ	右注	bjiei^{1}	脂韻
6101a	下飛・092ウ3・人倫	比	平濁	ヒ	右注	bjiei$^{1/3}$ pjiei$^{2/3}$ bjiet	脂/至韻 旨/至韻 質韻

6237a	下飛・097ウ6・疊字	比	平	ヒ	左注	bjiei$^{1/3}$ pjiei$^{2/3}$ bjiet	脂/至韻 旨/至韻 質韻
6292a	下飛・098ウ1・疊字	比	平	ヒ	右注	bjiei$^{1/3}$ pjiei$^{2/3}$ bjiet	脂/至韻 旨/至韻 質韻
6324a	下飛・098ウ7・疊字	比	平	ヒ	右注	bjiei$^{1/3}$ pjiei$^{2/3}$ bjiet	脂/至韻 旨/至韻 質韻
6339a	下飛・099オ3・疊字	比	去	ヒ	左注	bjiei$^{1/3}$ pjiei$^{2/3}$ bjiet	脂/至韻 旨/至韻 質韻
3784b	下江・016オ3・雜物	比	—	ヒ	右注	bjiei$^{1/3}$ pjiei$^{2/3}$ bjiet	脂/至韻 旨/至韻 質韻
6355a	下飛・099ウ5・諸寺	比	—	ヒ	右傍	bjiei$^{1/3}$ pjiei$^{2/3}$ bjiet	脂/至韻 旨/至韻 質韻
6387a	下飛・100オ4・國郡	比	—	ヒ	右注	bjiei$^{1/3}$ pjiei$^{2/3}$ bjiet	脂/至韻 旨/至韻 質韻
4582	下佐・047ウ1・雜物	枇	平	ヒ	右傍	bjiei$^{1/3}$ pjiei^{2}	脂/至韻 旨韻
6064a	下飛・091ウ1・植物	枇	去	ヒ	右注	bjiei$^{1/3}$ pjiei^{2}	脂/至韻 旨韻
6263a	下飛・098オ3・疊字	眉	—	ヒ	右注	miei^{1}	脂韻
4422c	下阿・041オ4・官職	梨	—	リ	右注	liei^{1}	脂韻

【表B-10】上巻_ⅢAiei 旨韻

番号	前田本所在	掲出字		仮名音注		中古音	韻目
2256	上遠・082ウ7・雜物	几	上	ヤ	右傍	kiei^{3}	旨韻
1950b	上池・071オ3・疊字	几	去	キ	右注	kiei^{2}	旨韻
0103	上伊・005ウ2・人倫	姉	上	シ	右傍	tsiei^{2}	旨韻
0761b	上波・031ウ7・疊字	死	上	シ	中注	siei^{2}	旨韻
2994b	上加・108ウ1・疊字	死	上	シ	左注	siei^{2}	旨韻
2385b	上和・090オ3・疊字	死	平	シ	左注	siei^{2}	旨韻
2054b	上利・074ウ6・疊字	旨	上濁	シ	左注	śiei^{2}	旨韻
2055b	上利・074ウ6・疊字	旨	去	シ	左注	śiei^{2}	旨韻
3065b	上加・109ウ1・疊字	旨	平	シ	左注	śiei^{2}	旨韻
1095a	上保・044オ6・飲食	雉	上	チ	右傍	ḍiei^{2}	旨韻

0888b	上波・033ウ5・疊字	雉	去	チ	右注	ḍiei^{2}	旨韻
1935a	上池・070ウ7・疊字	雉	去	チ	右注	ḍiei^{2}	旨韻
1919a	上池・070ウ4・疊字	雉	平	チ	右注	ḍiei^{2}	旨韻
0564	上波・023オ5・人倫	妣	去	ヒ	右傍	pjiei$^{2/3}$	旨/至韻
1333b	上邊・052ウ4・疊字	鄙	上	ヒ	中注	piei^{2}	旨韻
1679b	上度・063ウ3・疊字	鄙	上	ヒ	左注	piei^{2}	旨韻
0123	上伊・006ウ2・人事	鄙	―	ヒ	右傍	piei^{2}	旨韻
0276b	上伊・013オ3・疊字	美	上	ヒ	中注	miei^{2}	旨韻
1227b	上保・048オ4・疊字	美	平濁	ヒ	左注	miei^{2}	旨韻
1909b	上池・070ウ2・疊字	美	平濁	ヒ	左注	miei^{2}	旨韻
0366b	上伊・015ウ5・国郡	美	―	ミ	右注	miei^{2}	旨韻
0368b	上伊・015ウ6・国郡	美	―	ミ	右傍	miei^{2}	旨韻
0369b	上伊・015ウ6・国郡	美	―	ミ	左傍	miei^{2}	旨韻
0378a	上伊・015ウ7・国郡	美	―	ミ	右傍	miei^{2}	旨韻
3287a	上波・034ウ6・國郡	美	―	ミ	右傍	miei^{2}	旨韻
1701b	上度・064ウ2・姓氏	美	―	ミ	右注	miei^{2}	旨韻
3163b	上加・111ウ5・國郡	美	―	ミ	右傍	miei^{2}	旨韻
2099a	上利・075オ7・疊字	履	平	リ	左注	liei^{2}	旨韻

【表B-10】下巻_ⅢAiei 旨韻

番号	前田本所在	掲出字		仮名音注		中古音	韻目
4919a	下木・058オ7・雜物	几	―	キ	右注	kiei^{2}	旨韻
4160	下阿・028オ6・人倫	姉	上	シ	右傍	tsiei^{2}	旨韻
5822a	下師・084ウ4・疊字	死	―	シ	左注	siei^{2}	旨韻
5900a	下師・085ウ3・疊字	死	―	シ	右傍	siei^{2}	旨韻
5873a	下師・085オ5・疊字	兕	上	シ	右注	ziei^{2}	旨韻
5305	下師・070オ5・動物	兕	―	シ	―	ziei^{2}	旨韻
5757a	下師・083ウ5・疊字	指	平	シ	左注	tśiei^{2}	旨韻
5774a	下師・084オ3・疊字	指	平	シ	右注	tśiei^{2}	旨韻
5225	下由・066ウ4・人躰	指	―	シ	右傍	tśiei^{2}	旨韻
5463a	下師・074ウ5・雜物	指	―	シ	右傍	tśiei^{2}	旨韻
5896a	下師・085ウ2・疊字	指	―	シ	右傍	tśiei^{2}	旨韻
4865	下木・056ウ1・動物	雉	上	チ	右傍	ḍiei^{2}	旨韻
4271a	下阿・032ウ1・雜物	雉	去	チ	右傍	ḍiei^{2}	旨韻
3766	下江・015オ6・人躰	痞	上	ヒ	右傍	piei^{2} biei^{2} piʌu^{2}	旨韻 旨韻 有韻
6254a	下飛・098オ1・疊字	鄙	上	ヒ	左注	piei^{2}	旨韻
5224b	下由・066ウ1・動物	牝	―	ヒ	右注	bjiei^{2} bjien^{2}	旨韻 軫韻
6233a	下飛・097ウ5・疊字	美	上	ヒ	右注	miei^{2}	旨韻

6249a	下飛・098オ1・疊字	美	上	ヒ	左注	miei^{2}	旨韻
6306a	下飛・098ウ3・疊字	美	上	ヒ	左注	miei^{2}	旨韻
6250a	下飛・098オ1・疊字	美	—	ヒ	右注	miei^{2}	旨韻
4414a	下阿・040ウ7・国郡	美	—	ミ	右傍	miei^{2}	旨韻
5786b	下師・084オ5・疊字	履	平	リ	右注	liei^{2}	旨韻
4577b	下佐・047オ7・雜物	履	—	リ	右注	liei^{2}	旨韻

【表B-10】上巻_ⅢAiei 至韻

番号	前田本所在	掲出字		仮名音注		中古音	韻目
1955b	上池・071オ6・疊字	屓	平	キ	右傍	xiei^{3}	至韻
2755b	上加・100オ4・雜物	器	去	キ	右傍	k‘iei^{3}	至韻
1649b	上度・063オ4・疊字	器	上	キ	中注	k‘iei^{3}	至韻
3062b	上加・109オ7・疊字	器	上濁	キ	左注	k‘iei^{3}	至韻
0624	上波・025ウ1・人事	劓	去濁	キ	右傍	ŋiei^{3}	至韻
1545	上度・059オ7・辞字	佽	去	シ	右傍	ts‘iei^{3}	至韻
2061b	上利・074ウ7・疊字	次	去	シ	中注	ts‘iei^{3}	至韻
0446b	上呂・019オ4・疊字	次	上	シ	左注	ts‘iei^{3}	至韻
0672a	上波・027オ3・雜物	鬃	去	シ	右傍	ts‘iei^{3}	至韻
0032	上伊・003オ4・地儀	肆	—	シ	右傍	siei^{3}	至韻
0963	上仁・038オ3・飲食	贄	—	シ	右傍	tśiei^{3}	至韻
0141	上伊・007オ7・人事	謚	去	シ	右傍	dźiei^{3}	至韻
0738b	上波・031ウ3・疊字	示	上濁	シ	左注	dźiei^{3} gjie^{1}	至韻 支韻
0402b	上呂・017オ5・地儀	二	—	シ	右傍	ńiei^{3}	至韻
0974	上仁・038ウ6・員數	二	—	ニ	右注	ńiei^{3}	至韻
2093b	上利・075オ6・疊字	致	上	チ	左注	ṭiei^{3}	至韻
0150a	上伊・007ウ5・人事	致	平	チ	右傍	ṭiei^{3}	至韻
1811a	上池・069オ3・疊字	致	平	チ	中注	ṭiei^{3}	至韻
1836a	上池・069ウ1・疊字	致	平	チ	右注	ṭiei^{3}	至韻
1838a	上池・069ウ2・疊字	致	平	チ	左注	ṭiei^{3}	至韻
1757a	上池・067オ6・人事	地	去	チ	右傍	diei^{3}	至韻
1803a	上池・069オ2・疊字	地	去	チ	左注	diei^{3}	至韻
1804a	上池・069オ2・疊字	地	去	チ	左注	diei^{3}	至韻
1832a	上池・069ウ1・疊字	地	去	チ	左注	diei^{3}	至韻
1947a	上池・071オ3・疊字	地	去	チ	右注	diei^{3}	至韻
1337b	上邊・052ウ5・疊字	地	平濁	チ	左注	diei^{3}	至韻
1721a	上池・065ウ5・植物	地	平濁	チ	右注	diei^{3}	至韻
1775a	上池・067ウ6・雜物	地	平濁	チ	右注	diei^{3}	至韻
1802a	上池・069オ2・疊字	地	平濁	チ	左注	diei^{3}	至韻
1849a	上池・069ウ4・疊字	地	平濁	チ	左注	diei^{3}	至韻
1918a	上池・070ウ4・疊字	地	平濁	チ	左注	diei^{3}	至韻

0730b	上波・031ウ1・疊字	地	平	チ	左注	diei^{3}	至韻
0736b	上波・031ウ2・疊字	地	平	チ	右注	diei^{3}	至韻
1887a	上池・070オ5・疊字	地	平	チ	中注	diei^{3}	至韻
2864b	上加・106ウ3・疊字	地	平	チ	左注	diei^{3}	至韻
1704	上池・065オ6・地儀	地	―	チ	右注	diei^{3}	至韻
0351b	上伊・015オ2・疊字	緻	去	チ	右傍	ḍiei^{3}	至韻
1600b	上度・062ウ1・疊字	稚	去	チ	左注	ḍiei^{3}	至韻
0280b	上伊・013オ3・疊字	稚	上	チ	左注	ḍiei^{3}	至韻
1724a	上池・066オ1・植物	稚	平	チ	右注	ḍiei^{3}	至韻
2316	上和・087オ4・人事	稚	―	チ	右傍	ḍiei^{3}	至韻
1294	上邊・050ウ6・人躰	屁	去	ヒ	右傍	p‘jiei^{3}	至韻
1089	上保・044オ5・飲食	糒	去濁	ヒ	右傍	biei^{3}	至韻
1384b	上邊・053ウ1・疊字	備	去濁	ヒ	左注	biei^{3}	至韻
3178c	上加・112ウ3・姓氏	偹	―	ミ	右傍	biei^{3}	至韻
1955a	上池・071オ6・疊字	贔	平	ヒイ	右傍	biei^{3}	至韻
0571	上波・023ウ4・人躰	鼻	平 去	ヒ	右傍	bjiei^{3}	至韻
0584b	上波・024オ3・人躰	鼻	去	ヒ	右傍	bjiei^{3}	至韻
1735b	上池・066ウ2・人倫	魅	―	ミ ［去］	右注	miei^{3}	至韻
2132a	上利・075ウ7・疊字	利	去	リ	左注	liei^{3}	至韻
2088a	上利・075オ5・疊字	利	上	リ	左注	liei^{3}	至韻
2045a	上利・074ウ4・疊字	利	平	リ	左注	liei^{3}	至韻
2049a	上利・074ウ5・疊字	利	平	リ	左注	liei^{3}	至韻
2086a	上利・075オ5・疊字	利	平	リ	中注	liei^{3}	至韻
2105a	上利・075ウ1・疊字	利	平	リ	左注	liei^{3}	至韻
2117a	上利・075ウ4・疊字	利	平	リ	左注	liei^{3}	至韻
2123a	上利・075ウ5・疊字	利	平	リ	右注	liei^{3}	至韻
2124a	上利・075ウ5・疊字	利	平	リ	左注	liei^{3}	至韻
2133a	上利・075ウ7・疊字	利	平	リ	左注	liei^{3}	至韻
1998	上利・073ウ1・人事	利	―	リ	右注	liei^{3}	至韻
2108a	上利・075ウ2・疊字	利	―	リ	左注	liei^{3}	至韻
2109a	上利・075ウ2・疊字	利	―	リ	右注	liei^{3}	至韻
1997a	上利・073オ6・人躰	痢	平	リ	右注	liei^{3}	至韻
2080a	上利・075オ4・疊字	莅	去	リ	左注	liei^{3}	至韻

【表B-10】下巻_ⅢAiei 至韻

番号	前田本所在	掲出字		仮名音注		中古音	韻目
6378b	下飛・100オ2・國郡	肆	―	キ	右傍	jiei^{3}	至韻
6330b	下飛・099オ1・疊字	屓	―	キ	左注	xiei^{3}	至韻
5037a	下木・061ウ7・疊字	器	去	キ	左注	k‘iei^{3}	至韻
5457b	下師・074ウ4・雜物	器	去	キ	右傍	k‘iei^{3}	至韻

5116a	下木・063オ6・疊字	器	―	キ	左注	k‘iei^{3}	至韻
5160a	下木・064オ1・疊字	器	―	キ	左注	k‘iei^{3}	至韻
5087a	下木・062ウ5・疊字	弃	上 去	キ	左注	k‘jiei^{3}	至韻
4794b	下佐・053ウ1・疊字	次	平	シ	右傍	ts‘iei^{3}	至韻
5615a	下師・081オ5・疊字	次	平	シ	左注	ts‘iei^{3}	至韻
5902a	下師・085ウ3・疊字	次	―	シ	右傍	ts‘iei^{3}	至韻
5943a	下師・086ウ7・官職	次	―	シ	右注	ts‘iei^{3}	至韻
5608a	下師・081オ3・疊字	自	去	シ	中注	dziei^{3}	至韻
5647a	下師・081ウ5・疊字	自	平濁	シ	左注	dziei^{3}	至韻
5726a	下師・083オ3・疊字	自	平濁	シ	左注	dziei^{3}	至韻
5799a	下師・084オ7・疊字	自	―	シ	右注	dziei^{3}	至韻
5800a	下師・084オ7・疊字	自	―	シ	左注	dziei^{3}	至韻
5904a	下師・085ウ4・疊字	自	―	シ	右傍	dziei^{3}	至韻
5905a	下師・085ウ4・疊字	自	―	シ	右傍	dziei^{3}	至韻
5462a	下師・074ウ5・雜物	四	去	シ	右傍	siei^{3}	至韻
5481a	下師・075オ6・方角	四	平	シ	右注	siei^{3}	至韻
5864a	下師・085オ4・疊字	四	平	シ	右注	siei^{3}	至韻
5854a	下師・085オ2・疊字	泗	―	シ	右傍	siei^{3}	至韻
5911a	下師・085ウ6・疊字	駟	―	シ	右傍	siei^{3}	至韻
5775a	下師・084オ3・疊字	至	去	シ	右注	tśiei^{3}	至韻
5776a	下師・084オ3・疊字	至	去	シ	右注	tśiei^{3}	至韻
5795a	下師・084オ6・疊字	至	―	シ	左注	tśiei^{3}	至韻
5561a	下師・079ウ3・疊字	示	平濁	シ	左注	dźiei^{3} gjie^{1}	至韻 支韻
5860a	下師・085オ3・疊字	二	上濁	シ	右注	ńiei^{3}	至韻
3438b	下古・006ウ7・雜物	地	去	チ	右傍	diei^{3}	至韻
4029b	下手・023オ5・疊字	地	去	チ	左注	diei^{3}	至韻
6023b	下飛・090オ5・天象	地	去	チ	右傍	diei^{3}	至韻
6577b	下世・110オ3・疊字	地	去	チ	右注	diei^{3}	至韻
3599b	下古・010オ7・疊字	地	平	チ	左注	diei^{3}	至韻
4694b	下佐・051ウ4・疊字	地	平	チ	右注	diei^{3}	至韻
5545b	下師・079オ3・疊字	地	―	チ	右注	diei^{3}	至韻
6381b	下飛・100オ3・國郡	地	―	チ	右傍	diei^{3}	至韻
6446c	下毛・103オ7・雜物	地	―	チ	右傍	diei^{3}	至韻
3818b	下江・017オ4・疊字	稚	上 去	チ	左注	ḍiei^{3}	至韻
3819b	下江・017オ4・疊字	稚	上 去	チ	左注	ḍiei^{3}	至韻
4765b	下佐・053オ1・疊字	緻	去	チ	左注	ḍiei^{3}	至韻
5397	下師・073ウ1・飲食	粃	上	ヒ	右傍	piei^{3}	至韻
6268a	下飛・098オ4・疊字	秘	去	ヒ	左注	piei^{3}	至韻
6335a	下飛・099オ2・疊字	秘	去	ヒ	右注	piei^{3}	至韻

6213	下飛・096オ2・辞字	秘	―	ヒ ［去］	右注	piei³	至韻
6334a	下飛・099オ2・疊字	秘	平 去	ヒ	左注	piei³	至韻
6269a	下飛・098オ4・疊字	秘	平	ヒ	左注	piei³	至韻
6327a	下飛・098ウ7・疊字	秘	平	ヒ	左注	piei³	至韻
6184a	下飛・095オ1・雜物	秘	―	ヒ	右注	piei³	至韻
6332a	下飛・099オ1・疊字	秘	―	ヒ	左注	piei³	至韻
6037	下飛・090ウ6・地儀	庇	去	ヒ	右傍	pjiei³	至韻
4008b	下手・023オ1・疊字	備	上	ヒ	左注	biei³	至韻
5208b	下木・065オ7・姓氏	備	―	ヒ	右注	biei³	至韻
6362a	下飛・100オ1・國郡	備	―	ヒ	右傍	biei³	至韻
6365a	下飛・100オ1・國郡	備	―	ヒ	右傍	biei³	至韻
6370a	下飛・100オ2・國郡	備	―	ヒ	右傍	biei³	至韻
6142b	下飛・094オ3・飲食	僙	去	ヒ	右傍	(biei³)	至韻
6330a	下飛・099オ1・疊字	贔	―	ヒ	左注	biei³	至韻
6167a	下飛・094ウ4・雜物	鼻	―	ヒ	右注	bjiei³	至韻
3807b	下江・017オ1・疊字	魅	去	ミ	左注	miei³	至韻
6814b	下洲・114ウ5・人倫	魅	去濁	ミ	右傍	miei³	至韻
3643b	下古・011オ3・疊字	寐	平	ヒ	左注	mjiei³	至韻
4039b	下手・023ウ1・疊字	利	平	リ	右注	liei³	至韻

【表B-10】上巻_ⅢAiuei 脂韻

番号	前田本所在	掲出字		仮名音注		中古音	韻目
2538	上加・094ウ4・動物	龜	平	クヰ	右傍	kiuei¹ kiʌu¹	脂韻 尤韻
2291b	上和・086オ2・植物	葵	平	クヰ	右傍	gjiuei¹	脂韻
2031b	上利・074ウ1・疊字	錐	平	スイ	左注	tśiuei¹	脂韻
0947a	上仁・036ウ6・動物	騅	平	スヰ	右傍	tśiuei¹	脂韻
1104	上保・044ウ6・雜物	緌	平	スヰ	右傍	ńiuei¹	脂韻
2683	上加・098ウ3・雜物	緌	平	スヰ	右傍	ńiuei¹	脂韻
2264	上遠・083ウ1・辞字	追	―	ツイ	右傍	ṭiuei¹	脂韻
0003	上伊・002オ3・天象	鼀	平	ツイ	右傍	ṭiuei¹	脂韻
2737b	上加・099ウ5・雜物	槌	平	ツイ	右傍	ḍiuei¹ ḍiue³	脂韻 寘韻
2276	上遠・084オ3・辞字	遺	―	ユイ	右傍	jiuei¹ᐟ³	脂/至韻
2321	上和・087オ5・人事	遺	―	ヰ	右傍	jiuei¹ᐟ³	脂/至韻
2690	上加・098ウ5・雜物	帷	平	ヰ	右傍	ɣiuei¹	脂韻

【表B-10】下巻_ⅢAiuei 脂韻

番号	前田本所在	掲出字		仮名音注		中古音	韻目
3337b	下古・002ウ5・植物	葵	平	クヰ	右傍	gjiuei^{1}	脂韻
4081	下阿・025ウ4・植物	葵	平	クヰ	右傍	gjiuei^{1}	脂韻
4592b	下佐・047ウ5・雜物	楑	平	クヰ	右傍	gjiuei$^{1/2}$	脂/旨韻
4072	下阿・025オ7・地儀	壝	平	クヰ	右傍	jiuei$^{1/2}$	脂/旨韻
3327b	下古・002ウ3・植物	荽	平	スヰ	右傍	siuei^{1}	脂韻
6945a	下洲・120ウ4・疊字	綏	平	スヰ	左注	siuei^{1}	脂韻
5890b	下師・085ウ1・疊字	衰	平	スイ	右注	ṣiuei^{1} tṣ‘iue^{1}	脂韻 支韻
6906a	下洲・120オ2・疊字	衰	平	スイ	右注	ṣiuei^{1} tṣ‘iue^{1}	脂韻 支韻
6909a	下洲・120オ3・疊字	衰	平	スイ	左注	ṣiuei^{1} tṣ‘iue^{1}	脂韻 支韻
6932a	下洲・120ウ1・疊字	衰	平	スイ	右注	ṣiuei^{1} tṣ‘iue^{1}	脂韻 支韻
4922	下木・058ウ1・雜物	錐	平	スヰ	右傍	tśiuei^{1}	脂韻
6897a	下洲・119ウ7・疊字	推	平	スイ	左注	tś‘iuei^{1} t‘uʌi^{1}	脂韻 灰韻
6907a	下洲・120オ3・疊字	推	平	スイ	左注	tś‘iuei^{1} t‘uʌi^{1}	脂韻 灰韻
6929a	下洲・120ウ1・疊字	推	平	スイ	右注	tś‘iuei^{1} t‘uʌi^{1}	脂韻 灰韻
6924a	下洲・120オ7・疊字	推	—	スイ	左注	tś‘iuei^{1} t‘uʌi^{1}	脂韻 灰韻
4093c	下阿・026オ2・植物	蕤	平	スヰ	右傍	ńiuei^{1}	脂韻
5969c	下會・087ウ6・植物	蕤	平	スヰ	右傍	ńiuei^{1}	脂韻
6896a	下洲・119ウ7・疊字	蕤	平	スヰン	左注	ńiuei^{1}	脂韻
5287	下師・069ウ3・植物	椎	平	ツヰ	右傍	diuei^{1}	脂韻
5618b	下師・081オ6・疊字	惟	—	ユイ	左注	jiuei^{1}	脂韻
5481b	下師・075オ6・方角	維	平	ユイ	右注	jiuei^{1}	脂韻
6871	下洲・116ウ7・方角	維	—	ヰ	右傍	jiuei^{1}	脂韻
4124c	下阿・026ウ7・植物	虆	平	ルイ	右傍	liuei^{1}	脂韻
4227c	下阿・031オ4・飲食	虆	—	ルイ	右傍	liuei^{1}	脂韻

【表B-10】上巻_ⅢAiuei 旨韻

番号	前田本所在	掲出字		仮名音注		中古音	韻目
0471b	上波・020オ4・天象	水	上	スイ	右傍	śiuei^{2}	旨韻
1809b	上池・069オ3・疊字	水	上	スイ	左注	śiuei^{2}	旨韻
2044b	上利・074ウ4・疊字	水	上	スイ	中注	śiuei^{2}	旨韻

2645b	上加・097ウ6・人事	水	上	スイ	左注	śiuei²	旨韻
2883b	上加・106ウ7・疊字	水	上	スイ	左注	śiuei²	旨韻
2982b	上加・108オ5・疊字	水	上	スイ	左注	śiuei²	旨韻
1339b	上邊・052ウ6・疊字	水	平	スイ	左注	śiuei²	旨韻
2180	上留・079オ6・雜物	誄	—	ルイ ［上上］	右注	liuei²	旨韻

【表B-10】下巻_ⅢAiuei 旨韻

番号	前田本所在	掲出字		仮名音注		中古音	韻目
5829b	下師・084ウ5・疊字	癸	上	キ	右注	kjiuei²	旨韻
3598b	下古・010オ6・疊字	水	上	スイ	左注	śiuei²	旨韻
4552b	下佐・046ウ3・飲食	水	上	スイ	右傍	śiuei²	旨韻
5872b	下師・085オ5・疊字	水	上	スイ	右注	śiuei²	旨韻
6777a	下洲・113ウ2・地儀	水	上	スイ	左注	śiuei²	旨韻
6913a	下洲・120オ4・疊字	水	上	スイ	中注	śiuei²	旨韻
6922a	下洲・120オ6・疊字	水	上	スイ	中注	śiuei²	旨韻
6925a	下洲・120オ7・疊字	水	上	スイ	右注	śiuei²	旨韻
6854a	下洲・116オ7・雜物	水	平	スイ	右傍	śiuei²	旨韻
3308b	下古・001ウ7・地儀	水	—	スイ	右注	śiuei²	旨韻
6808a	下洲・114オ7・動物	水	—	スイ	右傍	śiuei²	旨韻
6849a	下洲・116オ6・雜物	水	—	スイ	右注	śiuei²	旨韻
6895a	下洲・119ウ7・疊字	水	—	スイ	右注	śiuei²	旨韻
6935a	下洲・120ウ2・疊字	水	—	スイ	左注	śiuei²	旨韻
5312	下師・070ウ1・動物	鮪	上	ヰ	右傍	ɣiuei²	旨韻

【表B-10】上巻_ⅢAiuei 至韻

番号	前田本所在	掲出字		仮名音注		中古音	韻目
2655b	上加・098オ1・人事	酔	平	スイ	左注	tsiuei³	至韻
1916b	上池・070ウ3・疊字	粋	去	スイ	左注	tsiuei³	至韻
0825b	上波・032ウ6・疊字	萃	去	スイ	左注	dziuei³	至韻
3145b	上加・111オ2・疊字	顇	—	スイ	右傍	dziuei³	至韻
0934b	上仁・036オ5・植物	遂	去	スイ	右傍	ziuei³	至韻
1508b	上度・057ウ3・雜物	燧	去	スイ	右傍	ziuei³	至韻
2870b	上加・106ウ4・疊字	穂	去	スイ	左注	ziuei³	至韻
0108	上伊・005ウ6・人倫	帥	—	スイ	右傍	ṣiuei³ ṣiuet	至韻 質韻
2182a	上留・079ウ1・疊字	類	平	ルイ	左注	liuei³	至韻
0811b	上波・032ウ4・疊字	類	平濁	ルイ	中注	liuei³	至韻
2174	上留・079オ4・人倫	類	—	ルイ	右注	liuei³	至韻
1025b	上保・041ウ1・天象	位	去	ヰ	右傍	ɣiuei³	至韻

0754b	上波・031ウ6・疊字	位	平	ヰ	左注	ɣiuei3	至韻
1307b	上邊・051ウ3・雜物	位	平	ヰ	右注	ɣiuei3	至韻

【表B-10】下巻_ⅢAiuei 至韻

番号	前田本所在	掲出字		仮名音注		中古音	韻目
4675b	下佐・051オ7・疊字	愧	平濁	クヰ	左注	kiuei3	至韻
4741b	下佐・052ウ1・疊字	愧	平濁	クヰ	左注	kiuei3	至韻
4839	下木・055ウ1・天象	季	去	キ	右注	k'jiuei3	至韻
3381a	下古・004オ7・人躰	季	—	キ	右傍	k'jiuei3	至韻
6164	下飛・094ウ3・雜物	櫃	去	クヰ	右傍	giuei3	至韻
3838b	下江・017オ7・疊字	酔	去	スイ	中注	tsiuei3	至韻
6919a	下洲・120オ5・疊字	酔	去	スイ	左注	tsiuei3	至韻
6940a	下洲・120ウ3・疊字	酔	去	スイ	右傍	tsiuei3	至韻
6920a	下洲・120オ5・疊字	酔	—	スイ	左注	tsiuei3	至韻
6943a	下洲・120ウ4・疊字	翠	去	スイ	左注	ts'iuei3	至韻
6796a	下洲・114オ1・植物	翠	—	スイ	右注	ts'iuei3	至韻
6845a	下洲・116オ4・雜物	翠	—	スイ	右傍	ts'iuei3	至韻
6946a	下洲・120ウ4・疊字	翠	—	スイ	左注	ts'iuei3	至韻
6662b	下世・111オ5・疊字	顇	去	スイ	中注	dziuei3	至韻
6156	下飛・094ウ1・雜物	燧	—	スイ	右傍	ziuei3	至韻

【表B-10】上巻_ⅢAieu 幽韻

番号	前田本所在	掲出字		仮名音注		中古音	韻目
0233a	上伊・012ウ1・疊字	幽	東	イウ	左注	'ieu1	幽韻
0238a	上伊・012ウ2・疊字	幽	東	イウ	右注	'ieu1	幽韻
0239a	上伊・012ウ2・疊字	幽	東	イウ	左注	'ieu1	幽韻
0246a	上伊・012ウ4・疊字	幽	東	イウ	左注	'ieu1	幽韻
0321a	上伊・013ウ6・疊字	幽	東	イウ	左注	'ieu1	幽韻
0324a	上伊・013ウ6・疊字	幽	東	イウ	中注	'ieu1	幽韻

【表B-10】上巻_ⅢAieu 黝韻

番号	前田本所在	掲出字		仮名音注		中古音	韻目
3024b	上加・108ウ7・疊字	糺	平	キウ	左注	kieu2	黝韻

【表B-10】下巻_ⅢAieu 黝韻

番号	前田本所在	掲出字		仮名音注		中古音	韻目
5098a	下木・063オ1・疊字	糺	平	キウ	左注	kieu2	黝韻
5099a	下木・063オ2・疊字	糺	平	キウ	左注	kieu2	黝韻

5100a	下木・063オ2・疊字	糺	平	キウ	左注	kieu^{2}	黝韻

【表B-10】上巻_ⅢAieu 幼韻

番号	前田本所在	掲出字		仮名音注		中古音	韻目
0151	上伊・007ウ6・人事	幼	去	イウ	右傍	'ieu^{3}	幼韻
0280a	上伊・013オ3・疊字	幼	去	イウ	左注	'ieu^{3}	幼韻
0281a	上伊・013オ4・疊字	幼	去	イウ	中注	'ieu^{3}	幼韻

【表B-10】下巻_ⅢAieu 幼韻

番号	前田本所在	掲出字		仮名音注		中古音	韻目
3815a	下江・017オ3・疊字	幼	去	エウ	左注	'ieu^{3}	幼韻
3818a	下江・017オ4・疊字	幼	去	エウ	左注	'ieu^{3}	幼韻
3864a	下江・017ウ6・疊字	幼	去	エウ	左注	'ieu^{3}	幼韻

【表B-10】上巻_ⅢAiem 侵韻

番号	前田本所在	掲出字		仮名音注		中古音	韻目
3064b	上加・109ウ1・疊字	音	平	イム	左注	'iem^{1}	侵韻
1884b	上池・070オ4・疊字	音	平	イン	左注	'iem^{1}	侵韻
2243a	上遠・081オ7・人體	瘖	平	イン	右傍	'iem^{1}	侵韻
0230a	上伊・012ウ1・疊字	陰	平	イン	右注	'iem^{1}	侵韻
0231a	上伊・012ウ1・疊字	陰	平	イン	左注	'iem^{1}	侵韻
0299a	上伊・013オ7・疊字	陰	平	イン	左注	'iem^{1}	侵韻
0306a	上伊・013ウ2・疊字	陰	平	（イム）	左注	'iem^{1}	侵韻
0121	上伊・006ウ1・人事	婬	平	イム	右傍	jiem^{1}	侵韻
0273a	上伊・013オ2・疊字	婬	平	イン	左注	jiem^{1}	侵韻
0274a	上伊・013オ2・疊字	婬	平	イン	右注	jiem^{1}	侵韻
0275a	上伊・013オ2・疊字	婬	平	イン	左注	jiem^{1}	侵韻
0232a	上伊・012ウ1・疊字	淫	平	イン	右注	jiem^{1}	侵韻
0249a	上伊・012ウ4・疊字	淫	平	イン	中注	jiem^{1}	侵韻
0154b	上伊・008オ1・人事	金	平	キム	右注	kiem^{1}	侵韻
1065a	上保・043オ2・人倫	金	去	コン	右傍	kiem^{1}	侵韻
1443	上度・055オ7・動物	禽	平	キム	右傍	giem^{1}	侵韻
1535	上度・058ウ3・辞字	擒	平	キム	右傍	giem^{1}	侵韻
1986b	上利・072ウ7・植物	檎	平	コウ	右注	giem^{1}	侵韻
1987b	上利・072ウ7・植物	檎	平	キ	右傍	giem^{1}	侵韻
2350b	上和・088オ7・雜物	琴	上濁	コン	右注	giem^{1}	侵韻
3051b	上加・109オ5・疊字	吟	平	キム	左注	ŋiem$^{1/3}$	侵/沁韻
1900b	上池・070オ7・疊字	吟	平	キン	左注	ŋiem$^{1/3}$	侵/沁韻
2270	上遠・083ウ5・辞字	侵	―	シム	右傍	ts'iem^{1}	侵韻

2936b	上加・107ウ3・疊字	心	平	シム	左注	siem^{1}	侵韻
2953b	上加・107ウ7・疊字	心	平	シム	左注	siem^{1}	侵韻
2964b	上加・108オ2・疊字	心	平	シム	左注	siem^{1}	侵韻
0799b	上波・032ウ1・疊字	心	平濁	シム	中注	siem^{1}	侵韻
2941b	上加・107ウ4・疊字	心	平濁	シム	中注	siem^{1}	侵韻
3035b	上加・109オ2・疊字	心	上濁	シム	右注	siem^{1}	侵韻
3087b	上加・109ウ5・疊字	心	上濁	シム	右注	siem^{1}	侵韻
3106b	上加・110オ2・疊字	心	上濁	シム	右注	siem^{1}	侵韻
1607b	上度・062ウ2・疊字	心	上濁	シン	右注	siem^{1}	侵韻
3241b	上与・117ウ2・疊字	心	去	シム	左注	siem^{1}	侵韻
3270b	上与・118オ1・疊字	心	去	シム	右注	siem^{1}	侵韻
1494b	上度・057オ5・雜物	心	—	シミ	右傍	siem^{1}	侵韻
1127	上保・045ウ6・方角	潯	平	シム	右傍	ziem^{1}	侵韻
3154b	上加・111ウ4・國郡	灊	—	シミ	右傍	ziem^{1} dziem^{1} dziam^{1}	侵韻 侵韻 鹽韻
2684	上加・098ウ4・雜物	簪	平	シム	右傍	tṣiem^{1}	侵韻
0217	上伊・011オ7・辞字	森	平	シム	右傍	ṣiem^{1}	侵韻
2087a	上利・075オ5・疊字	森	平	リン	左注	ṣiem^{1}	侵韻
3136a	上加・110ウ3・疊字	參	平	シム	右傍	ṣiem^{1} tṣʻiem^{1} tsʻʌm$^{1/3}$ sɑm^{1}	侵韻 侵韻 覃/勘韻 談韻
2212b	上遠・080オ6・植物	參	平濁	シム	右傍	ṣiem^{1} tṣʻiem^{1} tsʻʌm$^{1/3}$ sɑm^{1}	侵韻 侵韻 覃/勘韻 談韻
0935b	上仁・036オ5・植物	蔘	上	シン	右注	ṣiem^{1} sʌm^{1}	侵韻 覃韻
0549a	上波・022ウ5・動物	針	平	シム	右傍	tśiem$^{1/3}$	侵/沁韻
0670	上波・027オ2・雜物	針	平	シム	右傍	tśiem$^{1/3}$	侵/沁韻
3194a	上与・114オ4・動物	針	平	シム	右傍	tśiem$^{1/3}$	侵/沁韻
1020a	上仁・041オ5・姓氏	壬		ニ	右注	ńiem^{1}	侵韻
1021a	上仁・041オ5・姓氏	壬	—	ニ	右注	ńiem^{1}	侵韻
1008a	上仁・040オ7・疊字	任	平	ニン	右注	ńiem$^{1/3}$	侵/沁韻
1882b	上池・070オ4・疊字	任	平	ニン	左注	ńiem$^{1/3}$	侵/沁韻
1841b	上池・069ウ2・疊字	任	去濁	シム	左注	ńiem$^{1/3}$	侵/沁韻
2740b	上加・099ウ6・雜物	碪	平	チム	右傍	ṭiem^{1}	侵韻
1772a	上池・067ウ5・雜物	沈	平濁	チム	右注	ḍiem$^{1/3}$ śiem^{2}	侵/沁韻 寑韻
1850a	上池・069ウ4・疊字	沈	平	チム	左注	ḍiem$^{1/3}$ śiem^{2}	侵/沁韻 寑韻

1870a	上池・070オ1・疊字	沈	平	チム	左注	ḍiem$^{1/3}$ śiem^{2}	侵/沁韻 寝韻
1871a	上池・070オ1・疊字	沈	平	チム	左注	ḍiem$^{1/3}$ śiem^{2}	侵/沁韻 寝韻
1890a	上池・070オ5・疊字	沈	平	チン	左注	ḍiem$^{1/3}$ śiem^{2}	侵/沁韻 寝韻
1899a	上池・070オ7・疊字	沈	平	チン	左注	ḍiem$^{1/3}$ śiem^{2}	侵/沁韻 寝韻
1900a	上池・070オ7・疊字	沈	平	チン	左注	ḍiem$^{1/3}$ śiem^{2}	侵/沁韻 寝韻
1916a	上池・070ウ3・疊字	沈	平	チン	左注	ḍiem$^{1/3}$ śiem^{2}	侵/沁韻 寝韻
0474	上波・020オ6・地儀	林	平	リム	右傍	liem^{1}	侵韻
1986a	上利・072ウ7・植物	林	平	リウ	右注	liem^{1}	侵韻
1987a	上利・072ウ7・植物	林	平	リム	右傍	liem^{1}	侵韻
2028a	上利・074オ7・疊字	林	平	リム	右注	liem^{1}	侵韻
2097b	上利・075オ7・疊字	林	平	リン	左注	liem^{1}	侵韻
2029a	上利・074ウ1・疊字	霖	平	リム	左注	liem^{1}	侵韻
2063a	上利・074ウ7・疊字	霖	平	リン	中注	liem^{1}	侵韻
2007a	上利・073ウ3・人事	臨	平	リム	左注	liem$^{1/3}$	侵/沁韻
2051a	上利・074ウ5・疊字	臨	平	リム	左注	liem$^{1/3}$	侵/沁韻
2005a	上利・073ウ3・人事	臨	平	リン	右傍	liem$^{1/3}$	侵/沁韻
2002a	上利・073ウ2・人事	臨	―	リム	右注	liem$^{1/3}$	侵/沁韻
1614b	上度・062ウ4・疊字	臨	―	リン	右注	liem$^{1/3}$	侵/沁韻

【表B-10】下巻_ⅢAiem 侵韻

番号	前田本所在	掲出字		仮名音注		中古音	韻目
3756a	下江・014ウ7・動物	鱏	平	イム	右傍	jiem^{1} ziem^{1}	侵韻 侵韻
4940	下木・059オ1・方角	陰	平	イム	右傍	'iem^{1}	侵韻
3385	下古・004ウ2・人躰	音	平	イン	右傍	'iem^{1}	侵韻
5024a	下木・061ウ4・疊字	今	去	(キン)	左注	kiem^{1}	侵韻
3329a	下古・002ウ3・植物	金	平	キム	右傍	kiem^{1}	侵韻
4963a	下木・060ウ6・疊字	金	平	キム	右傍	kiem^{1}	侵韻
5189a	下木・064オ7・疊字	金	平	キム	右注	kiem^{1}	侵韻
5382b	下師・073オ2・人事	金	東	キム	中注	kiem^{1}	侵韻
6947b	下洲・120ウ5・疊字	金	―	キム	左注	kiem^{1}	侵韻
3311a	下古・002オ2・地儀	金	去	コム	右傍	kiem^{1}	侵韻
3341a	下古・002ウ7・植物	金	去	コム	左注	kiem^{1}	侵韻
3439a	下古・007オ1・雑物	金	去	コム	右傍	kiem^{1}	侵韻
3572a	下古・007ウ4・光彩	金	去	コム	右注	kiem^{1}	侵韻

3603a	下古・010ウ1・疊字	金	去	コム	左注	kiem^{1}	侵韻
6151a	下飛・094オ6・雜物	金	去	コム	右傍	kiem^{1}	侵韻
3428a	下古・006ウ5・雜物	金	去	コム [平平]	右注	kiem^{1}	侵韻
3440a	下古・007オ1・雜物	金	去	コム [平上]	右注	kiem^{1}	侵韻
3330a	下古・002ウ3・植物	金	平	コム [平上]	右注	kiem^{1}	侵韻
3437	下古・006ウ7・雜物	金	平 去	コム	右注	kiem^{1}	侵韻
3442a	下古・007オ1・雜物	金	平	コム [平平]	左注	kiem^{1}	侵韻
6109b	下飛・092ウ4・人倫	襟	―	キム	右傍	kiem^{1}	侵韻
6159a	下飛・094ウ2・雜物	衿	平	キム	右傍	kiem^{1} giem^{3}	侵韻 沁韻
5097a	下木・063オ1・疊字	禁	平	キム	左注	kiem$^{1/3}$	侵/沁韻
5134a	下木・063ウ2・疊字	禁	平	キム	左注	kiem$^{1/3}$	侵/沁韻
5167a	下木・064オ3・疊字	禁	平	キム	左注	kiem$^{1/3}$	侵/沁韻
5094a	下木・062ウ7・疊字	禁	平	キン	左注	kiem$^{1/3}$	侵/沁韻
5095a	下木・063オ1・疊字	禁	平	キン	左注	kiem$^{1/3}$	侵/沁韻
5010a	下木・061ウ1・疊字	禁	去	キム	左注	kiem$^{1/3}$	侵/沁韻
5011a	下木・061ウ2・疊字	禁	去	キム	右注	kiem$^{1/3}$	侵/沁韻
5007a	下木・061ウ1・疊字	禁	去	キン	右注	kiem$^{1/3}$	侵/沁韻
4955	下木・060オ5・辞字	禁	―	キム	右傍	kiem$^{1/3}$	侵/沁韻
5200a	下木・065オ2・国郡	禁	―	キム	右注	kiem$^{1/3}$	侵/沁韻
5093a	下木・062ウ7・疊字	禁	―	キン	左注	kiem$^{1/3}$	侵/沁韻
5096a	下木・063オ1・疊字	禁	―	キン	左注	kiem$^{1/3}$	侵/沁韻
4921	下木・058ウ1・雜物	琴	平	キム	右傍	giem^{1}	侵韻
5191a	下木・064オ7・疊字	禽	平	キム	左注	giem^{1}	侵韻
6068b	下飛・091ウ2・植物	芩	―	キン	右傍	giem^{1}	侵韻
5108a	下木・063オ3・疊字	黔	平	キム	左注	giem^{1} giam^{1}	侵韻 鹽韻
5036a	下木・061ウ7・疊字	吟	平濁	キム	左注	ŋiem$^{1/3}$	侵/沁韻
6940b	下洲・120ウ3・疊字	吟	平濁	キム	右傍	ŋiem$^{1/3}$	侵/沁韻
5071a	下木・062ウ1・疊字	吟	平	キム	中注	ŋiem$^{1/3}$	侵/沁韻
4518	下佐・045ウ4・人事	廞	平	キム	右傍	xiem$^{1/2}$	侵/寝韻
5354a	下師・071ウ6・人躰	浸	―	心 [平]	右注	siem^{1}	侵韻
5354b	下師・071ウ6・人躰	淫	―	ミ [去]	右注	jiem^{1}	侵韻
5621a	下師・081オ6・疊字	心	平	シン	左注	siem^{1}	侵韻
5646a	下師・081ウ5・疊字	心	去	シム	左注	siem^{1}	侵韻
5819a	下師・084ウ3・疊字	心	去	シム	左注	siem^{1}	侵韻
5670b	下師・082オ3・疊字	心	去濁	シム	左注	siem^{1}	侵韻
5895c	下師・085ウ2・疊字	心	―	シム	右傍	siem^{1}	侵韻
5899a	下師・085ウ3・疊字	心	―	シム	右注	siem^{1}	侵韻

5899b	下師・085ウ3・疊字	心	―	シム	右注	siem^{1}	侵韻
5777a	下師・084オ3・疊字	尋	去濁	シム	右注	ziem^{1}	侵韻
6204	下飛・095ウ2・員數	尋	―	シム	右傍	ziem^{1}	侵韻
5627a	下師・081オ7・疊字	斟	平	シン	右注	tśiem^{1}	侵韻
5361	下師・072オ6・人事	針	―	シム	右傍	tśiem$^{1/3}$	侵/沁韻
5942a	下師・086ウ7・官職	針	―	シン	右注	tśiem$^{1/3}$	侵/沁韻
5362	下師・072オ6・人事	鍼	―	シム	右傍	tśiem^{1} giem^{1} gjiem^{1}	侵韻 鹽韻 鹽韻
5537a	下師・079オ1・疊字	深	平	シム	左注	śiem$^{1/3}$	侵/沁韻
5538a	下師・079オ1・疊字	深	―	シム	左注	śiem$^{1/3}$	侵/沁韻
5913a	下師・086オ2・疊字	任	―	シ ［去濁］	右注	ńiem$^{1/3}$	侵/沁韻
5792a	下師・084オ6・疊字	參	平	シム	左注	ṣiem^{1} tṣ‘iem^{1} ts‘ʌm$^{1/3}$ sɑm^{1}	侵韻 侵韻 覃/勘韻 談韻
5912a	下師・085ウ6・疊字	參	―	シン	右傍	ṣiem^{1} tṣ‘iem^{1} ts‘ʌm$^{1/3}$ sɑm^{1}	侵韻 侵韻 覃/勘韻 談韻
4914	下木・058オ6・雜物	碪	平	チム	右傍	ṭiem^{1}	侵韻
4881	下木・057オ2・人倫	林	平	リン	右傍	liem^{1}	侵韻
5714b	下師・083オ1・疊字	林	平	リン	左注	liem^{1}	侵韻
5702b	下師・082ウ4・疊字	林	―	リン	左注	liem^{1}	侵韻
5195c	下木・064ウ6・諸寺	林	―	リ	左注	liem^{1}	侵韻
6403a	下毛・101オ7・植物	林	―	モク ［平平］	右傍	liem^{1}	侵韻
4310a	下阿・033ウ2・光彩	淋	平	リム	右傍	liem^{1}	侵韻
5345a	下師・071ウ3・人躰	淋	平	リン	右傍	liem^{1}	侵韻
5346a	下師・071ウ3・人躰	臨	平	リム	右傍	liem$^{1/3}$	侵/沁韻

【表B-10】上巻_ⅢAiem 寝韻

番号	前田本所在	掲出字		仮名音注		中古音	韻目
0343a	上伊・014オ3・疊字	飲	上	イム	右注	'iem$^{2/3}$	寝/沁韻
0344a	上伊・014オ3・疊字	飲	上	イム	右注	'iem$^{2/3}$	寝/沁韻
3054b	上加・109オ6・疊字	飲	上	イム	左注	'iem$^{2/3}$	寝/沁韻
3262b	上与・117ウ6・疊字	飲	上	イム	右注	'iem$^{2/3}$	寝/沁韻
0964	上仁・038オ6・雜物	錦	上	キム	右傍	kiem^{2}	寝韻
0120	上伊・006オ7・人事	寝	―	シム	右傍	ts‘iem^{2}	寝韻
3181b	上与・113オ7・天象	寝	―	シム	右注	ts‘iem^{2}	寝韻
1732	上池・066ウ1・人倫	朕	去	チム	右注	ḍiem^{2}	寝韻

1194a	上保・047ウ5・疊字	品	平	ホム	左注	p‘iem^{2}	寝韻
1261a	上保・048ウ5・疊字	品	平	ホウ	右注	p‘iem^{2}	寝韻
1282a	上保・049ウ6・姓氏	品	―	ホム	右注	p‘iem^{2}	寝韻
1204a	上保・047ウ7・疊字	稟	上	ホン	右注	piem^{2}	寝韻

【表B-10】下巻_ⅢAiem 寝韻

番号	前田本所在	掲出字		仮名音注		中古音	韻目
3408b	下古・006オ1・人事	飲	上	イム	左注	’iem$^{2/3}$	寝韻
4932a	下木・058ウ3・雜物	錦	―	キム	右注	kiem^{2}	寝韻
5112a	下木・063オ5・疊字	錦	―	キム	左注	kiem^{2}	寝韻
6548b	下世・108ウ7・雜物	錦	―	キム	右傍	kiem^{2}	寝韻
4535a	下佐・046オ4・人事	墋	上	サム	右傍	tṣ‘iem^{2}	寝韻
5783a	下師・084オ4・疊字	寑	上	シム	左注	ts‘iem^{2}	寝韻
5876a	下師・085オ6・疊字	枕	上	シム	右注	tśiem$^{2/3}$ ḍiem^{1}	寝/沁韻 侵韻
4259	下阿・032オ6・雜物	罧	平	リム	右傍	siem^{2} ṣiem^{3}	寝韻
3743	下江・014オ7・植物	荏	上濁	シム	右傍	ńiem^{2}	寝韻
6329a	下飛・099オ1・疊字	品	上	ヒン	左注	p‘iem^{2}	寝韻
6373a	下飛・100オ2・國郡	品	―	ホン	右傍	p‘iem^{2}	寝韻
4790b	下佐・053オ7・疊字	品	―	(ホン)	右注	p‘iem^{2}	寝韻
4776b	下佐・053オ4・疊字	懍	―	リウ	左注	liem^{2}	寝韻

【表B-10】上巻_ⅢAiem 沁韻

番号	前田本所在	掲出字		仮名音注		中古音	韻目
0081b	上伊・004ウ4・動物	吣	去	シム	右傍	ts‘iem^{3}	沁韻
3263b	上与・117ウ7・疊字	賃	平	チム	右注	ṇiem^{3}	沁韻
1770	上池・067ウ5・雜物	賃		チム [平上]	右注	ṇiem^{3}	沁韻

【表B-10】下巻_ⅢAiem 沁韻

番号	前田本所在	掲出字		仮名音注		中古音	韻目
5365	下師・072オ7・人事	譖	―	シム	右傍	tṣiem^{3}	沁韻
5551b	下師・079オ6・疊字	紝	―	シム	左注	ńiem^{3}	沁韻

【表B-10】上巻_ⅢAiep 緝韻

番号	前田本所在	掲出字		仮名音注		中古音	韻目
0322a	上伊・013ウ6・疊字	邑	入	イウ	左注	’iep	緝韻

0283a	上伊・013オ4・疊字	邑	上	イウ	左注	'iep	緝韻
0377a	上伊・015ウ7・国郡	邑	—	ヲフ	右傍	'iep	緝韻
2002b	上利・073ウ2・人事	邑	—	ヲウ	右注	'iep	緝韻
0368a	上伊・015ウ6・国郡	邑	—	ヲホ	右傍	'iep	緝韻
0369a	上伊・015ウ6・国郡	邑	—	ヲハ	左傍	'iep	緝韻
3162a	上加・111ウ5・國郡	邑	—	ヲハ	右傍	'iep	緝韻
0257a	上伊・012ウ6・疊字	揖	入	イフ	中注	'jiep	緝韻
3282a	上波・034ウ5・國郡	揖	—	イヒ	右傍	'jiep	緝韻
0854b	上波・033オ5・疊字	急	入	キウ	左注	kiep	緝韻
0998b	上仁・040オ4・疊字	給	入	キフ	右注	kiep	緝韻
1406b	上邊・053ウ5・疊字	給	入	キウ	右注	kiep	緝韻
0317b	上伊・013ウ5・疊字	級	入濁	キフ	左注	kiep	緝韻
0797b	上波・032ウ1・疊字	級	入濁	キフ	左注	kiep	緝韻
2911b	上加・107オ5・疊字	汲	入	キフ	左注	kiep	緝韻
2069a	上利・075オ2・疊字	泣	平	リウ	左注	k'iep	緝韻
2942b	上加・107ウ4・疊字	執	入	シフ	左注	tśiep	緝韻
1355b	上邊・053オ2・疊字	執	入濁	シフ	左注	tśiep	緝韻
3115b	上加・110オ4・疊字	執	入	シウ	右注	tśiep	緝韻
1525	上度・058オ5・員數	十	—	シフ	右傍	źiep	緝韻
0402a	上呂・017オ5・地儀	十	—	シウ	右傍	źiep	緝韻
1945a	上池・071オ2・疊字	蟄	入	チツ	右注	ḍiep	緝韻
0992a	上仁・040オ3・疊字	入	入	ニフ	中注	ńiep	緝韻
1925b	上池・070ウ5・疊字	入	入	ニフ	左注	ńiep	緝韻
1007a	上仁・040オ7・疊字	入	入	ニウ	左注	ńiep	緝韻
1009a	上仁・040オ7・疊字	入	入	ニウ	左注	ńiep	緝韻
0994a	上仁・040オ4・疊字	入	—	ニウ	右注	ńiep	緝韻
1018a	上仁・041オ3・官職	入	—	ニウ	右注	ńiep	緝韻
0995a	上仁・040オ4・疊字	入	入	ニツ	右注	ńiep	緝韻
1013a	上仁・040ウ1・疊字	入	入	ニツ	右注	ńiep	緝韻
0975	上仁・038ウ6・員數	廿	—	ニシウ	右注	ńiep	緝韻
1617b	上度・062ウ4・疊字	立	入	リウ	左注	liep	緝韻
2031a	上利・074ウ1・疊字	立	入	リウ	左注	liep	緝韻
2119a	上利・075ウ4・疊字	立	入	リウ	左注	liep	緝韻
2959b	上加・108オ1・疊字	立	入	リウ	左注	liep	緝韻
2748	上加・100オ2・雜物	笠	入	リフ	右傍	liep	緝韻

【表B-10】下巻_ⅢAiep 緝韻

番号	前田本所在	掲出字		仮名音注		中古音	韻目
6364a	下飛・100オ1・國郡	邑	—	ヲホ	右傍	'iep	緝韻
4813a	下佐・054オ4・國郡	揖	—	イホ	右傍	'jiep	緝韻
5029a	下木・061ウ6・疊字	急	上	キウ	左注	kiep	緝韻
5030a	下木・061ウ6・疊字	急	—	キウ	左注	kiep	緝韻
5898c	下師・085ウ3・疊字	急	—	キウ	右注	kiep	緝韻
5052b	下木・062オ4・疊字	急	上	キ	左注	kiep	緝韻
5163a	下木・064オ2・疊字	給	入	キフ	左注	kiep	緝韻
5595b	下師・080ウ5・疊字	給	入濁	キフ	右注	kiep	緝韻

5165a	下木・064オ2・疊字	給	―	キフ	左注	kiep	緝韻
5180a	下木・064オ5・疊字	給	―	キウ	左注	kiep	緝韻
5205a	下木・065オ5・官職	給	―	キウ	左注	kiep	緝韻
5190a	下木・064オ7・疊字	及	入	キフ	右注	giep	緝韻
6352a	下飛・099オ6・疊字	湒	入	シフ	右傍	tsiep	緝韻
5083b	下木・062ウ4・疊字	習	入濁	シフ	中注	ziep	緝韻
5591a	下師・080ウ4・疊字	習	入	シフ	左注	ziep	緝韻
4384b	下阿・039ウ3・疊字	習	―	シウ	左注	ziep	緝韻
5295	下師・069ウ7・植物	蕺	入	シフ	左傍	tṣiep	緝韻
5382a	下師・073オ2・人事	澁	入	シフ	中注	ṣiep	緝韻
5809b	下師・084ウ2・疊字	澁	徳?	シフ	右注	ṣiep	緝韻
6353a	下飛・099オ6・疊字	㒤	入	シフ	右傍	ṣiep	緝韻
5683a	下師・082オ7・疊字	執	入	シフ	左注	tśiep	緝韻
5684a	下師・082オ7・疊字	執	入	シフ	左注	tśiep	緝韻
5805a	下師・084ウ1・疊字	執	入	シフ	左注	tśiep	緝韻
5811a	下師・084ウ2・疊字	執	入	シフ	左注	tśiep	緝韻
5367	下師・072ウ1・人事	執	―	シフ	右注	tśiep	緝韻
5584a	下師・080オ6・疊字	執	―	シフ	右注	tśiep	緝韻
5658a	下師・082オ1・疊字	執	―	シフ	左注	tśiep	緝韻
5951a	下師・087オ3・官職	執	―	シフ	右注	tśiep	緝韻
5952a	下師・087オ3・官職	執	―	シフ	右注	tśiep	緝韻
5804a	下師・084ウ1・疊字	執	入	シウ	左注	tśiep	緝韻
5778a	下師・084オ3・疊字	執		シウ	右注	tśiep	緝韻
5545a	下師・079オ3・疊字	濕	入	シフ	右注	śiep t'ʌp	緝韻 合韻
6925b	下洲・120オ7・疊字	濕	入	シフ	右注	śiep t'ʌp	緝韻 合韻
5680a	下師・082オ6・疊字	拾	入	シフ	左注	źiep	緝韻
5884b	下師・085オ7・疊字	拾	入	シフ	右注	źiep	緝韻
5703a	下師・082ウ5・疊字	拾	―	シフ	左注	źiep	緝韻
6214	下飛・096オ4・辞字	拾	―	シフ	右傍	źiep	緝韻
5860a	下師・085オ3・疊字	十	入	シウ	右注	źiep	緝韻
5862a	下師・085オ3・疊字	十	入	シウ	右注	źiep	緝韻
3653b	下古・011オ6・疊字	入	入	シフ	左注	ńiep	緝韻
5119b	下木・063オ6・疊字	入	―	シフ	左注	ńiep	緝韻
5709a	下師・082ウ6・疊字	入	―	シフ	右傍	ńiep	緝韻
5843a	下師・084ウ7・疊字	入	入濁	シウ	右注	ńiep	緝韻
5855a	下師・085オ2・疊字	入	入濁	シウ	右注	ńiep	緝韻
5488	下師・075ウ2・員數	入	―	シウ	右注	ńiep	緝韻
6759b	下世・112ウ2・疊字	入	―	シユ	右傍	ńiep	緝韻
5273a	下師・069オ5・植物	入	―	ニフ	右注	ńiep	緝韻
4769b	下佐・053オ2・疊字	入	入	ニウ	左注	ńiep	緝韻
6635b	下世・110ウ7・疊字	入	―	ニウ	右注	ńiep	緝韻
6742b	下世・112オ5・疊字	入	―	ニウ	右注	ńiep	緝韻
6353b	下飛・099オ6・疊字	譶	入濁	チフ	右傍	ḍiep dʌp	緝韻 合韻
6352b	下飛・099オ6・疊字	渚	入濁	チフ	右傍	ṇiep	緝韻
3343b	下古・002ウ7・植物	粒	―	エウ	右注	liep	緝韻

【表B-10】上巻_ⅢAien 眞韻

番号	前田本所在	掲出字		仮名音注		中古音	韻目
0252a	上伊・012ウ5・疊字	因	去	イン	中注	'jien^{1}	眞韻
0253a	上伊・012ウ5・疊字	因	去	イン	左注	'jien^{1}	眞韻
0339a	上伊・014オ2・疊字	因	上	イン	右注	'jien^{1}	眞韻
0364a	上伊・015ウ5・国郡	因	―	イナ	右注	'jien^{1}	眞韻
0939a	上仁・036オ6・植物	茵	平	イン	右傍	'jien^{1}	眞韻
2216a	上遠・080ウ1・植物	茵	平	イン	右傍	'jien^{1}	眞韻
0987	上度・058オ3・方角	寅	平	イン	右傍	jien^{1} jiei^{1}	眞韻 脂韻
1647b	上度・063オ4・疊字	巾	平	キン	左注	kien^{1}	眞韻
1487b	上度・057オ4・雜物	巾	平	キム	右傍	kien^{1}	眞韻
0641c	上波・026オ4・雜物	巾	―	キン	右傍	kien^{1}	眞韻
2168	上奴・078オ7・辞字	墐	―	キン	右傍	gien$^{1/3}$	眞/震韻
1134	上保・045ウ7・方角	垠	平	キン	右傍	ŋien^{1} ŋiʌn^{1} ŋʌn^{1}	眞韻 欣韻 痕韻
2787	上加・101オ3・方角	垠	平濁	キン	右傍	ŋien^{1} ŋiʌn^{1} ŋʌn^{1}	眞韻 欣韻 痕韻
3202a	上与・114ウ3・人職	津	平	シ	右傍	tsien^{1}	眞韻
2182b	上留・079ウ1・疊字	親	去	シン	左注	ts'ien$^{1/3}$	眞/震韻
0093a	上伊・005オ3・動物	秦	平	シン	右傍	dzien^{1}	眞韻
0510a	上波・021オ6・植物	秦	―	シン	右傍	dzien^{1}	眞韻
2466a	上加・092ウ1・植物	辛	平	シン	右傍	sien^{1}	眞韻
2677	上加・098ウ1・飲食	辛	平	シン	右傍	sien^{1}	眞韻
2784	上加・101オ2・方角	辛	平	シン	右傍	sien^{1}	眞韻
1895b	上池・070オ6・疊字	新	平	シン	左注	sien^{1}	眞韻
2301a	上和・086ウ3・人倫	侲	去	シン	右傍	tśien$^{1/3}$	眞/震韻
1618b	上度・062ウ5・疊字	身	平	シム	左注	śien^{1}	眞韻
0606	上波・024ウ6・人事	娠	平	シン	右傍	śien^{1} tśien^{3}	眞韻 震韻
0812b	上波・032ウ4・疊字	臣	平	シン	中注	źien^{1}	眞韻
2026b	上利・074オ7・疊字	辰	平	シン	左注	źien^{1}	眞韻
2859b	上加・106ウ2・疊字	辰	平	シン	左注	źien^{1}	眞韻
1149b	上保・047オ3・疊字	辰	平	シム	中注	źien^{1}	眞韻
0254b	上伊・012ウ5・疊字	人	平濁	シン	中注	ńien^{1}	眞韻
1886b	上池・070オ4・疊字	人	平濁	シン	左注	ńien^{1}	眞韻
2926b	上加・107ウ1・疊字	人	平濁	シン	左注	ńien^{1}	眞韻
2885b	上加・106ウ7・疊字	人	平	シン	左注	ńien^{1}	眞韻

1363b	上邊・053オ3・疊字	人	平濁	シム	右注	ńien^{1}	眞韻
0767b	上波・032オ2・疊字	人	平	シム	右注	ńien^{1}	眞韻
0935a	上仁・036オ5・植物	人	去	ニン	右注	ńien^{1}	眞韻
0952a	上仁・037オ5・人倫	人	去	ニン	右注	ńien^{1}	眞韻
0954a	上仁・037ウ1・人躰	人	去	ニン	右注	ńien^{1}	眞韻
0950a	上仁・037オ1・動物	人	去	ニン	右傍	ńien^{1}	眞韻
0991a	上仁・040オ3・疊字	人	去	ニン	右注	ńien^{1}	眞韻
1004a	上仁・040オ6・疊字	人	去	ニン	左注	ńien^{1}	眞韻
1006a	上仁・040オ6・疊字	人	去	ニン	左注	ńien^{1}	眞韻
1595b	上度・062オ7・疊字	人	去	ニン	左注	ńien^{1}	眞韻
1904b	上池・070ウ1・疊字	人	去	ニン	左注	ńien^{1}	眞韻
1938b	上池・071オ1・疊字	人	去	ニン	右注	ńien^{1}	眞韻
3032b	上加・109オ1・疊字	人	去	ニン	左注	ńien^{1}	眞韻
0953a	上仁・037オ6・人倫	人	—	ニン	右注	ńien^{1}	眞韻
1017a	上仁・041オ1・諸寺	仁	—	ニ	右注	ńien^{1}	眞韻
0373a	上伊・015ウ6・国郡	仁	—	ニイ	右傍	ńien^{1}	眞韻
1768a	上池・067ウ4・雑物	鎮	平	チン	右注	ṭien$^{1/3}$	眞/震韻
1812a	上池・069オ4・疊字	鎮	平	チン	左注	ṭien$^{1/3}$	眞/震韻
1813a	上池・069オ4・疊字	鎮	平	チン	右注	ṭien$^{1/3}$	眞/震韻
1815a	上池・069オ4・疊字	鎮	平	チン	右注	ṭien$^{1/3}$	眞/震韻
1786	上池・068ウ1・辞字	鎮	—	チン	右注	ṭien$^{1/3}$	眞/震韻
1962a	上池・071ウ5・國郡	鎮	—	チン	右注	ṭien$^{1/3}$	眞/震韻
1964a	上池・071ウ5・國郡	鎮	—	チン	右注	ṭien$^{1/3}$	眞/震韻
1909a	上池・070ウ2・疊字	珎	東	チン	左注	ṭien^{1}	眞韻
1910a	上池・070ウ2・疊字	珎	東	チン	左注	ṭien^{1}	眞韻
1911a	上池・070ウ2・疊字	珎	東	チン	左注	ṭien^{1}	眞韻
1912a	上池・070ウ3・疊字	珎	東	チン	左注	ṭien^{1}	眞韻
1941a	上池・071オ1・疊字	珎	東	チン	右注	ṭien^{1}	眞韻
1878a	上池・070オ3・疊字	珎	平	チン	左注	ṭien^{1}	眞韻
1888a	上池・070オ5・疊字	珎	去	チン	左注	ṭien^{1}	眞韻
1889a	上池・070オ5・疊字	珎		チン	左注	ṭien^{1}	眞韻
1979	上池・072オ5・姓氏	珎	—	チン	右注	ṭien^{1}	眞韻
1707	上池・065オ7・地儀	塵	平	チン	右傍	ḍien^{1}	眞韻
1805a	上池・069オ2・疊字	塵	平	チン	左注	ḍien^{1}	眞韻
2043b	上利・074ウ3・疊字	塵	平	チム	左注	ḍien^{1}	眞韻
3235b	上与・117ウ1・疊字	塵	平	チム	左注	ḍien^{1}	眞韻
1776a	上池・067ウ6・雑物	陳	平	チン	右注	ḍien$^{1/3}$	眞/震韻
1754	上池・067オ4・人事	陳	—	チン	右注	ḍien$^{1/3}$	眞/震韻
3119b	上加・110オ5・疊字	賔	平	ヒン	右注	pjien^{1}	眞韻
0473	上波・020オ6・地儀	濵	平	ヒン	右傍	pjien^{1}	眞韻
2879b	上加・106ウ6・疊字	濵	平	ヒン	左注	pjien^{1}	眞韻
3233	上与・117オ4・辞字	嬪	平	ヒン	右傍	bjien^{1}	眞韻

1451b	上度・055ウ2・動物	獱	―	ヒン	左注	bjien[1]	眞韻
2647c	上加・097ウ6・人事	頻	―	ヒン	左注	bjien[1]	眞韻
0553	上波・022ウ6・動物	蠙	平	ヒン	右傍	bjien[1] ben[1]	眞韻 先韻
1352b	上邊・053オ1・疊字	民	平	ミム	左注	mjien[1]	眞韻
1601b	上度・062ウ1・疊字	民	平	ミム	左注	mjien[1]	眞韻
0952b	上仁・037オ5・人倫	民	上	ミム	右注	mjien[1]	眞韻
0313b	上伊・013ウ4・疊字	隣	平	リン	左注	lien[1]	眞韻
2040a	上利・074ウ3・疊字	隣	平	リム	左注	lien[1]	眞韻
2033a	上利・074ウ1・疊字	隣	去	リム	左注	lien[1]	眞韻
2034a	上利・074ウ2・疊字	隣	去	リム	左注	lien[1]	眞韻
0085b	上伊・004ウ6・動物	鱗	平	リン	右傍	lien[1]	眞韻
0086	上伊・004ウ6・動物	鱗	平	リン	右傍	lien[1]	眞韻
2061a	上利・074ウ7・疊字	鱗	平	リン	中注	lien[1]	眞韻
1993	上利・073オ2・動物	麟	平	リン	右注	lien[1]	眞韻
2059a	上利・074ウ7・疊字	麟	平	リン	左注	lien[1]	眞韻

【表B-10】下巻_ⅢAien 眞韻

番号	前田本所在	掲出字		仮名音注		中古音	韻目
3648b	下古・011オ4・疊字	姻	―	イン	右注	’jien[1]	眞韻
5437	下師・074オ5・雑物	茵	平	イン	右傍	’jien[1]	眞韻
6058a	下飛・091オ7・植物	茵	平	イン	右傍	’jien[1]	眞韻
5440b	下師・074オ5・雑物	鞇	―	イン	右傍	’jien[1]	眞韻
3435a	下古・006ウ7・雑物	巾	平	キン	右傍	kien[1]	眞韻
3875a	下手・018ウ4・天象	銀	平濁	キン	左注	ŋien[1]	眞韻
4964a	下木・060ウ6・疊字	銀	平濁	キン	右傍	ŋien[1]	眞韻
5403	下師・073ウ5・雑物	銀	平濁	キン	右傍	ŋien[1]	眞韻
6832b	下洲・116オ2・雑物	銀	平濁	キン	右傍	ŋien[1]	眞韻
5404	下師・073ウ5・雑物	銀	上濁	コン	右傍	ŋien[1]	眞韻
4965a	下木・060ウ6・疊字	銀	―	キン	右傍	ŋien[1]	眞韻
5857b	下師・085オ2・疊字	銀	平濁	キム	右注	ŋien[1]	眞韻
4933a	下木・058ウ4・雑物	銀	―	キム ［平濁平］	右注	ŋien[1]	眞韻
6133	下飛・093ウ2・人事	嚚	平濁	キン	右傍	ŋien[1]	眞韻
4962a	下木・060ウ4・重點	狺	―	キン	右傍	ŋien[1] ŋiʌn[1]	眞韻 欣韻
4962b	下木・060ウ4・重點	狺	―	キン	右傍	ŋien[1] ŋiʌn[1]	眞韻 欣韻
4843	下木・055ウ3・地儀	垠	平	キン	右傍	ŋien[1] ŋiʌn[1] ŋʌn[1]	眞韻 欣韻 痕韻

5369	下師・072ウ1・人事	親	平	シン	右傍	ts‘ien$^{1/3}$	眞/震韻
5694a	下師・082ウ2・疊字	親	平	シン	左注	ts‘ien$^{1/3}$	眞/震韻
5695a	下師・082ウ2・疊字	親	平	シン	左注	ts‘ien$^{1/3}$	眞/震韻
5883a	下師・085オ7・疊字	親	平	シン	右注	ts‘ien$^{1/3}$	眞/震韻
3629b	下古・010ウ7・疊字	親	去	シン	中注	ts‘ien$^{1/3}$	眞/震韻
5384a	下師・073オ3・人事	秦	平濁	シン	左注	dzien^{1}	眞韻
5519a	下師・078ウ1・重點	秦	―	シン	右注	dzien^{1}	眞韻
5519b	下師・078ウ1・重點	秦	―	シン	右注	dzien^{1}	眞韻
3342a	下古・002ウ7・植物	辛	平	シン	右傍	sien^{1}	眞韻
4151b	下阿・027ウ5・動物	辛	平	シン	右傍	sien^{1}	眞韻
5605a	下師・080ウ7・疊字	辛	去	シン	左注	sien^{1}	眞韻
6055b	下飛・091オ6・植物	辛	―	シン	右傍	sien^{1}	眞韻
5391a	下師・073オ5・人事	新	―	シン	左注	sien^{1}	眞韻
5417a	下師・073ウ7・雜物	新	―	シ	右注	sien^{1}	眞韻
6658b	下世・111オ4・疊字	薪	平	シン	左注	sien^{1}	眞韻
5891a	下師・085ウ1・疊字	真	平	シン	右注	tśien^{1}	眞韻
5325a	下師・071オ1・人倫	眞	―	シン	右注	tśien^{1}	眞韻
5570a	下師・079ウ7・疊字	眞	―	シン	右注	tśien^{1}	眞韻
5636a	下師・081ウ2・疊字	眞	―	シン	左注	tśien^{1}	眞韻
5629a	下師・081ウ1・疊字	瞋	去	シン	右注	tś‘ien^{1}	眞韻
4119a	下阿・026ウ4・植物	神	平	シン	右傍	dźien^{1}	眞韻
5818a	下師・084ウ3・疊字	神	平	シン	左注	dźien^{1}	眞韻
5823a	下師・084ウ4・疊字	神	平	シン	左注	dźien^{1}	眞韻
6140a	下飛・094オ1・飲食	神	平	シン	右傍	dźien^{1}	眞韻
5559a	下師・079ウ2・疊字	神	―	シン	左注	dźien^{1}	眞韻
5304	下師・070オ4・動物	蜃	平	シン	右傍	śien^{1}	眞韻
6964b	下洲・121ウ4・官職	身	―	シン	右注	śien^{1}	眞韻
5321	下師・070ウ7・人倫	臣	平	シン	右傍	źien^{1}	眞韻
5527a	下師・078ウ4・疊字	辰	平	シン	右注	źien^{1}	眞韻
4064a	下阿・024ウ4・天象	晨	平	シン	右傍	źien^{1} dźien^{1}	眞韻 眞韻
5533a	下師・078ウ7・疊字	晨	平	シン	左注	źien^{1} dźien^{1}	眞韻 眞韻
6254b	下飛・098オ1・疊字	人	平	シン	左注	ńien^{1}	眞韻
5720b	下師・083オ2・疊字	人	上	シン	左注	ńien^{1}	眞韻
5610a	下師・081オ3・疊字	人	―	シン	左注	ńien^{1}	眞韻
6398b	下毛・101オ6・植物	人	―	（シン）	右傍	ńien^{1}	眞韻
3373b	下古・004オ3・人倫	人	―	シム	右注	ńien^{1}	眞韻
5322b	下師・070ウ7・人倫	人	―	ニン	右注	ńien^{1}	眞韻
6516b	下世・107ウ5・人倫	人	―	ニン	右傍	ńien^{1}	眞韻
5383b	下師・073オ3・人事	人	―	ミ	左傍	ńien^{1}	眞韻
5356	下師・072オ2・人事	仁	平濁	シン	右注	ńien^{1}	眞韻

5801a	下師・084オ7・疊字	仁	平濁	シン	左注	ńien^{1}	眞韻
6783b	下洲・113ウ4・地儀	仁	平濁	シン	右傍	ńien^{1}	眞韻
6497b	下世・106ウ5・地儀	仁	平	ニン	右傍	ńien^{1}	眞韻
6163	下飛・094ウ3・雑物	紉	上濁	チム	右傍	nien^{1}	眞韻
4938b	下木・058ウ6・光彩	塵	―	チン ［平平］	右傍	ḍien^{1}	眞韻
5110b	下木・063オ4・疊字	塵	―	チン	左注	ḍien^{1}	眞韻
5472b	下師・075オ1・雑物	塵	―	チン	右注	ḍien^{1}	眞韻
6058b	下飛・091オ7・植物	陳	平	チン	右傍	ḍien$^{1/3}$	眞/震韻
6325b	下飛・098ウ7・疊字	陳	平	チン	左注	ḍien$^{1/3}$	眞/震韻
6108b	下飛・092ウ4・人倫	賓	平	ヒン	右傍	pjien^{1}	眞韻
6803b	下洲・114オ6・動物	賓	―	ヒン	右傍	pjien^{1}	眞韻
6896b	下洲・119ウ7・疊字	賓	―	ヒン	左注	pjien^{1}	眞韻
6066a	下飛・091ウ2・植物	檳	平	ヒン	右注	pjien^{1}	眞韻
6063a	下飛・091ウ1・植物	檳	―	ヒ	右傍	pjien^{1}	眞韻
5854b	下師・085オ2・疊字	濵	―	ヒン	右傍	pjien^{1}	眞韻
6321a	下飛・098ウ6・疊字	繽	平	ヒン	左注	p‘jien^{1}	眞韻
6280a	下飛・098オ6・疊字	貧	平 去	ヒン	左注	bien^{1}	眞韻
6281a	下飛・098オ6・疊字	貧	去	ヒン	左注	bien^{1}	眞韻
6282a	下飛・098オ6・疊字	貧	去	ヒン	左注	bien^{1}	眞韻
6130	下飛・093オ7・人事	嚬	平	ヒン	右傍	bjien^{1}	眞韻
6755b	下世・112ウ1・疊字	蘋	平	ヒン	右注	bjien^{1}	眞韻
6231a	下飛・097ウ5・疊字	旻	平	ヒン	中注	mien^{1}	眞韻
6538	下世・108ウ5・雑物	緡	平	ヒン	右傍	mien^{1}	眞韻
6916b	下洲・120オ5・疊字	緡	去	ヒン	左注	mien^{1}	眞韻
4268	下阿・032オ7・雑物	罠	平	コ	右傍	mien^{1}	眞韻
4978b	下木・061オ2・疊字	隣	平	リン	左注	lien^{1}	眞韻
5869b	下師・085オ4・疊字	鱗	平	リン	右注	lien^{1}	眞韻
4966b	下木・060ウ6・疊字	鱗	平	リム	右傍	lien^{1}	眞韻
4868b	下木・056ウ2・動物	麟	平	リン	右傍	lien^{1}	眞韻

【表B-10】上巻_ⅢAien 軫韻

番号	前田本所在	掲出字		仮名音注		中古音	韻目
0245a	上伊・012ウ4・疊字	引	上	イン	右注	jien$^{2/3}$	軫韻
0310b	上伊・013ウ3・疊字	引	上	イン	右注	jien$^{2/3}$	軫韻
0317a	上伊・013ウ5・疊字	引	上	イン	左注	jien$^{2/3}$	軫韻
1846b	上池・069ウ3・疊字	引	上	イン	左注	jien$^{2/3}$	軫韻
0250a	上伊・012ウ5・疊字	引	平	イン	左注	jien$^{2/3}$	軫韻
0251a	上伊・012ウ5・疊字	引	平	イン	左注	jien$^{2/3}$	軫韻
1687a	上度・064オ2・国郡	引	―	イナ	右傍	jien$^{2/3}$	軫韻

番号	前田本所在	掲出字		仮名音注		中古音	韻目
2135c	上利・076オ1・疊字	盡	−	シン	左注	dzien^{2} tsien^{2}	軫韻 軫韻
3258b	上与・117ウ5・疊字	盡	平濁	シム	左注	dzien^{2} tsien^{2}	軫韻 軫韻
1744b	上池・066ウ7・人躰	胗	上	シン	右傍	tśien^{2} kien^{2}	軫韻 軫韻
0993a	上仁・040オ3・疊字	忍	平	ニン	右注	ńien^{2}	軫韻
1947b	上池・071オ3・疊字	忍	平	ニン	右注	ńien^{2}	軫韻
2067b	上利・075オ1・疊字	愍	平	ミン	中注	mien^{2}	軫韻
2635	上加・097オ6・人事	閔	−	ヒン	右傍	mien^{2}	軫韻

【表B-10】下巻_ⅢAien 軫韻

番号	前田本所在	掲出字		仮名音注		中古音	韻目
5668b	下師・082オ2・疊字	引	上	イン	右注	jien$^{2/3}$	軫韻
3804b	下江・017オ1・疊字	引	上	イム	中注	jien$^{2/3}$	軫韻
5603a	下師・080ウ7・疊字	診	上	シム	中注	tśien^{2} ḍien^{3}	軫韻 震韻
5595a	下師・080ウ5・疊字	賑	平	シン	右注	tśien$^{2/3}$	軫/震韻
5596a	下師・080ウ5・疊字	賑	−	シン	右注	tśien$^{2/3}$	軫/震韻
6801a	下洲・114オ4・植物	忍	平	ニン	右傍	ńien^{2}	軫韻
4190	下阿・029オ4・人躰	髕	−	ヒン	右傍	bjien^{2}	軫韻
6315a	下飛・098ウ5・疊字	牝	去	ヒン	右注	bjien^{2} bjiei^{2}	軫韻 旨韻
3864b	下江・017ウ6・疊字	敏	上	ヒン	左注	mien^{2}	軫韻
4373b	下阿・039オ7・疊字	愍	平	ミン	左注	mien^{2}	軫韻
6286a	下飛・098オ7・疊字	偭	上	ヒン	左注	mjien^{2}	軫韻

【表B-10】上巻_ⅢAien 震韻

番号	前田本所在	掲出字		仮名音注		中古音	韻目
0185	上伊・009オ1・雜物	印	−	イン	右注	'jien^{3}	震韻
1279b	上保・049ウ4・官職	印	−	イン	右注	'jien^{3}	震韻
2255	上遠・082ウ7・雜物	印	−	イン	右傍	'jien^{3}	震韻
3281a	上波・034ウ5・國郡	印	−	イ	右傍	'jien^{3}	震韻
3092b	上加・109ウ6・疊字	瑾	去	キン	右注	gien^{3}	震韻
3091b	上加・109ウ6・疊字	釁	去	キン	右注	xien^{3}	震韻
1386b	上邊・053ウ1・疊字	進	平濁	シン	中注	tsien^{3}	震韻
1861b	上池・069ウ6・疊字	信	去	シン	左注	sien^{3}	震韻
1533	上度・058ウ1・辭字	訊	−	シム	右傍	sien^{3}	震韻
1541	上度・059オ5・辭字	迅	−	シン	右傍	sien^{3} siuen^{3}	震韻 稕韻

3021b	上加・108ウ6・疊字	迅	平	シム	左注	sien^3 siuen^3	震韻 稕韻
1849b	上池・069ウ4・疊字	震	平	シン	左注	tśien^3	震韻
1011a	上仁・040オ7・疊字	刃	平	ニン	左注	ńien^3	震韻
1712	上池・065ウ2・地儀	陣	去濁	チン	右注	ḍien^3	震韻
1830a	上池・069オ7・疊字	陣	去濁	チン	左注	ḍien^3	震韻
1831a	上池・069オ7・疊字	陣	去濁	チン	左注	ḍien^3	震韻
1718a	上池・065ウ3・地儀	陣	―	チン	右注	ḍien^3	震韻
0770b	上波・032オ2・疊字	鬢	去濁	ヒン	左注	pjien^3	震韻
1197b	上保・047ウ5・疊字	鬢	去濁	ヒン	左注	pjien^3	震韻
2687b	上加・098ウ4・雑物	鬢	去	ヒン	右傍	pjien^3	震韻
2008b	上利・073ウ5・雑物	鬢	平濁	ヒン	右注	pjien^3	震韻
1062	上保・042ウ6・動物	鱗	平	リン	右傍	lien^3	震韻
2118a	上利・075ウ4・疊字	悋	去	リン	左注	lien^3	震韻
2472b	上加・092ウ4・植物	藺	去	リン	右傍	lien^3	震韻

【表B-10】下巻_ⅢAien 震韻

番号	前田本所在	掲出字		仮名音注		中古音	韻目
5923a	下師・086ウ2・國郡	印	―	イン	右傍	'jien^3	震韻
3957b	下手・022オ4・疊字	覲	去	キン	左注	gien^3	震韻
5081b	下木・062ウ4・疊字	饉	平	キン	左注	gien^3	震韻
5574a	下師・080オ2・疊字	進	去	シン	右注	tsien^3	震韻
5758a	下師・083ウ5・疊字	進	去	シン	左注	tsien^3	震韻
5590b	下師・080ウ3・疊字	進	平濁	シン	左注	tsien^3	震韻
5630a	下師・081ウ1・疊字	進	平	シン	左注	tsien^3	震韻
5753a	下師・083ウ4・疊字	進	平	シン	左注	tsien^3	震韻
5946a	下師・086ウ7・官職	進	―	シン	右注	tsien^3	震韻
6765	下世・112ウ7・官職	進	―	シン	右傍	tsien^3	震韻
5857a	下師・085オ2・疊字	晉	去	シム	右注	tsien^3	震韻
6832a	下洲・116オ2・雑物	晉	去	シム	右傍	tsien^3	震韻
5357	下師・072オ2・人事	信	平	シン	右注	sien^3	震韻
5669a	下師・082オ3・疊字	信	平	シン	左注	sien^3	震韻
5670a	下師・082オ3・疊字	信	平	シン	左注	sien^3	震韻
5780a	下師・084オ4・疊字	信	平	シン	左注	sien^3	震韻
5568a	下師・079ウ6・疊字	信	―	シン	左注	sien^3	震韻
5917a	下師・086オ7・諸寺	信	―	シン	左注	sien^3	震韻
5916a	下師・086オ5・諸社	信	―	シ	右注	sien^3	震韻
6357a	下飛・099ウ7・國郡	信	―	シ	右傍	sien^3	震韻
5926a	下師・086ウ3・國郡	信	―	シナ	右注	sien^3	震韻
4174a	下阿・028ウ7・人躰	顖	去	シン	右傍	sien^3	震韻
5471b	下師・074ウ7・雑物	慎	去	シン	右傍	sien^3	震韻

5050b	下木・062オ3・疊字	慎	平濁	シン	左注	sien³	震韻
6478b	下毛・105ウ5・疊字	訊	平濁	シム	右注	sien³	震韻
4106a	下阿・026オ7・植物	藎	去	シン	右傍	zien³	震韻
5838a	下師・084ウ6・疊字	震	平	シン	左注	tśien³	震韻
6444	下毛・103オ6・雑物	燼	去	シン	右傍	źien³	震韻
5484	下師・075ウ1・員數	仭	上濁	シム	右注	ńien³	震韻
6115	下飛・093オ1・人躰	鬢	去濁	ヒン	右傍	pjien³	震韻
6343a	下飛・099オ3・疊字	鬢	去	ヒン	左注	pjien³	震韻
6287a	下飛・098オ7・疊字	擯	平	ヒツ	左注	pjien³	震韻
5728b	下師・083オ4・疊字	躙	平	リン	左注	lien³	震韻

【表B-10】上巻_ⅢAiet 質韻

番号	前田本所在	掲出字		仮名音注		中古音	韻目
3132b	上加・110ウ1・疊字	乙	―	ヲツ	中注	'iet	質韻
0268a	上伊・013オ1・疊字	一	入	イチ	左注	'jiet	質韻
0286a	上伊・013オ5・疊字	一	入	イチ	右注	'jiet	質韻
0308a	上伊・013ウ3・疊字	一	入	（イチ）	左注	'jiet	質韻
0387a	上伊・016オ4・官職	一	―	イチ	右注	'jiet	質韻
0388a	上伊・016オ4・官職	一	―	イチ	右注	'jiet	質韻
0335a	上伊・014オ1・疊字	一	入	イ	右注	'jiet	質韻
0237a	上伊・012ウ2・疊字	一	入	イツ	左注	'jiet	質韻
0254a	上伊・012ウ5・疊字	一	入	イツ	中注	'jiet	質韻
0258a	上伊・012ウ6・疊字	一	入	イツ	左注	'jiet	質韻
0335a	上伊・013オ1・疊字	一	入	イツ	左注	'jiet	質韻
0330a	上伊・013ウ7・疊字	一	入	イツ	左注	'jiet	質韻
0336a	上伊・014オ2・疊字	一	入	イツ	右注	'jiet	質韻
0345a	上伊・014オ3・疊字	一	入	イツ	右注	'jiet	質韻
0191a	上伊・009オ7・員數	一	―	イツ	右注	'jiet	質韻
0192a	上伊・009オ7・員數	一	―	イツ	右注	'jiet	質韻
0334a	上伊・014オ1・疊字	壹	入	イチ	左注	'jiet	質韻
0152a	上伊・008オ1・人事	壹	―	イチ	右注	'jiet	質韻
0187a	上伊・009オ1・雑物	壹	―	イチ	右注	'jiet	質韻
0153a	上伊・008オ1・人事	壹	―	イツ	右注	'jiet	質韻
0156a	上伊・008オ2・人事	壹	―	イツ	右注	'jiet	質韻
0357a	上伊・015ウ3・国郡	壹	―	イキ ［上上］	右傍	'jiet	質韻
0398a	上伊・016ウ5・姓氏	壹	―	イ	右注	'jiet	質韻
0271a	上伊・013オ2・疊字	逸	入	イチ	右注	jiet	質韻
0272a	上伊・013オ2・疊字	逸	入	イチ	左注	jiet	質韻
0341a	上伊・014オ3・疊字	逸	入	イツ	右注	jiet	質韻

0772b	上波・032オ3・疊字	逸	入	イツ	中注	jiet	質韻
0269b	上伊・013オ1・疊字	逸	―	イツ	右注	jiet	質韻
0887b	上波・033ウ5・疊字	佾	入	イツ	右注	jiet	質韻
0154a	上伊・008オ1・人事	溢	―	イツ	右注	jiet	質韻
0275b	上伊・013オ2・疊字	泆	入	シチ	左注	jiet det	質韻 屑韻
0396b	上伊・016ウ3・姓氏	吉	―	キ	右注	kjiet	質韻
2980b	上加・108オ5・疊字	漆	入	シツ	左注	ts'iet	質韻
0507a	上波・021オ5・植物	蒺	入	シツ	右傍	dziet	質韻
0778b	上波・032オ4・疊字	膝	入	シツ	左注	siet	質韻
1928b	上池・070ウ6・疊字	質	入	シチ	左注	tś'iet ṭiei3	質韻 至韻
3300	上伊・010ウ5・辞字	叱	入	シツ	右傍	tś'iet	質韻
3059b	上加・109オ7・疊字	實	入	シチ	左注	dźiet	質韻
1678b	上度・063ウ3・疊字	失	入	シチ	左注	śiet	質韻
0451b	上呂・019オ5・疊字	失	入	シツ	右注	śiet	質韻
0787b	上波・032オ6・疊字	室	入	シツ	左注	śiet	質韻
0995b	上仁・040オ4・疊字	室	入	シツ	右注	śiet	質韻
0281b	上伊・013オ4・疊字	日	入濁	シチ	中注	ńiet	質韻
0724b	上波・031オ7・疊字	日	入濁	シツ	左注	ńiet	質韻
1368b	上邊・053オ4・疊字	日	入濁	シツ	中注	ńiet	質韻
1798b	上池・069オ1・疊字	日	入	シツ	左注	ńiet	質韻
2367b	上和・089ウ7・疊字	日	入	シツ	左注	ńiet	質韻
0989a	上仁・040オ3・疊字	日	入	ニチ	中注	ńiet	質韻
0990a	上仁・040オ3・疊字	日	入	ニチ	左注	ńiet	質韻
0999a	上仁・040オ5・疊字	日	入	ニチ	右注	ńiet	質韻
1010a	上仁・040オ7・疊字	日	入	ニチ	中注	ńiet	質韻
0998a	上仁・040オ4・疊字	日	入	ニツ	右注	ńiet	質韻
0988a	上仁・040オ1・重點	日	―	ニチ	右注	ńiet	質韻
0988b	上仁・040オ1・重點	日	―	ニチ	右注	ńiet	質韻
1891a	上池・070オ5・疊字	昵	入濁	チツ	左注	niet	質韻
1194b	上保・047ウ5・疊字	秩	入濁	チゝ	左注	ḍiet	質韻
1880a	上池・070オ3・疊字	秩	入濁	チゝ	左注	ḍiet	質韻
1749	上池・067オ3・人事	秩	―	チツ [平濁平]	右注	ḍiet	質韻
1781	上池・068オ2・員數	帙	入	チキ	右注	ḍiet	質韻
2975b	上加・108オ4・疊字	畢	入	ヒツ	左注	pjiet	質韻
3185	上与・113ウ6・植物	蓽	―	ヒツ	右傍	pjiet	質韻
1182b	上保・047ウ2・疊字	弼	入	ヒツ	左注	biet	質韻
2412b	上和・090ウ2・疊字	慄	入	リツ	右傍	liet	質韻

【表B-10】下巻_ⅢAiet 質韻

番号	前田本所在	掲出字		仮名音注		中古音	韻目
6727b	下世・112オ3・疊字	一	―	イツ	右注	'jiet	質韻
5324a	下師・070ウ7・人倫	逸	―	イツ	右傍	jiet	質韻
5032a	下木・061ウ6・疊字	吉	―	キツ	左注	kjiet	質韻
5155a	下木・063ウ7・疊字	吉	―	キツ	右注	kjiet	質韻
5206a	下木・065オ5・官職	吉	―	キツ	右注	kjiet	質韻
5208a	下木・065オ7・姓氏	吉	―	キ	右注	kjiet	質韻
6811a	下洲・114ウ2・植物	蛣	―	キツ	右傍	k'iet	質韻
3439b	下古・007オ1・雜物	漆	―	シチ	右傍	ts'iet	質韻
5480b	下師・075オ4・光彩	漆	―	シチ	左注	ts'iet	質韻
3341b	下古・002ウ7・植物	漆	入	シツ	左注	ts'iet	質韻
5779a	下師・084オ4・疊字	嫉	入	シツ	左注	dziet dziei^{3}	質韻 至韻
5572a	下師・079ウ7・疊字	悉	入	シツ	右注	siet	質韻
5835a	下師・084ウ6・疊字	悉	入	シツ	左注	siet	質韻
6121	下飛・093オ3・人躰	膝	入	シツ	右傍	siet	質韻
4874a	下木・056ウ5・動物	蟋	入	シツ	右傍	siet ṣiɐt	質韻 櫛韻
5781a	下師・084オ4・疊字	質	入	シチ	左注	tś'iet ṭiei^{3}	質韻 至韻
5363	下師・072オ6・人事	質	―	シチ	右傍	tś'iet ṭiei^{3}	質韻 至韻
5821a	下師・084ウ4・疊字	質	―	シチ	左注	tś'iet ṭiei^{3}	質韻 至韻
6796b	下洲・114オ1・植物	質	―	シチ	右注	tś'iet ṭiei^{3}	質韻 至韻
6946b	下洲・120ウ4・疊字	質	―	シチ	左注	tś'iet ṭiei^{3}	質韻 至韻
5634a	下師・081ウ2・疊字	質	―	シツ	右注	tś'iet ṭiei^{3}	質韻 至韻
5490	下師・075ウ7・辞字	叱	―	シツ	右傍	tś'iet	質韻
5593a	下師・080ウ5・疊字	實	入濁	シチ	左注	dźiet	質韻
3624b	下古・010ウ5・疊字	實	入	シチ	左注	dźiet	質韻
4116b	下阿・026ウ3・植物	實	―	シチ	右注	dźiet	質韻
5636b	下師・081ウ2・疊字	實	―	シチ	左注	dźiet	質韻
5723a	下師・083オ3・疊字	實	入濁	シツ	左注	dźiet	質韻
5871b	下師・085オ5・疊字	實	入	シツ	右注	dźiet	質韻
5662a	下師・082オ1・疊字	失	入	シチ	右注	śiet	質韻

5661a	下師・082オ1・疊字	失	入	シツ	左注	śiet	質韻
6124a	下飛・093オ4・人躰	失	入	シツ	右傍	śiet	質韻
3712b	下古・012オ4・疊字	失	―	シツ	左注	śiet	質韻
5663a	下師・082オ2・疊字	失	―	シツ	左注	śiet	質韻
6021	下飛・090オ5・天象	日	入	シツ	右傍	ńiet	質韻
5534b	下師・078ウ7・疊字	日	―	シツ	左注	ńiet	質韻
6585b	下世・110オ5・疊字	日	入	ニチ	左注	ńiet	質韻
4247	下阿・032オ1・雜物	衵	―	シツ	右傍	ńiet ṇiet	質韻 質韻
5695b	下師・082ウ2・疊字	昵	入濁	チツ	左注	niet	質韻
4075b	下阿・025ウ1・地儀	室	入	シチ	右注	ṭiet	質韻
5216b	下由・066オ3・地儀	室	徳	シツ	右傍	ṭiet	質韻
5273b	下師・069オ5・植物	室	―	シツ	右注	ṭiet	質韻
6329b	下飛・099オ1・疊字	秩	入濁	チツ	左注	ḍiet	質韻
6290a	下飛・098ウ1・疊字	筆	入	ヒツ	右注	piet	質韻
6291a	下飛・098ウ1・疊字	筆	入	ヒツ	左注	piet	質韻
6293a	下飛・098ウ1・疊字	筆	入	ヒツ	左注	piet	質韻
6172a	下飛・094ウ6・雜物	筆	―	ヒツ	右傍	piet	質韻
6317a	下飛・098ウ5・疊字	必	入	ヒチ	左注	pjiet	質韻
6331a	下飛・099オ1・疊字	畢	―	ヒチ	左注	pjiet	質韻
6141a	下飛・094オ2・飲食	饆	入	ヒチ	右注	pjiet	質韻
6148a	下飛・094オ6・雜物	篳	入	ヒチ	右注	pjiet	質韻
6042	下飛・091オ1・地儀	蓽	―	ヒツ	右注	pjiet	質韻
6277a	下飛・098オ5・疊字	匹	(入)	ヒツ	左注	p'jiet	質韻
6103a	下飛・092ウ3・人倫	疋	―	ヒツ ［上上］	右注	p'jiet ṣiʌ$^{1/2}$ ŋa^{2}	質韻 魚/語韻 馬韻
6207	下飛・095ウ2・員數	疋	―	ヒキ	右注	p'jiet ṣiʌ$^{1/2}$ ŋa^{2}	質韻 魚/語韻 馬韻
6388	下飛・100オ6・官職	弼	―	ヒツ	右注	biet	質韻
6269b	下飛・098オ4・疊字	密	入	ミチ	左注	miet	質韻
4386b	下阿・039ウ3・疊字	密	入濁	ヒツ	右注	miet	質韻
6270a	下飛・098オ4・疊字	密	入	ヒツ	左注	miet	質韻
6273a	下飛・098オ5・疊字	蜜	入	ミツ	右傍	mjiet	質韻
6230a	下飛・097ウ3・重點	蜜	―	ヒツ	右注	mjiet	質韻
6230b	下飛・097ウ3・重點	蜜	―	ヒツ	右注	mjiet	質韻
6336a	下飛・099オ2・疊字	蜜	―	ヒツ	左注	mjiet	質韻
5816b	下師・084ウ3・疊字	慄	入	リツ	左注	liet	質韻
6725b	下世・112オ2・疊字	慄	入	リツ	左注	liet	質韻
6148b	下飛・094オ6・雜物	篥	入	リキ	右注	liet	質韻

【表B-10】上巻_ⅢAiuen 諄韻

番号	前田本所在	掲出字		仮名音注		中古音	韻目
0618	上波・025オ4・人事	詢	平	シヰン	右傍	siuen[1]	諄韻
0570b	上波・023ウ2・人倫	旬	―	スン	右傍	ziuen[1]	諄韻
1793b	上池・068ウ7・疊字	春	平	シユン	左注	tś'iuen[1]	諄韻
1133	上保・045ウ6・方角	漘	平	シン	右傍	dźiuen[1]	諄韻
2971b	上加・108オ3・疊字	脣	平	シン	左注	dźiuen[1]	諄韻
2662	上加・098オ3・飲食	醇	平	スウ	右傍	źiuen[1]	諄韻
2147	上奴・076ウ4・植物	蓴	平	スウン	右傍	źiuen[1]	諄韻
1629b	上度・062ウ7・疊字	倫	平	リム	左注	liuen[1]	諄韻
1870b	上池・070オ1・疊字	淪	平	リム	左注	liuen[1]	諄韻
2052a	上利・074ウ5・疊字	綸	平	リン	左注	liuen[1] kuɐn[1]	諄韻 山韻
2055a	上利・074ウ6・疊字	綸	平	リン	左注	liuen[1] kuɐn[1]	諄韻 山韻
2056a	上利・074ウ6・疊字	綸	平	リム	右注	liuen[1] kuɐn[1]	諄韻 山韻
1258b	上保・048ウ4・疊字	輪	平	リン	右注	liuen[1]	諄韻
2009a	上利・073ウ5・雜物	輪	平	リン	右注	liuen[1]	諄韻
2348	上和・088オ6・雜物	輪	平	リン	右傍	liuen[1]	諄韻
2112a	上利・075ウ3・疊字	輪	去	リン	右注	liuen[1]	諄韻
2014	上利・073ウ6・雜物	輪	―	リン	右注	liuen[1]	諄韻
2006a	上利・073ウ3・人事	輪	平	リム	左注	liuen[1]	諄韻

【表B-10】下巻_ⅢAiuen 諄韻

番号	前田本所在	掲出字		仮名音注		中古音	韻目
6206	下飛・095ウ2・員數	均	平	クヰン	右傍	kjiuen[1]	諄韻
6215	下飛・096ウ1・辞字	均	平	クヰン	右注	kjiuen[1]	諄韻
5510	下師・077ウ1・辞字	遵	平	シユン	右傍	tsiuen[1]	諄韻
6938a	下洲・120ウ2・疊字	遵	平濁	スヰン	左注	tsiuen[1]	諄韻
5511	下師・077ウ5・辞字	踆	平	シユン	右傍	ts'iuen[1]	諄韻
5813a	下師・084ウ2・疊字	逡	平	シユン	左注	ts'iuen[1]	諄韻
5342	下師・071ウ1・人躰	皴	平	スヰン	右傍	ts'iuen[1]	諄韻
5592a	下師・080ウ4・疊字	巡	平	シユン	中注	ziuen[1]	諄韻
5813b	下師・084ウ2・疊字	巡	平濁	スン	左注	ziuen[1]	諄韻
5379a	下師・073オ1・人事	春	平	シユ	右注	tś'iuen[1]	諄韻
4551b	下佐・046ウ3・飲食	春	―	シヰン	右傍	tś'iuen[1]	諄韻
6781a	下洲・113ウ4・地儀	春	平	スヰン	右傍	tś'iuen[1]	諄韻

5115b	下木・063オ5・疊字	春	—	スヰン	右注	tśʻiuen^{1}	諄韻
3913b	下手・020ウ7・雜物	楯	上	スヰン	右傍	tśiuen^{1} ziuen$^{1/2}$	諄韻 諄/準韻
4193b	下阿・029オ5・人躰	脣	平	スヰン	右傍	dźiuen^{1}	諄韻
5892a	下師・085ウ1・疊字	脣	—	シム	右傍	dźiuen^{1}	諄韻
4546	下佐・046ウ2・飲食	醇	平	シユン	右傍	źiuen^{1}	諄韻
6782a	下洲・113ウ4・地儀	淳	平	スヰン	右傍	źiuen^{1}	諄韻
6908a	下洲・120オ3・疊字	淳	去	スヰン	左注	źiuen^{1}	諄韻
3349b	下古・003オ3・植物	蒓	—	スヰン	左傍	źiuen^{1}	諄韻
6921a	下洲・120オ6・疊字	鶉	平	スン	中注	źiuen^{1}	諄韻
6738b	下世・112オ4・疊字	倫	—	リン	左注	liuen^{1}	諄韻
5495	下師・076オ7・辞字	淪	平	リン	右傍	liuen^{1}	諄韻
5850b	下師・085オ1・疊字	輪	平	リム	右注	liuen^{1}	諄韻

【表B-10】上巻_ⅢAiuen 準韻

番号	前田本所在	掲出字		仮名音注		中古音	韻目
0534	上波・022オ3・動物	隼	上	スヰン	右傍	siuen^{2}	準韻
0339b	上伊・014オ2・疊字	准	上	スヰン	右注	tśiuen^{2}	準韻

【表B-10】下巻_ⅢAiuen 準韻

番号	前田本所在	掲出字		仮名音注		中古音	韻目
6071a	下飛・091ウ4・植物	菌	上	クヰン	右傍	giuen^{2} giuɑn^{2}	準韻 阮韻
5798a	下師・084オ7・疊字	准	上濁	シユン	左注	tśiuen^{2}	準韻
5806a	下師・084ウ1・疊字	准	上濁	シユン	右注	tśiuen^{2}	準韻
5796a	下師・084オ7・疊字	准	—	シユン	右注	tśiuen^{2}	準韻
6948a	下洲・120ウ5・疊字	准	—	スン	右注	tśiuen^{2}	準韻

【表B-10】上巻_ⅢAiuen 稕韻

番号	前田本所在	掲出字		仮名音注		中古音	韻目
1450	上度・055ウ2・動物	駿	去	スン	右傍	tsiuen^{3} siuen^{3}	稕韻 稕韻
2109b	上利・075ウ2・疊字	潤	—	スウン	右注	ńiuen^{3}	稕韻

【表B-10】下巻_ⅢAiuen 稕韻

番号	前田本所在	掲出字		仮名音注		中古音	韻目
5948a	下師・087オ1・官職	俊	—	シユン	右注	tsiuen^{3}	稕韻

6949a	下洲・121オ5・国郡	駿	―	スル	右注	tsiuen^3 siuen^3	稕韻 稕韻
4862	下木・056オ5・植物	蕣	去	スン	右傍	śiuen^3	稕韻
5686a	下師・082オ7・疊字	潤	去	シユン	左注	ńiuen^3	稕韻

【表B-10】上巻_ⅢAiuet 術韻

番号	前田本所在	掲出字		仮名音注		中古音	韻目
1776b	上池・067ウ6・雜物	橘	入	クツ	右注	kjiuet	術韻
0189	上伊・009オ5・方角	戌	入	シツ	右傍	siuet	術韻
1370b	上邊・053オ5・疊字	黜	入	チヨク	左注	ṭ'iuet	術韻
2211	上遠・080オ5・植物	朮	入	クヰツ	右傍	ḍiuet dźiuet	術韻 術韻
0245b	上伊・012ウ4・疊字	率	入	ソツ	右注	ṣiuet	術韻
2136a	上利・076オ3・官職	率	―	ソツ	右注	ṣiuet	術韻
2030b	上利・074ウ1・疊字	出	入	シユツ	左注	tś'iuet tś'iuei^3	術韻 至韻
1943b	上池・071オ2・疊字	術	入濁	シユツ	右注	dźiuet	術韻
2000	上利・073ウ1・人事	律	入	リツ	右注	liuet	術韻
2100a	上利・075オ7・疊字	律	入	リツ	中注	liuet	術韻
2125b	上利・075ウ5・疊字	律	入	リツ	左注	liuet	術韻
2138a	上利・076オ4・官職	律	―	リツ	右注	liuet	術韻

【表B-10】下巻_ⅢAiuet 術韻

番号	前田本所在	掲出字		仮名音注		中古音	韻目
5596b	下師・080ウ5・疊字	恤	―	シユツ	右注	siuet	術韻
5156b	下木・063ウ7・疊字	恤	入	スツ	左注	siuet	術韻
3379a	下古・004オ6・人躰	蟀	入	スヰツ	右傍	ṣiuet	質韻
4874b	下木・056ウ5・動物	蟀	入	スヰツ	右傍	ṣiuet	質韻
5808a	下師・084ウ1・疊字	出	入	シユツ	右注	tś'iuet tś'iuei^3	術韻 至韻
5886a	下師・085オ7・疊字	出	入	シユツ	右注	tś'iuet tś'iuei^3	術韻 至韻
6287b	下飛・098オ7・疊字	出	入	シユツ	左注	tś'iuet tś'iuei^3	術韻 至韻
5676a	下師・082オ4・疊字	出	―	シユツ	中注	tś'iuet tś'iuei^3	術韻 至韻
5950a	下師・087オ1・官職	出	―	シユツ	右注	tś'iuet tś'iuei^3	術韻 至韻
4854	下木・056オ2・植物	秫	徳?	シヰツ	右傍	dźiuet	術韻
6332b	下飛・099オ1・疊字	術	―	スツ	左注	dźiuet	術韻

6712b	下世・111ウ6・疊字	術	―	スツ	中注	dźiuet	術韻
3808b	下江・017オ2・疊字	術	入	スヰツ	左注	dźiuet	術韻
4755b	下佐・052ウ5・疊字	術	―	スヰツ	左注	dźiuet	術韻
6394a	下毛・101オ5・植物	葎	入	リツ	右傍	liuet	術韻

【表B-10】上巻_ⅢAieŋ 清韻

番号	前田本所在	掲出字		仮名音注		中古音	韻目
0981	上仁・039オ4・辞字	攍	―	エイ	右傍	jieŋ^{1}	清韻
2639	上加・097ウ2・人事	謦	平	ケイ	右傍	k'ieŋ^{1} k'eŋ^{3}	清韻 徑韻
0504c	上波・021オ3・植物	精	平	セイ	右傍	tsieŋ^{1}	清韻
0895b	上波・033ウ6・疊字	精	平	セイ	左注	tsieŋ^{1}	清韻
0932	上仁・036オ4・植物	菁	平	セイ	右傍	tsieŋ^{1}	清韻
2750b	上加・100オ3・雜物	箐	平	セイ	右傍	tsieŋ^{1}	清韻
0072b	上伊・004ウ1・動物	鶄	平	セイ	右傍	tsieŋ^{1} ts'eŋ^{1}	清韻 青韻
0651	上波・026オ7・雜物	旌	平	セイ	右傍	tsieŋ^{1}	清韻
3055b	上加・109オ6・疊字	清	平	セイ	左注	ts'ieŋ^{1}	清韻
3141a	上加・110ウ6・疊字	請	―	カウ	右注	ts'ieŋ$^{1/2}$ dzieŋ^{3}	清/靜韻 勁韻
2963b	上加・108オ2・疊字	情	平	セイ	左注	dzieŋ^{1}	清韻
0230b	上伊・012ウ1・疊字	晴	平	セイ	右注	dzieŋ^{1}	清韻
0466	上波・020オ3・天象	晴	平	セイ	右傍	dzieŋ^{1}	清韻
0600	上波・024ウ3・人事	晴	平	セイ	右傍	dzieŋ^{1}	清韻
2972b	上加・108オ3・疊字	聲	上	シヤウ	左注	śieŋ^{1}	清韻
2371b	上和・090オ1・疊字	城	上濁	シヤウ	左注	źieŋ^{1}	清韻
2651b	上加・097ウ7・人事	城	平濁	セイ	左注	źieŋ^{1}	清韻
3114b	上加・110オ4・疊字	盛	去濁	シヤウ	右注	źieŋ$^{1/3}$	清/勁韻
1717a	上池・065ウ3・地儀	貞	平濁	チヤウ	左注	ṭieŋ^{1}	清韻
1863b	上池・069ウ7・疊字	貞	平	テイ	左注	ṭieŋ^{1}	清韻
1314a	上邊・051ウ5・雜物	赬	平	テイ	右傍	ṭ'ieŋ^{1}	清韻
2105b	上利・075ウ1・疊字	并	上濁	ヒヤウ	左注	pieŋ$^{1/3}$	清/勁韻
1368a	上邊・053オ4・疊字	并	平	ヘイ	中注	pieŋ$^{1/3}$	清/勁韻
1284	上邊・050オ2・地儀	屏	平 上	ヘイ	右注	pieŋ$^{1/2}$ beŋ^{1}	清/靜韻 青韻
0504b	上波・021オ3・植物	名	平	メイ	右傍	mieŋ^{1}	清韻
1892b	上池・070オ6・疊字	名	平	メイ ミヤウ	中注	mieŋ^{1}	清韻

1233b	上保・048オ6・疉字	令	平	リヤウ	左注	lieŋ$^{1/3}$ leŋ$^{1/3}$ lian^{1}	清/勁韻 青/徑韻 仙韻
1999	上利・073ウ1・人事	令	平	リヤウ	右注	lieŋ$^{1/3}$ leŋ$^{1/3}$ lian^{1}	清/勁韻 青/徑韻 仙韻
2054a	上利・074ウ6・疉字	令	平	リヤウ	左注	lieŋ$^{1/3}$ leŋ$^{1/3}$ lian^{1}	清/勁韻 青/徑韻 仙韻
2090a	上利・075オ5・疉字	令	平	リヤウ	左注	lieŋ$^{1/3}$ leŋ$^{1/3}$ lian^{1}	清/勁韻 青/徑韻 仙韻

【表B-10】下巻_ⅢAieŋ 清韻

番号	前田本所在	掲出字		仮名音注		中古音	韻目
3816a	下江・017オ3・疉字	嬰	平	エイ	左注	’ieŋ^{1}	清韻
3817a	下江・017オ3・疉字	嬰	平	エイ	左注	’ieŋ^{1}	清韻
3763a	下江・015オ3・人倫	嬰	—	エイ	左注	’ieŋ^{1}	清韻
3819a	下江・017オ4・疉字	嬰	—	エウ	左注	’ieŋ^{1}	清韻
3778	下江・015ウ7・雑物	纓	平	エイ	右傍	’ieŋ^{1}	清韻
6917b	下洲・120オ5・疉字	纓	平	エイ	左注	’ieŋ^{1}	清韻
5057a	下木・062オ5・疉字	輕	去	キヤウ	左注	k‘ieŋ$^{1/3}$	清/勁韻
4961a	下木・060ウ4・重點	軽	—	キヤウ	右傍	k‘ieŋ$^{1/3}$	清/勁韻
4961b	下木・060ウ4・重點	軽	—	キヤウ	右傍	k‘ieŋ$^{1/3}$	清/勁韻
5820a	下師・084ウ3・疉字	精	上	シヤウ	左注	tsieŋ^{1}	清韻
6854b	下洲・116オ7・雑物	精	上	シヤウ	右傍	tsieŋ^{1}	清韻
3917b	下手・021オ1・雑物	精	—	シヤウ [上上上]	右注	tsieŋ^{1}	清韻
5065b	下木・062オ6・疉字	精		シヤウ	左注	tsieŋ^{1}	清韻
5827a	下師・084ウ5・疉字	精	—	シヤウ	右注	tsieŋ^{1}	清韻
4600	下佐・048オ1・雑物	精	平	セイ	右傍	tsieŋ^{1}	清韻
6622	下世・107ウ7・人躰	精	平	セイ	右注	tsieŋ^{1}	清韻
6657a	下世・111オ4・疉字	精	平	セイ	左注	tsieŋ^{1}	清韻
6692a	下世・111ウ3・疉字	精	平	セイ	左注	tsieŋ^{1}	清韻
6701a	下世・111ウ4・疉字	精	平	セイ	左注	tsieŋ^{1}	清韻
6893	下洲・119オ6・辞字	精	—	セイ	右傍	tsieŋ^{1}	清韻
4099b	下阿・026オ4・植物	菁	平	セイ	右傍	tsieŋ^{1}	清韻
6200	下飛・095オ5・光彩	晶	平	セイ	右傍	tsieŋ^{1}	清韻
5560a	下師・079ウ2・疉字	清	—	シヤウ	左注	ts‘ieŋ^{1}	清韻
4202a	下阿・029オ7・人躰	清	平	セイ	右傍	ts‘ieŋ^{1}	清韻

4954	下木・060オ3・辞字	清	平	セイ	右傍	ts‘ieŋ^{1}	清韻
6492a	下世・106ウ4・地儀	清	平	セイ	右傍	ts‘ieŋ^{1}	清韻
6656a	下世・111オ4・疉字	清	平	セイ	左注	ts‘ieŋ^{1}	清韻
6758a	下世・112ウ2・疉字	清	平	セイ	右傍	ts‘ieŋ^{1}	清韻
6728a	下世・112オ3・疉字	清	―	セイ	右注	ts‘ieŋ^{1}	清韻
6745a	下世・112オ6・疉字	清	―	セイ	右注	ts‘ieŋ^{1}	清韻
5102b	下木・063オ2・疉字	請	上	シヤウ	左注	ts‘ieŋ$^{1/2}$ dzieŋ^{3}	清/靜韻 勁韻
5327a	下師・071オ1・人倫	請	―	シヤウ	右注	ts‘ieŋ$^{1/2}$ dzieŋ^{3}	清/靜韻 勁韻
4989b	下木・061オ4・疉字	請	平	セイ	左注	ts‘ieŋ$^{1/2}$ dzieŋ^{3}	清/靜韻 勁韻
6669a	下世・111オ6・疉字	請	上	セイ	右注	ts‘ieŋ$^{1/2}$ dzieŋ^{3}	清/靜韻 勁韻
6687a	下世・111ウ2・疉字	請	上	セイ	中注	ts‘ieŋ$^{1/2}$ dzieŋ^{3}	清/靜韻 勁韻
6573b	下世・110オ3・疉字	晴	平	セイ	左注	dzieŋ^{1}	清韻
5420a	下師・073ウ7・雑物	鉦	平	シヤウ	右注	tṣieŋ^{1}	清韻
5817a	下師・084ウ3・疉字	正	平 去	シヤウ	左注	tśieŋ$^{1/3}$	清/勁韻
5100b	下木・063オ2・疉字	正	平 去	セイ	左注	tśieŋ$^{1/3}$	清/勁韻
5748a	下師・083ウ3・疉字	聲	去	シヤウ	左注	śieŋ^{1}	清韻
3386	下古・004ウ2・人躰	聲	平	セイ	右傍	śieŋ^{1}	清韻
4049b	下阿・024オ7・天象	聲	平	セイ	左注	śieŋ^{1}	清韻
4356b	下阿・039オ4・疉字	聲	平	セイ	左注	śieŋ^{1}	清韻
6124b	下飛・093オ4・人躰	聲	平	セイ	右傍	śieŋ^{1}	清韻
5735a	下師・083オ6・疉字	城	去	シヤウ	右注	źieŋ^{1}	清韻
5549a	下師・079オ5・疉字	城	―	シヤウ	中注	źieŋ^{1}	清韻
5802a	下師・084オ7・疉字	成	―	シヤウ	左注	źieŋ^{1}	清韻
6651a	下世・111オ3・疉字	成	平	セイ	左注	źieŋ^{1}	清韻
6744a	下世・112オ6・疉字	成	平	セイ	右注	źieŋ^{1}	清韻
6751a	下世・112オ7・疉字	成	平	セイ	右注	źieŋ^{1}	清韻
6740a	下世・112オ5・疉字	成	去	セイ	右注	źieŋ^{1}	清韻
6756a	下世・112ウ1・疉字	成	―	セイ	右注	źieŋ^{1}	清韻
5831b	下師・084ウ5・疉字	盛	去濁	シヤウ	左注	źieŋ$^{1/3}$	清/勁韻
5890a	下師・085ウ1・疉字	盛	去濁	シヤウ	右注	źieŋ$^{1/3}$	清/勁韻
6797a	下洲・114オ1・植物	盛	平	セイ	右注	źieŋ$^{1/3}$	清/勁韻
6657b	下世・111オ4・疉字	誠	平	セイ	左注	źieŋ^{1}	清韻
3567	下古・007ウ2・雑物	楨	平	テイ	右傍	ṭieŋ^{1}	清韻
6065b	下飛・091ウ1・植物	楨	平	テイ	右傍	ṭieŋ^{1}	清韻

3348	下古・003オ2・植物	楨	―	テイ	右傍	ṭieŋ¹	清韻
4527	下佐・045ウ7・人事	禎	平	テイ	右傍	ṭieŋ¹	清韻
4342	下阿・037オ5・辞字	呈	平	テイ	右傍	ḍieŋ¹ᐟ³	清/勁韻
4533	下佐・046オ4・人事	酲	平	テイ	右傍	ḍieŋ¹	清韻
6312b	下飛・098ウ5・疊字	并	上	ヒヤウ	左注	pieŋ¹ᐟ³	清/勁韻
6181a	下飛・094ウ7・雜物	屏	去濁	ヒヤウ	右傍	pieŋ¹ᐟ² beŋ¹	清/靜韻 青韻
6189a	下飛・095オ2・雜物	屏	上濁	ヒヤウ	右注	pieŋ¹ᐟ² beŋ¹	清/靜韻 青韻
6190a	下飛・095オ2・雜物	屏	上濁	ヘイ	右傍	pieŋ¹ᐟ² beŋ¹	清/靜韻 青韻
3983b	下手・022ウ2・疊字	名	平	メイ	中注	mieŋ¹	清韻
4415a	下阿・040ウ7・国郡	名	―	ミヤウ	右傍	mieŋ¹	清韻
4416a	下阿・040ウ7・国郡	名	―	ミヤウ	右傍	mieŋ¹	清韻

【表B-10】上巻_ⅢAieŋ 靜韻

番号	前田本所在	掲出字		仮名音注		中古音	韻目
0407a	上呂・017ウ5・人體	癭	上	エイ	右傍	'ieŋ²	靜韻
1620b	上度・062ウ5・疊字	静	去	セイ	左注	dzieŋ²	靜韻
2094b	上利・075オ6・疊字	領	平	リヤウ	中注	lieŋ²	靜韻
2122a	上利・075ウ5・疊字	領	平	リヤウ	左注	lieŋ²	靜韻
1697b	上度・064オ6・官職	領	―	リヤウ	右傍	lieŋ²	靜韻
2020	上利・074オ3・辞字	領	―	リヤウ	右注	lieŋ²	靜韻
2035a	上利・074ウ2・疊字	領	―	リヤウ	左注	lieŋ²	靜韻
2036a	上利・074ウ2・疊字	領	―	リヤウ	右注	lieŋ²	靜韻

【表B-10】下巻_ⅢAieŋ 靜韻

番号	前田本所在	掲出字		仮名音注		中古音	韻目
3847a	下江・017ウ2・疊字	郢	上	エイ	左注	jieŋ²	靜韻
3885b	下手・019オ3・地儀	井	上濁	シヤウ	左注	tsieŋ²	靜韻
4719b	下佐・052オ3・疊字	静	去濁	シヤウ	左注	dzieŋ²	靜韻
5395b	下師・073ウ1・飲食	餅	上	ヘイ	右傍	pieŋ²	靜韻
5558b	下師・079ウ2・疊字	餅	上濁	ヘイ	左注	pieŋ²	靜韻
6534b	下世・108ウ3・飲食	餅	―	ヘイ［平濁上］	右注	pieŋ²	靜韻
6970b	下世・108ウ3・飲食	餅	―	ヘイ［平濁上］	右注	pieŋ²	靜韻
4420b	下阿・041オ3・官職	領	―	リヤウ	右注	lieŋ²	靜韻
6813b	下洲・114ウ4・人倫	領	―	リヤウ	右注	lieŋ²	靜韻

4649b	下佐・051オ2・疊字	嶺	上	レイ	左注	lieŋ^{2}	靜韻
3430	下古・006ウ5・雜物	衿	上	レイ	右傍	lieŋ^{2}	靜韻

【表B-10】上巻_ⅢAieŋ 勁韻

番号	前田本所在	掲出字		仮名音注		中古音	韻目
1276b	上保・049ウ1・諸寺	性	―	シヤウ	右注	sieŋ^{3}	勁韻
1204b	上保・047ウ7・疊字	性	去	セイ	右注	sieŋ^{3}	勁韻
1873b	上池・070オ2・疊字	姓	平	シヤウ	左注	sieŋ^{3}	勁韻
2279b	上遠・084ウ7・疊字	政	去	セイ	中注	tśieŋ^{3}	勁韻
3017b	上加・108ウ5・疊字	政	去	セイ	左注	tśieŋ^{3}	勁韻
1298	上邊・051オ3・人事	聘	―	ヘイ [平上]	右注	p‘ieŋ^{3}	勁韻

【表B-10】下巻_ⅢAieŋ 勁韻

番号	前田本所在	掲出字		仮名音注		中古音	韻目
5560b	下師・079ウ2・疊字	浄	―	シヤウ	左注	dzieŋ^{3}	勁韻
6758b	下世・112ウ2・疊字	浄	去濁	セイ	右傍	dzieŋ^{3}	勁韻
3634b	下古・011オ1・疊字	性	平	シヤウ	左注	sieŋ^{3}	勁韻
3973b	下手・022オ7・疊字	性	去濁	セイ	左注	sieŋ^{3}	勁韻
6525	下世・108オ3・人事	性	去	セイ	右傍	sieŋ^{3}	勁韻
5331	下師・071オ2・人倫	姓	―	シヤウ	右注	sieŋ^{3}	勁韻
5949a	下師・087オ1・官職	政	―	シヤウ	右傍	tśieŋ^{3}	勁韻
6761b	下世・112ウ7・官職	政	―	シヤウ	右傍	tśieŋ^{3}	勁韻
3742b	下江・014オ5・地儀	政	去	セイ	右注	tśieŋ^{3}	勁韻
5584b	下師・080オ6・疊字	政	―	セイ	右注	tśieŋ^{3}	勁韻
5569a	下師・079ウ6・疊字	聖	平	シヤウ	右注	śieŋ^{3}	勁韻
5322a	下師・070ウ7・人倫	聖	―	シヤウ	右注	śieŋ^{3}	勁韻
4779b	下佐・053オ4・疊字	聖	去	セイ	右注	śieŋ^{3}	勁韻
6733a	下世・112オ4・疊字	聖	―	セイ	右傍	śieŋ^{3}	勁韻
3971a	下手・022オ6・疊字	鄭	去	テイ	左注	ḍieŋ^{3}	勁韻

【表B-10】上巻_ⅢAiek 昔韻

番号	前田本所在	掲出字		仮名音注		中古音	韻目
3261b	上与・117ウ6・疊字	益	入	ヤク	左注	’iek	昔韻
2108b	上利・075ウ2・疊字	益	―	ヤク	左注	’iek	昔韻
0850b	上波・033オ4・疊字	奕	入	エキ	左注	jiek	昔韻
0444b	上呂・019オ3・疊字	驛	入	エキ	右傍	jiek	昔韻
1165b	上保・047オ6・疊字	譯	入	ヤク	左注	jiek	昔韻

2287	上和・085ウ7・地儀	掖	—	エキ	右傍	jiek	昔韻
2302	上和・086ウ6・人躰	腋	入	エキ	右傍	jiek	昔韻
2342	上和・088オ5・雜物	袨	入	エキ	右傍	jiek tśiek	昔韻 昔韻
2343b	上和・088オ5・雜物	袨	入	エキ	右傍	jiek tśiek	昔韻 昔韻
3102b	上加・110オ1・疊字	易	入	エキ	右注	jiek jie3	昔韻 寘韻
1657b	上度・063オ6・疊字	跡	入	セキ	左注	tsiek	昔韻
1728b	上池・066オ5・動物	鯽	入	セキ	右傍	tsiek	昔韻
2158	上奴・077ウ2・人事	蹐	—	セキ	右傍	tsiek	昔韻
1446a	上度・055ウ1・動物	鶺	入	セキ	右傍	tsiek tsiɐk	昔韻 職韻
0944a	上仁・036ウ3・植物	鶺	—	セキ	右傍	tsiek tsiɐk	昔韻 職韻
2282b	上遠・084ウ7・疊字	積	入	セキ	左注	tsiek tsie3	昔韻 寘韻
1844b	上池・069ウ3・疊字	昔	入	シヤク	左注	siek	昔韻
2377b	上和・090オ2・疊字	昔	入	シヤク	左注	siek	昔韻
2378b	上和・090オ2・疊字	昔	入	セキ	左注	siek	昔韻
2118b	上利・075ウ4・疊字	惜	入濁	セキ	左注	siek	昔韻
2428	上加・091ウ2・地儀	潟	入	セキ	右傍	siek	昔韻
3105b	上加・110オ2・疊字	夕	入	シヤク	右注	ziek	昔韻
2863b	上加・106ウ3・疊字	夕	入	セキ	左注	ziek	昔韻
2073b	上利・075オ2・疊字	席	入	セキ	左注	ziek	昔韻
0472b	上波・020オ6・地儀	石	—	シヤク	右注	źiek	昔韻
1031b	上保・041ウ4・地儀	石	—	シヤク	右注	źiek	昔韻
1438a	上度・055オ3・植物	石	—	サク	右傍	źiek	昔韻
1769b	上池・067ウ4・雜物	石	—	サク	中注	źiek	昔韻
1835b	上池・069ウ1・疊字	石	入	セキ	中注	źiek	昔韻
2877b	上加・106ウ5・疊字	石	入濁	セキ	左注	źiek	昔韻
0064b	上伊・004オ3・植物	躑	入	テキ	右傍	ḍiek	昔韻
2643a	上加・097ウ3・人事	擲	入	テキ	右傍	ḍiek	昔韻
1326a	上邊・052ウ3・疊字	碧	入	ヘキ	右注	piek	昔韻
1339a	上邊・052ウ6・疊字	碧	入	ヘキ	左注	piek	昔韻
1380a	上邊・053オ7・疊字	碧	入	ヘキ	中注	piek	昔韻
1378a	上邊・053オ6・疊字	辟	入	ヘキ	左注	piek biek	昔韻 昔韻
1330a	上邊・052ウ4・疊字	僻	入	ヘキ	中注	p‘iek p‘ek	昔韻 錫韻

1363a	上邊・053オ3・疊字	僻	入	ヘキ	右注	p'iek p'ek	昔韻 錫韻
1954d	上池・071オ5・疊字	僻	―	ヘキ	右傍	p'iek p'ek	昔韻 錫韻

【表B-10】下巻_ⅢAiek 昔韻

番号	前田本所在	掲出字		仮名音注		中古音	韻目
6687b	下世・111ウ2・疊字	益	入	エキ	中注	'iek	昔韻
3849a	下江・017ウ3・疊字	嶧	入	エキ	左注	jiek	昔韻
4859a	下木・056オ4・植物	嶧	入	エキ	左注	jiek	昔韻
6007b	下會・089ウ1・疊字	驛	入	ヤク	中注	jiek	昔韻
6309b	下飛・098ウ4・疊字	驛	―	ヤク	左注	jiek	昔韻
3840a	下江・017ウ1・疊字	驛	入	エキ	左注	jiek	昔韻
4753b	下佐・052ウ5・疊字	驛	―	エキ	左注	jiek	昔韻
6935b	下洲・120ウ2・疊字	驛	―	エキ	左注	jiek	昔韻
6039	下飛・090ウ7・地儀	帟	―	エキ	右傍	jiek	昔韻
6625b	下世・110ウ5・疊字	掖	入	エキ	左注	jiek	昔韻
3434	下古・006ウ6・雜物	䘸	入	エキ	右傍	jiek tśiek	昔韻 昔韻
3806a	下江・017オ1・疊字	易	入	エキ	中注	jiek jie^{3}	昔韻 寘韻
3846a	下江・017ウ2・疊字	易	入	エキ	左注	jiek jie^{3}	昔韻 寘韻
5048b	下木・062オ3・疊字	蹐	入	セキ	左注	tsiek	昔韻
6291b	下飛・098ウ1・疊字	跡	入	セキ	左注	tsiek	昔韻
6186b	下飛・095オ2・雜物	積	入	セキ	右傍	tsiek tsie^{3}	昔韻 寘韻
6596a	下世・110オ7・疊字	積	入	セキ	右傍	tsiek tsie^{3}	昔韻 寘韻
6658a	下世・111オ4・疊字	積	入	セキ	左注	tsiek tsie^{3}	昔韻 寘韻
5814a	下師・084ウ2・疊字	積	―	シヤク	右注	tsiek tsie^{3}	昔韻 寘韻
4652b	下佐・051オ2・疊字	磧	入	セキ	左注	ts'iek	昔韻
6629a	下世・110ウ5・疊字	碩	入	セキ	右注	ts'iek	昔韻
3455b	下古・007オ5・雜物	籍	入	セキ	右傍	dziek	昔韻
3456b	下古・007オ5・雜物	籍	入	シヤク ［平濁平平］	右注	dziek	昔韻
5426	下師・074オ1・雜物	籍	―	シヤク	右傍	dziek	昔韻
3728b	下古・013オ1・疊字	惜	―	シヤク	右傍	siek	昔韻
4701b	下佐・051ウ6・疊字	席	入	セキ	右注	ziek	昔韻

5783b	下師・084オ4・疊字	席	入	セキ	左注	ziek	昔韻
5876b	下師・085オ6・疊字	席	入	セキ	右注	ziek	昔韻
6736b	下世・112オ4・疊字	席	入	セキ	右注	ziek	昔韻
6684a	下世・111ウ1・疊字	席	—	セキ	右注	ziek	昔韻
4181	下阿・029オ2・人躰	蹠	入	セキ	右傍	tśiek	昔韻
4182	下阿・029オ2・人躰	跖	—	シヤク	右傍	tśiek	昔韻
4230	下阿・031オ5・飲食	炙	入	セキ	右傍	tśiek tśia3	昔韻 禡韻
4330	下阿・035ウ5・辞字	炙	入	セキ	右傍	tśiek tśia3	昔韻 禡韻
5421a	下師・073ウ7・雜物	赤	—	シヤク	右注	tś‘iek	昔韻
4309a	下阿・033ウ1・光彩	赤	入	セキ	右傍	tś‘iek	昔韻
6517a	下世・107ウ5・人倫	赤	入	セキ	右傍	tś‘iek	昔韻
6747a	下世・112オ7・疊字	赤	—	セキ	右注	tś‘iek	昔韻
5424a	下師・074オ1・雜物	尺	入	シヤク	右注	tś‘iek	昔韻
5483	下師・075ウ1・員數	尺	—	シヤク	右注	tś‘iek	昔韻
4785b	下佐・053オ6・疊字	尺	—	（シヤク）	左注	tś‘iek	昔韻
5548b	下師・079オ4・疊字	尺	入	セキ	右注	tś‘iek	昔韻
6746a	下世・112オ6・疊字	尺	—	セキ	右傍	tś‘iek	昔韻
5999b	下會・089オ7・疊字	釋	入	シヤク	左注	śiek	昔韻
4613	下佐・048ウ3・辞字	螫	入	セキ	右傍	śiek	昔韻
6257b	下飛・098オ2・疊字	石	入	セキ	右注	źiek	昔韻
6754a	下世・112ウ1・疊字	石	—	セキ	右注	źiek	昔韻
4463a	下佐・043ウ1・植物	石	—	サク	右注	źiek	昔韻
3438a	下古・006ウ7・雜物	擲	入	テキ	右傍	ḍiek	昔韻
4029a	下手・023オ5・疊字	擲	入	テキ	左注	ḍiek	昔韻
6402b	下毛・101オ7・植物	躑	入	テキ	右傍	ḍiek	昔韻
3874a	下手・018ウ4・天象	碧	入	ヘキ	右注	piek	昔韻
6186a	下飛・095オ2・雜物	襞	入	ヘキ	右傍	piek	昔韻
4452b	下佐・043オ2・地儀	壁	徳	ヘキ	右傍	piek	昔韻
6011b	下會・089ウ3・疊字	壁	徳	ヘキ	左注	piek	昔韻

【表B-10】上巻_ⅢA1uek 清韻

番号	前田本所在	掲出字		仮名音注		中古音	韻目
0027	上伊・003オ2・地儀	營	平	エイ	右傍	jiueŋ1	清韻
0207	上伊・011オ2・辞字	營	平	エイ	右傍	jiueŋ1	清韻
1208b	上保・048オ1・疊字	營	平	エイ	左注	jiueŋ1	清韻
1577b	上度・062オ3・疊字	傾	平	ケイ	右注	k‘iueŋ1	清韻
2834	上加・104ウ4・辞字	傾	平	ケイ	右傍	k‘iueŋ1	清韻

【表B-10】下巻_ⅢAiueŋ 清韻

番号	前田本所在	掲出字		仮名音注		中古音	韻目
3850a	下江・017ウ3・疊字	營	平	エイ	左注	jiueŋ[1]	清韻

【表B-10】上巻_ⅢAiueŋ 昔韻

番号	前田本所在	掲出字		仮名音注		中古音	韻目
1461	上度・056オ6・人體	疫	徳?	エキ	右傍	jiuek	昔韻
1462	上度・056オ6・人體	疫	徳?	ヤク	右傍	jiuek	昔韻

【表B-10】下巻_ⅢAiuek 昔韻

番号	前田本所在	掲出字		仮名音注		中古音	韻目
3767	下江・015オ6・人躰	疫	入	エキ	右傍	jiuek	昔韻
3768	下江・015オ6・人躰	疫	入	ヤク	右注	jiuek	昔韻
3857b	下江・017ウ4・疊字	役	入	ヤク	左注	jiuek	昔韻

【表B-11】上巻_保留（廣韻不載例）

番号	前田本所在	掲出字		仮名音注		中古音	韻目
0077	上伊・004ウ2・動物	犭+于	平	ウ	右傍	(ɣiuʌ^{1})	(虞韻)
0079	上伊・004ウ3・動物	猧	平	ワ	右傍	(k‘uɐ^{1})	(佳韻)
0180	上伊・008ウ6・雜物	碇	去	テイ	右傍	(deŋ^{3})	(徑韻)
0499b	上波・021オ2・植物	菏	—	カ［上］	右注	(ɣɑ$^{1/2}$)	(歌/哿韻)
0528	上波・022オ1・植物	蜜	入濁	ヒツ	右傍	(miet)	(質韻)
0559b	上波・023オ2・動物	蚸	入	セキ	右傍	(tś‘iek)	(昔韻)
0938a	上加・091ウ2・地儀	硶	上	セン	右傍	(dẓian^{2})	(獮韻)
1436	上度・055オ2・植物	籐	去	トウ	右注	(dʌŋ^{1})	(登韻)
1682a	上度・063ウ5・疊字	駍	平	ハウ	右傍	(biaŋ^{1})	(庚韻)
1782	上池・068オ2・員數	幀	—	チヤウ	右傍	(ṭieŋ^{1})	(清韻)
2016a	上利・073ウ6・雜物	裲	上	リヤウ	右注	(liɑŋ^{2})	(養韻)
2117b	上利・075ウ4・疊字	楞	平	カイ	左注	(kɐi^{3})	(怪韻)
2144	上奴・076ウ3・植物	樗	平	チヨ	右傍	(ṭ‘iʌ^{1})	(魚韻)
2223a	上遠・080ウ3・動物	淫+鳥	—	イム	右傍	(jiem^{1})	(侵韻)
2537a	上加・094ウ3・動物	鯛	上	マウ	右傍	(miɑŋ^{2})	(養韻)
0063	上伊・004オ3・植物	枡	—	セウ	左注	(śiɐŋ^{1})	(国字)
1045b	上保・042オ4・植物	枡	平 入	セウ	右傍	(śiɐŋ^{1})	(国字)
0069	上伊・004オ7・動物	鵃	入	カク	右傍	(kauk)	(国字)
0191b	上伊・009オ7・員數	擽	—	チヤク	右注	(ṭak)	(国字)
0476	上波・020オ7・地儀	畠	入	ハク	右傍	(bak)	(国字)
1763	上池・067ウ3・雜物	褌	入	ヒツ	右傍	(pjiet)	(国字)
2699a	上加・099オ1・雜物	纐	入	カウ	右注	(kau^{2})	(国字)

【表B-11】下巻_保留（廣韻不載例）

番号	前田本所在	掲出字		仮名音注		中古音	韻目
3569a	下古・007ウ2・雜物	糸+胡	平	コ	右傍	(ɣuʌ^{1})	(模韻)
4097a	下阿・026オ3・植物	艹+偏	平	ヘイ	右傍	(pen$^{1/2}$)	(先/銑韻)
4796a	下佐・053ウ2・疊字	浶	平	ラウ	右傍	(luu^{1})	(豪韻)
5353b	下師・071ウ5・人躰	臌	—	テン	右傍	(ten^{3}) (den^{3})	(霰韻) (霰韻)
5469b	下師・074ウ7・雜物	籐	—	トウ	右注	(dʌŋ^{1})	(登韻)
5785a	下師・084オ5・疊字	惝	去	シヤウ	右注	(tś‘iɑŋ^{2})	(養韻)
6837b	下洲・116オ3・雜物	芯	去	シム	右傍	(ts‘iem^{1})	(侵韻)
6624a	下世・110ウ5・疊字	栟	平	セウ	右注	(śiɐŋ^{1})	(国字)
6625a	下世・110ウ5・疊字	栟	平	セウ	左注	(śiɐŋ^{1})	(国字)
6888	下洲・118ウ1・辞字	栟	平	シヨウ	右傍	(śiɐŋ^{1})	(国字)
6970a	下世・108ウ3・飲食	飠+専	—	セン［平平］	右注	(tsian$^{1/3}$)	(仙/線韻)

【表C-01】上巻_幫母 p

番号	前田本所在	掲出字		仮名音注		中古音	韻目
0497a	上波・021オ2・植物	芭	平	ハ	右傍	pa^{1}	麻韻
0688a	上波・027ウ4・雜物	巴	―	ハ	右注	pa^{1}	麻韻
0894a	上波・033ウ6・疊字	巴	平	ハ	右注	pa^{1}	麻韻
0695	上波・028ウ1・員數	把	―	ハ	右注	pa^{2}	馬韻
0459b	上呂・019ウ2・諸寺	波	―	ハ	右注	pɑ^{1}	戈韻
0744a	上波・031ウ4・疊字	波	平	ハ	左注	pɑ^{1}	戈韻
0745a	上波・031ウ4・疊字	波	平	ハ	右注	pɑ^{1}	戈韻
0812a	上波・032ウ4・疊字	波	平	ハ	中注	pɑ^{1}	戈韻
0834b	上波・033オ1・疊字	波	平濁	ハ	中注	pɑ^{1}	戈韻
0857a	上波・033オ6・疊字	波	平	ハ	中注	pɑ^{1}	戈韻
1223b	上保・048オ4・疊字	波	平	ハ	左注	pɑ^{1}	戈韻
3158b	上加・111ウ4・國郡	波	―	ハ	右傍	pɑ^{1}	戈韻
0716a	上波・031オ4・重點	皤	平	ハ	右注	pɑ^{1} bɑ^{1}	戈韻 戈韻
0716b	上波・031オ4・重點	皤	平	ハ	右注	pɑ^{1} bɑ^{1}	戈韻 戈韻
0753a	上波・031ウ6・疊字	拜	去	ハイ	右注	pɐi^{3}	怪韻
0755a	上波・031ウ6・疊字	拜	平	ハイ	右注	pɐi^{3}	怪韻
0804a	上波・032ウ2・疊字	拜	去	ハイ	右注	pɐi^{3}	怪韻
0805a	上波・032ウ2・疊字	拜	去	ハイ	右注	pɐi^{3}	怪韻
0884a	上波・033ウ4・疊字	拜	去	ハイ	右注	pɐi^{3}	怪韻
0605	上波・024ウ6・人事	拜	―	ハイ ［平上］	右注	pɐi^{3}	怪韻
0092b	上伊・005オ3・動物	貝	去	ハイ	右傍	pɑi^{3}	泰韻
0492a	上波・021オ1・植物	貝	去	ハイ	右傍	pɑi^{3}	泰韻
2547	上加・094ウ6・動物	貝	去	ハイ	右傍	pɑi^{3}	泰韻
0863a	上波・033オ7・疊字	沛	去	ハイ	右注	pɑi^{3} p'ɑi^{3}	泰韻 泰韻
1346b	上邊・052ウ7・疊字	閇	平	ハイ	右注	pei^{3} pet	霽韻 屑韻
0794a	上波・032オ7・疊字	癈	平	ハイ	右注	piɑi^{3}	廢韻
0873a	上波・033ウ2・疊字	癈	平	ハイ	右注	piɑi^{3}	廢韻
1906b	上池・070ウ1・疊字	癈	平	ハイ	左注	piɑi^{3}	廢韻
2056b	上利・074ウ6・疊字	綍	去	ハイ	右注	piuʌt	物韻
0844a	上波・033オ3・疊字	盃	平	ハイ	左注	puʌi^{1}	灰韻
0847a	上波・033オ4・疊字	盃	平	ハイ	左注	puʌi^{1}	灰韻
1399b	上邊・053ウ4・疊字	坏	平	ハイ	右注	puʌi^{1}	灰韻
2072b	上利・075オ2・疊字	盃	平	ハイ	左注	puʌi^{1}	灰韻
2124b	上利・075ウ5・疊字	盃	平	ハイ	左注	puʌi^{1}	灰韻
0764b	上波・032オ1・疊字	輩	去濁	ハイ	右注	puʌi^{3}	隊韻

1623b	上度・062ウ6・疊字	輩	平濁	ハイ	左注	puʌi^{3}	隊韻
2698a	上加・099オ1・雜物	背	去	ハイ	右傍	puʌi^{3} buʌi^{3}	隊韻 隊韻
0091	上伊・005オ1・動物	脬	去	ハウ	右傍	pau^{1}	肴韻
0718a	上波・031オ4・重點	苞	—	ハウ	右注	pau^{1}	肴韻
0718b	上波・031オ4・重點	苞	—	ハウ	右注	pau^{1}	肴韻
0792a	上波・032オ7・疊字	苞	平	ハウ	右注	pau^{1}	肴韻
2814	上加・102ウ2・辞字	包	平	ハウ	右傍	pau^{1}	肴韻
0910a	上波・034オ6・疊字	飽	—	ハウ	右注	pau^{2}	巧韻
0731a	上波・031ウ1・疊字	豹	去	ハウ	右注	pau^{3}	効韻
2408b	上和・090ウ1・疊字	豹	去	ハウ	右注	pau^{3}	効韻
0636a	上波・026オ2・飲食	餺	入	ハウ	右注	pak	鐸韻
0738a	上波・031ウ3・疊字	牓	上	ハウ	左注	paŋ^{2}	蕩韻
0264b	上伊・012ウ7・疊字	方	上	ハウ	左注	piaŋ^{1} biaŋ^{1}	陽韻 陽韻
0760a	上波・031ウ7・疊字	方	去	ハウ	中注	piaŋ^{1} biaŋ^{1}	陽韻 陽韻
2786	上加・101オ3・方角	方	平	ハウ	右傍	piaŋ^{1} biaŋ^{1}	陽韻 陽韻
0301b	上伊・013ウ1・疊字	放	去	ハウ	右注	piaŋ$^{2/3}$	養/漾韻
0634a	上波・025ウ7・人事	放	去	ハウ	右傍	piaŋ$^{2/3}$	養/漾韻
0772a	上波・032オ3・疊字	放	平	ハウ	中注	piaŋ$^{2/3}$	養/漾韻
0773a	上波・032オ3・疊字	放	去	ハウ	左注	piaŋ$^{2/3}$	養/漾韻
0774a	上波・032オ3・疊字	放	去	ハウ	右注	piaŋ$^{2/3}$	養/漾韻
0776a	上波・032オ4・疊字	放	去	ハウ	中注	piaŋ$^{2/3}$	養/漾韻
0791a	上波・032オ7・疊字	放	去	ハウ	右注	piaŋ$^{2/3}$	養/漾韻
0815a	上波・032ウ4・疊字	放	去	ハウ	右注	piaŋ$^{2/3}$	養/漾韻
0818a	上波・032ウ5・疊字	放	去	ハウ	左注	piaŋ$^{2/3}$	養/漾韻
0829a	上波・032ウ7・疊字	放	去	ハウ	左注	piaŋ$^{2/3}$	養/漾韻
0835a	上波・033オ1・疊字	放	去	ハウ	左注	piaŋ$^{2/3}$	養/漾韻
0848a	上波・033オ4・疊字	放	平	ハウ	右注	piaŋ$^{2/3}$	養/漾韻
0865a	上波・033オ7・疊字	放	去	ハウ	左注	piaŋ$^{2/3}$	養/漾韻
0866a	上波・033ウ1・疊字	放	平	ハウ	右注	piaŋ$^{2/3}$	養/漾韻
0867a	上波・033ウ1・疊字	放	平	ハウ	左注	piaŋ$^{2/3}$	養/漾韻
3016b	上加・108ウ5・疊字	法	入	ハウ	左注	piʌp	乏韻
0386b	上伊・016オ4・官職	博	—	ハカ	右注	pak	鐸韻
3288a	上波・034ウ7・國郡	博	—	ハカ	右注	pak	鐸韻
0915a	上波・035オ2・官職	博	—	ハカ	右注	pak	鐸韻
0059b	上伊・004オ2・植物	栢	入	ハク	右傍	pak	陌韻
2491	上加・093オ7・植物	栢	—	ハク	右傍	pak	陌韻
0913	上波・035オ2・官職	伯	—	ハク	右注	pak	陌韻
2576b	上加・095ウ6・人倫	伯	入	ハク	右傍	pak	陌韻
3277a	上波・034ウ5・國郡	伯	—	ハヽ	右注	pak	陌韻

0725a	上波・031オ7・疊字	迫	入	ハク	左注	pak	陌韻
0901a	上波・034オ1・疊字	百	入	ハク	右注	pak	陌韻
0902a	上波・034オ1・疊字	百	入	ハク	右注	pak	陌韻
0903a	上波・034オ1・疊字	百	入	ハク	左注	pak	陌韻
1042a	上保・042オ3・植物	百	入	ハク	右傍	pak	陌韻
0868b	上波・033ウ1・疊字	駮	入	ハク	右注	pauk	覺韻
0622a	上波・025オ7・人事	愽	―	ハク	右注	pɑk	鐸韻
0635a	上波・026オ2・飲食	餺	入	ハク	右傍	pɑk	鐸韻
0758a	上波・031ウ7・疊字	博	入	ハク	左注	pɑk	鐸韻
0819a	上波・032ウ5・疊字	博	入	ハク	中注	pɑk	鐸韻
0821a	上波・032ウ6・疊字	博	入	ハク	左注	pɑk	鐸韻
0822a	上波・032ウ6・疊字	博	入	ハク	左注	pɑk	鐸韻
0823a	上波・032ウ6・疊字	博	入	ハク	左注	pɑk	鐸韻
0877a	上波・033ウ3・疊字	博	入	ハク	右注	pɑk	鐸韻
2589	上加・096オ4・人體	髆	―	ハク	右傍	pɑk	鐸韻
1502	上度・057オ7・雜物	轉	入	ハク	右傍	pɑk bʌu^{3}	鐸韻 侯韻
0488a	上波・020ウ4・地儀	搏	入	ハク	右傍	pɑk p'ɑk piuʌ^{3}	鐸韻 鐸韻 虞韻
3165	上加・112オ2・官職	伯	―	ハク	右傍	pak	陌韻
0836a	上波・033オ2・疊字	八	入	ハチ	右注	pɐt	黠韻
0666	上波・027オ1・雜物	鉢	入	ハチ	右注	pɑt	末韻
0749a	上波・031ウ5・疊字	八	入	ハツ	左注	pɐt	黠韻
0750a	上波・031ウ5・疊字	八	入	ハツ	右注	pɐt	黠韻
0849a	上波・033オ4・疊字	八	入	ハツ	左注	pɐt	黠韻
0887a	上波・033ウ5・疊字	八	入	ハツ	右注	pɐt	黠韻
0896a	上波・033ウ7・疊字	八	入	ハツ	左注	pɐt	黠韻
0911a	上波・034ウ1・諸社	八	―	ハツ	右注	pɐt	黠韻
0880a	上波・033ウ3・疊字	撥	入	ハツ	右注	pɑt	末韻
0786a	上波・032オ6・疊字	發	入	ハツ	右注	piɑt	月韻
0875a	上波・033ウ2・疊字	發	入	ハツ	右注	piɑt	月韻
0876a	上波・033ウ3・疊字	發	入	ハツ	右注	piɑt	月韻
0878a	上波・033ウ3・疊字	發	入	ハツ	右注	piɑt	月韻
0879a	上波・033ウ3・疊字	發	入	ハツ	右注	piɑt	月韻
0771b	上波・032オ3・疊字	髮	―	ハツ	左注	piɑt	月韻
0782a	上波・032オ5・疊字	髮	入	ハツ	左注	piɑt	月韻
1855b	上池・069ウ5・疊字	髮	入	ハツ	左注	piɑt	月韻
2098b	上利・075オ7・疊字	髮	入	ハツ	左注	piɑt	月韻
2565b	上加・095オ6・動物	髮	入	ハツ	右傍	piɑt	月韻
2582	上加・096オ2・人體	髮	入	ハツ	右傍	piɑt	月韻
2932b	上加・107ウ2・疊字	髮	入	ハツ	左注	piɑt	月韻
2933b	上加・107ウ3・疊字	髮	入	ハツ	左注	piɑt	月韻
0912a	上波・034ウ3・諸寺	法	―	ハツ	右傍	piʌp	乏韻
0366a	上伊・015ウ5・国郡	法	―	ハフ	右注	piʌp	乏韻
0754a	上波・031ウ6・疊字	版	去	ハム	左注	pan^{2}	潸韻
0640a	上波・026オ4・雜物	半	去	ハム	右注	pɑn^{3}	換韻

3279a	上波・034ウ5・國郡	播	―	ハリ	右注	pɑ^{3}	過韻
0642a	上波・026オ5・雜物	班	―	ハン	右注	pan^{1}	刪韻
0839a	上波・033オ2・疊字	斑	平	ハン	左注	pan^{1}	刪韻
0868a	上波・033ウ1・疊字	斑	平	ハン	右注	pan^{1}	刪韻
0174	上伊・008ウ4・雜物	板	上	ハン	右傍	pan^{2}	潸韻
3289a	上波・034ウ7・國郡	板	―	ハン	右注	pan^{2}	潸韻
2153a	上奴・077オ5・人躰	板	上	ハン	右傍	pan^{2}	潸韻
0569a	上波・023ウ1・人倫	半	平	ハン	右傍	pɑn^{3}	換韻
0647a	上波・026オ6・雜物	半	―	ハン	右注	pɑn^{3}	換韻
0659a	上波・026ウ3・雜物	半	平	ハン	右注	pɑn^{3}	換韻
0727a	上波・031ウ1・疊字	半	平	ハン	右注	pɑn^{3}	換韻
0761a	上波・031ウ7・疊字	半	平	ハン	中注	pɑn^{3}	換韻
0864a	上波・033オ7・疊字	半	去	ハン	右注	pɑn^{3}	換韻
0891a	上波・033ウ6・疊字	半	去	ハン	右注	pɑn^{3}	換韻
1036a	上保・042オ1・植物	半	平	ハン	右傍	pɑn^{3}	換韻
1114	上保・045オ2・雜物	絆	去	ハン	右傍	pɑn^{3}	換韻
1402a	上邊・053ウ5・疊字	變	平	ハン	右注	pian^{3}	線韻
2533a	上加・094ウ2・動物	鐇	平	ハン	右傍	piɑn^{1}	元韻
2445	上加・091ウ7・地儀	藩	平	ハン	右傍	piɑn^{1} biɑn^{1}	元韻 元韻
0833a	上波・033オ1・疊字	反	上	ハン	右注	piɑn^{2}	阮韻
0906a	上波・034オ2・疊字	反	上	ハン	左注	piɑn^{2}	阮韻
2403b	上和・090オ7・疊字	反	上濁	ハン	左注	piɑn^{2}	阮韻
3135a	上加・110ウ2・疊字	陂	平	ヒ	右傍	pie$^{1/3}$	支/寘韻
2634	上加・097オ5・人事	悲	平	ヒ	右傍	piei^{1}	脂韻
0123	上伊・006ウ2・人事	鄙	―	ヒ	右傍	piei^{2}	旨韻
1333b	上邊・052ウ4・疊字	鄙	上	ヒ	中注	piei^{2}	旨韻
1679b	上度・063ウ3・疊字	鄙	上	ヒ	左注	piei^{2}	旨韻
2091b	上利・075オ6・疊字	非	上	ヒ	左注	piʌi^{1}	微韻
1421	上度・054ウ2・地儀	扉	平	ヒ	右傍	piʌi^{1}	微韻
0288b	上伊・013オ5・疊字	飛	平	ヒ	右注	piʌi^{1}	微韻
1499a	上度・057オ7・雜物	飛	平	ヒ	右傍	piʌi^{1}	微韻
2492a	上加・093オ7・植物	榧	上	ヒ	右傍	piʌi^{2}	尾韻
3027b	上加・108ウ7・疊字	兵	上	ヒヤウ	左注	piaŋ^{1}	庚韻
2105b	上利・075ウ1・疊字	并	上濁	ヒヤウ	左注	pieŋ$^{1/3}$	清/勁韻
0578	上波・023ウ7・人躰	膚	平	フ	右傍	piuʌ^{1}	虞韻
0743b	上波・031ウ4・疊字	夫	平	フ	右注	piuʌ^{1} biuʌ^{1}	虞韻 虞韻
1220b	上保・048オ3・疊字	夫	平	フ	左注	piuʌ^{1} biuʌ^{1}	虞韻 虞韻
2239	上遠・081オ5・人倫	夫	平	フ	右傍	piuʌ^{1} biuʌ^{1}	虞韻 虞韻

3169b	上加・112オ2・官職	夫	上濁	フ	右傍	piuʌ^{1} biuʌ^{1}	虞韻 虞韻
3239b	上与・117ウ2・疊字	夫	上	フ	左注	piuʌ^{1} biuʌ^{1}	虞韻 虞韻
0406b	上呂・017ウ4・人體	府	上	フ	右注	piuʌ^{2}	麌韻
1964c	上池・071ウ5・國郡	府	―	フ	右注	piuʌ^{2}	麌韻
3220	上与・115ウ3・雜物	斧	上	フ	右傍	piuʌ^{2}	麌韻
1095b	上保・044オ6・飲食	脯	上	フ	右傍	piuʌ^{2}	麌韻
0266b	上伊・013オ1・疊字	父	上	フ	左注	piuʌ^{2} biuʌ^{2}	麌韻 麌韻
2629	上加・097オ3・人事	傅	去	フ	右傍	piuʌ^{3}	遇韻
2135b	上利・076オ1・疊字	不	―	フ	左注	piʌu$^{1/2/3}$ piuʌt	尤/有/宥韻 物韻
3247b	上与・117ウ3・疊字	不	上	フ	左注	piʌu$^{1/2/3}$ piuʌt	尤/有/宥韻 物韻
1102	上保・044ウ6・雜物	缶	―	フ	右傍	piʌu^{2}	有韻
1410b	上邊・053ウ6・疊字	否	上	フ	左注	piʌu^{2} biei^{2}	有韻 旨韻
0035b	上伊・003オ5・地儀	冨	上	フ	右傍	piʌu^{3}	宥韻
1387b	上邊・053ウ1・疊字	補	上	フ	左注	puʌ^{2}	姥韻
3219b	上与・115ウ3・雜物	布	―	フ	右傍	puʌ^{3}	暮韻
0519	上波・021ウ4・植物	菶	平	フ	右傍	pʌuŋ^{2} bʌuŋ^{2}	董韻 董韻
2217	上遠・080ウ1・植物	楓	平	フウ	右傍	piʌuŋ^{1}	東韻
0488b	上波・020ウ4・地儀	風	上	フウ	右傍	piʌuŋ$^{1/3}$	東/送韻
1152b	上保・047オ3・疊字	風	平	フウ	左注	piʌuŋ$^{1/3}$	東/送韻
1572b	上度・062オ2・疊字	風	平	フウ	中注	piʌuŋ$^{1/3}$	東/送韻
0577	上波・023ウ6・人躰	腹	入	フク	右傍	piʌuk	屋韻
1592b	上度・062オ6・疊字	腹	入	フク	中注	piʌuk	屋韻
2560b	上加・095オ3・動物	蝠	入	フク	右傍	piʌuk	屋韻
0392b	上伊・016ウ1・姓氏	福	―	フク	右注	piʌuk	屋韻
2404b	上和・090オ7・疊字	複	入	フク	左注	piʌuk biʌu^{3}	屋韻 宥韻
2154	上奴・077オ5・人躰	髴	入	フツ	右傍	p'iuʌt	物韻
0678b	上波・027オ6・雜物	粉	上	フン	右傍	piuʌn^{2}	吻韻
1314b	上邊・051ウ5・雜物	粉	上	フン	右傍	piuʌn^{2}	吻韻
0360b	上伊・015ウ4・国郡	拜	―	ヘ ［平濁］	右傍	puɐi^{3}	怪韻
1367a	上邊・053オ4・疊字	閉	去	ヘイ	左注	pei^{3} pet	霽韻 屑韻
1532	上度・058ウ1・辞字	閉	―	ヘイ	右傍	pei^{3} pet	霽韻 屑韻
1299	上邊・051オ4・人事	嬖	去	ヘイ	右注	pei^{3}	霽韻
1369a	上邊・053オ5・疊字	貶	上	ヘイ	左注	piam^{2}	琰韻

0043	上伊・003ウ2・植物	秉	―	ヘイ	右傍	piaŋ^{2}	梗韻
1329a	上邊・052ウ4・疊字	秉	上	ヘイ	左注	piaŋ^{2}	梗韻
1536	上度・058ウ3・辞字	秉	―	ヘイ	右傍	piaŋ^{2}	梗韻
1400a	上邊・053ウ4・疊字	炳	上	ヘイ	右注	piaŋ^{2}	梗韻
2453b	上加・092オ1・地儀	柄	去	ヘイ	右傍	piaŋ^{3}	映韻
1284	上邊・050オ2・地儀	屏	平 上	ヘイ	右注	pieŋ$^{1/2}$ beŋ^{1}	清/靜韻 青韻
1368a	上邊・053オ4・疊字	并	平	ヘイ	中注	pieŋ$^{1/3}$	清/勁韻
1303a	上邊・051ウ1・飲食	餅	上	ヘイ	右注	pieŋ^{2}	靜韻
1344a	上邊・052ウ7・疊字	表	去	ヘウ	左注	piau^{2}	小韻
1345a	上邊・052ウ7・疊字	表	平	ヘウ	左注	piau^{2}	小韻
1403a	上邊・053ウ5・疊字	表	平	ヘウ	右注	piau^{2}	小韻
1409a	上邊・053ウ6・疊字	表	上	ヘウ	左注	piau^{2}	小韻
1353a	上邊・053オ1・疊字	氷	平	ヘウ	左注	piɐŋ^{1}	蒸韻
1311	上邊・051ウ4・雜物	鱍	去	ヘウ	右傍	piɑi^{3} bɑt	廢韻 末韻
1315	上邊・051ウ5・雜物	表	上	ヘウ [上上]	右注	piau^{2}	小韻
1289	上邊・050ウ1・動物	豹	去	ヘウ [平去]	右注	pau^{3}	効韻
2440	上加・091ウ6・地儀	壁	入	ヘキ	右傍	pek	錫韻
2868b	上加・106ウ4・疊字	壁	入	ヘキ	左注	pek	錫韻
1378a	上邊・053オ6・疊字	辟	入	ヘキ	左注	piek biek	昔韻 昔韻
1326a	上邊・052ウ3・疊字	碧	入	ヘキ	右注	piek	昔韻
1339a	上邊・052ウ6・疊字	碧	入	ヘキ	左注	piek	昔韻
1380a	上邊・053オ7・疊字	碧	入	ヘキ	中注	piek	昔韻
1393a	上邊・053ウ2・疊字	返	平	ヘム	右注	piɑn^{2}	阮韻
2913b	上加・107オ6・疊字	返	平濁	ヘム	中注	piɑn^{2}	阮韻
1287a	上邊・050オ4・植物	斑	平	ヘン	右注	pan^{1}	刪韻
1307a	上邊・051ウ3・雜物	版	去	ヘン	右注	pan^{2}	潸韻
1124	上保・045ウ3・方角	邉	平	ヘン	右傍	pen^{1}	先韻
1286a	上邊・050オ2・地儀	邊	―	ヘン	右注	pen^{1}	先韻
1333a	上邊・052ウ4・疊字	邊	平	ヘン	中注	pen^{1}	先韻
1335a	上邊・052ウ5・疊字	邊	平	ヘン	右注	pen^{1}	先韻
1336a	上邊・052ウ5・疊字	邊	去	ヘン	右注	pen^{1}	先韻
1337a	上邊・052ウ5・疊字	邊	去	ヘン	左注	pen^{1}	先韻
1392a	上邊・053ウ2・疊字	邊	去	ヘン	右注	pen^{1}	先韻
1408a	上邊・053ウ6・疊字	邊	去	ヘン	右注	pen^{1}	先韻
2560a	上加・095オ3・動物	蝙	平	ヘン	右傍	pen^{1}	先韻
1266b	上保・048ウ6・疊字	貶	上	ヘン	左注	piam^{2}	琰韻
1370a	上邊・053オ5・疊字	貶	去	ヘン	左注	piam^{2}	琰韻
1322a	上邊・052ウ1・重點	變	―	ヘン	右注	pian^{3}	線韻

1322b	上邊・052ウ1・重點	變	—	ヘン	右注	pian^3	線韻
1391a	上邊・053ウ2・疊字	變	去	ヘン	右注	pian^3	線韻
1318	上邊・052オ4・辞字	變	—	ヘン	右傍	pian^3	線韻
1379a	上邊・053オ7・疊字	反	平	ヘン	左注	pian^2	阮韻
1398a	上邊・053ウ4・疊字	反	平	ヘン	右注	pian^2	阮韻
1346a	上邊・052ウ7・疊字	返	平	ヘン	右注	pian^2	阮韻
1308a	上邊・051ウ3・雜物	斑	—	ヘン ［上上］	右傍	pan^1	刪韻
3282b	上波・034ウ5・國郡	保	—	ホ	右傍	pau^2	晧韻
1058a	上保・042ウ5・動物	保	—	ホ	右注	pau^2	晧韻
1107a	上保・044ウ7・雜物	反	—	ホ	右注	pian^2	阮韻
1273a	上保・049ウ1・諸寺	法	—	ホ	右注	piʌp	乏韻
0088b	上伊・004ウ6・動物	魳	平	ホ	右傍	puʌ^1	模韻
0089a	上伊・004ウ7・動物	鯆	平	ホ	右傍	puʌ^1 pʻuʌ^1 piuʌ^2	模韻 模韻 麌韻
1158a	上保・047オ4・疊字	補	上	ホ	右注	puʌ^2	姥韻
1246a	上保・048ウ1・疊字	補	上	ホ	左注	puʌ^2	姥韻
1244a	上保・048ウ1・疊字	布	去	ホ	左注	puʌ^3	暮韻
1245a	上保・048ウ1・疊字	布	去	ホ	右注	puʌ^3	暮韻
2161	上奴・077ウ7・雜物	布	去	ホ	右傍	puʌ^3	暮韻
1076	上保・043ウ2・人事	褒	—	ホウ	右傍	pau^1	豪韻
1210a	上保・048オ1・疊字	褒	平 去	ホウ	左注	pau^1	豪韻
1222a	上保・048オ3・疊字	褒	上	ホウ	左注	pau^1	豪韻
1227a	上保・048オ4・疊字	褒	平	ホウ	左注	pau^1	豪韻
1266a	上保・048ウ6・疊字	褒	平	ホウ	左注	pau^1	豪韻
1277a	上保・049ウ3・官職	保	—	ホウ	右注	pau^2	晧韻
1110a	上保・044ウ7・雜物	寶	—	ホウ	右注	pau^2	晧韻
1111a	上保・045オ1・雜物	寶	平	ホウ	右注	pau^2	晧韻
1112a	上保・045オ1・雜物	寶	—	ホウ	右注	pau^2	晧韻
1168a	上保・047オ7・疊字	寶	平	ホウ	左注	pau^2	晧韻
1169a	上保・047オ7・疊字	寶	平	ホウ	左注	pau^2	晧韻
1176a	上保・047ウ1・疊字	寶	上	ホウ	左注	pau^2	晧韻
1218a	上保・048オ3・疊字	寶	上	ホウ	左注	pau^2	晧韻
1247a	上保・048ウ2・疊字	寶	平	ホウ	右注	pau^2	晧韻
1275a	上保・049ウ1・諸寺	寶	—	ホウ	右注	pau^2	晧韻
1888b	上池・070オ5・疊字	寶	平	ホウ	左注	pau^2	晧韻
1077	上保・043ウ2・人事	報	去	ホウ	右注	pau^3	号韻
1161a	上保・047オ5・疊字	報	去	ホウ	左注	pau^3	号韻
1200a	上保・047ウ6・疊字	報	平	ホウ	中注	pau^3	号韻
1214a	上保・048オ2・疊字	報	去	ホウ	左注	pau^3	号韻
1215a	上保・048オ2・疊字	報	去	ホウ	左注	pau^3	号韻

1230a	上保・048オ5・疊字	報	去	ホウ	右注	pau[3]	号韻
1108a	上保・044ウ7・雜物	方	去	ホウ	右注	piaŋ[1] biaŋ[1]	陽韻 陽韻
1109a	上保・044ウ7・雜物	方	去	ホウ	右注	piaŋ[1] biaŋ[1]	陽韻 陽韻
1137	上保・045ウ7・方角	方	—	ホウ	右傍	piaŋ[1] biaŋ[1]	陽韻 陽韻
1187a	上保・047ウ3・疊字	方	去	ホウ	左注	piaŋ[1] biaŋ[1]	陽韻 陽韻
1229a	上保・048オ5・疊字	方	去	ホウ	左注	piaŋ[1] biaŋ[1]	陽韻 陽韻
1248a	上保・048ウ2・疊字	方	去	ホウ	左注	piaŋ[1] biaŋ[1]	陽韻 陽韻
1267a	上保・048ウ6・疊字	方	—	ホウ	左注	piaŋ[1] biaŋ[1]	陽韻 陽韻
1942b	上池・071オ2・疊字	方	上	ホウ	右注	piaŋ[1] biaŋ[1]	陽韻 陽韻
1191a	上保・047ウ4・疊字	覂	上	ホウ	中注	piauŋ[2]	腫韻
1012b	上仁・040ウ1・疊字	法	入	ホウ	左注	piʌp	乏韻
1162a	上保・047オ5・疊字	法	入	ホウ	中注	piʌp	乏韻
1171a	上保・047オ7・疊字	法	入	ホウ	左注	piʌp	乏韻
1274a	上保・049ウ1・諸寺	法	—	ホウ	右注	piʌp	乏韻
1276a	上保・049ウ1・諸寺	法	—	ホウ	右注	piʌp	乏韻
1278a	上保・049ウ4・官軄	法	—	ホウ	右注	piʌp	乏韻
1279a	上保・049ウ4・官軄	法	—	ホウ	右注	piʌp	乏韻
1280a	上保・049ウ4・官軄	法	—	ホウ	右注	piʌp	乏韻
2391b	上和・090オ4・疊字	法	入濁	（ホウ）	—	piʌp	乏韻
1144	上保・046ウ1・辞字	封	平	ホウ [上平]	右注	piaŋ[1/3]	鍾/用韻
1084	上保・043ウ6・人事	崩	平	ホウ [上平]	右注	pʌŋ[1]	登韻
1143	上保・046ウ1・辞字	報	去	ホウ [平平]	右注	pau[3]	号韻
0979	上仁・039オ1・辞字	北	—	ホク	右傍	pʌk	徳韻
1029a	上保・041ウ1・天象	北	—	ホク	左注	pʌk	徳韻
1087a	上保・044オ2・人事	北	—	ホク	右傍	pʌk	徳韻
1149a	上保・047オ3・疊字	北	入	ホク	中注	pʌk	徳韻
1150a	上保・047オ3・疊字	北	入	ホク	中注	pʌk	徳韻
1251a	上保・048ウ2・疊字	北	—	ホク	左注	pʌk	徳韻
1272a	上保・049オ6・諸社	北	—	ホク	右注	pʌk	徳韻
3149b	上加・111ウ2・國郡	北	—	ホク	右傍	pʌk	徳韻
1028a	上保・041ウ1・天象	北	—	ホク [上上]	右注	pʌk	徳韻
1172a	上保・047オ7・疊字	發	入	ホツ	左注	piat	月韻
1188a	上保・047ウ4・疊字	發	入	ホツ	左注	piat	月韻
1213a	上保・048オ2・疊字	發	入	ホツ	左注	piat	月韻
1228a	上保・048オ5・疊字	發	入	ホツ	左注	piat	月韻

番号	前田本所在	掲出字		仮名音注		中古音	韻目
1235a	上保・048オ6・疊字	發	入	ホツ	左注	piat	月韻
2873b	上加・106ウ5・疊字	發	入	ホツ	左注	piat	月韻
2914b	上加・107オ6・疊字	發	入濁	ホツ	左注	piat	月韻
2922b	上加・107オ7・疊字	發	入	ホツ	左注	piat	月韻
1281a	上保・049ウ4・官職	法	―	ホツ	右注	piʌp	乏韻
1177a	上保・047ウ1・疊字	寶	上	ホフ	左注	pau^{2}	晧韻
1067a	上保・043オ2・人倫	法	―	ホフ	右注	piʌp	乏韻
1166a	上保・047オ6・疊字	法	入	ホフ	左注	piʌp	乏韻
1167a	上保・047オ6・疊字	法	入	ホフ	左注	piʌp	乏韻
1170a	上保・047オ7・疊字	法	入	ホフ	左注	piʌp	乏韻
1231a	上保・048オ5・疊字	法	入	ホフ	左注	piʌp	乏韻
1232a	上保・048オ6・疊字	法	入	ホフ	右注	piʌp	乏韻
1233a	上保・048オ6・疊字	法	入	ホフ	左注	piʌp	乏韻
1078	上保・043ウ2・人事	法	―	ホフ [平平]	右注	piʌp	乏韻
1106a	上保・044ウ7・雜物	反	―	ホン	左注	pian^{2}	阮韻
1204a	上保・047ウ7・疊字	稟	上	ホン	右注	piem^{2}	寢韻
0273b	上伊・013オ2・疊字	奔	平濁	ホン	左注	puʌn$^{1/3}$	魂/慁韻
0611	上波・025オ2・人事	奔	平	ホン	左注	puʌn$^{1/3}$	魂/慁韻
1208a	上保・048オ1・疊字	奔	平	ホン	左注	puʌn$^{1/3}$	魂/慁韻
1223a	上保・048オ4・疊字	奔	平	ホン	左注	puʌn$^{1/3}$	魂/慁韻
1249a	上保・048ウ2・疊字	奔	平	ホン	中注	puʌn$^{1/3}$	魂/慁韻
1185a	上保・047ウ3・疊字	本	平	ホン	中注	puʌn^{2}	混韻
1201a	上保・047ウ6・疊字	本	平	ホン	左注	puʌn^{2}	混韻
1234a	上保・048オ6・疊字	本	平	ホン	左注	puʌn^{2}	混韻
1259a	上保・048ウ4・疊字	本	平	ホン	左注	puʌn^{2}	混韻
1260a	上保・048ウ5・疊字	本	平	ホン	右注	puʌn^{2}	混韻
1840b	上池・069ウ2・疊字	本	平濁	ホン	左注	puʌn^{2}	混韻
0843a	上波・033オ3・疊字	飽	去濁	ハウ	左注	pau^{2}	巧韻
0850a	上波・033オ4・疊字	博	入濁	ハク	左注	pak	鐸韻
0768a	上波・032オ2・疊字	博	入濁	ハン	右注	pak	鐸韻
0797a	上波・032ウ1・疊字	班	去濁	ハン	左注	pan^{1}	刪韻
0741a	上波・031ウ3・疊字	播	去濁	ハン	左注	pa^{3}	過韻
0178	上伊・008ウ5・雜物	箄	去濁	ヘイ	右傍	pei^{1} pjie$^{1/2}$	齊韻 支/紙韻
1186a	上保・047ウ3・疊字	ト	入濁	ホク	右傍	pʌuk	屋韻

【表C-01】下巻_幫母 p

番号	前田本所在	掲出字		仮名音注		中古音	韻目
5282b	下師・069ウ1・植物	蘦	―	ハ	右傍	(pa^{1}) (ba^{1})	戈韻 戈韻
4483a	下佐・044オ3・動物	巴	平	ハ	右傍	pa^{1}	麻韻
5118b	下木・063オ6・疊字	把	上	ハ	左注	pa^{2}	馬韻

4412b	下阿・040ウ7・国郡	波	―	ハ	右注	pa1	戈韻
4413b	下阿・040ウ7・国郡	波	―	ハ	右傍	pa1	戈韻
6356b	下飛・099ウ7・國郡	波	―	ハ	右傍	pa1	戈韻
6532c	下世・108オ7・人事	波	平	ハ	左注	pa1	戈韻
6958b	下洲・121オ5・国郡	波	―	ハ	右傍	pa1	戈韻
5928b	下師・086ウ3・國郡	方	―	ハ	右傍	piaŋ1 biaŋ1	陽韻 陽韻
4770b	下佐・053オ2・疊字	拜	―	ハイ	左注	pɐi3	怪韻
4034b	下手・023オ7・疊字	伂	―	ハイ	右注	pai3	泰韻
4794d	下佐・053ウ1・疊字	伂	平濁	ハイ	右傍	pai3	泰韻
5315b	下師・070ウ2・動物	貝	去	ハイ	右傍	pai3	泰韻
4398a	下阿・040オ4・疊字	沛	―	ハイ	右傍	pai3 p'ai3	泰韻 泰韻
4257b	下阿・032オ5・雜物	簸	―	ハイ	右傍	piai3	廢韻
4558	下佐・047オ1・雜物	盃	平	ハイ	右傍	puʌi1	灰韻
5049b	下木・062オ3・疊字	背	平濁	ハイ	左注	puʌi3 buʌi3	隊韻 隊韻
6521	下世・107ウ7・人躰	背	去	ハイ	右傍	puʌi3 buʌi3	隊韻 隊韻
4293a	下阿・033オ1・雜物	苞	平	ハウ	右傍	pau1	肴韻
6454	下毛・104ウ2・辞字	苞	平	ハウ	右傍	pau1	肴韻
4319	下阿・034ウ4・辞字	飽	去	ハウ	右傍	pau2	巧韻
4346	下阿・037ウ3・辞字	飽	平 去	ハウ	右傍	pau2	巧韻
4134b	下阿・027オ6・動物	豹	去	ハウ	右傍	pau3	効韻
4834a	下木・055オ7・天象	豹	去	ハウ	右傍	pau3	効韻
6258b	下飛・098オ2・疊字	謗	平	ハウ	左注	paŋ3	宕韻
6597b	下世・110オ7・疊字	舫	平	ハウ	左注	paŋ3 piaŋ3	宕韻 漾韻
6798b	下洲・114オ2・植物	枋	上	ハウ	右注	piaŋ1	陽韻
6865b	下洲・116ウ5・光彩	枋	平	ハウ	右傍	piaŋ1	陽韻
6866b	下洲・116ウ5・光彩	枋	平	ハウ	右注	piaŋ1	陽韻
6713b	下世・111ウ7・疊字	方	―	ハウ	左注	piaŋ1 biaŋ1	陽韻 陽韻
3698b	下古・012オ1・疊字	法	―	ハウ	左注	piʌp	乏韻
5093b	下木・062ウ7・疊字	法	―	ハウ	左注	piʌp	乏韻
6690b	下世・111ウ2・疊字	法	平	ハウ	左注	piʌp	乏韻
3336b	下古・002ウ5・植物	蒡	上濁	ハウ ［上濁上］	右傍	paŋ2 baŋ1	蕩韻 庚韻
3731a	下古・013オ7・官職	博	―	ハカ	左注	pak	鐸韻
4820b	下佐・054ウ2・官職	博	―	ハカ	右注	pak	鐸韻
5942b	下師・086ウ7・官職	博	―	ハカ	右注	pak	鐸韻
5944b	下師・086ウ7・官職	博	―	ハカ	右注	pak	鐸韻
6481c	下毛・106オ1・官職	博	―	ハカ	右注	pak	鐸韻

4438b	下佐・042ウ1・地儀	湘	入	ハク	右傍	pak	陽韻
4937b	下木・058ウ6・光彩	蘗	入	ハク	右傍	pɐk	麥韻
4594	下佐・047ウ6・雜物	鎛	入	ハク	右注	pak	鐸韻
4774b	下佐・053オ3・疊字	博	入濁	ハク	左注	pak	鐸韻
4913	下木・058オ6・雜物	襮	徳	ハク	右傍	pak	鐸韻
5424b	下師・074オ1・雜物	八	入	ハチ	右注	pɐt	黠韻
4603b	下佐・048オ3・雜物	鉢	—	ハチ	右注	pat	末韻
6160b	下飛・094ウ2・雜物	髮	入	ハチ	右傍	piat	月韻
3782	下江・016オ1・雜物	朳	徳	ハツ	右傍	pɐt	黠韻
5753b	下師・083ウ4・疊字	發	入	ハツ	左注	piat	月韻
6587b	下世・110オ5・疊字	髮	入	ハツ	左注	piat	月韻
6754b	下世・112ウ1・疊字	髮	入	ハツ	右注	piat	月韻
4977b	下木・061オ2・疊字	坂	上濁	ハム	左注	pian^{2}	阮韻
4211	下阿・029ウ7・人事	班	—	ハン	右傍	pan^{1}	刪韻
4680b	下佐・051ウ1・疊字	班	平	ハン	中注	pan^{1}	刪韻
4433	下佐・042ウ1・地儀	坂	上	ハン	右傍	pian^{2}	阮韻
6099b	下飛・092ウ2・人倫	販	平	ハン	右傍	pian^{3}	願韻
3881a	下手・019オ2・地儀	披	平	ヒ	左注	p'ie$^{1/2}$	支韻
5306	下師・070オ5・動物	羆	平	ヒ	右傍	pie^{1}	支韻
6254a	下飛・098オ1・疊字	鄙	上	ヒ	左注	piei^{2}	旨韻
3766	下江・015オ6・人躰	痞	上	ヒ	右傍	piei^{2} biei^{2} piʌu^{2}	旨韻 旨韻 有韻
5397	下師・073ウ1・飲食	粃	上	ヒ	右傍	piei^{3}	至韻
6184a	下飛・095オ1・雜物	秘	—	ヒ	右注	piei^{3}	至韻
6268a	下飛・098オ4・疊字	秘	去	ヒ	左注	piei^{3}	至韻
6269a	下飛・098オ4・疊字	秘	平	ヒ	左注	piei^{3}	至韻
6327a	下飛・098ウ7・疊字	秘	平	ヒ	左注	piei^{3}	至韻
6332a	下飛・099オ1・疊字	秘	—	ヒ	左注	piei^{3}	至韻
6334a	下飛・099オ2・疊字	秘	平 去	ヒ	左注	piei^{3}	至韻
6335a	下飛・099オ2・疊字	秘	去	ヒ	右注	piei^{3}	至韻
4304	下阿・033オ7・光彩	緋	平	ヒ	右傍	piʌi^{1}	微韻
6040a	下飛・090ウ7・地儀	飛	平	ヒ	右注	piʌi^{1}	微韻
6043a	下飛・091オ2・地儀	飛	平	ヒ	右傍	piʌi^{1}	微韻
6239a	下飛・097ウ6・疊字	飛	平	ヒ	左注	piʌi^{1}	微韻
6300a	下飛・098ウ2・疊字	飛	平	ヒ	左注	piʌi^{1}	微韻
6301a	下飛・098ウ2・疊字	非	去	ヒ	左注	piʌi^{1}	微韻
6302a	下飛・098ウ3・疊字	非	去	ヒ	右注	piʌi^{1}	微韻
6303a	下飛・098ウ3・疊字	非	去	ヒ	左注	piʌi^{1}	微韻
6305a	下飛・098ウ3・疊字	非	上	ヒ	左注	piʌi^{1}	微韻
6333a	下飛・099オ1・疊字	非	去	ヒ	左注	piʌi^{1}	微韻
6304a	下飛・098ウ3・疊字	非	去	（ヒ）	左注	piʌi^{1}	微韻
6309a	下飛・098ウ4・疊字	飛	—	ヒ	左注	piʌi^{1}	微韻

6338a	下飛・099オ2・疊字	飛	—	ヒ	左注	$pi\Lambda i^{1}$	微韻
6341a	下飛・099オ3・疊字	飛	平	ヒ	左注	$pi\Lambda i^{1}$	微韻
6344a	下飛・099オ3・疊字	飛	平	ヒ	左注	$pi\Lambda i^{1}$	微韻
6361a	下飛・099ウ7・國郡	飛	—	ヒ	中注	$pi\Lambda i^{1}$	微韻
6691b	下世・111ウ2・疊字	非	上	ヒ	左注	$pi\Lambda i^{1}$	微韻
6258a	下飛・098オ2・疊字	誹	平	ヒ	左注	$pi\Lambda i^{1/3}$	微/未韻
6257a	下飛・098オ2・疊字	匪	上	ヒ	右注	$pi\Lambda i^{2}$	尾韻
6213	下飛・096オ2・辞字	秘	—	ヒ［去］	右注	$piei^{3}$	至韻
6182	下飛・094ウ7・雜物	碑	—	ヒ［平］	右傍	pie^{1}	支韻
6172a	下飛・094ウ6・雜物	筆	—	ヒツ	右傍	piet	質韻
6290a	下飛・098ウ1・疊字	筆	入	ヒツ	右注	piet	質韻
6291a	下飛・098ウ1・疊字	筆	入	ヒツ	左注	piet	質韻
6293a	下飛・098ウ1・疊字	筆	入	ヒツ	左注	piet	質韻
6389a	下飛・100オ6・官職	兵	—	ヒヤウ	右注	$pia\eta^{1}$	庚韻
6390a	下飛・100オ6・官職	兵	—	ヒヤウ	右注	$pia\eta^{1}$	庚韻
6391a	下飛・100オ6・官職	兵	—	ヒヤウ	右注	$pia\eta^{1}$	庚韻
6692b	下世・111ウ3・疊字	兵	上	ヒヤウ	左注	$pia\eta^{1}$	庚韻
6181a	下飛・094ウ7・雜物	屏	去濁	ヒヤウ	右傍	$pie\eta^{1/2}$ $be\eta^{1}$	清/靜韻 青韻
6189a	下飛・095オ2・雜物	屏	上濁	ヒヤウ	右注	$pie\eta^{1/2}$ $be\eta^{1}$	清/靜韻 青韻
6312b	下飛・098ウ5・疊字	并	上	ヒヤウ	左注	$pie\eta^{1/3}$	清/勁韻
5219a	下由・066オ5・植物	百	入	ヒヤク	右傍	pak	陌韻
6176a	下飛・094ウ6・雜物	百	—	ヒヤク	右傍	pak	陌韻
3302	下古・001ウ7・地儀	氷	平	ヒヨウ	右傍	$pi\text{ɐ}\eta^{1}$	蒸韻
6033	下飛・090ウ5・地儀	氷	平	ヒヨウ	右傍	$pi\text{ɐ}\eta^{1}$	蒸韻
3724b	下古・012オ7・疊字	膚	平	フ	右注	$piu\Lambda^{1}$	虞韻
4180	下阿・029オ2・人躰	趺	平	フ	右傍	$piu\Lambda^{1}$	虞韻
6261b	下飛・098オ3・疊字	膚	平	フ	左注	$piu\Lambda^{1}$	虞韻
6262b	下飛・098オ3・疊字	膚	—	フ	右注	$piu\Lambda^{1}$	虞韻
4539b	下佐・046オ6・人事	夫	上濁	フ	左注	$piu\Lambda^{1}$ $biu\Lambda^{1}$	虞韻 虞韻
6277b	下飛・098オ5・疊字	夫	上	フ	左注	$piu\Lambda^{1}$ $biu\Lambda^{1}$	虞韻 虞韻
6515b	下世・107ウ5・人倫	夫	平濁	フ	右注	$piu\Lambda^{1}$ $biu\Lambda^{1}$	虞韻 虞韻
6681b	下世・111ウ1・疊字	夫	平	フ	左注	$piu\Lambda^{1}$ $biu\Lambda^{1}$	虞韻 虞韻
4179	下阿・029オ2・人躰	跗	平	フ	右傍	$piu\Lambda^{1/3}$	虞韻
3730c	下古・013オ7・官職	府	—	フ	中注	$piu\Lambda^{2}$	麌韻
4419d	下阿・041オ3・官職	府	—	フ	左注	$piu\Lambda^{2}$	麌韻
4506b	下佐・045オ2・人躰	府	—	フ	右注	$piu\Lambda^{2}$	麌韻

5155b	下木・063ウ7・疊字	甫	―	フ	右注	piuʌ²	麌韻
6019c	下會・090オ1・官職	府	―	フ	右注	piuʌ²	麌韻
6391c	下飛・100オ6・官職	府	―	フ	右注	piuʌ²	麌韻
4986b	下木・061オ4・疊字	父	上	フ	左注	piuʌ² biuʌ²	麌韻 麌韻
6380b	下飛・100オ2・國郡	父	―	フ	右傍	piuʌ² biuʌ²	麌韻 麌韻
5900c	下師・085ウ3・疊字	不	―	フ	右傍	piʌu^1/2/3 piuʌt	尤/有/宥韻 物韻
5901c	下師・085ウ3・疊字	不	―	フ	右傍	piʌu^1/2/3 piuʌt	尤/有/宥韻 物韻
5902c	下師・085ウ3・疊字	不	―	フ	右傍	piʌu^1/2/3 piuʌt	尤/有/宥韻 物韻
5909b	下師・085ウ5・疊字	不	―	フ	右傍	piʌu^1/2/3 piuʌt	尤/有/宥韻 物韻
5723b	下師・083オ3・疊字	否	上	フ	左注	piʌu² biei²	有韻 旨韻
6954a	下洲・121オ5・国郡	冨	―	フ	右傍	piʌu³	宥韻
6181b	下飛・094ウ7・雜物	風	上	フ	右傍	piʌuŋ^1/3	東/送韻
5212	下由・065ウ7・天象	晡	平	フ	右傍	puʌ¹	模韻
3350b	下古・003オ3・植物	布	―	フ	右注	puʌ³	暮韻
3907b	下手・020ウ4・雜物	布	―	フ	左注	puʌ³	暮韻
5194b	下木・064ウ4・諸社	布	―	フ	左注	puʌ³	暮韻
6103b	下飛・092ウ3・人倫	夫	―	フ [平]	右注	piuʌ¹ biuʌ¹	虞韻 虞韻
4441b	下佐・042ウ2・地儀	風	平	フウ	左注	piʌuŋ^1/3	東/送韻
6494b	下世・106ウ5・地儀	風	東	フウ	右傍	piʌuŋ^1/3	東/送韻
4078b	下阿・025ウ2・地儀	福	入	フク	右傍	piʌuk	屋韻
5075b	下木・062ウ2・疊字	複	入濁	フク	中注	piʌuk biʌu³	屋韻 宥韻
5165b	下木・064オ2・疊字	複	―	フク	左注	piʌuk biʌu³	屋韻 宥韻
4572	下佐・047オ6・雜物	鍑	入	フク	右傍	piʌuk piʌu³	屋韻 宥韻
4205b	下阿・029ウ1・人躰	沸	入	フツ	右傍	piʌi³	未韻
3418	下古・006オ7・飲食	粉	上	フン	右傍	piuʌn²	吻韻
4228b	下阿・031オ5・飲食	粉	平	フン		piuʌn²	吻韻
5474a	下師・075オ3・光彩	粉	上	フン	右傍	piuʌn²	吻韻
6321b	下飛・098ウ6・疊字	粉	平	フン	左注	piuʌn²	吻韻
4068a	下阿・025オ6・地儀	糞	去	フン	右傍	piuʌn³	問韻
3571b	下古・007ウ4・光彩	粉	―	フン [上上]	―	piuʌn²	吻韻
4427b	下阿・041ウ2・姓氏	閇	―	ヘ	右注	pei³	霽韻
4428b	下阿・041ウ2・姓氏	閇	―	ヘ	注	pei³	霽韻

5960c	下師・087オ6・姓氏	閇	―	ヘ	右注	pei^{3}	霽韻
3447	下古・007オ4・雑物	梍	平	ヘイ	右傍	pei^{1} bjiei^{1}	齊韻 脂韻
5684b	下師・082オ7・疊字	柄	上	ヘイ	左注	piaŋ^{3}	映韻
5222a	下由・066オ6・植物	櫠	去	ヘイ	右傍	piai^{3} biat	廢韻 月韻
6190a	下飛・095オ2・雑物	屏	上濁	ヘイ	右傍	pieŋ$^{1/2}$ beŋ^{1}	清/靜韻 青韻
5395b	下師・073ウ1・飲食	餅	上	ヘイ	右傍	pieŋ^{2}	靜韻
5558b	下師・079ウ2・疊字	餅	上濁	ヘイ	左注	pieŋ^{2}	靜韻
6534b	下世・108ウ3・飲食	餅	―	ヘイ ［平濁上］	右注	pieŋ^{2}	靜韻
6970b	下世・108ウ3・飲食	餅	―	ヘイ ［平濁上］	右注	pieŋ^{2}	靜韻
3442b	下古・007オ1・雑物	鎞	平	ヘイ ［平平］	左注	pei^{1}	齊韻
4410b	下阿・040ウ6・国郡	伯	―	ヘキ	右傍	pak	陌韻
4828b	下佐・054ウ7・姓氏	伯	―	ヘキ	右注	pak	陌韻
3721b	下古・012オ6・疊字	壁	徳	ヘキ	右注	pek	錫韻
4875b	下木・056ウ5・動物	壁	―	ヘキ	右傍	pek	錫韻
5184b	下木・064オ6・疊字	壁	―	ヘキ	右注	pek	錫韻
5474b	下師・075オ3・光彩	壁	徳	ヘキ	右傍	pek	錫韻
3874a	下手・018ウ4・天象	碧	入	ヘキ	右注	piek	昔韻
4452b	下佐・043オ2・地儀	璧	徳	ヘキ	右傍	piek	昔韻
6011b	下會・089ウ3・疊字	璧	徳	ヘキ	左注	piek	昔韻
6186a	下飛・095オ2・雑物	襞	入	ヘキ	右傍	piek	昔韻
3868b	下江・017ウ6・疊字	邊	平	ヘン	左注	pen^{1}	先韻
4939a	下木・059オ1・方角	邊	平	ヘン	右傍	pen^{1}	先韻
4314	下阿・034オ3・辞字	編	平	ヘン	右傍	pen$^{1/2}$ pjian^{1}	先/銑韻 仙韻
6137a	下飛・094オ1・飲食	糄	上	ヘン	右傍	pen^{2}	銑韻
4423b	下阿・041オ6・姓氏	保	―	ホ	右注	pau^{2}	晧韻
6322b	下飛・098ウ6・疊字	補	平	ホ	右注	puʌ^{2}	姥韻
5038b	下木・062オ1・疊字	緥	去	ホウ	左注	pau^{2}	晧韻
6324b	下飛・098ウ7・疊字	方	平	ホウ	右注	piaŋ^{1} biaŋ^{1}	陽韻 陽韻
4492b	下佐・044オ6・動物	封	平	ホウ	右傍	piauŋ$^{1/3}$	鍾/用韻
3322	下古・002ウ2・植物	葑	平	ホウ	右傍	piuaŋ$^{1/3}$	鍾/用韻
4679b	下佐・051ウ1・疊字	法	入	ホウ	中注	piʌp	乏韻
5565b	下師・079ウ4・疊字	法	―	ホウ	左注	piʌp	乏韻
6603b	下世・110ウ1・疊字	法	―	ホウ	左注	piʌp	乏韻
6303b	下飛・098ウ3・疊字	法	入	ホフ	左注	piʌp	乏韻
3686b	下古・011ウ5・疊字	本	平	ホン	右注	puʌn^{2}	混韻
5845b	下師・084ウ7・疊字	ト	入濁	ホク	右傍	pʌuk	屋韻

【表C-01】上巻_滂母 p‘

番号	前田本所在	掲出字		仮名音注		中古音	韻目
0521	上波・021ウ4・植物	葩	平	ハ	右傍	p‘a^{1}	麻韻
1354b	上邊・053オ2・疊字	頗	上濁	ハ	左注	p‘ɑ$^{1/2/3}$	戈/果/過韻
0570a	上波・023ウ2・人倫	破	―	ハ	右傍	p‘ɑ^{3}	過韻
0599	上波・024ウ2・人事	破	平	ハ	右注	p‘ɑ^{3}	過韻
0698	上波・028ウ2・員數	破	―	ハ	右注	p‘ɑ^{3}	過韻
0820a	上波・032ウ5・疊字	破	去	ハ	左注	p‘ɑ^{3}	過韻
0838a	上波・033オ2・疊字	破	平	ハ	右注	p‘ɑ^{3}	過韻
0845a	上波・033オ3・疊字	破	平	ハ	左注	p‘ɑ^{3}	過韻
0846a	上波・033オ4・疊字	破	平	ハ	左注	p‘ɑ^{3}	過韻
0854a	上波・033オ5・疊字	破	平	ハ	左注	p‘ɑ^{3}	過韻
2359	上和・088ウ6・辞字	破	平	ハ	右注	p‘ɑ^{3}	過韻
0364b	上伊・015ウ5・国郡	幡	―	ハ	右注	p‘iɑn^{1}	元韻
1692a	上度・064オ3・国郡	幡	―	ハ	右傍	p‘iɑn^{1}	元韻
0607	上波・024ウ6・人事	肧	―	ハイ	右傍	p‘uʌi^{1} p‘ʌi^{1} p‘iʌu^{1}	灰韻 咍韻 尤韻
0789a	上波・032オ6・疊字	配	去	ハイ	右注	p‘uʌi^{3}	隊韻
0814a	上波・032ウ4・疊字	配	平	ハイ	左注	p‘uʌi^{3}	隊韻
2663	上加・098オ3・飲食	醅	平	ハイ	右傍	p‘uʌi^{1}	灰韻
0713	上波・030ウ1・人事	配	―	ハイ ［平上］	右注	p‘uʌi^{3}	隊韻
0976	上仁・039オ1・辞字	亨	平	ハウ	右傍	p‘aŋ^{1}	庚韻
0117a	上伊・006オ5・人體	炮	去	ハウ	右傍	p‘au^{3} bau^{3}	効韻
0746a	上波・031ウ4・疊字	滂	平	ハウ	右注	p‘aŋ^{1}	唐韻
0769a	上波・032オ2・疊字	芳	平	ハウ	左注	p‘iɑŋ^{1}	陽韻
0799a	上波・032ウ1・疊字	芳	平	ハウ	中注	p‘iɑŋ^{1}	陽韻
0801a	上波・032ウ2・疊字	芳	去	ハウ	左注	p‘iɑŋ^{1}	陽韻
0810a	上波・032ウ3・疊字	芳	平	ハウ	右注	p‘iɑŋ^{1}	陽韻
0824a	上波・032ウ6・疊字	芳	平	ハウ	右注	p‘iɑŋ^{1}	陽韻
0872a	上波・033ウ2・疊字	芳	平	ハウ	右注	p‘iɑŋ^{1}	陽韻
0897a	上波・033ウ7・疊字	芳	平	ハウ	左注	p‘iɑŋ^{1}	陽韻
2225	上遠・080ウ3・動物	鴋	―	ハウ	右傍	p‘iɑŋ^{2}	養韻
0869a	上波・033ウ1・疊字	髣	上	ハウ	右注	p‘iɑŋ^{2}	養韻
1269a	上保・048ウ7・疊字	髣	上	ハウ	右傍	p‘iɑŋ^{2}	養韻
2261a	上遠・083オ3・雑物	拍	入	ハク	右傍	p‘ak	陌韻
1043	上保・042オ4・植物	朴	入	ハク	右傍	p‘auk	覺韻
0629a	上波・025ウ5・人事	汎	去	ハム	左注	p‘iʌm^{3} biʌuŋ^{1}	梵韻 東韻

0775a	上波・032オ3・疊字	汎	去	ハム	右注	p‘iʌm^{3} biʌuŋ^{1}	梵韻 東韻
0827a	上波・032ウ7・疊字	判	(平)	ハン	左注	p‘ɑn^{3}	換韻
0916a	上波・035オ2・官職	判	―	ハン	右注	p‘ɑn^{3}	換韻
0917a	上波・035オ3・官職	判	―	ハン	右注	p‘ɑn^{3}	換韻
0652	上波・026ウ1・雜物	幡	平	ハン	右傍	p‘iɑn^{1}	元韻
0712	上波・030ウ1・人事	判	―	ハン [平平]	右注	p‘ɑn^{3}	換韻
3229	上与・116ウ3・辭字	攀	平	ハン	右傍	p‘an^{1}	刪韻
1547	上度・059ウ1・辭字	霏	平	ヒ	右傍	p‘iʌi^{1}	微韻
0872b	上波・033ウ2・疊字	菲	平	ヒ	右注	p‘iʌi$^{1/2}$ biʌi^{3}	微/尾韻 未韻
0869b	上波・033ウ1・疊字	髴	去	ヒ	右注	p‘iʌi^{3} piuʌt p‘iuʌt	未韻 物韻 物韻
1269b	上保・048ウ7・疊字	髴	去	ヒ	右傍	p‘iʌi^{3} piuʌt p‘iuʌt	未韻 物韻 物韻
1513b	上度・057ウ4・雜物	拍	―	ヒヤウ	右注	p‘ak	陌韻
3128b	上加・110オ7・疊字	峯	―	フ	右注	p‘iɑuŋ^{1}	鍾韻
0042	上伊・003ウ1・植物	稃	平	フ	右傍	p‘iuʌ^{1}	虞韻
0381b	上伊・015ウ7・国郡	敷	―	フ	右傍	p‘iuʌ^{1}	虞韻
1686a	上度・064オ2・国郡	敷	―	フ	右傍	p‘iuʌ^{1}	虞韻
2522	上加・094オ5・動物	孵	―	フ	右傍	p‘iuʌ^{1}	虞韻
0088a	上伊・004ウ6・動物	鮃	平	フ	右傍	p‘iuʌ^{1}	虞韻 尤韻
0089b	上伊・004ウ7・動物	鮃	平	フ	右傍	p‘iuʌ^{1}	虞韻 尤韻
0177	上伊・008ウ5・雜物	桴	平	フ	右傍	p‘iuʌ^{1}	虞韻 尤韻
0560	上波・023オ2・動物	蝮	―	フク	右傍	p‘iuʌ^{1}	屋韻
0050a	上伊・003ウ5・植物	蕧	入	フク	右傍	p‘iʌuk biʌuk	屋韻 屋韻
1604b	上度・062ウ2・疊字	忿	去	フン	左注	p‘iuʌn$^{2/3}$	吻/問韻
2670b	上加・098オ5・飲食	饙	平	フン	右傍	p‘uʌn$^{1/3}$	魂/慁韻
1208	上邊・051オ3・人事	聘	―	ヘイ [平上]	右注	p‘ieŋ^{3}	勁韻
0005a	上伊・002オ4・天象	霹	入	ヘキ	右傍	p‘ek	錫韻
1324a	上邊・052ウ3・疊字	霹	入	ヘキ	右注	p‘ek	錫韻
1330a	上邊・052ウ4・疊字	僻	入	ヘキ	中注	p‘iek p‘ek	昔韻 錫韻
1363a	上邊・053オ3・疊字	僻	入	ヘキ	右注	p‘iek p‘ek	昔韻 錫韻
1954d	上池・071オ5・疊字	僻	―	ヘキ	右傍	p‘iek p‘ek	昔韻 錫韻

1313a	上邊・051ウ4・雜物	ノ	―	ヘツ	右注	p‘et jiai^{3}	屑韻 祭韻
1390a	上邊・053ウ2・疊字	偏	平	ヘム	右注	p‘ian$^{1/3}$	仙/線韻
1323a	上邊・052ウ1・重點	片	―	ヘン	右注	p‘en^{3}	霰韻
1323b	上邊・052ウ1・重點	片	―	ヘン	右注	p‘en^{3}	霰韻
1325a	上邊・052ウ3・疊字	片	去	ヘン	左注	p‘en^{3}	霰韻
1361a	上邊・053オ3・疊字	片	去	ヘン	左注	p‘en^{3}	霰韻
1130	上保・045ウ6・方角	偏	平	ヘン	右傍	p‘ian$^{1/3}$	仙/線韻
1334a	上邊・052ウ5・疊字	偏	平	ヘン	左注	p‘ian$^{1/3}$	仙/線韻
1354a	上邊・053オ2・疊字	偏	平	ヘン	左注	p‘ian$^{1/3}$	仙/線韻
1355a	上邊・053オ2・疊字	偏	平	ヘン	左注	p‘ian$^{1/3}$	仙/線韻
1371a	上邊・053オ5・疊字	偏	平	ヘン	中注	p‘ian$^{1/3}$	仙/線韻
2785	上加・101オ2・方角	偏	―	ヘン	右傍	p‘ian$^{1/3}$	仙/線韻
1151a	上保・047オ3・疊字	普	平	ホ	左注	p‘uʌ^{2}	姥韻
2246	上遠・081ウ3・人事	怖	―	ホ	右傍	p‘uʌ^{3}	暮韻
1508a	上度・057ウ3・雜物	烽	平	ホウ	右傍	p‘iɑuŋ^{1}	鍾韻
1261a	上保・048ウ5・疊字	品	平	ホウ	右注	p‘iem^{2}	寑韻
1035a	上保・041ウ6・地儀	豊	―	ホウ	右注	p‘iʌuŋ^{1} lei^{2}	東韻 薺韻
1155a	上保・047オ4・疊字	豊	平	ホウ	右注	p‘iʌuŋ^{1} lei^{2}	東韻 薺韻
1156a	上保・047オ4・疊字	豊	平	ホウ	左注	p‘iʌuŋ^{1} lei^{2}	東韻 薺韻
1192a	上保・047ウ4・疊字	豊	平	ホウ	左注	p‘iʌuŋ^{1} lei^{2}	東韻 薺韻
0160	上伊・008オ6・飲食	豐	平	ホウ	右傍	p‘iʌuŋ$^{1/3}$	東/送韻
1313b	上邊・051ウ4・雜物	㇏	―	ホツ	右注	p‘iuʌt	物韻
0609	上波・024ウ7・人事	拂	―	ホツ	右傍	p‘iuʌt	物韻
0656b	上波・026ウ2・雜物	拂	―	ホツ	右傍	p‘iuʌt	物韻
1194a	上保・047ウ5・疊字	品	平	ホム	左注	p‘iem^{2}	寑韻
1282a	上保・049ウ6・姓氏	品	―	ホム	右注	p‘iem^{2}	寑韻
1165a	上保・047オ6・疊字	翻	去	ホン	左注	p‘iɑn^{1}	元韻
0558	上和・088オ3・飲食	醅	平濁	ハイ	右傍	p‘uʌi^{1}	灰韻
2778	上加・100ウ5・光彩	芬	平濁	フン	右傍	p‘iuʌn^{1}	文韻
0911b	上波・034ウ1・諸社	幡	―	マン	右注	p‘iɑn^{1}	元韻
0871b	上波・033ウ2・疊字	費	去	ヰ	右注	p‘iʌi^{3} biʌi^{3} piei^{3}	未韻 未韻 至韻

【表C-01】下巻_滂母 p‘

番号	前田本所在	掲出字		仮名音注		中古音	韻目
3431a	下古・006ウ6・雜物	帊	去	ハ	右傍	p‘a^{3}	禡韻
6892	下洲・119オ3・辞字	頗	平	ハ	右傍	p‘ɑ$^{1/2/3}$	戈/果/過韻
5898b	下師・085ウ3・疊字	破	―	ハ	右注	p‘ɑ^{3}	過韻
5934a	下師・086ウ3・國郡	芳	―	ハ	右傍	p‘iɑŋ^{1}	陽韻
5628b	下師・081ウ1・疊字	配	去	ハイ	右注	p‘uʌi^{3}	隊韻
4545	下佐・046ウ2・飲食	醅	平	ハイ	右傍	p‘uʌi^{1}	灰韻
3725b	下古・012オ7・疊字	葩	平	ハウ	右注	p‘a^{1}	麻韻
6419a	下毛・102オ4・人躰	皰	去	ハウ	右傍	p‘au^{3} bau^{3}	効韻 効韻
5974a	下會・087ウ7・植物	芳	平	ハウ	右傍	p‘iɑŋ^{1}	陽韻
6150a	下飛・094オ6・雜物	拍	入	ハク	右注	p‘ak	陌韻
5634b	下師・081ウ2・疊字	朴	―	ハク	右注	p‘auk	覺韻
4243	下阿・031ウ6・雜物	璞	入	ハク	右傍	p‘auk	覺韻
5923b	下師・086ウ2・國郡	幡	―	ハン	右傍	p‘iɑn^{1}	元韻
6221	下飛・096ウ6・辞字	繙	―	ハン	右傍	p‘iɑn^{1}	元韻
6227	下飛・097ウ1・辞字	飜	平	ハン	右傍	p‘iɑn^{1}	元韻
4666b	下佐・051オ5・疊字	幡	去	ハン	左注	p‘iɑn^{1}	元韻
6180a	下飛・094ウ7・雜物	砒	上	ヒ	右注	p‘ei^{1}	齊韻
6319a	下飛・098ウ6・疊字	披	平	ヒ	左注	p‘ie$^{1/2}$	支韻
6325a	下飛・098ウ7・疊字	披	平	ヒ	左注	p‘ie$^{1/2}$	支韻
6326a	下飛・098ウ7・疊字	披	平	ヒ	左注	p‘ie$^{1/2}$	支韻
6342a	下飛・099オ3・疊字	披	平	ヒ	左注	p‘ie$^{1/2}$	支韻
3881a	下手・019オ2・地儀	披	平	ヒ	左注	p‘ie$^{1/2}$	支韻
6098	下飛・092ウ2・人倫	妃	平	ヒ	右傍	p‘iʌi^{1} p‘uʌi^{3}	微韻 隊韻
6320a	下飛・098ウ6・疊字	費	平	ヒ	左注	p‘iʌi^{3} biʌi^{3} piei^{3}	未韻 未韻 至韻
6149a	下飛・094オ6・雜物	拍	入	ヒヤウ	右注	p‘ak	陌韻
6329a	下飛・099オ1・疊字	品	上	ヒン	左注	p‘iem^{2}	寑韻
6175a	下飛・094ウ6・雜物	副	去	フ	右傍	p‘iʌu^{3} p‘iʌuk p‘iɐk	宥韻 屋韻 職韻
6038b	下飛・090ウ7・地儀	鋪	平	フ	右傍	p‘uʌ$^{1/3}$ p‘iuʌ^{1}	模/暮韻 虞韻
3312b	下古・002オ2・地儀	鋪	平	フ	右傍	p‘uʌ$^{1/3}$ p‘iuʌ^{1}	模/暮韻 虞韻
4837	下木・055オ7・天象	雰	平	フン	右傍	p‘iuʌn^{1}	文韻
6030	下飛・090オ7・天象	霈	去	ヘイ	右傍	p‘ɑi^{3}	泰韻
5914a	下師・086オ2・疊字	瞥	入	ヘツ	右傍	p‘et	屑韻

6223	下飛・097オ2・辞字	偏	―	ヘン	右傍	pʻjian$^{1/3}$	仙/線韻
4602	下佐・048オ2・雑物	鋒	平	ホウ	右傍	pʻiauŋ^{1}	鍾韻
5429b	下師・074オ2・雑物	峯	―	ホウ	右傍	pʻiauŋ^{1}	鍾韻
5258	下由・068ウ5・辞字	豊	平	ホウ	右傍	pʻiʌuŋ^{1} lei^{2}	東韻 薺韻
6908b	下洲・120オ3・疊字	朴	入濁	ホク	左注	pʻauk	覺韻
6373a	下飛・100オ2・國郡	品	―	ホン	右傍	pʻiem^{2}	寢韻
4790b	下佐・053オ7・疊字	品	―	（ホン）	右注	pʻiem^{2}	寢韻

【表C-01】上巻_並母 b

番号	前田本所在	掲出字		仮名音注		中古音	韻目
0717a	上波・031オ4・重點	婆	平	ハ	右注	bɑ^{1}	戈韻
0717b	上波・031オ4・重點	婆	平	ハ	右注	bɑ^{1}	戈韻
0886a	上波・033ウ5・疊字	婆	平濁	ハ	右注	bɑ^{1}	戈韻
0499a	上波・021オ2・植物	薄	―	ハ ［平濁］	右注	bɑk	鐸韻
0777a	上波・032オ4・疊字	排	平	ハイ	左注	bɐi^{1}	皆韻
0855a	上波・033オ5・疊字	俳	平	ハイ	左注	bɐi^{1}	皆韻
2278	上遠・084ウ3・辞字	排	平	ハイ	右傍	bɐi^{1}	皆韻
2284a	上遠・085オ1・疊字	排	平	ハイ	右傍	bɐi^{1}	皆韻
1500	上度・057オ7・雑物	韛	―	ハイ	右注	bɐi^{1} buʌi^{1}	皆韻 灰韻
0627a	上波・025ウ5・人事	陪	平濁	ハイ	左注	buʌi^{1}	灰韻
0720a	上波・031オ5・重點	陪	―	ハイ	右注	buʌi^{1}	灰韻
0720b	上波・031オ5・重點	陪	―	ハイ	右注	buʌi^{1}	灰韻
0813a	上波・032ウ4・疊字	陪	平濁	ハイ	左注	buʌi^{1}	灰韻
0858a	上波・033オ6・疊字	徘	平	ハイ	右注	buʌi^{1}	灰韻
0762a	上波・032オ1・疊字	倍	平濁	ハイ	右注	bʌi^{2}	海韻
1053a	上保・042ウ2・動物	倍	上	ハイ	右傍	bʌi^{2}	海韻
0842a	上波・033オ3・疊字	庖	去	ハウ	左注	bau^{1}	肴韻
1140	上保・046オ3・辞字	咆	平	ハウ	右傍	bau^{1}	肴韻
2423	上加・091オ4・天象	飑	平	ハウ	右傍	bau^{1} pauk	肴韻 覺韻
2839	上加・105オ4・辞字	旁	―	ハウ	右傍	bɑŋ^{1}	唐韻
0856a	上波・033オ6・疊字	彷	平	ハウ	左注	bɑŋ^{1} pʻiaŋ^{2}	唐韻 養韻
0759a	上波・031ウ7・疊字	傍	平	ハウ	中注	bɑŋ$^{1/3}$	唐/宕韻
0763a	上波・032オ1・疊字	傍	平	ハウ	左注	bɑŋ$^{1/3}$	唐/宕韻
0764a	上波・032オ1・疊字	傍	平	ハウ	右注	bɑŋ$^{1/3}$	唐/宕韻
0803a	上波・032ウ2・疊字	傍	平	ハウ	左注	bɑŋ$^{1/3}$	唐/宕韻
0778a	上波・032オ4・疊字	抱	去	ハウ	左注	bɑu^{2}	晧韻

0787a	上波・032オ6・疊字	房	去濁	ハウ	左注	biaŋ^{1} baŋ^{1}	陽韻 唐韻
0788a	上波・032オ6・疊字	房	去濁	ハウ	左注	biaŋ^{1} baŋ^{1}	陽韻 唐韻
0485a	上波・020ウ3・地儀	坊	平 去濁	ハウ	右注	biaŋ^{1} piaŋ^{1}	陽韻 陽韻
0914	上波・035オ2・官職	坊	—	ハウ	右注	biaŋ^{1} piaŋ^{1}	陽韻 陽韻
1035c	上保・041ウ6・地儀	坊	—	ハウ	右注	biaŋ^{1} piaŋ^{1}	陽韻 陽韻
0828a	上波・032ウ7・疊字	防	去	ハウ	左注	biaŋ$^{1/3}$	陽/漾韻
0687	上波・027ウ3・雜物	棒	上濁	ハウ	右注	bauŋ^{2}	講韻
0483	上波・020ウ3・地儀	房	平 去	ハウ ［平濁上］	右注	biaŋ^{1} baŋ^{1}	陽韻 唐韻
0484	上波・020ウ3・地儀	坊	—	ハウ ［平濁上］	右注	biaŋ^{1} piaŋ^{1}	陽韻 陽韻
0623a	上波・025オ7・人事	白	—	ハク	右注	bak	陌韻
0633a	上波・025ウ6・人事	白	入	ハク	左注	bak	陌韻
0637a	上波・026オ2・飲食	白	—	ハク	左注	bak	陌韻
0657	上波・026ウ3・雜物	帛	入	ハク	右傍	bak	陌韻
0689a	上波・027ウ4・雜物	白	入	ハク	右注	bak	陌韻
0724a	上波・031オ7・疊字	白	入	ハク	左注	bak	陌韻
0726a	上波・031オ7・疊字	白	入	ハク	右注	bak	陌韻
0730a	上波・031ウ1・疊字	白	入	ハク	左注	bak	陌韻
0742a	上波・031ウ4・疊字	白	入	ハク	中注	bak	陌韻
0751a	上波・031ウ5・疊字	白	入	ハク	左注	bak	陌韻
0770a	上波・032オ2・疊字	白	入	ハク	左注	bak	陌韻
0771a	上波・032オ3・疊字	白	—	ハク	左注	bak	陌韻
0779a	上波・032オ4・疊字	白	入	ハク	左注	bak	陌韻
0796a	上波・032ウ1・疊字	白	入	ハク	左注	bak	陌韻
0817a	上波・032ウ5・疊字	白	入	ハク	左注	bak	陌韻
0834a	上波・033オ1・疊字	白	入	ハク	中注	bak	陌韻
0840a	上波・033オ2・疊字	白	入	ハク	中注	bak	陌韻
0890a	上波・033ウ5・疊字	白	入	ハク	左注	bak	陌韻
0892a	上波・033ウ6・疊字	白	入	ハク	右注	bak	陌韻
0893a	上波・033ウ6・疊字	白	入	ハク	左注	bak	陌韻
0895a	上波・033ウ6・疊字	白	入	ハク	左注	bak	陌韻
0898a	上波・033ウ7・疊字	白	入	ハク	右注	bak	陌韻
1464b	上度・056ウ1・人事	白	—	ハク	右傍	bak	陌韻
1896b	上池・070オ6・疊字	帛	入	ハク	右注	bak	陌韻
0671	上波・027オ3・雜物	薄	入	ハク	右傍	bak	鐸韻
0736a	上波・031ウ2・疊字	薄	入	ハク	右注	bak	鐸韻
0874a	上波・033ウ2・疊字	薄	入	ハク	右注	bak	鐸韻
1418	上度・054ウ1・地儀	泊	—	ハク	右傍	bak	鐸韻
3006b	上加・108ウ3・疊字	帛	入	ハク	左注	bak	陌韻
0723a	上波・031オ7・疊字	白	入	ハツ	左注	bak	陌韻

1512b	上度・057ウ4・雜物	鈸	入	ハツ	左傍	bɑt	末韻
2473b	上加・092ウ5・植物	跋	入	ハツ	右傍	bɑt	末韻
2916b	上加・107オ6・疊字	魃	入濁	ハツ	左注	bɑt	末韻
0748a	上波・031ウ5・疊字	拔	入	ハツ	左注	bɑt biɑt bɐt	末韻 月韻 黠韻
0825a	上波・032ウ6・疊字	拔	入	ハツ	左注	bɑt biɑt bɐt	末韻 月韻 黠韻
0826a	上波・032ウ7・疊字	拔	入	ハツ	左注	bɑt biɑt bɐt	末韻 月韻 黠韻
0830a	上波・032ウ7・疊字	拔	入	ハツ	中注	bɑt biɑt bɐt	末韻 月韻 黠韻
0832a	上波・033オ1・疊字	拔	入	ハツ	左注	bɑt biɑt bɐt	末韻 月韻 黠韻
0628a	上波・025ウ5・人事	拔	上濁	ハ	左注	bɑt biɑt bɐt	末韻 月韻 黠韻
2163	上奴・078オ4・辞字	拔	平	チウ	右傍	bɑt biɑt bɐt	末韻 月韻 黠韻
2169	上奴・078ウ2・辞字	拔	―	チウ	右傍	bɑt biɑt bɐt	末韻 月韻 黠韻
0175	上伊・008ウ4・雜物	筏	入	ハツ	右傍	biɑt pɑt	月韻 末韻
0621	上波・025オ7・人事	罸	入濁	ハツ	右注	biɑt	月韻
0604	上波・024ウ5・人事	罸	―	ハツ ［平濁平］	右注	biɑt	月韻
0456b	上呂・019オ6・疊字	盤	平	ハム	右注	bɑn^{1}	桓韻
0882a	上波・033ウ4・疊字	磻	平	ハム	右注	bɑn^{1} bɑ^{1} p'ɑ^{1}	桓韻 戈韻 戈韻
1116	上保・045オ3・雜物	帆	去	ハム	右傍	biʌm$^{1/3}$	凡/梵韻
1119a	上保・045オ5・雜物	帆	平	ハム	右傍	biʌm$^{1/3}$	凡/梵韻
0547a	上波・022ウ5・動物	鯿	上	ハン	右傍	ban^{2}	潸韻
0458b	上呂・019オ6・疊字	盤	平	ハン	右注	bɑn^{1}	桓韻
0631a	上波・025ウ6・人事	盤	去濁	ハン	右注	bɑn^{1}	桓韻
0632a	上波・025ウ6・人事	盤	―	ハン	右傍	bɑn^{1}	桓韻
0662	上波・026ウ6・雜物	盤	―	ハン	右注	bɑn^{1}	桓韻
0668	上波・027オ1・雜物	鞶	平	ハン	右傍	bɑn^{1}	桓韻
0844b	上波・033オ3・疊字	盤	平	ハン	左注	bɑn^{1}	桓韻
1709a	上池・065ウ1・地儀	盤	―	ハン	右傍	bɑn^{1}	桓韻

2602	上加・096オ7・人體	瘢	—	ハン	右傍	ban^{1}	桓韻
2363	上和・089ウ3・辞字	蟠	平	ハン	右傍	ban^{1} bian^{1}	桓韻 元韻
0852a	上波・033オ5・疊字	般	平	ハン	左注	ban^{1} pan^{1} pan^{1} pat	桓韻 桓韻 刪韻 末韻
0766a	上波・032オ1・疊字	伴	去濁	ハン	右注	ban$^{2/3}$	緩/換韻
0780a	上波・032オ4・疊字	伴	去	ハン	右注	ban$^{2/3}$	緩/換韻
0811a	上波・032ウ4・疊字	伴	平濁	ハン	中注	ban$^{2/3}$	緩/換韻
0448b	上呂・019オ4・疊字	畔	平	ハン	左注	ban^{3}	換韻
1335b	上邊・052ウ5・疊字	畔	平	ハン	右注	ban^{3}	換韻
0472a	上波・020オ6・地儀	礬	—	ハン	右注	bian^{1}	元韻
0495a	上波・021オ1・植物	蘩	平	ハン	右傍	bian^{1}	元韻
2329	上和・087ウ2・人事	煩	平	ハン	右傍	bian^{1}	元韻
0831a	上波・033オ1・疊字	繁	平	ハン	右注	bian^{1} ban^{1} ba^{1}	元韻 桓韻 戈韻
0871a	上波・033ウ2・疊字	繁	平	ハン	右注	bian^{1} ban^{1} ba^{1}	元韻 桓韻 戈韻
0696	上波・028ウ2・員數	番	—	ハン	右注	bian^{1} p‘ian^{1} ban^{1} p‘an^{1} pa$^{1/3}$	元韻 元韻 桓韻 桓韻 戈/過韻
0721a	上波・031オ5・重點	番	—	ハン	右注	bian^{1} p‘ian^{1} ban^{1} p‘an^{1} pa$^{1/3}$	元韻 元韻 桓韻 桓韻 戈/過韻
0721b	上波・031オ5・重點	番	—	ハン	右注	bian^{1} p‘ian^{1} ban^{1} p‘an^{1} pa$^{1/3}$	元韻 元韻 桓韻 桓韻 戈/過韻

0851a	上波・033オ5・疊字	番	去濁	ハン	中注	bian^{1} p'ian^{1} ban^{1} p'an^{1} pɑ$^{1/3}$	元韻 元韻 桓韻 桓韻 戈/過韻
0919a	上波・035オ3・官職	番	―	ハン	右注	bian^{1} p'ian^{1} ban^{1} p'an^{1} pɑ$^{1/3}$	元韻 元韻 桓韻 桓韻 戈/過韻
0158	上伊・008オ5・飲食	飯	去	ハン	右傍	bian$^{2/3}$	阮/願韻
2339b	上和・088オ3・飲食	飯	平濁	ハン	右注	bian$^{2/3}$	阮/願韻
2396b	上和・090オ5・疊字	飯	平濁	ハン	左注	bian$^{2/3}$	阮/願韻
2816	上加・102ウ3・辞字	焚	平	ハン	右傍	biuʌn^{1}	文韻
0767a	上波・032オ2・疊字	凡	平	ハン	右注	biʌm^{1}	凡韻
1117a	上保・045オ4・雜物	帆	平	ハン	右傍	biʌm$^{1/3}$	凡/梵韻
1032a	上保・041ウ4・地儀	礬	平 去濁	ハン	右傍	bian^{1}	元韻
2178b	上留・079オ6・雜物	盤	―	ハン ［上濁上］	右注	ban^{1}	桓韻
1776c	上池・067ウ6・雜物	皮	平濁	ヒ	右注	bie^{1}	支韻
2594	上加・096オ5・人體	皮	平	ヒ	右傍	bie^{1}	支韻
2746	上加・100オ1・雜物	皮	平	ヒ	右傍	bie^{1}	支韻
2344b	上和・088オ6・雜物	被	平濁	ヒ	右注	bie^{2}	紙韻
2688	上加・098ウ5・雜物	髲	去	ヒ	右傍	bie^{3}	寘韻
1089	上保・044オ5・飲食	糒	去濁	ヒ	右傍	biei^{3}	至韻
1384b	上邊・053ウ1・疊字	備	去濁	ヒ	左注	biei^{3}	至韻
1955a	上池・071オ6・疊字	贔	平	ヒイ	右傍	biei^{3}	至韻
1182b	上保・047ウ2・疊字	弼	入	ヒツ	左注	biet	質韻
1568b	上度・057ウ4・雜物	鈸	入	ヒヤウ	右注	bɑt	末韻
0617	上波・025オ4・人事	評	平	ヒヤウ	右傍	biaŋ$^{1/3}$	庚/映韻
1997b	上利・073オ6・人躰	病	平濁	ヒヤウ	右注	biaŋ^{3}	映韻
2307b	上和・086ウ7・人躰	病	―	ヒヤウ	左注	biaŋ^{3}	映韻
2613b	上加・096ウ2・人體	病	平	ヒヤウ	右注	biaŋ^{3}	映韻
2920b	上加・107オ7・疊字	病	平濁	ヒヤウ	左注	biaŋ^{3}	映韻
2921b	上加・107オ7・疊字	病	平濁	ヒヤウ	左注	biaŋ^{3}	映韻
1403b	上邊・053ウ5・疊字	白	入	ヒヤク	右注	bak	陌韻
0135	上伊・007オ1・人事	憑	平	ヒヨウ	右傍	biɐŋ^{1}	蒸韻
3232	上与・117オ4・辞字	凭	平	ヒヨウ	右傍	biɐŋ$^{1/3}$	蒸/證韻
3170a	上加・112オ3・官職	奉	平濁	フ	右傍	biɑuŋ^{2}	腫韻
0176	上伊・008ウ5・雜物	游	平	フ	右傍	biuʌ^{1}	虞韻
0526a	上波・021ウ7・植物	芙	平	フ	右傍	biuʌ^{1}	虞韻
2209a	上遠・080オ5・植物	苻	平	フ	右傍	biuʌ^{1}	虞韻

2516	上加・094オ3・動物	鳬	平	フ	右傍	biuʌ^{1}	虞韻
0681	上波・027オ6・雜物	枹	—	フ	右傍	biuʌ^{1} pau^{1} biʌu^{1}	虞韻 肴韻 尤韻
0591b	上波・024オ5・人躰	痡	—	フ	右注	biuʌ^{2}	麌韻
0782b	上波・032オ5・疊字	腐	平	フ	左注	biuʌ^{2}	麌韻
2711	上加・099オ5・雜物	釜	上	フ	右傍	biuʌ^{2}	麌韻
1285a	上邊・050オ2・地儀	罘	—	フ	右傍	biʌu^{1}	尤韻
2261b	上遠・083オ3・雜物	浮	平	フ	右傍	biʌu^{1}	尤韻
2430a	上加・091ウ2・地儀	浮	平	フ	右傍	biʌu^{1}	尤韻
0070b	上伊・004オ7・動物	負	上	フ	右傍	biʌu^{2}	有韻
0568b	上波・023ウ1・人倫	婦	上	フ	右傍	biʌu^{2}	有韻
1698	上度・064オ7・官職	負	上	フ	右傍	biʌu^{2}	有韻
2202	上遠・080オ1・地儀	阜	—	フ	右傍	biʌu^{2}	有韻
3198	上与・114オ7・人倫	婦	上	フ	右傍	biʌu^{2}	有韻
1091	上保・044オ5・飲食	脯	平	フ	右傍	buʌ^{1}	模韻
0454b	上呂・019オ5・疊字	簿	上	フ	右注	buʌ^{2} bɑk	姥韻 鐸韻
1007b	上仁・040オ7・疊字	部	平	フ	左注	buʌ^{2} bʌu^{2}	姥韻 厚韻
1042b	上保・042オ3・植物	部	平	フ	右傍	buʌ^{2} bʌu^{2}	姥韻 厚韻
1966b	上池・071ウ7・官職	部	—	フ	右注	buʌ^{2} bʌu^{2}	姥韻 厚韻
1212b	上保・048オ1・疊字	伏	入	フク	右注	biʌuk	屋韻
1348b	上邊・052ウ7・疊字	復	入	フク	右注	biʌuk	屋韻
1946b	上池・071オ2・疊字	服	入濁	フク	右注	biʌuk	屋韻
2891b	上加・107オ1・疊字	伏	入濁	フク	中注	biʌuk	屋韻
2779	上加・100ウ6・光彩	馥	—	フク	右傍	biʌuk biɐk	屋韻 職韻
1025a	上保・041ウ1・天象	分	去濁	フム	右傍	biuʌn^{3}	問韻
1658b	上度・063オ6・疊字	分	平濁	ソン	中注	biuʌn^{3}	問韻
2136b	上利・076オ3・官職	分	—	フン	右注	biuʌn^{3}	問韻
2360	上和・088ウ6・辞字	分	平	フン	右傍	biuʌn^{3}	問韻
2979b	上加・108オ5・疊字	分	去濁	フン	左注	biuʌn^{3}	問韻
3082b	上加・109ウ4・疊字	分	去濁	フン	左注	biuʌn^{3}	問韻
3290a	上邊・054オ3・姓氏	平	—	ヘ	右注	biaŋ^{1} bjian^{1}	庚韻 仙韻
0354b	上伊・015ウ3・国郡	辨	—	ヘ ［平濁］	右傍	bian^{2} bɐn^{3}	獮韻 襉韻
1340a	上邊・052ウ6・疊字	陛	去	ヘイ	中注	bei^{2}	薺韻
1305a	上邊・051ウ3・雜物	瓶	平	ヘイ	右傍	beŋ^{1}	青韻
2726	上加・099ウ2・雜物	瓶	平	ヘイ	右傍	beŋ^{1}	青韻

0184a	上伊・008ウ7・雜物	平	平	へイ	右傍	biaŋ^{1} bjian^{1}	庚韻 仙韻
1302a	上邊・051オ6・人事	平	平	へイ	左注	biaŋ^{1} bjian^{1}	庚韻 仙韻
1327a	上邊・052ウ3・疊字	平	平	へイ	左注	biaŋ^{1} bjian^{1}	庚韻 仙韻
1328a	上邊・052ウ3・疊字	平	平	へイ	左注	biaŋ^{1} bjian^{1}	庚韻 仙韻
1342a	上邊・052ウ6・疊字	平	平	へイ	左注	biaŋ^{1} bjian^{1}	庚韻 仙韻
1347a	上邊・052ウ7・疊字	平	平	へイ	中注	biaŋ^{1} bjian^{1}	庚韻 仙韻
1348a	上邊・052ウ7・疊字	平	平	へイ	右注	biaŋ^{1} bjian^{1}	庚韻 仙韻
1349a	上邊・053オ1・疊字	平	平	へイ	右注	biaŋ^{1} bjian^{1}	庚韻 仙韻
1352a	上邊・053オ1・疊字	平	平	へイ	左注	biaŋ^{1} bjian^{1}	庚韻 仙韻
1359a	上邊・053オ3・疊字	平	平	へイ	左注	biaŋ^{1} bjian^{1}	庚韻 仙韻
1385a	上邊・053ウ1・疊字	平	平	へイ	左注	biaŋ^{1} bjian^{1}	庚韻 仙韻
1399a	上邊・053ウ4・疊字	平	平	へイ	右注	biaŋ^{1} bjian^{1}	庚韻 仙韻
1406a	上邊・053ウ5・疊字	平	平	へイ	右注	biaŋ^{1} bjian^{1}	庚韻 仙韻
1410a	上邊・053ウ6・疊字	平	平	へイ	左注	biaŋ^{1} bjian^{1}	庚韻 仙韻
2304b	上和・086ウ7・人躰	病	―	へイ	右傍	biaŋ^{3}	映韻
1401a	上邊・053ウ4・疊字	陪	平濁	へイ	右注	buʌi^{1}	灰韻
1056	上保・042ウ4・動物	鰾	上	へウ	右注	biau^{2}	小韻
1356a	上邊・053オ2・疊字	憑	平	へウ	右注	biɐŋ^{1}	蒸韻
0945a	上仁・036ウ4・動物	鸊	入	へキ	右傍	bek	錫韻
3130b	上加・110オ7・疊字	別	―	へチ	左注	biat piat	薛韻 薛韻
1332a	上邊・052ウ4・疊字	別	入	へツ	左注	biat piat	薛韻 薛韻
1362a	上邊・053オ3・疊字	別	入	へツ	左注	biat piat	薛韻 薛韻
1412a	上邊・054オ1・官職	別	―	へツ	右注	biat piat	薛韻 薛韻
2071b	上利・075オ2・疊字	別	入	へツ	左注	biat piat	薛韻 薛韻

1350a	上邊・053オ1・疊字	扁	去	ヘン	右注	ben^{2} pen^{2} p‘jian^{1} bjian^{2}	銑韻 銑韻 仙韻 獮韻
1343a	上邊・052ウ6・疊字	辨	平濁	ヘン	中注	bian^{2} bɐn^{3}	獮韻 襇韻
1373a	上邊・053オ5・疊字	弁	平濁	ヘン	左注	bian^{2} bɐn^{3}	獮韻 襇韻
1375a	上邊・053オ6・疊字	弁	平濁	ヘン	左注	bian^{2} bɐn^{3}	獮韻 襇韻
1376a	上邊・053オ6・疊字	弁	平濁	ヘン	中注	bian^{2} bɐn^{3}	獮韻 襇韻
1377a	上邊・053オ6・疊字	弁	平濁	ヘン	左注	bian^{2} bɐn^{3}	獮韻 襇韻
1384a	上邊・053ウ1・疊字	弁	平濁	ヘン	左注	bian^{2} bɐn^{3}	獮韻 襇韻
1386a	上邊・053ウ1・疊字	弁	平濁	ヘン	中注	bian^{2} bɐn^{3}	獮韻 襇韻
1387a	上邊・053ウ1・疊字	弁	平濁	ヘン	左注	bian^{2} bɐn^{3}	獮韻 襇韻
1411	上邊・054オ1・官職	辨	―	ヘン	右注	bian^{2} bɐn^{3}	獮韻 襇韻
1413a	上邊・054オ1・官職	弁	―	ヘン	右注	bian^{2} bɐn^{3}	獮韻 襇韻
1364a	上邊・053オ4・疊字	抃	去	ヘン	右注	bian^{3}	線韻
1365a	上邊・053オ4・疊字	抃	―	ヘン	右注	bian^{3}	線韻
1366a	上邊・053オ4・疊字	抃	去	ヘン	右注	bian^{3}	線韻
1381a	上邊・053オ7・疊字	抃	平	ヘン	左注	bian^{3}	線韻
1407a	上邊・053ウ6・疊字	抃	去	ヘン	右注	bian^{3}	線韻
0833b	上波・033オ1・疊字	畔	去	ホ	右注	bɑn^{3}	換韻
1152a	上保・047オ3・疊字	暴	去濁	ホ	左注	bɑu^{3} bʌuk	号韻 屋韻
1206a	上保・047ウ7・疊字	暴	去濁	ホ	左注	bɑu^{3} bʌuk	号韻 屋韻
1207a	上保・047ウ7・疊字	暴	去濁	ホ	左注	bɑu^{3} bʌuk	号韻 屋韻
1181a	上保・047ウ2・疊字	輔	去	ホ	中注	biuʌ^{2}	麌韻
1182a	上保・047ウ2・疊字	輔	去	ホ	左注	biuʌ^{2}	麌韻
1198a	上保・047ウ6・疊字	蒲	平	ホ	左注	buʌ^{1}	模韻
1211a	上保・048オ1・疊字	匍	上	ホ	右注	buʌ^{1}	模韻
1212a	上保・048オ1・疊字	蒲	―	ホ	右注	buʌ^{1}	模韻
1258a	上保・048ウ4・疊字	蒲	平	ホ	右注	buʌ^{1}	模韻

1380b	上邊・053オ7・疊字	蒲	平	ホ	中注	buʌ¹	模韻
2637b	上加・097オ7・人事	蒲	平	ホ	右傍	buʌ¹	模韻
1066a	上保・043オ2・人倫	菩	―	ホ	右注	buʌ¹ bʌi² biʌu² bʌk	模韻 海韻 有韻 德韻
1174a	上保・047ウ1・疊字	菩	去濁	ホ	左注	buʌ¹ bʌi² biʌu² bʌk	模韻 海韻 有韻 德韻
1221a	上保・048オ3・疊字	歩	去	ホ	左注	buʌ³	暮韻
1250a	上保・048ウ2・疊字	歩	去	ホ	左注	buʌ³	暮韻
1616b	上度・062ウ4・疊字	歩	上 去	ホ	中注	buʌ³	暮韻
2636a	上加・097オ7・人事	歩	去	ホ	右傍	buʌ³	暮韻
3074b	上加・109ウ3・疊字	歩	上	ホ	左注	buʌ³	暮韻
3129c	上加・110オ7・疊字	歩	去	ホ	右傍	buʌ³	暮韻
1075	上保・043ウ1・人事	哺	―	ホ ［上］	右傍	buʌ³	暮韻
1080	上保・043ウ3・人事	餔	―	ホ ［平］	右注	buʌ¹	模韻
1059a	上保・042ウ6・動物	鳳	―	ホゝ	右注	biʌuŋ³	送韻
0464a	上波・020オ2・天象	暴	去	ホウ	右傍	bɑu³ bʌuk	号韻 屋韻
2166	上奴・078オ6・辞字	縫	―	ホウ	右傍	biauŋ^1/3	鍾/用韻
1178a	上保・047ウ2・疊字	奉	去	ホウ	左注	biauŋ²	腫韻
1184a	上保・047ウ3・疊字	奉	去	ホウ	中注	biauŋ²	腫韻
1224a	上保・048オ4・疊字	奉	去	ホウ	左注	biauŋ²	腫韻
1393b	上邊・053ウ2・疊字	奉	去	ホウ	右注	biauŋ²	腫韻
1225a	上保・048オ4・疊字	俸	去	ホウ	右注	biauŋ³ pʌuŋ²	用韻 董韻
1226a	上保・048オ4・疊字	俸	去	ホウ	右注	biauŋ³ pʌuŋ²	用韻 董韻
1120	上保・045オ6・雜物	乏	―	ホウ	右傍	biʌp	乏韻
1047a	上保・042オ7・動物	鳳	去	ホウ	中注	biʌuŋ³	送韻
1048a	上保・042オ7・動物	鳳	去	ホウ	左注	biʌuŋ³	送韻
1175a	上保・047ウ1・疊字	鳳	去	ホウ	左注	biʌuŋ³	送韻
1180a	上保・047ウ2・疊字	鳳	去	ホウ	左注	biʌuŋ³	送韻
1209a	上保・048オ1・疊字	鳳	去	ホウ	中注	biʌuŋ³	送韻
1257a	上保・048ウ4・疊字	鳳	去	ホウ	中注	biʌuŋ³	送韻
1217a	上保・048オ2・疊字	朋	去濁	ホウ	右傍	bʌŋ¹	登韻
1626b	上度・062ウ6・疊字	朋	平濁	ホウ	左注	bʌŋ¹	登韻
1159a	上保・047オ5・疊字	蓬	平	ホウ	右注	bʌuŋ¹	東韻

1179a	上保・047ウ2・疊字	蓬	平	ホウ	左注	bʌuŋ^{1}	東韻
1195a	上保・047ウ5・疊字	蓬	平	ホウ	左注	bʌuŋ^{1}	東韻
1197a	上保・047ウ5・疊字	蓬	平	ホウ	左注	bʌuŋ^{1}	東韻
1205a	上保・047ウ7・疊字	蓬	平	ホウ	左注	bʌuŋ^{1}	東韻
1241a	上保・048オ7・疊字	蓬	去	ホウ	左注	bʌuŋ^{1}	東韻
1242a	上保・048ウ1・疊字	蓬	平	ホウ	右注	bʌuŋ^{1}	東韻
1243a	上保・048ウ1・疊字	蓬	平	ホウ	左注	bʌuŋ^{1}	東韻
1505	上度・057ウ2・雑物	篷	—	ホウ	右傍	bʌuŋ^{1}	東韻
2511b	上加・093ウ6・植物	蓬	平	ホウ	右傍	bʌuŋ^{1}	東韻
3184	上与・113ウ6・植物	蓬	平	ホウ	右傍	bʌuŋ^{1}	東韻
0554	上波・022ウ7・動物	蜂	平	ホウ	右傍	bauk bʌuk	東韻 鍾韻
1236a	上保・048オ6・疊字	蜂	平	ホウ	中注	bʌuŋ^{1} p'iauŋ^{1}	東韻 鍾韻
1081	上保・043ウ3・人事	俸	—	ホウ [平上]	右注	biauŋ^{3} pʌuŋ^{2}	用韻 董韻
1633b	上度・063オ1・疊字	僕	入濁	ホク	左注	bauk bʌuk	沃韻 屋韻
2680a	上加・098ウ3・雑物	幞	入濁	ホク	右傍	biauk	燭韻
1255a	上保・048ウ3・疊字	乏	入	ホク	左注	biʌp	乏韻
1211b	上保・048オ1・疊字	匐	入	ホク	右注	biʌuk bʌuk	屋韻 徳韻
1068	上保・043オ2・人倫	僕	入濁	ホク	右注	bʌuk bauk	屋韻 沃韻
1219a	上保・048オ3・疊字	僕	入濁	ホク	中注	bʌuk bauk	屋韻 沃韻
1220a	上保・048オ3・疊字	僕	入濁	ホク	左注	bʌuk bauk	屋韻 沃韻
1237a	上保・048オ7・疊字	犯	平濁	ホム	右注	biʌm^{2}	范韻
1189a	上保・047ウ4・疊字	煩	去濁	ホン	左注	bian^{1}	元韻
1238a	上保・048オ7・疊字	犯	平濁	ホン	右注	biʌm^{2}	范韻
1239a	上保・048オ7・疊字	犯	平濁	ホン	右注	biʌm^{2}	范韻
1163a	上保・047オ6・疊字	梵	平濁	ホン	左注	biʌm^{3} biʌuŋ^{1}	梵韻 東韻
1164a	上保・047オ6・疊字	梵	平濁	ホン	左注	biʌm^{3} biʌuŋ^{1}	梵韻 東韻
1173a	上保・047ウ1・疊字	梵	平濁	ホン	左注	biʌm^{3} biʌuŋ^{1}	梵韻 東韻
2590b	上加・096オ4・人體	盆	平	ホン	右傍	buʌn^{1}	魂韻
0050b	上伊・003ウ5・植物	葐	平	ホン	右傍	buʌn^{1} biuʌŋ^{1}	魂韻 文韻
1031a	上保・041ウ4・地儀	礬	平 去濁	ホン	右注	bian^{1}	元韻
3178c	上加・112ウ3・姓氏	俻	—	ミ	右傍	biei^{3}	至韻

2840	上加・105オ6・辞字	礬	―	シウ	右傍	bian^{1}	元韻
0552	上波・022ウ6・動物	蚌	去	ハン	右傍	bauŋ^{2}	講韻

【表C-01】下巻_並母 b

番号	前田本所在	掲出字		仮名音注		中古音	韻目
6146b	下飛・094オ6・雑物	琶	平	ハ	右注	ba^{1}	麻韻
6064b	下飛・091ウ1・植物	杷	平	ハ	右注	ba$^{1/3}$ buɐ^{3}	麻/禡韻 卦韻
5769b	下師・084オ2・疊字	婆	上濁	ハ	左注	bɑ^{1}	戈韻
4399b	下阿・040ウ5・国郡	房	―	ハ	右注	biaŋ^{1} bɑŋ^{1}	陽韻 唐韻
4401b	下阿・040ウ5・国郡	房	―	ハ	右傍	biaŋ^{1} bɑŋ^{1}	陽韻 唐韻
4557b	下佐・046ウ5・飲食	飯	―	ハ ［上濁］	右注	bian$^{2/3}$	阮/願韻
6744b	下世・112オ6・疊字	敗	去	ハイ	右注	bai^{3} pai^{3}	夬韻 夬韻
5396a	下師・073ウ1・飲食	粺	去	ハイ	右傍	bɐ^{3}	卦韻
4618	下佐・049オ2・辞字	悖	―	ハイ	右傍	buʌi^{3} buʌt	隊韻 没韻
4152a	下阿・027ウ6・動物	鬇	平	ハウ	右傍	baŋ^{1}	庚韻
6049	下飛・091オ5・植物	匏	平	ハウ	右傍	bau^{1}	豪韻
4149	下阿・027ウ5・動物	鮑	―	ハウ	右傍	bau^{2}	巧韻
5226a	下由・066ウ4・人躰	膀	平	ハウ	右傍	bɑŋ^{1}	唐韻
4743b	下佐・052ウ2・疊字	袍	去	ハウ	左注	bɑu^{1}	豪韻
6753b	下世・112オ7・疊字	袍	去	ハウ	右注	bɑu^{1}	豪韻
3361	下古・003ウ3・動物	魴	―	ハウ	右傍	biaŋ^{1}	陽韻
4189	下阿・029オ4・人躰	肪	平	ハウ	右注	biaŋ^{1} piaŋ^{1}	陽韻 陽韻
5963c	下會・087ウ4・地儀	坊	―	ハウ	右傍	biaŋ^{1} piaŋ^{1}	陽韻 陽韻
3970b	下手・022オ6・疊字	防	平	ハウ	左注	biaŋ$^{1/3}$	陽/漾韻
6955b	下洲・121オ5・国郡	防	―	ハウ	右注	biaŋ$^{1/3}$	陽/漾韻
5851b	下師・085オ1・疊字	白	徳?	ハク	右傍	bak	陌韻
6758d	下世・112ウ2・疊字	白	入	ハク	右傍	bak	陌韻
6821b	下洲・115オ2・人躰	白	―	ハク	右傍	bak	陌韻
4051	下阿・024ウ1・天象	雹	入	ハク	右傍	bauk	覺韻
3783b	下江・016オ1・雑物	薄	入	ハク	右傍	bɑk	鐸韻
4438a	下佐・042ウ1・地儀	泊	入	ハク	右傍	bɑk	鐸韻
6787	下洲・113ウ6・植物	薄	入	ハク	右傍	bɑk	鐸韻
6846	下洲・116オ5・雑物	箔	―	ハク	右傍	bɑk	鐸韻
6470b	下毛・105ウ4・疊字	簿	入濁	ハク	左注	bɑk buʌ^{2}	鐸韻 姥韻

3727b	下古・012オ7・疊字	薄	入	ハチ	左注	bak	鐸韻
4456a	下佐・043オ5・植物	菝	入	ハツ	右傍	bat bɐt	末韻 黠韻
6239b	下飛・097ウ6・疊字	帆	平	ハム	左注	biʌm$^{1/3}$	凡/梵韻
4886	下木・057オ7・人躰	瘢	平	ハン	右傍	ban^{1}	桓韻
5405b	下師・073ウ5・雜物	盤	平	ハン	右傍	ban^{1}	桓韻
4067	下阿・025オ3・地儀	畔	—	ハン	右傍	ban^{3}	換韻
4231	下阿・031オ5・飲食	燔	平	ハン	右傍	bian^{1}	元韻
5282a	下師・069ウ1・植物	蘩	—	ハン	右傍	bian^{1}	元韻
6409	下毛・101ウ4・動物	鷭	—	ハン	右傍	bian^{1}	元韻
5491	下師・076オ2・辞字	繁	平	ハン	右傍	bian^{1} ban^{1} ba^{1}	元韻 桓韻 戈韻
5492	下師・076オ2・辞字	蕃	平	ハン	右傍	bian^{1} pian^{1}	元韻 元韻
3417b	下古・006オ7・飲食	飯	去	ハン	右傍	bian$^{2/3}$	阮/願韻
3452	下古・007オ4・雜物	樊	平	ハン	右傍	biuʌn^{1}	文韻
6174	下飛・094ウ6・雜物	棑	—	ヒ	右注	bɐ^{1} buɐi^{3}	佳韻 怪韻
6056	下飛・091オ7・植物	薭	—	ヒ	右傍	bɐ^{3}	卦韻
4864b	下木・056オ6・植物	皮	平	ヒ	右傍	bie^{1}	支韻
6261a	下飛・098オ3・疊字	皮	平	ヒ	左注	bie^{1}	支韻
6295a	下飛・098ウ1・疊字	被	去	ヒ	左注	bie^{2}	紙韻
6328a	下飛・099オ1・疊字	被	—	ヒ	左注	bie^{2}	紙韻
4008b	下手・023オ1・疊字	備	上	ヒ	左注	biei^{3}	至韻
5208b	下木・065オ7・姓氏	備	—	ヒ	右注	biei^{3}	至韻
6142b	下飛・094オ3・飲食	糒	去	ヒ	右傍	(biei^{3})	至韻
6330a	下飛・099オ1・疊字	贔	—	ヒ	左注	biei^{3}	至韻
6362a	下飛・100オ1・國郡	備	—	ヒ	右傍	biei^{3}	至韻
6365a	下飛・100オ1・國郡	備	—	ヒ	右傍	biei^{3}	至韻
6370a	下飛・100オ2・國郡	備	—	ヒ	右傍	biei^{3}	至韻
6262a	下飛・098オ3・疊字	肥	—	ヒ	右注	biʌi^{1}	微韻
6377a	下飛・100オ2・國郡	肥	—	ヒ	右傍	biʌi^{1}	微韻
3384	下古・004ウ1・人躰	腓	平	ヒ	右傍	biʌi$^{1/3}$	微/未韻
4567b	下佐・047オ4・雜物	皮	—	ヒツ ［上平］	右注	bie^{1}	支韻
3912c	下手・020ウ7・雜物	皮	—	ヒ ［平］	右注	bie^{1}	支韻
6388	下飛・100オ6・官職	弼	—	ヒツ	右注	biet	質韻
4278b	下阿・032ウ3・雜物	瓶	上濁	ヒヤウ	右傍	beŋ^{1}	青韻
5581b	下師・080オ4・疊字	瓶	上	ヒヤウ	左注	beŋ^{1}	青韻
6191a	下飛・095オ2・雜物	平	—	ヒヤウ	右傍	biaŋ^{1} bjian^{1}	庚韻 仙韻

6311a	下飛・098ウ4・疊字	平	去濁	ヒヤウ	中注	biaŋ¹ bjian¹	庚韻 仙韻
3560b	下古・007オ6・雜物	枰	平	ヒヤウ	右傍	biaŋ^1/3	庚/映韻
6296a	下飛・098ウ2・疊字	評	平	ヒヤウ	左注	biaŋ^1/3	庚/映韻
6062a	下飛・091ウ1・植物	白	入濁	ヒヤク	右注	bak	陌韻
6072a	下飛・091ウ4・植物	白	―	ヒヤク	右注	bak	陌韻
6102a	下飛・092ウ3・人倫	白	―	ヒヤク	右傍	bak	陌韻
6161a	下飛・094ウ2・雜物	白	―	ヒヤク	右注	bak	陌韻
6188a	下飛・095オ2・雜物	白	―	ヒヤク	右傍	bak	陌韻
6201a	下飛・095オ5・光彩	白	入濁	ヒヤク	右傍	bak	陌韻
6241a	下飛・097ウ6・疊字	白	入濁	ヒヤク	左注	bak	陌韻
6280a	下飛・098オ6・疊字	貧	平 去	ヒン	左注	bien¹	眞韻
6281a	下飛・098オ6・疊字	貧	去	ヒン	左注	bien¹	眞韻
6282a	下飛・098オ6・疊字	貧	去	ヒン	左注	bien¹	眞韻
6177	下飛・094ウ7・雜物	盆	―	ヒン	右傍	buʌn¹	魂韻
4714b	下佐・052オ2・疊字	苻	―	フ	左注	biuʌ¹	虞韻
6072b	下飛・091ウ4・植物	附	―	フ	右注	biuʌ³	遇韻
4265	下阿・032オ6・雜物	罘	平	フ	右傍	biʌu¹	尤韻
4395a	下阿・040オ1・疊字	浮	平	フ	右傍	biʌu¹	尤韻
6095a	下飛・092オ6・動物	蜉	―	フ	右傍	biʌu¹	尤韻
5553b	下師・079オ6・疊字	婦	―	フ	左注	biʌu²	有韻
5762b	下師・083ウ7・疊字	負	平	フ	左注	biʌu²	有韻
5887b	下師・085オ7・疊字	負	上濁	フ	右注	biʌu²	有韻
4105b	下阿・026オ6・植物	蒲	上	フ	右傍	buʌ¹	模韻
5279b	下師・069オ7・植物	蒲	上	フ	右注	buʌ¹	模韻
5201b	下木・065オ4・官職	部	―	フ	右注	buʌ² bʌu²	姥韻 厚韻
5936b	下師・086ウ6・官職	部	―	フ	右傍	buʌ² bʌu²	姥韻 厚韻
6389b	下飛・100オ6・官職	部	―	フ	右注	buʌ² bʌu²	姥韻 厚韻
6482b	下毛・106オ1・官職	部	―	フ	右注	buʌ² bʌu²	姥韻 厚韻
4150	下阿・027ウ5・動物	鰒	入	フク	右傍	biʌuk	屋韻
4945	下木・059ウ2・辭字	服	―	フク	右注	biʌuk	屋韻
5148b	下木・063ウ6・疊字	伏	入	フク	左注	biʌuk	屋韻
5671b	下師・082オ3・疊字	伏	―	フク	左注	biʌuk	屋韻
5837b	下師・084ウ6・疊字	伏	入	フク	左注	biʌuk	屋韻
4393a	下阿・039ウ6・疊字	馥	入	フク	右傍	biʌuk biɐk	屋韻 職韻
4123a	下阿・026ウ6・植物	蔔	―	フク	右傍	bʌk	徳韻
4676b	下佐・051オ7・疊字	佛	入	フツ	左注	biuʌt	物韻
5797b	下師・084オ7・疊字	分	―	フン	左注	biuʌn³	問韻
6927b	下洲・120オ7・疊字	分	―	フン	右注	biuʌn³	問韻

4400a	下阿・040ウ5・国郡	平	―	ヘ	右傍	biaŋ^1 bjian^1	庚韻 仙韻
3734c	下古・013ウ3・姓氏	倍	―	ヘ	右注	bʌi^2	海韻
4424b	下阿・041オ7・姓氏	倍	―	ヘ	右注	bʌi^2	海韻
6953b	下洲・121オ5・国郡	倍	―	ヘ	右傍	bʌi^2	海韻
4218	下阿・030ウ2・人事	偝	平	ヘイ	右傍	bei^2	薺韻
5625b	下師・081オ7・疊字	別	入	ヘツ	左注	biat piat	薛韻 薛韻
6708b	下世・111ウ6・疊字	別	入	ヘツ	左注	biat piat	薛韻 薛韻
3681b	下古・011ウ4・疊字	敗	平	ヘン	左注	bai^3 pai^3	夬韻 夬韻
4744b	下佐・052ウ2・疊字	縫	去	ホウ	左注	biɑuŋ$^{1/3}$	鍾/用韻
5008a	下木・061ウ1・疊字	鳳	―	ホウ	右傍	biʌuŋ^3	送韻
6493b	下世・106ウ4・地儀	鳳	去	ホウ	右傍	biʌuŋ^3	送韻
4071	下阿・025オ6・地儀	堋	平	ホウ	左注	bʌŋ^1 p‘ʌŋ^1 pʌŋ^3	登韻 登韻 嶝韻
3431b	下古・006ウ6・雑物	幞	入	ホク	右傍	biɑuk	燭韻
6834	下洲・116オ2・雑物	墨	入濁	ホク	右傍	bʌk	徳韻
6838a	下洲・116オ3・雑物	墨	入濁	ホク	右傍	bʌk	徳韻
6839b	下洲・116オ3・雑物	墨	―	ホク	右傍	bʌk	徳韻
6868	下洲・116ウ5・光彩	礬	―	シウ	右傍	biɑn^1	元韻

【表C-01】上巻_明母 m

番号	前田本所在	掲出字		仮名音注		中古音	韻目
0853a	上波・033オ5・疊字	麻	平濁	ハ	左注	ma^1	麻韻
0892b	上波・033ウ6・疊字	麻	平濁	ハ	右注	ma^1	麻韻
1435b	上度・055オ2・植物	麻	平	ハ	右傍	ma^1	麻韻
2205	上遠・080オ4・植物	麻	平濁	ハ	右傍	mɑ^1	麻韻
2553b	上加・095オ1・動物	蟇	平濁	ハ	右傍	ma^1	麻韻
0333b	上伊・014オ1・疊字	馬	上濁	ハ	左注	ma^2	馬韻
0751b	上波・031ウ5・疊字	馬	上濁	ハ	左注	ma^2	馬韻
0889a	上波・033ウ5・疊字	馬	上濁	ハ	右注	ma^2	馬韻
0904a	上波・034オ1・疊字	馬	上濁	ハ	右注	ma^2	馬韻
1646b	上度・063オ3・疊字	馬	上濁	ハ	左注	ma^2	馬韻
1859b	上池・069ウ6・疊字	馬	上	ハ	左注	ma^2	馬韻
2116b	上利・075ウ4・疊字	馬	上濁	ハ	左注	ma^2	馬韻
0598	上波・024ウ2・人事	魔	平濁	ハ	右注	mɑ^1	戈韻
0785a	上波・032オ5・疊字	磨	平濁	ハ	右注	mɑ$^{1/3}$	戈/過韻
1540	上度・059オ3・辞字	磨	―	ハ	右傍	mɑ$^{1/3}$	戈/過韻
1613b	上度・062ウ4・疊字	磨	平濁	ハ	左注	mɑ$^{1/3}$	戈/過韻

0765a	上波・032オ1・疊字	末	去濁	ハ	右注	mɑt	末韻
0859b	上波・033オ6・疊字	買	上濁	ハイ	左注	mɐ^{2}	蟹韻
0859a	上波・033オ6・疊字	賣	去濁	ハイ	左注	mɐ^{3}	卦韻
0881a	上波・033ウ4・疊字	賣	去	ハイ	右注	mɐ^{3}	卦韻
2490a	上加・093オ7・植物	賣	平	ハイ	右傍	mɐ^{3}	卦韻
0722a	上波・031オ7・疊字	梅	平濁	ハイ	左注	muʌi^{1}	灰韻
0784a	上波・032オ5・疊字	媒	平濁	ハイ	左注	muʌi^{1}	灰韻
0905a	上波・034オ1・疊字	梅	平濁	ハイ	右注	muʌi^{1}	灰韻
1875b	上池・070オ2・疊字	媒	平濁	ハイ	左注	muʌi^{1}	灰韻
2074b	上利・075オ2・疊字	媒	平濁	ハイ	左注	muʌi^{1}	灰韻
0715a	上波・031オ4・重點	莓	―	ハイ	右注	muʌi$^{1/3}$ miʌu^{3}	灰/隊韻 宥韻
0715b	上波・031オ4・重點	莓	―	ハイ	右注	muʌi$^{1/3}$ miʌu^{3}	灰/隊韻 宥韻
0900a	上波・033ウ7・疊字	莓	平濁	ハイ	右注	muʌi$^{1/3}$ miʌu^{3}	灰/隊韻 宥韻
0926a	上仁・036オ2・地儀	莓	―	ハイ	右傍	muʌi$^{1/3}$ miʌu^{3}	灰/隊韻 宥韻
0841a	上波・033オ3・疊字	茅	平濁	ハウ	右注	mau^{1}	肴韻
0885a	上波・033ウ4・疊字	茅	平	ハウ	右注	mau^{1}	肴韻
1719	上池・065ウ5・植物	茅	平濁	ハウ	右傍	mau^{1}	肴韻
3244b	上与・117ウ3・疊字	皃	去	ハウ	左注	mau^{3} mauk	効韻 覺韻
0206	上伊・010ウ7・辞字	忙	平濁	ハウ	右傍	maŋ^{1}	唐韻
0209	上伊・011オ2・辞字	忙	平濁	ハウ	右傍	maŋ^{1}	唐韻
0224	上伊・011ウ6・辞字	忙	平濁	ハウ	右傍	maŋ^{1}	唐韻
0719a	上波・031オ4・重點	茫	―	ハウ	右注	maŋ^{1}	唐韻
0719b	上波・031オ4・重點	茫	―	ハウ	右注	maŋ^{1}	唐韻
1338b	上邊・052ウ5・疊字	茫	平濁	ハウ	左注	maŋ^{1}	唐韻
3058b	上加・109オ7・疊字	苗	去濁	ハウ	左注	miau^{1}	宵韻
0739a	上波・031ウ3・疊字	亡	平濁	ハウ	左注	miaŋ^{1}	陽韻
0793a	上波・032オ7・疊字	亡	平濁	ハウ	左注	miaŋ^{1}	陽韻
0816a	上波・032ウ5・疊字	亡	去濁	ハウ	左注	miaŋ^{1}	陽韻
0337b	上伊・014オ2・疊字	望	平濁	ハウ	右注	miaŋ$^{1/3}$	陽/漾韻
0403a	上呂・017オ5・地儀	望	去濁	ハウ	右傍	miaŋ$^{1/3}$	陽/漾韻
0743a	上波・031ウ4・疊字	望	去濁	ハウ	右注	miaŋ$^{1/3}$	陽/漾韻
0747a	上波・031ウ5・疊字	望	去濁	ハウ	左注	miaŋ$^{1/3}$	陽/漾韻
0756a	上波・031ウ6・疊字	忘	去濁	ハウ	右注	miaŋ$^{1/3}$	陽/漾韻
0883a	上波・033ウ4・疊字	忘	去濁	ハウ	右注	miaŋ$^{1/3}$	陽/漾韻
0899a	上波・033ウ7・疊字	望	去濁	ハウ	右注	miaŋ$^{1/3}$	陽/漾韻
1630b	上度・062ウ7・疊字	望	平濁	ハウ	中注	miaŋ$^{1/3}$	陽/漾韻
1748a	上池・067オ3・人事	忘	―	ハウ	右傍	miaŋ$^{1/3}$	陽/漾韻

1865b	上池・069ウ7・疊字	望	去濁	ハウ	左注	miɑŋ$^{1/3}$	陽/漾韻
1877b	上池・070オ3・疊字	望	平濁	ハウ	左注	miɑŋ$^{1/3}$	陽/漾韻
1887b	上池・070オ5・疊字	望	平濁	ハウ	中注	miɑŋ$^{1/3}$	陽/漾韻
1898b	上池・070オ7・疊字	望	平濁	ハウ	左注	miɑŋ$^{1/3}$	陽/漾韻
2320	上和・087オ5・人事	忘	平濁	ハウ	右傍	miɑŋ$^{1/3}$	陽/漾韻
3084b	上加・109ウ5・疊字	望	平濁	ハウ	右注	miɑŋ$^{1/3}$	陽/漾韻
0795a	上波・032オ7・疊字	惘	上濁	ハウ	右注	miɑŋ^{2}	養韻
1331b	上邊・052ウ4・疊字	邈	入	ハク	中注	mauk	覺韻
0732a	上波・031ウ2・疊字	麦	入濁	ハク	右注	mɐk	麥韻
2484a	上加・093オ3・植物	麦	入濁	ハク	右傍	mɐk	麥韻
1432b	上度・055オ1・植物	麦	入濁	ハク	右傍	mɐk	麥韻
0870a	上波・033ウ1・疊字	莫	入濁	ハク	右注	mɑk	鐸韻
1040b	上保・042オ1・植物	莫	入濁	ハク	右傍	mɑk	鐸韻
0783a	上波・032オ5・疊字	末	入濁	ハツ	中注	mɑt	末韻
0802a	上波・032ウ2・疊字	末	入濁	ハツ	左注	mɑt	末韻
2535	上加・094ウ3・動物	鮇	入	ハツ	右傍	mɑt	末韻
0728a	上波・031ウ1・疊字	晩	上濁	ハム	右注	miɑn^{2}	阮韻
0729a	上波・031ウ1・疊字	晩	上濁	ハム	右注	miɑn^{2}	阮韻
0733a	上波・031ウ2・疊字	晩	上濁	ハム	右注	miɑn^{2}	阮韻
0734a	上波・031ウ2・疊字	晩	上濁	ハム	左注	miɑn^{2}	阮韻
0735a	上波・031ウ2・疊字	晩	上濁	ハム	右注	miɑn^{2}	阮韻
0643a	上波・026オ5・雜物	蠻	—	ハン	右注	man^{1}	刪韻
0740a	上波・031ウ3・疊字	蠻	平濁	ハン	中注	man^{1}	刪韻
1302b	上邊・051オ6・人事	蠻	平濁	ハン	左注	man^{1}	刪韻
2274	上遠・084オ2・辞字	晩	上	ハン	右傍	miɑn^{2}	阮韻
0737a	上波・031ウ3・疊字	万	去濁	ハン	左注	miɑn^{3} mʌk	願韻 徳韻
0752a	上波・031ウ6・疊字	万	去濁	ハン	中注	miɑn^{3} mʌk	願韻 徳韻
0757a	上波・031ウ7・疊字	万	去濁	ハン	中注	miɑn^{3} mʌk	願韻 徳韻
0888a	上波・033ウ5・疊字	万	去濁	ハン	右注	miɑn^{3} mʌk	願韻 徳韻
0683	上波・027オ7・雜物	縻	平濁	ヒ	右傍	mie^{1}	支韻
2660	上加・098オ3・飲食	糜	平濁	ヒ	右傍	mie^{1}	支韻
2215a	上遠・080オ7・植物	蘼	—	ヒ	右傍	mie$^{1/2}$	支/紙韻
1125	上保・045ウ4・方角	湄	平	ヒ	右傍	miei^{1}	脂韻
2929b	上加・107ウ2・疊字	眉	平濁	ヒ	左注	miei^{1}	脂韻
0276b	上伊・013オ3・疊字	美	上	ヒ	中注	miei^{2}	旨韻
1227b	上保・048オ4・疊字	美	平濁	ヒ	左注	miei^{2}	旨韻
1909b	上池・070ウ2・疊字	美	平濁	ヒ	左注	miei^{2}	旨韻
0125	上伊・006ウ5・人事	微	平	ヒ	右傍	miʌi^{1}	微韻
2289	上和・086オ2・植物	薇	平	ヒ	右傍	miʌi^{1} miei^{1}	微韻 脂韻

1935b	上池・070ウ7・疊字	尾	上濁	ヒ	右注	miʌi^{2}	尾韻
2060b	上利・074ウ7・疊字	尾	上濁	ヒ	中注	miʌi^{2}	尾韻
0328b	上伊・013ウ7・疊字	味	平濁	（ヒ）	左注	miʌi^{3}	未韻
2635	上加・097オ6・人事	閔	―	ヒン	右傍	mien^{2}	軫韻
2215b	上遠・080オ7・植物	蕪	―	フ	右傍	miuʌ^{1}	虞韻
0880b	上波・033ウ3・疊字	撫	上濁	フ	右注	miuʌ^{2}	麌韻
2960b	上加・108オ1・疊字	舞	上濁	フ	中注	miuʌ^{2}	麌韻
0271b	上伊・013オ2・疊字	物	入濁	フツ	右注	miuʌt	物韻
1218b	上保・048オ3・疊字	物	入	フツ	左注	miuʌt	物韻
1912b	上池・070ウ3・疊字	物	入濁	フツ	左注	miuʌt	物韻
2556	上加・095オ1・動物	蚊	平	フン	右傍	miuʌn^{1}	文韻
0823b	上波・032ウ6・疊字	聞	平濁	フン	左注	miuʌn$^{1/3}$	文/問韻
2621	上加・096ウ5・人事	聞	去濁	フン	右傍	miuʌn$^{1/3}$	文/問韻
3011b	上加・108ウ4・疊字	聞	去	フン	左注	miuʌn$^{1/3}$	文/問韻
0701	上波・029オ4・人事	刎	上濁	フン	右傍	miuʌn^{2}	吻韻
2671b	上加・098オ5・飲食	米	上	ヘイ	右傍	mei^{2}	薺韻
3213	上与・115ウ1・人事	米	上濁	ヘイ	右傍	mei^{2}	薺韻
1351a	上邊・053オ1・疊字	苗	去濁	ヘウ	左注	miau^{1}	宵韻
1388a	上邊・053ウ1・疊字	廟	去濁	ヘウ	右注	miau^{3}	笑韻
2536	上加・094ウ3・動物	鮇	入	ヘツ	右傍	mɑt	末韻
1357a	上邊・053オ2・疊字	蔑	入濁	ヘツ	中注	met	屑韻
1358a	上邊・053オ2・疊字	蔑	入濁	ヘツ	左注	met	屑韻
1360a	上邊・053オ3・疊字	蔑	入濁	ヘツ	左注	met	屑韻
2562a	上加・095オ4・動物	蠛	入濁	ヘツ	右傍	met	屑韻
2099b	上利・075オ7・疊字	韈	入濁	ヘツ	左注	miɑt	月韻
1341a	上邊・052ウ6・疊字	冕	上濁	ヘン	左注	mian^{2}	獮韻
1374a	上邊・053オ6・疊字	冕	上濁	ヘン	左注	mian^{2}	獮韻
2681	上加・098ウ3・雑物	冕	上濁	ヘン	右傍	mian^{2}	獮韻
1196a	上保・047ウ5・疊字	嫫	平濁	ホ	中注	muʌ^{1}	暮韻
2741	上加・099ウ7・雑物	模	平濁	ホ	右傍	muʌ^{1}	模韻
3094b	上加・109ウ7・疊字	摸	上濁	ホ	右注	muʌ^{1} mɑk	模韻 鐸韻
1157a	上保・047オ4・疊字	暮	去濁	ホ	左注	muʌ^{3}	暮韻
1252a	上保・048ウ3・疊字	暮	去濁	ホ	左注	muʌ^{3}	暮韻
0492b	上波・021オ1・植物	母	上濁	ホ	右傍	mʌu^{2}	厚韻
1037a	上保・042オ1・植物	牡	去濁	ホ	右注	mʌu^{2}	厚韻
1190a	上保・047ウ4・疊字	母	上濁	ホ	右注	mʌu^{2}	厚韻
1196b	上保・047ウ5・疊字	母	上濁	ホ	中注	mʌu^{2}	厚韻
1199a	上保・047ウ6・疊字	母	―	ホ	右注	mʌu^{2}	厚韻
1593b	上度・062オ6・疊字	母	上濁	ホ	左注	mʌu^{2}	厚韻
2042b	上利・074ウ3・疊字	畝	上	ホ	左注	mʌu^{2}	厚韻
2226	上遠・080ウ5・動物	牡	上濁	ホ	右傍	mʌu^{2}	厚韻
2231b	上遠・081オ3・人倫	母	上濁	ホ	右傍	mʌu^{2}	厚韻

2409b	上和・090ウ1・疊字	母	上濁	ホ	右注	mʌu^{2}	厚韻
0049	上伊・003ウ5・植物	苺	—	ホ	右傍	mʌu^{3}	候韻
2583	上加・096オ2・人體	髦	平濁	ホウ	右傍	mɑu^{1}	豪韻
0893b	上波・033ウ6・疊字	毛	去濁	ホウ	左注	mɑu$^{1/3}$	豪/号韻
1193a	上保・047ウ5・疊字	毛	平濁	ホウ	右注	mɑu$^{1/3}$	豪/号韻
1216a	上保・048オ2・疊字	毛	平濁	ホウ	左注	mɑu$^{1/3}$	豪/号韻
1263a	上保・048ウ5・疊字	毛	平濁	ホウ	右注	mɑu$^{1/3}$	豪/号韻
1265a	上保・048ウ6・疊字	毛	平濁	ホウ	右注	mɑu$^{1/3}$	豪/号韻
2558b	上加・095オ2・動物	毛	平濁	ホウ	右傍	mɑu$^{1/3}$	豪/号韻
3127b	上加・110オ6・疊字	毛	平濁	ホウ	右注	mɑu$^{1/3}$	豪/号韻
1105a	上保・044ウ7・雜物	帽	去濁	ホウ	左注	mɑu^{3}	号韻
2272	上遠・083ウ6・辞字	冒	—	ホウ	右傍	mɑu^{3} mʌk	号韻 德韻
0299b	上伊・013オ7・疊字	謀	平濁	ホウ	左注	miʌu^{1}	尤韻
0612	上波・025オ3・人事	謀	平濁	ホウ	右傍	miʌu^{1}	尤韻
0625	上波・025ウ2・人事	謀	平濁	ホウ	右傍	miʌu^{1}	尤韻
1253a	上保・048ウ3・疊字	謀	去濁	ホウ	右注	miʌu^{1}	尤韻
1254a	上保・048ウ3・疊字	謀	平濁	ホウ	左注	miʌu^{1}	尤韻
2489b	上加・093オ7・植物	矛	平濁	ホウ	右傍	miʌu^{1}	尤韻
2731b	上加・099ウ4・雜物	鍪	—	ホウ	右傍	miʌu^{1}	尤韻
1038a	上保・042オ1・植物	牡	上	ホウ	左注	mʌu^{2}	厚韻
0602	上波・024ウ4・人事	懞	平濁	ホウ	右傍	mʌuŋ^{1} miʌuŋ^{1} mʌŋ^{3}	東韻 東韻 嶝韻
1153a	上保・047オ3・疊字	夢	去濁	ホウ	左注	mʌuŋ^{3} miʌuŋ^{1}	送韻 東韻
0116b	上伊・006オ5・人體	目	—	ホク	右傍	miʌuk	屋韻
0315b	上伊・013ウ4・疊字	目	入濁	ホク	左注	miʌuk	屋韻
1183a	上保・047ウ3・疊字	牧	入濁	ホク	右注	miʌuk	屋韻
1569b	上度・062オ2・疊字	睦	入	ホク	中注	miʌuk	屋韻
1605b	上度・062ウ2・疊字	目	入濁	ホク	左注	miʌuk	屋韻
1919b	上池・070ウ4・疊字	目	入濁	ホク	右注	miʌuk	屋韻
1264a	上保・048ウ5・疊字	墨	入濁	ホク	左注	mʌk	徳韻
0849b	上波・033オ4・疊字	木	入濁	ホク	左注	mʌuk	屋韻
1240a	上保・048オ7・疊字	木	入濁	ホク	右注	mʌuk	屋韻
1262a	上保・048ウ5・疊字	木	入濁	ホク	右注	mʌuk	屋韻
1651b	上度・063オ4・疊字	木	入濁	ホク	中注	mʌuk	屋韻
1079	上保・043ウ3・人事	耄	—	ホク ［平濁上］	左注	mɑu^{3}	号韻
0380b	上伊・015ウ7・国郡	麻	—	マ	右傍	ma^{1}	麻韻
1959b	上池・071ウ3・國郡	麻	—	マ	右傍	ma^{1}	麻韻
2468a	上加・092ウ3・植物	麻	—	マ	右傍	ma^{1}	麻韻
3150b	上加・111ウ3・國郡	麻	—	マ	右傍	ma^{1}	麻韻
3159b	上加・111ウ4・國郡	馬	—	マ	右傍	ma^{2}	馬韻

0375b	上伊・015ウ7・国郡	摩	―	マ	右傍	$ma^{1/3}$	戈/過韻
3279b	上波・034ウ5・國郡	磨	―	マ	右注	$ma^{1/3}$	戈/過韻
3283b	上波・034ウ5・國郡	磨	―	マ	右傍	$ma^{1/3}$	戈/過韻
2905b	上加・107オ4・疊字	磨	平	マ	左注	$ma^{1/3}$	戈/過韻
1053c	上保・042ウ2・動物	麼	上濁	マ	右傍	ma^{2}	果韻
0637b	上波・026オ2・飲食	米	―	マイ	左注	mei^{2}	薺韻
0101	上伊・005ウ2・人倫	妹	去	マイ	右注	$mu\Lambda i^{3}$	隊韻
0098b	上伊・005オ6・動物	蜢	上	マウ	右傍	$ma\eta^{2}$	梗韻
2642	上加・097ウ3・人事	哤	平	マウ	右傍	$mau\eta^{1}$	江韻
0030	上伊・003オ3・地儀	甍	―	マウ	右傍	$m\epsilon\eta^{1}$	耕韻
0794b	上波・032オ7・疊字	忘	去	マウ	右注	$mia\eta^{1/3}$	陽/漾韻
3152a	上加・111ウ3・國郡	望	―	マウ	右傍	$mia\eta^{1/3}$	陽/漾韻
0493	上波・021オ1・植物	莔	平	マウ	左注	$mia\eta^{2}$	養韻
1185b	上保・047ウ3・疊字	末	入	マツ	中注	mat	末韻
1490a	上度・057オ5・雜物	末	入	マツ	右傍	mat	末韻
2324	上和・087オ6・人事	怽	―	マツ	右傍	mat	末韻
2949b	上加・107ウ6・疊字	慢	平	マン	左注	man^{3}	諫韻
0062a	上伊・004オ3・植物	蔓	去	マン	右傍	man^{1} $mian^{3}$	桓韻 願韻
0500a	上波・021オ3・植物	蔓	去	マン	右傍	man^{1} $mian^{3}$	桓韻 願韻
0548a	上波・022ウ5・動物	鰻	平	マン	右傍	man^{1} $mian^{3}$	桓韻 願韻
1045a	上保・042オ4・植物	蔓	去	マン	右傍	man^{1} $mian^{3}$	桓韻 願韻
0843b	上波・033オ3・疊字	滿	平	マン	左注	man^{2}	緩韻
0910b	上波・034オ6・疊字	滿	―	マン	右注	man^{2}	緩韻
1389b	上邊・053ウ2・疊字	滿	平	マン	左注	man^{2}	緩韻
1880b	上池・070オ3・疊字	滿	上	マン	左注	man^{2}	緩韻
1308b	上邊・051ウ3・雜物	幔	―	マン ［平平］	右傍	man^{3}	換韻
0366b	上伊・015ウ5・国郡	美	―	ミ	右注	$miei^{2}$	旨韻
0368b	上伊・015ウ6・国郡	美	―	ミ	右傍	$miei^{2}$	旨韻
0369b	上伊・015ウ6・国郡	美	―	ミ	左傍	$miei^{2}$	旨韻
0378a	上伊・015ウ7・国郡	美	―	ミ	右傍	$miei^{2}$	旨韻
3287a	上波・034ウ6・國郡	美	―	ミ	右傍	$miei^{2}$	旨韻
1701b	上度・064ウ2・姓氏	美	―	ミ	右注	$miei^{2}$	旨韻
3163b	上加・111ウ5・國郡	美	―	ミ	右傍	$miei^{2}$	旨韻
3179b	上加・112ウ6・姓氏	務	―	ミ	右注	$miu\Lambda^{3}$	遇韻
0205	上伊・010ウ6・辞字	未	―	ミ	右傍	$mi\Lambda i^{3}$	未韻
1918b	上池・070ウ4・疊字	味	平	ミ	左注	$mi\Lambda i^{3}$	未韻
1735b	上池・066ウ2・人倫	魅	―	ミ ［平］	右注	$miei^{3}$	至韻
1580b	上度・062オ4・疊字	明	上	ミヤウ	左注	$mia\eta^{1}$	庚韻

1738b	上池・066ウ5・人躰	脉	入	ミヤク	右傍	mɐk	麥韻
2067b	上利・075オ1・疊字	愍	平	ミン	中注	mien^{2}	軫韻
3155a	上加・111ウ4・國郡	武	—	ム	右傍	miuʌ^{2}	麌韻
1278b	上保・049ウ4・官職	務	—	ム	右注	miuʌ^{3}	遇韻
2053b	上利・074ウ5・疊字	務	平	ム	右注	miuʌ^{3}	遇韻
0383b	上伊・015ウ7・国郡	米	—	メ	右傍	mei^{2}	薺韻
3278b	上波・034ウ5・國郡	米	—	メ	右傍	mei^{2}	薺韻
1405a	上邊・053ウ5・疊字	迷	平濁	メイ	右注	mei^{1}	齊韻
0490b	上波・020ウ7・植物	鳴	平	メイ	右傍	miaŋ^{1}	庚韻
1327b	上邊・052ウ3・疊字	明	平	メイ	左注	miaŋ^{1}	庚韻
2732a	上加・099ウ4・雜物	鳴	平	メイ	右傍	miaŋ^{1}	庚韻
1751	上池・067オ4・人事	盟	—	メイ	右傍	miaŋ^{1} maŋ^{3}	庚韻 映韻
0793b	上波・032オ7・疊字	命	去	メイ	左注	miaŋ^{3}	映韻
0874b	上波・033ウ2・疊字	命	去	メイ	右注	miaŋ^{3}	映韻
1215b	上保・048オ2・疊字	命	平	メイ	左注	miaŋ^{3}	映韻
0504b	上波・021オ3・植物	名	平	メイ	右傍	mieŋ^{1}	清韻
1892b	上池・070オ6・疊字	名	平	メイ ミヤウ	中注	mieŋ^{1}	清韻
3242b	上与・117ウ2・疊字	貌	去	メウ	左注	mau^{3} mauk	効韻 覺韻
0817b	上波・032ウ5・疊字	眠	去	メン	左注	men^{1}	先韻
2110b	上利・075ウ2・疊字	眄	—	メン	右注	men$^{2/3}$	銑/霰韻
0298b	上伊・013オ7・疊字	免	平	メン	左注	mian^{2}	獮韻
0829b	上波・032ウ7・疊字	免	上	メン	左注	mian^{2}	獮韻
0949	上仁・037オ1・動物	鮸	—	メン	右傍	mian^{2}	獮韻
2614b	上加・096ウ2・人體	面	去	メン	右傍	miuan^{3}	線韻
1574b	上度・062オ3・疊字	毛	平	モ	左注	mɑu$^{1/3}$	豪/号韻
0363b	上伊・015ウ4・国郡	茂	—	モ	右傍	mʌu^{3}	候韻
3286b	上波・034ウ6・國郡	茂	—	モ	右傍	mʌu^{3}	候韻
3177b	上加・112ウ3・姓氏	茂	—	モ	右注	mʌu^{3}	候韻
0650	上波・026オ7・雜物	旄	平	モウ	右傍	mɑu$^{1/3}$	豪/号韻
1599b	上度・062ウ1・疊字	蒙	平	モウ	左注	mʌuŋ^{1}	東韻
2283a	上遠・085オ1・疊字	朦	平	モウ	右傍	mʌuŋ^{1}	東韻
0181a	上伊・008ウ6・雜物	艨	平	モウ	右傍	mʌuŋ^{1} miʌuŋ^{3}	東韻 送韻
2562b	上加・095オ4・動物	蠓	上	モウ	右傍	mʌuŋ$^{1/2}$	東/董韻
0865b	上波・033オ7・疊字	牧	入	モク	左注	miʌuk	屋韻
1827b	上池・069オ7・疊字	目	入	モク	左注	miʌuk	屋韻
2810	上加・102オ4・辞字	牧	—	モク	右傍	miʌuk	屋韻
0272b	上伊・013オ2・疊字	物	入濁	モツ	左注	miuʌt	物韻
0419b	上呂・018オ4・雜物	物	—	モツ	右注	miuʌt	物韻
0989b	上仁・040オ3・疊字	沒	入	モツ	中注	muʌt	沒韻
0327b	上伊・013ウ7・疊字	文	去	モン	中注	miuʌn^{1}	文韻

1162b	上保・047オ5・疊字	文	去	モン	中注	miuʌn^{1}	文韻
1822b	上池・069オ6・疊字	聞	去	モン	左注	miuʌn$^{1/3}$	文/問韻
3019b	上加・108ウ6・疊字	問	平	モン	左注	miuʌn^{3}	問韻
0268b	上伊・013オ1・疊字	門	平	モン	左注	muʌn^{1}	魂韻
0485b	上波・020ウ3・地儀	門	上	モン	右注	muʌn^{1}	魂韻
1241b	上保・048オ7・疊字	門	―	モン	左注	muʌn^{1}	魂韻
1539	上度・058ウ5・辞字	捫	平	モン	右傍	muʌn^{1}	魂韻
1625b	上度・062ウ6・疊字	門	平	モン	左注	muʌn^{1}	魂韻
1819b	上池・069オ5・疊字	門	上	モン	左注	muʌn^{1}	魂韻
2131b	上利・075ウ7・疊字	門	平	モン	左注	muʌn^{1}	魂韻
2991b	上加・108オ7・疊字	門	平	モン	左注	muʌn^{1}	魂韻
2996b	上加・108ウ1・疊字	門	平	モン	左注	muʌn^{1}	魂韻
3008b	上加・108ウ3・疊字	門	平	モン	左注	muʌn^{1}	魂韻
3023b	上加・108ウ7・疊字	悶	平	モン	右注	muʌn^{3}	慁韻
2526	上加・094オ6・動物	麛	平	スイ	右傍	mei^{1}	齊韻

【表C-01】下巻_明母 m

番号	前田本所在	掲出字		仮名音注		中古音	韻目
4077a	下阿・025ウ1・地儀	麻	平濁	ハ	右傍	ma^{1}	麻韻
4092	下阿・026オ1・植物	麻	平濁	ハ	右傍	ma^{1}	麻韻
4156c	下阿・028オ2・動物	蟇	平濁	ハ	右傍	ma^{1}	麻韻
4153a	下阿・027ウ7・動物	馬	上濁	ハ	右傍	ma^{2}	馬韻
5462b	下師・074ウ5・雑物	馬	上濁	ハ	右傍	ma^{2}	馬韻
6147a	下飛・094オ6・雑物	馬	上濁	ハ	中注	ma^{2}	馬韻
4538b	下佐・046オ5・人事	馬	―	ハ ［上濁］	左注	ma^{2}	馬韻
3340b	下古・002ウ7・植物	梅	平	ハイ	右注	muʌi^{1}	灰韻
3777b	下江・015ウ5・飲食	梅	平濁	ハイ	右注	muʌi^{1}	灰韻
3837b	下江・017オ7・疊字	梅	平	ハイ	左注	muʌi^{1}	灰韻
6863b	下洲・116ウ3・雑物	煤	平濁	ハイ	右傍	muʌi^{1}	灰韻
4269	下阿・032オ7・雑物	⿱罒母	平濁	ハイ	右傍	muʌi$^{1/3}$ miuʌ^{2}	灰/隊韻 麌韻
4154	下阿・028オ1・動物	蝱	平濁	ハウ	右傍	maŋ^{1}	庚韻
3830a	下江・017オ6・疊字	茅	平濁	ハウ	右傍	mau^{1}	肴韻
4266	下阿・032オ7・雑物	罞	平	ハウ	右傍	mau^{1} mʌuŋ^{1}	肴韻 東韻
6769a	下洲・113オ5・天象	昴	上濁	ハウ	右傍	mau^{2}	巧韻
4323	下阿・035オ2・辞字	痝	平	ハウ	右傍	mauŋ^{1}	江韻
6195	下飛・095オ4・光彩	芒	平濁	ハウ	右傍	mɑŋ^{1} miɑŋ^{1}	唐韻 陽韻

4608	下佐・048オ5・方角	茫	平	ハウ	右傍	mɑŋ^{1} miɑŋ^{1}	唐韻 陽韻
3622b	下古・010ウ5・疊字	望	去	ハウ	右注	miɑŋ$^{1/3}$	陽/漾韻
3699b	下古・012オ1・疊字	忘	去濁	ハウ	左注	miɑŋ$^{1/3}$	陽/漾韻
3980b	下手・022ウ1・疊字	望	平濁	ハウ	左注	miɑŋ$^{1/3}$	陽/漾韻
5139b	下木・063ウ3・疊字	望	去	ハウ	左注	miɑŋ$^{1/3}$	陽/漾韻
5610b	下師・081オ3・疊字	望	—	ハウ	左注	miɑŋ$^{1/3}$	陽/漾韻
5815b	下師・084ウ3・疊字	望	平濁	ハウ	左注	miɑŋ$^{1/3}$	陽/漾韻
6392a	下毛・101オ1・天象	望	—	ハウ	右傍	miɑŋ$^{1/3}$	陽/漾韻
4258	下阿・032オ6・雜物	網	上濁	ハウ	右傍	miɑŋ^{2}	養韻
5092b	下木・062ウ7・疊字	網	上	ハウ	中注	miɑŋ^{2}	養韻
6590b	下世・110オ6・疊字	陌	入	ハク	左注	mak	陌韻
3300a	下古・001ウ2・天象	霡	入濁	ハク	右傍	mɐk	麥韻
3328b	下古・002ウ3・植物	麦	入濁	ハク	右傍	mɐk	麥韻
4464a	下佐・043ウ2・植物	麦	入濁	ハク	右傍	mɐk	麥韻
6697b	下世・111ウ4・疊字	寞	入	ハク	中注	mɑk	鐸韻
4934b	下木・058ウ3・雜物	鋄	上 去	ハム	右傍	miʌm^{2}	范韻
3758	下江・015オ2・人倫	蠻	平濁	ハン	右傍	man^{1}	刪韻
3562b	下古・007オ7・雜物	鏝	平濁	ハン	右傍	mɑn$^{1/3}$	桓/換韻
4214	下阿・030オ3・人事	謾	平	ハン	右傍	mɑn$^{1/3}$ man$^{1/3}$ mian^{1}	桓/換韻 刪/諫韻 仙韻
6286b	下飛・098オ7・疊字	俛	上	ハン	左注	mian^{2}	獮韻
4642b	下佐・050ウ7・疊字	晩	上	ハン	中注	miɑn^{2}	阮韻
6263a	下飛・098オ3・疊字	眉	—	ヒ	右注	miei^{1}	脂韻
6233a	下飛・097ウ5・疊字	美	上	ヒ	右注	miei^{2}	旨韻
6249a	下飛・098オ1・疊字	美	上	ヒ	左注	miei^{2}	旨韻
6250a	下飛・098オ1・疊字	美	—	ヒ	右注	miei^{2}	旨韻
6306a	下飛・098ウ3・疊字	美	上	ヒ	左注	miei^{2}	旨韻
6234a	下飛・097ウ5・疊字	未	上	ヒ	右注	miʌi^{3}	未韻
6340a	下飛・099オ3・疊字	未	去濁	ヒ	左注	miʌi^{3}	未韻
3301a	下古・001ウ2・天象	微	平濁	ヒ	右傍	miʌi^{1}	微韻
3873b	下手・018ウ4・天象	微	平濁	ヒ	右注	miʌi^{1}	微韻
5529b	下師・078ウ5・疊字	微	平濁	ヒ	中注	miʌi^{1}	微韻
6310a	下飛・098ウ4・疊字	微	平	ヒ	左注	miʌi^{1}	微韻
4782b	下佐・053オ5・疊字	薇	平	ヒ	右注	miʌi^{1} miei^{1}	微韻 脂韻
5280b	下師・069オ7・植物	薇	平濁	ヒ	右注	miʌi^{1} miei^{1}	微韻 脂韻
3331b	下古・002ウ3・植物	尾	上	ヒ	右傍	miʌi^{2}	尾韻
4271b	下阿・032ウ1・雜物	尾	上濁	ヒ	右傍	miʌi^{2}	尾韻
5875b	下師・085オ5・疊字	尾	上濁	ヒ	右注	miʌi^{2}	尾韻

5972b	下會・087ウ6・植物	尾	上濁	ヒ	右傍	miʌi^{2}	尾韻
6841b	下洲・116オ3・雜物	尾	―	ヒ	右注	miʌi^{2}	尾韻
6939c	下洲・120ウ3・疊字	尾	―	ヒ	左注	miʌi^{2}	尾韻
4009b	下手・023オ1・疊字	味	―	ヒ	左注	miʌi^{3}	未韻
5114b	下木・063オ5・疊字	味	平濁	ヒ	左注	miʌi^{3}	未韻
3779b	下江・015ウ7・雜物	尾	―	ヒ ［平濁］	右注	miʌi^{2}	尾韻
5456b	下師・074ウ3・雜物	尾	―	ヒ ［平濁］	中注	miʌi^{2}	尾韻
6272a	下飛・098オ4・疊字	謬	去	ヒウ	左注	mieu^{1}	幼韻
6274a	下飛・098オ5・疊字	謬	―	ヒウ	左注	mieu^{1}	幼韻
6271b	下飛・098オ4・疊字	繆	平濁	ヒウ	左注	mieu$^{1/3}$ miʌu^{1} miʌuk	幽/幼韻 尤韻 屋韻
4386b	下阿・039ウ3・疊字	密	入濁	ヒツ	右注	miet	質韻
6270a	下飛・098オ4・疊字	密	入	ヒツ	左注	miet	質韻
6231a	下飛・097ウ5・疊字	旻	平	ヒン	中注	mien^{1}	眞韻
6538	下世・108ウ5・雜物	緡	平	ヒン	右傍	mien^{1}	眞韻
6916b	下洲・120オ5・疊字	緡	去	ヒン	左注	mien^{1}	眞韻
3864b	下江・017ウ6・疊字	敏	上	ヒン	左注	mien^{2}	軫韻
5179b	下木・064オ5・疊字	無	平濁	フ	左注	miuʌ^{1}	虞韻
5297	下師・070オ2・動物	鵡	平濁	フ	右傍	miuʌ^{1}	虞韻
5360	下師・072オ5・人事	誣	平	フ	右傍	miuʌ^{1}	虞韻
6790b	下洲・113ウ7・植物	蕪	平濁	フ	右傍	miuʌ^{1}	虞韻
4833	下木・055オ7・天象	霧	去濁	フ	右傍	miuʌ^{3}	遇韻
5892b	下師・085ウ1・疊字	吻	―	フツ	右傍	miuʌn^{2}	吻韻
6904b	下洲・120オ2・疊字	物	入	フツ	右注	miuʌt	物韻
3898	下手・019ウ6・人體	紋	平濁	フン	右注	miuʌn^{1}	文韻
6194	下飛・095オ4・光彩	文	平濁	フン	右傍	miuʌn^{1}	文韻
4896	下木・057ウ4・人事	聞	平濁	フン	右傍	miuʌn$^{1/3}$	文/問韻
5811b	下師・084ウ2・疊字	聞	平濁	フン	左注	miuʌn$^{1/3}$	文/問韻
3414	下古・006オ6・飲食	米	上濁	ヘイ	右傍	mei^{2}	薺韻
5557b	下師・079ウ2・疊字	米	―	ヘイ	左注	mei^{2}	薺韻
5431	下師・074オ2・雜物	韈	入濁	ヘツ	右傍	miɑt	月韻
6680b	下世・111ウ1・疊字	冕	上濁	ヘン	右注	miɑn^{2}	獮韻
5020b	下木・061ウ4・疊字	摸	平濁	ホ	左注	muʌ^{1} mɑk	模韻 鐸韻
6580b	下世・110オ4・疊字	暮	去	ホ	左注	muʌ^{3}	暮韻
6315b	下飛・098ウ5・疊字	牡	上	ホ	右注	mʌu^{2}	厚韻
3861b	下江・017ウ5・疊字	髦	平濁	ホウ	左注	mɑu^{1}	豪韻
5475b	下師・075オ3・光彩	毛	平濁	ホウ	右傍	mɑu$^{1/3}$	豪/号韻
6343b	下飛・099オ3・疊字	毛	平濁	ホウ	左注	mɑu$^{1/3}$	豪/号韻
3780b	下江・015ウ7・雜物	帽	去	ホウ	右傍	mɑu^{3}	号韻
3781b	下江・015ウ7・雜物	帽	去	ホウ	右傍	mɑu^{3}	号韻

3982b	下手・022ウ2・疊字	亡	平	ホウ	右注	miaŋ^{1}	陽韻
3914	下手・020ウ7・雑物	矛	平濁	ホウ	右傍	miʌu^{1}	尤韻
6114	下飛・092ウ7・人躰	眸	平濁	ホウ	右傍	miʌu^{1}	尤韻
3848b	下江・017ウ3・疊字	夢	―	ホウ	左注	mʌuŋ^{3} miʌuŋ^{1}	送韻 東韻
4835a	下木・055オ7・天象	夢	去	ホウ	右傍	mʌuŋ^{3} miʌuŋ^{1}	送韻 東韻
5229	下由・067オ1・人事	夢	平	ホウ	右傍	mʌuŋ^{3} miʌuŋ^{1}	送韻 東韻
6263b	下飛・098オ3・疊字	目	―	ホク	右注	miʌuk	屋韻
6644b	下世・111オ2・疊字	穆	入濁	ホク	中注	miʌuk	屋韻
6733b	下世・112オ4・疊字	目	―	ホク	右傍	miʌuk	屋韻
6921b	下洲・120オ6・疊字	目	―	ホク	中注	miʌuk	屋韻
3300b	下古・001ウ2・天象	霂	入濁	ホク	右傍	mʌuk	屋韻
5254a	下由・068オ2・雑物	木	入濁	ホク	右注	mʌuk	屋韻
5709b	下師・082ウ6・疊字	木	―	ホク	右傍	mʌuk	屋韻
5855b	下師・085オ2・疊字	木	入濁	ホク	右注	mʌuk	屋韻
3332b	下古・002ウ4・植物	麻	―	マ	右注	ma^{1}	麻韻
6383b	下飛・100オ3・國郡	麻	―	マ	右傍	ma^{1}	麻韻
4414b	下阿・040ウ7・国郡	馬	―	マ	右傍	ma^{2}	馬韻
5925b	下師・086ウ2・國郡	馬	―	マ	右傍	ma^{2}	馬韻
3894b	下手・019ウ4・人倫	魔	―	マ	左注	mɑ^{1}	戈韻
5333b	下師・071オ3・人倫	魔	―	マ	右注	mɑ^{1}	戈韻
3607b	下古・010ウ2・疊字	摩	上	マ	左注	mɑ$^{1/3}$	戈/過韻
4810b	下佐・054オ4・國郡	摩	―	マ	右傍	mɑ$^{1/3}$	戈/過韻
5919b	下師・086ウ2・國郡	摩	―	マ	右注	mɑ$^{1/3}$	戈/過韻
5929b	下師・086ウ3・國郡	摩	―	マ	右傍	mɑ$^{1/3}$	戈/過韻
6385b	下飛・100オ3・國郡	磨	―	マ	右傍	mɑ$^{1/3}$	戈/過韻
6883	下洲・117ウ3・辞字	摩	平	マ	右傍	mɑ$^{1/3}$	戈/過韻
5391b	下師・073オ5・人事	靺	―	マ	左注	mɑt	末韻
5044b	下木・062オ2・疊字	邁	去	マイ	左注	mai^{3}	夬韻
6906b	下洲・120オ2・疊字	邁	去	マイ	右注	mai^{3}	夬韻
4658b	下佐・051オ4・疊字	昧	平	（マイ）	左注	muʌi^{3}	隊韻
4853b	下佐・051オ3・疊字	艋	去	マウ	左注	maŋ^{2}	梗韻
6510a	下世・107ウ1・動物	尨	―	マウ	右傍	mauŋ^{1}	江韻
5288a	下師・069ウ4・植物	莽	上	マウ	右傍	mɑŋ^{2} mʌu^{2} muʌ^{2}	蕩韻 厚韻 姥韻
3644b	下古・011オ3・疊字	妄	平	マウ	中注	miaŋ^{3}	漾韻
6872	下洲・116ウ7・方角	末	―	マツ	右傍	mɑt	末韻
5057b	下木・062オ5・疊字	慢	上	マン	左注	man^{3}	諫韻

4099a	下阿・026オ4・植物	蔓	去	マン	右傍	man^{1} mian^{3}	桓韻 願韻
5768b	下師・084オ2・疊字	滿	平	マン	左注	man^{2}	緩韻
4414a	下阿・040ウ7・国郡	美	―	ミ	右傍	miei^{2}	旨韻
3807b	下江・017オ1・疊字	魅	去	ミ	左注	miei^{3}	至韻
6814b	下洲・114ウ5・人倫	魅	去濁	ミ	右傍	miei^{3}	至韻
6881	下洲・117ウ2・辞字	未	―	ミ	右傍	miʌi^{3}	未韻
6269b	下飛・098オ4・疊字	密	入	ミチ	左注	miet	質韻
4046a	下阿・024オ7・天象	明	去	ミヤウ	右傍	miaŋ^{1}	庚韻
4415a	下阿・040ウ7・国郡	名	―	ミヤウ	右傍	mieŋ^{1}	清韻
4416a	下阿・040ウ7・国郡	名	―	ミヤウ	右傍	mieŋ^{1}	清韻
5603b	下師・080ウ7・疊字	脉	入	ミヤク	中注	mɐk	麥韻
4373b	下阿・039オ7・疊字	愍	平	ミン	左注	mien^{2}	軫韻
4128b	下阿・027オ3・動物	鵡	平	ム	中注	miuʌ^{2}	麌韻
5199a	下木・065オ1・国郡	牟	―	ム	右傍	miʌu^{1}	尤韻
5843b	下師・084ウ7・疊字	夢	平	ム	右注	miʌuŋ^{1} mʌuŋ^{3}	東韻 送韻
6961b	下洲・121ウ1・官職	馬	―	メ	右傍	ma^{2}	馬韻
4159a	下阿・028オ3・動物	螟	―	メイ	右傍	meŋ^{1}	青韻
3719b	下古・012オ5・疊字	明	平	メイ	左注	miaŋ^{1}	庚韻
4272b	下阿・032ウ1・雑物	明	平	メイ	右傍	miaŋ^{1}	庚韻
6234b	下飛・097ウ5・疊字	明	平	メイ	右注	miaŋ^{1}	庚韻
6702b	下世・111ウ4・疊字	明	平	メイ	左注	miaŋ^{1}	庚韻
6731b	下世・112オ3・疊字	盟	―	メイ	右注	miaŋ^{1} maŋ^{3}	庚韻 映韻
3697b	下古・012オ1・疊字	命	平	メイ	左注	miaŋ^{3}	映韻
6740b	下世・112オ5・疊字	命	平	メイ	右注	miaŋ^{3}	映韻
3983b	下手・022ウ2・疊字	名	平	メイ	中注	mieŋ^{1}	清韻
5070b	下木・062オ7・疊字	貌	―	メウ	左注	mau^{3} mauk	效韻 覺韻
3689b	下古・011ウ6・疊字	眄	去	メン	左注	men$^{2/3}$	銑/霰韻
5787b	下師・084オ5・疊字	免	去	メン	右注	mian^{2}	獮韻
5730b	下師・083オ5・疊字	面	平	メン	左注	miuan^{3}	線韻
4933b	下木・058ウ4・雑物	面	―	メン ［平平］	右注	miuan^{3}	線韻
6443a	下毛・103オ6・雑物	帽	―	モ	右注	mau^{3}	号韻
4408b	下阿・040ウ6・国郡	茂	―	モ	右傍	mʌu^{3}	候韻
4787b	下佐・053オ7・疊字	毛	―	モウ	右注	mau$^{1/3}$	豪/号韻
6420	下毛・102オ7・人事	耄	―	モウ	右注	mau^{3}	号韻
4836	下木・055オ7・天象	雺	平	モウ	右傍	miʌuŋ^{1} miʌu^{1} mauŋ^{3} mʌu^{3}	東韻 尤韻 宋韻 候韻

5705b	下師・082ウ5・疊字	目	―	モク	左注	miʌuk	屋韻
6469a	下毛・105ウ3・疊字	目	―	モク	左注	miʌuk	屋韻
6645b	下世・111オ2・疊字	穆	入濁	モク	右傍	miʌuk	屋韻
6477a	下毛・105ウ5・疊字	黙	―	モク	右注	mʌk	徳韻
4604b	下佐・048オ3・雜物	木	―	モク	右注	mʌuk	屋韻
5278b	下師・069オ7・植物	木	―	モク	右傍	mʌuk	屋韻
6446a	下毛・103オ7・雜物	木	―	モク	右傍	mʌuk	屋韻
6472a	下毛・105ウ4・疊字	木	入濁	モク	左注	mʌuk	屋韻
6480a	下毛・106オ1・官職	木	―	モク	右注	mʌuk	屋韻
6404a	下毛・101オ7・植物	木	―	モク ［平平］	右傍	mʌuk	屋韻
4036b	下手・023ウ1・疊字	物	入	モツ	左注	miuʌt	物韻
4768b	下佐・053オ1・疊字	物	平 入	モツ	左注	miuʌt	物韻
5116b	下木・063オ6・疊字	物	―	モツ	左注	miuʌt	物韻
6447a	下毛・103オ7・雜物	沒	―	モツ	右注	muʌt	沒韻
4042b	下手・023ウ5・官職	文	―	モン	右注	$miuʌn^1$	文韻
6191b	下飛・095オ2・雜物	文	―	モン	右傍	$miuʌn^1$	文韻
6448	下毛・103ウ2・光彩	文	―	モン	右注	$miuʌn^1$	文韻
6465a	下毛・105ウ1・重點	文	去	モン	右注	$miuʌn^1$	文韻
6465b	下毛・105ウ1・重點	文	上	モン	右注	$miuʌn^1$	文韻
6470a	下毛・105ウ4・疊字	文	去	モン	左注	$miuʌn^1$	文韻
6471a	下毛・105ウ4・疊字	文	去	モン	右注	$miuʌn^1$	文韻
6475a	下毛・105ウ5・疊字	文	―	モン	右注	$miuʌn^1$	文韻
6481a	下毛・106オ1・官職	文	―	モン	右注	$miuʌn^1$	文韻
6424a	下毛・102ウ3・人事	問	―	モン	右注	$miuʌn^3$	問韻
6476a	下毛・105ウ5・疊字	問	平	モン	右注	$miuʌn^3$	問韻
6478a	下毛・105ウ5・疊字	問	平	モン	右注	$miuʌn^3$	問韻
3742c	下江・014オ5・地儀	門	―	モン	右注	$muʌn^1$	魂韻
4671b	下佐・051オ6・疊字	門	―	モン	右注	$muʌn^1$	魂韻
6019b	下會・090オ1・官職	門	―	モン	右注	$muʌn^1$	魂韻
6393	下毛・101オ3・地儀	門	―	モン	右注	$muʌn^1$	魂韻
6464a	下毛・105ウ1・重點	門	平	モン	右注	$muʌn^1$	魂韻
6464b	下毛・105ウ1・重點	門	平	モン	右注	$muʌn^1$	魂韻
6479a	下毛・105ウ5・疊字	門	―	モン	右注	$muʌn^1$	魂韻
6482a	下毛・106オ1・官職	門	―	モン	右注	$muʌn^1$	魂韻
6684b	下世・111ウ1・疊字	門	―	モン	右注	$muʌn^1$	魂韻
6777b	下洲・113ウ2・地儀	門	平	モン	左注	$muʌn^1$	魂韻
6789b	下洲・113ウ6・植物	門	上	モン	右傍	$muʌn^1$	魂韻
6467a	下毛・105ウ3・疊字	悶	平	モン	左注	$muʌn^3$	慁韻
4952	下木・059ウ5・辞字	芴	平	ク	右傍	miuʌt	物韻
4268	下阿・032オ7・雜物	罠	平	コ	右傍	$mien^1$	眞韻
3587	下古・009ウ1・辞字	眊	―	ネウ	右傍	$mɑu^3$	号韻

【表C-01】上巻_幫母 pj

番号	前田本所在	掲出字		仮名音注		中古音	韻目
2498	上加・093ウ2・植物	椑	平	ヒ	右傍	pjie^{1} bei^{1} biek bek	支韻 齊韻 昔韻 錫韻
2277	上遠・084オ5・辭字	裨	平	ヒ	右注	pjie^{1} bjie^{1}	支韻 支韻
0640b	上波・026オ4・雜物	臂	上濁	ヒ	右注	pjie^{3}	寘韻
0564	上波・023オ5・人倫	妣	去	ヒ	右傍	pjiei$^{2/3}$	旨/至韻
2975b	上加・108オ4・疊字	畢	入	ヒツ	左注	pjiet	質韻
3185	上与・113ウ6・植物	蓽	―	ヒツ	右傍	pjiet	質韻
0473	上波・020オ6・地儀	濵	平	ヒン	右傍	pjien^{1}	眞韻
2879b	上加・106ウ6・疊字	濵	平	ヒン	左注	pjien^{1}	眞韻
3119b	上加・110オ5・疊字	賔	平	ヒン	右注	pjien^{1}	眞韻
2687b	上加・098ウ4・雜物	鬢	去	ヒン	右傍	pjien^{3}	震韻
1295a	上邊・051オ1・人躰	瘭	去	ヘウ	右注	pjiau^{1}	宵韻
1316	上邊・051ウ5・雜物	標	―	ヘウ	右注	pjiau$^{1/2}$	宵/小韻
1306a	上邊・051ウ3・雜物	褾	平	ヘウ	右注	pjiau^{2}	小韻
2548	上加・094ウ6・動物	鼈	入	ヘツ	右傍	pjiat	薛韻
1389a	上邊・053ウ2・疊字	遍	平	ヘン	左注	pjian^{3}	線韻
0770b	上波・032オ2・疊字	鬢	去濁	ヒン	左注	pjien^{3}	震韻
1197b	上保・047ウ5・疊字	鬢	去濁	ヒン	左注	pjien^{3}	震韻
2008b	上利・073ウ5・雜物	鬢	平濁	ヒン	右注	pjien^{3}	震韻

【表C-01】下巻_幫母 pj

番号	前田本所在	掲出字		仮名音注		中古音	韻目
3388b	下古・004ウ4・人躰	痺	平	ヒ	右傍	pjie^{1}	支韻
6125b	下飛・093オ4・人躰	痺	去	ヒ	右傍	pjie^{1}	支韻
6252a	下飛・098オ1・疊字	卑	平	ヒ	左注	pjie^{1}	支韻
6099a	下飛・092ウ2・人倫	裨	平	ヒ	右傍	pjie^{1} bjie^{1}	支韻 支韻
6312a	下飛・098ウ5・疊字	裨	平	ヒ	左注	pjie^{1} bjie^{1}	支韻 支韻
6322a	下飛・098ウ6・疊字	裨	上	ヒ	右注	pjie^{1} bjie^{1}	支韻 支韻
6074	下飛・091ウ7・動物	鵯	平	ヒ	右傍	pjie^{1} p'jiet	支韻 質韻
4576	下佐・047オ7・雜物	鞞	―	ヒ	右傍	pjie$^{1/2}$ bei^{1} peŋ^{2}	支/紙韻 薺韻 迥韻

6119	下飛・093オ2・人躰	臂	去	ヒ	右傍	pjie³	寘韻
6037	下飛・090ウ6・地儀	庇	去	ヒ	右傍	pjiei³	至韻
6063a	下飛・091ウ1・植物	櫁	―	ヒ	右傍	pjien¹	眞韻
6141a	下飛・094オ2・飲食	饆	入	ヒチ	右注	pjiet	質韻
6148a	下飛・094オ6・雜物	篳	入	ヒチ	右注	pjiet	質韻
6317a	下飛・098ウ5・疊字	必	入	ヒチ	左注	pjiet	質韻
6331a	下飛・099オ1・疊字	畢	―	ヒチ	左注	pjiet	質韻
6287a	下飛・098オ7・疊字	擯	平	ヒツ	左注	pjien³	震韻
6042	下飛・091オ1・地儀	蓽	―	ヒツ	右注	pjiet	質韻
5854b	下師・085オ2・疊字	濵	―	ヒン	右傍	pjien¹	眞韻
6066a	下飛・091ウ2・植物	櫁	平	ヒン	右注	pjien¹	眞韻
6803b	下洲・114オ6・動物	賔	―	ヒン	右傍	pjien¹	眞韻
6896b	下洲・119ウ7・疊字	賔	―	ヒン	左注	pjien¹	眞韻
6108b	下飛・092ウ4・人倫	賔	平	ヒン	右傍	pjien¹	眞韻
6343a	下飛・099オ3・疊字	鬢	去	ヒン	左注	pjien³	震韻
6160a	下飛・094ウ2・雜物	蔽	去	ヘイ	右傍	pjiai³	祭韻
6453	下毛・104ウ1・辞字	熛	平	ヘウ	右傍	pjiau¹	宵韻
3346	下古・003オ1・植物	標	平	ヘウ	右傍	pjiau^1/2	宵/小韻
5444	下師・074オ6・雜物	標	平	ヘウ	右傍	pjiau^1/2	宵/小韻
6873	下洲・117オ1・方角	標	平	ヘウ	右傍	pjiau^1/2	宵/小韻
4275a	下阿・032ウ2・雜物	箯	平	ヘン	右傍	pjian¹ bjian¹	仙韻 仙韻
6115	下飛・093オ1・人躰	鬢	去濁	ヒン	右傍	pjien³	震韻

【表C-01】上巻_滂母 p‘j

番号	前田本所在	掲出字		仮名音注		中古音	韻目
1294	上邊・050ウ6・人躰	屁	去	ヒ	右傍	p‘jiei³	至韻
1404a	上邊・053ウ5・疊字	漂	平	ヘウ	右注	p‘jiau^1/3	宵/笑韻
1683a	上度・063ウ5・疊字	僄	去	ヘウ	右傍	p‘jiau^1/3	宵/笑韻
1317	上邊・052オ3・辞字	篇	上	ヘン	右注	p‘jian¹	仙韻
1372a	上邊・053オ5・疊字	篇	平	ヘン	左注	p‘jian¹	仙韻

【表C-01】下巻_滂母 p‘j

番号	前田本所在	掲出字		仮名音注		中古音	韻目
6240a	下飛・097ウ6・疊字	譬	平	ヒ	中注	p‘jie³	寘韻
6277a	下飛・098オ5・疊字	匹	（入）	ヒツ	左注	p‘jiet	質韻
6103a	下飛・092ウ3・人倫	疋	―	ヒツ ［上上］	右注	p‘jiet ṣiʌ^1/2 ŋa²	質韻 魚/語韻 馬韻

6207	下飛・095ウ2・員數	疋	—	ヒキ	右注	p‘jiet ṣiʌ$^{1/2}$ ŋa^{2}	質韻 魚/語韻 馬韻
6321a	下飛・098ウ6・疊字	繽	平	ヒン	左注	p‘jien^{1}	眞韻
6228	下飛・097ウ1・辞字	飄	—	ヘウ	右傍	p‘jiau^{1} bjiau^{1}	宵韻 宵韻

【表C-01】上巻_並母 bj

番号	前田本所在	掲出字		仮名音注		中古音	韻目
2444	上加・091ウ7・地儀	陴	平	ヒ	右傍	bjie^{1}	支韻
3201	上与・114ウ3・人軄	脾	平	ヒ	右傍	bjie^{1}	支韻
2170b	上奴・078ウ4・疊字	婢	平濁	ヒ	右注	bjie^{2}	紙韻
1615b	上度・062ウ4・疊字	避	平濁	ヒ	左注	bjie^{3}	寘韻
1448a	上度・055ウ1・動物	膍	平	ヒ	右傍	bjiei^{1}	脂韻
2297a	上和・086オ6・動物	膍	平	ヒ	右傍	bjiei^{1}	脂韻
0571	上波・023ウ4・人躰	鼻	平 去	ヒ	右傍	bjiei^{3}	至韻
0584b	上波・024オ3・人躰	鼻	去	ヒ	右傍	bjiei^{3}	至韻
1451b	上度・055ウ2・動物	獱	—	ヒン	左注	bjien^{1}	眞韻
2647c	上加・097ウ6・人事	頻	—	ヒン	左注	bjien^{1}	眞韻
3233	上与・117オ4・辞字	嬪	平	ヒン	右傍	bjien^{1}	眞韻
0553	上波・022ウ6・動物	蠙	平	ヒン	右傍	bjien^{1} ben^{1}	眞韻 先韻
0739b	上波・031ウ3・疊字	弊	去	ヘイ	左注	bjiai^{3}	祭韻
1382a	上邊・053オ7・疊字	獘	去	ヘイ	左注	bjiai^{3}	祭韻
1383a	上邊・053オ7・疊字	獘	平	ヘイ	左注	bjiai^{3}	祭韻
1073	上保・043オ5・人躰	膍	平	ヘイ	右注	bjiei^{1}	脂韻
1292	上邊・050ウ6・人躰	膍	平	ヘイ	右傍	bjiei^{1}	脂韻
1319	上邊・052オ5・辞字	斃	—	ヘイ	右注	bjiai^{3}	祭韻
1309	上邊・051ウ4・雑物	幣	—	ヘイ ［平平］	右注	bjiai^{3}	祭韻

【表C-01】下巻_並母 bj

番号	前田本所在	掲出字		仮名音注		中古音	韻目
6271a	下飛・098オ4・疊字	紕	平	ヒ	左注	bjie^{1} p‘jiei^{1} tś‘iɐ^{i2}	支韻 脂韻 止韻
6232a	下飛・097ウ5・疊字	避	去	ヒ	左注	bjie^{3}	寘韻
6146a	下飛・094オ6・雑物	琵	平濁	ヒ	右注	bjiei^{1}	脂韻
4582	下佐・047ウ1・雑物	枇	平	ヒ	右傍	bjiei$^{1/3}$ pjiei^{2}	脂/至韻 旨韻

6064a	下飛・091ウ1・植物	枇	去	ヒ	右注	bjiei$^{1/3}$ pjiei^{2}	脂/至韻 旨韻
3784b	下江・016オ3・雜物	比	—	ヒ	右注	bjiei$^{1/3}$ pjiei$^{2/3}$ bjiet	脂/至韻 旨/至韻 質韻
6101a	下飛・092ウ3・人倫	比	平濁	ヒ	右注	bjiei$^{1/3}$ pjiei$^{2/3}$ bjiet	脂/至韻 旨/至韻 質韻
6237a	下飛・097ウ6・疊字	比	平	ヒ	左注	bjiei$^{1/3}$ pjiei$^{2/3}$ bjiet	脂/至韻 旨/至韻 質韻
6292a	下飛・098ウ1・疊字	比	平	ヒ	右注	bjiei$^{1/3}$ pjiei$^{2/3}$ bjiet	脂/至韻 旨/至韻 質韻
6324a	下飛・098ウ7・疊字	比	平	ヒ	右注	bjiei$^{1/3}$ pjiei$^{2/3}$ bjiet	脂/至韻 旨/至韻 質韻
6339a	下飛・099オ3・疊字	比	去	ヒ	左注	bjiei$^{1/3}$ pjiei$^{2/3}$ bjiet	脂/至韻 旨/至韻 質韻
6355a	下飛・099ウ5・諸寺	比	—	ヒ	右傍	bjiei$^{1/3}$ pjiei$^{2/3}$ bjiet	脂/至韻 旨/至韻 質韻
6387a	下飛・100オ4・國郡	比	—	ヒ	右注	bjiei$^{1/3}$ pjiei$^{2/3}$ bjiet	脂/至韻 旨/至韻 質韻
5224b	下由・066ウ1・動物	牝	—	ヒ	右注	bjiei^{2} bjien^{2}	旨韻 軫韻
6167a	下飛・094ウ4・雜物	鼻	—	ヒ	右注	bjiei^{3}	至韻
6323a	下飛・098ウ6・疊字	便	平	ヒン	右注	bjian$^{1/3}$	仙/線韻
6130	下飛・093オ7・人事	嚬	平	ヒン	右傍	bjien^{1}	眞韻
6755b	下世・112ウ1・疊字	蘋	平	ヒン	右注	bjien^{1}	眞韻
4190	下阿・029オ4・人躰	髕	—	ヒン	右傍	bjien^{2}	軫韻
6315a	下飛・098ウ5・疊字	牝	去	ヒン	右注	bjien^{2} bjiei^{2}	軫韻 旨韻
3688b	下古・011ウ6・疊字	幣	平	ヘイ	左注	bjiai^{3}	祭韻
3944b	下手・022オ1・疊字	弊	平	ヘイ	左注	bjiai^{3}	祭韻
5358	下師・072オ3・人事	斃	—	ヘイ	右傍	bjiai^{3}	祭韻
6281b	下飛・098オ6・疊字	弊	平	ヘイ	左注	bjiai^{3}	祭韻
6048	下飛・091オ4・植物	瓢	平	ヘウ	右注	bjiau^{1}	宵韻

6640b	下世・111オ1・疊字	摽	上濁	ヘウ	左注	bjiau^{2} p'jiau$^{1/3}$	小韻 宵/笑韻
5307a	下師・070オ5・動物	驃	去	ヘウ	右傍	bjiau^{3} p'jiau^{3} piau^{3}	笑韻 笑韻 笑韻

【表C-01】上巻_明母 mj

番号	前田本所在	掲出字		仮名音注		中古音	韻目
1320a	上邊・052ウ1・重點	眇	―	ヘウ	右注	mjiau^{2}	小韻
1320b	上邊・052ウ1・重點	眇	―	ヘウ	右注	mjiau^{2}	小韻
1321a	上邊・052ウ1・重點	淼	―	ヘウ	右注	mjiau^{2}	小韻
1321b	上邊・052ウ1・重點	淼	―	ヘウ	右注	mjiau^{2}	小韻
1331a	上邊・052ウ4・疊字	眇	上濁	ヘウ	中注	mjiau^{2}	小韻
1338a	上邊・052ウ5・疊字	淼	上濁	ヘウ	左注	mjiau^{2}	小韻
0952b	上仁・037オ5・人倫	民	上	ミム	右注	mjien^{1}	眞韻
1352b	上邊・053オ1・疊字	民	平	ミム	左注	mjien^{1}	眞韻
1601b	上度・062ウ1・疊字	民	平	ミム	左注	mjien^{1}	眞韻
0994b	上仁・040オ4・疊字	滅	―	メツ	右注	mjiat	薛韻
1610b	上度・062ウ3・疊字	滅	入	メツ	左注	mjiat	薛韻
2340	上和・088オ5・雜物	綿	平	メン	右傍	mjian^{1}	仙韻

【表C-01】下巻_明母 mj

番号	前田本所在	掲出字		仮名音注		中古音	韻目
6245a	下飛・097ウ7・疊字	弥	平濁	ヒ	中注	mjie^{1}	支韻
3643b	下古・011オ3・疊字	寐	平	ヒ	左注	mjiei^{3}	至韻
6230a	下飛・097ウ3・重點	蜜	―	ヒツ	右注	mjiet	質韻
6230b	下飛・097ウ3・重點	蜜	―	ヒツ	右注	mjiet	質韻
6336a	下飛・099オ2・疊字	蜜	―	ヒツ	左注	mjiet	質韻
6286a	下飛・098オ7・疊字	僶	上	ヒン	左注	mjien^{2}	軫韻
6820	下洲・115オ2・人躰	眇	上濁	ヘウ	右傍	mjiau^{2}	小韻
5823b	下師・084ウ4・疊字	妙	去濁	ヘウ	左注	mjiau^{3}	笑韻
3339a	下古・002ウ6・植物	獼	去	ミ	右傍	mjie^{1}	支韻
4485a	下佐・044オ4・動物	獼	―	ミ	右傍	mjie^{1}	支韻
5285a	下師・069ウ2・植物	獼	去	ミ	右傍	mjie^{1}	支韻
5328b	下師・071オ1・人倫	弥	―	ミ	右注	mjie^{1}	支韻
6273a	下飛・098オ5・疊字	蜜	入	ミツ	右傍	mjiet	質韻
4038b	下手・023ウ1・疊字	滅	入	メツ	右注	mjiat	薛韻
5254b	下由・068オ2・雜物	綿	平	メン	右傍	mjian^{1}	仙韻

【表C-02】上巻_端母 t

番号	前田本所在	掲出字		仮名音注		中古音	韻目
0358a	上伊・015ウ4・国郡	多	—	タ	右傍	tɑ^{1}	歌韻
0370b	上伊・015ウ6・国郡	多	—	タ	右傍	tɑ^{1}	歌韻
0373b	上伊・015ウ6・国郡	多	—	タ	右傍	tɑ^{1}	歌韻
0384b	上伊・016オ1・国郡	多	—	タ	右傍	tɑ^{1}	歌韻
3285a	上波・034ウ6・國郡	多	—	タ	右傍	tɑ^{1}	歌韻
3288b	上波・034ウ7・國郡	多	—	タ	右注	tɑ^{1}	歌韻
1692b	上度・064オ3・国郡	多	—	タ	右傍	tɑ^{1}	歌韻
3157a	上加・111ウ4・國郡	多	—	タ	右傍	tɑ^{1}	歌韻
3160b	上加・111ウ5・國郡	多	—	タ	右傍	tɑ^{1}	歌韻
3149a	上加・111ウ2・國郡	丹	—	タ	右傍	tɑn^{1}	寒韻
1440	上度・055オ4・植物	朶	—	タ	右傍	tuɑ^{2}	果韻
2696b	上加・098ウ7・雜物	帶	去	タイ	右傍	tai^{3}	泰韻
1742	上池・066ウ6・人躰	癚	去	タイ	右傍	tai^{3} ṭiai^{3}	泰韻 祭韻
2752	上加・100オ4・雜物	碓	去	タイ	右傍	tuʌi^{3}	隊韻
0213	上伊・011オ3・辞字	戴	—	タイ	右傍	tʌi^{3}	代韻
1817b	上池・069オ5・疊字	戴	平	タイ	左注	tʌi^{3}	代韻
0933b	上仁・036オ4・植物	膽	上濁	タウ	右傍	tɑm^{2}	敢韻
1983b	上利・072ウ6・植物	膽	—	タウ	右注	tɑm^{2}	敢韻
0095a	上伊・005オ5・動物	蟷	平	タウ	右傍	tɑŋ^{1}	唐韻
2016b	上利・073ウ6・雜物	襠	平濁	タウ	右注	tɑŋ^{1}	唐韻
1412b	上邊・054オ1・官職	當	—	タウ	右注	tɑŋ$^{1/3}$	唐/宕韻
3022b	上加・108ウ6・疊字	當	上濁	タウ	左注	tɑŋ$^{1/3}$	唐/宕韻
1390b	上邊・053ウ2・疊字	黨	上	タウ	右注	tɑŋ^{2}	蕩韻
2903b	上加・107オ4・疊字	黨	上	タウ	左注	tɑŋ^{2}	蕩韻
0832b	上波・033オ1・疊字	刀	去	タウ	左注	tɑu^{1}	豪韻
2718	上加・099オ6・雜物	刀	平	タウ	右傍	tɑu^{1}	豪韻
1271b	上保・049オ1・疊字	倒	平	タウ	右傍	tɑu$^{2/3}$	晧/号韻
1404b	上邊・053ウ5・疊字	倒	平	タウ	右注	tɑu$^{2/3}$	晧/号韻
2643b	上加・097ウ3・人事	倒	上	タウ	右傍	tɑu$^{2/3}$	晧/号韻
1214b	上保・048オ2・疊字	荅	入	タウ	左注	tʌp	合韻
1829b	上池・069オ7・疊字	荅	平	タウ	左注	tʌp	合韻
2222a	上奴・076ウ4・植物	杔	—	タク	右傍	tɑk	陌韻
0980	上仁・039オ3・辞字	擔	平	タム	右傍	tɑm$^{1/3}$	談/闞韻
3112b	上加・110オ3・疊字	擔	平	タム	右注	tɑm$^{1/3}$	談/闞韻
0113	上伊・006オ3・人體	膽	上	タム	右傍	tɑm^{2}	敢韻
0440b	上呂・019オ2・疊字	膽	上	タム	左注	tɑm^{2}	敢韻
1984b	上利・072ウ6・植物	膽	—	タム	左注	tɑm^{2}	敢韻
2952b	上加・107ウ6・疊字	膽	平	タム	左注	tɑm^{2}	敢韻
0629c	上波・025ウ5・人事	丹	—	タン	左注	tɑn^{1}	寒韻

0971	上仁・038ウ2・光彩	丹	平	タン	右注	tɑn^{1}	寒韻
1037b	上保・042オ1・植物	丹	平	タン	右注	tɑn^{1}	寒韻
1038b	上保・042オ1・植物	丹	平	タン	左注	tɑn^{1}	寒韻
1049a	上保・042オ7・動物	丹	平	タン	右傍	tɑn^{1}	寒韻
2372b	上和・090オ1・疊字	丹	上	タン	中注	tɑn^{1}	寒韻
3073b	上加・109ウ3・疊字	鄲	平	タン	左注	tɑn^{1}	寒韻
3129b	上加・110オ7・疊字	鄲	平	タン	右傍	tɑn^{1}	寒韻
2306b	上和・086ウ7・人躰	疸	上	タン	右傍	tɑn$^{2/3}$	旱/翰韻
0237b	上伊・012ウ2・疊字	旦	去	タン	左注	tɑn^{3}	翰韻
1328b	上邊・052ウ3・疊字	旦	平	タン	左注	tɑn^{3}	翰韻
1952b	上池・071オ4・疊字	短	上濁	タン	左注	tuɑn^{2}	緩韻
2570a	上加・095ウ3・人倫	鍛	上 去	タン	右傍	tuɑn^{3}	換韻
1921a	上池・070ウ4・疊字	打	上	チャウ	左注	teŋ^{2} tɑŋ^{2}	迥韻 梗韻
0842b	上波・033オ3・疊字	丁	上	チヤウ	左注	teŋ^{1} ṭɐŋ^{1}	青韻 耕韻
1743a	上池・066ウ7・人躰	丁	—	チヤウ	右注	teŋ^{1} ṭɐŋ^{1}	青韻 耕韻
1773a	上池・067ウ5・雜物	丁	去	チヤウ	右注	teŋ^{1} ṭɐŋ^{1}	青韻 耕韻
3072b	上加・109ウ2・疊字	丁	平	チヤウ	左注	teŋ^{1} ṭɐŋ^{1}	青韻 耕韻
3171c	上加・112オ6・官職	丁	—	チヤウ	右注	teŋ^{1} ṭɐŋ^{1}	青韻 耕韻
0390c	上伊・016オ5・官職	頂	上濁	チヤウ	左注	teŋ^{2}	迥韻
1817a	上池・069オ5・疊字	頂	平	チヤウ	左注	teŋ^{2}	迥韻
0991b	上仁・040オ3・疊字	定	平濁	チヤウ	右注	teŋ^{3} deŋ^{3}	徑韻 徑韻
1376b	上邊・053オ6・疊字	定	平濁	チヤウ	中注	teŋ^{3} deŋ^{3}	徑韻 徑韻
1823a	上池・069オ6・疊字	定	平濁	チヤウ	左注	teŋ^{3} deŋ^{3}	徑韻 徑韻
1978a	上池・072オ3・官職	定	—	チヤウ	右注	teŋ^{3} deŋ^{3}	徑韻 徑韻
2103b	上利・075ウ1・疊字	定	平濁	チヤウ	中注	teŋ^{3} deŋ^{3}	徑韻 徑韻
2907b	上加・107オ4・疊字	定	平濁	チヤウ	左注	teŋ^{3} deŋ^{3}	徑韻 徑韻
3025b	上加・108ウ7・疊字	定	平	チヤウ	左注	teŋ^{3} deŋ^{3}	徑韻 徑韻

3026b	上加・108ウ7・疊字	定	平濁	チヤウ	左注	teŋ^{3} deŋ^{3}	徑韻 徑韻
3151a	上加・111ウ3・國郡	都	―	ツ	右傍	tuʌ^{1}	模韻
2866b	上加・106ウ3・疊字	佂	去	テイ	左注	tei^{1}	齊韻
0336b	上伊・014オ2・疊字	渧	去	テイ	右注	tei^{3}	霽韻
0924a	上仁・035ウ7・天象	蝃	―	テイ	右傍	tei^{3}	霽韻
1041	上保・042オ2・植物	蔕	去	テイ	右傍	tei^{3}	霽韻
3199	上与・114ウ1・人倫	丁	平	テイ	右傍	teŋ^{1} ṭɐŋ^{1}	青韻 耕韻
0110	上伊・006オ3・人體	頂	上	テイ	右傍	teŋ^{2}	迥韻
2296	上和・086オ6・動物	鵰	―	テウ	右傍	teu^{1}	蕭韻
0441b	上呂・019オ3・疊字	鳥	上	テウ	中注	teu^{2}	篠韻
1442	上度・055オ7・動物	鳥	上	テウ	右傍	teu^{2}	篠韻
1663b	上度・063オ7・疊字	鳥	上	テウ	中注	teu^{2}	篠韻
2827	上加・103ウ2・辞字	適	―	テキ	右傍	tek tśiek śiek	錫韻 昔韻 昔韻
2564b	上加・095オ5・動物	蛭	入	テツ	右傍	tet tiet tśiet	屑韻 質韻 質韻
0465	上波・020オ3・天象	霑	去	テン	右傍	tem^{3} ṭiep	㮇韻 緝韻
0017	上伊・002ウ6・地儀	巓	平	テン	右傍	ten^{1}	先韻
0112	上伊・006オ3・人體	顛	平	テン	右傍	ten^{1}	先韻
0190	上伊・009オ5・方角	巓	平	テン	右注	ten^{1}	先韻
1699a	上度・064オ7・官職	刀	―	ト	右注	tɑu^{1}	豪韻
3172b	上加・112オ6・官職	督	―	ト	右傍	tɑuk	沃韻
1679a	上度・063ウ3・疊字	都	平	ト	左注	tuʌ^{1}	模韻
0641b	上波・026オ4・雑物	肚	上	ト	右傍	tuʌ^{2} duʌ^{2}	姥韻 姥韻
2504	上加・093ウ3・植物	楮	―	ト	右傍	tuʌ^{2} ṭʻiʌ^{2}	姥韻 語韻
1638a	上度・063オ2・疊字	蠹	去	ト	中注	tuʌ^{3}	暮韻
1645a	上度・063オ3・疊字	蠹	去	ト	左注	tuʌ^{3}	暮韻
1513a	上度・057ウ4・雑物	頓	―	ト	右注	tuʌn^{3}	慁韻
1701a	上度・064ウ2・姓氏	登	―	ト	右注	tʌŋ^{1}	登韻
1489a	上度・057オ5・雑物	兜	去	ト	右傍	tʌu^{1}	侯韻
1490a	上度・057オ5・雑物	兜	去	ト	右傍	tʌu^{1}	侯韻
1029b	上保・041ウ1・天象	斗	―	ト	左注	tʌu^{2}	厚韻
1150b	上保・047オ3・疊字	斗	上	ト	中注	tʌu^{2}	厚韻
1528	上度・058オ5・員數	斗	去	ト	右注	tʌu^{2}	厚韻
0735b	上波・031ウ2・疊字	冬	平	トウ	右注	tɑuŋ^{1}	冬韻
1796b	上池・068ウ7・疊字	冬	平	トウ	左注	tɑuŋ^{1}	冬韻

2482a	上加・093オ1・植物	冬	平	トウ	右傍	tauŋ[1]	冬韻
1586a	上度・062オ5・疊字	頓	平	トウ	左注	tuʌn[3]	慁韻
1429a	上度・054ウ6・地儀	登	平	トウ	右傍	tʌŋ[1]	登韻
1491	上度・057オ5・雜物	燈	平	トウ	右傍	tʌŋ[1]	登韻
1494a	上度・057オ5・雜物	燈	去	トウ	右傍	tʌŋ[1]	登韻
1495a	上度・057オ6・雜物	燈	去	トウ	右注	tʌŋ[1]	登韻
1496a	上度・057オ6・雜物	燈	去	トウ	右注	tʌŋ[1]	登韻
1497a	上度・057オ6・雜物	燈	―	トウ	右注	tʌŋ[1]	登韻
1498a	上度・057オ6・雜物	燈	―	トウ	右注	tʌŋ[1]	登韻
1569a	上度・062オ2・疊字	登	平	トウ	中注	tʌŋ[1]	登韻
1580a	上度・062オ4・疊字	燈	去	トウ	左注	tʌŋ[1]	登韻
1584a	上度・062オ5・疊字	登	平	トウ	左注	tʌŋ[1]	登韻
1585a	上度・062オ5・疊字	登	平	トウ	中注	tʌŋ[1]	登韻
1590a	上度・062オ6・疊字	登	平	トウ	中注	tʌŋ[1]	登韻
1614a	上度・062ウ4・疊字	登	去	トウ	右注	tʌŋ[1]	登韻
1635a	上度・063オ1・疊字	登	平	トウ	左注	tʌŋ[1]	登韻
1639a	上度・063オ2・疊字	登	平	トウ	左注	tʌŋ[1]	登韻
1659a	上度・063オ6・疊字	燈	平	トウ	左注	tʌŋ[1]	登韻
1660a	上度・063オ6・疊字	燈	去	トウ	左注	tʌŋ[1]	登韻
1564	上度・061オ3・辞字	等	上	トウ	右傍	tʌŋ[2]	等韻
1603a	上度・062ウ1・疊字	等	上	トウ	左注	tʌŋ[2]	等韻
1623a	上度・062ウ6・疊字	等	上	トウ	左注	tʌŋ[2]	等韻
1629a	上度・062ウ7・疊字	等	平	トウ	左注	tʌŋ[2]	等韻
1658a	上度・063オ6・疊字	等	平	トウ	中注	tʌŋ[2]	等韻
1674a	上度・063ウ2・疊字	等	平	トウ	右注	tʌŋ[2]	等韻
1675b	上度・063ウ2・疊字	等	去濁	トウ	右注	tʌŋ[2]	等韻
0685	上波・027ウ2・雜物	篼	平	トウ	右傍	tʌu[1]	侯韻
1527	上度・058オ5・員數	斗	去	トウ	右傍	tʌu[2]	厚韻
1582a	上度・062オ4・疊字	斗	上	トウ	左注	tʌu[2]	厚韻
1428	上度・054ウ5・地儀	枓	上	トウ	右傍	tʌu[2] tśiuʌ[2]	厚韻 麌韻
1475a	上度・056ウ5・人事	鬪	去	トウ	左傍	tʌu[3]	候韻
1642a	上度・063オ3・疊字	鬪	去	トウ	左注	tʌu[3]	候韻
1643a	上度・063オ3・疊字	鬪	平 去	トウ	左注	tʌu[3]	候韻
1644a	上度・063オ3・疊字	鬪	平	トウ	左注	tʌu[3]	候韻
1575a	上度・062オ3・疊字	東	平	トウ	中注	tʌuŋ[1]	東韻
1577a	上度・062オ3・疊字	東	平	トウ	右注	tʌuŋ[1]	東韻
1631a	上度・062ウ7・疊字	東	去	トウ	右注	tʌuŋ[1]	東韻
1634a	上度・063オ1・疊字	東	去	トウ	左注	tʌuŋ[1]	東韻
1653a	上度・063オ5・疊字	東	平	トウ	左注	tʌuŋ[1]	東韻
1654a	上度・063オ5・疊字	東	去	トウ	左注	tʌuŋ[1]	東韻
1667a	上度・063ウ1・疊字	東	平	トウ	左注	tʌuŋ[1]	東韻

1695a	上度・064オ6・官職	東	―	トウ	右傍	tʌuŋ^{1}	東韻
0924b	上仁・035ウ7・天象	蝀	―	トウ	右傍	tʌuŋ$^{1/2}$	東/董韻
2555b	上加・095オ1・動物	蝀	―	トウ	右傍	tʌuŋ$^{1/2}$	東/董韻
1589a	上度・062オ6・疊字	棟	去	トウ	中注	tʌuŋ^{3}	送韻
1028b	上保・041ウ1・天象	斗	―	トウ ［上上］	右注	tʌu^{2}	厚韻
3289b	上波・034ウ7・國郡	東	―	トウ	右注	tʌuŋ^{1}	東韻
1470	上度・056ウ2・人事	得	―	トク	右注	tʌk	徳韻
1576a	上度・062オ3・疊字	得	入	トク	左注	tʌk	徳韻
1621a	上度・062ウ5・疊字	得	入	トク	左注	tʌk	徳韻
1622a	上度・062ウ5・疊字	得	入	トク	左注	tʌk	徳韻
1678a	上度・063ウ3・疊字	得	入	トク	左注	tʌk	徳韻
1700a	上度・064オ7・官職	得	―	トク	右注	tʌk	徳韻
1702	上度・065オ3・名字	得	―	トク	右注	tʌk	徳韻
0156b	上伊・008オ2・人事	德	―	トク	右注	tʌk	徳韻
1050b	上保・042オ7・動物	德	入	トク	右傍	tʌk	徳韻
1598b	上度・062オ7・疊字	德	入	トク	左注	tʌk	徳韻
1630a	上度・062ウ7・疊字	德	入	トク	中注	tʌk	徳韻
1640a	上度・063オ2・疊字	德	入	トク	左注	tʌk	徳韻
1641a	上度・063オ2・疊字	德	入	トク	左注	tʌk	徳韻
1680a	上度・063ウ3・疊字	德	入	トク	右注	tʌk	徳韻
1703	上度・065オ3・名字	德	―	トク	右注	tʌk	徳韻
1664b	上度・063オ7・疊字	德	入	トク	左注	tʌk	徳韻
2129b	上利・075ウ6・疊字	德	入	トク	左注	tʌk	徳韻
1466b	上度・056ウ1・人事	頓	去	トム	右傍	tuʌn^{3}	慁韻
0312b	上伊・013ウ4・疊字	頓	去	トン	右注	tuʌn^{3}	慁韻
1673a	上度・063ウ2・疊字	頓	平	トン	右注	tuʌn^{3}	慁韻
1676a	上度・063ウ3・疊字	頓	去	トン	左注	tuʌn^{3}	慁韻
1610a	上度・062ウ3・疊字	頓	去濁	トン	左注	tuʌn^{3}	慁韻
0693	上波・028オ4・方角	端	平	ハン	右傍	tuan^{1}	桓韻

【表C-02】下巻_端母 t

番号	前田本所在	掲出字		仮名音注		中古音	韻目
3679b	下古・011ウ4・疊字	多	上	タ	左注	ta^{1}	歌韻
4809a	下佐・054オ3・國郡	多		タ	右傍	ta^{1}	歌韻
4812b	下佐・054オ4・國郡	多	―	タ	右傍	ta^{1}	歌韻
6360a	下飛・099ウ7・國郡	多	―	タ	右傍	ta^{1}	歌韻
6368b	下飛・100オ1・國郡	多	―	タ	右傍	ta^{1}	歌韻
6760b	下世・112ウ5・国郡	多	―	タ	右注	ta^{1}	歌韻
6815	下洲・114ウ7・人躰	髩	上	タ	右傍	tua^{2} dua^{2} ḍiue^{1}	果韻 果韻 支韻
6159b	下飛・094ウ2・雜物	帶	去	タイ	右傍	tai^{3}	泰韻

6173	下飛・094ウ6・雜物	⿰糸帶	去	タイ	右傍	tɑi^{3}	泰韻
6550b	下世・108ウ7・雜物	帶	平	タイ	左注	tɑi^{3}	泰韻
3407b	下古・005ウ7・人事	揥	平	タイ	右傍	tei^{1} t'ei^{3} t'iai^{3}	齊韻 霽韻 祭韻
3744b	下江・014オ7・植物	膽	上濁	タウ	右傍	tɑm^{2}	敢韻
3454	下古・007オ5・雜物	璫	平	タウ	右傍	tɑŋ^{1}	唐韻
3733b	下古・013ウ1・官職	當	—	タウ	右注	tɑŋ$^{1/3}$	唐/宕韻
5952b	下師・087オ3・官職	當	—	タウ	右注	tɑŋ$^{1/3}$	唐/宕韻
6768b	下世・113オ3・官職	當	—	タウ	右傍	tɑŋ$^{1/3}$	唐/宕韻
4366b	下阿・039オ6・疊字	黨	平	タウ	左注	tɑŋ^{2}	蕩韻
4095a	下阿・026オ2・植物	嶋	上	タウ	右傍	tɑu^{2} teu^{2}	晧韻 篠韻
4027b	下手・023オ5・疊字	倒	平	タウ	左注	tɑu$^{2/3}$	晧/号韻
4988b	下木・061オ4・疊字	禱	上	タウ	左注	tɑu$^{2/3}$	晧/号韻
5920a	下師・086ウ2・國郡	荅	—	タウ	右傍	tʌp	合韻
4288a	下阿・032ウ5・雜物	椓	入	タク	右傍	tauk	覺韻
3889a	下手・019オ6・動物	斲	入	タク	右傍	tauk	覺韻
6476b	下毛・105ウ5・疊字	荅	入濁	タフ	右注	tʌp	合韻
4028b	下手・023オ5・疊字	丹	平	タン	左注	tɑn^{1}	寒韻
4090a	下阿・025ウ7・植物	丹	平	タン	右傍	tɑn^{1}	寒韻
5253b	下由・068オ2・雜物	單	平	タン	右注	tɑn^{1} źian$^{1/2/3}$	寒韻 仙/獮/線韻
6158a	下飛・094ウ1・雜物	單	平	タン	右傍	tɑn^{1} źian$^{1/2/3}$	寒韻 仙/獮/線韻
4891b	下木・057ウ1・人躰	疸	—	タン	右傍	tɑn$^{2/3}$	旱/翰韻
5859b	下師・085オ3・疊字	黨	上	タン	右注	tɑŋ^{2}	蕩韻
3858b	下江・017ウ5・疊字	丁	平	チヤウ	左注	teŋ^{1} ṭɐŋ^{1}	青韻 耕韻
6102b	下飛・092ウ3・人倫	丁	—	チヤウ	右傍	teŋ^{1} ṭɐŋ^{1}	青韻 耕韻
4002b	下手・022ウ6・疊字	定	平	チヤウ	左注	teŋ^{3} deŋ^{3}	徑韻 徑韻
5101b	下木・063オ2・疊字	定	平	チヤウ	左注	teŋ^{3} deŋ^{3}	徑韻 徑韻
6296b	下飛・098ウ2・疊字	定	平	チヤウ	左注	teŋ^{3} deŋ^{3}	徑韻 徑韻
6317b	下飛・098ウ5・疊字	定	平濁	チヤウ	左注	teŋ^{3} deŋ^{3}	徑韻 徑韻
6015a	下會・089ウ5・國郡	敦	—	ツル	右傍	tuʌn$^{1/3}$ duɑn^{1} tuʌi^{1}	魂/慁韻 桓韻 灰韻

6083	下飛・092オ2・動物	羝	平	テイ	右傍	tei^{1}	齊韻
3970a	下手・022オ6・疊字	隄	平	テイ	左注	tei^{1} dei^{1}	齊韻 齊韻
4800b	下佐・053ウ6・疊字	仃	―	テイ	右傍	teŋ^{1}	青韻
3972a	下手・022オ7・疊字	丁	平	テイ	左注	teŋ^{1} ṭeŋ^{1}	青韻 耕韻
4336	下阿・036オ7・辞字	丁	平	テイ	右傍	teŋ^{1} ṭeŋ^{1}	青韻 耕韻
5689b	下師・082ウ1・疊字	丁	平	テイ	左注	teŋ^{1} ṭeŋ^{1}	青韻 耕韻
4244	下阿・031ウ6・雜物	鼎	上	テイ	右傍	teŋ^{2}	迥韻
4024a	下手・023オ4・疊字	定	平	テイ	左注	teŋ^{3} deŋ^{3}	徑韻 徑韻
4735b	下佐・052オ7・疊字	定	去	テイ	左注	teŋ^{3} deŋ^{3}	徑韻 徑韻
3890	下手・019オ7・動物	貂	平	テウ	右傍	teu^{1}	蕭韻
3944a	下手・022オ1・疊字	凋	平	テウ	左注	teu^{1}	蕭韻
4571	下佐・047オ5・雜物	刁	東	テウ	右傍	teu^{1}	蕭韻
5501	下師・076ウ6・辞字	凋	平	テウ	右傍	teu^{1}	蕭韻
5986	下會・089オ2・辞字	彫	平	テウ	右傍	teu^{1}	蕭韻
4087	下阿・025ウ6・植物	芀	平	テウ	左注	teu^{1} deu^{1}	蕭韻 蕭韻
3921a	下手・021オ2・雜物	刁	東	テウ [上平]	左注	teu^{1}	蕭韻
4011a	下手・023オ1・疊字	滴	入	テキ	中注	tek	錫韻
5806b	下師・084ウ1・疊字	的	入	テキ	右注	tek	錫韻
6833b	下洲・116オ2・雜物	滴	―	テキ	右傍	tek	錫韻
6948b	下洲・120ウ5・疊字	的	―	テキ	右注	tek	錫韻
6086	下飛・092オ3・動物	蹢	―	テキ	右傍	tek ḍiek	錫韻 昔韻
6092b	下飛・092オ5・動物	蛭	入	テツ	右傍	tet tiet tśiet	屑韻 質韻 質韻
3833b	下江・017オ7・疊字	點	平	テム	中注	tem^{2}	忝韻
3834b	下江・017オ7・疊字	點	―	テム	右傍	tem^{2}	忝韻
4002a	下手・022ウ6・疊字	點	平	テム	左注	tem^{2}	忝韻
3943a	下手・022オ1・疊字	店	平	テム	左注	tem^{3}	㮇韻
3929	下手・021ウ3・辞字	點	―	テム [平平]	右注	tem^{2}	忝韻
3965a	下手・022オ5・疊字	癲	平	テン	中注	ten^{1}	先韻
4027a	下手・023オ5・疊字	顛	平	テン	左注	ten^{1}	先韻
4034a	下手・023オ7・疊字	顛	―	テン	右注	ten^{1}	先韻
4794c	下佐・053ウ1・疊字	顛	平	テン	右傍	ten^{1}	先韻

6418a	下毛・102オ4・人躰	癲	平	テン	右傍	ten^{1}	先韻
3347	下古・003オ1・植物	槙	—	テン	右傍	ten^{1} tśien^{2}	先韻 軫韻
4041a	下手・023ウ5・官職	典	—	テン	右注	ten^{2}	銑韻
4043a	下手・023ウ5・官職	典	—	テン	右注	ten^{2}	銑韻
5594b	下師・080ウ5・疊字	典	上	テン	左注	ten^{2}	銑韻
6959b	下洲・121ウ1・官職	典	—	テン	右注	ten^{2}	銑韻
6965b	下洲・121ウ4・官職	典	—	テン	右注	ten^{2}	銑韻
4425b	下阿・041オ7・姓氏	刀	—	ト	右注	tau^{1}	豪韻
6789c	下洲・113ウ6・植物	冬	上	トウ	右傍	tauŋ^{1}	冬韻
3693b	下古・011ウ7・疊字	篤	—	トク	左注	tauk	沃韻
5001b	下木・061オ7・疊字	德	—	トク	右注	tʌk	徳韻
3609b	下古・010ウ2・疊字	德	—	トク	中注	tʌk	徳韻
6629b	下世・110ウ5・疊字	德	入	トク	右注	tʌk	徳韻
6743b	下世・112オ5・疊字	德	—	トク	左注	tʌk	徳韻
4003b	下手・022ウ7・疊字	對	平	タイ	中注	tuʌi^{3}	隊韻
4332	下阿・036オ2・辞字	敦	平	トン	右傍	tuʌn$^{1/3}$ duan^{1} tuʌi^{1}	魂/慁韻 桓韻 灰韻
4814b	下佐・047ウ1・雜物	墪	—	トン ［平濁平］	右注	tuʌn^{1}	魂韻

【表C-02】上巻_透母 t‘

番号	前田本所在	掲出字		仮名音注		中古音	韻目
2045b	上利・074ウ4・疊字	他	上	タ	左注	t‘a^{1}	歌韻
1004b	上仁・040オ6・疊字	體	平濁	タイ	左注	t‘ei^{2}	薺韻
1259b	上保・048ウ4・疊字	體	平濁	タイ	左注	t‘ei^{2}	薺韻
2114b	上利・075ウ3・疊字	躰	平	タイ	右注	t‘ei^{2}	薺韻
1621b	上度・062ウ5・疊字	替	去	タイ	左注	t‘ei^{3}	霽韻
2313	上和・087オ3・人事	態	—	タイ	右傍	t‘ʌi^{3}	代韻
2315	上和・087オ3・人事	僀	去	タイ	右傍	t‘ʌi^{3}	代韻
1817b	上池・069オ5・疊字	戴	平	タイ	左注	tʌi^{3}	代韻
0213	上伊・011オ3・辞字	戴	—	タイ	右傍	tʌi^{3}	代韻
0636b	上波・026オ2・飲食	飥	入	タウ	右注	t‘ak	鐸韻
0303b	上伊・013ウ1・疊字	蕩	去	タウ	左注	t‘aŋ$^{1/3}$ daŋ^{2}	唐/宕韻 蕩韻
0774b	上波・032オ3・疊字	儻	上	タウ	右注	t‘aŋ$^{2/3}$	蕩/宕韻
2894b	上加・107オ2・疊字	塔	入	タウ	左注	t‘ap	盍韻
0704	上波・029ウ3・人事	討	—	タウ	右傍	t‘au^{2}	晧韻
0635b	上波・026オ2・飲食	飥	入	タク	右傍	t‘ak	鐸韻
3095b	上加・109ウ7・疊字	歎	平	タム	右注	t‘an^{3}	翰韻
1671b	上度・063ウ2・疊字	炭	去	タン	右注	t‘an^{3}	翰韻

2151a	上奴・077オ3・人倫	偷	平 去	チウ	右傍	t‘ʌu^{1}	侯韻
2156	上奴・077ウ1・人事	偷	去	チウ	右傍	t‘ʌu^{1}	侯韻
1769a	上池・067ウ4・雜物	鍮	―	チウ	中注	t‘ʌu^{1}	侯韻
1714	上池・065ウ2・地儀	廰	平	チヤウ	右注	t‘eŋ^{1}	青韻
1778	上池・068オ1・員數	町	去	チヤウ	右注	t‘eŋ$^{1/2}$ deŋ^{2} t‘en^{2}	青/迥韻 迥韻 銑韻
1839a	上池・069ウ2・疉字	廰	平	チヤウ	中注	t‘eŋ^{1}	青韻
1973a	上池・072オ1・官職	廰	―	チヤウ	右注	t‘eŋ^{1}	青韻
1974a	上池・072オ1・官職	庁	―	チヤウ	右注	t‘eŋ^{1}	青韻
1821a	上池・069オ5・疉字	聴	平	チヤウ	左注	t‘eŋ$^{1/3}$	青/徑韻
1822a	上池・069オ6・疉字	聴	平	チヤウ	左注	t‘eŋ$^{1/3}$	青/徑韻
0432b	上呂・019オ1・疉字	通	去	ツウ	左注	t‘ʌuŋ^{1}	東韻
2192b	上留・079ウ3・疉字	通	上	ツウ	中注	t‘ʌuŋ^{1}	東韻
2431	上加・091ウ3・地儀	梯	平	テイ	右傍	t‘ei^{1}	齊韻
0291b	上伊・013オ6・疉字	體	上	テイ	右注	t‘ei^{2}	薺韻
1713	上池・065ウ2・地儀	廰	平	テイ	右傍	t‘eŋ^{1}	青韻
2068b	上利・075オ1・疉字	涕	去	テイ	左注	t‘ei$^{2/3}$	薺/霽韻
2069b	上利・075オ2・疉字	涕	去	テイ	左注	t‘ei$^{2/3}$	薺/霽韻
1059b	上保・042ウ6・動物	蝶	―	テウ	右注	t‘ep dep	帖韻 帖韻
0126	上伊・006ウ5・人事	佻	平	テウ	右傍	t‘eu^{1} deu^{1}	蕭韻 蕭韻
2709a	上加・099オ4・雜物	鐵	入	テツ	右傍	t‘et	屑韻
0233b	上伊・012ウ1・疉字	天	平	テン	左注	t‘en^{1}	先韻
0722b	上波・031オ7・疉字	天	平	テン	左注	t‘en^{1}	先韻
1151b	上保・047オ3・疉字	天	平	テン	左注	t‘en^{1}	先韻
1158b	上保・047オ4・疉字	天	平	テン	右注	t‘en^{1}	先韻
1639b	上度・063オ2・疉字	天	平濁	テン	左注	t‘en^{1}	先韻
1648b	上度・063オ4・疉字	天	平濁	テン	中注	t‘en^{1}	先韻
1336b	上邊・052ウ5・疉字	土	平濁	ト	右注	t‘uʌ^{2} duʌ^{2}	姥韻 姥韻
1458a	上度・056オ3・人倫	土	―	ト	右注	t‘uʌ^{2} duʌ^{2}	姥韻 姥韻
1572a	上度・062オ2・疉字	土	上	ト	中注	t‘uʌ^{2} duʌ^{2}	姥韻 姥韻
1573a	上度・062オ2・疉字	土	上	ト	中注	t‘uʌ^{2} duʌ^{2}	姥韻 姥韻
1574a	上度・062オ3・疉字	土	平濁	ト	左注	t‘uʌ^{2} duʌ^{2}	姥韻 姥韻
1595a	上度・062オ7・疉字	土	平	ト	左注	t‘uʌ^{2} duʌ^{2}	姥韻 姥韻

1597a	上度・062オ7・疊字	土	上	ト	左注	t‘uʌ^{2} duʌ^{2}	姥韻 姥韻
1598a	上度・062オ7・疊字	土	上	ト	左注	t‘uʌ^{2} duʌ^{2}	姥韻 姥韻
1601a	上度・062ウ1・疊字	土	上	ト	左注	t‘uʌ^{2} duʌ^{2}	姥韻 姥韻
1636a	上度・063オ1・疊字	土	平濁	ト	左注	t‘uʌ^{2} duʌ^{2}	姥韻 姥韻
1649a	上度・063オ4・疊字	土	平濁	ト	中注	t‘uʌ^{2} duʌ^{2}	姥韻 姥韻
1651a	上度・063オ4・疊字	土	去	ト	中注	t‘uʌ^{2} duʌ^{2}	姥韻 姥韻
1690a	上度・064オ3・国郡	土	―	ト	右注	t‘uʌ^{2} duʌ^{2}	姥韻 姥韻
1805b	上池・069オ2・疊字	土	平	ト	左注	t‘uʌ^{2} duʌ^{2}	姥韻 姥韻
1958b	上池・071ウ3・國郡	土	―	ト	右傍	t‘uʌ^{2} duʌ^{2}	姥韻 姥韻
2358b	上和・088ウ4・光彩	土	―	ト	右注	t‘uʌ^{2} duʌ^{2}	姥韻 姥韻
1296b	上邊・051オ1・人躰	吐	上	ト	右傍	t‘uʌ$^{2/3}$	姥/暮韻
0115a	上伊・006オ5・人體	兎	去	ト	右傍	t‘uʌ^{3}	暮韻
1488a	上度・057オ4・雑物	兎	去	ト	右傍	t‘uʌ^{3}	暮韻
1697a	上度・064オ6・官職	統	―	トウ	右傍	t‘ɑuŋ^{3}	宋韻
2152a	上奴・077オ3・人倫	偷	平 去	トウ	右傍	t‘ʌu^{1}	侯韻
1430a	上度・054ウ6・地儀	通	平	トウ	右傍	t‘ʌuŋ^{1}	東韻
1612a	上度・062ウ3・疊字	通	平	トウ	左注	t‘ʌuŋ^{1}	東韻
1648a	上度・063オ4・疊字	通	平	トウ	中注	t‘ʌuŋ^{1}	東韻
1664a	上度・063オ7・疊字	通	平	トウ	左注	t‘ʌuŋ^{1}	東韻
2524b	上加・094オ5・動物	通	―	トウ	右傍	t‘ʌuŋ^{1}	東韻
0133	上伊・007オ1・人事	恫	―	トウ	右傍	t‘ʌuŋ^{1} dʌuŋ^{3}	東韻 送韻
0127	上伊・006ウ5・人事	痛	―	トウ	右傍	t‘ʌuŋ^{3}	送韻
1670a	上度・063ウ1・疊字	痛	去	トウ	右注	t‘ʌuŋ^{3}	送韻
2599	上加・096オ6・人體	秃	入	トク	右傍	t‘ʌuk	屋韻
0236a	上伊・012ウ2・疊字	偷	平	イウ	右注	t‘ʌu^{1}	侯韻

【表C-02】下巻_透母 t‘

番号	前田本所在	掲出字		仮名音注		中古音	韻目
4681b	下佐・051ウ1・疊字	汰	平	タ	中注	t‘ɑi^{3}	泰韻
4804b	下佐・054オ2・國郡	太	―	タ	右傍	t‘ɑi^{3}	泰韻

4827b	下佐・054ウ7・姓氏	太	—	タ	右注	t‘ai^{3}	泰韻
5895b	下師・085ウ2・疊字	他	—	タ	右傍	t‘a^{1}	歌韻
5904d	下師・085ウ4・疊字	他	—	タ	右傍	t‘a^{1}	歌韻
5905d	下師・085ウ4・疊字	他	—	タ	右傍	t‘a^{1}	歌韻
6208	下飛・095ウ4・辞字	拖	平	タ	右傍	t‘a^{3}	箇韻
5916b	下師・086オ5・諸社	太	—	タ	右注	t‘ai^{3}	泰韻
6357b	下飛・099ウ7・國郡	太	—	タ	右傍	t‘ai^{3}	泰韻
6950b	下洲・121オ5・国郡	太	—	タ	右傍	t‘ai^{3}	泰韻
3863b	下江・017ウ6・疊字	態	去	タイ	左注	t‘ʌi^{3}	代韻
4495	下佐・044オ7・動物	鮐	—	タイ	右傍	t‘ʌi^{1}	咍韻
4884b	下木・057オ5・人躰	躰	—	タイ	右注	t‘ei^{2}	薺韻
5068b	下木・062オ7・疊字	退	平	タイ	右注	t‘uʌi^{3}	隊韻
5588b	下師・080ウ2・疊字	退	去	タイ	右注	t‘uʌi^{3}	隊韻
5758b	下師・083ウ5・疊字	退	平濁	タイ	左注	t‘uʌi^{3}	隊韻
6677b	下世・111オ7・疊字	替	去	タイ	左注	t‘ei^{3}	霽韻
5239	下由・067ウ2・飲食	湯	平	タウ	右傍	t‘aŋ$^{1/3}$ śiaŋ^{1}	唐/宕韻 陽韻
5441	下師・074オ5・雜物	榻	入	タウ	右傍	t‘ap	盍韻
6669b	下世・111オ6・疊字	託	入	タク	右注	t‘ak	鐸韻
5804b	下師・084ウ1・疊字	達	入	タツ	左注	t‘at dat	曷韻 曷韻
6519b	下世・107ウ5・人倫	達	—	タツ	右注	t‘at dat	曷韻 曷韻
4173b	下阿・028ウ5・人倫	探	平	タム	右傍	t‘ʌm^{1}	覃韻
4619	下佐・049オ4・辞字	探	平	タム	右傍	t‘ʌm^{1}	覃韻
4661b	下佐・051オ4・疊字	嘆	平濁	タン	右注	t‘an$^{1/3}$	寒/翰韻
4707b	下佐・051ウ7・疊字	歎	平	タン	左注	t‘an^{3}	翰韻
5348a	下師・071ウ4・人躰	磾	平	タン	右傍	t‘an^{1} den^{1}	寒韻 先韻
5726b	下師・083オ3・疊字	歎	—	タン	左注	t‘an^{3}	翰韻
5745b	下師・083ウ1・疊字	歎	—	タン	左注	t‘an^{3}	翰韻
6486	下世・106ウ3・地儀	灘	平	タン	右傍	t‘an^{1} ɣan^{2} xan^{3} nan^{3}	寒韻 旱韻 翰韻 翰韻
6487	下世・106ウ3・地儀	湍	平	タン	右傍	t‘uan^{1} tsiuan^{1}	桓韻 仙韻
6842	下洲・116オ3・雜物	炭	去	タン	右傍	t‘an^{3}	翰韻
6843a	下洲・116オ4・雜物	炭	去	タン	右傍	t‘an^{3}	翰韻
4822b	下佐・054ウ3・官職	廳	—	チヤウ	右注	t‘eŋ^{1}	青韻
4040b	下手・023ウ2・疊字	躰	—	テイ	右注	t‘ei^{2}	薺韻
4898	下木・057ウ4・人事	聽	平	テイ	右傍	t‘eŋ$^{1/3}$	青/徑韻
5880b	下師・085オ6・疊字	聽	去	テイ	右注	t‘eŋ$^{1/3}$	青/徑韻

3980a	下手・022ウ1・疊字	眺	去	テウ	左注	t‘eu^{3}	嘯韻
4020b	下手・023オ4・疊字	糶	入	テウ	左注	t‘eu^{3}	嘯韻
3916a	下手・021オ1・雜物	銚	平	テウ ［平平］	右注	t‘eu^{1} deu^{3} jiau^{1}	蕭韻 嘯韻 宵韻
4213	下阿・030オ1・人事	睎	入	テキ	右傍	t‘ek ṭ‘iʌu^{1}	錫韻 尤韻
4616	下佐・048ウ4・辭字	剔	―	テキ	右傍	t‘ek	錫韻
3927a	下手・021オ7・員數	帖	―	テツ	右傍	t‘ep	帖韻
3917a	下手・021オ1・雜物	鐵	―	テツ ［平上］	右注	t‘et	宵韻
3412b	下古・006オ4・人事	蝶	―	テフ	左注	t‘ep dep	帖韻 帖韻
3891	下手・019ウ1・動物	蝶	入	テフ	右注	t‘ep dep	帖韻 帖韻
3872	下手・018ウ4・天象	天	平	テン	右注	t‘en^{1}	先韻
3885a	下手・019オ3・地儀	天	去	テン	左注	t‘en^{1}	先韻
3893a	下手・019ウ4・人倫	天	―	テン	右注	t‘en^{1}	先韻
3894a	下手・019ウ4・人倫	天	―	テン	左注	t‘en^{1}	先韻
3901a	下手・020オ4・人事	天	―	テン	右注	t‘en^{1}	先韻
3906a	下手・020ウ4・雜物	天	―	テン	左注	t‘en^{1}	先韻
3973a	下手・022オ7・疊字	天	平	テン	左注	t‘en^{1}	先韻
4042a	下手・023ウ5・官職	天	―	テン	右注	t‘en^{1}	先韻
5348b	下師・071ウ4・人躰	靝	―	テン	右傍	t‘en^{1}	先韻
5908b	下師・085ウ5・疊字	天	―	テン	右傍	t‘en^{1}	先韻
6231b	下飛・097ウ5・疊字	天	平	テン	中注	t‘en^{1}	先韻
6789a	下洲・113ウ6・植物	天	去	テン	右傍	t‘en^{1}	先韻
3918b	下手・021オ2・雜物	土	平濁	ト	右注	t‘uʌ^{2} duʌ^{2}	姥韻 姥韻
6384b	下飛・100オ3・國郡	土	―	ト	右傍	t‘uʌ^{2} duʌ^{2}	姥韻 姥韻
4963b	下木・060ウ6・疊字	兎	去	ト	右傍	t‘uʌ^{3}	暮韻
6270b	下飛・098オ4・疊字	通	平	トウ	左注	t‘ʌuŋ^{1}	東韻
5231a	下由・067オ1・人事	呑	平	トム	右傍	t‘ʌn^{1} t‘en^{1}	痕韻 先韻
6027	下飛・090オ5・天象	暾	平	トン	右傍	t‘uʌn^{1}	魂韻
3895	下手・019ウ6・人體	軆	上濁	テイ ［上上］	右注	t‘ei^{2}	薺韻
3925	下手・021オ7・員數	帖	平濁	テウ ［平濁平］	右注	t‘ep	帖韻
3930	下手・021ウ3・辭字	帖	―	テツ ［平濁平］	右注	t‘ep	帖韻

【表C-02】上巻_定母 d

番号	前田本所在	掲出字		仮名音注		中古音	韻目
2542	上加・094ウ4・動物	鼉	平	タ	右傍	dɑ^{1}	歌韻
3152b	上加・111ウ3・國郡	陁	―	タ	右傍	dɑ^{1}	歌韻
0746b	上波・031ウ4・疊字	沲	平	タ	右注	dɑ$^{1/2}$	歌/哿韻
1901b	上池・070オ7・疊字	鈦	上濁	タ	左注	dɑi^{3} dei^{3}	泰韻 霽韻
1902b	上池・070ウ1・疊字	鈦	上	タ	中注	dɑi^{3} dei^{3}	泰韻 霽韻
0544	上波・022ウ3・動物	鮀	平	タイ	右傍	dɑ^{1}	歌韻
0870b	上波・033ウ1・疊字	大	平	タイ	右注	dɑi^{3}	泰韻
3169a	上加・112オ2・官職	大	平濁	タイ	右傍	dɑi^{3}	泰韻
1174b	上保・047ウ1・疊字	提	上濁	タイ	左注	dei^{1} źie^{1}	齊韻 支韻
0820b	上波・032ウ5・疊字	題	上濁	タイ	左注	dei$^{1/3}$	齊/薺韻
0900b	上波・033ウ7・疊字	苔	平	タイ	右注	dʌi^{1}	咍韻
0926b	上仁・036オ2・地儀	苔	―	タイ	右傍	dʌi^{1}	咍韻
1495b	上度・057オ6・雜物	臺	上濁	タイ	右注	dʌi^{1}	咍韻
2006b	上利・073ウ3・人事	臺	平	タイ	左注	dʌi^{1}	咍韻
2208b	上遠・080オ4・植物	薹	平	タイ	右傍	dʌi^{1}	咍韻
2512b	上加・093ウ6・植物	苔	平	タイ	右傍	dʌi^{1}	咍韻
2706b	上加・099オ4・雜物	臺	上濁	タイ	右傍	dʌi^{1}	咍韻
1016b	上仁・040ウ2・疊字	駘	平	タイ	右傍	dʌi$^{1/2}$	咍/海韻
1661b	上度・063オ6・疊字	駘	平	タイ	左注	dʌi$^{1/2}$	咍/海韻
2228	上遠・080ウ5・動物	駘	―	タイ	右傍	dʌi$^{1/2}$	咍/海韻
1785	上池・068オ7・辞字	殆	去	タイ	右傍	dʌi^{2}	海韻
1847b	上池・069ウ4・疊字	怠	去	タイ	左注	dʌi^{2}	海韻
1879b	上池・070オ3・疊字	怠	去	タイ	左注	dʌi^{2}	海韻
2280b	上遠・084ウ7・疊字	怠	平濁	タイ	中注	dʌi^{2}	海韻
3298c	上波・035オ3・官職	代	―	タイ	右注	dʌi^{3}	代韻
1270b	上保・049オ1・疊字	靆	―	タイ	右傍	dʌi^{3}	代韻
1636b	上度・063オ1・疊字	代	上濁	タイ	左注	dʌi^{3}	代韻
1874b	上池・070オ2・疊字	代	上濁	タイ	左注	dʌi^{3}	代韻
2065b	上利・075オ1・疊字	黛	去	タイ	左注	dʌi^{3}	代韻
2186b	上留・079ウ2・疊字	代	去	タイ	左注	dʌi^{3}	代韻
2375b	上和・090オ1・疊字	代	―	タイ	左注	dʌi^{3}	代韻
2268	上遠・083ウ4・辞字	逮	―	タイ	右傍	dʌi^{3} dei^{3}	代韻 霽韻
0563b	上波・023オ5・人倫	堂	平	タウ	右傍	dɑŋ^{1}	唐韻
0912b	上波・034ウ3・諸寺	堂	―	タウ	右傍	dɑŋ^{1}	唐韻
1199b	上保・047ウ6・疊字	堂	平	タウ	右注	dɑŋ^{1}	唐韻
2259a	上遠・083オ2・雜物	煻	平	タウ	右傍	dɑŋ^{1}	唐韻

2437b	上加・091ウ5・地儀	堂	上濁	タウ	右注	daŋ^{1}	唐韻
2893b	上加・107オ2・疊字	堂	上濁	タウ	左注	daŋ^{1}	唐韻
3005b	上加・108ウ3・疊字	堂	去	タウ	左注	daŋ^{1}	唐韻
0047b	上伊・003ウ4・植物	桃	平	タウ	右傍	dau^{1}	豪韻
0745b	上波・031ウ4・疊字	濤	平	タウ	右注	dau^{1}	豪韻
0978	上仁・039オ1・辞字	逃	平	タウ	右傍	dau^{1}	豪韻
1465a	上度・056ウ1・人事	陶	平	タウ	右傍	dau^{1}	豪韻
0038	上伊・003ウ1・植物	稲	上	タウ	右傍	dau^{2}	晧韻
0070a	上伊・004オ7・動物	稲	上	タウ	右傍	dau^{2}	晧韻
1656b	上度・063オ5・疊字	道	平濁	タウ	左注	dau^{2}	晧韻
1708b	上池・065オ7・地儀	道	−	タウ	右注	dau^{2}	晧韻
2292b	上和・086オ3・植物	稲	上	タウ	右傍	dau^{2}	晧韻
2886b	上加・106ウ7・疊字	道	平濁	タウ	左注	dau^{2}	晧韻
0132	上伊・006ウ7・人事	悼	−	タウ	右傍	dau^{3}	号韻
0251b	上伊・012ウ5・疊字	導	平濁	タウ	左注	dau^{3}	号韻
2155	上奴・077ウ1・人事	盗	−	タウ	右傍	dau^{3}	号韻
3044b	上加・109オ4・疊字	盗	上濁	タウ	左注	dau^{3}	号韻
2322	上和・087オ5・人事	諮	−	タウ	右傍	dʌp	合韻
2673b	上加・098オ6・飲食	頭	−	タウ	右注	dʌu^{1}	侯韻
0620	上波・025オ5・人事	度	−	タク	右傍	dak duʌ^{3}	鐸韻 暮韻
0697	上波・028ウ2・員數	度	−	タク	右傍	dak duʌ^{3}	鐸韻 暮韻
2005d	上利・073ウ3・人事	脱	入濁	タツ	右傍	duat t'uat	末韻 末韻
3113b	上加・110オ4・疊字	脱	入	タツ	右注	duat t'uat	末韻 末韻
3267b	上与・117ウ7・疊字	奪	入	タツ	右注	duat	末韻
2970b	上加・108オ3・疊字	談	平濁	タム	右注	dam^{2}	談韻
1303b	上邊・051ウ1・飲食	脥	平濁 去濁	タム	右注	dam^{3}	闞韻
0531b	上波・022オ1・植物	萏	上	タム	右傍	dʌm^{2}	感韻
0437b	上呂・019オ2・疊字	談	平濁	タン	左注	dam^{2}	談韻
0810b	上波・032ウ3・疊字	談	平	タン	右注	dam^{2}	談韻
1439b	上度・055オ3・植物	檀	平	タン	右傍	dan^{1}	寒韻
1584b	上度・062オ5・疊字	壇	平濁	タン	左注	dan^{1}	寒韻
0709	上波・030オ3・人事	弾	−	タン	右傍	dan$^{1/3}$	寒/翰韻
2632a	上加・097オ5・人事	襢	去	タン	右傍	dan^{2}	旱韻
3138a	上加・110ウ4・疊字	襢	去	タン	左注	dan^{2}	旱韻
0509b	上波・021オ6・植物	断	−	タン	右傍	duan^{2} tuan$^{2/3}$	緩韻 緩/換韻
0827b	上波・032ウ7・疊字	断	平濁	タン	左注	duan^{2} tuan$^{2/3}$	緩韻 緩/換韻

1591b	上度・062オ6・疊字	断	平	タン	中注	duan[2] tuan[2/3]	緩韻 緩/換韻
2413a	上和・090ウ2・疊字	懟	去	タン	右傍	duʌi[3]	隊韻
0730b	上波・031ウ1・疊字	地	平	チ	左注	diei[3]	至韻
0736b	上波・031ウ2・疊字	地	平	チ	右注	diei[3]	至韻
1337b	上邊・052ウ5・疊字	地	平濁	チ	左注	diei[3]	至韻
1704	上池・065オ6・地儀	地	—	チ	右注	diei[3]	至韻
1721a	上池・065ウ5・植物	地	平濁	チ	右注	diei[3]	至韻
1757a	上池・067オ6・人事	地	去	チ	右傍	diei[3]	至韻
1775a	上池・067ウ6・雑物	地	平濁	チ	右注	diei[3]	至韻
1802a	上池・069オ2・疊字	地	平濁	チ	左注	diei[3]	至韻
1803a	上池・069オ2・疊字	地	去	チ	左注	diei[3]	至韻
1804a	上池・069オ2・疊字	地	去	チ	左注	diei[3]	至韻
1832a	上池・069ウ1・疊字	地	去	チ	左注	diei[3]	至韻
1849a	上池・069ウ4・疊字	地	平濁	チ	左注	diei[3]	至韻
1887a	上池・070オ5・疊字	地	平	チ	中注	diei[3]	至韻
1918a	上池・070ウ4・疊字	地	平濁	チ	左注	diei[3]	至韻
1947a	上池・071オ3・疊字	地	去	チ	右注	diei[3]	至韻
2864b	上加・106ウ3・疊字	地	平	チ	左注	diei[3]	至韻
2351b	上和・088オ7・雑物	笛	入	チク	右傍	dek	錫韻
0505a	上波・021オ4・植物	亭	去濁	チヤウ	右傍	deŋ[1]	青韻
1905a	上池・070ウ1・疊字	停	上	チヤウ	左注	deŋ[1]	青韻
1906a	上池・070ウ1・疊字	停	上	チヤウ	左注	deŋ[1]	青韻
1779	上池・068オ1・員數	挺	平	チヤウ	右注	deŋ[1/2]	青/迥韻
1111b	上保・045オ1・雑物	鐸	入	チヤク	右注	dak	鐸韻
2805b	上和・088オ7・雑物	笛	入	チヤク	右傍	dek	錫韻
1914a	上池・070ウ3・疊字	濁	入濁	チヨク	左注	ḍauk	覺韻
1948a	上池・071オ3・疊字	濁	入濁	チヨク	右注	ḍauk	覺韻
0367b	上伊・015ウ6・国郡	頭	—	ツ	右傍	dʌu[1]	侯韻
0688b	上波・027ウ4・雑物	頭	—	ツ	右注	dʌu[1]	侯韻
0361b	上伊・015ウ4・国郡	豆		ツ	右注	dʌu[3]	候韻
0945b	上仁・036ウ4・動物	鵜	平	テイ	右傍	dei[1]	齊韻
2107b	上利・075ウ3・疊字	蹄	平 去	テイ	左注	dei[1]	齊韻
2354	上和・088ウ1・雑物	蹄	平	テイ	右傍	dei[1]	齊韻
0184b	上伊・008ウ7・雑物	題	平	テイ	右傍	dei[1/3]	齊/薺韻
0482	上波・020ウ3・地儀	庭	平	テイ	右傍	deŋ[1]	青韻
0925	上仁・036オ2・地儀	庭	平	テイ	右傍	deŋ[1]	青韻
0968a	上仁・038オ6・雑物	庭	平	テイ	右傍	deŋ[1]	青韻
1087b	上保・044オ2・人事	庭	平	テイ	右傍	deŋ[1]	青韻
1578b	上度・062オ3・疊字	庭	平	テイ	左注	deŋ[1]	青韻
0004	上伊・002オ3・天象	霆	平	テイ	右傍	deŋ[1/2]	青/迥韻

1453b	上度・055ウ4・動物	蜓	去	テイ	右傍	deŋ$^{1/2}$ den^{2}	青/迥韻 銑韻
2257	上遠・083オ1・雜物	艇	上	テイ	右傍	deŋ^{2}	迥韻
1419	上度・054ウ2・地儀	殿	―	テン	右傍	den^{3} ten^{3}	霰韻 霰韻
1717c	上池・065ウ3・地儀	殿	―	テン	左注	den^{3} ten^{3}	霰韻 霰韻
1982c	上利・072ウ4・地儀	殿	―	テン	右注	den^{3} ten^{3}	霰韻 霰韻
1929b	上池・070ウ6・疊字	疊	入濁	テウ	左注	dep	帖韻
2904b	上加・107オ4・疊字	牒	平	テウ	左注	dep	帖韻
1232b	上保・048オ6・疊字	條	平濁	テウ	右注	deu^{1}	蕭韻
2090b	上利・075オ5・疊字	條	平濁	テウ	左注	deu^{1}	蕭韻
0706	上波・029ウ5・人事	迢	平	テウ	右傍	deu^{1}	蕭韻
2563b	上加・095オ4・動物	蜩	平	テウ	右傍	deu^{1}	蕭韻
0152c	上伊・008オ1・人事	調	―	テウ	右注	deu$^{1/3}$ ṭiʌu^{1}	蕭/嘯韻 尤韻
1484a	上度・057オ2・飲食	調	―	テウ	右傍	deu$^{1/3}$ ṭiʌu^{1}	蕭/嘯韻 尤韻
2653b	上加・098オ1・人事	調	―	テウ	左注	deu$^{1/3}$ ṭiʌu^{1}	蕭/嘯韻 尤韻
0242b	上伊・012ウ3・疊字	狄	入	テキ	左注	dek	錫韻
1251b	上保・048ウ2・疊字	狄	―	テキ	左注	dek	錫韻
2397b	上和・090オ6・疊字	笛	入	テキ	中注	dek	錫韻
2569	上加・095ウ2・人倫	敵	―	テキ	右傍	dek	錫韻
2812	上加・102オ7・辞字	糴	―	テキ	右傍	dek	錫韻
3222b	上与・115ウ4・雜物	笛	入	テキ	右傍	dek	錫韻
2235a	上遠・081オ3・人倫	姪	入	テツ	左傍	det ḍiet	屑韻 質韻
0631c	上波・025ウ6・人事	調	―	テフ	左注	deu$^{1/3}$ ṭiʌu^{1}	蕭/嘯韻 尤韻
1807b	上池・069オ3・疊字	田	上濁	テン	左注	den^{1}	先韻
2876b	上加・106ウ5・疊字	田	上濁	テン	左注	den^{1}	先韻
2618	上加・096ウ5・人事	畋	平	テン	右傍	den$^{1/3}$	先/霰韻
2686	上加・098ウ4・雜物	鈿	平	テン	右傍	den$^{1/3}$	先/霰韻
0006	上伊・002オ4・天象	電	平	テン	右傍	den^{3}	霰韻
1799b	上池・069オ1・疊字	電	去	テン	左注	den^{3}	霰韻
1476a	上度・056ウ6・人事	團	平	ト	左注	duɑn^{1}	桓韻
0212	上伊・011オ3・辞字	徒	―	ト	右傍	duʌ^{1}	模韻
0411a	上呂・017ウ7・人事	圖	平	ト	右傍	duʌ^{1}	模韻
0908a	上波・034オ5・疊字	徒	平	ト	右傍	duʌ^{1}	模韻
1479a	上度・057オ2・飲食	屠	―	ト	右傍	duʌ^{1}	模韻

1588a	上度・062オ5・疊字	徒	平	ト	左注	duʌ^{1}	模韻
1609a	上度・062ウ3・疊字	徒	平	ト	左注	duʌ^{1}	模韻
1652a	上度・063オ5・疊字	途	上	ト	左注	duʌ^{1}	模韻
2082b	上利・075オ4・疊字	途	平	ト	左注	duʌ^{1}	模韻
2800	上加・101ウ2・辞字	圖	平	ト	右傍	duʌ^{1}	模韻
3079b	上加・109ウ4・疊字	途	平	ト	右注	duʌ^{1}	模韻
3255b	上与・117ウ5・疊字	途	平濁	ト	左注	duʌ^{1}	模韻
1671a	上度・063ウ2・疊字	塗	平	ト	右注	duʌ^{1} ḍa^{1}	模韻 麻韻
2167	上奴・078オ6・辞字	塗	平	ト	右傍	duʌ^{1} ḍa^{1}	模韻 麻韻
2574a	上加・095ウ4・人倫	塗	平	ト	右傍	duʌ^{1} ḍa^{1}	模韻 麻韻
1083	上保・043ウ5・人事	屠	平	ト	右傍	duʌ^{1} ḍiʌ^{1}	模韻 魚韻
1480a	上度・057オ2・飲食	屠	―	ト	右注	duʌ^{1} ḍiʌ^{1}	模韻 魚韻
0616	上波・025オ4・人事	啚	―	ト	右傍	duʌ^{1} pɪei^{2}	模韻 旨韻
1788	上池・068ウ3・辞字	鍍	―	ト	右傍	duʌ$^{1/3}$	模/暮韻
0514a	上波・021ウ1・植物	杜	上	ト	右傍	duʌ^{2}	姥韻
1579a	上度・062オ4・疊字	渡	平	ト	中注	duʌ^{3}	暮韻
2362	上和・089オ4・辞字	渡	―	ト	右傍	duʌ^{3}	暮韻
3276b	上与・118ウ3・國郡	渡	―	ト	右注	duʌ^{3}	暮韻
0340b	上伊・014オ2・疊字	度	平	ト	右注	duʌ^{3} dɑk	暮韻 鐸韻
1583a	上度・062オ4・疊字	度	平	ト	左注	duʌ^{3} dɑk	暮韻 鐸韻
3256b	上与・117ウ5・疊字	度	平濁	ト	左注	duʌ^{3} dɑk	暮韻 鐸韻
1487a	上度・057オ4・雑物	頭	―	ト	右傍	dʌu^{1}	侯韻
1647a	上度・063オ4・疊字	頭	平	ト	左注	dʌu^{1}	侯韻
2446	上加・091ウ7・地儀	竇	―	ト	右傍	dʌu$^{1/3}$ jiuʌ^{1}	侯/候韻 虞韻
1511a	上度・057ウ4・雑物	獨	―	ト	右注	dʌuk	屋韻
1568a	上度・057ウ4・雑物	銅	平	ト	右注	dʌuŋ^{1}	東韻
1526	上度・058オ5・員數	度	―	ト ［平濁］	右注	duʌ^{3} dɑk	暮韻 鐸韻
1567a	上度・061ウ7・重點	鼕	平 上	トウ	右注	dɑuŋ^{1}	冬韻
1567b	上度・061ウ7・重點	鼕	平 上	トウ	右注	dɑuŋ^{1}	冬韻
1681a	上度・063ウ4・疊字	圖	平	トウ	左注	duʌ^{1}	模韻

1668a	上度・063ウ1・疊字	騰	平	トウ	右注	dʌŋ^{1}	登韻
1669a	上度・063ウ1・疊字	藤	平	トウ	左注	dʌŋ^{1}	登韻
0204	上伊・010ウ2・辞字	投	平	トウ	右傍	dʌu^{1}	侯韻
0225	上伊・011ウ7・辞字	投	平	トウ	右傍	dʌu^{1}	侯韻
0445b	上呂・019オ3・疊字	頭	平	トウ	左注	dʌu^{1}	侯韻
0628b	上波・025ウ5・人事	頭	平	トウ	左注	dʌu^{1}	侯韻
0729b	上波・031ウ1・疊字	頭	平濁	トウ	右注	dʌu^{1}	侯韻
1195b	上保・047ウ5・疊字	頭	去濁	トウ	左注	dʌu^{1}	侯韻
1481a	上度・057オ2・飲食	頭	平	トウ	右注	dʌu^{1}	侯韻
1482a	上度・057オ2・飲食	頭	平	トウ	右傍	dʌu^{1}	侯韻
1657a	上度・063オ6・疊字	投	平	トウ	左注	dʌu^{1}	侯韻
1665a	上度・063オ7・疊字	投	平	トウ	左注	dʌu^{1}	侯韻
1696	上度・064オ6・官職	頭	―	トウ	右注	dʌu^{1}	侯韻
1831b	上池・069オ7・疊字	頭	―	トウ	左注	dʌu^{1}	侯韻
1992a	上利・073オ2・動物	投	平	トウ	右傍	dʌu^{1}	侯韻
2013b	上利・073ウ5・雜物	頭	平濁	トウ	右注	dʌu^{1}	侯韻
2126b	上利・075ウ6・疊字	頭	平	トウ	左注	dʌu^{1}	侯韻
2150b	上奴・077オ1・動物	頭	平	トウ	右傍	dʌu^{1}	侯韻
2579	上加・096オ2・人體	頭	平	トウ	右傍	dʌu^{1}	侯韻
1560	上度・060ウ2・辞字	逗	―	トウ	右傍	dʌu^{3} ḍiuʌ^{3}	侯韻 遇韻
1655a	上度・063オ5・疊字	逗	平	トウ	左注	dʌu^{3} ḍiuʌ^{3}	侯韻 遇韻
0263b	上伊・012ウ7・疊字	桐	平	トウ	中注	dʌuŋ^{1}	東韻
1457a	上度・056オ2・人倫	童	―	トウ	右注	dʌuŋ^{1}	東韻
1463a	上度・056ウ1・人事	銅	平	トウ	右傍	dʌuŋ^{1}	東韻
1512a	上度・057ウ4・雜物	銅	平	トウ	左傍	dʌuŋ^{1}	東韻
1521a	上度・058オ1・光彩	同	去濁	トウ	右注	dʌuŋ^{1}	東韻
1571a	上度・062オ2・疊字	銅	平	トウ	右注	dʌuŋ^{1}	東韻
1591a	上度・062オ6・疊字	童	平	トウ	中注	dʌuŋ^{1}	東韻
1592a	上度・062オ6・疊字	同	平	トウ	中注	dʌuŋ^{1}	東韻
1593a	上度・062オ6・疊字	同	平 去	トウ	左注	dʌuŋ^{1}	東韻
1594a	上度・062オ7・疊字	同	平 去	トウ	左注	dʌuŋ^{1}	東韻
1596a	上度・062オ7・疊字	同	平	トウ	左注	dʌuŋ^{1}	東韻
1599a	上度・062ウ1・疊字	童	平	トウ	左注	dʌuŋ^{1}	東韻
1600a	上度・062ウ1・疊字	童	平	トウ	左注	dʌuŋ^{1}	東韻
1607a	上度・062ウ2・疊字	同	去濁	トウ	右注	dʌuŋ^{1}	東韻
1611a	上度・062ウ3・疊字	同	平	トウ	左注	dʌuŋ^{1}	東韻
1624a	上度・062ウ6・疊字	同	平 去濁	トウ	左注	dʌuŋ^{1}	東韻
1625a	上度・062ウ6・疊字	同	平	トウ	左注	dʌuŋ^{1}	東韻

1626a	上度・062ウ6・疊字	同	去濁	トウ	左注	dʌuŋ[1]	東韻
1627a	上度・062ウ6・疊字	同	去濁	トウ	左注	dʌuŋ[1]	東韻
1628a	上度・062ウ7・疊字	同	去濁	トウ	左注	dʌuŋ[1]	東韻
1632a	上度・063オ1・疊字	銅	平	トウ	中注	dʌuŋ[1]	東韻
1633a	上度・063オ1・疊字	僮	平	トウ	左注	dʌuŋ[1]	東韻
1646a	上度・063オ3・疊字	銅	平	トウ	左注	dʌuŋ[1]	東韻
1656a	上度・063オ5・疊字	同	去濁	トウ	左注	dʌuŋ[1]	東韻
1662a	上度・063オ7・疊字	同	平	トウ	左注	dʌuŋ[1]	東韻
1666a	上度・063ウ1・疊字	桐	平	トウ	左注	dʌuŋ[1]	東韻
1674b	上度・063ウ2・疊字	同	去濁	トウ	右注	dʌuŋ[1]	東韻
1675a	上度・063ウ2・疊字	同	平	トウ	右注	dʌuŋ[1]	東韻
2299	上和・086ウ3・人倫	童	平	トウ	右傍	dʌuŋ[1]	東韻
3271b	上与・118オ1・疊字	同	—	トウ	右注	dʌuŋ[1]	東韻
1578a	上度・062オ3・疊字	洞	去	トウ	左注	dʌuŋ[1/3]	東/送韻
0240b'	上伊・012ウ3・疊字	動	去	トウ	右注	dʌuŋ[2]	董韻
1188b	上保・047ウ4・疊字	動	平濁	トウ	左注	dʌuŋ[2]	董韻
1620a	上度・062ウ5・疊字	動	去	トウ	左注	dʌuŋ[2]	董韻
1677a	上度・063ウ3・疊字	動	平	トウ	左注	dʌuŋ[2]	董韻
0129	上伊・006ウ6・人事	慟	—	トウ	右傍	dʌuŋ[3]	送韻
1606a	上度・062ウ2・疊字	慟	去	トウ	左注	dʌuŋ[3]	送韻
1554	上度・059ウ3・辞字	筒	—	トウ［平濁上］	右注	dʌuŋ[1/3]	東/送韻
1519	上度・057ウ6・雑物	筒	平	トウ［平濁上］	右注	dʌuŋ[1/3]	東/送韻
3053b	上加・109オ6・疊字	頭	平	トウ	左注	dʌu[1]	侯韻
1456a	上度・056オ2・人倫	讀	—	トク	右注	dʌuk	屋韻
1459a	上度・056オ5・人體	髑	—	トク	右注	dʌuk	屋韻
1520a	上度・057ウ6・雑物	獨	入	トク	右注	dʌuk	屋韻
1581a	上度・062オ4・疊字	讀	入	トク	左注	dʌuk	屋韻
1616a	上度・062ウ4・疊字	獨	入	トク	中注	dʌuk	屋韻
1617a	上度・062ウ4・疊字	獨	入	トク	左注	dʌuk	屋韻
1618a	上度・062ウ5・疊字	獨	入	トク	左注	dʌuk	屋韻
1619a	上度・062ウ5・疊字	獨	入	トク	左注	dʌuk	屋韻
1637a	上度・063オ2・疊字	讀	入	トク	右注	dʌuk	屋韻
1483	上度・057オ2・飲食	毒	—	トク［平濁平］	右注	dɑuk	沃韻
1613a	上度・062ウ4・疊字	突	入	トツ	左注	duʌt	没韻
1876b	上池・070オ2・疊字	突	入	トツ	左注	duʌt	没韻
2924b	上加・107ウ1・疊字	突	入	トツ	左注	duʌt	没韻
1530	上度・058オ5・員數	屯	—	トン	右注	duʌn[1] ṭiuen[1]	魂韻 諄韻
1650a	上度・063オ4・疊字	屯	—	トン	左注	duʌn[1] ṭiuen[1]	魂韻 諄韻
1615a	上度・062ウ4・疊字	遁	去	トン	左注	duʌn[2/3]	混/慁韻
1672a	上度・063ウ2・疊字	遁	去	トン	右注	duʌn[2/3]	混/慁韻

0455b	上呂・019オ5・疊字	鈍	平濁	トン	右注	duʌn^3	慁韻
1608a	上度・062ウ2・疊字	鈍	平濁	トン	左注	duʌn^3	慁韻
1866b	上池・069ウ7・疊字	鈍	去濁	トン	左注	duʌn^3	慁韻
2133b	上利・075ウ7・疊字	鈍	平	トン	左注	duʌn^3	慁韻
0024	上伊・003オ1・地儀	苐	—	キ	右傍	dei^3	霽韻
1085	上保・044オ1・人事	跳	—	セウ	右傍	deu^1	蕭韻

【表C-02】下巻_定母 d

番号	前田本所在	掲出字		仮名音注		中古音	韻目
4301	下阿・033オ6・光彩	酡	平	タ	右傍	dɑ^1	歌韻
4536b	下佐・046オ5・人事	陁	平	タ	右注	dɑ^1	歌韻
5195b	下木・064ウ6・諸寺	陁	—	タ	左注	dɑ^1	歌韻
6361b	下飛・099ウ7・國郡	驒	—	タ	中注	dɑ^1 dɑn^1 ten^1	歌韻 寒韻 先韻
4418b	下阿・041オ1・国郡	宕	—	タ	右注	dɑŋ^3	宕韻
4070b	下阿・025オ6・地儀	垜	上	タ	右傍	duɑ^2	果韻
5172b	下木・064オ4・疊字	惰	上濁	タ	左注	duɑ$^{2/3}$	果/過韻
5615b	下師・081オ5・疊字	第	平濁	タイ	左注	dei^3	霽韻
5902b	下師・085ウ3・疊字	第	—	タイ	右傍	dei^3	霽韻
3318	下古・002オ6・植物	苔	平	タイ	右傍	dʌi^1	咍韻
4920b	下木・058オ7・雜物	臺	—	タイ	右注	dʌi^1	咍韻
5383d	下師・073オ3・人事	臺	—	タイ	左傍	dʌi^1	咍韻
6172b	下飛・094ウ6・雜物	臺	上濁	タイ	右傍	dʌi^1	咍韻
6457	下毛・104ウ7・辞字	擡	—	タイ	右傍	dʌi^1	咍韻
6863a	下洲・116ウ3・雜物	炲	平	タイ	右傍	dʌi^1	咍韻
3805b	下江・017オ1・疊字	怠	去	タイ	左注	dʌi^2	海韻
5062b	下木・062オ6・疊字	殆	平	タイ	左注	dʌi^2	海韻
4917b	下木・058オ7・雜物	袋	去	タイ	中注	dʌi^3	代韻
4918b	下木・058オ7・雜物	袋	去	タイ	右注	dʌi^3	代韻
4931b	下木・058ウ3・雜物	代	—	タイ	右傍	dʌi^3	代韻
5106b	下木・063オ3・疊字	代	平	タイ	左注	dʌi^3	代韻
5820b	下師・084ウ3・疊字	代	平	タイ	左注	dʌi^3	代韻
6551b	下世・109オ2・光彩	黛	去	タイ	右注	dʌi^3	代韻
6965c	下洲・121ウ4・官職	代	—	タイ	右注	dʌi^3	代韻
3311b	下古・002オ2・地儀	堂	上	タウ	右傍	dɑŋ^1	唐韻
4226	下阿・031オ4・飲食	糖	平	タウ	右傍	dɑŋ^1	唐韻
6544b	下世・108ウ6・雜物	糖	平	タウ	右注	dɑŋ^1	唐韻
4395b	下阿・040オ1・疊字	宕	去	タウ	右傍	dɑŋ^3	宕韻
3339c	下古・002ウ6・植物	桃	平	タウ	右傍	dɑu^1	豪韻
5285c	下師・069ウ2・植物	桃	上	タウ	右傍	dɑu^1	豪韻

6396	下毛・101オ6・植物	桃	平	タウ	右傍	dau^{1}	豪韻
6397a	下毛・101オ6・植物	桃	平	タウ	右傍	dau^{1}	豪韻
6399a	下毛・101オ6・植物	桃	平	タウ	右傍	dau^{1}	豪韻
6398a	下毛・101オ6・植物	桃	―	(タウ)	右傍	dau^{1}	豪韻
3310b	下古・002オ1・地儀	道	去	タウ	右傍	dau^{2}	晧韻
3628b	下古・010ウ6・疊字	道	平濁	タウ	左注	dau^{2}	晧韻
4739b	下佐・052ウ1・疊字	道	平	タウ	左注	dau^{2}	晧韻
4997b	下木・061オ6・疊字	道	平	タウ	左注	dau^{2}	晧韻
6301b	下飛・098ウ2・疊字	道	平	タウ	左注	dau^{2}	晧韻
3672b	下古・011ウ2・疊字	盗	去	タウ	左注	dau^{3}	号韻
6295b	下飛・098ウ1・疊字	盗	上	タウ	左注	dau^{3}	号韻
4473a	下佐・043ウ7・動物	鸀	入	タク	右傍	dauk tśiauk	覺韻 燭韻
6858	下洲・116オ7・雑物	鐸	―	タク	右傍	dak	鐸韻
5747b	下師・083ウ2・疊字	度	入	タク	左注	dak duʌ^{3}	鐸韻 暮韻
5903b	下師・085ウ4・疊字	度	―	タク	右傍	dak duʌ^{3}	鐸韻 暮韻
3986b	下手・022ウ3・疊字	脱	入	タツ	左注	duat t'uat	末韻 末韻
5350a	下師・071ウ5・人躰	脱	入	タツ	右傍	duat t'uat	末韻 末韻
5856b	下師・085オ2・疊字	談	平	タム	右注	dam^{2}	談韻
5572b	下師・079ウ7・疊字	曇	去	タム	右注	dʌm^{1}	覃韻
5507	下師・077オ6・辞字	譚	平	タム	右傍	dʌm$^{1/2}$	覃/咸韻
3396b	下古・005オ1・人事	談	平	タン	右傍	dam^{2}	談韻
5289b	下師・069ウ4・植物	檀	平	タン	右注	dan^{1}	寒韻
6062b	下飛・091ウ1・植物	檀	平濁	タン	右注	dan^{1}	寒韻
6505b	下世・107オ2・植物	檀	平	タン	右注	dan^{1}	寒韻
5098b	下木・063オ1・疊字	彈	平濁	タン	左注	dan$^{1/3}$	寒/翰韻
5056b	下木・062オ5・疊字	誕	平	タン	左注	dan^{2}	旱韻
5094b	下木・062ウ7・疊字	断	平濁	タン	左注	duan^{2} tuan$^{2/3}$	緩韻 緩/換韻
5099b	下木・063オ2・疊字	断	平濁	タン	左注	duan^{2} tuan$^{2/3}$	緩韻 緩/換韻
6807	下洲・114オ6・動物	鰕	去	タン	右傍	duan^{3}	換韻
3438b	下古・006ウ7・雑物	地	去	チ	右傍	diei^{3}	至韻
3599b	下古・010オ7・疊字	地	平	チ	左注	diei^{3}	至韻
4029b	下手・023オ5・疊字	地	去	チ	左注	diei^{3}	至韻
4694b	下佐・051ウ4・疊字	地	平	チ	右注	diei^{3}	至韻
5545b	下師・079オ3・疊字	地	―	チ	右注	diei^{3}	至韻
6023b	下飛・090オ5・天象	地	去	チ	右傍	diei^{3}	至韻
6381b	下飛・100オ3・國郡	地	―	チ	右傍	diei^{3}	至韻

6446c	下毛・103オ7・雑物	地	―	チ	右傍	diei^3	至韻
6577b	下世・110オ3・疊字	地	去	チ	右注	diei^3	至韻
3568b	下古・007ウ2・雑物	頭	―	ツ	右注	dʌu^1	侯韻
6951b	下洲・121オ5・国郡	頭	―	ツ	右傍	dʌu^1	侯韻
6975b	下飛・092オ4・動物	頭	―	ツ	右注	dʌu^1	侯韻
4096c	下阿・026オ2・植物	豆	―	ツ	右注	dʌu^3	候韻
4583b	下佐・047ウ2・雑物	豆	上濁	ツ	右注	dʌu^3	候韻
4599b	下佐・047ウ7・雑物	豆	―	ツ	右注	dʌu^3	候韻
5930b	下師・086ウ3・國郡	曇	―	ツミ	右傍	dʌm^1	覃韻
3892a	下手・019ウ3・人倫	弟	―	テ ［平濁］	右注	dei$^{2/3}$	薺/霽韻
4544	下佐・046ウ2・飲食	醍	平	テイ	右傍	dei^1	齊韻
5274b	下師・069オ6・植物	蹄	平	テイ	右傍	dei^1	齊韻
6087	下飛・092オ3・動物	蹄	―	テイ	右傍	dei^1	齊韻
6510b	下世・107ウ1・動物	蹄	平	テイ	右傍	dei^1	齊韻
4299	下阿・033オ5・光彩	緹	―	テイ	右傍	dei^1 t'ei^2	齊韻 薺韻
3994a	下手・022ウ4・疊字	提	平	テイ	中注	dei^1 źie^1	齊韻 支韻
3995a	下手・022ウ5・疊字	提	平	テイ	左注	dei^1 źie^1	齊韻 支韻
3997a	下手・022ウ5・疊字	提	平	テイ	左注	dei^1 źie^1	齊韻 支韻
3998a	下手・022ウ5・疊字	提	―	テイ	中注	dei^1 źie^1	齊韻 支韻
6113	下飛・092ウ7・人躰	題	平	テイ	右傍	dei$^{1/3}$	齊/薺韻
4140	下阿・027ウ2・動物	鯷	平	テイ	右傍	dei$^{1/3}$ źie$^{1/2/3}$	齊/霽韻 支/紙/寘韻
6088a	下飛・092オ4・動物	鯷	―	テイ	右傍	dei$^{1/3}$ źie$^{1/2/3}$	齊/霽韻 支/紙/寘韻
4688b	下佐・051ウ3・疊字	弟	上	テイ	左注	dei$^{2/3}$	薺/霽韻
5136b	下木・063ウ3・疊字	睇	去	テイ	左注	dei^3 t'ei^1	齊韻 霽韻
3939a	下手・021ウ7・疊字	亭	平	テイ	左注	deŋ^1	青韻
4023a	下手・023オ4・疊字	停	平	テイ	左注	deŋ^1	青韻
4074	下阿・025ウ1・地儀	亭	―	テイ	右傍	deŋ^1	青韻
6010b	下會・089ウ2・疊字	挺	―	テイ	右注	deŋ$^{1/2}$	青/迥韻
3955b	下手・022オ3・疊字	廷	去	テイ	左注	deŋ$^{1/3}$	青/徑韻
3883	下手・019オ2・地儀	亭	東?	テイ ［平平］	左注	deŋ^1	青韻
3884	下手・019オ3・地儀	第	―	テイ ［平上］	右注	dei^3	霽韻
3316c	下古・002オ4・地儀	殿	―	テン	右傍	den^3 ten^3	霰韻 霰韻

3317c	下古・002オ4・地儀	殿	―	テン	右注	den^{3} ten^{3}	霰韻 霰韻
3880	下手・019オ2・地儀	殿	去	テン	右注	den^{3} ten^{3}	霰韻 霰韻
3888a	下手・019オ4・地儀	殿	―	テン	右注	den^{3} ten^{3}	霰韻 霰韻
3696b	下古・012オ1・疊字	逃	平濁	テウ	右注	dɑu^{1}	豪韻
3982a	下手・022ウ2・疊字	逃	平	テウ	右注	dɑu^{1}	豪韻
3983a	下手・022ウ2・疊字	逃	平	テウ	中注	dɑu^{1}	豪韻
3984a	下手・022ウ2・疊字	逃	平	テウ	左注	dɑu^{1}	豪韻
3985a	下手・022ウ2・疊字	逃	平	テウ	左注	dɑu^{1}	豪韻
3986a	下手・022ウ3・疊字	逃	平	テウ	左注	dɑu^{1}	豪韻
3987a	下手・022ウ3・疊字	逃	平濁	テウ	左注	dɑu^{1}	豪韻
3920a	下手・021オ2・雜物	疊	―	テウ	右注	dep	帖韻
3910	下手・020ウ6・雜物	牒	入	テウ ［平平］	右注	dep	帖韻
3749	下江・014ウ2・植物	條	平	テウ	右傍	deu^{1}	蕭韻
3879	下手・018ウ7・地儀	條	―	テウ ［平濁平］	右注	deu^{1}	蕭韻
3935a	下手・021ウ5・重點	條	去濁	テウ	右注	deu^{1}	蕭韻
3935b	下手・021ウ5・重點	條	去濁	テウ	右注	deu^{1}	蕭韻
6513	下世・107ウ3・動物	蜩	平	テウ	右傍	deu^{1}	蕭韻
3907a	下手・020ウ4・雜物	調	―	テウ	左注	deu$^{1/3}$ ṭiʌu^{1}	蕭/嘯韻 尤韻
3919a	下手・021オ2・雜物	調	平濁	テウ	右注	deu$^{1/3}$ ṭiʌu^{1}	蕭/嘯韻 尤韻
4008a	下手・023オ1・疊字	調	平	テウ	左注	deu$^{1/3}$ ṭiʌu^{1}	蕭/嘯韻 尤韻
4009a	下手・023オ1・疊字	調	―	テウ	左注	deu$^{1/3}$ ṭiʌu^{1}	蕭/嘯韻 尤韻
4019a	下手・023オ3・疊字	調	平	テウ	左注	deu$^{1/3}$ ṭiʌu^{1}	蕭/嘯韻 尤韻
4035a	下手・023オ7・疊字	調	去	テウ	左注	deu$^{1/3}$ ṭiʌu^{1}	蕭/嘯韻 尤韻
4036a	下手・023ウ1・疊字	調	去	テウ	左注	deu$^{1/3}$ ṭiʌu^{1}	蕭/嘯韻 尤韻
4061	下阿・024ウ2・天象	調	平	テウ	右傍	deu$^{1/3}$ ṭiʌu^{1}	蕭/嘯韻 尤韻
4536c	下佐・046オ5・人事	調	―	テウ	右注	deu$^{1/3}$ ṭiʌu^{1}	蕭/嘯韻 尤韻

5512	下師・077ウ7・辞字	調	平	テウ	右傍	deu$^{1/3}$ ṭiʌu^{1}	蕭/嘯韻 尤韻
3810b	下江・017オ2・疊字	窕	平	テウ	中注	deu^{2}	篠韻
3760	下江・015オ2・人倫	狄	—	テキ	右傍	dek	錫韻
4003a	下手・022ウ7・疊字	敵	入	テキ	中注	dek	錫韻
4020a	下手・023オ4・疊字	糴	去	テキ	左注	dek	錫韻
5727b	下師・083オ4・疊字	敵	入	テキ	左注	dek	錫韻
6225	下飛・097オ3・辞字	垤	入	テチ	右注	det	屑韻
4241	下阿・031ウ3・飲食	甜	平	テム	右傍	dem^{1}	添韻
5505	下師・077オ5・辞字	恬	平	テム	右傍	dem^{1}	添韻
3908	下手・020ウ4・雜物	簟	上濁	テム ［平上］	中注	dem^{2}	忝韻
3899a	下手・020オ4・人事	田	—	テン	左注	den^{1}	先韻
4021a	下手・023オ4・疊字	填	平	テン	左注	den$^{1/3}$ ṭien$^{1/3}$	先/霰韻 眞/震韻
5496	下師・076ウ1・辞字	填	平	テン	右傍	den$^{1/3}$ ṭien$^{1/3}$	先/霰韻 眞/震韻
4038a	下手・023ウ1・疊字	殄	去濁	テン	右注	den^{2}	銑韻
5836b	下師・084ウ6・疊字	徒	平	ト	左注	duʌ^{1}	模韻
6479b	下毛・105ウ5・疊字	徒	—	ト	右注	duʌ^{1}	模韻
6663b	下世・111オ5・疊字	途	平	ト	左注	duʌ^{1}	模韻
6707b	下世・111ウ5・疊字	途	平	ト	左注	duʌ^{1}	模韻
4026b	下手・023オ5・疊字	塗	平	ト	左注	duʌ^{1} ḍa^{1}	模韻 麻韻
6032	下飛・090ウ5・地儀	塗	平	ト	右傍	duʌ^{1} ḍa^{1}	模韻 麻韻
5978a	下會・088オ4・人倫	屠	—	ト	右傍	duʌ^{1} ḍiʌ^{1}	模韻 魚韻
3919b	下手・021オ2・雜物	度	平濁	ト	右注	duʌ^{3} dak	暮韻 鐸韻
4019b	下手・023オ3・疊字	度	平濁	ト	左注	duʌ^{3} dak	暮韻 鐸韻
4809b	下佐・054オ3・國郡	度	—	ト	右傍	duʌ^{3} dak	暮韻 鐸韻
6952b	下洲・121オ5・国郡	度	—	ト	右傍	duʌ^{3} dak	暮韻 鐸韻
4303	下阿・033オ7・光彩	彤	平	トウ	右傍	dauŋ^{1}	冬韻
6127	下飛・093オ4・人躰	疼	—	トウ	右傍	dauŋ^{1}	冬韻
3717b	下古・012オ5・疊字	藤	平	トウ	左注	dʌŋ^{1}	登韻
6300b	下飛・098ウ2・疊字	騰	平	トウ	左注	dʌŋ^{1}	登韻
4032b	下手・023オ7・疊字	頭	平濁	トウ	左注	dʌu^{1}	侯韻
4823b	下佐・054ウ3・官職	頭	—	トウ	右注	dʌu^{1}	侯韻
5842b	下師・084ウ7・疊字	頭	平	トウ	右傍	dʌu^{1}	侯韻

6168b	下飛・094ウ4・雜物	竂	平	トウ	右傍	dʌu$^{1/3}$ jiuʌ^{1}	侯/候韻 虞韻
5971b	下會・087ウ6・植物	豆	―	トウ	右傍	dʌu^{3}	候韻
3687b	下古・011ウ6・疊字	同	平	トウ	右注	dʌuŋ^{1}	東韻
4242	下阿・031ウ6・雜物	銅	平 去	トウ	右傍	dʌuŋ^{1}	東韻
4857a	下木・056オ4・植物	桐	平	トウ	右傍	dʌuŋ^{1}	東韻
4858	下木・056オ4・植物	桐	平	トウ	右傍	dʌuŋ^{1}	東韻
5421b	下師・073ウ7・雜物	銅	―	トウ	右注	dʌuŋ^{1}	東韻
5901d	下師・085ウ3・疊字	同	―	トウ	右傍	dʌuŋ^{1}	東韻
5902d	下師・085ウ3・疊字	同	―	トウ	右傍	dʌuŋ^{1}	東韻
4262	下阿・032オ6・雜物	罿	平	トウ	右傍	dʌuŋ^{1} tś'iauŋ^{1}	東韻 鍾韻
3709b	下古・012オ3・疊字	動	去	トウ	左注	dʌuŋ^{2}	董韻
4738b	下佐・052ウ1・疊字	動	平	トウ	左注	dʌuŋ^{2}	董韻
5036b	下木・061ウ7・疊字	動	去濁	トウ	左注	dʌuŋ^{2}	董韻
5838b	下師・084ウ6・疊字	動	平濁	トウ	左注	dʌuŋ^{2}	董韻
3702b	下古・012オ2・疊字	毒	―	トク	左注	dɑuk	沃韻
3354a	下古・003オ7・動物	特	入	トク	右傍	dʌk	徳韻
5151b	下木・063ウ6・疊字	特	入	トク	左注	dʌk	徳韻
3406a	下古・005ウ6・人事	獨	入	トク	右傍	dʌuk	屋韻
3662b	下古・011オ7・疊字	獨	入	トク	左注	dʌuk	屋韻
6034a	下飛・090ウ5・地儀	獨	入	トク	右傍	dʌuk	屋韻
6694b	下世・111ウ3・疊字	犢	入	トク	中注	dʌuk	屋韻
6336b	下飛・099オ2・疊字	突	―	トツ	左注	duʌt	没韻
6451	下毛・103ウ7・員數	屯	平	トン	右傍	duʌn^{1} ṭiuen^{1}	魂韻 諄韻
3419b	下古・006ウ1・飲食	飩	平濁	トン ［平濁平］	右注	duʌn^{1}	魂韻
4525	下佐・045ウ7・人事	啼	平	シ	右傍	dei^{3}	霽韻
6816	下洲・114ウ7・人躰	髫	平	セウ	右傍	deu^{1}	蕭韻

【表C-02】上巻_泥母 n

番号	前田本所在	掲出字		仮名音注		中古音	韻目
2500	上加・093ウ2・植物	棕	去濁	タイ	右傍	nɑi^{3}	泰韻
2540	上加・094ウ4・動物	能	平	タイ	右傍	nʌi$^{1/3}$ nʌŋ$^{1/2}$	咍/代韻 登/等韻
1482b	上度・057オ2・飲食	脳	上濁	タウ	右傍	nɑu$^{2/3}$	晧/号韻
0308b	上伊・013ウ3・疊字	(諾)	(入)	タク	左注	nɑk	鐸韻
2024b	上利・074オ7・疊字	暖	上	タム	左注	nuɑn^{2}	緩韻
1908a	上池・070ウ2・疊字	忸	入	チク	左注	niʌuk	屋韻
3133a	上加・110ウ2・疊字	忸	入濁	チク	右傍	niʌuk	屋韻
1891a	上池・070オ5・疊字	昵	入濁	チツ	左注	niet	質韻

3124b	上加・110オ6・疊字	泥	平濁	テイ	右注	nei$^{1/3}$	齊/霽韻
1016a	上仁・040ウ2・疊字	駑	平濁	ト	右傍	nuʌ^{1}	模韻
1661a	上度・063オ6・疊字	駑	平濁	ト	左注	nuʌ^{1}	模韻
1693a	上度・064オ4・国郡	奴	—	ト	右注	nuʌ^{1}	模韻
2227	上遠・080ウ5・動物	駑	平濁	ト	右傍	nuʌ^{1}	模韻
1515	上度・057ウ5・雜物	砮	平濁	ト	右傍	nuʌ$^{1/2}$	模/姥韻
2258b	上遠・083オ1・雜物	弩	平濁	ト	右傍	nuʌ^{2}	姥韻
0139	上伊・007オ3・人事	怒	上	ト	右傍	nuʌ$^{2/3}$	姥/暮韻
1604a	上度・062ウ2・疊字	怒	上	ト	左注	nuʌ$^{2/3}$	姥/暮韻
1605a	上度・062ウ2・疊字	怒	上	ト	左注	nuʌ$^{2/3}$	姥/暮韻
1240b	上保・048オ7・疊字	訥	入濁	トツ	右注	nuʌt	没韻
0219	上伊・011ウ1・辞字	那	—	ナ	右傍	nɑ$^{1/3}$	歌/箇韻
0362a	上伊・015ウ4・国郡	那	—	ナ	右傍	nɑ$^{1/3}$	歌/箇韻
0376a	上伊・015ウ7・国郡	那	—	ナ	右傍	nɑ$^{1/3}$	歌/箇韻
3158a	上加・111ウ4・國郡	那	—	ナ	右傍	nɑ$^{1/3}$	歌/箇韻
3178b	上加・112ウ3・姓氏	南	—	ナ	右傍	nʌm^{1}	覃韻
0788b	上波・032オ6・疊字	内	平	ナイ	左注	nuʌi^{3}	隊韻
2550b	上加・094ウ7・動物	嚢	平	ナウ	右傍	nɑŋ^{1}	唐韻
2757b	上加・100オ5・雜物	嚢	—	ナウ	右注	nɑŋ^{1}	唐韻
1489b	上度・057オ5・雜物	納	平	ナウ	右傍	nɑp	盍韻
1968b	上池・071ウ7・官職	納	—	ナウ	右注	nɑp	盍韻
2742b	上加・100オ1・雜物	納	平	ナウ	右注	nɑp	盍韻
1189b	上保・047ウ4・疊字	惱	平	ナウ	左注	nɑu^{2}	晧韻
1481b	上度・057オ2・飲食	腦	上濁	ナウ	右注	nɑu$^{2/3}$	晧/号韻
2010b	上利・073ウ5・雜物	腦	平	ナウ	右注	nɑu$^{2/3}$	晧/号韻
3287b	上波・034ウ6・國郡	嚢	—	ナキ	右傍	nɑŋ^{1}	唐韻
3281b	上波・034ウ5・國郡	南	—	ナミ	右傍	nʌm^{1}	覃韻
1438b	上度・055オ3・植物	楠	平	ナム	右傍	nʌm^{1}	覃韻
2236a	上遠・081オ4・人倫	男	平 去	ナム	右傍	nʌm^{1}	覃韻
2650b	上加・097ウ7・人事	南	平	ナム	左注	nʌm^{1}	覃韻
1379b	上邊・053オ7・疊字	難	平	ナン	左注	nɑn$^{1/3}$	寒/翰韻
1890b	上池・070オ5・疊字	難	平	ナン	左注	nɑn$^{1/3}$	寒/翰韻
2181b	上留・079ウ1・疊字	難	平	ナン	中注	nɑn$^{1/3}$	寒/翰韻
3002b	上加・108ウ2・疊字	難	平	ナン	左注	nɑn$^{1/3}$	寒/翰韻
3069b	上加・109ウ2・疊字	難	平	ナン	左注	nɑn$^{1/3}$	寒/翰韻
2170a	上奴・078ウ4・疊字	奴	去	ヌ	右注	nuʌ^{1}	模韻
1699b	上度・064オ7・官職	祢	—	ネ	右注	nei^{2}	薺韻
0111	上伊・006オ3・人體	顊	—	ネイ	右傍	neŋ^{2}	迥韻
1156b	上保・047オ4・疊字	年	平	ネム	左注	nen^{1}	先韻
2366b	上和・089ウ7・疊字	年	平	ネム	中注	nen^{1}	先韻
2931b	上加・107ウ2・疊字	年	平	ネム	左注	nen^{1}	先韻
0244b	上伊・012ウ3・疊字	年	平	ネン	中注	nen^{1}	先韻

1414	上度・054オ5・天象	年	平	ネン	右傍	nen^{1}	先韻
2860b	上加・106ウ2・疊字	年	上	ネン	左注	nen^{1}	先韻
2861b	上加・106ウ2・疊字	年	平	ネン	左注	nen^{1}	先韻
0372a	上伊・015ウ6・国郡	能	―	ノ	右傍	nʌŋ$^{1/2}$ nʌi$^{1/3}$	登/等韻 咍/代韻
3163a	上加・111ウ5・國郡	能	―	ノ	右傍	nʌŋ$^{1/2}$ nʌi$^{1/3}$	登/等韻 咍/代韻
0331b	上伊・014オ1・疊字	能	平	ノウ	左注	nʌŋ$^{1/2}$ nʌi$^{1/3}$	登/等韻 咍/代韻
3081b	上加・109ウ4・疊字	能	上	ノウ	左注	nʌŋ$^{1/2}$ nʌi$^{1/3}$	登/等韻 咍/代韻
2310	上和・087オ2・人事	儂	―	ノウ	右傍	nɑuŋ^{1}	冬韻

【表C-02】下巻_泥母 n

番号	前田本所在	掲出字		仮名音注		中古音	韻目
6351a	下飛・099オ6・疊字	拏	平濁	タ	右傍	na^{1}	麻韻
4364b	下阿・039オ5・疊字	娜	上	タ	左注	nɑ^{2}	哿韻
5175b	下木・064オ4・疊字	諾	入	タク	左注	nɑk	鐸韻
5665b	下師・082オ2・疊字	諾	入濁	タク	左注	nɑk	鐸韻
6428	下毛・102ウ7・飲食	糯	去濁	タン	右傍	nuan$^{2/3}$ nuɑ^{3}	緩/換韻 過韻
5695b	下師・082ウ2・疊字	昵	入濁	チツ	左注	niet	質韻
6163	下飛・094ウ3・雑物	紉	上濁	チム	右傍	nien^{1}	眞韻
3309	下古・001ウ7・地儀	泥	平濁	テイ	右注	nei$^{1/3}$	齊/霽韻
3877	下手・018ウ7・地儀	泥	平濁	テイ	右傍	nei$^{1/3}$	齊/霽韻
4026a	下手・023オ5・疊字	泥	平濁	テイ	左注	nei$^{1/3}$	齊/霽韻
4255b	下阿・032オ4・雑物	泥	平濁	テイ	右傍	nei$^{1/3}$	齊/霽韻
4453b	下佐・043オ4・植物	苨	上濁	テイ	右傍	nei^{2}	薺韻
3878	下手・018ウ7・地儀	埿	―	テイ	右注	nei$^{1/3}$ bam^{3}	齊/霽韻 鑑韻
4139	下阿・027ウ1・動物	鮎	平	テム	右傍	nem^{1}	添韻
4491a	下佐・044オ5・動物	奴	平濁	ト	右傍	nuʌ^{1}	模韻
4591b	下佐・047ウ5・雑物	奴	平濁	ト	右傍	nuʌ^{1}	模韻
4697b	下佐・051ウ5・疊字	砮	上濁	ト	右注	nuʌ^{1}	模韻
6397b	下毛・101オ6・植物	奴	平濁	ト	右傍	nuʌ^{1}	模韻
3449	下古・007オ4・雑物	笯	平	ト	右傍	nuʌ$^{1/3}$ ṇa^{1}	模/暮韻 麻韻
5159b	下木・064オ1・疊字	怒	平濁	ト	左注	nuʌ$^{2/3}$	姥/暮韻
4417a	下阿・040ウ7・国郡	那	―	ナ	右傍	nɑ$^{1/3}$	歌/箇韻
4429c	下阿・041ウ2・姓氏	那	―	ナ	右注	nɑ$^{1/3}$	歌/箇韻
4808a	下佐・054オ3・國郡	那	―	ナ	右傍	nɑ$^{1/3}$	歌/箇韻

5198a	下木・065オ1・国郡	那	—	ナ	右傍	nɑ$^{1/3}$	歌/箇韻
5927b	下師・086ウ3・國郡	那	—	ナ	右傍	nɑ$^{1/3}$	歌/箇韻
5935a	下師・086ウ3・國郡	那	—	ナ	右傍	nɑ$^{1/3}$	歌/箇韻
6358a	下飛・099ウ7・國郡	那	—	ナ	右傍	nɑ$^{1/3}$	歌/箇韻
6371b	下飛・100オ2・國郡	那	—	ナ	右傍	nɑ$^{1/3}$	歌/箇韻
6386a	下飛・100オ3・國郡	那	—	ナ	右傍	nɑ$^{1/3}$	歌/箇韻
6586b	下世・110オ5・疊字	那	上	ナ	左注	nɑ$^{1/3}$	歌/箇韻
4383b	下阿・039ウ2・疊字	内	—	ナイ	中注	nuʌi^{3}	隊韻
5886b	下師・085オ7・疊字	納	平	ナウ	右注	nɑp	盍韻
6763b	下世・112ウ7・官職	納	—	ナウ	右傍	nɑp	盍韻
6936b	下洲・120ウ2・疊字	脳	—	ナウ	左注	nɑu$^{2/3}$	晧/号韻
4021b	下手・023オ4・疊字	納	入	ナフ	左注	nɑp	盍韻
5675b	下師・082オ4・疊字	納	入	ナフ	左注	nɑp	盍韻
4056a	下阿・024ウ2・天象	南	平	ナム	右注	nʌm^{1}	覃韻
5463b	下師・074ウ5・雜物	南	—	ナム	右傍	nʌm^{1}	覃韻
5757b	下師・083ウ5・疊字	南	去	ナム	左注	nʌm^{1}	覃韻
4692b	下佐・051ウ4・疊字	難	平	ナン	左注	nɑn$^{1/3}$	寒/翰韻
5602b	下師・080ウ7・疊字	難	平	ナン	左注	nɑn$^{1/3}$	寒/翰韻
6372a	下飛・100オ2・國郡	奴	—	ヌ	右傍	nuʌ^{1}	模韻
5194c	下木・064ウ4・諸社	祢	—	ネ	左注	nei^{2}	薺韻
3972b	下手・022オ7・疊字	寧	平	ネイ	左注	neŋ^{1}	青韻
5964b	下會・087ウ4・地儀	寧	平	ネイ	右傍	neŋ^{1}	青韻
4033b	下手・023オ7・疊字	佞	—	ネイ	左注	neŋ^{3}	徑韻
5896b	下師・085ウ2・疊字	佞	—	ネイ	右傍	neŋ^{3}	徑韻
5227	下由・066ウ4・人躰	尿	去	ネウ	右注	neu^{3}	嘯韻
4992b	下木・061オ5・疊字	念	平	ネム	左注	nem^{3}	㮇韻
4971b	下木・060ウ7・疊字	年	平	ネン	左注	nen^{1}	先韻
6374b	下飛・100オ2・國郡	奴	—	ノ	右傍	nuʌ^{1}	模韻
5950b	下師・087オ1・官職	納	—	サウ	右注	nɑp	盍韻
4463b	下佐・043ウ1・植物	楠	平	サム	右注	nʌm^{1}	覃韻

【表C-02】上巻_来母 I

番号	前田本所在	掲出字		仮名音注		中古音	韻目
0459c	上呂・019ウ2・諸寺	羅	—	ラ	右注	lɑ^{1}	歌韻
1053b	上保・042ウ2・動物	羅	平	ラ	右傍	lɑ^{1}	歌韻
1517b	上度・057ウ5・雜物	羅	平	ラ	右傍	lɑ^{1}	歌韻
2015b	上利・073ウ6・雜物	羅	—	ラ	右注	lɑ^{1}	歌韻
3156b	上加・111ウ4・國郡	樂	—	ラ	右傍	lɑk ŋauk ŋau^{3}	鐸韻 覺韻 効韻
1960b	上池・071ウ3・國郡	良	—	ラ	右傍	liɑŋ^{1}	陽韻

2729	上加・099ウ3・雜物	螺	―	ラ	右傍	luɑ^{1}	戈韻
1112b	上保・045オ1・雜物	螺	―	ラ	右注	luɑ^{1}	戈韻
0593b	上波・024オ6・人躰	癩	去	ライ	右傍	lɑi^{3} lɑt	泰韻 曷韻
0755b	上波・031ウ6・疊字	礼	平	ライ	右注	lei^{1}	薺韻
0992b	上仁・040オ3・疊字	礼	平	ライ	中注	lei^{1}	薺韻
2703b	上加・099オ3・雜物	麗	―	ライ	右注	lei^{3}	霽韻
0001	上伊・002オ3・天象	雷	平	ライ	右傍	luʌi^{1}	灰韻
0002a	上伊・002オ3・天象	雷	平	ライ	右傍	luʌi^{1}	灰韻
0171	上伊・008ウ4・雜物	纇	―	ライ	右傍	luʌi^{3}	隊韻
0260b	上伊・012ウ7・疊字	來	平	ライ	左注	lʌi^{1}	咍韻
0725b	上波・031オ7・疊字	來	平	ライ	左注	lʌi^{1}	咍韻
0760b	上波・031ウ7・疊字	來	上	ライ	中注	lʌi^{1}	咍韻
2400b	上和・090オ6・疊字	來	平	ライ	中注	lʌi^{1}	咍韻
1159b	上保・047オ5・疊字	萊	平	ライ	右注	lʌi$^{1/3}$	咍/代韻
0153c	上伊・008オ1・人事	樂	平	ラウ	右注	lɑk ŋauk ŋau^{3}	鐸韻 覺韻 効韻
1033	上保・041ウ5・地儀	廊	平	ラウ	右注	lɑŋ^{1}	唐韻
0095b	上伊・005オ5・動物	蜋	平	フウ	右傍	lɑŋ^{1} liaŋ^{1}	唐韻 陽韻
0744b	上波・031ウ4・疊字	浪	平	ラウ	左注	lɑŋ$^{1/3}$	唐/宕韻
2188b	上留・079ウ2・疊字	浪	上	ラウ	右注	lɑŋ$^{1/3}$	唐/宕韻
1147	上保・046ウ8・辞字	朗	上	ラウ	右傍	lɑŋ^{2}	蕩韻
0387b	上伊・016オ4・官職	臈	―	ラウ	右注	lɑp	盍韻
2203	上遠・080オ2・地儀	窂	平	ラウ	右傍	lɑu^{1}	豪韻
2917b	上加・107オ6・疊字	潦	上	ラウ	左注	lɑu$^{1/2/3}$	豪/晧/号韻
0145	上伊・007ウ2・人事	勞	平	ラウ	右傍	lɑu$^{1/3}$	豪/号韻
0208	上伊・011オ2・辞字	勞	平	ラウ	右傍	lɑu$^{1/3}$	豪/号韻
0388b	上伊・016オ4・官職	勞	―	ラウ	右注	lɑu$^{1/3}$	豪/号韻
0999b	上仁・040オ5・疊字	勞	上	ラウ	右注	lɑu$^{1/3}$	豪/号韻
0283b	上伊・013オ4・疊字	老	上	ラウ	左注	lɑu^{2}	晧韻
2957b	上加・107ウ7・疊字	老	上	ラウ	左注	lɑu^{2}	晧韻
0929	上仁・036オ2・地儀	潦	上	ラウ	右傍	lɑu$^{2/3}$	晧/号韻
1271a	上保・049オ1・疊字	潦	上	ラウ	右傍	lɑu$^{2/3}$	晧/号韻
3162b	上加・111ウ5・國郡	樂	―	ラキ	右傍	lɑk ŋauk ŋau^{3}	鐸韻 覺韻 効韻
1326b	上邊・052ウ3・疊字	落	入	ラク	右注	lɑk	鐸韻
2530a	上加・094オ7・動物	駱	―	ラク	右傍	lɑk	鐸韻
2709b	上加・099オ4・雜物	落	入	ラク	右傍	lɑk	鐸韻

0154c	上伊・008オ1・人事	樂	―	ラク	右注	lɑk ŋauk ŋau³	鐸韻 覺韻 効韻
0634c	上波・025ウ7・人事	樂	―	ラク	右傍	lɑk ŋauk ŋau³	鐸韻 覺韻 効韻
1302c	上邊・051オ6・人事	樂	―	ラク	左注	lɑk ŋauk ŋau³	鐸韻 覺韻 効韻
1936b	上池・070ウ7・疊字	樂	入	ラク	中注	lɑk ŋauk ŋau³	鐸韻 覺韻 効韻
2645c	上加・097ウ6・人事	樂	―	ラク	左注	lɑk ŋauk ŋau³	鐸韻 覺韻 効韻
0791b	上波・032オ7・疊字	埒	入	ラツ	右注	liuat	薛韻
0179	上伊・008ウ5・雜物	籃	平	ラム	右傍	lɑm¹	談韻
2438b	上加・091ウ6・地儀	藍	上	ラム	右注	lɑm¹	談韻
2895b	上加・107オ2・疊字	藍	上	ラム	左注	lɑm¹	談韻
0822b	上波・032ウ6・疊字	覧	上	ラム	左注	lɑm²	敢韻
3085b	上加・109ウ5・疊字	覧	上	ラム	右注	lɑm²	敢韻
1534	上度・058ウ2・辞字	攬	―	ラム	右傍	lɑm²	敢韻
2884b	上加・106ウ7・疊字	纜	上	ラム	左注	lɑm³	闞韻
2134b	上利・075ウ7・疊字	乱	平	ラム	左注	luɑn³	換韻
1051a	上保・042オ7・動物	⿰監鳥	平	ラン	右傍	lɑm¹	談韻
0300b	上伊・013ウ1・疊字	覧	上	ラン	右注	lɑm²	敢韻
1685b	上度・063ウ6・疊字	纜	―	ラン	右傍	lɑm³	闞韻
3033b	上加・109オ2・疊字	濫	去	ラン	左注	lɑm³	闞韻
2448b	上加・092オ1・地儀	欄	―	ラン	右注	lɑn¹	寒韻
0320b	上伊・013ウ5・疊字	蘭	上	ラン	右注	lɑn¹	寒韻
0487a	上波・020ウ4・地儀	欄	平	ラン	右傍	lɑn¹	寒韻
2483b	上加・093オ2・植物	蘭	平	ラン	左傍	lɑn¹	寒韻
2521	上加・094オ4・動物	卵	上	ラン	右傍	luɑn² luɑ²	緩韻 果韻
1476b	上度・056ウ6・人事	乱	去	ラン	左注	luɑn³	換韻
1642b	上度・063オ3・疊字	乱	平	ラン	左注	luɑn³	換韻
2018	上利・074オ1・員數	蠡	―	リ	右注	liɐi¹	之韻
3077b	上加・109ウ3・疊字	氂	上	リ	左注	liɐi¹	之韻
1981	上利・072ウ3・地儀	里	平	リ	右注	liɐi²	止韻
2019	上利・074オ3・辞字	理	―	リ	右注	liɐi²	止韻
0737b	上波・031ウ3・疊字	里	上	リ	左注	liɐi²	止韻
1409b	上邊・053ウ6・疊字	裏	上	リ	左注	liɐi²	止韻

1801b	上池・069オ1・疊字	理	平	リ	左注	liɐi^{2}	止韻
2037b	上利・074ウ2・疊字	里	上	リ	左注	liɐi^{2}	止韻
2040b	上利・074ウ3・疊字	里	上	リ	左注	liɐi^{2}	止韻
2089a	上利・075オ5・疊字	里	上	リ	左注	liɐi^{2}	止韻
2091a	上利・075オ6・疊字	理	平	リ	左注	liɐi^{2}	止韻
2092a	上利・075オ6・疊字	理	平	リ	左注	liɐi^{2}	止韻
2093a	上利・075オ6・疊字	理	平	リ	左注	liɐi^{2}	止韻
2098a	上利・075オ7・疊字	理	平	リ	左注	liɐi^{2}	止韻
2131a	上利・075ウ7・疊字	李	―	リ	左注	liɐi^{2}	止韻
2134a	上利・075ウ7・疊字	理	上	リ	左注	liɐi^{2}	止韻
2135a	上利・076オ1・疊字	理	―	リ	左注	liɐi^{2}	止韻
2510a	上加・093ウ5・植物	李	上	リ	右傍	liɐi^{2}	止韻
3071b	上加・109ウ2・疊字	李	上	リ	左注	liɐi^{2}	止韻
1994	上利・073オ4・人倫	吏	―	リ	右注	liɐi^{3}	志韻
1975b	上池・072オ2・官軄	吏	―	リ	右注	liɐi^{3}	志韻
2079b	上利・075オ3・疊字	吏	去	リ	左傍	liɐi^{3}	志韻
2081a	上利・075オ4・疊字	吏	去	リ	中注	liɐi^{3}	志韻
2082a	上利・075オ4・疊字	吏	去	リ	左注	liɐi^{3}	志韻
0034b	上伊・003オ4・地儀	籬	平	リ	右傍	lie^{1}	支韻
2175b	上留・079オ6・雜物	璃	平 上	リ	右傍	lie^{1}	支韻
2176b	上留・079オ6・雜物	璃	平 上	リ	左傍	lie^{1}	支韻
1362b	上邊・053オ3・疊字	離	平	リ	左注	lie$^{1/3}$ lei^{3}	支/寘韻 霽韻
2023a	上利・074オ5・重點	離	―	リ	右注	lie$^{1/3}$ lei^{3}	支/寘韻 霽韻
2023b	上利・074オ5・重點	離	―	リ	右注	lie$^{1/3}$ lei^{3}	支/寘韻 霽韻
2071a	上利・075オ2・疊字	離	平	リ	左注	lie$^{1/3}$ lei^{3}	支/寘韻 霽韻
2072a	上利・075オ2・疊字	離	平	リ	左注	lie$^{1/3}$ lei^{3}	支/寘韻 霽韻
2111b	上利・075ウ3・疊字	離	平	リ	左注	lie$^{1/3}$ lei^{3}	支/寘韻 霽韻
2177b	上留・079オ6・雜物	離	―	リ	右注	lie$^{1/3}$ lei^{3}	支/寘韻 霽韻
2761b	上加・100オ6・雜物	梨	―	リ	右注	liei^{1}	脂韻
0507b	上波・021オ5・植物	蔾	平	リ	右傍	liei^{1} lei^{1}	脂韻 齊韻
2099a	上利・075オ7・疊字	履	平	リ	左注	liei^{2}	旨韻
1998	上利・073ウ1・人事	利	―	リ	右注	liei^{3}	至韻
1997a	上利・073オ6・人躰	痢	平	リ	右注	liei^{3}	至韻

2045a	上利・074ウ4・疊字	利	平	リ	左注	liei^{3}	至韻
2049a	上利・074ウ5・疊字	利	平	リ	左注	liei^{3}	至韻
2080a	上利・075オ4・疊字	莅	去	リ	左注	liei^{3}	至韻
2086a	上利・075オ5・疊字	利	平	リ	中注	liei^{3}	至韻
2088a	上利・075オ5・疊字	利	上	リ	左注	liei^{3}	至韻
2105a	上利・075ウ1・疊字	利	平	リ	左注	liei^{3}	至韻
2108a	上利・075ウ2・疊字	利	—	リ	左注	liei^{3}	至韻
2109a	上利・075ウ2・疊字	利	—	リ	右注	liei^{3}	至韻
2117a	上利・075ウ4・疊字	利	平	リ	左注	liei^{3}	至韻
2123a	上利・075ウ5・疊字	利	平	リ	右注	liei^{3}	至韻
2124a	上利・075ウ5・疊字	利	平	リ	左注	liei^{3}	至韻
2132a	上利・075ウ7・疊字	利	去	リ	左注	liei^{3}	至韻
2133a	上利・075ウ7・疊字	利	平	リ	左注	liei^{3}	至韻
2053a	上利・074ウ5・疊字	釐	去	リイ	右注	liɐi^{1}	之韻
1990	上利・073オ2・動物	龍	平 去	リウ	右傍	liauŋ^{1}	鍾韻
1983a	上利・072ウ6・植物	龍	—	リウ	右注	liauŋ^{1}	鍾韻
1984a	上利・072ウ6・植物	龍	—	リウ	左注	liauŋ^{1}	鍾韻
2008a	上利・073ウ5・雜物	龍	平	リウ	右注	liauŋ^{1}	鍾韻
2010a	上利・073ウ5・雜物	龍	去	リウ	右注	liauŋ^{1}	鍾韻
1986a	上利・072ウ7・植物	林	平	リウ	右注	liem^{1}	侵韻
1617b	上度・062ウ4・疊字	立	入	リウ	左注	liep	緝韻
2031a	上利・074ウ1・疊字	立	入	リウ	左注	liep	緝韻
2119a	上利・075ウ4・疊字	立	入	リウ	左注	liep	緝韻
2959b	上加・108オ1・疊字	立	入	リウ	左注	liep	緝韻
0071b	上伊・004ウ1・動物	鶹	平	リウ	右傍	liʌu^{1}	尤韻
1341b	上邊・052ウ6・疊字	旒	平	リウ	左注	liʌu^{1}	尤韻
2041a	上利・074ウ3・疊字	流	平	リウ	左注	liʌu^{1}	尤韻
2044a	上利・074ウ4・疊字	流	平	リウ	中注	liʌu^{1}	尤韻
2062a	上利・074ウ7・疊字	流	平	リウ	左注	liʌu^{1}	尤韻
2068a	上利・075オ1・疊字	流	平	リウ	左注	liʌu^{1}	尤韻
2083a	上利・075オ4・疊字	流	平	リウ	左注	liʌu^{1}	尤韻
2084a	上利・075オ4・疊字	流	平	リウ	左傍	liʌu^{1}	尤韻
2085a	上利・075オ4・疊字	流	平	リウ	右注	liʌu^{1}	尤韻
2110a	上利・075ウ2・疊字	流	—	リウ	右注	liʌu^{1}	尤韻
2111a	上利・075ウ3・疊字	流	平	リウ	左注	liʌu^{1}	尤韻
2128a	上利・075ウ6・疊字	流	平	リウ	左注	liʌu^{1}	尤韻
2137a	上利・076オ3・國郡	流	—	リウ	右注	liʌu^{1}	尤韻
2176a	上留・079オ6・雜物	瑠	去	リウ	左傍	liʌu^{1}	尤韻
3180a	上与・113オ6・天象	流	平	リウ	右注	liʌu^{1}	尤韻
2364	上和・089ウ3・辞字	摎	平	リウ	右傍	liʌu^{1} kau^{1}	尤韻 肴韻

2412a	上和・090ウ2・疊字	憀	平	リウ	右傍	liʌu¹ leu¹	尤韻 蕭韻
1655b	上度・063オ5・疊字	留	平	リウ	左注	liʌu^1/3	尤/宥韻
3254b	上与・117ウ5・疊字	留	去	リウ	中注	liʌu^1/3	尤/宥韻
1198b	上保・047ウ6・疊字	栁	上	リウ	左注	liʌu²	有韻
2004a	上利・073ウ2・人事	柳	上	リウ	右注	liʌu²	有韻
2065a	上利・075オ1・疊字	柳	上	リウ	左注	liʌu²	有韻
1274b	上保・049ウ1・諸寺	隆	上	リウ	右注	liʌuŋ¹	東韻
2406b	上和・090オ7・疊字	窿	平	リウ	左注	liʌuŋ¹	東韻
2940b	上加・107ウ4・疊字	力	入	リキ	左注	liɐk	職韻
3061b	上加・109オ7・疊字	力	入	リキ	左注	liɐk	職韻
3070b	上加・109ウ2・疊字	力	入	リキ	左注	liɐk	職韻
0057b	上伊・004オ1・植物	陸	―	リク	右傍	liʌuk	屋韻
0758b	上波・031ウ7・疊字	陸	入	リク	左注	liʌuk	屋韻
2030a	上利・074ウ1・疊字	六	入	リク	左注	liʌuk	屋韻
2032a	上利・074ウ1・疊字	陸	―	リク	右注	liʌuk	屋韻
2101a	上利・075ウ1・疊字	陸	入	リク	左注	liʌuk	屋韻
2106a	上利・075ウ2・疊字	陸	入	リク	左注	liʌuk	屋韻
2125a	上利・075ウ5・疊字	六	入	リク	左注	liʌuk	屋韻
2129a	上利・075ウ6・疊字	六	入	リク	左注	liʌuk	屋韻
2070a	上利・075オ2・疊字	勠	入	リク	左注	liʌuk liʌu^1/3	屋韻 尤/宥韻
2412b	上和・090ウ2・疊字	慄	入	リツ	右傍	liet	質韻
2000	上利・073ウ1・人事	律	入	リツ	右注	liuet	術韻
2100a	上利・075オ7・疊字	律	入	リツ	中注	liuet	術韻
2125b	上利・075ウ5・疊字	律	入	リツ	左注	liuet	術韻
2138a	上利・076オ4・官職	律	―	リツ	右注	liuet	術韻
2748	上加・100オ2・雑物	笠	入	リフ	右傍	liep	緝韻
0474	上波・020オ6・地儀	林	平	リム	右傍	liem¹	侵韻
1987a	上利・072ウ7・植物	林	平	リム	右傍	liem¹	侵韻
2028a	上利・074オ7・疊字	林	平	リム	右注	liem¹	侵韻
2029a	上利・074ウ1・疊字	霖	平	リム	左注	liem¹	侵韻
2002a	上利・073ウ2・人事	臨	―	リム	右注	liem^1/3	侵/沁韻
2007a	上利・073ウ3・人事	臨	平	リム	左注	liem^1/3	侵/沁韻
2051a	上利・074ウ5・疊字	臨	平	リム	左注	liem^1/3	侵/沁韻
2033a	上利・074ウ1・疊字	隣	去	リム	左注	lien¹	眞韻
2034a	上利・074ウ2・疊字	隣	去	リム	左注	lien¹	眞韻
2040a	上利・074ウ3・疊字	隣	平	リム	左注	lien¹	眞韻
1629b	上度・062ウ7・疊字	倫	平	リム	左注	liuen¹	諄韻
1870b	上池・070オ1・疊字	淪	平	リム	左注	liuen¹	諄韻
2006a	上利・073ウ3・人事	輪	平	リム	左注	liuen¹	諄韻
2056a	上利・074ウ6・疊字	綸	平	リム	右注	liuen¹ kuɐn¹	諄韻 山韻
3109b	上加・110オ3・疊字	壈	上	リム	右注	lʌm²	感韻

2047a	上利・074ウ4・疊字	霊	去	リヤウ	左注	leŋ^{1}	青韻
1985a	上利・072ウ6・植物	零	―	リヤウ	右注	leŋ$^{1/3}$	青/徑韻
0479	上波・020ウ1・地儀	梁	平	リヤウ	右傍	liaŋ^{1}	陽韻
2017	上利・074オ1・員數	兩	―	リヤウ	右注	liaŋ$^{2/3}$	養/漾韻
2666	上加・098オ4・飲食	粮	平	リヤウ	右傍	liaŋ^{1}	陽韻
3224	上与・116オ1・辞字	良	平	リヤウ	右傍	liaŋ^{1}	陽韻
1589b	上度・062オ6・疊字	梁	平	リヤウ	中注	liaŋ^{1}	陽韻
1995a	上利・073オ4・人倫	良	―	リヤウ	右注	liaŋ^{1}	陽韻
1996a	上利・073オ6・人躰	良	平	リヤウ	右注	liaŋ^{1}	陽韻
2026a	上利・074オ7・疊字	良	平	リヤウ	左注	liaŋ^{1}	陽韻
2027a	上利・074オ7・疊字	良	平	リヤウ	左注	liaŋ^{1}	陽韻
2043a	上利・074ウ3・疊字	梁	平	リヤウ	左注	liaŋ^{1}	陽韻
2046a	上利・074ウ4・疊字	兩	平	リヤウ	左注	liaŋ$^{2/3}$	養/漾韻
2064a	上利・075オ1・疊字	良	平	リヤウ	中注	liaŋ^{1}	陽韻
2074a	上利・075オ2・疊字	良	平	リヤウ	左注	liaŋ^{1}	陽韻
2075a	上利・075オ3・疊字	兩	上	リヤウ	左注	liaŋ$^{2/3}$	養/漾韻
2079a	上利・075オ3・疊字	良	平	リヤウ	左傍	liaŋ^{1}	陽韻
2096b	上利・075オ7・疊字	椋	去	リヤウ	左注	liaŋ^{1}	陽韻
2106b	上利・075ウ2・疊字	梁	平	リヤウ	左注	liaŋ^{1}	陽韻
2115a	上利・075ウ3・疊字	良	平	リヤウ	右注	liaŋ^{1}	陽韻
2116a	上利・075ウ4・疊字	兩	上	リヤウ	左注	liaŋ$^{2/3}$	養/漾韻
2130a	上利・075ウ6・疊字	梁	平	リヤウ	左注	liaŋ^{1}	陽韻
0614	上波・025オ4・人事	量	平 去	リヤウ	右傍	liaŋ$^{1/3}$	陽/漾韻
0694	上波・028ウ1・員數	量	―	リヤウ	右傍	liaŋ$^{1/3}$	陽/漾韻
1926b	上池・070ウ5・疊字	量	平	リヤウ	左注	liaŋ$^{1/3}$	陽/漾韻
2024a	上利・074オ7・疊字	凉	平	リヤウ	左注	liaŋ$^{1/3}$	陽/漾韻
2025a	上利・074オ7・疊字	凉	平	リヤウ	左注	liaŋ$^{1/3}$	陽/漾韻
2103a	上利・075ウ1・疊字	量	平	リヤウ	中注	liaŋ$^{1/3}$	陽/漾韻
2104a	上利・075ウ1・疊字	量	平	リヤウ	左注	liaŋ$^{1/3}$	陽/漾韻
0452b	上呂・019オ5・疊字	掠	平	リヤウ	右注	liaŋ^{3}	漾韻
2050a	上利・074ウ5・疊字	諒	去	リヤウ	中注	liaŋ^{3}	漾韻
3020b	上加・108ウ6・疊字	掠	平	リヤウ	左注	liaŋ^{3}	漾韻
1999	上利・073ウ1・人事	令	平	リヤウ	右注	lieŋ$^{1/3}$ leŋ$^{1/3}$ lian^{1}	清/勁韻 青/徑韻 仙韻
1233b	上保・048オ6・疊字	令	平	リヤウ	左注	lieŋ$^{1/3}$ leŋ$^{1/3}$ lian^{1}	清/勁韻 青/徑韻 仙韻
2054a	上利・074ウ6・疊字	令	平	リヤウ	左注	lieŋ$^{1/3}$ leŋ$^{1/3}$ lian^{1}	清/勁韻 青/徑韻 仙韻

2090a	上利・075オ5・疊字	令	平	リヤウ	左注	lieŋ[1/3] leŋ[1/3] lian[1]	清/勁韻 青/徑韻 仙韻
2020	上利・074オ3・辞字	領	―	リヤウ	右注	lieŋ[2]	靜韻
1697b	上度・064オ6・官職	領	―	リヤウ	右傍	lieŋ[2]	靜韻
2035a	上利・074ウ2・疊字	領	―	リヤウ	左注	lieŋ[2]	靜韻
2036a	上利・074ウ2・疊字	領	―	リヤウ	右注	lieŋ[2]	靜韻
2094b	上利・075オ6・疊字	領	平	リヤウ	中注	lieŋ[2]	靜韻
2122a	上利・075ウ5・疊字	領	平	リヤウ	左注	lieŋ[2]	靜韻
0505b	上波・021オ4・植物	歴	―	リヤク	右傍	lek	錫韻
2001	上利・073ウ1・人事	略	―	リヤク	右注	liɑk	藥韻
2021	上利・074オ3・辞字	略	―	リヤク	右注	liɑk	藥韻
0294b	上伊・013オ6・疊字	略	入	リヤク	右注	liɑk	藥韻
1229b	上保・048オ5・疊字	略	入	リヤク	左注	liɑk	藥韻
1254b	上保・048ウ3・疊字	略	入	リヤク	左注	liɑk	藥韻
1388b	上邊・053ウ1・疊字	略	入?	リヤク	右注	liɑk	藥韻
1883b	上池・070オ4・疊字	略	入	リヤク	左注	liɑk	藥韻
2022a	上利・074オ5・重點	略	―	リヤク	右注	liɑk	藥韻
2022b	上利・074オ5・重點	略	―	リヤク	右注	liɑk	藥韻
2114a	上利・075ウ3・疊字	略	入	リヤク	右注	liɑk	藥韻
2906b	上加・107オ4・疊字	略	入	リヤク	中注	liɑk	藥韻
0026	上伊・003オ2・地儀	廬	平	リヨ	右傍	liʌ[1]	魚韻
1132	上保・045ウ6・方角	閭	平	リヨ	右傍	liʌ[1]	魚韻
0936a	上仁・036オ5・植物	藺	平	リヨ	右傍	liʌ[1]	魚韻
2037a	上利・074ウ2・疊字	閭	平	リヨ	左注	liʌ[1]	魚韻
2038a	上利・074ウ2・疊字	閭	平	リヨ	左注	liʌ[1]	魚韻
2039a	上利・074ウ3・疊字	閭	平	リヨ	左注	liʌ[1]	魚韻
0496b	上波・021オ2・植物	蘆	―	リヨ	右傍	liʌ[1] luʌ[1]	魚韻 模韻
2204	上遠・080オ4・植物	穭	上	リヨ	右傍	liʌ[2]	語韻
2100b	上利・075オ7・疊字	呂	上	リヨ	中注	liʌ[2]	語韻
2102a	上利・075ウ1・疊字	旅	上	リヨ	左注	liʌ[2]	語韻
3067b	上加・109ウ1・疊字	旅	上	リヨ	左注	liʌ[2]	語韻
2094a	上利・075オ6・疊字	虜	上	リヨ	中注	luʌ[2]	姥韻
2095a	上利・075オ6・疊字	虜	去	リヨ	左注	luʌ[2]	姥韻
2096a	上利・075オ7・疊字	虜	上	リヨ	左注	luʌ[2]	姥韻
2126a	上利・075ウ6・疊字	瀧	上	リヨウ	左注	lauŋ[1] ṣauŋ[1] lʌuŋ[1]	江韻 江韻 東韻
2127a	上利・075ウ6・疊字	瀧	上	リヨウ	左注	lauŋ[1] ṣauŋ[1] lʌuŋ[1]	江韻 江韻 東韻
2200	上遠・080オ1・地儀	陵	平	リヨウ	右傍	lieŋ[1]	蒸韻

2247	上遠・081ウ3・人事	倰	平	リヨウ	右傍	lieŋ[1]	蒸韻
1982a	上利・072ウ4・地儀	綾	平	リヨウ	右注	lieŋ[1]	蒸韻
2003a	上利・073ウ2・人事	陵	―	リヨウ	右注	lieŋ[1]	蒸韻
2015a	上利・073ウ6・雜物	綾	―	リヨウ	右注	lieŋ[1]	蒸韻
2120a	上利・075ウ4・疊字	陵	平	リヨウ	左注	lieŋ[1]	蒸韻
2121a	上利・075ウ5・疊字	陵	平	リヨウ	右注	lieŋ[1]	蒸韻
1989	上利・073オ2・動物	龍	平 去	リヨウ	右注	liauŋ[1]	鍾韻
0629b	上波・025ウ5・人事	龍	―	リヨウ	左注	liauŋ[1]	鍾韻
2013a	上利・073ウ5・雜物	龍	平	リヨウ	右注	liauŋ[1]	鍾韻
2042a	上利・074ウ3・疊字	隴	上	リヨウ	左注	liauŋ[1]	腫韻
2057a	上利・074ウ6・疊字	龍	平	リヨウ	左注	liauŋ[1]	鍾韻
2058a	上利・074ウ6・疊字	龍	平	リヨウ	左注	liauŋ[1]	鍾韻
2060a	上利・074ウ7・疊字	龍	平	リヨウ	中注	liauŋ[1]	鍾韻
2107a	上利・075ウ2・疊字	龍	平	リヨウ	左注	liauŋ[1]	鍾韻
2113a	上利・075ウ3・疊字	籠	平	リヨウ	右注	liauŋ[1] lʌuŋ[1/2]	鍾韻 東/董韻
1739	上池・066ウ5・人躰	力	入	リヨク	右傍	liek	職韻
2070b	上利・075オ2・疊字	力	入	リヨク	左注	liek	職韻
2947b	上加・107ウ5・疊字	力	入	リヨク	左注	liek	職韻
3268b	上与・118オ1・疊字	力	入	リヨク	右注	liek	職韻
2066a	上利・075オ1・疊字	緑	入	リヨク	左注	liauk	燭韻
2097a	上利・075オ7・疊字	緑	入	リヨク	左注	liauk	燭韻
2067a	上利・075オ1・疊字	憐	去	リン	中注	len[1]	先韻
2011	上利・073ウ5・雜物	匳	平	リン	右注	liam[1]	鹽韻
0933a	上仁・036オ4・植物	龍	平	リン	右傍	liauŋ[1]	鍾韻
2063a	上利・074ウ7・疊字	霖	平	リン	中注	liem[1]	侵韻
2097b	上利・075オ7・疊字	林	平	リン	左注	liem[1]	侵韻
1614b	上度・062ウ4・疊字	臨	―	リン	右注	liem[1/3]	侵/沁韻
2005a	上利・073ウ3・人事	臨	平	リン	右傍	liem[1/3]	侵/沁韻
0086	上伊・004ウ6・動物	鱗	平	リン	右傍	lien[1]	眞韻
1993	上利・073オ2・動物	麟	平	リン	右注	lien[1]	眞韻
0085b	上伊・004ウ6・動物	鱗	平	リン	右傍	lien[1]	眞韻
0313b	上伊・013ウ4・疊字	隣	平	リン	左注	lien[1]	眞韻
2059a	上利・074ウ7・疊字	麟	平	リン	左注	lien[1]	眞韻
2061a	上利・074ウ7・疊字	鱗	平	リン	中注	lien[1]	眞韻
1062	上保・042ウ6・動物	蟒	平	リン	右傍	lien[3]	震韻
2118a	上利・075ウ4・疊字	悋	去	リン	左注	lien[3]	震韻
2472b	上加・092ウ4・植物	藺	去	リン	右傍	lien[3]	震韻
2014	上利・073ウ6・雜物	輪	―	リン	右注	liuen[1]	諄韻
2348	上和・088オ6・雜物	輪	平	リン	右傍	liuen[1]	諄韻
1258b	上保・048ウ4・疊字	輪	平	リン	右注	liuen[1]	諄韻
2009a	上利・073ウ5・雜物	輪	平	リン	右注	liuen[1]	諄韻

2112a	上利・075ウ3・疊字	輪	去	リン	右注	liuen^{1}	諄韻
2052a	上利・074ウ5・疊字	綸	平	リン	左注	liuen^{1} kuɐn^{1}	諄韻 山韻
2055a	上利・074ウ6・疊字	綸	平	リン	左注	liuen^{1} kuɐn^{1}	諄韻 山韻
1051b	上保・042オ7・動物	鸕	上	ル	右傍	liuʌ^{2}	麌韻
0814b	上波・032ウ4・疊字	流	上	ル	左注	liʌu^{1}	尤韻
2175a	上留・079オ6・雜物	瑠	去	ル	右傍	liʌu^{1}	尤韻
2177a	上留・079オ6・雜物	流	―	ル	右注	liʌu^{1}	尤韻
2187a	上留・079ウ2・疊字	流	去	ル	中注	liʌu^{1}	尤韻
2188a	上留・079ウ2・疊字	流	去	ル	右注	liʌu^{1}	尤韻
2191a	上留・079ウ3・疊字	流	去	ル	右注	liʌu^{1}	尤韻
2192a	上留・079ウ3・疊字	流	去	ル	中注	liʌu^{1}	尤韻
2194a	上留・079ウ3・疊字	瑠	去	ル	左注	liʌu^{1}	尤韻
2195a	上留・079ウ3・疊字	流	去	ル	右注	liʌu^{1}	尤韻
1924b	上池・070ウ5・疊字	留	上	ル	右注	liʌu$^{1/3}$	尤/宥韻
2181a	上留・079ウ1・疊字	留	去	ル	中注	liʌu$^{1/3}$	尤/宥韻
2189a	上留・079ウ2・疊字	留	平	ル	左注	liʌu$^{1/3}$	尤/宥韻
2190a	上留・079ウ2・疊字	留	去	ル	右注	liʌu$^{1/3}$	尤/宥韻
3151b	上加・111ウ3・國郡	留	―	ル	右傍	liʌu$^{1/3}$	尤/宥韻
0401	上呂・017オ5・地儀	樓	平	ル	右傍	lʌu^{1}	侯韻
2179	上留・079オ6・雜物	漏	―	ル ［去］	右注	lʌu^{3}	候韻
2405b	上和・090オ7・疊字	羸	平	ルイ	左注	liue^{1}	支韻
2759	上加・100オ5・雜物	樏	上	ルイ	右傍	liue^{2}	紙韻
2330	上和・087ウ2・人事	累	上	ルイ	右傍	liue$^{2/3}$	紙/寘韻
2183a	上留・079ウ1・疊字	累	上	ルイ	中注	liue$^{2/3}$	紙/寘韻
2184a	上留・079ウ1・疊字	累	上	ルイ	左注	liue$^{2/3}$	紙/寘韻
2185a	上留・079ウ1・疊字	累	上	ルイ	右注	liue$^{2/3}$	紙/寘韻
2186a	上留・079ウ2・疊字	累	上	ルイ	左注	liue$^{2/3}$	紙/寘韻
2193a	上留・079ウ3・疊字	累	上	ルイ	左注	liue$^{2/3}$	紙/寘韻
2174	上留・079オ4・人倫	類	―	ルイ	右注	liuei^{3}	至韻
0811b	上波・032ウ4・疊字	類	平濁	ルイ	中注	liuei^{3}	至韻
2182a	上留・079ウ1・疊字	類	平	ルイ	左注	liuei^{3}	至韻
2180	上留・079オ6・雜物	誄	―	ルイ ［上上］	右注	liuei^{2}	旨韻
0747b	上波・031ウ5・疊字	礼	上	レイ	左注	lei^{1}	薺韻
2983b	上加・108オ6・疊字	醴	上	レイ	左注	lei^{1}	薺韻
2760	上加・100オ6・雜物	犂	平	レイ	右傍	lei^{1} liei^{1}	齊韻 脂韻
0545a	上波・022ウ4・動物	鱧	―	レイ	右傍	lei^{2}	薺韻
0548b	上波・022ウ5・動物	鱺	平	レイ	右傍	lei^{2}	薺韻

2733	上加・099ウ4・雑物	蠡	平	レイ	右傍	lei^{2} lie^{1} luɑ^{1}	齊韻 支韻 戈韻
0546a	上波・022ウ4・動物	蠡	—	レイ	右傍	lei^{2} lie^{1} luɑ^{1}	齊韻 支韻 戈韻
1627b	上度・062ウ6・疊字	隸	上	レイ	左注	lei^{3}	霽韻
2956b	上加・107ウ7・疊字	儷	去	レイ	左注	lei^{3}	霽韻
0682	上波・027オ7・雑物	捩	—	レイ	右傍	lei^{3} let	霽韻 屑韻
2528	上加・094オ6・動物	羊+霊	平	レイ	右傍	leŋ^{1}	青韻
2727	上加・099ウ3・雑物	瓴	平	レイ	右傍	leŋ^{1}	青韻
3206	上与・114ウ7・人事	齡	平	レイ	右傍	leŋ^{1}	青韻
0944b	上仁・036ウ3・植物	鴒	平	レイ	右傍	leŋ^{1}	青韻
1446b	上度・055ウ1・動物	鴒	平	レイ	右傍	leŋ^{1}	青韻
2527a	上加・094オ6・動物	麢	平	レイ	右傍	leŋ^{1}	青韻
2561b	上加・095オ3・動物	蛉	平	レイ	右傍	leŋ^{1}	青韻
2887b	上加・106ウ7・疊字	霊	去	レイ	中注	leŋ^{1}	青韻
2750a	上加・100オ3・雑物	笭	平	レイ	右傍	leŋ$^{1/2}$	青/迥韻
2143a	上奴・076ウ2・植物	零	平	レイ	右傍	leŋ$^{1/3}$	青/徑韻
1514	上度・057ウ4・雑物	礪	—	レイ	右傍	liai^{3}	祭韻
2546	上加・094ウ5・動物	蠣	去	レイ	右傍	liai^{3}	祭韻
0759b	上波・031ウ7・疊字	例	去	レイ	中注	liai^{3}	祭韻
1839b	上池・069ウ2・疊字	例	上	レイ	中注	liai^{3}	祭韻
2062b	上利・074ウ7・疊字	例	去	レイ	左注	liai^{3}	祭韻
3118b	上加・110オ5・疊字	嶺	上	レイ	右注	lieŋ^{1}	靜韻
0705	上波・029ウ5・人事	遼	—	レウ	右傍	leu^{1}	蕭韻
1694c	上度・064オ6・官職	寮	—	レウ	右傍	leu^{1}	蕭韻
1967c	上池・071ウ7・官職	寮	—	レウ	右注	leu^{1}	蕭韻
2172c	上奴・078ウ7・官職	寮	—	レウ	右注	leu^{1}	蕭韻
1268a	上保・048ウ7・疊字	寥	—	レウ	右傍	leu^{1} lek	蕭韻 錫韻
1553	上度・059ウ3・辞字	僚	平	レウ	右傍	leu$^{1/2}$	蕭/小韻
1624b	上度・062ウ6・疊字	僚	平	レウ	左注	leu$^{1/2}$	蕭/小韻
1225b	上保・048オ4・疊字	⿰米斤	平	レウ	右注	leu$^{1/3}$	蕭/嘯韻
1927b	上池・070ウ6・疊字	⿰米斤	平	レウ	左注	leu$^{1/3}$	蕭/嘯韻
2295c	上和・086オ4・植物	蓼	上	レウ	右傍	leu^{2}	篠韻
2939b	上加・107ウ4・疊字	了	上	レウ	左注	leu^{2}	篠韻
1509	上度・057ウ3・雑物	燎	平 去	レウ	右傍	liau$^{1/2/3}$	宵/小 /笑韻
0968b	上仁・038オ6・雑物	燎	平	レウ	右傍	liau$^{1/2/3}$	宵/小 /笑韻
2754b	上加・100オ4・雑物	燎	上	レウ	右傍	liau$^{1/2/3}$	宵/小 /笑韻

1374b	上邊・053オ6・疊字	淩	平	レウ	左注	lieŋ¹	蒸韻
1985b	上利・072ウ6・植物	陵	—	レウ	右注	lieŋ¹	蒸韻
2647b	上加・097ウ6・人事	樓	上	レウ	左注	lʌu¹	侯韻
0005b	上伊・002オ4・天象	靂	入	レキ	右傍	lek	錫韻
0588a	上波・024オ5・人躰	歴	—	レキ	右傍	lek	錫韻
1175b	上保・047ウ1・疊字	曆	入	レキ	左注	lek	錫韻
1324b	上邊・052ウ3・疊字	靂	入	レキ	右注	lek	錫韻
0061	上伊・004オ3・植物	櫟	入	レキ	右傍	lek jiɑk	錫韻 藥韻
0065a	上伊・004オ3・植物	櫟	入	レキ	右傍	lek jiɑk	錫韻 藥韻
2687a	上加・098ウ4・雜物	櫟	入	レキ	右傍	lek jiɑk	錫韻 藥韻
0838b	上波・033オ2・疊字	裂	入	レツ	右注	liat	薛韻
1804b	上池・069オ2・疊字	裂	入	レツ	左注	liat	薛韻
2572a	上加・095ウ3・人倫	列	入	レツ	右傍	liat	薛韻
0346b	上伊・014オ4・疊字	劣	入	レツ	左注	liuat	薛韻
2571a	上加・095ウ3・人倫	獵	入	レフ	右傍	liap	葉韻
0674	上波・027オ4・雜物	匳	平	レム	右傍	liam¹	鹽韻
2012	上利・073ウ5・雜物	匳	平	レム	右傍	liam¹	鹽韻
2721	上加・099ウ1・雜物	鎌	平	レム	右傍	liam¹	鹽韻
0525	上波・021ウ7・植物	蓮	平	レン	右傍	len¹ lian²	先韻 獮韻
0901b	上波・034オ1・疊字	錬	去	レン	右注	len³	霰韻
0058a	上伊・004オ2・植物	連	平	レン	右傍	lian¹	仙韻
0066b	上伊・004オ4・植物	連	平	レン	右傍	lian¹	仙韻
2189b	上留・079ウ2・疊字	連	平	レン	左注	lian¹	仙韻
2294b	上和・086オ3・植物	連	—	レン	右傍	lian¹	仙韻
2753a	上加・100オ4・雜物	連	平	レン	右傍	lian¹	仙韻
1257b	上保・048ウ4・疊字	輦	上	レン	中注	lian²	獮韻
0627b	上波・025ウ5・人事	廬	平	ロ	左注	liʌ¹	魚韻
2395b	上和・090オ5・疊字	廬	上	ロ	左注	liʌ¹	魚韻
0512	上波・021オ7・植物	櫨	平	ロ	右傍	luʌ¹	模韻
1504	上度・057ウ2・雜物	艫	平	ロ	右傍	luʌ¹	模韻
2580	上加・096オ2・人體	顱	平	ロ	右傍	luʌ¹	模韻
0415b	上呂・018オ4・雜物	轤	上	ロ	右注	luʌ¹	模韻
0438a	上呂・019オ2・疊字	嚧	平	ロ	中注	luʌ¹	模韻
0691b	上波・028オ2・光彩	櫨	平	ロ	右傍	luʌ¹	模韻
1496b	上度・057オ6・雜物	爐	上	ロ	右注	luʌ¹	模韻
1660b	上度・063オ6・疊字	爐	上	ロ	左注	luʌ¹	模韻
2222b	上奴・076ウ4・植物	櫨	—	ロ	右傍	luʌ¹	模韻
2756b	上加・100オ5・雜物	爐	—	ロ	右注	luʌ¹	模韻

0457a	上呂・019オ6・疊字	蘆	平	ロ	右注	luʌ^{1} liʌ^{1}	模韻 魚韻
0452a	上呂・019オ5・疊字	虜	上	ロ	右注	luʌ^{2}	姥韻
0453a	上呂・019オ5・疊字	魯	平	ロ	右注	luʌ^{2}	姥韻
0454a	上呂・019オ5・疊字	鹵	上	ロ	右注	luʌ^{2}	姥韻
0455a	上呂・019オ5・疊字	魯	上	ロ	右注	luʌ^{2}	姥韻
0241b	上伊・012ウ3・疊字	路	去	ロ	左注	luʌ^{3}	暮韻
0344b	上伊・014オ3・疊字	露	去	ロ	右注	luʌ^{3}	暮韻
0436a	上呂・019オ2・疊字	露	去	ロ	中注	luʌ^{3}	暮韻
0440a	上呂・019オ2・疊字	露	上	ロ	左注	luʌ^{3}	暮韻
0444a	上呂・019オ3・疊字	露	去	ロ	右傍	luʌ^{3}	暮韻
0445a	上呂・019オ3・疊字	路	上	ロ	左注	luʌ^{3}	暮韻
0446a	上呂・019オ4・疊字	路	去	ロ	左注	luʌ^{3}	暮韻
0447a	上呂・019オ4・疊字	路	上	ロ	左注	luʌ^{3}	暮韻
0448a	上呂・019オ4・疊字	路	去	ロ	左注	luʌ^{3}	暮韻
0458a	上呂・019オ6・疊字	露	去	ロ	右注	luʌ^{3}	暮韻
1172b	上保・047オ7・疊字	露	平	ロ	左注	luʌ^{3}	暮韻
2032b	上利・074ウ1・疊字	路	―	ロ	右注	luʌ^{3}	暮韻
2193b	上留・079ウ3・疊字	路	平	ロ	左注	luʌ^{3}	暮韻
2381b	上和・090オ2・疊字	賂	―	ロ	中注	luʌ^{3}	暮韻
3098b	上加・110オ1・疊字	露	平	ロ	右注	luʌ^{3}	暮韻
3250b	上与・117ウ4・疊字	路	上	ロ	左注	luʌ^{3}	暮韻
1459b	上度・056オ5・人體	髏	―	ロ	右注	lʌu^{1}	侯韻
0431a	上呂・019オ1・疊字	漏	平	ロ	中注	lʌu^{3}	候韻
0450a	上呂・019オ4・疊字	漏	平	ロ	右注	lʌu^{3}	候韻
0451a	上呂・019オ5・疊字	漏	平	ロ	右注	lʌu^{3}	候韻
0460a	上呂・019ウ5・官職	漏	―	ロ	右注	lʌu^{3}	候韻
0153b	上伊・008オ1・人事	弄	上	ロ	右注	lʌuŋ^{3}	送韻
2178a	上留・079オ6・雑物	露	―	ロ ［去］	右注	luʌ^{3}	暮韻
0417	上呂・018オ4・雑物	艫	上	ロ ［上］	右注	luʌ^{1}	模韻
0418	上呂・018オ4・雑物	爐	―	ロ ［平］	右注	luʌ^{1}	模韻
0425a	上呂・018オ7・光彩	緑	―	ロウ	右注	liauk	燭韻
0407b	上呂・017ウ5・人體	瘻	去	ロウ	右傍	lʌu^{3} liuʌ^{1}	候韻 虞韻
1787	上池・068ウ2・辞字	鏤	平	ロウ	右傍	lʌu^{3} liuʌ^{1}	候韻 虞韻
0456a	上呂・019オ6・疊字	鏤	平	ロウ	右注	lʌu^{3} liuʌ^{1}	候韻 虞韻
2357	上和・088ウ2・雑物	艛	―	ロウ	右傍	lʌu^{1}	侯韻
0423a	上呂・018オ5・雑物	樓	―	ロウ	右注	lʌu^{1}	侯韻
2058b	上利・074ウ6・疊字	樓	平	ロウ	左注	lʌu^{1}	侯韻

2554a	上加・095オ1・動物	螻	―	ロウ	右傍	lʌu^{1}	侯韻
0495b	上波・021オ1・植物	蔞	平	ロウ	右傍	lʌu^{1} liuʌ$^{1/2}$	侯韻 虞/麌韻
0124	上伊・006ウ3・人事	陋	去	ロウ	右傍	lʌu^{3}	候韻
2196	上遠・079ウ5・天象	朧	平	ロウ	右注	lʌuŋ^{1}	東韻
2708	上加・099オ4・雜物	𨏉	平	ロウ	右傍	lʌuŋ^{1}	東韻
2283b	上遠・085オ1・疊字	朧	平	ロウ	右傍	lʌuŋ^{1}	東韻
0055	上伊・003ウ7・植物	蘢	平	ロウ	右注	lʌuŋ^{1} liauŋ^{1}	東韻 鍾韻
0422a	上呂・018オ5・雜物	籠	―	ロウ	右注	lʌuŋ$^{1/2}$ liauŋ^{1}	東/董韻 鍾韻
0435a	上呂・019オ1・疊字	籠	平	ロウ	右注	lʌuŋ$^{1/2}$ liauŋ^{1}	東/董韻 鍾韻
0441a	上呂・019オ3・疊字	籠	平	ロウ	中注	lʌuŋ$^{1/2}$ liauŋ^{1}	東/董韻 鍾韻
1518b	上度・057ウ5・雜物	籠	平	ロウ	右傍	lʌuŋ$^{1/2}$ liauŋ^{1}	東/董韻 鍾韻
0414a	上呂・018オ1・人事	哢	去	ロウ	中注	lʌuŋ^{3}	送韻
0439a	上呂・019オ2・疊字	哢	去	ロウ	右注	lʌuŋ^{3}	送韻
0443a	上呂・019オ3・疊字	弄	去	ロウ	中注	lʌuŋ^{3}	送韻
1086a	上保・044オ2・人事	弄	去	ロウ	右傍	lʌuŋ^{3}	送韻
0400	上呂・017オ5・地儀	樓	平	ロウ ［平平］	右注	lʌu^{1}	侯韻
0421a	上呂・018オ5・雜物	簏	―	ロウ ［上上］	右傍	lʌuk	屋韻
0461	上呂・019ウ5・官職	録	―	ロク	右注	liauk	燭韻
0424a	上呂・018オ7・光彩	緑	―	ロク	右注	liauk	燭韻
0429a	上呂・018ウ6・重點	録	―	ロク	右注	liauk	燭韻
0429b	上呂・018ウ6・重點	録	―	ロク	右注	liauk	燭韻
0442a	上呂・019オ3・疊字	録	入	ロク	中注	liauk	燭韻
1371b	上邊・053オ5・疊字	録	入	ロク	中注	liauk	燭韻
0428	上呂・018ウ4・辞字	録	―	ロク	右注	liauk	燭韻
0405a	上呂・017ウ1・動物	六	―	ロク	右注	liʌuk	屋韻
0406a	上呂・017ウ4・人體	六	入	ロク	右注	liʌuk	屋韻
0432a	上呂・019オ1・疊字	六	入	ロク	左注	liʌuk	屋韻
0449a	上呂・019オ4・疊字	六	入	ロク	左注	liʌuk	屋韻
0459a	上呂・019ウ2・諸寺	六	―	ロク	右注	liʌuk	屋韻
2292b	上和・086オ3・植物	稑	―	ロク	右傍	liʌuk	屋韻
0641a	上波・026オ4・雜物	勒	入	ロク	右傍	lʌk	徳韻
2761c	上加・100オ6・雜物	勒	―	ロク	右注	lʌk	徳韻
0426	上呂・018ウ4・辞字	勒	入	ロク	右注	lʌk	徳韻
0404	上呂・017ウ1・動物	鹿	―	ロク	右注	lʌuk	屋韻
0408	上呂・017ウ7・人事	禄	―	ロク	右注	lʌuk	屋韻
2525	上加・094オ6・動物	鹿	入	ロク	右傍	lʌuk	屋韻
0415a	上呂・018オ4・雜物	轆	入	ロク	右注	lʌuk	屋韻
0419a	上呂・018オ4・雜物	禄	―	ロク	右注	lʌuk	屋韻

0430a	上呂・018ウ6・重點	轆	―	ロク	右注	lʌuk	屋韻
0430b	上呂・018ウ6・重點	轆	―	ロク	右注	lʌuk	屋韻
0490a	上波・020ウ7・植物	鹿	入	ロク	右傍	lʌuk	屋韻
0742b	上波・031ウ4・疊字	鹿	入	ロク	中注	lʌuk	屋韻
1226b	上保・048オ4・疊字	禄	入	ロク	右注	lʌuk	屋韻
2719a	上加・099オ7・雜物	鹿	入	ロク	右傍	lʌuk	屋韻
0410	上呂・017ウ7・人事	籙	―	ロク ［上上］	右注	lʌuk	屋韻
0409	上呂・017ウ7・人事	論	去	ロン	右注	luʌn$^{1/3}$ liuen^{1}	魂/慁韻 諄韻
0420	上呂・018オ5・雜物	論	―	ロン	右注	luʌn$^{1/3}$ liuen^{1}	魂/慁韻 諄韻
0433a	上呂・019オ1・疊字	論	平	ロン	左注	luʌn$^{1/3}$ liuen^{1}	魂/慁韻 諄韻
0434a	上呂・019オ1・疊字	論	平	ロン	左注	luʌn$^{1/3}$ liuen^{1}	魂/慁韻 諄韻
0437a	上呂・019オ2・疊字	論	去	ロン	左注	luʌn$^{1/3}$ liuen^{1}	魂/慁韻 諄韻
2092b	上利・075オ6・疊字	論	平	ロン	左注	luʌn$^{1/3}$ liuen^{1}	魂/慁韻 諄韻
3034b	上加・109オ2・疊字	論	去	ロン	左注	luʌn$^{1/3}$ liuen^{1}	魂/慁韻 諄韻
0427	上呂・018ウ4・辞字	論	―	ロン	右注	luʌn$^{1/3}$ liuen^{1}	魂/慁韻 諄韻
3093b	上加・109ウ7・疊字	撿	平	ケム	右注	liam^{2}	琰韻
0653	上波・026ウ1・雜物	旒	平	サウ	右傍	liʌu^{1}	尤韻
0768b	上波・032オ2・疊字	勞	平	シン	右注	lɑu$^{1/3}$	豪/号韻
2194b	上留・079ウ3・疊字	璃	上	ト	左注	lie^{1}	支韻
2628	上加・097オ3・人事	變	―	ヘン	右傍	liuan$^{2/3}$	獮/線韻
3268a	上与・118オ1・疊字	膂	上	ヨウ	右注	liʌ^{2}	語韻

【表C-02】下巻_来母 I

番号	前田本所在	掲出字		仮名音注		中古音	韻目
3319	下古・002オ7・植物	蘿	平	ラ	右傍	lɑ^{1}	歌韻
6162a	下飛・094ウ2・雜物	蘿	平	ラ	右傍	lɑ^{1}	歌韻
4573b	下佐・047オ6・雜物	鑼	平	ラ	右傍	lɑ^{1}	歌韻
5422b	下佐・047オ6・雜物	鑼	平	ラ	右注	lɑ^{1}	歌韻
5741b	下師・083オ6・疊字	羅	平	ラ	右注	lɑ^{1}	歌韻
5111b	下木・063オ4・疊字	羅	―	ラ	中注	lɑ^{1}	歌韻
5423b	下佐・047オ6・雜物	羅	―	ラ	右注	lɑ^{1}	歌韻
6376b	下飛・100オ2・國郡	羅	―	ラ	右傍	lɑ^{1}	歌韻
5417b	下師・073ウ7・雜物	羅	―	ラキ	右注	lɑ^{1}	歌韻

5453	下師・074ウ1・雜物	籮	平	ラ	右傍	lɑ^{1}	歌韻
6141b	下飛・094オ2・飲食	饠	平	ラ	右注	lɑ^{1}	歌韻
4831b	下佐・055オ1・姓氏	良	―	ラ	右注	liɑŋ^{1}	陽韻
4831c	下佐・055オ1・姓氏	良	―	ラ	右注	liɑŋ^{1}	陽韻
6387b	下飛・100オ4・國郡	良	―	ラ	右注	liɑŋ^{1}	陽韻
4151c	下阿・027ウ5・動物	螺	平	ラ	右傍	luɑ^{1}	戈韻
4498b	下佐・044ウ2・動物	螺	平	ラ	右傍	luɑ^{1}	戈韻
5314b	下師・070ウ2・動物	蠃	平 (去)	ラ	右傍	luɑ$^{1/3}$	戈/過韻
4538c	下佐・046オ5・人事	樂	―	ラ ［平］	左注	lɑk ŋauk ŋau^{3}	鐸韻 覺韻 効韻
3405	下古・005ウ5・人事	賴	―	ライ	右傍	lɑi^{1}	泰韻
6485	下世・106ウ3・地儀	瀨	―	ライ	右傍	lɑi^{3}	泰韻
5591b	下師・080ウ4・疊字	礼	平	ライ	左注	lei^{2}	薺韻
5662b	下師・082オ1・疊字	礼	平	ライ	右注	lei^{2}	薺韻
6432	下毛・103オ3・雜物	罍	平	ライ	右傍	luʌi^{1}	灰韻
6442	下毛・103オ6・雜物	鋃	去	ライ	右傍	luʌi^{3}	隊韻
5599b	下師・080ウ6・疊字	来	上	ライ	左注	lʌi^{1}	咍韻
5270a	下師・069オ5・植物	萊	平	ライ	右傍	lʌi$^{1/3}$	咍/代韻
3333a	下古・002ウ4・植物	狼	平	ラウ	右傍	lɑŋ^{1}	唐韻
4166b	下阿・028ウ1・人倫	郎	平	ラウ	右傍	lɑŋ^{1}	唐韻
6066b	下飛・091ウ2・植物	榔	平	ラウ	右注	lɑŋ$^{1/2}$	唐/蕩韻
4796b	下佐・053ウ2・疊字	浪	平	ラウ	右傍	lɑŋ$^{1/3}$	唐/宕韻
6188b	下飛・095オ2・雜物	鑞	―	ラウ	右傍	lɑp	盍韻
4547	下佐・046ウ2・飲食	醪	平	ラウ	右傍	lɑu^{1}	豪韻
6426	下毛・102ウ7・飲食	醪	平	ラウ	右傍	lɑu^{1}	豪韻
5171b	下木・064オ3・疊字	勞	上	ラウ	左注	lɑu$^{1/3}$	豪/号韻
5646b	下師・081ウ5・疊字	勞	上	ラウ	左注	lɑu$^{1/3}$	豪/号韻
3633b	下古・011オ1・疊字	老	平	ラウ	左注	lɑu^{2}	晧韻
4541c	下佐・046オ6・人事	老	平	ラウ	左注	lɑu^{2}	晧韻
5045b	下木・062オ2・疊字	老	上	ラウ	左注	lɑu^{2}	晧韻
5186b	下木・064オ6・疊字	老	―	ラウ	右注	lɑu^{2}	晧韻
5272b	下師・069オ5・植物	老		ラウ	右注	lɑu^{2}	晧韻
5459b	下師・074ウ4・雜物	老	平	ラウ	右傍	lɑu^{2}	晧韻
3874b	下手・018ウ4・天象	落	入	ラク	右注	lɑk	鐸韻
4791b	下佐・053オ7・疊字	落	―	ラク	右注	lɑk	鐸韻
5550b	下師・079オ5・疊字	落	入	ラク	左注	lɑk	鐸韻
6107a	下飛・092ウ3・人倫	洛	入	ラク	右傍	lɑk	鐸韻
3406b	下古・005ウ6・人事	樂	入	ラク	右傍	lɑk ŋauk ŋau^{3}	鐸韻 覺韻 効韻

3704b	下古・012オ2・疊字	樂	―	ラク	左注	lɑk ŋauk ŋau^{3}	鐸韻 覺韻 効韻
4390b	下阿・039ウ4・疊字	樂	入	ラク	左注	lɑk ŋauk ŋau^{3}	鐸韻 覺韻 効韻
5382c	下師・073オ2・人事	樂	―	ラク	左注	lɑk ŋauk ŋau^{3}	鐸韻 覺韻 効韻
5983c	下會・088ウ3・人事	樂	―	ラク	右傍	lɑk ŋauk ŋau^{3}	鐸韻 覺韻 効韻
6530c	下世・108オ6・人事	樂	―	ラク	左注	lɑk ŋauk ŋau^{3}	鐸韻 覺韻 効韻
6139	下飛・094オ1・飲食	糲	入	ラツ	右傍	lɑt liai^{3} lɑi^{3}	曷韻 祭韻 泰韻
4348	下阿・037ウ5・辞字	埒	入	ラツ	右傍	liuat	薛韻
4306	下阿・033オ7・光彩	藍	平	ラム	右傍	lɑm^{1}	談韻
4050	下阿・024ウ1・天象	嵐	東?	ラム	右傍	lʌm^{1}	覃韻
4102a	下阿・026オ5・植物	蘭	平	ラン	右傍	lɑn^{1}	寒韻
4013b	下阿・026オ5・植物	蘭	平	ラン	右傍	lɑn^{1}	寒韻
4455b	下佐・043オ4・植物	蘭	平	ラン	右傍	lɑn^{1}	寒韻
5677b	下師・082オ4・疊字	蘭	平	ラン	左注	lɑn^{1}	寒韻
6446b	下毛・103オ7・雜物	爛	―	ラン	右傍	lɑn^{3}	翰韻
4264	下阿・032オ6・雜物	[illegible]	平	ラン	右傍	luɑn^{1}	桓韻
6078	下飛・092オ1・動物	鸞	―	ラン	右傍	luɑn^{1}	桓韻
6857	下洲・116オ7・雜物	鑾	平	ラン	右傍	luɑn^{1}	桓韻
3835b	下江・017オ7・疊字	乱	上	ラン	中注	luɑn^{3}	換韻
5909c	下師・085ウ5・疊字	乱	―	ラン	右傍	luɑn^{3}	換韻
6403b	下毛・101オ7・植物	蘭	―	ラン [平平]	右傍	lɑn^{1}	寒韻
3358	下古・003ウ3・動物	鯉	―	リ	右傍	liɐi^{2}	止韻
4164b	下阿・028オ7・人倫	娌	上	リ	右傍	liɐi^{2}	止韻
4464b	下佐・043ウ2・植物	李	上	リ	右傍	liɐi^{2}	止韻
4935c	下木・058ウ4・雜物	里	―	リ	右注	liɐi^{2}	止韻
4980b	下木・061オ2・疊字	里	上	リ	左注	liɐi^{2}	止韻
5150b	下木・063ウ6・疊字	理	上	リ	左注	liɐi^{2}	止韻
5937b	下師・086ウ6・官職	理	―	リ	右注	liɐi^{2}	止韻
6302b	下飛・098ウ3・疊字	理	平	リ	右注	liɐi^{2}	止韻
6610b	下世・110ウ2・疊字	里	―	リ	右注	liɐi^{2}	止韻
6628b	下世・110ウ5・疊字	理	上	リ	左注	liɐi^{2}	止韻

6795	下洲・114オ1・植物	李	上	リ	右傍	liɐi²	止韻
3656b	下古・011オ6・疊字	吏	—	リ	左注	liɐi³	志韻
5393	下師・073オ7・飲食	醨	平	リ	右傍	lie¹	支韻
6140b	下飛・094オ1・飲食	籬	平	リ	右傍	lie¹	支韻
6425	下毛・102ウ7・飲食	醨	平	リ	右傍	lie¹	支韻
4391b	下阿・039ウ5・疊字	離	平	リ	右傍	lie^1/3 lei³	支/寘韻 霽韻
4422c	下阿・041オ4・官職	梨	—	リ	右注	liei¹	脂韻
4577b	下佐・047オ7・雜物	履	—	リ	右注	liei²	旨韻
5786b	下師・084オ5・疊字	履	平	リ	右注	liei²	旨韻
4039b	下手・023ウ1・疊字	利	平	リ	右注	liei³	至韻
5195c	下木・064ウ6・諸寺	林	—	リ	左注	liem¹	侵韻
5343b	下師・071ウ2・人躰	理	—	リ ［平］	右注	liɐi²	止韻
3744a	下江・014オ7・植物	龍	去	リウ	右傍	liɑuŋ¹	鍾韻
4776b	下佐・053オ4・疊字	懍	—	リウ	左注	liem²	寢韻
3403	下古・005オ7・人事	劉	平	リウ	右傍	liʌu¹	尤韻
4114b	下阿・026ウ3・植物	榴	平	リウ	右傍	liʌu¹	尤韻
4460b	下佐・043オ7・植物	榴	平	リウ	右傍	liʌu¹	尤韻
6152a	下飛・094オ7・雜物	流	平	リウ	右傍	liʌu¹	尤韻
6456	下毛・104ウ5・辞字	流	平	リウ	右傍	liʌu¹	尤韻
6596b	下世・110オ7・疊字	流	平	リウ	右傍	liʌu¹	尤韻
4956	下木・060ウ2・辞字	瀏	平	リウ	右傍	liʌu^1/2	尤/有韻
3677b	下古・011ウ4・疊字	留	平	リウ	中注	liʌu^1/3	尤/宥韻
5352	下師・071ウ5・人躰	瘤	平	リウ	右傍	liʌu^1/3	尤/宥韻
6245b	下飛・097ウ7・疊字	留	—	リウ	中注	liʌu^1/3	尤/宥韻
5286	下師・069ウ3・植物	柳	上	リウ	右傍	liʌu²	有韻
4073	下阿・025オ7・地儀	霤	去	リウ	右傍	liʌu³	宥韻
3707b	下古・012オ3・疊字	隆	上	リウ	左注	liʌuŋ¹	東韻
5983b	下會・088ウ3・人事	隆	平	リウ	右傍	liʌuŋ¹	東韻
6741b	下世・112オ5・疊字	隆	平	リウ	左注	liʌuŋ¹	東韻
5793b	下師・084オ6・疊字	力	入	リキ	左注	liɐk	職韻
6148b	下飛・094オ6・雜物	篥	入	リキ	右注	liet	質韻
4153b	下阿・027ウ7・動物	陸	入	リク	右傍	liʌuk	屋韻
6827b	下洲・115ウ1・人事	六	—	リク	右傍	liʌuk	屋韻
5816b	下師・084ウ3・疊字	慄	入	リツ	左注	liet	質韻
6725b	下世・112オ2・疊字	慄	入	リツ	左注	liet	質韻
6394a	下毛・101オ5・植物	葎	入	リツ	右傍	liuet	術韻
4310a	下阿・033ウ2・光彩	淋	平	リム	右傍	liem¹	侵韻
5346a	下師・071ウ3・人躰	臨	平	リム	右傍	liem^1/3	侵/沁韻
4966b	下木・060ウ6・疊字	鱗	平	リム	右傍	lien¹	眞韻
5850b	下師・085オ1・疊字	輪	平	リム	右注	liuen¹	諄韻
6063b	下飛・091ウ1・植物	榔	—	リヤウ	右傍	lɑŋ^1/2	唐/蕩韻

4091a	下阿・025ウ7・植物	梁	平	リヤウ	右傍	liaŋ[1]	陽韻
4239	下阿・031ウ1・飲食	粱	平	リヤウ	右傍	liaŋ[1]	陽韻
4481a	下佐・044オ3・動物	梁	平	リヤウ	右傍	liaŋ[1]	陽韻
6034b	下飛・090ウ5・地儀	梁	平	リヤウ	右傍	liaŋ[1]	陽韻
3316b	下古・002オ4・地儀	凉	平	リヤウ	右傍	liaŋ[1]	陽韻
4537b	下佐・046オ5・人事	凉	平	リヤウ	左注	liaŋ[1]	陽韻
5037b	下木・061ウ7・疊字	量	上	リヤウ	左注	liaŋ[1/3]	陽/漾韻
5788b	下師・084オ5・疊字	量	平	リヤウ	右注	liaŋ[1/3]	陽/漾韻
6492b	下世・106ウ4・地儀	凉	平	リヤウ	右傍	liaŋ[1/3]	陽/漾韻
6770	下洲・113オ5・天象	凉	—	リヤウ	右傍	liaŋ[1]	陽韻
6907b	下洲・120オ3・疊字	量	去	リヤウ	左注	liaŋ[1/3]	陽/漾韻
4420b	下阿・041オ3・官職	領	—	リヤウ	右注	lieŋ[2]	靜韻
6813b	下洲・114ウ4・人倫	領	—	リヤウ	右注	lieŋ[2]	靜韻
3444	下古・007オ2・雜物	暦	入	リヤク	右傍	lek	錫韻
5174b	下木・064オ4・疊字	暦	入	リヤク	左注	lek	錫韻
4444	下佐・042ウ5・地儀	閭	平	リヨ	右傍	liʌ[1]	魚韻
4448a	下佐・042ウ7・地儀	閭	平	リヨ	右傍	liʌ[1]	魚韻
4056b	下阿・024ウ2・天象	呂	上	リヨ	右注	liʌ[2]	語韻
5127b	下木・063ウ1・疊字	旅	上	リヨ	左注	liʌ[2]	語韻
6052	下飛・091オ6・植物	穭	上	リヨ	右傍	liʌ[2]	語韻
5617b	下師・081オ6・疊字	慮	平	リヨ	左注	liʌ[3]	御韻
3307	下古・001ウ7・地儀	凌	平	リヨウ	右傍	liɐŋ[1]	蒸韻
5497	下師・076ウ3・辞字	淩	—	リヨク	右傍	liɐŋ[1]	蒸韻
3359	下古・003ウ3・動物	鯪	—	リヨウ	右傍	liɐŋ[1]	蒸韻
5433c	下師・074オ4・雜物	綾	平	リヨウ	右傍	liɐŋ[1]	蒸韻
6045a	下飛・091オ4・植物	菱	平	リヨウ	右傍	liɐŋ[1]	蒸韻
5066b	下木・062オ7・疊字	力	入	リヨク	左注	liɐk	職韻
6966b	下　・122ウ1・跋文	力	入	リヨク	右傍	liɐk	職韻
4287	下阿・032ウ5・雜物	朸	入	リヨク	右傍	liɐk lʌk	職韻 徳韻
6106a	下飛・092ウ3・人倫	緑	入	リヨク	右傍	liauk	燭韻
4881	下木・057オ2・人倫	林	平	リン	右傍	liem[1]	侵韻
5345a	下師・071ウ3・人躰	淋	平	リン	右傍	liem[1]	侵韻
5702b	下師・082ウ4・疊字	林	—	リン	左注	liem[1]	侵韻
5714b	下師・083オ1・疊字	林	平	リン	左注	liem[1]	侵韻
4868b	下木・056ウ2・動物	麟	平	リン	右傍	lien[1]	眞韻
4978b	下木・061オ2・疊字	隣	平	リン	左注	lien[1]	眞韻
5869b	下師・085オ4・疊字	鱗	平	リン	右注	lien[1]	眞韻
5728b	下師・083オ4・疊字	躙	平	リン	左注	lien[3]	震韻
5495	下師・076オ7・辞字	淪	平	リン	右傍	liuen[1]	諄韻
6738b	下世・112オ4・疊字	倫	—	リン	左注	liuen[1]	諄韻
6211	下飛・095ウ7・辞字	婁	—	ル	右傍	lʌu[1] liuʌ[1]	侯韻 虞韻

4124c	下阿・026ウ7・植物	蘽	平	ルイ	右傍	liuei^{1}	脂韻
4227c	下阿・031オ4・飲食	蘽	—	ルイ	右傍	liuei^{1}	脂韻
3416	下古・006オ7・飲食	醴	上	レイ	右傍	lei^{2}	薺韻
4083	下阿・025ウ4・植物	藜	平	レイ	右傍	lei^{1}	齊韻
6022a	下飛・090オ5・天象	麗	去	レイ	右傍	lei^{3}	霽韻
6249b	下飛・098オ1・疊字	麗	平	レイ	左注	lei^{3}	霽韻
4159b	下阿・028オ3・動物	蛉	—	レイ	右傍	leŋ^{1}	青韻
4627	下佐・050オ6・辞字	伶	平	レイ	右傍	leŋ^{1}	青韻
4897	下木・057ウ4・人事	聆	平	レイ	右傍	leŋ^{1}	青韻
6036a	下飛・090ウ6・地儀	囹	平	レイ	右傍	leŋ^{1}	青韻
6061	下飛・091ウ1・植物	柃	平	レイ	右傍	leŋ^{1} lieŋ^{2}	青韻 靜韻
6202a	下飛・095オ5・光彩	柃	平	レイ	右傍	leŋ^{1} lieŋ^{2}	青韻 靜韻
6855	下洲・116オ7・雜物	鈴	平	レイ	右傍	leŋ^{1}	青韻
4200	下阿・029オ6・人躰	癘	去	レイ	右傍	liai^{3}	祭韻
4283b	下阿・032ウ4・雜物	礪	去	レイ	右傍	liai^{3}	祭韻
6138	下飛・094オ1・飲食	糲	去	レイ	右傍	liai^{3} lɑi^{3} lɑt	祭韻 泰韻 曷韻
3430	下古・006ウ5・雜物	袊	上	レイ	右傍	lieŋ^{2}	靜韻
4649b	下佐・051オ2・疊字	嶺	上	レイ	左注	lieŋ^{2}	靜韻
4043c	下手・023ウ5・官職	寮	—	レウ	左注	leu^{1}	蕭韻
4394a	下阿・040オ1・疊字	嶚	上	レウ	右傍	leu^{1}	蕭韻
4816c	下佐・054オ7・官職	寮	—	レウ	右注	leu^{1}	蕭韻
6480b	下毛・106オ1・官職	寮	—	レウ	右注	leu^{1}	蕭韻
6698b	下世・111ウ4・疊字	寥	平	レウ	左注	leu^{1} lek	蕭韻 錫韻
4472b	下佐・043ウ7・動物	鷯	平	レウ	右傍	leu^{1} liau^{3}	蕭韻 笑韻
3404	下古・005ウ5・人事	憭	—	レウ	右傍	leu$^{1/2}$ liau^{2}	蕭/篠韻 小韻
5205b	下木・065オ5・官職	[illegible]	—	レウ	左注	leu$^{1/3}$	蕭/嘯韻
5827b	下師・084ウ5・疊字	[illegible]	—	レウ	右注	leu$^{1/3}$	蕭/嘯韻
4127a	下阿・027オ3・動物	獦	入	レウ	右傍	liap kɑt	葉韻 曷韻
5126b	下木・063ウ1・疊字	旅	上	レウ	左注	liʌ^{2}	語韻
4011b	下手・023オ1・疊字	瀝	入	レキ	中注	lek	錫韻
4440	下佐・042ウ2・地儀	礫	—	レキ	右傍	lek	錫韻
5346b	下師・071ウ3・人躰	瀝	入	レキ	右傍	lek	錫韻
3365b	下古・003ウ6・動物	蛚	—	レツ	右傍	liat	薛韻
4535b	下佐・046オ4・人事	裂	入	レツ	右傍	liat	薛韻
4394b	下阿・040オ1・疊字	峛	入	レツ	右傍	lie^{2}	紙韻

5885b	下師・085オ7・疊字	劣	入	レツ	右注	liuat	薛韻
4024b	下手・023オ4・疊字	獵	入	レフ	左注	liap	葉韻
4372b	下阿・039オ7・疊字	憐	平	レム	左注	len^{1}	先韻
6844	下洲・116オ4・雜物	簾	—	レム	右傍	liam^{1}	鹽韻
4216	下阿・030オ6・人事	憐	平	レン	—	len^{1}	先韻
4539c	下佐・046オ6・人事	憐	平	レン	左注	len^{1}	先韻
4111	下阿・026ウ2・植物	楝	去	レン	右傍	len^{3}	霰韻
6656b	下世・111オ4・疊字	廉	平	レン	左注	liam^{1}	鹽韻
6804b	下洲・114オ6・動物	連	平	レン	右傍	lian^{1}	仙韻
4289	下阿・032ウ5・雜物	攣	平	レン	右傍	liuan^{1}	仙韻
5199b	下木・065オ1・国郡	婁	—	ロ	右傍	lʌu^{1} liuʌ^{1}	侯韻 虞韻
5290b	下師・069ウ4・植物	櫚	—	ロ	右注	liʌ^{1}	魚韻
6971b	下師・069ウ4・植物	櫚	—	ロ	左注	liʌ^{1}	魚韻
6972b	下師・069ウ4・植物	櫚	—	ロ	右傍	liʌ^{1}	魚韻
4115c	下阿・026ウ3・植物	榴	去	ロ	右注	liʌu^{1}	尤韻
4257a	下阿・032オ5・雜物	籚	—	ロ	右傍	luʌ^{1}	模韻
5299a	下師・070オ3・動物	鸕	平	ロ	右傍	luʌ^{1}	模韻
6112	下飛・092ウ7・人躰	顱	平	ロ	右傍	luʌ^{1}	模韻
6154b	下飛・094オ7・雜物	爐	平	ロ	右傍	luʌ^{1}	模韻
6809	下洲・114ウ1・動物	鱸	平	ロ	右傍	luʌ^{1}	模韻
4085	下阿・025ウ5・植物	蘆	平	ロ	右傍	luʌ^{1} liʌ^{1}	模韻 魚韻
4474	下佐・044オ1・動物	鷺	去	ロ	右傍	luʌ^{3}	暮韻
3663b	下古・011ウ1・疊字	露	去	ロ	左注	luʌ^{3}	暮韻
4341	下阿・037オ5・辞字	露	—	ロ	右傍	luʌ^{3}	暮韻
6589b	下世・110オ5・疊字	路	平	ロ	中注	luʌ^{3}	暮韻
6942b	下洲・120ウ4・疊字	露	去	ロ	左注	luʌ^{3}	暮韻
6792b	下洲・114オ1・植物	櫚	—	ロ [上]	右注	liʌ^{1}	魚韻
5405a	下師・073ウ5・雜物	鏤	平	ロウ	右傍	lʌu^{3} liuʌ^{1}	侯韻 虞韻
6319b	下飛・098ウ6・疊字	露	去	ロウ	左注	luʌ^{3}	暮韻
6776b	下洲・113ウ2・地儀	樓	平	ロウ	右注	lʌu^{1}	侯韻
3664b	下古・011ウ1・疊字	陋	平	ロウ	左注	lʌu^{3}	候韻
5296	下師・070オ2・動物	鸗	平	ロウ	右傍	lʌuŋ^{1} lɑuŋ^{1}	東韻 鍾韻
3448	下古・007オ4・雜物	籠	—	ロウ	右傍	lʌuŋ$^{1/2}$ liɑuŋ^{1}	東/董韻 鍾韻
5091b	下木・062ウ7・疊字	録	入	ロク	左注	liɑuk	燭韻
6469b	下毛・105ウ3・疊字	録	—	ロク	左注	liɑuk	燭韻
6828b	下洲・115ウ1・人事	六	—	ロク	右注	liʌuk	屋韻
6862b	下洲・116ウ2・雜物	六	—	ロク	右注	liʌuk	屋韻

5493	下師・076オ3・辞字	勒	—	ロク	右傍	lʌk	徳韻
4286	下阿・032ウ5・雑物	朸	入	ロク	右傍	lʌk liɐk	徳韻 職韻
4135b	下阿・027オ6・動物	鹿	入	ロク	右傍	lʌuk	屋韻
5302	下師・070オ4・動物	鹿	入	ロク	右傍	lʌuk	屋韻
5657b	下師・082オ1・疊字	禄	—	ロク	右傍	lʌuk	屋韻
6627b	下世・110ウ5・疊字	簶	入	ロク	右傍	lʌuk	屋韻
6864a	下洲・116ウ3・雑物	簏	—	ロク	右傍	lʌuk	屋韻
5024b	下木・061ウ4・疊字	來	平	（ラヒ）	左注	lʌi[1]	咍韻
5311a	下師・070オ6・動物	鹿	入	（ロク）	右傍	lʌuk	屋韻
3343b	下古・002ウ7・植物	粒	—	エウ	右注	liep	緝韻
5593b	下師・080ウ5・疊字	撿	平	ケム	左注	liam[2]	琰韻
5592b	下師・080ウ4・疊字	撿	平	ケン	中注	liam[2]	琰韻
4347	下阿・037ウ5・辞字	擽	入	タツ	右傍	liɑk lek	薬韻 錫韻
4030a	下手・023オ6・疊字	酈	入	テキ	左注	lek lie[1]	錫韻 支韻
4120b	下阿・026ウ5・植物	釐	平	テン	右傍	liɐi[1]	之韻
4377b	下阿・039ウ1・疊字	陋	去	ヘイ	左注	lʌu[3]	候韻
6403a	下毛・101オ7・植物	林	—	モク ［平平］	右傍	liem[1]	侵韻

【表C-03】上巻_知母 ṭ

番号	前田本所在	掲出字		仮名音注		中古音	韻目
0873b	上波・033ウ2・疊字	置	上	チ	右注	ṭiɐi^{3}	志韻
1928a	上池・070ウ6・疊字	置	平	チ	左注	ṭiɐi^{3}	志韻
3099b	上加・110オ1・疊字	置	上	チ	右注	ṭiɐi^{3}	志韻
0382b	上伊・015ウ7・国郡	知	—	チ	右傍	ṭie^{1}	支韻
1686b	上度・064オ2・国郡	知	—	チ	右傍	ṭie^{1}	支韻
1688b	上度・064オ2・国郡	知	—	チ	右傍	ṭie^{1}	支韻
1816a	上池・069オ4・疊字	知	去	チ	右注	ṭie^{1}	支韻
1885a	上池・070オ4・疊字	知	去	チ	左注	ṭie^{1}	支韻
1895a	上池・070オ6・疊字	知	平	チ	左注	ṭie^{1}	支韻
1972a	上池・072オ1・官職	知	—	チ	右注	ṭie^{1}	支韻
2035b	上利・074ウ2・疊字	知	—	チ	左注	ṭie^{1}	支韻
0367a	上伊・015ウ6・国郡	智	—	チ	右傍	ṭie^{3}	寘韻
0377b	上伊・015ウ7・国郡	智	—	チ	右傍	ṭie^{3}	寘韻
1745	上池・067オ2・人事	智	—	チ	右注	ṭie^{3}	寘韻
1884a	上池・070オ4・疊字	智	平	チ	左注	ṭie^{3}	寘韻
1893a	上池・070オ6・疊字	智	平	チ	中注	ṭie^{3}	寘韻
1894a	上池・070オ6・疊字	智	平	チ	左注	ṭie^{3}	寘韻
2285b	上遠・085ウ2・姓氏	智	—	チ	右注	ṭie^{3}	寘韻
0150a	上伊・007ウ5・人事	致	平	チ	右傍	ṭiei^{3}	至韻
1811a	上池・069オ3・疊字	致	平	チ	中注	ṭiei^{3}	至韻
1836a	上池・069ウ1・疊字	致	平	チ	右注	ṭiei^{3}	至韻
1838a	上池・069ウ2・疊字	致	平	チ	左注	ṭiei^{3}	至韻
2093b	上利・075オ6・疊字	致	上	チ	左注	ṭiei^{3}	至韻
1735a	上池・066ウ2・人倫	魑	—	チ [去]	右注	ṭie^{1}	支韻
0726b	上波・031オ7・疊字	晝	上	チウ	右注	ṭiʌu^{3}	宥韻
1797a	上池・069オ1・疊字	晝	平	チウ	中注	ṭiʌu^{3}	宥韻
1876a	上池・070オ2・疊字	晝	平	チウ	左注	ṭiʌu^{3}	宥韻
1746	上池・067オ3・人事	忠	平	チウ	左注	ṭiʌuŋ^{1}	東韻
1861a	上池・069ウ6・疊字	忠	平	チウ	左注	ṭiʌuŋ^{1}	東韻
1862a	上池・069ウ7・疊字	忠	平	チウ	左注	ṭiʌuŋ^{1}	東韻
1863a	上池・069ウ7・疊字	忠	平	チウ	左注	ṭiʌuŋ^{1}	東韻
1970	上池・072オ1・官職	忠	—	チウ	右注	ṭiʌuŋ^{1}	東韻
0954b	上仁・037ウ1・人躰	中	上	チウ	右注	ṭiʌuŋ$^{1/3}$	東/送韻
0990b	上仁・040オ3・疊字	中	上	チウ	左注	ṭiʌuŋ$^{1/3}$	東/送韻
1652b	上度・063オ5・疊字	中	平	チウ	左注	ṭiʌuŋ$^{1/3}$	東/送韻
1800a	上池・069オ1・疊字	中	去	チウ	左注	ṭiʌuŋ$^{1/3}$	東/送韻
1806a	上池・069オ2・疊字	中	去	チウ	左注	ṭiʌuŋ$^{1/3}$	東/送韻
1819a	上池・069オ5・疊字	中	去	チウ	左注	ṭiʌuŋ$^{1/3}$	東/送韻
1830b	上池・069オ7・疊字	中	上濁	チウ	左注	ṭiʌuŋ$^{1/3}$	東/送韻

1833a	上池・069ウ1・疊字	中	去	チウ	左注	ṭiʌuŋ$^{1/3}$	東/送韻
1843a	上池・069ウ3・疊字	中	去	チウ	左注	ṭiʌuŋ$^{1/3}$	東/送韻
1867a	上池・070オ1・疊字	中	去	チウ	左注	ṭiʌuŋ$^{1/3}$	東/送韻
1872a	上池・070オ2・疊字	中	去	チウ	左注	ṭiʌuŋ$^{1/3}$	東/送韻
1875a	上池・070オ2・疊字	中	平	チウ	左注	ṭiʌuŋ$^{1/3}$	東/送韻
1913a	上池・070ウ3・疊字	中	去	チウ	中注	ṭiʌuŋ$^{1/3}$	東/送韻
1915a	上池・070ウ3・疊字	中	去	チウ	左注	ṭiʌuŋ$^{1/3}$	東/送韻
1940a	上池・071オ1・疊字	中	去	チウ	右注	ṭiʌuŋ$^{1/3}$	東/送韻
1965a	上池・071ウ7・官職	中	―	チウ	右注	ṭiʌuŋ$^{1/3}$	東/送韻
1968a	上池・071ウ7・官職	中	―	チウ	右注	ṭiʌuŋ$^{1/3}$	東/送韻
1969a	上池・071ウ7・官職	中	―	チウ	右注	ṭiʌuŋ$^{1/3}$	東/送韻
1977a	上池・072オ2・官職	中	―	チウ	右注	ṭiʌuŋ$^{1/3}$	東/送韻
1750	上池・067オ3・人事	誅	―	チウ [□平]	右注	ṭiuʌ^{1}	虞韻
1287b	上邊・050オ4・植物	竹	―	チク	右注	ṭiʌuk	屋韻
1859a	上池・069ウ6・疊字	竹	入	チク	左注	ṭiʌuk	屋韻
1896a	上池・070オ6・疊字	竹	入	チク	右注	ṭiʌuk	屋韻
1917a	上池・070ウ4・疊字	竹	入	チク	左注	ṭiʌuk	屋韻
1934a	上池・070ウ7・疊字	竹	入	チク	右注	ṭiʌuk	屋韻
1956a	上池・071ウ1・諸社	竹	―	チク	右注	ṭiʌuk	屋韻
2464b	上加・092オ7・植物	竹	―	チク	右注	ṭiʌuk	屋韻
1771	上池・067ウ5・雜物	筑	入	チク	右注	ṭiʌuk ḍiʌuk	屋韻 屋韻
1957a	上池・071ウ3・國郡	筑	―	チク	右注	ṭiʌuk ḍiʌuk	屋韻 屋韻
1961a	上池・071ウ4・國郡	筑	―	チク	右注	ṭiʌuk ḍiʌuk	屋韻 屋韻
1963a	上池・071ウ5・國郡	筑	―	チク	右注	ṭiʌuk ḍiʌuk	屋韻 屋韻
1980a	上池・072オ5・姓氏	筑	―	チク	右注	ṭiʌuk ḍiʌuk	屋韻 屋韻
2740b	上加・099ウ6・雜物	碪	平	チム	右傍	ṭiem^{1}	侵韻
1851a	上池・069ウ4・疊字	嫡	入	チヤウ	左注	ṭak ṭek	陌韻 錫韻
2667	上加・098オ4・飲食	粻	平	チヤウ	右傍	ṭiaŋ^{1}	陽韻
1975a	上池・072オ2・官職	長	―	チヤウ	右注	ṭiaŋ^{2} ḍiaŋ$^{1/3}$	養韻 陽/漾韻
3168a	上加・112オ2・官職	長	上	チヤウ	右傍	ṭiaŋ^{2} ḍiaŋ$^{1/3}$	養韻 陽/漾韻
0592	上波・024オ6・人躰	痮	去	チヤウ	右傍	ṭiaŋ^{3}	漾韻
1381b	上邊・053オ7・疊字	帳	平	チヤウ	左注	ṭiaŋ^{3}	漾韻
1715	上池・065ウ2・地儀	帳	―	チヤウ	右注	ṭiaŋ^{3}	漾韻

1764	上池・067ウ3・雜物	帳	去 平	チヤウ	右注	ṭiaŋ^{3}	漾韻
1824b	上池・069オ6・疊字	帳	平濁	チヤウ	左注	ṭiaŋ^{3}	漾韻
1731a	上池・066オ7・人倫	嫡	入	チヤク	右注	ṭak tek	陌韻 錫韻
1791a	上池・068ウ5・重點	嫡	―	チャク	右注	ṭak tek	陌韻 錫韻
1791b	上池・068ウ5・重點	嫡	―	チヤク	右注	ṭak tek	陌韻 錫韻
1369b	上邊・053オ5・疊字	謫	入	チヤク	左注	ṭɐk ḍɐk	麥韻 麥韻
2611a	上加・096ウ2・人體	癥	平	チヨウ	右傍	ṭiɐŋ^{1}	蒸韻
1888a	上池・070オ5・疊字	珎	去	チン	左注	ṭien^{1}	眞韻
1889a	上池・070オ5・疊字	珎	―	チン	左注	ṭien^{1}	眞韻
1909a	上池・070ウ2・疊字	珎	東	チン	左注	ṭien^{1}	眞韻
1910a	上池・070ウ2・疊字	珎	東	チン	左注	ṭien^{1}	眞韻
1911a	上池・070ウ2・疊字	珎	東	チン	左注	ṭien^{1}	眞韻
1912a	上池・070ウ3・疊字	珎	東	チン	左注	ṭien^{1}	眞韻
1941a	上池・071オ1・疊字	珎	東	チン	右注	ṭien^{1}	眞韻
1979	上池・072オ5・姓氏	珎	―	チン	右注	ṭien^{1}	眞韻
1878a	上池・070オ3・疊字	珎	平	チン	左注	ṭien^{1}	眞韻
1768a	上池・067ウ4・雜物	鎮	平	チン	右注	ṭien$^{1/3}$	眞/震韻
1786	上池・068ウ1・辞字	鎮	―	チン	右注	ṭien$^{1/3}$	眞/震韻
1812a	上池・069オ4・疊字	鎮	平	チン	左注	ṭien$^{1/3}$	眞/震韻
1813a	上池・069オ4・疊字	鎮	平	チン	右注	ṭien$^{1/3}$	眞/震韻
1815a	上池・069オ4・疊字	鎮	平	チン	右注	ṭien$^{1/3}$	眞/震韻
1962a	上池・071ウ5・國郡	鎮	―	チン	右注	ṭien$^{1/3}$	眞/震韻
1964a	上池・071ウ5・國郡	鎮	―	チン	右注	ṭien$^{1/3}$	眞/震韻
0003	上伊・002オ3・天象	霻	平	ツイ	右傍	ṭiuei^{1}	脂韻
2264	上遠・083ウ1・辞字	追	―	ツイ	右傍	ṭiuei^{1}	脂韻
1863b	上池・069ウ7・疊字	貞	平	テイ	左注	ṭieŋ^{1}	清韻
1246b	上保・048ウ1・疊字	綴	入	テチ	左注	ṭiuat ṭiuai^{3}	薛韻 祭韻
2383b	上和・090オ3・疊字	哲	入	テツ	左注	ṭiat	薛韻
2112b	上利・075ウ3・疊字	轉	平濁	テン	右注	ṭiuan$^{2/3}$	獮/線韻
2187b	上留・079ウ2・疊字	轉	平	テン	中注	ṭiuan$^{2/3}$	獮/線韻
2609a	上加・096ウ1・人體	轉	上	テン	右傍	ṭiuan$^{2/3}$	獮/線韻
1717a	上池・065ウ3・地儀	貞	平濁	チヤウ	左注	ṭieŋ^{1}	清韻

【表C-03】下巻_知母 ṭ

番号	前田本所在	掲出字		仮名音注		中古音	韻目
6686b	下世・111ウ2・疊字	謫	入	タク	中注	ṭɐk ḍɐk	麥韻 麥韻
4381b	下阿・039ウ2・疊字	置	上濁	チ	左注	ṭiɐi^{3}	志韻
5087b	下木・062ウ5・疊字	置	平	チ	左注	ṭiɐi^{3}	志韻
5826b	下師・084ウ4・疊字	知	―	チ	左注	ṭie^{1}	支韻
5864b	下師・085オ4・疊字	知	平	チ	右注	ṭie^{1}	支韻
5900d	下師・085ウ3・疊字	知	―	チ	右傍	ṭie^{1}	支韻
6814a	下洲・114ウ5・人倫	魑	平	チ	右傍	ṭie^{1}	支韻
4405b	下阿・040ウ5・国郡	智	―	チ	右傍	ṭie^{3}	寘韻
4430b	下阿・041ウ4・姓氏	智	―	チ	右注	ṭie^{3}	寘韻
3402	下古・005オ6・人事	誅	平	チウ	右傍	ṭiuʌ^{1}	虞韻
5007b	下木・061ウ1・疊字	中	平	チウ	右注	ṭiʌuŋ$^{1/3}$	東韻
6016b	下會・089ウ5・國郡	中	―	チウ	右注	ṭiʌuŋ$^{1/3}$	東/送韻
6365b	下飛・100オ1・國郡	中	―	チウ	右傍	ṭiʌuŋ$^{1/3}$	東/送韻
3909b	下手・020ウ4・雜物	竹	―	チク	右傍	ṭiʌuk	屋韻
4792b	下佐・053ウ1・疊字	竹	―	チク	右注	ṭiʌuk	屋韻
5182b	下木・064オ6・疊字	竹	入	チク	右注	ṭiʌuk	屋韻
5708a	下師・082ウ6・疊字	竹	入	チク	右傍	ṭiʌuk	屋韻
4914	下木・058オ6・雜物	碪	平	チム	右傍	ṭiem^{1}	侵韻
6651b	下世・111オ3・疊字	長	上	チヤウ	左注	ṭiɑŋ^{2} ḍiɑŋ$^{1/3}$	養韻 陽/漾韻
4919b	下木・058オ7・雜物	帳	―	チヤウ	右注	ṭiɑŋ^{3}	漾韻
3745a	下江・014オ7・植物	芍	入	チヤク	右傍	ṭiɑk dźiɑk ts'iɑk tek ɣeu^{2}	藥韻 藥韻 藥韻 錫韻 篠韻
5760b	下師・083ウ6・疊字	貯	去	チヨ	左注	ṭiʌ^{2}	語韻
5164b	下木・064オ2・疊字	徴	平	チヨウ	左注	ṭieŋ^{1} ṭiɐi^{2}	蒸韻 止韻
4120a	下阿・020ウ5・植物	陟	入	チヨク	右傍	ṭiɐk	職韻
5929a	下師・086ウ3・國郡	筑	―	ツク	右傍	ṭiʌuk ḍiʌuk	屋韻 屋韻
6356a	下飛・099ウ7・國郡	筑	―	ツク	右傍	ṭiʌuk ḍiʌuk	屋韻 屋韻
3360	下古・003ウ3・動物	鱣	―	ツキン	右傍	ṭian^{1}	仙韻
3912a	下手・020ウ7・雜物	綴	―	テ ［平］	右注	ṭiuai^{3} ṭiuat	祭韻 薛韻
6368a	下飛・100オ1・國郡	哲	―	テイ	右傍	ṭiat	薛韻
3348	下古・003オ2・植物	楨	―	テイ	右傍	ṭieŋ^{1}	清韻

3567	下古・007ウ2・雑物	楨	平	テイ	右傍	ṭieŋ^{1}	清韻
4527	下佐・045ウ7・人事	禎	平	テイ	右傍	ṭieŋ^{1}	清韻
6065b	下飛・091ウ1・植物	楨	平	テイ	右傍	ṭieŋ^{1}	清韻
6653b	下世・111オ3・疊字	輙	―	テウ	左注	ṭiap	葉韻
3933a	下手・021ウ5・重點	朝	―	テウ	右注	ṭiau^{1} ḍiau^{1}	宵韻 宵韻
3933b	下手・021ウ5・重點	朝	―	テウ	右注	ṭiau^{1} ḍiau^{1}	宵韻 宵韻
3951a	下手・022オ2・疊字	朝	平	テウ	左注	ṭiau^{1} ḍiau^{1}	宵韻 宵韻
3955a	下手・022オ3・疊字	朝	平 去	テウ	左注	ṭiau^{1} ḍiau^{1}	宵韻 宵韻
3957a	下手・022オ4・疊字	朝	平	テウ	左注	ṭiau^{1} ḍiau^{1}	宵韻 宵韻
4060	下阿・024ウ2・天象	朝	平	テウ	右傍	ṭiau^{1} ḍiau^{1}	宵韻 宵韻
3960a	下手・022オ4・疊字	冢	上	テウ	左注	ṭiɑuŋ^{2}	腫韻
3902	下手・020オ4・人事	哲	―	テツ	左注	ṭiat	薛韻
4039a	下手・023ウ1・疊字	哲	入	テツ	右注	ṭiat	薛韻
3392a	下古・004ウ5・人躰	轉	上	テン	右傍	ṭiuan$^{2/3}$	獮/線韻
3934a	下手・021ウ5・重點	轉	平	テン	右注	ṭiuan$^{2/3}$	獮/線韻
3934b	下手・021ウ5・重點	轉	平濁	テン	右注	ṭiuan$^{2/3}$	獮/線韻
5379c	下師・073オ1・人事	囀	上濁	テン	右注	ṭiuan^{3}	線韻
4476	下佐・044オ2・動物	囀	去	テン	右傍	ṭiuan^{3}	線韻
3932	下手・021ウ3・辞字	轉	―	テン ［上平］	右注	ṭiuan$^{2/3}$	獮/線韻
5347	下師・071ウ3・人躰	瘃	入	キク	右傍	ṭiɑuk	燭韻
6129	下飛・093オ5・人躰	瘃	入	キク	右傍	ṭiɑuk	燭韻
5375a	下師・072ウ4・人事	冢	―	シヤウ	右注	ṭiɑuŋ^{2}	腫韻
5828a	下師・084ウ5・疊字	啁	平	シウ	右注	ṭiʌu^{1} ṭau^{1}	尤韻 豪韻
4215	下阿・030オ5・人事	侜	平	ヒウ	右傍	ṭiʌu^{1}	尤韻

【表C-03】上巻_徹母 ṭ‘

番号	前田本所在	掲出字		仮名音注		中古音	韻目
1741a	上池・066ウ6・人躰	唾	去	タ	右傍	ṭ‘uɑ^{3}	過韻
0555	上波・022ウ7・動物	蠆	―	タイ	右傍	ṭ‘ai^{3}	夬韻
0948	上仁・036ウ6・動物	齝	平	タイ	右傍	ṭ‘iɐi^{1} ṡiɐi^{1}	之韻 之韻
0623b	上波・025オ7・人事	癡	―	チ	右注	ṭ‘iɐi^{1}	之韻
0779b	上波・032オ4・疊字	痴	上	チ	左注	ṭ‘iɐi^{1}	之韻

1903a	上池・070ウ1・疊字	笞	平	チ	左注	ṭ'iɐi^{1}	之韻
2251	上遠・082オ4・人事	癡	平	チ	右傍	ṭ'iɐi^{1}	之韻
1907a	上池・070ウ2・疊字	恥	上	チ	中注	ṭ'iɐi^{2}	止韻
0198	上伊・010オ1・辞字	瘳	平	チウ	右傍	ṭ'iʌu^{1}	尤韻
1841a	上池・069ウ2・疊字	抽	平	チウ	左注	ṭ'iʌu^{1}	尤韻
1842a	上池・069ウ3・疊字	抽	平	チウ	左注	ṭ'iʌu^{1}	尤韻
1864a	上池・069ウ7・疊字	惆	平	チウ	左注	ṭ'iʌu^{1}	尤韻
0134	上伊・007オ1・人事	忡	平	チウ	右傍	ṭ'iʌuŋ^{1}	東韻
1944a	上池・071オ2・疊字	蓄	入	チク	右注	ṭ'iʌuk xiʌuk	屋韻 屋韻
0405b	上呂・017ウ1・動物	畜	―	チク	右注	ṭ'iʌuk xiʌuk ṭ'iʌu^{3} xiʌu^{3}	屋韻 屋韻 宥韻 宥韻
1725a	上池・066オ4・動物	畜	―	チク	右注	ṭ'iʌuk xiʌuk ṭ'iʌu^{3} xiʌu^{3}	屋韻 屋韻 宥韻 宥韻
1864b	上池・069ウ7・疊字	悵	去	チヤウ	左注	ṭ'iaŋ^{3}	漾韻
1865a	上池・069ウ7・疊字	悵	去	チヤウ	左注	ṭ'iaŋ^{3}	漾韻
1877a	上池・070オ3・疊字	悵	去	チヤウ	左注	ṭ'iaŋ^{3}	漾韻
3120b	上加・110オ5・疊字	暢	去	チヤウ	右注	ṭ'iaŋ^{3}	漾韻
1932a	上池・070ウ7・疊字	寵	上	チヨウ	左注	ṭ'iauŋ^{2}	腫韻
1951a	上池・071オ3・疊字	寵	上	チヨウ	左注	ṭ'iauŋ^{2}	腫韻
1752	上池・067オ4・人事	寵	―	チヨウ	右注	ṭ'iauŋ^{2}	腫韻
1178b	上保・047ウ2・疊字	勑	入	チヨク	左注	ṭ'iɐk	職韻
1828a	上池・069オ7・疊字	勑	入	チヨク	左注	ṭ'iɐk	職韻
1829a	上池・069オ7・疊字	勅	入	チヨク	左注	ṭ'iɐk	職韻
1753	上池・067オ4・人事	勅	―	チヨク	右注	ṭ'iɐk	職韻
2223b	上遠・080ウ3・動物	鷘	―	チヨク	右傍	ṭ'iɐk	職韻
1370b	上邊・053オ5・疊字	黜	入	チヨク	左注	ṭ'iuet	術韻
1314a	上邊・051ウ5・雑物	桱	平	テイ	右傍	ṭ'ieŋ^{1}	清韻
1300	上邊・051オ5・人事	諂	上	テム	右傍	ṭ'iam^{2}	琰韻

【表C-03】下巻_徹母 ṭ'

番号	前田本所在	掲出字		仮名音注		中古音	韻目
6383a	下飛・100オ3・國郡	詫	―	タク	右傍	ṭ'a^{3}	禡韻
5454	下師・074ウ3・雑物	笞	―	チ	右傍	ṭ'iɐi^{1}	之韻
6441	下毛・103オ5・雑物	黐	平	チ	右傍	ṭ'ie^{1} lie^{1}	支韻 支韻
2637a	上加・097オ7・人事	摴	平	チヨ	右傍	ṭ'iʌ^{1}	魚韻

3915	下手・021オ1・雑物	杻	上	チウ	右傍	ṭʻiʌu^{2} ṇiʌu^{2}	有韻 有韻
3963a	下手・022オ5・疊字	超	去	テウ	左注	ṭʻiau^{1}	宵韻
4037a	下手・023ウ1・疊字	寵	上	テウ	右注	ṭʻiɑuŋ^{2}	腫韻
3821b	下江・017オ4・疊字	諂	平	テム	左注	ṭʻiam^{2}	琰韻
4005a	下手・022ウ7・疊字	諂	平	テン	左注	ṭʻiam^{2}	琰韻
4006a	下手・022ウ7・疊字	諂	平	テン	左注	ṭʻiam^{2}	琰韻
4033a	下手・023オ7・疊字	諂	―	テン	左注	ṭʻiam^{2}	琰韻

【表C-03】上巻_澄母 ḍ

番号	前田本所在	掲出字		仮名音注		中古音	韻目
2902b	上加・107オ3・疊字	茶	上濁	タ	左注	ḍa^{1} dźia^{1} duʌ^{1}	麻韻 麻韻 模韻
1684b	上度・063ウ6・疊字	滯	去	タイ	右傍	ḍiai^{3}	祭韻
1871b	上池・070オ1・疊字	滯	去	タイ	左注	ḍiai^{3}	祭韻
2281b	上遠・084ウ7・疊字	滯	去	タイ	左注	ḍiai^{3}	祭韻
1275b	上保・049ウ1・諸寺	幢	去濁	タウ	右注	ḍauŋ$^{1/3}$	江/絳韻
0982	上仁・039オ5・辞字	濁	―	タク	右注	ḍauk	覺韻
1734b	上池・066ウ1・人倫	持	―	チ	右注	ḍiɐi^{1}	之韻
1820b	上池・069オ5・疊字	持	上濁	チ	左注	ḍiɐi^{1}	之韻
1825a	上池・069オ6・疊字	持	去濁	チ	右注	ḍiɐi^{1}	之韻
1869a	上池・070オ1・疊字	持	平	チ	左注	ḍiɐi^{1}	之韻
2889b	上加・107オ1・疊字	持	上濁	チ	右注	ḍiɐi^{1}	之韻
0270b	上伊・013オ2・疊字	治	平濁	チ	右注	ḍiɐi$^{1/3}$ ḍiei^{3}	之/志韻 至韻
1282b	上保・049ウ6・姓氏	治	―	チ	右注	ḍiɐi$^{1/3}$ ḍiei^{3}	之/志韻 至韻
1807a	上池・069オ3・疊字	治	去濁	チ	左注	ḍiɐi$^{1/3}$ ḍiei^{3}	之/志韻 至韻
1883a	上池・070オ4・疊字	治	去濁	チ	左注	ḍiɐi$^{1/3}$ ḍiei^{3}	之/志韻 至韻
1942a	上池・071オ2・疊字	治	去濁	チ	右注	ḍiɐi$^{1/3}$ ḍiei^{3}	之/志韻 至韻
1943a	上池・071オ2・疊字	治	去濁	チ	右注	ḍiɐi$^{1/3}$ ḍiei^{3}	之/志韻 至韻
1966a	上池・071ウ7・官職	治	―	チ	右注	ḍiɐi$^{1/3}$ ḍiei^{3}	之/志韻 至韻
1740	上池・066ウ6・人躰	痔	上	チ	右傍	ḍiɐi^{2}	止韻

0009	上伊・002ウ3・地儀	池	―	チ	右傍	ḍie[1]	支韻
0700	上波・028ウ6・人事	馳	平	チ	右傍	ḍie[1]	支韻
1180b	上保・047ウ2・疊字	池	平	チ	左注	ḍie[1]	支韻
1708a	上池・065オ7・地儀	馳	―	チ	右注	ḍie[1]	支韻
1808a	上池・069オ3・疊字	池	平	チ	左注	ḍie[1]	支韻
1809a	上池・069オ3・疊字	池	平	チ	左注	ḍie[1]	支韻
1898a	上池・070オ7・疊字	馳	去	チ	左注	ḍie[1]	支韻
1923a	上池・070ウ5・疊字	踟	平	チ	中注	ḍie[1]	支韻
1931a	上池・070ウ6・疊字	馳	去	チ	左注	ḍie[1]	支韻
1939a	上池・071オ1・疊字	馳	去	チ	右注	ḍie[1]	支韻
3135b	上加・110ウ2・疊字	阤	平	チ	右傍	ḍie[2] śie[2]	紙韻 紙韻
0927	上仁・036オ2・地儀	墀	平	チ	右傍	ḍiei[1]	脂韻
1789a	上池・068ウ5・重點	遅	―	チ	右注	ḍiei[1/3]	脂/至韻
1789b	上池・068ウ5・重點	遅	―	チ	右注	ḍiei[1/3]	脂/至韻
1798a	上池・069オ1・疊字	遅	平	チ	左注	ḍiei[1/3]	脂/至韻
1845a	上池・069ウ3・疊字	遅	平	チ	左注	ḍiei[1/3]	脂/至韻
1846a	上池・069ウ3・疊字	遅	平	チ	左注	ḍiei[1/3]	脂/至韻
1847a	上池・069ウ4・疊字	遅	平	チ	左注	ḍiei[1/3]	脂/至韻
1848a	上池・069ウ4・疊字	遅	平	チ	左注	ḍiei[1/3]	脂/至韻
1866a	上池・069ウ7・疊字	遅	平	チ	左注	ḍiei[1/3]	脂/至韻
1868a	上池・070オ1・疊字	遅	平	チ	左注	ḍiei[1/3]	脂/至韻
2120b	上利・075ウ4・疊字	遅	平濁	チ	左注	ḍiei[1/3]	脂/至韻
2273	上遠・084オ2・辞字	遅	―	チ	右傍	ḍiei[1/3]	脂/至韻
0888b	上波・033ウ5・疊字	雉	去	チ	右注	ḍiei[2]	旨韻
1095a	上保・044オ6・飲食	雉	上	チ	右傍	ḍiei[2]	旨韻
1919a	上池・070ウ4・疊字	雉	平	チ	右注	ḍiei[2]	旨韻
1935a	上池・070ウ7・疊字	雉	去	チ	右注	ḍiei[2]	旨韻
0280b	上伊・013オ3・疊字	稚	上	チ	左注	ḍiei[3]	至韻
0351b	上伊・015オ2・疊字	緻	去	チ	右傍	ḍiei[3]	至韻
1600b	上度・062ウ1・疊字	稚	去	チ	左注	ḍiei[3]	至韻
1724a	上池・066オ1・植物	稚	平	チ	右注	ḍiei[3]	至韻
2316	上和・087オ4・人事	稚	―	チ	右傍	ḍiei[3]	至韻
1827a	上池・069オ7・疊字	除	去濁	チ	左注	ḍiʌ[1/3]	魚/御韻
1783	上池・068オ5・辞字	持	―	チ ［去濁］	右注	ḍiɐi[1]	之韻
1194b	上保・047ウ5・疊字	秩	入濁	チヽ	左注	ḍiet	質韻
1880a	上池・070オ3・疊字	秩	入濁	チヽ	左注	ḍiet	質韻
1790a	上池・068ウ5・重點	重	―	チウ	右注	ḍiauŋ[1/2/3]	鍾/腫/用韻
1790b	上池・068ウ5・重點	重	―	チウ	右注	ḍiauŋ[1/2/3]	鍾/腫/用韻
1879a	上池・070オ3・疊字	重	平	チウ	左注	ḍiauŋ[1/2/3]	鍾/腫/用韻
1946a	上池・071オ2・疊字	重	平濁	チウ	右注	ḍiauŋ[1/2/3]	鍾/腫/用韻
1923b	上池・070ウ5・疊字	蹰	平	チウ	中注	ḍiuʌ[1]	虞韻

0486	上波・020ウ4・地儀	柱	上	チウ	右傍	ḍiuʌ^2 ṭiuʌ^2	麌韻 麌韻
0633b	上波・025ウ6・人事	柱	去	チウ	左注	ḍiuʌ^2 ṭiuʌ^2	麌韻 麌韻
0853b	上波・033オ5・疊字	柱	去	チウ	左注	ḍiuʌ^2 ṭiuʌ^2	麌韻 麌韻
1835a	上池・069ウ1・疊字	柱	平	チウ	中注	ḍiuʌ^2 ṭiuʌ^2	麌韻 麌韻
1920a	上池・070ウ4・疊字	柱	平	チウ	中注	ḍiuʌ^2 ṭiuʌ^2	麌韻 麌韻
2981b	上加・108オ5・疊字	柱	平	チウ	左注	ḍiuʌ^2 ṭiuʌ^2	麌韻 麌韻
1734a	上池・066ウ1・人倫	住	―	チウ	右注	ḍiuʌ^3 ṭiuʌ^3	遇韻 遇韻
1820a	上池・069オ5・疊字	住	平濁	チウ	左注	ḍiuʌ^3 ṭiuʌ^3	遇韻 遇韻
1844a	上池・069ウ3・疊字	疇	平	チウ	左注	ḍiʌu^1	尤韻
1886a	上池・070オ4・疊字	稠	平	チウ	左注	ḍiʌu^1	尤韻
1937a	上池・071オ1・疊字	籌	平	チウ	右注	ḍiʌu^1	尤韻
2792	上加・101オ5・員數	籌	平	チウ	右傍	ḍiʌu^1	尤韻
1566	上度・061オ4・辞字	儔	平	チウ	右傍	ḍiʌu^1 dɑu^3	尤韻 号韻
2691	上加・098ウ6・雜物	幬	平	チウ	右傍	ḍiʌu^1 dɑu^3	尤韻 号韻
2730	上加・099ウ3・雜物	冑	去	チウ	右傍	ḍiʌu^3	宥韻
3028b	上加・109オ1・疊字	冑	去	チウ	左注	ḍiʌu^3	宥韻
2317	上和・087オ4・人事	种	平	チウ	右傍	ḍiʌuŋ^1	東韻
1793a	上池・068ウ7・疊字	仲	去	チウ	左注	ḍiʌuŋ^3	送韻
1794a	上池・068ウ7・疊字	仲	去	チウ	左注	ḍiʌuŋ^3	送韻
1795a	上池・068ウ7・疊字	仲	去	チウ	左注	ḍiʌuŋ^3	送韻
1796a	上池・068ウ7・疊字	仲	去	チウ	左注	ḍiʌuŋ^3	送韻
3080b	上加・109ウ4・疊字	直	入	チキ	右注	ḍiɐk	職韻
1781	上池・068オ2・員數	帙	入	チキ	右注	ḍiet	質韻
0815b	上波・032ウ4・疊字	逐	入	チク	右注	ḍiʌuk	屋韻
1304	上邊・051ウ3・雜物	舳	入	チク	右傍	ḍiʌuk	屋韻
1765	上池・067ウ3・雜物	軸	入濁	チク	右注	ḍiʌuk	屋韻
1799a	上池・069オ1・疊字	逐	入	チク	左注	ḍiʌuk	屋韻
3221	上与・115ウ4・雜物	軸	入	チク	右傍	ḍiʌuk	屋韻
1945a	上池・071オ2・疊字	蟄	入	チツ	右注	ḍiep	緝韻
1749	上池・067オ3・人事	秩	―	チツ ［平濁平］	右注	ḍiet	質韻

1772a	上池・067ウ5・雜物	沈	平濁	チム	右注	ḍiem$^{1/3}$ śiem^{2}	侵/沁韻 寢韻
1850a	上池・069ウ4・疊字	沈	平	チム	左注	ḍiem$^{1/3}$ śiem^{2}	侵/沁韻 寢韻
1870a	上池・070オ1・疊字	沈	平	チム	左注	ḍiem$^{1/3}$ śiem^{2}	侵/沁韻 寢韻
1871a	上池・070オ1・疊字	沈	平	チム	左注	ḍiem$^{1/3}$ śiem^{2}	侵/沁韻 寢韻
1732	上池・066ウ1・人倫	朕	去	チム	右注	ḍiem^{2}	寢韻
2043b	上利・074ウ3・疊字	塵	平	チム	左注	ḍien^{1}	眞韻
3235b	上与・117ウ1・疊字	塵	平	チム	左注	ḍien^{1}	眞韻
1760	上池・067ウ1・飲食	茶	—	チヤ	右注	ḍa^{1}	麻韻
1774a	上池・067ウ5・雜物	茶	平	チヤ	右注	ḍa^{1}	麻韻
1723	上池・065ウ7・植物	茶	平	チヤ	右注	ḍa^{1}	麻韻
0576	上波・023ウ6・人躰	腸	平	チヤウ	右傍	ḍiaŋ^{1}	陽韻
0928	上仁・036オ2・地儀	塲	去	チヤウ	右傍	ḍiaŋ^{1}	陽韻
0699	上波・028ウ5・人事	張	—	チヤウ	右傍	ḍiaŋ$^{1/3}$	陽/漾韻
1780	上池・068オ1・員數	張	平	チヤウ	右注	ḍiaŋ$^{1/3}$	陽/漾韻
1840a	上池・069ウ2・疊字	張	上	チヤウ	左注	ḍiaŋ$^{1/3}$	陽/漾韻
1933a	上池・070ウ7・疊字	張	平	チヤウ	右注	ḍiaŋ$^{1/3}$	陽/漾韻
0305b	上伊・013ウ2・疊字	長	上	チヤウ	中注	ṭiaŋ^{2} ḍiaŋ$^{1/3}$	養韻 陽/漾韻
0919b	上波・035オ3・官職	長	—	チヤウ	右注	ḍiaŋ$^{1/3}$ ṭiaŋ^{2}	陽/漾韻 養韻
1756a	上池・067オ5・人事	長	平	チヤウ	右注	ḍiaŋ$^{1/3}$ ṭiaŋ^{2}	陽/漾韻 養韻
1814a	上池・069オ4・疊字	長	平	チヤウ	左注	ḍiaŋ$^{1/3}$ ṭiaŋ^{2}	陽/漾韻 養韻
1818a	上池・069オ5・疊字	長	去濁	チヤウ	左注	ḍiaŋ$^{1/3}$ ṭiaŋ^{2}	陽/漾韻 養韻
1834a	上池・069ウ1・疊字	長	平	チヤウ	左注	ḍiaŋ$^{1/3}$ ṭiaŋ^{2}	陽/漾韻 養韻
1852a	上池・069ウ5・疊字	長	—	チヤウ	左注	ḍiaŋ$^{1/3}$ ṭiaŋ^{2}	陽/漾韻 養韻
1854a	上池・069ウ5・疊字	長	平	チヤウ	左注	ḍiaŋ$^{1/3}$ ṭiaŋ^{2}	陽/漾韻 養韻
1855a	上池・069ウ5・疊字	長	平	チヤウ	左注	ḍiaŋ$^{1/3}$ ṭiaŋ^{2}	陽/漾韻 養韻
1897a	上池・070オ7・疊字	長	去	チヤウ	左注	ḍiaŋ$^{1/3}$ ṭiaŋ^{2}	陽/漾韻 養韻

1936a	上池・070ウ7・疊字	長	平	チヤウ	中注	ḍiaŋ$^{1/3}$ ṭiaŋ^{2}	陽/漾韻 養韻
1952a	上池・071オ4・疊字	長	平	チヤウ	左注	ḍiaŋ$^{1/3}$ ṭiaŋ^{2}	陽/漾韻 養韻
1903b	上池・070ウ1・疊字	杖	去濁	チヤウ	左注	ḍiaŋ^{2}	養韻
0053b	上伊・003ウ7・植物	杖	去	チヤウ	右傍	ḍiaŋ^{2}	養韻
1665b	上度・063オ7・疊字	杖	去	チヤウ	左注	ḍiaŋ^{2}	養韻
1777	上池・068オ1・員數	丈	去濁	チヤウ	右注	ḍiaŋ^{2}	養韻
1853a	上池・069ウ5・疊字	杖	去	チヤウ	中注	ḍiaŋ^{2}	養韻
1992b	上利・073オ2・動物	杖	去	チヤウ	右傍	ḍiaŋ^{2}	養韻
2719b	上加・099オ7・雜物	杖	去	チヤウ	右傍	ḍiaŋ^{2}	養韻
1873a	上池・070オ2・疊字	著	入	チヤク	左注	ḍiak ṭiak ḍiʌ^{1} ṭiʌ$^{2/3}$	藥韻 藥韻 魚韻 語/御韻
1858a	上池・069ウ6・疊字	着	入	チヤウ	左注	ḍiak ṭiak	藥韻 藥韻
1810a	上池・069オ3・疊字	着	入	チヤク	左注	ḍiak ṭiak	藥韻 藥韻
1857a	上池・069ウ6・疊字	着	入	チヤク	左注	ḍiak ṭiak	藥韻 藥韻
1882a	上池・070オ4・疊字	着	入	チヤク	左注	ḍiak ṭiak	藥韻 藥韻
1901a	上池・070オ7・疊字	着	入	チヤク	左注	ḍiak ṭiak	藥韻 藥韻
1902a	上池・070ウ1・疊字	着	入	チヤク	左注	ḍiak ṭiak	藥韻 藥韻
1826a	上池・069オ6・疊字	儲	平	チヨ	中注	ḍiʌ^{1}	魚韻
1927a	上池・070ウ6・疊字	儲	平	チヨ	左注	ḍiʌ^{1}	魚韻
0478	上波・020ウ1・地儀	除	平	チヨ	右傍	ḍiʌ$^{1/3}$	魚/御韻
0753b	上波・031ウ6・疊字	除	平	チヨ	右注	ḍiʌ$^{1/3}$	魚/御韻
1824a	上池・069オ6・疊字	除	去濁	チヨ	左注	ḍiʌ$^{1/3}$	魚/御韻
1892a	上池・070オ6・疊字	除	平	チヨ	中注	ḍiʌ$^{1/3}$	魚/御韻
1924a	上池・070ウ5・疊字	佇	平	チヨ	右注	ḍiʌ^{2}	語韻
2206	上遠・080オ4・植物	苧	上	チヨ	右傍	ḍiʌ^{2}	語韻
2474	上加・092ウ5・植物	苧	上	チヨ	右傍	ḍiʌ^{2}	語韻
0664	上波・026ウ7・雜物	箸	去	チヨ	右傍	ḍiʌ^{3}	御韻
1949a	上池・071オ3・疊字	懲	平	チヨウ	右注	ḍieŋ^{1}	蒸韻
0896b	上波・033ウ7・疊字	重	平	チヨウ	左注	ḍiauŋ$^{1/2/3}$	鍾/腫/用韻
1792a	上池・068ウ7・疊字	重	平	チヨウ	中注	ḍiauŋ$^{1/2/3}$	鍾/腫/用韻
1837a	上池・069ウ2・疊字	重	去	チヨウ	左注	ḍiauŋ$^{1/2/3}$	鍾/腫/用韻

1878b	上池・070オ3・疊字	重	去	チヨウ	左注	ḍiɑuŋ$^{1/2/3}$	鍾/腫/用韻
1929a	上池・070ウ6・疊字	重	平	チヨウ	左注	ḍiɑuŋ$^{1/2/3}$	鍾/腫/用韻
2828	上加・103ウ4・辞字	重	平	チヨウ	右傍	ḍiɑuŋ$^{1/2/3}$	鍾/腫/用韻
1925a	上池・070ウ5・疊字	直	入	チヨク	左注	ḍiɐk	職韻
1971a	上池・072オ1・官職	直	—	チヨク	右注	ḍiɐk	職韻
0064c	上伊・004オ3・植物	躅	入	チヨク	右傍	ḍiɑuk	燭韻
1890a	上池・070オ5・疊字	沈	平	チン	左注	ḍiem$^{1/3}$ śiem^{2}	侵/沁韻 寝韻
1899a	上池・070オ7・疊字	沈	平	チン	左注	ḍiem$^{1/3}$ śiem^{2}	侵/沁韻 寝韻
1900a	上池・070オ7・疊字	沈	平	チン	左注	ḍiem$^{1/3}$ śiem^{2}	侵/沁韻 寝韻
1916a	上池・070ウ3・疊字	沈	平	チン	左注	ḍiem$^{1/3}$ śiem^{2}	侵/沁韻 寝韻
1707	上池・065オ7・地儀	塵	平	チン	右傍	ḍien^{1}	眞韻
1805a	上池・069オ2・疊字	塵	平	チン	左注	ḍien^{1}	眞韻
1754	上池・067オ4・人事	陳	—	チン	右注	ḍien$^{1/3}$	眞/震韻
1776a	上池・067ウ6・雜物	陳	平	チン	右注	ḍien$^{1/3}$	眞/震韻
1712	上池・065ウ2・地儀	陣	去濁	チン	右注	ḍien^{3}	震韻
1718a	上池・065ウ3・地儀	陣	—	チン	右注	ḍien^{3}	震韻
1830a	上池・069オ7・疊字	陣	去濁	チン	左注	ḍien^{3}	震韻
1831a	上池・069オ7・疊字	陣	去濁	チン	左注	ḍien^{3}	震韻
2737b	上加・099ウ5・雜物	槌	平	ツイ	右傍	ḍiuei^{1} ḍiue^{3}	脂韻 寘韻
1874a	上池・070オ2・疊字	重	平濁	テウ	左注	ḍiɑuŋ$^{1/2/3}$	鍾/腫/用韻
0064b	上伊・004オ3・植物	躑	入	テキ	右傍	ḍiek	昔韻
2643a	上加・097ウ3・人事	擲	入	テキ	右傍	ḍiek	昔韻
0033	上伊・003オ4・地儀	廛	平	テン	右傍	ḍian^{1}	仙韻
1027	上保・041ウ1・天象	躔	平	テン	右傍	ḍian^{1}	仙韻
0645b	上波・026オ5・雜物	纏	平	テン	右傍	ḍian$^{1/3}$	仙/線韻
0654	上波・026ウ1・雜物	幢	平	トウ	右傍	ḍauŋ$^{1/3}$	江/絳韻
0922b	上仁・035ウ7・天象	幢	平	トウ	右傍	ḍauŋ$^{1/3}$	江/絳韻
1110b	上保・044ウ7・雜物	幢	—	トウ	右注	ḍauŋ$^{1/3}$	江/絳韻
1160b	上保・047オ7・疊字	幢	去濁	トウ	左注	ḍauŋ$^{1/3}$	江/絳韻
2211	上遠・080オ5・植物	朮	入	クヰツ	右傍	ḍiuet dźiuet	術韻 術韻
2318	上和・087オ4・人事	趍	平	シ	右傍	ḍie^{1} ts'iuʌ^{1}	支韻 虞韻
2319	上和・087オ5・人事	趨	—	シ	右傍	ḍie^{1} ḍiuʌ^{1}	支韻 虞韻

【表C-03】下巻_澄母 ḍ

番号	前田本所在	掲出字		仮名音注		中古音	韻目
4112	下阿・026ウ2・植物	橙	平	タウ	右傍	ḍɐŋ^{1} tʌŋ^{3}	耕韻 嶝韻
4103a	下阿・026オ5・植物	澤	入	タク	右傍	ḍak	陌韻
4280	下阿・032ウ3・雑物	澤	入	タク	右傍	ḍak	陌韻
4435	下佐・042ウ1・地儀	澤	入	タク	右傍	ḍak	陌韻
4455a	下佐・043オ4・植物	澤	入	タク	右傍	ḍak	陌韻
4835b	下木・055オ7・天象	澤	入	タク	右傍	ḍak	陌韻
4682b	下佐・051ウ2・疊字	擇	入	タク	左注	ḍak	陌韻
6636b	下世・110ウ7・疊字	擇	入	タク	左注	ḍak	陌韻
4684b	下佐・051ウ2・疊字	擢	入	タク	左注	ḍauk	覺韻
5120b	下木・063オ7・疊字	濁	入	タク	左注	ḍauk	覺韻
6745b	下世・112オ6・疊字	濁	―	タク	右注	ḍauk	覺韻
6699b	下世・111ウ4・疊字	濯	入	タク	左注	ḍauk ḍau^{3}	覺韻 効韻
5573b	下師・080オ2・疊字	持	―	チ	右注	ḍiɐi^{1}	之韻
6373b	下飛・100オ2・國郡	治	―	チ	右傍	ḍiɐi$^{1/3}$ ḍiei^{3}	之/志韻 至韻
5351	下師・071ウ5・人躰	痔	上	チ	右傍	ḍiɐi^{2}	止韻
5008b	下木・061ウ1・疊字	池	―	チ	右傍	ḍie^{1}	支韻
4271a	下阿・032ウ1・雑物	雉	去	チ	右傍	ḍiei^{2}	旨韻
4865	下木・056ウ1・動物	雉	上	チ	右傍	ḍiei^{2}	旨韻
3818b	下江・017オ4・疊字	稚	上 去	チ	左注	ḍiei^{3}	至韻
3819b	下江・017オ4・疊字	稚	上 去	チ	左注	ḍiei^{3}	至韻
4765b	下佐・053オ1・疊字	緻	去	チ	左注	ḍiei^{3}	至韻
4722b	下佐・052オ4・疊字	除	上濁	チ	左注	ḍiʌ$^{1/3}$	魚/御韻
3971b	下手・022オ6・疊字	重	平	チウ	左注	ḍiɑuŋ$^{1/2/3}$	鍾/腫/用韻
5121b	下木・063オ7・疊字	柱	去	チウ	中注	ḍiuʌ^{2} ṭiuʌ^{2}	麌韻 麌韻
4951	下木・059ウ5・辟字	稠	平	チウ	右傍	ḍiʌu^{1}	尤韻
5781b	下師・084オ4・疊字	直	入濁	チキ	左注	ḍiɐk	職韻
6937b	下洲・120ウ2・疊字	逐	―	チク	左注	ḍiʌuk	屋韻
4164a	下阿・028オ7・人倫	妯	入 平	チク	右傍	ḍiʌuk ṭʻiʌu^{1}	屋韻 尤韻
6329b	下飛・099オ1・疊字	秩	入濁	チツ	左注	ḍiet	質韻
6353b	下飛・099オ6・疊字	聶	入濁	チフ	右傍	ḍiep dʌp	緝韻 合韻
3713b	下古・012オ4・疊字	張	―	チヤウ	左注	ḍiɑŋ$^{1/3}$	陽/漾韻
5841b	下師・084ウ7・疊字	張	上	チヤウ	右注	ḍiɑŋ$^{1/3}$	陽/漾韻

5211a	下由・065ウ6・天象	長	平	チヤウ	右傍	ḍiaŋ[1/3] ṭiaŋ[2]	陽/漾韻 養韻
4930b	下木・058ウ3・雜物	杖	去	チヤウ	右傍	ḍiaŋ[2]	養韻
5124b	下木・063オ7・疊字	杖	平	チヤウ	左注	ḍiaŋ[2]	養韻
5455b	下師・074ウ3・雜物	杖	平	チヤウ	左注	ḍiaŋ[2]	養韻
4369b	下阿・039オ7・疊字	着	―	チヤク	左注	ḍiak ṭiak	藥韻 藥韻
4745b	下佐・052ウ3・疊字	着	―	チヤク	右傍	ḍiak ṭiak	藥韻 藥韻
4760b	下佐・052ウ6・疊字	着	入	チヤク	右注	ḍiak ṭiak	藥韻 藥韻
5778b	下師・084オ3・疊字	着	入濁	チヤク	右注	ḍiak ṭiak	藥韻 藥韻
4256b	下阿・032オ5・雜物	篨	平	チヨ	右傍	ḍiʌ[1]	魚韻
3839b	下江・017ウ1・疊字	佇	去	チヨ	中注	ḍiʌ[2]	語韻
4252a	下阿・032オ3・雜物	紵	上	チヨ	右傍	ḍiʌ[2]	語韻
6169	下飛・094ウ4・雜物	杼	上	チヨ	右傍	ḍiʌ[2] dźiʌ[2]	語韻 語韻
6155b	下飛・094オ7・雜物	筯	去	チヨ	右傍	ḍiʌ[3]	御韻
6886	下洲・118オ3・辞字	澄	平	チヨウ	右傍	ḍieŋ[1] ḍaŋ[1]	蒸韻 庚韻
4058a	下阿・024ウ2・天象	重	平	チヨウ	右注	ḍiauŋ[1/2/3]	鍾/腫/用韻
6327b	下飛・098ウ7・疊字	重	平	チヨウ	左注	ḍiauŋ[1/2/3]	鍾/腫/用韻
6402c	下毛・101オ7・植物	躅	入	チヨク	右傍	ḍiauk	燭韻
5110b	下木・063オ4・疊字	塵	―	チン	左注	ḍien[1]	眞韻
5472b	下師・075オ1・雜物	塵	―	チン	右注	ḍien[1]	眞韻
6058b	下飛・091オ7・植物	陳	平	チン	右傍	ḍien[1/3]	眞/震韻
6325b	下飛・098ウ7・疊字	陳	平	チン	左注	ḍien[1/3]	眞/震韻
4938b	下木・058ウ6・光彩	塵	―	チン [平平]	右傍	ḍien[1]	眞韻
5287	下師・069ウ3・植物	椎	平	ツヰ	右傍	ḍiuei[1]	脂韻
5388c	下師・073オ5・人事	傳	上	テ	左傍	ḍiuan[1/3] ṭiuan[3]	仙/線韻 線韻
4023b	下手・023オ4・疊字	滯	去	テイ	左注	ḍiai[3]	祭韻
4533	下佐・046オ4・人事	酲	平	テイ	右傍	ḍieŋ[1]	清韻
4342	下阿・037オ5・辞字	呈	平	テイ	右傍	ḍieŋ[1/3]	清/勁韻
3971a	下手・022オ6・疊字	鄭	去	テイ	左注	ḍieŋ[3]	勁韻
3918a	下手・021オ2・雜物	兆	平濁	テウ	右注	ḍiau[2]	小韻
4693b	下佐・051ウ4・疊字	兆	去	テウ	右注	ḍiau[2]	小韻
6638b	下世・111オ1・疊字	兆	上	テウ	中注	ḍiau[2]	小韻
3926	下手・021オ7・員數	兆	去	テウ [平平]	右注	ḍiau[2]	小韻

3438a	下古・006ウ7・雑物	擲	入	テキ	右傍	ḍiek	昔韻
4029a	下手・023オ5・疊字	擲	入	テキ	左注	ḍiek	昔韻
6402b	下毛・101オ7・植物	躑	入	テキ	右傍	ḍiek	昔韻
3931	下手・021ウ3・辞字	撤	—	テツ ［平平］	右注	ḍiat ṭ'iat	薛韻 薛韻
4032a	下手・023オ7・疊字	纏	平	テン	左注	ḍian$^{1/3}$	仙/線韻
3840b	下江・017ウ1・疊字	傳	平	テン	左注	ḍiuan$^{1/3}$ ṭiuan^{3}	仙/線韻 線韻
4028a	下手・023オ5・疊字	傳	—	テン	左注	ḍiuan$^{1/3}$ ṭiuan^{3}	仙/線韻 線韻
4715b	下佐・052オ2・疊字	傳	平	テン	中注	ḍiuan$^{1/3}$ ṭiuan^{3}	仙/線韻 線韻
6969	下手・021ウ2・辞字	傳	—	テン ［平濁平］	右注	ḍiuan$^{1/3}$ ṭiuan^{3}	仙/線韻 線韻
3928	下手・021ウ2・辞字	篆	—	テン ［上平］	右注	ḍiuan^{2}	獮韻
4777b	下佐・053オ4・疊字	幢	平	トウ	右注	ḍɑuŋ$^{1/3}$	江/絳韻

【表C-03】上巻_娘母 ṇ

番号	前田本所在	掲出字		仮名音注		中古音	韻目
1908b	上池・070ウ2・疊字	怩	平濁	チ	左注	ṇiei^{1}	脂韻
3133b	上加・110ウ2・疊字	怩	去濁	チ	右傍	ṇiei^{1}	脂韻
2347	上和・088オ6・雑物	柅	平濁	チ	右傍	ṇiei$^{1/2}$ ṇiai^{2}	脂/旨韻 紙韻
3263b	上与・117ウ7・疊字	賃	平	チム	右注	ṇiem^{3}	沁韻
1770	上池・067ウ5・雑物	賃	—	チム ［平上］	右注	ṇiem^{3}	沁韻
0248b	上伊・012ウ4・疊字	女	上濁	チヨ	中注	ṇiʌ$^{2/3}$	語/御韻
1922a	上池・070ウ5・疊字	女	上濁	チヨ	中注	ṇiʌ$^{2/3}$	語/御韻
1950a	上池・071オ3・疊字	女	上濁	チヨ	右注	ṇiʌ$^{2/3}$	語/御韻
1856a	上池・069ウ5・疊字	濃	平濁	チヨウ	中注	ṇiɑuŋ^{1}	鍾韻
0307b	上伊・013ウ3・疊字	匿	入	チヨク	左注	ṇiɐk	職韻
3036b	上加・109オ2・疊字	匿	入	チヨク	左注	ṇiɐk	職韻
1000a	上仁・040オ5・疊字	女	平	ニヨ	右注	ṇiʌ$^{2/3}$	語/御韻
1019a	上仁・041オ3・官職	女	—	ニヨ	右注	ṇiʌ$^{2/3}$	語/御韻
0356b	上伊・015ウ3・国郡	濃	—	ノ	右傍	ṇiɑuŋ^{1}	鍾韻
0365b	上伊・015ウ5・国郡	濃	—	ノ	右注	ṇiɑuŋ^{1}	鍾韻
0374b	上伊・015ウ7・国郡	濃	—	ノ	右傍	ṇiɑuŋ^{1}	鍾韻
0378b	上伊・015ウ7・国郡	濃	—	ノ	右傍	ṇiɑuŋ^{1}	鍾韻
0986	上仁・039ウ2・辞字	穠	—	ノウ	右傍	ṇiɑuŋ^{1} ńiɑuŋ^{1}	鍾韻 鍾韻

2341	上和・088オ5・雜物	絮	上濁	シヨ	右傍	ṇiʌ³ ṭʻiʌ³ siʌ³	御韻 御韻 御韻

【表C-03】下巻_娘母 ṇ

番号	前田本所在	掲出字		仮名音注		中古音	韻目
4165	下阿・028オ7・人倫	尼	平	チ	右傍	ṇiei¹	脂韻
6352b	下飛・099オ6・疊字	湆	入濁	チフ	右傍	ṇiep	緝韻
5606b	下師・081オ3・疊字	女	上	チヨ	左注	ṇiʌ²ᐟ³	語/御韻
5894b	下師・085ウ2・疊字	女	—	チヨ	右注	ṇiʌ²ᐟ³	語/御韻
5970a	下會・087ウ6・植物	女	去	チヨ	右傍	ṇiʌ²ᐟ³	語/御韻
6757b	下世・112ウ1・疊字	女	上	チヨ	右注	ṇiʌ²ᐟ³	語/御韻
3905a	下手・020ウ2・飲食	黏	平濁	テム	右注	ṇiam¹	鹽韻
4586	下佐・047ウ3・雜物	檸	平	ト	右傍	ṇiʌ¹	魚韻
5926b	下師・086ウ3・國郡	濃	—	ノ	右注	ṇiauŋ¹	鍾韻
6957b	下洲・121オ5・国郡	濃	—	ノ	右傍	ṇiauŋ¹	鍾韻
4520	下佐・045ウ5・人事	呶	平	サン	右傍	ṇau¹	肴韻
6344b	下飛・099オ3・疊字	絮	上濁	シヨ	左注	ṇiʌ³ ṭʻiʌ³ siʌ³	御韻 御韻 御韻
3812b	下江・017オ2・疊字	娘	平	ラウ	左注	ṇiaŋ¹	陽韻

【表C-04】上巻_精母 ts

番号	前田本所在	掲出字		仮名音注		中古音	韻目
1690b	上度・064オ3・国郡	左	―	サ	右注	tsɑ$^{2/3}$	哿/箇韻
3284a	上波・034ウ6・國郡	佐	―	サ	右傍	tsɑ^{3}	箇韻
1687b	上度・064オ2・国郡	佐	―	サ	右傍	tsɑ^{3}	箇韻
1689a	上度・064オ2・国郡	佐	―	サ	右傍	tsɑ^{3}	箇韻
3161a	上加・111ウ5・國郡	佐	―	サ	右傍	tsɑ^{3}	箇韻
1413b	上邊・054オ1・官職	濟	―	サイ	右注	tsei$^{2/3}$	薺/霽韻
1392b	上邊・053ウ2・疊字	際	平濁	サイ	右注	tsiai^{3}	祭韻
3100b	上加・110オ1・疊字	際	平	サイ	右注	tsiai^{3}	祭韻
1183b	上保・047ウ3・疊字	宰	上	サイ	右注	tsʌi^{2}	海韻
1416	上度・054オ5・天象	載	―	サイ	右傍	tsʌi$^{2/3}$ dzʌi^{3}	海/代韻 代韻
2765a	上加・100ウ1・雜物	戕	平	サウ	右傍	tsɑŋ^{1}	唐韻
2664	上加・098オ4・飲食	糟	平	サウ	右傍	tsɑu^{1}	豪韻
0940b	上仁・036ウ1・植物	藻	上	サウ	右傍	tsɑu^{2}	晧韻
1724c	上池・066オ1・植物	藻	上	サウ	左注	tsɑu^{2}	晧韻
3015b	上加・108ウ5・疊字	藻	上	サウ	左注	tsɑu^{2}	晧韻
2458	上加・092オ3・地儀	竈	去	サウ	右傍	tsɑu^{3}	号韻
2714	上加・099オ5・雜物	竈	去	サウ	右傍	tsɑu^{3}	号韻
0192b	上伊・009オ7・員數	匝	―	サウ	右注	tsʌp	合韻
0513	上波・021オ7・植物	柞	入	サク	右傍	tsɑk dzɑk	鐸韻
1575b	上度・062オ3・疊字	作	入	サク	中注	tsɑk tsuʌ^{3} tsɑ^{3}	鐸韻 暮韻 箇韻
1673b	上度・063ウ2・疊字	作	入濁	サク	右注	tsɑk tsuʌ^{3} tsɑ^{3}	鐸韻 暮韻 箇韻
2871b	上加・106ウ4・疊字	作	入	サク	左注	tsɑk tsuʌ^{3} tsɑ^{3}	鐸韻 暮韻 箇韻
1960a	上池・071ウ3・國郡	早	―	サワ	右傍	tsɑu^{2}	晧韻
1417	上度・054オ6・天象	茲	平	シ	右傍	tsiɐi^{1} dziɐi^{1}	之韻 之韻
0596b	上波・024オ7・人躰	子	上	シ	右傍	tsiɐi^{2}	止韻
1105b	上保・044ウ7・雜物	子	上	シ	左注	tsiɐi^{2}	止韻
1264b	上保・048ウ5・疊字	子	上	シ	左注	tsiɐi^{2}	止韻
1305b	上邊・051ウ3・雜物	子	上濁	シ	右注	tsiɐi^{2}	止韻
1457b	上度・056オ2・人倫	子	―	シ	右注	tsiɐi^{2}	止韻
1513c	上度・057ウ4・雜物	子	―	シ	右注	tsiɐi^{2}	止韻
1731b	上池・066オ7・人倫	子	平	シ	右注	tsiɐi^{2}	止韻

1756c	上池・067オ5・人事	子	平	シ	右注	tsiɐi^{2}	止韻
1768b	上池・067ウ4・雜物	子	上	シ	右注	tsiɐi^{2}	止韻
1773b	上池・067ウ5・雜物	子	平濁	シ	右注	tsiɐi^{2}	止韻
1775b	上池・067ウ6・雜物	子	平	シ	右注	tsiɐi^{2}	止韻
1851b	上池・069ウ4・疊字	子	平	シ	左注	tsiɐi^{2}	止韻
1995c	上利・073オ4・人倫	子	—	シ	右注	tsiɐi^{2}	止韻
2301b	上和・086ウ3・人倫	子	上	シ	右傍	tsiɐi^{2}	止韻
2451b	上加・092オ1・地儀	子	—	シ	右注	tsiɐi^{2}	止韻
2452b	上加・092オ1・地儀	子	—	シ	右注	tsiɐi^{2}	止韻
2496b	上加・093ウ1・植物	子	—	シ	右傍	tsiɐi^{2}	止韻
3060b	上加・109オ7・疊字	子	平	シ	左注	tsiɐi^{2}	止韻
1568c	上度・057ウ4・雜物	子	—	シ	右注	tsiɐi^{2}	止韻
2724b	上加・099ウ2・雜物	子	—	シ [上]	右注	tsiɐi^{2}	止韻
0173b	上伊・008ウ4・雜物	子	—	シ [上]	右注	tsiɐi^{2}	止韻
6976b	下佐・047ウ1・雜物	子	上	シ [上]	右注	tsiɐi^{2}	止韻
0421b	上呂・018オ5・雜物	子	—	シ [上濁]	右傍	tsiɐi^{2}	止韻
0422b	上呂・018オ5・雜物	子	—	シ [上濁]	右注	tsiɐi^{2}	止韻
0423b	上呂・018オ5・雜物	子	—	シ [上濁]	右注	tsiɐi^{2}	止韻
2587	上加・096オ4・人體	髭	平	シ	右傍	tsie^{1}	支韻
0619	上波・025オ5・人事	訾	—	シ	右傍	tsie$^{1/2}$	支/紙韻
0085a	上伊・004ウ6・動物	紫	去	シ	右傍	tsie^{2}	紙韻
0970b	上仁・038オ7・雜物	紫	上	シ	右注	tsie^{2}	紙韻
1963b	上池・071ウ5・國郡	紫	—	シ	右注	tsie^{2}	紙韻
1980b	上池・072オ5・姓氏	紫	—	シ	右注	tsie^{2}	紙韻
0103	上伊・005ウ2・人倫	姉	上	シ	右傍	tsiɐi^{2}	旨韻
3202a	上与・114ウ3・人職	津	平	シ	右傍	tsien^{1}	眞韻
0847b	上波・033オ4・疊字	酒	上	シウ	左注	tsiʌu^{2}	有韻
0962	上仁・038オ2・飲食	漿	—	シヤウ	右傍	tsiaŋ^{1}	陽韻
1039b	上保・042オ1・植物	漿	—	シヤウ	右傍	tsiaŋ^{1}	陽韻
2334b	上和・087ウ7・人事	蠹	平濁	シヤウ	右注	tsiaŋ^{1}	陽韻
1135	上保・045ウ7・方角	將	平	シヤウ	右傍	tsiaŋ$^{1/3}$	陽/漾韻
1531	上度・058オ7・辞字	将	—	シヤウ	右傍	tsiaŋ$^{1/3}$	陽/漾韻
1969b	上池・071ウ7・官職	将	—	シヤウ	右注	tsiaŋ$^{1/3}$	陽/漾韻
2475b	上加・092ウ5・植物	槳	—	シヤウ	左傍	tsiaŋ^{2}	養韻
2293b	上和・086オ3・植物	醬	去	シヤウ	右傍	tsiaŋ^{3}	漾韻
1460a	上度・056オ6・人體	雀	徳	シヤク	右傍	tsiak	藥韻
0613	上波・025オ3・人事	諏	平	シユ	右傍	tsiuʌ^{1} tsʌu^{1}	虞韻 侯韻

0626	上波・025ウ2・人事	諏	平	シユ	右傍	tsiuʌ[1] tsʌu[1]	虞韻 侯韻
1576b	上度・062オ3・疊字	酒	上	シユ	左注	tsiʌu[2]	有韻
3056b	上加・109オ6・疊字	酒	上	シユ	左注	tsiʌu[2]	有韻
3057b	上加・109オ6・疊字	酒	上	シユ	左注	tsiʌu[2]	有韻
3134b	上加・110ウ2・疊字	且	―	シヨ	右傍	tsiʌ[1] ts'ia[2]	魚韻 馬韻
0792b	上波・032オ7・疊字	苴	平	シヨ	右注	tsiʌ[1/2] ts'iʌ[1] dẓa[1]	魚/麌韻 魚韻 麻韻
0773b	上波・032オ3・疊字	縦	去	シヨウ	左注	tsiɑuŋ[1/3]	鍾/用韻
1386b	上邊・053ウ1・疊字	進	平濁	シン	中注	tsien[3]	震韻
1914b	上池・070ウ3・疊字	酒	上	ス	左注	tsiʌu[2]	有韻
1916b	上池・070ウ3・疊字	粋	去	スイ	左注	tsiuei[3]	至韻
2655b	上加・098オ1・人事	酔	平	スイ	左注	tsiuei[3]	至韻
0159	上伊・008オ5・飲食	臇	平	スヰ	右傍	tsiue[1] tsiuan[2]	支韻 獮韻
1450	上度・055ウ2・動物	駿	去	スン	右傍	tsiuen[3] siuen[3]	稕韻 稕韻
1343b	上邊・052ウ6・疊字	濟	上濁	セイ	中注	tsei[2/3]	薺/霽韻
2286	上和・085ウ6・地儀	濟	上	セイ	右傍	tsei[2/3]	薺/霽韻
2976b	上加・108オ4・疊字	濟	上濁	セイ	右注	tsei[2/3]	薺/霽韻
0504c	上波・021オ3・植物	精	平	セイ	右傍	tsieŋ[1]	清韻
0651	上波・026オ7・雜物	旌	平	セイ	右傍	tsieŋ[1]	清韻
0895b	上波・033ウ6・疊字	精	平	セイ	左注	tsieŋ[1]	清韻
0932	上仁・036オ4・植物	菁	平	セイ	右傍	tsieŋ[1]	清韻
2750b	上加・100オ3・雜物	箐	平	セイ	右傍	tsieŋ[1]	清韻
0072b	上伊・004ウ1・動物	鶄	平	セイ	右傍	tsieŋ[1] ts'eŋ[1]	清韻 青韻
0497b	上波・021オ2・植物	蕉	平	セウ	右傍	tsiau[1]	宵韻
0515	上波・021ウ1・植物	椒	平	セウ	右傍	tsiau[1]	宵韻
1657b	上度・063オ6・疊字	跡	入	セキ	左注	tsiek	昔韻
1728b	上池・066オ5・動物	鯽	入	セキ	右傍	tsiek	昔韻
2158	上奴・077ウ2・人事	踖	―	セキ	右傍	tsiek	昔韻
0944a	上仁・036ウ3・植物	鶺	―	セキ	右傍	tsiek tsiɐk	昔韻 職韻
1446a	上度・055ウ1・動物	鶺	入	セキ	右傍	tsiek tsiɐk	昔韻 職韻
2282b	上遠・084ウ7・疊字	積	入	セキ	左注	tsiek tsie[3]	昔韻 寘韻
1862b	上池・069ウ7・疊字	節	入	セチ	左注	tset	屑韻
1113	上保・045オ1・雜物	熥	入	セツ	右傍	tset	屑韻
2607	上加・096オ7・人體	癤	入	セツ	右傍	tset	屑韻

2573a	上加・095ウ4・人倫	檝	入	セフ	右傍	tsiap dziep	葉韻 緝韻
2763	上加・100オ7・雑物	檝	入	セフ	右傍	tsiap dziep	葉韻 緝韻
0203	上伊・010ウ2・辞字	漸	平	セム	右傍	tsiam^{1} dziam^{2}	鹽韻 琰韻
1155b	上保・047オ4・疊字	瞻	平	セム	右注	tśiam^{1}	鹽韻
0196	上伊・009ウ7・辞字	煎	平	セン	右傍	tsian$^{1/3}$	仙/線韻
0184c	上伊・008ウ7・雑物	箭	去	セン	右傍	tsian^{3}	線韻
2480b	上加・092ウ7・植物	箭	—	セン	右傍	tsian^{3}	線韻
1454b	上度・055ウ6・人倫	祖	上	ソ	右傍	tsuʌ^{2}	姥韻
2185b	上留・079ウ1・疊字	祖	上	ソ	右注	tsuʌ^{2}	姥韻
2073a	上利・075オ2・疊字	祖	上	ソ	左注	tsuʌ^{2}	姥韻
1310	上邊・051ウ4・雑物	綜	去	ソウ	右傍	tsɑuŋ^{3}	宋韻
0957	上仁・037ウ4・人事	憎	平	ソウ	右傍	tsʌŋ^{1}	登韻
0762b	上波・032オ1・疊字	増	去濁	ソウ	右注	tsʌŋ$^{1/3}$	登/嶝韻
1249b	上保・048ウ2・疊字	走	平濁	ソウ	中注	tsʌu$^{2/3}$	厚/候韻
1939b	上池・071オ1・疊字	走	平	ソウ	右注	tsʌu$^{2/3}$	厚/候韻
0090	上伊・004ウ7・動物	鯼	平	ソウ	右傍	tsʌuŋ$^{1/3}$	東/送韻
1727	上池・066オ5・動物	鯼	平	ソウ	右傍	tsʌuŋ$^{1/3}$	東/送韻
2265	上遠・083ウ2・辞字	揔		ソウ	右傍	tsʌuŋ^{2}	董韻
1761	上池・067ウ1・飲食	糉	去	ソウ	右傍	tsʌuŋ^{3}	送韻
0235b	上伊・012ウ2・疊字	則	入	ソク	右注	tsʌk	徳韻
1221b	上保・048オ3・疊字	卒	入	ソツ	左注	tsuʌt ts'uʌt tsiuet	没韻 没韻 術韻
2572b	上加・095ウ3・人倫	卒	—	ソツ	右傍	tsuʌt ts'uʌt tsiuet	没韻 没韻 術韻
2266	上遠・083ウ3・辞字	遒	—	イウ	右傍	tsiʌu^{1} dziʌu^{1}	尤韻 尤韻
0920a	上波・035オ3・官職	將		ハン	右注	tsiɑŋ$^{1/3}$	陽/漾韻
1484b	上度・057オ2・飲食	齏	—	ヒ	右傍	tsei^{1}	齊韻

【表C-04】下巻_精母 ts

番号	前田本所在	掲出字		仮名音注		中古音	韻目
4267	下阿・032オ7・雑物	罝	平	サ	右傍	tsia^{1}	麻韻
3871b	下江・017ウ7・疊字	佐	—	サ	左注	tsɑ^{3}	箇韻
4096b	下阿・026オ2・植物	佐	—	サ	右注	tsɑ^{3}	箇韻
4410a	下阿・040ウ6・国郡	佐	—	サ	右傍	tsɑ^{3}	箇韻

4679a	下佐・051ウ1・疊字	作	平	サ	中注	tsɑ^{3} tsuʌ^{3} tsɑk	箇韻 暮韻 鐸韻
4707a	下佐・051ウ7・疊字	嗟	平	サ	左注	tsɑ^{1}	麻韻
4723a	下佐・052オ4・疊字	左	平	サ	左注	tsɑ$^{2/3}$	哿/箇韻
4739a	下佐・052ウ1・疊字	𠂇	上	サ	左注	tsɑ$^{2/3}$	哿/箇韻
4827a	下佐・054ウ7・姓氏	佐	―	サ	右注	tsɑ^{3}	箇韻
4828a	下佐・054ウ7・姓氏	佐	―	サ	右注	tsɑ^{3}	箇韻
4830a	下佐・055オ1・姓氏	佐	―	サ	右傍	tsɑ^{3}	箇韻
4830b	下佐・055オ1・姓氏	佐	―	サ	右傍	tsɑ^{3}	箇韻
4831a	下佐・055オ1・姓氏	佐	―	サ	右注	tsɑ^{3}	箇韻
5931a	下師・086ウ3・國郡	佐	―	サ	右傍	tsɑ^{3}	箇韻
6379a	下飛・100オ2・國郡	佐	―	サ	右傍	tsɑ^{3}	箇韻
6958a	下洲・121オ5・国郡	佐	―	サ	右傍	tsɑ^{3}	箇韻
4829a	下佐・055オ1・姓氏	佐	―	サ ［上］	右注	tsɑ^{3}	箇韻
4567a	下佐・047オ4・雑物	作	去	サ ［去］	右注	tsɑ^{3} tsuʌ^{3} tsɑk	箇韻 暮韻 鐸韻
3655b	下古・011オ6・疊字	宰	―	サイ	左注	tsʌi^{2}	海韻
3960b	下手・022オ4・疊字	宰	上	サイ	左注	tsʌi^{2}	海韻
4537a	下佐・046オ5・人事	最	去	サイ	左注	tsuɑi^{3}	泰韻
4685a	下佐・051ウ2・疊字	冣	去	サイ	中注	tsuɑi^{3}	泰韻
4686a	下佐・051ウ2・疊字	最	去	サイ	左注	tsuɑi^{3}	泰韻
4687a	下佐・051ウ3・疊字	冣	去	サイ	左注	tsuɑi^{3}	泰韻
4688a	下佐・051ウ3・疊字	冣	去	サイ	左注	tsuɑi^{3}	泰韻
4691a	下佐・051ウ4・疊字	災	平	サイ	中注	tsʌi^{1}	咍韻
4692a	下佐・051ウ4・疊字	災	去	サイ	左注	tsʌi^{1}	咍韻
4795a	下佐・053ウ2・疊字	際	平	サイ	左注	tsiai^{3}	祭韻
4821a	下佐・054ウ2・官職	宰	―	サイ	右注	tsʌi^{2}	海韻
5772b	下師・084オ2・疊字	載	平濁	サイ	右注	tsʌi$^{2/3}$ dzʌi^{3}	海/代韻 代韻
6507b	下世・107オ3・植物	栽	―	サイ ［上上］	右注	tsʌi$^{1/3}$	咍/代韻
4667a	下佐・051オ6・疊字	最	去	（サイ）	―	tsuɑi^{3}	泰韻
4118c	下阿・026ウ4・植物	澡	上	サウ	右傍	tsɑu^{2}	晧韻
4452a	下佐・043オ2・地儀	藻	上	サウ	右傍	tsɑu^{2}	晧韻
4530a	下佐・046オ3・人事	葬	―	サウ	右注	tsɑŋ^{3}	宕韻
4635a	下佐・050ウ4・重點	早	―	サウ	右注	tsɑu^{2}	晧韻
4635b	下佐・050ウ4・重點	早	―	サウ	右注	tsɑu^{2}	晧韻
4642a	下佐・050ウ7・疊字	早	上	サウ	中注	tsɑu^{2}	晧韻
4643a	下佐・050ウ7・疊字	早	上	サウ	左注	tsɑu^{2}	晧韻
4689a	下佐・051ウ3・疊字	早	―	サウ	左注	tsɑu^{2}	晧韻

4719a	下佐・052オ3・疊字	躁	去	サウ	左注	tsau^{3}	号韻
4768a	下佐・053オ1・疊字	臧	平 去濁	サウ	左注	tsaŋ^{1}	唐韻
4773a	下佐・053オ3・疊字	糟	去	サウ	左注	tsau^{1}	豪韻
5567b	下師・079ウ5・疊字	迊	去	サウ	右注	tsʌp	合韻
5223	下由・066オ6・植物	柞	入	サク	右傍	tsak dzak	鐸韻 鐸韻
4598a	下佐・047ウ7・雜物	澡	上	サク	左傍	tsau^{2}	晧韻
4599a	下佐・047ウ7・雜物	澡	上	サク	右注	tsau^{2}	晧韻
4748b	下佐・052ウ4・疊字	作	—	サク	左注	tsak	鐸韻
4811b	下佐・054オ4・國郡	作	—	サク	右傍	tsak	鐸韻
6780a	下洲・113ウ3・地儀	簀	入	サク	右傍	tsɐk	麥韻
4805a	下佐・054オ3・國郡	讃	—	サヌ	右傍	tsan^{3}	翰韻
5924a	下師・086ウ2・國郡	匝	—	サフ	右傍	tsʌp	合韻
4923	下木・058ウ1・雜物	鐕	平	サム	右傍	tsʌm^{1}	覃韻
4944	下佐・052オ6・疊字	鑽	去	サン	左注	tsuan$^{1/3}$	桓/換韻
4944	下木・059オ6・辞字	鑽	平	サン	右傍	tsuan$^{1/3}$	桓/換韻
6157	下飛・094ウ1・雜物	鑽	—	サン	右傍	tsuan$^{1/3}$	桓/換韻
4661a	下佐・051オ4・疊字	讃	平	サン	右注	tsan^{3}	翰韻
4676a	下佐・051オ7・疊字	讃	平	サン	左注	tsan^{3}	翰韻
5904b	下師・085ウ4・疊字	讃	—	サン	右傍	tsan^{3}	翰韻
4110	下阿・026ウ2・植物	梓	上	シ	右傍	tsiɐi^{2}	止韻
4160	下阿・028オ6・人倫	姉	上	シ	右傍	tsiei^{2}	旨韻
5486	下師・075ウ2・員數	滋	平	シ	右傍	tsiɐi^{1}	之韻
6117	下飛・093オ1・人躰	髭	平	シ	右傍	tsie^{1}	支韻
3561b	下古・007オ6・雜物	子	上	シ	右傍	tsiɐi^{2}	止韻
3746a	下江・014ウ1・植物	紫	上	シ	右傍	tsie^{2}	紙韻
3781c	下江・015ウ7・雜物	子	—	シ	右傍	tsiɐi^{2}	止韻
3811b	下江・017オ2・疊字	姿	平	シ	左注	tsiei^{1}	脂韻
3873a	下手・018ウ4・天象	紫	去	シ	右注	tsie^{2}	紙韻
4109a	下阿・026ウ1・植物	紫	上	シ	右傍	tsie^{2}	紙韻
4249b	下阿・032オ2・雜物	子	—	シ	右注	tsiɐi^{2}	止韻
4402a	下阿・040ウ5・国郡	滋	—	シ	右傍	tsiɐi^{1}	之韻
4580b	下佐・047ウ1・雜物	子	上	シ	右注	tsiɐi^{2}	止韻
4590a	下佐・047ウ4・雜物	貲	平	シ	右傍	tsie^{1}	支韻
4596b	下佐・047ウ7・雜物	子	—	シ	右注	tsiɐi^{2}	止韻
5275a	下師・069オ6・植物	紫	上	シ	右注	tsie^{2}	紙韻
5281a	下師・069ウ1・植物	紫	去	シ	右注	tsie^{2}	紙韻
5289a	下師・069ウ4・植物	紫	上	シ	右注	tsie^{2}	紙韻
5301b	下師・070オ4・動物	子	—	シ	右注	tsiɐi^{2}	止韻
5395a	下師・073ウ1・飲食	粢	平	シ	右傍	tsiei^{1}	脂韻
5452b	下師・074ウ1・雜物	子	—	シ	右注	tsiɐi^{2}	止韻
5465b	下師・074ウ6・雜物	子	上	シ	右傍	tsiɐi^{2}	止韻

5467a	下師・074ウ7・雜物	紫	平	シ	右注	tsie^{2}	紙韻
5469a	下師・074ウ7・雜物	紫	―	シ	右注	tsie^{2}	紙韻
5470a	下師・074ウ7・雜物	紫	―	シ	右注	tsie^{2}	紙韻
5524a	下師・078ウ4・疊字	紫	上	シ	左注	tsie^{2}	紙韻
5529a	下師・078ウ5・疊字	紫	上	シ	中注	tsie^{2}	紙韻
5558a	下師・079ウ2・疊字	粢	―	シ	左注	tsiei^{1}	脂韻
5750b	下師・083ウ3・疊字	子	―	シ	右注	tsiɐi^{2}	止韻
5760a	下師・083ウ6・疊字	資	去	シ	左注	tsiei^{1}	脂韻
5761a	下師・083ウ6・疊字	資	去	シ	左注	tsiei^{1}	脂韻
5767a	下師・084オ2・疊字	子	―	シ	左注	tsiɐi^{2}	止韻
5844a	下師・084ウ7・疊字	紫	上	シ	中注	tsie^{2}	紙韻
5853a	下師・085オ2・疊字	子	上	シ	右注	tsiɐi^{2}	止韻
5869a	下師・085オ4・疊字	紫	去	シ	右注	tsie^{2}	紙韻
5870a	下師・085オ5・疊字	紫	去	シ	右注	tsie^{2}	紙韻
5894c	下師・085ウ2・疊字	子	―	シ	右注	tsiɐi^{2}	止韻
5906b	下師・085ウ4・疊字	資	―	シ	右傍	tsiei^{1}	脂韻
5907a	下師・085ウ5・疊字	子	―	シ	右傍	tsiɐi^{2}	止韻
5907b	下師・085ウ5・疊字	子	―	シ	右傍	tsiɐi^{2}	止韻
6066c	下飛・091ウ2・植物	子	―	シ	右注	tsiɐi^{2}	止韻
6072c	下飛・091ウ4・植物	子	―	シ	右注	tsiɐi^{2}	止韻
6149b	下飛・094オ6・雜物	子	―	シ	右注	tsiɐi^{2}	止韻
3557b	下古・007オ6・雜物	子	上	シ [上]	右注	tsiɐi^{2}	止韻
3916b	下手・021オ1・雜物	子	―	シ [上]	右注	tsiɐi^{2}	止韻
3892b	下手・019ウ3・人倫	子	―	シ [平]	右注	tsiɐi^{2}	止韻
6971a	下師・069ウ4・植物	椶	―	シウ	右注	tsʌuŋ^{1}	東韻
6352a	下飛・099オ6・疊字	濈	入	シフ	右傍	tsiep	緝韻
5857a	下師・085オ2・疊字	晉	去	シム	右注	tsien^{3}	震韻
6832a	下洲・116オ2・雜物	晉	去	シム	右傍	tsien^{3}	震韻
6135	下飛・093ウ7・飲食	醤	平 去	シヤウ	右傍	tsiaŋ^{3}	漾韻
6514	下世・107ウ3・動物	蹩	平	シヤウ	右傍	tsiaŋ^{1}	陽韻
3994b	下手・022ウ4・疊字	獎	平	シヤウ	中注	tsiaŋ^{2}	養韻
4819a	下佐・054ウ2・官職	将	―	シヤウ	右傍	tsiaŋ$^{1/3}$	陽/漾韻
4984b	下木・061オ3・疊字	蹡	―	シヤウ	左注	tsiaŋ^{1}	陽韻
5065b	下木・062オ6・疊字	精	―	シヤウ	左注	tsieŋ^{1}	清韻
5599a	下師・080ウ6・疊字	将	去	シヤウ	左注	tsiaŋ$^{1/3}$	陽/漾韻
5784b	下師・084オ4・疊字	章	平	シヤウ	右注	tśiaŋ^{1}	陽韻
5820a	下師・084ウ3・疊字	精	上	シヤウ	左注	tsieŋ^{1}	清韻
5827a	下師・084ウ5・疊字	精	―	シヤウ	右注	tsieŋ^{1}	清韻
6136b	下飛・093ウ7・飲食	蹡	平	シヤウ	右傍	tsiaŋ^{1}	陽韻
6762b	下世・112ウ7・官職	将	―	シヤウ	右傍	tsiaŋ$^{1/3}$	陽/漾韻

6766a	下世・113オ1・官職	将	―	シヤウ	右傍	tsiaŋ$^{1/3}$	陽/漾韻
6854b	下洲・116オ7・雑物	精	上	シヤウ	右傍	tsieŋ^{1}	清韻
3917b	下手・021オ1・雑物	精	―	シヤウ［上上上］	右注	tsieŋ^{1}	清韻
5373	下師・072ウ2・人事	爵	―	シヤク	右注	tsiɑk	薬韻
6802	下洲・114オ6・動物	雀	―	シヤク	右傍	tsiɑk	薬韻
3829b	下江・017オ6・疊字	爵	入	シヤク	右傍	tsiɑk	薬韻
5741a	下師・083オ6・疊字	雀	徳	シヤク	右注	tsiɑk	薬韻
5814a	下師・084ウ2・疊字	積	―	シヤク	右注	tsiek tsie^{3}	昔韻 寘韻
5842a	下師・084ウ7・疊字	雀	入	シヤク	右傍	tsiɑk	薬韻
5849a	下師・085オ1・疊字	雀	徳	シヤク	右注	tsiɑk	薬韻
5909a	下師・085ウ5・疊字	酒	―	シユ	右傍	tsiʌu^{2}	有韻
5510	下師・077ウ1・辞字	遵	平	シユン	右傍	tsiuen^{1}	諄韻
5948a	下師・087オ1・官職	俊	―	シユン	右注	tsiuen^{3}	稕韻
4293b	下阿・033オ1・雑物	苴	平	シヨ	右傍	tsiʌ$^{1/2}$ ts'iʌ^{1} dẓa^{1}	魚/麌韻 魚韻 麻韻
5696a	下師・082ウ2・疊字	縦	平	シヨウ	左注	tsiɑuŋ$^{1/3}$	鍾/用韻
5343a	下師・071ウ2・人躰	縦	―	シヨウ［平上上］	右注	tsiɑuŋ$^{1/3}$	鍾/用韻
4614	下佐・048ウ3・辞字	僭	―	シン	右傍	tsian^{3}	線韻
6765	下世・112ウ7・官職	進	―	シン	右傍	tsien^{3}	震韻
5574a	下師・080オ2・疊字	進	去	シン	右注	tsien^{3}	震韻
5590b	下師・080ウ3・疊字	進	平濁	シン	左注	tsien^{3}	震韻
5630a	下師・081ウ1・疊字	進	平	シン	左注	tsien^{3}	震韻
5753a	下師・083ウ4・疊字	進	平	シン	左注	tsien^{3}	震韻
5758a	下師・083ウ5・疊字	進	去	シン	左注	tsien^{3}	震韻
5946a	下師・086ウ7・官職	進	―	シン	右注	tsien^{3}	震韻
6774	下洲・113ウ1・地儀	陬	平	ス	右傍	tsiuʌ^{1} tsʌu^{1} tṣiʌu^{1}	虞韻 侯韻 尤韻
3408c	下古・006オ1・人事	酒	上	ス	左注	tsiʌu^{2}	有韻
5928a	下師・086ウ3・國郡	諏	―	ス	右傍	tsiuʌ^{1} tsʌu^{1}	虞韻 侯韻
6847a	下洲・116オ5・雑物	酒	―	ス	右注	tsiʌu^{2}	有韻
6792a	下洲・114オ1・植物	椶	―	ス［去］	右注	tsʌuŋ^{1}	東韻
3838b	下江・017オ7・疊字	酔	去	スイ	中注	tsiuei^{3}	至韻
6916a	下洲・120オ5・疊字	綷	去	スイ	左注	tsuʌi^{3}	隊韻
6919a	下洲・120オ5・疊字	酔	去	スイ	左注	tsiuei^{3}	至韻
6920a	下洲・120オ5・疊字	酔	―	スイ	左注	tsiuei^{3}	至韻
6940a	下洲・120ウ3・疊字	酔	去	スイ	右傍	tsiuei^{3}	至韻

6949a	下洲・121オ5・国郡	駿	—	スル	右注	tsiuen^{3} siuen^{3}	稕韻 稕韻
4237	下阿・031オ7・飲食	韲	平	セイ	右傍	tsei^{1}	齊韻
4238	下阿・031オ7・飲食	齏	平	セイ	右傍	tsei^{1}	齊韻
4600	下佐・048オ1・雑物	精	平	セイ	右傍	tsieŋ^{1}	清韻
6200	下飛・095オ5・光彩	晶	平	セイ	右傍	tsieŋ^{1}	清韻
6522	下世・107ウ7・人躰	精	平	セイ	右注	tsieŋ^{1}	清韻
6893	下洲・119オ6・辞字	精	—	セイ	右傍	tsieŋ^{1}	清韻
4099b	下阿・026オ4・植物	菁	平	セイ	右傍	tsieŋ^{1}	清韻
6566a	下世・109ウ7・重點	濟	—	セイ	右注	tsei$^{2/3}$	薺/霽韻
6566b	下世・109ウ7・重點	濟	—	セイ	右注	tsei$^{2/3}$	薺/霽韻
6599a	下世・110オ7・疊字	祭	去	セイ	中注	tsiai^{3} tsɐi^{3}	祭韻 怪韻
6657a	下世・111オ4・疊字	精	平	セイ	左注	tsieŋ^{1}	清韻
6692a	下世・111ウ3・疊字	精	平	セイ	左注	tsieŋ^{1}	清韻
6701a	下世・111ウ4・疊字	精	平	セイ	左注	tsieŋ^{1}	清韻
3585	下古・009オ6・辞字	焦	平	セウ	右傍	tsiau^{1}	宵韻
4472a	下佐・043ウ7・動物	鷦	平	セウ	右傍	tsiau^{1}	宵韻
5555b	下師・079オ7・疊字	櫼	—	セウ	左注	tsiap dziep	葉韻 緝韻
5828b	下師・084ウ5・疊字	噍	平	セウ	右注	tsiau^{1} dziau^{3} tsiʌu^{1}	宵韻 笑韻 尤韻
6490a	下世・106ウ4・地儀	昭	平	セウ	右傍	tsiau^{1}	宵韻
6500a	下世・106ウ6・地儀	昭	平	セウ	右傍	tsiau^{1}	宵韻
6504a	下世・106ウ7・地儀	昭	平	セウ	右傍	tsiau^{1}	宵韻
6644a	下世・111オ2・疊字	昭	平 去	セウ	中注	tsiau^{1}	宵韻
5048b	下木・062オ3・疊字	踖	入	セキ	左注	tsiek	昔韻
6186b	下飛・095オ2・雑物	積	入	セキ	右傍	tsiek tsie^{3}	昔韻 寘韻
6291b	下飛・098ウ1・疊字	跡	入	セキ	左注	tsiek	昔韻
6596a	下世・110オ7・疊字	積	入	セキ	右傍	tsiek tsie^{3}	昔韻 寘韻
6658a	下世・111オ4・疊字	積	入	セキ	左注	tsiek tsie^{3}	昔韻 寘韻
6484	下世・106ウ1・天象	節	—	セチ	右注	tset	屑韻
5170b	下木・064オ3・疊字	節	入	セツ	左注	tset	屑韻
6527	下世・108オ3・人事	節	—	セツ [上上]	右傍	tset	屑韻
4630	下佐・050ウ1・辞字	接	入	セフ	右傍	tsiap	葉韻
6593a	下世・110オ6・疊字	接	—	セフ	右注	tsiap	葉韻
6222	下飛・096ウ7・辞字	熸	平	セム	右傍	tsiam^{1}	鹽韻

6567a	下世・109ウ7・重點	漸	—	セム	右注	tsiam^{1} dziam^{2}	鹽韻 琰韻
6567b	下世・109ウ7・重點	漸	—	セム	右注	tsiam^{1} dziam^{2}	鹽韻 琰韻
3566	下古・007ウ1・雜物	薦	去	セン	右傍	tsen^{3}	霰韻
5443	下師・074オ5・雜物	韉	平	セン	右傍	tsen^{1}	先韻
6439	下毛・103オ5・雜物	剪	上	セン	右傍	tsian^{1}	獮韻
6535	下世・108ウ3・飲食	煎	—	セン	右傍	tsian$^{1/3}$	仙/線韻
6559	下世・109ウ4・辞字	煎	—	セン	右注	tsian$^{1/3}$	仙/線韻
6505a	下世・107オ2・植物	栴	去	セン	右注	tsian^{1}	仙韻
6735a	下世・112オ4・疊字	薦	去	セン	右注	tsen^{3}	霰韻
6534a	下世・108ウ3・飲食	煎	—	セン [平平]	右注	tsian$^{1/3}$	仙/線韻
3734b	下古・013ウ3・姓氏	曽	—	ソ	右注	tsʌŋ^{1} dzʌŋ^{1}	登韻 登韻
3750	下江・014ウ2・植物	椶	平	ソウ	右傍	tsʌuŋ^{1}	東韻
3751	下江・014ウ3・植物	葼	平	ソウ	右傍	tsʌuŋ^{1}	東韻
4263	下阿・032オ6・雜物	罾	平	ソウ	右傍	tsʌŋ^{1}	登韻
5291	下師・069ウ5・植物	葼	—	ソウ	右傍	tsʌuŋ^{1}	東韻
6799	下洲・114オ2・植物	葼	平	ソウ	右注	tsʌuŋ^{1}	東韻
4169a	下阿・028ウ2・人倫	総	上	ソウ	右傍	tsʌuŋ^{2}	董韻
5125b	下木・063ウ1・疊字	奏	去	ソウ	右注	tsʌu^{3}	候韻
6096a	下飛・092ウ1・人倫	曽	平	ソウ	右傍	tsʌŋ^{1} dzʌŋ^{1}	登韻 登韻
5290a	下師・069ウ4・植物	椶	—	ソウ	右傍	tsʌuŋ^{1}	東韻
4054b	下阿・024ウ2・天象	則	入	ソク	右注	tsʌk	徳韻
5473b	下師・075オ1・雜物	足	—	ソク	右注	tsiɑuk tsiuʌ^{3}	燭韻 遇韻
4644b	下佐・051オ1・疊字	卒	入	ソツ	左注	tsuʌt ts'uʌt tsiuet	没韻 没韻 術韻
6404a	下毛・101オ7・植物	子	—	シ [平濁]	右傍	tsiɐi^{2}	止韻
4617	下佐・049オ1・辞字	災	—	サイ [平平]	右傍	tsʌi^{1}	咍韻
4326	下阿・035ウ2・辞字	遒	平	イウ	右傍	tsiʌu^{1} dziʌu^{1}	尤韻 尤韻
6556	下世・109ウ1・辞字	遒	—	イウ	右傍	tsiʌu^{1} dziʌu^{1}	尤韻 尤韻
6563	下世・109ウ5・辞字	遒	—	イウ	右傍	tsiʌu^{1} dziʌu^{1}	尤韻 尤韻
6938a	下洲・120ウ2・疊字	遵	平濁	スキン	左注	tsiuen^{1}	諄韻

【表C-04】上巻_清母 ts‘

番号	前田本所在	掲出字		仮名音注		中古音	韻目
0785b	上波・032オ5・疉字	磋	平	サ	右注	ts‘ɑ$^{1/3}$	歌/箇韻
0351a	上伊・015オ2・疉字	綵	上	サイ	右傍	ts‘ʌi^{2}	海韻
0922a	上仁・035ウ7・天象	採	上	サイ	右傍	ts‘ʌi^{2}	海韻
1538	上度・058ウ5・辞字	采	―	サイ	右傍	ts‘ʌi^{2}	海韻
0342b	上伊・014オ3・疉字	彩	上	サイ	右注	ts‘ʌi^{2}	海韻
2338b	上和・088オ3・飲食	菜	―	サイ	右注	ts‘ʌi^{3}	代韻
2672a	上加・098オ5・飲食	糙	去	サウ	右傍	ts‘ɑu^{3}	号韻
1086b	上保・044オ2・人事	槍	平	サウ	右傍	ts‘iɑŋ^{1} tʂ‘iaŋ^{1}	陽韻 庚韻
1438c	上度・055オ3・植物	草	―	サウ	右傍	ts‘ɑu^{2}	晧韻
2471b	上加・092ウ4・植物	草	―	サウ	右傍	ts‘ɑu^{2}	晧韻
2481b	上加・093オ1・植物	草	平濁	サウ	右注	ts‘ɑu^{2}	晧韻
2410b	上和・090ウ1・疉字	粲	―	サム	右注	ts‘ɑn^{3}	翰韻
1848b	上池・069ウ4・疉字	参	平	サム	左注	ts‘ʌm$^{1/3}$ sɑm^{1} ʂiem^{1} tʂ‘iem^{1}	覃/勘韻 談韻 侵韻 侵韻
0131	上伊・006ウ7・人事	慘	―	サム	右傍	ts‘ʌm^{2}	感韻
0867b	上波・033ウ1・疉字	飡	平濁	サン	左注	ts‘ɑn^{1}	寒韻
0632c	上波・025ウ6・人事	参	―	サン	右傍	ts‘ʌm$^{1/3}$ sɑm^{1} ʂiem^{1} tʂ‘iem^{1}	覃/勘韻 談韻 侵韻 侵韻
0446b	上呂・019オ4・疉字	次	上	シ	左注	ts‘iei^{3}	至韻
0672a	上波・027オ3・雑物	髮	去	シ	右傍	ts‘iei^{3}	至韻
1545	上度・059オ7・辞字	佽	去	シ	右傍	ts‘iei^{3}	至韻
2061b	上利・074ウ7・疉字	次	去	シ	中注	ts‘iei^{3}	至韻
0292b	上伊・013オ6・疉字	趣	平	シウ	右注	ts‘iuʌ$^{1/3}$ ts‘ʌu^{2}	虞/遇韻 厚韻
0449b	上呂・019オ4・疉字	趣	平	シウ	左注	ts‘iuʌ$^{1/3}$ ts‘ʌu^{2}	虞/遇韻 厚韻
0489	上波・020ウ7・植物	萩	平	シウ	右傍	ts‘iʌu^{1}	尤韻
0732b	上波・031ウ2・疉字	秋	平	シウ	右注	ts‘iʌu^{1}	尤韻
0734b	上波・031ウ2・疉字	秋	平	シウ	左注	ts‘iʌu^{1}	尤韻
1834b	上池・069ウ1・疉字	秋	平	シウ	左注	ts‘iʌu^{1}	尤韻
2980b	上加・108オ5・疉字	漆	入	シツ	左注	ts‘iet	質韻
2270	上遠・083ウ5・辞字	侵	―	シム	右傍	ts‘iem^{1}	侵韻
0120	上伊・006オ7・人事	寢	―	シム	右傍	ts‘iem^{2}	寝韻
3181b	上与・113オ7・天象	寢	―	シム	右注	ts‘iem^{2}	寝韻

0081b	上伊・004ウ4・動物	吣	去	シム	右傍	ts‘iem^{3}	沁韻
0424b	上呂・018オ7・光彩	青	―	シヤウ	右注	ts‘eŋ^{1}	青韻
2252	上遠・082オ4・人事	蹌	平	シヤウ	右傍	ts‘iɑŋ^{1}	陽韻
3066b	上加・109ウ1・疊字	鏘	平濁	シヤウ	中注	ts‘iɑŋ^{1}	陽韻
2331	上和・087ウ3・人事	倡	平	シヤウ	右傍	ts‘iɑŋ$^{1/3}$	陽/漾韻
2387b	上和・090オ4・疊字	錯	入	シヤク	中注	ts‘ɑk ts‘uʌ^{3}	鐸韻 暮韻
1350b	上邊・053オ1・疊字	鵲	入?	シヤク	右注	ts‘iɑk	藥韻
2519	上加・094オ4・動物	鵲	入	シヤク	右傍	ts‘iɑk	藥韻
2182b	上留・079ウ1・疊字	親	去	シン	左注	ts‘ien$^{1/3}$	眞/震韻
0467	上波・020オ3・天象	霋	平	セイ	右傍	ts‘ei^{1}	齊韻
2561a	上加・095オ3・動物	蜻	平	セイ	右傍	ts‘eŋ^{1} tsieŋ^{1}	青韻 清韻
3055b	上加・109オ6・疊字	清	平	セイ	左注	ts‘ieŋ^{1}	清韻
0335b	上伊・014オ1・疊字	切	入	セツ	右注	ts‘et	屑韻
3042b	上加・109オ3・疊字	竊	入	セツ	左注	ts‘et	屑韻
2240	上遠・081オ5・人倫	妾	入	セフ	右傍	ts‘iap	葉韻
1700b	上度・064オ7・官職	遷	―	セン	右注	ts‘ian^{1}	仙韻
0883b	上波・033ウ4・疊字	筌	平	セン	右注	ts‘iuan^{1}	仙韻
1349b	上邊・053オ1・疊字	痊	平	セン	右注	ts‘iuan^{1}	仙韻
1295b	上邊・051オ1・人躰	疽	上	ソ	右注	ts‘iʌ^{1}	魚韻
0223	上伊・011ウ6・辞字	忩	平	ソウ	右傍	ts‘ʌuŋ^{1}	東韻
1542	上度・059オ5・辞字	聡	平	ソウ	右傍	ts‘ʌuŋ^{1}	東韻
0561a	上波・023オ2・動物	促	入	ソク	右傍	ts‘iɑuk	燭韻
3141a	上加・110ウ6・疊字	請	―	カウ	右注	ts‘ieŋ$^{1/2}$ dzieŋ^{3}	清/靜韻 勁韻
3104b	上加・110オ2・疊字	爨	―	キウ	右注	ts‘uɑn^{3}	換韻

【表C-04】下巻_清母 ts‘

番号	前田本所在	掲出字		仮名音注		中古音	韻目
5924b	下師・086ウ2・國郡	瑳	―	サ	右傍	ts‘ɑ$^{1/2}$	歌/哿韻
6734b	下世・112オ4・疊字	磋	平	サ	右注	ts‘ɑ$^{1/3}$	歌/箇韻
4697a	下佐・051ウ5・疊字	妻	平	サイ	右注	ts‘ei$^{1/3}$	齊/霽韻
6180b	下飛・094ウ7・雜物	青	平	サイ	右注	ts‘eŋ^{1}	青韻
4772a	下佐・053オ3・疊字	催	平	サイ	左注	ts‘uʌi^{1}	灰韻
4541a	下佐・046オ6・人事	採	去	サイ	左注	ts‘ʌi^{2}	海韻
4597	下佐・047ウ7・雜物	采	―	サイ	右注	ts‘ʌi^{2}	海韻
4660a	下佐・051オ4・疊字	綵	平	サイ	左注	ts‘ʌi^{2}	海韻
4682a	下佐・051ウ2・疊字	採	上	サイ	左注	ts‘ʌi^{2}	海韻
4683a	下佐・051ウ2・疊字	採	上	サイ	左注	ts‘ʌi^{2}	海韻
4684a	下佐・051ウ2・疊字	採	上	サイ	左注	ts‘ʌi^{2}	海韻
4765a	下佐・053オ1・疊字	綵	上	サイ	左注	ts‘ʌi^{2}	海韻

4777a	下佐・053オ4・疊字	採	上	サイ	右注	ts'ʌi^{2}	海韻
4782a	下佐・053オ5・疊字	採	上	サイ	右注	ts'ʌi^{2}	海韻
4789a	下佐・053オ7・疊字	綵	上	サイ	右注	ts'ʌi^{2}	海韻
6862c	下洲・116ウ2・雜物	采	―	サイ	左注	ts'ʌi^{2}	海韻
4666a	下佐・051オ5・疊字	彩	平	サイ	左注	ts'ʌi^{2}	海韻
5189b	下木・064オ7・疊字	彩	平	サイ	右注	ts'ʌi^{2}	海韻
4100b	下阿・026オ4・植物	菜	去	サイ	右傍	ts'ʌi^{3}	代韻
4747a	下佐・052ウ3・疊字	菜	平	サイ	左注	ts'ʌi^{3}	代韻
4538a	下佐・046オ5・人事	催	―	サイ ［平上］	左注	ts'uʌi^{1}	灰韻
4644a	下佐・051オ1・疊字	倉	上	サウ	左注	ts'ɑŋ^{1}	唐韻
6075a	下飛・091ウ7・動物	鶬	―	サウ	右傍	ts'ɑŋ^{1}	唐韻
4294	下阿・033オ4・光彩	蒼	平	サウ	右傍	ts'ɑŋ$^{1/2}$	唐/蕩韻
4678a	下佐・051ウ1・疊字	蒼	―	サウ	右傍	ts'ɑŋ$^{1/2}$	唐/蕩韻
4778a	下佐・053オ4・疊字	蒼	平	サウ	右注	ts'ɑŋ$^{1/2}$	唐/蕩韻
4702a	下佐・051ウ6・疊字	操	去	サウ	左注	ts'ɑu$^{1/3}$ sʌu^{2}	豪/号韻 厚韻
4776a	下佐・053オ4・疊字	操	―	サウ	左注	ts'ɑu$^{1/3}$ sʌu^{2}	豪/号韻 厚韻
5621b	下師・081オ6・疊字	操	去濁	サウ	左注	ts'ɑu$^{1/3}$ sʌu^{2}	豪/号韻 厚韻
6250b	下飛・098オ1・疊字	操	―	サウ	右注	ts'ɑu$^{1/3}$ sʌu^{2}	豪/号韻 厚韻
6431a	下毛・103オ1・飲食	糙	去	サウ	右傍	ts'ɑu^{3}	号韻
4737a	下佐・052ウ1・疊字	造	―	サウ	左注	ts'ɑu^{3} dzɑu^{2}	号韻 晧韻
4748a	下佐・052ウ4・疊字	造	―	サウ	左注	ts'ɑu^{3} dzɑu^{2}	号韻 晧韻
4750a	下佐・052ウ4・疊字	造	去	サウ	左注	ts'ɑu^{3} dzɑu^{2}	号韻 晧韻
4786a	下佐・053オ6・疊字	造	去	サウ	右注	ts'ɑu^{3} dzɑu^{2}	号韻 晧韻
4794a	下佐・053ウ1・疊字	造	去	サウ	右傍	ts'ɑu^{3} dzɑu^{2}	号韻 晧韻
3850b	下江・017ウ3・疊字	造	去	サウ	左注	ts'ɑu^{3} dzɑu^{2}	号韻 晧韻
4108b	下阿・026オ7・植物	草	平濁	サウ	右傍	ts'ɑu^{2}	晧韻
4463c	下佐・043ウ1・植物	草	―	サウ	右注	ts'ɑu^{2}	晧韻
4577a	下佐・047オ7・雜物	草	―	サウ	右注	ts'ɑu^{2}	晧韻
4580a	下佐・047ウ1・雜物	草	上	サウ	右注	ts'ɑu^{2}	晧韻
4589a	下佐・047ウ4・雜物	草	平	サウ	右注	ts'ɑu^{2}	晧韻
4637a	下佐・050ウ5・重點	草	―	サウ	右注	ts'ɑu^{2}	晧韻
4637b	下佐・050ウ5・重點	草	―	サウ	右注	ts'ɑu^{2}	晧韻

4749a	下佐・052ウ4・疊字	草	上	サウ	左注	ts'ɑu^{2}	晧韻
4779a	下佐・053オ4・疊字	草	上	サウ	右注	ts'ɑu^{2}	晧韻
5896c	下師・085ウ2・疊字	草	―	サウ	右傍	ts'ɑu^{2}	晧韻
4516	下佐・045オ7・人事	操	―	サウ［平上］	右注	ts'ɑu$^{1/3}$ sʌu^{2}	豪/号韻 厚韻
4814a	下佐・047ウ1・雑物	草	―	サウ［平平］	右注	ts'ɑu^{2}	晧韻
3564a	下古・007オ7・雑物	錯	入	サク	右傍	ts'ɑk ts'uʌ^{3}	鐸韻 暮韻
4609	下佐・048オ7・員數	撮	―	サチ	右注	ts'uɑt tsuɑt	末韻 末韻
3397b	下古・005オ1・人事	燦	去	サム	右傍	ts'ɑn^{3}	翰韻
4769a	下佐・053オ2・疊字	參	平	サム	左注	ts'ʌm$^{1/3}$ sɑm^{1} ṣiem^{1} tṣ'iem^{1}	覃/勘韻 談韻 侵韻 侵韻
4770a	下佐・053オ2・疊字	參	―	サム	左注	ts'ʌm$^{1/3}$ sɑm^{1} ṣiem^{1} tṣ'iem^{1}	覃/勘韻 談韻 侵韻 侵韻
4771a	下佐・053オ2・疊字	參	平	サム	左注	ts'ʌm$^{1/3}$ sɑm^{1} ṣiem^{1} tṣ'iem^{1}	覃/勘韻 談韻 侵韻 侵韻
4775a	下佐・053オ3・疊字	參	―	サム	左注	ts'ʌm$^{1/3}$ sɑm^{1} ṣiem^{1} tṣ'iem^{1}	覃/勘韻 談韻 侵韻 侵韻
4824a	下佐・054ウ3・官職	參	―	サン	右注	ts'ʌm$^{1/3}$ sɑm^{1} ṣiem^{1} tṣ'iem^{1}	覃/勘韻 談韻 侵韻 侵韻
4305	下阿・033オ7・光彩	茜	去	サン	右傍	ts'en^{3}	霰韻
6918b	下洲・120イ5・疊字	爨	去	サン	左注	ts'uɑn^{3}	換韻
5479a	下師・075オ4・光彩	雌	―	シ	右注	ts'ie^{1}	支韻
5837a	下師・084ウ6・疊字	雌	平	シ	左注	ts'ie^{1}	支韻
5877a	下師・085オ6・疊字	雌	去	シ	右注	ts'ie^{1}	支韻
5794a	下師・084オ6・疊字	趑	平	シ	左注	ts'iei^{1}	脂韻
4628	下佐・050オ7・辞字	鳌	平	シ	右傍	ts'iei^{1} dziei^{1} dẓɐ^{1}	脂韻 脂韻 佳韻

4631	下佐・050ウ2・辞字	蒫	平	シ	右傍	ts‘iei^{1} dziei^{1} dẓɐ^{1}	脂韻 脂韻 佳韻
4794b	下佐・053ウ1・疊字	次	平	シ	右傍	ts‘iei^{3}	至韻
5615a	下師・081オ5・疊字	次	平	シ	左注	ts‘iei^{3}	至韻
5902a	下師・085ウ3・疊字	次	―	シ	右傍	ts‘iei^{3}	至韻
5943a	下師・086ウ7・官職	次	―	シ	右注	ts‘iei^{3}	至韻
4949	下木・059ウ3・辞字	玼	平	シ	右傍	ts‘ie^{2} ts‘ei^{2}	紙韻 薺韻
5274c	下師・069オ6・植物	菜	―	シ	右傍	ts‘ʌi^{3}	代韻
4053	下阿・024ウ2・天象	秋	平	シウ	右傍	ts‘iʌu^{1}	尤韻
4055b	下阿・024ウ2・天象	秋	平	シウ	右注	ts‘iʌu^{1}	尤韻
5552a	下師・079オ6・疊字	秋	平	シウ	左注	ts‘iʌu^{1}	尤韻
5868a	下師・085オ4・疊字	秋	去	シウ	右注	ts‘iʌu^{1}	尤韻
6067	下飛・091ウ2・植物	楸	平	シウ	右傍	ts‘iʌu^{1}	尤韻
3439b	下古・007オ1・雑物	漆	―	シチ	右傍	ts‘iet	質韻
5480b	下師・075オ4・光彩	漆	―	シチ	左注	ts‘iet	質韻
5490	下師・075ウ7・辞字	叱	―	シツ	右傍	tś‘iet	質韻
5634a	下師・081ウ2・疊字	質	―	シツ	右注	tś‘iet ṭiei^{3}	質韻 至韻
3341b	下古・002ウ7・植物	漆	入	シツ	左注	ts‘iet	質韻
5783a	下師・084オ4・疊字	寝	上	シム	左注	ts‘iem^{2}	寝韻
3572b	下古・007ウ4・光彩	青	上濁	シヤウ	右注	ts‘eŋ^{1}	青韻
3573b	下古・007ウ4・光彩	青	―	シヤウ	右注	ts‘eŋ^{1}	青韻
5278a	下師・069オ7・植物	青	―	シヤウ	右傍	ts‘eŋ^{1}	青韻
6201b	下飛・095オ5・光彩	青	上	シヤウ	右傍	ts‘eŋ^{1}	青韻
5520a	下師・078ウ1・重點	⿰舟寽	平	シヤウ	右注	ts‘iɑŋ^{1}	陽韻
5520b	下師・078ウ1・重點	⿰舟寽	平	シヤウ	右注	ts‘iɑŋ^{1}	陽韻
5560a	下師・079ウ2・疊字	清	―	シヤウ	左注	ts‘ieŋ^{1}	清韻
5102b	下木・063オ2・疊字	請	上	シヤウ	左注	ts‘ieŋ$^{1/2}$ dzieŋ^{3}	清/靜韻 勁韻
5327a	下師・071オ1・人倫	請	―	シヤウ	右注	ts‘ieŋ$^{1/2}$ dzieŋ^{3}	清/靜韻 勁韻
5663b	下師・082オ2・疊字	錯	―	シヤク	左注	ts‘ɑk ts‘uʌ^{3}	鐸韻 暮韻
5791b	下師・084オ6・疊字	趣	去	シユ	左注	ts‘iuʌ$^{1/3}$ ts‘ʌu^{2}	虞/遇韻 厚韻
5789a	下師・084オ5・疊字	取	上	シユ	左注	ts‘iuʌ^{2} ts‘uʌ^{2}	麌韻 厚韻
5884a	下師・085オ7・疊字	取	平	シユ	右注	ts‘iuʌ^{2} ts‘uʌ^{2}	麌韻 厚韻
5511	下師・077ウ5・辞字	踆	平	シユン	右傍	ts‘iuen^{1}	諄韻

5813a	下師・084ウ2・疊字	逡	平	シユン	左注	ts‘iuen^{1}	諄韻
5794b	下師・084オ6・疊字	趄	平	シヨ	左注	ts‘iʌ^{1}	魚韻
5797a	下師・084オ7・疊字	處	―	シヨ	左注	tś‘iʌ$^{2/3}$	語/御韻
6395	下毛・101オ6・植物	樅	―	シヨウ	右傍	ts‘iauŋ^{1} tsiauŋ^{1}	鍾韻 鍾韻
3629b	下古・010ウ7・疊字	親	去	シン	中注	ts‘ien$^{1/3}$	眞/震韻
5369	下師・072ウ1・人事	親	平	シン	右傍	ts‘ien$^{1/3}$	眞/震韻
5694a	下師・082ウ2・疊字	親	平	シン	左注	ts‘ien$^{1/3}$	眞/震韻
5695a	下師・082ウ2・疊字	親	平	シン	左注	ts‘ien$^{1/3}$	眞/震韻
5883a	下師・085オ7・疊字	親	平	シン	右注	ts‘ien$^{1/3}$	眞/震韻
3843b	下江・017ウ2・疊字	樞	平	ス	左注	ts‘iuʌ^{1}	虞韻
6939a	下洲・120ウ3・疊字	取	―	ス	左注	ts‘iuʌ^{2} ts‘uʌ^{2}	麌韻 厚韻
6821a	下洲・115オ2・人躰	寸	―	ス	右傍	ts‘uʌn^{3}	慁韻
4130	下阿・027オ4・動物	臎	去	スイ	右傍	ts‘iuei^{3} tsiuei^{2}	至韻 旨韻
6796a	下洲・114オ1・植物	翠	―	スイ	右注	ts‘iuei^{3}	至韻
6845a	下洲・116オ4・雜物	翠	―	スイ	右傍	ts‘iuei^{3}	至韻
6943a	下洲・120ウ4・疊字	翠	去	スイ	左注	ts‘iuei^{3}	至韻
6946a	下洲・120ウ4・疊字	翠	―	スイ	左注	ts‘iuei^{3}	至韻
5342	下師・071ウ1・人躰	皴	平	スヰン	右傍	ts‘iuen^{1}	諄韻
5115b	下木・063オ5・疊字	春	―	スヰン	右注	tś‘iuen^{1}	諄韻
6781a	下洲・113ウ4・地儀	春	平	スヰン	右傍	tś‘iuen^{1}	諄韻
6874	下洲・117オ3・員數	寸	―	スン	右注	ts‘uʌn^{3}	慁韻
6570a	下世・110オ1・重點	淒	平	セイ	右注	ts‘ei$^{1/2}$	齊/薺韻
6570b	下世・110オ1・重點	淒	平	セイ	右注	ts‘ei$^{1/2}$	齊/薺韻
3372b	下古・004オ3・人倫	妻	平	セイ	右傍	ts‘ei$^{1/3}$	齊/霽韻
4098a	下阿・026オ3・植物	青	平	セイ	右傍	ts‘eŋ^{1}	青韻
6532a	下世・108オ7・人事	青	平	セイ	左注	ts‘eŋ^{1}	青韻
6551a	下世・109オ2・光彩	青	平	セイ	右注	ts‘eŋ^{1}	青韻
6694a	下世・111ウ3・疊字	青	平	セイ	中注	ts‘eŋ^{1}	青韻
6703a	下世・111ウ5・疊字	青	―	セイ	右注	ts‘eŋ^{1}	青韻
6748a	下世・112オ7・疊字	青	平	セイ	右傍	ts‘eŋ^{1}	青韻
6749a	下世・112オ7・疊字	青	平	セイ	右注	ts‘eŋ^{1}	青韻
6753a	下世・112オ7・疊字	青	平	セイ	右注	ts‘eŋ^{1}	青韻
6755a	下世・112ウ1・疊字	青	平	セイ	右注	ts‘eŋ^{1}	青韻
6757a	下世・112ウ1・疊字	青	平	セイ	右注	ts‘eŋ^{1}	青韻
4142	下阿・027ウ3・動物	鯖	平	セイ	右傍	ts‘eŋ^{1} tṣieŋ^{1}	青韻 清韻
4497	下佐・044ウ1・動物	鯖	平	セイ	右傍	ts‘eŋ^{1} tṣieŋ^{1}	青韻 清韻
4202a	下阿・029オ7・人躰	清	平	セイ	右傍	ts‘ieŋ^{1}	清韻

4954	下木・060オ3・辞字	清	平	セイ	右傍	tsʻieŋ^{1}	清韻
6492a	下世・106ウ4・地儀	清	平	セイ	右傍	tsʻieŋ^{1}	清韻
6656a	下世・111オ4・疊字	清	平	セイ	左注	tsʻieŋ^{1}	清韻
6728a	下世・112オ3・疊字	清	―	セイ	右注	tsʻieŋ^{1}	清韻
6745a	下世・112オ6・疊字	清	―	セイ	右注	tsʻieŋ^{1}	清韻
6758a	下世・112ウ2・疊字	清	平	セイ	右傍	tsʻieŋ^{1}	清韻
4989b	下木・061オ4・疊字	請	平	セイ	左注	tsʻieŋ$^{1/2}$ dzieŋ^{3}	清/靜韻 勁韻
6669a	下世・111オ6・疊字	請	上	セイ	右注	tsʻieŋ$^{1/2}$ dzieŋ^{3}	清/靜韻 勁韻
6687a	下世・111ウ2・疊字	請	上	セイ	中注	tsʻieŋ$^{1/2}$ dzieŋ^{3}	清/靜韻 勁韻
4652b	下佐・051オ2・疊字	磧	入	セキ	左注	tsʻiek	昔韻
5370	下師・072ウ2・人事	戚	―	セキ	右傍	tsʻek	錫韻
6520	下世・107ウ5・人倫	戚	―	セキ	左注	tsʻek	錫韻
6610a	下世・110ウ2・疊字	戚	―	セキ	右注	tsʻek	錫韻
6629a	下世・110ウ5・疊字	磧	入	セキ	右注	tsʻiek	昔韻
3694b	下古・011ウ7・疊字	切	入	セチ	左注	tsʻet	屑韻
5030b	下木・061ウ6・疊字	切	―	セチ	左注	tsʻet	屑韻
6586a	下世・110オ5・疊字	刹	入	セツ	左注	tsʻat	鎋韻
6587a	下世・110オ5・疊字	切	入	セツ	左注	tsʻet	屑韻
6564	下世・109ウ5・辞字	切	―	セツ	右注	tsʻet	屑韻
6734a	下世・112オ4・疊字	切	入	セツ	右注	tsʻet	屑韻
6752a	下世・112オ7・疊字	遷	平	セム	右傍	tsʻian^{1}	仙韻
6630a	下世・110ウ6・疊字	僉	平	セム	左注	tsʻiam^{1}	鹽韻
6552	下世・109オ4・員數	千	―	セン	右注	tsʻen^{1}	先韻
6590a	下世・110オ6・疊字	阡	去	セン	左注	tsʻen^{1}	先韻
6974	下世・109オ4・員數	阡	―	セン	右注	tsʻen^{1}	先韻
6541	下世・108ウ6・雜物	籤	平	セン	右注	tsʻiam^{1}	鹽韻
4723b	下佐・052オ4・疊字	遷	平	セン	左注	tsʻian^{1}	仙韻
5237b	下由・067オ5・人事	韆	平	セン	右傍	tsʻian^{1}	仙韻
5751b	下師・083ウ3・疊字	韆	平	セン	右注	tsʻian^{1}	仙韻
6621a	下世・110ウ4・疊字	遷	―	セン	右注	tsʻian^{1}	仙韻
6677a	下世・111オ7・疊字	遷	平	セン	左注	tsʻian^{1}	仙韻
6686a	下世・111ウ2・疊字	遷	平	セン	中注	tsʻian^{1}	仙韻
6545a	下世・108ウ6・雜物	浅	平	セン	右注	tsʻian^{2} tsen^{1}	獮韻 先韻
4351	下阿・038ウ2・辞字	詮	平	セン	右傍	tsʻiuan^{1}	仙韻
5897c	下師・085ウ2・疊字	詮	―	セン	右傍	tsʻiuan^{1}	仙韻
5340	下師・071オ7・人躰	腠	―	ソウ	右注	tsʻʌu^{3}	候韻
4132a	下阿・027オ5・動物	驄	平	ソウ	右傍	tsʻʌuŋ^{1}	東韻
4295	下阿・033オ4・光彩	葱	平	ソウ	右傍	tsʻʌuŋ^{1}	東韻
4853	下木・056オ1・植物	葱	平	ソウ	右傍	tsʻʌuŋ^{1}	東韻

【表C-04】上巻_従母 dz

番号	前田本所在	掲出字		仮名音注		中古音	韻目
0955	上仁・037ウ2・人躰	痤	平	サ	右傍	dzuɑ¹	戈韻
0803b	上波・032ウ2・疊字	坐	平濁	サ	左注	dzuɑ²/³	果/過韻
0818b	上波・032ウ5・疊字	坐	平濁	サ	左注	dzuɑ²/³	果/過韻
2417c	上和・091オ1・姓氏	坐	—	サ	右注	dzuɑ²/³	果/過韻
0802b	上波・032ウ2・疊字	座	平濁	サ	左注	dzuɑ³	過韻
1718b	上池・065ウ3・地儀	座	—	サ	右注	dzuɑ³	過韻
2356b	上和・088ウ1・雜物	座	平濁	サ	右傍	dzuɑ³	過韻
2704b	上加・099オ3・雜物	座	平濁	サ	左注	dzuɑ³	過韻
1072	上保・043オ5・人躰	臍	平	サイ	右傍	dzei¹	齊韻
1825b	上池・069オ6・疊字	齊	上	サイ	右注	dzei¹/³	齊/霽韻
2946b	上加・107ウ5・疊字	眦	平	サイ	左注	dzei³ dzie³	霽韻 寘韻
1238b	上保・048オ7・疊字	罪	平濁	サイ	右注	dzuʌi²	賄韻
2191b	上留・079ウ3・疊字	罪	平	サイ	右注	dzuʌi²	賄韻
3271c	上与・118オ1・疊字	罪	—	サイ	左注	dzuʌi²	賄韻
0341b	上伊・014オ3・疊字	才	平	サイ	右注	dzʌi¹	咍韻
1035b	上保・041ウ6・地儀	財	—	サイ	右注	dzʌi¹	咍韻
1373b	上邊・053オ5・疊字	才	去濁	サイ	左注	dzʌi¹	咍韻
1889b	上池・070オ5・疊字	財	—	サイ	左注	dzʌi¹	咍韻
3009b	上加・108ウ4・疊字	才	平	サイ	左注	dzʌi¹	咍韻
3266b	上与・117ウ7・疊字	才	平	サイ	右注	dzʌi¹	咍韻
3116b	上加・110オ4・疊字	蔵	平	サウ	右注	dzɑŋ¹/³	唐/宕韻
2641	上加・097ウ3・人事	嘈	東?	サウ	右傍	dzɑu¹	豪韻
2488a	上加・093オ6・植物	皀	—	サチ	右傍	dzɑu²	晧韻
2388b	上和・090オ4・疊字	雜	入	サフ	左注	dzʌp	合韻
2557	上加・095オ2・動物	蝅	平	サム	右傍	dzʌm¹	覃韻
1163b	上保・047オ6・疊字	字	平濁	シ	左注	dziɐi³	志韻
0508	上波・021オ5・植物	茨	平	シ	右傍	dziei¹	脂韻
2728	上加・099ウ3・雜物	瓷	平	シ	右傍	dziei¹	脂韻
1401b	上邊・053ウ4・疊字	従	上濁	シウ	右注	dziauŋ¹ ts'iauŋ¹/³	鍾韻 鍾/用韻
0507a	上波・021オ5・植物	蒺	入	シツ	右傍	dziet	質韻
3258b	上与・117ウ5・疊字	盡	平濁	シム	左注	dzien² tsien²	軫韻 軫韻
1193b	上保・047ウ5・疊字	嫱	平	シヤウ	右注	dziaŋ¹	陽韻
0434b	上呂・019オ1・疊字	匠	去濁	シヤウ	左注	dziaŋ³	漾韻
0851b	上波・033オ5・疊字	匠	平濁	シヤウ	中注	dziaŋ³	漾韻
3140b	上加・110ウ6・疊字	嚯	徳?	シヤク	右傍	dziak	藥韻

1219b	上保・048オ3・疊字	従	去濁	シユ	中注	dziauŋ^{1} ts'iauŋ$^{1/3}$	鍾韻 鍾/用韻
3140a	上加・110ウ6・疊字	咀	去	シヨ	右傍	dziʌ^{2} tsiʌ^{2}	語韻 語韻
0813b	上波・032ウ4・疊字	従	去	シヨウ	左注	dziauŋ^{1} ts'iauŋ$^{1/3}$	鍾韻 鍾/用韻
0093a	上伊・005オ3・動物	秦	平	シン	右傍	dzien^{1}	眞韻
0510a	上波・021オ6・植物	秦	—	シン	右傍	dzien^{1}	眞韻
2135c	上利・076オ1・疊字	盡	—	シン	左注	dzien^{2} tsien^{2}	軫韻 軫韻
0825b	上波・032ウ6・疊字	萃	去	スイ	左注	dziuei^{3}	至韻
3145b	上加・111オ2・疊字	顇	—	スイ	右傍	dziuei^{3}	至韻
1291	上邊・050ウ6・人躰	臍	平	セイ	右傍	dzei^{1}	齊韻
0230b	上伊・012ウ1・疊字	晴	平	セイ	右注	dzieŋ^{1}	清韻
0466	上波・020オ3・天象	晴	平	セイ	右傍	dzieŋ^{1}	清韻
0600	上波・024ウ3・人事	晴	平	セイ	右傍	dzieŋ^{1}	清韻
2963b	上加・108オ2・疊字	情	平	セイ	左注	dzieŋ^{1}	清韻
1620b	上度・062ウ5・疊字	静	去	セイ	左注	dzieŋ^{2}	靜韻
0907b	上波・034オ4・疊字	捷	入	セウ	右傍	dziap	葉韻
3145a	上加・111オ2・疊字	顦	—	セウ	右傍	dziau^{1}	宵韻
3048b	上加・109オ5・疊字	寂	入	セキ	左注	dzek	錫韻
0311b	上伊・013ウ4・疊字	截	入	セチ	右注	dzet	屑韻
2762b	上加・100オ7・雜物	錢	—	セニ	右注	dzian^{1} tsian^{2}	仙韻 獮韻
3257b	上与・117ウ5・疊字	殘	平濁	セン	左注	dzɑn^{1}	寒韻
1957b	上池・071ウ3・國郡	前	—	セン	右注	dzen^{1}	先韻
3192	上与・114オ3・動物	騚	—	セン	右傍	dzen^{1}	先韻
1108b	上保・044ウ7・雜物	錢	上濁	セン	右注	dzian^{1} tsian^{2}	仙韻 獮韻
1248b	上保・048ウ2・疊字	錢	上濁	セン	左注	dzian^{1} tsian^{2}	仙韻 獮韻
0122	上伊・006ウ2・人事	賎	—	セン	右傍	dzian^{3}	線韻
1360b	上邊・053オ3・疊字	賎	平	セン	左注	dzian^{3}	線韻
0010	上伊・002ウ3・地儀	泉	平	セン	右傍	dziuan^{1}	仙韻
2475a	上加・092ウ5・植物	酢	去	ソ	左傍	dzɑk	鐸韻
1176b	上保・047ウ1・疊字	祚	去	ソ	左注	dzuʌ^{3}	暮韻
0094b	上伊・005オ4・動物	賊	入	ソク	—	dzʌk	徳韻
1434b	上度・055オ1・植物	賊	入	ソク	右傍	dzʌk	徳韻
3043b	上加・109オ4・疊字	賊	入濁	ソク	左注	dzʌk	徳韻
0267b	上伊・013オ1・疊字	族	入	ソク	左注	dzʌuk	屋韻
1594b	上度・062オ7・疊字	族	入	ソク	左注	dzʌuk	屋韻
1565	上度・061オ4・辞字	曺	平	チウ	右傍	dzɑu^{1}	豪韻

【表C-04】下巻_従母 dz

番号	前田本所在	掲出字		仮名音注		中古音	韻目
4065	下阿・025オ2・地儀	嵯	平	サ	右傍	dzɑ^{1}	歌韻
4548	下佐・046ウ2・飲食	醝	平	サ	右傍	dzɑ^{1}	歌韻
4815a	下佐・054オ5・國郡	嵯	―	サ	右傍	dzɑ^{1} tʂʻie^{1}	歌韻 支韻
4718a	下佐・052オ2・疊字	坐	平	サ	左注	dzuɑ$^{2/3}$	果/過韻
4589b	下佐・047ウ4・雜物	座	平濁	サ	右注	dzuɑ^{3}	過韻
4701a	下佐・051ウ6・疊字	座	平	サ	右注	dzuɑ^{3}	過韻
4823a	下佐・054ウ3・官職	座	―	サ	右注	dzuɑ^{3}	過韻
4826a	下佐・054ウ4・官職	座	―	サ	右注	dzuɑ^{3}	過韻
5953b	下師・087オ3・官職	座	―	サ	右注	dzuɑ^{3}	過韻
4514	下佐・045オ7・人事	坐	―	サ［平濁］	左注	dzuɑ$^{2/3}$	果/過韻
4672a	下佐・051オ7・疊字	齊	平	サイ	中注	dzei$^{1/3}$	齊/霽韻
4673a	下佐・051オ7・疊字	齊	平	サイ	左注	dzei$^{1/3}$	齊/霽韻
4816a	下佐・054オ7・官職	齊	―	サイ	右注	dzei$^{1/3}$	齊/霽韻
4817a	下佐・054オ7・官職	齊	―	サイ	右注	dzei$^{1/3}$	齊/霽韻
4704a	下佐・051ウ6・疊字	罪	―	サイ	左注	dzuʌi^{2}	賄韻
4705a	下佐・051ウ7・疊字	罪	平濁	サイ	左注	dzuʌi^{2}	賄韻
4766a	下佐・053オ1・疊字	罪	―	サイ	左注	dzuʌi^{2}	賄韻
5822b	下師・084ウ4・疊字	罪	―	サイ	左注	dzuʌi^{2}	賄韻
3714b	下古・012オ4・疊字	才	―	サイ	左注	dzʌi^{1}	咍韻
3814b	下江・017オ3・疊字	才	平	サイ	中注	dzʌi^{1}	咍韻
4515	下佐・045オ7・人事	才	―	サイ	右注	dzʌi^{1}	咍韻
4604a	下佐・048オ3・雜物	材	―	サイ	右注	dzʌi^{1}	咍韻
4736b	下佐・052オ7・疊字	才	―	サイ	右注	dzʌi^{1}	咍韻
5324b	下師・070ウ7・人倫	才	―	サイ	右傍	dzʌi^{1}	咍韻
5761b	下師・083ウ6・疊字	財	上	サイ	左注	dzʌi^{1}	咍韻
5947b	下師・087オ1・官職	才	―	サイ	右注	dzʌi^{1}	咍韻
4744a	下佐・052ウ2・疊字	裁	平	サイ	左注	dzʌi$^{1/3}$	咍/代韻
4633a	下佐・050ウ4・重點	在	―	サイ	右注	dzʌi$^{2/3}$	海/代韻
4633b	下佐・050ウ4・重點	在	―	サイ	右注	dzʌi$^{2/3}$	海/代韻
4764b	下佐・053オ1・疊字	在	―	サイ	左注	dzʌi$^{2/3}$	海/代韻
4822a	下佐・054ウ3・官職	在	―	サイ	右注	dzʌi$^{2/3}$	海/代韻
5647b	下師・081ウ5・疊字	在	平濁	サイ	左注	dzʌi$^{2/3}$	海/代韻
4506a	下佐・045オ2・人躰	藏	―	サウ	右注	dzɑŋ$^{1/3}$	唐/宕韻
4714a	下佐・052オ2・疊字	藏	―	サウ	左注	dzɑŋ$^{1/3}$	唐/宕韻
6268b	下飛・098オ4・疊字	藏	平	サウ	左注	dzɑŋ$^{1/3}$	唐/宕韻
6591b	下世・110オ6・疊字	藏	平	サウ	左注	dzɑŋ$^{1/3}$	唐/宕韻
4447a	下佐・042ウ6・地儀	曺	―	サウ	右注	dzɑu^{1}	豪韻

4819b	下佐・054ウ2・官職	曺	―	サウ	右傍	dzɑu^{1}	豪韻
6810b	下洲・114ウ2・植物	螬	平	サウ	右傍	dzɑu^{1}	豪韻
4568	下佐・047オ5・雜物	槽	平	サウ	右傍	dzɑu^{1} tsɑu^{1}	豪韻 豪韻
5277a	下師・069オ7・植物	皂	上	サウ	右傍	dzɑu^{2}	晧韻
3367a	下古・003ウ6・動物	蝅	平	サウ	右傍	dzʌm^{2} t'en^{2}	覃韻 銑韻
4503a	下佐・044ウ5・人倫	雑	―	サウ	右注	dzʌp	合韻
4504a	下佐・044ウ6・人倫	雑	―	サウ	右注	dzʌp	合韻
4638a	下佐・050ウ5・重點	雑	―	サウ	右注	dzʌp	合韻
4638b	下佐・050ウ5・重點	雑	―	サウ	右注	dzʌp	合韻
4751a	下佐・052ウ4・疊字	雑	入濁	サウ	左注	dzʌp	合韻
3387b	下古・004ウ3・人躰	蔵	―	サウ ［平濁平］	左注	dzɑŋ$^{1/3}$	唐/宕韻
3683b	下古・011ウ5・疊字	雑	入	サフ	右注	dzʌp	合韻
4743a	下佐・052ウ2・疊字	雑	入	サフ	左注	dzʌp	合韻
5423a	下佐・047オ6・雜物	雑	―	サフ	右注	dzʌp	合韻
4804a	下佐・054オ2・國郡	雑	―	サフ	右傍	dzʌp	合韻
6226	下飛・097オ5・辞字	潜	平	サム	右傍	dziam^{1}	鹽韻
3366	下古・003ウ6・動物	蝅	平	サム	右注	dzʌm^{2} t'en^{2}	覃韻 銑韻
4741a	下佐・052ウ1・疊字	慚	去濁	サン	左注	dzam^{1}	談韻
4325	下阿・035オ5・辞字	攅	平	サン	右傍	dzuɑn^{3} tsɑn^{3}	換韻 翰韻
3613b	下古・010ウ3・疊字	慈	去	シ	中注	dziɐi^{1}	之韻
6359b	下飛・099ウ7・國郡	慈	―	シ	右傍	dziɐi^{1}	之韻
5299b	下師・070オ3・動物	鷀	平	シ	右傍	dziɐi^{1} tsiɐi^{1}	之韻 之韻
5862b	下師・085オ3・疊字	字	平濁	シ	右注	dziɐi^{3}	志韻
6471b	下毛・105ウ4・疊字	字	平濁	シ	右注	dziɐi^{3}	志韻
4198	下阿・029オ6・人躰	疵	平	シ	右傍	dzie^{1}	支韻
4889	下木・057オ7・人躰	疵	平	シ	右傍	dzie^{1}	支韻
5341	下師・071オ7・人躰	胔	平	シ	右傍	dzie$^{1/3}$	支/寘韻
4284b	下阿・032ウ4・雜物	瓷	―	シ	右注	dziei^{1}	脂韻
5448b	下師・074オ7・雜物	瓷	平	シ	右注	dziei^{1}	脂韻
6977	下師・074オ7・雜物	瓷	平	シ	右傍	dziei^{1}	脂韻
5271	下師・069オ5・植物	茨	平	シ	右傍	dziei^{1}	脂韻
5608a	下師・081オ3・疊字	自	去	シ	中注	dziei^{3}	至韻
5647a	下師・081ウ5・疊字	自	平濁	シ	左注	dziei^{3}	至韻
5726a	下師・083オ3・疊字	自	平濁	シ	左注	dziei^{3}	至韻
5799a	下師・084オ7・疊字	自	―	シ	右注	dziei^{3}	至韻
5800a	下師・084オ7・疊字	自	―	シ	左注	dziei^{3}	至韻
5904a	下師・085ウ4・疊字	自	―	シ	右傍	dziei^{3}	至韻
5905a	下師・085ウ4・疊字	自	―	シ	右傍	dziei^{3}	至韻

5425	下師・074オ1・雜物	字	—	シ［平濁］	右傍	dziɐi^{3}	志韻
5550a	下師・079オ5・疊字	聚	平	シウ	左注	dziuʌ$^{2/3}$	麌/遇韻
5704a	下師・082ウ5・疊字	聚	去	シウ	左注	dziuʌ$^{2/3}$	麌/遇韻
5523a	下師・078ウ2・重點	啾	—	シウ	右注	dziʌu^{1}	尤韻
5523b	下師・078ウ2・重點	啾	—	シウ	右注	dziʌu^{1}	尤韻
5300	下師・070オ3・動物	嘸	—	シウ	右注	dziʌu^{1} tsiau^{1} dziau^{3}	尤韻 宵韻 笑韻
5522a	下師・078ウ2・重點	嘸	—	シウ	右注	dziʌu^{1} tsiau^{1} dziau^{3}	尤韻 宵韻 笑韻
5522b	下師・078ウ2・重點	嘸	—	シウ	右注	dziʌu^{1} tsiau^{1} dziau^{3}	尤韻 宵韻 笑韻
5779a	下師・084オ4・疊字	嫉	入	シツ	左注	dziet dziei^{3}	質韻 至韻
5280a	下師・069オ7・植物	薔	平	シヤウ	右注	dziɑŋ^{1} ṣiɐk	陽韻 職韻
5579b	下師・080オ4・疊字	匠	—	シヤウ	左注	dziɑŋ^{3}	漾韻
4719b	下佐・052オ3・疊字	静	去濁	シヤウ	左注	dzieŋ^{2}	靜韻
5560b	下師・079ウ2・疊字	浄	—	シヤウ	左注	dzieŋ^{3}	勁韻
5426	下師・074オ1・雜物	籍	—	シヤク	右傍	dziek	昔韻
3456b	下古・007オ5・雜物	籍	入	シヤク［平濁平平］	右注	dziek	昔韻
5329a	下師・071オ1・人倫	従	—	シユ	右傍	dziɑuŋ^{1} ts'iɑuŋ$^{1/3}$	鍾韻 鍾/用韻
5874a	下師・085オ5・疊字	従	去濁	シユ	右注	dziɑuŋ^{1} ts'iɑuŋ$^{1/3}$	鍾韻 鍾/用韻
5882b	下師・085オ7・疊字	従	—	シユ	右注	dziɑuŋ^{1} ts'iɑuŋ$^{1/3}$	鍾韻 鍾/用韻
5939b	下師・086ウ6・官職	従	—	シユ	右注	dziɑuŋ^{1} ts'iɑuŋ$^{1/3}$	鍾韻 鍾/用韻
5954a	下師・087オ3・官職	従	—	シユ	右注	dziɑuŋ^{1} ts'iɑuŋ$^{1/3}$	鍾韻 鍾/用韻
6930b	下洲・120ウ1・疊字	従	平	シユ	左注	dziɑuŋ^{1} ts'iɑuŋ$^{1/3}$	鍾韻 鍾/用韻
5889a	下師・085ウ1・疊字	聚	平	シユ	右注	dziuʌ$^{2/3}$	麌/遇韻
5802b	下師・084オ7・疊字	就	—	シユ	左注	dziʌu^{3}	宥韻
5384a	下師・073オ3・人事	秦	平濁	シン	左注	dzien^{1}	眞韻
5519a	下師・078ウ1・重點	秦	—	シン	右注	dzien^{1}	眞韻
5519b	下師・078ウ1・重點	秦	—	シン	右注	dzien^{1}	眞韻
6662b	下世・111オ5・疊字	顇	去	スイ	中注	dziuei^{3}	至韻

6742a	下世・112オ5・疊字	絶	―	セ	右注	dziuat	薛韻
3905b	下手・020ウ2・飲食	臍	去	セイ	右注	dzei^{1}	齊韻
6810a	下洲・114ウ2・植物	蠐	平	セイ	右傍	dzei^{1}	齊韻
4655b	下佐・051オ3・疊字	齊	平	セイ	左注	dzei$^{1/3}$	齊/霽韻
6216	下飛・096ウ1・辞字	齊	―	セイ	右傍	dzei$^{1/3}$	齊/霽韻
4453a	下佐・043オ4・植物	薺	上	セイ	右傍	dzei^{2} dziei^{1}	薺韻 脂韻
6573b	下世・110オ3・疊字	晴	平	セイ	左注	dzieŋ^{1}	清韻
6758b	下世・112ウ2・疊字	浄	去濁	セイ	右傍	dzieŋ^{3}	勁韻
6662a	下世・111オ5・疊字	顦	平	セウ	中注	dziau^{1}	宵韻
6681a	下世・111ウ1・疊字	樵	平	セウ	左注	dziau^{1}	宵韻
6571a	下世・110オ1・重點	寂	入	セキ	右注	dzek	錫韻
6571b	下世・110オ1・重點	寂	入	セキ	右注	dzek	錫韻
6697a	下世・111ウ4・疊字	寂	入	セキ	中注	dzek	錫韻
6698a	下世・111ウ4・疊字	寂	入	セキ	左注	dzek	錫韻
3455b	下古・007オ5・雜物	籍	入	セキ	右傍	dziek	昔韻
6588a	下世・110オ5・疊字	絶	入	セチ	左注	dziuat	薛韻
6683a	下世・111ウ1・疊字	絶	入	セチ	左注	dziuat	薛韻
4380b	下阿・039ウ2・疊字	絶	入	セツ	左注	dziuat	薛韻
6467b	下毛・105ウ3・疊字	絶	入	セツ	左注	dziuat	薛韻
6736a	下世・112オ4・疊字	絶	入	セツ	右注	dziuat	薛韻
6737a	下世・112オ4・疊字	絶	入	セツ	右注	dziuat	薛韻
6738a	下世・112オ4・疊字	絶	―	セツ	左注	dziuat	薛韻
6759a	下世・112ウ2・疊字	絶	―	セツ	右傍	dziuat	薛韻
3329b	下古・002ウ3・植物	銭	平	セム	右傍	dzian^{1} tsian^{2}	仙韻 獮韻
3372a	下古・004オ3・人倫	前	平	セン	右傍	dzen^{1}	先韻
4607	下佐・048オ5・方角	前	平	セン	右傍	dzen^{1}	先韻
4685b	下佐・051ウ2・疊字	前	上	セン	中注	dzen^{1}	先韻
6014b	下會・089ウ5・國郡	前	―	セン	右注	dzen^{1}	先韻
6362b	下飛・100オ1・國郡	前	―	セン	右傍	dzen^{1}	先韻
6377b	下飛・100オ2・國郡	前	―	セン	右傍	dzen^{1}	先韻
6682a	下世・111ウ1・疊字	前	平	セン	左注	dzen^{1}	先韻
6707a	下世・111ウ5・疊字	前	平	セン	左注	dzen^{1}	先韻
6729b	下世・112オ3・疊字	前	平濁	セン	右注	dzen^{1}	先韻
3330b	下古・002ウ3・植物	銭	平	セン	右注	dzian^{1} tsian^{2}	仙韻 獮韻
4789b	下佐・053オ7・疊字	銭	平	セン	右注	dzian^{1} tsian^{2}	仙韻 獮韻
5556b	下師・079ウ1・疊字	銭	平	セン	左注	dzian^{1} tsian^{2}	仙韻 獮韻
6529b	下世・108オ5・人事	錢	平	セン	右傍	dzian^{1} tsian^{2}	仙韻 獮韻

6536	下世・108ウ5・雜物	錢	平	セン	右傍	dzian^{1} tsian^{2}	仙韻 獮韻
6962b	下洲・121ウ1・官職	銭	—	セン	右注	dzian^{1} tsian^{2}	仙韻 獮韻
6611a	下世・110ウ2・疊字	踐	平	セン	左注	dzian^{2}	獮韻
6708a	下世・111ウ6・疊字	餞	上	セン	左注	dzian$^{2/3}$	獮/線韻
6280b	下飛・098オ6・疊字	賤	平 去	セン	左注	dzian^{3}	線韻
4166a	下阿・028ウ1・人倫	泉	平	セン	右傍	dziuan^{1}	仙韻
5214b	下由・066オ2・地儀	泉	平	セン	右傍	dziuan^{1}	仙韻
6528	下世・108オ3・人事	餞	—	セン ［上平］	右傍	dzian$^{2/3}$	獮/線韻
6507a	下世・107オ3・植物	前	—	セン ［平上］	右注	dzen^{1}	先韻
5915b	下師・086オ3・疊字	座	—	ソ	右傍	dzuɑ^{3}	過韻
5359	下師・072オ5・人事	殂	—	ソ	右傍	dzuʌ^{1}	模韻
6611b	下世・110ウ2・疊字	祚	去	ソ	左注	dzuʌ^{3}	暮韻
6829	下洲・115ウ4・飲食	酢	去	ソ	右傍	dzɑk	鐸韻
4131a	下阿・027オ5・動物	驓	平	ソウ	右傍	dziɐŋ^{1}	蒸韻
3313	下古・002オ2・地儀	層	平	ソウ	右傍	dzʌŋ^{1}	登韻
4674b	下佐・051オ7・疊字	慙	平	クヱ	中注	dzɑm^{1}	談韻

【表C-04】上巻_心母 s

番号	前田本所在	掲出字		仮名音注		中古音	韻目
0886b	上波・033ウ5・疊字	娑	平	サ	右注	sɑ$^{1/2}$	歌/哿韻
2717	上加・099オ6・雜物	鏁	上	サ	右傍	suɑ^{2}	果韻
0642b	上波・026オ5・雜物	犀	—	サイ	右注	sei^{1}	齊韻
0839b	上波・033オ2・疊字	犀	平濁	サイ	左注	sei^{1}	齊韻
1654b	上度・063オ5・疊字	西	上濁	サイ	左注	sei^{1}	齊韻
2063b	上利・074ウ7・疊字	西	上	サイ	中注	sei^{1}	齊韻
0703	上波・029ウ2・人事	洒	—	サイ	右傍	sei^{2} ṣɐ^{3}	薺韻 卦韻
1161b	上保・047オ5・疊字	賽	去	サイ	左注	sʌi^{3}	代韻
1408b	上邊・053ウ6・疊字	塞	去	サイ	右注	sʌi^{3} sʌk	代韻 徳韻
2806	上加・101ウ7・辞字	搔	平	サウ	右傍	sɑu^{1}	豪韻
3197	上与・114オ7・人倫	嫂	上	サウ	右傍	sɑu^{2}	晧韻
0680a	上波・027オ6・雜物	掃	去	サウ	右傍	sɑu$^{2/3}$	晧/号韻
1166b	上保・047オ6・疊字	相	平	サウ	左注	siɑŋ$^{1/3}$	陽/漾韻
1345b	上邊・052ウ7・疊字	相	平	サウ	左注	siɑŋ$^{1/3}$	陽/漾韻
1385b	上邊・053ウ1・疊字	索	入	サク	左注	sɑk ṣɑk ṣɐk	鐸韻 陌韻 麥韻

2772b	上加・100ウ2・雑物	索	―	サク	右傍	sɑk ṣɑk ṣɐk	鐸韻 陌韻 麥韻
3294	上加・110ウ3・疊字	索	入	サク	右傍	sɑk ṣɑk ṣɐk	鐸韻 陌韻 麥韻
1066b	上保・043オ2・人倫	薩	―	サツ	右注	sɑt	曷韻
0866b	上波・033ウ1・疊字	散	平濁	サン	右注	sɑn$^{2/3}$	旱/翰韻
2992b	上加・108オ7・疊字	散	去	サン	中注	sɑn$^{2/3}$	旱/翰韻
1039a	上保・042オ1・植物	酸	平	サン	右傍	suɑn^{1}	桓韻
1026a	上保・041ウ1・天象	司	平	シ	右傍	siɐi^{1}	之韻
1277b	上保・049ウ3・官職	司	―	シ	右注	siɐi^{1}	之韻
1285b	上邊・050オ2・地儀	罳	―	シ	右傍	siɐi^{1}	之韻
3173b	上加・112オ6・官職	司	―	シ	右注	siɐi^{1}	之韻
0234b	上伊・012ウ1・疊字	糸	上	シ	左注	siɐi^{1} mek	之韻 錫韻
1899b	上池・070オ7・疊字	思	去	シ	左注	siɐi$^{1/3}$	之/志韻
2736	上加・099ウ5・雑物	鐁	平	シ	右傍	sie^{1}	支韻
0323b	上伊・013ウ6・疊字	徙	上	シ	右注	sie^{2}	紙韻
0306b	上伊・013ウ2・疊字	(私)	?	シ	左注	siei^{1}	脂韻
2874b	上加・106ウ5・疊字	私	平濁	シ	左注	siei^{1}	脂韻
0761b	上波・031ウ7・疊字	死	上	シ	中注	siei^{2}	旨韻
2385b	上和・090オ3・疊字	死	平	シ	左注	siei^{2}	旨韻
2994b	上加・108ウ1・疊字	死	上	シ	左注	siei^{2}	旨韻
0032	上伊・003オ4・地儀	肆	―	シ	右傍	siei^{3}	至韻
0601	上波・024ウ4・人事	羞	平	シウ	右傍	siʌu^{1}	尤韻
1094	上保・044オ6・飲食	脩	平	シウ	右傍	siʌu^{1}	尤韻
2670a	上加・098オ5・飲食	饈	―	シウ	右傍	siʌu^{1}	尤韻
2160	上奴・077ウ7・雑物	繡	去	シウ	右傍	siʌu^{3}	宥韻
1473	上度・056ウ4・人事	宿	―	シク	右傍	siʌuk	屋韻
1949b	上池・071オ3・疊字	肅	入	シク	右注	siʌuk	屋韻
0778b	上波・032オ4・疊字	膝	入	シツ	左注	siet	質韻
0189	上伊・009オ5・方角	戌	入	シツ	右傍	siuet	術韻
1494b	上度・057オ5・雑物	心	―	シミ	右傍	siem^{1}	侵韻
0799b	上波・032ウ1・疊字	心	平濁	シム	中注	siem^{1}	侵韻
2936b	上加・107ウ3・疊字	心	平	シム	左注	siem^{1}	侵韻
2941b	上加・107ウ4・疊字	心	平濁	シム	中注	siem^{1}	侵韻
2953b	上加・107ウ7・疊字	心	平	シム	左注	siem^{1}	侵韻
2964b	上加・108オ2・疊字	心	平	シム	左注	siem^{1}	侵韻
3035b	上加・109オ2・疊字	心	上濁	シム	右注	siem^{1}	侵韻
3087b	上加・109ウ5・疊字	心	上濁	シム	右注	siem^{1}	侵韻
3106b	上加・110オ2・疊字	心	上濁	シム	右注	siem^{1}	侵韻
3241b	上与・117ウ2・疊字	心	去	シム	左注	siem^{1}	侵韻

3270b	上与・118オ1・疊字	心	去	シム	右注	siem^1	侵韻
1533	上度・058ウ1・辞字	訊	―	シム	右傍	sien^3	震韻
3021b	上加・108ウ6・疊字	迅	平	シム	左注	sien^3 siuen^3	震韻 稕韻
1022	上保・041ウ1・天象	星	上	シヤウ	右傍	seŋ^1	青韻
3180b	上与・113オ6・天象	星	上	シヤウ	右注	seŋ^1	青韻
0667	上波・027オ1・雑物	纕	平	シヤウ	右傍	siɑŋ^1	陽韻
0675	上波・027オ4・雑物	箱	平	シヤウ	右傍	siɑŋ^1	陽韻
0977	上仁・039オ1・辞字	湘	平	シヤウ	右傍	siɑŋ^1	陽韻
1276b	上保・049ウ1・諸寺	性	―	シヤウ	右注	sieŋ^3	勁韻
1873b	上池・070オ2・疊字	姓	平	シヤウ	左注	sieŋ^3	勁韻
1844b	上池・069ウ3・疊字	昔	入	シヤク	左注	siek	昔韻
2377b	上和・090オ2・疊字	昔	入	シヤク	左注	siek	昔韻
1093	上保・044オ5・飲食	羞	平	シユ	右傍	siʌu^1	尤韻
2102b	上利・075ウ1・疊字	宿	入	シユク	左注	siʌuk	屋韻
2157	上奴・077ウ1・人事	諝	―	シヨ	右傍	siʌ$^{1/2}$	魚韻
2467	上加・092ウ2・植物	菘	平	シヨウ	右傍	siʌuŋ^1	東韻
0618	上波・025オ4・人事	詢	平	シヰン	右傍	siuen^1	諄韻
1607b	上度・062ウ2・疊字	心	上濁	シン	右注	siem^1	侵韻
1895b	上池・070オ6・疊字	新	平	シン	左注	sien^1	真韻
2466a	上加・092ウ1・植物	辛	平	シン	右傍	sien^1	眞韻
2677	上加・098ウ1・飲食	辛	平	シン	右傍	sien^1	眞韻
2784	上加・101オ2・方角	辛	平	シン	右傍	sien^1	眞韻
1861b	上池・069ウ6・疊字	信	去	シン	左注	sien^3	震韻
1541	上度・059オ5・辞字	迅	―	シン	右傍	sien^3 siuen^3	震韻 稕韻
2925b	上加・107ウ1・疊字	娶	平 入濁	ス	左注	siuʌ^1 ts'iuʌ^3	虞韻 遇韻
0534	上波・022オ3・動物	隼	上	スヰン	右傍	siuen^2	準韻
0082	上伊・004ウ4・動物	嘶	平	セイ	右傍	sei^1	齊韻
0130	上伊・006ウ6・人事	棲	平	セイ	右傍	sei^1	齊韻
1962b	上池・071ウ5・國郡	西	―	セイ	右注	sei^1	齊韻
1426b	上度・054ウ5・地儀	栖	平	セイ	右傍	sei$^{1/3}$	齊/霽韻
2955b	上加・107ウ7・疊字	聟	去	セイ	左注	sei^3	霽韻
0462b	上波・020オ2・天象	星	平	セイ	右傍	seŋ^1	青韻
1023	上保・041ウ1・天象	星	平	セイ	左注	seŋ^1	青韻
1204b	上保・047ウ7・疊字	性	去	セイ	右注	sieŋ^3	勁韻
3188	上与・113ウ6・植物	蕭	平	セウ	右傍	seu^1	蕭韻
0491	上波・020ウ7・植物	蕭	平	セウ	右傍	seu^1	蕭韻
3137a	上加・110ウ3・疊字	蕭	東	セウ	右傍	seu^1	蕭韻
2612a	上加・096ウ2・人體	痟	去	セウ	右傍	siau^1	宵韻
3182	上与・113オ7・天象	霄	平	セウ	右注	siau^1	宵韻

3272b	上与・118オ3・疊字	霄	平	セウ	右傍	siau^{1}	宵韻
2263	上遠・083オ5・辞字	小	—	セウ	右注	siau^{2}	小韻
0796b	上波・032ウ1・疊字	咲	去	セウ	左注	siau^{3}	笑韻
2326	上和・087オ6・人事	嘆	—	セウ	右傍	siau^{3}	笑韻
2632b	上加・097オ5・人事	裼	入	セキ	右傍	sek	錫韻
3138b	上加・110ウ4・疊字	裼	入	セキ	左注	sek	錫韻
2118b	上利・075ウ4・疊字	惜	入濁	セキ	左注	siek	昔韻
2378b	上和・090オ2・疊字	昔	入	セキ	左注	siek	昔韻
2428	上加・091ウ2・地儀	潟	入	セキ	右傍	siek	昔韻
1543	上度・059オ6・辞字	銛	平	セム	右傍	siam^{1} t‘em^{2} kɑt	鹽韻 忝韻 末韻
1828b	上池・069オ7・疊字	宣	平	セム	左注	siuan^{1}	仙韻
0908b	上波・034オ5・疊字	跣	平	セン	右傍	sen^{2}	銑韻
1609b	上度・062ウ3・疊字	跣	上	セン	左注	sen^{2}	銑韻
2601	上加・096オ7・人體	癬	平	セン	右傍	sian^{2}	獮韻
0170	上伊・008ウ3・雑物	線	—	セン	右傍	sian^{3}	線韻
0450b	上呂・019オ4・疊字	宣	平	セン	右注	siuan^{1}	仙韻
0399b	上伊・016ウ6・姓氏	蘓	—	ソ	右注	suʌ^{1}	模韻
1479b	上度・057オ2・飲食	穌	—	ソ	右傍	suʌ^{1}	模韻
1480b	上度・057オ2・飲食	穌	—	ソ	右注	suʌ^{1}	模韻
3211	上与・115オ5・人事	穌	—	ソ	右傍	suʌ^{1}	模韻
2993b	上加・108ウ1・疊字	素	上	ソ	左注	suʌ^{3}	暮韻
2995b	上加・108ウ1・疊字	素	上 去	ソ	左注	suʌ^{3}	暮韻
3047b	上加・109オ4・疊字	素	去	ソ	左注	suʌ^{3}	暮韻
0766b	上波・032オ1・疊字	僧	上濁	ソウ	右注	sʌŋ^{1}	登韻
1018c	上仁・041オ3・官職	僧	—	ソウ	右注	sʌŋ^{1}	登韻
1582b	上度・062オ4・疊字	藪	上	ソウ	左注	sʌu^{2}	厚韻
0136	上伊・007オ2・人事	息	入	ソク	右傍	siɐk	職韻
0584a	上波・024オ3・人躰	塞	入	ソク	右傍	sʌk sʌi^{3}	徳韻 代韻
1845b	上池・069ウ3・疊字	速	入	ソク	左注	sʌuk	屋韻
0763b	上波・032オ1・疊字	孫	平	ソン	左注	suʌn^{1}	魂韻
1666b	上度・063ウ1・疊字	孫	平	ソン	左注	suʌn^{1}	魂韻
2142	上奴・076ウ2・植物	蓀	平	ソン	右傍	suʌn^{1}	魂韻
2370b	上和・089ウ7・疊字	孫	—	ソン	左注	suʌn^{1}	魂韻
2389b	上和・090オ4・疊字	孫	平濁	ソン	左注	suʌn^{1}	魂韻
0845b	上波・033オ3・疊字	損	平	ソン	左注	suʌn^{2}	混韻
1398b	上邊・053ウ4・疊字	損	平濁	ソン	右注	suʌn^{2}	混韻
1926a	上池・070ウ5・疊字	筭	去	チウ	左注	suɑn^{3}	換韻
2494a	上加・093ウ1・植物	萆	平	ヒ	右傍	siɐi^{2} biek	止韻 昔韻

【表C-04】下巻_心母 s

番号	前田本所在	掲出字		仮名音注		中古音	韻目
5354a	下師・071ウ6・人躰	浸	―	心 [平]	右注	siem^{1}	侵韻
3334	下古・002ウ4・植物	莎	平	サ	右傍	sua^{1}	戈韻
6170	下飛・094ウ4・雜物	梭	平	サ	右傍	sua^{1}	戈韻
4736a	下佐・052オ7・疊字	瑣	―	サ	右注	sua^{2}	果韻
5466	下師・074ウ6・雜物	鎖	上	サ	右傍	sua^{2}	果韻
4458	下佐・043オ6・植物	犀	平	サイ	右傍	sei^{1}	齊韻
6493a	下世・106ウ4・地儀	栖	平	サイ	右傍	sei$^{1/3}$	齊/霽韻
4524a	下佐・045ウ6・人事	細	―	サイ	右注	sei^{3}	霽韻
4632a	下佐・050ウ4・重點	細	―	サイ	右注	sei^{3}	霽韻
4632b	下佐・050ウ4・重點	細	―	サイ	右注	sei^{3}	霽韻
4745a	下佐・052ウ3・疊字	細	―	サイ	右傍	sei^{3}	霽韻
5767b	下師・084オ2・疊字	細	―	サイ	左注	sei^{3}	霽韻
3357	下古・003ウ2・動物	鰓	平	サイ	右傍	sʌi^{1}	咍韻
4657a	下佐・051オ4・疊字	賽	去	サイ	左注	sʌi^{3}	代韻
5564b	下師・079ウ4・疊字	賽	―	サイ	左注	sʌi^{3}	代韻
4939b	下木・059オ1・方角	塞	去	サイ	右傍	sʌi^{3} sʌk	代韻 徳韻
4477	下佐・044オ3・動物	犀	平 去	サイ [平上]	右注	sei^{1}	齊韻
4671a	下佐・051オ6・疊字	桒	―	サウ	右注	saŋ^{1}	唐韻
5819b	下師・084ウ3・疊字	喪	平濁	サウ	左注	saŋ$^{1/3}$	唐/宕韻
6424b	下毛・102ウ3・人事	喪	―	サウ	右注	saŋ$^{1/3}$	唐/宕韻
4143	下阿・027ウ3・動物	鰺	平	サウ	右傍	sau^{1}	豪韻
4523	下佐・045ウ5・人事	騒	平	サウ	右傍	sau^{1}	豪韻
4529	下佐・046オ1・人事	騒	平	サウ	右傍	sau^{1}	豪韻
4738a	下佐・052ウ1・疊字	騒	去	サウ	左注	sau^{1}	豪韻
4722a	下佐・052オ4・疊字	掃	去	サウ	左注	sau$^{2/3}$	晧/号韻
3705b	下古・012オ3・疊字	譟		サウ	左注	sau^{3}	号韻
4502a	下佐・044ウ5・人倫	相	―	サウ	右注	siaŋ$^{1/3}$	陽/漾韻
4513	下佐・045オ7・人事	相	―	サウ	右注	siaŋ$^{1/3}$	陽/漾韻
4539a	下佐・046オ6・人事	相	上	サウ	左注	siaŋ$^{1/3}$	陽/漾韻
4662a	下佐・051オ5・疊字	相	去	サウ	左注	siaŋ$^{1/3}$	陽/漾韻
4716a	下佐・052オ2・疊字	相	平	サウ	右注	siaŋ$^{1/3}$	陽/漾韻
4740a	下佐・052ウ1・疊字	相	上	サウ	左注	siaŋ$^{1/3}$	陽/漾韻
4767a	下佐・053オ1・疊字	相	平	サウ	左注	siaŋ$^{1/3}$	陽/漾韻
4774a	下佐・053オ3・疊字	相	平	サウ	左注	siaŋ$^{1/3}$	陽/漾韻
4780a	下佐・053オ4・疊字	相	―	サウ	右注	siaŋ$^{1/3}$	陽/漾韻
5903c	下師・085ウ4・疊字	相	―	サウ	右傍	siaŋ$^{1/3}$	陽/漾韻
5906c	下師・085ウ4・疊字	相	―	サウ	右傍	siaŋ$^{1/3}$	陽/漾韻

5925a	下師・086ウ2・國郡	相	―	サウ	右傍	$siaŋ^{1/3}$	陽/漾韻
6932b	下洲・120ウ1・疊字	相	平	サウ	右注	$siaŋ^{1/3}$	陽/漾韻
4596a	下佐・047ウ7・雜物	鏁	―	サウ	右注	sua^{2}	果韻
4578a	下佐・047オ7・雜物	靸	入	サウ ［平上］	右注	sap sʌp	盍韻 合韻
4802a	下佐・054オ2・國郡	相	―	サカ	右注	$siaŋ^{1/3}$	陽/漾韻
6290b	下飛・098ウ1・疊字	削	入	サク	右注	siak	藥韻
4810a	下佐・054オ4・國郡	薩	―	サツ	右傍	sat	曷韻
4801a	下佐・054オ1・諸社	三	―	サイ	右注	$sam^{1/3}$	談/闞韻
5383c	下師・073オ3・人事	三	―	サハ	左傍	$sam^{1/3}$	談/闞韻
4492a	下佐・044オ6・動物	三	東	サム	右注	$sam^{1/3}$	談/闞韻
4693a	下佐・051ウ4・疊字	三	―	サム	右注	$sam^{1/3}$	談/闞韻
4717a	下佐・052オ2・疊字	三	―	サム	左注	$sam^{1/3}$	談/闞韻
4781a	下佐・053オ5・疊字	三	東	サム	右注	$sam^{1/3}$	談/闞韻
4587a	下佐・047ウ3・雜物	三	平	サム ［平平］	右注	$sam^{1/3}$	談/闞韻
4588a	下佐・047ウ4・雜物	三	―	サム ［平平］	右注	$sam^{1/3}$	談/闞韻
4658a	下佐・051オ4・疊字	三	去	（サム）	左注	$sam^{1/3}$	談/闞韻
4664a	下佐・051オ5・疊字	三	去	（サム）	左注	$sam^{1/3}$	談/闞韻
4668a	下佐・051オ6・疊字	三	平	（サム）	左注	$sam^{1/3}$	談/闞韻
4785a	下佐・053オ6・疊字	三	―	（サン）	左注	$sam^{1/3}$	談/闞韻
4790a	下佐・053オ7・疊字	三	―	（サン）	右注	$sam^{1/3}$	談/闞韻
4669a	下佐・051オ6・疊字	散	平	（サン）	左注	$san^{2/3}$	旱/翰韻
5889b	下師・085ウ1・疊字	散	去	（サン）	右注	$san^{2/3}$	旱/翰韻
4715a	下佐・052オ2・疊字	相	平	サム	中注	$siaŋ^{1/3}$	陽/漾韻
4784a	下佐・053オ5・疊字	珊	平	サン	右注	san^{1}	寒韻
5218a	下由・066オ3・地儀	珊	―	サン	右傍	san^{1}	寒韻
3987b	下手・022ウ3・疊字	散	平	サン	左注	$san^{2/3}$	旱/翰韻
4543a	下佐・046オ7・人事	散	上	サン	左注	$san^{2/3}$	旱/翰韻
4583a	下佐・047ウ2・雜物	散	上	サン	右注	$san^{2/3}$	旱/翰韻
4634a	下佐・050ウ4・重點	散	―	サン	右注	$san^{2/3}$	旱/翰韻
4634b	下佐・050ウ4・重點	散	―	サン	右注	$san^{2/3}$	旱/翰韻
4655a	下佐・051オ3・疊字	散	平	サン	左注	$san^{2/3}$	旱/翰韻
4680a	下佐・051ウ1・疊字	散	去	サン	中注	$san^{2/3}$	旱/翰韻
4763a	下佐・052ウ7・疊字	散	―	サン	左注	$san^{2/3}$	旱/翰韻
4764a	下佐・053オ1・疊字	散	―	サン	左注	$san^{2/3}$	旱/翰韻
4825a	下佐・054ウ3・官職	散	―	サン	右注	$san^{2/3}$	旱/翰韻
6189b	下飛・095オ2・雜物	繖	上濁	サン	右注	$san^{2/3}$	旱/翰韻
3338a	下古・002ウ5・植物	蒜	去	サン	右傍	$suan^{1}$	換韻
6051	下飛・091オ5・植物	蒜	去	サン	右傍	$suan^{1}$	換韻
4754a	下佐・052ウ5・疊字	筭	―	サン	中注	$suan^{3}$	換韻
4755a	下佐・052ウ5・疊字	筭	―	サン	左注	$suan^{3}$	換韻
4756a	下佐・052ウ5・疊字	筭	平	サン	左注	$suan^{3}$	換韻

4820a	下佐・054ウ2・官職	笇	—	サン	右注	suan^{3}	換韻
4574a	下佐・047オ7・雜物	珊	平	サン [平平]	右注	san^{1}	寒韻
4531a	下佐・046オ3・人事	散	—	サン [平平]	右注	san$^{2/3}$	旱/翰韻
4557a	下佐・046ウ5・飲食	散	—	サン [平平]	右注	san$^{2/3}$	旱/翰韻
4623	下佐・049ウ4・辞字	散	—	サン [去平]	右注	san$^{2/3}$	旱/翰韻
4611	下佐・048オ7・員數	笇	平	サン [平平]	右注	suan^{3}	換韻
3654b	下古・011オ6・疊字	司	—	シ	左注	siɐi^{1}	之韻
4447b	下佐・042ウ6・地儀	司	—	シ	右注	siɐi^{1}	之韻
4817c	下佐・054オ7・官職	司	—	シ	右注	siɐi^{1}	之韻
5530a	下師・078ウ5・疊字	司	平	シ	右注	siɐi^{1}	之韻
5957b	下師・087オ3・官職	司	—	シ	右傍	siɐi^{1}	之韻
6962c	下洲・121ウ1・官職	司	—	シ	右注	siɐi^{1}	之韻
5617a	下師・081オ6・疊字	思	去	シ	左注	siɐi$^{1/3}$	之/志韻
5618a	下師・081オ6・疊字	思	—	シ	左注	siɐi$^{1/3}$	之/志韻
5733a	下師・083オ5・疊字	伺	平	シ	右注	siɐi$^{1/3}$	之/志韻
5839a	下師・084ウ7・疊字	思	去	シ	右注	siɐi$^{1/3}$	之/志韻
5840a	下師・084ウ7・疊字	思	去	シ	左注	siɐi$^{1/3}$	之/志韻
6354a	下飛・099ウ1・疊字	伺	平	シ	右傍	siɐi$^{1/3}$	之/志韻
3583	下古・009オ3・辞字	斯	平	シ	右傍	sie^{1}	支韻
5476b	下師・075オ3・光彩	斯	平	シ	右傍	sie^{1}	支韻
5689a	下師・082ウ1・疊字	廝	平	シ	左注	sie^{1}	支韻
5754a	下師・083ウ4・疊字	徙	平	シ	中注	sie^{2}	紙韻
3306	下古・001ウ7・地儀	澌	平	シ	右傍	sie^{3}	寘韻
5822a	下師・084ウ4・疊字	死	—	シ	左注	siei^{2}	旨韻
5900a	下師・085ウ3・疊字	死	—	シ	右傍	siei^{2}	旨韻
5462a	下師・074ウ5・雜物	四	去	シ	右傍	siei^{3}	至韻
5481a	下師・075オ6・方角	四	平	シ	右注	siei^{3}	至韻
5854a	下師・085オ2・疊字	泗	—	シ	右傍	siei^{3}	至韻
5864a	下師・085オ4・疊字	四	平	シ	右注	siei^{3}	至韻
5911a	下師・085ウ6・疊字	駟	—	シ	右傍	siei^{3}	至韻
5417a	下師・073ウ7・雜物	新	—	シ	右注	sien^{1}	眞韻
5916a	下師・086オ5・諸礼	信	—	シ	右注	sien^{3}	震韻
6357a	下飛・099ウ7・國郡	信	—	シ	右傍	sien^{3}	震韻
5432a	下師・074オ3・雜物	絲	—	シ [平]	右注	siɐi^{1} mek	之韻 錫韻
6889	下洲・118ウ3・辞字	羞	平	シウ	右傍	siʌu^{1}	尤韻
5112b	下木・063オ5・疊字	繡	—	シウ	左注	siʌu^{3}	宥韻
5433a	下師・074オ4・雜物	繡	去	シウ	右傍	siʌu^{3}	宥韻
5947a	下師・087オ1・官職	秀	—	シウ	右注	siʌu^{3}	宥韻

5527b	下師・078ウ4・疊字	宿	去	シウ	左注	$si\Lambda u^{3}$ siʌuk	宥韻 屋韻
3754b	下江・014ウ6・動物	鮍	平濁	シウ	右傍	$si\Lambda u\eta^{1}$	東韻
5471a	下師・074ウ7・雜物	粛	徳	シク	右傍	siʌuk	屋韻
5564a	下師・079ウ4・疊字	宿	―	シク	左注	siʌuk	屋韻
5589a	下師・080ウ3・疊字	夙	徳	シク	左注	siʌuk	屋韻
5746a	下師・083ウ2・疊字	宿	―	シク	左注	siʌuk	屋韻
5763a	下師・083ウ7・疊字	宿	―	シク	中注	siʌuk	屋韻
5572a	下師・079ウ7・疊字	悉	入	シツ	右注	siet	質韻
5835a	下師・084ウ6・疊字	悉	入	シツ	左注	siet	質韻
6121	下飛・093オ3・人躰	膝	入	シツ	右傍	siet	質韻
4874a	下木・056ウ5・動物	蟋	入	シツ	右傍	siet ṣiət	質韻 櫛韻
5926a	下師・086ウ3・國郡	信	―	シナ	右注	$sien^{3}$	震韻
5646a	下師・081ウ5・疊字	心	去	シム	左注	$siem^{1}$	侵韻
5670b	下師・082オ3・疊字	心	去濁	シム	左注	$siem^{1}$	侵韻
5819a	下師・084ウ3・疊字	心	去	シム	左注	$siem^{1}$	侵韻
5895c	下師・085ウ2・疊字	心	―	シム	右傍	$siem^{1}$	侵韻
5899a	下師・085ウ3・疊字	心	―	シム	右注	$siem^{1}$	侵韻
5899b	下師・085ウ3・疊字	心	―	シム	右注	$siem^{1}$	侵韻
6478b	下毛・105ウ5・疊字	訊	平濁	シム	右注	$sien^{3}$	震韻
5918b	下師・086オ7・諸寺	寫	―	シヤ	右注	sia^{2}	馬韻
5581a	下師・080オ4・疊字	瀉	去	シヤ	左注	$sia^{2/3}$	馬/禡韻
4541b	下佐・046オ6・人事	桒	平	シヤウ	左注	$s\alpha\eta^{1}$	唐韻
4046b	下阿・024オ7・天象	星	上	シヤウ	右傍	$se\eta^{1}$	青韻
5872a	下師・085オ5・疊字	湘	平	シヤウ	右注	$si\alpha\eta^{1}$	陽韻
4501a	下佐・044ウ5・人倫	相	―	シヤウ	右傍	$si\alpha\eta^{1/3}$	陽/漾韻
4821b	下佐・054ウ2・官職	相	―	シヤウ	右注	$si\alpha\eta^{1/3}$	陽/漾韻
5861a	下師・085オ3・疊字	相	平	シヤウ	右注	$si\alpha\eta^{1/3}$	陽/漾韻
3634b	下古・011オ1・疊字	性	平	シヤウ	左注	$sie\eta^{3}$	勁韻
5331	下師・071オ2・人倫	姓	―	シヤウ	右注	$sie\eta^{3}$	勁韻
5408	下師・073ウ5・雜物	錫	入	シヤク	右注	sek	錫韻
5455a	下師・074ウ3・雜物	錫	入	シヤク	右注	sek	錫韻
3728b	下古・013オ1・疊字	惜	―	シヤク	右傍	siek	昔韻
5541a	下師・079オ2・疊字	須	去	シユ	左注	$siu\Lambda^{1}$	虞韻
4556	下佐・046ウ5・飲食	羞	平	シユ	右傍	$si\Lambda u^{1}$	尤韻
5326a	下師・071オ1・人倫	修	―	シユ	右注	$si\Lambda u^{1}$	尤韻
5565a	下師・079ウ4・疊字	修	―	シユ	左注	$si\Lambda u^{1}$	尤韻
5575a	下師・080オ3・疊字	修	―	シユ	左注	$si\Lambda u^{1}$	尤韻
5576a	下師・080オ3・疊字	修	―	シユ	左注	$si\Lambda u^{1}$	尤韻
5577a	下師・080オ3・疊字	修	―	シユ	左注	$si\Lambda u^{1}$	尤韻
5937a	下師・086ウ6・官職	修	―	シユ	右注	$si\Lambda u^{1}$	尤韻
5596b	下師・080ウ5・疊字	恤	―	シユツ	右注	siuet	術韻
6830	下洲・115ウ4・飲食	酸	平	シユン	右傍	$su\alpha n^{1}$	桓韻

5956a	下師・087オ3・官職	小	一	シヨウ	右傍	siau^{2}	小韻
5812a	下師・084ウ2・疊字	悚	一	シヨウ	左注	siauŋ^{2}	腫韻
5815a	下師・084ウ3・疊字	悚	上	シヨウ	左注	siauŋ^{2}	腫韻
5816a	下師・084ウ3・疊字	悚	上	シヨウ	左注	siauŋ^{2}	腫韻
3323b	下古・002ウ2・植物	菘	平	シヨウ	右傍	siʌuŋ^{1}	東韻
4088	下阿・025ウ6・植物	粟	一	シヨク	右傍	siauk	燭韻
5621a	下師・081オ6・疊字	心	平	シン	左注	siem^{1}	侵韻
3342a	下古・002ウ7・植物	辛	平	シン	右傍	sien^{1}	眞韻
4151b	下阿・027ウ5・動物	辛	平	シン	右傍	sien^{1}	眞韻
5391a	下師・073オ5・人事	新	一	シン	左注	sien^{1}	眞韻
5605a	下師・080ウ7・疊字	辛	去	シン	左注	sien^{1}	眞韻
6055b	下飛・091オ6・植物	辛	一	シン	右傍	sien^{1}	眞韻
6658b	下世・111オ4・疊字	薪	平	シン	左注	sien^{1}	眞韻
4174a	下阿・028ウ7・人躰	顖	去	シン	右傍	sien^{3}	震韻
5050b	下木・062オ3・疊字	慎	平濁	シン	左注	sien^{3}	震韻
5357	下師・072オ2・人事	信	平	シン	右注	sien^{3}	震韻
5471b	下師・074ウ7・雜物	慎	去	シン	右傍	sien^{3}	震韻
5568a	下師・079ウ6・疊字	信	一	シン	左注	sien^{3}	震韻
5669a	下師・082オ3・疊字	信	平	シン	左注	sien^{3}	震韻
5670a	下師・082オ3・疊字	信	平	シン	左注	sien^{3}	震韻
5780a	下師・084オ4・疊字	信	平	シン	左注	sien^{3}	震韻
5917a	下師・086オ7・諸寺	信	一	シン	左注	sien^{3}	震韻
3844b	下江・017ウ2・疊字	須	平	ス	左注	siuʌ^{1}	虞韻
5935b	下師・086ウ3・國郡	須	一	ス	右傍	siuʌ^{1}	虞韻
6118	下飛・093オ2・人躰	鬚	平	ス	右傍	siuʌ^{1}	虞韻
6798a	下洲・114オ2・植物	蘇	平	ス	右注	suʌ^{1}	模韻
6866a	下洲・116ウ5・光彩	穌	平	ス	右注	suʌ^{1}	模韻
3647b	下古・011オ4・疊字	髄	一	スイ	左注	siue^{2}	紙韻
6818	下洲・115オ1・人躰	髄	上濁	スイ	右傍	siue^{2}	紙韻
6936a	下洲・120ウ2・疊字	髄	一	スイ	左注	siue^{2}	紙韻
6717b	下世・111ウ7・疊字	砕	去	スイ	左注	suʌi^{3}	隊韻
4813b	下佐・054オ4・國郡	宿	一	スキ	右傍	siʌuk	屋韻
5156b	下木・063ウ7・疊字	恤	入	スツ	左注	siuet	術韻
5336a	下師・071オ6・人躰	鬚	平	スユ	右傍	siuʌ^{1}	虞韻
3327b	下古・002ウ3・植物	荽	平	スヰ	右傍	siuei^{1}	脂韻
6945a	下洲・120ウ4・疊字	綏	平	スヰ	左注	siuei^{1}	脂韻
3998b	下手・022ウ5・疊字	撕	一	セイ	中注	sei^{1}	齊韻
4416b	下阿・040ウ7・国郡	西	一	セイ	右傍	sei^{1}	齊韻
6105a	下飛・092ウ3・人倫	西	平	セイ	右傍	sei^{1}	齊韻
6550a	下世・108ウ7・雜物	犀	平	セイ	左注	sei^{1}	齊韻
6591a	下世・110オ6・疊字	西	平	セイ	左注	sei^{1}	齊韻
6646a	下世・111オ2・疊字	西	平	セイ	中注	sei^{1}	齊韻

6773	下洲・113ウ1・地儀	棲	平	セイ	右傍	sei^{1}	齊韻
6822	下洲・115オ4・人事	棲	平	セイ	右傍	sei^{1}	齊韻
4439a	下佐・042ウ2・地儀	細	去	セイ	右傍	sei^{3}	霽韻
5658b	下師・082オ1・疊字	聟	去濁	セイ	左注	sei^{3}	霽韻
6055a	下飛・091オ6・植物	細	去	セイ	右傍	sei^{3}	霽韻
6573a	下世・110オ3・疊字	霽	去	セイ	左注	sei^{3}	霽韻
6717a	下世・111ウ7・疊字	細	去	セイ	左注	sei^{3}	霽韻
3356b	下古・003ウ1・動物	星	平	セイ	右傍	seŋ^{1}	青韻
4496	下佐・044オ7・動物	鮏	―	セイ	右傍	seŋ^{1}	青韻
5185b	下木・064オ6・疊字	星	平	セイ	右注	seŋ^{1}	青韻
5309	下師・070オ5・動物	猩	平	セイ	右傍	seŋ^{1} ṣaŋ^{1}	青韻 庚韻
3973b	下手・022オ7・疊字	性	去濁	セイ	左注	sieŋ^{3}	勁韻
6525	下世・108オ3・人事	性	去	セイ	右傍	sieŋ^{3}	勁韻
6542	下世・108ウ6・雑物	簫	東 去	セウ	右傍	seu^{1}	蕭韻
6543	下世・108ウ6・雑物	簫	東 去	セウ	左注	seu^{1}	蕭韻
6572a	下世・110オ1・重點	蕭	―	セウ	右注	seu^{1}	蕭韻
6572b	下世・110オ1・重點	蕭	―	セウ	右注	seu^{1}	蕭韻
6739a	下世・112オ5・疊字	蕭	平	セウ	右傍	seu^{1}	蕭韻
4157a	下阿・028オ3・動物	蠨	平	セウ	右傍	seu^{1} siʌuk	蕭韻 屋韻
4236	下阿・031オ6・飲食	鱐	去	セウ	右傍	seu^{3} ṣiʌu^{1}	嘯韻 尤韻
3785b	下江・016オ3・雑物	消	平	セウ	右注	siau^{1}	宵韻
4909	下木・058オ5・雑物	綃	平	セウ	右傍	siau^{1}	宵韻
5524b	下師・078ウ4・疊字	霄	平	セウ	左注	siau^{1}	宵韻
5535b	下師・078ウ7・疊字	霄	平	セウ	左注	siau^{1}	宵韻
6670a	下世・111オ6・疊字	逍	去	セウ	左注	siau^{1}	宵韻
6688a	下世・111ウ2・疊字	消	去	セウ	左注	siau^{1}	宵韻
6524a	下世・108オ1・人躰	痟	去	セウ	右傍	siau^{1}	宵韻
4575	下佐・047オ7・雑物	鞘	平	セウ	右傍	siau^{3} sau^{1}	笑韻 肴韻
5407	下師・073ウ5・雑物	錫	入	セキ	右傍	sek	錫韻
3446b	下古・007オ3・雑物	屑	入	セツ	右傍	set	屑韻
5914b	下師・086オ2・疊字	屑	入	セツ	右傍	set	屑韻
4929	下木・058ウ3・雑物	紲	入	セツ	右傍	siat	薛韻
5457a	下師・074ウ4・雑物	褻	入	セツ	右傍	siat	薛韻
3575b	下古・007ウ5・光彩	雪	―	セツ	右注	siuat	薛韻
5209	下由・065ウ6・天象	雪	入	セツ	右傍	siuat	薛韻
5470b	下師・074ウ7・雑物	雪	―	セツ	右注	siuat	薛韻
5704b	下師・082ウ5・疊字	雪	入	セツ	左注	siuat	薛韻
6628a	下世・110ウ5・疊字	燮	入	セフ	左注	sep	帖韻

6519a	下世・107ウ5・人倫	先	—	セン	右注	sen$^{1/3}$	先/霰韻
6585a	下世・110オ5・疊字	先	去	セン	左注	sen$^{1/3}$	先/霰韻
6638a	下世・111オ1・疊字	先	去	セン	中注	sen$^{1/3}$	先/霰韻
6824	下洲・115オ5・人事	跣	—	セン	右傍	sen^{2}	銑韻
3597b	下古・010オ6・疊字	洗	去	セン	左注	sen^{2} sei^{2}	銑韻 薺韻
6699a	下世・111ウ4・疊字	洗	上	セン	左注	sen^{2} sei^{2}	銑韻 薺韻
4119b	下阿・026ウ4・植物	仙	平	セン	右傍	sian^{1}	仙韻
6516a	下世・107ウ5・人倫	仙	—	セン	右傍	sian^{1}	仙韻
6057b	下飛・091オ7・植物	鮮	平	セン	右傍	sian$^{1/2/3}$	仙/獮/線韻
6702a	下世・111ウ4・疊字	鮮	平	セン	左注	sian$^{1/2/3}$	仙/獮/線韻
6523	下世・108オ1・人躰	癬	上	セン	右傍	sian^{2}	獮韻
5433b	下師・074オ4・雜物	線	去	セン	右傍	sian^{3}	線韻
6546a	下世・108ウ7・雜物	線	—	セン	右注	sian^{3}	線韻
5932b	下師・086ウ3・國郡	蘓	平	ソ	右傍	suʌ^{1}	模韻
6375b	下飛・100オ2・國郡	蘓	—	ソ	右傍	suʌ^{1}	模韻
6382b	下飛・100オ3・國郡	蘓	—	ソ	右傍	suʌ^{1}	模韻
6865a	下洲・116ウ5・光彩	蘓	平	ソ	右傍	suʌ^{1}	模韻
3715b	下古・012オ5・疊字	素	去	ソ	左注	suʌ^{3}	暮韻
5878b	下師・085オ6・疊字	素	上	ソ	右注	suʌ^{3}	暮韻
6410	下毛・101ウ4・動物	膆	—	ソ	右傍	suʌ^{3}	暮韻
5327b	下師・071オ1・人倫	僧	—	ソウ	右注	sʌŋ^{1}	登韻
5329b	下師・071オ1・人倫	僧	—	ソウ	右傍	sʌŋ^{1}	登韻
4530b	下佐・046オ3・人事	送	—	ソウ	右注	sʌuŋ^{3}	送韻
3823b	下江・017オ5・疊字	息	入	ソク	左注	siɐk	職韻
4201a	下阿・029オ7・人躰	瘜	入	ソク	右傍	siɐk	職韻
4203b	下阿・029オ7・人躰	息	—	ソク	右傍	siɐk	職韻
5067b	下木・062オ7・疊字	息	入	ソク	左注	siɐk	職韻
5812b	下師・084ウ2・疊字	息	—	ソク	左注	siɐk	職韻
6688b	下世・111ウ2・疊字	息	入	ソク	左注	siɐk	職韻
4689b	下佐・051ウ3・疊字	速		ソク	左注	sʌuk	屋韻
5029b	下木・061ウ5・疊字	速	入	ソク	左注	sʌuk	屋韻
5818b	下師・084ウ3・疊字	速	入	ソク	左注	sʌuk	屋韻
5513	下師・078オ1・辞字	數	入	ソク	右傍	sʌuk ṣauk ṣiuʌ$^{2/3}$	屋韻 覺韻 麌/遇韻
5349b	下師・071ウ4・人躰	嗽	入	ソク	右傍	sʌuk ṣauk sʌu^{3}	屋韻 覺韻 候韻
4857b	下木・056オ4・植物	孫	平	ソン	—	suʌn^{1}	魂韻
5700b	下師・082ウ3・疊字	孫	—	ソン	左注	suʌn^{1}	魂韻
5907c	下師・085ウ5・疊字	孫	—	ソン	右傍	suʌn^{1}	魂韻

5907d	下師・085ウ5・疊字	孫	―	ソン	右傍	suʌn^{1}	魂韻
6096b	下飛・092ウ1・人倫	孫	平	ソン	右傍	suʌn^{1}	魂韻
6790a	下洲・113ウ7・植物	蓀	平	ソン	右傍	suʌn^{1}	魂韻
6640a	下世・111オ1・疊字	先	去濁	セン	左注	sen$^{1/3}$	先/霰韻

【表C-04】上巻_邪母 z

番号	前田本所在	掲出字		仮名音注		中古音	韻目
2723	上加・099ウ2・雜物	柌	―	シ	右傍	ziɐi^{1}	之韻
1017c	上仁・041オ1・諸寺	寺	―	シ	右注	ziɐi^{3}	志韻
1018b	上仁・041オ3・官職	寺	―	シ	右注	ziɐi^{3}	志韻
1273c	上保・049ウ1・諸寺	寺	―	シ	右注	ziɐi^{3}	志韻
1274c	上保・049ウ1・諸寺	寺	―	シ	右注	ziɐi^{3}	志韻
1276c	上保・049ウ1・諸寺	寺	―	シ	右注	ziɐi^{3}	志韻
2614a	上加・096ウ2・人體	飼	去	シ	右傍	ziɐi^{3}	志韻
3154b	上加・111ウ4・國郡	灊	―	シミ	右傍	ziem^{1} dziem^{1} dziam^{1}	侵韻 侵韻 鹽韻
1127	上保・045ウ6・方角	潯	平	シム	右傍	ziem^{1}	侵韻
0804b	上波・032ウ2・疊字	謝	去	シヤ	右注	zia^{3}	禡韻
2915b	上加・107オ6・疊字	祥	平	シヤウ	中注	ziɑŋ^{1}	陽韻
0262b	上伊・012ウ7・疊字	緒	上	シヨ	左注	ziʌ^{2}	語韻
2743b	上加・100オ1・雜物	松	平	シヨウ	右注	ziɑuŋ^{1}	鍾韻
0509a	上波・020オ6・植物	續	―	シヨク	右傍	ziɑuk	燭韻
2041b	上利・074ウ3・疊字	俗	入	シヨク	左注	ziɑuk	燭韻
0934b	上仁・036オ5・植物	遂	去	スイ	右傍	ziuei^{3}	至韻
1508b	上度・057ウ3・雜物	燧	去	スイ	右傍	ziuei^{3}	至韻
2870b	上加・106ウ4・疊字	穗	去	スイ	左注	ziuei^{3}	至韻
0570b	上波・023ウ2・人倫	旬	―	スン	右傍	ziuen^{1}	諄韻
0462a	上波・020オ2・天象	彗	平	セイ	右傍	ziuai^{3} jiuai^{3} ziuei^{3}	祭韻 祭韻 至韻
0501a	上波・021オ3・植物	旋	去	セン	右傍	ziuan$^{1/3}$	仙/線韻
3203	上与・114ウ3・人職	涎	平	セン	右傍	zian^{1} jian^{3}	仙韻 線韻
2968b	上加・108オ3・疊字	緒	上	ソ	右注	ziʌ^{2}	語韻
1476c	上度・056ウ6・人事	旋	上濁	テン	左注	ziuan$^{1/3}$	仙/線韻

【表C-04】下巻_邪母 z

番号	前田本所在	掲出字		仮名音注		中古音	韻目
4480	下佐・044オ3・動物	象	平 去	サウ	右注	$zia\eta^{2}$	養韻
4869	下木・056ウ2・動物	象	平 去	サウ	右傍	$zia\eta^{2}$	養韻
3399	下古・005オ5・人事	詞	平	シ	右傍	$zi\text{ɐ}i^{1}$	之韻
3650b	下古・011オ5・疊字	辞	平	シ	左注	$zi\text{ɐ}i^{1}$	之韻
5588a	下師・080ウ2・疊字	辞	平濁	シ	右注	$zi\text{ɐ}i^{1}$	之韻
5714a	下師・083オ1・疊字	詞	平	シ	左注	$zi\text{ɐ}i^{1}$	之韻
6599b	下世・110オ7・疊字	祀	去	シ	中注	$zi\text{ɐ}i^{2}$	止韻
5305	下師・070オ5・動物	兕	―	シ	―	$ziei^{2}$	旨韻
5873a	下師・085オ5・疊字	兕	上	シ	右注	$ziei^{2}$	旨韻
5489	下師・075ウ4・辞字	辝	―	シ [平濁]	中注	$zi\text{ɐ}i^{1}$	之韻
4378b	下阿・039ウ1・疊字	誦	平	シウ	中注	$zi\text{ɑ}u\eta^{3}$	用韻
4384b	下阿・039ウ3・疊字	習	―	シウ	左注	ziep	緝韻
5720a	下師・083オ2・疊字	囚	去	シウ	左注	$zi\text{ʌ}u^{1}$	尤韻
5083b	下木・062ウ4・疊字	習	入濁	シフ	中注	ziep	緝韻
5591a	下師・080ウ4・疊字	習	入	シフ	左注	ziep	緝韻
5777a	下師・084オ3・疊字	尋	去濁	シム	右注	$ziem^{1}$	侵韻
6204	下飛・095ウ2・員數	尋		シム	右傍	$ziem^{1}$	侵韻
4048a	下阿・024オ7・天象	斜	平	シヤ	右注	zia^{1} jia^{1}	麻韻 麻韻
5547a	下師・079オ4・疊字	斜	平	シヤ	右注	zia^{1} jia^{1}	麻韻 麻韻
5500	下師・076ウ5・辞字	謝	―	シヤ [平去]	右注	zia^{3}	禡韻
5540a	下師・079オ2・疊字	斜	平	シヤウ	右注	zia^{1} jia^{1}	麻韻 麻韻
5032b	下木・061ウ6・疊字	祥	―	シヤウ	左注	$zia\eta^{1}$	陽韻
5601a	下師・080ウ6・疊字	祥	平	シヤウ	左注	$zia\eta^{1}$	陽韻
6931b	下洲・120ウ1・疊字	祥	平	シヤウ	右注	$zia\eta^{1}$	陽韻
3303a	下古・001ウ7・地儀	象	去	シヤウ	右傍	$zia\eta^{2}$	養韻
5847a	下師・085オ1・疊字	象	去	シヤウ	右注	$zia\eta^{2}$	養韻
6517b	下世・107ウ5・人倫	松	平	シヤウ	右傍	$zi\text{ɑ}u\eta^{1}$	鍾韻
5310a	下師・070オ5・動物	象	去	シヤウ [平平上]	右傍	$zia\eta^{2}$	養韻
5458a	下師・074ウ4・雑物	象	―	シヤウ [平平上]	右注	$zia\eta^{2}$	養韻
5592a	下師・080ウ4・疊字	巡	平	シユン	中注	$ziuen^{1}$	諄韻
6053a	下飛・091オ6・植物	徐	平	シヨ	右傍	$zi\text{ʌ}^{1}$	魚韻
5898a	下師・085ウ3・疊字	序	―	シヨ	右注	$zi\text{ʌ}^{2}$	語韻
5697a	下師・082ウ2・疊字	松	平	シヨウ	左注	$zi\text{ɑ}u\eta^{1}$	鍾韻
5736a	下師・083オ6・疊字	松	平	シヨウ	右注	$zi\text{ɑ}u\eta^{1}$	鍾韻

5858a	下師・085オ3・疊字	松	―	シヨウ	右注	$zi\alpha u\eta^{1}$	鍾韻
6747b	下世・112オ7・疊字	松	平	シヨウ	右注	$zi\alpha u\eta^{1}$	鍾韻
5865a	下師・085オ4・疊字	蜀	入	シヨク	右注	źɑuk	燭韻
4106a	下阿・026オ7・植物	藎	去	シン	右傍	$zien^{3}$	震韻
3703b	下古・012オ2・疊字	囚	―	ス	左注	$zi\Lambda u^{1}$	尤韻
5508	下師・077オ7・辞字	随	平濁	スイ	右傍	$ziue^{1}$	支韻
6898a	下洲・119ウ7・疊字	随	―	スイ	中注	$ziue^{1}$	支韻
6927a	下洲・120オ7・疊字	随	―	スイ	右注	$ziue^{1}$	支韻
6930a	下洲・120ウ1・疊字	随	去	スイ	右注	$ziue^{1}$	支韻
6933a	下洲・120ウ1・疊字	随	去	スイ	右注	$ziue^{1}$	支韻
6937a	下洲・120ウ2・疊字	随	―	スイ	左注	$ziue^{1}$	支韻
6944a	下洲・120ウ4・疊字	随	平	スイ	左注	$ziue^{1}$	支韻
6964a	下洲・121ウ4・官職	随	―	スイ	右注	$ziue^{1}$	支韻
6156	下飛・094ウ1・雑物	燧	―	スイ	右傍	$ziuei^{3}$	至韻
5813b	下師・084ウ2・疊字	巡	平濁	スン	左注	$ziuen^{1}$	諄韻
4701b	下佐・051ウ6・疊字	席	入	セキ	右注	ziek	昔韻
5783b	下師・084オ4・疊字	席	入	セキ	左注	ziek	昔韻
5876b	下師・085オ6・疊字	席	入	セキ	右注	ziek	昔韻
6684a	下世・111ウ1・疊字	席	―	セキ	右注	ziek	昔韻
6736b	下世・112オ4・疊字	席	入	セキ	右注	ziek	昔韻
6440a	下毛・103オ5・雑物	旋	平	セン	右傍	$ziuan^{1/3}$	仙/線韻
6730b	下世・112オ3・疊字	俗	入濁	ソク	右注	ziɑuk	燭韻

【表C-05】上巻_荘母 tṣ

番号	前田本所在	掲出字		仮名音注		中古音	韻目
0956a	上仁・037ウ2・人躰	皶	平	サ	右傍	tṣa¹	麻韻
0148	上伊・007ウ3・人事	詐	—	サ	右傍	tṣa³	禡韻
0150b	上伊・007ウ5・人事	齋	平	サイ	右傍	tṣɐi¹	皆韻
1811b	上池・069オ3・疊字	齋	平濁	サイ	中注	tṣɐi¹	皆韻
0142	上伊・007ウ1・人事	齋	平	サイ ［朱］	右傍	tṣɐi¹	皆韻
1856b	上池・069ウ5・疊字	粧	平	サウ	中注	tṣiaŋ¹	陽韻
2823	上加・103オ6・辞字	粧	平	サウ	右傍	tṣiaŋ¹	陽韻
3207	上与・115オ1・人事	粧	平	サウ	右傍	tṣiaŋ¹	陽韻
0098a	上伊・005オ6・動物	蚱	入	サク	右傍	tṣak	陌韻
0824b	上波・032ウ6・疊字	札	入	サツ	右注	tṣet	黠韻
0330b	上伊・013ウ7・疊字	盞	上	サン	左注	tṣen²	産韻
0848b	上波・033オ4・疊字	盞	上	サン	右注	tṣen²	産韻
0587	上波・024オ4・人躰	齓	上	シ	右傍	tṣiʌn² tṣʻiɐn³	隠韻 震韻
2684	上加・098ウ4・雑物	簪	平	シム	右傍	tṣiem¹	侵韻
0511	上波・021オ7・植物	榛	平	シム	右傍	tṣiɐn¹	臻韻
1644b	上度・063オ3・疊字	諍	平濁	シヤウ	左注	tṣɐŋ³	諍韻
2836	上加・104ウ5・辞字	昃	入	シヨク	右傍	tṣiək	職韻
2944b	上加・107ウ5・疊字	責	入	セキ	左注	tṣɐk	麥韻
2945b	上加・107ウ5・疊字	責	入	セキ	左注	tṣɐk	麥韻
0960	上仁・038オ1・飲食	菹	平	（ソ）	右傍	tṣiʌ¹	魚韻

【表C-05】下巻_荘母 tṣ

番号	前田本所在	掲出字		仮名音注		中古音	韻目
4206	下阿・029ウ2・人躰	皻	平	サ	右傍	tṣa¹	麻韻
4708a	下佐・051ウ7・疊字	詐	上 去	サ	左注	tṣa³	禡韻
4270	下阿・032オ7・雑物	罺	平	サウ	右傍	tṣau¹ tṣʻau³	肴韻 効韻
4713a	下佐・052オ1・疊字	爪	—	サウ	左注	tṣau²	巧韻
4610	下佐・048オ7・員數	丬	—	サウ	右注	tṣiaŋ³	漾韻
4653a	下佐・051オ3・疊字	舴	入	サク	左注	tṣak ṭak	陌韻 陌韻
4943	下木・059オ6・辞字	斬	上	サム	右傍	tṣɐm²	豏韻
4559	下佐・047オ1・雑物	盞	上	サン	右傍	tṣen²	産韻
5878a	下師・085オ6・疊字	緇	去	シ	右注	tṣiɐi¹	之韻
5879a	下師・085オ6・疊字	緇	去	シ	右注	tṣiɐi¹	之韻
5295	下師・069ウ7・植物	蕺	入	シフ	左傍	tṣiep	緝韻
5415	下師・073ウ6・雑物	箏	去	シヤウ	右注	tṣɐŋ¹	耕韻

5416	下師・073ウ6・雜物	箏	去	シヤウ	中注	tṣeŋ^{1}	耕韻
5771a	下師・084オ2・疉字	裝	平	シヤウ	右傍	tṣiɑŋ$^{1/3}$	陽/漾韻
5420a	下師・073ウ7・雜物	鉦	平	シヤウ	右注	tṣieŋ^{1}	清韻
5763b	下師・083ウ7・疉字	債	―	セキ	左注	tṣɐk tṣɐ^{3}	麥韻 卦韻
4279b	下阿・032ウ3・雜物	盞	上	セン	右傍	tṣɐn^{2}	産韻

【表C-05】上巻_初母 tṣʻ

番号	前田本所在	掲出字		仮名音注		中古音	韻目
0414b	上呂・018オ1・人事	槍	平濁	サウ	中注	tṣʻaŋ^{1} tsʻiɑŋ^{1}	庚韻 陽韻
0443b	上呂・019オ3・疉字	槍	平	サウ	中注	tṣʻaŋ^{1} tsʻiɑŋ^{1}	庚韻 陽韻
0463b	上波・020オ2・天象	槍	平	サウ	右傍	tṣʻaŋ^{1} tsʻiɑŋ^{1}	庚韻 陽韻
0117b	上伊・006オ5・人體	瘡	平	サウ	右傍	tṣʻiɑŋ^{1}	陽韻
1743b	上池・066ウ7・人躰	瘡	上	サウ	右注	tṣʻiɑŋ^{1}	陽韻
2600	上加・096オ7・人體	瘡	平 上	サウ	右傍	tṣʻiɑŋ^{1}	陽韻
2689a	上加・098ウ5・雜物	插	入	サフ	右傍	tṣʻɐp	洽韻
0603	上波・024ウ5・人事	懺	平	サム	右傍	tṣʻam^{3}	鑑韻
3136b	上加・110ウ3・疉字	差	平	シ	右傍	tṣʻie^{1} tṣʻɐ$^{1/3}$ tṣʻɐi^{1} tṣʻa^{1}	支韻 佳/卦韻 皆韻 麻韻
1937b	上池・071オ1・疉字	策	入	シヤク	右注	tṣʻɐk	麥韻
0692	上波・028オ4・方角	初	平	シヨ	右傍	tṣʻiʌ^{1}	魚韻
2486	上加・093オ4・植物	蒭	平	スユ	右傍	tṣʻiuʌ^{1}	虞韻
0946	上仁・036ウ4・動物	毳	去	セイ	右傍	tṣʻiuai^{3} tsʻiuai^{3}	祭韻 祭韻
2164	上奴・078オ4・辞字	抄	平	セウ	右傍	tṣʻau$^{1/3}$	肴/効韻
2149	上奴・076ウ7・動物	鯋	―	セウ	右傍	tṣʻau^{3}	効韻
2837	上加・105オ1・辞字	鯋	去	セウ	右傍	tṣʻau^{3}	効韻
0029b	上伊・003オ3・地儀	礎	―	ソ	右傍	tṣʻiʌ^{2}	語韻
1920b	上池・070ウ4・疉字	礎	上	ソ	中注	tṣʻiʌ^{2}	語韻

【表C-05】下巻_初母 tṣʻ

番号	前田本所在	掲出字		仮名音注		中古音	韻目
4573a	下佐・047オ6・雜物	鈔	平	サ	右傍	tṣʻau$^{1/3}$	肴/効韻

4334	下阿・036オ3・辞字	叉	平	サ	右傍	tʂ‘a^{1} tʂ‘ɐ^{1}	麻韻 佳韻
6178a	下飛・094ウ7・雑物	叉	—	サ	右傍	tʂ‘a^{1} tʂ‘ɐ^{1}	麻韻 佳韻
4449a	下佐・043オ1・地儀	杈	—	サ	右傍	tʂ‘a^{1} tʂ‘ɐ^{3}	麻韻 卦韻
5736b	下師・083オ6・疊字	窓	平	サウ	右注	tʂ‘auŋ^{1}	江韻
6142a	下飛・094オ3・飲食	炒	上	サウ	右傍	tʂ‘au^{2}	巧韻
6419b	下毛・102オ4・人躰	瘡	平	サウ	右傍	tʂ‘iɑŋ^{1}	陽韻
5354c	下師・071ウ6・人躰	瘡	—	サウ [上上]	右注 左注	tʂ‘iɑŋ^{1}	陽韻
4579a	下佐・047オ7・雑物	挿	—	サウ [平上]	右注	tʂ‘ɐp	洽韻
5735b	下師・083オ6・疊字	柵	入	サク	右注	tʂ‘ak tʂ‘ɐk ʂan^{3}	陌韻 麥韻 諫韻
4636a	下佐・050ウ4・重點	察	—	サツ	右注	tʂ‘ɐt	黠韻
4636b	下佐・050ウ4・重點	察	—	サツ	右注	tʂ‘ɐt	黠韻
5801b	下師・084オ7・疊字	察	入	サツ	左注	tʂ‘ɐt	黠韻
6929b	下洲・120ウ1・疊字	察	入	サツ	右注	tʂ‘ɐt	黠韻
4419b	下阿・041オ3・官職	察	—	サツ	右注	tʂ‘ɐt	黠韻
4624	下佐・049ウ5・辞字	察	—	サツ [平平]	右注	tʂ‘ɐt	黠韻
5422a	下佐・047オ6・雑物	鈔	平	サフ	右注	tʂ‘au$^{1/3}$	肴/効韻
4760a	下佐・052ウ6・疊字	挿	入	サフ	右注	tʂ‘ɐp	洽韻
4535a	下佐・046オ4・人事	墋	上	サム	右傍	tʂ‘iem^{2}	寝韻
5792b	下師・084オ6・疊字	差	平	シ	左注	tʂ‘ie^{1} tʂ‘ɐ$^{1/3}$ tʂ‘ɐi^{1} tʂ‘a^{1}	支韻 佳/卦韻 皆韻 麻韻
5912b	下師・085ウ6・疊字	差	—	シ	右傍	tʂ‘ie^{1} tʂ‘ɐ$^{1/3}$ tʂ‘ɐi^{1} tʂ‘ɑ^{1}	支韻 佳/卦韻 皆韻 麻韻
5625a	下師・081オ7・疊字	差	上	シヤ	左注	tʂ‘a^{1} tʂ‘ie^{1} tʂ‘ɐ$^{1/3}$ tʂ‘ɐi^{1}	麻韻 支韻 佳/卦韻 皆韻
5113b	下木・063オ5・疊字	筞	入	シヤク	左注	tʂ‘ɐk	麥韻
5494	下師・076オ4・辞字	筞	—	シヤク	右傍	tʂ‘ɐk	麥韻
5536a	下師・078ウ7・疊字	初	去	シヨ	右注	tʂ‘iʌ^{1}	魚韻
6540	下世・108ウ5・雑物	鏟	平	セン	右注	tʂ‘ɐn^{2} tʂ‘an^{3}	産韻 諫韻

4686b	下佐・051ウ2・疊字	初	上	ソ	左注	tṣʻiʌ^{1}	魚韻
6145b	下飛・094オ5・雑物	楚	—	ソ	右注	tṣʻiʌ$^{2/3}$	語/御韻
5248	下由・067ウ6・雑物	靫	平	ヒ	右傍	tṣʻa^{1} tṣʻɐ^{1}	麻韻 佳韻
4521	下佐・045ウ5・人事	儳	去濁	サム ［去濁上］	右注	tṣʻam^{3}	鑑韻
4675a	下佐・051オ7・疊字	儳	去濁	サム	左注	tṣʻam^{3}	鑑韻

【表C-05】上巻_崇母 dẓ

番号	前田本所在	掲出字		仮名音注		中古音	韻目
2734	上加・099ウ4・雑物	鋜	入	サク	右傍	dẓauk	覺韻
2749	上加・100オ3・雑物	鑱	平	サム	右傍	dẓam$^{1/3}$	銜/鑑韻
2407b	上和・090オ7・疊字	儳	平濁	サム	左注	dẓɐm$^{1/3}$	咸/陷韻
2457	上加・092オ2・地儀	棧	上	サン	右傍	dẓɐn^{2} dẓan^{3} dẓian^{2}	産韻 諫韻 獮韻
0765b	上波・032オ1・疊字	仕	平	シ	右注	dẓiei^{2}	止韻
0819b	上波・032ウ5・疊字	士	去	シ	中注	dẓiei^{2}	止韻
1224b	上保・048オ4・疊字	仕	平濁	シ	左注	dẓiei^{2}	止韻
1836b	上池・069ウ1・疊字	仕	平濁	シ	右注	dẓiei^{2}	止韻
2497	上加・093ウ2・植物	柿	上	シ	右傍	dẓiei^{2}	止韻
3251b	上与・117ウ4・疊字	士	平	シ	左注	dẓiei^{2}	止韻
1163b	上保・047オ6・疊字	字	平濁	シ	左注	dziei^{3}	志韻
0442b	上呂・019オ3・疊字	事	上	シ	中注	dẓiei^{3}	志韻
0917b	上波・035オ3・官職	事	—	シ	右注	dẓiei^{3}	志韻
1344b	上邊・052ウ7・疊字	事	平	シ	左注	dẓiei^{3}	志韻
1941b	上池・071オ1・疊字	事	平	シ	右注	dẓiei^{3}	志韻
1972c	上池・072オ1・官職	事	—	シ	右注	dẓiei^{3}	志韻
2376b	上和・090オ2・疊字	事	平	シ	左注	dẓiei^{3}	志韻
2414b	上和・090ウ3・疊字	事	—	シ	右傍	dẓiei^{3}	志韻
2314	上和・087オ3・人事	事	—	シイ	右傍	dẓiei^{3}	志韻
2122b	上利・075ウ5・疊字	状	上濁	シヤウ	左注	dẓiaŋ^{3}	漾韻
2219	上遠・080ウ1・植物	蓁	平	シン	右傍	dẓien^{1}	臻韻
1209b	上保・048オ1・疊字	雛	平	ス	中注	dẓiuʌ^{1}	虞韻
0386c	上伊・016オ4・官職	士	—	セ	右注	dẓiei^{2}	止韻
0915b	上波・035オ2・官職	士	—	セ	右注	dẓiei^{2}	止韻
0463a	上波・020オ2・天象	欃	平	ロン	右傍	dẓɐm^{1} dẓam^{3}	咸韻 鑑韻

【表C-05】下巻_崇母 dẓ

番号	前田本所在	掲出字		仮名音注		中古音	韻目
5293	下師・069ウ6・植物	柴	平	サイ	右傍	dẓɐ^{1}	佳韻
6775	下洲・113ウ1・地儀	巣	平	サウ	右傍	dẓau^{1}	肴韻
6054b	下飛・091オ6・植物	床	平	サウ	右傍	dẓiɑŋ^{1}	陽韻
4601b	下佐・048オ2・雜物	鑱	平	サム	右傍	dẓam$^{1/3}$	銜/鑑韻
4710a	下佐・052オ1・疊字	讒	平	サム	左注	dẓɐm^{1} dẓam$^{1/3}$	咸韻 銜/鑑韻
4522	下佐・045ウ5・人事	讒	平濁	サム ［平濁平］	右注	dẓɐm^{1} dẓam$^{1/3}$	咸韻 銜/鑑韻
4712a	下佐・052オ1・疊字	讒	平	サン	左注	dẓɐm^{1} dẓam$^{1/3}$	咸韻 銜/鑑韻
3740	下江・014オ4・地儀	棧	上	サン	右傍	dẓɐn^{2} dẓan^{3} dẓian^{2}	産韻 諫韻 獮韻
4446	下佐・042ウ6・地儀	棧	―	サン	右注	dẓɐn^{2} dẓan^{3} dẓian^{2}	産韻 諫韻 獮韻
5515	下師・078オ3・辞字	柴	平	シ	右傍	dẓɐ^{1}	佳韻
4504b	下佐・044ウ6・人倫	仕	―	シ	右注	dẓiɐi^{2}	止韻
4771b	下佐・053オ2・疊字	仕	平濁	シ	左注	dẓiɐi^{2}	止韻
4825b	下佐・054ウ3・官職	仕	―	シ	右注	dẓiɐi^{2}	止韻
5138b	下木・063ウ3・疊字	事	―	シ	右注	dẓiɐi^{3}	志韻
5330	下師・071オ2・人倫	士	―	シ	左注	dẓiɐi^{2}	止韻
5946b	下師・086ウ7・官職	士	―	シ	右注	dẓiɐi^{2}	止韻
5948b	下師・087オ1・官職	士	―	シ	右注	dẓiɐi^{2}	止韻
5958b	下師・087オ3・官職	仕	―	シ	右注	dẓiɐi^{2}	止韻
6003b	下會・089ウ1・疊字	仕	平	シ	左注	dẓiɐi^{2}	止韻
6020b	下會・090オ1・官職	士	―	シ	右注	dẓiɐi^{2}	止韻
6954b	下洲・121オ5・国郡	士	―	シ	右傍	dẓiɐi^{2}	止韻
5525a	下師・078ウ4・疊字	驟	去	シウ	右注	dẓiʌu^{3}	宥韻
4254b	下阿・032オ4・雜物	床	平	シヤウ	右傍	dẓiɑŋ^{1}	陽韻
5217	下由・066オ3・地儀	床	平	シヤウ	右傍	dẓiɑŋ^{1}	陽韻
5465a	下師・074ウ6・雜物	床	平	シヤウ	右傍	dẓiɑŋ^{1}	陽韻
3862b	下江・017ウ5・疊字	状	上濁	シヤウ	左注	dẓiɑŋ^{3}	漾韻
5157b	下木・064オ1・疊字	状	―	シヤウ	左注	dẓiɑŋ^{3}	漾韻
5940a	下師・086ウ6・官職	助	―	シヨ	右注	dẓiʌ^{3}	御韻
5168b	下木・064オ3・疊字	崇	平	ス	右注	dẓiʌuŋ^{1}	東韻
6785a	下洲・113ウ4・地儀	崇	平	ス	右傍	dẓiʌuŋ^{1}	東韻
6783a	下洲・113ウ4・地儀	崇	平	スウ	右傍	dẓiʌuŋ^{1}	東韻

6077	下飛・092オ1・動物	鶵	平	スユ	右傍	dẓiuʌ[1]	虞韻
3731b	下古・013オ7・官職	士	―	セ	左注	dẓiɐi[2]	止韻
4820c	下佐・054ウ2・官職	士	―	セ	右注	dẓiɐi[2]	止韻
5942c	下師・086ウ7・官職	士	―	セ	右注	dẓiɐi[2]	止韻
5944c	下師・086ウ7・官職	士	―	セ	右注	dẓiɐi[2]	止韻
6481d	下毛・106オ1・官職	士	―	セ	右注	dẓiɐi[2]	止韻
5117b	下木・063オ6・疊字	撰	平	セン	左注	dẓian[2] dẓuan[2]	獮韻 潸韻
6636a	下世・110ウ7・疊字	撰	―	セン	左注	dẓian[2] dẓuan[2]	獮韻 潸韻
6860	下洲・116ウ1・雜物	鋤	―	ソ	右傍	dẓiʌ[1]	魚韻
3312a	下古・002オ2・地儀	助	去	ソ	右傍	dẓiʌ[3]	御韻
6038a	下飛・090ウ7・地儀	助	去	ソ	右傍	dẓiʌ[3]	御韻
4612	下佐・048ウ3・辞字	槐	平	カン	右傍	dẓɐm[1] dẓam[3]	咸韻 鑑韻

【表C-05】上巻_生母 ṣ

番号	前田本所在	掲出字		仮名音注		中古音	韻目
0013	上伊・002ウ4・地儀	沙	平	サ	右傍	ṣa[1/3]	麻/禡韻
1716b	上池・065ウ2・地儀	沙	平	サ	右傍	ṣa[1/3]	麻/禡韻
2137b	上利・076オ3・國郡	沙	―	サ	右注	ṣa[1/3]	麻/禡韻
2550a	上加・094ウ7・動物	沙	平	サ	右傍	ṣa[1/3]	麻/禡韻
3121b	上加・110オ5・疊字	沙	平	サ	右注	ṣa[1/3]	麻/禡韻
0425b	上呂・018オ7・光彩	衫	―	サウ	右注	ṣam[1]	銜韻
0660	上波・026ウ5・雜物	攃	入	サク	右傍	ṣɐk	麥韻
2901b	上加・107オ3・疊字	煞	入	サツ	右注	ṣɐt	黠韻
3086b	上加・109ウ5・疊字	察	入	サツ	左注	ṣɐt	黠韻
2694b	上加・098ウ6・雜物	衫	―	サミ ［平平］	右注	ṣam[1]	銜韻
2807	上加・102オ2・辞字	芟	平	サム	右傍	ṣam[1]	銜韻
1463b	上度・056ウ1・人事	山	―	サム	右傍	ṣɐn[1]	山韻
0885b	上波・033ウ4・疊字	山	平	サン	右注	ṣɐn[1]	山韻
1157b	上保・047オ4・疊字	山	平	サン	左注	ṣɐn[1]	山韻
1632b	上度・063オ1・疊字	山	平濁	サン	中注	ṣɐn[1]	山韻
2130b	上利・075ウ6・疊字	山	平	サン	左注	ṣɐn[1]	山韻
2291a	上和・086オ2・植物	山	平	サン	右傍	ṣɐn[1]	山韻
1573b	上度・062オ2・疊字	産	上	サン	中注	ṣɐn[2]	産韻
1413c	上邊・054オ1・官職	使	―	シ	右注	ṣiɐi[2/3]	止/志韻
3164d	上加・112オ1・官職	使	―	シ	右傍	ṣiɐi[2/3]	止/志韻
0646	上波・026オ6・雜物	屣	―	シ	右傍	ṣie[2/3]	紙/寘韻
1067b	上保・043オ2・人倫	師	―	シ	右注	ṣiei[1]	脂韻

1456b	上度・056オ2・人倫	師	—	シ	右注	ṣiei¹	脂韻
2138b	上利・076オ4・官職	師	—	シ	右注	ṣiei¹	脂韻
2173b	上奴・079オ2・姓氏	師	—	シ	右注	ṣiei¹	脂韻
2571b	上加・095ウ3・人倫	師	平	シ	右傍	ṣiei¹	脂韻
2900b	上加・107オ3・疊字	師	上濁	シ	左注	ṣiei¹	脂韻
2619	上加・096ウ5・人事	蒐	平	シウ	右傍	ṣiʌu¹	尤韻
0217	上伊・011オ7・辞字	森	平	シム	右傍	ṣiem¹	侵韻
2212b	上遠・080オ6・植物	參	平濁	シム	右傍	ṣiem¹ tṣʻiem¹ tsʻʌm^{1/3} sɑm¹	侵韻 侵韻 覃/勘韻 談韻
3136a	上加・110ウ3・疊字	參	平	シム	右傍	ṣiem¹ tṣʻiem¹ tsʻʌm^{1/3} sɑm¹	侵韻 侵韻 覃/勘韻 談韻
1725b	上池・066オ4・動物	生	—	シヤウ	右注	ṣaŋ^{1/3}	庚/映韻
3003b	上加・108ウ2・疊字	生	上	シヤウ	左注	ṣaŋ^{1/3}	庚/映韻
1635b	上度・063オ1・疊字	省	上濁	シヤウ	左注	ṣaŋ² sieŋ²	梗韻 靜韻
1966c	上池・071ウ7・官職	省	—	シヤウ	右注	ṣaŋ² sieŋ²	梗韻 靜韻
3050b	上加・109オ5・疊字	所	平濁	シヨ	左注	ṣiʌ²	語韻
3174b	上加・112オ7・官職	所	—	シヨ	右傍	ṣiʌ²	語韻
0935b	上仁・036オ5・植物	蔘	上	シン	右注	ṣiem¹ sʌm¹	侵韻 覃韻
0108	上伊・005ウ6・人倫	帥	—	スイ	右傍	ṣiuei³ ṣiuet	至韻 質韻
2758	上加・100オ5・雜物	韈	平	スヰ	右傍	ṣiue¹	支韻
0162	上伊・008オ7・飲食	牲	平	セイ	右傍	ṣaŋ¹	庚韻
2234	上遠・081オ3・人倫	甥	平	セイ	右傍	ṣaŋ¹	庚韻
1854b	上池・069ウ5・疊字	生	上	セイ	左注	ṣaŋ^{1/3}	庚/映韻
2687c	上加・098ウ4・雜物	刷	入	セツ	右傍	ṣiuat	薛韻
2584	上加・096オ2・人體	髾	平	セム	右傍	ṣau¹	肴韻
0170	上伊・008ウ3・雜物	線	—	セン	右傍	sian³	線韻
0037c	上伊・003オ6・地儀	所	—	ソ	右傍	ṣiʌ²	語韻
2432b	上加・091ウ3・地儀	所	平濁	ソ	右注	ṣiʌ²	語韻
0589	上波・024オ5・人躰	齭	—	ソ	右注	ṣiʌ² tṣʻiʌ²	語韻 語韻
2935b	上加・107ウ3・疊字	色	入	ソク	左注	ṣiɐk	職韻
2950b	上加・107ウ6・疊字	色	入	ソク	左注	ṣiɐk	職韻
0245b	上伊・012ウ4・疊字	率	入	ソツ	右注	ṣiuet	術韻
2136a	上利・076オ3・官職	率	—	ソツ	右注	ṣiuet	術韻

2087a	上利・075オ5・疊字	森	平	リン	左注	ṣiem^{1}	侵韻

【表C-05】下巻_生母 ṣ

番号	前田本所在	掲出字		仮名音注		中古音	韻目
3440c	下古・007オ1・雜物	砂	上	サ	右注	ṣa^{1}	麻韻
4603a	下佐・048オ3・雜物	砂	—	サ	右注	ṣa^{1}	麻韻
4652a	下佐・051オ2・疊字	砂	平	サ	左注	ṣa^{1}	麻韻
5434	下師・074オ4・雜物	紗	平	サ	右傍	ṣa^{1}	麻韻
6772	下洲・113オ8・地儀	砂	平	サ	右傍	ṣa^{1}	麻韻
3367b	下古・003ウ6・動物	沙	平	サ	右傍	ṣa$^{1/3}$	麻/禡韻
4411a	下阿・040ウ6・国郡	沙	—	サ	左傍	ṣa$^{1/3}$	麻/禡韻
4536a	下佐・046オ5・人事	沙	平	サ	右注	ṣa$^{1/3}$	麻/禡韻
4681a	下佐・051ウ1・疊字	沙	平	サ	中注	ṣa$^{1/3}$	麻/禡韻
4832a	下佐・055オ2・姓氏	沙	—	サ	右注	ṣa$^{1/3}$	麻/禡韻
4791a	下佐・053オ7・疊字	灑	—	サ	右注	ṣa^{2} ṣɐ^{2} ṣie$^{2/3}$	馬韻 蟹韻 紙/寘韻
4595	下佐・047ウ6・雜物	灑	上	サイ	右傍	ṣɐ^{2} ṣie$^{2/3}$ ṣa^{2}	蟹韻 紙/寘韻 馬韻
4157b	下阿・028オ3・動物	蛸	平	サウ	右傍	ṣau^{1} siau^{1}	肴韻 宵韻
6827a	下洲・115ウ1・人事	雙	平	サウ	右傍	ṣauŋ^{1}	江韻
4783a	下佐・053オ5・疊字	霜	—	サウ	右注	ṣiɑŋ^{1}	陽韻
4787a	下佐・053オ7・疊字	霜	平	サウ	右注	ṣiɑŋ^{1}	陽韻
6137b	下飛・094オ1・飲食	糠	入	サク	右傍	ṣak	陌韻
4450a	下佐・043オ2・地儀	朔	入	サク	右傍	ṣauk	覺韻
6793	下洲・114オ1・植物	杦	—	サム	右傍	ṣɐm^{1}	咸韻
4735a	下佐・052オ7・疊字	刪	平	サン	左注	ṣan$^{1/3}$	刪/諫韻
3830b	下江・017オ6・疊字	山	平	サン	右傍	ṣɐn^{1}	山韻
4114a	下阿・026ウ3・植物	山	平	サン	右傍	ṣɐn^{1}	山韻
4481b	下佐・044オ3・動物	山	平	サン	右傍	ṣɐn^{1}	山韻
4649a	下佐・051オ2・疊字	山	平	サン	左注	ṣɐn^{1}	山韻
4752a	下佐・052ウ5・疊字	山	東	サン	右傍	ṣɐn^{1}	山韻
4753a	下佐・052ウ5・疊字	山	—	サン	左注	ṣɐn^{1}	山韻
6355c	下飛・099ウ5・諸寺	山	—	サン	右傍	ṣɐn^{1}	山韻
4199	下阿・029オ6・人躰	疝	平	サン	右傍	ṣɐn^{1} ṣan^{3}	山韻 諫韻
5344	下師・071ウ3・人躰	疝	平	サン	右傍	ṣɐn^{1} ṣan^{3}	山韻 諫韻

4757a	下佐・052ウ6・疊字	産	上	サン	左注	ṣen^{2}	産韻
5355a	下師・071ウ6・人躰	産	上	サン	右傍	ṣen^{2}	産韻
6945b	下洲・120ウ4・疊字	山	—	サン	左注	ṣen^{1}	山韻
4517	下佐・045ウ1・人事	産	—	サン ［平上］	右注	ṣen^{2}	産韻
5945	下師・086ウ7・官職	史	—	シ	右注	ṣiɐi^{2}	止韻
4419c	下阿・041オ3・官職	使	—	シ	左注	ṣiɐi$^{2/3}$	止/志韻
4420c	下阿・041オ3・官職	使	—	シ	左注	ṣiɐi$^{2/3}$	止/志韻
5128b	下木・063ウ1・疊字	使	上	シ	左注	ṣiɐi$^{2/3}$	止/志韻
5755a	下師・083ウ4・疊字	使	去	シ	右注	ṣiɐi$^{2/3}$	止/志韻
6710b	下世・111ウ6・疊字	使	上	シ	左注	ṣiɐi$^{2/3}$	止/志韻
4431b	下阿・041ウ6・姓氏	師	—	シ	右注	ṣiei^{1}	脂韻
4882b	下木・057オ3・人倫	師	—	シ	右注	ṣiei^{1}	脂韻
5301a	下師・070オ4・動物	師	—	シ	右注	ṣiei^{1}	脂韻
5323	下師・070ウ7・人倫	師	平	シ	右注	ṣiei^{1}	脂韻
5325c	下師・071オ1・人倫	師	—	シ	右注	ṣiei^{1}	脂韻
5579a	下師・080オ4・疊字	師	—	シ	左注	ṣiei^{1}	脂韻
5906a	下師・085ウ4・疊字	師	—	シ	右傍	ṣiei^{1}	脂韻
5954d	下師・087オ3・官職	師	—	シ	右注	ṣiei^{1}	脂韻
5977b	下會・088オ4・人倫	師	—	シ	右傍	ṣiei^{1}	脂韻
6823b	下洲・115オ5・人事	師	—	シ	右傍	ṣiei^{1}	脂韻
4503b	下佐・044ウ5・人倫	色	—	シキ	右注	ṣiɐk	職韻
4660b	下佐・051オ4・疊字	色	入	シキ	左注	ṣiɐk	職韻
5167b	下木・064オ3・疊字	色	入	シキ	左注	ṣiɐk	職韻
5450a	下師・074ウ1・雜物	色	—	シキ	右注	ṣiɐk	職韻
5705a	下師・082ウ5・疊字	色	—	シキ	右注	ṣiɐk	職韻
5461a	下師・074ウ5・雜物	縮	—	シク	右傍	ṣiʌuk	屋韻
5317	下師・070ウ3・動物	虱	—	シチ	右傍	ṣiɐt	櫛韻
5414	下師・073ウ6・雜物	瑟	—	シチ ［上上］	右注	ṣiɐt	櫛韻
5382a	下師・073オ2・人事	澁	入	シフ	中注	ṣiep	緝韻
5809b	下師・084ウ2・疊字	澁	徳?	シフ	右注	ṣiep	緝韻
6353a	下飛・099オ6・疊字	徆	入	シフ	右傍	ṣiep	緝韻
5792a	下師・084オ6・疊字	嵾	平	シム	左注	ṣiem^{1} tṣ‘iem^{1} ts‘ʌm$^{1/3}$ sɑm^{1}	侵韻 侵韻 覃/勘韻 談韻
5435	下師・074オ4・雜物	紗	平	シヤ	右注	ṣa^{1}	麻韻
5461b	下師・074ウ5・雜物	砂	—	シヤ	右傍	ṣa^{1}	麻韻
5477b	下師・075オ4・光彩	紗	上	シヤ	右注	ṣa^{1}	麻韻
5478b	下師・075オ4・光彩	紗	上	シヤ	右傍	ṣa^{1}	麻韻
5328a	下師・071オ1・人倫	沙	—	シヤ	右注	ṣa$^{1/3}$	麻/禡韻
3441c	下古・007オ1・雜物	砂	上	シヤ ［上濁上］	右注	ṣa^{1}	麻韻
5411	下師・073ウ6・雜物	笙	東	シヤウ	右注	ṣaŋ^{1}	庚韻

5460a	下師・074ウ5・雜物	生	―	シヤウ	右注	ṣaŋ$^{1/3}$	庚/映韻
5516a	下師・078ウ1・重點	生	―	シヤウ	右注	ṣaŋ$^{1/3}$	庚/映韻
5516b	下師・078ウ1・重點	生	―	シヤウ	右注	ṣaŋ$^{1/3}$	庚/映韻
5810a	下師・084ウ2・疊字	生	去	シヤウ	右注	ṣaŋ$^{1/3}$	庚/映韻
5900b	下師・085ウ3・疊字	生	―	シヤウ	右傍	ṣaŋ$^{1/3}$	庚/映韻
5908a	下師・085ウ5・疊字	生	―	シヤウ	右傍	ṣaŋ$^{1/3}$	庚/映韻
5011b	下木・061ウ2・疊字	省	上	シヤウ	右注	ṣaŋ^{2} sieŋ^{2}	梗韻 靜韻
5201c	下木・065オ4・官職	省	―	シヤウ	右注	ṣaŋ^{2} sieŋ^{2}	梗韻 靜韻
5936c	下師・086ウ6・官職	省	―	シヤウ	右傍	ṣaŋ^{2} sieŋ^{2}	梗韻 靜韻
5269c	下師・069オ3・地儀	所	―	シヨ	右注	ṣiʌ^{2}	語韻
5737a	下師・083オ6・疊字	所	平	シヨ	左注	ṣiʌ^{2}	語韻
5762a	下師・083ウ7・疊字	所	平	シヨ	左注	ṣiʌ^{2}	語韻
5807a	下師・084ウ1・疊字	所	―	シヨ	右注	ṣiʌ^{2}	語韻
5809a	下師・084ウ2・疊字	所	平	シヨ	右注	ṣiʌ^{2}	語韻
5824a	下師・084ウ4・疊字	所	―	シヨ	左注	ṣiʌ^{2}	語韻
5825a	下師・084ウ4・疊字	所	平	シヨ	左注	ṣiʌ^{2}	語韻
5826a	下師・084ウ4・疊字	所	―	シヨ	左注	ṣiʌ^{2}	語韻
5832a	下師・084ウ5・疊字	所	平	シヨ	左注	ṣiʌ^{2}	語韻
5833a	下師・084ウ6・疊字	所	平	シヨ	右注	ṣiʌ^{2}	語韻
5834a	下師・084ウ6・疊字	所	平	シヨ	右注	ṣiʌ^{2}	語韻
5897b	下師・085ウ2・疊字	所	―	シヨ	右傍	ṣiʌ^{2}	語韻
5957a	下師・087オ3・官職	所	―	シヨ	右傍	ṣiʌ^{2}	語韻
5557a	下師・079ウ2・疊字	糈	―	シヨ	左注	ṣiʌ^{2} siʌ^{2}	語韻 語韻
5912a	下師・085ウ6・疊字	糝	―	シン	右傍	ṣiem^{1} tṣ‘iem^{1} ts‘ʌm$^{1/3}$ sɑm^{1}	侵韻 侵韻 覃/勘韻 談韻
4756b	下佐・052ウ5・疊字	數	平	ス	左注	ṣiuʌ$^{2/3}$ sʌuk ṣauk	麌/遇韻 屋韻 覺韻
6934a	下洲・120ウ2・疊字	數	上	ス	右注	ṣiuʌ$^{2/3}$ sʌuk ṣauk	麌/遇韻 屋韻 覺韻
5890b	下師・085ウ1・疊字	衰	平	スイ	右注	ṣiuei^{1} tṣ‘iue^{1}	脂韻 支韻
6906a	下洲・120オ2・疊字	衰	平	スイ	右注	ṣiuei^{1} tṣ‘iue^{1}	脂韻 支韻

6909a	下洲・120オ3・疊字	衰	平	スイ	左注	ʂiuei[1] tʂ'iue[1]	脂韻 支韻
6932a	下洲・120ウ1・疊字	衰	平	スイ	右注	ʂiuei[1] tʂ'iue[1]	脂韻 支韻
6828a	下洲・115ウ1・人事	雙	平	スク	右注	ʂauŋ[1]	江韻
6862a	下洲・116ウ2・雜物	雙	―	スク	右注	ʂauŋ[1]	江韻
3379a	下古・004オ6・人躰	蟀	入	スヰツ	右傍	ʂiuet	質韻
4874b	下木・056ウ5・動物	蟀	入	スヰツ	右傍	ʂiuet	質韻
3371	下古・004オ3・人倫	甥	平	セイ	右傍	ʂaŋ[1]	庚韻
5035b	下木・061ウ7・疊字	甥	上	セイ	左注	ʂaŋ[1]	庚韻
5410	下師・073ウ6・雜物	笙	東	セイ	右傍	ʂaŋ[1]	庚韻
4100a	下阿・026オ4・植物	生	平	セイ	右傍	ʂaŋ[1/3]	庚/映韻
5863b	下師・085オ3・疊字	生	平	セイ	右傍	ʂaŋ[1/3]	庚/映韻
3345	下古・003オ1・植物	梢	平	セウ	右傍	ʂau[1]	肴韻
4792a	下佐・053ウ1・疊字	煞	入	セツ	右注	ʂɐt ʂɐi[3]	黠韻 怪韻
6696a	下世・111ウ3・疊字	煞	入	セツ	左注	ʂɐt ʂɐi[3]	黠韻 怪韻
4924	下木・058ウ1・雜物	栓	平	セン	右傍	ʂiuan[1]	仙韻
5883b	下師・085オ7・疊字	疎	上	ソ	右注	ʂiʌ[1]	魚韻
3596b	下古・010オ6・疊字	色	入	ソク	左注	ʂiɐk	職韻
3865b	下江・017ウ6・疊字	色	入	ソク	左注	ʂiɐk	職韻
5063b	下木・062オ6・疊字	色	―	ソク	左注	ʂiɐk	職韻
6184b	下飛・095オ1・雜物	色	―	ソク	右注	ʂiɐk	職韻
6852a	下洲・116オ7・雜物	數	―	ス ［平濁］	右注	ʂiuʌ[2/3] sʌuk ʂauk	麌/遇韻 屋韻 覺韻
5252	下由・068オ1・雜物	潸	平	ハン	右傍	ʂan[1/2]	刪/潸韻
5498	下師・076ウ4・辞字	釃	平	リ	右傍	ʂie[1/2] ʂiʌ[1]	支/紙韻 魚韻
5686b	下師・082オ7・疊字	色	入	フク	左注	ʂiɐk	職韻

【表C-06】上巻_章母 tś

番号	前田本所在	掲出字		仮名音注		中古音	韻目
1933b	上池・070ウ7・疊字	芝	平	シ	右注	tśiɐi^{1} p'iʌm^{1}	之韻 凡韻
1905b	上池・070ウ1・疊字	止	上	シ	左注	tśiɐi^{2}	止韻
0689b	上波・027ウ4・雜物	芷	—	シ	右注	tśiɐi^{2}	止韻
2470b	上加・092ウ4・植物	芷	上	シ	右傍	tśiɐi^{2}	止韻
3189b	上与・113ウ6・植物	芷	上	シ	右傍	tśiɐi^{2}	止韻
0399c	上伊・016ウ6・姓氏	志	—	シ	右注	tśiɐi^{3}	志韻
0597	上波・024オ7・人躰	誌	—	シ	右傍	tśiɐi^{3}	志韻
1959a	上池・071ウ3・國郡	志	—	シ	右傍	tśiɐi^{3}	志韻
3148a	上加・111ウ2・國郡	志	—	シ	右傍	tśiɐi^{3}	志韻
0897b	上波・033ウ7・疊字	枝	平	シ	左注	tśie^{1}	支韻
0903b	上波・034オ1・疊字	枝	平	シ	左注	tśie^{1}	支韻
1306b	上邊・051ウ3・雜物	紙	平	シ	右注	tśie^{2}	紙韻
2505a	上加・093ウ3・植物	枳	上	シ	右傍	tśie^{2}	紙韻
2747	上加・100オ2・雜物	紙	上	シ	右傍	tśie^{2}	紙韻
2297b	上和・086オ6・動物	胵	平	シ	右傍	tśiei^{1}	脂韻
0114b	上伊・006オ4・人體	脂	平	シ	右傍	tśiei^{1}	脂韻
2586b	上加・096オ3・人體	脂	平	シ	右傍	tśiei^{1}	脂韻
0357b	上伊・015ウ3・国郡	志	—	シ ［上濁］	右傍	tśiɐi^{3}	志韻
2210b	上遠・080オ5・植物	志	—	シ ［平］	右注	tśiɐi^{3}	志韻
2872b	上加・106ウ4・疊字	種	平	シウ	左注	tśiauŋ$^{2/3}$	鍾/用韻
2988b	上加・108オ7・疊字	種	平	シウ	左注	tśiauŋ$^{2/3}$	鍾/用韻
3115b	上加・110オ4・疊字	執	入	シウ	右注	tśiep	緝韻
0381a	上伊・015ウ7・国郡	周	—	シウ	右傍	tśiʌu^{1}	尤韻
0457b	上呂・019オ6・疊字	洲	平	シウ	右注	tśiʌu^{1}	尤韻
1128	上保・045ウ6・方角	周	平	シウ	右傍	tśiʌu^{1}	尤韻
1464a	上度・056ウ1・人事	周	平	シウ	右傍	tśiʌu^{1}	尤韻
2654b	上加・098オ1・人事	州	平	シウ	左注	tśiʌu^{1}	尤韻
0669	上波・027オ2・雜物	箒	上	シウ	右傍	tśiʌu^{2}	有韻
0200	上伊・010オ2・辞字	祝	去	シウ	右傍	tśiʌu^{3} tśiʌuk	宥韻 屋韻
0097a	上伊・005オ5・動物	螽	平	シウ	右傍	tśiʌuŋ^{1}	東韻
3272a	上与・118オ3・疊字	終	平	シウ	右傍	tśiʌuŋ^{1}	東韻
1821b	上池・069オ5・疊字	衆	平濁	シウ	左注	tśiʌuŋ$^{1/3}$	東/送韻
1965c	上池・071ウ7・官職	職	—	シキ	右注	tśiɐk	職韻
2658	上加・098オ3・飲食	粥	入	シク	右傍	tśiʌuk jiʌuk	屋韻 屋韻
0918	上波・035オ3・官職	祝	入	シク	右注	tśiʌuk tśiʌu^{3}	屋韻 宥韻

1355b	上邊・053オ2・疊字	執	入濁	シフ	左注	tśiep	緝韻
2942b	上加・107ウ4・疊字	執	入	シフ	左注	tśiep	緝韻
0549a	上波・022ウ5・動物	針	平	シム	右傍	tśiem$^{1/3}$	侵/沁韻
0670	上波・027オ2・雜物	針	平	シム	右傍	tśiem$^{1/3}$	侵/沁韻
3194a	上与・114オ4・動物	針	平	シム	右傍	tśiem$^{1/3}$	侵/沁韻
1823b	上池・069オ6・疊字	者	平濁	シヤ	左注	tśia^{2}	馬韻
1852b	上池・069ウ5・疊字	者	上濁	シヤ	左注	tśia^{2}	馬韻
1853b	上池・069ウ5・疊字	者	上	シヤ	中注	tśia^{2}	馬韻
1894b	上池・070オ6・疊字	者	平	シヤ	左注	tśia^{2}	馬韻
2139b	上利・076オ4・官職	者	―	シヤ	右注	tśia^{2}	馬韻
2369b	上和・089ウ7・疊字	者	上	シヤ	左注	tśia^{2}	馬韻
3249b	上与・117ウ4・疊字	者	上	シヤ	左注	tśia^{2}	馬韻
2774b	上加・100ウ2・雜物	障	平	シヤウ	右注	tśiaŋ$^{1/3}$	陽/漾韻
2036b	上利・074ウ2・疊字	掌	―	シヤウ	右注	tśiaŋ^{2}	養韻
0890b	上波・033ウ5・疊字	珠	平	シユ	左注	tśiuʌ^{1}	虞韻
2064b	上利・075オ1・疊字	朱	平濁	シユ	中注	tśiuʌ^{1}	虞韻
2066b	上利・075オ1・疊字	珠	上	シユ	左注	tśiuʌ^{1}	虞韻
3175b	上加・112オ7・官職	掌	―	シヨウ	右傍	tśiaŋ^{2}	養韻
2028b	上利・074オ7・疊字	鍾	平	シヨウ	右注	tśiauŋ^{1}	鍾韻
2113b	上利・075ウ3・疊字	鐘	平	シヨウ	右注	tśiauŋ^{1}	鍾韻
0594	上波・024オ6・人躰	腫	上 去	シヨウ	右傍	tśiauŋ^{2}	腫韻
0284b	上伊・013オ4・疊字	職	入	シヨク	中注	tśiɐk	職韻
1837b	上池・069ウ2・疊字	職	入濁	シヨク	左注	tśiɐk	職韻
0561b	上波・023オ2・動物	織	入	シヨク	右傍	tśiɐk tśiɐi^{3}	職韻 志韻
1991b	上利・073オ2・動物	燭	入	シヨク	右傍	tśiauk	燭韻
3125b	上加・110オ6・疊字	燭	入	シヨク	右注	tśiauk	燭韻
2301a	上和・086ウ3・人倫	侲	去	シン	右傍	tśien$^{1/3}$	眞/震韻
1744b	上池・066ウ7・人躰	胗	上	シン	右傍	tśien^{2} kien^{2}	軫韻 軫韻
1849b	上池・069ウ4・疊字	震	平	シン	左注	tśien^{3}	震韻
1465b	上度・056ウ1・人事	朱	平	ス	右傍	tśiuʌ^{1}	虞韻
1688a	上度・064オ2・国郡	周	―	ス	右傍	tśiʌu^{1}	尤韻
3153a	上加・111ウ3・國郡	周	―	ス	右傍	tśiʌu^{1}	尤韻
2031b	上利・074ウ1・疊字	錐	平	スイ	左注	tśiuei^{1}	脂韻
2710	上加・099オ4・雜物	鐘	平	スウ	右傍	tśiauŋ^{1}	鍾韻
1996b	上利・073オ6・人躰	朱	平濁	スウ	右注	tśiuʌ^{1}	虞韻
0595	上波・024オ6・人躰	腫	上 去	スウ	左注	tśiauŋ^{2}	腫韻
2508b	上加・093ウ4・植物	朱	平	スユ	右傍	tśiuʌ^{1}	虞韻
0947a	上仁・036ウ6・動物	騅	平	スヰ	右傍	tśiuei^{1}	脂韻
0339b	上伊・014オ2・疊字	准	上	スヰン	右注	tśiuen^{2}	準韻
2279b	上遠・084ウ7・疊字	政	去	セイ	中注	tśieŋ^{3}	勁韻

3017b	上加・108ウ5・疊字	政	去	セイ	左注	tśieŋ^{3}	勁韻
2986b	上加・108オ6・疊字	招	去	セウ	左注	tśiau^{1}	宵韻
1808b	上池・069オ3・疊字	沼	上	セウ	左注	tśiau^{2}	小韻
2140	上奴・076オ6・地儀	沼	上	セウ	右注	tśiau^{2}	小韻
1472a	上度・056ウ3・人事	照	去	セウ	右傍	tśiau^{3}	笑韻
0537	上波・022オ5・動物	鸇	―	セン	右傍	tśian^{1}	仙韻
2661	上加・098オ3・飲食	饘	平	セン	右傍	tśian^{1}	仙韻
2701	上加・099オ2・雑物	氈	平	セン	右傍	tśian^{1}	仙韻
3031b	上加・109オ1・疊字	戦	去	セン	左注	tśian^{3}	線韻
1002b	上仁・040オ5・疊字	専	平	セン	右注	tśiuan^{1}	仙韻
2881b	上加・106ウ6・疊字	渚	上	ソ	左注	tśiʌ^{2}	語韻
1329b	上邊・052ウ4・疊字	燭	入	ソク	左注	tśiɑuk	燭韻
1492	上度・057オ5・雑物	燭	入	ソク	右傍	tśiɑuk	燭韻
1659b	上度・063オ6・疊字	燭	入	ソク	左注	tśiɑuk	燭韻
0649	上波・026オ7・雑物	旃	平	タン	右傍	tśian^{1}	仙韻
1904a	上池・070ウ1・疊字	株	平	チウ	左注	tśiuʌ^{1}	虞韻
1930a	上池・070ウ6・疊字	注	平	チウ	左注	tśiuʌ^{3}	遇韻
1938a	上池・071オ1・疊字	注	平	チウ	右注	tśiuʌ^{3}	遇韻
1976a	上池・072オ2・官職	注	―	チウ	右注	tśiuʌ^{3}	遇韻

【表C-06】下巻_章母 tś

番号	前田本所在	掲出字		仮名音注		中古音	韻目
3584	下古・009オ5・辞字	之	平	シ	右傍	tśiɐi^{1}	之韻
5232	下由・067オ1・人事	之	平	シ	右傍	tśiɐi^{1}	之韻
5677a	下師・082オ4・疊字	芝	平	シ	左注	tśiɐi^{1} p'iʌm^{1}	之韻 凡韻
4178	下阿・029オ1・人躰	趾	―	シ	右傍	tśiɐi^{2}	止韻
5122b	下木・063オ7・疊字	趾	上	シ	中注	tśiɐi^{2}	止韻
5630b	下師・081ウ1・疊字	止	上濁	シ	左注	tśiɐi^{2}	止韻
5571a	下師・079ウ7・疊字	止	―	シ	右注	tśiɐi^{2}	止韻
6726b	下世・112オ2・疊字	止	―	シ	右注	tśiɐi^{2}	止韻
3695b	下古・011ウ7・疊字	志	―	シ	左注	tśiɐi^{3}	志韻
5388a	下師・073オ5・人事	志	上	シ	左傍	tśiɐi^{3}	志韻
5919a	下師・086ウ2・國郡	志	―	シ	右注	tśiɐi^{3}	志韻
5920b	下師・086ウ2・國郡	志	―	シ	右傍	tśiɐi^{3}	志韻
5959a	下師・087オ6・姓氏	志	―	シ	右注	tśiɐi^{3}	志韻
5960a	下師・087オ6・姓氏	志	―	シ	右注	tśiɐi^{3}	志韻
5961a	下師・087オ7・姓氏	志	―	シ	右注	tśiɐi^{3}	志韻
5962a	下師・087オ7・姓氏	志	―	シ	右注	tśiɐi^{3}	志韻
6018b	下會・089ウ6・國郡	志	―	シ	右傍	tśiɐi^{3}	志韻
6950a	下洲・121オ5・国郡	志	―	シ	右傍	tśiɐi^{3}	志韻

5937c	下師・086ウ6・官職	軄	—	シ	右注	tśiɐk	職韻
3748	下江・014ウ2・植物	枝	平	シ	右傍	tśie^{1}	支韻
3764	下江・015オ5・人躰	肢	平	シ	右傍	tśie^{1}	支韻
4391a	下阿・039ウ5・疊字	支	東	シ	右傍	tśie^{1}	支韻
4429b	下阿・041ウ2・姓氏	支	—	シ	右注	tśie^{1}	支韻
5187b	下木・064オ7・疊字	枝	平	シ	右注	tśie^{1}	支韻
5628a	下師・081ウ1・疊字	支	平	シ	右注	tśie^{1}	支韻
5747a	下師・083ウ2・疊字	支	平	シ	左注	tśie^{1}	支韻
5903a	下師・085ウ4・疊字	支	—	シ	右傍	tśie^{1}	支韻
5974b	下會・087ウ7・植物	枝	平	シ	右傍	tśie^{1}	支韻
6778a	下洲・113ウ2・地儀	楮	平	シ	右傍	tśie^{1}	支韻
4561	下佐・047オ1・雜物	巵	平	シ	右傍	tśie^{1}	支韻
5449a	下師・074ウ1・雜物	紙	—	シ	右注	tśie^{2}	紙韻
5450b	下師・074ウ1・雜物	紙	—	シ	右注	tśie^{2}	紙韻
5459a	下師・074ウ4・雜物	紙	平	シ	右傍	tśie^{2}	紙韻
5548a	下師・079オ4・疊字	咫	去	シ	右注	tśie^{2}	紙韻
5556a	下師・079ウ1・疊字	紙	上	シ	左注	tśie^{2}	紙韻
6539a	下世・108ウ5・雜物	紙	上	シ	右傍	tśie^{2}	紙韻
4188	下阿・029オ3・人躰	脂	平	シ	右傍	tśiei^{1}	脂韻
5667a	下師・082オ2・疊字	祗	平	シ	右注	tśiei^{1}	脂韻
5693a	下師・082ウ1・疊字	祗	平	シ	左注	tśiei^{1}	脂韻
6399b	下毛・101オ6・植物	脂	平	シ	右傍	tśiei^{1}	脂韻
5298	下師・070オ2・動物	鴟	平	シ	右傍	tśiei$^{1/3}$	脂/至韻
5225	下由・066ウ4・人躰	指	—	シ	右傍	tśiei^{2}	旨韻
5463a	下師・074ウ5・雜物	指	—	シ	右傍	tśiei^{2}	旨韻
5757a	下師・083ウ5・疊字	指	平	シ	左注	tśiei^{2}	旨韻
5774a	下師・084オ3・疊字	指	平	シ	右注	tśiei^{2}	旨韻
5896a	下師・085ウ2・疊字	指	—	シ	右傍	tśiei^{2}	旨韻
5775a	下師・084オ3・疊字	至	去	シ	右注	tśiei^{3}	至韻
5776a	下師・084オ3・疊字	至	去	シ	右注	tśiei^{3}	至韻
5795a	下師・084オ6・疊字	至	—	シ	左注	tśiei^{3}	至韻
3786b	下江・016オ5・光彩	脂	平濁	シ ［上濁］	右注	tśiei^{1}	脂韻
5518a	下師・078ウ1・重點	種	—	シウ	右注	tśiauŋ$^{2/3}$	腫/絳韻
5518b	下師・078ウ1・重點	種	—	シウ	右注	tśiauŋ$^{2/3}$	腫/絳韻
5778a	下師・084オ3・疊字	執	—	シウ	右注	tśiep	緝韻
5804a	下師・084ウ1・疊字	執	入	シウ	左注	tśiep	緝韻
5477a	下師・075オ4・光彩	朱	去	シウ	右注	tśiuʌ^{1}	虞韻
5786a	下師・084オ5・疊字	珠	東	シウ	右注	tśiuʌ^{1}	虞韻
5850a	下師・085オ1・疊字	朱	平	シウ	右注	tśiuʌ^{1}	虞韻
5871a	下師・085オ5・疊字	朱	去	シウ	右注	tśiuʌ^{1}	虞韻
4392a	下阿・039ウ5・疊字	周	東	シウ	右傍	tśiʌu^{1}	尤韻
4537c	下佐・046オ5・人事	州	平	シウ	左注	tśiʌu^{1}	尤韻

4786b	下佐・053オ6・疊字	舟	平	シウ	右注	tśiʌu^{1}	尤韻
5784a	下師・084オ4・疊字	周	平	シウ	右注	tśiʌu^{1}	尤韻
5829a	下師・084ウ5・疊字	周	去	シウ	右注	tśiʌu^{1}	尤韻
5845a	下師・084ウ7・疊字	周	平	シウ	右傍	tśiʌu^{1}	尤韻
5851a	下師・085オ1・疊字	周	東	シウ	右傍	tśiʌu^{1}	尤韻
6748b	下世・112オ7・疊字	洲	平	シウ	右傍	tśiʌu^{1}	尤韻
6771	下洲・113オ8・地儀	洲	—	シウ	右傍	tśiʌu^{1}	尤韻
5598a	下師・080ウ6・疊字	終	平	シウ	左注	tśiʌuŋ^{1}	東韻
4592a	下佐・047ウ5・雜物	柊	平	シウ	右傍	tśiʌuŋ^{1}	東韻
5534a	下師・078ウ7・疊字	終	—	シウ	左注	tśiʌuŋ^{1}	東韻
5535a	下師・078ウ7・疊字	終	平	シウ	左注	tśiʌuŋ^{1}	東韻
5793a	下師・084オ6・疊字	衆	平	シウ	左注	tśiʌuŋ$^{1/3}$	東/送韻
5836a	下師・084ウ6・疊字	衆	去	シウ	左注	tśiʌuŋ$^{1/3}$	東/送韻
5901a	下師・085ウ3・疊字	衆	—	シウ	右傍	tśiʌuŋ$^{1/3}$	東/送韻
6414	下毛・102オ1・人倫	衆	去	シウ	右傍	tśiʌuŋ$^{1/3}$	東/送韻
5202b	下木・065オ4・官職	職	—	シキ	右注	tśiɐk	職韻
5372	下師・072ウ2・人事	職	—	シキ	左注	tśiɐk	職韻
5782a	下師・084オ4・疊字	職	入	シキ	右注	tśiɐk	職韻
5392	下師・073オ7・飲食	粥	入	シク	右傍	tśiʌuk jiʌuk	屋韻 屋韻
5367	下師・072ウ1・人事	執	—	シフ	右注	tśiep	緝韻
5584a	下師・080オ6・疊字	執	—	シフ	右注	tśiep	緝韻
5658a	下師・082オ1・疊字	執		シフ	左注	tśiep	緝韻
5683a	下師・082オ7・疊字	執	入	シフ	左注	tśiep	緝韻
5684a	下師・082オ7・疊字	執	入	シフ	左注	tśiep	緝韻
5805a	下師・084ウ1・疊字	執	入	シフ	左注	tśiep	緝韻
5811a	下師・084ウ2・疊字	執	入	シフ	左注	tśiep	緝韻
5951a	下師・087オ3・官職	執	—	シフ	右注	tśiep	緝韻
5952a	下師・087オ3・官職	執	—	シフ	右注	tśiep	緝韻
5555a	下師・079オ7・疊字	舟	—	シフ	左注	tśiʌu^{1}	尤韻
5362	下師・072オ6・人事	鍼	—	シム	右傍	tśiem^{1} giem^{1} gjiem^{1}	侵韻 鹽韻 鹽韻
5361	下師・072オ6・人事	針	—	シム	右傍	tśiem$^{1/3}$	侵/沁韻
5876a	下師・085オ6・疊字	枕	上	シム	右注	tśiem$^{2/3}$ ḍiem^{1}	寢/沁韻 侵韻
5603a	下師・080ウ7・疊字	跡	上	シム	中注	tśien^{2} ḍien^{3}	軫韻 震韻
4626	下佐・050オ3・辞字	遮	—	シヤ	右傍	tśia^{1}	麻韻
5504	下師・077オ2・辞字	遮	—	シヤ	右注	tśia^{1}	麻韻
4998b	下木・061オ6・疊字	者	平	シヤ	左注	tśia^{2}	馬韻
5326c	下師・071オ1・人倫	者	—	シヤ	右注	tśia^{2}	馬韻
5701b	下師・082ウ3・疊字	者	—	シヤ	左注	tśia^{2}	馬韻

4329	下阿・035ウ5・辞字	炙	去	シヤ	右傍	tśia^{3} tśiek	禡韻 昔韻
5784b	下師・084オ4・疊字	章	平	シヤウ	右注	tśiaŋ^{1}	陽韻
3649b	下古・011オ4・疊字	障	平	シヤウ	左注	tśiaŋ$^{1/3}$	陽/漾韻
4255a	下阿・032オ4・雑物	障	平	シヤウ	右傍	tśiaŋ$^{1/3}$	陽/漾韻
4621	下佐・049オ7・辞字	障	平	シヤウ	右傍	tśiaŋ$^{1/3}$	陽/漾韻
4705b	下佐・051ウ7・疊字	障	平	シヤウ	左注	tśiaŋ$^{1/3}$	陽/漾韻
5580a	下師・080オ4・疊字	障	平	シヤウ	左注	tśiaŋ$^{1/3}$	陽/漾韻
5602a	下師・080ウ7・疊字	障	平	シヤウ	左注	tśiaŋ$^{1/3}$	陽/漾韻
3951b	下手・022オ2・疊字	章	平	シヤウ	左注	tśiaŋ^{1}	陽韻
4392b	下阿・039ウ5・疊字	章	平	シヤウ	右傍	tśiaŋ^{1}	陽韻
5566a	下師・079ウ5・疊字	疰	去	シヤウ	右注	tśiaŋ^{2}	養韻
5773a	下師・084オ3・疊字	掌	—	シヤウ	右注	tśiaŋ^{2}	養韻
5782b	下師・084オ4・疊字	掌	平	シヤウ	右注	tśiaŋ^{2}	養韻
6481b	下毛・106オ1・官職	章	—	シヤウ	右注	tśiaŋ^{1}	陽韻
5817a	下師・084ウ3・疊字	正	平 去	シヤウ	左注	tśieŋ$^{1/3}$	清/勁韻
5949a	下師・087オ1・官職	政	—	シヤウ	右傍	tśieŋ^{3}	勁韻
6761b	下世・112ウ7・官職	政	—	シヤウ	右傍	tśieŋ^{3}	勁韻
6547b	下世・108ウ7・雑物	障	—	シヤウ [平平平]	右傍	tśiaŋ$^{1/3}$	陽/漾韻
5452a	下師・074ウ1・雑物	酌	—	シヤク	右注	tśiak	薬韻
5627b	下師・081オ7・疊字	酌	入	シヤク	右注	tśiak	薬韻
4182	下阿・029オ2・人躰	蹠	—	シヤク	右傍	tśiek	昔韻
4297	下阿・033オ4・光彩	朱	平	シユ	右傍	tśiuʌ^{1}	虞韻
5480a	下師・075オ4・光彩	朱	—	シユ	右注	tśiuʌ^{1}	虞韻
6106b	下飛・092ウ3・人倫	珠	東	シユ	右傍	tśiuʌ^{1}	虞韻
4044b	下手・023ウ6・官職	主	—	シユ	右注	tśiuʌ^{2}	麌韻
4421b	下阿・041オ3・官職	主	—	シユ	左注	tśiuʌ^{2}	麌韻
5163b	下木・064オ2・疊字	主	平	シユ	左注	tśiuʌ^{2}	麌韻
5269a	下師・069オ3・地儀	主	上	シユ	右注	tśiuʌ^{2}	麌韻
5882a	下師・085オ7・疊字	主	—	シユ	右注	tśiuʌ^{2}	麌韻
5554a	下師・079オ7 疊字	洲	—	シユ	左注	tśiʌu^{1}	尤韻
5567a	下師・079ウ5・疊字	周	去	シユ	右注	tśiʌu^{1}	尤韻
5600a	下師・080ウ6・疊字	咒	—	シユ	中注	tśiʌu^{3} źiʌu^{1}	宥韻 尤韻
4079b	下阿・025ウ2・地儀	衆	去	シユ	右傍	tśiʌuŋ$^{1/3}$	東/送韻
5332	下師・071オ2・人倫	衆	—	シユ	左注	tśiʌuŋ$^{1/3}$	東/送韻
5456a	下師・074ウ3・雑物	麈	—	シユ [平平]	中注	tśiuʌ^{2}	麌韻
5796a	下師・084オ7・疊字	准	—	シユン	右注	tśiuen^{2}	準韻
4327	下阿・035ウ2・辞字	蒸	平	シヨウ	右傍	tśiɐŋ^{1}	蒸韻
5722a	下師・083オ2・疊字	證	平	シヨウ	左注	tśiɐŋ^{3}	證韻
4563	下佐・047オ2・雑物	鍾	平	シヨウ	右傍	tśiauŋ^{1}	鍾韻

5638a	下師・081ウ3・疊字	鐘	―	シヨウ	左注	tśiauŋ[1]	鍾韻
5551a	下師・079オ6・疊字	織	―	シヨク	左注	tśiɐk tśiɐi[3]	職韻 志韻
5553a	下師・079オ6・疊字	織	―	シヨク	左注	tśiɐk tśiɐi[3]	職韻 志韻
5867a	下師・085オ4・疊字	燭	入	シヨク	右注	tśiauk	燭韻
5371	下師・072ウ2・人事	職	―	シヨク ［上上上］	右注	tśiɐk	職韻
5627a	下師・081オ7・疊字	斟	平	シン	右注	tśiem[1]	侵韻
5942a	下師・086ウ7・官職	針	―	シン	右注	tśiem[1/3]	侵/沁韻
5325a	下師・071オ1・人倫	眞	―	シン	右注	tśien[1]	眞韻
5570a	下師・079ウ7・疊字	眞	―	シン	右注	tśien[1]	眞韻
5636a	下師・081ウ2・疊字	眞	―	シン	左注	tśien[1]	眞韻
5891a	下師・085ウ1・疊字	真	平	シン	右注	tśien[1]	眞韻
5595a	下師・080ウ5・疊字	賑	平	シン	右注	tśien[2/3]	軫/震韻
5596a	下師・080ウ5・疊字	賑	―	シン	右注	tśien[2/3]	軫/震韻
5838a	下師・084ウ6・疊字	震	平	シン	左注	tśien[3]	震韻
3304b	下古・001ウ7・地儀	珠	平	ス	右傍	tśiuʌ[1]	虞韻
6339b	下飛・099オ3・疊字	珠	平	ス	左注	tśiuʌ[1]	虞韻
4826b	下佐・054ウ4・官職	主	―	ス	右注	tśiuʌ[2]	麌韻
6813a	下洲・114ウ4・人倫	主	―	ス	右注	tśiuʌ[2]	麌韻
6841a	下洲・116オ3・雑物	麈	―	ス	右注	tśiuʌ[2]	麌韻
6959a	下洲・121ウ1・官職	主	―	ス	右注	tśiuʌ[2]	麌韻
6960a	下洲・121ウ1・官職	主	―	ス	右傍	tśiuʌ[2]	麌韻
6961a	下洲・121ウ1・官職	主	―	ス	右傍	tśiuʌ[2]	麌韻
6965a	下洲・121ウ4・官職	主	―	ス	右注	tśiuʌ[2]	麌韻
5554b	下師・079オ7・疊字	渚	―	ス	左注	tśiʌ[2]	語韻
4404b	下阿・040ウ5・国郡	州	―	ス	右傍	tśiʌu[1]	尤韻
6955a	下洲・121オ5・国郡	周	―	ス	右注	tśiʌu[1]	尤韻
6823a	下洲・115オ5・人事	咒	―	ス	右傍	tśiʌu[3] źiʌu[1]	宥韻 尤韻
6852b	下洲・116オ7・雑物	珠	―	ス ［平］	右注	tśiuʌ[1]	虞韻
6776a	下洲・113ウ2・地儀	鍾	平	スウ	右注	tśiauŋ[1]	鍾韻
5478a	下師・075オ4・光彩	朱	去	スウ	右傍	tśiuʌ[1]	虞韻
6910a	下洲・120オ3・疊字	侏	平	スウ	左注	tśiuʌ[1]	虞韻
6963a	下洲・121ウ4・官職	主	―	スウ	右注	tśiuʌ[2]	麌韻
6962a	下洲・121ウ1・官職	鑄	―	スウ	右傍	tśiuʌ[3]	遇韻
4922	下木・058ウ1・雑物	錐	平	スヰ	右傍	tśiuei[1]	脂韻
3913b	下手・020ウ7・雑物	楯	上	スヰン	右傍	tśiuen[1] ziuen[1/2]	諄韻 諄/準韻
6948a	下洲・120ウ5・疊字	准	―	スン	右注	tśiuen[2]	準韻
6653a	下世・111オ3・疊字	専	―	セ	左注	tśiuan[1]	仙韻
3612b	下古・010ウ3・疊字	製	平	セイ	左注	tśiai[3]	祭韻

5095b	下木・063オ1・疊字	制	去	セイ	左注	tśiai^{3}	祭韻
6690a	下世・111ウ2・疊字	制	去	セイ	左注	tśiai^{3}	祭韻
6726a	下世・112オ2・疊字	制	—	セイ	右注	tśiai^{3}	祭韻
5100b	下木・063オ2・疊字	正	平 去	セイ	左注	tśieŋ$^{1/3}$	清/勁韻
3742b	下江・014オ5・地儀	政	去	セイ	右注	tśieŋ^{3}	勁韻
5584b	下師・080オ6・疊字	政	—	セイ	右注	tśieŋ^{3}	勁韻
6560	下世・109ウ4・辞字	製	—	セイ [平上]	右注	tśiai^{3}	祭韻
6561	下世・109ウ4・辞字	制	—	セイ [平上]	右注	tśiai^{3}	祭韻
3922	下手・021オ4・光彩	照	去	セウ	右傍	tśiau^{3}	笑韻
4308	下阿・033ウ1・光彩	照	平	セウ	左傍	tśiau^{3}	笑韻
6023a	下飛・090オ5・天象	照	去	セウ	右傍	tśiau^{3}	笑韻
6526	下世・108オ3・人事	詔	—	セウ	右傍	tśiau^{3}	笑韻
6577a	下世・110オ3・疊字	照	去	セウ	右注	tśiau^{3}	笑韻
6710a	下世・111ウ6・疊字	詔	上	セウ	左注	tśiau^{3}	笑韻
6767a	下世・113オ2・官職	掌	—	セウ	右傍	tśiɑŋ^{2}	養韻
4181	下阿・029オ2・人躰	蹠	入	セキ	右傍	tśiek	昔韻
4230	下阿・031オ5・飲食	炙	入	セキ	右傍	tśiek tśia^{3}	昔韻 禡韻
4330	下阿・035ウ5・辞字	炙	入	セキ	右傍	tśiek tśia^{3}	昔韻 禡韻
6544a	下世・108ウ6・雑物	詹	平	セム	右注	tśiam^{1}	鹽韻
6090a	下飛・092オ5・動物	蟾	平	セム	右傍	tśiam^{1} źiam^{1}	鹽韻 鹽韻
6725a	下世・112オ2・疊字	戰	去	セン	左注	tśian^{3}	線韻
6727a	下世・112オ3・疊字	専	—	セン	右注	tśiuan^{1}	仙韻
6768a	下世・113オ3・官職	専	—	セン	右傍	tśiuan^{1}	仙韻
4203a	下阿・029オ7・人躰	喘	—	セン	右傍	tśiuan^{2}	獮韻
4972b	下木・061オ1・疊字	諸	上	ソ	右注	tśiʌ^{1} tśia^{1}	魚韻 麻韻
6450	下毛・103ウ6・員数	諸	平	ソ	右傍	tśiʌ^{1} tśia^{1}	魚韻 麻韻
5449b	下師・074ウ1・雑物	燭	—	ソク	右注	tśiuuk	燭韻
5121a	下木・063オ7・疊字	楮	平	キ	中注	tśie^{1}	支韻
5798a	下師・084オ7・疊字	准	上濁	シユン	左注	tśiuen^{2}	準韻
5806a	下師・084ウ1・疊字	准	上濁	シユン	右注	tśiuen^{2}	準韻
6445b	下毛・103オ6・雑物	炷	去	チウ	右傍	tśiuʌ$^{2/3}$	麌/遇韻

【表C-06】上巻_昌母 tś‘

番号	前田本所在	掲出字		仮名音注		中古音	韻目
1445	上度・055オ7・動物	鴟	平	シ	右傍	tś‘iei^{1}	脂韻

1448b	上度・055ウ1・動物	胵	平	シ	右傍	tś‘iei^{1}	脂韻
3190b	上与・114オ2・動物	鴟	平	シ	右傍	tś‘iei^{1}	脂韻
0573	上波・023ウ4・人躰	歯	—	シ	右傍	tś‘iɐi^{2}	止韻
0679b	上波・027オ6・雑物	歯	上	シ	右傍	tś‘iɐi^{2}	止韻
2242b	上遠・081オ7・人體	歯	上	シ	右傍	tś‘iɐi^{2}	止韻
2454b	上加・092オ2・地儀	歯	平濁	シ	右注	tś‘iɐi^{2}	止韻
2260	上遠・083オ2・雑物	熾	—	シ	右傍	tś‘iɐi^{3}	志韻
2327	上和・087オ6・人事	嗤	平	シ	右傍	tś‘iɐi^{1}	之韻
1928b	上池・070ウ6・疊字	質	入	シチ	左注	tś‘iet ṭiei^{3}	質韻 至韻
3300	上伊・010ウ5・辞字	叱	入	シツ	右傍	tś‘iet	質韻
1662b	上度・063オ7・疊字	車	平濁	シヤ	左注	tś‘ia^{1} kiʌ^{1}	麻韻 魚韻
1922b	上池・070ウ5・疊字	車	平	シヤ	中注	tś‘ia^{1} kiʌ^{1}	麻韻 魚韻
3259b	上与・117ウ6・疊字	車	上	シヤ	中注	tś‘ia^{1} kiʌ^{1}	麻韻 魚韻
0831b	上波・033オ1・疊字	昌	平濁	シヤウ	右注	tś‘iɑŋ^{1}	陽韻
0221	上伊・011ウ4・辞字	唱	去	シヤウ	右傍	tś‘iɑŋ^{3}	漾韻
1422	上度・054ウ3・地儀	樞	平	シユ	右傍	tś‘iuʌ^{1}	虞韻
2030b	上利・074ウ1・疊字	出	入	シユツ	左注	tś‘iuet tś‘iuei^{3}	術韻 至韻
1793b	上池・068ウ7・疊字	春	平	シユン	左注	tś‘iuen^{1}	諄韻
0181b	上伊・008ウ6・雑物	艟	平	シヨウ	右傍	tś‘iɑuŋ^{1} ḍauŋ^{3}	鍾韻 絳韻
0289b	上伊・013オ5・疊字	稱	平	シヨウ	右注	tś‘iɐŋ$^{1/3}$	蒸/證韻
2822	上加・103オ4・辞字	炊	上	スイ	右傍	tś‘iue^{1}	支韻
2427	上加・091ウ2・地儀	川	平	セン	右傍	tś‘iuan^{1}	仙韻
0561a	上波・023オ2・動物	促	入	ソク	右傍	ts‘iɑuk	燭韻
3104a	上加・110オ2・疊字	炊	—	カム	右注	tś‘iue^{1}	支韻
2626	上加・097オ2・人事	姝	—	ユ	右傍	tś‘iuʌ^{1}	虞韻

【表C-06】下巻_昌母 tś‘

番号	前田本所在	掲出字		仮名音注		中古音	韻目
5831a	下師・084ウ5・疊字	熾	平	シ	左注	tś‘iɐi^{3}	志韻
5459c	下師・074ウ4・雑物	鴟	平	シ	右傍	tś‘iei^{1}	脂韻
5237a	下由・067オ5・人事	鞦	平	シウ	右傍	tś‘iʌu^{1}	尤韻
5442	下師・074オ5・雑物	鞦	平	シウ	右傍	tś‘iʌu^{1}	尤韻
5751a	下師・083ウ3・疊字	鞦	平	シウ	右注	tś‘iʌu^{1}	尤韻
3376a	下古・004オ4・人倫	醜	上	シウ	右傍	tś‘iʌu^{2}	有韻
5334a	下師・071オ3・人倫	醜	上	シウ	右傍	tś‘iʌu^{2}	有韻

5606a	下師・081オ3・疊字	醜	上	シウ	左注	tś'iʌu^{2}	有韻
5363	下師・072オ6・人事	質	―	シチ	右傍	tś'iet ṭiei^{3}	質韻 至韻
5781a	下師・084オ4・疊字	質	入	シチ	左注	tś'iet ṭiei^{3}	質韻 至韻
5821a	下師・084ウ4・疊字	質	―	シチ	左注	tś'iet ṭiei^{3}	質韻 至韻
6796b	下洲・114オ1・植物	質	―	シチ	右注	tś'iet ṭiei^{3}	質韻 至韻
6946b	下洲・120ウ4・疊字	質	―	シチ	左注	tś'iet ṭiei^{3}	質韻 至韻
5490	下師・075ウ7・辞字	叱	―	シツ	右傍	tś'iet	質韻
5634a	下師・081ウ2・疊字	質	―	シツ	右注	tś'iet ṭiei^{3}	質韻 至韻
5409a	下師・073ウ6・雜物	硨	去	シヤ	右傍	tś'ia^{1}	麻韻
5963b	下會・087ウ4・地儀	昌	上	シヤ	右傍	tś'iɑŋ^{1}	陽韻
5462c	下師・074ウ5・雜物	車	―	シヤ	右傍	tś'ia^{1} kiʌ^{1}	麻韻 魚韻
5463c	下師・074ウ5・雜物	車	―	シヤ	右傍	tś'ia^{1} kiʌ^{1}	麻韻 魚韻
6944b	下洲・120ウ4・疊字	車	平	シヤ	左注	tś'ia^{1} kiʌ^{1}	麻韻 魚韻
5133b	下木・063ウ2・疊字	車	―	（シヤ）	左注	tś'ia^{1} kiʌ^{1}	麻韻 魚韻
5514	下師・078オ3・辞字	稱	―	シヤウ	右注	tś'ieŋ$^{1/3}$	蒸/證韻
5517a	下師・078ウ1・重點	鏘	―	シヤウ	右注	ts'iɑŋ^{1}	陽韻
5517b	下師・078ウ1・重點	鏘	―	シヤウ	右注	ts'iɑŋ^{1}	陽韻
4105a	下阿・026オ6・植物	昌	去	シヤウ	右傍	tś'iɑŋ^{1}	陽韻
5279a	下師・069オ7・植物	昌	去	シヤウ	右注	tś'iɑŋ^{1}	陽韻
5421a	下師・073ウ7・雜物	赤	―	シヤク	右注	tś'iek	昔韻
5424a	下師・074オ1・雜物	尺	入	シヤク	右注	tś'iek	昔韻
5483	下師・075ウ1・員數	尺	―	シヤク	右注	tś'iek	昔韻
4785b	下佐・053オ6・疊字	尺		（シヤク）	左注	tś'iek	昔韻
5379a	下師・073オ1・人事	春	平	シユ	右注	tś'iuen^{1}	諄韻
5651a	下師・081ウ6・疊字	醜	去	シユ	左注	tś'iʌu^{2}	有韻
5676a	下師・082オ4・疊字	出	―	シユツ	中注	tś'iuet tś'iuei^{3}	術韻 至韻
5808a	下師・084ウ1・疊字	出	入	シユツ	右注	tś'iuet tś'iuei^{3}	術韻 至韻
5886a	下師・085オ7・疊字	出	入	シユツ	右注	tś'iuet tś'iuei^{3}	術韻 至韻
5950a	下師・087オ1・官職	出	―	シユツ	右注	tś'iuet tś'iuei^{3}	術韻 至韻

6287b	下飛・098オ7・疊字	出	入	シユツ	左注	tś'iuet tś'iuei[3]	術韻 至韻
4551b	下佐・046ウ3・飲食	春	―	シヰン	右傍	tś'iuen[1]	諄韻
5629a	下師・081ウ1・疊字	瞋	去	シン	右注	tś'ien[1]	眞韻
6918a	下洲・120オ5・疊字	炊	上	スイ	左注	tś'iue[1]	支韻
6897a	下洲・119ウ7・疊字	推	平	スイ	左注	tś'iuei[1] t'uʌi[1]	脂韻 灰韻
6907a	下洲・120オ3・疊字	推	平	スイ	左注	tś'iuei[1] t'uʌi[1]	脂韻 灰韻
6924a	下洲・120オ7・疊字	推	―	スイ	左注	tś'iuei[1] t'uʌi[1]	脂韻 灰韻
6929a	下洲・120ウ1・疊字	推	平	スイ	右注	tś'iuei[1] t'uʌi[1]	脂韻 灰韻
5115b	下木・063オ5・疊字	春	―	スヰン	右注	tś'iuen[1]	諄韻
6781a	下洲・113ウ4・地儀	春	平	スヰン	右傍	tś'iuen[1]	諄韻
4309a	下阿・033ウ1・光彩	赤	入	セキ	右傍	tś'iek	昔韻
5548b	下師・079オ4・疊字	尺	入	セキ	右注	tś'iek	昔韻
6517a	下世・107ウ5・人倫	赤	入	セキ	右傍	tś'iek	昔韻
6746a	下世・112オ6・疊字	尺	―	セキ	右傍	tś'iek	昔韻
6747a	下世・112オ7・疊字	赤	―	セキ	右注	tś'iek	昔韻
6107b	下飛・092ウ3・人倫	川	平	セム	右傍	tś'iuan[1]	仙韻
6197	下飛・095オ4・光彩	燀	平	セン	右傍	tś'ian[1/2] tśian[2]	仙/獮韻 獮韻
4915	下木・058オ6・雜物	硟	去	セン	中注	tś'ian[3] sian[1]	線韻 仙韻
6143	下飛・094オ5・雜物	釧	去	セン	右傍	tś'iuan[3]	線韻
5768a	下師・084オ2・疊字	充	去濁	シユ	左注	tś'iʌuŋ[1]	東韻

【表C-06】上巻_船母 dź

番号	前田本所在	掲出字		仮名音注		中古音	韻目
3155b	上加・111ウ4・國郡	射	―	サ	右傍	dźia[3] jia[3]	禡韻 禡韻
0141	上伊・007オ7・人事	謚	去	シ	右傍	dźiei[3]	至韻
0738b	上波・031ウ3・疊字	示	上濁	シ	左注	dźiei[3] gjie[1]	至韻 支韻
0631b	上波・025ウ6・人事	渉	入	シキ	右注	dźiap tep	葉韻 帖韻
0632b	上波・025ウ6・人事	渉	―	シキ	右傍	dźiap tep	葉韻 帖韻
1010b	上仁・040オ7・疊字	食	入濁	シキ	中注	dźiɐk jiɐi[3]	職韻 志韻

1650b	上度・063オ4・疊字	食	―	シキ	左注	dźiɐk jiɐi^{3}	職韻 志韻
3059b	上加・109オ7・疊字	實	入	シチ	左注	dźiet	質韻
1290	上邊・050ウ2・動物	虵	平	シヤ	右傍	dźia^{1} jia^{2} jie^{1}	麻韻 馬韻 支韻
2559b	上加・095オ2・動物	虵	平	シヤ	右傍	dźia^{1} jia^{2} jie^{1}	麻韻 馬韻 支韻
1943b	上池・071オ2・疊字	術	入濁	シユツ	右注	dźiuet	術韻
1437	上度・055オ3・植物	杼	上	シヨ	右傍	dźiʌ^{2} ḍiʌ^{2}	語韻 語韻
0752b	上波・031ウ6・疊字	乗	去	（シヤウ）	中注	dźiɐŋ$^{1/3}$	蒸/證韻
1065b	上保・043オ2・人倫	乗	上濁	シヨウ	右傍	dźiɐŋ$^{1/3}$	蒸/證韻
3075b	上加・109ウ3・疊字	剰	上	シヨウ	中注	dźiɐŋ^{3}	證韻
1133	上保・045ウ6・方角	漘	平	シン	右傍	dźiuen^{1}	諄韻
2971b	上加・108オ3・疊字	脣	平	シン	左注	dźiuen^{1}	諄韻
0332b	上伊・014オ1・疊字	舩	上	セン	中注	dźiuan^{1}	仙韻
1801a	上池・069オ1・疊字	虵	平濁	チ	左注	dźia^{1} jia^{2} jie^{1}	麻韻 馬韻 支韻

【表C-06】下巻_船母 dź

番号	前田本所在	掲出字		仮名音注		中古音	韻目
6939b	下洲・120ウ3・疊字	虵	―	サ	左注	dźia^{1} jia^{2} jie^{1}	麻韻 馬韻 支韻
5561a	下師・079ウ3・疊字	示	平濁	シ	左注	dźiei^{3} gjIe^{1}	至韻 支韻
3711b	下古・012オ4・疊字	食	―	シキ	左注	dźiɐk jiɐi^{3}	職韻 志韻
4672b	下佐・051オ7・疊字	食	入	シキ	中注	dźiɐk jiɐi^{3}	職韻 志韻
4747b	下佐・052ウ3・疊字	食	入	シキ	左注	dźiɐk jiɐi^{3}	職韻 志韻
3624b	下古・010ウ5・疊字	實	入	シチ	左注	dźiet	質韻
4116b	下阿・026ウ3・植物	實	―	シチ	右注	dźiet	質韻
5593a	下師・080ウ5・疊字	實	入濁	シチ	左注	dźiet	質韻
5636b	下師・081ウ2・疊字	實	―	シチ	左注	dźiet	質韻
5723a	下師・083オ3・疊字	實	入濁	シツ	左注	dźiet	質韻
5871b	下師・085オ5・疊字	實	入	シツ	右注	dźiet	質韻

5892a	下師・085ウ1・疊字	脣	—	シム	右傍	dźiuen^{1}	諄韻
5938a	下師・069オ7・植物	虵	—	シヤ	右注	dźia^{1} jia^{2} jie^{1}	麻韻 馬韻 支韻
5464a	下師・074ウ6・雑物	麝	去濁	シヤ	右傍	dźia^{3} dźiiek	禡韻 昔韻
3563a	下古・007オ7・雑物	射	去	シヤ	右傍	dźia^{3} jia^{3}	禡韻 禡韻
6165	下飛・094ウ3・雑物	杓	入	シヤク	右傍	dźiɑk tek pjiau^{1} p'jiau^{1}	薬韻 錫韻 宵韻 宵韻
6090b	下飛・092オ5・動物	蜍	平	シヨ	右傍	dźiʌ^{1} jiʌ^{1}	魚韻 魚韻
6839a	下洲・116オ3・雑物	繩	—	シヨウ	右傍	dźiɐŋ^{1}	蒸韻
3603b	下古・010ウ1・疊字	乗	上	シヨウ	左注	dźiɐŋ$^{1/3}$	蒸/證韻
5866a	下師・085オ4・疊字	乗	平	シヨウ	右注	dźiɐŋ$^{1/3}$	蒸/證韻
5770a	下師・084オ2・疊字	剰	上濁	シヨウ	左注	dźiɐŋ^{3}	證韻
5745a	下師・083ウ1・疊字	食	—	シヨク	右注	dźiɐk jiɐi^{3}	職韻 志韻
6116a	下飛・093オ1・人躰	食	入	シヨク	右傍	dźiɐk jiɐi^{3}	職韻 志韻
6306b	下飛・098ウ3・疊字	食	入	シヨク	左注	dźiɐk jiɐi^{3}	職韻 志韻
4854	下木・056オ2・植物	秫	徳?	シヰツ	右傍	dźiuet	術韻
4119a	下阿・026ウ4・植物	神	平	シン	右傍	dźien^{1}	眞韻
5559a	下師・079ウ2・疊字	神	—	シン	左注	dźien^{1}	眞韻
5818a	下師・084ウ3・疊字	神	平	シン	左注	dźien^{1}	眞韻
5823a	下師・084ウ4・疊字	神	平	シン	左注	dźien^{1}	眞韻
6140a	下飛・094オ1・飲食	神	平	シン	右傍	dźien^{1}	眞韻
6332b	下飛・099オ1・疊字	術	—	スツ	左注	dźiuet	術韻
6712b	下世・111ウ6・疊字	術	—	スツ	中注	dźiuet	術韻
3808b	下江・017オ2・疊字	術	入	スヰツ	左注	dźiuet	術韻
4755b	下佐・052ウ5・疊字	術	—	スヰツ	左注	dźiuet	術韻
4193b	下阿・029オ5・人躰	脣	平	スヰン	右傍	dźiuen^{1}	諄韻
6597a	下世・110オ7・疊字	舩	平	セン	左注	dźiuan^{1}	仙韻
6963b	下洲・121ウ4・官職	舩	—	セン	右注	dźiuan^{1}	仙韻

【表C-06】上巻_書母 ś

番号	前田本所在	掲出字		仮名音注		中古音	韻目
1145	上保・046ウ2・辞字	施	—	シ	右傍	śie$^{1/3}$	支/寘韻
3195b	上与・114オ5・動物	�	去	シ	右傍	śie$^{1/3}$	支/寘韻

1099	上保・044ウ3・雜物	鉇	―	シ	右傍	śie[1/3] dźia[1]	支/寘韻 麻韻
2596	上加・096オ6・人體	尸	平	シ	右傍	śiei[1]	脂韻
2597	上加・096オ6・人體	屍	平	シ	右傍	śiei[1/3]	脂/至韻
2054b	上利・074ウ6・疊字	旨	上濁	シ	左注	śiei[2]	旨韻
2055b	上利・074ウ6・疊字	旨	去	シ	左注	śiei[2]	旨韻
3065b	上加・109ウ1・疊字	旨	平	シ	左注	śiei[2]	旨韻
0852b	上波・033オ5・疊字	輸	上	シウ	左注	śiuʌ[1/3]	虞/遇韻
2057b	上利・074ウ6・疊字	首	平	シウ	左注	śiʌu[2/3]	有/宥韻
1816b	上池・069オ4・疊字	識	入	シキ	右注	śiɐk śiɐi[3]	職韻 志韻
1678b	上度・063ウ3・疊字	失	入	シチ	左注	śiet	質韻
0451b	上呂・019オ5・疊字	失	入	シツ	右注	śiet	質韻
0787b	上波・032オ6・疊字	室	入	シツ	左注	śiet	質韻
0995b	上仁・040オ4・疊字	室	入	シツ	右注	śiet	質韻
1618b	上度・062ウ5・疊字	身	平	シム	左注	śien[1]	眞韻
0708	上波・029ウ7・人事	賒	平	シヤ	右傍	śia[1]	麻韻
3269b	上与・118オ1・疊字	捨	去	シヤ	右注	śia[2]	馬韻
2393b	上和・090オ5・疊字	舎	上	シヤ	右傍	śia[2/3]	馬/禡韻
0057a	上伊・004オ1・植物	商	平	シヤウ	右傍	śiɑŋ[1]	陽韻
0615	上波・025オ4・人事	商	―	シヤウ	右傍	śiɑŋ[1]	陽韻
0128	上伊・006ウ5・人事	傷	平	シヤウ	右傍	śiɑŋ[1/3]	陽/漾韻
1011b	上仁・040オ7・疊字	傷	上濁	シヤウ	左注	śiɑŋ[1/3]	陽/漾韻
0279b	上伊・013オ3・疊字	賞	―	シヤウ	右注	śiɑŋ[2]	養韻
1222b	上保・048オ3・疊字	賞	平 上	シヤウ	左注	śiɑŋ[2]	養韻
1842b	上池・069ウ3・疊字	賞	上	シヤウ	左注	śiɑŋ[2]	養韻
2668	上加・098オ4・飲食	餉	去	シヤウ	右傍	śiɑŋ[3]	漾韻
2972b	上加・108オ3・疊字	聲	上	シヤウ	左注	śieŋ[1]	清韻
1676b	上度・063ウ3・疊字	首	上濁	シユ	左注	śiʌu[2/3]	有/宥韻
1813b	上池・069オ4・疊字	守	平濁	シユ	右注	śiʌu[2/3]	有/宥韻
2157	上奴・077ウ1・人事	諝	―	シコ	右傍	sɪʌ[1/2]	魚韻
2258a	上遠・083オ1・雜物	鼠	上	シヨ	右傍	śiʌ[2]	語韻
2858b	上加・106ウ2・疊字	暑	上	シヨ	左注	śiʌ[2]	語韻
0297b	上伊・013オ7・疊字	恕	上濁	シヨ	左注	śiʌ[3]	御韻
1766	上池・067ウ4・雜物	縢	去	シヨウ	右傍	śiɐŋ[3]	證韻
2250	上遠・082オ3・人事	惷	平	シヨウ	右傍	śiɑuŋ[1] ṭʻauŋ[1] ṭʻiɑuŋ[3]	鍾韻 江韻 用韻
0606	上波・024ウ6・人事	娠	平	シン	右傍	śien[1] tśien[3]	眞韻 震韻
1964b	上池・071ウ5・國郡	守	―	ス	右注	śiʌu[2/3]	有/宥韻
2190b	上留・079ウ2・疊字	守	平	ス	右注	śiʌu[2/3]	有/宥韻

0471b	上波・020オ4・天象	水	上	スイ	右傍	śiuei^{2}	旨韻
1339b	上邊・052ウ6・疊字	水	平	スイ	左注	śiuei^{2}	旨韻
1809b	上池・069オ3・疊字	水	上	スイ	左注	śiuei^{2}	旨韻
2044b	上利・074ウ4・疊字	水	上	スイ	中注	śiuei^{2}	旨韻
2645b	上加・097ウ6・人事	水	上	スイ	左注	śiuei^{2}	旨韻
2883b	上加・106ウ7・疊字	水	上	スイ	左注	śiuei^{2}	旨韻
2982b	上加・108オ5・疊字	水	上	スイ	左注	śiuei^{2}	旨韻
0143	上伊・007ウ2・人事	勢	―	セ	右傍	śiai^{3}	祭韻
0352b	上伊・015オ5・諸社	勢	―	セ	右注	śiai^{3}	祭韻
0353b	上伊・015ウ3・国郡	勢	―	セ	右注	śiai^{3}	祭韻
0391b	上伊・016ウ1・姓氏	勢	―	セ	右注	śiai^{3}	祭韻
1948b	上池・071オ3・疊字	世	平	セ	右注	śiai^{3}	祭韻
3160a	上加・111ウ5・國郡	勢	―	セ	右傍	śiai^{3}	祭韻
1672b	上度・063ウ2・疊字	世	去	セイ	右注	śiai^{3}	祭韻
1803b	上池・069オ2・疊字	勢	去	セイ	左注	śiai^{3}	祭韻
2184b	上留・079ウ1・疊字	世	去	セイ	左注	śiai^{3}	祭韻
0250b	上伊・012ウ5・疊字	攝	去濁	セウ	左注	śiap nep	葉韻 帖韻
1255b	上保・048ウ3・疊字	少	上	セウ	左注	śiau$^{2/3}$	小/笑韻
1375b	上邊・053オ6・疊字	說	入濁	セツ	左注	śiuat	薛韻
2896b	上加・107オ2・疊字	說	入濁	セツ	左注	śiuat	薛韻
2305	上和・086ウ7・人躰	痁	平	セム	右傍	śiam^{1} tem^{3}	鹽韻 㮇韻
1507	上度・057ウ2・雜物	苫	平	セム	右傍	śiam$^{1/3}$	鹽韻 豔韻

【表C-06】下巻_書母 ś

番号	前田本所在	掲出字		仮名音注		中古音	韻目
3409c	下古・006オ1・人事	詩	上濁	シ	左注	śiɐi^{1}	之韻
5598b	下師・080ウ6・疊字	始	去濁	シ	左注	śiɐi^{2}	止韻
5597a	下師・080ウ5・疊字	施	平	シ	左注	śie$^{1/3}$	支/寘韻
6105b	下飛・092ウ3・人倫	施	平	シ	右傍	śie$^{1/3}$	支/寘韻
6646b	下世・111オ2・疊字	施	平	シ	中注	śie$^{1/3}$	支/寘韻
5841a	下師・084ウ7・疊字	弛	平	シ	右注	śie^{2}	紙韻
5428	下師・074オ2・雜物	詩	―	シ [平]	右注	śiɐi^{1}	之韻
3685b	下古・011ウ5・疊字	手	上	シウ	中注	śiʌu^{2}	有韻
3896	下手・019ウ6・人體	手	上	シウ	右傍	śiʌu^{2}	有韻
5191b	下木・064オ7・疊字	獸	去	シウ	左注	śiʌu^{3}	宥韻
5922b	下師・086ウ2・國郡	飾	―	シカ	右傍	śiɐk	職韻
5017b	下木・061ウ3・疊字	式	入	シキ	左注	śiɐk	職韻
5263a	下師・069オ1・地儀	式	入	シキ	右傍	śiɐk	職韻
5936a	下師・086ウ6・官職	式	―	シキ	右傍	śiɐk	職韻

3569b	下古・007ウ2・雑物	外	入	シク	右傍	śiʌuk	屋韻
5662a	下師・082オ1・疊字	失	入	シチ	右注	śiet	質韻
4075b	下阿・025ウ1・地儀	室	入	シチ	右注	śiet	質韻
3712b	下古・012オ4・疊字	失	一	シツ	左注	śiet	質韻
5661a	下師・082オ1・疊字	失	入	シツ	左注	śiet	質韻
5663a	下師・082オ2・疊字	失	一	シツ	左注	śiet	質韻
6124a	下飛・093オ4・人躰	失	入	シツ	右傍	śiet	質韻
5216b	下由・066オ3・地儀	室	徳	シツ	右傍	śiet	質韻
5273b	下師・069オ5・植物	室	一	シツ	右注	śiet	質韻
5545a	下師・079オ3・疊字	濕	入	シフ	右注	śiep t'ʌp	緝韻 合韻
6925b	下洲・120オ7・疊字	濕	入	シフ	右注	śiep t'ʌp	緝韻 合韻
5675a	下師・082オ4・疊字	収	平	シフ	左注	śiʌu$^{1/3}$	尤/宥韻
5537a	下師・079オ1・疊字	深	平	シム	左注	śiem$^{1/3}$	侵/沁韻
5538a	下師・079オ1・疊字	深	一	シム	左注	śiem$^{1/3}$	侵/沁韻
5789b	下師・084オ5・疊字	捨	平	シヤ	左注	śia^{2}	馬韻
5256	下由・068オ6・辞字	赦	一	シヤ	右傍	śia^{3}	禡韻
5730a	下師・083オ5・疊字	赦	去	シヤ	左注	śia^{3}	禡韻
5787a	下師・084オ5・疊字	赦	去	シヤ	右注	śia^{3}	禡韻
4047a	下阿・024オ7・天象	商	平	シヤウ	右注	śiaŋ^{1}	陽韻
4059	下阿・024ウ2・天象	商	東	シヤウ	右傍	śiaŋ^{1}	陽韻
4167a	下阿・028ウ1・人倫	商	東	シヤウ	右傍	śiaŋ^{1}	陽韻
4397a	下阿・040オ3・疊字	商	平	シヤウ	右傍	śiaŋ^{1}	陽韻
6639a	下師・079オ1・疊字	商	平	シヤウ	右注	śiaŋ^{1}	陽韻
5788a	下師・084オ5・疊字	商	東	シヤウ	右注	śiaŋ^{1}	陽韻
4562	下佐・047オ1・雑物	觴	平	シヤウ	右傍	śiaŋ^{1}	陽韻
5659a	下師・082オ1・疊字	觴	平	シヤウ	左注	śiaŋ^{1}	陽韻
5521a	下師・078ウ2・重點	湯	東	シヤウ	右注	śiaŋ^{1} t'ɑŋ$^{1/3}$	陽韻 唐/宕韻
5521b	下師・078ウ2・重點	湯	東	シヤウ	右注	śiaŋ^{1} t'ɑŋ$^{1/3}$	陽韻 唐/宕韻
4375b	下阿・039ウ1・疊字	傷	平	シヤウ	左注	śiaŋ$^{1/3}$	陽/漾韻
5364	下師・072オ7・人事	賞	一	シヤウ	右傍	śiaŋ^{2}	養韻
5748a	下師・083ウ3・疊字	聲	去	シヤウ	左注	śieŋ^{1}	清韻
5322a	下師・070ウ7・人倫	聖	一	シヤウ	右注	śieŋ^{3}	勁韻
5569a	下師・079ウ6・疊字	聖	平	シヤウ	右注	śieŋ^{3}	勁韻
5999b	下會・089オ7・疊字	釋	入	シヤク	左注	śiek	昔韻
5856a	下師・085オ2・疊字	手	去	シユ	右注	śiʌu^{2}	有韻
4543b	下佐・046オ7・人事	手	上濁	シユ	左注	śiʌu^{2}	有韻
5875a	下師・085オ5・疊字	首	上	シユ	右注	śiʌu$^{2/3}$	有/宥韻
3825b	下江・017オ5・疊字	書	平	シヨ	左注	śiʌ^{1}	魚韻
4388b	下阿・039ウ3・疊字	書	上	シヨ	右注	śiʌ^{1}	魚韻
5846a	下師・085オ1・疊字	舒	平	シヨ	右注	śiʌ^{1}	魚韻

5868b	下師・085オ4・疊字	書	上	シヨ	右注	śiʌ1	魚韻
5918a	下師・086オ7・諸寺	書	—	シヨ	右注	śiʌ1	魚韻
5944a	下師・086ウ7・官職	書	—	シヨ	右注	śiʌ1	魚韻
4090b	下阿・025ウ7・植物	黍	—	シヨ	右傍	śiʌ2	語韻
6232b	下飛・097ウ5・疊字	暑	上	シヨ	左注	śiʌ2	語韻
5383a	下師・073オ3・人事	庶	—	シヨ	左傍	śiʌ3	御韻
5622a	下師・081オ6・疊字	庶	去	シヨ	左注	śiʌ3	御韻
5590a	下師・080ウ3・疊字	昇	平	シヨウ	左注	śieŋ1	蒸韻
5881a	下師・085オ6・疊字	昇	平	シヨウ	右注	śieŋ1	蒸韻
5682b	下師・082オ6・疊字	勝	平	シヨウ	左注	śieŋ1/3	蒸/證韻
5772a	下師・084オ2・疊字	勝	平	シヨウ	右注	śieŋ1/3	蒸/證韻
5790a	下師・084オ5・疊字	勝	平	シヨウ	右注	śieŋ1/3	蒸/證韻
5791a	下師・084オ6・疊字	勝	平	シヨウ	左注	śieŋ1/3	蒸/證韻
5885a	下師・085オ7・疊字	勝	平	シヨウ	右注	śieŋ1/3	蒸/證韻
5887a	下師・085オ7・疊字	勝	平	シヨウ	右注	śieŋ1/3	蒸/證韻
5895a	下師・085ウ2・疊字	勝	—	シヨウ	右傍	śieŋ1/3	蒸/證韻
4473b	下佐・043ウ7・動物	鱅	平	シヨウ	右傍	śiɑuŋ1	鍾韻
5262a	下師・069オ1・地儀	式	入	シヨク	右傍	śiek	職韻
5915a	下師・086オ3・疊字	昇	—	シン	右傍	śieŋ1	蒸韻
5304	下師・070オ4・動物	蜃	平	シン	右傍	śien1	眞韻
6964b	下洲・121ウ4・官職	身	—	シン	右注	śien1	眞韻
5552b	下師・079オ6・疊字	収	平	ス	左注	śiʌu1/3	尤/宥韻
4449b	下佐・043オ1・地儀	首	—	ス	右傍	śiʌu2/3	有/宥韻
5108b	下木・063オ3・疊字	首	上	ス	左注	śiʌu2/3	有/宥韻
3308b	下古・001ウ7・地儀	水	—	スイ	右注	śiuei2	旨韻
3598b	下古・010オ6・疊字	水	上	スイ	左注	śiuei2	旨韻
4552b	下佐・046ウ3・飲食	水	上	スイ	右傍	śiuei2	旨韻
5872b	下師・085オ5・疊字	水	上	スイ	右注	śiuei2	旨韻
6777a	下洲・113ウ2・地儀	水	上	スイ	左注	śiuei2	旨韻
6808a	下洲・114オ7・動物	水	—	スイ	右傍	śiuei2	旨韻
6849a	下洲・116オ6・雜物	水	—	スイ	右注	śiuei2	旨韻
6854a	下洲・116オ7・雜物	水	平	スイ	右傍	śiuei2	旨韻
6895a	下洲・119ウ7・疊字	水	—	スイ	右注	śiuei2	旨韻
6913a	下洲・120オ4・疊字	水	上	スイ	中注	śiuei2	旨韻
6922a	下洲・120オ6・疊字	水	上	スイ	中注	śiuei2	旨韻
6925a	下洲・120オ7・疊字	水	上	スイ	右注	śiuei2	旨韻
6935a	下洲・120ウ2・疊字	水	—	スイ	左注	śiuei2	旨韻
4862	下木・056オ5・植物	蕣	去	スン	右傍	śiuen3	稕韻
3701b	下古・012オ2・疊字	世	—	セ	左注	śiai3	祭韻
3735b	下古・013ウ3・姓氏	勢	—	セ	右注	śiai3	祭韻
6376a	下飛・100オ2・國郡	世	—	セ	右傍	śiai3	祭韻
6565a	下世・109ウ7・重點	世	—	セ	右注	śiai3	祭韻

6565b	下世・109ウ7・重點	世	ー	セ	右注	śiai^{3}	祭韻
6730a	下世・112オ3・疊字	世	平	セ	右注	śiai^{3}	祭韻
6760a	下世・112ウ5・国郡	勢	ー	セ	右注	śiai^{3}	祭韻
5568b	下師・079ウ6・疊字	施	ー	セ	左注	śie$^{1/3}$	支/寘韻
6635a	下世・110ウ7・疊字	施	ー	セ	右注	śie$^{1/3}$	支/寘韻
6764a	下世・112ウ7・官職	施	ー	セ	右傍	śie$^{1/3}$	支/寘韻
6293b	下飛・098ウ1・疊字	勢	平	セイ	左注	śiai^{3}	祭韻
6589a	下世・110オ5・疊字	世	去	セイ	中注	śiai^{3}	祭韻
6663a	下世・111オ5・疊字	世	去	セイ	左注	śiai^{3}	祭韻
6743a	下世・112オ5・疊字	勢	ー	セイ	左注	śiai^{3}	祭韻
3386	下古・004ウ2・人躰	聲	平	セイ	右傍	śieŋ^{1}	清韻
4049b	下阿・024オ7・天象	聲	平	セイ	左注	śieŋ^{1}	清韻
4356b	下阿・039オ4・疊字	聲	平	セイ	左注	śieŋ^{1}	清韻
6124b	下飛・093オ4・人躰	聲	平	セイ	右傍	śieŋ^{1}	清韻
4779b	下佐・053オ4・疊字	聖	去	セイ	右注	śieŋ^{3}	勁韻
6733a	下世・112オ4・疊字	聖	ー	セイ	右傍	śieŋ^{3}	勁韻
6627a	下世・110ウ5・疊字	攝	入	セウ	右傍	śiap nep	葉韻 帖韻
3815b	下江・017オ3・疊字	少	平	セウ	左注	śiau$^{2/3}$	小/笑韻
6568a	下世・109ウ7・重點	少	ー	セウ	右注	śiau$^{2/3}$	小/笑韻
6568b	下世・109ウ7・重點	少	ー	セウ	右注	śiau$^{2/3}$	小/笑韻
6762a	下世・112ウ7・官職	少	ー	セウ	右傍	śiau$^{2/3}$	小/笑韻
6763a	下世・112ウ7・官職	少	ー	セウ	右傍	śiau$^{2/3}$	小/笑韻
4613	下佐・048ウ3・辞字	螫	入	セキ	右傍	śiek	昔韻
6272b	下飛・098オ4・疊字	説	入	セツ	左注	śiuat	薛韻
6569a	下世・109ウ7・重點	説	ー	セツ	右注	śiuat	薛韻
6569b	下世・109ウ7・重點	説	ー	セツ	右注	śiuat	薛韻
6602a	下世・110ウ1・疊字	説	入	セツ	左注	śiuat	薛韻
6603a	下世・110ウ1・疊字	説	ー	セツ	左注	śiuat	薛韻
5244	下由・067ウ5・雜物	喋	入	セフ	右傍	śiap	葉韻
3363a	下古・003ウ5・動物	攝	入	セフ	右傍	śiap nop	葉韻 帖韻
6761a	下世・112ウ7・官職	攝	ー	セフ	右傍	śiap nep	葉韻 帖韻
6562	下世・109ウ4・辞字	攝	ー	ヒフ [上上]	右注	śiap nep	葉韻 帖韻
6716a	下世・111ウ7・疊字	纖	平	セム	左注	śiam^{1}	鹽韻
5499	下師・076ウ4・辞字	涚	入	エツ	右傍	śiuai^{3}	祭韻

【表C-06】上巻_常母 ź

番号	前田本所在	掲出字		仮名音注		中古音	韻目
1438a	上度・055オ3・植物	石	ー	サク	右傍	źiek	昔韻
1769b	上池・067ウ4・雜物	石	ー	サク	中注	źiek	昔韻

1425	上度・054ウ4・地儀	塒	平	シ	右傍	źiɐi[1]	之韻
2368b	上和・089ウ7・疊字	時	平	シ	左注	źiɐi[1]	之韻
2456	上加・092オ2・地儀	榯	―	シ	右傍	źiɐi[1]	之韻
0031	上伊・003オ3・地儀	市	―	シ	右傍	źiɐi[2]	止韻
2399b	上和・090オ6・疊字	市	平	シ	中注	źiɐi[2]	止韻
2716b	上加・099オ6・雜物	匙	平	シ	右傍	źie[1]	支韻
2725	上加・099ウ2・雜物	匙	平	シ	右傍	źie[1]	支韻
0402a	上呂・017オ5・地儀	十	―	シウ	右傍	źiep	緝韻
1372b	上邊・053オ5・疊字	什	入濁	シフ	左注	źiep	緝韻
1525	上度・058オ5・員數	十	―	シフ	右傍	źiep	緝韻
1149b	上保・047オ3・疊字	辰	平	シム	中注	źien[1]	眞韻
0325b	上伊・013ウ6・疊字	裳	平	シヤウ	左注	źiaŋ[1]	陽韻
1858b	上池・069ウ6・疊字	裳	去	シヤウ	左注	źiaŋ[1]	陽韻
0447b	上呂・019オ4・疊字	上	去	シヤウ	左注	źiaŋ[2/3]	養/漾韻
0889b	上波・033ウ5・疊字	上	去	シヤウ	右注	źiaŋ[2/3]	養/漾韻
3234b	上与・117ウ1・疊字	上	平	シヤウ	中注	źiaŋ[2/3]	養/漾韻
2371b	上和・090オ1・疊字	城	上濁	シヤウ	左注	źieŋ[1]	清韻
3114b	上加・110オ4・疊字	盛	去濁	シヤウ	右注	źieŋ[1/3]	清/勁韻
0472b	上波・020オ6・地儀	石	―	シヤク	右注	źiek	昔韻
1031b	上保・041ウ4・地儀	石	―	シヤク	右注	źiek	昔韻
3246b	上与・117ウ3・疊字	受	上濁	シユ	左注	źiʌu[2]	有韻
0741b	上波・031ウ3・疊字	殖	入	シヨク	左注	źiɐk	職韻
1677b	上度・063ウ3・疊字	植	入	シヨク	左注	źiɐk ḍiɐi[3]	職韻 志韻
0477	上波・020ウ1・地儀	埴	入	シヨク	右傍	źiɐk tśiɐi[3]	職韻 志韻
0812b	上波・032ウ4・疊字	臣	平	シン	中注	źien[1]	眞韻
2026b	上利・074オ7・疊字	辰	平	シン	左注	źien[1]	眞韻
2859b	上加・106ウ2・疊字	辰	平	シン	左注	źien[1]	眞韻
0034a	上伊・003オ4・地儀	瑞	去	スイ	右傍	źiue[3]	寘韻
2662	上加・098オ3・飲食	醇	平	スウ	右傍	źiuen[1]	諄韻
2147	上奴・076ウ4・植物	蓴	平	スウン	右傍	źiuen[1]	諄韻
0659b	上波・026ウ3・雜物	熟	入	スク	右注	źiʌuk	屋韻
1186b	上保・047ウ3・疊字	筮	去濁	セイ	右傍	źiai[3]	祭韻
2651b	上加・097ウ7・人事	城	平濁	セイ	左注	źieŋ[1]	清韻
0468a	上波・020オ4・天象	韶	平	セウ	右傍	źiau[1]	宵韻
1835b	上池・069ウ1・疊字	石	入	セキ	中注	źiek	昔韻
2877b	上加・106ウ5・疊字	石	入濁	セキ	左注	źiek	昔韻
0416	上呂・018オ4・雜物	鋋	去	セン	右傍	źian[1] jian[1]	仙韻 仙韻
1100	上保・044ウ3・雜物	鋋	―	セン	右傍	źian[1] jian[1]	仙韻 仙韻
1910b	上池・070ウ2・疊字	膳	平	セン	左注	źian[3]	線韻

3170b	上加・112オ3・官職	膳	平濁	セン	右傍	źian^{3}	線韻
1643b	上度・063オ3・疊字	訟	上	ソウ	左注	źiauŋ$^{1/3}$	鍾/用韻
2048a	上利・074ウ4・疊字	竪	平	リウ	左注	źiuʌ^{2}	麌韻
2139a	上利・076オ4・官職	竪	—	リツ	右注	źiuʌ^{2}	麌韻
2300	上和・086ウ3・人倫	竪	—	リフ	右傍	źiuʌ^{2}	麌韻

【表C-06】下巻_常母 ź

番号	前田本所在	掲出字		仮名音注		中古音	韻目
4422b	下阿・041オ4・官職	闍	—	サ	右注	źia^{1} tuʌ^{1}	麻韻 模韻
4463a	下佐・043ウ1・植物	石	—	サク	右注	źiek	昔韻
6960b	下洲・121ウ1・官職	膳	—	サン	右傍	źian^{3}	線韻
5604a	下師・080ウ7・疊字	時	去濁	シ	中注	źiɐi^{1}	之韻
5893a	下師・085ウ2・疊字	時	—	シ	右注	źiɐi^{1}	之韻
5893b	下師・085ウ2・疊字	時	—	シ	右注	źiɐi^{1}	之韻
5939a	下師・086ウ6・官職	侍	—	シ	右注	źiɐi^{3}	志韻
5941a	下師・086ウ6・官職	侍	—	シ	右注	źiɐi^{3}	志韻
6767b	下世・113オ2・官職	侍	—	シ	右傍	źiɐi^{3}	志韻
5880a	下師・085オ6・疊字	視	平	シ	右注	źiei$^{2/3}$ dźiei^{3}	旨/至韻 至韻
5860a	下師・085オ3・疊字	十	入	シウ	右注	źiep	緝韻
5862a	下師・085オ3・疊字	十	入	シウ	右注	źiep	緝韻
5710a	下師・082ウ7・疊字	讎	平	シウ	左注	źiʌu^{1}	尤韻
5268a	下師・069オ2・地儀	壽	去	シウ	右傍	źiʌu^{2}	有韻
5852a	下師・085オ2・疊字	壽	去	シウ	右注	źiʌu^{2}	有韻
3855b	下江・017ウ4・疊字	授	上濁	シウ	右注	źiʌu^{3}	宥韻
5680a	下師・082オ6・疊字	拾	入	シフ	左注	źiep	緝韻
5703a	下師・082ウ5・疊字	拾	—	シフ	左注	źiep	緝韻
5884b	下師・085オ7・疊字	拾	入	シフ	右注	źiep	緝韻
6214	下飛・096オ4・辞字	拾	—	シフ	右傍	źiep	緝韻
4710b	下佐・052オ1・疊字	邪	平	シヤ	左注	źia^{1} jia^{1}	麻韻 麻韻
5333a	下師・071オ3・人倫	邪	—	シヤ	右注	źia^{1} jia^{1}	麻韻 麻韻
5563a	下師・079ウ3・疊字	邪	—	シヤ	右注	źia^{1} jia^{1}	麻韻 麻韻
5624a	下師・081オ7・疊字	邪	去	シヤ	左注	źia^{1} jia^{1}	麻韻 麻韻
5261a	下師・069オ1・地儀	丞	平	シヤウ	右傍	źieŋ^{1}	蒸韻
5594a	下師・080ウ5・疊字	常	平	シヤウ	左注	źiaŋ^{1}	陽韻
5777b	下師・084オ3・疊字	常	上濁	シヤウ	右注	źiaŋ^{1}	陽韻
5863a	下師・085オ3・疊字	常	平	シヤウ	右傍	źiaŋ^{1}	陽韻

6305b	下飛・098ウ3・疊字	常	平	シヤウ	左注	źiaŋ^{1}	陽韻
6436	下毛・103オ4・雜物	裳	平	シヤウ	右傍	źiaŋ^{1}	陽韻
5562a	下師・079ウ3・疊字	尚	—	シヤウ	右注	źiaŋ$^{1/3}$	陽/漾韻
3888b	下手・019オ4・地儀	上	—	シヤウ	右注	źiaŋ^{2}	養韻
5206b	下木・065オ5・官職	上	—	シヤウ	右注	źiaŋ$^{2/3}$	養/漾韻
5803a	下師・084ウ1・疊字	上	—	シヤウ	左注	źiaŋ$^{2/3}$	養/漾韻
5859a	下師・085オ3・疊字	上	去	シヤウ	右注	źiaŋ$^{2/3}$	養/漾韻
5888a	下師・085ウ1・疊字	上	—	シヤウ	右注	źiaŋ$^{2/3}$	養/漾韻
5953a	下師・087オ3・官職	上	—	シヤウ	右注	źiaŋ$^{2/3}$	養/漾韻
6147b	下飛・094オ6・雜物	上	去	シヤウ	中注	źiaŋ$^{2/3}$	養/漾韻
5549a	下師・079オ5・疊字	城	—	シヤウ	中注	źieŋ^{1}	清韻
5735a	下師・083オ6・疊字	城	去	シヤウ	右注	źieŋ^{1}	清韻
5802a	下師・084オ7・疊字	成	—	シヤウ	左注	źieŋ^{1}	清韻
5831b	下師・084ウ5・疊字	盛	去濁	シヤウ	左注	źieŋ$^{1/3}$	清/勁韻
5890a	下師・085ウ1・疊字	盛	去濁	シヤウ	右注	źieŋ$^{1/3}$	清/勁韻
5310b	下師・070オ5・動物	常	上	シヤウ ［上上上］	右傍	źiaŋ^{1}	陽韻
5485	下師・075ウ1・員數	勺	—	シヤク	右注	źiak tśiak	藥韻 藥韻
5482	下師・075ウ1・員數	銖	—	シユ	右注	źiuʌ^{1}	虞韻
5682a	下師・082オ6・疊字	殊	去	シユ	左注	źiuʌ^{1}	虞韻
5879b	下師・085オ6・疊字	銖	平	シユ	右注	źiuʌ^{1}	虞韻
6875	下洲・117オ3・員數	銖	平	シユ	右傍	źiuʌ^{1}	虞韻
4171	下阿・028ウ3・人倫	讎	平	シユ	右注	źiʌu^{1}	尤韻
5727a	下師・083オ4・疊字	讎	平	シユ	左注	źiʌu^{1}	尤韻
3831a	下江・017オ6・疊字	壽	去	シユ	右傍	źiʌu^{2}	有韻
5573a	下師・080オ2・疊字	受	—	シユ	右注	źiʌu^{2}	有韻
5578a	下師・080オ3・疊字	受	—	シユ	左注	źiʌu^{2}	有韻
5669b	下師・082オ3・疊字	受	平濁	シユ	左注	źiʌu^{2}	有韻
4546	下佐・046ウ2・飲食	醇	平	シユン	右傍	źiuen^{1}	諄韻
4385b	下阿・039ウ3・疊字	署	平濁	シヨ	中注	źiʌ^{3}	御韻
5472a	下師・075オ1・雜物	乗	—	シヨウ	右注	źieŋ^{1}	蒸韻
5473a	下師・075オ1・雜物	乗	—	シヨウ	右注	źieŋ^{1}	蒸韻
4138a	下阿・027オ7・動物	乗	平	シヨウ	右傍	źieŋ^{1}	蒸韻
4716b	下佐・052オ2・疊字	乗	去濁	シヨウ	右注	źieŋ^{1}	蒸韻
5665a	下師・082オ2・疊字	乗	上濁	シヨウ	左注	źieŋ^{1}	蒸韻
5667b	下師・082オ2・疊字	乗	平濁	シヨウ	右注	źieŋ^{1}	蒸韻
5668a	下師・082オ2・疊字	乗	平	シヨウ	右注	źieŋ^{1}	蒸韻
5671a	下師・082オ3・疊字	乗	—	シヨウ	左注	źieŋ^{1}	蒸韻
5906d	下師・085ウ4・疊字	乗	—	シヨウ	右傍	źieŋ^{1}	蒸韻
5958a	下師・087オ3・官職	乗	—	シヨウ	右注	źieŋ^{1}	蒸韻
3391	下古・004ウ5・人躰	尰	上	シヨウ	右傍	źiauŋ^{2}	腫韻
5865a	下師・085オ4・疊字	蜀	入	シヨク	右注	źiauk	燭韻

5321	下師・070ウ7・人倫	臣	平	シン	右傍	źien[1]	眞韻
5527a	下師・078ウ4・疊字	辰	平	シン	右注	źien[1]	眞韻
4064a	下阿・024ウ4・天象	晨	平	シン	右傍	źien[1] dźien[1]	眞韻 眞韻
5533a	下師・078ウ7・疊字	晨	平	シン	左注	źien[1] dźien[1]	眞韻 眞韻
6444	下毛・103オ6・雜物	燼	去	シン	右傍	źien[3]	震韻
6902a	下洲・120オ1・疊字	垂	平	スイ	右注	źiue[1]	支韻
6912a	下洲・120オ4・疊字	垂	平	スイ	左注	źiue[1]	支韻
6917a	下洲・120オ5・疊字	垂	平	スイ	左注	źiue[1]	支韻
6942a	下洲・120ウ4・疊字	垂	平	スイ	左注	źiue[1]	支韻
5033b	下木・061ウ6・疊字	瑞	去	スイ	左注	źiue[3]	寘韻
5601b	下師・080ウ6・疊字	瑞	平濁	スイ	左注	źiue[3]	寘韻
6904a	下洲・120オ2・疊字	瑞	平	スイ	右注	źiue[3]	寘韻
6931a	下洲・120ウ1・疊字	瑞	平	スイ	右注	źiue[3]	寘韻
6947a	下洲・120ウ5・疊字	熟	入	スク	左注	źiʌuk	屋韻
3375a	下古・004オ4・人倫	樹	平濁	スユ	右傍	źiuʌ[2/3]	麌/遇韻
6782a	下洲・113ウ4・地儀	淳	平	スヰン	右傍	źiuen[1]	諄韻
6908a	下洲・120オ3・疊字	淳	去	スヰン	左注	źiuen[1]	諄韻
3349b	下古・003オ3・植物	蒓	―	スヰン	左傍	źiuen[1]	諄韻
6921a	下洲・120オ6・疊字	鶉	平	スン	中注	źiuen[1]	諄韻
6691a	下世・111ウ2・疊字	是	平	セ	左注	źie[2]	紙韻
6675a	下世・111オ7・疊字	誓	―	セイ	左注	źiai[3]	祭韻
6731a	下世・112オ3・疊字	誓	去	セイ	右注	źiai[3]	祭韻
6732a	下世・112オ3・疊字	誓	去	セイ	右注	źiai[3]	祭韻
3806b	下江・017オ1・疊字	筮	去	セイ	中注	źiai[3]	祭韻
6651a	下世・111オ3・疊字	成	平	セイ	左注	źieŋ[1]	清韻
6657b	下世・111オ4・疊字	誠	平	セイ	左注	źieŋ[1]	清韻
6740a	下世・112オ5・疊字	成	去	セイ	右注	źieŋ[1]	清韻
6744a	下世・112オ6・疊字	成	平	セイ	右注	źieŋ[1]	清韻
6751a	下世・112オ7・疊字	成	平	セイ	右注	źieŋ[1]	清韻
6756a	下世・112ウ1・疊字	成		セイ	右注	źieŋ[1]	清韻
6797a	下洲・114オ1・植物	盛	平	セイ	右注	źieŋ[1/3]	清/勁韻
6530a	下世・108オ6・人事	韶	―	セウ	左注	źiau[1]	宵韻
6581a	下世・110オ4・疊字	韶	―	セウ	右注	źiau[1]	宵韻
6667a	下世・111オ5・疊字	紹	去	セウ	中注	źiau[2]	小韻
6741a	下世・112オ5・疊字	紹	去	セウ	左注	źiau[2]	小韻
6257b	下飛・098オ2・疊字	石	入	セキ	右注	źiek	昔韻
6754a	下世・112ウ1・疊字	石	―	セキ	右注	źiek	昔韻
4767b	下佐・053オ1・疊字	折	入濁	セツ	左注	źiat tśiat dei[1]	薛韻 薛韻 齊韻

6693a	下世・111ウ3・疉字	折	入	セツ	中注	źiat tśiat dei^{1}	薛韻 薛韻 齊韻
6511	下世・107ウ2・動物	蟬	平	セン	右傍	źian^{1}	仙韻
6680a	下世・111ウ1・疉字	蟬	上	セン	右注	źian^{1}	仙韻
5506	下師・077オ6・辞字	禪	平	セン	右傍	źian$^{1/3}$	仙/線韻
5574b	下師・080オ2・疉字	善	平	セン	右注	źian^{2}	獮韻
5814b	下師・084ウ2・疉字	善	―	セン	右注	źian^{2}	獮韻
4041b	下手・023ウ5・官職	膳	―	セン	右注	źian^{3}	線韻
6515a	下世・107ウ5・人倫	膳	平濁	セン	右注	źian^{3}	線韻
6412	下毛・101ウ6・動物	嬗	平	セン	右傍	źian^{3} t'ɑn^{1} tɑn^{2}	線韻 寒韻 旱韻
6423	下毛・102ウ2・人事	慵	平	ヨウ	右傍	źiɑuŋ^{1}	鍾韻

【表C-06】上巻_日母 ń

番号	前田本所在	掲出字		仮名音注		中古音	韻目
0247b	上伊・012ウ4・疉字	耳	去濁	シ	左注	ńiɐi^{2}	止韻
1597b	上度・062オ7・疉字	餌	上濁	シ	左注	ńiɐi^{3}	志韻
1357b	上邊・053オ2・疉字	尒	平濁	シ	中注	ńie^{2}	紙韻
2867b	上加・106ウ3・疉字	迩	平濁	シ	左注	ńie^{2}	紙韻
0402b	上呂・017オ5・地儀	二	―	シ	右傍	ńiei^{3}	至韻
0639	上波・026オ4・雑物	襦	平濁	シウ	右傍	ńiuʌ^{1}	虞韻
1019b	上仁・041オ3・官職	孺	―	シウ	右注	ńiuʌ^{3}	遇韻
0045b	上伊・003ウ3・植物	柔	平	シウ	右傍	ńiʌu^{1}	尤韻
0281b	上伊・013オ4・疉字	日	入濁	シチ	中注	ńiet	質韻
0724b	上波・031オ7・疉字	日	入濁	シツ	左注	ńiet	質韻
1368b	上邊・053オ4・疉字	日	入濁	シツ	中注	ńiet	質韻
1798b	上池・069オ1・疉字	日	入	シツ	左注	ńiet	質韻
2367b	上和・089ウ7・疉字	日	入	シツ	左注	ńiet	質韻
1841b	上池・069ウ2・疉字	任	去濁	シム	左注	ńiem$^{1/3}$	侵/沁韻
0767b	上波・032オ2・疉字	人	平	シム	右注	ńien^{1}	眞韻
1363b	上邊・053オ3・疉字	人	平濁	シム	右注	ńien^{1}	眞韻
0257b	上伊・012ウ6・疉字	讓	上濁	シヤウ	中注	ńiɑŋ^{3}	漾韻
1005b	上仁・040オ6・疉字	弱	入濁	シヤク	左注	ńiɑk	藥韻
2384b	上和・090オ3・疉字	弱	入濁	シヤク	中注	ńiɑk	藥韻
0780b	上波・032オ4・疉字	惹	入濁	シヤク	右注	ńiɑk ńiɑ^{2}	藥韻 馬韻
2089b	上利・075オ5・疉字	儒	平濁	シユ	左注	ńiuʌ^{1}	虞韻
2811	上加・102オ6・辞字	濡	平	シユ	右傍	ńiuʌ^{1} nuɑn^{1}	虞韻 寒韻
0936b	上仁・036オ5・植物	茹	平	シヨ	右傍	ńiʌ$^{1/2/3}$	魚/語/御韻

1358b	上邊・053オ2・疊字	如	平濁	シヨ	左注	ńiʌ[1/3]	魚/御韻
2531b	上加・094オ7・動物	茸	平濁	シヨウ	右傍	ńiɑuŋ[1]	鍾韻
2085b	上利・075オ4・疊字	宂	上濁	シヨウ	右注	ńiɑuŋ[2]	腫韻
1907b	上池・070ウ2・疊字	辱	入	シヨク	中注	ńiɑuk	燭韻
1951b	上池・071オ3・疊字	辱	入濁	シヨク	左注	ńiɑuk	燭韻
0254b	上伊・012ウ5・疊字	人	平濁	シン	中注	ńien[1]	眞韻
1886b	上池・070オ4・疊字	人	平濁	シン	左注	ńien[1]	眞韻
2885b	上加・106ウ7・疊字	人	平	シン	左注	ńien[1]	眞韻
2926b	上加・107ウ1・疊字	人	平濁	シン	左注	ńien[1]	眞韻
1736	上池・066ウ4・人躰	乳	―	ス	右傍	ńiuʌ[2]	麌韻
2109b	上利・075ウ2・疊字	潤	―	スウン	右注	ńiuen[3]	稕韻
1104	上保・044ウ6・雑物	緌	平	スヰ	右傍	ńiuei[1]	脂韻
2683	上加・098ウ3・雑物	緌	平	スヰ	右傍	ńiuei[1]	脂韻
0506a	上波・021オ4・植物	蕘	平	セウ	右傍	ńiau[1]	宵韻
0951a	上仁・037オ3・動物	蚺	平	セム	右傍	ńiam[1]	鹽韻
1544	上度・059オ6・辞字	撋	上	セム	右傍	ńiuan[1]	仙韻
0795b	上波・032オ7・疊字	然	平濁	セン	右注	ńian[1]	仙韻
1588b	上度・062オ5・疊字	然	平濁	セン	左注	ńian[1]	仙韻
2087b	上利・075オ5・疊字	然	平濁	セン	左注	ńian[1]	仙韻
3260b	上与・117ウ6・疊字	然	平濁	セン	左注	ńian[1]	仙韻
0997b	上仁・040オ4・疊字	軟	平	ナン	右注	ńiuan[2]	獮韻
0375a	上伊・015ウ7・国郡	迩	―	ニ	右傍	ńie[2]	紙韻
2418b	上和・091オ2・姓氏	迩	―	ニ	右注	ńie[2]	紙韻
0974	上仁・038ウ6・員數	二	―	ニ	右注	ńiei[3]	至韻
1020a	上仁・041オ5・姓氏	壬	―	ニ	右注	ńiem[1]	侵韻
1021a	上仁・041オ5・姓氏	壬	―	ニ	右注	ńiem[1]	侵韻
1017a	上仁・041オ1・諸寺	仁	―	ニ	右注	ńien[1]	眞韻
0373a	上伊・015ウ6・国郡	仁	―	ニイ	右傍	ńien[1]	眞韻
0994a	上仁・040オ4・疊字	入	―	ニウ	右注	ńiep	緝韻
1007a	上仁・040オ7・疊字	入	入	ニウ	左注	ńiep	緝韻
1009a	上仁・040オ7・疊字	入	入	ニウ	左注	ńiep	緝韻
1018a	上仁・041オ3・官職	入	―	ニウ	右注	ńiep	緝韻
0996a	上仁・040オ4・疊字	柔	去	ニウ	左注	ńiʌu[1]	尤韻
0997a	上仁・040オ4・疊字	柔	去	ニウ	右注	ńiʌu[1]	尤韻
1002a	上仁・040オ5・疊字	柔	去	ニウ	右注	ńiʌu[1]	尤韻
1005a	上仁・040オ6・疊字	柔	去	ニウ	左注	ńiʌu[1]	尤韻
0993b	上仁・040オ3・疊字	辱	入	ニク	右注	ńiɑuk	燭韻
0975	上仁・038ウ6・員數	廿	―	ニシウ	右注	ńiep	緝韻
0988a	上仁・040オ1・重點	日	―	ニチ	右注	ńiet	質韻
0988b	上仁・040オ1・重點	日	―	ニチ	右注	ńiet	質韻
0989a	上仁・040オ3・疊字	日	入	ニチ	中注	ńiet	質韻
0990a	上仁・040オ3・疊字	日	入	ニチ	左注	ńiet	質韻
0999a	上仁・040オ5・疊字	日	入	ニチ	右注	ńiet	質韻
1010a	上仁・040オ7・疊字	日	入	ニチ	中注	ńiet	質韻

番号	前田本所在	掲出字		仮名音注		中古音	韻目
0995a	上仁・040オ4・疊字	入	入	ニツ	右注	ńiep	緝韻
1013a	上仁・040ウ1・疊字	入	入	ニツ	右注	ńiep	緝韻
0998a	上仁・040オ4・疊字	日	入	ニツ	右注	ńiet	質韻
0992a	上仁・040オ3・疊字	入	入	ニフ	中注	ńiep	緝韻
1925b	上池・070ウ5・疊字	入	入	ニフ	左注	ńiep	緝韻
2951b	上加・107ウ6・疊字	弱	入	ニヤク	左注	ńiɑk	藥韻
0969a	上仁・038オ7・雜物	如	去	ニヨ	右注	ńiʌ$^{1/3}$	魚/御韻
0970a	上仁・038オ7・雜物	如	去	ニヨ	右注	ńiʌ$^{1/3}$	魚/御韻
1003a	上仁・040オ6・疊字	如	去	ニヨ	左注	ńiʌ$^{1/3}$	魚/御韻
1012a	上仁・040ウ1・疊字	如	去	ニヨ	左注	ńiʌ$^{1/3}$	魚/御韻
1008a	上仁・040オ7・疊字	任	平	ニン	右注	ńiem$^{1/3}$	侵/沁韻
1882b	上池・070オ4・疊字	任	平	ニン	左注	ńiem$^{1/3}$	侵/沁韻
0935a	上仁・036オ5・植物	人	去	ニン	右注	ńien^{1}	眞韻
0950a	上仁・037オ1・動物	人	去	ニン	右傍	ńien^{1}	眞韻
0952a	上仁・037オ5・人倫	人	去	ニン	右注	ńien^{1}	眞韻
0953a	上仁・037オ6・人倫	人	ー	ニン	右注	ńien^{1}	眞韻
0954a	上仁・037ウ1・人躰	人	去	ニン	右注	ńien^{1}	眞韻
0991a	上仁・040オ3・疊字	人	去	ニン	右注	ńien^{1}	眞韻
1004a	上仁・040オ6・疊字	人	去	ニン	左注	ńien^{1}	眞韻
1006a	上仁・040オ6・疊字	人	去	ニン	左注	ńien^{1}	眞韻
1595b	上度・062オ7・疊字	人	去	ニン	左注	ńien^{1}	眞韻
1904b	上池・070ウ1・疊字	人	去	ニン	左注	ńien^{1}	眞韻
1938b	上池・071オ1・疊字	人	去	ニン	右注	ńien^{1}	眞韻
3032b	上加・109オ1・疊字	人	去	ニン	左注	ńien^{1}	眞韻
0993a	上仁・040オ3・疊字	忍	平	ニン	右注	ńien^{2}	軫韻
1947b	上池・071オ3・疊字	忍	平	ニン	右注	ńien^{2}	軫韻
1011a	上仁・040オ7・疊字	刃	平	ニン	左注	ńien^{3}	震韻
2353b	上和・088ウ1・雜物	耳	上濁	チ	右注	ńiɐi^{2}	止韻
2669a	上加・098オ5・飲食	餌	去濁	チウ	右傍	ńiʌu^{3}	宥韻
0586	上波・024オ4・人躰	衂	入濁	チク	右傍	ńiʌuk niʌuk	屋韻 屋韻

【表C-06】下巻_日母 ń

番号	前田本所在	掲出字		仮名音注		中古音	韻目
4115b	下阿・026ウ3・植物	楉	入	サク	右注	ńiɑk	藥韻
5830a	下師・084ウ5・疊字	而	去	シ	右注	ńiɐi^{1}	之韻
3997b	下手・022ウ5・疊字	耳	上	シ	左注	ńiɐi^{2}	止韻
5664a	下師・082オ2・疊字	耳	去濁	シ	左注	ńiɐi^{2}	止韻
5984	下會・088ウ5・飲食	餌	去濁	シ	右傍	ńiɐi^{3}	志韻
3816b	下江・017オ3・疊字	兒	平	シ	左注	ńie^{1} ŋei^{1}	支韻 齊韻

5894a	下師・085ウ2・疊字	皃	―	シ	右注	ńie^{1} ŋei^{1}	支韻 齊韻
6531c	下世・108オ7・人事	皃	平	シ	右傍	ńie^{1} ŋei^{1}	支韻 齊韻
3700b	下古・012オ1・疊字	尒	―	シ	左注	ńie^{2}	紙韻
5860a	下師・085オ3・疊字	二	上濁	シ	右注	ńiei^{3}	至韻
5913a	下師・086オ2・疊字	任	―	シ ［去濁］	右注	ńiem$^{1/3}$	侵/沁韻
5488	下師・075ウ2・員數	入	―	シウ	右注	ńiep	緝韻
5843a	下師・084ウ7・疊字	入	入濁	シウ	右注	ńiep	緝韻
5855a	下師・085オ2・疊字	入	入濁	シウ	右注	ńiep	緝韻
5181b	下木・064オ5・疊字	乳	去濁	シウ	右注	ńiuʌ^{2}	麌韻
5910a	下師・085ウ5・疊字	乳	去濁	シウ	右傍	ńiuʌ^{2}	麌韻
3759	下江・015オ2・人倫	戎	平濁	シウ	右傍	ńiʌuŋ^{1}	東韻
5725a	下師・083オ3・疊字	戎	去濁	シウ	左注	ńiʌuŋ^{1}	東韻
3631b	下古・010ウ7・疊字	肉	―	シク	左注	ńiʌuk	屋韻
4138c	下阿・027オ7・動物	肉	入濁	シク	右傍	ńiʌuk	屋韻
4201b	下阿・029オ7・人躰	肉	入濁	シク	右傍	ńiʌuk	屋韻
5338	下師・071オ7・人躰	肉	入	シク	右傍	ńiʌuk	屋韻
5534b	下師・078ウ7・疊字	日	―	シツ	左注	ńiet	質韻
6021	下飛・090オ5・天象	日	入	シツ	右傍	ńiet	質韻
4247	下阿・032オ1・雜物	衵	―	シツ	右傍	ńiet ṇiet	質韻 質韻
3653b	下古・011オ6・疊字	入	入	シフ	左注	ńiep	緝韻
5119b	下木・063オ6・疊字	入	―	シフ	左注	ńiep	緝韻
5709a	下師・082ウ6・疊字	入	―	シフ	右傍	ńiep	緝韻
5728a	下師・083オ4・疊字	蹂	入濁	シフ	左注	ńiʌu$^{1/2/3}$	尤/有/宥韻
3743	下江・014オ7・植物	荏	上濁	シム	右傍	ńiem^{2}	寑韻
5551b	下師・079オ6・疊字	紝	―	シム	左注	ńiem^{3}	沁韻
3373b	下古・004オ3・人倫	人	―	シム	右注	ńien^{1}	眞韻
5484	下師・075ウ1・員數	仭	上濁	シム	右注	ńien^{3}	震韻
3324b	下古・002ウ2・植物	蒻	入濁	シヤク	右傍	ńiɑk	藥韻
6759b	下世・112ウ2・疊字	入	―	シユ	右傍	ńiop	緝韻
5257	下由・068ウ3・辞字	臑	平	シユ	右傍	ńiuʌ^{1}	虞韻
5699a	下師・082ウ3・疊字	儒	―	シユ	左注	ńiuʌ^{1}	虞韻
5700a	下師・082ウ3・疊字	儒	―	シユ	左注	ńiuʌ^{1}	虞韻
5701a	下師・082ウ3・疊字	儒	―	シユ	左注	ńiuʌ^{1}	虞韻
5702a	下師・082ウ4・疊字	儒	―	シユ	左注	ńiuʌ^{1}	虞韻
6910b	下洲・120オ3・疊字	儒	平	シユ	左注	ńiuʌ^{1}	虞韻
5686a	下師・082オ7・疊字	潤	去	シユン	左注	ńiuen^{3}	稕韻
5238	下由・067ウ2・飲食	茹	去濁	シヨ	右傍	ńiʌ$^{1/2/3}$	魚/語/御韻
5848a	下師・085オ1・疊字	如	平濁	シヨ	右注	ńiʌ$^{1/3}$	魚/御韻
5861b	下師・085オ3・疊字	如	平濁	シヨ	右注	ńiʌ$^{1/3}$	魚/御韻
5502	下師・076ウ7・辞字	仍	平	シヨウ	右傍	ńieŋ^{1}	蒸韻

5311b	下師・070オ6・動物	茸	—	シヨウ	右傍	ńiauŋ[1]	鍾韻
6071b	下飛・091ウ4・植物	茸	平濁	シヨウ	右傍	ńiauŋ[1]	鍾韻
4037b	下手・023ウ1・疊字	辱	入	シヨク	右注	ńiauk	燭韻
5732a	下師・083オ5・疊字	辱	入	シヨク	左注	ńiauk	燭韻
5356	下師・072オ2・人事	仁	平濁	シン	右注	ńien[1]	眞韻
5610a	下師・081オ3・疊字	人	—	シン	左注	ńien[1]	眞韻
5720b	下師・083オ2・疊字	人	上	シン	左注	ńien[1]	眞韻
6254b	下飛・098オ1・疊字	人	平	シン	左注	ńien[1]	眞韻
6398b	下毛・101オ6・植物	人	—	（シン）	右傍	ńien[1]	眞韻
5801a	下師・084オ7・疊字	仁	平濁	シン	左注	ńien[1]	眞韻
6783b	下洲・113ウ4・地儀	仁	平濁	シン	右傍	ńien[1]	眞韻
5292	下師・069ウ5・植物	蘂	上濁	スヰ	右傍	ńiue[2]	紙韻
4093c	下阿・026オ2・植物	蕤	平	スヰ	右傍	ńiuei[1]	脂韻
5969c	下會・087ウ6・植物	蕤	平	スヰ	右傍	ńiuei[1]	脂韻
6896a	下洲・119ウ7・疊字	蕤	平	スヰン	左注	ńiuei[1]	脂韻
4205a	下阿・029ウ1・人躰	褻	入濁	セツ	右傍	ńiat	薛韻
5146b	下木・063ウ5・疊字	然	平	セン	左注	ńian[1]	仙韻
5799b	下師・084オ7・疊字	然	—	セン	右注	ńian[1]	仙韻
5830b	下師・084ウ5・疊字	然	平濁	セン	右注	ńian[1]	仙韻
6548a	下世・108ウ7・雑物	軟	—	セン	右傍	ńiuan[2]	獮韻
6547a	下世・108ウ7・雑物	軟	—	セン［上濁上］	右傍	ńiuan[2]	獮韻
6806	下洲・114オ6・動物	駑	平	ソ	右傍	ńiʌ[1]	魚韻
3732b	下古・013ウ1・官職	兒	—	ニ	左注	ńie[1] ŋei[1]	支韻 齊韻
4769b	下佐・053オ2・疊字	入	入	ニウ	左注	ńiep	緝韻
6635b	下世・110ウ7・疊字	入	—	ニウ	右注	ńiep	緝韻
6742b	下世・112オ5・疊字	入	—	ニウ	右注	ńiep	緝韻
5339	下師・071オ7・人躰	肉	入	ニク	右注	ńiʌuk	屋韻
6585b	下世・110オ5・疊字	日	入	ニチ	左注	ńiet	質韻
5273a	下師・069オ5・植物	入	—	ニフ	右注	ńiep	緝韻
3325b	下古・002ウ2・植物	蒻	入濁	ニヤク	右注	ńiak	藥韻
3326b	下古・002ウ2・植物	若	—	ニヤク	右注	ńiak ńia[1/2]	藥韻 麻/馬韻
5322b	下師・070ウ7・人倫	人	—	ニン	右注	ńien[1]	眞韻
6516b	下世・107ウ5・人倫	人	—	ニン	右傍	ńien[1]	眞韻
6497b	下世・106ウ5・地儀	仁	平	ニン	右傍	ńien[1]	眞韻
6801a	下洲・114オ4・植物	忍	平	ニン	右傍	ńien[2]	軫韻
5259	下由・068ウ5・辞字	饒	平	ネウ	右傍	ńiau[1/3]	宵/笑韻
5800b	下師・084オ7・疊字	然	—	ネン	左注	ńian[1]	仙韻
6477b	下毛・105ウ5・疊字	然	—	ネン	右注	ńian[1]	仙韻
3936a	下手・021ウ5・重點	蘘	上濁	テウ	右注	ńiaŋ[1]	陽韻
3936b	下手・021ウ5・重點	蘘	上濁	テウ	右注	ńiaŋ[1]	陽韻
5383b	下師・073オ3・人事	人	—	ミ	左傍	ńien[1]	眞韻

【表C-06】上巻_羊母 j

番号	前田本所在	掲出字		仮名音注		中古音	韻目
0087	上伊・004ウ6・動物	鮧	平	イ	右傍	jiɐi^{1}	之韻
0092a	上伊・005オ3・動物	貽	平	イ	右傍	jiɐi^{1}	之韻
0661	上波・026ウ5・雜物	匜	平	イ	右傍	jiɐi^{1}	之韻
1958a	上池・071ウ3・國郡	怡	―	イ	右傍	jiɐi^{1}	之韻
3202b	上与・114ウ3・人軄	頤	平	イ	右傍	jiɐi^{1}	之韻
2309	上和・087オ2・人事	台	―	イ	右傍	jiɐi^{1} t‘ʌi^{1}	之韻 咍韻
0259a	上伊・012ウ6・疊字	以	去	イ	左注	jiɐi^{2}	止韻
0260a	上伊・012ウ7・疊字	以	上	イ	左注	jiɐi^{2}	止韻
0261a	上伊・012ウ7・疊字	以	上	イ	左注	jiɐi^{2}	止韻
0340a	上伊・014オ2・疊字	已	平	イ	右注	jiɐi$^{2/3}$	止/志韻
0389a	上伊・016オ5・官軄	已	―	イ	右注	jiɐi$^{2/3}$	止/志韻
0390a	上伊・016オ5・官軄	已	平	イ	右注	jiɐi$^{2/3}$	止/志韻
2267	上遠・083ウ3・辞字	已	―	イ	右傍	jiɐi$^{2/3}$	止/志韻
0243a	上伊・012ウ3・疊字	異	去	イ	右注	jiɐi^{3}	志韻
0263a	上伊・012ウ7・疊字	異	平	イ	中注	jiɐi^{3}	志韻
0266a	上伊・013オ1・疊字	異	去	イ	左注	jiɐi^{3}	志韻
0270a	上伊・013オ2・疊字	異	去	イ	右注	jiɐi^{3}	志韻
0290a	上伊・013オ5・疊字	異	―	イ	右注	jiɐi^{3}	志韻
0291a	上伊・013オ6・疊字	異	上	イ	右注	jiɐi^{3}	志韻
0328a	上伊・013ウ7・疊字	異	去	イ	左注	jiɐi^{3}	志韻
0331a	上伊・014オ1・疊字	異	去	イ	左注	jiɐi^{3}	志韻
0323a	上伊・013ウ6・疊字	移	平	イ	右注	jie^{1}	支韻
0104	上伊・005ウ3・人倫	姨	平	イ	右傍	jiei^{1}	脂韻
0235a	上伊・012ウ2・疊字	夷	平	イ	右注	jiei^{1}	脂韻
0242a	上伊・012ウ3・疊字	夷	平	イ	左注	jiei^{1}	脂韻
0394b	上伊・016ウ2・姓氏	夷	―	イ	右注	jiei^{1}	脂韻
0740b	上波・031ウ3・疊字	夷	平	イ	中注	jiei^{1}	脂韻
1522	上度・058オ3・方角	寅	平	イ	右傍	jiei^{1} jien^{1}	脂韻 眞韻
1653b	上度・063オ5・疊字	夷	平	イ	左注	jiei^{1}	脂韻
1693b	上度・064オ4・国郡	夷	―	イ	右注	jiei^{1}	脂韻
2121b	上利・075ウ5・疊字	夷	平	イ	右注	jiei^{1}	脂韻
2232	上遠・081オ3・人倫	姨	平	イ	右傍	jiei^{1}	脂韻
3154a	上加・111ウ4・國郡	夷	―	イ	右傍	jiei^{1}	脂韻
3275b	上与・118オ4・疊字	迤	―	イ	右傍	jiue^{1}	支韻
0193	上伊・009ウ2・辞字	移	―	イ [平]	右注	jie^{1}	支韻
0037a	上伊・003オ6・地儀	悠	―	イウ	右傍	jiʌu^{1}	尤韻
2171b	上奴・078ウ5・疊字	悠	―	イウ	右傍	jiʌu^{1}	尤韻

1558	上度・060オ5・辞字	攸	平	イウ	右傍	jiʌu^{1}	尤韻
0234a	上伊・012ウ1・疊字	遊	平	イウ	左注	jiʌu^{1}	尤韻
0248a	上伊・012ウ4・疊字	遊	平	イウ	中注	jiʌu^{1}	尤韻
0255a	上伊・012ウ6・疊字	遊	平	イウ	左注	jiʌu^{1}	尤韻
0278a	上伊・013オ3・疊字	遊	上	イウ	右注	jiʌu^{1}	尤韻
0300a	上伊・013ウ1・疊字	遊	平	イウ	右注	jiʌu^{1}	尤韻
0301a	上伊・013ウ1・疊字	遊	平	イウ	右注	jiʌu^{1}	尤韻
0302b	上伊・013ウ1・疊字	遊	平	イウ	右注	jiʌu^{1}	尤韻
0316a	上伊・013ウ5・疊字	遊	平	イウ	右傍	jiʌu^{1}	尤韻
0333a	上伊・014オ1・疊字	遊	平	イウ	左注	jiʌu^{1}	尤韻
2961b	上加・108オ1・疊字	遊	―	イウ	左注	jiʌu^{1}	尤韻
3068b	上加・109ウ2・疊字	遊	平	イウ	左注	jiʌu^{1}	尤韻
0262a	上伊・012ウ7・疊字	由	平	イウ	左注	jiʌu^{1}	尤韻
3227	上与・116オ5・辞字	由	―	イウ	右傍	jiʌu^{1}	尤韻
2830	上加・104オ2・辞字	輶	平	イウ	右傍	jiʌu$^{1/2/3}$	尤/有/宥韻
2842	上加・105ウ3・辞字	輶	平	イウ	右傍	jiʌu$^{1/2/3}$	尤/有/宥韻
0296a	上伊・013オ7・疊字	猶	去	イウ	中注	jiʌu$^{1/3}$	尤/宥韻
2846	上加・105ウ7・辞字	猶	―	イウ	右傍	jiʌu$^{1/3}$	尤/宥韻
0310a	上伊・013ウ3・疊字	誘	去	イウ	右注	jiʌu^{2}	有韻
1523	上度・058オ3・方角	酉	―	イウ	右傍	jiʌu^{2}	有韻
0080a	上伊・004ウ3・動物	鼬	―	イウ	右傍	jiʌu^{3}	宥韻
0342a	上伊・014オ3・疊字	育	入	イク	右注	jiʌuk	屋韻
0271a	上伊・013オ2・疊字	逸	入	イチ	右注	jiet	質韻
0272a	上伊・013オ2・疊字	逸	入	イチ	左注	jiet	質韻
0154a	上伊・008オ1・人事	溢	―	イツ	右注	jiet	質韻
0269b	上伊・013オ1・疊字	逸	―	イツ	右注	jiet	質韻
0341a	上伊・014オ3・疊字	逸	入	イツ	右注	jiet	質韻
0772b	上波・032オ3・疊字	逸	入	イツ	中注	jiet	質韻
0887b	上波・033ウ5・疊字	佾	入	イツ	右注	jiet	質韻
1687a	上度・064オ2・国郡	引	―	イナ	右傍	jien$^{2/3}$	軫韻
3101b	上加・110オ1・疊字	遊	平	イフ	右注	jiʌu^{1}	尤韻
0121	上伊・006ウ1・人事	婬	平	イム	右傍	jiem^{1}	侵韻
0232a	上伊・012ウ1・疊字	滛	平	イン	右注	jiem^{1}	侵韻
0249a	上伊・012ウ4・疊字	滛	平	イン	中注	jiem^{1}	侵韻
0273a	上伊・013オ2・疊字	婬	平	イン	左注	jiem^{1}	侵韻
0274a	上伊・013オ2・疊字	婬	平	イン	右注	jiem^{1}	侵韻
0275a	上伊・013オ2・疊字	婬	平	イン	左注	jiem^{1}	侵韻
0987	上度・058オ3・方角	寅	平	イン	右傍	jien^{1} jiei^{1}	眞韻 脂韻
0245a	上伊・012ウ4・疊字	引	上	イン	右注	jien$^{2/3}$	軫韻
0250a	上伊・012ウ5・疊字	引	平	イン	左注	jien$^{2/3}$	軫韻
0251a	上伊・012ウ5・疊字	引	平	イン	左注	jien$^{2/3}$	軫韻
0310b	上伊・013ウ3・疊字	引	上	イン	右注	jien$^{2/3}$	軫韻

0317a	上伊・013ウ5・疊字	引	上	イン	左注	jien$^{2/3}$	軫韻
1846b	上池・069ウ3・疊字	引	上	イン	左注	jien$^{2/3}$	軫韻
0567	上波・023オ7・人倫	裔	—	エイ	右傍	jiai^{3}	祭韻
1123	上保・045ウ3・方角	裔	—	エイ	右傍	jiai^{3}	祭韻
1351b	上邊・053オ1・疊字	裔	平	エイ	左注	jiai^{3}	祭韻
0981	上仁・039オ4・辞字	攍	—	エイ	右傍	jieŋ^{1}	清韻
0027	上伊・003オ2・地儀	営	平	エイ	右傍	jiueŋ^{1}	清韻
0207	上伊・011オ2・辞字	営	平	エイ	右傍	jiueŋ^{1}	清韻
1208b	上保・048オ1・疊字	営	平	エイ	左注	jiueŋ^{1}	清韻
1917b	上池・070ウ4・疊字	葉	入	エウ	左注	jiap śiap	葉韻 葉韻
1452	上度・055ウ3・動物	鰩	平	エウ	右傍	jiau^{1}	宵韻
2439	上加・091ウ6・地儀	窯	平	エウ	右傍	jiau^{1}	宵韻
0536	上波・022オ4・動物	鷂	平	エウ	右傍	jiau$^{1/3}$	宵/笑韻
2463b	上加・092オ4・地儀	耀	去	エウ	右傍	jiau^{3}	笑韻
0444b	上呂・019オ3・疊字	驛	入	エキ	右傍	jiek	昔韻
0850b	上波・033オ4・疊字	奕	入	エキ	左注	jiek	昔韻
2287	上和・085ウ7・地儀	掖	—	エキ	右傍	jiek	昔韻
2302	上和・086ウ6・人躰	腋	入	エキ	右傍	jiek	昔韻
3102b	上加・110オ1・疊字	易	入	エキ	右注	jiek	昔韻
2342	上和・088オ5・雑物	裿	入	エキ	右傍	jiek tśiek	昔韻 昔韻
2343b	上和・088オ5・雑物	裿	入	エキ	右傍	jiek tśiek	昔韻 昔韻
1461	上度・056オ6・人體	疫	徳?	エキ	右傍	jiuek	昔韻
1407b	上邊・053ウ6・疊字	悦	入	エツ	右注	jiuat	薛韻
2965b	上加・108オ2・疊字	悦	入	エツ	右注	jiuat	薛韻
0522	上波・021ウ4・植物	葉	—	エフ	右傍	jiap śiap	葉韻 葉韻
0783b	上波・032オ5・疊字	葉	入	エフ	中注	jiap śiap	葉韻 葉韻
2183b	上留・079ウ1・疊字	葉	入	エフ	中注	jiap śiap	葉韻 葉韻
2039b	上利・074ウ3・疊字	閻	平	エム	左注	jiam^{1}	鹽韻
0156c	上伊・008オ2・人事	塩	—	エム	右注	jiam$^{1/3}$	鹽/豔韻
0470a	上波・020オ4・天象	艶	去	エム	右傍	jiam^{3}	豔韻
3237b	上与・117ウ1・疊字	艶	去	エム	左注	jiam^{3}	豔韻
2897b	上加・107オ2・疊字	莚	平	エム	左注	jian$^{1/3}$	仙/線韻
2648c	上加・097ウ6・人事	塩	平	エン	左注	jiam$^{1/3}$	鹽/豔韻
0277b	上伊・013オ3・疊字	艶	去	エン	左注	jiam^{3}	豔韻
0769b	上波・032オ2・疊字	艶	去	エン	左注	jiam^{3}	豔韻
2899b	上加・107オ3・疊字	演	平	エン	左注	jian^{2}	獮韻
2506b	上加・093ウ3・植物	櫞	平	エン	右傍	jiuan^{1}	仙韻
0252b	上伊・012ウ5・疊字	縁	上	エン	中注	jiuan$^{1/3}$	仙/線韻

1583b	上度・062オ4・疊字	緣	上	エン	左注	jiuan[1/3]	仙/線韻
3001b	上加・108ウ2・疊字	緣	去	エン	左注	jiuan[1/3]	仙/線韻
2570b	上加・095ウ3・人倫	冶	―	ヤ	右傍	jia[2]	馬韻
2927b	上加・107ウ1・疊字	冶	上 去	ヤ	左注	jia[2]	馬韻
1272b	上保・049オ6・諸社	野	―	ヤ	右注	jia[2] źiʌ[2]	馬韻 語韻
1689b	上度・064オ2・国郡	野	―	ヤ	右傍	jia[2] źiʌ[2]	馬韻 語韻
3147b	上加・111オ7・諸寺	野	―	ヤ	右傍	jia[2] źiʌ[2]	馬韻 語韻
0727b	上波・031ウ1・疊字	夜	平	ヤ	右注	jia[3]	禡韻
1026b	上保・041ウ1・天象	夜	去	ヤ	右傍	jia[3]	禡韻
1058b	上保・042ウ5・動物	夜	―	ヤ	右注	jia[3]	禡韻
1797b	上池・069オ1・疊字	夜	平	ヤ	中注	jia[3]	禡韻
2862b	上加・106ウ2・疊字	夜	平	ヤ	左注	jia[3]	禡韻
3193a	上与・114オ3・動物	夜	去	ヤ	右傍	jia[3]	禡韻
2479a	上加・092ウ7・植物	射	去	ヤ	左傍	jia[3] dźia[3]	禡韻 禡韻
3176b	上加・112ウ2・姓氏	陽	―	ヤ	右注	jiaŋ[1]	陽韻
0047a	上伊・003ウ4・植物	羊	平	ヤウ	右傍	jiaŋ[1]	陽韻
0064a	上伊・004オ3・植物	羊	平	ヤウ	右傍	jiaŋ[1]	陽韻
0149	上伊・007ウ3・人事	佯	―	ヤウ	右傍	jiaŋ[1]	陽韻
0470b	上波・020オ4・天象	陽	平	ヤウ	右傍	jiaŋ[1]	陽韻
0973b	上仁・038ウ4・方角	陽	―	ヤウ	左傍	jiaŋ[1]	陽韻
1430b	上度・054ウ6・地儀	陽	平	ヤウ	右傍	jiaŋ[1]	陽韻
1792b	上池・068ウ7・疊字	陽	平	ヤウ	中注	jiaŋ[1]	陽韻
2605	上加・096オ7・人體	瘍	平	ヤウ	右傍	jiaŋ[1]	陽韻
2608	上加・096ウ1・人體	癢	上	ヤウ	右傍	jiaŋ[2]	養韻
2049b	上利・074ウ5・疊字	養	平	ヤウ	左注	jiaŋ[2/3]	養/漾韻
0290b	上伊・013オ5・疊字	樣	―	ヤウ	右注	jiaŋ[3]	漾韻
1260b	上保・048ウ5・疊字	樣	平	ヤウ	右注	jiaŋ[3]	漾韻
2919b	上加・107オ7・疊字	藥	入	ヤク	左注	jiak	藥韻
0881b	上波・033ウ4・疊字	藥	入	ヤク	右注	jiak	藥韻
1187b	上保・047ウ3・疊字	藥	入	ヤク	左注	jiak	藥韻
1366b	上邊・053オ4・疊字	躍	入	ヤク	右注	jiak	藥韻
1668b	上度・063ウ1・疊字	躍	入	ヤク	右注	jiak	藥韻
2115b	上利・075ウ3・疊字	藥	入	ヤク	右注	jiak	藥韻
2262b	上遠・083オ3・雜物	藥	入?	ヤク	右注	jiak	藥韻
2715	上加・099オ5・雜物	鑰	入	ヤク	右傍	jiak	藥韻
2918b	上加・107オ7・疊字	藥	入	ヤク	左注	jiak	藥韻
1165b	上保・047オ6・疊字	譯	入	ヤク	左注	jiek	昔韻
1462	上度・056オ6・人體	疫	德?	ヤク	右傍	jiuek	昔韻
0937	上仁・036オ6・植物	楡	平	ユ	右傍	jiuʌ[1]	虞韻

1301	上邊・051オ5・人事	諛	平	ユ	右傍	jiuʌ^{1}	虞韻
2508c	上加・093ウ4・植物	萸	―	ユ	右傍	jiuʌ^{1}	虞韻
1347b	上邊・052ウ7・疊字	瘉	平	ユ	中注	jiuʌ$^{1/2}$	虞/麌韻
3164c	上加・112オ1・官職	由	―	ユ	右傍	jiʌu^{1}	尤韻
2171a	上奴・078ウ5・疊字	猶	―	ユ	右傍	jiʌu$^{1/3}$	尤/宥韻
2276	上遠・084オ3・辞字	遺	―	ユイ	右傍	jiuei$^{1/3}$	脂/至韻
3264b	上与・117ウ7・疊字	容	平	ヨ	右注	jiauŋ^{1}	鍾韻
3284b	上波・034ウ6・國郡	用	―	ヨ	右傍	jiauŋ^{3}	用韻
2143b	上奴・076ウ2・植物	餘	平	ヨ	右傍	jiʌ^{1}	魚韻
3234a	上与・117ウ1・疊字	餘	去	ヨ	中注	jiʌ^{1}	魚韻
3235a	上与・117ウ1・疊字	餘	平	ヨ	左注	jiʌ^{1}	魚韻
3265a	上与・117ウ7・疊字	餘	平	ヨ	右注	jiʌ^{1}	魚韻
2312	上和・087オ2・人事	余	平	ヨ	右傍	jiʌ^{1} źia^{1}	魚韻 麻韻
2977b	上加・108オ4・疊字	舉	平	ヨ	左注	jiʌ^{1} kiʌ^{2}	魚韻 語韻
2311	上和・087オ2・人事	予	平	ヨ	右傍	jiʌ$^{1/2}$	魚/語韻
3204	上与・114ウ5・人事	予	―	ヨ	右注	jiʌ$^{1/2}$	魚/語韻
2796	上加・101ウ1・辞字	歟	―	ヨ	右傍	jiʌ$^{1/2/3}$	魚/語/御韻
1210b	上保・048オ1・疊字	誉	平	ヨ	左注	jiʌ$^{1/3}$	魚/御韻
1501	上度・057オ7・雜物	輿	―	ヨ	右注	jiʌ$^{1/3}$	魚/御韻
2958b	上加・108オ1・疊字	譽	平	ヨ	左注	jiʌ$^{1/3}$	魚/御韻
3171b	上加・112オ6・官職	輿	―	ヨ	右注	jiʌ$^{1/3}$	魚/御韻
3259a	上与・117ウ6・疊字	輿	平	ヨ	中注	jiʌ$^{1/3}$	魚/御韻
3247a	上与・117ウ3・疊字	与	平	ヨ	左注	jiʌ^{2}	語韻
3267a	上与・117ウ7・疊字	与	平	ヨ	右注	jiʌ^{2}	語韻
3276a	上与・118ウ3・國郡	与	―	ヨ	右注	jiʌ^{2}	語韻
3271a	上与・118オ1・疊字	与	―	ヨウ	右注	jiʌ^{2}	語韻
0296b	上伊・013オ7・疊字	預	平 去	ヨ	中注	jiʌ^{3}	御韻
0379b	上伊・015ウ7・国郡	豫	―	ヨ	右注	jiʌ^{3}	御韻
0397b	上伊・016ウ4・姓氏	豫	―	ヨ	右注	jiʌ^{3}	御韻
1867b	上池・070オ1・疊字	庸	平	ヨウ	左注	jiauŋ^{1}	鍾韻
2622	上加・096ウ7・人事	容	平	ヨウ	右傍	jiauŋ^{1}	鍾韻
3219a	上与・115ウ3・雜物	庸	―	ヨウ	右傍	jiauŋ^{1}	鍾韻
3236a	上与・117ウ1・疊字	容	平	ヨウ	中注	jiauŋ^{1}	鍾韻
3237a	上与・117ウ1・疊字	容	平	ヨウ	左注	jiauŋ^{1}	鍾韻
3239a	上与・117ウ2・疊字	庸	平	ヨウ	左注	jiauŋ^{1}	鍾韻
3242a	上与・117ウ2・疊字	容	平	ヨウ	左注	jiauŋ^{1}	鍾韻
3243a	上与・117ウ2・疊字	容	平	ヨウ	左注	jiauŋ^{1}	鍾韻
3244a	上与・117ウ3・疊字	容	平	ヨウ	左注	jiauŋ^{1}	鍾韻
3245a	上与・117ウ3・疊字	容	平	ヨウ	左注	jiauŋ^{1}	鍾韻
3246a	上与・117ウ3・疊字	庸	去	ヨウ	左注	jiauŋ^{1}	鍾韻

3266a	上与・117ウ7・疊字	庸	平	ヨウ	右注	jiauŋ^{1}	鍾韻
2443	上加・091ウ7・地儀	墉	平	ヨウ	右傍	jiauŋ^{1}	鍾韻
3263a	上与・117ウ7・疊字	傭	平	ヨウ	右注	jiauŋ^{1} ţ'iauŋ^{1}	鍾韻 鍾韻
3248a	上与・117ウ3・疊字	勇	上	ヨウ	中注	jiauŋ^{2}	腫韻
3249a	上与・117ウ4・疊字	勇	上	ヨウ	左注	jiauŋ^{2}	腫韻
3250a	上与・117ウ4・疊字	勇	上	ヨウ	左注	jiauŋ^{2}	腫韻
3251a	上与・117ウ4・疊字	勇	上	ヨウ	左注	jiauŋ^{2}	腫韻
3252a	上与・117ウ4・疊字	勇	上	ヨウ	左注	jiauŋ^{2}	腫韻
1171b	上保・047オ7・疊字	用	平	ヨウ	左注	jiauŋ^{3}	用韻
1239b	上保・048オ7・疊字	用	平	ヨウ	右注	jiauŋ^{3}	用韻
1590b	上度・062オ6・疊字	用	去	ヨウ	中注	jiauŋ^{3}	用韻
2119b	上利・075ウ4・疊字	用	平	ヨウ	左注	jiauŋ^{3}	用韻
3240a	上与・117ウ2・疊字	用	去	ヨウ	左注	jiauŋ^{3}	用韻
3241a	上与・117ウ2・疊字	用	平	ヨウ	左注	jiauŋ^{3}	用韻
3255a	上与・117ウ5・疊字	用	平	ヨウ	左注	jiauŋ^{3}	用韻
3256a	上与・117ウ5・疊字	用	平	ヨウ	左注	jiauŋ^{3}	用韻
3257a	上与・117ウ5・疊字	用	平	ヨウ	左注	jiauŋ^{3}	用韻
3258a	上与・117ウ5・疊字	用	平	ヨウ	左注	jiauŋ^{3}	用韻
3269a	上与・118オ1・疊字	用	去	ヨウ	右注	jiauŋ^{3}	用韻
0195	上伊・009ウ6・辞字	鎔	―	ヨウ	右傍	jiauŋ^{1}	鍾韻
0182	上伊・008ウ7・雑物	鎔	平	ヨウ	右傍	jiauŋ^{1}	鍾韻
1726	上池・066オ5・動物	鱅	平	ヨウ	右傍	jiauŋ^{1} dźiauŋ^{1}	鍾韻 鍾韻
0099b	上伊・005オ6・動物	蝿	―	ヨウ	右傍	jieŋ^{1}	蒸韻
0557a	上波・023オ1・動物	蝿	平	ヨウ	右傍	jieŋ^{1}	蒸韻
0568a	上波・023ウ1・人倫	孕	去	ヨウ	右傍	jieŋ^{3}	證韻
1181b	上保・047ウ2・疊字	翼	入	ヨク	中注	jiek	職韻
0274b	上伊・013オ2・疊字	欲	入	ヨク	右注	jiauk	燭韻
1602b	上度・062ウ1・疊字	欲	入	ヨク	左注	jiauk	燭韻
3260a	上与・117ウ6・疊字	欲	入	ヨク	左注	jiauk	燭韻
3261a	上与・117ウ6・疊字	欲	入	ヨク	左注	jiauk	燭韻
3270a	上与・118オ1・疊字	慾	入	ヨク	右注	jiauk	燭韻
3205	上与・114ウ6・人事	慾	―	ヨク [平平]	右注	jiauk	燭韻
3295	上与・114ウ6・人事	欲	―	ヨク [平平]	右注	jiauk	燭韻
2321	上和・087オ5・人事	遺	―	ヰ	右傍	jiuei$^{1/3}$	脂/至韻
0714	上波・030ウ2・人事	已	上	キ	右傍	jiei$^{2/3}$	止/志韻
0556	上波・022ウ7・動物	蝿	―	コウ	右傍	jieŋ^{1}	蒸韻
0275b	上伊・013オ2・疊字	泆	入	シチ	左注	jiet det	質韻 屑韻
2813	上加・102オ7・辞字	渝	平	シユ	右傍	jiuʌ^{1}	虞韻
2865b	上加・106ウ3・疊字	腴	平	ハシ	左注	jiuʌ^{1}	虞韻

【表C-06】下巻_羊母 j

番号	前田本所在	掲出字		仮名音注		中古音	韻目
4224	下阿・031オ4・飲食	飴	平	イ	右傍	jiɐi^{1}	之韻
4126b	下阿・027オ1・植物	已	平	イ	右傍	jiɐi$^{2/3}$	止/志韻
4856a	下木・056オ3・植物	已	―	イ	右傍	jiɐi$^{2/3}$	止/志韻
6890	下洲・118ウ6・辞字	已	―	イ	右傍	jiɐi$^{2/3}$	止/志韻
4691b	下佐・051ウ4・疊字	異	平 去	イ	中注	jiɐi^{3}	志韻
6897b	下洲・119ウ7・疊字	移	平	イ	左注	jie^{1}	支韻
3342b	下古・002ウ7・植物	夷	平	イ	右傍	jiei^{1}	脂韻
3757	下江・015オ2・人倫	夷	―	イ	右傍	jiei^{1}	脂韻
4054a	下阿・024ウ2・天象	夷	平	イ	右注	jiei^{1}	脂韻
4888	下木・057オ7・人躰	痍	―	イ	右傍	jiei^{1}	脂韻
6817	下洲・114ウ7・人躰	洟	平	イ	右傍	jiei^{1} tʻei^{3}	脂韻 霽韻
3859b	下江・017ウ5・疊字	遊	平	イウ	左注	jiʌu^{1}	尤韻
4170a	下阿・028ウ2・人倫	遊	平	イウ	右傍	jiʌu^{1}	尤韻
5169b	下木・064オ3・疊字	遊	―	イウ	左注	jiʌu^{1}	尤韻
6460	下毛・105オ3・辞字	由	平	イウ	右傍	jiʌu^{1}	尤韻
6209	下飛・095ウ5・辞字	揄	平	イウ	右傍	jiʌu^{1} jiuʌ^{1} dʌu$^{1/2}$	尤韻 虞韻 侯/厚韻
4276	下阿・032ウ2・雜物	油	平 去	イウ	左注	jiʌu$^{1/3}$	尤/宥韻
6094	下飛・092オ6・動物	蜏	上	イウ	右傍	jiʌu$^{2/3}$ siʌu^{3}	有/宥韻 宥韻
5220	下由・066オ6・植物	柚	平	イウ	右傍	jiʌu^{3} ḍiʌuk	宥韻 屋韻
6100a	下飛・092ウ2・人倫	鬻	入	イク	右傍	jiʌuk	屋韻
6131	下飛・093オ7・人事	粥	―	イク	右傍	jiʌuk tśiʌuk	屋韻 屋韻
5324a	下師・070ウ7・人倫	逸		イツ	右傍	jiet	質韻
6095b	下飛・092オ6・動物	蝣	―	イフ	右傍	jiʌu^{1}	尤韻
3756a	下江・014ウ7・動物	鱏	平	イム	右傍	jiem^{1} ziem^{1}	侵韻 侵韻
3804b	下江・017オ1・疊字	引	上	イム	中注	jien$^{2/3}$	軫韻
5668b	下師・082オ2・疊字	引	上	イン	右注	jien$^{2/3}$	軫韻
3845a	下江・017ウ2・疊字	洩	去	エイ	左注	jiai^{3}	祭韻
3796a	下江・016ウ5・重點	曳	―	エイ	右注	jiai^{3}	祭韻
3796b	下江・016ウ5・重點	曳	―	エイ	右注	jiai^{3}	祭韻
3871a	下江・017ウ7・疊字	曳	―	エイ	左注	jiai^{3}	祭韻

3847a	下江・017ウ2・疊字	郢	上	エイ	左注	jieŋ^{2}	靜韻
6355b	下飛・099ウ5・諸寺	叡	―	エイ	右傍	jiuai^{3}	祭韻
3850a	下江・017ウ3・疊字	營	平	エイ	左注	jiueŋ^{1}	清韻
3821a	下江・017オ4・疊字	諛	上	エイ	左注	jiuʌ^{1}	虞韻
3776	下江・015ウ2・人事	叡	―	エイ ［平上］	左注	jiuai^{3}	祭韻
3865a	下江・017ウ6・疊字	艶	去	エウ	左注	jiam^{3}	豔韻
3344b	下古・002ウ7・植物	葉	―	エウ	右注	jiap śiap	葉韻 葉韻
4927b	下木・058ウ2・雜物	葉	入	エウ	右注	jiap śiap	葉韻 葉韻
3887b	下手・019オ3・地儀	鍱	入	エウ	右注	jiap	葉韻
3793	下江・016ウ3・辞字	傜	平	エウ	右傍	jiau^{1}	宵韻
3833a	下江・017オ7・疊字	遥	去	エウ	中注	jiau^{1}	宵韻
3855a	下江・017ウ4・疊字	遥	去	エウ	右注	jiau^{1}	宵韻
3857a	下江・017ウ4・疊字	傜	去	エウ	左注	jiau^{1}	宵韻
3858a	下江・017ウ5・疊字	傜	去	エウ	左注	jiau^{1}	宵韻
6670b	下世・111オ6・疊字	遥	上	エウ	左注	jiau^{1}	宵韻
6452	下毛・104ウ1・辞字	蘨	平	エウ	右傍	jiau^{1} jiʌu^{1}	宵韻 尤韻
6805b	下洲・114オ6・動物	鷂	平	エウ	右傍	jiau$^{1/3}$	宵/笑韻
3736	下江・014オ1・天象	曜	―	エウ	右注	jiau^{3}	笑韻
3923	下手・021オ4・光彩	曜	去	エウ	右傍	jiau^{3}	笑韻
6000b	下會・089オ7・疊字	耀	去	エウ	左注	jiau^{3}	笑韻
6491b	下世・106ウ4・地儀	耀	去	エウ	右傍	jiau^{3}	笑韻
3806a	下江・017オ1・疊字	易	入	エキ	中注	jiek jie^{3}	昔韻 寘韻
3840a	下江・017ウ1・疊字	驛	入	エキ	左注	jiek	昔韻
3846a	下江・017ウ2・疊字	易	入	エキ	左注	jiek jie^{3}	昔韻 寘韻
4753b	下佐・052ウ5・疊字	驛	―	エキ	左注	jiek	昔韻
3849a	下江・017ウ3・疊字	嶧	入	エキ	左注	jiek	昔韻
4859a	下木・056オ4・植物	嶧	入	エキ	左注	jiek	昔韻
6039	下飛・090ウ7・地儀	帟	―	エキ	右傍	jiek	昔韻
6625b	下世・110ウ5・疊字	掖	入	エキ	左注	jiek	昔韻
6935b	下洲・120ウ2・疊字	驛	―	エキ	左注	jiek	昔韻
3434	下古・006ウ6・雜物	⿰衤夜	入	エキ	右傍	jiek tśiek	昔韻 昔韻
3767	下江・015オ6・人躰	疫	入	エキ	右傍	jiuek	昔韻
5137b	下木・063ウ3・疊字	悅	入	エツ	左注	jiuat	薛韻
5144b	下木・063ウ5・疊字	悅	入	エツ	左注	jiuat	薛韻
5835b	下師・084ウ6・疊字	悅	入	エツ	左注	jiuat	薛韻
6326b	下飛・098ウ7・疊字	閱	入	エツ	左注	jiuat	薛韻
3726b	下古・012オ7・疊字	葉	―	エフ	右注	jiap śiap	葉韻 葉韻

6040b	下飛・090ウ7・地儀	檐	平	エム	右注	jiam^{1}	鹽韻
6171b	下飛・094ウ5・雑物	簷	平	エム	右傍	jiam^{1}	鹽韻
3777a	下江・015ウ5・飲食	塩	平	エム	右注	jiam$^{1/3}$	鹽/豔韻
3785a	下江・016オ3・雑物	塩	平	エム	右注	jiam$^{1/3}$	鹽/豔韻
3837a	下江・017オ7・疊字	塩	平	エム	左注	jiam$^{1/3}$	鹽/豔韻
5399	下師・073ウ2・飲食	塩	平	エム	右傍	jiam$^{1/3}$	鹽/豔韻
5400	下師・073ウ2・飲食	鹽	―	エム	右注	jiam$^{1/3}$	鹽/豔韻
3722b	下古・012オ6・疊字	艶	去	エム	右注	jiam^{3}	豔韻
3809b	下江・017オ2・疊字	艶	去	エム	中注	jiam^{3}	豔韻
3811a	下江・017オ2・疊字	艶	去	エム	左注	jiam^{3}	豔韻
3825a	下江・017オ5・疊字	艶	去	エム	左注	jiam^{3}	豔韻
3805a	下江・017オ1・疊字	延	平	エム	左注	jian$^{1/3}$	仙/線韻
3774	下江・015ウ2・人事	豔	―	エム [平平]	中注	jiam^{3}	豔韻
3775	下江・015ウ2・人事	艶	―	エム [平平]	右注	jiam^{3}	豔韻
4448b	下佐・042ウ7・地儀	閻	平	エン	右傍	jiam^{1}	鹽韻
3827a	下江・017オ6・疊字	猒	去	エン	左注	jiam$^{1/3}$	鹽/豔韻
3799a	下江・016ウ7・疊字	艶	去	エン	左注	jiam^{3}	豔韻
3863a	下江・017ウ6・疊字	艶	平	エン	左注	jiam^{3}	豔韻
3741a	下江・014オ5・地儀	延	平	エン	右注	jian$^{1/3}$	仙/線韻
3742a	下江・014オ5・地儀	延	平	エン	右注	jian$^{1/3}$	仙/線韻
3804a	下江・017オ1・疊字	延	平	エン	中注	jian$^{1/3}$	仙/線韻
3839a	下江・017ウ1・疊字	延	平	エン	中注	jian$^{1/3}$	仙/線韻
3854a	下江・017ウ4・疊字	延	平	エン	左注	jian$^{1/3}$	仙/線韻
3331a	下古・002ウ3・植物	鳶	平	エン	右傍	jiuan^{1}	仙韻
3795a	下江・016ウ5・重點	縁	―	エン	右注	jiuan$^{1/3}$	仙/線韻
3795b	下江・016ウ5・重點	縁	―	エン	右注	jiuan$^{1/3}$	仙/線韻
3867a	下江・017ウ6・疊字	縁	去	エン	左注	jiuan$^{1/3}$	仙/線韻
3868a	下江・017ウ6・疊字	縁	平	エン	左注	jiuan$^{1/3}$	仙/線韻
3869a	下江・017ウ7・疊字	縁	―	エン	左注	jiuan$^{1/3}$	仙/線韻
5161b	下木・064オ1・疊字	縁	上	エン	左注	jiuan$^{1/3}$	仙/線韻
5807b	下師・084ウ1・疊字	縁	―	エン	右注	jiuan$^{1/3}$	仙/線韻
3739	下江・014オ4・地儀	櫞	―	エン [平平]	右注	jiuan^{1}	仙韻
3738	下江・014オ4・地儀	縁	―	エン [平平]	右注	jiuan$^{1/3}$	仙/線韻
3769	下江・015ウ1・人事	縁	―	エン [上上]	右注	jiuan$^{1/3}$	仙/線韻
4404a	下阿・040ウ5・国郡	野	―	ヤ	右傍	jia^{2} źiʌ^{2}	馬韻 語韻
4807b	下佐・054オ3・國郡	野	―	ヤ	右傍	jia^{2} źiʌ^{2}	馬韻 語韻
5200b	下木・065オ2・国郡	野	―	ヤ	右注	jia^{2} źiʌ^{2}	馬韻 語韻

4717b	下佐・052オ2・疊字	夜	―	ヤ	左注	jia^{3}	禡韻
5530b	下師・078ウ5・疊字	夜	去	ヤ	右注	jia^{3}	禡韻
5536b	下師・078ウ7・疊字	夜	平	ヤ	右注	jia^{3}	禡韻
5589b	下師・080ウ3・疊字	夜	平	ヤ	左注	jia^{3}	禡韻
5853b	下師・085オ2・疊字	夜	去	ヤ	右注	jia^{3}	禡韻
5867b	下師・085オ4・疊字	夜	上	ヤ	右注	jia^{3}	禡韻
6367b	下飛・100オ1・國郡	夜	―	ヤ	右傍	jia^{3}	禡韻
6380a	下飛・100オ2・國郡	養	―	ヤ	右傍	jiaŋ$^{2/3}$	養/漾韻
6402a	下毛・101オ7・植物	羊	平	ヤウ	右傍	jiaŋ^{1}	陽韻
4315	下阿・034オ7・辞字	揚	平	ヤウ	右傍	jiaŋ^{1}	陽韻
4887	下木・057オ7・人躰	瘍	平	ヤウ	右傍	jiaŋ^{1}	陽韻
3799b	下江・016ウ7・疊字	陽	平	ヤウ	左注	jiaŋ^{1}	陽韻
3849b	下江・017ウ3・疊字	陽	平	ヤウ	左注	jiaŋ^{1}	陽韻
4058b	下阿・024ウ2・天象	陽	平	ヤウ	右注	jiaŋ^{1}	陽韻
4109b	下阿・026ウ1・植物	陽	平	ヤウ	右傍	jiaŋ^{1}	陽韻
4847b	下木・055ウ5・地儀	陽	平	ヤウ	右傍	jiaŋ^{1}	陽韻
4859b	下木・056オ4・植物	陽	平	ヤウ	右傍	jiaŋ^{1}	陽韻
5274a	下師・069オ6・植物	羊	平	ヤウ	右傍	jiaŋ^{1}	陽韻
5539b	下師・079オ1・疊字	羊	平	ヤウ	右注	jiaŋ^{1}	陽韻
6026	下飛・090オ5・天象	暘	平	ヤウ	右傍	jiaŋ^{1}	陽韻
6081	下飛・092オ2・動物	羊	平	ヤウ	右傍	jiaŋ^{1}	陽韻
6490b	下世・106ウ4・地儀	陽	平	ヤウ	右傍	jiaŋ^{1}	陽韻
3427	下古・006ウ5・雜物	籥	入	ヤク	右傍	jiak	藥韻
4043b	下手・023ウ5・官職	藥	―	ヤク	右注	jiak	藥韻
6447b	下毛・103オ7・雜物	藥	―	ヤク	右注	jiak	藥韻
6764b	下世・112ウ7・官職	藥	―	ヤク	右傍	jiak	藥韻
6007b	下會・089ウ1・疊字	驛	入	ヤク	中注	jiek	昔韻
6309b	下飛・098ウ4・疊字	驛	―	ヤク	左注	jiek	昔韻
3768	下江・015オ6・人躰	疫	入	ヤク	右注	jiuek	昔韻
3857b	下江・017ウ4・疊字	役	入	ヤク	左注	jiuek	昔韻
6240b	下飛・097ウ6・疊字	喩	平	ユ	中注	jiuʌ^{3}	遇韻
5224a	下由・066ウ1・動物	遊	―	ユ	右注	jiʌu^{1}	尤韻
4277	下阿・032ウ2・雜物	油	平 去	ユ	右傍	jiʌu$^{1/3}$	尤/宥韻
4278a	下阿・032ウ3・雜物	油	去	ユ	右傍	jiʌu$^{1/3}$	尤/宥韻
5253a	下由・068オ2・雜物	油	平	ユ	右傍	jiʌu$^{1/3}$	尤/宥韻
5221	下由・066オ6・植物	柚	平	ユ ［去］	右注	jiʌu^{3} ḍiʌuk	宥韻 屋韻
5481b	下師・075オ6・方角	維	平	ユイ	右注	jiuei^{1}	脂韻
5618b	下師・081オ6・疊字	惟	―	ユイ	左注	jiuei^{1}	脂韻
4313	下阿・033ウ7・員數	餘	平	ヨ	右傍	jiʌ^{1}	魚韻
3450	下古・007オ4・雜物	轝	平	ヨ	右傍	jiʌ$^{1/3}$	魚/御韻
4035b	下手・023オ7・疊字	庸	上	ヨウ	左注	jiauŋ^{1}	鍾韻
4365b	下阿・039オ6・疊字	容	平	ヨウ	右傍	jiauŋ^{1}	鍾韻

5074b	下木・062ウ1・疊字	容	平	ヨウ	中注	jiɑuŋ^{1}	鍾韻
5696b	下師・082ウ2・疊字	容	平	ヨウ	左注	jiɑuŋ^{1}	鍾韻
5697b	下師・082ウ2・疊字	容	平	ヨウ	左注	jiɑuŋ^{1}	鍾韻
6909b	下洲・120オ3・疊字	容	平	ヨウ	左注	jiɑuŋ^{1}	鍾韻
3710b	下古・012オ4・疊字	用	平	ヨウ	左注	jiɑuŋ^{3}	用韻
3853b	下江・017ウ4・疊字	用	―	ヨウ	左注	jiɑuŋ^{3}	用韻
4683b	下佐・051ウ2・疊字	用	平	ヨウ	左注	jiɑuŋ^{3}	用韻
4763b	下佐・052ウ7・疊字	用	―	ヨウ	左注	jiɑuŋ^{3}	用韻
5131b	下木・063ウ2・疊字	用	平	ヨウ	左注	jiɑuŋ^{3}	用韻
5158b	下木・064オ1・疊字	用	―	ヨウ	左注	jiɑuŋ^{3}	用韻
5160b	下木・064オ1・疊字	用	平	ヨウ	左注	jiɑuŋ^{3}	用韻
5775b	下師・084オ3・疊字	用	平	ヨウ	右注	jiɑuŋ^{3}	用韻
6320b	下飛・098ウ6・疊字	用	平	ヨウ	左注	jiɑuŋ^{3}	用韻
5216a	下由・066オ3・地儀	浴	入	ヨク	右傍	jiɑuk	燭韻
5235	下由・067オ4・人事	浴	―	ヨク	右傍	jiɑuk	燭韻
5249	下由・067ウ7・雜物	浴	入	ヨク	右注	jiɑuk	燭韻
6871	下洲・116ウ7・方角	維	―	ヰ	右傍	jiuei^{1}	脂韻
3730b	下古・013オ7・官職	衛	―	ヱ	中注	jiuɑi^{3}	祭韻
6003a	下會・089ウ1・疊字	衛	平	ヱ	左注	jiuɑi^{3}	祭韻
6019a	下會・090オ1・官職	衛	―	ヱ	右注	jiuɑi^{3}	祭韻
6020a	下會・090オ1・官職	衛	―	ヱ	右注	jiuɑi^{3}	祭韻
6391b	下飛・100オ6・官職	衛	―	ヱ	右注	jiuɑi^{3}	祭韻
5537b	下師・079オ1・疊字	夜	―	カウ	左注	jiɑ^{3}	禡韻
6378b	下飛・100オ2・國郡	肄	―	キ	右傍	jiei^{3}	至韻
3866a	下江・017ウ6・疊字	縁	去	キン	左注	jiuɑn$^{1/3}$	仙/線韻
4072	下阿・025オ7・地儀	壝	平	クヰ	右傍	jiuei$^{1/2}$	脂/旨韻
4047b	下阿・024オ7・天象	羊	平	シヤ	右注	jiɑŋ^{1}	陽韻
6413	下毛・101ウ6・動物	蛻	入	セツ	右傍	jiuɑt śiuɑi^{3} tʻuɑi^{3} lʻuɑ^{3}	薛韻 祭韻 泰韻 過韻
3886a	下手・019オ3・地儀	鍱	―	テウ ［平濁平］	右注	jiɑp	葉韻
5354b	下師・071ウ6・人躰	淊	―	ミ ［去］	右注	jiəm^{1}	侵韻

【表C-07】上巻_見母 k

番号	前田本所在	掲出字		仮名音注		中古音	韻目
0023	上伊・003オ1・地儀	家	平	カ	左傍	ka^{1}	麻韻
0756b	上波・031ウ6・疊字	家	平	カ	右注	ka^{1}	麻韻
1612b	上度・062ウ3・疊字	家	平	カ	左注	ka^{1}	麻韻
1748b	上池・067オ3・人事	家	―	カ	右傍	ka^{1}	麻韻
2229	上遠・080ウ5・動物	麚	―	カ	右傍	ka^{1}	麻韻
2461a	上加・092オ4・地儀	嘉	平	カ	右傍	ka^{1}	麻韻
2604	上加・096オ7・人體	痂	平	カ	右傍	ka^{1}	麻韻
2889a	上加・107オ1・疊字	加	去	カ	右注	ka^{1}	麻韻
2890a	上加・107オ1・疊字	加	去	カ	左注	ka^{1}	麻韻
2902a	上加・107オ3・疊字	加	去	カ	左注	ka^{1}	麻韻
2910a	上加・107オ5・疊字	加	去	カ	左注	ka^{1}	麻韻
2911a	上加・107オ5・疊字	加	去	カ	左注	ka^{1}	麻韻
2915a	上加・107オ6・疊字	嘉	平	カ	中注	ka^{1}	麻韻
2923a	上加・107ウ1・疊字	家	平	カ	中注	ka^{1}	麻韻
2985a	上加・108オ6・疊字	嘉	平	カ	左注	ka^{1}	麻韻
2986a	上加・108オ6・疊字	嘉	平	カ	左注	ka^{1}	麻韻
3045a	上加・109オ4・疊字	家	平	カ	左注	ka^{1}	麻韻
3052a	上加・109オ5・疊字	加	去	カ	左注	ka^{1}	麻韻
3078a	上加・109ウ4・疊字	家	平	カ	右注	ka^{1}	麻韻
3079a	上加・109ウ4・疊字	家	平	カ	右注	ka^{1}	麻韻
3176a	上加・112ウ2・姓氏	加	―	カ	右注	ka^{1}	麻韻
3196	上与・114オ5・動物	𧊅	―	カ	右傍	ka^{1}	麻韻
0529	上波・022オ1・植物	茄	平	カ	右傍	ka^{1} giɑ^{1}	麻韻 歌韻
2753b	上加・100オ4・雜物	枷	平	カ	右傍	ka^{1} giɑ^{1}	麻韻 歌韻
2647a	上加・097ウ6・人事	迦	去	カ	左注	ka^{1} kiɑ^{1}	麻韻 歌韻
2611b	上加・096ウ2・人體	瘕	去	カ	右傍	ka$^{1/2/3}$	麻/馬/禡韻
1191b	上保・047ウ4・疊字	駕	平	カ	中注	ka^{3}	禡韻
2485	上加・093オ3・植物	稼	―	カ	右注	ka^{3}	禡韻
2870a	上加・106ウ4・疊字	稼	平	カ	左注	ka^{3}	禡韻
2925a	上加・107ウ1・疊字	嫁	去	カ	左注	ka^{3}	禡韻
3060a	上加・109オ7・疊字	稼	平	カ	左注	ka^{3}	禡韻
3171a	上加・112オ6・官職	駕	―	カ	右注	ka^{3}	禡韻
2859a	上加・106ウ2・疊字	佳	平	カ	左注	kɐ^{1}	佳韻
2926a	上加・107ウ1・疊字	佳	平	カ	左注	kɐ^{1}	佳韻
2978a	上加・108オ5・疊字	佳	平	カ	中注	kɐ^{1}	佳韻
3119a	上加・110オ5・疊字	佳	平	カ	右注	kɐ^{1}	佳韻
2398b	上和・090オ6・疊字	歌	平	カ	左注	kɑ^{1}	歌韻

2765b	上加・100ウ1・雜物	舸	平	カ	右傍	kɑ^{1}	歌韻
2960a	上加・108オ1・疊字	歌	平	カ	中注	kɑ^{1}	歌韻
0686	上波・027ウ3・雜物	舸	上	カ	右傍	kɑ^{2}	哿韻
2793	上加・101オ6・員數	箇	―	カ	右注	kɑ^{3}	箇韻
0172b	上伊・008ウ4・雜物	架	平	カ ［平］	右注	ka^{3}	禡韻
2928a	上加・107ウ2・疊字	佳	平	カイ	左注	kɐ^{1}	佳韻
2869a	上加・106ウ4・疊字	街	平	カイ	左注	kɐ^{1} kɐi^{1}	佳韻 皆韻
2493	上加・093ウ1・植物	檞	上	カイ	右傍	kɐ^{2}	蟹韻
2884a	上加・106ウ7・疊字	解	上	カイ	左注	kɐ$^{2/3}$ ɣɐ$^{2/3}$	蟹/卦韻 蟹/卦韻
3113a	上加・110オ4・疊字	解	上	カイ	右注	kɐ$^{2/3}$ ɣɐ$^{2/3}$	蟹/卦韻 蟹/卦韻
3126a	上加・110オ6・疊字	解	上	カイ	右注	kɐ$^{2/3}$ ɣɐ$^{2/3}$	蟹/卦韻 蟹/卦韻
1433	上度・055オ1・植物	薢	上	カイ	右傍	kɐ$^{2/3}$ kɐi^{1}	蟹/卦韻 皆韻
0480	上波・020ウ2・地儀	階	平	カイ	右傍	kɐi^{1}	皆韻
0481	上波・020ウ2・地儀	堦	―	カイ	右傍	kɐi^{1}	皆韻
2910b	上加・107オ5・疊字	階	上	カイ	左注	kɐi^{1}	皆韻
2957a	上加・107ウ7・疊字	偕	平	カイ	中注	kɐi^{1}	皆韻
0216	上伊・011オ5・辞字	誡	去	カイ	右傍	kɐi^{3}	怪韻
0784b	上波・032オ5・疊字	介	去	カイ	左注	kɐi^{3}	怪韻
2046b	上利・074ウ4・疊字	界	平濁	カイ	左注	kɐi^{3}	怪韻
3297a	上加・092ウ1・植物	芥	去	カイ	右傍	kɐi^{3}	怪韻
2620	上加・096ウ5・人事	戒	―	カイ	右注	kɐi^{3}	怪韻
2904a	上加・107オ4・疊字	戒	平	カイ	左注	kɐi^{3}	怪韻
2930a	上加・107ウ2・疊字	芥	去	カイ	左注	kɐi^{3}	怪韻
3013b	上加・108ウ4・疊字	誡	去	カイ	左注	kɐi^{3}	怪韻
3107b	上加・110オ2・疊字	介	去	カイ	右注	kɐi^{3}	怪韻
3110b	上加・110オ3・疊字	誡	去	カイ	右注	kɐi^{3}	怪韻
1169b	上保・047オ7・疊字	盖	去	カイ	左注	kɑi^{3} ɣɑp kɑp	泰韻 盍韻 盍韻
3118a	上加・110オ5・疊字	蓋	去	カイ	右注	kɑi^{3} ɣɑp kɑp	泰韻 盍韻 盍韻
0593a	上波・024オ6・人躰	疥	去	カイ	右傍	kiai^{3}	怪韻
1070	上保・043オ5・人躰	胲	平 上	カイ	右傍	kʌi^{1}	咍韻
1391b	上邊・053ウ2・疊字	改	上濁	カイ	右注	kʌi^{2}	海韻
2861a	上加・106ウ2・疊字	改	平	カイ	左注	kʌi^{2}	海韻

3026a	上加・108ウ7・疊字	改	平	カイ	左注	kʌi^{2}	海韻
3102a	上加・110オ1・疊字	改	平	カイ	右注	kʌi^{2}	海韻
3088b	上加・109ウ6・疊字	槩	平濁	カイ	右注	kʌi^{3}	代韻
0041	上伊・003ウ1・植物	秔	平	カウ	右傍	kaŋ^{1}	庚韻
2783	上加・101オ2・方角	庚	平	カウ	右傍	kaŋ^{1}	庚韻
2908a	上加・107オ5・疊字	更	上	カウ	左注	kaŋ$^{1/3}$	庚/映韻
2922a	上加・107オ7・疊字	更	去	カウ	左注	kaŋ$^{1/3}$	庚/映韻
3088a	上加・109ウ6・疊字	挭	上	カウ	右注	kaŋ^{2}	梗韻
3027a	上加・108ウ7・疊字	甲	入	カウ	左注	kap	狎韻
3028a	上加・109オ1・疊字	甲	入	カウ	左注	kap	狎韻
3132a	上加・110ウ1・疊字	甲	―	カウ	中注	kap	狎韻
0072a	上伊・004ウ1・動物	鵁	平	カウ	右傍	kau^{1}	肴韻
0309b	上伊・013ウ3・疊字	交	平	カウ	左注	kau^{1}	肴韻
0510b	上波・021オ6・植物	艽	平	カウ	右傍	kau^{1}	肴韻
2849a	上加・106オ6・重點	咬	―	カウ	右注	kau^{1}	肴韻
2849b	上加・106オ6・重點	咬	―	カウ	右注	kau^{1}	肴韻
2979a	上加・108オ5・疊字	交	平	カウ	左注	kau^{1}	肴韻
2982a	上加・108オ5・疊字	交	平	カウ	左注	kau^{1}	肴韻
0677a	上波・027オ5・雜物	鉸	去	カウ	右傍	kau$^{1/2/3}$	肴/巧/効韻
2697a	上加・099オ1・雜物	鉸	去	カウ	右傍	kau$^{1/2/3}$	肴/巧/効韻
0967	上仁・038オ6・雜物	膠	平	カウ	右傍	kau$^{1/3}$	肴/効韻
2459a	上加・092オ4・地儀	教	去	カウ	右傍	kau$^{1/3}$	肴/効韻
2974a	上加・108オ4・疊字	膠	平	カウ	左注	kau$^{1/3}$	肴/効韻
2980a	上加・108オ5・疊字	膠	平	カウ	左注	kau$^{1/3}$	肴/効韻
2981a	上加・108オ5・疊字	膠	平	カウ	左注	kau$^{1/3}$	肴/効韻
3014b	上加・108ウ5・疊字	教	平	カウ	左注	kau$^{1/3}$	肴/効韻
1683b	上度・063ウ5・疊字	狡	上	カウ	右傍	kau^{2}	巧韻
0019	上伊・002ウ6・地儀	矼	平	カウ	右傍	kauŋ^{1}	江韻
2882a	上加・106ウ6・疊字	江	平	カウ	左注	kauŋ^{1}	江韻
1493	上度・057オ5・雜物	釭	平	カウ	右傍	kauŋ^{1} kʌuŋ^{1} kɑuŋ^{1}	江韻 東韻 冬韻
0389b	上伊・016オ5・官職	講	―	カウ	右注	kauŋ^{2}	講韻
0749b	上波・031ウ5・疊字	講	平	カウ	左注	kauŋ^{2}	講韻
1814b	上池・069オ4・疊字	講	平濁	カウ	左注	kauŋ^{2}	講韻
1971b	上池・072オ1・官職	講	―	カウ	右注	kauŋ^{2}	講韻
2437a	上加・091ウ5・地儀	講	平	カウ	右注	kauŋ^{2}	講韻
2893a	上加・107オ2・疊字	講	平	カウ	左注	kauŋ^{2}	講韻
2896a	上加・107オ2・疊字	講	平	カウ	左注	kauŋ^{2}	講韻
2897a	上加・107オ2・疊字	講	平	カウ	左注	kauŋ^{2}	講韻
2898a	上加・107オ3・疊字	講	平	カウ	左注	kauŋ^{2}	講韻
2899a	上加・107オ3・疊字	講	平	カウ	左注	kauŋ^{2}	講韻

2900a	上加・107オ3・疊字	講	平	カウ	左注	kauŋ^{2}	講韻
1716a	上池・065ウ2・地儀	絳	去	カウ	右傍	kauŋ^{3}	絳韻
3121a	上加・110オ5・疊字	絳	去	カウ	右注	kauŋ^{3}	絳韻
2451a	上加・092オ1・地儀	鬲	―	カウ	右注	kɐk	麥韻
2871a	上加・106ウ4・疊字	耕	平	カウ	左注	kɐŋ^{1}	耕韻
2872a	上加・106ウ4・疊字	耕	平	カウ	左注	kɐŋ^{1}	耕韻
2874a	上加・106ウ5・疊字	耕	平	カウ	左注	kɐŋ^{1}	耕韻
3107a	上加・110オ2・疊字	耿	平	カウ	右注	kɐŋ^{2}	耿韻
2452a	上加・092オ1・地儀	格	―	カウ	右注	kɑk kak	鐸韻 陌韻
1119b	上保・045オ5・雑物	綱	平	カウ	右傍	kɑŋ^{1}	唐韻
2199	上遠・080オ1・地儀	崗	平	カウ	右傍	kɑŋ^{1}	唐韻
3072a	上加・109ウ2・疊字	綱	平	カウ	左注	kɑŋ^{1}	唐韻
3174a	上加・112オ7・官職	綱	―	カウ	右傍	kɑŋ^{1}	唐韻
3175a	上加・112オ7・官職	綱	―	カウ	右傍	kɑŋ^{1}	唐韻
2083b	上利・075オ4・疊字	亢	平	カウ	左注	kɑŋ^{1} k‘ɑŋ^{3}	唐韻 宕韻
2084b	上利・075オ4・疊字	亢	平	カウ	左傍	kɑŋ^{1} k‘ɑŋ^{3}	唐韻 宕韻
1454a	上度・055ウ6・人倫	高	平	カウ	右傍	kɑu^{1}	豪韻
2455b	上加・092オ2・地儀	槹	―	カウ	右傍	kɑu^{1}	豪韻
2703a	上加・099オ3・雑物	高	―	カウ	右注	kɑu^{1}	豪韻
2704a	上加・099オ3・雑物	高	去	カウ	左注	kɑu^{1}	豪韻
2866a	上加・106ウ3・疊字	高	平	カウ	左注	kɑu^{1}	豪韻
2931a	上加・107ウ2・疊字	高	去	カウ	左注	kɑu^{1}	豪韻
2971a	上加・108オ3・疊字	高	平	カウ	左注	kɑu^{1}	豪韻
2972a	上加・108オ3・疊字	高	去	カウ	左注	kɑu^{1}	豪韻
2987a	上加・108オ6・疊字	高	去	カウ	左注	kɑu^{1}	豪韻
3009a	上加・108ウ4・疊字	高	東	カウ	左注	kɑu^{1}	豪韻
3012a	上加・108ウ4・疊字	高	東	カウ	左注	kɑu^{1}	豪韻
3014a	上加・108ウ5・疊字	高	東	カウ	左注	kɑu^{1}	豪韻
3029a	上加・109オ1・疊字	高	（東）	カウ	左注	kɑu^{1}	豪韻
3041a	上加・109オ3・疊字	高	東	カウ	左注	kɑu^{1}	豪韻
3058a	上加・109オ7・疊字	高	平	カウ	左注	kɑu^{1}	豪韻
3059a	上加・109オ7・疊字	高	去	カウ	左注	kɑu^{1}	豪韻
3080a	上加・109ウ4・疊字	高	去	カウ	右注	kɑu^{1}	豪韻
3085a	上加・109ウ5・疊字	高	東	カウ	右注	kɑu^{1}	豪韻
3147a	上加・111オ7・諸寺	高	―	カウ	右傍	kɑu^{1}	豪韻
2865a	上加・106ウ3・疊字	膏	平	カウ	左注	kɑu$^{1/3}$	豪/号韻
2355	上和・088ウ1・雑物	藁	上	カウ	右傍	kɑu^{2}	晧韻
2433	上加・091ウ4・地儀	郊	―	カウ ［上平］	右注	kau^{1}	肴韻
3179a	上加・112ウ6・姓氏	各	―	カヽ	右注	kɑk	鐸韻

1235b	上保・048オ6・疊字	覺	入	カク	左注	kauk kau[3]	覺韻 効韻
2934a	上加・107ウ3・疊字	覺	入	カク	左注	kauk kau[3]	覺韻 効韻
2958a	上加・108オ1・疊字	覺	入	カク	左注	kauk kau[3]	覺韻 効韻
2977a	上加・108オ4・疊字	覺	入	カク	左注	kauk kau[3]	覺韻 効韻
2653a	上加・098オ1・人事	角	—	カク	左注	kauk lʌuk	覺韻 屋韻
2959a	上加・108オ1・疊字	角	入	カク	左注	kauk lʌuk	覺韻 屋韻
2450a	上加・092オ1・地儀	鬲	—	カク	右傍	kɐk	麥韻
2696a	上加・098ウ7・雜物	革	入	カク	右傍	kɐk	麥韻
2745	上加・100オ1・雜物	革	—	カク	右傍	kɐk	麥韻
2868a	上加・106ウ4・疊字	隔	入	カク	左注	kɐk	麥韻
2936a	上加・107ウ3・疊字	隔	入	カク	左注	kɐk	麥韻
2059b	上利・074ウ7・疊字	閣	入	カク	左注	kɑk	鐸韻
3101a	上加・110オ1・疊字	客	入	カク	右注	kʻak	陌韻
2613a	上加・096ウ2・人體	脚	入	カク	右注	kiɑk	藥韻
2921a	上加・107オ7・疊字	脚	入	カク	左注	kiɑk	藥韻
3070a	上加・109ウ2・疊字	脚	入	カク	左注	kiɑk	藥韻
2435	上加・091ウ5・地儀	閣	—	カク ［上上］	右注	kɑk	鐸韻
1488b	上度・057オ4・雜物	褐	入	カチ	右傍	kɑt	曷韻
2693a	上加・098ウ6・雜物	褐	—	カチ ［平平］	右注	kɑt	曷韻
0258b	上伊・012ウ6・疊字	割	入	カツ	左注	kɑt	曷韻
2487	上加・093オ6・植物	葛	—	カツ	右傍	kɑt	曷韻
3099a	上加・110オ1・疊字	割	入	カツ	右注	kɑt	曷韻
2905a	上加・107オ4・疊字	羯	入	カツ	左注	kiɑt	月韻
2592	上加・096オ5・人體	胛	入	カフ	右傍	kap	狎韻
2744a	上加・100オ1・雜物	甲	—	カフ	右注	kap	狎韻
2876a	上加・106ウ5・疊字	甲	入	カフ	左注	kap	狎韻
3293a	上加・112ウ6・姓氏	甲	—	カフ	右注	kap	狎韻
3217	上与・115ウ3・雜物	甲	入	カフ	右傍	kap	狎韻
1631b	上度・062ウ7・疊字	閣	入	カフ	右注	kɑk	鐸韻
1977b	上池・072オ2・官職	綱	—	カフ	右注	kɑŋ[1]	唐韻
2581	上加・096オ2・人體	頡	入	カフ	右傍	kɑp	盍韻
3218	上与・115ウ3・雜物	鉀	—	カフ	右傍	kɑp kap	盍韻 狎韻
0068	上伊・004オ7・動物	鴿	入	カフ	右傍	kʌp	合韻
0551	上波・022ウ6・動物	蛤	入	カフ	右傍	kʌp	合韻
2436	上加・091ウ5・地儀	閤	—	カフ ［上上］	右注	kʌp	合韻
3013a	上加・108ウ4・疊字	鑒	去	カム	左注	kam[1/3]	銜/鑑韻
3086a	上加・109ウ5・疊字	鑒	去	カム	左注	kam[1/3]	銜/鑑韻
3110a	上加・110オ3・疊字	鑒	平	カム	右注	kam[1/3]	銜/鑑韻

3035a	上加・109オ2・疊字	姧	去	カム	右注	kan^{1}	刪韻
1230b	上保・048オ5・疊字	緘	平	カム	右注	kɐm^{1}	咸韻
0934a	上仁・036オ5・植物	甘	平	カム	右傍	kɑm^{1}	談韻
2496a	上加・093ウ1・植物	柑	平	カム	右傍	kɑm^{1}	談韻
2654a	上加・098オ1・人事	泔	平	カム	左注	kɑm^{1}	談韻
2743a	上加・100オ1・雑物	甘	平	カム	右注	kɑm^{1}	談韻
2941a	上加・107ウ4・疊字	甘	平	カム	中注	kɑm^{1}	談韻
2983a	上加・108オ6・疊字	甘	平	カム	左注	kɑm^{1}	談韻
3098a	上加・110オ1・疊字	甘	去	カム	右注	kɑm^{1}	談韻
3156a	上加・111ウ4・國郡	甘	―	カム	右傍	kɑm^{1}	談韻
3178a	上加・112ウ3・姓氏	甘	―	カム	右傍	kɑm^{1}	談韻
1364b	上邊・053オ4・疊字	感	上	カム	右注	kʌm^{2}	感韻
2651a	上加・097ウ7・人事	感	上	カム	左注	kʌm^{2}	感韻
2962a	上加・108オ1・疊字	感	上	カム	左注	kʌm^{2}	感韻
2963a	上加・108オ2・疊字	感	上	カム	左注	kʌm^{2}	感韻
2964a	上加・108オ2・疊字	感	上	カム	左注	kʌm^{2}	感韻
2965a	上加・108オ2・疊字	感	上	カム	右注	kʌm^{2}	感韻
2966a	上加・108オ2・疊字	感	上	カム	右注	kʌm^{2}	感韻
2984a	上加・108オ6・疊字	感	上	カム	左注	kʌm^{2}	感韻
3095a	上加・109ウ7・疊字	感	上	カム	右注	kʌm^{2}	感韻
3096a	上加・109ウ7・疊字	感	上	カム	右注	kʌm^{2}	感韻
2386b	上和・090オ3・疊字	姧	上	カン	左注	kan^{1}	刪韻
2623	上加・097オ1・人事	姧	平	カン	右傍	kan^{1}	刪韻
2630	上加・097オ4・人事	姧	平	カン	右傍	kan^{1}	刪韻
2631	上加・097オ4・人事	姦	平	カン	右傍	kan^{1}	刪韻
2954b	上加・107ウ7・疊字	姧	上	カン	左注	kan^{1}	刪韻
3033a	上加・109オ2・疊字	姧	平	カン	左注	kan^{1}	刪韻
3036a	上加・109オ2・疊字	姦	平	カン	左注	kan^{1}	刪韻
3037a	上加・109オ2・疊字	姧	去	カン	左注	kan^{1}	刪韻
1685a	上度・063ウ6・疊字	解	―	カン	右傍	ke$^{2/3}$ ɣe$^{2/3}$	蟹/卦韻 蟹/卦韻
3069a	上加・109ウ2・疊字	艱	去	カン	左注	kɐn^{1}	山韻
1638b	上度・063オ2・疊字	簡	上	カン	中注	kɐn^{2}	産韻
1934b	上池・070ウ7・疊字	簡	平	カン	右注	kɐn^{2}	産韻
2906a	上加・107オ4・疊字	簡	上	カン	中注	kɐn^{2}	産韻
3025a	上加・108ウ7・疊字	簡	上	カン	左注	kɐn^{2}	産韻
3097a	上加・109ウ7・疊字	簡	上	カン	右注	kɐn^{2}	産韻
2481a	上加・093オ1・植物	苷	去	カン	右注	kɑm^{1}	談韻
1117b	上保・045オ4・雑物	竿	平	カン	右傍	kɑn^{1}	寒韻
1126	上保・045ウ5・方角	干	平	カン	右傍	kɑn^{1}	寒韻
1138	上保・046オ2・辞字	干	―	カン	右傍	kɑn^{1}	寒韻
2271	上遠・083ウ6・辞字	干	―	カン	右傍	kɑn^{1}	寒韻

2479b	上加・092ウ7・植物	干	平	カン	左傍	kan1	寒韻
2952a	上加・107ウ6・疊字	肝	平	カン	左注	kan1	寒韻
3040a	上加・109オ3・疊字	干	平	カン	左注	kan1	寒韻
3087a	上加・109ウ5・疊字	肝	去	カン	右注	kan1	寒韻
2081b	上利・075オ4・疊字	幹	平	カン	中注	kan3	翰韻
2462a	上加・092オ4・地儀	感	上	カン	右傍	kʌm2	感韻
2967a	上加・108オ2・疊字	感	上	カン	右注	kʌm2	感韻
2968a	上加・108オ3・疊字	感	上	カン	右注	kʌm2	感韻
2241	上遠・081オ5・人倫	己	上	キ	右傍	kiɐi2	止韻
3040b	上加・109オ3・疊字	紀	平	キ	左注	kiɐi2	止韻
0037b	上伊・003オ6・地儀	記	—	キ	右傍	kiɐi3	志韻
1930b	上池・070ウ6・疊字	記	平	キ	左注	kiɐi3	志韻
1976b	上池・072オ2・官職	記	—	キ	右注	kiɐi3	志韻
2195b	上留・079ウ3・疊字	記	平	キ	右注	kiɐi3	志韻
3010b	上加・108ウ4・疊字	記	平	キ	左注	kiɐi3	志韻
3148b	上加・111ウ2・國郡	記	—	キ	右傍	kiɐi3	志韻
1115	上保・045オ3・雜物	羈	—	キ	右傍	kie1	支韻
0579	上波・023ウ7・人躰	肌	—	キ	右傍	kiei1	脂韻
2595	上加・096オ5・人體	肌	平	キ	右傍	kiei1	脂韻
1950b	上池・071オ3・疊字	几	去	キ	右注	kiei2	旨韻
2256	上遠・082ウ7・雜物	几	上	キ	右傍	kiei2	旨韻
0144	上伊・007ウ2・人事	饑	—	キ	右傍	kiʌi1	微韻
0658	上波・026ウ3・雜物	機	平	キ	右傍	kiʌi1	微韻
0757b	上波・031ウ7・疊字	機	平	キ	中注	kiʌi1	微韻
1529b	上度・058オ5・員數	概	—	キ	右傍	kʌi3	代韻
0012	上伊・002ウ4・地儀	磯	—	キイ	右傍	kiʌi1	微韻
0854b	上波・033オ5・疊字	急	入	キウ	左注	kiep	緝韻
1406b	上邊・053ウ5・疊字	給	入	キウ	右注	kiep	緝韻
3024b	上加・108ウ7・疊字	糺	平	キウ	左注	kieu2	黝韻
0931	上仁・036オ4・植物	韮	上	キウ	右傍	kiʌu2	有韻
1757b	上池・067オ6・人事	久	上	キウ	右傍	kiʌu2	有韻
1832b	上池・069ウ1・疊字	久	上	キウ	左注	kiʌu2	有韻
2027b	上利・074オ7・疊字	久	上	キウ	左注	kiʌu2	有韻
1179b	上保・047ウ2・疊字	宮	平	キウ	左注	kiʌuŋ1	東韻
1834c	上池・069ウ1・疊字	宮	平	キウ	左注	kiʌuŋ1	東韻
0985	上仁・039オ7・辞字	掬	—	キク	右傍	kiʌuk	屋韻
0317b	上伊・013ウ5・疊字	級	入濁	キフ	左注	kiep	緝韻
0797b	上波・032ウ1・疊字	級	入濁	キフ	左注	kiep	緝韻
0998b	上仁・040オ4・疊字	給	入	キフ	右注	kiep	緝韻
2911b	上加・107オ5・疊字	汲	入	キフ	左注	kiep	緝韻
0154b	上伊・008オ1・人事	金	平	キム	右注	kiem1	侵韻
0964	上仁・038オ6・雜物	錦	上	キム	右傍	kiem2	寝韻
1487b	上度・057オ4・雜物	巾	平	キム	右傍	kien1	眞韻

1581b	上度・062オ4・疊字	経	上	キヤウ	左注	keŋ$^{1/3}$	青/徑韻
2898b	上加・107オ3・疊字	經	去濁	キヤウ	左注	keŋ$^{1/3}$	青/徑韻
1838b	上池・069ウ2・疊字	敬	平	キヤウ	左注	kiaŋ^{3}	映韻
2706a	上加・099オ4・雜物	鏡	平	キヤウ	右傍	kiaŋ^{3}	映韻
0498	上波・021オ2・植物	薑	平	キヤウ	右傍	kiɑŋ^{1}	陽韻
2501	上加・093ウ2・植物	橿	平	キヤウ	右傍	kiɑŋ^{1}	陽韻
2352	上和・088オ7・雜物	屩	−	キヤク	右傍	kiɑk	藥韻
2353a	上和・088ウ1・雜物	屩	入	キヤク	右傍	kiɑk	藥韻
0321b	上伊・013ウ6・疊字	居	平	キヨ	左注	kiʌ^{1} kiɐi^{1}	魚韻 之韻
0322b	上伊・013ウ6・疊字	居	平	キヨ	左注	kiʌ^{1} kiɐi^{1}	魚韻 之韻
0329b	上伊・013ウ7・疊字	居	平	キヨ	中注	kiʌ^{1} kiɐi^{1}	魚韻 之韻
0435b	上呂・019オ1・疊字	居	平	キヨ	右注	kiʌ^{1} kiɐi^{1}	魚韻 之韻
1378b	上邊・053オ6・疊字	居	平	キヨ	左注	kiʌ^{1} kiɐi^{1}	魚韻 之韻
1382b	上邊・053オ7・疊字	居	平	キヨ	左注	kiʌ^{1} kiɐi^{1}	魚韻 之韻
1945b	上池・071オ2・疊字	居	平	キヨ	右注	kiʌ^{1} kiɐi^{1}	魚韻 之韻
3046b	上加・109オ4・疊字	居	平	キヨ	中注	kiʌ^{1} kiɐi^{1}	魚韻 之韻
1288	上邊・050オ5・植物	椐	平	キヨ	右傍	kiʌ$^{1/3}$ xiʌ^{1}	魚/御韻 魚韻
0345b	上伊・014オ3・疊字	擧	上	キヨ	右注	kiʌ^{2} jiʌ^{1}	語韻 魚韻
1216b	上保・048オ2・疊字	挙	平	キヨ	左注	kiʌ^{2} jiʌ^{1}	語韻 魚韻
0641c	上波・026オ4・雜物	巾	−	キン	右傍	kien^{1}	眞韻
1647b	上度・063オ4・疊字	巾	平	キン	左注	kien^{1}	眞韻
2609b	上加・096ウ1・人體	筋	平濁	キン	右傍	kiʌn^{1}	欣韻
0723b	上波・031オ7・疊字	駒	平	ク	左注	kiuʌ^{1}	虞韻
1552	上度・059ウ3・辞字	俱	平	ク	右傍	kiuʌ^{1}	虞韻
1556	上度・059ウ4・辞字	俱	平	ク	右傍	kiuʌ^{1}	虞韻
2505b	上加・093ウ3・植物	椇	上	ク	右傍	kiuʌ^{2}	麌韻
2506a	上加・093ウ3・植物	枸	上	ク	右傍	kiuʌ^{2} kʌu$^{1/3}$	麌韻 侯/候韻
2146a	上奴・076ウ3・植物	枸	上	ク [去]	左注	kiuʌ^{2} kʌu$^{1/2}$	麌韻 侯/厚韻
2293a	上和・086オ3・植物	蒟	上	ク	右傍	kiuʌ$^{2/3}$	麌/遇韻

0383a	上伊・015ウ7・国郡	久	―	ク	右傍	$ki\Lambda u^{2}$	有韻
3278a	上波・034ウ5・國郡	久	―	ク	右傍	$ki\Lambda u^{2}$	有韻
1965b	上池・071ウ7・官職	宮	―	ク	右注	$ki\Lambda u\eta^{1}$	東韻
1107b	上保・044ウ7・雜物	故	―	ク	右注	$ku\Lambda^{3}$	暮韻
2005c	上利・073ウ3・人事	褌	平	ク	右傍	$ku\Lambda n^{1}$	魂韻
1586b	上度・062オ5・疊字	宮	上	クウ	左注	$ki\Lambda u\eta^{1}$	東韻
1695b	上度・064オ6・官職	宮	―	クウ	右傍	$ki\Lambda u\eta^{1}$	東韻
1833b	上池・069ウ1・疊字	宮	上濁	クウ	左注	$ki\Lambda u\eta^{1}$	東韻
1458b	上度・056オ3・人倫	公	―	クウ	右注	$k\Lambda u\eta^{1}$	東韻
1776b	上池・067ウ6・雜物	橘	入	クツ	右注	kjiuet	術韻
2529a	上加・094オ7・動物	騧	平	クワ	右傍	kua^{1} $ku\text{ɐ}^{1}$	麻韻 佳韻
2549a	上加・094ウ6・動物	蝸	平	クワ	右傍	kua^{1} $ku\text{ɐ}^{1}$	麻韻 佳韻
2712	上加・099オ5・雜物	鍋	平	クワ	右傍	$ku\alpha^{1}$	戈韻
1237b	上保・048オ7・疊字	過	平濁	クワ	右注	$ku\alpha^{1/3}$	戈/過韻
0253b	上伊・012ウ5・疊字	果	平濁	クワ	左注	$ku\alpha^{2}$	果韻
1911b	上池・070ウ2・疊字	菓	平	クワ	左注	$ku\alpha^{2}$	果韻
2671a	上加・098オ5・飲食	粿	上	クワ	右傍	$ku\alpha^{2}$	果韻
2675b	上加・098オ7・飲食	果	―	クワ	右傍	$ku\alpha^{2}$	果韻
3190a	上与・114オ2・動物	恠	去	クワイ	右傍	$ku\text{ɐ}i^{3}$	怪韻
3123b	上加・110オ6・疊字	光	去	クワウ	右注	$ku\alpha\eta^{1/3}$	唐/宕韻
3200	上与・114ウ3・人職	膕	―	クワク	右傍	kuɐk	麥韻
1762	上池・067ウ3・雜物	幗	入	クワク	右傍	kuɐk $ku\Lambda i^{3}$	麥韻 隊韻
0119	上伊・006オ7・人事	活	―	クワツ	右傍	kuɑt ɣuɑt	末韻 末韻
2478a	上加・092ウ6・植物	栝	入	クワツ	左傍	kuɑt $t‘em^{2}$	末韻 忝韻
0920b	上波・035オ3・官職	監	―	クワン	右注	$kam^{1/3}$	銜/鑑韻
0916b	上波・035オ2・官職	官	―	クワン	右注	$kuan^{1}$	桓韻
1973b	上池・072オ1・官職	官	―	クワン	右注	$kuan^{1}$	桓韻
2909b	上加・107オ5・疊字	官	平	クワン	中注	$kuan^{1}$	桓韻
0255b	上伊・012ウ6・疊字	観	去	クワン	左注	$kuan^{1/3}$	桓/換韻
1717b	上池・065ウ3・地儀	観	平濁	クワン	左注	$kuan^{1/3}$	桓/換韻
0326b	上伊・013ウ7・疊字	冠	平	クワン	左注	$kuan^{1/3}$	桓/換韻
1247b	上保・048ウ2・疊字	冠	去	クワン	右注	$kuan^{1/3}$	桓/換韻
1441b	上度・055オ5・植物	冠	平	クワン	右傍	$kuan^{1/3}$	桓/換韻
1447	上度・055ウ1・動物	冠	平	クワン	右傍	$kuan^{1/3}$	桓/換韻
2165	上奴・078オ5・辞字	貫	―	クワン	右傍	$kuan^{1/3}$	桓/換韻
2507b	上加・093ウ4・植物	冠	平	クワン	右傍	$kuan^{1/3}$	桓/換韻
2678	上加・098ウ3・雜物	冠	平	クワン	右傍	$kuan^{1/3}$	桓/換韻
2843	上加・105ウ5・辞字	冠	―	クワン	右傍	$kuan^{1/3}$	桓/換韻

3052b	上加・109オ5・疊字	冠	平	クワン	左注	kuan$^{1/3}$	桓/換韻
0390b	上伊・016オ5・官職	灌	去	クワン	右注	kuan^{3}	換韻
3004b	上加・108ウ3・疊字	館	去	クワン	左注	kuan^{3}	換韻
2538	上加・094ウ4・動物	龜	平	クヰ	右傍	kiuei^{1} kiʌu^{1}	脂韻 尤韻
2824	上加・103オ7・辞字	歸	平	クヰ	右傍	kiuʌi^{1}	微韻
2577b	上加・095ウ7・人倫	鬼	平	クヰ	右傍	kiuʌi^{2}	尾韻
1551	上度・059ウ2・辞字	共	平	クヰヨウ	右傍	kiauŋ^{1} giauŋ^{3}	鍾韻 用韻
1555	上度・059ウ4・辞字	共	平	クヰヨウ	右傍	kiauŋ^{1} giauŋ^{3}	鍾韻 用韻
2290	上和・086オ2・植物	蕨	入	クヱツ	右傍	kiuat	月韻
1377b	上邊・053オ6・疊字	决	入	クヱツ	左注	kuet xuet	屑韻 屑韻
0684	上波・027ウ2・雜物	桊	―	クヱン	右傍	kiuan^{3}	線韻
2772a	上加・100ウ2・雜物	罥	去	クヱン	右傍	kuen^{2}	銑韻
0107	上伊・005ウ5・人倫	軍	平	クン	右傍	kiuʌn^{1}	文韻
0632d	上波・025ウ6・人事	軍	―	クン	右傍	kiuʌn^{1}	文韻
1826b	上池・069オ6・疊字	君	平	クン	中注	kiuʌn^{1}	文韻
0265b	上伊・013オ1・疊字	家	上	ケ	左注	ka^{1}	麻韻
1231b	上保・048オ5・疊字	家	上	ケ	左注	ka^{1}	麻韻
2987b	上加・108オ6・疊字	家	上	ケ	左注	ka^{1}	麻韻
1972b	上池・072オ1・官職	家	―	ケ	右注	ka^{1}	麻韻
1995b	上利・073オ4・人倫	家	―	ケ	右注	ka^{1}	麻韻
3164b	上加・112オ1・官職	解	―	ケ	右傍	kɐ$^{2/3}$ ɣɐ$^{2/3}$	蟹/卦韻 蟹/卦韻
0941	上仁・036ウ3・植物	鷄	平	ケイ	右傍	kei^{1}	齊韻
1426a	上度・054ウ5・地儀	鷄	平	ケイ	右傍	kei^{1}	齊韻
1441a	上度・055オ5・植物	鷄	平	ケイ	右傍	kei^{1}	齊韻
1475b	上度・056ウ5・人事	鷄	平	ケイ	左傍	kei^{1}	齊韻
2507a	上加・093ウ4・植物	鷄	平	ケイ	右傍	kei^{1}	齊韻
2685	上加・098ウ4・雜物	笄	平	ケイ	右傍	kei^{1}	齊韻
2930b	上加・107ウ2・疊字	鷄	平	ケイ	左注	kei^{1}	齊韻
1253b	上保・048ウ3・疊字	計	去	ケイ	右注	kei^{3}	霽韻
3078b	上加・109ウ4・疊字	計	去	ケイ	右注	kei^{3}	霽韻
0500b	上波・021オ3・植物	荊	平	ケイ	右傍	kiaŋ^{1}	庚韻
2218	上遠・080ウ1・植物	荊	平	ケイ	右傍	kiaŋ^{1}	庚韻
0215	上伊・011オ4・辞字	警	―	ケイ	右傍	kiaŋ^{2}	梗韻
2033b	上利・074ウ1・疊字	境	上	ケイ	左注	kiaŋ^{2}	梗韻
2080b	上利・075オ4・疊字	境	上	ケイ	左注	kiaŋ^{2}	梗韻
0469b	上波・020オ4・天象	景	上	ケイ	右傍	kiaŋ^{2}	梗韻
0728b	上波・031ウ1・疊字	景	上濁	ケイ	右注	kiaŋ^{2}	梗韻

2633	上加・099オ4・雜物	鏡	去	ケイ	右傍	kiaŋ^{3}	映韻
0907a	上波・034オ4・疊字	勁	去	ケイ	右傍	kieŋ^{3}	勁韻
1423	上度・054ウ3・地儀	扃	平	ケイ	右傍	kueŋ^{1}	青韻
0750b	上波・031ウ5・疊字	教	平	ケウ	右注	kau$^{1/3}$	肴/効韻
0140	上伊・007オ6・人事	驍	平	ケウ	右傍	keu^{1}	蕭韻
3090b	上加・109ウ6・疊字	憍	上	ケウ	右注	kiau^{1}	宵韻
1101	上保・044ウ3・雜物	蕎	平	ケウ	右傍	kiau^{1} giau^{1}	宵韻 宵韻
2411b	上和・090ウ1・疊字	喬	—	ケウ	右傍	kiau^{1} giau^{1}	宵韻 宵韻
0502b	上波・021オ3・植物	戟	入	ケキ	右傍	kiak	陌韻
1097	上保・044ウ3・雜物	戟	—	ケキ	右傍	kiak	陌韻
0022	上伊・003オ1・地儀	家	去	ケ俗	右傍	ka^{1}	麻韻
2455a	上加・092オ2・地儀	桔	—	ケツ	右傍	ket	屑韻
0902b	上波・034オ1・疊字	結	入	ケツ	右注	ket	屑韻
2675a	上加・098オ7・飲食	結	—	ケツ	右傍	ket	屑韻
2722	上加・099ウ1・雜物	鍥	—	ケツ	右傍	ket k‘et	屑韻
1069	上保・043オ5・人躰	頬	—	ケフ	右注	kep	帖韻
2702	上加・099オ2・雜物	縑	平	ケム	右傍	kem^{1}	添韻
1427b	上度・054ウ5・地儀	劔	去	ケム	右傍	kiʌm^{3}	梵韻
2545b	上加・094ウ5・動物	劔	去	ケム	右傍	kiʌm^{3}	梵韻
1006b	上仁・040オ6・疊字	間	上濁	ケン	左注	kɐn$^{1/3}$	山/襉韻
1800b	上池・069オ1・疊字	間	上濁	ケン	左注	kɐn$^{1/3}$	山/襉韻
2588	上加・096オ4・人體	肩	平	ケン	右傍	ken^{1}	先韻
0256b	上伊・012ウ6・疊字	見	平	ケン	左注	ken^{3} ɣen^{3}	霰韻 霰韻
2123b	上利・075ウ5・疊字	見	平	ケン	右注	ken^{3} ɣen^{3}	霰韻 霰韻
1537	上度・058ウ3・辞字	褰	平	ケン	右傍	kian^{2}	獮韻
2460b	上加・092オ4・地儀	建	去	ケン	右傍	kiɑn^{3}	願韻
1177b	上保・047ウ1・疊字	釼	平	ケン	左注	kiʌm^{3}	梵韻
0073b	上伊・004ウ1・動物	謌	—	コ	右傍	kɑ^{1}	歌韻
1013b	上仁・040ウ1・疊字	己	上	コ	右注	kiɐi^{2}	止韻
1885b	上池・070オ4・疊字	己	平	コ	左注	kiɐi^{2}	止韻
1090	上保・044オ5・飲食	腒	平	コ	右傍	kiʌ^{1} giʌ^{1}	魚韻 魚韻
3195a	上与・114オ5・動物	蛄	平	コ	右傍	kuʌ^{1}	模韻
2477b	上加・092ウ6・植物	⿰古瓜	—	コ	右傍	kuʌ^{1} ńiʌ^{2}	模韻 語韻
0008	上伊・002オ6・天象	古	—	コ	右傍	kuʌ^{2}	姥韻
0187c	上伊・009オ1・雜物	皷	—	コ	右注	kuʌ^{2}	姥韻
3280b	上波・034ウ5・國郡	古	—	コ	右傍	kuʌ^{2}	姥韻

1511b	上度・057ウ4・雜物	鈷	―	コ	右注	kuʌ^{2}	姥韻
1747a	上池・067オ3・人事	股	上	コ	右傍	kuʌ^{2}	姥韻
1843b	上池・069ウ3・疊字	古	上	コ	左注	kuʌ^{2}	姥韻
2009b	上利・073ウ5・雜物	皷	上濁	コ	右注	kuʌ^{2}	姥韻
2374b	上和・090オ1・疊字	古	上濁	コ	左注	kuʌ^{2}	姥韻
2767b	上加・100ウ1・雜物	皷	上	コ	右注	kuʌ^{2}	姥韻
1106b	上保・044ウ7・雜物	故	―	コ	左注	kuʌ^{3}	暮韻
2821	上加・103オ4・辞字	抅	―	コウ	右傍	kiuʌ^{1}	虞韻
1747b	上池・067オ3・人事	肱	上	コウ	右傍	kuʌŋ^{2}	登韻
2751	上加・100オ4・雜物	篝	平	コウ	右傍	kʌu^{1}	侯韻
2716a	上加・099オ6・雜物	鉤	平	コウ	右傍	kʌu^{1}	侯韻
2145a	上奴・076ウ3・植物	枸	上	コウ	右傍	kʌu$^{1/2}$ kiuʌ^{2}	侯/厚韻 麌韻
0099a	上伊・005オ6・動物	猗	上	コウ	右傍	kʌu^{2}	厚韻
0075	上伊・004ウ2・動物	猗	―	コウ	右傍	kʌu^{2}	厚韻
0002b	上伊・002オ3・天象	公	平	コウ	右傍	kʌuŋ^{1}	東韻
1184b	上保・047ウ3・疊字	公	平	コウ	中注	kʌuŋ^{1}	東韻
2707	上加・099オ4・雜物	釭	平	コウ	右傍	kʌuŋ^{1} kauŋ^{1} kauŋ^{1}	東韻 冬韻 江韻
1693c	上度・064オ4・国郡	國	―	コク	右注	kuʌk	徳韻
2034b	上利・074ウ2・疊字	國	入濁	コク	左注	kuʌk	徳韻
1503	上度・057ウ1・雜物	轂	入	コク	右傍	kʌuk	屋韻
2503	上加・093ウ3・植物	穀	―	コク	右傍	kʌuk	屋韻
0246b	上伊・012ウ4・疊字	谷	入	コク	左注	kʌuk lʌuk jiauk giak	屋韻 屋韻 燭韻 藥韻
3117b	上加・110オ4・疊字	谷	入	コク	右注	kʌuk lʌuk jiauk giak	屋韻 屋韻 燭韻 藥韻
3126b	上加・110オ6・疊字	谷	入	コク	右注	kʌuk lʌuk jiauk giak	屋韻 屋韻 燭韻 藥韻
1071	上保・043オ5・人躰	骨	入	コツ	右傍	kuʌt	没韻
2511a	上加・093ウ6・植物	骨	入	コツ	右傍	kuʌt	没韻
0535	上波・022オ3・動物	鶻	入	コツ	右傍	kuʌt ɣuʌt ɣuɐt	没韻 没韻 黠韻
1065a	上保・043オ2・人倫	金	去	コン	右傍	kiem^{1}	侵韻
1608b	上度・062ウ2・疊字	根	去濁	コン	左注	kʌn^{1}	痕韻

2086b	上利・075オ5・疊字	根	去	コン	中注	kʌn^{1}	痕韻
2789	上加・101オ5・員數	姟	平濁	カイ	右注	kʌi^{1}	咍韻
2939a	上加・107ウ4・疊字	幹	去濁	カン	左注	kɑn^{3}	翰韻
1767b	上池・067ウ4・雜物	靳	―	ソ	右傍	kiʌn^{3}	焮韻
2393a	上和・090オ5・疊字	蝸	去	ワ	右傍	kua^{1} kuɐ^{1}	麻韻 佳韻
2395a	上和・090オ5・疊字	蝸	平	ワ	左注	kua^{1} kuɐ^{1}	麻韻 佳韻
2380b	上和・090オ2・疊字	誑	平	ワウ	中注	kiuɑŋ^{3}	漾韻

【表C-07】下巻_見母 k

番号	前田本所在	掲出字		仮名音注		中古音	韻目
3741b	下江・014オ5・地儀	嘉	平	カ	右注	ka^{1}	麻韻
3943b	下手・022オ1・疊字	家	平	カ	左注	ka^{1}	麻韻
4183	下阿・029オ2・人躰	跏	平	カ	右傍	ka^{1}	麻韻
4488	下佐・044オ5・動物	麚	―	カ	右傍	ka^{1}	麻韻
5303	下師・070オ4・動物	麚	平	カ	右傍	ka^{1}	麻韻
6379b	下飛・100オ2・國郡	嘉	―	カ	右傍	ka^{1}	麻韻
4086b	下阿・025ウ6・植物	葭	平	カ	右傍	ka^{1} ɣa^{1}	麻韻 麻韻
3747	下江・014ウ2・植物	榎	―	カ	右傍	ka^{2}	馬韻
6851a	下洲・116オ6・雜物	假	上	カ	右傍	ka$^{2/3}$	馬/禡韻
4397b	下阿・040オ3・疊字	賈	上	カ	右傍	ka$^{2/3}$ kuʌ^{2}	馬/禡韻 姥韻
4387b	下阿・039ウ3・疊字	駕	平濁	カ	右注	ka^{3}	禡韻
6803a	下洲・114オ6・動物	佳	平	カ	右傍	kɐ^{1}	佳韻
3752	下江・014ウ3・植物	柯	平	カ	右傍	kɑ^{1}	歌韻
5748b	下師・083ウ3・疊字	哥	平濁	カ	左注	kɑ^{1}	歌韻
5222b	下由・066オ6・植物	椵	上	カ	右傍	kɑ$^{2/3}$	馬/禡韻
6047a	下飛・091オ4・植物	薢	―	カイ	右傍	kɐi^{1} kɐ$^{2/3}$	皆韻 蟹/卦韻
4069	下阿・025オ6・地儀	芥	―	カイ	右傍	kɐi^{3}	怪韻
4673b	下佐・051オ7・疊字	戒	去	カイ	左注	kɐi^{3}	怪韻
5578b	下師・080オ3・疊字	戒	―	カイ	左注	kɐi^{3}	怪韻
6667b	下世・111オ5・疊字	介	去	カイ	中注	kɐi^{3}	怪韻
6716b	下世・111ウ7・疊字	芥	去	カイ	左注	kɐi^{3}	怪韻
4912	下木・058オ6・雜物	蓋	―	カイ	右傍	kɑi^{3} ɣɑp kɑp	泰韻 盍韻 盍韻

5467b	下師・074ウ7・雜物	盖	去	カイ	右注	kai^{3} ɣap kap	泰韻 盍韻 盍韻
5844b	下師・084ウ7・疊字	盖	去	カイ	中注	kai^{3} ɣap kap	泰韻 盍韻 盍韻
6161b	下飛・094ウ2・雜物	盖	去	カイ	右注	kai^{3} ɣap kap	泰韻 盍韻 盍韻
3708b	下古・012オ3・疊字	匃	去	カイ	右注	kai^{3} kat	泰韻 曷韻
5211b	下由・065ウ6・天象	庚	平	カウ	右傍	kaŋ^{1}	庚韻
5538b	下師・079オ1・疊字	更	—	カウ	左注	kaŋ$^{1/3}$	庚/映韻
3621b	下古・010ウ5・疊字	鯁	平	カウ	左注	kaŋ^{2}	梗韻
4403a	下阿・040ウ5・国郡	甲	—	カウ	右傍	kap	狎韻
4803b	下佐・054オ2・國郡	甲	—	カウ	右傍	kap	狎韻
3321a	下古・002ウ1・植物	茭	東	カウ	右傍	kau^{1}	肴韻
4494	下佐・044オ7・動物	鮫	平	カウ	右傍	kau^{1}	肴韻
5230b	下由・067オ1・人事	蛟	去	カウ	右傍	kau^{1}	肴韻
6737b	下世・112オ4・疊字	交	上	カウ	右注	kau^{1}	肴韻
5394	下師・073オ7・飲食	酵	去	カウ	右傍	kau^{3}	効韻
5710b	下師・082ウ7・疊字	挍	去	カウ	左注	kau^{3} ɣau^{3}	効韻 効韻
3737	下江・014オ3・地儀	江	平	カウ	右傍	kauŋ^{1}	江韻
5865b	下師・085オ4・疊字	江	平	カウ	右注	kauŋ^{1}	江韻
4316	下阿・034ウ1・辞字	扛	平	カウ	右傍	kauŋ^{1}	江韻
3579	下古・009オ2・辞字	剛	平	カウ	右傍	kaŋ^{1}	唐韻
5247b	下由・067ウ6・雜物	堈	平	カウ	右傍	kaŋ^{1}	唐韻
5956b	下師・087オ3・官職	綱	—	カウ	右傍	kaŋ^{1}	唐韻
4436	下佐・042ウ1・地儀	皐	平	カウ	右傍	kau^{1}	豪韻
4585	下佐・047ウ3・雜物	櫜	平	カウ	右傍	kau^{1}	豪韻
6084	下飛・092オ2・動物	羔	平	カウ	右傍	kau^{1}	豪韻
6167b	下飛・094ウ4・雜物	髙	—	カウ	右注	kau^{1}	豪韻
6430	下毛・102ウ7・飲食	餻	平	カウ	右傍	kau^{1}	豪韻
4187	下阿・029オ3・人躰	膏	平	カウ	右傍	kau$^{1/3}$	豪/号韻
4454a	下佐・043オ4・植物	藁	上	カウ	右傍	kau^{2}	晧韻
3440b	下古・007オ1・雜物	剛	上	カウ ［上濁上］	右注	kaŋ^{1}	唐韻
6779	下洲・113ウ3・地儀	桷	入	カク	右傍	kauk	覺韻
4169b	下阿・028ウ2・人倫	角	—	カク	右傍	kauk lʌuk	覺韻 屋韻
6693b	下世・111ウ3・疊字	角	入	カク	中注	kauk lʌuk	覺韻 屋韻
5009b	下木・061ウ1・疊字	閣	入	カク	右注	kak	鐸韻

6335b	下飛・099オ2・疊字	閣	入	カク	右注	kak	鐸韻
4176	下阿・029オ1・人躰	脚	入	カク	右傍	kiak	藥韻
5922a	下師・086ウ2・國郡	葛	―	カト	右傍	kat	曷韻
6374a	下飛・100オ2・國郡	甲	―	カフ	右傍	kap	狎韻
4108a	下阿・026オ7・植物	甘	去	カム	右傍	kam^{1}	談韻
4864a	下木・056オ6・植物	甘	平	カム	右傍	kam^{1}	談韻
4006b	下手・022ウ7・疊字	姧	平	カン	左注	kan^{1}	删韻
5708b	下師・082ウ6・疊字	簡	平	カン	右傍	kɐn^{2}	産韻
4883	下木・057オ5・人躰	肝	平	カン	右傍	kan^{1}	寒韻
6849b	下洲・116オ6・雜物	干	―	カン	右注	kan^{1}	寒韻
5162b	下木・064オ2・疊字	感	上	カン	左注	kʌm^{2}	感韻
5069a	下木・062オ7・疊字	箕	平	キ	左注	kiɐi^{1}	之韻
5122a	下木・063オ7・疊字	基	平	キ	中注	kiɐi^{1}	之韻
5269b	下師・069オ3・地儀	基	平	キ	右注	kiɐi^{1}	之韻
6449	下毛・103ウ4・方角	基	平	キ	右傍	kiɐi^{1}	之韻
6097	下飛・092ウ2・人倫	姫	平	キ	右傍	kiɐi^{1} jiɐi^{1}	之韻 之韻
4838	下木・055ウ1・天象	紀	―	キ	右注	kiɐi^{2}	止韻
5196a	下木・065オ1・国郡	紀	―	キ	右注	kiɐi^{2}	止韻
5207	下木・065オ7・姓氏	紀	―	キ	右注	kiɐi^{2}	止韻
5961b	下師・087オ7・姓氏	紀	―	キ	右注	kiɐi^{2}	止韻
5091a	下木・062ウ7・疊字	記	上	キ	左注	kiɐi^{3}	志韻
5127a	下木・063ウ1・疊字	羇	平	キ	左注	kie^{1}	支韻
5080a	下木・062ウ3・疊字	飢	去	キ	左注	kiei^{1}	脂韻
5081a	下木・062ウ4・疊字	飢	去	キ	左注	kiei^{1}	脂韻
4919a	下木・058オ7・雜物	几	―	キ	右注	kiei^{2}	旨韻
5052b	下木・062オ4・疊字	急	上	キ	左注	kiep	緝韻
4830c	下佐・055オ1・姓氏	貴	―	キ	右傍	kiuʌi^{3}	未韻
5194a	下木・064ウ4・諸社	貴	―	キ	左注	kiuʌi^{3}	未韻
5962b	下師・087オ7・姓氏	貴	―	キ	右注	kiuʌi^{3}	未韻
3432	下古・006ウ6・雜物	裾	―	キ	右傍	kiʌ^{1}	魚韻
5129a	下木・063ウ1・疊字	機	平	キ	左注	kiʌi^{1}	微韻
5161a	下木・064オ1・疊字	機	去	キ	左注	kiʌi^{1}	微韻
5162a	下木・064オ2・疊字	機	去	キ	左注	kiʌi^{1}	微韻
5176a	下木・064オ4・疊字	機	去	キ	左注	kiʌi^{1}	微韻
5622b	下師・081オ6・疊字	幾	平	キ	左注	kiʌi$^{1/2}$ giʌi$^{1/3}$	微/尾韻 微/未韻
6877	下洲・117オ5・員數	幾	平	キ	右傍	kiʌi$^{1/2}$ giʌi$^{1/3}$	微/尾韻 微/未韻
3909a	下手・020ウ4・雜物	蘄	平	キ	右傍	kiʌi^{1} giɐi^{1} kiʌn^{1}	微韻 之韻 欣韻

5182a	下木・064オ6・疊字	蘄	平	キ	右注	kiʌi[1] giɐi[1] kiʌn[1]	微韻 之韻 欣韻
5025a	下木・061ウ5・疊字	既	去	キ	左注	kiʌi[3]	未韻
4948	下木・059ウ3・辞字	記	—	キ ［上］	—	kiɐi[3]	志韻
5029a	下木・061ウ5・疊字	急	上	キウ	左注	kiep	緝韻
5030a	下木・061ウ6・疊字	急	—	キウ	左注	kiep	緝韻
5180a	下木・064オ5・疊字	給	—	キウ	左注	kiep	緝韻
5205a	下木・065オ5・官職	給	—	キウ	左注	kiep	緝韻
5898c	下師・085ウ3・疊字	急	—	キウ	右注	kiep	緝韻
5098a	下木・063オ1・疊字	糺	平	キウ	左注	kieu[2]	黝韻
5099a	下木・063オ2・疊字	糺	平	キウ	左注	kieu[2]	黝韻
5100a	下木・063オ2・疊字	糺	平	キウ	左注	kieu[2]	黝韻
3335	下古・002ウ5・植物	韮	上	キウ	右傍	kiʌu[2]	有韻
4977a	下木・061オ2・疊字	九	上	キウ	左注	kiʌu[2]	有韻
5001a	下木・061オ7・疊字	九	—	キウ	右注	kiʌu[2]	有韻
5124a	下木・063オ7・疊字	玖	平	キウ	左注	kiʌu[2]	有韻
5125a	下木・063ウ1・疊字	九	上	キウ	右注	kiʌu[2]	有韻
5181a	下木・064オ5・疊字	九	—	キウ	右注	kiʌu[2]	有韻
5187a	下木・064オ7・疊字	九	上	キウ	右注	kiʌu[2]	有韻
5808b	下師・084ウ1・疊字	九	上	キウ	右注	kiʌu[2]	有韻
6445a	下毛・103オ6・雜物	灸	去	キウ	右傍	kiʌu[2/3]	有/宥韻
5052a	下木・062オ4・疊字	救	上	キウ	左注	kiʌu[3]	宥韻
5240	下由・067ウ4・雜物	弓	平	キウ	右傍	kiʌuŋ[1]	東韻
6381a	下飛・100オ3・國郡	菊	—	キク	右傍	kiʌuk	屋韻
4104a	下阿・026オ6・植物	桔	入	キツ	右傍	ket	屑韻
4852a	下木・056オ1・植物	桔	入	キツ	右傍	ket	屑韻
3362a	下古・003ウ4・動物	鮀	入	キツ	右傍	kiʌt	迄韻
3390	下古・004ウ4・人躰	吃	入	キツ	右傍	kiʌt	迄韻
5163a	下木・064オ2・疊字	給	入	キフ	左注	kiep	緝韻
5165a	下木・064オ2・疊字	給	—	キフ	左注	kiep	緝韻
5595b	下師・080ウ5・疊字	給	入濁	キフ	右注	kiep	緝韻
3329a	下古・002ウ3・植物	金	平	キム	右傍	kiem[1]	侵韻
4963a	下木・060ウ6・疊字	金	平	キム	右傍	kiem[1]	侵韻
5189a	下木・064オ7・疊字	金	平	キム	右注	kiem[1]	侵韻
5382b	下師・073オ2・人事	金	東	キム	中注	kiem[1]	侵韻
6109b	下飛・092ウ4・人倫	襟	—	キム	右傍	kiem[1]	侵韻
6947b	下洲・120ウ5・疊字	金	—	キム	左注	kiem[1]	侵韻
6159a	下飛・094ウ2・雜物	衿	平	キム	右傍	kiem[1] giem[3]	侵韻 沁韻
4955	下木・060オ5・辞字	禁	—	キム	右傍	kiem[1/3]	侵/沁韻
5010a	下木・061ウ1・疊字	禁	去	キム	左注	kiem[1/3]	侵/沁韻
5011a	下木・061ウ2・疊字	禁	去	キム	右注	kiem[1/3]	侵/沁韻

5097a	下木・063オ1・疊字	禁	平	キム	左注	kiem$^{1/3}$	侵/沁韻
5134a	下木・063ウ2・疊字	禁	平	キム	左注	kiem$^{1/3}$	侵/沁韻
5167a	下木・064オ3・疊字	禁	平	キム	左注	kiem$^{1/3}$	侵/沁韻
5200a	下木・065オ2・国郡	禁	―	キム	右注	kiem$^{1/3}$	侵/沁韻
4932a	下木・058ウ3・雜物	錦	―	キム	右注	kiem^{2}	寢韻
5112a	下木・063オ5・疊字	錦	―	キム	左注	kiem^{2}	寢韻
6548b	下世・108ウ7・雜物	錦	―	キム	右傍	kiem^{2}	寢韻
4958a	下木・060ウ4・重點	謹	―	キム	右傍	kiʌn^{2}	隠韻
4958b	下木・060ウ4・重點	謹	―	キム	右傍	kiʌn^{2}	隠韻
4104b	下阿・026オ6・植物	梗	上	キヤウ	右傍	kaŋ^{2}	梗韻
4852b	下木・056オ1・植物	梗	上	キヤウ	右傍	kaŋ^{2}	梗韻
4882a	下木・057オ3・人倫	經	―	キヤウ	右注	keŋ$^{1/3}$	青/徑韻
4926	下木・058ウ2・雜物	經	―	キヤウ	右注	keŋ$^{1/3}$	青/徑韻
5174a	下木・064オ4・疊字	經	去	キヤウ	左注	keŋ$^{1/3}$	青/徑韻
6602b	下世・110ウ1・疊字	經	上	キヤウ	左注	keŋ$^{1/3}$	青/徑韻
4845	下木・055ウ4・地儀	京	平	キヤウ	右注	kiaŋ^{1}	庚韻
5202a	下木・065オ4・官職	京	―	キヤウ	右注	kiaŋ^{1}	庚韻
5113a	下木・063オ5・疊字	警	上	キヤウ	左注	kiaŋ^{2}	梗韻
4920a	下木・058オ7・雜物	鏡	―	キヤウ	右注	kiaŋ^{3}	映韻
6331b	下飛・099オ1・疊字	竟	―	キヤウ	左注	kiaŋ^{3}	映韻
5038a	下木・062オ1・疊字	襁	平	キヤウ	左注	kiɑŋ^{2}	養韻
6537	下世・108ウ5・雜物	鏹	―	キヤウ	右傍	kiɑŋ^{2}	養韻
4048b	下阿・024オ7・天象	脚	入	キヤク	右注	kiɑk	藥韻
4177	下阿・029オ1・人躰	脚	入	キヤク	右傍	kiɑk	藥韻
5540b	下師・079オ2・疊字	脚	入	キヤク	右注	kiɑk	藥韻
4907	下木・058オ5・雜物	裾	平	キヨ	右傍	kiʌ^{1}	魚韻
6840	下洲・116オ3・雜物	裾	平	キヨ	右傍	kiʌ^{1}	魚韻
4905	下木・058オ3・飲食	腒	―	キヨ	右傍	kiʌ^{1} giʌ^{1}	魚韻 魚韻
4972a	下木・061オ1・疊字	居	平	キヨ	右注	kiʌ^{1} kiɐi^{1}	魚韻 之韻
5073b	下木・062ウ1・疊字	居	平	キヨ	左注	kiʌ^{1} kiɐi^{1}	魚韻 之韻
5184a	下木・064オ6・疊字	居	―	キヨ	右注	kiʌ^{1} kiɐi^{1}	魚韻 之韻
3453	下古・007オ5・雜物	車	平	キヨ	右傍	kiʌ^{1} tś'ia^{1}	魚韻 麻韻
5157a	下木・064オ1・疊字	舉	―	キヨ	左注	kiʌ^{2} jiʌ^{1}	語韻 魚韻
5158a	下木・064オ1・疊字	舉	―	キヨ	左注	kiʌ^{2} jiʌ^{1}	語韻 魚韻

6735b	下世・112オ4・疊字	舉	上	キヨ	右注	kiʌ² jiʌ¹	語韻 魚韻
5737b	下師・083オ6・疊字	據	上	キヨ	左注	kiʌ³	御韻
5796b	下師・084オ7・疊字	據	—	キヨ	左注	kiʌ³	御韻
6333b	下飛・099オ1・疊字	據	上	キヨ	左注	kiʌ³	御韻
5156a	下木・063ウ7・疊字	矜	平	キヨウ	左注	kiɐŋ¹	蒸韻
5024a	下木・061ウ4・疊字	今	去	（キン）	左注	kiem¹	侵韻
5007a	下木・061ウ1・疊字	禁	去	キン	右注	kiem^1/3	侵/沁韻
5093a	下木・062ウ7・疊字	禁	—	キン	左注	kiem^1/3	侵/沁韻
5094a	下木・062ウ7・疊字	禁	平	キン	左注	kiem^1/3	侵/沁韻
5095a	下木・063オ1・疊字	禁	平	キン	左注	kiem^1/3	侵/沁韻
5096a	下木・063オ1・疊字	禁	—	キン	左注	kiem^1/3	侵/沁韻
3435a	下古・006ウ7・雜物	巾	平	キン	右傍	kien¹	眞韻
3392b	下古・004ウ5・人躰	筋	平	キン	右傍	kiʌn¹	欣韻
6819	下洲・115オ1・人躰	筋	平	キン	右傍	kiʌn¹	欣韻
3911	下手・020ウ6・雜物	釿	平	キン	右傍	kiʌn¹ ŋien²	欣韻 軫韻
5050a	下木・062オ3・疊字	謹	上	キン	左注	kiʌn²	隱韻
6788a	下洲・113ウ6・植物	菫	上	キン	右傍	kiʌn² giʌn¹	隱韻 欣韻
5154b	下木・063ウ7・疊字	矩	平	ク	右注	kiuʌ²	麌韻
3324a	下古・002ウ2・植物	蒟	平 上	ク	右傍	kiuʌ^2/3	麌/遇韻
4824b	下佐・054ウ3・官職	軍	—	ク	右注	kiuʌn¹	文韻
4935b	下木・058ウ4・雜物	久	—	ク	右注	kiʌu²	有韻
5931b	下師・086ウ3・國郡	久	—	ク	右傍	kiʌu²	有韻
6359a	下飛・099ウ7・國郡	久	—	ク	右傍	kiʌu²	有韻
6364b	下飛・100オ1・國郡	久	—	ク	右傍	kiʌu²	有韻
6956a	下洲・121オ5・国郡	玖	—	ク	右傍	kiʌu²	有韻
4816b	下佐・054オ7・官職	宮	—	ク	右注	kiʌuŋ¹	東韻
6151b	下飛・094オ6・雜物	皷	平	ク	右傍	kuʌ²	姥韻
4524b	下佐・045ウ6・人事	工	-	ッ	右注	kʌuŋ¹	東韻
3428b	下古・006ウ5・雜物	鼓	平濁	ク ［平濁］	右注	kuʌ²	姥韻
4197	下阿・029オ6・人躰	皸	平	クウン	右傍	kiuʌn^1/3	文/問韻
3631a	下古・010ウ7・疊字	骨	—	クツ	左注	kuʌt	没韻
4098b	下阿・026オ3・植物	瓜	平	クワ	右傍	kua¹	麻韻
6401b	下毛・101オ7・植物	瓜	平	クワ	右傍	kua¹	麻韻
6879	下洲・117オ5・員數	寡	上	クワ	右傍	kua²	馬韻
4766b	下佐・053オ1・疊字	過	—	クワ	左注	kuɑ^1/3	戈/過韻
3420	下古・006ウ1・飲食	菓	上	クワ	右傍	kuɑ²	果韻

4285	下阿・032ウ4・雑物	輠	上	クワ	右傍	kuɑ² ɣuɑ² ɣua² ɣuʌi²	果韻 果韻 馬韻 賄韻
6483a	下阿・026オ1・植物	穭	―	クワイ	右傍	k'uɑi³	泰韻
5105b	下木・063オ3・疊字	恠	去	クワイ	中注	kuɐi³	怪韻
6144a	下飛・094オ5・雑物	檜	去	クワイ	右傍	kuɑi³ kuɑt	泰韻 末韻
4564	下佐・047オ3・雑物	觥	平	クワウ	右傍	kuaŋ¹	庚韻
5873b	下師・085オ5・疊字	觥	平	クワウ	右注	kuaŋ¹	庚韻
4282	下阿・032ウ4・雑物	磺	上	クワウ	右傍	kuaŋ²	梗韻
5226b	下由・066ウ4・人躰	胱	平	クワウ	右傍	kuɑŋ¹	唐韻
6192	下飛・095オ4・光彩	光	平	クワウ	右傍	kuɑŋ^1/3	唐/宕韻
4456b	下佐・043オ5・植物	葜	―	クワツ	右傍	(kuɑt)	末韻
5129b	下木・063ウ1・疊字	關	上	クワン	左注	kuan¹	刪韻
6489	下世・106ウ3・地儀	關	平	クワン	右傍	kuan¹	刪韻
6557	下世・109ウ1・辞字	關	平	クワン	右傍	kuan¹	刪韻
5180b	下木・064オ5・疊字	官	―	クワン	左注	kuɑn¹	桓韻
5943b	下師・086ウ7・官職	官	―	クワン	右注	kuɑn¹	桓韻
5949b	下師・087オ1・官職	官	―	クワン	右傍	kuɑn¹	桓韻
4475	下佐・044オ2・動物	冠	平	クワン	右傍	kuɑn^1/3	桓/換韻
3906b	下手・020ウ4・雑物	冠	―	火ン	左注	kuɑn^1/3	桓/換韻
5571b	下師・079ウ7・疊字	觀	―	クワン	右注	kuɑn^1/3	桓/換韻
6183	下飛・094ウ7・雑物	棺	平 去	クワン	右傍	kuɑn^1/3	桓/換韻
6328b	下飛・099オ1・疊字	管	―	クワン	左注	kuɑn²	緩韻
5260	下由・068ウ7・辞字	揯	―	クワン	右傍	kʌŋ^1/3	登/嶝韻
4675b	下佐・051オ7・疊字	愧	平濁	クヰ	左注	kiuei³	至韻
4741b	下佐・052ウ1・疊字	愧	平濁	クヰ	左注	kiuei³	至韻
5774b	下師・084オ3・疊字	歸	上	クヰ	右注	kiuʌi¹	微韻
5996b	下會・089オ7・疊字	鬼	上	クヰ	中注	kiuʌi²	尾韻
5917b	下師・086オ7・諸寺	貴	―	クヰ	左注	kiuʌi³	未韻
6351b	下飛・099オ6・疊字	攫	入	クヰヨク	右傍	kiuɑk	藥韻
4144	下阿・027ウ3・動物	鱖	去	クヱイ	右傍	kiuai³ kiuɑt	祭韻 月韻
3314	下古・002オ2・地儀	橛	入	クヱツ	右傍	kiuɑt giuɑt	月韻 月韻
4145	下阿・027ウ3・動物	鱖	入	クヱツ	右傍	kiuɑt kiuai³	月韻 祭韻
4878	下木・057オ1・人倫	君	平	クン	右傍	kiuʌn¹	文韻
4754b	下佐・052ウ5・疊字	計	―	ケ	中注	kei³	霽韻
6416	下毛・102オ3・人躰	髻	平	ケ	左注	kei³	霽韻
4581a	下佐・047ウ1・雑物	笄	平	ケイ	右傍	kei¹	齊韻

6041	下飛・090ウ7・地儀	枅	平	ケイ	右傍	kei^{1}	齊韻
4101	下阿・026オ5・植物	薊	去	ケイ	右傍	kei^{3}	霽韻
6334b	下飛・099オ2・疊字	計	平 去	ケイ	左注	kei^{3}	霽韻
6415	下毛・102オ3・人躰	髻	平 去	ケイ	右傍	kei^{3}	霽韻
6851b	下洲・116オ6・雜物	髻	上	ケイ	右傍	kei^{3}	霽韻
5547b	下師・079オ4・疊字	俓	去	ケイ	右注	keŋ^{3} ŋɐŋ^{1} ŋen^{1}	徑韻 耕韻 先韻
4844	下木・055ウ4・地儀	京	平	ケイ	右傍	kiaŋ^{1}	庚韻
5840b	下師・084ウ7・疊字	景	上	ケイ	左注	kiaŋ^{2}	梗韻
6233b	下飛・097ウ5・疊字	景	上	ケイ	右注	kiaŋ^{2}	梗韻
6581b	下世・110オ4・疊字	景	上	ケイ	右注	kiaŋ^{2}	梗韻
4493	下佐・044オ6・動物	鮭	―	ケイ	右傍	kuei^{1} k‘uei^{1} ɣɐ^{1}	齊韻 齊韻 佳韻
5569b	下師・079ウ6・疊字	教	平濁	ケウ	右注	kau$^{1/3}$	肴/効韻
5940b	下師・086ウ6・官職	教	―	ケウ	右注	kau$^{1/3}$	肴/効韻
6292b	下飛・098ウ1・疊字	校	去	ケウ	右注	kau^{3} ɣau^{3}	効韻 効韻
4471	下佐・043ウ7・動物	梟	平	ケウ	右傍	keu^{1}	蕭韻
3310a	下古・002オ1・地儀	徼	去	ケウ	右傍	keu$^{1/3}$	蕭/嘯韻
4866	下木・056ウ1・動物	鷮	平	ケウ	右傍	kiau^{1} giau^{1}	宵韻 宵韻
6752b	下世・112オ7・疊字	喬	平	ケウ	右傍	kiau^{1} giau^{1}	宵韻 宵韻
4318	下阿・034ウ2・辞字	矯	上	ケウ	右傍	kiau^{2}	小韻
4288b	下阿・032ウ5・雜物	擊	―	ケキ	右傍	kek	錫韻
6408	下毛・101ウ4・動物	鵙	入	ケキ	右傍	kuek	錫韻
5938b	下師・069オ7・植物	結	―	ケチ	右注	ket	屑韻
5460b	下師・074ウ5・雜物	結	―	ケツ	右注	ket	屑韻
6728b	下世・112オ3・疊字	潔	―	ケツ	右注	ket	屑韻
6758c	下世・112ウ2・疊字	潔	入	ケツ	右傍	ket	屑韻
6766b	下世・113オ1・官職	監	―	ケム	右傍	kam$^{1/3}$	銜/鑑韻
6079	下飛・092オ1・動物	鶼	平	ケム	右傍	kem^{1}	添韻
5190b	下木・064オ7・疊字	肩	上	ケム	右注	ken^{1}	先韻
4780b	下佐・053オ4・疊字	見	―	ケン	右注	ken^{3} ɣen^{3}	霰韻 霰韻
5624b	下師・081オ7・疊字	見	平	ケン	左注	ken^{3} ɣen^{3}	霰韻 霰韻
5893c	下師・085ウ2・疊字	見	―	ケン	右注	ken^{3} ɣen^{3}	霰韻 霰韻

4194	下阿・029オ5・人躰	蹇	上	ケン	右傍	kian^{2} kiɑn^{2}	獮韻 阮韻
6185b	下飛・095オ1・雜物	劒	去	ケン	右傍	kiʌm^{3}	梵韻
6196	下飛・095オ4・光彩	焆	平	ケン	右傍	kuen^{1} 'uet 'iat	先韻 屑韻 薛韻
3710a	下古・012オ4・疊字	己	去	コ	左注	kiɐi^{2}	止韻
3320	下古・002オ7・植物	菰	平	コ	右傍	kiuʌ^{1}	虞韻
3325a	下古・002ウ2・植物	蒟	平 上	コ	右注	kiuʌ$^{2/3}$	麌/遇韻
3721a	下古・012オ6・疊字	居	—	コ	右注	kiʌ^{1} kiɐi^{1}	魚韻 之韻
4359b	下阿・039オ4・疊字	居	上	コ	中注	kiʌ^{1} kiɐi^{1}	魚韻 之韻
5676b	下師・082オ4・疊字	舉	—	コ	中注	kiʌ^{2} jiʌ^{1}	語韻 魚韻
5722b	下師・083オ2・疊字	據	上	コ	左注	kiʌ^{3}	御韻
5738b	下師・083オ6・疊字	據	上	コ	右傍	kiʌ^{3}	御韻
3729a	下古・013オ5・国郡	久	—	コ	右注	kiʌu^{2}	有韻
3662a	下古・011オ7・疊字	孤	平	コ	左注	kuʌ^{1}	模韻
3663a	下古・011ウ1・疊字	孤	平	コ	左注	kuʌ^{1}	模韻
3664a	下古・011ウ1・疊字	孤	平	コ	左注	kuʌ^{1}	模韻
4261	下阿・032オ6・雜物	罛	平	コ	右傍	kuʌ^{1}	模韻
5319	下師・070ウ6・人倫	姑	平	コ	右傍	kuʌ^{1}	模韻
5320b	下師・070ウ7・人倫	姑	平	コ	右傍	kuʌ^{1}	模韻
5846b	下師・085オ1・疊字	姑	平	コ	右注	kuʌ^{1}	模韻
6512b	下世・107ウ2・動物	蛄	—	コ	右傍	kuʌ^{1}	模韻
3597a	下古・010オ6・疊字	沽	去	コ	左注	kuʌ$^{1/2/3}$	模/姥/暮韻
4550	下佐・046ウ2・飲食	酤	—	コ	右傍	kuʌ$^{1/3}$ ɣuʌ^{2}	模/暮韻 姥韻
3409a	下古・006オ1・人事	古	平	コ	左注	kuʌ^{2}	姥韻
3619a	下古・010ウ4・疊字	股	上	コ	右注	kuʌ^{2}	姥韻
3628a	下古・010ウ6・疊字	蠱	去	コ	左注	kuʌ^{2}	姥韻
3633a	下古・011オ1・疊字	古	平	コ	左注	kuʌ^{2}	姥韻
3688a	下古・011ウ6・疊字	古	平	コ	左注	kuʌ^{2}	姥韻
3702a	下古・012オ2・疊字	蠱	—	コ	左注	kuʌ^{2}	姥韻
3705a	下古・012オ3・疊字	皷	—	コ	左注	kuʌ^{2}	姥韻
3709a	下古・012オ3・疊字	皷	上	コ	左注	kuʌ^{2}	姥韻
3720b	下古・012オ6・疊字	羖	上	コ	右注	kuʌ^{2}	姥韻
4260	下阿・032オ6・雜物	罟	上	コ	右傍	kuʌ^{2}	姥韻
4657b	下佐・051オ4・疊字	皷	上	コ	左注	kuʌ^{2}	姥韻
5420b	下師・073ウ7・雜物	鼓	上濁	コ	右注	kuʌ^{2}	姥韻
6018a	下會・089ウ6・國郡	古	—	コ	右傍	kuʌ^{2}	姥韻

6082b	下飛・092オ2・動物	羖	平	コ	右傍	kuʌ^{2}	姥韻
6417	下毛・102オ3・人躰	股	上	コ	右傍	kuʌ^{2}	姥韻
6859b	下洲・116ウ1・雜物	鼓	上	コ	右傍	kuʌ^{2}	姥韻
3373a	下古・004オ3・人倫	故	—	コ	右注	kuʌ^{3}	暮韻
3624a	下古・010ウ5・疉字	故	去	コ	左注	kuʌ^{3}	暮韻
3649a	下古・011オ4・疉字	故	去	コ	左注	kuʌ^{3}	暮韻
3650a	下古・011オ5・疉字	固	去	コ	左注	kuʌ^{3}	暮韻
3658a	下古・011オ7・疉字	故	去	コ	左注	kuʌ^{3}	暮韻
3689a	下古・011ウ6・疉字	顧	去	コ	左注	kuʌ^{3}	暮韻
3697a	下古・012オ1・疉字	顧	去	コ	左注	kuʌ^{3}	暮韻
3723a	下古・012オ6・疉字	固	去	コ	右注	kuʌ^{3}	暮韻
5097b	下木・063オ1・疉字	固	平	コ	左注	kuʌ^{3}	暮韻
5173b	下木・064オ4・疉字	故	平	コ	左注	kuʌ^{3}	暮韻
5910b	下師・085ウ5・疉字	狗	上	コ	右傍	kʌu^{2}	厚韻
3326a	下古・002ウ2・植物	苟	—	コ	右注	kʌu^{2} kiɐk	厚韻 職韻
4587b	下佐・047ウ3・雜物	鈷	上濁	コ ［上濁］	右注	kuʌ^{2}	姥韻
3443b	下古・007オ1・雜物	鈷	平	コ ［平］	右注	kuʌ^{2}	姥韻
3677a	下古・011ウ4・疉字	拘	平	コウ	中注	kiuʌ^{1}	虞韻
3728a	下古・013オ1・疉字	拘		コウ	右傍	kiuʌ^{1}	虞韻
3619b	下古・010ウ4・疉字	肱	平	コウ	右注	kuʌŋ^{1}	登韻
3716b	下古・012オ5・疉字	肱	—	コウ	左注	kuʌŋ^{1}	登韻
3800b	下江・016ウ7・疉字	溝	上	コウ	左注	kʌu^{1}	侯韻
4137b	下阿・027オ7・動物	溝	平	コウ	右傍	kʌu^{1}	侯韻
5012b	下木・061ウ2・疉字	溝	平	コウ	左注	kʌu^{1}	侯韻
6843b	下洲・116オ4・雜物	鉤	平	コウ	右傍	kʌu^{1}	侯韻
4186	下阿・029オ3・人躰	垢	去	コウ	右傍	kʌu^{2}	厚韻
5972a	下會・087ウ6・植物	狗	上	コウ	右傍	kʌu^{2}	厚韻
5976	下會・088オ2・動物	狗	—	コウ	右傍	kʌu^{2}	厚韻
6047b	下飛・091オ4・植物	莕	—	コウ	右傍	kʌu^{2}	厚韻
3733a	下古・013ウ1・官職	勾	—	コウ	右注	kʌu^{3}	候韻
5746b	下師・083ウ2・疉字	搆	去	コウ	左注	kʌu^{3}	候韻
4502b	下佐・044ウ5・人倫	工	—	コウ	右注	kʌuŋ^{1}	東韻
4879	下木・057オ1・人倫	公	平	コウ	右傍	kʌuŋ^{1}	東韻
5084b	下木・062ウ4・疉字	公	平濁	コウ	左注	kʌuŋ^{1}	東韻
5350b	下師・071ウ5・人躰	疘	平	コウ	右傍	kʌuŋ^{1}	東韻
6553	下世・109オ6・辭字	攻	平	コウ	右傍	kʌuŋ^{1} kauŋ^{1}	東韻 冬韻
3398	下古・005オ4・人事	功	—	コウ ［上平］	中注	kʌuŋ^{1}	東韻
3654a	下古・011オ6・疉字	國	—	コク	左注	kuʌk	徳韻
3655a	下古・011オ6・疉字	國	—	コク	左注	kuʌk	徳韻

3415	下古・006オ6・飲食	穀	入	コク	右傍	kʌuk	屋韻
3900b	下古・006オ6・飲食	穀	—	コク	中注	kʌuk	屋韻
6427	下毛・102ウ7・飲食	穀	入	コク	右傍	kʌuk	屋韻
6924b	下洲・120オ7・疊字	轂	—	コク	左注	kʌuk	屋韻
6973a	下古・003ウ4・動物	魜	入	コツ	右注	kiʌt	迄韻
3621a	下古・010ウ5・疊字	骨	入	コツ	左注	kuʌt	没韻
3647a	下古・011オ4・疊字	骨	—	コツ	左注	kuʌt	没韻
3698a	下古・012オ1・疊字	骨	—	コツ	左注	kuʌt	没韻
3713a	下古・012オ4・疊字	骨	—	コツ	左注	kuʌt	没韻
3901b	下手・020オ4・人事	骨	—	コツ	右注	kuʌt	没韻
5090b	下木・062ウ6・疊字	骨	入	コツ	左注	kuʌt	没韻
3364	下古・003ウ5・動物	甲	入	コフ	右傍	kap	狎韻
3382	下古・004オ7・人躰	甲	—	コフ	右注	kap	狎韻
3311a	下古・002オ2・地儀	金	去	コム	右傍	kiem[1]	侵韻
3330a	下古・002ウ3・植物	金	平	コム ［平上］	右注	kiem[1]	侵韻
3341a	下古・002ウ7・植物	金	去	コム	左注	kiem[1]	侵韻
3437	下古・006ウ7・雑物	金	平 去	コム	右注	kiem[1]	侵韻
3439a	下古・007オ1・雑物	金	去	コム	右傍	kiem[1]	侵韻
3572a	下古・007ウ4・光彩	金	去	コム	右注	kiem[1]	侵韻
3603a	下古・010ウ1・疊字	金	去	コム	左注	kiem[1]	侵韻
6151a	下飛・094オ6・雑物	金	去	コム	右傍	kiem[1]	侵韻
3570	下古・007ウ4・光彩	紺	平	コム	右注	kʌm[3]	勘韻
3573a	下古・007ウ4・光彩	紺	—	コム	右注	kʌm[3]	勘韻
3440a	下古・007オ1・雑物	金	去	コム ［平上］	右注	kiem[1]	侵韻
3428a	下古・006ウ5・雑物	金	去	コム ［平平］	右注	kiem[1]	侵韻
3442a	下古・007オ1・雑物	金	平	コム ［平平］	左注	kiem[1]	侵韻
3350a	下古・003オ3・植物	昆	—	コン	右注	kuʌn[1]	魂韻
3370	下古・004オ1・人倫	昆	平	コン	右傍	kuʌn[1]	魂韻
6850	下洲・116オ6・雑物	褌	—	コン	右傍	kuʌn[1]	魂韻
3634a	下古・011オ1・疊字	根	去	コン	左注	kʌn[1]	痕韻
3684a	下古・011ウ5・疊字	根	去	コン	右注	kʌn[1]	痕韻
3686a	下古・011ウ5・疊字	根	去	コン	中注	kʌn[1]	痕韻
4704b	下佐・051ウ6・疊字	根	—	コン	左注	kʌn[1]	痕韻
5176b	下木・064オ4・疊字	根	上	コン	左注	kʌn[1]	痕韻
3577	下古・007ウ7・員數	斤	—	コン ［平平］	右注	kiʌn[1/3]	欣韻 焮韻
3876	下手・018ウ4・天象	昏	—	テン	右注	kuei[3]	霽韻
6120	下飛・093オ2・人躰	肱	平	トウ	右傍	kuʌŋ[1]	登韻
5908d	下師・085ウ5・疊字	果	—	ワ	右傍	kuɑ[2]	果韻
4584	下佐・047ウ2・雑物	竿	平	ウ	右傍	kɑn[1]	寒韻
5839b	下師・084ウ7・疊字	景	上	エイ	右注	kiaŋ[2]	梗韻
4204a	下阿・029ウ1・人躰	脚	入濁	キヤク	右傍	kiɑk	藥韻

6976a	下佐・047ウ1・雜物	笄	平	サイ［平平］	右注	kei^{1}	齊韻

【表C-07】上巻_溪母 k‘

番号	前田本所在	掲出字		仮名音注		中古音	韻目
3108b	上加・110オ3・疊字	軻	平	カ	右注	k‘ɑ$^{1/2/3}$	歌/哿/箇韻
3285b	上波・034ウ6・國郡	可	―	カ	右傍	k‘ɑ^{2}	哿韻
3293b	上加・112ウ6・姓氏	可	―	カ	右注	k‘ɑ^{2}	哿韻
3172a	上加・112オ6・官職	看	―	カ	右傍	k‘ɑn$^{1/3}$	寒/翰韻
3094a	上加・109ウ7・疊字	揩	平	カイ	右注	k‘ɐi$^{1/3}$	皆/怪韻
3215	上与・115ウ3・雜物	鎧	去	カイ	右傍	k‘ʌi$^{2/3}$	海/代韻
2460a	上加・092オ4・地儀	開	平	カイ	右傍	k‘ʌi^{1}	咍韻
2873a	上加・106ウ5・疊字	開	平	カイ	左注	k‘ʌi^{1}	咍韻
2875a	上加・106ウ5・疊字	開	去	カイ	左注	k‘ʌi^{1}	咍韻
3093a	上加・109ウ7・疊字	開	平	カイ	右注	k‘ʌi^{1}	咍韻
3131a	上加・110ウ1・疊字	開	平	カイ	右注	k‘ʌi^{1}	咍韻
3089b	上加・109ウ6・疊字	慨	去	カイ	右注	k‘ʌi^{3}	代韻
3020a	上加・108ウ6・疊字	拷	平	カウ	左注	(k‘ɑu^{2})	晧韻
3023a	上加・108ウ7・疊字	拷	平	カウ	右注	(k‘ɑu^{2})	晧韻
2832	上加・104ウ3・辞字	拷	平	カウ	右注	(k‘ɑu^{2})	晧韻
2973a	上加・108オ4・疊字	巧	上	カウ	左注	k‘au$^{2/3}$	巧/効韻
2159	上奴・077ウ5・飲食	糠	平	カウ	右傍	k‘ɑŋ^{1}	唐韻
2809	上加・102オ3・辞字	槁	―	カウ	右傍	k‘ɑu^{2}	晧韻
2907a	上加・107オ4・疊字	考	平	カウ	左注	k‘ɑu^{2}	晧韻
0581	上波・024オ1・人躰	跤	平	カウ	右傍	k‘au^{1}	肴韻
3066a	上加・109ウ1・疊字	鏗	平	カウ	中注	k‘ɐŋ^{1}	耕韻
3089a	上加・109ウ6・疊字	慷	去	カウ	右注	k‘ɑŋ^{2}	蕩韻
2956a	上加・107ウ7・疊字	伉	去	カウ	左注	k‘ɑŋ^{3}	宕韻
3034a	上加・109オ2・疊字	確	入	カク	左注	k‘auk	覺韻
3111a	上加・110オ3・疊字	確	入	カク	右注	k‘auk	覺韻
2978b	上加・108オ5・疊字	客	入	カク	中注	k‘ak	陌韻
3000b	上加・108ウ2・疊字	客	入	カク	左注	k‘ak	陌韻
3068a	上加・109ウ2・疊字	客	入	カク	左注	k‘ak	陌韻
2566	上加・095オ6・動物	殼	入	カク	右傍	k‘auk	覺韻
2942a	上加・107ウ4・疊字	確	入	カク	左注	k‘auk	覺韻
2999a	上加・108ウ2・疊字	恪	入	カク	左注	k‘ɑk	鐸韻
2612b	上加・096ウ2・人體	⿸疒曷	入	カチ	右傍	k‘ɑt	曷韻
2892a	上加・107オ1・疊字	渇	入	カツ	中注	k‘ɑt giat	曷韻 薛韻
2146b	上奴・076ウ3・植物	杞	上	コ［上］	左注	k‘iɐi^{2}	止韻
3030a	上加・109オ1・疊字	敢	去	カム	左注	k‘ɑm^{2}	敢韻
3248b	上与・117ウ3・疊字	敢	上	カム	中注	k‘ɑm^{2}	敢韻

0959	上仁・037ウ5・人事	瞰	―	カム	右傍	k'ɑm^{3}	闞韻
3081a	上加・109ウ4・疊字	堪	去	カム	左注	k'ʌm^{1}	覃韻
3103a	上加・110オ2・疊字	堪	平	カム	右注	k'ʌm^{1}	覃韻
2798	上加・101ウ2・辞字	戡	―	カム	右傍	k'ʌm^{1} ṭiem^{2}	覃韻 寢韻
3109a	上加・110オ3・疊字	坎	上	カム	右注	k'ʌm^{2}	感韻
3108a	上加・110オ3・疊字	轗	上	カム	右注	k'ʌm$^{2/3}$	感/勘韻
2913a	上加・107オ6・疊字	勘	平	カム	中注	k'ʌm^{3}	勘韻
2914a	上加・107オ6・疊字	勘	平	カム	左注	k'ʌm^{3}	勘韻
2945a	上加・107ウ5・疊字	勘	平	カム	左注	k'ʌm^{3}	勘韻
2975a	上加・108オ4・疊字	勘	平	カム	左注	k'ʌm^{3}	勘韻
2976a	上加・108オ4・疊字	勘	平	カム	右注	k'ʌm^{3}	勘韻
3022a	上加・108ウ6・疊字	勘	去	カム	左注	k'ʌm^{3}	勘韻
3024a	上加・108ウ7・疊字	勘	平	カム	左注	k'ʌm^{3}	勘韻
3076a	上加・109ウ3・疊字	勘	平	カム	左注	k'ʌm^{3}	勘韻
3164a	上加・112オ1・官職	勘	―	カム	右傍	k'ʌm^{3}	勘韻
2104b	上利・075ウ1・疊字	欠	去	カン	左注	k'iʌm^{3}	梵韻
3075a	上加・109ウ3・疊字	欠	去	カン	中注	k'iʌm^{3}	梵韻
2920a	上加・107オ7・疊字	看	去	カン	左注	k'ɑn$^{1/3}$	寒/翰韻
3055a	上加・109オ6・疊字	看	平	カン	左注	k'ɑn$^{1/3}$	寒/翰韻
3019a	上加・108ウ6・疊字	勘	平	カン	左注	k'ʌm^{3}	勘韻
1982b	上利・072ウ4・地儀	綺	上濁	キ	右注	k'ie^{2}	紙韻
2254	上遠・082ウ7・雜物	綺	上	キ	右傍	k'ie^{2}	紙韻
2700	上加・099オ1・雜物	綺	上	キ	右傍	k'ie^{2}	紙韻
2803	上加・101ウ6・辞字	虧	平	キ	右傍	k'iue^{1}	支韻
0875b	上波・033ウ2・疊字	起	平	キ	右注	k'iɐi^{2}	止韻
1213b	上保・048オ2・疊字	起	平	キ	左注	k'iɐi^{2}	止韻
1236b	上保・048オ6・疊字	起	平	キ	中注	k'iɐi^{2}	止韻
2145b	上奴・076ウ3・植物	杞	上	キ	右傍	k'iɐi^{2}	止韻
1649b	上度・063オ4・疊字	器	上	キ	中注	k'iei^{3}	至韻
2755b	上加・100オ4・雜物	器	去	キ	右傍	k'iei^{3}	至韻
3062b	上加・109オ7・疊字	器	上濁	キ	左注	k'iei^{3}	至韻
0295b	上伊・013オ6・疊字	氣	去	キ	右注	k'iʌi^{3} xiʌi^{3}	未韻 未韻
1596b	上度・062オ7・疊字	氣	去	キ	左注	k'iʌi^{3} xiʌi^{3}	未韻 未韻
2214a	上遠・080オ7・植物	芎	去	キウ	左傍	k'iʌuŋ^{1}	東韻
2201	上遠・080オ1・地儀	墟	平	キウ	右傍	k'iʌ^{1}	魚韻
2198	上遠・080オ1・地儀	丘	―	キウ	右傍	k'iʌu^{1}	尤韻
2665	上加・098オ4・飲食	麹	入	キク	右傍	k'iʌuk	屋韻
1109b	上保・044ウ7・雜物	磬	平濁	キヤウ	右注	k'eŋ^{3}	徑韻
0777b	上波・032オ4・疊字	却	入	キヤク	左注	k'iɑk	藥韻

0816b	上波・032ウ5・疊字	却	―	キヤク	左注	k‘iɑk	藥韻
2284b	上遠・085オ1・疊字	却	入	キヤク	右傍	k‘iɑk	藥韻
2213a	上遠・080オ7・植物	芎	去	ク	右傍	k‘iʌuŋ^{1}	東韻
2997b	上加・108ウ1・疊字	苦	上	ク	左注	k‘uʌ$^{2/3}$	姥/暮韻
1082	上保・043ウ4・人事	誇	平	クワ	右傍	k‘ua^{1}	麻韻
1640b	上度・063オ2・疊字	誇	平	クワ	左注	k‘ua^{1}	麻韻
0582	上波・024オ2・人躰	屎	―	クワ	右傍	k‘uɑ^{3}	過韻
0052	上伊・003ウ6・植物	魁	平	クワイ	右傍	k‘uʌi^{1}	灰韻
0109	上伊・005ウ6・人倫	魁	平	クワイ	右傍	k‘uʌi^{1}	灰韻
1268b	上保・048ウ7・疊字	廓	―	クワク	右傍	k‘uɑk	鐸韻
2555a	上加・095オ1・動物	蛞	―	クワツ	右傍	k‘uɑt	末韻
3253b	上与・117ウ4・疊字	屈	入	クヰツ	中注	k‘iuʌt kiuʌt	物韻 物韻
3029b	上加・109オ1・疊字	匡	平	クヰヤウ	左注	k‘iuɑŋ^{1}	陽韻
0115b	上伊・006オ5・人體	缺	入	クヱツ	右傍	k‘uet k‘jiuat	屑韻 薛韻
2343a	上和・088オ5・雜物	缺	入	クヱツ	右傍	k‘uet k‘jiuat	屑韻 薛韻
2590a	上加・096オ4・人體	缺	入	クヱツ	右傍	k‘uet k‘jiuat	屑韻 薛韻
0358b	上伊・015ウ4・国郡	氣	―	ケ	右傍	k‘iʌi^{3} xiʌi^{3}	未韻 未韻
0370a	上伊・015ウ6・国郡	氣	―	ケ	右傍	k‘iʌi^{3} xiʌi^{3}	未韻 未韻
2416b	上和・091オ1・姓氏	氣	―	ケ	右注	k‘iʌi^{3} xiʌi^{3}	未韻 未韻
0882b	上波・033ウ4・疊字	溪	平	ケイ	右注	k‘ei^{1}	齊韻
1756b	上池・067オ5・人事	慶	去濁	ケイ	右注	k‘iaŋ^{3}	映韻
3265b	上与・117ウ7・疊字	慶	去	ケイ	右注	k‘iaŋ^{3}	映韻
1577b	上度・062オ3・疊字	傾	平	ケイ	右注	k‘iueŋ^{1}	清韻
2834	上加・104ウ4・辞字	傾	平	ケイ	右傍	k‘iueŋ^{1}	清韻
2477a	上加・092ウ6・植物	瓠		クイ	右傍	k‘uei^{1}	齊韻
0801b	上波・032ウ2・疊字	契	上濁	ケイ	左注	k‘ei^{3} k‘ɪʌt k‘et	霽韻 迄韻 屑韻
2639	上加・097ウ2・人事	謦	平	ケイ	右傍	k‘ieŋ^{1} k‘eŋ^{3}	清韻 徑韻
0676	上波・027オ4・雜物	篋	―	ケウ	右傍	k‘ep	帖韻
1297	上邊・051オ3・人事	謙	平	ケム	右傍	k‘em^{1}	添韻
1063	上保・042ウ6・動物	蚈	平	ケン	右傍	k‘en^{1}	先韻
0007a	上伊・002オ4・天象	牽	平	ケン	右傍	k‘en$^{1/3}$	先/霰韻
2804	上加・101ウ6・辞字	褰	平	ケン	右傍	k‘ian^{1}	仙韻
2817	上加・102ウ6・辞字	褰	平	ケン	右傍	k‘ian^{1}	仙韻

2808	上加・102オ3・辞字	枯	―	コ	右傍	k‘uʌ^{1}	模韻
0638	上波・026オ4・雑物	袴	去	コ	右傍	k‘uʌ^{3}	暮韻
1245b	上保・048ウ1・疊字	袴	平	コ	右注	k‘uʌ^{3}	暮韻
1857b	上池・069ウ6・疊字	袴	去	コ	左注	k‘uʌ^{3}	暮韻
2465a	上加・092ウ1・植物	苦	―	コ	右傍	k‘uʌ$^{2/3}$	姥/暮韻
2998b	上加・108ウ1・疊字	苦	上	コ	中注	k‘uʌ$^{2/3}$	姥/暮韻
0314b	上伊・013ウ4・疊字	口	上	コウ	中注	k‘ʌu^{2}	厚韻
0905b	上波・034オ1・疊字	口	上	コウ	右注	k‘ʌu^{2}	厚韻
1367b	上邊・053オ4・疊字	口	上	コウ	左注	k‘ʌu^{2}	厚韻
2088b	上利・075オ5・疊字	口	上	コウ	左注	k‘ʌu^{2}	厚韻
2150a	上奴・077オ1・動物	叩	上	コウ	右傍	k‘ʌu^{2}	厚韻
3038b	上加・109オ3・疊字	口	上	コウ	左注	k‘ʌu^{2}	厚韻
2148	上奴・076ウ6・動物	鵼	平	コウ	右傍	k‘ʌuŋ^{1}	東韻
1606b	上度・062ウ2・疊字	哭	入	コク	左注	k‘iʌuk	屋韻
0431b	上呂・019オ1・疊字	尅	入	コク	中注	k‘ʌk	徳韻
0460b	上呂・019ウ5・官職	尅	―	コク	右注	k‘ʌk	徳韻
3018b	上加・108ウ5・疊字	酷	入	コク	右注	k‘ɑuk	沃韻
0471a	上波・020オ4・天象	曲	入	コク	右傍	k‘iɑuk	燭韻
2575a	上加・095ウ4・人倫	乞	入	コツ	右傍	k‘iʌt	迄韻
0021	上伊・003オ1・地儀	窟	入	コツ	右傍	k‘uʌt	没韻
1850b	上池・069ウ4・疊字	困	去	コン	左注	k‘uʌn^{3}	慁韻
3021a	上加・108ウ6・疊字	拷	平濁	カウ	左注	(k‘ɑu^{2})	晧韻
2875b	上加・106ウ5・疊字	墾	上	メウ	左注	k‘ʌn^{2}	很韻
2797	上加・101ウ2・辞字	克	―	ヨク	右傍	k‘ʌk	徳韻
2069a	上利・075オ2・疊字	泣	平	リウ	左注	k‘iep	緝韻
1587b	上度・062オ5・疊字	纊	去	ワウ	左注	k‘uɑŋ^{3}	宕韻

【表C-07】下巻_溪母 k‘

番号	前田本所在	掲出字		仮名音注		中古音	韻目
4808b	下佐・054オ3・國郡	珂	―	カ	右傍	k‘ɑ^{1}	歌韻
6122b	下飛・093オ3・人躰	舸	平	カ	右傍	k‘ɑ^{1}	歌韻
6358b	下飛・099ウ7・國郡	珂	―	カ	右傍	k‘ɑ^{1}	歌韻
6360b	下飛・099ウ7・國郡	珂	―	カ	右傍	k‘ɑ^{1}	歌韻
6386b	下飛・100オ3・國郡	珂	―	カ	右傍	k‘ɑ^{1}	歌韻
6956b	下洲・121オ5・国郡	珂	―	カ	右傍	k‘ɑ^{1}	歌韻
6372b	下飛・100オ2・國郡	可	―	カ	右傍	k‘ɑ^{2}	哿韻
3606b	下古・010ウ2・疊字	可	平	カ	右注	k‘ɑ^{2}	哿韻
5349a	下師・071ウ4・人躰	欬	去	カイ	右傍	k‘ʌi^{3} 'ai^{3}	代韻 夬韻
6859a	下洲・116ウ1・雑物	揩	去	カイ	右傍	k‘ɐi$^{1/3}$	皆/怪韻
5031b	下木・061ウ6・疊字	巧	上	カウ	左注	k‘au$^{2/3}$	巧/効韻
4773b	下佐・053オ3・疊字	糠	上	カウ	左注	k‘ɑŋ^{1}	唐韻

5337	下師・071オ6・人躰	尻	平	カウ	右傍	k‘ɑu^{1}	豪韻
6749b	下世・112オ7・疊字	骹	平	カウ	右注	k‘au^{1}	肴韻
3645b	下古・011オ3・疊字	槁	上	カウ	左注	k‘ɑu^{2}	晧韻
6524b	下世・108オ1・人躰	瘍	入	カチ	右傍	k‘ɑt	曷韻
4975b	下木・061オ1・疊字	坎	上	カム	左注	k‘ʌm^{2}	感韻
4911	下木・058オ5・雜物	綺	—	キ	右傍	k‘ie^{2}	紙韻
5009a	下木・061ウ1・疊字	綺	上	キ	右注	k‘ie^{2}	紙韻
5111a	下木・063オ4・疊字	綺	—	キ	中注	k‘ie^{2}	紙韻
3866b	下江・017ウ6・疊字	起	平	キ	左注	k‘ɪɐi^{2}	止韻
5073a	下木・062ウ1・疊字	起	上	キ	左注	k‘ɪɐi^{2}	止韻
5102a	下木・063オ2・疊字	起	上	キ	左注	k‘ɪɐi^{2}	止韻
5116a	下木・063オ6・疊字	器	—	キ	左注	k‘iei^{3}	至韻
5037a	下木・061ウ7・疊字	器	去	キ	左注	k‘iei^{3}	至韻
5160a	下木・064オ1・疊字	器	—	キ	左注	k‘iei^{3}	至韻
5457b	下師・074ウ4・雜物	器	去	キ	右傍	k‘iei^{3}	至韻
4204b	下阿・029ウ1・人躰	氣	—	キ	右傍	k‘iʌi^{3} xiʌi^{3}	未韻 未韻
4884a	下木・057オ5・人躰	氣	—	キ	右注	k‘iʌi^{3} xiʌi^{3}	未韻 未韻
5063a	下木・062オ6・疊字	氣	—	キ	左注	k‘iʌi^{3} xiʌi^{3}	未韻 未韻
5065a	下木・062オ6・疊字	氣	—	キ	左注	k‘iʌi^{3} xiʌi^{3}	未韻 未韻
5066a	下木・062オ7・疊字	氣	去	キ	左注	k‘iʌi^{3} xiʌi^{3}	未韻 未韻
5114a	下木・063オ5・疊字	氣	去	キ	左注	k‘iʌi^{3} xiʌi^{3}	未韻 未韻
5147a	下木・063ウ5・疊字	氣	去	キ	左注	k‘iʌi^{3} xiʌi^{3}	未韻 未韻
6895b	下洲・119ウ7・疊字	氣	去	キ	右注	k‘iʌi^{3} xiʌi^{3}	未韻 未韻
4938a	下木・058ウ6・光彩	麹	—	キ [上]	右傍	k‘iʌuk	屋韻
4678b	下佐・051ウ1・疊字	穹	—	キウ	右傍	k‘iʌuŋ^{1}	東韻
4976a	下木・061オ2・疊字	丘	平	キウ	左注	k‘iʌu^{1}	尤韻
5110a	下木・063オ4・疊字	麹	—	キク	左注	k‘iʌuk	屋韻
6811a	下洲・114ウ2・植物	蛣	—	キツ	右傍	k‘iet	質韻
4984a	下木・061オ3・疊字	乞	入	キツ	左注	k‘iʌt	迄韻
5031a	下木・061ウ6・疊字	乞	入	キツ	左注	k‘iʌt	迄韻
4961a	下木・060ウ4・重點	軽	—	キヤウ	右傍	k‘ieŋ$^{1/3}$	清/勁韻
4961b	下木・060ウ4・重點	軽	—	キヤウ	右傍	k‘ieŋ$^{1/3}$	清/勁韻
5057a	下木・062オ5・疊字	輕	去	キヤウ	左注	k‘ieŋ$^{1/3}$	清/勁韻
4975a	下木・061オ1・疊字	坑	去	キヤウ	左注	k‘aŋ^{1}	庚韻

5204	下木・065オ4・官職	卿	平	キヤウ	中注	k‘iaŋ^{1}	庚韻
3827b	下江・017オ6・疊字	却	入	キヤク	左注	k‘iɑk	藥韻
5186a	下木・064オ6・疊字	却	入	キヤク	右注	k‘iɑk	藥韻
5272a	下師・069オ5・植物	却	—	キヤク	右注	k‘iɑk	藥韻
3984b	下手・022ウ2・疊字	去	去	キヨ	左注	k‘iʌ$^{2/3}$	語/御韻
6210	下飛・095ウ6・辞字	抾	平	キヨ	右傍	k‘iɐi^{1} k‘iɑp	之韻 業韻
4976b	下木・061オ2・疊字	墟	平	キヨ	左注	k‘iʌ^{1}	魚韻
4192	下阿・029オ4・人躰	孔	平	ク	右傍	k‘ʌuŋ^{2}	董韻
6101b	下飛・092ウ3・人倫	丘	上	ク	右注	k‘iʌu^{1}	尤韻
5605b	下師・080ウ7・疊字	苦	平濁	ク	左注	k‘uʌ$^{2/3}$	姥/暮韻
6682b	下世・111ウ1・疊字	駈	平	クウ	左注	k‘iuʌ$^{1/3}$	虞/遇韻
3685a	下古・011ウ5・疊字	空	平	クウ	中注	k‘ʌuŋ$^{1/3}$	東/送韻
5079b	下木・062ウ3・疊字	屈	入	クツ	中注	k‘iuʌt kiuʌt	物韻 物韻
6723b	下世・112オ2・疊字	窠	上	クワ	右傍	k‘uɑ^{1}	戈韻
5825b	下師・084ウ4・疊字	課	—	クワ	左注	k‘uɑ$^{1/3}$	戈/過韻
6218	下飛・096ウ3・辞字	恢	平	クワイ	右傍	k‘uʌi^{2}	灰韻
6179	下飛・094ウ7・雑物	籰	入	クワク	右傍	k‘uɑk dẓauk	鐸韻 覺韻
6811b	下洲・114ウ2・植物	蝠	—	クヰツ	右傍	k‘iuʌt	物韻
6968b	下木・062ウ3・疊字	屈	入	クヰツ	中注	k‘iuʌt kiuʌt	物韻 物韻
4291b	下阿・032ウ6・雑物	筐	平	クヰヤウ	右傍	k‘iuɑŋ^{1}	陽韻
5909d	下師・085ウ5・疊字	胷	—	クヰヨウ	右傍	k‘iɑuŋ^{1}	鍾韻
3847b	下江・017ウ2・疊字	曲	入	クヰヨク	左注	k‘iɑuk	燭韻
5770b	下師・084オ2・疊字	闕	入	クヱツ	左注	k‘iuɑt	月韻
4569	下佐・047オ5・雑物	棬	平	クヱン	右傍	k‘iuɑn^{1}	仙韻
5821b	下師・084ウ4・疊字	券	—	クヱン	左注	k‘iuɑn^{3}	願韻
5563b	下師・079ウ3・疊字	氣	—	ケ	右注	k‘iʌi^{3} xiʌi^{3}	未韻 未韻
6363b	下飛・100オ1・國郡	氣	—	ケ	右傍	k‘iʌi^{3} xiʌi^{3}	未韻 未韻
6500b	下世・106ウ6・地儀	慶	去	ケイ	右傍	k‘iaŋ^{3}	勁韻
3845b	下江・017ウ2・疊字	啓	上	ケイ	左注	k‘ei^{2}	薺韻
5004b	下木・061オ7・疊字	啓	—	ケイ	左注	k‘ei^{2}	薺韻
5803b	下師・084ウ1・疊字	啓	—	ケイ	左注	k‘ei^{2}	薺韻
5805b	下師・084ウ1・疊字	啓	上	ケイ	左注	k‘ei^{2}	薺韻
6475b	下毛・105ウ5・疊字	契	上濁	ケイ	右注	k‘ei^{3} k‘iʌt k‘et	霽韻 迄韻 屑韻
5203	下木・065オ4・官職	卿	平	ケイ	右注	k‘iaŋ^{1}	庚韻
5733b	下師・083オ5・疊字	隟	入	ケキ	右注	k‘iak	陌韻
6354b	下飛・099ウ1・疊字	隟	入	ケキ	右傍	k‘iak	陌韻

5608b	下師・081オ3・疊字	謙	平	ケム	中注	k‘em^{1}	添韻
4489b	下佐・044オ5・動物	嗛	上	ケム	右傍	k‘em^{2}	忝韻
4084a	下阿・025ウ4・植物	牽	平	ケン	右傍	k‘en$^{1/3}$	先/霰韻
6029a	下飛・090オ7・天象	牽	平	ケン	右傍	k‘en$^{1/3}$	先/霰韻
3645a	下古・011オ3・疊字	枯	平	コ	左注	k‘uʌ^{1}	模韻
6509	下世・107オ7・動物	鮬	平	コ	右傍	k‘uʌ^{1}	模韻
4591a	下佐・047ウ5・雑物	袴	去	コ	右傍	k‘uʌ^{3}	暮韻
6390b	下飛・100オ6・官職	庫	—	コ	右注	k‘uʌ^{3}	暮韻
3563b	下古・007オ7・雑物	韝	平	コウ	右傍	k‘ʌu^{1}	侯韻
3672a	下古・011ウ2・疊字	寇	去	コウ	左注	k‘ʌu^{3}	候韻
4212	下阿・030オ1・人事	寇	去	コウ	右傍	k‘ʌu^{3}	候韻
3426a	下古・006ウ4・雑物	箜	平	コウ	右注	k‘ʌuŋ^{1}	東韻
3653a	下古・011オ6・疊字	口	上	コウ	左注	k‘ʌu^{2}	厚韻
3588a	下古・010オ3・重點	尅	—	コク	右注	k‘ʌk	徳韻
3588b	下古・010オ3・重點	尅	—	コク	右注	k‘ʌk	徳韻
3656a	下古・011オ6・疊字	酷	—	コク	左注	k‘ɑuk	沃韻
3598a	下古・010オ6・疊字	曲	入	コク	左注	k‘iɑuk	燭韻
3716a	下古・012オ5・疊字	曲	—	コク	左注	k‘iɑuk	燭韻
4005b	下手・022ウ7・疊字	曲	入	コク	左注	k‘iɑuk	燭韻
3353a	下古・003ウ4・動物	乞	—	コツ	右注	k‘iʌt	迄韻
3708a	下古・012オ3・疊字	乞	入	コツ	右注	k‘iʌt	迄韻
3711a	下古・012オ4・疊字	乞	—	コツ	左注	k‘iʌt	迄韻
5082b	下木・062ウ4・疊字	困	—	コン	左注	k‘uʌn^{3}	慁韻
3622a	下古・010ウ5・疊字	懇	上	コン	右注	k‘ʌn^{2}	很韻
3693a	下古・011ウ7・疊字	懇	—	コン	左注	k‘ʌn^{2}	很韻
3694a	下古・011ウ7・疊字	懇	上	コン	左注	k‘ʌn^{2}	很韻
3695a	下古・011ウ7・疊字	懇	—	コン	左注	k‘ʌn^{2}	很韻
6203	下飛・095オ7・方角	坤	平	コン	右傍	k‘uʌn^{1}	魂韻
3651a	下古・011オ5・疊字	閫	上	コン	左注	k‘uʌn^{2}	混韻
4191	下阿・029オ4・人躰	竅	去	チウ	右傍	k‘eu^{3}	嘯韻
6750b	下世・112オ7・疊字	骹	平	ヤウ	右注	k‘au^{1}	肴韻

【表C-07】上巻_群母 g

番号	前田本所在	掲出字		仮名音注		中古音	韻目
2438a	上加・091ウ6・地儀	伽	去濁	カ	右注	giɑ^{1}	歌韻
2895a	上加・107オ2・疊字	伽	去濁	カ	左注	giɑ^{1}	歌韻
1498b	上度・057オ6・雑物	擎	—	カイ	右注	giɑŋ^{1}	庚韻
2940a	上加・107ウ4・疊字	強	平濁	カウ	左注	giɑŋ^{1}	陽韻
2951a	上加・107ウ6・疊字	強	平濁	カウ	左注	giɑŋ^{1}	陽韻
2954a	上加・107ウ7・疊字	強	去	カウ	左注	giɑŋ^{1}	陽韻
3001a	上加・108ウ2・疊字	強	平濁	カウ	左注	giɑŋ^{1}	陽韻
3010a	上加・108ウ4・疊字	強	去濁	カウ	左注	giɑŋ^{1}	陽韻

3042a	上加・109オ3・疊字	強	去濁	カウ	左注	$gia\eta^{1}$	陽韻
3061a	上加・109オ7・疊字	強	平濁	カウ	左注	$gia\eta^{1}$	陽韻
3114a	上加・110オ4・疊字	強	平濁	カウ	右注	$gia\eta^{1}$	陽韻
3038a	上加・109オ3・疊字	鉗	平	カム	左注	$giam^{1}$	鹽韻
3044a	上加・109オ4・疊字	強	去濁	カム	左注	$gia\eta^{1}$	陽韻
0648	上波・026オ6・雜物	旗	平	キ	右傍	$gi\text{ɐ}i^{1}$	之韻
1415	上度・054オ5・天象	朞	平	キ	右傍	$gi\text{ɐ}i^{1}$	之韻
0194	上伊・009ウ4・辞字	忌	—	キ	右傍	$gi\text{ɐ}i^{3}$	志韻
0238b	上伊・012ウ2・疊字	奇	平	キ	右注	gie^{1} kie^{1}	支韻 支韻
0249b	上伊・012ウ4・疊字	奇	平	キ	中注	gie^{1} kie^{1}	支韻 支韻
2713	上加・099オ5・雜物	錡	平	キ	右傍	$gie^{1/2}$ ηie^{2}	支/紙韻 紙韻
0550	上波・022ウ5・動物	鰭	平	キ	右傍	$giei^{1}$	脂韻
3277b	上波・034ウ5・國郡	耆	—	キ	右注	$giei^{1}$	脂韻
1987b	上利・072ウ7・植物	檎	平	キ	右傍	$giem^{1}$	侵韻
0100b	上伊・005オ7・動物	蟻	上濁	キ	右傍	$giue^{2}$	紙韻
0065b	上伊・004オ3・植物	梂	平	キウ	右傍	$gi\Lambda u^{1}$	尤韻
0585	上波・024オ3・人躰	鼽	平	キウ	右傍	$gi\Lambda u^{1}$	尤韻
1921b	上池・070ウ4・疊字	球	平濁	キウ	左注	$gi\Lambda u^{1}$	尤韻
2692	上加・098ウ6・雜物	裘	平	キウ	右傍	$gi\Lambda u^{1}$	尤韻
0565	上波・023オ5・人倫	舅	去	キウ	右傍	$gi\Lambda u^{2}$	有韻
2214b	上遠・080オ7・植物	藭	平	キウ	左傍	$gi\Lambda u\eta^{1}$	東韻
1443	上度・055オ7・動物	禽	平	キム	右傍	$giem^{1}$	侵韻
1535	上度・058ウ3・辞字	擒	平	キム	右傍	$giem^{1}$	侵韻
1262b	上保・048ウ5・疊字	強	平	キヤウ	右注	$gia\eta^{1}$	陽韻
0526b	上波・021ウ7・植物	蕖	平	キヨ	右傍	$gi\Lambda^{1}$	魚韻
1720	上池・065ウ5・植物	苣	上	キヨ	右傍	$gi\Lambda^{2}$	語韻
2168	上奴・078オ7・辞字	墐	—	キン	右傍	$gien^{1/3}$	眞/震韻
3092b	上加・109ウ6・疊字	瑾	去	キン	右注	$gien^{3}$	震韻
0287b	上伊・013オ5・疊字	懃	平濁	キン	右注	$gi\Lambda n^{1}$	欣韻
1891b	上池・070オ5・疊字	近	去	キン	左注	$gi\Lambda n^{2/3}$	隱/焮韻
0146	上伊・007ウ3・人事	劬	平	ク	右傍	$giu\Lambda^{1}$	虞韻
0211	上伊・011オ3・辞字	劬	平	ク	右傍	$giu\Lambda^{1}$	虞韻
2869b	上加・106ウ4・疊字	衢	平	ク	左注	$giu\Lambda^{1}$	虞韻
1432a	上度・055オ1・植物	瞿	平	ク	右傍	$giu\Lambda^{1}$ $kiu\Lambda^{3}$	虞韻 遇韻
1228b	上保・048オ5・疊字	句	平	ク	左注	$giu\Lambda^{1}$ $kiu\Lambda^{3}$ $k\Lambda u^{1/3}$	虞韻 遇韻 侯/候韻

1467	上度・056ウ1・人事	咎	—	ク	右傍	giʌu^{2} kɑu^{1}	有韻 豪韻
2213b	上遠・080オ7・植物	藭	平	ク	右傍	giʌuŋ^{1}	東韻
3290b	上邊・054オ3・姓氏	群	—	クリ	右注	giuʌn^{1}	文韻
3159a	上加・111ウ4・國郡	郡	—	クル	右傍	giuʌn^{3}	問韻
0059a	上伊・004オ2・植物	卷	去	クワン	右傍	giuɑn^{2} giuan$^{1/3}$ kiuan^{2}	阮韻 仙/線韻 獮韻
1312a	上邊・051ウ4・雜物	卷	去	クヱン	右傍	giuan$^{1/3}$ kiuan^{2} giuɑn^{2}	仙/線韻 獮韻 阮韻
0826b	上波・032ウ7・疊字	群	平	クン	左注	giuʌn^{1}	文韻
1263b	上保・048ウ5・疊字	群	平	クン	右注	giuʌn^{1}	文韻
2230	上遠・080ウ6・動物	鯨	平	ケイ	右傍	giaŋ^{1}	庚韻
0018b	上伊・002ウ6・地儀	橋	平	ケウ	右傍	giau^{1}	宵韻
1281b	上保・049ウ4・官職	橋	—	ケウ	右注	giau^{1}	宵韻
2471a	上加・092ウ4・植物	劇	入	ケキ	右傍	giak	陌韻
2735	上加・099ウ4・雜物	鉗	平	ケム	右傍	giam^{1}	鹽韻
2738	上加・099ウ6・雜物	鈐	平	ケム	右傍	giam^{1}	鹽韻
2739b	上加・099ウ6・雜物	鉗	平	ケム	右傍	giam^{1}	鹽韻
0188	上伊・009オ5・方角	乾	平	ケン	右傍	gian^{1} kɑn^{1}	仙韻 寒韻
0286b	上伊・013オ5・疊字	期	上濁	コ	右注	giɐi^{1}	之韻
0365a	上伊・015ウ5・国郡	巨	—	コ	右注	giʌ^{2}	語韻
3150a	上加・111ウ3・國郡	巨	—	コ	右傍	giʌ^{2}	語韻
1986b	上利・072ウ7・植物	檎	平	コウ	右注	giem^{1}	侵韻
0527	上波・021ウ7・植物	藕	上濁	コウ	右傍	gʌu^{2}	厚韻
2350b	上和・088オ7・雜物	琴	上濁	コン	右注	giem^{1}	侵韻
2999b	上加・108ウ2・疊字	勤	平濁	コン	左注	giʌn^{1}	欣韻
0663	上波・026ウ6・雜物	局		ハン	右注	giɑuk	燭韻

【表C-07】下巻_群母 g

番号	前田本所在	掲出字		仮名音注		中古音	韻目
4281b	下阿・032ウ3・雜物	伽	平	カ	右注	giɑ^{1}	歌韻
3394b	下古・005オ1・人事	碁	平	キ	右傍	giɐi^{1}	之韻
3559a	下古・007オ6・雜物	棊	平	キ	右傍	giɐi^{1}	之韻
3561a	下古・007オ6・雜物	碁	平	キ	右傍	giɐi^{1}	之韻
4868a	下木・056ウ2・動物	麒	平	キ	右傍	giɐi^{1}	之韻
5153a	下木・063ウ7・疊字	期	平	キ	左注	giɐi^{1}	之韻
5188a	下木・064オ7・疊字	淇	平	キ	右注	giɐi^{1}	之韻

6378a	下飛・100オ2・國郡	碁	―	キ	右傍	giɐi^{1}	之韻
5134b	下木・063ウ2・疊字	忌	平	キ	左注	giɐi^{3}	志韻
5135a	下木・063ウ3・疊字	忌	平	キ	中注	giɐi^{3}	志韻
4437	下佐・042ウ1・地儀	碕	平	キ	右傍	gie^{1} k‘ie$^{1/2}$ giʌi^{1}	支韻 支/紙韻 微韻
5090a	下木・062ウ6・疊字	竒	平	キ	左注	gie^{1} kie^{1}	支韻 支韻
5105a	下木・063オ3・疊字	竒	平	キ	中注	gie^{1} kie^{1}	支韻 支韻
5151a	下木・063ウ6・疊字	竒	上	キ	左注	gie^{1} kie^{1}	支韻 支韻
6934b	下洲・120ウ2・疊字	竒	平	キ	右注	gie^{1} kie^{1}	支韻 支韻
5131a	下木・063ウ2・疊字	騎	去	キ	左注	gie$^{1/3}$	支/寘韻
4901a	下木・057ウ5・人事	伎	―	キ	右注	gie^{2} gjie^{1} tśie^{3}	紙韻 支韻 寘韻
3581	下古・009オ3・辞字	耆	平	キ	右傍	giei^{1}	脂韻
6089	下飛・092オ4・動物	鰭	平	キ	右傍	giei^{1}	脂韻
4941	下木・059オ2・方角	畿	平	キ	右傍	giʌi^{1}	微韻
4988a	下木・061オ4・疊字	祈	去	キ	左注	giʌi^{1}	微韻
4989a	下木・061オ4・疊字	祈	去	キ	左注	giʌi^{1}	微韻
4992a	下木・061オ5・疊字	祈	去	キ	左注	giʌi^{1}	微韻
4993a	下木・061オ5・疊字	祈	去	キ	左注	giʌi^{1}	微韻
6422	下毛・102ウ1・人事	祈	平	キ	右傍	giʌi^{1}	微韻
6861	下洲・116ウ2・雑物	銶	平	キ	右傍	giʌu^{1}	尤韻
4172	下阿・028ウ3・人倫	仇	平	キウ	右傍	giʌu^{1}	尤韻
4930a	下木・058ウ3・雑物	毬	平	キウ	右傍	giʌu^{1}	尤韻
4931a	下木・058ウ3・雑物	裘	―	キウ	右傍	giʌu^{1}	尤韻
5069b	下木・062オ7・疊字	裘	平	キウ	左注	giʌu^{1}	尤韻
5035a	下木・061ウ7・疊字	舅	去	キウ	左注	giʌu^{2}	有韻
5318	下師・070ウ6・人倫	舅	去	キウ	右傍	giʌu^{2}	有韻
5164a	下木・064オ2・疊字	咎	―	キウ	左注	giʌu^{2} kɑu^{1}	有韻 豪韻
5168a	下木・064オ3・疊字	咎	去	キウ	右注	giʌu^{2} kɑu^{1}	有韻 豪韻
3658b	下古・011オ7・疊字	舊	去	キウ	左注	giʌu^{3}	宥韻
4971a	下木・060ウ7・疊字	舊	去	キウ	左注	giʌu^{3}	宥韻
5173a	下木・064オ4・疊字	舊	去	キウ	左注	giʌu^{3}	宥韻
5045a	下木・062オ2・疊字	窮	平 去	キウ	左注	giʌuŋ^{1}	東韻

5079a	下木・062ウ3・疊字	竆	平	キウ	中注	giʌuŋ^{1}	東韻
6968a	下木・062ウ3・疊字	竆	平	キウ	中注	giʌuŋ^{1}	東韻
5082a	下木・062ウ4・疊字	竆	—	キウ	左注	giʌuŋ^{1}	東韻
5190a	下木・064オ7・疊字	及	入	キフ	右注	giep	緝韻
4921	下木・058ウ1・雜物	琴	平	キム	右傍	giem^{1}	侵韻
5191a	下木・064オ7・疊字	禽	平	キム	左注	giem^{1}	侵韻
5108a	下木・063オ3・疊字	黔	平	キム	左注	giem^{1} giam^{1}	侵韻 鹽韻
5166a	下木・064オ2・疊字	覲	—	キム	左注	gien^{3}	震韻
5085a	下木・062ウ5・疊字	勤	平	キム	左注	giʌn^{1}	欣韻
3417a	下古・006オ7・飲食	強	平	キヤウ	右傍	giaŋ^{1}	陽韻
3578	下古・009オ1・辞字	強	平	キヤウ	右傍	giaŋ^{1}	陽韻
3580	下古・009オ2・辞字	彊	平	キヤウ	右傍	giaŋ$^{1/2}$ kiaŋ^{3}	陽/養韻 漾韻
3852b	下江・017ウ3・疊字	劇	入	キヤク	左注	giak	陌韻
4256a	下阿・032オ5・雜物	籧	平	キヨ	右傍	giʌ^{1}	魚韻
4129	下阿・027オ4・動物	距	上	キヨ	右傍	giʌ^{2}	語韻
5107a	下木・063オ3・疊字	巨	去	キヨ	左注	giʌ^{2}	語韻
5177a	下木・064オ5・疊字	巨	去	キヨ	右注	giʌ^{2}	語韻
3559b	下古・007オ6・雜物	局	入	キヨク	右傍	giauk	燭韻
5048a	下木・062オ2・疊字	跼	入	キヨク	左注	giauk	燭韻
6068b	下飛・091ウ2・植物	芩	—	キン	右傍	giem^{1}	侵韻
3957b	下手・022オ4・疊字	覲	去	キン	左注	gien^{3}	震韻
5081b	下木・062ウ4・疊字	饉	平	キン	左注	gien^{3}	震韻
5084a	下木・062ウ4・疊字	勤	平	キン	左注	giʌn^{1}	欣韻
5170a	下木・064オ3・疊字	勤	平	キン	左注	giʌn^{1}	欣韻
5171a	下木・064オ3・疊字	勤	平	キン	左注	giʌn^{1}	欣韻
5172a	下木・064オ4・疊字	勤	平	キン	左注	giʌn^{1}	欣韻
6506	下世・107オ3・植物	芹	平	キン	右傍	giʌn^{1}	欣韻
4957a	下木・060ウ4・重點	近	—	キン	右傍	giʌn$^{2/3}$	隠/焮韻
4957b	下木・060ウ4・重點	近	—	キン	右傍	giʌn$^{2/3}$	隠/焮韻
4978a	下木・061オ2・疊字	近	去	キン	左注	giʌn$^{2/3}$	隠/焮韻
5083a	下木・062ウ4・疊字	近	去	キン	中注	giʌn$^{2/3}$	隠/焮韻
4593	下佐・047ウ6・雑物	欋	平	ク	右傍	giuʌ^{1}	虞韻
5047b	下木・062オ2・疊字	懼	上	ク	左注	giuʌ^{3}	遇韻
5725b	下師・083オ3・疊字	具	平	ク	左注	giuʌ^{3}	遇韻
6385a	下飛・100オ3・國郡	球	—	ク	右傍	giʌu^{1}	尤韻
6282b	下飛・098オ6・疊字	竆	上	ク	左注	giʌuŋ^{1}	東韻
4400b	下阿・040ウ5・国郡	群	—	クリ	右傍	giuʌn^{1}	文韻
6164	下飛・094ウ3・雜物	櫃	去	クヰ	右傍	giuei^{3}	至韻
3965b	下手・022オ5・疊字	狂	平	クヰヤウ	中注	giuaŋ$^{1/3}$	陽/漾韻
6418b	下毛・102オ4・人躰	狂	平	クヰヤウ	右傍	giuaŋ$^{1/3}$	陽/漾韻

6912b	下洲・120オ4・疊字	拱	上	クヰヨウ	左注	giauŋ^{1}	腫韻
6071a	下飛・091ウ4・植物	菌	上	クヰン	右傍	giuen^{2} giuɑn^{2}	準韻 阮韻
3380	下古・004オ7・人躰	拳	平	クヱン	右傍	giuan^{1}	仙韻
5683b	下師・082オ7・疊字	攉	平	クヱン	左注	giuan^{1}	仙韻
5707b	下師・082ウ6・疊字	巻	去	クヱン	右傍	giuan$^{1/3}$ kiuan^{2} giuɑn^{2}	仙/線韻 獮韻 阮韻
6437	下毛・103オ4・雑物	裙	平	クン	右傍	giuʌn^{1}	文韻
4620	下佐・049オ5・辞字	擎	平	ケイ	右傍	giaŋ^{1}	庚韻
5246	下由・067ウ6・雑物	檠	平	ケイ	右傍	giaŋ$^{1/3}$	庚/映韻
6751b	下世・112オ7・疊字	槗	平	ケウ	右注	giau^{1}	宵韻
4273	下阿・032ウ1・雑物	屐	―	ケキ [□平]	右傍	giak	陌韻
3860b	下江・017ウ5・疊字	傑	入	ケツ	左注	giat	薛韻
6076	下飛・091ウ7・動物	鳹	平	ケム	右傍	giam^{1}	鹽韻
5262b	下師・069オ1・地儀	乾	平	ケン	右傍	gian^{1} kɑn^{1}	仙韻 寒韻
3395b	下古・005オ1・人事	碁	平	コ	右注	giɐi^{1}	之韻
3558	下古・007オ6・雑物	棊	平	コ	右注	giɐi^{1}	之韻
6978a	下古・007オ6・雑物	棊	平	コ	右注	giɐi^{1}	之韻
3854b	下江・017ウ4・疊字	期	平	コ	左注	giɐi^{1}	之韻
4775b	下佐・053オ3・疊字	期	―	コ	左注	giɐi^{1}	之韻
3732a	下古・013ウ1・官職	健	―	コ	左注	giɑn^{3}	願韻
5409b	下師・073ウ6・雑物	磲	平	コ	右傍	giʌ^{1}	魚韻
3679a	下古・011ウ4・疊字	巨	去	コ	左注	giʌ^{2}	語韻
3735a	下古・013ウ3・姓氏	巨	―	コ	右注	giʌ^{2}	語韻
3639a	下古・011オ2・疊字	拒	去	コ	左注	giʌ^{2}	語韻
5795b	下師・084オ6・疊字	極	―	コク	左注	giɐk	職韻
3629a	下古・010ウ7・疊字	近	平	コン	中注	giʌn$^{2/3}$	隠/焮韻
3730a	下古・013オ7・官職	近	―	コン	中注	giʌn$^{2/3}$	隠/焮韻
5694b	下師・082ウ2・疊字	近	平濁	コン	左注	giʌn$^{2/3}$	隠/焮韻
6898b	下洲・119ウ7・疊字	近	平	コン	中注	giʌn$^{2/3}$	隠/焮韻
6978b	下古・007オ6・雑物	局	入	ハン	右注	giɑuk	燭韻
6831	下洲・115ウ5・飲食	鮨	去	シ	右傍	giei^{1}	脂韻

【表C-07】上巻_疑母 ŋ

番号	前田本所在	掲出字		仮名音注		中古音	韻目
2938a	上加・107ウ4・疊字	雅	上濁	カ	左注	ŋa^{2}	馬韻
3063a	上加・109ウ1・疊字	雅	平濁 去濁	カ	中注	ŋa^{2}	馬韻
3064a	上加・109ウ1・疊字	雅	去濁	カ	左注	ŋa^{2}	馬韻

3065a	上加・109ウ1・疊字	雅	上濁	カ	左注	ŋa²	馬韻
2434	上加・091ウ5・地儀	衙	—	カ ［平濁］	右注	ŋa¹	麻韻
2520	上加・094オ4・動物	鵝	平濁	カ	右傍	ŋɑ¹	歌韻
2851a	上加・106オ6・重點	峨	—	カ	右注	ŋɑ¹	歌韻
2851b	上加・106オ6・重點	峨	—	カ	右注	ŋɑ¹	歌韻
3122a	上加・110オ5・疊字	鵝	平濁	カ	右注	ŋɑ¹	歌韻
3127a	上加・110オ6・疊字	鵝	平	カ	右注	ŋɑ¹	歌韻
2929a	上加・107ウ2・疊字	娥	平濁	カ	左注	ŋɑ¹	歌韻
2949a	上加・107ウ6・疊字	我	平濁	カ	左注	ŋɑ²	哿韻
3115a	上加・110オ4・疊字	我	平濁	カ	右注	ŋɑ²	哿韻
2577a	上加・095ウ7・人倫	餓	平濁	カ	右傍	ŋɑ³	箇韻
2994a	上加・108ウ1・疊字	餓	去濁	カ	左注	ŋɑ³	箇韻
2880a	上加・106ウ6・疊字	涯	平濁	カイ	中注	ŋe¹	佳韻
3082a	上加・109ウ4・疊字	涯	平	カイ	左注	ŋe¹	佳韻
3100a	上加・110オ1・疊字	涯	去濁	カイ	右注	ŋe¹	佳韻
2946a	上加・107ウ5・疊字	睚	去濁	カイ	左注	ŋe^1/3	佳/卦韻
2742a	上加・100オ1・雜物	艾	去	カイ	右注	ŋai³ ŋiai³	泰韻 廢韻
2932a	上加・107ウ2・疊字	艾	去濁	カイ	左注	ŋai³ ŋiai³	泰韻 廢韻
0863b	上波・033オ7・疊字	艾	去濁	カイ	右注	ŋai³ ŋiai³	泰韻 廢韻
3186	上与・113ウ6・植物	艾	去濁	カイ	右傍	ŋai³ ŋiai³	泰韻 廢韻
3183	上与・113ウ4・地儀	枊	去	カウ	右傍	ŋɑŋ^1/3	唐/宕韻
2551	上加・094ウ7・動物	鰲	平濁	カウ	右傍	ŋɑu¹	豪韻
2819	上加・102ウ7・辞字	翺	平	カウ	右傍	ŋɑu¹	豪韻
2847a	上加・106オ6・重點	嗷	平濁	カウ	右注	ŋɑu¹	豪韻
2847b	上加・106オ6・重點	嗷	平濁	カウ	右注	ŋɑu¹	豪韻
2961a	上加・108オ1・疊字	遨	—	カウ	中注	ŋɑu¹	豪韻
3090a	上加・109ウ6・疊字	傲	去	カウ	右注	ŋɑu³	号韻
2892b	上加・107オ1・疊字	仰	平濁	カウ	中注	ŋiaŋ^2/3	養/漾韻
0487b	上波・020ウ4・地儀	額	入	カク	右傍	ŋak	陌韻
3291	上奴・077オ5・人躰	額	—	カク	右傍	ŋak	陌韻
2770	上加・100ウ1・雜物	額	—	カク ［上上］	右注	ŋak	陌韻
2197	上遠・080オ1・地儀	岳	—	カク	右傍	ŋauk	覺韻
2769	上加・100ウ1・雜物	樂	—	カク ［平濁平］	右注	ŋauk lɑk ŋau³	覺韻 鐸韻 效韻
3062a	上加・109オ7・疊字	樂	入濁	カク	左注	ŋauk lɑk ŋau³	覺韻 鐸韻 效韻

3063b	上加・109ウ1・疊字	樂	入濁	カク	中注	ŋauk lɑk ŋau[3]	覺韻 鐸韻 効韻
0523	上波・021ウ4・植物	蕚	入濁	カク	右傍	ŋɑk	鐸韻
0016	上伊・002ウ5・地儀	巖	平濁	カム	右傍	ŋam[1]	銜韻
3245b	上与・117ウ3・疊字	顔	平濁	カム	左注	ŋan[1]	刪韻
2541	上加・094ウ4・動物	鼇	平	カム	右傍	ŋɑu[1]	豪韻
2877a	上加・106ウ5・疊字	嚴	平濁	カム	左注	ŋiɑm[1]	嚴韻
1074a	上保・043オ6・人躰	顔	平濁	カン	右傍	ŋan[1]	刪韻
1192b	上保・047ウ4・疊字	顔	平濁	カン	左注	ŋan[1]	刪韻
2390b	上和・090オ4・疊字	顔	平濁	カン	中注	ŋan[1]	刪韻
2950a	上加・107ウ6・疊字	顔	平	カン	左注	ŋan[1]	刪韻
2454a	上加・092オ2・地儀	鴈	去濁	カン	右注	ŋan[3]	諫韻
2894a	上加・107オ2・疊字	鴈	去濁	カン	左注	ŋan[3]	諫韻
2912a	上加・107オ5・疊字	鴈	去濁	カン	左注	ŋan[3]	諫韻
3006a	上加・108ウ3・疊字	鴈	去濁	カン	左注	ŋan[3]	諫韻
2943a	上加・107ウ5・疊字	眼	平濁	カン	左注	ŋɐn[2]	産韻
2948b	上加・107ウ6・疊字	眼	上濁	カン	左注	ŋɐn[2]	産韻
3122b	上加・110オ5・疊字	眼	上濁	カン	右注	ŋɐn[2]	産韻
3193b	上与・114オ3・動物	眼	上	カン	右傍	ŋɐn[2]	産韻
1520b	上度・057ウ6・雜物	犴	去濁	カン	右注	ŋɑn[1/3]	寒/翰韻
1810b	上池・069オ3・疊字	岸	去濁	カン	左注	ŋɑn[3]	翰韻
2880b	上加・106ウ6・疊字	岸	去濁	カン	中注	ŋɑn[3]	翰韻
1868b	上池・070オ1・疊字	疑	平濁	キ	左注	ŋiɐi[1]	之韻
1869b	上池・070オ1・疊字	疑	上濁	キ	左注	ŋiɐi[1]	之韻
0562b	上波・023オ5・人倫	儀	平濁	キ	右傍	ŋie[1]	支韻
1190b	上保・047ウ4・疊字	儀	平濁	キ	右注	ŋie[1]	支韻
3243b	上与・117ウ2・疊字	儀	平濁	キ	左注	ŋie[1]	支韻
0372b	上伊・015ウ6・国郡	義	―	キ	右傍	ŋie[3]	寘韻
0433b	上呂・019オ1・疊字	議	平濁	キ	左注	ŋie[3]	寘韻
2048b	上利・074ウ4・疊字	義	平濁	キ	左注	ŋie[3]	寘韻
2394b	上和・090オ5・疊字	議	上濁	キ	左注	ŋie[3]	寘韻
0624	上波・025ウ1・人事	劓	去濁	キ	右傍	ŋiei[3]	至韻
3252b	上与・117ウ4・疊字	毅	去濁	キ	左注	ŋiʌi[3]	未韻
0007b	上伊・002オ4・天象	牛	平	キウ	右傍	ŋiʌu[1]	尤韻
3051b	上加・109オ5・疊字	吟	平	キム	左注	ŋiem[1/3]	侵/沁韻
1978b	上池・072オ3・官職	額	―	キヤク	右注	ŋak	陌韻
1207b	上保・047ウ7・疊字	虐	入濁	キヤク	左注	ŋiɑk	藥韻
2304a	上和・086ウ7・人躰	瘧	―	キヤク	右傍	ŋiɑk	藥韻
0836b	上波・033オ2・疊字	虐	入濁	キヤク	右注	ŋiɑk	藥韻
0084	上伊・004ウ6・動物	魚	平	キヨ	右傍	ŋiʌ[1]	魚韻
0105a	上伊・005ウ5・人倫	漁	平	キヨ	右傍	ŋiʌ[1]	魚韻
0950b	上仁・037オ1・動物	魚	上濁	キヨ	右傍	ŋiʌ[1]	魚韻

1353b	上邊・053オ1・疊字	魚	平	キヨ	左注	ŋiʌ^{1}	魚韻
2532	上加・094ウ1・動物	䲆	—	キヨ	右傍	ŋiʌ^{1}	魚韻
0186	上伊・009オ1・雜物	籞	上濁	キヨ	右傍	ŋiʌ^{2}	語韻
0786b	上波・032オ6・疊字	語	上濁	キヨ	右注	ŋiʌ$^{2/3}$	語/御韻
0878b	上波・033ウ3・疊字	語	上濁	キヨ	右注	ŋiʌ$^{2/3}$	語/御韻
1562	上度・060ウ4・辞字	凝	平濁	キヨウ	右傍	ŋieŋ$^{1/3}$	蒸/證韻
0840b	上波・033オ2・疊字	玉	入濁	キヨク	中注	ŋiauk	燭韻
1900b	上池・070オ7・疊字	吟	平	キン	左注	ŋiem$^{1/3}$	侵/沁韻
1134	上保・045ウ7・方角	垠	平	キン	右傍	ŋien^{1} ŋiʌn^{1} ŋʌn^{1}	眞韻 欣韻 痕韻
2787	上加・101オ3・方角	垠	平濁	キン	右傍	ŋien^{1} ŋiʌn^{1} ŋʌn^{1}	眞韻 欣韻 痕韻
0574	上波・023ウ5・人躰	齗	平濁	キン	右傍	ŋiʌn^{1} ŋien^{2}	欣韻 軫韻
0958	上仁・037ウ5・人事	齗	平	キン	右傍	ŋiʌn^{1} ŋien^{2}	欣韻 軫韻
0453b	上呂・019オ5・疊字	愚	平	ク	右注	ŋiuʌ^{1}	虞韻
2224b	上遠・080ウ3・動物	鸆	平濁	ク	右傍	ŋiuʌ^{1}	虞韻
2249	上遠・082オ3・人事	愚	平	ク	右傍	ŋiuʌ^{1}	虞韻
2990b	上加・108オ7・疊字	愚	平濁	ク	左注	ŋiuʌ^{1}	虞韻
2591	上加・096オ4・人體	髃	平	ク	右傍	ŋiuʌ^{1} ŋʌu^{2}	虞韻 厚韻
2768	上加・100ウ1・雜物	瓦	去濁	クワ	右傍	ŋua$^{2/3}$	馬/禡韻
0543	上波・022ウ2・動物	鮠	平	クワ	右傍	ŋuʌi^{1}	灰韻
0566a	上波・023オ6・人倫	外	去濁	クワイ	右傍	ŋuɑi^{3}	泰韻
1524	上度・058オ3・方角	外	—	クワイ	右傍	ŋuɑi^{3}	泰韻
2095b	上利・075オ6・疊字	外	平	クワイ	左注	ŋuɑi^{3}	泰韻
2127b	上利・075ウ6・疊字	外	去	クワイ	左注	ŋuɑi^{3}	泰韻
0891b	上波・033ウ6・疊字	月	入濁	クワツ	右注	ŋiuɑt	月韻
2638	上加・097ウ1・人事	頑	平	クワン	右傍	ŋuan^{1}	删韻
0475	上波・020オ6・地儀	原	平濁	クヱン	右傍	ŋiuɑn^{1}	元韻
2539	上加・094ウ4・動物	黿	平濁	クヱン	右傍	ŋiuɑn^{1} ŋuɑn^{1}	元韻 桓韻
2559a	上加・095オ2・動物	蚖	平	クヱン	右傍	ŋiuɑn^{1} ŋuɑn^{1}	元韻 桓韻
0923	上仁・035ウ7・天象	霓	平	ケイ	右傍	ŋei$^{1/3}$ ŋet	齊/霽韻 屑韻
0884b	上波・033ウ4・疊字	迎	平	ケイ	右注	ŋiaŋ$^{1/3}$	庚/映韻
1767a	上池・067ウ4・雜物	逆	入	ケキ	右傍	ŋiak	陌韻
2565a	上加・095オ6・動物	齧	入	ケツ	右傍	ŋet	屑韻

3214	上与・115ウ1・人事	孽	入濁	ケツ	右傍	ŋiat	薛韻
1332b	上邊・052ウ4・疊字	業	入濁	ケフ	左注	ŋiap	業韻
2459b	上加・092オ4・地儀	業	入	ケフ	右傍	ŋiap	業韻
2047b	上利・074ウ4・疊字	驗	平濁	ケム	左注	ŋiam^{3}	豔韻
1931b	上池・070ウ6・疊字	嚴	平濁	ケム	左注	ŋiam^{1}	嚴韻
2755a	上加・100オ4・雜物	嚴	平濁	ケム	右傍	ŋiam^{1}	嚴韻
2052b	上利・074ウ5・疊字	言	平濁	ケム	左注	ŋiɑn^{1}	元韻
2075b	上利・075オ3・疊字	言	平濁	ケム	左注	ŋiɑn^{1}	元韻
2973b	上加・108オ4・疊字	言	平濁	ケム	左注	ŋiɑn^{1}	元韻
2974b	上加・108オ4・疊字	言	平濁	ケム	左注	ŋiɑn^{1}	元韻
3030b	上加・109オ1・疊字	言	平	ケム	左注	ŋiɑn^{1}	元韻
1280b	上保・049ウ4・官職	眼	―	ケン	右注	ŋɐn^{2}	產韻
3225	上与・116オ5・辞字	妍	―	ケン	右傍	ŋen^{1}	先韻
0439b	上呂・019オ2・疊字	言	平濁	ケン	右注	ŋiɑn^{1}	元韻
1361b	上邊・053オ3・疊字	言	平濁	ケン	左注	ŋiɑn^{1}	元韻
2308	上和・087オ2・人事	言	平濁	ケン	右傍	ŋiɑn^{1}	元韻
1164b	上保・047オ6・疊字	語	平濁	コ	左注	ŋiʌ$^{2/3}$	語/御韻
2969b	上加・108オ3・疊字	語	上濁	コ	左注	ŋiʌ$^{2/3}$	語/御韻
1000b	上仁・040オ5・疊字	御	平濁	コ	右注	ŋiʌ^{3}	御韻
2508a	上加・093ウ4・植物	吴	平濁	コ	右傍	ŋuʌ^{1}	模韻
2934b	上加・107ウ3・疊字	悟	平濁	コ	左注	ŋuʌ^{3}	暮韻
2242a	上遠・081オ7・人體	齵	平濁	コウ	右傍	ŋʌu^{1} ŋiuʌ^{1}	侯韻 虞韻
0789b	上波・032オ6・疊字	偶	上濁	コウ	右注	ŋʌu$^{2/3}$	厚/候韻
0776b	上波・032オ4・疊字	言	上濁	コン	中注	ŋiɑn^{1}	元韻
1968c	上池・071ウ7・官職	言	―	コン	右注	ŋiɑn^{1}	元韻
0078	上伊・004ウ3・動物	獒	平	ハウ	右傍	ŋɑu^{1}	豪韻

【表C-07】下巻_疑母 ŋ

番号	前田本所在	掲出字		仮名音注		中古音	韻目
3333b	下古・002ウ4・植物	牙	平濁	カ	右傍	ŋa^{1}	麻韻
4490	下佐・044オ5・動物	牙	平濁	カ	右傍	ŋa^{1}	麻韻
4643b	下佐・050ウ7・疊字	衙	平濁	カ	左注	ŋa^{1}	麻韻
4713b	下佐・052オ1・疊字	牙	平	カ	左注	ŋa^{1}	麻韻
4885	下木・057オ5・人躰	牙	平濁	カ	右傍	ŋa^{1}	麻韻
4622	下佐・049ウ3・辞字	峩	―	カ	右傍	ŋɑ^{1}	歌韻
4815b	下佐・054オ5・國郡	峨	―	カ	右傍	ŋɑ^{1}	歌韻
5475a	下師・075オ3・光彩	鵝	平濁	カ	右傍	ŋɑ^{1}	歌韻
6093	下飛・092オ5・動物	蛾	平濁	カ	右傍	ŋɑ^{1} ŋie^{2}	歌韻 紙韻

6338b	下飛・099オ2・疊字	蛾	―	カ	左注	ŋɑ^{1} ŋie^{2}	歌韻 紙韻
3729b	下古・013オ5・国郡	我	―	カ	右注	ŋɑ^{2}	哿韻
5960b	下師・087オ6・姓氏	我	―	カ	右注	ŋɑ^{2}	哿韻
4840	下木・055ウ3・地儀	涯	平濁	カイ	右傍	ŋɐ^{1} ŋie^{1}	佳韻 支韻
4841	下木・055ウ3・地儀	崖	平濁	カイ	右傍	ŋɐ^{1} ŋie^{1}	佳韻 支韻
5810b	下師・084ウ2・疊字	涯	平濁	カイ	右注	ŋɐ^{1} ŋie^{1}	佳韻 支韻
4398b	下阿・040オ4・疊字	艾	―	カイ	右傍	ŋɑi^{3} ŋiɑi^{3}	泰韻 廢韻
6443b	下毛・103オ6・雜物	額	―	カウ	右注	ŋak	陌韻
5780b	下師・084オ4・疊字	仰	平濁	カウ	左注	ŋiɑŋ$^{2/3}$	養/漾韻
6111	下飛・092ウ7・人躰	額	入濁	カク	右傍	ŋak	陌韻
3899b	下手・020オ4・人事	樂	―	カク	左注	ŋauk lɑk ŋau^{3}	覺韻 鐸韻 効韻
4175	下阿・028ウ7・人躰	腭	入濁	カク	右傍	ŋɑk	鐸韻
5281b	下師・069ウ1・植物	蕚	―	カク	右注	ŋɑk	鐸韻
5870b	下師・085オ5・疊字	蕚	入濁	カク	右注	ŋɑk	鐸韻
4531b	下佐・046オ3・人事	樂	―	カク ［平濁平］	右注	ŋauk lɑk ŋau^{3}	覺韻 鐸韻 効韻
5192a	下木・064ウ2・疊字	喦	平	カム	右傍	ŋɐm^{1} ńiap	咸韻 葉韻
6920b	下洲・120オ5・疊字	顔	―	カン	左注	ŋan^{1}	刪韻
6012b	下會・089ウ3・疊字	岸	去	カン	左注	ŋɑn^{3}	翰韻
5458b	下師・074ウ4・雜物	眼	―	カン ［上濁上］	右注	ŋɐn^{2}	産韻
3642b	下古・011オ2・疊字	疑	平	キ	左注	ŋiɐi^{1}	之韻
5062a	下木・062オ6・疊字	疑	去濁	キ	左注	ŋiɐi^{1}	之韻
5185a	下木・064オ6・疊字	疑	平	キ	右注	ŋiɐi^{1}	之韻
5118a	下木・063オ6・疊字	擬	上	キ	左注	ŋiɐi^{2}	止韻
5128a	下木・063ウ1・疊字	擬	去	キ	左注	ŋiɐi^{2}	止韻
5798b	下師・084オ7・疊字	擬	去濁	キ	左注	ŋiɐi^{2}	止韻
4551a	下佐・046ウ3・飲食	冝	―	キ	右傍	ŋie^{1}	支韻
4555	下佐・046ウ5・飲食	冝	平	キ	右傍	ŋie^{1}	支韻
4847a	下木・055ウ5・地儀	冝	平	キ	右傍	ŋie^{1}	支韻
5017a	下木・061ウ3・疊字	儀	平	キ	左注	ŋie^{1}	支韻
5115a	下木・063オ5・疊字	冝	―	キ	右注	ŋie^{1}	支韻
5148a	下木・063ウ6・疊字	儀	平	キ	左注	ŋie^{1}	支韻
5954c	下師・087オ3・官職	儀	―	キ	右注	ŋie^{1}	支韻

6323b	下飛・098ウ6・疊字	宜	平	キ	右注	ŋie^{1}	支韻
5101a	下木・063オ2・疊字	議	平	キ	左注	ŋie^{3}	寘韻
5149a	下木・063ウ6・疊字	議	平濁	キ	左注	ŋie^{3}	寘韻
5150a	下木・063ウ6・疊字	義	去濁	キ	左注	ŋie^{3}	寘韻
5901b	下師・085ウ3・疊字	議	—	キ	右傍	ŋie^{3}	寘韻
6495b	下世・106ウ5・地儀	義	去	キ	右傍	ŋie^{3}	寘韻
6630b	下世・110ウ6・疊字	議	平	キ	左注	ŋie^{3}	寘韻
5476c	下師・075オ3・光彩	皚	平	キ	右傍	ŋʌi^{1}	咍韻
4894	下木・057ウ3・人事	議	—	キ ［去濁］	右注	ŋie^{3}	寘韻
4895	下木・057ウ3・人事	儀	—	キ ［平濁］	右注	ŋie^{1}	支韻
4893	下木・057ウ3・人事	義	平濁	キ ［去濁］ ［平］	右注	ŋie^{3}	寘韻
5183a	下木・064オ6・疊字	牛	平	キウ	右注	ŋiʌu^{1}	尤韻
6029b	下飛・090オ7・天象	牛	平濁	キウ	右傍	ŋiʌu^{1}	尤韻
6808b	下洲・114オ7・動物	牛	—	キウ	右傍	ŋiʌu^{1}	尤韻
5133a	下木・063ウ2・疊字	牛	—	（キウ）	左注	ŋiʌu^{1}	尤韻
5036a	下木・061ウ7・疊字	吟	平濁	キム	左注	ŋiem$^{1/3}$	侵/沁韻
5071a	下木・062ウ1・疊字	吟	平	キム	中注	ŋiem$^{1/3}$	侵/沁韻
6940b	下洲・120ウ3・疊字	吟	平濁	キム	右傍	ŋiem$^{1/3}$	侵/沁韻
5857b	下師・085オ2・疊字	銀	平濁	キム	右注	ŋien^{1}	眞韻
4933a	下木・058ウ4・雜物	銀	—	キム ［平濁平］	右注	ŋien^{1}	眞韻
4732b	下佐・052オ6・疊字	仰	上濁	キヤウ	左注	ŋiaŋ$^{2/3}$	養/漾韻
5139a	下木・063ウ3・疊字	仰	上	キヤウ	左注	ŋiaŋ$^{2/3}$	養/漾韻
5126a	下木・063ウ1・疊字	逆	入	キヤク	左注	ŋiak	陌韻
4899	下木・057ウ5・人事	虐	入濁	キヤク	右注	ŋiak	藥韻
3351b	下古・003オ3・植物	凝	平濁	キヨ	右傍	ŋiəŋ$^{1/3}$	蒸/證韻
5120a	下木・063オ7・疊字	凝	平濁	キヨ	左注	ŋiəŋ$^{1/3}$	蒸/證韻
4871a	下木・056ウ4・動物	魚	平濁	キヨ	右傍	ŋiʌ^{1}	魚韻
4917a	下木・058オ7・雜物	魚	平濁	キヨ	中注	ŋiʌ^{1}	魚韻
4966a	下木・060ウ6・疊字	魚	平濁	キヨ	右傍	ŋiʌ^{1}	魚韻
5092a	下木・062ウ7・疊字	魚	平	キヨ	中注	ŋiʌ^{1}	魚韻
4986a	下木・061オ4・疊字	漁	平	キヨ	左注	ŋiʌ^{1}	魚韻
6825	下洲・115ウ1・人事	漁	平	キヨ	右傍	ŋiʌ^{1}	魚韻
6826	下洲・115ウ1・人事	敔	平	キヨ	右傍	ŋiʌ^{1}	魚韻
3652b	下古・011オ5・疊字	語	上濁	キヨ	左注	ŋiʌ$^{2/3}$	語/御韻
5664b	下師・082オ2・疊字	語	上濁	キヨ	左注	ŋiʌ$^{2/3}$	語/御韻
5169a	下木・064オ3・疊字	御	—	キヨ	左注	ŋiʌ^{3}	御韻
5012a	下木・061ウ2・疊字	御	上	キヨ	左注	ŋiʌ^{3}	御韻
4846a	下木・055ウ5・地儀	凝	平濁	キヨウ	右傍	ŋiəŋ$^{1/3}$	蒸/證韻
5136a	下木・063ウ3・疊字	凝	平	キヨウ	左注	ŋiəŋ$^{1/3}$	蒸/證韻

5178b	下木・064オ5・疊字	嶷	平濁	キヨク	右注	ŋiɐk ŋiɐi^{1}	職韻 之韻
5847b	下師・085オ1・疊字	玉	―	キヨク	右注	ŋiauk	燭韻
3875a	下手・018ウ4・天象	銀	平濁	キン	左注	ŋien^{1}	眞韻
4964a	下木・060ウ6・疊字	銀	平濁	キン	右傍	ŋien^{1}	眞韻
4965a	下木・060ウ6・疊字	銀	―	キン	右傍	ŋien^{1}	眞韻
5403	下師・073ウ5・雜物	銀	平濁	キン	右傍	ŋien^{1}	眞韻
6133	下飛・093ウ2・人事	嚚	平濁	キン	右傍	ŋien^{1}	眞韻
6832b	下洲・116オ2・雜物	銀	平濁	キン	右傍	ŋien^{1}	眞韻
4962a	下木・060ウ4・重點	狺	―	キン	右傍	ŋien^{1} ŋiʌn^{1}	眞韻 欣韻
4962b	下木・060ウ4・重點	狺	―	キン	右傍	ŋien^{1} ŋiʌn^{1}	眞韻 欣韻
4843	下木・055ウ3・地儀	垠	平	キン	右傍	ŋien^{1} ŋiʌn^{1} ŋʌn^{1}	眞韻 欣韻 痕韻
5848b	下師・085オ1・疊字	愚	平濁	ク	右注	ŋiuʌ^{1}	虞韻
6869	下洲・116ウ7・方角	隅	平濁	ク	右傍	ŋiuʌ^{1}	虞韻
6967	下手・019オ6・動物	囮	平濁	クワ	右傍	ŋuɑ^{1} jiʌu^{1}	戈韻 尤韻
3824b	下江・017オ5・疊字	臥	平 去	クワ	右傍	ŋuɑ^{3}	過韻
4718b	下佐・052オ2・疊字	臥	平	クワ	左注	ŋuɑ^{3}	過韻
3651b	下古・011オ5・疊字	外	去濁	クワイ	左注	ŋuai^{3}	泰韻
5549b	下師・079オ5・疊字	外	―	クワイ	中注	ŋuai^{3}	泰韻
4508a	下佐・045オ3・人躰	月	入	クワツ	右傍	ŋiuat	月韻
4993b	下木・061オ5・疊字	願	平	クワン	左注	ŋiuan^{3}	願韻
4965b	下木・060ウ6・疊字	丸	―	クワン	右傍	ŋuan^{1}	桓韻
4371b	下阿・039オ7・疊字	翫	平	クワン	左注	ŋuan^{3}	換韻
4389b	下阿・039ウ4・疊字	危	平	クヰ	左注	ŋiue^{1}	支韻
4708b	下佐・051ウ7・疊字	偽	平	クヰ	左注	ŋiuo^{3}	寘韻
5891b	下師・085ウ1・疊字	偽	平濁	クヰ	右注	ŋiue^{3}	寘韻
3684b	下古・011ウ5・疊字	源	上	クヱン	右注	ŋiuan^{1}	元韻
4462a	下佐・043ウ1・植物	杬	平	クヱン	右傍	ŋiuan^{1}	元韻
4370b	下阿・039オ7・疊字	翫	平	クヱン	中注	ŋuan^{3}	換韻
5580b	下師・080オ4・疊字	礙	平	ケ	左注	ŋʌi^{3}	代韻
5368	下師・072ウ1・人事	業	入濁	ケウ	右傍	ŋiap	業韻
3870b	下江・017ウ7・疊字	孽	―	ケツ	左注	ŋiat	薛韻
6070	下飛・091ウ3・植物	孽	入濁	ケツ	右傍	ŋiat	薛韻
4757b	下佐・052ウ6・疊字	業	入	ケフ	左注	ŋiap	業韻
5147b	下木・063ウ5・疊字	驗	上濁	ケム	左注	ŋiam^{3}	豔韻
5575b	下師・080オ3・疊字	驗	―	ケム	左注	ŋiam^{3}	豔韻

5149b	下木・063ウ6・疊字	讞	上濁	ケム	左注	ŋian^{2} ŋiat	獮韻 薛韻
4712b	下佐・052オ1・疊字	言	平濁	ケム	左注	ŋian^{1}	元韻
4193a	下阿・029オ5・人躰	齞	上	ケン	右傍	ŋen^{2}	銑韻
5053b	下木・062オ4・疊字	言	平	ケン	左注	ŋian^{1}	元韻
6274b	下飛・098オ5・疊字	言	―	ケン	左注	ŋian^{1}	元韻
5921b	下師・086ウ2・國郡	虞	―	コ	右傍	ŋiuʌ^{1}	虞韻
6036b	下飛・090ウ6・地儀	圄	上濁	コ	右傍	ŋiʌ^{2}	語韻
3696a	下古・012オ1・疊字	語	去濁	コ	右注	ŋiʌ$^{2/3}$	語/御韻
6273b	下飛・098オ5・疊字	語	上	コ	右傍	ŋiʌ$^{2/3}$	語/御韻
3611a	下古・010ウ3・疊字	御	平	コ	左注	ŋiʌ^{3}	御韻
3612a	下古・010ウ3・疊字	御	平	コ	左注	ŋiʌ^{3}	御韻
3568a	下古・007ウ2・雜物	牛	―	コ	右注	ŋiʌu^{1}	尤韻
4778b	下佐・053オ4・疊字	梧	平濁	コ	右注	ŋuʌ^{1}	模韻
4860	下木・056オ4・植物	梧	平濁	コ	右傍	ŋuʌ^{1}	模韻
5192b	下木・064ウ2・疊字	齬	平	コ	右傍	ŋuʌ^{1} ŋiʌ$^{1/2}$	模韻 魚/語韻
3343a	下古・002ウ7・植物	五	―	コ	右注	ŋuʌ^{2}	姥韻
3344a	下古・002ウ7・植物	五	―	コ	右注	ŋuʌ^{2}	姥韻
3596a	下古・010オ6・疊字	五	上	コ	左注	ŋuʌ^{2}	姥韻
3609a	下古・010ウ2・疊字	五	―	コ	中注	ŋuʌ^{2}	姥韻
3719a	下古・012オ5・疊字	五	―	コ	左注	ŋuʌ^{2}	姥韻
3720a	下古・012オ6・疊字	五	上	コ	右注	ŋuʌ^{2}	姥韻
3939b	下手・021ウ7・疊字	午	上	コ	左注	ŋuʌ^{2}	姥韻
6082a	下飛・092オ2・動物	五	上濁	コ	右傍	ŋuʌ^{2}	姥韻
3900a	下古・006オ6・飲食	五	―	コ	中注	ŋuʌ^{2}	姥韻
3643a	下古・011オ3・疊字	寤	去濁	コ	左注	ŋuʌ^{3}	暮韻
5661b	下師・082オ1・疊字	誤	平濁	コ	左注	ŋuʌ^{3}	暮韻
3704a	下古・012オ2・疊字	娯	去濁	コ	左注	ŋuʌ^{3} ŋiuʌ^{1}	暮韻 虞韻
3443a	下古・007オ1・雜物	五	去濁	コ ［上］	右注	ŋuʌ^{2}	姥韻
3912b	下手・020ウ7・雜物	牛	―	コ ［上濁］	右注	ŋiʌu^{1}	尤韻
3387a	下古・004ウ3・人躰	五	―	ゴ ［平濁］	左注	ŋuʌ^{2}	姥韻
3336a	下古・002ウ5・植物	牛	上濁	コ ［去］	右傍	ŋiʌu^{1}	尤韻
3652a	下古・011オ5・疊字	偶	上	コウ	左注	ŋʌu$^{2/3}$	厚/候韻
6110a	下飛・092ウ5・人倫	偶	上濁	コウ	右傍	ŋʌu$^{2/3}$	厚/候韻
3703a	下古・012オ2・疊字	獄	―	コク	左注	ŋiauk	燭韻
6035	下飛・090ウ6・地儀	獄	入濁	コク	右傍	ŋiauk	燭韻
3557a	下古・007オ6・雜物	兀	入濁	コツ ［上上］	右注	ŋuʌt	没韻
5566b	下師・079ウ5・疊字	嚴	上濁	コム	右注	ŋiam^{1}	嚴韻

6732b	下世・112オ3・疊字	言	上濁	コム	右注	ŋian^{1}	元韻
3712a	下古・012オ4・疊字	言	—	コン	左注	ŋian^{1}	元韻
5325b	下師・071オ1・人倫	言	—	コン	右注	ŋian^{1}	元韻
5570b	下師・079ウ7・疊字	言	—	コン	右注	ŋian^{1}	元韻
6763c	下世・112ウ7・官職	言	—	コン	右傍	ŋian^{1}	元韻
5404	下師・073ウ5・雜物	銀	上濁	コン	右傍	ŋien^{1}	眞韻
6848	下洲・116オ5・雜物	磑	去濁	タイ	右傍	ŋuʌi$^{1/3}$	灰/隊韻

【表C-07】上巻_曉母 x

番号	前田本所在	掲出字		仮名音注		中古音	韻目
2852a	上加・106オ6・重點	颬	平	カ	右注	xa^{1}	麻韻
2852b	上加・106オ6・重點	颬	平	カ	右注	xa^{1}	麻韻
2761a	上加・100オ6・雜物	呵	—	カ	右注	xɑ$^{1/3}$	歌/箇韻
2944a	上加・107ウ5・疊字	呵	去	カ	左注	xɑ$^{1/3}$	歌/箇韻
0403b	上呂・017オ5・地儀	海	上	カイ	右傍	xʌi^{2}	海韻
0899b	上波・033ウ7・疊字	海	上	カイ	右注	xʌi^{2}	海韻
1579b	上度・062オ4・疊字	海	上	カイ	中注	xʌi^{2}	海韻
1634b	上度・063オ1・疊字	海	上	カイ	左注	xʌi^{2}	海韻
1724b	上池・066オ1・植物	海	上	カイ	右注	xʌi^{2}	海韻
2878b	上加・106ウ6・疊字	海	上	カイ	左注	xʌi^{2}	海韻
2879a	上加・106ウ6・疊字	海	上	カイ	左注	xʌi^{2}	海韻
2881a	上加・106ウ6・疊字	海	上	カイ	左注	xʌi^{2}	海韻
2882b	上加・106ウ6・疊字	海	上	カイ	左注	xʌi^{2}	海韻
2885a	上加・106ウ7・疊字	海	上	カイ	左注	xʌi^{2}	海韻
2886a	上加・106ウ7・疊字	海	平	カイ	左注	xʌi^{2}	海韻
3043a	上加・109オ4・疊字	海	平	カイ	左注	xʌi^{2}	海韻
3226	上与・116オ5・辞字	享	—	カウ	右傍	xaŋ^{1} xiaŋ^{2}	庚韻 養韻
3187	上与・113ウ6・植物	蒿	東	カウ	右傍	xɑu^{1}	豪韻
2924a	上加・107ウ1・疊字	好	上	カウ	左注	xɑu$^{2/3}$	晧/号韻
2935a	上加・107ウ3・疊字	好	上	カウ	左注	xɑu$^{2/3}$	晧/号韻
3054a	上加・109オ6・疊字	好	上	カウ	左注	xɑu$^{2/3}$	晧/号韻
0906c	上波・034オ2・疊字	香	去	カウ	左注	xiaŋ^{1}	陽韻
1772b	上池・067ウ5・雜物	香	上	カウ	右注	xiaŋ^{1}	陽韻
1985c	上利・072ウ6・植物	香	—	カウ	右注	xiaŋ^{1}	陽韻
2744b	上加・100オ1・雜物	香	—	カウ	右注	xiaŋ^{1}	陽韻
2756a	上加・100オ5・雜物	香	—	カウ	右注	xiaŋ^{1}	陽韻
2757a	上加・100オ5・雜物	香	—	カウ	右注	xiaŋ^{1}	陽韻
2773a	上加・100ウ2・雜物	香	—	カウ	右注	xiaŋ^{1}	陽韻
2888a	上加・107オ1・疊字	香	去	カウ	左注	xiaŋ^{1}	陽韻
2919a	上加・107オ7・疊字	香	去	カウ	左注	xiaŋ^{1}	陽韻

3128a	上加・110オ7・疊字	香	―	カウ	右注	xiɑŋ^{1}	陽韻
0532	上加・100ウ2・雜物	香	平	カウ	右注	xiɑŋ^{1}	陽韻
3173a	上加・112オ6・官職	郷	―	カウ	右注	xiɑŋ^{1}	陽韻
3057a	上加・109オ6・疊字	向	平	カウ	左注	xiɑŋ^{3} śiɑŋ^{3}	漾韻 漾韻
2850a	上加・106オ6・重點	赫	―	カク	右注	xak	陌韻
2850b	上加・106オ6・重點	赫	―	カク	右注	xak	陌韻
2782	上加・100ウ6・光彩	馠	―	カム	右傍	xʌm^{1}	覃韻
0864b	上波・033オ7・疊字	漢	平	カン	右注	xɑn^{3}	翰韻
0384a	上伊・016オ1・国郡	喜	―	キ	右傍	xiɐi$^{2/3}$	止/志韻
1365b	上邊・053オ4・疊字	喜	―	キ	右注	xiɐi$^{2/3}$	止/志韻
2461b	上加・092オ4・地儀	喜	上	キ	右傍	xiɐi$^{2/3}$	止/志韻
0161	上伊・008オ7・飲食	犧	平	キ	右傍	xie^{1}	支韻
1955b	上池・071オ6・疊字	屓	平	キ	右傍	xiei^{3}	至韻
0071a	上伊・004ウ1・動物	鵂	平	キウ	右傍	xiʌu^{1}	尤韻
2967b	上加・108オ2・疊字	欣	平	キム	右注	xiʌn^{1}	欣韻
1205b	上保・047ウ7・疊字	郷	平	キヤウ	左注	xiɑŋ^{1}	陽韻
2771	上加・100ウ2・雜物	香	平	キヤウ	右傍	xiɑŋ^{1}	陽韻
2777	上加・100ウ5・光彩	香	平	キヤウ	右傍	xiɑŋ^{1}	陽韻
3166	上加・112オ2・官職	郷	―	キヤウ	右傍	xiɑŋ^{1}	陽韻
1356b	上邊・053オ2・疊字	虚	平	キヨ	右注	xiʌ^{1} kʻiʌ^{1}	魚韻 魚韻
1940b	上池・071オ1・疊字	興	平	キヨウ	右注	xiɐŋ$^{1/3}$	蒸/證韻
3091b	上加・109ウ6・疊字	衅	去	キン	右注	xien^{3}	震韻
3209	上与・115オ2・人事	欣	平	キン	右傍	xiʌn^{1}	欣韻
0222	上伊・011ウ5・辞字	煦	―	ク	右傍	xiuʌ^{2}	麌韻
0517	上波・021ウ2・植物	花	平	クワ	右傍	xua^{1}	麻韻
1669b	上度・063ウ1・疊字	花	平	クワ	左注	xua^{1}	麻韻
2004b	上利・073ウ2・人事	花	上	クワ	右注	xua^{1}	麻韻
2888b	上加・107オ1・疊字	花	上濁	クワ	左注	xua^{1}	麻韻
1429b	上度・054ウ6・地儀	華	平	クワ	右傍	xua^{1} ɣua$^{1/3}$	麻韻 麻/禡韻
3236b	上与・117ウ1・疊字	華	平	クワ	中注	xua^{1} ɣua$^{1/3}$	麻韻 麻/禡韻
1402b	上邊・053ウ5・疊字	化	平濁	クワ	右注	xua^{3}	禡韻
1641b	上度・063オ2・疊字	化	去	クワ	左注	xua^{3}	禡韻
2462b	上加・092オ4・地儀	化	去	クワ	右傍	xua^{3}	禡韻
0647b	上波・026オ6・雜物	靴	―	クワ	右注	xiuɑ^{1}	戈韻
0835b	上波・033オ1・疊字	火	上	クワ	左注	xuɑ^{2}	果韻
2382b	上和・090オ3・疊字	貨	去	クワ	右注	xuɑ^{3}	過韻
0690	上波・027ウ4・雜物	灰	平	クワイ	右傍	xuʌi^{1}	灰韻
3012b	上加・108ウ4・疊字	悔	去	クワイ	左注	xuʌi$^{2/3}$	賄/隊韻

0183b	上伊・008ウ7・雜物	灰	平	クワヒ	右傍	xuʌi¹	灰韻
2966b	上加・108オ2・疊字	歓	平	クワン	右注	xuɑn¹	桓韻
3210	上与・115オ2・人事	歓	平	クワン	右傍	xuɑn¹	桓韻
2648b	上加・097ウ6・人事	歓	平	クワン	左注	xuɑn¹	桓韻
3191a	上与・114オ2・動物	喚	去	クワン	右傍	xuɑn³	換韻
2288a	上和・086オ2・植物	萱	平	クワン	右傍	xiuɑn¹	元韻
0318b	上伊・013ウ5・疊字	况	平	クヰヤウ	左注	xiuɑŋ³	漾韻
0102	上伊・005ウ2・人倫	兄	去	クヰヤウ	右注	xiuɑŋ¹	庚韻
2923b	上加・107ウ1・疊字	訓	去	クヰン	中注	xiuʌn³	問韻
1167b	上保・047オ6・疊字	華	上	クヱ	左注	xua¹ ɣua¹ᐟ³	麻韻 麻/禡韻
1273b	上保・049ウ1・諸寺	華	—	クヱ	右注	xua¹ ɣua¹ᐟ³	麻韻 麻/禡韻
3296	上伊・005ウ2・人倫	兄	去	クヱイ	左注	xiuɑŋ¹	庚韻
1737	上池・066ウ4・人躰	血	入	クヱツ	右傍	xuet	屑韻
2640	上加・097ウ2・人事	喧	平	クヱン	右傍	xiuɑn¹	元韻
2325	上和・087オ6・人事	諼	平濁	クヱン	右傍	xiuɑn¹ᐟ²	元/阮韻
2780	上加・100ウ6・光彩	薫	平	クン	右傍	xiuʌn¹ᐟ³	文/問韻
1146	上保・046ウ3・辞字	希	—	ケ	右傍	xiʌi¹	微韻
2962b	上加・108オ1・疊字	興	去	ケウ	左注	xiɐŋ¹ᐟ³	蒸/證韻
2593	上加・096オ5・人體	脅	入	ケフ	右傍	xiɑp xiɑm³	業韻 釅韻
2781	上加・100ウ6・光彩	𪏭	平	ケム	右傍	xem¹	添韻
0436b	上呂・019オ2・疊字	顕	上	ケン	中注	xen²	銑韻
1548	上度・059ウ1・辞字	騫	平	ケン	右傍	xiɑn¹	元韻
0438b	上呂・019オ2・疊字	呼	東	コ	中注	xuʌ¹	模韻
0053a	上伊・003ウ7・植物	虍	上	コ	右傍	xuʌ²	姥韻
0557b	上波・023オ1・動物	虍	上	コ	右傍	xuʌ²	姥韻
1449	上度・055ウ2・動物	虍	上	コ	右傍	xuʌ²	姥韻
0596a	上波・024オ7・人躰	黒	入	コク	右傍	xʌk	徳韻
0679a	上波・027オ6・雜物	黒	入	コク	右傍	xʌk	徳韻
1471	上度・056ウ3・人事	婚	平	コン	右傍	xuʌn¹	魂韻
2381a	上和・090オ2・疊字	賄	上	ワイ	中注	xuʌi²	賄韻
2382a	上和・090オ3・疊字	晦	上	ワイ	右注	xuʌi²	賄韻
1424	上度・054ウ4・地儀	閾	入	ヰキ	右傍	xiuɐk	職韻
2323	上和・087オ6・人事	譞	—	タフ	右傍	xiuan¹	仙韻

【表C-07】下巻_暁母 x

番号	前田本所在	掲出字		仮名音注		中古音	韻目
6554	下世・109オ7・辞字	訶	—	カ	右傍	xɑ¹	歌韻
6555	下世・109ウ1・辞字	呵	平	カ	右傍	xɑ¹ᐟ³	歌/箇韻

3869b	下江・017ウ7・疊字	海	―	カイ	左注	xʌi^{2}	海韻
5398	下師・073ウ2・飲食	醢	上	カイ	右傍	xʌi^{2}	海韻
6532b	下世・108オ7・人事	海	去濁	カイ	左注	xʌi^{2}	海韻
6847b	下洲・116オ5・雑物	海	―	カイ	右注	xʌi^{2}	海韻
6058c	下飛・091オ7・植物	蒿	―	カウ	右傍	xau^{1}	豪韻
6701b	下世・111ウ4・疊字	好	上濁	カウ	左注	xau$^{2/3}$	晧/号韻
3784c	下江・016オ3・雑物	香	―	カウ	右注	xiaŋ^{1}	陽韻
5278c	下師・069オ7・植物	香	―	カウ	右傍	xiaŋ^{1}	陽韻
5464b	下師・074ウ6・雑物	香	―	カウ	右傍	xiaŋ^{1}	陽韻
6176c	下飛・094ウ6・雑物	香	―	カウ	右傍	xiaŋ^{1}	陽韻
6545b	下世・108ウ6・雑物	香	上	カウ	右注	xiaŋ^{1}	陽韻
5997b	下會・089オ7・疊字	向	平	カウ	中注	xiaŋ^{3} śiaŋ^{3}	漾韻 漾韻
4235	下阿・031オ6・飲食	臛	入	カク	右傍	xak xauk	鐸韻 沃韻
4406b	下阿・040ウ6・国郡	香	―	カコ	右傍	xiaŋ^{1}	陽韻
4876	下木・056ウ6・動物	蚶	平	カム	右傍	xam^{1}	談韻
6212	下飛・096オ1・辞字	暵	―	カン	右傍	xan$^{2/3}$	旱/翰韻
3875b	下手・018ウ4・天象	漢	去	カン	左注	xan^{3}	翰韻
4964b	下木・060ウ6・疊字	漢	去	カン	右傍	xan^{3}	翰韻
4959a	下木・060ウ4・重點	熈	―	キ	右傍	xiɐi^{1}	之韻
4959b	下木・060ウ4・重點	熈	―	キ	右傍	xiɐi^{1}	之韻
6219	下飛・096ウ4・辞字	熈	平	キ	右傍	xiɐi^{1}	之韻
6913b	下洲・120オ4・疊字	嬉	平	キ	中注	xiɐi$^{1/3}$	之/志韻
4158a	下阿・028オ3・動物	蟢	―	キ	右傍	xiɐi^{2}	止韻
5033a	下木・061ウ6・疊字	喜	平	キ	左注	xiɐi$^{2/3}$	止/志韻
5047a	下木・062オ2・疊字	喜	去	キ	左注	xiɐi$^{2/3}$	止/志韻
5137a	下木・063ウ3・疊字	喜	去	キ	左注	xiɐi$^{2/3}$	止/志韻
5159a	下木・064オ1・疊字	喜	平	キ	左注	xiɐi$^{2/3}$	止/志韻
6933b	下洲・120ウ1・疊字	喜	平	キ	右注	xiɐi$^{2/3}$	止/志韻
6028	下飛・090オ6・天象	曦	平	キ	右傍	xie^{1}	支韻
5375b	下師・072ウ4・人事	戯	―	キ	右注	xie$^{1/3}$ xuʌ^{1}	支/寘韻 模韻
6330b	下飛・099オ1・疊字	屓	―	キ	左注	xiei^{3}	至韻
5106a	下木・063オ3・疊字	希	去	キ	左注	xiʌi^{1}	微韻
5067a	下木・062オ7・疊字	休	平	キウ	左注	xiʌu^{1}	尤韻
5068a	下木・062オ7・疊字	休	平	キウ	右注	xiʌu^{1}	尤韻
5044a	下木・062オ2・疊字	朽	入	キウ	左注	xiʌu^{2}	有韻
4518	下佐・045ウ4・人事	廞	平	キム	右傍	xiem$^{1/2}$	侵/寑韻
5146a	下木・063ウ5・疊字	欣	平	キム	左注	xiʌn^{1}	欣韻
3881b	下手・019オ2・地儀	香	平	キヤウ	右傍	xiaŋ^{1}	陽韻
4443	下佐・042ウ5・地儀	郷	平	キヤウ	右傍	xiaŋ^{1}	陽韻

4980a	下木・061オ2・疊字	鄉	平	キヤウ	左注	xiaŋ^{1}	陽韻
6043b	下飛・091オ2・地儀	香	平	キヤウ	右傍	xiaŋ^{1}	陽韻
6342b	下飛・099オ3・疊字	香	平	キヤウ	左注	xiaŋ^{1}	陽韻
6919b	下洲・120オ5・疊字	鄉	平	キヤウ	左注	xiaŋ^{1}	陽韻
5058a	下木・062オ5・疊字	饗	上	キヤウ	左注	xiaŋ^{2}	養韻
5117a	下木・063オ6・疊字	饗	上	キヤウ	左注	xiaŋ^{2}	養韻
5562b	下師・079ウ3・疊字	饗	—	キヤウ	右注	xiaŋ^{2}	養韻
4500a	下佐・044ウ3・動物	蠁	上	キヤウ	右傍	xiaŋ$^{2/3}$	養/漾韻
5028a	下木・061ウ5・疊字	向	去	キヤウ	左注	xiaŋ^{3} śiaŋ^{3}	漾韻 漾韻
5049a	下木・062オ3・疊字	向	去	キヤウ	左注	xiaŋ^{3} śiaŋ^{3}	漾韻 漾韻
5053a	下木・062オ4・疊字	虛	平	キヨ	左注	xiʌ^{1} k'iʌ^{1}	魚韻 魚韻
5056a	下木・062オ5・疊字	虛	平 上	キヨ	左注	xiʌ^{1} k'iʌ^{1}	魚韻 魚韻
5119a	下木・063オ6・疊字	虛	—	キヨ	左注	xiʌ^{1} k'iʌ^{1}	魚韻 魚韻
5179a	下木・064オ5・疊字	虛	上	キヨ	左注	xiʌ^{1} k'iʌ^{1}	魚韻 魚韻
6914b	下洲・120オ4・疊字	噓	上	キヨ	右注	xiʌ$^{1/3}$	魚/御韻
5074a	下木・062ウ1・疊字	許	上	キヨ	中注	xiʌ^{2}	語韻
5175a	下木・064オ4・疊字	許	去	キヨ	左注	xiʌ^{2}	語韻
4960a	下木・060ウ4・重點	兢	—	キヨウ	右傍	xieŋ^{1}	蒸韻
4960b	下木・060ウ4・重點	兢	—	キヨウ	右傍	xieŋ^{1}	蒸韻
4900	下木・057ウ5・人事	興	—	キヨウ	右注	xieŋ$^{1/3}$	蒸/證韻
5075a	下木・062ウ2・疊字	興	平	キヨウ	中注	xieŋ$^{1/3}$	蒸/證韻
6781b	下洲・113ウ4・地儀	興	平	キヨウ	右傍	xieŋ$^{1/3}$	蒸/證韻
5144a	下木・063ウ5・疊字	欣	平	キン	左注	xiʌn^{1}	欣韻
5145a	下木・063ウ5・疊字	欣	—	キン	左注	xiʌn^{1}	欣韻
4512a	下佐・045オ4・人躰	酗	去	ク	右傍	xiuʌ^{3}	遇韻
3368	下古・004オ1・人倫	兄	平 去	クキヤウ	右傍	xiuaŋ^{1}	庚韻
4457	下佐・043オ6・植物	夸	平	クワ	右傍	xiuʌ^{1} p'iuʌ^{1}	虞韻 虞韻
3946b	下手・022オ2・疊字	花	平	クワ	左注	xua^{1}	麻韻
4846b	下木・055ウ5・地儀	華	平	クワ	右傍	xua^{1} ɣua$^{1/3}$	麻韻 麻/禡韻
6001b	下會・089オ7・疊字	華	平	クワ	左注	xua^{1} ɣua$^{1/3}$	麻韻 麻/禡韻
4669b	下佐・051オ6・疊字	花	上濁	（ケ）	—	xua^{1}	麻韻
4750b	下佐・052ウ4・疊字	化	去	クワ	左注	xua^{3}	禡韻

4509a	下佐・045オ4・人躰	噦	去	クワイ	右傍	xuɑi^{3} 'iuat 'iuɑt	泰韻 薛韻 月韻
4310b	下阿・033ウ2・光彩	灰	平	クワイ	右傍	xuʌi^{1}	灰韻
3904b	下手・020オ7・人事	向	平	クワウ	右傍	xiɑŋ^{3} śiɑŋ^{3}	漾韻 漾韻
5904c	下師・085ウ4・疊字	毀	―	クヰ	右傍	xiue$^{2/3}$	紙/寘韻
3317b	下古・002オ4・地儀	徽	平濁	クヰ	右注	xiuʌi^{1}	微韻
6193	下飛・095オ4・光彩	輝	平	クヰ	右傍	xiuʌi^{1}	微韻
6199	下飛・095オ4・光彩	煇	平	クヰ	右傍	xiuʌi^{1} ɣuʌn$^{1/2}$	微韻 魂/混韻
5135b	下木・063ウ3・疊字	諱	平	クヰ	中注	xiuʌi^{3}	未韻
4161	下阿・028オ6・人倫	兄	平 去	クヰウ	右傍	xiuɑŋ^{1}	庚韻
4363b	下阿・039オ5・疊字	兄	―	クヰヤウ	中注	xiuɑŋ^{1}	庚韻
5785b	下師・084オ5・疊字	怳	上	クヰヤウ	左注	xiuɑŋ^{2}	養韻
6504a	下世・106ウ7・地儀	訓	去	クヰン	右傍	xiuʌn^{3}	問韻
3330c	下古・002ウ3・植物	花	―	クヱ	左注	xua^{1}	麻韻
5905c	下師・085ウ4・疊字	化	―	クヱ	右傍	xua^{3}	禡韻
3369	下古・004オ1・人倫	兄	平 去	クヱイ	左傍	xiuɑŋ^{1}	庚韻
4162	下阿・028オ6・人倫	兄	平 去	クヱイ	左傍	xiuɑŋ^{1}	庚韻
4352	下阿・038ウ3・辞字	暄	平	クヱン	右傍	xiuɑn^{1}	元韻
5236	下由・067オ4・人事	讙	去	クヱン	右傍	xiuɑn^{1} xuɑn^{1}	元韻 桓韻
4534	下佐・046オ4・人事	醺	平	クン	右傍	xiuʌn^{1}	文韻
4234	下阿・031オ6・飲食	膮	平	ケウ	右傍	xeu$^{1/2}$	蕭/篠韻
6132	下飛・093ウ2・人事	囂	平	ケウ	右傍	xiau^{1} ŋɑu^{1}	宵韻 豪韻
5899c	下師・085ウ3・疊字	興	―	ケウ	左注	xieŋ$^{1/3}$	蒸/證韻
5899d	下師・085ウ3・疊字	興	―	ケウ	左注	xieŋ$^{1/3}$	蒸/證韻
4290	下阿・032ウ5・雜物	[illegible]	入	ケキ	右傍	xek	錫韻
5955	下古・007ウ1・雜物	杴	―	ケム	右傍	xiɑm^{1}	嚴韻
5866b	下師・085オ4・疊字	軒	平	ケム	右注	xiɑn^{1}	元韻
5315a	下師・070ウ2・動物	蜆	上	ケン	右傍	xen^{2} ɣen^{2}	銑韻 銑韻
4328	下阿・035ウ3・辞字	軒	平	ケン	右傍	xiɑn^{1}	元韻
3644a	下古・011オ3・疊字	虚	去	コ	中注	xiʌ^{1} k'iʌ^{1}	魚韻 魚韻
3606a	下古・010ウ2・疊字	許	平	コ	右注	xiʌ^{2}	語韻
3734a	下古・013ウ3・姓氏	許	―	コ	右注	xiʌ^{2}	語韻
5251	下由・068オ1・雜物	戽	去	コ	右傍	xuʌ$^{2/3}$ ɣuʌ^{2}	姥/暮韻 姥韻

3681a	下古・011ウ4・疊字	興	平	コウ	左注	xieŋ 1/3	蒸/證韻
3707a	下古・012オ3・疊字	興	去	コウ	左注	xieŋ 1/3	蒸/證韻
3586	下古・009ウ1・辞字	仡	―	コツ	右傍	xiʌt	迄韻
3692a	下古・011ウ7・疊字	忽	入	コツ	左注	xuʌt	没韻
3699a	下古・012オ1・疊字	忽	入	コツ	左注	xuʌt	没韻
3700a	下古・012オ1・疊字	忽	―	コツ	左注	xuʌt	没韻
5430	下師・074オ2・雑物	笏	入	コツ	右傍	xuʌt	没韻
3648a	下古・011オ4・疊字	婚	―	コン	右注	xuʌn 1	魂韻
5213b	下由・065ウ7・天象	昏	東	コン	右傍	xuʌn 1	魂韻
5533b	下師・078ウ7・疊字	昏	東濁	コン	左注	xuʌn 1	魂韻
3374	下古・004オ3・人倫	許	―	コ［平濁］	右注	xiʌ 2	語韻

【表C-07】上巻_匣母于母 ɣ

番号	前田本所在	揭出字		仮名音注		中古音	韻目
0116a	上伊・006オ5・人體	肬	平	イウ	右傍	ɣiʌu 1	尤韻
0332a	上伊・014オ1・疊字	郵	平	イウ	中注	ɣiʌu 1	尤韻
0857b	上波・033オ6・疊字	郵	平	イウ	中注	ɣiʌu 1	尤韻
1468	上度・056ウ2・人事	尤	平	イウ	右傍	ɣiʌu 1	尤韻
0244a	上伊・012ウ3・疊字	有	上	イウ	中注	ɣiʌu 2	有韻
0284a	上伊・013オ4・疊字	有	上	イウ	中注	ɣiʌu 2	有韻
0311a	上伊・013ウ4・疊字	有	上	イウ	右注	ɣiʌu 2	有韻
0313a	上伊・013ウ4・疊字	有	上	イウ	左注	ɣiʌu 2	有韻
0314a	上伊・013ウ4・疊字	有	上	イウ	中注	ɣiʌu 2	有韻
0315a	上伊・013ウ4・疊字	有	上	イウ	左注	ɣiʌu 2	有韻
0309a	上伊・013ウ3・疊字	友	平	イウ	左注	ɣiʌu 2	有韻
1217b	上保・048オ2・疊字	友	平	イウ	右傍	ɣiʌu 2	有韻
1455	上度・055ウ7・人倫	友	上	イウ	右傍	ɣiʌu 2	有韻
1550	上度・059ウ2・辞字	友	上	イウ	右傍	ɣiʌu 2	有韻
0240a	上伊・012ウ3・疊字	右	上	イウ	右注	ɣiʌu 2/3	有/宥韻
0288a	上伊・013オ5・疊字	雄	平	イウ	右注	ɣiʌuŋ 1	東韻
0289a	上伊・013オ5・疊字	雄	平	イウ	右注	ɣiʌuŋ 1	東韻
2220	上遠・080ウ3・動物	雄	平	イウ	右傍	ɣiʌuŋ 1	東韻
0247a	上伊・012ウ4・疊字	熊	平	イウ	左注	ɣiʌuŋ 1	東韻
0051	上伊・003ウ6・植物	芋	去	ウ	右傍	ɣiuʌ 1/3	虞/遇韻
0939b	上仁・036オ6・植物	芋	去	ウ	右傍	ɣiuʌ 1/3	虞/遇韻
2216b	上遠・080ウ1・植物	芋	去	ウ	右傍	ɣiuʌ 1/3	虞/遇韻
0371b	上伊・015ウ6・国郡	宇	―	ウ	右傍	ɣiuʌ 2	麌韻
0380a	上伊・015ウ7・国郡	宇	―	ウ	右傍	ɣiuʌ 2	麌韻
0385a	上伊・016オ1・国郡	宇	―	ウ	右傍	ɣiuʌ 2	麌韻
0232b	上伊・012ウ1・疊字	雨	上	ウ	右注	ɣiuʌ 2/3	麌/遇韻
2029b	上利・074ウ1・疊字	雨	上	ウ	左注	ɣiuʌ 2/3	麌/遇韻

0343b	上伊・014オ3・疊字	羽	上	ウ	右注	ɣiuʌ^2/3	麌/遇韻
0538	上波・022オ5・動物	羽	上	ウ	右傍	ɣiuʌ^2/3	麌/遇韻
0898b	上波・033ウ7・疊字	羽	上	ウ	右注	ɣiuʌ^2/3	麌/遇韻
0114a	上伊・006オ4・人體	雲	平	ウン	右傍	ɣiuʌn^1	文韻
0231b	上伊・012ウ1・疊字	雲	平	ウン	左注	ɣiuʌn^1	文韻
1325b	上邊・052ウ3・疊字	雲	平	ウン	左注	ɣiuʌn^1	文韻
2208a	上遠・080オ4・植物	芸	平	ウン	右傍	ɣiuʌn^1	文韻
2425	上加・091オ5・天象	暈	去	ウン	右傍	ɣiuʌn^3	問韻
1121	上保・045ウ1・光彩	炎	東?	エム	右傍	ɣiam^1	鹽韻
0530	上波・022オ1・植物	蕸	平	カ	右傍	ɣa^1	麻韻
1585b	上度・062オ5・疊字	霞	平濁	カ	中注	ɣa^1	麻韻
2424	上加・091オ5・天象	霞	平	カ	右傍	ɣa^1	麻韻
2553a	上加・095オ1・動物	蝦	平	カ	右傍	ɣa^1	麻韻
2867a	上加・106ウ3・疊字	遐	平	カ	左注	ɣa^1	麻韻
3091a	上加・109ウ6・疊字	瑕	平	カ	右注	ɣa^1	麻韻
3092a	上加・109ウ6・疊字	瑕	平	カ	右注	ɣa^1	麻韻
3123a	上加・110オ6・疊字	霞	平	カ	右注	ɣa^1	麻韻
0316b	上伊・013ウ5・疊字	夏	上	カ	右傍	ɣa^2/3	馬/禡韻
0733b	上波・031ウ2・疊字	夏	去	カ	右注	ɣa^2/3	馬/禡韻
1794b	上池・068ウ7・疊字	夏	平	カ	左注	ɣa^2/3	馬/禡韻
1340b	上邊・052ウ6・疊字	下	去	カ	中注	ɣa^2/3	馬/禡韻
2943b	上加・107ウ5・疊字	下	平	カ	左注	ɣa^2/3	馬/禡韻
2988a	上加・108オ7・疊字	下	平	カ	左注	ɣa^2/3	馬/禡韻
2989a	上加・108オ7・疊字	下	去	カ	左注	ɣa^2/3	馬/禡韻
2990a	上加・108オ7・疊字	下	去	カ	左注	ɣa^2/3	馬/禡韻
3049b	上加・109オ5・疊字	暇	上濁	カ	左注	ɣa^3	禡韻
0046	上伊・003ウ4・植物	苛	平	カ	右傍	ɣɑ^1	歌韻
0220	上伊・011ウ4・辞字	苛	平	カ	右傍	ɣɑ^1	歌韻
2007b	上利・073ウ3・人事	河	平	カ	左注	ɣɑ^1	歌韻
2576a	上加・095ウ6・人倫	河	平	カ	右傍	ɣɑ^1	歌韻
2645a	上加・097ウ6・人事	河	平	カ	左注	ɣɑ^1	歌韻
2650a	上加・097ウ7・人事	河	平	カ	左注	ɣɑ^1	歌韻
2818	上加・102ウ7・辞字	苛	―	カ	右傍	ɣɑ^1	歌韻
2878a	上加・106ウ6・疊字	河	平	カ	左注	ɣɑ^1	歌韻
2883a	上加・106ウ7・疊字	河	平	カ	左注	ɣɑ^1	歌韻
3002a	上加・108ウ2・疊字	河	平	カ	左注	ɣɑ^1	歌韻
3016a	上加・108ウ5・疊字	苛	平	カ	左注	ɣɑ^1	歌韻
3017a	上加・108ウ5・疊字	苛	平	カ	左注	ɣɑ^1	歌韻
3018a	上加・108ウ5・疊字	苛	平	カ	右注	ɣɑ^1	歌韻
0524	上波・021ウ7・植物	荷	平	カ	右傍	ɣɑ^1/2	歌/哿韻
3299	上波・022オ1・植物	荷	平	カ	右注	ɣɑ^1/2	歌/哿韻
3096b	上加・109ウ7・疊字	荷	平	カ	右注	ɣɑ^1/2	歌/哿韻

3112a	上加・110オ3・疊字	荷	去	カ	右注	$\text{ɣɑ}^{1/2}$	歌/哿韻
0359b	上伊・015ウ4・国郡	賀	—	カ	右注	ɣɑ^{3}	箇韻
0362b	上伊・015ウ4・国郡	賀	—	カ	右傍	ɣɑ^{3}	箇韻
0363a	上伊・015ウ4・国郡	賀	—	カ	右傍	ɣɑ^{3}	箇韻
0376b	上伊・015ウ7・国郡	賀	—	カ	右傍	ɣɑ^{3}	箇韻
0393b	上伊・016ウ1・姓氏	賀	—	カ	右注	ɣɑ^{3}	箇韻
3280a	上波・034ウ5・國郡	賀	—	カ	右傍	ɣɑ^{3}	箇韻
3286a	上波・034ウ6・國郡	賀	—	カ	右傍	ɣɑ^{3}	箇韻
2649a	上加・097ウ7・人事	賀	去	カ	左注	ɣɑ^{3}	箇韻
3177a	上加・112ウ3・姓氏	賀	—	カ	右注	ɣɑ^{3}	箇韻
2694a	上加・098ウ6・雜物	汗	—	カ ［上］	右注	$\text{ɣɑn}^{1/3}$ kɑn^{1}	寒/翰韻 寒韻
2795	上加・101ウ1・辞字	賀	—	カ ［平濁］	右注	ɣɑ^{3}	箇韻
2544	上加・094ウ4・動物	蟹	上	カイ	右傍	ɣe^{2}	蟹韻
3039a	上加・109オ3・疊字	邂	上	カイ	左注	ɣe^{3}	卦韻
2598	上加・096オ6・人體	骸	平	カイ	右傍	ɣɐi^{1}	皆韻
2953a	上加・107ウ7・疊字	骸	平濁	カイ	左注	ɣɐi^{1}	皆韻
0590a	上波・024オ5・人躰	齘	去	カイ	右傍	ɣɐi^{3}	怪韻
0930	上仁・036オ4・植物	薤	去	カイ	右傍	ɣɐi^{3}	怪韻
1497b	上度・057オ6・雜物	械	平濁	カイ	左注	ɣɐi^{3}	怪韻
1645b	上度・063オ3・疊字	害	平濁	カイ	左注	ɣɑi^{3}	泰韻
2132b	上利・075ウ7・疊字	害	去	カイ	左注	ɣɑi^{3}	泰韻
2833	上加・104ウ3・辞字	害	平濁	カイ	右注	ɣɑi^{3}	泰韻
2510b	上加・093ウ5・植物	衡	平	カウ	右傍	ɣaŋ^{1}	庚韻
2766	上加・100ウ1・雜物	衡	平	カウ	右傍	ɣaŋ^{1}	庚韻
2991a	上加・108オ7・疊字	衡	平濁	カウ	左注	ɣaŋ^{1}	庚韻
2499a	上加・093ウ2・植物	杏	去	カウ	右傍	ɣaŋ^{2}	梗韻
0984	上仁・039オ5・辞字	淆	平	カウ	右傍	ɣau^{1}	肴韻
2860a	上加・106ウ2・疊字	項	去	カウ	左注	ɣauŋ^{1}	講韻
0261b	上伊・012ウ7・疊字	降	平	カウ	左注	ɣauŋ^{1} kauŋ^{3}	江韻 絳韻
2891a	上加・107オ1・疊字	降	去濁	カウ	中注	ɣauŋ^{1} kauŋ^{3}	江韻 絳韻
3032a	上加・109オ1・疊字	降	平	カウ	左注	ɣauŋ^{1} kauŋ^{3}	江韻 絳韻
1711	上池・065ウ1・地儀	巷	去	カウ	右傍	ɣauŋ^{3}	絳韻
2038b	上利・074ウ2・疊字	巷	去	カウ	左注	ɣauŋ^{3}	絳韻
2432a	上加・091ウ3・地儀	巷	平濁	カウ	右注	ɣauŋ^{3}	絳韻
0583b	上波・024オ2・人躰	莖	平濁	カウ	右傍	ɣɐŋ^{1} 'ɐŋ^{1}	耕韻 耕韻
2051b	上利・074ウ5・疊字	幸	去	カウ	左注	ɣɐŋ^{2}	耿韻
2673a	上加・098オ6・飲食	鸖	—	カウ	右注	ɣɑk	鐸韻

3053a	上加・109オ6・疊字	鶴	入	カウ	左注	ɣɑk	鐸韻
0580	上波・024オ1・人躰	胻	平	カウ	右傍	ɣaŋ$^{1/3}$ ɣɑŋ$^{1/3}$	庚/映韻 唐/宕韻
1250b	上保・048ウ2・疊字	行	平	カウ	左注	ɣaŋ$^{1/3}$ ɣɑŋ$^{1/3}$	庚/映韻 唐/宕韻
1818b	上池・069オ5・疊字	行	上濁	カウ	左注	ɣaŋ$^{1/3}$ ɣɑŋ$^{1/3}$	庚/映韻 唐/宕韻
2101b	上利・075ウ1・疊字	行	平	カウ	左注	ɣaŋ$^{1/3}$ ɣɑŋ$^{1/3}$	庚/映韻 唐/宕韻
2616	上加・096ウ4・人事	行	平	カウ	右注	ɣaŋ$^{1/3}$ ɣɑŋ$^{1/3}$	庚/映韻 唐/宕韻
2774a	上加・100ウ2・雜物	行	平	カウ	右注	ɣaŋ$^{1/3}$ ɣɑŋ$^{1/3}$	庚/映韻 唐/宕韻
2912b	上加・107オ5・疊字	行	平	カウ	左注	ɣaŋ$^{1/3}$ ɣɑŋ$^{1/3}$	庚/映韻 唐/宕韻
3056a	上加・109オ6・疊字	行	平	カウ	左注	ɣaŋ$^{1/3}$ ɣɑŋ$^{1/3}$	庚/映韻 唐/宕韻
3067a	上加・109ウ1・疊字	行	平	カウ	左注	ɣaŋ$^{1/3}$ ɣɑŋ$^{1/3}$	庚/映韻 唐/宕韻
3071a	上加・109ウ2・疊字	行	平	カウ	左注	ɣaŋ$^{1/3}$ ɣɑŋ$^{1/3}$	庚/映韻 唐/宕韻
3074a	上加・109ウ3・疊字	行	平	カウ	左注	ɣaŋ$^{1/3}$ ɣɑŋ$^{1/3}$	庚/映韻 唐/宕韻
3116a	上加・110オ4・疊字	行	平	カウ	右注	ɣaŋ$^{1/3}$ ɣɑŋ$^{1/3}$	庚/映韻 唐/宕韻
3077a	上加・109ウ3・疊字	毫	去濁	カウ	左注	ɣɑu^{1}	豪韻
0083	上伊・004ウ5・動物	嗥	去濁	カウ	右傍	ɣɑu^{1}	豪韻
1141	上保・046オ4・辞字	嗥	平	カウ	右傍	ɣɑu^{1}	豪韻
2615	上加・096ウ4・人事	豪	平	カウ	右注	ɣɑu^{1}	豪韻
2790	上加・101オ5・員數	毫	平濁	カウ	右注	ɣɑu^{1}	豪韻
2937a	上加・107ウ3・疊字	豪	平	カウ	左注	ɣɑu^{1}	豪韻
2854a	上加・106ウ1・疊字	皓	去	カウ	左注	ɣɑu^{2}	晧韻
2776	上加・100ウ3・雜物	帿	―	カウ	右傍	ɣuʌ^{1}	侯韻
1637b	上度・063オ2・疊字	合	平濁	カウ	右注	ɣʌp kʌp	合韻 合韻
2379b	上和・090オ2・疊字	合	入	カウ	左注	ɣʌp kʌp	合韻 合韻
2918a	上加・107オ7・疊字	合	入濁	カウ	左注	ɣʌp kʌp	合韻 合韻
2947a	上加・107ウ5・疊字	合	入	カウ	左注	ɣʌp kʌp	合韻 合韻
2948a	上加・107ウ6・疊字	合	入	カウ	左注	ɣʌp kʌp	合韻 合韻

2724a	上加・099ウ2・雜物	合	―	カウ ［上濁上］	右注	ɣʌp kʌp	合韻 合韻
2617	上加・096ウ4・人事	号	去	カウ ［平上］	右注	ɣɑu[3]	号韻
0821b	上波・032ウ6・疊字	学	入	カク	左注	ɣauk	覺韻
1009b	上仁・040オ7・疊字	學	入濁	カク	左注	ɣauk	覺韻
3003a	上加・108ウ2・疊字	學	入濁	カク	左注	ɣauk	覺韻
3004a	上加・108ウ3・疊字	學	入	カク	左注	ɣauk	覺韻
3005a	上加・108ウ3・疊字	學	入	カク	左注	ɣauk	覺韻
3008a	上加・108ウ3・疊字	學	入濁	カク	左注	ɣauk	覺韻
0539	上波・022オ5・動物	翮	入	カク	右傍	ɣɐk	麥韻
1293b	上邊・050ウ6・人躰	核	入	カク	右傍	ɣɐk	麥韻
2933a	上加・107ウ3・疊字	鶴	入	カク	左注	ɣɑk	鐸韻
3084a	上加・109ウ5・疊字	鶴	入	カク	右注	ɣɑk	鐸韻
2674a	上加・098オ7・飲食	餲	―	カツ	右注	ɣɑt	曷韻
2767a	上加・100ウ1・雜物	鞨	入	カツ	右注	ɣɑt	曷韻
2523	上加・094オ5・動物	翈	入	カフ	右傍	ɣap	狎韻
3000a	上加・108ウ2・疊字	狎	入	カフ	左注	ɣap	狎韻
0894b	上波・033ウ6・疊字	峡	徳?	カフ	右注	ɣɐp	洽韻
2429	上加・091ウ2・地儀	峡	入	カフ	右傍	ɣɐp	洽韻
3011a	上加・108ウ4・疊字	洽	入	カフ	左注	ɣɐp	洽韻
2585a	上加・096オ3・人體	鶴	―	カフ	右注	ɣɑk	鐸韻
3131b	上加・110ウ1・疊字	闔	入	カフ	右注	ɣɑp	盍韻
2648a	上加・097ウ6・人事	合	入	カフ	左注	ɣʌp kʌp	合韻 合韻
2794	上加・101オ6・員數	合	―	カフ	右注	ɣʌp kʌp	合韻 合韻
2826	上加・103ウ2・辞字	合	入	カフ	右傍	ɣʌp kʌp	合韻 合韻
2901a	上加・107オ3・疊字	合	入	カフ	右注	ɣʌp kʌp	合韻 合韻
2903a	上加・107オ4・疊字	合	入	カフ	左注	ɣʌp kʌp	合韻 合韻
2955a	上加・107ウ7・疊字	合	入	カフ	左注	ɣʌp kʌp	合韻 合韻
3031a	上加・109オ1・疊字	合	入	カフ	左注	ɣʌp kʌp	合韻 合韻
3083a	上加・109ウ5・疊字	合	入	カフ	右注	ɣʌp kʌp	合韻 合韻
3105a	上加・110オ2・疊字	合	入濁	カフ	右注	ɣʌp kʌp	合韻 合韻
3130a	上加・110オ7・疊字	合	―	カフ	左注	ɣʌp kʌp	合韻 合韻
3124a	上加・110オ6・疊字	銜	平濁	カム	右注	ɣam[1]	銜韻
1991a	上利・073オ2・動物	銜	平	カム	右傍	ɣam[1]	銜韻
3125a	上加・110オ6・疊字	銜	平	カム	右注	ɣam[1]	銜韻
2655a	上加・098オ1・人事	酣	上	カム	左注	ɣɑm[1]	談韻

3120a	上加・110オ5・疊字	酣	平	カム	右注	ɣam1	談韻
0961	上仁・038オ1・飲食	寒	平	カム	右傍	ɣan1	寒韻
2563a	上加・095オ4・動物	寒	平	カム	右傍	ɣan1	寒韻
3073a	上加・109ウ3・疊字	邯	平	カム	左注	ɣan1	寒韻
2463a	上加・092オ4・地儀	含	平	カム	右傍	ɣʌm1	覃韻
2464a	上加・092オ7・植物	箞	平	カム	右注	ɣʌm1	覃韻
2887a	上加・106ウ7・疊字	含	平	カム	中注	ɣʌm1	覃韻
3216	上与・115ウ3・雑物	鋡	―	カム	右傍	ɣʌm1	覃韻
0673	上波・027オ3・雑物	函	平	カム	右傍	ɣʌm1 ɣɐm1	覃韻 咸韻
3117a	上加・110オ4・疊字	函	東?	カム	右注	ɣʌm1 ɣɐm1	覃韻 咸韻
0531a	上波・022オ1・植物	菡	上	（カム）	右傍	ɣʌm2	感韻
2448a	上加・092オ1・地儀	檻	―	カン	右注	ɣam2	檻韻
2775	上加・100ウ3・雑物	琀	―	カム	右注	ɣʌm3	勘韻
0236b	上伊・012ウ2・疊字	閑	平	カン	右注	ɣɐn1	山韻
0324b	上伊・013ウ6・疊字	閑	平	カン	中注	ɣɐn1	山韻
1603b	上度・062ウ1・疊字	閑	平	カン	左注	ɣɐn1	山韻
2862a	上加・106ウ2・疊字	閑	平	カン	左注	ɣɐn1	山韻
2863a	上加・106ウ3・疊字	閑	平	カン	左注	ɣɐn1	山韻
2909a	上加・107オ5・疊字	閑	平	カン	中注	ɣɐn1	山韻
2927a	上加・107ウ1・疊字	閑	平	カン	左注	ɣɐn1	山韻
2969a	上加・108オ3・疊字	閑	平	カン	左注	ɣɐn1	山韻
2970a	上加・108オ3・疊字	閑	平	カン	右注	ɣɐn1	山韻
2992a	上加・108オ7・疊字	閑	平	カン	中注	ɣɐn1	山韻
2993a	上加・108ウ1・疊字	閑	平	カン	左注	ɣɐn1	山韻
3046a	上加・109オ4・疊字	閑	平	カン	中注	ɣɐn1	山韻
3047a	上加・109オ4・疊字	閑	平	カン	左注	ɣɐn1	山韻
3048a	上加・109オ5・疊字	閑	平	カン	左注	ɣɐn1	山韻
3049a	上加・109オ5・疊字	閑	平	カン	左注	ɣɐn1	山韻
3050a	上加・109オ5・疊字	閑	平	カン	左注	ɣɐn1	山韻
3051a	上加・109オ5・疊字	閑	平	カン	左注	ɣɐn1	山韻
2855a	上加・106ウ1・疊字	寒	平	カン	左注	ɣan1	寒韻
2857a	上加・106ウ1・疊字	寒	平	カン	右注	ɣan1	寒韻
2449a	上加・093オ2・植物	寒	平	カン	右傍	ɣan1	寒韻
2856a	上加・106ウ1・疊字	寒	平	カン	左注	ɣan1	寒韻
2858a	上加・106ウ2・疊字	寒	平	カン	左注	ɣan1	寒韻
2864a	上加・106ウ3・疊字	寒	平	カン	左注	ɣan1	寒韻
2995a	上加・108ウ1・疊字	寒	平	カン	左注	ɣan1	寒韻
2996a	上加・108ウ1・疊字	寒	平	カン	左注	ɣan1	寒韻
2997a	上加・108ウ1・疊字	寒	平	カン	左注	ɣan1	寒韻
2998a	上加・108ウ1・疊字	寒	平	カン	中注	ɣan1	寒韻

3106a	上加・110オ2・疊字	寒	平	カン	右注	ɣɑn^{1}	寒韻
3129a	上加・110オ7・疊字	邯	平	カン	右傍	ɣɑn^{1}	寒韻
0943	上仁・036ウ3・植物	翰	平	カン	右傍	ɣɑn$^{1/3}$	寒/翰韻
3015a	上加・108ウ5・疊字	翰	去	カン	左注	ɣɑn$^{1/3}$	寒/翰韻
2916a	上加・107オ6・疊字	旱	去	カン	左注	ɣɑn^{2}	旱韻
2917a	上加・107オ6・疊字	旱	去	カン	左注	ɣɑn^{2}	旱韻
1510	上度・057ウ3・雜物	[illegible]	去	カン	右傍	ɣɑn^{3}	翰韻
2838	上加・105オ2・辞字	扞	去	カン	右傍	ɣɑn^{3}	翰韻
0540	上波・022ウ1・動物	馯	去	カン	右傍	ɣɑn^{3} k'an^{1}	翰韻 刪韻
1173b	上保・047ウ1・疊字	行	平濁	キヤウ	左注	ɣaŋ$^{1/3}$ ɣɑŋ$^{1/3}$	庚/映韻 唐/宕韻
1628b	上度・062ウ7・疊字	行	平濁	キヤウ	左注	ɣaŋ$^{1/3}$ ɣɑŋ$^{1/3}$	庚/映韻 唐/宕韻
1680b	上度・063ウ3・疊字	行	平濁	キヤウ	右注	ɣaŋ$^{1/3}$ ɣɑŋ$^{1/3}$	庚/映韻 唐/宕韻
1619b	上度・062ウ5・疊字	行	平	キヤウ	左注	ɣaŋ$^{1/3}$ ɣɑŋ$^{1/3}$	庚/映韻 唐/宕韻
3037b	上加・109オ2・疊字	行	平	キヤウ	左注	ɣaŋ$^{1/3}$ ɣɑŋ$^{1/3}$	庚/映韻 唐/宕韻
0953b	上仁・037オ6・人倫	形	―	キヤウ	右注	ɣeŋ^{1}	青韻
1802b	上池・069オ2・疊字	形	上濁	キヤウ	左注	ɣeŋ^{1}	青韻
2509	上加・093ウ4・植物	樺	平 去	クワ	右傍	ɣua$^{1/3}$	麻/禡韻
1681b	上度・063ウ4・疊字	畫	去濁	クワ	左注	ɣuɐ^{3} ɣuɐk	卦韻 麥韻
2799	上加・101ウ2・辞字	畫	去濁	クワ	右傍	ɣuɐ^{3} ɣuɐk	卦韻 麥韻
1017b	上仁・041オ1・諸寺	和	―	クワ	右注	ɣuɑ$^{1/3}$	戈/過韻
1359b	上邊・053オ3・疊字	懐	平濁	クワイ	左注	ɣuɐi^{1}	皆韻
1944b	上池・071オ2・疊字	懐	平	クワイ	右注	ɣuɐi^{1}	皆韻
0304b	上伊・013ウ1・疊字	會	去	クワイ	左注	ɣuɑi^{3} kuɑi^{3}	泰韻 泰韻
2984b	上加・108オ6・疊字	會	去	クワイ	左注	ɣuɑi^{3} kuɑi^{3}	泰韻 泰韻
2985b	上加・108オ6・疊字	會	去	クワイ	左注	ɣuɑi^{3} kuɑi^{3}	泰韻 泰韻
0858b	上波・033オ6・疊字	徊	平	クワイ	右注	ɣuʌi^{1}	灰韻
2610a	上加・096ウ1・人體	蛕	平	クワイ	右傍	ɣuʌi^{3}	隊韻
2351a	上和・088オ7・雜物	横	平	クワウ	右傍	ɣuaŋ$^{1/3}$ kuɑŋ^{1}	庚/映韻 唐韻
3222a	上与・115ウ4・雜物	横	平	クワウ	右傍	ɣuaŋ$^{1/3}$ kuɑŋ^{1}	庚/映韻 唐韻

2682	上加・098ウ3・雜物	紘	平	クワウ	右傍	ɣuɐŋ[1]	耕韻
0210	上伊・011オ2・辞字	遑	―	クワウ	右傍	ɣuɑŋ[1]	唐韻
0691a	上波・028オ2・光彩	黄	平	クワウ	右傍	ɣuɑŋ[1]	唐韻
0856b	上波・033オ6・疊字	徨	平	クワウ	左注	ɣuɑŋ[1]	唐韻
1048b	上保・042オ7・動物	凰	平	クワウ	左注	ɣuɑŋ[1]	唐韻
2245	上遠・081ウ3・人事	惶	平	クワウ	右傍	ɣuɑŋ[1]	唐韻
1485	上度・057オ4・雜物	幌	上	クワウ	右傍	ɣuɑŋ[2]	蕩韻
2346	上和・088オ6・雜物	籰	入	クワク	右傍	ɣiuɑk	藥韻
1427a	上度・054ウ5・地儀	鐶	平	クワン	右傍	ɣuan[1]	刪韻
2401b	上和・090オ6・疊字	還	平濁	クヱン	中注	ɣuan[1]	刪韻
2402b	上和・090オ6・疊字	還	平濁	クワン	左注	ɣuan[1]	刪韻
2483a	上加・093オ2・植物	芄	平	クワン	左傍	ɣuɑn[1]	桓韻
1049b	上保・042オ7・動物	穴	入	クヱツ	右傍	ɣuet	屑韻
1611b	上度・062ウ3・疊字	穴	入	クヱツ	左注	ɣuet	屑韻
0239b	上伊・012ウ2・疊字	玄	平	クヱン	左注	ɣuen[1]	先韻
1036b	上保・042オ1・植物	夏	上	ケ	右傍	ɣa[2/3]	馬/禡韻
1092	上保・044オ5・飲食	膎	平	ケイ	右傍	ɣɐ[1]	佳韻
0559a	上波・023オ2・動物	螇	平	ケイ	右傍	ɣei[1] k'ei[1]	齊韻 齊韻
0608	上波・024ウ6・人事	禊	―	ケイ	右傍	ɣei[3]	霽韻
0748b	上波・031ウ5・疊字	禊	上濁	ケイ	左注	ɣei[3]	霽韻
1234b	上保・048オ6・疊字	系	上濁	ケイ	左注	ɣei[3]	霽韻
2802	上加・101ウ4・辞字	纗	平	ケイ	右傍	ɣuei[1] tsie[1] ɣuɐ[3] jiue[3]	齊韻 支韻 卦韻 寘韻
1060	上保・042ウ6・動物	螢	平	ケイ	右傍	ɣueŋ[1]	青韻
2477a	上加・092ウ6・植物	瓠	―	ケイ	右傍	ɣuʌ[1/3]	模/暮韻
2237	上遠・081オ4・人倫	覡	入	ケキ	右傍	ɣek	錫韻
2568	上加・095ウ2・人倫	覡	入濁	ケキ	右傍	ɣek	錫韻
2699b	上加・099オ1・雜物	纈	入	ケチ	右注	ɣet	屑韻
0665	上波・026ウ7・雜物	筴	―	ケフ	右傍	ɣep kɐp	帖韻 洽韻
2488b	上加・093オ6・植物	筴	―	ケフ	右傍	ɣep kɐp	帖韻 洽韻
1008b	上仁・040オ7・疊字	限	平濁	ケン	右注	ɣɐn[2]	產韻
2624	上加・097オ2・人事	賢	平	ケン	右傍	ɣen[1]	先韻
1516	上度・057ウ5・雜物	硎	平	ケン	右傍	ɣeŋ[1] k'aŋ[1]	青韻 庚韻
0293b	上伊・013オ6・疊字	胡	平	コ	右注	ɣuʌ[1]	模韻
1451a	上度・055ウ2・動物	胡	―	コ	左注	ɣuʌ[1]	模韻
2005b	上利・073ウ3・人事	胡	上	コ	右傍	ɣuʌ[1]	模韻
2303a	上和・086ウ7・人躰	胡	平	コ	右傍	ɣuʌ[1]	模韻

2674b	上加・098オ7・飲食	餬	―	コ	右注	ɣuʌ1	模韻
3041b	上加・109オ3・疊字	湖	平	コ	左注	ɣuʌ1	模韻
3111b	上加・110オ3・疊字	乎	平	コ	右注	ɣuʌ1	模韻
3157b	上加・111ウ4・國郡	胡	―	コ	右傍	ɣuʌ1	模韻
0830b	上波・032ウ7・疊字	扈	平	コ	中注	ɣuʌ2	姥韻
1242b	上保・048ウ1・疊字	戸	上	コ	右注	ɣuʌ2	姥韻
1283	上邊・050オ1・地儀	戸	上	コ	右傍	ɣuʌ2	姥韻
1334b	上邊・052ウ5・疊字	戸	去	コ	左注	ɣuʌ2	姥韻
1420	上度・054ウ2・地儀	戸	上	コ	右傍	ɣuʌ2	姥韻
1915b	上池・070ウ3・疊字	戸	上	コ	左注	ɣuʌ2	姥韻
1815b	上池・069オ4・疊字	護	平濁	コ	右注	ɣuʌ3	暮韻
2890b	上加・107オ1・疊字	護	平濁	コ	左注	ɣuʌ3	暮韻
1961b	上池・071ウ4・國郡	後	―	コ	右注	ɣʌu2/3	厚/候韻
3141b	上加・110ウ6・疊字	降	―	コウ	右注	ɣauŋ1 kauŋ3	江韻 絳韻
2373b	上和・090オ1・疊字	侯	去	コウ	中注	ɣuʌ1	侯韻
0904b	上波・034オ1・疊字	后	去	コウ	右注	ɣʌu2/3	厚/候韻
1044a	上保・042オ4・植物	厚	上	コウ	右傍	ɣʌu2/3	厚/候韻
3039b	上加・109オ3・疊字	逅	去	コウ	左注	ɣʌu3	候韻
0054	上伊・003ウ7・植物	葒	平	コウ	右傍	ɣʌuŋ1	東韻
0906b	上波・034オ2・疊字	魂	平	コム	左注	ɣuʌn1	魂韻
1812b	上池・069オ4・疊字	魂	平濁	コン	左注	ɣuʌn1	魂韻
0983	上仁・039オ5・辞字	渾	平	コン	右注	ɣuʌn1/2	魂/混韻
2413b	上和・090ウ2・疊字	溷	去	コン	右傍	ɣuʌn3	慁韻
2603	上加・096オ7・人體	痕	平	コン	右傍	ɣʌn1	痕韻
3076b	上加・109ウ3・疊字	合	入	カウ □フ	左注	ɣʌp kʌp	合韻
0385b	上伊・016オ1・国郡	和	―	ワ	右傍	ɣuɑ1/3	戈/過韻
0996b	上仁・040オ4・疊字	和	上	ワ	左注	ɣuɑ1/3	戈/過韻
2379a	上和・090オ2・疊字	和	去	ワ	左注	ɣuɑ1/3	戈/過韻
2386a	上和・090オ3・疊字	和	去	ワ	左注	ɣuɑ1/3	戈/過韻
2390a	上和・090オ4・疊字	和	平	ワ	中注	ɣuɑ1/3	戈/過韻
2394a	上和・090オ5・疊字	和	去	ワ	左注	ɣuɑ1/3	戈/過韻
2398a	上和・090オ6・疊字	和	平	ワ	左注	ɣuɑ1/3	戈/過韻
2399a	上和・090オ6・疊字	和	去	ワ	中注	ɣuɑ1/3	戈/過韻
2407a	上和・090オ7・疊字	和	平	ワ	左注	ɣuɑ1/3	戈/過韻
2415a	上和・091オ1・姓氏	和	―	ワ	右傍	ɣuɑ1/3	戈/過韻
2416a	上和・091オ1・姓氏	和	―	ワ	右注	ɣuɑ1/3	戈/過韻
2418a	上和・091オ2・姓氏	和	―	ワ	右注	ɣuɑ1/3	戈/過韻
2361	上和・088ウ6・辞字	和	―	ワ [去]	右注	ɣuɑ1/3	戈/過韻
2003b	上利・073ウ2・人事	王	―	ワウ	右注	ɣiuɑŋ1/3	陽/漾韻
2298	上和・086ウ3・人倫	王	―	ワウ	右傍	ɣiuɑŋ1/3	陽/漾韻

2369a	上和・089ウ7・疊字	王	平	ワウ	左注	ɣiuaŋ$^{1/3}$	陽/漾韻
2370a	上和・089ウ7・疊字	王	—	ワウ	左注	ɣiuaŋ$^{1/3}$	陽/漾韻
2373a	上和・090オ1・疊字	王	平	ワウ	中注	ɣiuaŋ$^{1/3}$	陽/漾韻
2389a	上和・090オ4・疊字	王	平	ワウ	左注	ɣiuaŋ$^{1/3}$	陽/漾韻
2408a	上和・090ウ1・疊字	王	平	ワウ	右注	ɣiuaŋ$^{1/3}$	陽/漾韻
2409a	上和・090ウ1・疊字	王	平	ワウ	右注	ɣiuaŋ$^{1/3}$	陽/漾韻
2410a	上和・090ウ1・疊字	王	平	ワウ	右注	ɣiuaŋ$^{1/3}$	陽/漾韻
2411a	上和・090ウ1・疊字	王	—	ワウ	右傍	ɣiuaŋ$^{1/3}$	陽/漾韻
2414a	上和・090ウ3・疊字	王	—	ワウ	右傍	ɣiuaŋ$^{1/3}$	陽/漾韻
2649b	上加・097ウ7・人事	王	平	ワウ	左注	ɣiuaŋ$^{1/3}$	陽/漾韻
0259b	上伊・012ウ6・疊字	往	上	ワウ	左注	ɣiuaŋ^{2}	養韻
1252b	上保・048ウ3・疊字	往	上	ワウ	左注	ɣiuaŋ^{2}	養韻
2365a	上和・089ウ5・重點	往	—	ワウ	右注	ɣiuaŋ^{2}	養韻
2365b	上和・089ウ5・重點	往	—	ワウ	右注	ɣiuaŋ^{2}	養韻
2366a	上和・089ウ7・疊字	往	上	ワウ	中注	ɣiuaŋ^{2}	養韻
2367a	上和・089ウ7・疊字	往	上	ワウ	左注	ɣiuaŋ^{2}	養韻
2368a	上和・089ウ7・疊字	往	上	ワウ	左注	ɣiuaŋ^{2}	養韻
2374a	上和・090オ1・疊字	往	上	ワウ	左注	ɣiuaŋ^{2}	養韻
2375a	上和・090オ1・疊字	往	—	ワウ	左注	ɣiuaŋ^{2}	養韻
2376a	上和・090オ2・疊字	往	上	ワウ	左注	ɣiuaŋ^{2}	養韻
2377a	上和・090オ2・疊字	往	上	ワウ	左注	ɣiuaŋ^{2}	養韻
2383a	上和・090オ3・疊字	往	上	ワウ	左注	ɣiuaŋ^{2}	養韻
2400a	上和・090オ6・疊字	往	上	ワウ	中注	ɣiuaŋ^{2}	養韻
2401a	上和・090オ6・疊字	往	上	ワウ	中注	ɣiuaŋ^{2}	養韻
2402a	上和・090オ6・疊字	往	上	ワウ	左注	ɣiuaŋ^{2}	養韻
2403a	上和・090オ7・疊字	往	上	ワウ	左注	ɣiuaŋ^{2}	養韻
2404a	上和・090オ7・疊字	往	上	ワウ	左注	ɣiuaŋ^{2}	養韻
2444a	上和・088オ6・雜物	横	平	ワウ	右注	ɣuaŋ$^{1/3}$ kuaŋ^{1}	庚/映韻 唐韻
2805a	上和・088オ7・雜物	横	平	ワウ	右傍	ɣuaŋ$^{1/3}$ kuaŋ^{1}	庚/映韻 唐韻
2385a	上和・090オ3・疊字	横	平	ワウ	左注	ɣuaŋ$^{1/3}$ kuaŋ^{1}	庚/映韻 唐韻
2397a	上和・090オ6・疊字	横	平	ワウ	中注	ɣuaŋ$^{1/3}$ kuaŋ^{1}	庚/映韻 唐韻
2339a	上和・088オ3・飲食	垸	上	ワウ	右注	ɣuan$^{1/3}$	桓/換韻
2396a	上和・090オ5・疊字	垸	上	ワウ	左注	ɣuan$^{1/3}$	桓/換韻
1047b	上保・042オ7・動物	凰	平	ワウ	中注	ɣuaŋ^{1}	唐韻
1521b	上度・058オ1・光彩	黄	上	ワウ	右注	ɣuaŋ^{1}	唐韻
1721b	上池・065ウ5・植物	黄	上	ワウ	右注	ɣuaŋ^{1}	唐韻
2294a	上和・086オ3・植物	黄	—	ワウ	右傍	ɣuaŋ^{1}	唐韻
2306a	上和・086ウ7・人躰	黄	去	ワウ	右傍	ɣuaŋ^{1}	唐韻

2307a	上和・086ウ7・人躰	黄	一	ワウ	左注	ɣuaŋ¹	唐韻
2334a	上和・087ウ7・人事	皇	平	ワウ	右注	ɣuaŋ¹	唐韻
2338a	上和・088オ3・飲食	黄	一	ワウ	右注	ɣuaŋ¹	唐韻
2358a	上和・088ウ4・光彩	黄	一	ワウ	右注	ɣuaŋ¹	唐韻
2371a	上和・090オ1・疊字	皇	去	ワウ	左注	ɣuaŋ¹	唐韻
2372a	上和・090オ1・疊字	黄	去	ワウ	中注	ɣuaŋ¹	唐韻
2468b	上加・092ウ3・植物	黄	一	ワウ	右傍	ɣuaŋ¹	唐韻
2345	上和・088オ6・雜物	籰	入	ワク	右注	ɣiuak	藥韻
1405b	上邊・053ウ5・疊字	惑	入	ワク	右注	ɣuʌk	德韻
1954b	上池・071オ5・疊字	惑	一	ワク	右傍	ɣuʌk	德韻
1774b	上池・067ウ5・雜物	垸	上	ワン	右注	ɣuan¹ᐟ³	桓/換韻
1913b	上池・070ウ3・疊字	垸	上	ワン	中注	ɣuan¹ᐟ³	桓/換韻
2349	上和・088オ6・雜物	垸	上	ワン	右注	ɣuan¹ᐟ³	桓/換韻
2690	上加・098ウ5・雜物	帷	平	ヰ	右傍	ɣiuei¹	脂韻
0754b	上波・031ウ6・疊字	位	平	ヰ	左注	ɣiuei³	至韻
1025b	上保・041ウ1・天象	位	去	ヰ	右傍	ɣiuei³	至韻
1307b	上邊・051ウ3・雜物	位	平	ヰ	右注	ɣiuei³	至韻
0048b	上伊・003ウ5・植物	韋	平	ヰ	右傍	ɣiuʌi¹	微韻
0319b	上伊・013ウ5・疊字	違	去	ヰ	中注	ɣiuʌi¹	微韻
2253	上遠・082ウ6・雜物	韋	平	ヰ	右傍	ɣiuʌi¹	微韻
1486	上度・057オ4・雜物	幃	平	ヰ	右傍	ɣiuʌi¹ xiuʌi¹	微韻 微韻
2815	上加・102ウ3・辭字	圍	平	ヰ	右傍	ɣiuʌi¹ᐟ³	微/未韻
2162	上奴・077ウ7・雜物	緯	一	ヰ	右傍	ɣiuʌi³	未韻
0243b	上伊・012ウ3・疊字	域	入	ヰキ	右注	ɣiuɐk	職韻
0354a	上伊・015ウ3・国郡	員	一	ヰナ [上上]	右傍	ɣiuʌn¹ᐟ³ ɣiuan¹	文/問韻 仙韻
1275c	上保・049ウ1・諸寺	院	一	ヰン	右注	ɣiuan³ ɣuan¹	線韻 桓韻
3153b	上加・111ウ3・國郡	淮	一	ヱ	右傍	ɣuɐi¹	皆韻
0846b	上波・033オ4・疊字	壊	平	ヱ	左注	ɣuɐi³ kuɐi³	怪韻 怪韻
0643b	上波・026オ5・雜物	繪	一	ヱ	右注	ɣuai³	泰韻
1170b	上保・047オ7・疊字	會	平	ヱ	左注	ɣuai³ kuai³	泰韻 泰韻
3103b	上加・110オ2・疊字	會	平	ヱ	右注	ɣuai³ kuai³	泰韻 泰韻
1893b	上池・070オ6・疊字	慧	平	ヱ	中注	ɣuei³	霽韻
2489a	上加・093オ7・植物	衛	去	ヱイ	右傍	ɣiuai³	祭韻
0518	上波・021ウ3・植物	榮	平	ヱイ	右傍	ɣiuaŋ¹	庚韻
0876b	上波・033ウ3・疊字	越	入	ヱツ	右注	ɣiuat	月韻
1267b	上保・048ウ6・疊字	圓	一	ヱン	左注	ɣiuan¹	仙韻
2356a	上和・088ウ1・雜物	圓	平	ヱン	右傍	ɣiuan¹	仙韻

0828b	上波・032ウ7・疊字	援	上	ヱン	左注	ɣiuan^{3} ɣiuan^{1}	線韻 元韻
1667b	上度・063ウ1・疊字	園	平	ヱン	左注	ɣiuan^{1}	元韻
2442	上加・091ウ7・地儀	垣	平	ヱン	右傍	ɣiuan^{1}	元韻
1330b	上邊・052ウ4・疊字	遠	上	ヱン	中注	ɣiuan$^{2/3}$	阮/願韻
1474a	上度・056ウ4・人事	遠	上	ヱン	右傍	ɣiuan$^{2/3}$	阮/願韻
2791	上加・101オ5・員數	員	平	ヱン	右傍	ɣiuʌn$^{1/3}$ ɣiuan^{1}	文/問韻 仙韻
0382a	上伊・015ウ7・国郡	越	―	ヲ	右傍	ɣiuat	月韻
2285a	上遠・085ウ2・姓氏	越	―	ヲ	右注	ɣiuat	月韻
2210a	上遠・080オ5・植物	遠	―	ヲ [上]	右注	ɣiuan$^{2/3}$	阮/願韻
0152b	上伊・008オ1・人事	越	―	ヲツ	右注	ɣiuat	月韻
2543	上加・094ウ4・動物	纗	平	スイ	右傍	ɣuei^{1} jiue^{1}	齊韻 支韻
1587a	上度・062オ5・疊字	璜	平	トウ	左注	ɣuaŋ^{1}	唐韻
2392b	上和・090オ5・疊字	惑	入	ホウ	中注	ɣuʌk	德韻

【表C-07】下巻_匣母于母 ɣ

番号	前田本所在	掲出字		仮名音注		中古音	韻目
4217	下阿・030ウ2・人事	郵	平	イウ	右傍	ɣiʌu^{1}	尤韻
4752b	下佐・052ウ5・疊字	郵	平	イウ	右傍	ɣiʌu^{1}	尤韻
3842b	下江・017ウ1・疊字	郵	平	イウ	中注	ɣiʌu^{1}	尤韻
6922b	下洲・120オ6・疊字	郵	平	イウ	中注	ɣiʌu^{1}	尤韻
4219	下阿・030ウ3・人事	訧	平	イウ	右傍	ɣiʌu^{1}	尤韻
4511b	下佐・045オ4・人躰	疣	平	イウ	右傍	ɣiʌu^{1}	尤韻
6459	下毛・104ウ7・辞字	尤	平	イウ	右傍	ɣiʌu^{1}	尤韻
4781b	下佐・053オ5・疊字	友	去	イウ	右注	ɣiʌu^{2}	有韻
3813b	下江・017オ3・疊字	雄	平	イウ	中注	ɣiʌuŋ^{1}	東韻
5877b	下師・085オ6・疊字	雄	平	イウ	右注	ɣiʌuŋ^{1}	東韻
5852b	下師・085オ2・疊字	域	入	イキ	右注	ɣiuɐk	職韻
4220	下阿・030ウ6・人事	雩	―	ウ	右注	ɣiuʌ^{1}	虞韻
6435	下毛・103オ3・雑物	盂	平	ウ	右傍	ɣiuʌ^{1}	虞韻
6366b	下飛・100オ1・國郡	宇	―	ウ	右傍	ɣiuʌ^{2}	麌韻
6384a	下飛・100オ3・國郡	宇	―	ウ	右傍	ɣiuʌ^{2}	麌韻
3829a	下江・017オ6・疊字	羽	上	ウ	右傍	ɣiuʌ$^{2/3}$	麌/遇韻
5471c	下師・074ウ7・雑物	羽	上	ウ	右傍	ɣiuʌ$^{2/3}$	麌/遇韻
5525b	下師・078ウ4・疊字	雨	上	ウ	右注	ɣiuʌ$^{2/3}$	麌/遇韻
6341b	下飛・099オ3・疊字	羽	上	ウ	左注	ɣiuʌ$^{2/3}$	麌/遇韻
6845b	下洲・116オ4・雑物	羽	―	ウ	右傍	ɣiuʌ$^{2/3}$	麌/遇韻
6943b	下洲・120ウ4・疊字	羽	上	ウ	左注	ɣiuʌ$^{2/3}$	麌/遇韻
4861	下木・056オ5・植物	檃	平	ウン	右傍	ɣiuʌn^{1}	文韻

6703b	下世・111ウ5・疊字	雲	—	ウン	右注	ɣiuʌn^{1}	文韻
3794a	下江・016ウ5・重點	營	—	エイ	右注	ɣueŋ^{1}	青韻
3794b	下江・016ウ5・重點	營	—	エイ	右注	ɣueŋ^{1}	青韻
3755	下江・014ウ7・動物	鰕	平	カ	右傍	ɣa^{1}	麻韻
4156b	下阿・028オ2・動物	蝦	平	カ	右傍	ɣa^{1}	麻韻
4950	下木・059ウ3・辞字	瑕	平	カ	右傍	ɣa^{1}	麻韻
4783b	下佐・053オ5・疊字	下	—	カ	右注	ɣa$^{2/3}$	馬/禡韻
6006b	下會・089ウ1・疊字	下	去	カ	中注	ɣa$^{2/3}$	馬/禡韻
6593b	下世・110オ6・疊字	河	—	カ	右注	ɣɑ^{1}	歌韻
6949b	下洲・121オ5・国郡	河	—	カ	右注	ɣɑ^{1}	歌韻
4402b	下阿・040ウ5・国郡	賀	—	カ	右傍	ɣɑ^{3}	箇韻
4403b	下阿・040ウ5・国郡	賀	—	カ	右傍	ɣɑ^{3}	箇韻
4417b	下阿・040ウ7・国郡	賀	—	カ	右傍	ɣɑ^{3}	箇韻
5198b	下木・065オ1・国郡	賀	—	カ	右傍	ɣɑ^{3}	箇韻
5933b	下師・086ウ3・國郡	賀	—	カ	右傍	ɣɑ^{3}	箇韻
5934b	下師・086ウ3・國郡	賀	—	カ	右傍	ɣɑ^{3}	箇韻
5959b	下師・087オ6・姓氏	賀	—	カ	右注	ɣɑ^{3}	箇韻
6015b	下會・089ウ5・國郡	賀	—	カ	右傍	ɣɑ^{3}	箇韻
6367a	下飛・100オ1・國郡	賀	—	カ	右傍	ɣɑ^{3}	箇韻
6369b	下飛・100オ1・國郡	賀	—	カ	右傍	ɣɑ^{3}	箇韻
5391c	下師・073オ5・人事	鞨	—	カ	左注	ɣɑt	曷韻
4578b	下佐・047オ7・雜物	鞋	—	カ [平]	右注	ɣɐ^{1} ɣɐi^{1}	佳韻 皆韻
4579b	下佐・047オ7・雜物	鞋	—	カ [平]	右注	ɣɐ^{1} ɣɐi^{1}	佳韻 皆韻
4932b	下木・058ウ3・雜物	鞋	—	カイ	右注	ɣɐi^{1} ɣɐ^{1}	皆韻 佳韻
6546b	下世・108ウ7・雜物	鞋	—	カイ	右注	ɣɐi^{1} ɣɐ^{1}	皆韻 佳韻
3851b	下江・017ウ3・疊字	害	平	カイ	左注	ɣɑi^{3}	泰韻
5177b	下木・064オ5・疊字	害	平	カイ	右注	ɣɑi^{3}	泰韻
6696b	下世・111ウ3・疊字	害	平	カイ	左注	ɣɑi^{3}	泰韻
3763b	下江・015オ3・人倫	孩	—	カイ	左注	ɣʌi^{1}	咍韻
3817b	下江・017オ3・疊字	孩	平濁 去	カイ	左注	ɣʌi^{1}	咍韻
5432b	下師・074オ3・雜物	鞋	—	カイ [上平]	右注	ɣɐi^{1} ɣɐ^{1}	皆韻 佳韻
4469	下佐・043ウ4・植物	衡	平	カウ	右注	ɣaŋ^{1}	庚韻
6217	下飛・096ウ2・辞字	衡	平	カウ	右傍	ɣaŋ^{1}	庚韻
4121	下阿・026ウ5・植物	荇	上	カウ	右傍	ɣaŋ^{2}	梗韻
4554	下佐・046ウ5・飲食	肴	平	カウ	右傍	ɣau^{1}	肴韻
4968b	下木・060ウ7・疊字	殽	平	カウ	右注	ɣau^{1}	肴韻
6434	下毛・103オ3・雜物	缸	平	カウ	右傍	ɣauŋ^{1}	江韻

5881b	下師・085オ6・疊字	降	平	カウ	右注	ɣauŋ[1] kauŋ[3]	江韻 絳韻
4505a	下佐・044ウ7・人倫	幸	―	カウ	右傍	ɣɐŋ[2]	耿韻
5003b	下木・061オ7・疊字	幸	上	カウ	左注	ɣɐŋ[2]	耿韻
6621b	下世・110ウ4・疊字	幸	―	カウ	右注	ɣɐŋ[2]	耿韻
4483b	下佐・044オ3・動物	峡	入	カウ	右傍	ɣɐp	洽韻
4702b	下佐・051ウ6・疊字	行	平	カウ	左注	ɣaŋ[1/3] ɣɑŋ[1/3]	庚/映韻 唐/宕韻
6310b	下飛・098ウ4・疊字	行	平濁	カウ	左注	ɣaŋ[1/3] ɣɑŋ[1/3]	庚/映韻 唐/宕韻
4507	下佐・045オ3・人躰	毫	平	カウ	右傍	ɣɑu[1]	豪韻
6241b	下飛・097ウ6・疊字	毫	去濁	カウ	左注	ɣɑu[1]	豪韻
4519	下佐・045ウ4・人事	號	―	カウ	右傍	ɣɑu[1/3]	豪/号韻
3706b	下古・012オ3・疊字	合	―	カウ	左注	ɣʌp kʌp	合韻 合韻
5732b	下師・083オ5・疊字	合	入濁	カウ	左注	ɣʌp kʌp	合韻 合韻
5576b	下師・080オ3・疊字	學	―	カク	左注	ɣauk	覺韻
4467	下佐・043ウ3・植物	核	入	カク	右傍	ɣɐk	麥韻
4102b	下阿・026オ5・植物	蒚	入	カク	右傍	ɣɐk lek	麥韻 錫韻
5219b	下由・066オ5・植物	合	平濁	カフ	右傍	ɣʌp kʌp	合韻 合韻
5402	下師・073ウ3・飲食	鹹	平	カム	右注	ɣɐm[1]	咸韻
5401	下師・073ウ3・飲食	醎	―	（カム）	左注	ɣɐm[1]	咸韻
3421	下古・006ウ1・飲食	寒	―	カン	右傍	ɣɑn[1]	寒韻
4806a	下佐・054オ3・國郡	寒	―	カン	右傍	ɣɑn[1]	寒韻
5080b	下木・062ウ3・疊字	寒	平	カン	左注	ɣɑn[1]	寒韻
4137a	下阿・027オ7・動物	汗	去	カン	右傍	ɣɑn[1/3] kɑn[1]	寒/翰韻 寒韻
4185	下阿・029オ2・人躰	汗	平 去	カン	左傍	ɣɑn[1/3] kɑn[1]	寒/翰韻 寒韻
3639b	下古・011オ2・疊字	捍	上	カン	左注	ɣɑn[3] ɣan[2]	翰韻 潸韻
4902	下木・057ウ5・人事	行	―	キヤウ	右注	ɣaŋ[1/3] ɣɑŋ[1/3]	庚/映韻 唐/宕韻
4997a	下木・061オ6・疊字	行	去	キヤウ	左注	ɣaŋ[1/3] ɣɑŋ[1/3]	庚/映韻 唐/宕韻
4998a	下木・061オ6・疊字	行	平	キヤウ	左注	ɣaŋ[1/3] ɣɑŋ[1/3]	庚/映韻 唐/宕韻
5003a	下木・061オ7・疊字	行	平	キヤウ	左注	ɣaŋ[1/3] ɣɑŋ[1/3]	庚/映韻 唐/宕韻

5004a	下木・061オ7・疊字	行	—	キヤウ	左注	ɣaŋ$^{1/3}$ ɣɑŋ$^{1/3}$	庚/映韻 唐/宕韻
5138a	下木・063ウ3・疊字	行	—	キヤウ	右注	ɣaŋ$^{1/3}$ ɣɑŋ$^{1/3}$	庚/映韻 唐/宕韻
5326b	下師・071オ1・人倫	行	—	キヤウ	右注	ɣaŋ$^{1/3}$ ɣɑŋ$^{1/3}$	庚/映韻 唐/宕韻
5577b	下師・080オ3・疊字	行	—	キヤウ	左注	ɣaŋ$^{1/3}$ ɣɑŋ$^{1/3}$	庚/映韻 唐/宕韻
5597b	下師・080ウ5・疊字	行	平濁	キヤウ	左注	ɣaŋ$^{1/3}$ ɣɑŋ$^{1/3}$	庚/映韻 唐/宕韻
5604b	下師・080ウ7・疊字	行	上濁	キヤウ	中注	ɣaŋ$^{1/3}$ ɣɑŋ$^{1/3}$	庚/映韻 唐/宕韻
5905b	下師・085ウ4・疊字	行	—	キヤウ	右傍	ɣaŋ$^{1/3}$ ɣɑŋ$^{1/3}$	庚/映韻 唐/宕韻
5951b	下師・087オ3・官職	行	—	キヤウ	右注	ɣaŋ$^{1/3}$ ɣɑŋ$^{1/3}$	庚/映韻 唐/宕韻
6938b	下洲・120ウ2・疊字	行	平濁	キヤウ	左注	ɣaŋ$^{1/3}$ ɣɑŋ$^{1/3}$	庚/映韻 唐/宕韻
4927a	下木・058ウ2・雜物	杏	去濁	キヤウ	右注	ɣaŋ^{2}	梗韻
5070a	下木・062オ7・疊字	形	—	キヤウ	左注	ɣeŋ^{1}	青韻
5201a	下木・065オ4・官職	刑	—	キヤウ	右注	ɣeŋ^{1}	青韻
3893b	下手・019ウ4・人倫	狐	—	ク	右注	ɣuʌ^{1}	模韻
5977a	下會・088オ4・人倫	畫	—	クワ	右傍	ɣuɐ^{3} ɣuɐk	卦韻 麥韻
4089	下阿・025ウ7・植物	禾	平	クワ	右傍	ɣuɑ^{1}	戈韻
5973	下會・087ウ7・植物	槐	平	クワイ	右傍	ɣuɐi^{1} ɣuʌi^{1}	皆韻 灰韻
5230a	下由・067オ1・人事	壞	平	クワイ	右傍	ɣuɐi^{3} kuɐi^{3}	怪韻 怪韻
5975	下會・087ウ7・植物	櫰	平	クワイ	右傍	ɣuɐi^{1} kuʌl^{1}	皆韻 灰韻
4174b	下阿・028ウ7・人躰	會	去	クワイ	右傍	ɣuɑi^{3} kuɑi^{3}	泰韻 泰韻
4916	下木・058オ7・雜物	橫	—	クワウ	右傍	ɣuaŋ$^{1/3}$	庚韻
4133a	下阿・027オ6・動物	黄	平	クワウ	右傍	ɣuɑŋ^{1}	唐韻
4936	下木・058ウ6・光彩	黄	平	クワウ	右傍	ɣuɑŋ^{1}	唐韻
5213a	下由・065ウ7・天象	黄	平	クワウ	右傍	ɣuɑŋ^{1}	唐韻
5707a	下師・082ウ6・疊字	黄	平	クワウ	右傍	ɣuɑŋ^{1}	唐韻
5107b	下木・063オ3・疊字	猾	入	クワク	左注	ɣuɐt	黠韻
6187a	下飛・095オ2・雜物	鑊	—	クワク	右傍	ɣuɑk	鐸韻
4152b	下阿・027ウ6・動物	蝟	入	クワツ	右傍	ɣuɐt	黠韻

4118a	下阿・026ウ4・植物	滑	入	クワツ	右傍	ɣuɐt kuʌt ɣuʌt	黠韻 没韻 没韻
6438	下毛・103オ4・雜物	髻	入	クワツ	右傍	ɣuɑt kuɑi³	末韻 泰韻
6044	下飛・091オ4・植物	莧	去	クワン	右傍	ɣɐn³	襇韻
5255	下由・068オ2・雜物	鐶	平	クワン	右注	ɣuan¹	刪韻
5849b	下師・085オ1・疊字	環	平	クワン	右注	ɣuan¹	刪韻
6185a	下飛・095オ1・雜物	鐶	平	クワン	右傍	ɣuan¹	刪韻
4910	下木・058オ5・雜物	紈	平	クワン	左注	ɣuɑn¹	桓韻
4511a	下佐・045オ4・人躰	懸	平	クヱ	右傍	ɣuen¹	先韻
5210a	下由・065ウ6・天象	弦	―	クヱン	右傍	ɣen¹	先韻
3673b	下古・011ウ3・疊字	懸	平	クヱン	左注	ɣuen¹	先韻
4030b	下手・023オ6・疊字	縣	去	クヱン	左注	ɣuen¹ᐟ³	先/霰韻
5888b	下師・085ウ1・疊字	下	―	ケ	右注	ɣa²ᐟ³	馬/禡韻
6252b	下飛・098オ1・疊字	下	平濁	ケ	左注	ɣa²ᐟ³	馬/禡韻
4136a	下阿・027オ7・動物	鼷	平	ケイ	右傍	ɣei¹	齊韻
6756b	下世・112ウ1・疊字	蹊	―	ケイ	右注	ɣei¹	齊韻
6797b	下洲・114オ1・植物	蹊	―	ケイ	右注	ɣei¹	齊韻
3611b	下古・010ウ3・疊字	禊	上	ケイ	左注	ɣei³	霽韻
3718b	下古・012オ5・疊字	形	平	ケイ	右注	ɣeŋ¹	青韻
5790b	下師・084オ5・疊字	形	―	ケイ	右注	ɣeŋ¹	青韻
5703b	下師・082ウ5・疊字	螢	―	ケイ	左注	ɣueŋ¹	青韻
6198	下飛・095オ4・光彩	熒	平	ケイ	右傍	ɣueŋ¹	青韻
5277b	下師・069オ7・植物	筴	入	ケフ	右傍	ɣep kɐp	帖韻 洽韻
4309b	下阿・033ウ1・光彩	莧	去	ケン	右傍	ɣɐn³	襇韻
5561b	下師・079ウ3・疊字	現	平濁	ケン	左注	ɣen³	霰韻
6404b	下毛・101オ7・植物	槵	―	クヱン［去濁去平］	右傍	ɣuan³	諫韻
3327a	下古・002ウ3・植物	胡	平	コ	右傍	ɣuʌ¹	模韻
3332a	下古・002ウ4・植物	胡	―	コ	右注	ɣuʌ¹	模韻
3408a	下古・006オ1・人事	胡	平	コ	左注	ɣuʌ¹	模韻
3412a	下古・006オ4・人事	胡	―	コ	左注	ɣuʌ¹	模韻
3642a	下古・011オ2・疊字	狐	平	コ	左注	ɣuʌ¹	模韻
4254a	下阿・032オ4・雜物	胡	平	コ	右傍	ɣuʌ¹	模韻
4784b	下佐・053オ5・疊字	瑚	平	コ	右注	ɣuʌ¹	模韻
4855a	下木・056オ3・植物	胡	平	コ	右傍	ɣuʌ¹	模韻
4870	下木・056ウ2・動物	狐	平	コ	右傍	ɣuʌ¹	模韻
5218b	下由・066オ3・地儀	瑚	―	コ	右傍	ɣuʌ¹	模韻
5241	下由・067ウ4・雜物	弧	平	コ	右傍	ɣuʌ¹	模韻
5308	下師・070オ5・動物	胡	平	コ	右傍	ɣuʌ¹	模韻
5335	下師・071オ5・人躰	胡	平	コ	右傍	ɣuʌ¹	模韻

5755b	下師・083ウ4・疊字	乎	平	コ	右注	ɣuʌ^{1}	模韻
6050	下飛・091オ5・植物	壷	平	コ	右傍	ɣuʌ^{1}	模韻
6166	下飛・094ウ3・雜物	壷	平	コ	右傍	ɣuʌ^{1}	模韻
6421	下毛・102ウ1・人事	餬	平	コ	右傍	ɣuʌ^{1}	模韻
3856b	下江・017ウ4・疊字	怙	平	コ	右注	ɣuʌ^{2}	姥韻
5833b	下師・084ウ6・疊字	怙	平	コ	右注	ɣuʌ^{2}	姥韻
3607a	下古・010ウ2・疊字	護	平濁	コ	左注	ɣuʌ^{3}	暮韻
3339b	下古・002ウ6・植物	猴	上	コ	右傍	ɣʌu^{1}	侯韻
5285b	下師・069ウ2・植物	猴	上	コ	右傍	ɣʌu^{1}	侯韻
3673a	下古・011ウ3・疊字	後	平	コ	左注	ɣʌu$^{2/3}$	厚/候韻
3674a	下古・011ウ3・疊字	後	平	コ	中注	ɣʌu$^{2/3}$	厚/候韻
3701a	下古・012オ2・疊字	後	—	コ	左注	ɣʌu$^{2/3}$	厚/候韻
4687b	下佐・051ウ3・疊字	後	平	コ	左注	ɣʌu$^{2/3}$	厚/候韻
6017b	下會・089ウ6・國郡	後	—	コ	右注	ɣʌu$^{2/3}$	厚/候韻
6370b	下飛・100オ2・國郡	後	—	コ	右傍	ɣʌu$^{2/3}$	厚/候韻
3725a	下古・012オ7・疊字	紅	平	コ	右注	ɣʌuŋ^{1}	東韻
3589a	下古・010オ3・重點	戸	—	コ ［上］	右注	ɣuʌ^{2}	姥韻
3589b	下古・010オ3・重點	戸	—	コ ［上］	右注	ɣuʌ^{2}	姥韻
3393	下古・005オ1・人事	戸	—	コ ［去］	右注	ɣuʌ^{2}	姥韻
3565	下古・007ウ1・雜物	糊	—	コ ［去濁］	右注	ɣuʌ^{1}	模韻
3571a	下古・007ウ4・光彩	胡	去	コ ［去濁］	—	ɣuʌ^{1}	模韻
3456a	下古・007オ5・雜物	戸	平	コ ［平］	右注	ɣuʌ^{2}	姥韻
3317a	下古・002オ4・地儀	弘	平	コウ	右注	ɣuʌŋ^{1}	登韻
3388a	下古・004ウ4・人躰	喉	平	コウ	右傍	ɣʌu^{1}	侯韻
3426b	下古・006ウ4・雜物	篌	平	コウ	右注	ɣʌu^{1}	侯韻
4485b	下佐・044オ4・動物	猴	平	コウ	右傍	ɣʌu^{1}	侯韻
4880	下木・057オ1・人倫	侯	—	コウ	右傍	ɣʌu^{1}	侯韻
3316a	下古・002オ4・地儀	後	去	コウ	右傍	ɣʌu$^{2/3}$	厚/候韻
3599a	下古・010オ7・疊字	厚	去	コウ	左注	ɣʌu$^{2/3}$	厚/候韻
3715a	下古・012オ5・疊字	後	去	コウ	左注	ɣʌu$^{2/3}$	厚/候韻
3727a	下古・012オ7・疊字	厚	去	コウ	左注	ɣʌu$^{2/3}$	厚/候韻
5028b	下木・061ウ5・疊字	後	平	コウ	左注	ɣʌu$^{2/3}$	厚/候韻
5085b	下木・062ウ5・疊字	厚	平濁	コウ	左注	ɣʌu$^{2/3}$	厚/候韻
5699b	下師・082ウ3・疊字	後	—	コウ	左注	ɣʌu$^{2/3}$	厚/候韻
5693b	下師・082ウ1・疊字	候	去	コウ	左注	ɣʌu^{3}	候韻
3340a	下古・002ウ7・植物	紅	平	コウ	右注	ɣʌuŋ^{1}	東韻
3575a	下古・007ウ5・光彩	紅	—	コウ	右注	ɣʌuŋ^{1}	東韻
3717a	下古・012オ5・疊字	紅	平	コウ	左注	ɣʌuŋ^{1}	東韻
3722a	下古・012オ6・疊字	紅	平	コウ	右注	ɣʌuŋ^{1}	東韻

3724a	下古・012オ7・疊字	紅	平	コウ	右注	ɣʌuŋ^{1}	東韻
3726a	下古・012オ7・疊字	紅	—	コウ	右注	ɣʌuŋ^{1}	東韻
3718a	下古・012オ5・疊字	虹	—	コウ	右注	ɣʌuŋ^{1} kʌuŋ^{3} kauŋ^{3}	東韻 送韻 絳韻
3308a	下古・001ウ7・地儀	鴻	—	コウ	右注	ɣʌuŋ$^{1/2}$	東/董韻
3613a	下古・010ウ3・疊字	鴻	平	コウ	中注	ɣʌuŋ$^{1/2}$	東/董韻
3714a	下古・012オ4・疊字	鴻	—	コウ	左注	ɣʌuŋ$^{1/2}$	東/董韻
3436	下古・006ウ7・雜物	穀	入	コク	右傍	ɣʌuk	屋韻
3576	下古・007ウ7・員數	斛	—	コク	右注	ɣʌuk	屋韻
5250	下由・067ウ7・雜物	斛	入	コク	右傍	ɣʌuk	屋韻
6791b	下洲・113ウ7・植物	蔛	入	コク	右傍	ɣʌuk	屋韻
3352	下古・003オ6・動物	鵠	—	コフ	右注	ɣɑuk	沃韻
3683a	下古・011ウ5・疊字	混	去	コン	右注	ɣuʌn^{2}	混韻
3687a	下古・011ウ6・疊字	混	去	コン	右注	ɣuʌn^{2}	混韻
3706a	下古・012オ3・疊字	混	—	コン	左注	ɣuʌn^{2}	混韻
6220	下飛・096ウ4・辞字	混	去	コン	右傍	ɣuʌn^{2}	混韻
4141	下阿・027ウ2・動物	鯇	上	コン	右傍	ɣuʌn^{2} ɣuan^{2}	混韻 潸韻
4196	下阿・029オ6・人躰	痕	平	コン	右傍	ɣʌn^{1}	痕韻
4890	下木・057ウ1・人躰	痕	平	コン	右傍	ɣʌn^{1}	痕韻
3419a	下古・006ウ1・飲食	餛	平	コン ［平平］	右注	ɣuʌn^{1}	魂韻
4574b	下佐・047オ7・雜物	瑚	平	コ ［平濁］	右注	ɣuʌ^{1}	模韻
6176b	下飛・094ウ6・雜物	和	—	ワ	右傍	ɣuɑ$^{1/3}$	戈/過韻
6363a	下飛・100オ1・國郡	和	—	ワ	右傍	ɣuɑ$^{1/3}$	戈/過韻
5384b	下師・073オ3・人事	王	平	ワウ	左注	ɣiuɑŋ$^{1/3}$	陽/漾韻
5025b	下木・061ウ5・疊字	往	平	ワウ	左注	ɣiuɑŋ^{2}	養韻
5874b	下師・085オ5・疊字	横	平	ワウ	右注	ɣuaŋ$^{1/3}$	庚韻
4891a	下木・057ウ1・人躰	黄	—	ワウ	右傍	ɣuɑŋ^{1}	唐韻
5215c	下由・066オ2・地儀	黄	平	ワウ	右注	ɣuɑŋ^{1}	唐韻
5479b	下師・075オ4・光彩	黄	上	ワウ	右注	ɣuɑŋ^{1}	唐韻
5771b	下師・084オ2・疊字	潢	平	ワウ	右傍	ɣuɑŋ$^{1/3}$	唐/宕韻
5312	下師・070ウ1・動物	鮪	上	ヰ	右傍	ɣiuei^{2}	旨韻
3315	下古・002オ3・地儀	闈	平	ヰ	右傍	ɣiuʌi^{1}	微韻
4740b	下佐・052ウ1・疊字	違	上	ヰ	左注	ɣiuʌi^{1}	微韻
5903d	下師・085ウ4・疊字	違	—	ヰ	右傍	ɣiuʌi^{1}	微韻
3394a	下古・005オ1・人事	圍	平	ヰ	右傍	ɣiuʌi$^{1/3}$	微/未韻
5010b	下木・061ウ1・疊字	圍	平	ヰ	左注	ɣiuʌi$^{1/3}$	微/未韻
6624b	下世・110ウ5・疊字	圍	平	ヰ	右注	ɣiuʌi$^{1/3}$	微/未韻
4135a	下阿・027オ6・動物	葦	上	ヰ	右傍	ɣiuʌi^{2}	尾韻
4829b	下佐・055オ1・姓氏	為	—	ヰ ［平］	右注	ɣiue$^{1/3}$	支/寘韻

3831b	下江・017オ6・疊字	域	入	ヰキ	右傍	ɣiuɐk	職韻
6588b	下世・110オ5・疊字	域	入	ヰキ	左注	ɣiuɐk	職韻
3409b	下古・006オ1・人事	詠	去	ヰヤウ	左注	ɣiuaŋ^{3}	映韻
4817b	下佐・054オ7・官職	院	―	ヰン	右注	ɣiuan^{3} ɣuan^{1}	線韻 桓韻
6764c	下世・112ウ7・官職	院	―	ヰン	右傍	ɣiuan^{3} ɣuan^{1}	線韻 桓韻
5817b	下師・084ウ3・疊字	員	上	ヰン	左注	ɣiuʌn$^{1/3}$ ɣiuan^{1}	文/問韻 仙韻
5985	下會・088ウ7・雜物	繪	―	ヱ	右注	ɣuai^{1}	泰韻
5999a	下會・089オ7・疊字	會	平	ヱ	左注	ɣuai^{3} kuai^{3}	泰韻
6375a	下飛・100オ2・國郡	恵	―	ヱ	右傍	ɣuei^{3}	霽韻
6512a	下世・107ウ2・動物	蟪	―	ヱ	右傍	ɣuei^{3}	霽韻
5997a	下會・089オ7・疊字	廻	去	ヱ	中注	ɣuʌi$^{1/3}$	灰/隊韻
4498a	下佐・044ウ2・動物	榮	平	ヱイ	右傍	ɣiuaŋ^{1}	庚韻
6000a	下會・089オ7・疊字	榮	平	ヱイ	左注	ɣiuaŋ^{1}	庚韻
6001a	下會・089オ7・疊字	榮	平	ヱイ	左注	ɣiuaŋ^{1}	庚韻
5071b	下木・062ウ1・疊字	咏	去	ヱイ	中注	ɣiuaŋ^{3}	映韻
5659b	下師・082オ1・疊字	詠	去	ヱイ	左注	ɣiuaŋ^{3}	映韻
5982	下會・088ウ2・人事	詠	―	ヱイ [平上]	右注	ɣiuaŋ^{3}	映韻
5963a	下會・087ウ4・地儀	永	上	ヱイ	右傍	ɣiuaŋ^{2}	梗韻
5964a	下會・087ウ4・地儀	永	上	ヱイ	右傍	ɣiuaŋ^{2}	梗韻
5983a	下會・088ウ3・人事	永	上	ヱイ	右傍	ɣiuaŋ^{2}	梗韻
6013a	下會・089ウ3・疊字	永	上	ヱイ	左注	ɣiuaŋ^{2}	梗韻
6010a	下會・089ウ2・疊字	越	―	ヱツ	右注	ɣiuat	月韻
6014a	下會・089ウ5・國郡	越	―	ヱツ	右注	ɣiuat	月韻
6016a	下會・089ウ5・國郡	越	―	ヱツ	右注	ɣiuat	月韻
6017a	下會・089ウ6・國郡	越	―	ヱツ	右注	ɣiuat	月韻
6011a	下會・089ウ3・疊字	圓	平	ヱン	左注	ɣiuan^{1}	仙韻
6594b	下世・110オ6・疊字	湲	平	ヱン	左注	ɣiuan^{1} ɣuɐn^{1}	仙韻 山韻
3582	下古・009オ3・辞字	爰	平	ヱン	右傍	ɣiuɑn^{1}	元韻
4482	下佐・044オ3・動物	猿	平	ヱン	右傍	ɣiuɑn^{1}	元韻
4484	下佐・044オ3・動物	猨	平	ヱン	右注	ɣiuɑn^{1}	元韻
4489a	下佐・044オ5・動物	猿	平	ヱン	右傍	ɣiuɑn^{1}	元韻
5188b	下木・064オ7・疊字	園	東?	ヱン	右注	ɣiuɑn^{1}	元韻
5276a	下師・069オ6・植物	垣	平	ヱン	右傍	ɣiuɑn^{1}	元韻
5971a	下會・087ウ6・植物	園	―	ヱン	右傍	ɣiuɑn^{1}	元韻
6006a	下會・089ウ1・疊字	垣	平	ヱン	中注	ɣiuɑn^{1}	元韻
5989a	下會・089オ4・重點	遠	―	ヱン	右注	ɣiuɑn$^{2/3}$	阮/願韻
5989b	下會・089オ4・重點	遠	―	ヱン	右注	ɣiuɑn$^{2/3}$	阮/願韻

6007a	下會・089ウ1・疊字	遠	上	ヱン	中注	ɣiuan$^{2/3}$	阮/願韻
6012a	下會・089ウ3・疊字	遠	上	ヱン	左注	ɣiuan$^{2/3}$	阮/願韻
3963b	下手・022オ5・疊字	越	入	ヲツ	左注	ɣiuɑt	月韻
5193b	下木・064ウ4・諸社	園	―	ヲン	左注	ɣiuɑn^{1}	元韻
3995b	下手・022ウ5・疊字	携	平	タイ	左注	ɣuei^{1}	齊韻

【表C-07】上巻_影母 '-

番号	前田本所在	掲出字		仮名音注		中古音	韻目
2243b	上遠・081オ7・人體	瘂	平	ア	右傍	'a^{2}	馬韻
1691a	上度・064オ3・国郡	安	―	ア	右傍	'ɑn^{1}	寒韻
0356a	上伊・015ウ3・国郡	安	―	ア	右傍	'ɑn^{1}	寒韻
0374a	上伊・015ウ7・国郡	安	―	ア	右傍	'ɑn^{1}	寒韻
0360a	上伊・015ウ4・国郡	阿	―	ア [上]	右傍	'ɑ^{1}	歌韻
0775b	上波・032オ3・疊字	愛	平	アイ	右注	'ʌi^{3}	代韻
0877b	上波・033ウ3・疊字	愛	去	アイ	右注	'ʌi^{3}	代韻
1932b	上池・070ウ7・疊字	愛	去	アイ	左注	'ʌi^{3}	代韻
2453a	上加・092オ1・地儀	鴨	入	アウ	右傍	'ap	狎韻
2221b	上遠・080ウ3・動物	鴦	平	アウ	右傍	'ɑŋ^{1} 'iɑŋ^{1}	唐韻 陽韻
2465b	上加・092ウ1・植物	芺	上	アウ	右傍	'ɑu^{2} 'iau^{2}	晧韻 小韻
2676	上加・098ウ1・飲食	䐿	去	アウ	右傍	'ɑu$^{2/3}$	晧/号韻
1469	上度・056ウ2・人事	殃	平	アウ	右傍	'iɑŋ^{1}	陽韻
2332	上和・087ウ3・人事	殃	平	アウ	右傍	'iɑŋ^{1}	陽韻
1206b	上保・047ウ7・疊字	悪	入	アク	左注	'ɑk 'uʌ$^{1/3}$	鐸韻 模/暮韻
2328	上和・087オ7・人事	啞	―	アク	右傍	'ak 'ɐk 'a$^{2/3}$	陌韻 麥韻 馬/禡韻
0572	上波・023ウ4・人躰	鶡	入	アツ	右傍	'ɑt	曷韻
2515	上加・094オ3・動物	鴨	入	アフ	右傍	'ap	狎韻
2524a	上加・094オ5・動物	鴨	―	アフ	右傍	'ap	狎韻
0028	上伊・003オ2・地儀	庵	―	アム	右傍	'ʌm^{1}	覃韻
0496a	上波・021オ2・植物	菴	平	アム	右傍	'ʌm^{1} 'iam^{1}	覃韻 鹽韻
2050b	上利・074ウ5・疊字	闇	上	アム	中注	'ʌm^{3}	勘韻
0355a	上伊・015ウ3・国郡	奄	―	アム [平平]	右傍	'iam^{2}	琰韻
2518	上加・094オ3・動物	鷃	去	アン	右傍	'an^{3}	諫韻
2275	上遠・084オ2・辞字	晏	―	アン	右傍	'an^{3} 'ɑn^{3}	諫韻 翰韻
1342b	上邊・052ウ6・疊字	安	平	アン	左注	'ɑn^{1}	寒韻

1897b	上池・070オ7・疊字	案	平	アン	左注	'ɑn³	翰韻
2415b	上和・091オ1・姓氏	安	—	アン	右傍	'ɑn¹	寒韻
0264a	上伊・012ウ7・疊字	醫	去	イ	左注	'iɐi¹	之韻
0265a	上伊・013オ1・疊字	醫	去	イ	左注	'iɐi¹	之韻
0386a	上伊・016オ4・官職	醫	—	イ	右注	'iɐi¹	之韻
0256a	上伊・012ウ6・疊字	意	平	イ	左注	'iɐi³	志韻
0292a	上伊・013オ6・疊字	意	平	イ	右注	'iɐi³	志韻
0293a	上伊・013オ6・疊字	意	平	イ	右注	'iɐi³	志韻
0294a	上伊・013オ6・疊字	意	平	イ	右注	'iɐi³	志韻
0295a	上伊・013オ6・疊字	意	去	イ	右注	'iɐi³	志韻
0318a	上伊・013ウ5・疊字	意	平	イ	左注	'iɐi³	志韻
0371a	上伊・015ウ6・国郡	意	—	イ	右傍	'iɐi³	志韻
0969b	上仁・038オ7・雜物	意	平	イ	右注	'iɐi³	志韻
1003b	上仁・040オ6・疊字	意	平	イ	左注	'iɐi³	志韻
1201b	上保・047ウ6・疊字	意	平	イ	左注	'iɐi³	志韻
1622b	上度・062ウ5・疊字	意	平	イ	左注	'iɐi³	志韻
2938b	上加・107ウ4・疊字	意	平	イ	左注	'iɐi³	志韻
3240b	上与・117ウ2・疊字	意	平	イ	左注	'iɐi³	志韻
1466a	上度・056ウ1・人事	猗	平	イ	右傍	'ie¹ᐟ³	支/寘韻
0227a	上伊・012オ5・重點	猗	—	イ	右傍	'ie¹ᐟ³	支/寘韻
0227b	上伊・012オ5・重點	猗	—	イ	右傍	'ie¹ᐟ³	支/寘韻
0312a	上伊・013ウ4・疊字	猗	平	イ	右注	'ie¹ᐟ³	支/寘韻
3281a	上波・034ウ5・國郡	印	—	イ	右傍	'ien³	震韻
0319a	上伊・013ウ5・疊字	依	平	イ	中注	'iʌi¹	微韻
3228	上与・116オ6・辞字	依	平	イ	右傍	'iʌi¹	微韻
1670b	上度・063ウ1・疊字	偯	上	イ	右注	'iʌi¹	微韻
0325a	上伊・013ウ6・疊字	衣	上	イ	左注	'iʌi¹ᐟ³	微/未韻
0326a	上伊・013ウ7・疊字	衣	上	イ	左注	'iʌi¹ᐟ³	微/未韻
1244b	上保・048ウ1・疊字	衣	平	イ	左注	'iʌi¹ᐟ³	微/未韻
1265b	上保・048ウ6・疊字	衣	平	イ	右注	'iʌi¹ᐟ³	微/未韻
2908b	上加・107オ5・疊字	衣	平	イ	左注	'iʌi¹ᐟ³	微/未韻
0172a	上伊・008ウ4・雜物	衣	上	イ [上]	右注	'iʌi¹ᐟ³	微/未韻
0173a	上伊・008ウ4・雜物	倚	—	イ [去]	右注	'ie²ᐟ³	紙/寘韻
0320a	上伊・013ウ5・疊字	倚	去	イ	右注	'ie²ᐟ³	紙/寘韻
0283a	上伊・013オ4・疊字	邑	上	イウ	左注	'iep	緝韻
0322a	上伊・013ウ6・疊字	邑	入	イウ	左注	'iep	緝韻
0233a	上伊・012ウ1・疊字	幽	東	イウ	左注	'ieu¹	幽韻
0238a	上伊・012ウ2・疊字	幽	東	イウ	右注	'ieu¹	幽韻
0239a	上伊・012ウ2・疊字	幽	東	イウ	左注	'ieu¹	幽韻
0246a	上伊・012ウ4・疊字	幽	東	イウ	左注	'ieu¹	幽韻
0321a	上伊・013ウ6・疊字	幽	東	イウ	左注	'ieu¹	幽韻

0324a	上伊・013ウ6・疊字	幽	東	イウ	中注	'ieu^{1}	幽韻
0276a	上伊・013オ3・疊字	優	平	イウ	中注	'iʌu^{1}	尤韻
0277a	上伊・013オ3・疊字	優	平	イウ	左注	'iʌu^{1}	尤韻
0279a	上伊・013オ3・疊字	優	―	イウ	右注	'iʌu^{1}	尤韻
0297a	上伊・013オ7・疊字	優	平	イウ	左注	'iʌu^{1}	尤韻
0298a	上伊・013オ7・疊字	優	平	イウ	左注	'iʌu^{1}	尤韻
0302a	上伊・013ウ1・疊字	優	平	イウ	右注	'iʌu^{1}	尤韻
0303a	上伊・013ウ1・疊字	優	平	イウ	左注	'iʌu^{1}	尤韻
0304a	上伊・013ウ1・疊字	優	平	イウ	左注	'iʌu^{1}	尤韻
0305a	上伊・013ウ2・疊字	優	平	イウ	中注	'iʌu^{1}	尤韻
0346a	上伊・014オ4・疊字	優	平	イウ	左注	'iʌu^{1}	尤韻
0855b	上波・033オ5・疊字	優	平	イウ	左注	'iʌu^{1}	尤韻
0151	上伊・007ウ6・人事	幼	去	イウ	右傍	'ieu^{3}	幼韻
0280a	上伊・013オ3・疊字	幼	去	イウ	左注	'ieu^{3}	幼韻
0281a	上伊・013オ4・疊字	幼	去	イウ	中注	'ieu^{3}	幼韻
2025b	上利・074オ7・疊字	燠	入	イク	左注	'iʌuk	屋韻
2857b	上加・106ウ1・疊字	燠	入	イク	右注	'iʌuk	屋韻
3064b	上加・109ウ1・疊字	音	平	イム	左注	'iem^{1}	侵韻
3054b	上加・109オ6・疊字	飲	上	イム	左注	'iem$^{2/3}$	寑/沁韻
0343a	上伊・014オ3・疊字	飲	上	イム	右注	'iem$^{2/3}$	寑/沁韻
0344a	上伊・014オ3・疊字	飲	上	イム	右注	'iem$^{2/3}$	寑/沁韻
3262b	上与・117ウ6・疊字	飲	上	イム	右注	'iem$^{2/3}$	寑/沁韻
0731b	上波・031ウ1・疊字	隠	上	イム	右注	'iʌn$^{2/3}$	隠/焮韻
0241a	上伊・012ウ3・疊字	隠	上	イム	左注	'iʌn$^{2/3}$	隠/焮韻
0269a	上伊・013オ1・疊字	隠	―	イム	右注	'iʌn$^{2/3}$	隠/焮韻
0073a	上伊・004ウ1・動物	鸚	―	イン	右傍	'ɐŋ^{1}	耕韻
2243a	上遠・081オ7・人體	瘖	平	イン	右傍	'iem^{1}	侵韻
0230a	上伊・012ウ1・疊字	陰	平	イン	右注	'iem^{1}	侵韻
0231a	上伊・012ウ1・疊字	陰	平	イン	左注	'iem^{1}	侵韻
0299a	上伊・013オ7・疊字	陰	平	イン	左注	'iem^{1}	侵韻
0306a	上伊・013ウ2・疊字	陰	平	（イム）	左注	'iem^{1}	侵韻
1884b	上池・070オ4・疊字	音	平	イン	左注	'iem^{1}	侵韻
0185	上伊・009オ1・雜物	印	―	イン	右注	'ien^{3}	震韻
1279b	上保・049ウ4・官職	印	―	イン	右注	'ien^{3}	震韻
2255	上遠・082ウ7・雜物	印	―	イン	右傍	'ien^{3}	震韻
0287a	上伊・013オ5・疊字	慇	平	イン	右注	'iʌn^{1}	欣韻
0228a	上伊・012オ5・重點	殷	平	イン	右傍	'iʌn^{1} 'ɐn^{1}	欣韻 山韻
0228b	上伊・012オ5・重點	殷	平	イン	右傍	'iʌn^{1} 'ɐn^{1}	欣韻 山韻
1744a	上池・066ウ7・人躰	癮	上	イン	右傍	'iʌn^{2}	隠韻
0229a	上伊・012オ5・重點	隠	―	イン	右傍	'iʌn$^{2/3}$	隠/焮韻

0229b	上伊・012オ5・重點	隠	―	イン	右傍	ʼiʌn$^{2/3}$	隠/焮韻
0307a	上伊・013ウ3・疉字	隠	上	イン	左注	ʼiʌn$^{2/3}$	隠/焮韻
0327a	上伊・013ウ7・疉字	隠	上	イン	中注	ʼiʌn$^{2/3}$	隠/焮韻
0329a	上伊・013ウ7・疉字	隠	上	イン	中注	ʼiʌn$^{2/3}$	隠/焮韻
0094a	上伊・005オ4・動物	烏	平	ヲ	右傍	ʼuʌ^{1}	模韻
0334b	上伊・014オ1・疉字	欝	入	ウツ	左注	ʼiuʌt	物韻
0338b	上伊・014オ2・疉字	欝	入	ウツ	右注	ʼiuʌt	物韻
2856b	上加・106ウ1・疉字	温	平	ウン	左注	ʼuʌn^{1}	魂韻
0644	上波・026オ5・雜物	翳	去	エイ	右傍	ʼei$^{1/3}$	齊/霽韻
0407a	上呂・017ウ5・人體	癭	上	エイ	右傍	ʼieŋ^{2}	靜韻
0520	上波・021ウ4・植物	英	平	エイ	右傍	ʼiaŋ^{1}	庚韻
2928b	上加・107ウ2・疉字	妖	去	エウ	左注	ʼiau^{1}	宵韻
2333	上和・087ウ4・人事	祅	平	エウ	右傍	ʼiau^{1}	宵韻
2625	上加・097オ2・人事	妖	平	エウ	右傍	ʼiau^{1}	宵韻
1872b	上池・070オ2・疉字	夭	平	エウ	左注	ʼiau$^{1/2}$ ʼɑu^{2}	宵/小韻 晧韻
0634b	上波・025ウ7・人事	鷹	平	エウ	右傍	ʼiɐŋ^{1}	蒸韻
0805b	上波・032ウ2・疉字	謁	入	エツ	右注	ʼiɑt	月韻
1561	上度・060ウ3・辞字	淹	―	エム	右注	ʼiam^{1} ʼiʌm^{3}	鹽韻 梵韻
0218	上伊・011ウ1・辞字	焉	―	エム	右傍	ʼian^{1} ɣian^{1} ʼiɑn^{1}	仙韻 仙韻 元韻
1453a	上度・055ウ4・動物	蝘	上	エン	右傍	ʼen^{2} ʼiɑn^{2}	銑韻 阮韻
0278b	上伊・013オ3・疉字	宴	去	エン	右注	ʼen$^{2/3}$	銑/霰韻
1400b	上邊・053ウ4・疉字	焉	平	エン	右注	ʼian^{1} ɣian^{1} ʼiɑn^{1}	仙韻 仙韻 元韻
3238b	上与・117ウ1・疉字	宴	去	エン	右注	ʼen$^{2/3}$	銑/霰韻
3045b	上加・109オ4・疉字	屋	入	オク	左注	ʼʌuk	屋韻
1806b	上池・069オ2・疉字	央	平	ヤウ	左注	ʼiɑŋ^{1}	陽韻
2108b	上利・075ウ2・疉字	益	―	ヤク	左注	ʼiɵk	昔韻
3261b	上与・117ウ6・疉字	益	入	ヤク	左注	ʼlek	昔韻
3238a	上与・117ウ1・疉字	飫	去	ヨ	右注	ʼiʌ^{3}	御韻
3262a	上与・117ウ6・疉字	飫	去	ヨ	右注	ʼiʌ^{3}	御韻
3264a	上与・117ウ7・疉字	雍	平	ヨウ	右注	ʼiɑuŋ$^{1/3}$	鍾/用韻
3230	上与・116ウ7・辞字	擁	上	ヨウ	右注	ʼiɑuŋ^{2}	腫韻
3253a	上与・117ウ4・疉字	抑	入	ヨク	中注	ʼiɐk	職韻
3254a	上与・117ウ5・疉字	抑	入	ヨク	中注	ʼiɐk	職韻
2406a	上和・090オ7・疉字	窪	平	ワ	左注	ʼua^{1}	麻韻
2552	上加・095オ1・動物	蛙	―	ワ	右傍	ʼua^{1} ʼuɐ^{1}	麻韻 佳韻

2350a	上和・088オ7・雜物	倭	去	ワ	右注	'uɑ$^{1/2}$	戈/果韻
2259b	上遠・083オ2・雜物	煨	平	ワイ	右傍	'uʌ^{1}	灰韻
2380a	上和・090オ2・疊字	猥	上	ワイ	中注	'uʌi^{2}	賄韻
2387a	上和・090オ4・疊字	猥	上	ワイ	中注	'uʌi^{2}	賄韻
2388a	上和・090オ4・疊字	猥	上	ワイ	左注	'uʌi^{2}	賄韻
0074a	上伊・004ウ1・動物	鸎	—	ワウ	左傍	'ɐŋ^{1}	耕韻
2392a	上和・090オ5・疊字	枉	平	ワウ	中注	'iuɑŋ^{2}	養韻
2391a	上和・090オ4・疊字	枉	平	（ワウ）	—	'iuɑŋ^{2}	養韻
2384a	上和・090オ3・疊字	尩	平	ワウ	中注	'uɑŋ^{1}	唐韻
2405a	上和・090オ7・疊字	尫	平	ワウ	左注	'uɑŋ^{1}	唐韻
3275a	上与・118オ4・疊字	逶	—	ヰ	右傍	'iue^{1}	支韻
0020	上伊・002ウ6・地儀	樜	—	ヰ	右傍	'iuʌi^{1}	微韻
2248	上遠・081ウ3・人事	畏	—	ヰ	右傍	'iuʌi^{3}	未韻
3083b	上加・109ウ5・疊字	應	平	ヰヨウ	右注	'iɐŋ$^{1/3}$	蒸/證韻
2545a	上加・094ウ5・動物	擁	上	ヰヨウ	右傍	'iɑuŋ^{2}	腫韻
1684a	上度・063ウ6・疊字	擁	上	ヰヨウ	右傍	'iɑuŋ^{2}	腫韻
3231	上与・116ウ7・辞字	擁	上	ヰヨウ	右傍	'iɑuŋ^{2}	腫韻
2659	上加・098オ3・飲食	饔	平	ヰヨウ	右傍	'iuɑŋ^{1}	鍾韻
2221a	上遠・080ウ3・動物	鴛	平	ヱン	右傍	'iuɑn^{1} 'uʌn^{1}	元韻 魂韻
2004c	上利・073ウ2・人事	苑	平	ヱン	右注	'iuɑn^{2}	阮韻
2627	上加・097オ3・人事	婉	上	ヱン	右傍	'iuɑn^{2}	阮韻
1571b	上度・062オ2・疊字	烏	平	ヲ	右注	'uʌ^{1}	模韻
2128b	上利・075ウ6・疊字	烏	平	ヲ	左注	'uʌ^{1}	模韻
2262a	上遠・083オ3・雜物	烏	平	ヲ	右注	'uʌ^{1}	模韻
2513	上加・094オ2・動物	烏	平	ヲ	右傍	'uʌ^{1}	模韻
2558a	上加・095オ2・動物	烏	平	ヲ	右傍	'uʌ^{1}	模韻
2606	上加・096オ7・人體	癰	—	ヲウ	右傍	'iɑuŋ^{1}	鍾韻
2279a	上遠・084ウ7・疊字	擁	上	ヲウ	中注	'iɑuŋ^{2}	腫韻
2280a	上遠・084ウ7・疊字	擁	上	ヲウ	中注	'iɑuŋ^{2}	腫韻
2281a	上遠・084ウ7・疊字	擁	上	ヲウ	左注	'iɑuŋ^{2}	腫韻
2282a	上遠・084ウ7・疊字	擁	上	ヲウ	左注	'iɑuŋ^{2}	腫韻
2002b	上利・073ウ2・人事	邑	—	ヲウ	右注	'iep	緝韻
2517	上加・094オ3・動物	鷗	平	ヲウ	右傍	'ʌu^{1}	侯韻
1296a	上邊・051オ1・人躰	歐	上	ヲウ	右傍	'ʌu$^{1/2}$	侯/厚韻
2502	上加・093ウ2・植物	檍	—	ヲク	右傍	'iɐk	職韻
2937b	上加・107ウ3・疊字	憶	入	ヲク	左注	'iɐk	職韻
0841b	上波・033オ3・疊字	屋	入	ヲク	右注	'ʌuk	屋韻
1243b	上保・048ウ1・疊字	屋	入	ヲク	左注	'ʌuk	屋韻
3132b	上加・110ウ1・疊字	乙	—	ヲツ	中注	'iet	質韻
3162a	上加・111ウ5・國郡	邑	—	ヲハ	右傍	'iep	緝韻
0369a	上伊・015ウ6・国郡	邑	—	ヲハ	左傍	'iep	緝韻
0377a	上伊・015ウ7・国郡	邑	—	ヲフ	右傍	'iep	緝韻

0368a	上伊・015ウ6・国郡	邑	―	ヲホ	右傍	'iep	緝韻
1200b	上保・047ウ6・疊字	恩	去	ヲム	中注	'ʌn^{1}	痕韻
2848a	上加・106オ6・重點	啞	―	カウ	右注	'ak 'ɐk 'a$^{2/3}$	陌韻 麥韻 馬/禡韻
2848b	上加・106オ6・重點	啞	―	カウ	右注	'ak 'ɐk 'a$^{2/3}$	陌韻 麥韻 馬/禡韻
1103	上保・044ウ6・雜物	瓫	平	ホン	右傍	'ʌuŋ^{3}	送韻

【表C-07】下巻_影母 '-

番号	前田本所在	掲出字		仮名音注		中古音	韻目
4163	下阿・028オ6・人倫	娅	去	ア	右傍	'a^{3}	禡韻
4807a	下佐・054オ3・國郡	阿	―	ア	右傍	'ɑ^{1}	歌韻
4096a	下阿・026オ2・植物	阿	―	ア	右注	'ɑ^{1}	歌韻
4363a	下阿・039オ5・疊字	阿	―	ア	中注	'ɑ^{1}	歌韻
4365a	下阿・039オ6・疊字	阿	平	ア	右傍	'ɑ^{1}	歌韻
4366a	下阿・039オ6・疊字	阿	平	ア	左注	'ɑ^{1}	歌韻
4422a	下阿・041オ4・官職	阿	―	ア	右注	'ɑ^{1}	歌韻
4423a	下阿・041オ6・姓氏	阿	―	ア	右注	'ɑ^{1}	歌韻
4425a	下阿・041オ7・姓氏	阿	―	ア	右注	'ɑ^{1}	歌韻
4427a	下阿・041ウ2・姓氏	阿	―	ア	右注	'ɑ^{1}	歌韻
4428a	下阿・041ウ2・姓氏	阿	―	ア	注	'ɑ^{1}	歌韻
4429a	下阿・041ウ2・姓氏	阿	―	ア	右注	'ɑ^{1}	歌韻
4812a	下佐・054オ4・國郡	阿	―	ア	右傍	'ɑ^{1}	歌韻
6382a	下飛・100オ3・國郡	阿	―	ア	右傍	'ɑ^{1}	歌韻
4412a	下阿・040ウ7・国郡	阿	―	ア	右注	'ɑ^{1}	歌韻
4413a	下阿・040ウ7・国郡	阿	―	ア	右傍	'ɑ^{1}	歌韻
4364a	下阿・039オ5・疊字	婀	上	ア	左注	'ɑ^{2}	哿韻
4407a	下阿・040ウ6・国郡	安	―	ア	右注	'ɑn^{1}	寒韻
4409a	下阿・040ウ6・国郡	安	―	ア	右傍	'ɑn^{1}	寒韻
5930a	下師・086ウ3・國郡	安	―	ア	右傍	'ɑn^{1}	寒韻
4399a	下阿・040ウ5・国郡	安	―	ア	右注	'ɑn^{1}	寒韻
4401a	下阿・040ウ5・国郡	安	―	ア	右傍	'ɑn^{1}	寒韻
4424a	下阿・041オ7・姓氏	安	―	ア	右注	'ɑn^{1}	寒韻
4426a	下阿・041ウ1・姓氏	安	―	ア	右注	'ɑn^{1}	寒韻
5932a	下師・086ウ3・國郡	安	平	ア	右傍	'ɑn^{1}	寒韻
6369a	下飛・100オ1・國郡	英	―	ア	右傍	'iuaŋ^{1}	庚韻
5921a	下師・086ウ2・國郡	英	―	ア	右傍	'iuaŋ^{1}	庚韻
4418a	下阿・041オ1・国郡	愛	―	ア	右注	'ʌi^{3}	代韻
4372a	下阿・039オ7・疊字	哀	平	アイ	左注	'ʌi^{3}	咍韻

4373a	下阿・039オ7・疊字	哀	去	アイ	左注	'ʌi^{3}	咍韻
4375a	下阿・039ウ1・疊字	哀	平	アイ	左注	'ʌi^{3}	咍韻
4390a	下阿・039ウ4・疊字	哀	平	アイ	左注	'ʌi^{3}	咍韻
5183b	下木・064オ6・疊字	哀	平	アイ	右注	'ʌi^{3}	咍韻
4210	下阿・029ウ7・人事	愛	—	アイ	右注	'ʌi^{3}	代韻
4368a	下阿・039オ6・疊字	愛	平	アイ	左注	'ʌi^{3}	代韻
4369a	下阿・039オ7・疊字	愛	—	アイ	左注	'ʌi^{3}	代韻
4384a	下阿・039ウ3・疊字	愛	—	アイ	左注	'ʌi^{3}	代韻
4803a	下佐・054オ2・國郡	愛	—	アイ	右傍	'ʌi^{3}	代韻
5638b	下師・081ウ3・疊字	愛	去	アイ	左注	'ʌi^{3}	代韻
4128a	下阿・027オ3・動物	鸚	去	アウ	中注	'ɐŋ^{1}	耕韻
4459	下佐・043オ7・植物	櫻	平	アウ	右傍	'ɐŋ^{1}	耕韻
4354a	下阿・039オ2・重點	嚶	—	アウ	右注	'ɐŋ^{1}	耕韻
4116a	下阿・026ウ3・植物	鶯	—	アウ	右注	'ɐŋ^{1}	耕韻
4249a	下阿・032オ2・雜物	襖	—	アウ	右注	'ɑu^{2}	晧韻
4250	下阿・032オ2・雜物	襖	上	アウ	右注	'ɑu^{2}	晧韻
4076	下阿・025ウ1・地儀	幄	入	アク	右傍	'auk	覺韻
5651b	下師・081ウ6・疊字	悪	—	アク	左注	'ɑk 'uʌ$^{1/3}$	鐸韻 模/暮韻
4380a	下阿・039ウ2・疊字	遏	入	アツ	左注	'ɑt	曷韻
4386a	下阿・039ウ3・疊字	遏	入	アツ	右注	'ɑt	曷韻
5096b	下木・063オ1・疊字	遏	—	アツ	左注	'ɑt	曷韻
4281a	下阿・032ウ3・雜物	閼	入	アツ	右注	'ɑt 'iɑt 'en^{1} 'ian^{1}	曷韻 月韻 先韻 仙韻
4385a	下阿・039ウ3・疊字	押	入	アフ	中注	'ap kap	狎韻 押韻
4388a	下阿・039ウ3・疊字	押	入	アフ	右注	'ap kap	狎韻 押韻
4420a	下阿・041オ3・官職	押	—	アフ	右注	'ap kap	狎韻 押韻
4430a	下阿・041ウ4・姓氏	奄	—	アム	右注	'iam^{2}	琰韻
4049a	下阿・024オ7・天象	暗	上	アン	左注	'ʌm^{3}	勘韻
4356a	下阿・039オ4・疊字	暗	上	アン	左注	'ʌm^{3}	勘韻
4377a	下阿・039ウ1・疊字	暗	上	アン	左注	'ʌm^{3}	勘韻
4378a	下阿・039ウ1・疊字	暗	去	アン	中注	'ʌm^{3}	勘韻
4387a	下阿・039ウ3・疊字	晏	平	アン	右注	'an^{3} 'ɑn^{3}	諫韻 翰韻
4359a	下阿・039オ4・疊字	安	去	アン	中注	'ɑn^{1}	寒韻
4078a	下阿・025ウ2・地儀	安	平	アン	右傍	'ɑn^{1}	寒韻
4079a	下阿・025ウ2・地儀	安	平	アン	右傍	'ɑn^{1}	寒韻
4115a	下阿・026ウ3・植物	安	平	アン	右注	'ɑn^{1}	寒韻

4381a	下阿・039ウ2・疊字	安	平	アン	左注	'ɑn^{1}	寒韻
4382a	下阿・039ウ2・疊字	安	去	アン	右注	'ɑn^{1}	寒韻
4389a	下阿・039ウ4・疊字	安	平	アン	左注	'ɑn^{1}	寒韻
4421a	下阿・041オ3・官職	安	―	アン	右注	'ɑn^{1}	寒韻
3723b	下古・012オ6・疊字	安	平	アン	右注	'ɑn^{1}	寒韻
6013b	下會・089ウ3・疊字	安	平	アン	左注	'ɑn^{1}	寒韻
4357a	下阿・039オ4・疊字	安	去	アン	中注	'ɑn^{1}	寒韻
4419a	下阿・041オ3・官職	按	―	アン	右注	'ɑn^{3}	翰韻
4383a	下阿・039ウ2・疊字	案	―	アン	中注	'ɑn^{3}	翰韻
4075a	下阿・025ウ1・地儀	庵	平	アン	右注	'ʌm^{1}	覃韻
4292	下阿・032ウ6・雜物	案	―	アン［平平］	右注	'ɑn^{3}	翰韻
4337	下阿・036ウ4・辞字	案	―	アン［平平］	右注	'ɑn^{3}	翰韻
4338	下阿・036ウ6・辞字	按	―	アン［平平］	左注	'ɑn^{3}	翰韻
5941b	下師・086ウ6・官職	醫	―	イ	右注	'iɐi^{1}	之韻
4737b	下佐・052ウ1・疊字	意	―	イ	左注	'iɐi^{3}	志韻
5754b	下師・083ウ4・疊字	倚	上	イ	中注	'ie$^{2/3}$	紙/寘韻
3429	下古・006ウ5・雜物	衣	平	イ	右傍	'iʌi$^{1/3}$	微/未韻
3846b	下江・017ウ2・疊字	衣	平	イ	左注	'iʌi$^{1/3}$	微/未韻
4253b	下阿・032オ3・雜物	衣	平	イ	右傍	'iʌi$^{1/3}$	微/未韻
5276b	下師・069オ6・植物	衣	平	イ	右傍	'iʌi$^{1/3}$	微/未韻
6158b	下飛・094ウ1・雜物	衣	平	イ	右傍	'iʌi$^{1/3}$	微/未韻
6902b	下洲・120オ1・疊字	衣	平	イ	右注	'iʌi$^{1/3}$	微/未韻
4125b	下阿・027オ1・植物	薁	―	イク	右傍	'iʌuk	屋韻
4940	下木・059オ1・方角	陰	平	イム	右傍	'iem^{1}	侵韻
3408b	下古・006オ1・人事	飲	上	イム	左注	'iʌn$^{2/3}$	寢韻
4834b	下木・055オ7・天象	隠	上	イム	右傍	'iʌn$^{2/3}$	隠/焮韻
6458	下毛・104ウ7・辞字	闇	平	イム	右傍	'ʌm^{3}	勘韻
3385	下古・004ウ2・人躰	音	平	イン	右傍	'iem^{1}	侵韻
5923a	下師・086ウ2・國郡	印	―	イン	右傍	'jien^{3}	震韻
3985b	下手・022ウ2・疊字	隠	上	イン	左注	'iʌn$^{2/3}$	隠/焮韻
4322	下阿・034ウ5・辞字	傴	去	ウ	右傍	'iuʌ^{3}	遇韻
5145b	下木・063ウ5・疊字	欝	―	ウツ	左注	'iuʌt	物韻
6794	下洲・114オ1・植物	榅	上	ウン	右傍	'uʌt	没韻
5832b	下師・084ウ5・疊字	依	上	エ	左注	'iʌi^{1}	微韻
3856a	下江・017ウ4・疊字	依	去	エ	右注	'iʌi^{1}	微韻
3784a	下江・016オ3・雜物	衣	―	エ	右注	'iʌi$^{1/3}$	微/未韻
3781a	下江・015ウ7・雜物	烏	平	エ	右傍	'uʌ^{1}	模韻
4405a	下阿・040ウ5・国郡	愛	―	エ	右傍	'ʌi^{3}	代韻
4588b	下佐・047ウ4・雜物	衣	―	エ［上］	右注	'iʌi$^{1/3}$	微/未韻
6128b	下飛・093オ5・人躰	翳	去	エイ	右傍	'ei$^{1/3}$	齊/霽韻

4052	下阿・024ウ1・天象	霙	平	エイ	右傍	'iaŋ¹ 'iɑŋ¹	庚韻 陽韻
3762	下江・015オ3・人倫	影	—	エイ	右注	'iaŋ²	梗韻
3792	下江・016ウ2・辞字	映	—	エイ	左注	'iaŋ³ 'ɑŋ²	映韻 蕩韻
3816a	下江・017オ3・疊字	嬰	平	エイ	左注	'ieŋ¹	清韻
3817a	下江・017オ3・疊字	嬰	平	エイ	左注	'ieŋ¹	清韻
3763a	下江・015オ3・人倫	嬰	—	エイ	左注	'ieŋ¹	清韻
3778	下江・015ウ7・雑物	纓	平	エイ	右傍	'ieŋ¹	清韻
6917b	下洲・120オ5・疊字	纓	平	エイ	左注	'ieŋ¹	清韻
3813a	下江・017オ3・疊字	英	平	エイ	中注	'iuaŋ¹	庚韻
3814a	下江・017オ3・疊字	英	平	エイ	中注	'iuaŋ¹	庚韻
3860a	下江・017ウ5・疊字	英	平	エイ	左注	'iuaŋ¹	庚韻
3861a	下江・017ウ5・疊字	英	平	エイ	左注	'iuaŋ¹	庚韻
4117	下阿・026ウ3・植物	英	平	エイ	右傍	'iuaŋ¹	庚韻
6878	下洲・117オ5・員數	幺	平	エウ	右傍	'eu¹	蕭韻
3810a	下江・017オ2・疊字	窈	上	エウ	中注	'eu²	篠韻
3812a	下江・017オ2・疊字	窈	上	エウ	左注	'eu²	篠韻
3809a	下江・017オ2・疊字	妖	平	エウ	中注	'iau¹	宵韻
3870a	下江・017ウ7・疊字	妖	—	エウ	左注	'iau¹	宵韻
3819a	下江・017オ4・疊字	嬰	—	エウ	左注	'ieŋ¹	清韻
3815a	下江・017オ3・疊字	幼	去	エウ	左注	'ieu³	幼韻
3818a	下江・017オ4・疊字	幼	去	エウ	左注	'ieu³	幼韻
3864a	下江・017ウ6・疊字	幼	去	エウ	左注	'ieu³	幼韻
3835a	下江・017オ7・疊字	樱	上	エウ	中注	'iʌu¹	尤韻
4499a	下佐・044ウ3・動物	蠮	入	エツ	右傍	'et	屑韻
5680b	下師・082オ6・疊字	謁	入	エツ	左注	'iɑt	月韻
5166b	下木・064オ2・疊字	謁	—	エツ	左注	'iɑt	月韻
4510a	下佐・045オ4・人躰	噦	入	エツ	右傍	'iuat 'iuɑt xuɑi³	薛韻 月韻 泰韻
4509b	下佐・045オ4・人躰	噎	入	エツ	右傍	'et	屑韻
3773	下江・015ウ1・人事	謁	—	エツ ［上上］	右注	'iɑt	月韻
5858b	下師・085オ3・疊字	煙	—	エム	右注	'en¹	先韻
3848a	下江・017ウ3・疊字	燕	平	エム	左注	'en^{1/3}	先/霰韻
3862a	下江・017ウ5・疊字	壓	平	エン	左注	'ap	狎韻
3842a	下江・017ウ1・疊字	煙	平	エン	中注	'en¹	先韻
6683b	下世・111ウ1・疊字	煙	平	エン	左注	'en¹	先韻
3674b	下古・011ウ3・疊字	宴	—	エン	中注	'en^{2/3}	銑/霰韻
3859a	下江・017ウ5・疊字	宴	去	エン	左注	'en^{2/3}	銑/霰韻
3800a	下江・016ウ7・疊字	偃	上	エン	左注	'iɑn²	阮韻
3823a	下江・017オ5・疊字	偃	上	エン	左注	'iɑn²	阮韻

3824a	下江・017オ5・疊字	偃	平 上	エン	右傍	'iɑn2	阮韻
3838a	下江・017オ7・疊字	渕	平	エン	中注	'uen1	先韻
3692b	下古・011ウ7・疊字	焉	平	エン	左注	'ian1 ɣian1 'iɑn1	仙韻 仙韻 元韻
4393b	下阿・039ウ6・疊字	焉	平	エン	右傍	'ian1 ɣian1 'iɑn1	仙韻 仙韻 元韻
3786a	下江・016オ5・光彩	燕	平	エン [平平]	右注	'en1/3	先/霰韻
3779a	下江・015ウ7・雜物	鷰	―	エン [平平]	右注	'en3	霰韻
3770	下江・015ウ1・人事	宴	平	エン [平平]	右注	'en2/3	銑/霰韻
3771	下江・015ウ1・人事	讌	―	エン [平平]	左注	'en3	霰韻
3772	下江・015ウ1・人事	醼	―	エン [平平]	左注	'en3	霰韻
6433	下毛・103オ3・雜物	甕	去	オウ	右傍	'ʌuŋ3	送韻
4382b	下阿・039ウ2・疊字	穏	平	オン	右注	'uʌn2	混韻
6340b	下飛・099オ3・疊字	央	平	ヤウ	左注	'iɑŋ1	陽韻
4125a	下阿・027オ1・植物	蘡	―	ヤウ	右傍	'ieŋ1	清韻
5153b	下木・063ウ7・疊字	約	入	ヤク	左注	'iɑk 'iau3	藥韻 笑韻
6675b	下世・111オ7・疊字	約	入	ヤク	左注	'iɑk 'iau3	藥韻 笑韻
4321	下阿・034ウ5・辭字	饇	去	ヨ	右傍	'iuʌ3	遇韻
6966a	下　・122ウ1・跋文	擁	上	ヨウ	右傍	'iɑuŋ2	腫韻
4113	下阿・026ウ2・植物	檍	入	ヨク	右傍	'iɐk	職韻
6005b	下會・089ウ1・疊字	枉	上	ワウ	左注	'iuɑŋ2	養韻
6125a	下飛・093オ4・人躰	痿	平	ヰ	右傍	'iue1 ńiue1	支韻 支韻
5954b	下師・087オ3・官職	威	―	ヰ	右注	'iuʌi1	微韻
6168a	下飛・094ウ4・雜物	楲	平	ヰ	右傍	'iuʌi1	微韻
5970b	下會・087ウ6・植物	萎	平	ヰ	右傍	'iue1/3	支/寘韻
4094b	下阿・026オ2・植物	萎	平	ヰ	右傍	'iue1/3	支/寘韻
4093b	下阿・026オ2・植物	葳	平	ヰ	右傍	'iuʌi1	微韻
5969b	下會・087ウ6・植物	葳	平	ヰ	右傍	'iuʌi1	微韻
6508b	下世・107オ5・動物	鷹	平	ヰヨウ	右傍	'iɐŋ1	蒸韻
5980	下會・088オ6・人躰	癰	去	ヰヨウ	右傍	'iɑuŋ1	鍾韻
5987	下會・089オ2・辭字	穢	―	ヱ	右注	'iuɑi3	廢韻
5981	下會・088ウ1・人事	穢	―	ヱ [平]	右注	'iuɑi3	廢韻
6687b	下世・111ウ2・疊字	益	入	エキ	中注	'iek	昔韻
5996a	下會・089オ7・疊字	冤	去	ヱン	中注	'iuɑn1	元韻

6005a	下會・089ウ1・疊字	冤	平	ヱン	左注	'iuɑn[1]	元韻
5366	下師・072オ7・人事	寃	平	ヱン	右傍	'iuɑn[1]	元韻
5374	下師・072ウ3・人事	寃	平	ヱン	右傍	'iuɑn[1]	元韻
3780a	下江・015ウ7・雑物	烏	平	ヲ	右傍	'uʌ[1]	模韻
4465a	下佐・043ウ2・植物	烏	―	ヲ	右傍	'uʌ[1]	模韻
6152b	下飛・094オ7・雑物	烏	平	ヲ	右傍	'uʌ[1]	模韻
4184	下阿・029オ2・人躰	汙	平 去	ヲ	右傍	'uʌ[1/3]	模/暮韻
4368b	下阿・039オ6・疊字	悪	去	ヲ	左注	'uʌ[1/3] 'ɑk	模/暮韻 鐸韻
5058b	下木・062オ5・疊字	應	平	ヲウ	左注	'iɐŋ[1/3]	蒸/證韻
6530b	下世・108オ6・人事	應	平	ヲウ	左注	'iɐŋ[1/3]	蒸/證韻
4662b	下佐・051オ5・疊字	應	上	ヲウ	左注	'iɐŋ[1/3]	蒸/證韻
4499b	下佐・044ウ3・動物	鰫	平	ヲウ	右傍	'iɐŋ[1/3]	東韻
6237b	下飛・097ウ6・疊字	屋	入	ヲク	左注	'ʌuk	屋韻
6364a	下飛・100オ1・國郡	邑	―	ヲホ	右傍	'iep	緝韻
5275b	下師・069オ6・植物	菀	上	ヲン	右注	'iuɑn[2]	阮韻
5214a	下由・066オ2・地儀	温	平	ヲン	右傍	'uʌn[1]	魂韻
3323a	下古・002ウ2・植物	温	平	ヲン	右傍	'uʌn[1]	魂韻
5913b	下師・086オ2・疊字	意	―	ミ [平]	右注	'iɐi[3]	志韻
5379b	下師・073オ1・人事	鸎	平	ナウ	右注	'ɐŋ[1]	耕韻
6488	下世・106ウ3・地儀	灣	平	ラン	右傍	'uan[1]	刪韻

【表C-07】上巻_見母 kj

番号	前田本所在	掲出字		仮名音注		中古音	韻目
0396b	上伊・016ウ3・姓氏	吉	―	キ	右注	kjiet	質韻

【表C-07】下巻_見母 kj

番号	前田本所在	掲出字		仮名音注		中古音	韻目
5208a	下木・065オ7・姓氏	吉	―	キ	右注	kjiet	質韻
5032a	下木・061ウ6・疊字	吉	―	キツ	左注	kjiet	質韻
5155a	下木・063ウ7・疊字	吉	―	キツ	右注	kjiet	質韻
5206a	下木・065オ5・官職	吉	―	キツ	右注	kjiet	質韻
5020a	下木・061ウ4・疊字	規	平 上	キ	左注	kjiue[1]	支韻
5154a	下木・063ウ7・疊字	規	上	キ	右注	kjiue[1]	支韻
5829b	下師・084ウ5・疊字	癸	上	キ	右注	kjiuei[2]	旨韻
6206	下飛・095ウ2・員數	均	平	クヰン	右傍	kjiuen[1]	諄韻
6215	下飛・096ウ1・辞字	均	平	クヰン	右注	kjiuen[1]	諄韻
4908	下木・058オ5・雑物	絹	去	ケム	右傍	kjiuan[3]	線韻

【表C-07】上卷_溪母 k‘j

番号	前田本所在	掲出字		仮名音注		中古音	韻目
0879b	上波・033ウ3・疊字	遣	平	ケム	右注	k‘jian$^{2/3}$	獮/線韻

【表C-07】下卷_溪母 k‘j

番号	前田本所在	掲出字		仮名音注		中古音	韻目
5087a	下木・062ウ5・疊字	弃	上 去	キ	左注	k‘jiei^{3}	至韻
3381a	下古・004オ7・人躰	季	―	キ	右傍	k‘jiuei^{3}	至韻
4839	下木・055ウ1・天象	季	去	キ	右注	k‘jiuei^{3}	至韻

【表C-07】上卷_群母 gj

番号	前田本所在	掲出字		仮名音注		中古音	韻目
0058b	上伊・004オ2・植物	翹	上	シ	右傍	gjiau$^{1/3}$	宵/笑韻
0398b	上伊・016ウ5・姓氏	岐	―	キ	右注	gjie^{1}	支韻

【表C-07】下卷_群母 gj

番号	前田本所在	掲出字		仮名音注		中古音	韻目
4096d	下阿・026オ2・植物	岐	―	キ	右注	gjie^{1}	支韻
4805b	下佐・054オ3・國郡	岐	―	キ	右傍	gjie^{1}	支韻
5178a	下木・064オ5・疊字	岐	去	キ	右注	gjie^{1}	支韻
5193a	下木・064ウ4・諸社	祇	―	キ	左注	gjie^{1}	支韻
5195a	下木・064ウ6・諸寺	祇	―	キ	左注	gjie^{1}	支韻
5388b	下師・073オ5・人事	岐	上	キ	左傍	gjie^{1}	支韻
3337b	下古・002ウ5・植物	葵	平	クヰ	右傍	gjiuei^{1}	脂韻
4081	下阿・025ウ4・植物	葵	平	クヰ	右傍	gjiuei^{1}	脂韻
4592b	下佐・047ウ5・雜物	楑	平	クヰ	右傍	gjiuei$^{1/2}$	脂/旨韻
4317	下阿・034ウ2・辞字	翹	平	ケウ	右傍	gjiau$^{1/3}$	宵/笑韻
6080	下飛・092オ1・動物	翹	平	ケウ	右傍	gjiau$^{1/3}$	宵/笑韻

【表C-07】上卷_疑母 ŋj

番号	前田本所在	掲出字		仮名音注		中古音	韻目
1691b	上度・064オ3・国郡	藝	―	キ	右傍	ŋjiai^{3}	祭韻
0355b	上伊・015ウ3・国郡	藝	―	キ ［平濁］	右傍	ŋjiai^{3}	祭韻

【表C-07】下巻_疑母 ŋj

番号	前田本所在	掲出字		仮名音注		中古音	韻目
4751b	下佐・052ウ4・疊字	藝	去濁	ケイ	左注	ŋjiai³	祭韻
4901b	下木・057ウ5・人事	藝	平濁	ケイ	右注	ŋjiai³	祭韻

【表C-07】上巻_影母 'j

番号	前田本所在	掲出字		仮名音注		中古音	韻目
0337a	上伊・014オ2・疊字	伊	平	イ	右注	'jiei¹	脂韻
0338a	上伊・014オ2・疊字	伊	平	イ	右注	'jiei¹	脂韻
0352a	上伊・015オ5・諸社	伊	—	イ	右注	'jiei¹	脂韻
0353a	上伊・015ウ3・国郡	伊	—	イ	右注	'jiei¹	脂韻
0359a	上伊・015ウ4・国郡	伊	—	イ	右注	'jiei¹	脂韻
0361a	上伊・015ウ4・国郡	伊	—	イ	右注	'jiei¹	脂韻
0391a	上伊・016ウ1・姓氏	伊	—	イ	右注	'jiei¹	脂韻
0393a	上伊・016ウ1・姓氏	伊	—	イ	右注	'jiei¹	脂韻
0379a	上伊・015ウ7・国郡	伊	—	イ	右注	'jiei¹	脂韻
0392a	上伊・016ウ1・姓氏	伊	—	イ	右注	'jiei¹	脂韻
0395a	上伊・016ウ2・姓氏	伊	—	イ	右注	'jiei¹	脂韻
0396a	上伊・016ウ3・姓氏	伊	—	イ	右注	'jiei¹	脂韻
0397a	上伊・016ウ4・姓氏	伊	—	イ	右注	'jiei¹	脂韻
0399a	上伊・016ウ6・姓氏	伊	—	イ	右注	'jiei¹	脂韻
0335a	上伊・014オ1・疊字	一	入	イ	右注	'jiet	質韻
0398a	上伊・016ウ5・姓氏	壹	—	イ	右注	'jiet	質韻
0357a	上伊・015ウ3・国郡	壹	—	イキ［上上］	右傍	'jiet	質韻
0268a	上伊・013オ1・疊字	一	入	イチ	左注	'jiet	質韻
0286a	上伊・013オ5・疊字	一	入	イチ	右注	'jiet	質韻
0334a	上伊・014オ1・疊字	壹	入	イチ	左注	'jiet	質韻
0387a	上伊・016オ4・官職	一	—	イチ	右注	'jiet	質韻
0388a	上伊・016オ4・官職	一	—	イチ	右注	'jiet	質韻
0152a	上伊・008オ1・人事	壹	—	イチ	右注	'jiet	質韻
0187a	上伊・009オ1・雜物	壹	—	イチ	右注	'jiet	質韻
0308a	上伊・013ウ3・疊字	一	入	（イチ）	左注	'jiet	質韻
0191a	上伊・009オ7・員數	一	—	イツ	右注	'jiet	質韻
0192a	上伊・009オ7・員數	一	—	イツ	右注	'jiet	質韻
0237a	上伊・012ウ2・疊字	一	入	イツ	左注	'jiet	質韻
0254a	上伊・012ウ5・疊字	一	入	イツ	中注	'jiet	質韻
0258a	上伊・012ウ6・疊字	一	入	イツ	左注	'jiet	質韻
0267a	上伊・013オ1・疊字	一	入	イツ	左注	'jiet	質韻
0330a	上伊・013ウ7・疊字	一	入	イツ	左注	'jiet	質韻
0336a	上伊・014オ2・疊字	一	入	イツ	右注	'jiet	質韻
0345a	上伊・014オ3・疊字	一	入	イツ	右注	'jiet	質韻
0153a	上伊・008オ1・人事	壹	—	イツ	右注	'jiet	質韻

0156a	上伊・008オ2・人事	壹	―	イツ	右注	'jiet	質韻
0364a	上伊・015ウ5・国郡	因	―	イナ	右注	'jien^{1}	眞韻
0257a	上伊・012ウ6・疊字	揖	入	イフ	中注	'jien^{1}	緝韻
3282a	上波・034ウ5・國郡	揖	―	イヒ	右傍	'jien^{1}	緝韻
0252a	上伊・012ウ5・疊字	因	去	イン	中注	'jien^{1}	眞韻
0253a	上伊・012ウ5・疊字	因	去	イン	左注	'jien^{1}	眞韻
0339a	上伊・014オ2・疊字	因	上	イン	右注	'jien^{1}	眞韻
0939a	上仁・036オ6・植物	茵	平	イン	右傍	'jien^{1}	眞韻
2216a	上遠・080ウ1・植物	茵	平	イン	右傍	'jien^{1}	眞韻
0187b	上伊・009オ1・雜物	腰	―	エウ	右注	'jien^{1}	宵韻
3097b	上加・109ウ7・疊字	要	平	エウ	右注	'jiau$^{1/3}$	宵/笑韻
0201	上伊・010オ4・辞字	猒	去	エム	右傍	'jiam$^{1/3}$	鹽/豔韻
0202	上伊・010オ5・辞字	厭	―	エム	右傍	'jiam$^{2/3}$ 'jiap	琰/豔韻 葉韻

【表C-07】下巻_影母 'j

番号	前田本所在	掲出字		仮名音注		中古音	韻目
5927a	下師・086ウ3・國郡	伊	―	イ	右傍	'jiei^{1}	脂韻
4406a	下阿・040ウ6・国郡	伊	―	イ	右傍	'jiei^{1}	脂韻
4811a	下佐・054オ4・國郡	伊	―	イ	右傍	'jiei^{1}	脂韻
5196b	下木・065オ1・国郡	伊	―	イ	右注	'jiei^{1}	脂韻
5197a	下木・065オ1・国郡	伊	―	イ	右傍	'jiei^{1}	脂韻
5629b	下師・081ウ1・疊字	恚	平	イ	右注	'jiue^{3}	寘韻
6727b	下世・112オ3・疊字	一	―	イツ	右注	'jiet	質韻
4813a	下佐・054オ4・國郡	揖	―	イホ	右傍	'jiep	緝韻
3648b	下古・011オ4・疊字	姻	―	イン	右注	'jien^{1}	眞韻
5437	下師・074オ5・雜物	茵	平	イン	右傍	'jien^{1}	眞韻
5440b	下師・074オ5・雜物	鞇	―	イン	右傍	'jien^{1}	眞韻
6058a	下飛・091オ7・植物	茵	平	イン	右傍	'jien^{1}	眞韻
3383	下古・004オ7・人躰	腎	平	エウ	右傍	'jiau^{1}	宵韻
3797a	下江・016ウ5・重點	喓	平	エウ	右注	'jiau^{1}	宵韻
3797b	下江・016ウ5・重點	喓	―	エウ	右注	'jiau^{1}	宵韻
5776b	下師・084オ3・疊字	要	平	エウ	右注	'jiau$^{1/3}$	宵/笑韻
3790	下江・016ウ2・辞字	要	―	エウ	右注	'jiau$^{1/3}$	宵/笑韻
3791	下江・016ウ2・辞字	要	―	エウ	中注	'jiau$^{1/3}$	宵/笑韻
3843a	下江・017ウ2・疊字	要	平	エウ	左注	'jiau$^{1/3}$	宵/笑韻
3844a	下江・017ウ2・疊字	要	平	エウ	左注	'jiau$^{1/3}$	宵/笑韻
3851a	下江・017ウ3・疊字	要	去	エウ	左注	'jiau$^{1/3}$	宵/笑韻
3852a	下江・017ウ3・疊字	要	平	エウ	左注	'jiau$^{1/3}$	宵/笑韻
3853a	下江・017ウ4・疊字	要	―	エウ	左注	'jiau$^{1/3}$	宵/笑韻
5979	下會・088オ6・人躰	靨	入	エフ	右傍	'jiap	葉韻

3808a	下江・017オ2・疊字	厭	平	エム	左注	’jiam$^{2/3}$ ’jiap	琰/豔韻 葉韻
3807a	下江・017オ1・疊字	厭	平	エン	左注	’jiam$^{2/3}$ ’jiap	琰/豔韻 葉韻
6884	下洲・117ウ5・辞字	捐	平	エン	右傍	’jiuan^{1}	仙韻

【表D-01】平声（単字）上巻〔一致例〕

番号	前田本所在	掲出字		仮名音注		中古音	韻目
0001	上伊・002オ3・天象	雷	平	ライ	右傍	luʌi^{1}	灰韻
0003	上伊・002オ3・天象	靁	平	ツイ	右傍	ṭiuei^{1}	脂韻
0004	上伊・002オ3・天象	霆	平	テイ	右傍	deŋ$^{1/2}$	青/迥韻
0010	上伊・002ウ3・地儀	泉	平	セン	右傍	dziuan^{1}	仙韻
0013	上伊・002ウ4・地儀	沙	平	サ	右傍	ṣa$^{1/3}$	麻/禡韻
0015	上伊・002ウ5・地儀	磐	平	―	―	bɑn^{1}	桓韻
0017	上伊・002ウ6・地儀	巓	平	テン	右傍	ten^{1}	先韻
0019	上伊・002ウ6・地儀	矼	平	カウ	右傍	kauŋ^{1}	江韻
0023	上伊・003オ1・地儀	家	平	カ	左傍	ka^{1}	麻韻
0026	上伊・003オ2・地儀	廬	平	リヨ	右傍	liʌ^{1}	魚韻
0027	上伊・003オ2・地儀	營	平	エイ	右傍	jiueŋ^{1}	清韻
0033	上伊・003オ4・地儀	廛	平	テン	右傍	ḍian^{1}	仙韻
0040	上伊・003ウ1・植物	稌	平	ト	左傍	t'uʌ$^{1/2}$	模/姥韻
0041	上伊・003ウ1・植物	杭	平	カウ	右傍	kaŋ^{1}	庚韻
0042	上伊・003ウ1・植物	稃	平	フ	右傍	p'iuʌ^{1}	虞韻
0046	上伊・003ウ4・植物	苛	平	カ	右傍	ɣɑ^{1}	歌韻
0052	上伊・003ウ6・植物	魁	平	クワイ	右傍	k'uʌi^{1}	灰韻
0054	上伊・003ウ7・植物	葒	平	コウ	右傍	ɣʌuŋ^{1}	東韻
0055	上伊・003ウ7・植物	蘢	平	ロウ	右注	lʌuŋ^{1} liɑuŋ^{1}	東韻 鍾韻
0076	上伊・004ウ2・動物	獹	平	―	―	luʌ^{1}	模韻
0078	上伊・004ウ3・動物	獒	平	ハウ	右傍	ŋɑu^{1}	豪韻
0082	上伊・004ウ4・動物	嘶	平	セイ	右傍	sei^{1}	齊韻
0084	上伊・004ウ6・動物	魚	平	キヨ	右傍	ŋiʌ^{1}	魚韻
0086	上伊・004ウ6・動物	鱗	平	リン	右傍	lien^{1}	眞韻
0087	上伊・004ウ6・動物	鮧	平	イ	右傍	jiɐi^{1}	之韻
0090	上伊・004ウ7・動物	鯼	平	ソウ	右傍	tsʌuŋ$^{1/3}$	東/送韻
0096	上伊・005オ5・動物	蝸	平	―	―	kuɐ^{1} kua^{1}	佳韻 麻韻
0104	上伊・005ウ4・人倫	姨	平	イ	右傍	jiei^{1}	脂韻
0107	上伊・005ウ5・人倫	軍	平	クン	右傍	kiuʌn^{1}	文韻
0109	上伊・005ウ6・人倫	魁	平	クワイ	右傍	k'uʌi^{1}	灰韻
0112	上伊・006オ3・人體	顛	平	テン	右傍	ten^{1}	先韻
0121	上伊・006ウ1・人事	婬	平	イム	右傍	jiem^{1}	侵韻
0125	上伊・006ウ5・人事	微	平	ヒ	右傍	miʌi^{1}	微韻
0126	上伊・006ウ5・人事	佻	平	テウ	右傍	t'eu^{1} deu^{1}	蕭韻 蕭韻
0128	上伊・006ウ5・人事	傷	平	シヤウ	右傍	śiɑŋ$^{1/3}$	陽/漾韻
0130	上伊・006ウ6・人事	棲	平	セイ	右傍	sei^{1}	齊韻
0134	上伊・007オ1・人事	忡	平	チウ	右傍	ṭ'iʌuŋ^{1}	東韻

0135	上伊・007オ1・人事	憑	平	ヒヨウ	右傍	biɐŋ^{1}	蒸韻
0138	上伊・007オ3・人事	瞋	平	－	－	tś‘ien^{1}	眞韻
0140	上伊・007オ6・人事	驍	平	ケウ	右傍	keu^{1}	蕭韻
0142	上伊・007ウ1・人事	齋	平	サイ ［朱］	右傍	tṣɐi^{1}	皆韻
0145	上伊・007ウ2・人事	勞	平	ラウ	右傍	lɑu$^{1/3}$	豪/号韻
0146	上伊・007ウ3・人事	劬	平	ク	右傍	giuʌ^{1}	虞韻
0159	上伊・008オ5・飲食	臇	平	スヰ	右傍	tsiue^{1} tsiuan^{2}	支韻 獮韻
0160	上伊・008オ6・飲食	麷	平	ホウ	右傍	p‘iʌuŋ$^{1/3}$	東/送韻
0161	上伊・008オ7・飲食	犠	平	キ	右傍	xie^{1}	支韻
0162	上伊・008オ7・飲食	牲	平	セイ	右傍	ṣaŋ^{1}	庚韻
0163	上伊・008ウ3・雜物	絲	平	－	－	siɐi^{1}	之韻
0167	上伊・008ウ3・雜物	毛	平濁	－	－	mɑu$^{1/3}$	豪/号韻
0168	上伊・008ウ3・雜物	青	平	－	－	ts‘eŋ^{1}	青韻
0169	上伊・008ウ3・雜物	洲	平	－	－	tśiʌu^{1}	尤韻
0176	上伊・008ウ5・雜物	游	平	フ	右傍	biuʌ^{1}	虞韻
0177	上伊・008ウ5・雜物	桴	平	フ	右傍	p‘iuʌ^{1} biʌu^{1}	虞韻 尤韻
0179	上伊・008ウ5・雜物	籃	平	ラム	右傍	lɑm^{1}	談韻
0182	上伊・008ウ7・雜物	鎔	平	ヨウ	右傍	ɣiɑuŋ^{1}	鍾韻
0188	上伊・009オ5・方角	乾	平	ケン	右傍	gian^{1} kɑn^{1}	仙韻 寒韻
0190	上伊・009オ5・方角	巓	平	テン	右注	ten^{1}	先韻
0196	上伊・009ウ7・辞字	煎	平	セン	右傍	tsian$^{1/3}$	仙/線韻
0197	上伊・009ウ7・辞字	熬	平	－	－	ŋɑu^{1}	豪韻
0198	上伊・010オ1・辞字	瘳	平	チウ	右傍	ṭ‘iʌu^{1}	尤韻
0203	上伊・010ウ2・辞字	漸	平	セム	右傍	tsiam^{1} dziam^{2}	鹽韻 琰韻
0204	上伊・010ウ2・辞字	投	平	トウ	右傍	dʌu^{1}	侯韻
0206	上伊・010ウ7・辞字	忙	平濁	ハウ	右傍	mɑŋ^{1}	唐韻
0207	上伊・011オ2・辞字	營	平	エイ	右傍	jiueŋ^{1}	清韻
0208	上伊・011オ2・辞字	勞	平	ラウ	右傍	lɑu$^{1/3}$	豪/号韻
0209	上伊・011オ2・辞字	忙	平濁	ハウ	右傍	mɑŋ^{1}	唐韻
0211	上伊・011オ3・辞字	劬	平	ク	右傍	giuʌ^{1}	虞韻
0214	上伊・011オ4・辞字	雖	平	－	－	siuei^{1}	脂韻
0217	上伊・011オ7・辞字	森	平	シム	右傍	ṣiem^{1}	侵韻
0220	上伊・011ウ4・辞字	苛	平	カ	右傍	ɣɑ^{1}	歌韻
0223	上伊・011ウ6・辞字	怱	平	ソウ	右傍	ts‘ʌuŋ^{1}	東韻
0224	上伊・011ウ6・辞字	忙	平濁	ハウ	右傍	mɑŋ^{1}	唐韻
0225	上伊・011ウ7・辞字	投	平	トウ	右傍	dʌu^{1}	侯韻
0400	上呂・017オ5・地儀	樓	平	ロウ ［平平］	右注	lʌu^{1}	侯韻

0401	上呂・017オ5・地儀	樓	平	ル	右傍	lʌu¹	侯韻
0466	上波・020オ3・天象	晴	平	セイ	右傍	dzieŋ¹	清韻
0467	上波・020オ3・天象	霎	平	セイ	右傍	ts‘ei¹	齊韻
0473	上波・020オ6・地儀	濵	平	ヒン	右傍	pjien¹	眞韻
0474	上波・020オ6・地儀	林	平	リム	右傍	liem¹	侵韻
0475	上波・020オ6・地儀	原	平濁	クヱン	右傍	ŋiuɑn¹	元韻
0478	上波・020ウ1・地儀	除	平	チヨ	右傍	ḍiʌ^1/3	魚/御韻
0479	上波・020ウ1・地儀	梁	平	リヤウ	右傍	liɑŋ¹	陽韻
0482	上波・020ウ3・地儀	庭	平	テイ	右傍	deŋ¹	青韻
0483	上波・020ウ3・地儀	房	平 去	ハウ [平濁上]	右注	biɑŋ¹ bɑŋ¹	陽韻 唐韻
0489	上波・020ウ7・植物	萩	平	シウ	右傍	ts‘iʌu¹	尤韻
0491	上波・020ウ7・植物	蕭	平	セウ	右傍	seu¹	蕭韻
0498	上波・021オ2・植物	薑	平	キヤウ	右傍	kiɑŋ¹	陽韻
0508	上波・021オ5・植物	茨	平	シ	右傍	dziei¹	脂韻
0511	上波・021オ7・植物	榛	平	シム	右傍	tṣiɐn¹	臻韻
0512	上波・021オ7・植物	櫨	平	ロ	右傍	luʌ¹	模韻
0515	上波・021ウ1・植物	椒	平	セウ	右傍	tsiau¹	宵韻
0516	上波・021ウ2・植物	桋	平	—	—	jiei¹ dei¹	脂韻 齊韻
0517	上波・021ウ2・植物	花	平	クワ	右傍	xua¹	麻韻
0518	上波・021ウ3・植物	榮	平	ヱイ	右傍	ɣiuaŋ¹	庚韻
0520	上波・021ウ4・植物	英	平	エイ	右傍	’iaŋ¹	庚韻
0521	上波・021ウ4・植物	葩	平	ハ	右傍	p‘a¹	麻韻
0524	上波・021ウ7・植物	荷	平	カ	右傍	ɣɑ^1/2	歌/哿韻
3299	上波・022オ1・植物	荷	平	カ	右注	ɣɑ^1/2	歌/哿韻
0525	上波・021ウ7・植物	蓮	平	レン	右傍	len¹ lian²	先韻 獮韻
0529	上波・022オ1・植物	茄	平	カ	右傍	ka¹ giɑ¹	麻韻 歌韻
0530	上波・022オ1・植物	蕸	平	カ	右傍	ɣa¹	麻韻
0532	上加・100ウ2・雜物	香	平	カウ	右注	xiɑŋ¹	陽韻
0533	上波・022オ3・動物	鳩	平	—	—	kiʌu¹	尤韻
0536	上波・022オ4・動物	鷂	平	エウ	右傍	jiau^1/3	宵/笑韻
0542	上波・022ウ1・動物	梁	平	—	—	liɑŋ¹	陽韻
0543	上波・022ウ2・動物	鮠	平	クワ	右傍	ŋuʌi¹	灰韻
0544	上波・022ウ3・動物	鮀	平	タイ	右傍	dɑ¹	歌韻
0550	上波・022ウ5・動物	鰭	平	キ	右傍	giei¹	脂韻
0553	上波・022ウ6・動物	蠙	平	ヒン	右傍	bjien¹ ben¹	眞韻 先韻
0554	上波・022ウ7・動物	蜂	平	ホウ	右傍	bʌuŋ¹ p‘iɑuŋ¹	東韻 鍾韻

0558	上和・088オ3・飲食	醅	平濁	ハイ	右傍	p'uʌi^{1}	灰韻
0574	上波・023ウ5・人躰	齗	平濁	キン	右傍	ŋiʌn^{1} ŋien^{2}	欣韻 軫韻
0575	上波・023ウ5・人躰	胎	平	タイ	右傍	t'ʌi^{1}	咍韻
0576	上波・023ウ6・人躰	腸	平	チヤウ	右傍	ḍiɑŋ^{1}	陽韻
0578	上波・023ウ7・人躰	膚	平	フ	右傍	piuʌ^{1}	虞韻
0580	上波・024オ1・人躰	胻	平	カウ	右傍	ɣɑŋ^{1} ɣaŋ$^{1/3}$	唐韻 庚/映韻
0581	上波・024オ1・人躰	跤	平	カウ	右傍	k'au^{1}	肴韻
0585	上波・024オ3・人躰	鼽	平	キウ	右傍	giʌu^{1}	尤韻
0598	上波・024ウ2・人事	魔	平濁	ハ	右注	mɑ^{1}	戈韻
0600	上波・024ウ3・人事	晴	平	セイ	右傍	dzieŋ^{1}	清韻
0601	上波・024ウ4・人事	羞	平	シウ	右傍	siʌu^{1}	尤韻
0602	上波・024ウ4・人事	懞	平濁	ホウ	右傍	mʌuŋ^{1} miʌuŋ^{1} mʌŋ^{3}	東韻 東韻 嶝韻
0606	上波・024ウ6・人事	娠	平	シン	右傍	śien^{1} tśien^{3}	眞韻 震韻
0610	上波・025オ1・人事	鞶	平	―	―	bɑn^{1} bɑ^{1}	桓韻 戈韻
0611	上波・025オ2・人事	奔	平	ホン	左注	puʌn$^{1/3}$	魂/慁韻
0612	上波・025オ3・人事	謀	平濁	ホウ	右傍	miʌu^{1}	尤韻
0613	上波・025オ3・人事	諏	平	シユ	右傍	tsiuʌ^{1} tsʌu^{1}	虞韻 侯韻
0614	上波・025オ4・人事	量	平 去	リヤウ	右傍	liɑŋ$^{1/3}$	陽/漾韻
0617	上波・025オ4・人事	評	平	ヒヤウ	右傍	biaŋ$^{1/3}$	庚/映韻
0618	上波・025オ4・人事	詢	平	シヰン	右傍	siuen^{1}	諄韻
0625	上波・025ウ2・人事	謀	平濁	ホウ	右傍	miʌu^{1}	尤韻
0626	上波・025ウ2・人事	諏	平	シユ	右傍	tsiuʌ^{1} tsʌu^{1}	虞韻 侯韻
0639	上波・026オ4・雑物	襦	平濁	シウ	右傍	ńiuʌ^{1}	虞韻
0648	上波・026オ6・雑物	旗	平	キ	右傍	giɐi^{1}	之韻
0649	上波・026オ7・雑物	旃	平	タン	右傍	tśian^{1}	仙韻
0650	上波・026オ7・雑物	旄	平	モウ	右傍	mɑu$^{1/3}$	豪/号韻
0651	上波・026オ7・雑物	旌	平	セイ	右傍	tsieŋ^{1}	清韻
0652	上波・026ウ1・雑物	幡	平	ハン	右傍	p'iɑn^{1}	元韻
0653	上波・026ウ1・雑物	旒	平	サウ	右傍	liʌu^{1}	尤韻
0654	上波・026ウ1・雑物	幢	平	トウ	右傍	ḍauŋ$^{1/3}$	江/絳韻
0655	上波・026ウ1・雑物	橦	平	―	―	dʌuŋ^{1} tśiɑuŋ^{1} ḍauŋ^{1}	東韻 鍾韻 江韻

0658	上波・026ウ3・雑物	機	平	キ	右傍	kiʌi^{1}	微韻
0661	上波・026ウ5・雑物	匜	平	イ	右傍	jiɐi^{1}	之韻
0667	上波・027オ1・雑物	纕	平	シヤウ	右傍	siaŋ^{1}	陽韻
0668	上波・027オ1・雑物	鞶	平	ハン	右傍	bɑn^{1}	桓韻
0670	上波・027オ2・雑物	針	平	シム	右傍	tśiem$^{1/3}$	侵/沁韻
0673	上波・027オ3・雑物	函	平	カム	右傍	ɣʌm^{1} ɣɐm^{1}	覃韻 咸韻
0674	上波・027オ4・雑物	匳	平	レム	右傍	liam^{1}	鹽韻
0675	上波・027オ4・雑物	箱	平	シヤウ	右傍	siaŋ^{1}	陽韻
0683	上波・027オ7・雑物	縻	平濁	ヒ	右傍	mie^{1}	支韻
0685	上波・027ウ2・雑物	篼	平	トウ	右傍	tʌu^{1}	侯韻
0690	上波・027ウ4・雑物	灰	平	クワイ	右傍	xuʌi^{1}	灰韻
0692	上波・028オ4・方角	初	平	シヨ	右傍	tṣ'iʌ^{1}	魚韻
0693	上波・028オ4・方角	端	平	ハン	右傍	tuɑn^{1}	桓韻
0700	上波・028ウ6・人事	馳	平	チ	右傍	ḍie^{1}	支韻
0706	上波・029ウ5・人事	迢	平	テウ	右傍	deu^{1}	蕭韻
0707	上波・029ウ6・人事	遐	平	―	―	ɣa^{1}	麻韻
0708	上波・029ウ7・人事	賒	平	シヤ	右傍	śia^{1}	麻韻
0710	上波・030オ6・人事	元	平濁	―	―	ŋiuɑn^{1}	元韻
0711	上波・030オ6・人事	哉	平	―	―	tsʌi^{1}	咍韻
0921	上仁・035ウ7・天象	虹	平	―	―	ɣʌuŋ^{1} kʌuŋ^{3} kauŋ^{3}	東韻 送韻 絳韻
0923	上仁・035ウ7・天象	霓	平	ケイ	右傍	ŋei$^{1/3}$ ŋet	齊/霽韻 屑韻
0925	上仁・036オ2・地儀	庭	平	テイ	右傍	deŋ^{1}	青韻
0927	上仁・036オ2・地儀	墀	平	チ	右傍	ḍiei^{1}	脂韻
0932	上仁・036オ4・植物	菁	平	セイ	右傍	tsieŋ^{1}	清韻
0937	上仁・036オ6・植物	榆	平	ユ	右傍	jiuʌ^{1}	虞韻
0941	上仁・036ウ3・植物	鶏	平	ケイ	右傍	kei^{1}	齊韻
0942	上仁・036ウ3・植物	鵾	平	―	―	kuʌn^{1}	魂韻
0948	上仁・036ウ6・動物	齝	平	タイ	右傍	ṭ'iɐi^{1} śiɒi^{1}	之韻 之韻
0955	上仁・037ウ2・人躰	痤	平	サ	右傍	dzuɑ^{1}	戈韻
0957	上仁・037ウ4・人事	憎	平	ソウ	右傍	tsʌŋ^{1}	登韻
0958	上仁・037ウ5・人事	齗	平	キン	右傍	ŋiʌn^{1} ŋien^{2}	欣韻 軫韻
0960	上仁・038オ1・飲食	葅	平	（ソ）	右傍	tṣiʌ^{1}	魚韻
0961	上仁・038オ1・飲食	寒	平	カム	右傍	ɣɑn^{1}	寒韻
0967	上仁・038オ6・雑物	膠	平	カウ	右傍	kau$^{1/3}$	肴/効韻
0971	上仁・038ウ2・光彩	丹	平	タン	右注	tɑn^{1}	寒韻
0972	上仁・038ウ4・方角	西	平	―	―	sei^{1}	齊韻

0976	上仁・039オ1・辞字	亨	平	ハウ	右傍	p‘aŋ^{1}	庚韻
0977	上仁・039オ1・辞字	湘	平	シヤウ	右傍	siɑŋ^{1}	陽韻
0978	上仁・039オ1・辞字	逃	平	タウ	右傍	dɑu^{1}	豪韻
0980	上仁・039オ3・辞字	擔	平	タム	右傍	tɑm$^{1/3}$	談/闞韻
0983	上仁・039オ5・辞字	渾	平	コン	右注	ɣuʌn$^{1/2}$	魂/混韻
0984	上仁・039オ5・辞字	淆	平	カウ	右傍	ɣau^{1}	肴韻
0987	上度・058オ3・方角	寅	平	イン	右傍	jien^{1} jiei^{1}	眞韻 脂韻
1023	上保・041ウ1・天象	星	平	セイ	左注	seŋ^{1}	青韻
1027	上保・041ウ1・天象	躔	平	テン	右傍	ḍian^{1}	仙韻
1033	上保・041ウ5・地儀	廊	平	ラウ	右注	lɑŋ^{1}	唐韻
1034	上保・041ウ5・地儀	棖	平	タウ	右傍	ḍaŋ^{1}	庚韻
1060	上保・042ウ6・動物	螢	平	ケイ	右傍	ɣueŋ^{1}	青韻
1063	上保・042ウ6・動物	蚈	平	ケン	右傍	k‘en^{1}	先韻
1070	上保・043オ5・人躰	胲	平 上	カイ	右傍	kʌi^{1}	咍韻
1072	上保・043オ5・人躰	臍	平	サイ	右傍	dzei^{1}	齊韻
1073	上保・043オ5・人躰	膍	平	ヘイ	右注	bjiei^{1}	脂韻
1082	上保・043ウ4・人事	誇	平	クワ	右傍	k‘ua^{1}	麻韻
1083	上保・043ウ5・人事	屠	平	ト	右傍	duʌ^{1} ḍiʌ^{1}	模韻 魚韻
1084	上保・043ウ6・人事	崩	平	ホウ [上平]	右注	pʌŋ^{1}	登韻
1090	上保・044オ5・飲食	腒	平	コ	右傍	kiʌ^{1} giʌ^{1}	魚韻 魚韻
1091	上保・044オ5・飲食	脯	平	フ	右傍	buʌ^{1}	模韻
1092	上保・044オ5・飲食	膎	平	ケイ	右傍	ɣɐ^{1}	佳韻
1093	上保・044オ5・飲食	羞	平	シユ	右傍	siʌu^{1}	尤韻
1094	上保・044オ6・飲食	脩	平	シウ	右傍	siʌu^{1}	尤韻
1098	上保・044ウ3・雑物	鏦	平	—	—	ts‘iɑuŋ^{1} ts‘auŋ^{1}	鍾韻 江韻
1101	上保・044ウ3・雑物	蕎	平	ケウ	右傍	kiau^{1} giau^{1}	宵韻 宵韻
1104	上保・044ウ6・雑物	緌	平	スヰ	右傍	ńiuei^{1}	脂韻
1122	上保・045ウ3・方角	程	平	—	—	ḍieŋ^{1}	清韻
1124	上保・045ウ3・方角	邊	平	ヘン	右傍	pen^{1}	先韻
1125	上保・045ウ4・方角	湄	平	ヒ	右傍	miei^{1}	脂韻
1126	上保・045ウ5・方角	干	平	カン	右傍	kɑn^{1}	寒韻
1127	上保・045ウ6・方角	潯	平	シム	右傍	ziem^{1}	侵韻
1128	上保・045ウ6・方角	周	平	シウ	右傍	tśiʌu^{1}	尤韻
1129	上保・045ウ6・方角	乘	平	—	—	dźieŋ$^{1/3}$	蒸/證韻
1130	上保・045ウ6・方角	偏	平	ヘン	右傍	p‘ian$^{1/3}$	仙/線韻

1131	上保・045ウ6・方角	圻	平	―	―	giʌi[1] ŋiʌn[1] ŋʌn[1]	微韻 欣韻 痕韻
1132	上保・045ウ6・方角	閭	平	リヨ	右傍	liʌ[1]	魚韻
1133	上保・045ウ6・方角	漘	平	シン	右傍	dźiuen[1]	諄韻
1134	上保・045ウ7・方角	垠	平	キン	右傍	ŋien[1] ŋiʌn[1] ŋʌn[1]	眞韻 欣韻 痕韻
1135	上保・045ウ7・方角	將	平	シヤウ	右傍	tsiɑŋ[1/3]	陽/漾韻
1136	上保・045ウ7・方角	幽	平	―	―	ʼieu[1]	幽韻
1139	上保・046オ3・辞字	哤	平	―	―	mauŋ[1]	江韻
1140	上保・046オ3・辞字	咆	平	ハウ	右傍	bau[1]	肴韻
1141	上保・046オ4・辞字	嗥	平	カウ	右傍	ɣɑu[1]	豪韻
1142	上保・046オ6・辞字	纎	平	―	―	śiam[1]	鹽韻
1144	上保・046ウ1・辞字	封	平	ホウ ［上平］	右注	piɑŋ[1/3]	鍾/用韻
1148	上保・047オ1・辞字	谺	平	―	―	xa[1]	麻韻
1284	上邊・050オ2・地儀	屏	平 上	ヘイ	右注	pieŋ[1/2] beŋ[1]	清/靜韻 青韻
1288	上邊・050オ5・植物	椐	平	キヨ	右傍	kiʌ[1] xiʌ[1]	魚/御韻 魚韻
1290	上邊・050ウ2・動物	虵	平	シヤ	右傍	dźia[1] jia[2] jie[1]	麻韻 馬韻 支韻
1291	上邊・050ウ6・人躰	臍	平	セイ	右傍	dzei[1]	齊韻
1292	上邊・050ウ6・人躰	膍	平	ヘイ	右傍	bjiei[1]	脂韻
1297	上邊・051オ3・人事	謙	平	ケム	右傍	k'em[1]	添韻
1301	上邊・051オ5・人事	諛	平	ユ	右傍	jiuʌ[1]	虞韻
1414	上度・054オ5・天象	年	平	ネン	右傍	nen[1]	先韻
1415	上度・054オ5・天象	朞	平	キ	右傍	giɐi[1]	之韻
1417	上度・054オ6・天象	茲	平	シ	右傍	tsiɐi[1] dziɐi[1]	之韻 之韻
1421	上度・054ウ2・地儀	扉	平	ヒ	右傍	piʌi[1]	微韻
1422	上度・054ウ3・地儀	樞	平	シユ	右傍	tś'iuʌ[1]	虞韻
1423	上度・054ウ3・地儀	扃	平	ケイ	右傍	kueŋ[1]	青韻
1425	上度・054ウ4・地儀	塒	平	シ	右傍	źiɐi[1]	之韻
1431	上度・054ウ6・地儀	東	平	―	―	tʌuŋ[1]	東韻
1443	上度・055オ7・動物	禽	平	キム	右傍	giem[1]	侵韻
1444	上度・055オ7・動物	鳶	平	―	―	jiuan[1]	仙韻
1445	上度・055オ7・動物	鴟	平	シ	右傍	tś'iei[1]	脂韻
1447	上度・055ウ1・動物	冠	平	クワン	右傍	kuɑn[1/3]	桓/換韻
1452	上度・055ウ3・動物	鰩	平	エウ	右傍	jiau[1]	宵韻

1468	上度・056ウ2・人事	尤	平	イウ	右傍	ɣiʌu^{1}	尤韻
1469	上度・056ウ2・人事	殃	平	アウ	右傍	'iɑŋ^{1}	陽韻
1471	上度・056ウ3・人事	婚	平	コン	右傍	xuʌn^{1}	魂韻
1486	上度・057オ4・雑物	幃	平	ヰ	右傍	ɣiuʌi^{1} xiuʌi^{1}	微韻 微韻
1491	上度・057オ5・雑物	燈	平	トウ	右傍	tʌŋ^{1}	登韻
1493	上度・057オ5・雑物	釭	平	カウ	右傍	kauŋ^{1} kʌuŋ^{1} kɑuŋ^{1}	江韻 東韻 冬韻
1504	上度・057ウ2・雑物	艫	平	ロ	右傍	luʌ^{1}	模韻
1507	上度・057ウ2・雑物	苫	平	セム	右傍	śiam$^{1/3}$	鹽韻 豔韻
1509	上度・057ウ3・雑物	燎	平 去	レウ	右傍	liau$^{1/2/3}$	宵/小/笑韻
1515	上度・057ウ5・雑物	砮	平濁	ト	右傍	nuʌ$^{1/2}$	模/姥韻
1516	上度・057ウ5・雑物	硎	平	ケン	右傍	ɣeŋ^{1} k'aŋ^{1}	青韻 庚韻
1519	上度・057ウ6・雑物	筒	平	トウ ［平濁上］	右注	dʌuŋ$^{1/3}$	東/送韻
1522	上度・058オ3・方角	寅	平	イ	右傍	jiei^{1} jien^{1}	脂韻 眞韻
1535	上度・058ウ3・辞字	擒	平	キム	右傍	giem^{1}	侵韻
1539	上度・058ウ5・辞字	捫	平	モン	右傍	muʌn^{1}	魂韻
1542	上度・059オ5・辞字	聡	平	ソウ	右傍	ts'ʌuŋ^{1}	東韻
1543	上度・059オ6・辞字	銛	平	セム	右傍	siam^{1} t'em^{2} kɑt	鹽韻 忝韻 末韻
1546	上度・059オ7・辞字	飛	平	―	―	piʌi^{1}	微韻
1547	上度・059ウ1・辞字	霏	平	ヒ	右傍	p'iʌi^{1}	微韻
1548	上度・059ウ1・辞字	鶱	平	ケン	右傍	xiɑn^{1}	元韻
1549	上度・059ウ2・辞字	倫	平	―	―	liuen^{1}	諄韻
1551	上度・059ウ2・辞字	共	平	クヰヨウ	右傍	kiauŋ^{1} giauŋ^{3}	鍾韻 用韻
1552	上度・059ウ3・辞字	倶	平	ク	右傍	kiuʌ^{1}	虞韻
1553	上度・059ウ3・辞字	僚	平	レウ	右傍	leu$^{1/2}$	蕭/小韻
1555	上度・059ウ4・辞字	共	平	クヰヨウ	右傍	kiauŋ^{1} giauŋ^{3}	鍾韻 用韻
1556	上度・059ウ4・辞字	倶	平	ク	右傍	kiuʌ^{1}	虞韻
1557	上度・060オ2・辞字	踈	平	ソ	右傍	ṣiʌ$^{1/3}$	魚/御韻
1558	上度・060オ5・辞字	攸	平	イウ	右傍	jiʌu^{1}	尤韻
1559	上度・060オ6・辞字	隣	平	―	―	lien^{1}	眞韻
1562	上度・060ウ4・辞字	凝	平濁	キヨウ	右傍	ŋiɐŋ$^{1/3}$	蒸/證韻
1563	上度・061オ1・辞字	倫	平	―	―	liuen^{1}	諄韻

1566	上度・061オ4・辞字	曺	平	チウ	右傍	dzɑu¹	豪韻
1707	上池・065オ7・地儀	塵	平	チン	右傍	ḍien¹	眞韻
1710	上池・065ウ1・地儀	岐	平	キ	右傍	gjie¹	支韻
1713	上池・065ウ2・地儀	廳	平	テイ	右傍	t'eŋ¹	青韻
1714	上池・065ウ2・地儀	廳	平	チヤウ	右注	t'eŋ¹	青韻
1719	上池・065ウ5・植物	茅	平濁	ハウ	右傍	mau¹	肴韻
1723	上池・065ウ7・植物	茶	平	チヤ	右注	ḍa¹	麻韻
1726	上池・066オ5・動物	鱅	平	ヨウ	右傍	ɣiɑuŋ¹ dźiɑuŋ¹	鍾韻 鍾韻
1727	上池・066オ5・動物	鰀	平	ソウ	右傍	tsʌuŋ^1/3	東/送韻
1730	上池・066オ7・人倫	毛	平	—	—	mɑu^1/3	豪/号韻
1733	上池・066ウ1・人倫	兒	平	—	—	ńie¹ ŋei¹	支韻 齊韻
1746	上池・067オ3・人事	忠	平	チウ	左注	ṭiʌuŋ¹	東韻
1779	上池・068オ1・員數	挺	平	チヤウ	右注	deŋ^1/2	青/迥韻
1780	上池・068オ1・員數	張	平	チヤウ	右注	ḍiɑŋ^1/3	陽/漾韻
1787	上池・068ウ2・辞字	鏤	平	ロウ	右傍	liuʌ¹ lʌu³	虞韻 候韻
1989	上利・073オ2・動物	龍	平 去	リヤウ	右注	liɑuŋ¹	鍾韻
1990	上利・073オ2・動物	龍	平 去	リウ	右傍	liɑuŋ¹	鍾韻
1993	上利・073オ2・動物	麟	平	リン	右注	lien¹	眞韻
1999	上利・073ウ1・人事	令	平	リヤウ	右注	lieŋ^1/3 leŋ^1/3 lian¹	清/勁韻 青/徑韻 仙韻
2011	上利・073ウ5・雜物	匳	平	リン	右注	liam¹	鹽韻
2012	上利・073ウ5・雜物	匳	平	レム	右傍	liam¹	鹽韻
2147	上奴・076ウ4・植物	蓴	平	スウン	右傍	źiuen¹	諄韻
2148	上奴・076ウ6・動物	鵼	平	コウ	右傍	k'ʌuŋ¹	東韻
2159	上奴・077ウ5・飲食	糠	平	カウ	右傍	k'ɑŋ¹	唐韻
2164	上奴・078オ4・辞字	抄	平	セウ	右傍	tṣ'au^1/3	肴/効韻
2167	上奴・078オ6・辞字	塗	平	ト	右傍	duʌ¹ ḍa¹	模韻 麻韻
2196	上遠・079ウ5・天象	朧	平	ロウ	右注	lʌuŋ¹	東韻
2199	上遠・080オ1・地儀	崗	平	カウ	右傍	kɑŋ¹	唐韻
2200	上遠・080オ1・地儀	陵	平	リヨウ	右傍	lieŋ¹	蒸韻
2201	上遠・080オ1・地儀	墟	平	キウ	右傍	k'iʌ¹	魚韻
2203	上遠・080オ2・地儀	窂	平	ラウ	右傍	lɑu¹	豪韻
2205	上遠・080オ4・植物	麻	平濁	ハ	右傍	ma¹	麻韻
2217	上遠・080ウ1・植物	楓	平	フウ	右傍	piʌuŋ¹	東韻
2218	上遠・080ウ1・植物	荊	平	ケイ	右傍	kiaŋ¹	庚韻
2219	上遠・080ウ1・植物	蓁	平	シン	右傍	dẓien¹	臻韻

2220	上遠・080ウ3・動物	雄	平	イウ	右傍	ɣiʌuŋ¹	東韻
2227	上遠・080ウ5・動物	駑	平濁	ト	右傍	nuʌ¹	模韻
2230	上遠・080ウ6・動物	鯨	平	ケイ	右傍	giaŋ¹	庚韻
2232	上遠・081オ3・人倫	姨	平	イ	右傍	jiei¹	脂韻
2234	上遠・081オ3・人倫	甥	平	セイ	右傍	ṣaŋ¹	庚韻
2239	上遠・081オ5・人倫	夫	平	フ	右傍	piuʌ¹ biuʌ¹	虞韻 虞韻
2245	上遠・081ウ3・人事	惶	平	クワウ	右傍	ɣuɑŋ¹	唐韻
2247	上遠・081ウ3・人事	倰	平	リヨウ	右傍	liɐŋ¹	蒸韻
2249	上遠・082オ3・人事	愚	平	ク	右傍	ŋiuʌ¹	虞韻
2250	上遠・082オ3・人事	惷	平	シヨウ	右傍	śiɑuŋ¹ ṭ'auŋ¹ ṭ'iɑuŋ³	鍾韻 江韻 用韻
2251	上遠・082オ4・人事	癡	平	チ	右傍	ṭ'iɐi¹	之韻
2252	上遠・082オ4・人事	蹌	平	シヤウ	右傍	ts'iɑŋ¹	陽韻
2253	上遠・082ウ6・雑物	韋	平	ヰ	右傍	ɣiuʌi¹	微韻
2277	上遠・084オ5・辞字	裨	平	ヒ	右注	pjie¹ bjie¹	支韻 支韻
2278	上遠・084ウ3・辞字	排	平	ハイ	右傍	bɐi¹	皆韻
2289	上和・086オ2・植物	薇	平	ヒ	右傍	miʌi¹ miei¹	微韻 脂韻
2299	上和・086ウ3・人倫	童	平	トウ	右傍	dʌuŋ¹	東韻
2305	上和・086ウ7・人躰	痁	平	セム	右傍	śiam¹ tem³	鹽韻 桥韻
2308	上和・087オ2・人事	言	平濁	ケン	右傍	ŋian¹	元韻
2311	上和・087オ2・人事	予	平	ヨ	右傍	jiʌ^1/2	魚/語韻
2312	上和・087オ2・人事	余	平	ヨ	右傍	jiʌ¹ źia¹	魚韻 麻韻
2317	上和・087オ4・人事	沖	平	チウ	右傍	ḍiʌuŋ¹	東韻
2318	上和・087オ4・人事	趍	平	シ	右傍	ḍie¹ ts'iuʌ¹	支韻 虞韻
2320	上和・087オ5・人事	忘	平濁	ハウ	右傍	miɑŋ^1/3	陽/漾韻
2325	上和・087オ6・人事	諼	平濁	クヱン	右傍	xiuan^1/2	元/阮韻
2327	上和・087オ6・人事	嗤	平	シ	右傍	tś'iɐi¹	之韻
2329	上和・087ウ2・人事	煩	平	ハン	右傍	biɑn¹	元韻
2331	上和・087ウ3・人事	倡	平	シヤウ	右傍	ts'iɑŋ^1/3	陽/漾韻
2332	上和・087ウ3・人事	殃	平	アウ	右傍	'iɑŋ¹	陽韻
2333	上和・087ウ4・人事	祆	平	エウ	右傍	'iau¹	宵韻
2340	上和・088オ5・雑物	綿	平	メン	右傍	mjian¹	仙韻
2347	上和・088オ6・雑物	柅	平濁	チ	右傍	ṇiei^1/2 ṇiai²	脂/旨韻 紙韻
2348	上和・088オ6・雑物	輪	平	リン	右傍	liuen¹	諄韻

2354	上和・088ウ1・雑物	蹄	平	テイ	右傍	dei^{1}	齊韻
2363	上和・089ウ3・辞字	蟠	平	ハン	右傍	ban^{1} bian^{1}	桓韻 元韻
2364	上和・089ウ3・辞字	摎	平	リウ	右傍	liʌu^{1} kau^{1}	尤韻 肴韻
2419	上加・091オ4・天象	風	平	―	―	piʌuŋ$^{1/3}$	東/送韻
2422	上加・091オ4・天象	颸	平	シ	右傍	tṣʻiɐi^{1}	之韻
2423	上加・091オ4・天象	颮	平	ハウ	右傍	bau^{1} pauk	肴韻 覺韻
2424	上加・091オ5・天象	霞	平	カ	右傍	ɣa^{1}	麻韻
2426	上加・091ウ2・地儀	河	平	―	―	ɣɑ^{1}	歌韻
2427	上加・091ウ2・地儀	川	平	セン	右傍	tśʻiuan^{1}	仙韻
2431	上加・091ウ3・地儀	梯	平	テイ	右傍	tʻei^{1}	齊韻
2439	上加・091ウ6・地儀	窯	平	エウ	右傍	jiau^{1}	宵韻
2441	上加・091ウ6・地儀	墻	平	―	―	dziɑŋ^{1}	陽韻
2442	上加・091ウ7・地儀	垣	平	ヱン	右傍	ɣiuɑn^{1}	元韻
2443	上加・091ウ7・地儀	墉	平	ヨウ	右傍	jiɑuŋ^{1}	鍾韻
2444	上加・091ウ7・地儀	陴	平	ヒ	右傍	bjie^{1}	支韻
2445	上加・091ウ7・地儀	藩	平	ハン	右傍	piɑn^{1} biɑn^{1}	元韻 元韻
2467	上加・092ウ2・植物	松	平	シヨウ	右傍	siʌuŋ^{1}	東韻
2476	上加・092ウ6・植物	蒲	平	―	―	buʌ^{1}	模韻
2486	上加・093オ4・植物	蒭	平	スユ	右傍	tṣʻiuʌ^{1}	虞韻
2495	上加・093ウ1・植物	楓	平	―	―	piʌuŋ^{1}	東韻
2498	上加・093ウ2・植物	椑	平	ヒ	右傍	pjie^{1} bei^{1} biek bek	支韻 齊韻 昔韻 錫韻
2501	上加・093ウ2・植物	橿	平	キヤウ	右傍	kiɑŋ^{1}	陽韻
2509	上加・093ウ4・植物	樺	平 去	クワ	右傍	ɣua$^{1/3}$	麻/禡韻
2513	上加・094オ2・動物	烏	平	ヲ	右傍	ʼuʌ^{1}	模韻
2516	上加・094オ3・動物	鳬	平	フ	右傍	biuʌ^{1}	虞韻
2517	上加・094オ3・動物	鷗	平	アウ	右傍	ʼʌu^{1}	侯韻
2520	上加・094オ4・動物	鵝	平濁	カ	右傍	ŋɑ^{1}	歌韻
2526	上加・094オ6・動物	麛	平	スイ	右傍	mei^{1}	齊韻
2528	上加・094オ6・動物	羊+霊	平	レイ	右傍	leŋ^{1}	青韻
2538	上加・094ウ4・動物	龜	平	クヰ	右傍	kiuei^{1} kiʌu^{1}	脂韻 尤韻
2539	上加・094ウ4・動物	黿	平濁	クヱン	右傍	ŋiuɑn^{1} ŋuɑn^{1}	元韻 桓韻
2540	上加・094ウ4・動物	能	平	タイ	右傍	nʌi$^{1/3}$ nʌŋ$^{1/2}$	咍/代韻 登/等韻

2541	上加・094ウ4・動物	鼇	平	カム	右傍	ŋɑu^{1}	豪韻
2542	上加・094ウ4・動物	鼉	平	タ	右傍	dɑ^{1}	歌韻
2543	上加・094ウ4・動物	蠵	平	スイ	右傍	ɣuei^{1} jiue^{1}	齊韻 支韻
2551	上加・094ウ7・動物	螯	平濁	カウ	右傍	ŋɑu^{1}	豪韻
2556	上加・095オ1・動物	蚊	平	フン	右傍	miuʌn^{1}	文韻
2557	上加・095オ2・動物	蠶	平	サム	右傍	dzʌm^{1}	覃韻
2567	上加・095ウ2・人倫	巫	平濁	―	―	miuʌ^{1}	虞韻
2579	上加・096オ2・人體	頭	平	トウ	右傍	dʌu^{1}	侯韻
2580	上加・096オ2・人體	顱	平	ロ	右傍	luʌ^{1}	模韻
2583	上加・096オ2・人體	髦	平濁	ホウ	右傍	mɑu^{1}	豪韻
2584	上加・096オ2・人體	髾	平	セム	右傍	ṣau^{1}	肴韻
2587	上加・096オ4・人體	髭	平	シ	右傍	tsie^{1}	支韻
2588	上加・096オ4・人體	肩	平	ケン	右傍	ken^{1}	先韻
2591	上加・096オ4・人體	髃	平	ク	右傍	ŋiuʌ^{1} ŋʌu^{2}	虞韻 厚韻
2594	上加・096オ5・人體	皮	平	ヒ	右傍	bie^{1}	支韻
2595	上加・096オ5・人體	肌	平	キ	右傍	kiei^{1}	脂韻
2596	上加・096オ6・人體	尸	平	シ	右傍	śiei^{1}	脂韻
2597	上加・096オ6・人體	屍	平	シ	右傍	śiei$^{1/3}$	脂/至韻
2598	上加・096オ6・人體	骸	平	カイ	右傍	ɣɐi^{1}	皆韻
2600	上加・096オ7・人體	瘡	平 上	サウ	右傍	tṣ'iɑŋ^{1}	陽韻
2603	上加・096オ7・人體	痕	平	コン	右傍	ɣʌn^{1}	痕韻
2604	上加・096オ7・人體	痂	平	カ	右傍	ka^{1}	麻韻
2605	上加・096オ7・人體	瘍	平	ヤウ	右傍	jiɑŋ^{1}	陽韻
2615	上加・096ウ4・人事	豪	平	カウ	右注	ɣɑu^{1}	豪韻
2616	上加・096ウ4・人事	行	平	カウ	右注	ɣaŋ$^{1/3}$ ɣɑŋ$^{1/3}$	庚/映韻 唐/宕韻
2618	上加・096ウ5・人事	畋	平	テン	右傍	den$^{1/3}$	先/霰韻
2619	上加・096ウ5・人事	蒐	平	シウ	右傍	ṣiʌu^{1}	尤韻
2622	上加・096ウ7・人事	容	平	ヨウ	右傍	jiɑuŋ^{1}	鍾韻
2623	上加・097オ1・人事	奸	平	カン	右傍	kan^{1}	刪韻
2624	上加・097オ2・人事	賢	平	ケン	右傍	ɣen^{1}	先韻
2625	上加・097オ2・人事	妖	平	エウ	右傍	'iau^{1}	宵韻
2630	上加・097オ4・人事	奸	平	カン	右傍	kan^{1}	刪韻
2631	上加・097オ4・人事	姦	平	カン	右傍	kan^{1}	刪韻
2634	上加・097オ5・人事	悲	平	ヒ	右傍	piei^{1}	脂韻
2638	上加・097ウ1・人事	頑	平	クワン	右傍	ŋuan^{1}	刪韻
2639	上加・097ウ2・人事	謦	平	ケイ	右傍	k'ieŋ^{1} k'eŋ^{3}	清韻 徑韻
2640	上加・097ウ2・人事	喧	平	クヱン	右傍	xiuɑn^{1}	元韻
2642	上加・097ウ3・人事	哤	平	マウ	右傍	mauŋ^{1}	江韻

2659	上加・098オ3・飲食	饔	平	ヰヨウ	右傍	'iuaŋ^{1}	鍾韻
2660	上加・098オ3・飲食	糜	平濁	ヒ	右傍	mie^{1}	支韻
2661	上加・098オ3・飲食	餰	平	セン	右傍	tśian^{1}	仙韻
2662	上加・098オ3・飲食	醇	平	スウ	右傍	źiuen^{1}	諄韻
2663	上加・098オ3・飲食	醅	平	ハイ	右傍	p'uʌi^{1}	灰韻
2664	上加・098オ4・飲食	糟	平	サウ	右傍	tsɑu^{1}	豪韻
2666	上加・098オ4・飲食	粮	平	リヤウ	右傍	liɑŋ^{1}	陽韻
2667	上加・098オ4・飲食	粻	平	チヤウ	右傍	ṭiɑŋ^{1}	陽韻
2677	上加・098ウ1・飲食	辛	平	シン	右傍	sien^{1}	眞韻
2678	上加・098ウ3・雑物	冠	平	クワン	右傍	kuɑn$^{1/3}$	桓/換韻
2679	上加・098ウ3・雑物	帔	平	—	—	p'ie$^{1/3}$	支/寘韻
2682	上加・098ウ3・雑物	紘	平	クワウ	右傍	ɣuɐŋ^{1}	耕韻
2683	上加・098ウ3・雑物	緌	平	スヰ	右傍	ńiuei^{1}	脂韻
2684	上加・098ウ4・雑物	簪	平	シム	右傍	tṣiem^{1}	侵韻
2685	上加・098ウ4・雑物	笄	平	ケイ	右傍	kei^{1}	齊韻
2686	上加・098ウ4・雑物	鈿	平	テン	右傍	den$^{1/3}$	先韻
2690	上加・098ウ5・雑物	帷	平	ヰ	右傍	ɣiuei^{1}	脂韻
2691	上加・098ウ6・雑物	幬	平	チウ	右傍	ḍiʌu^{1} dɑu^{3}	尤韻 号韻
2692	上加・098ウ6・雑物	裘	平	キウ	右傍	giʌu^{1}	尤韻
2701	上加・099オ2・雑物	氈	平	セン	右傍	tśian^{1}	仙韻
2702	上加・099オ2・雑物	縑	平	ケム	右傍	kem^{1}	添韻
2707	上加・099オ4・雑物	釭	平	コウ	右傍	kʌuŋ^{1} kɑuŋ^{1} kauŋ^{1}	東韻 冬韻 江韻
2708	上加・099オ4・雑物	韉	平	ロウ	右傍	lʌuŋ^{1}	東韻
2710	上加・099オ4・雑物	鐘	平	スウ	右傍	tśiɑuŋ^{1}	鍾韻
2712	上加・099オ5・雑物	鍋	平	クワ	右傍	kuɑ^{1}	戈韻
2713	上加・099オ5・雑物	錡	平	キ	右傍	gie$^{1/2}$ ŋie^{2}	支/紙韻 紙韻
2718	上加・099オ6・雑物	刀	平	タウ	右傍	tɑu^{1}	豪韻
2721	上加・099ウ1・雑物	鐮	平	レム	右傍	liam^{1}	鹽韻
2725	上加・099ウ2・雑物	匙	平	シ	右傍	źie^{1}	支韻
2726	上加・099ウ2・雑物	瓶	平	ヘイ	右傍	beŋ^{1}	青韻
2727	上加・099ウ3・雑物	瓴	平	レイ	右傍	leŋ^{1}	青韻
2728	上加・099ウ3・雑物	瓷	平	シ	右傍	dziei^{1}	脂韻
2735	上加・099ウ4・雑物	鉗	平	ケム	右傍	giam^{1}	鹽韻
2736	上加・099ウ5・雑物	鐁	平	シ	右傍	sie^{1}	支韻
2738	上加・099ウ6・雑物	鈐	平	ケム	右傍	giam^{1}	鹽韻
2741	上加・099ウ7・雑物	模	平濁	ホ	右傍	muʌ^{1}	模韻
2746	上加・100オ1・雑物	皮	平	ヒ	右傍	bie^{1}	支韻
2749	上加・100オ3・雑物	鑱	平	サム	右傍	dẓam$^{1/3}$	銜/鑑韻

2751	上加・100オ4・雑物	篝	平	コウ	右傍	kʌu^{1}	侯韻
2758	上加・100オ5・雑物	韉	平	スヰ	右傍	ṣiue^{1}	支韻
2760	上加・100オ6・雑物	犂	平	レイ	右傍	lei^{1} liei^{1}	齊韻 脂韻
2766	上加・100ウ1・雑物	衡	平	カウ	右傍	ɣaŋ^{1}	庚韻
2771	上加・100ウ2・雑物	香	平	キヤウ	右傍	xiɑŋ^{1}	陽韻
2777	上加・100ウ5・光彩	香	平	キヤウ	右傍	xiɑŋ^{1}	陽韻
2778	上加・100ウ5・光彩	芬	平濁	フン	右傍	p'iuʌn^{1}	文韻
2780	上加・100ウ6・光彩	薫	平	クン	右傍	xiuʌn$^{1/3}$	文/問韻
2781	上加・100ウ6・光彩	馦	平	ケム	右傍	xem^{1}	添韻
2783	上加・101オ2・方角	庚	平	カウ	右傍	kaŋ^{1}	庚韻
2784	上加・101オ2・方角	辛	平	シン	右傍	sien^{1}	眞韻
2786	上加・101オ3・方角	方	平	ハウ	右傍	piɑŋ^{1} biɑŋ^{1}	陽韻 陽韻
2787	上加・101オ3・方角	垠	平濁	キン	右傍	ŋien^{1} ŋiʌn^{1} ŋʌn^{1}	眞韻 欣韻 痕韻
2789	上加・101オ5・員數	姟	平濁	カイ	右注	kʌi^{1}	咍韻
2790	上加・101オ5・員數	毫	平濁	カウ	右注	ɣɑu^{1}	豪韻
2791	上加・101オ5・員數	貟	平	ヱン	右傍	ɣiuan^{1} ɣiuʌn$^{1/3}$	仙韻 文/問韻
2792	上加・101オ5・員數	籌	平	チウ	右傍	ḍiʌu^{1}	尤韻
2800	上加・101ウ2・辞字	圖	平	ト	右傍	duʌ^{1}	模韻
2802	上加・101ウ4・辞字	纗	平	ケイ	右傍	ɣuei^{1} tsie^{1} ɣuɐ^{3} jiue^{3}	齊韻 支韻 卦韻 寘韻
2803	上加・101ウ6・辞字	虧	平	キ	右傍	k'iue^{1}	支韻
2804	上加・101ウ6・辞字	褰	平	ケン	右傍	k'ian^{1}	仙韻
2806	上加・101ウ7・辞字	搔	平	サウ	右傍	sɑu^{1}	豪韻
2807	上加・102オ2・辞字	芟	平	サム	右傍	ṣam^{1}	銜韻
2811	上加・102オ6・辞字	濡	平	シユ	右傍	ńiuʌ^{1} nuɑn^{1}	虞韻 寒韻
2813	上加・102オ7・辞字	渝	平	シユ	右傍	jiuʌ^{1}	虞韻
2814	上加・102ウ2・辞字	包	平	ハウ	右傍	pau^{1}	肴韻
2815	上加・102ウ3・辞字	圍	平	ヰ	右傍	ɣiuʌi$^{1/3}$	微/未韻
2816	上加・102ウ3・辞字	焚	平	ハン	右傍	biuʌn^{1}	文韻
2817	上加・102ウ6・辞字	褰	平	ケン	右傍	k'ian^{1}	仙韻
2819	上加・102ウ7・辞字	翺	平	カウ	右傍	ŋɑu^{1}	豪韻

番号	前田本所在	掲出字		仮名音注		中古音	韻目
2820	上加・103オ3・辞字	句	平	―	―	giuʌ^{1} kiuʌ^{3} kʌu$^{1/3}$	虞韻 遇韻 侯/候韻
2823	上加・103オ6・辞字	粧	平	サウ	右傍	tṣiɑŋ^{1}	陽韻
2824	上加・103オ7・辞字	歸	平	クヰ	右傍	kiuʌi^{1}	微韻
2825	上加・103ウ1・辞字	渝	平	―	―	jiuʌ^{1}	虞韻
2828	上加・103ウ4・辞字	重	平	チヨウ	右傍	ḍiɑuŋ$^{1/2/3}$	鍾/腫/用韻
2829	上加・104オ2・辞字	軽	平	―	―	k'ieŋ$^{1/3}$	清/勁韻
2830	上加・104オ2・辞字	輶	平	イウ	右傍	jiʌu$^{1/2/3}$	尤/有/宥韻
2834	上加・104ウ4・辞字	傾	平	ケイ	右傍	k'iueŋ^{1}	清韻
2835	上加・104ウ4・辞字	俄	平	―	―	ŋɑ^{1}	歌韻
2841	上加・105ウ3・辞字	童	平	―	―	dʌuŋ^{1}	東韻
2842	上加・105ウ3・辞字	輶	平	イウ	右傍	jiʌu$^{1/2/3}$	尤/有/宥韻
2844	上加・105ウ5・辞字	摳	平	―	―	k'ʌu^{1} k'iuʌ^{1}	侯韻 虞韻
2845	上加・105ウ6・辞字	摳	平	―	―	k'ʌu^{1} k'iuʌ^{1}	侯韻 虞韻
3182	上与・113オ7・天象	霄	平	セウ	右注	siau^{1}	宵韻
3184	上与・113ウ6・植物	蓬	平	ホウ	右傍	bʌuŋ^{1}	東韻
3188	上与・113ウ6・植物	蕭	平	セウ	右傍	seu^{1}	蕭韻
3199	上与・114ウ1・人倫	丁	平	テイ	右傍	teŋ^{1} ṭeŋ^{1}	青韻 耕韻
3201	上与・114ウ3・人職	脾	平	ヒ	右傍	bjie^{1}	支韻
3203	上与・114ウ3・人職	涎	平	セン	右傍	zian^{1} jian^{3}	仙韻 線韻
3206	上与・114ウ7・人事	齢	平	レイ	右傍	leŋ^{1}	青韻
3207	上与・115オ1・人事	粧	平	サウ	右傍	tṣiɑŋ^{1}	陽韻
3208	上与・115オ2・人事	怡	平	―	―	jiɐi^{1}	之韻
3209	上与・115オ2・人事	欣	平	キン	右傍	xiʌn^{1}	欣韻
3210	上与・115オ2・人事	歓	平	クワン	右傍	xuɑn^{1}	桓韻
3223	上与・116オ1・辞字	佳	平	―	―	kɐ^{1}	佳韻
3224	上与・116オ1・辞字	良	平	リヤウ	右傍	liɑŋ^{1}	陽韻
3228	上与・116オ6・辞字	依	平	イ	右傍	'ɪʌɪ^{1}	微韻
3229	上与・116ウ3・辞字	攀	平	ハン	右傍	p'an^{1}	刪韻
3232	上与・117オ4・辞字	凭	平	ヒヨウ	右傍	biɐŋ$^{1/3}$	蒸/證韻
3233	上与・117オ4・辞字	嬪	平	ヒン	右傍	bjien^{1}	眞韻

【表D-01】平声（単字）上巻〔不一致例〕

番号	前田本所在	掲出字		仮名音注		中古音	韻目
0493	上波・021オ1・植物	莔	平	マウ	左注	miɑŋ^{2}	養韻

番号	前田本所在	掲出字		仮名音注		中古音	韻目
0519	上波・021ウ4・植物	菶	平	フ	右傍	pʌuŋ^{2} bʌuŋ^{2}	董韻 董韻
1537	上度・058ウ3・辞字	搴	平	ケン	右傍	kian^{2}	獮韻
1981	上利・072ウ3・地儀	里	平	リ	右注	liɐi^{2}	止韻
1729	上池・066オ7・人倫	娜	平	―	―	nɑ^{2}	哿韻
2601	上加・096オ7・人體	癬	平	セン	右傍	sian^{2}	獮韻
2733	上加・099ウ4・雑物	蠡	平	レイ	右傍	lei^{2} lie^{1} luɑ^{1}	薺韻 支韻 戈韻
2831	上加・104オ4・辞字	併	平	―	―	pieŋ$^{2/3}$ beŋ^{2}	靜/勁韻 迥韻
2832	上加・104ウ3・辞字	拷	平	カウ	右注	(kʻɑu^{2})	晧韻

番号	前田本所在	掲出字		仮名音注		中古音	韻目
0006	上伊・002オ4・天象	電	平	テン	右傍	den^{3}	霰韻
0599	上波・024ウ2・人事	破	平	ハ	右注	pʻɑ^{3}	過韻
0603	上波・024ウ5・人事	儳	平	サム	右傍	tṣʻam^{3}	鑑韻
1062	上保・042ウ6・動物	蟒	平	リン	右傍	lien^{3}	震韻
1103	上保・044ウ6・雑物	瓮	平	ホン	右傍	ʼʌuŋ^{3}	送韻
2359	上和・088ウ6・辞字	破	平	ハ	右注	pʻɑ^{3}	過韻
2360	上和・088ウ6・辞字	分	平	フン	右傍	biuʌn^{3}	問韻
2833	上加・104ウ3・辞字	害	平濁	カイ	右注	ɣai^{3}	泰韻

番号	前田本所在	掲出字		仮名音注		中古音	韻目
2163	上奴・078オ4・辞字	拔	平	チウ	右傍	bɑt biɑt bɐt	末韻 月韻 黠韻

【表D-02】平声（単字）下巻〔一致例〕

番号	前田本所在	掲出字		仮名音注		中古音	韻目
3302	下古・001ウ7・地儀	氷	平	ヒヨウ	右傍	pieŋ^{1}	蒸韻
3305	下古・001ウ7・地儀	凍	平	トウ	右傍	tʌuŋ$^{1/3}$	東/送韻
3307	下古・001ウ7・地儀	凌	平	リヨウ	右傍	lieŋ^{1}	蒸韻
3309	下古・001ウ7・地儀	泥	平濁	テイ	右注	nei$^{1/3}$	齊/霽韻
3313	下古・002オ2・地儀	層	平	ソウ	右傍	dzʌŋ^{1}	登韻
3315	下古・002オ3・地儀	闈	平	ヰ	右傍	ɣiuʌi^{1}	微韻
3318	下古・002オ6・植物	苔	平	タイ	右傍	dʌi^{1}	咍韻
3319	下古・002オ7・植物	蘿	平	ラ	右傍	lɑ^{1}	歌韻
3320	下古・002オ7・植物	菰	平	コ	右傍	kiuʌ^{1}	虞韻
3322	下古・002ウ2・植物	葑	平	ホウ	右傍	piuɑŋ$^{1/3}$	鍾/用韻
3334	下古・002ウ4・植物	莎	平	サ	右傍	suɑ^{1}	戈韻
3345	下古・003オ1・植物	梢	平	セウ	右傍	ṣau^{1}	肴韻

3346	下古・003オ1・植物	標	平	ヘウ	右傍	pjiau$^{1/2}$	宵/小韻
3355	下古・003オ7・動物	駒	平	—	—	kiuʌ^{1}	虞韻
3357	下古・003ウ2・動物	鰓	平	サイ	右傍	sʌi^{1}	咍韻
3368	下古・004オ1・人倫	兄	平 去	クキヤウ	右傍	xiuaŋ^{1}	庚韻
3369	下古・004オ1・人倫	兄	平 去	クヱイ	左傍	xiuaŋ^{1}	庚韻
3370	下古・004オ1・人倫	昆	平	コン	右傍	kuʌn^{1}	魂韻
3371	下古・004オ3・人倫	甥	平	セイ	右傍	ṣaŋ^{1}	庚韻
3378	下古・004オ6・人躰	心	平	—	—	siem^{1}	侵韻
3380	下古・004オ7・人躰	拳	平	クヱン	右傍	giuan^{1}	仙韻
3383	下古・004オ7・人躰	胥	平	エウ	右傍	'jiau^{1}	宵韻
3384	下古・004ウ1・人躰	腓	平	ヒ	右傍	biʌi$^{1/3}$	微/未韻
3385	下古・004ウ2・人躰	音	平	イン	右傍	'iem^{1}	侵韻
3386	下古・004ウ2・人躰	聲	平	セイ	右傍	śieŋ^{1}	清韻
3399	下古・005オ5・人事	詞	平	シ	右傍	ziɐi^{1}	之韻
3400	下古・005オ5・人事	辞	平 東	—	—	ziɐi^{1}	之韻
3402	下古・005オ6・人事	誅	平	チウ	右傍	ṭiuʌ^{1}	虞韻
3403	下古・005オ7・人事	劉	平	リウ	右傍	liʌu^{1}	尤韻
3422	下古・006ウ4・雜物	琴	平	—	—	giem^{1}	侵韻
3425	下古・006ウ4・雜物	絃	平	—	—	ɣen^{1} xuen^{3}	先韻 霰韻
3429	下古・006ウ5・雜物	衣	平	イ	右傍	'iʌi$^{1/3}$	微/未韻
3433	下古・006ウ6・雜物	裙	平	—	—	giuʌn^{1}	文韻
3437	下古・006ウ7・雜物	金	平 去	コム	右注	kiem^{1}	侵韻
3447	下古・007オ4・雜物	槐	平	ヘイ	右傍	pei^{1} bjiei^{1}	齊韻 脂韻
3449	下古・007オ4・雜物	筎	平	ト	右傍	nuʌ$^{1/3}$ ṇa^{1}	模/暮韻 麻韻
3450	下古・007オ4・雜物	轝	平	ヨ	右傍	jiʌ$^{1/3}$	魚/御韻
3451	下古・007オ4・雜物	輿	平	—	—	jiʌ$^{1/3}$	魚/御韻
3452	下古・007オ4・雜物	樊	平	ハン	右傍	biuʌn^{1}	文韻
3453	下古・007オ5・雜物	車	平	キヨ	右傍	kiʌ^{1} tś'ia^{1}	魚韻 麻韻
3454	下古・007オ5・雜物	瑠	平	タウ	右傍	taŋ^{1}	唐韻
3558	下古・007オ6・雜物	棊	平	コ	右注	giɐi^{1}	之韻
3567	下古・007ウ2・雜物	楨	平	テイ	右傍	ṭieŋ^{1}	清韻
3574	下古・007ウ4・光彩	濃	平	—	—	ṇiauŋ^{1}	鍾韻
3578	下古・009オ1・辞字	強	平	キヤウ	右傍	giaŋ^{1}	陽韻
3579	下古・009オ2・辞字	剛	平	カウ	右傍	kaŋ^{1}	唐韻
3580	下古・009オ2・辞字	彊	平	キヤウ	右傍	giaŋ$^{1/2}$ kiaŋ^{3}	陽/養韻 漾韻

3581	下古・009オ3・辞字	耆	平	キ	右傍	giei^{1}	脂韻
3582	下古・009オ3・辞字	爰	平	ヱン	右傍	ɣiuɑn^{1}	元韻
3583	下古・009オ3・辞字	斯	平	シ	右傍	sie^{1}	支韻
3584	下古・009オ5・辞字	之	平	シ	右傍	tśiɐi^{1}	之韻
3585	下古・009オ6・辞字	焦	平	セウ	右傍	tsiau^{1}	宵韻
3737	下江・014オ3・地儀	江	平	カウ	右傍	kauŋ^{1}	江韻
3748	下江・014ウ2・植物	枝	平	シ	右傍	tśie^{1}	支韻
3749	下江・014ウ2・植物	條	平	テウ	右傍	deu^{1}	蕭韻
3750	下江・014ウ2・植物	椶	平	ソウ	右傍	tsʌuŋ^{1}	東韻
3751	下江・014ウ3・植物	葼	平	ソウ	右傍	tsʌuŋ^{1}	東韻
3752	下江・014ウ3・植物	柯	平	カ	右傍	kɑ^{1}	歌韻
3755	下江・014ウ7・動物	鰕	平	カ	右傍	ɣa^{1}	麻韻
3758	下江・015オ2・人倫	蠻	平濁	ハン	右傍	man^{1}	刪韻
3759	下江・015オ2・人倫	戎	平濁	シウ	右傍	ńiʌuŋ^{1}	東韻
3764	下江・015オ5・人躰	肢	平	シ	右傍	tśie^{1}	支韻
3765	下江・015オ5・人躰	躾	平	―	―	tśie^{1}	支韻
3778	下江・015ウ7・雑物	纓	平	エイ	右傍	'ieŋ^{1}	清韻
3787	下江・016オ5・光彩	支	平	―	―	tśie^{1}	支韻
3789	下江・016オ7・辞字	蒐	平	シウ	右傍	ṣiʌu^{1}	尤韻
3793	下江・016ウ3・辞字	傜	平	エウ	右傍	jiau^{1}	宵韻
3872	下手・018ウ4・天象	天	平	テン	右注	t'en^{1}	先韻
3877	下手・018ウ7・地儀	泥	平濁	テイ	右傍	nei$^{1/3}$	齊/霽韻
3890	下手・019オ7・動物	貂	平	テウ	右傍	teu^{1}	蕭韻
3897	下手・019ウ6・人體	腡	平	―	―	luɑ^{1} kuɐ^{1}	戈韻 佳韻
3898	下手・019ウ6・人體	紋	平濁	フン	右注	miuʌn^{1}	文韻
3911	下手・020ウ6・雑物	釿	平	キン	右傍	kiʌn^{1} ŋien^{2}	欣韻 軫韻
3914	下手・020ウ7・雑物	矛	平濁	ホウ	右傍	miʌu^{1}	尤韻
3924	下手・021オ4・光彩	瞛	平	―	―	ts'iɑuŋ^{1}	鍾韻
4052	下阿・024ウ1・天象	霙	平	エイ	右傍	'iaŋ^{1} 'iɑŋ^{1}	庚韻 陽韻
4053	下阿・024ウ2・天象	秋	平	シウ	右傍	ts'iʌu^{1}	尤韻
4060	下阿・024ウ2・天象	朝	平	テウ	右傍	ṭiau^{1} ḍiau^{1}	宵韻 宵韻
4061	下阿・024ウ2・天象	調	平	テウ	右傍	deu$^{1/3}$ ṭiʌu^{1}	蕭/嘯韻 尤韻
4063	下阿・024ウ3・天象	明	平	―	―	miaŋ^{1}	庚韻
4065	下阿・025オ2・地儀	〔目+差〕	平	サ	右傍	dzɑ^{1}	歌韻
4066	下阿・025オ2・地儀	菑	平	―	―	tṣiɐi^{1}	之韻

4071	下阿・025オ6・地儀	堋	平	ホウ	左注	bʌŋ^{1} p‘ʌŋ^{1} pʌŋ^{3}	登韻 登韻 嶝韻
4072	下阿・025オ7・地儀	壝	平	クヰ	右傍	jiuei$^{1/2}$	脂/旨韻
4081	下阿・025ウ4・植物	葵	平	クヰ	右傍	gjiuei^{1}	脂韻
4082	下阿・025ウ4・植物	莍	平	―	―	gjiau^{1}	宵韻
4083	下阿・025ウ4・植物	藜	平	レイ	右傍	lei^{1}	齊韻
4085	下阿・025ウ5・植物	蘆	平	ロ	右傍	luʌ^{1} liʌ^{1}	模韻 魚韻
4087	下阿・025ウ6・植物	芀	平	テウ	左注	teu^{1} deu^{1}	蕭韻 蕭韻
4089	下阿・025ウ7・植物	禾	平	クワ	右傍	ɣuɑ^{1}	戈韻
4092	下阿・026オ1・植物	麻	平濁	ハ	右傍	ma^{1}	麻韻
4112	下阿・026ウ2・植物	橙	平	タウ	右傍	ḍɐŋ^{1} tʌŋ^{3}	耕韻 嶝韻
4117	下阿・026ウ3・植物	英	平	エイ	右傍	’iaŋ^{1}	庚韻
4139	下阿・027ウ1・動物	鮎	平	テム	右傍	nem^{1}	添韻
4140	下阿・027ウ2・動物	鯷	平	テイ	右傍	dei$^{1/3}$ źie$^{1/2/3}$	齊/霽韻 支/紙/寘韻
4142	下阿・027ウ3・動物	鯖	平	セイ	右傍	ts‘eŋ^{1} tṣieŋ^{1}	青韻 清韻
4143	下阿・027ウ3・動物	鰺	平	サウ	右傍	sɑu^{1}	豪韻
4146	下阿・027ウ4・動物	鰓	平	―	―	sʌi^{1}	咍韻
4148	下阿・027ウ4・動物	鯹	平	―	―	seŋ^{1}	青韻
4154	下阿・028オ1・動物	蝱	平濁	ハウ	右傍	maŋ^{1}	庚韻
4161	下阿・028オ6・人倫	兄	平 去	クヰウ	右傍	xiuaŋ^{1}	庚韻
4162	下阿・028オ6・人倫	兄	平 去	クヱイ	左傍	xiuaŋ^{1}	庚韻
4165	下阿・028オ7・人倫	尼	平	チ	右傍	ṇiei^{1}	脂韻
4171	下阿・028ウ3・人倫	讎	平	シユ	右注	źiʌu^{1}	尤韻
4172	下阿・028ウ3・人倫	仇	平	キウ	右傍	giʌu^{1}	尤韻
4179	下阿・029オ2・人躰	跗	平	フ	右傍	piuʌ$^{1/3}$	虞韻
4180	下阿・029オ2・人躰	趺	平	フ	右傍	piuʌ^{1}	虞韻
4183	下阿・029オ2・人躰	跏	平	カ	右傍	ka^{1}	麻韻
4184	下阿・029オ2・人躰	汙	平 去	ヲ	右傍	’uʌ$^{1/3}$	模/暮韻
4185	下阿・029オ2・人躰	汗	平 去	カン	左傍	ɣɑn$^{1/3}$ kɑn^{1}	寒/翰韻 寒韻
4187	下阿・029オ3・人躰	膏	平	カウ	右傍	kɑu$^{1/3}$	豪/号韻
4188	下阿・029オ3・人躰	脂	平	シ	右傍	tśiei^{1}	脂韻
4189	下阿・029オ4・人躰	肪	平	ハウ	右注	biɑŋ^{1} piɑŋ^{1}	陽韻 陽韻

4195	下阿・029オ5・人躰	痿	平	―	―	ʼiue^{1} ńiue^{1}	支韻 支韻
4196	下阿・029オ6・人躰	痕	平	コン	右傍	ɣʌn^{1}	痕韻
4197	下阿・029オ6・人躰	皸	平	クウン	右傍	kiuʌn$^{1/3}$	文/問韻
4198	下阿・029オ6・人躰	疵	平	シ	右傍	dzie^{1}	支韻
4199	下阿・029オ6・人躰	疝	平	サン	右傍	ṣɐn^{1} ṣan^{3}	山韻 諫韻
4206	下阿・029ウ2・人躰	皻	平	サ	右傍	tṣa^{1}	麻韻
4207	下阿・029ウ4・人事	蹤	平	―	―	tsiɑuŋ^{1}	鍾韻
4208	下阿・029ウ4・人事	踑	平	―	―	giɐi^{1}	之韻
4209	下阿・029ウ5・人事	遊	平	―	―	jiʌu^{1}	尤韻
4214	下阿・030オ3・人事	謾	平	ハン	右傍	mɑn$^{1/3}$ man$^{1/3}$ mian^{1}	桓/換韻 刪/諫韻 仙韻
4215	下阿・030オ5・人事	侜	平	ヒウ	右傍	ṭiʌu^{1}	尤韻
4216	下阿・030オ6・人事	憐	平	レン	―	len^{1}	先韻
4217	下阿・030ウ2・人事	郵	平	イウ	右傍	ɣiʌu^{1}	尤韻
4218	下阿・030ウ2・人事	俵	平	ヘイ	右傍	bei^{2}	薺韻
4219	下阿・030ウ3・人事	訧	平	イウ	右傍	ɣiʌu^{1}	尤韻
4224	下阿・031オ4・飲食	飴	平	イ	右傍	jiɐi^{1}	之韻
4225	下阿・031オ4・飲食	餳	平	―	―	zieŋ^{1}	清韻
4226	下阿・031オ4・飲食	糖	平	タウ	右傍	dɑŋ^{1}	唐韻
4231	下阿・031オ5・飲食	燔	平	ハン	右傍	biɑn^{1}	元韻
4232	下阿・031オ5・飲食	烘	平	―	―	xʌuŋ$^{1/3}$ ɣʌuŋ$^{1/3}$	東/送韻 東/送韻
4233	下阿・031オ6・飲食	羹	平	―	―	kaŋ^{1}	庚韻
4234	下阿・031オ6・飲食	膮	平	ケウ	右傍	xeu$^{1/2}$	蕭/篠韻
4237	下阿・031オ7・飲食	韲	平	セイ	右傍	tsei^{1}	齊韻
4238	下阿・031オ7・飲食	齏	平	セイ	右傍	tsei^{1}	齊韻
4239	下阿・031ウ1・飲食	粱	平	リヤウ	右傍	liɑŋ^{1}	陽韻
4241	下阿・031ウ3・飲食	甜	平	テム	右傍	dem^{1}	添韻
4242	下阿・031ウ6・雑物	銅	平 去	トウ	右傍	dʌuŋ^{1}	東韻
4245	下阿・031ウ6・雑物	鎗	平	―	―	tṣʻiaŋ^{1}	庚韻
4246	下阿・031ウ7・雑物	綾	平	―	―	liɐŋ^{1}	蒸韻
4251	下阿・032オ2・雑物	絁	平	―	―	śie^{1}	支韻
4261	下阿・032オ6・雑物	罛	平	コ	右傍	kuʌ^{1}	模韻
4262	下阿・032オ6・雑物	罿	平	トウ	右傍	dʌuŋ^{1} tśʻiɑuŋ^{1}	東韻 鍾韻
4263	下阿・032オ6・雑物	罾	平	ソウ	右傍	tsʌŋ^{1}	登韻
4264	下阿・032オ6・雑物	羉	平	ラン	右傍	luɑn^{1}	桓韻
4265	下阿・032オ6・雑物	罘	平	フ	右傍	biʌu^{1}	尤韻

4266	下阿・032オ7・雑物	罞	平	ハウ	右傍	mau^{1} mʌuŋ^{1}	肴韻 東韻
4267	下阿・032オ7・雑物	罝	平	サ	右傍	tsia^{1}	麻韻
4268	下阿・032オ7・雑物	罠	平	コ	右傍	mien^{1}	眞韻
4269	下阿・032オ7・雑物	䍙	平濁	ハイ	右傍	muʌi$^{1/3}$ miuʌ^{2}	灰/隊韻 麌韻
4270	下阿・032オ7・雑物	罺	平	サウ	右傍	tṣau^{1} tṣʻau^{3}	肴韻 効韻
4276	下阿・032ウ2・雑物	油	平 去	イウ	左注	jiʌu$^{1/3}$	尤/宥韻
4277	下阿・032ウ2・雑物	油	平 去	ユ	右傍	jiʌu$^{1/3}$	尤/宥韻
4289	下阿・032ウ5・雑物	欒	平	レン	右傍	liuan^{1}	仙韻
4294	下阿・033オ4・光彩	蒼	平	サウ	右傍	tsʻɑŋ$^{1/2}$	唐/蕩韻
4295	下阿・033オ4・光彩	葱	平	ソウ	右傍	tsʻʌuŋ^{1}	東韻
4296	下阿・033オ4・光彩	尨	平	—	—	mauŋ^{1}	江韻
4297	下阿・033オ4・光彩	朱	平	シユ	右傍	tśiuʌ^{1}	虞韻
4300	下阿・033オ6・光彩	姝	平	—	—	tśʻiuʌ^{1}	虞韻
4301	下阿・033オ6・光彩	酡	平	タ	右傍	dɑ^{1}	歌韻
4302	下阿・033オ6・光彩	丹	平	—	—	tɑn^{1}	寒韻
4303	下阿・033オ7・光彩	彤	平	トウ	右傍	dɑuŋ^{1}	冬韻
4304	下阿・033オ7・光彩	緋	平	ヒ	右傍	piʌi^{1}	微韻
4306	下阿・033オ7・光彩	藍	平	ラム	右傍	lɑm^{1}	談韻
4307	下阿・033ウ1・光彩	离	平	—	—	lie^{1} ṭʻie^{1}	支韻 支韻
4312	下阿・033ウ3・光彩	純	平	—	—	źiuen^{1} tśiuen^{2}	諄韻 準韻
4313	下阿・033ウ7・員數	餘	平	ヨ	右傍	jiʌ^{1}	魚韻
4314	下阿・034オ3・辞字	編	平	ヘン	右傍	pen$^{1/2}$ pjian^{1}	先/銑韻 仙韻
4315	下阿・034オ7・辞字	揚	平	ヤウ	右傍	jiɑŋ^{1}	陽韻
4316	下阿・034ウ1・辞字	扛	平	カウ	右傍	kauŋ^{1}	江韻
4317	下阿・034ウ2・辞字	翹	平	ケウ	右傍	gjiau$^{1/3}$	宵/笑韻
4323	下阿・035オ2・辞字	痝	平	ハウ	右傍	mauŋ^{1}	江韻
4324	下阿・035オ4・辞字	屯	平	—	—	duʌn^{1} ṭiuen^{1}	魂韻 諄韻
4326	下阿・035ウ2・辞字	遒	平	イウ	右傍	tsiʌu^{1} dziʌu^{1}	尤韻 尤韻
4327	下阿・035ウ2・辞字	蒸	平	ショウ	右傍	tśieŋ^{1}	蒸韻
4328	下阿・035ウ3・辞字	軒	平	ケン	右傍	xiɑn^{1}	元韻

4332	下阿・036オ2・辞字	敦	平	トン	右傍	tuʌn 1/3 duɑn 1 tuʌi 1	魂/慁韻 桓韻 灰韻
4334	下阿・036オ3・辞字	叉	平	サ	右傍	tʂ'a 1 tʂ'ɐ 1	麻韻 佳韻
4335	下阿・036オ6・辞字	應	平	―	―	'iɐŋ 1/3	蒸/證韻
4336	下阿・036オ7・辞字	丁	平	テイ	右傍	teŋ 1 ṭɐŋ 1	青韻 耕韻
4339	下阿・037オ2・辞字	爭	平	―	―	tʂɐŋ 1	耕韻
4340	下阿・037オ5・辞字	彰	平	―	―	tśiɑŋ 1	陽韻
4342	下阿・037オ5・辞字	呈	平	テイ	右傍	ḍieŋ 1/3	清/勁韻
4343	下阿・037オ7・辞字	甄	平	―	―	kjian 1 tśien 1	仙韻 眞韻
4344	下阿・037ウ1・辞字	旌	平	―	―	tsieŋ 1	清韻
4345	下阿・037ウ3・辞字	危	平	―	―	ŋiue 1	支韻
4349	下阿・038オ1・辞字	揯	平	―	―	kʌŋ 1/3	登/嶝韻
4351	下阿・038ウ2・辞字	詮	平	セン	右傍	ts'iuan 1	仙韻
4352	下阿・038ウ3・辞字	暄	平	クヱン	右傍	xiuɑn 1	元韻
4432	下佐・042オ5・天象	寒	平	―	―	ɣɑn 1	寒韻
4436	下佐・042ウ1・地儀	皐	平	カウ	右傍	kɑu 1	豪韻
4437	下佐・042ウ1・地儀	碕	平	キ	右傍	gie 1 k'ie 1/2 giʌi 1	支韻 支/紙韻 微韻
4442	下佐・042ウ4・地儀	阹	平	―	―	xiʌ 1	魚韻
4443	下佐・042ウ5・地儀	郷	平	キヤウ	右傍	xiɑŋ 1	陽韻
4444	下佐・042ウ5・地儀	閭	平	リヨ	右傍	liʌ 1	魚韻
4445	下佐・042ウ5・地儀	寰	平	―	―	ɣuan 1 ɣuen 3	删韻 霰韻
4457	下佐・043オ6・植物	荂	平	クワ	右傍	xiuʌ 1 p'iuʌ 1	虞韻 虞韻
4458	下佐・043オ6・植物	犀	平	サイ	右傍	sei 1	齊韻
4459	下佐・043オ7・植物	櫻	平	アウ	右傍	'ɐŋ 1	耕韻
4468	下佐・043ウ3・植物	奴	平	―	―	nuʌ 1	模韻
4469	下佐・043ウ4・植物	衡	平	カウ	右注	ɣaŋ 1	庚韻
4471	下佐・043ウ7・動物	梟	平	ケウ	右傍	keu 1	蕭韻
4475	下佐・044オ2・動物	冠	平	クワン	右傍	kuɑn 1/3	桓/換韻
4477	下佐・044オ3・動物	犀	平 去	サイ [平上]	右注	sei 1	齊韻
4482	下佐・044オ3・動物	猿	平	ヱン	右傍	ɣiuɑn 1	元韻
4484	下佐・044オ3・動物	猨	平	ヱン	右注	ɣiuɑn 1	元韻
4486	下佐・044オ4・動物	狙	平	―	―	ts'iʌ 1/3	魚/御韻

4487	下佐・044オ4・動物	猱	平	―	―	nɑu[1] ńiau[2] ṇiʌu[3]	豪韻 小韻 宥韻
4490	下佐・044オ5・動物	牙	平濁	カ	右傍	ŋa[1]	麻韻
4494	下佐・044オ7・動物	鮫	平	カウ	右傍	kau[1]	肴韻
4497	下佐・044ウ1・動物	鯖	平	セイ	右傍	ts'eŋ[1] tṣieŋ[1]	青韻 清韻
4507	下佐・045オ3・人躰	毫	平	カウ	右傍	ɣɑu[1]	豪韻
4518	下佐・045ウ4・人事	廞	平	キム	右傍	xiem[1/2]	侵/寑韻
4520	下佐・045ウ5・人事	呶	平	サン	右傍	ṇau[1]	肴韻
4522	下佐・045ウ5・人事	讒	平濁	サム ［平濁平］	右注	dẓɐm[1] dẓam[1/3]	咸韻 銜/鑑韻
4523	下佐・045ウ5・人事	騷	平	サウ	右傍	sɑu[1]	豪韻
4526	下佐・045ウ7・人事	禔	平	―	―	tśie[1] źie[1] dei[1]	支韻 支韻 齊韻
4527	下佐・045ウ7・人事	禎	平	テイ	右傍	ṭieŋ[1]	清韻
4528	下佐・046オ1・人事	酲	平	―	―	ḍieŋ[1]	清韻
4529	下佐・046オ1・人事	騷	平	サウ	右傍	sɑu[1]	豪韻
4532	下佐・046オ4・人事	瘨	平	―	―	ten[1]	先韻
4533	下佐・046オ4・人事	酲	平	テイ	右傍	ḍieŋ[1]	清韻
4534	下佐・046オ4・人事	醺	平	クン	右傍	xiuʌn[1]	文韻
4544	下佐・046ウ2・飲食	醍	平	テイ	右傍	dei[1]	齊韻
4545	下佐・046ウ2・飲食	醅	平	ハイ	右傍	p'uʌi[1]	灰韻
4546	下佐・046ウ2・飲食	醇	平	シユン	右傍	źiuen[1]	諄韻
4547	下佐・046ウ2・飲食	醪	平	ラウ	右傍	lɑu[1]	豪韻
4548	下佐・046ウ2・飲食	醝	平	サ	右傍	dzɑ[1]	歌韻
4549	下佐・046ウ2・飲食	醲	平	―	―	ṇiɑuŋ[1]	鍾韻
4554	下佐・046ウ5・飲食	肴	平	カウ	右傍	ɣau[1]	肴韻
4555	下佐・046ウ5・飲食	宜	平	キ	右傍	ŋiɐ[1]	支韻
4556	下佐・046ウ5・飲食	羞	平	シユ	右傍	siʌu[1]	尤韻
4558	下佐・047オ1・雜物	盃	平	ハイ	右傍	puʌi[1]	灰韻
4560	下佐・047オ1・雜物	坏	平	―	―	puʌi[1]	灰韻
4561	下佐・047オ1・雜物	巵	平	シ	右傍	tśie[1]	支韻
4562	下佐・047オ1・雜物	觴	平	シヤウ	右傍	śiɑŋ[1]	陽韻
4563	下佐・047オ2・雜物	鍾	平	シヨウ	右傍	tśiɑuŋ[1]	鍾韻
4564	下佐・047オ3・雜物	觥	平	クワウ	右傍	kuaŋ[1]	庚韻
4565	下佐・047オ3・雜物	甖	平	―	―	'ɐŋ[1]	耕韻
4566	下佐・047オ4・雜物	盤	平	―	―	bɑn[1]	桓韻
4568	下佐・047オ5・雜物	槽	平	サウ	右傍	dzɑu[1] tsɑu[1]	豪韻 豪韻

4569	下佐・047オ5・雑物	棬	平	クヱン	右傍	k‘iuan^{1}	仙韻
4582	下佐・047ウ1・雑物	枇	平	ヒ	右傍	bjiei$^{1/3}$ pjiei^{2}	脂/至韻 旨韻
4584	下佐・047ウ2・雑物	竿	平	ウ	右傍	kɑn^{1}	寒韻
4585	下佐・047ウ3・雑物	槹	平	カウ	右傍	kɑu^{1}	豪韻
4586	下佐・047ウ3・雑物	欅	平	ト	右傍	ṇiʌ^{1}	魚韻
4593	下佐・047ウ6・雑物	欋	平	ク	右傍	giuʌ^{1}	虞韻
4600	下佐・048オ1・雑物	精	平	セイ	右傍	tsieŋ^{1}	清韻
4602	下佐・048オ2・雑物	鋒	平	ホウ	右傍	p‘iɑuŋ^{1}	鍾韻
4607	下佐・048オ5・方角	前	平	セン	右傍	dzen^{1}	先韻
4608	下佐・048オ5・方角	芒	平	ハウ	右傍	mɑŋ^{1} miɑŋ^{1}	唐韻 陽韻
4612	下佐・048ウ3・辞字	欃	平	カン	右傍	dẓɐm^{1} dẓam^{3}	咸韻 鑑韻
4619	下佐・049オ4・辞字	探	平	タム	右傍	t‘ʌm^{1}	覃韻
4620	下佐・049オ5・辞字	擎	平	ケイ	右傍	giaŋ^{1}	庚韻
4621	下佐・049オ7・辞字	障	平	シヤウ	右傍	tśiɑŋ$^{1/3}$	陽/漾韻
4625	下佐・050オ2・辞字	誾	平濁	―	―	ŋien^{1}	眞韻
4627	下佐・050オ6・辞字	伶	平	レイ	右傍	leŋ^{1}	青韻
4628	下佐・050オ7・辞字	韲	平	シ	右傍	ts‘iei^{1} dziei^{1} dẓɐ^{1}	脂韻 脂韻 佳韻
4629	下佐・050ウ1・辞字	麾	平	―	―	xiue^{1}	支韻
4631	下佐・050ウ2・辞字	韲	平	シ	右傍	ts‘iei^{1} dziei^{1} dẓɐ^{1}	脂韻 脂韻 佳韻
4818	下古・002オ1・地儀	畬	平	―	―	jiʌ^{1} śiʌ^{1}	魚韻 麻韻
4836	下木・055オ7・天象	雺	平	モウ	右傍	mʌuŋ^{1} miʌu^{1} mɑuŋ^{3} mʌu^{3}	東韻 尤韻 宋韻 候韻
4837	下木・055オ7・天象	雰	平	フン	右傍	p‘iuʌn^{1}	文韻
4840	下木・055ウ3・地儀	涯	平濁	カイ	右傍	ŋɐ^{1} ŋie^{1}	佳韻 支韻
4841	下木・055ウ3・地儀	崖	平濁	カイ	右傍	ŋɐ^{1} ŋie^{1}	佳韻 支韻
4842	下木・055ウ3・地儀	堆	平	ツイ	右傍	tuʌi^{1}	灰韻
4843	下木・055ウ3・地儀	垠	平	キン	右傍	ŋien^{1} ŋiʌn^{1} ŋʌn^{1}	眞韻 欣韻 痕韻

4844	下木・055ウ4・地儀	京	平	ケイ	右傍	kiaŋ^{1}	庚韻
4845	下木・055ウ4・地儀	京	平	キヤウ	右注	kiaŋ^{1}	庚韻
4853	下木・056オ1・植物	菍	平	ソウ	右傍	ts'ʌuŋ^{1}	東韻
4858	下木・056オ4・植物	桐	平	トウ	右傍	dʌuŋ^{1}	東韻
4860	下木・056オ4・植物	梧	平濁	コ	右傍	ŋuʌ^{1}	模韻
4861	下木・056オ5・植物	榅	平	ウン	右傍	ɣiuʌn^{1}	文韻
4866	下木・056ウ1・動物	鷮	平	ケウ	右傍	kiau^{1} giau^{1}	宵韻 宵韻
4867	下木・056ウ1・動物	翬	平	—	—	xiuʌi^{1}	微韻
4870	下木・056ウ2・動物	狐	平	コ	右傍	ɣuʌ^{1}	模韻
4872	下木・056ウ5・動物	蛬	平	—	—	giauŋ$^{1/2}$	鍾/腫韻
4873	下木・056ウ5・動物	蝙	平	—	—	jiʌuŋ^{1}	東韻
4876	下木・056ウ6・動物	蚶	平	カム	右傍	xam^{1}	談韻
4878	下木・057オ1・人倫	君	平	クン	右傍	kiuʌn^{1}	文韻
4879	下木・057オ1・人倫	公	平	コウ	右傍	kʌuŋ^{1}	東韻
4881	下木・057オ2・人倫	林	平	リン	右傍	liem^{1}	侵韻
4883	下木・057オ5・人躰	肝	平	カン	右傍	kan^{1}	寒韻
4885	下木・057オ5・人躰	牙	平濁	カ	右傍	ŋa^{1}	麻韻
4886	下木・057オ7・人躰	瘢	平	ハン	右傍	ban^{1}	桓韻
4887	下木・057オ7・人躰	瘍	平	ヤウ	右傍	jiaŋ^{1}	陽韻
4889	下木・057オ7・人躰	疵	平	シ	右傍	dzie^{1}	支韻
4890	下木・057ウ1・人躰	痕	平	コン	右傍	ɣʌn^{1}	痕韻
4896	下木・057ウ4・人事	聞	平濁	フン	右傍	miuʌn$^{1/3}$	文/問韻
4897	下木・057ウ4・人事	聆	平	レイ	右傍	leŋ^{1}	青韻
4898	下木・057ウ4・人事	聴	平	テイ	右傍	t'eŋ$^{1/3}$	青/徑韻
4907	下木・058オ5・雑物	裾	平	キヨ	右傍	kiʌ^{1}	魚韻
4909	下木・058オ5・雑物	綃	平	セウ	右傍	siau^{1}	宵韻
4910	下木・058オ5・雑物	紈	平	クワン	左注	ɣuan^{1}	桓韻
4914	下木・058オ6・雑物	礁	平	チム	右傍	ṭiem^{1}	侵韻
4921	下木・058ウ1・雑物	琴	平	キム	右傍	giem^{1}	侵韻
4922	下木・058ウ1・雑物	錐	平	スヰ	右傍	tśiuei^{1}	脂韻
4923	下木・058ウ1・雑物	鐕	平	サム	右傍	tsʌm^{1}	覃韻
4924	下木・058ウ1・雑物	栓	平	セン	右傍	ṣiuan^{1}	仙韻
4928	下木・058ウ3・雑物	欒	平	—		luan^{1}	桓韻
4930	下木・058ウ6・光彩	黄	平	クワウ	右傍	ɣuaŋ^{1}	唐韻
4940	下木・059オ1・方角	陰	平	イム	右傍	'iem^{1}	侵韻
4941	下木・059オ2・方角	畿	平	キ	右傍	giʌi^{1}	微韻
4942	下木・059オ4・員數	窮	平	—	—	giʌuŋ^{1}	東韻
4944	下木・059オ6・辞字	鑽	平	サン	右傍	tsuan$^{1/3}$	桓/換韻
4946	下木・059ウ2・辞字	銷	平	—	—	siau^{1}	宵韻
4947	下木・059ウ2・辞字	消	平	—	—	siau^{1}	宵韻
4950	下木・059ウ3・辞字	瑕	平	カ	右傍	ɣa^{1}	麻韻

4951	下木・059ウ5・辞字	稠	平	チウ	右傍	ḍiʌu[1]	尤韻
4953	下木・059ウ6・辞字	穠	平	―	―	niɑuŋ[1] ńiɑuŋ[1]	鍾韻 鍾韻
4954	下木・060オ3・辞字	清	平	セイ	右傍	ts'ieŋ[1]	清韻
4956	下木・060ウ2・辞字	瀏	平	リウ	右傍	liʌu[1/2]	尤/有韻
5203	下木・065オ4・官職	卿	平	ケイ	右注	k'iaŋ[1]	庚韻
5204	下木・065オ4・官職	卿	平	キヤウ	中注	k'iaŋ[1]	庚韻
5212	下由・065ウ7・天象	晡	平	フ	右傍	puʌ[1]	模韻
5217	下由・066オ3・地儀	床	平	シヤウ	右傍	dẓiɑŋ[1]	陽韻
5228	下由・066ウ5・人躰	溲	平	シウ	右傍	ṣiʌu[1/2]	尤/有韻
5232	下由・067オ1・人事	之	平	シ	右傍	tśiɐi[1]	之韻
5233	下由・067オ2・人事	如	平	―	―	ńiʌ[1/3]	魚/御韻
5234	下由・067オ3・人事	于	平	―	―	ɣiuʌ[1]	虞韻
5239	下由・067ウ2・飲食	湯	平	タウ	右傍	t'ɑŋ[1/3] śiɑŋ[1]	唐/宕韻 陽韻
5240	下由・067ウ4・雜物	弓	平	キウ	右傍	kiʌuŋ[1]	東韻
5241	下由・067ウ4・雜物	弧	平	コ	右傍	ɣuʌ[1]	模韻
5242	下由・067ウ4・雜物	彇	平	―	―	seu[1]	蕭韻
5243	下由・067ウ4・雜物	弦	平	―	―	ɣen[1]	先韻
5246	下由・067ウ6・雜物	檠	平	ケイ	右傍	giaŋ[1/3]	庚/映韻
5248	下由・067ウ6・雜物	靫	平	ヒ	右傍	tṣ'a[1] tṣ'ɐ[1]	麻韻 佳韻
5252	下由・068オ1・雜物	潸	平	ハン	右傍	ṣan[1/2]	刪/潸韻
5255	下由・068オ2・雜物	鐶	平	クワン	右注	ɣuan[1]	刪韻
5257	下由・068ウ3・辞字	臑	平	シユ	右傍	ńiuʌ[1]	虞韻
5258	下由・068ウ5・辞字	豊	平	ホウ	右傍	p'iʌuŋ[1] lei[2]	東韻 薺韻
5259	下由・068ウ5・辞字	饒	平	ネウ	右傍	ńiau[1/3]	宵/笑韻
5271	下師・069オ5・植物	茨	平	シ	右傍	dziei[1]	脂韻
5287	下師・069ウ3・植物	椎	平	ツキ	右傍	ḍiuei[1]	脂韻
5293	下師・069ウ6・植物	柴	平	サイ	右傍	dẓɐ[1]	佳韻
5294	下師・069ウ6・植物	芝	平	―	―	tśiɐi[1] p'iʌm[1]	之韻 凡韻
5296	下師・070オ2・動物	鸗	平	ロウ	右傍	lʌuŋ[1] lɑuŋ[1]	東韻 鍾韻
5297	下師・070オ2・動物	鴸	平濁	フ	右傍	miuʌ[1]	虞韻
5298	下師・070オ2・動物	鴟	平	シ	右傍	tśiei[1/3]	脂/至韻
5303	下師・070オ4・動物	麚	平	カ	右傍	ka[1]	麻韻
5304	下師・070オ4・動物	麎	平	シン	右傍	śien[1]	眞韻
5306	下師・070オ5・動物	羆	平	ヒ	右傍	pie[1]	支韻
5308	下師・070オ5・動物	胡	平	コ	右傍	ɣuʌ[1]	模韻

5309	下師・070オ5・動物	猩	平	セイ	右傍	seŋ[1] ṣaŋ[1]	青韻 庚韻
5319	下師・070ウ6・人倫	姑	平	コ	右傍	kuʌ[1]	模韻
5321	下師・070ウ7・人倫	臣	平	シン	右傍	źien[1]	眞韻
5323	下師・070ウ7・人倫	師	平	シ	右注	ṣiei[1]	脂韻
5335	下師・071オ5・人躰	胡	平	コ	右傍	ɣuʌ[1]	模韻
5337	下師・071オ6・人躰	尻	平	カウ	右傍	k'ɑu[1]	豪韻
5341	下師・071オ7・人躰	觜	平	シ	右傍	dzie[1/3]	支/寘韻
5342	下師・071ウ1・人躰	皴	平	スヰン	右傍	ts'iuen[1]	諄韻
5344	下師・071ウ3・人躰	疝	平	サン	右傍	ṣɐn[1] ṣan[3]	山韻 諫韻
5352	下師・071ウ5・人躰	瘤	平	リウ	右傍	liʌu[1/3]	尤/宥韻
5356	下師・072オ2・人事	仁	平濁	シン	右注	ńien[1]	眞韻
5360	下師・072オ5・人事	誣	平	フ	右傍	miuʌ[1]	虞韻
5366	下師・072オ7・人事	寃	平	ヱン	右傍	'iuɑn[1]	元韻
5369	下師・072ウ1・人事	親	平	シン	右傍	ts'ien[1/3]	眞/震韻
5374	下師・072ウ3・人事	寃	平	ヱン	右傍	'iuɑn[1]	元韻
5393	下師・073オ7・飲食	醨	平	リ	右傍	lie[1]	支韻
5399	下師・073ウ2・飲食	塩	平	エム	右傍	jiam[1/3]	鹽韻
5402	下師・073ウ3・飲食	鹹	平	カム	右注	ɣɐm[1]	咸韻
5403	下師・073ウ5・雜物	銀	平濁	キン	右傍	ŋien[1]	眞韻
5412	下師・073ウ6・雜物	鸞	平	—	—	luɑn[1]	桓韻
5413	下師・073ウ6・雜物	音	平	—	—	'iem[1]	侵韻
5419	下師・073ウ7・雜物	徽	平	—	—	xiuʌi[1]	微韻
5427	下師・074オ1・雜物	珠	平	—	—	tśiuʌ[1]	虞韻
5434	下師・074オ4・雜物	紗	平	サ	右傍	ṣa[1]	麻韻
5435	下師・074オ4・雜物	紗	平	シヤ	右注	ṣa[1]	麻韻
5437	下師・074オ5・雜物	茵	平	イン	右傍	'jien[1]	眞韻
5438	下師・074オ5・雜物	裀	平	—	—	'jien[1]	眞韻
5439	下師・074オ5・雜物	鞇	平	—	—	'jien[1]	眞韻
5442	下師・074オ5・雜物	鞦	平	シウ	右傍	tś'iʌu[1]	尤韻
5443	下師・074オ5・雜物	韉	平	セン	右傍	tsen[1]	先韻
5444	下師・074オ6・雜物	標	平	ヘウ	右傍	pɪau[1/2]	宵/小韻
5453	下師・074ウ1・雜物	籮	平	ラ	右傍	lɑ[1]	歌韻
5468	下師・074ウ7・雜物	私	平	—	—	siei[1]	脂韻
5486	下師・075ウ2・員數	滋	平	シ	右傍	tsiɐi[1]	之韻
5487	下師・075ウ2・員數	重	平	—	—	ḍiauŋ[1/2/3]	鍾/腫/用韻
5491	下師・076オ2・辭字	繁	平	ハン	右傍	biɑn[1] bɑn[1] bɑ[1]	元韻 桓韻 戈韻
5492	下師・076オ2・辭字	蕃	平	ハン	右傍	biɑn[1] piɑn[1]	元韻 元韻

5495	下師・076オ7・辞字	淪	平	リン	右傍	liuen^{1}	諄韻
5496	下師・076ウ1・辞字	填	平	テン	右傍	den$^{1/3}$ ṭien$^{1/3}$	先/霰韻 眞/震韻
5498	下師・076ウ4・辞字	釃	平	リ	右傍	ṣie$^{1/2}$ ṣiʌ^{1}	支/紙韻 魚韻
5501	下師・076ウ6・辞字	凋	平	テウ	右傍	teu^{1}	蕭韻
5502	下師・076ウ7・辞字	仍	平	シヨウ	右傍	ńiɐŋ^{1}	蒸韻
5503	下師・077オ1・辞字	而	平濁	―	―	ńiɐi^{1}	之韻
5505	下師・077オ5・辞字	恬	平	テム	右傍	dem^{1}	添韻
5506	下師・077オ6・辞字	禪	平	セン	右傍	źian$^{1/3}$	仙/線韻
5507	下師・077オ6・辞字	譚	平	タム	右傍	dʌm$^{1/2}$	覃/咸韻
5508	下師・077オ7・辞字	随	平濁	スイ	右傍	ziue^{1}	支韻
5509	下師・077ウ1・辞字	従	平	―	―	dziɑuŋ^{1} ts‘iɑuŋ$^{1/3}$	鍾韻 鍾/用韻
5510	下師・077ウ1・辞字	遵	平	シユン	右傍	tsiuen^{1}	諄韻
5511	下師・077ウ5・辞字	踆	平	シユン	右傍	ts‘iuen^{1}	諄韻
5512	下師・077ウ7・辞字	調	平	テウ	右傍	deu$^{1/3}$ ṭiʌu^{1}	蕭/嘯韻 尤韻
5515	下師・078オ3・辞字	柴	平	シ	右傍	dẓɐ^{1}	佳韻
5973	下會・087ウ7・植物	槐	平	クワイ	右傍	ɣuɐi^{1} ɣuʌi^{1}	皆韻 灰韻
5975	下會・087ウ7・植物	櫰	平	クワイ	右傍	ɣuɐi^{1} kuʌi^{1}	皆韻 灰韻
5986	下會・089オ2・辞字	彫	平	テウ	右傍	teu^{1}	蕭韻
6025	下飛・090オ5・天象	陽	平	―	―	jiɑŋ^{1}	陽韻
6026	下飛・090オ5・天象	暘	平	ヤウ	右傍	jiɑŋ^{1}	陽韻
6027	下飛・090オ5・天象	暾	平	トン	右傍	t‘uʌn^{1}	魂韻
6028	下飛・090オ6・天象	曦	平	キ	右傍	xie^{1}	支韻
6031	下飛・090ウ5・地儀	泥	平濁	―	―	nei$^{1/3}$	齊/霽韻
6032	下飛・090ウ5・地儀	塗	平	ト	右傍	duʌ^{1} ḍa^{1}	模韻 麻韻
6033	下飛・090ウ5・地儀	氷	平	ヒヨウ	右傍	piɐŋ^{1}	蒸韻
6041	下飛・090ウ7・地儀	枅	平	ケイ	右傍	kei^{1}	齊韻
6048	下飛・091オ4・植物	瓢	平	ヘウ	右注	bjiau^{1}	宵韻
6049	下飛・091オ5・植物	匏	平	ハウ	右傍	bau^{1}	豪韻
6050	下飛・091オ5・植物	壷	平	コ	右傍	ɣuʌ^{1}	模韻
6059	下飛・091オ7・植物	荑	平	―	―	jiei^{1} dei^{1}	脂韻 脂韻
6061	下飛・091ウ1・植物	柃	平	レイ	右傍	leŋ^{1} lieŋ^{2}	青韻 靜韻
6067	下飛・091ウ2・植物	楸	平	シウ	右傍	ts‘iʌu^{1}	尤韻

6074	下飛・091ウ7・動物	鵯	平	ヒ	右傍	pjie[1] p'jiet	支韻 質韻
6076	下飛・091ウ7・動物	鴿	平	ケム	右傍	giam[1]	鹽韻
6077	下飛・092オ1・動物	鶵	平	スユ	右傍	dẓiuʌ[1]	虞韻
6079	下飛・092オ1・動物	鶼	平	ケム	右傍	kem[1]	添韻
6080	下飛・092オ1・動物	翹	平	ケウ	右傍	gjiau[1/3]	宵/笑韻
6081	下飛・092オ2・動物	羊	平	ヤウ	右傍	jiaŋ[1]	陽韻
6083	下飛・092オ2・動物	羝	平	テイ	右傍	tei[1]	齊韻
6084	下飛・092オ2・動物	羔	平	カウ	右傍	kɑu[1]	豪韻
6089	下飛・092オ4・動物	鰭	平	キ	右傍	giei[1]	脂韻
6093	下飛・092オ5・動物	蛾	平濁	カ	右傍	ŋɑ[1] ŋie[2]	歌韻 紙韻
6097	下飛・092ウ2・人倫	姫	平	キ	右傍	kiɐi[1] jiɐi[1]	之韻 之韻
6098	下飛・092ウ2・人倫	妃	平	ヒ	右傍	p'iʌi[1] p'uʌi[3]	微韻 隊韻
6112	下飛・092ウ7・人躰	顱	平	ロ	右傍	luʌ[1]	模韻
6113	下飛・092ウ7・人躰	題	平	テイ	右傍	dei[1/3]	齊/霽韻
6114	下飛・092ウ7・人躰	眸	平濁	ホウ	右傍	miʌu[1]	尤韻
6117	下飛・093オ1・人躰	髭	平	シ	右傍	tsie[1]	支韻
6118	下飛・093オ2・人躰	鬚	平	ス	右傍	siuʌ[1]	虞韻
6120	下飛・093オ2・人躰	肱	平	トウ	右傍	kuʌŋ[1]	登韻
6123	下飛・093オ3・人躰	朘	平	―	―	tsuʌi[1] tsiuan[1]	灰韻 仙韻
6126	下飛・093オ4・人躰	疼	平	―	―	dɑuŋ[1]	冬韻
6130	下飛・093オ7・人事	嚬	平	ヒン	右傍	bjien[1]	眞韻
6132	下飛・093ウ2・人事	囂	平	ケウ	右傍	xiau[1] ŋɑu[1]	宵韻 豪韻
6133	下飛・093ウ2・人事	嚚	平濁	キン	右傍	ŋien[1]	眞韻
6166	下飛・094ウ3・雑物	壷	平	コ	右傍	ɣuʌ[1]	模韻
6170	下飛・094ウ4・雑物	梭	平	サ	右傍	ɕuɑ[1]	戈韻
6183	下飛・094ウ7・雑物	棺	平 去	クワン	右傍	kuɑn[1/3]	桓/換韻
6192	下飛・095オ4・光彩	光	平	クワウ	右傍	kuɑŋ[1/0]	唐/宕韻
6193	下飛・095オ4・光彩	輝	平	クヰ	右傍	xiuʌi[1]	微韻
6194	下飛・095オ4・光彩	文	平濁	フン	右傍	miuʌn[1]	文韻
6195	下飛・095オ4・光彩	芒	平濁	ハウ	右傍	mɑŋ[1] miɑŋ[1]	唐韻 陽韻
6196	下飛・095オ4・光彩	焆	平	ケン	右傍	kuen[1] 'uet 'iat	先韻 屑韻 薛韻
6197	下飛・095オ4・光彩	燀	平	セン	右傍	tś'ian[1/2] tśian[2]	仙/獮韻 獮韻

6198	下飛・095オ4・光彩	熒	平	ケイ	右傍	ɣueŋ¹	青韻
6199	下飛・095オ4・光彩	煇	平	クヰ	右傍	xiuʌi¹ ɣuʌn¹/²	微韻 魂/混韻
6200	下飛・095オ5・光彩	晶	平	セイ	右傍	tsieŋ¹	清韻
6203	下飛・095オ7・方角	坤	平	コン	右傍	k'uʌn¹	魂韻
6205	下飛・095ウ2・員數	齊	平	—	—	dzei¹/³	齊/霽韻
6206	下飛・095ウ2・員數	均	平	クヰン	右傍	kjiuen¹	諄韻
6209	下飛・095ウ5・辞字	揄	平	イウ	右傍	jiʌu¹ jiuʌ¹ dʌu¹/²	尤韻 虞韻 侯/厚韻
6210	下飛・095ウ6・辞字	抾	平	キヨ	右傍	k'iɐi¹ k'iɑp	之韻 業韻
6215	下飛・096ウ1・辞字	均	平	クヰン	右注	kjiuen¹	諄韻
6217	下飛・096ウ2・辞字	衡	平	カウ	右傍	ɣaŋ¹	庚韻
6219	下飛・096ウ4・辞字	熙	平	キ	右傍	xiɐi¹	之韻
6222	下飛・096ウ7・辞字	熸	平	セム	右傍	tsiam¹	鹽韻
6224	下飛・097オ2・辞字	扁	平	—	—	ben² pen² p'jian¹ bjian²	銑韻 銑韻 仙韻 獮韻
6226	下飛・097オ5・辞字	潜	平	サム	右傍	dziam¹	鹽韻
6227	下飛・097ウ1・辞字	繙	平	ハン	右傍	p'iɑn¹	元韻
6229	下飛・097ウ1・辞字	熸	平	—	—	tsiam¹	鹽韻
6396	下毛・101オ6・植物	桃	平	タウ	右傍	dɑu¹	豪韻
6421	下毛・102ウ1・人事	餬	平	コ	右傍	ɣuʌ¹	模韻
6422	下毛・102ウ1・人事	祈	平	キ	右傍	giʌi¹	微韻
6423	下毛・102ウ2・人事	慵	平	ヨウ	右傍	źiauŋ¹	鍾韻
6425	下毛・102ウ7・飲食	醨	平	リ	右傍	lie¹	支韻
6426	下毛・102ウ7・飲食	醪	平	ラウ	右傍	lɑu¹	豪韻
6430	下毛・102ウ7・飲食	餻	平	カウ	右傍	kɑu¹	豪韻
6432	下毛・103オ3・雑物	罍	平	ライ	右傍	luʌi¹	灰韻
6434	下毛・103オ3・雑物	缸	平	カウ	右傍	ɣauŋ¹	江韻
6435	下毛・103オ3・雑物	盂	平	ウ	右傍	ɣiuʌ¹	虞韻
6436	下毛・103オ4・雑物	裳	平	シヤウ	右傍	źiɑŋ¹	陽韻
6437	下毛・103オ4・雑物	裙	平	クン	右傍	giuʌn¹	文韻
6441	下毛・103オ5・雑物	黐	平	チ	右傍	ṭ'ie¹ lie¹	支韻 支韻
6449	下毛・103ウ4・方角	基	平	キ	右傍	kiɐi¹	之韻
6450	下毛・103ウ6・員數	諸	平	ソ	右傍	tśiʌ¹ tśia¹	魚韻 麻韻
6451	下毛・103ウ7・員數	屯	平	トン	右傍	duʌn¹ ṭiuen¹	魂韻 諄韻

6452	下毛・104ウ1・辞字	蕘	平	エウ	右傍	jiau¹ jiʌu¹	宵韻 尤韻
6453	下毛・104ウ1・辞字	熛	平	ヘウ	右傍	pjiau¹	宵韻
6454	下毛・104ウ2・辞字	苞	平	ハウ	右傍	pau¹	肴韻
6456	下毛・104ウ5・辞字	流	平	リウ	右傍	liʌu¹	尤韻
6459	下毛・104ウ7・辞字	尤	平	イウ	右傍	ɣiʌu¹	尤韻
6460	下毛・105オ3・辞字	由	平	イウ	右傍	jiʌu¹	尤韻
6461	下毛・105オ5・辞字	催	平	―	―	ts'uʌi¹	灰韻
6462	下毛・105オ6・辞字	耽	平	タム	右傍	tʌm¹	覃韻
6486	下世・106ウ3・地儀	灘	平	タン	右傍	t'ɑn¹ ɣɑn² xɑn³ nɑn³	寒韻 旱韻 翰韻 翰韻
6487	下世・106ウ3・地儀	湍	平	タン	右傍	t'uɑn¹ tsiuan¹	桓韻 仙韻
6488	下世・106ウ3・地儀	灣	平	ラン	右傍	'uan¹	删韻
6489	下世・106ウ3・地儀	關	平	クワン	右傍	kuan¹	删韻
6506	下世・107オ3・植物	芹	平	キン	右傍	giʌn¹	欣韻
6509	下世・107オ7・動物	鮬	平	コ	右傍	k'uʌ¹	模韻
6511	下世・107ウ2・動物	蟬	平	セン	右傍	żian¹	仙韻
6513	下世・107ウ3・動物	蜩	平	テウ	右傍	deu¹	蕭韻
6514	下世・107ウ3・動物	螿	平	シヤウ	右傍	tsiɑŋ¹	陽韻
6522	下世・107ウ7・人躰	精	平	セイ	右注	tsieŋ¹	清韻
6536	下世・108ウ5・雑物	錢	平	セン	右傍	dzian¹ tsian²	仙韻 獮韻
6538	下世・108ウ5・雑物	緡	平	ヒン	右傍	mien¹	眞韻
6541	下世・108ウ6・雑物	籤	平	セン	右注	ts'iam¹	鹽韻
6553	下世・109オ6・辞字	攻	平	コウ	右傍	kʌuŋ¹ kɑuŋ¹	東韻 冬韻
6555	下世・109ウ1・辞字	呵	平	カ	右傍	xɑ^{1/3}	歌/箇韻
6557	下世・109ウ1・辞字	關	平	クワン	右傍	kuan¹	删韻
6558	下世・109ウ2・辞字	撝	平	―	―	xiue¹	支韻
6772	下洲・113オ8・地儀	砂	平	リ	右傍	sa¹	麻韻
6773	下洲・113ウ1・地儀	棲	平	セイ	右傍	sei¹	齊韻
6774	下洲・113ウ1・地儀	陬	平	ス	右傍	tsiuʌ¹ tsʌu¹ tṣiʌu¹	虞韻 候韻 尤韻
6775	下洲・113ウ1・地儀	巣	平	サウ	右傍	dẓau¹	肴韻
6786	下洲・113ウ6・植物	菅	平	―	―	kan¹	删韻
6799	下洲・114オ2・植物	葼	平	ソウ	右注	tsʌuŋ¹	東韻
6806	下洲・114オ6・動物	鴑	平	ソ	右傍	ńiʌ¹	魚韻
6809	下洲・114ウ1・動物	鱸	平	ロ	右傍	luʌ¹	模韻

6816	下洲・114ウ7・人躰	髫	平	セウ	右傍	deu[1]	蕭韻
6817	下洲・114ウ7・人躰	洟	平	イ	右傍	jiei[1] t'ei[3]	脂韻 霽韻
6819	下洲・115オ1・人躰	筋	平	キン	右傍	kiʌn[1]	欣韻
6822	下洲・115オ4・人事	棲	平	セイ	右傍	sei[1]	齊韻
6825	下洲・115ウ1・人事	漁	平	キヨ	右傍	ŋiʌ[1]	魚韻
6826	下洲・115ウ1・人事	魰	平	キヨ	右傍	ŋiʌ[1]	魚韻
6830	下洲・115ウ4・飲食	酸	平	シユン	右傍	suɑn[1]	桓韻
6840	下洲・116オ3・雜物	裾	平	キヨ	右傍	kiʌ[1]	魚韻
6855	下洲・116オ7・雜物	鈴	平	レイ	右傍	leŋ[1]	青韻
6856	下洲・116オ7・雜物	鈐	平	―	―	giam[1]	鹽韻
6857	下洲・116オ7・雜物	鑾	平	ラン	右傍	luɑn[1]	桓韻
6861	下洲・116ウ2・雜物	銶	平	キ	右傍	giʌu[1]	尤韻
6869	下洲・116ウ7・方角	隅	平濁	ク	右傍	ŋiuʌ[1]	虞韻
6870	下洲・116ウ7・方角	陬	平	―	―	tsiuʌ[1] tsʌu[1] tṣiʌu[1]	虞韻 侯韻 尤韻
6873	下洲・117オ1・方角	標	平	ヘウ	右傍	pjiau[1/2]	宵/小韻
6875	下洲・117オ3・員數	銖	平	シユ	右傍	źiuʌ[1]	虞韻
6876	下洲・117オ3・員數	微	平	―	―	miʌi[1]	微韻
6877	下洲・117オ5・員數	幾	平	キ	右傍	kiʌi[1/2] giʌi[1/3]	微/尾韻 微/未韻
6878	下洲・117オ5・員數	幺	平	エウ	右傍	'eu[1]	蕭韻
6880	下洲・117オ7・員數	鬷	平	―	―	tsʌun[1/2]	東/董韻
6882	下洲・117ウ3・辞字	揩	平	―	―	k'ɐi[1/3]	皆/怪韻
6883	下洲・117ウ3・辞字	摩	平	マ	右傍	mɑ[1/3]	戈/過韻
6884	下洲・117ウ5・辞字	捐	平	エン	右傍	'jiuan[1]	仙韻
6885	下洲・118オ3・辞字	慆	平	―	―	t'ɑu[1]	豪韻
6886	下洲・118オ3・辞字	澄	平	チヨウ	右傍	ḍiɐŋ[1] ḍaŋ[1]	蒸韻 庚韻
6887	下洲・118オ4・辞字	瀓	平	―	―	ḍiɐŋ[1] ḍaŋ[1]	蒸韻 庚韻
6889	下洲・118ウ3・辞字	羞	平	シウ	右傍	siʌu[1]	尤韻
6892	下洲・119オ3・辞字	頗	平	ハ	右傍	p'ɑ[1/2/3]	戈/果/過韻
6967	下手・019オ6・動物	囮	平濁	クワ	右傍	ŋuɑ[1] jiʌu[1]	戈韻 尤韻

【表D-02】平声（単字）下巻〔不一致例〕

番号	前田本所在	掲出字		仮名音注		中古音	韻目
3366	下古・003ウ6・動物	蟚	平	サム	右注	dzʌm^{2} t'en^{2}	覃韻 銑韻
3770	下江・015ウ1・人事	宴	平	エン ［平平］	右注	'en$^{2/3}$	銑/霰韻
4192	下阿・029オ4・人躰	孔	平	ク	右傍	k'ʌuŋ^{2}	董韻
4259	下阿・032オ6・雑物	罧	平	リム	右傍	siem^{2} ṣiem^{3}	寝韻 沁韻
4346	下阿・037ウ3・辞字	飽	平 去	ハウ	右傍	pau^{2}	巧韻
4480	下佐・044オ3・動物	象	平 去	サウ	右注	ziɑŋ^{2}	養韻
4869	下木・056ウ2・動物	象	平 去	サウ	右傍	ziɑŋ^{2}	養韻
4949	下木・059ウ3・辞字	玼	平	シ	右傍	ts'ie^{2} ts'ei^{2}	紙韻 薺韻
6218	下飛・096ウ3・辞字	恢	平	クワイ	右傍	k'uʌi^{2}	灰韻
6540	下世・108ウ5・雑物	鏟	平	セン	右注	tṣ'ɐn^{2} tṣ'an^{3}	産韻 諫韻

番号	前田本所在	掲出字		仮名音注		中古音	韻目
3306	下古・001ウ7・地儀	澌	平	シ	右傍	sie^{3}	寘韻
3570	下古・007ウ4・光彩	紺	平	コム	右注	kʌm^{3}	勘韻
4298	下阿・033オ5・光彩	絳	平	―	―	kauŋ^{3}	絳韻
4308	下阿・033ウ1・光彩	照	平	セウ	左傍	tśiau^{3}	笑韻
4325	下阿・035オ5・辞字	攢	平	サン	右傍	dzuɑn^{3} tsɑn^{3}	換韻 翰韻
4525	下佐・045ウ7・人事	禘	平	シ	右傍	dei^{3}	霽韻
4575	下佐・047オ7・雑物	鞘	平	セウ	右傍	siau^{3} sau^{1}	笑韻 肴韻
4611	下佐・048オ7・員數	筭	平	サン ［平平］	右注	suɑn^{3}	換韻
4893	下木・057ウ3・人事	義	平濁	キ ［去濁］ ［平］	右注	ŋie^{3}	寘韻
5220	下由・066オ6・植物	柚	平	イウ	右傍	jiʌu^{3} ḍiʌuk	宥韻 屋韻
5221	下由・066オ6・植物	柚	平	ユ ［去］	右注	jiʌu^{3} ḍiʌuk	宥韻 屋韻
5229	下由・067オ1・人事	夢	平	ホウ	右傍	mʌuŋ^{3} miʌuŋ^{1}	送韻 東韻
5357	下師・072オ2・人事	信	平	シン	右注	sien^{3}	震韻
6208	下飛・095ウ4・辞字	拖	平	タ	右傍	t'ɑ^{3}	箇韻

6412	下毛・101ウ6・動物	嬗	平	セン	右傍	źian^{3} t‘ɑn^{1} tɑn^{2}	線韻 寒韻 旱韻
6416	下毛・102オ3・人躰	髻	平	ケ	左注	kei^{3}	霽韻
6458	下毛・104ウ7・辞字	闇	平	イム	右傍	'ʌm^{3}	勘韻

番号	前田本所在	掲出字		仮名音注		中古音	韻目
3925	下手・021オ7・員數	帖	平濁	テウ ［平濁平］	右注	t‘ep	帖韻
4952	下木・059ウ5・辞字	茐	平	ク	右傍	miuʌt	物韻
6455	下毛・104ウ5・辞字	索	平濁	―	―	ṣɐk sɑk ṣak	麥韻 鐸韻 陌韻

【表D-03】東声（単字）上巻〔一致例〕

番号	前田本所在	掲出字		仮名音注		中古音	韻目
1096	上保・044オ7・飲食	月+粛	東	―	―	ṣiʌu^{1}	尤韻
1121	上保・045ウ1・光彩	炎	東?	エム	右傍	ɣiam^{1}	鹽韻
2641	上加・097ウ3・人事	嘈	東?	サウ	右傍	dzɑu^{1}	豪韻
3187	上与・113ウ6・植物	蒿	東	カウ	右傍	xɑu^{1}	豪韻

【表D-04】東声（単字）下巻〔一致例〕

番号	前田本所在	掲出字		仮名音注		中古音	韻目
3401	下古・005オ5・人事	辝	東	―	―	ziɐi^{1}	之韻
3883	下手・019オ2・地儀	亭	東?	テイ ［平平］	左注	deŋ^{1}	青韻
4050	下阿・024ウ1・天象	嵐	東?	ラム	右傍	lʌm^{1}	覃韻
4059	下阿・024ウ2・天象	商	東	シヤウ	右傍	śiɑŋ^{1}	陽韻
4353	下阿・038ウ5・辞字	膏	東	―	―	kɑu$^{1/3}$	豪/号韻
4571	下佐・047オ5・雑物	刁	東	テウ	右傍	teu^{1}	蕭韻
5410	下師・073ウ6・雑物	笙	東	セイ	右傍	ṣaŋ^{1}	庚韻
5411	下師・073ウ6・雑物	笙	東	シヤウ	右注	ṣaŋ^{1}	庚韻
6542	下世・108ウ6・雑物	簫	東 去	セウ	右傍	seu^{1}	蕭韻
6543	下世・108ウ6・雑物	簫	東 去	セウ	左注	seu^{1}	蕭韻

【表D-04】東声（単字）下巻〔不一致例〕

番号	前田本所在	掲出字		仮名音注		中古音	韻目
3788	下江・016オ7・辞字	簡	東	―	―	kɐn^{2}	産韻

【表D-05】上声（単字）上巻〔一致例〕

番号	前田本所在	掲出字		仮名音注		中古音	韻目
0103	上伊・005ウ2・人倫	姉	上	シ	右傍	tsiei^{2}	旨韻
0110	上伊・006オ3・人體	頂	上	テイ	右傍	teŋ^{2}	迥韻
0113	上伊・006オ3・人體	膽	上	タム	右傍	tɑm^{2}	敢韻
0139	上伊・007オ3・人事	怒	上	ト	右傍	nuʌ$^{2/3}$	姥/暮韻
0165	上伊・008ウ3・雑物	子	上	―	―	tsiɐi^{2}	止韻
0174	上伊・008ウ4・雑物	板	上	ハン	右傍	pan^{2}	潸韻
0186	上伊・009オ1・雑物	籧	上濁	キヨ	右傍	ŋiʌ^{2}	語韻
0486	上波・020ウ4・地儀	柱	上	チウ	右傍	ḍiuʌ^{2} ṭiuʌ^{2}	麌韻 麌韻
0527	上波・021ウ7・植物	藕	上濁	コウ	右傍	gʌu^{2}	厚韻
0534	上波・022オ3・動物	隼	上	スキン	右傍	siuen^{2}	準韻
0538	上波・022オ5・動物	羽	上	ウ	右傍	ɣiuʌ$^{2/3}$	麌/遇韻
0587	上波・024オ4・人躰	齓	上	シ	右傍	tṣiʌn^{2} tṣʻiɐn^{3}	隠韻 震韻
0594	上波・024オ6・人躰	腫	上 去	シヨウ	右傍	tśiɑuŋ^{2}	腫韻
0595	上波・024オ6・人躰	腫	上 去	スウ	左注	tśiɑuŋ^{2}	腫韻
0669	上波・027オ2・雑物	箒	上	シウ	右傍	tsiʌu^{2}	有韻
0686	上波・027ウ3・雑物	舸	上	カ	右傍	kɑ^{2}	哿韻
0687	上波・027ウ3・雑物	棒	上濁	ハウ	右注	bauŋ^{2}	講韻
0701	上波・029オ4・人事	刎	上濁	フン	右傍	miuʌn^{2}	吻韻
0714	上波・030ウ3・人事	已	上	キ	右傍	jiɐi$^{2/3}$	止/志韻
0929	上仁・036オ2・地儀	潦	上	ラウ	右傍	lɑu$^{2/3}$	晧/号韻
0931	上仁・036オ4・植物	韮	上	キウ	右傍	kiʌu^{2}	有韻
0964	上仁・038オ6・雑物	錦	上	キム	右傍	kiem^{2}	寝韻
1056	上保・042ウ4・動物	鰾	上	ヘウ	右注	biau^{2}	小韻
1147	上保・046ウ8・辞字	朗	上	ラウ	右傍	lɑŋ^{2}	蕩韻
1283	上邊・050オ1・地儀	戸	上	コ	右傍	ɣuʌ^{2}	姥韻
1300	上邊・051オ5・人事	諂	上	テム	右傍	ṭʻiam^{2}	琰韻
1315	上邊・051ウ5・雑物	表	上	ヘウ [上上]	右注	piau^{2}	小韻
1420	上度・054ウ2・地儀	戸	上	コ	右傍	ɣuʌ^{2}	姥韻
1428	上度・054ウ5・地儀	枓	上	トウ	右傍	tʌu^{2} tśiuʌ^{2}	厚韻 麌韻
1433	上度・055オ1・植物	薢	上	カイ	右傍	kɐ$^{2/3}$ kɐi^{1}	蟹/卦韻 皆韻
1437	上度・055オ3・植物	杼	上	シヨ	右傍	dźiʌ^{2} ḍiʌ^{2}	語韻 語韻
1442	上度・055オ7・動物	鳥	上	テウ	右傍	teu^{2}	篠韻
1449	上度・055ウ2・動物	乕	上	コ	右傍	xuʌ^{2}	姥韻

1455	上度・055ウ7・人倫	友	上	イウ	右傍	ɣiʌu^{2}	有韻
1485	上度・057オ4・雑物	幌	上	クワウ	右傍	ɣuɑŋ^{2}	蕩韻
1550	上度・059ウ2・辞字	友	上	イウ	右傍	ɣiʌu^{2}	有韻
1564	上度・061オ3・辞字	等	上	トウ	右傍	tʌŋ^{2}	等韻
1698	上度・064オ7・官職	負	上	フ	右傍	biʌu^{2}	有韻
1720	上池・065ウ5・植物	苣	上	キヨ	右傍	giʌ^{2}	語韻
1740	上池・066ウ6・人躰	痔	上	チ	右傍	ḍiɐi^{2}	止韻
2140	上奴・076オ6・地儀	沼	上	セウ	右注	tśiau^{2}	小韻
2204	上遠・080オ4・植物	稆	上	リヨ	右傍	liʌ^{2}	語韻
2206	上遠・080オ4・植物	苧	上	チヨ	右傍	ḍiʌ^{2}	語韻
2226	上遠・080ウ5・動物	牡	上濁	ホ	右傍	mʌu^{2}	厚韻
2241	上遠・081オ5・人倫	己	上	キ	右傍	kiɐi^{2}	止韻
2254	上遠・082ウ7・雑物	綺	上	キ	右傍	k'ie^{2}	紙韻
2256	上遠・082ウ7・雑物	几	上	キ	右傍	kiei^{2}	旨韻
2257	上遠・083オ1・雑物	艇	上	テイ	右傍	deŋ^{2}	迥韻
2274	上遠・084オ2・辞字	晩	上	ハン	右傍	miɑn^{2}	阮韻
2286	上和・085ウ6・地儀	濟	上	セイ	右傍	tsei$^{2/3}$	薺/霽韻
2330	上和・087ウ2・人事	累	上	ルイ	右傍	liue$^{2/3}$	紙/寘韻
2349	上和・088オ6・雑物	垸	上	ワン	右注	ɣuɑn$^{1/3}$	桓/換韻
2355	上和・088ウ1・雑物	藁	上	アウ	右傍	kɑu^{2}	晧韻
2457	上加・092オ2・地儀	棧	上	サン	右傍	dẓɐn^{2} dẓan^{3} dẓian^{2}	産韻 諫韻 獮韻
2474	上加・092ウ5・植物	苧	上	チヨ	右傍	ḍiʌ^{2}	語韻
2493	上加・093ウ1・植物	檞	上	カイ	右傍	kɐ^{2}	蟹韻
2497	上加・093ウ2・植物	柹	上	シ	右傍	dẓiɐi^{2}	止韻
2521	上加・094オ4・動物	卵	上	ラン	右傍	luɑn^{2} luɑ^{2}	緩韻 果韻
2544	上加・094ウ4・動物	蟹	上	カイ	右傍	ɣɐ^{2}	蟹韻
2578	上加・096オ2・人體	首	上	―	―	śiʌu$^{2/3}$	有/宥韻
2608	上加・096ウ1・人體	癢	上	ヤウ	右傍	jiɑŋ^{2}	養韻
2627	上加・097オ3・人事	婉	上	ヱン	右傍	'iuɑn^{2}	阮韻
2681	上加・098ウ3・雑物	冕	上濁	ヘン	右傍	miɑn^{2}	獮韻
2700	上加・099オ1・雑物	綺	上	キ	右傍	k'ie^{2}	紙韻
2711	上加・099オ5・雑物	釜	上	フ	右傍	biuʌ^{2}	麌韻
2717	上加・099オ6・雑物	鎖	上	サ	右傍	suɑ^{2}	果韻
2747	上加・100オ2・雑物	紙	上	シ	右傍	tśie^{2}	紙韻
2759	上加・100オ5・雑物	樏	上	ルイ	右傍	liue^{2}	紙韻
3167	上加・112オ2・官職	尹	上	―	―	jiuen^{2}	準韻
3197	上与・114オ7・人倫	嫂	上	サウ	右傍	sɑu^{2}	晧韻
3198	上与・114オ7・人倫	婦	上	フ	右傍	biʌu^{2}	有韻
3213	上与・115ウ1・人事	米	上濁	ヘイ	右傍	mei^{2}	薺韻

3220	上与・115ウ3・雑物	斧	上	フ	右傍	piuʌ²	麌韻
3230	上与・116ウ7・辞字	擁	上	ヨウ	右注	'iauŋ²	腫韻
3231	上与・116ウ7・辞字	擁	上	ヰヨウ	右傍	'iauŋ²	腫韻

【表D-05】上声（単字）上巻〔不一致例〕

番号	前田本所在	掲出字		仮名音注		中古音	韻目
0417	上呂・018オ4・雑物	艫	上	ロ ［上］	右注	luʌ¹	模韻
1022	上保・041ウ1・天象	星	上	シヤウ	右傍	seŋ¹	青韻
1317	上邊・052オ3・辞字	篇	上	ヘン	右注	p'jian¹	仙韻
1544	上度・059オ6・辞字	撋	上	セム	右傍	ńiuan¹	仙韻
2822	上加・103オ4・辞字	炊	上	スイ	右傍	tś'iue¹	支韻
2705	上加・099オ3・雑物	鋺	上	—	—	'iuan¹	元韻

番号	前田本所在	掲出字		仮名音注		中古音	韻目
0137	上伊・007オ2・人事	暇	上	—	—	ɣa³	禡韻
2341	上和・088オ5・雑物	絮	上濁	シヨ	右傍	ṇiʌ³ ṭ'iʌ³ siʌ³	御韻 御韻 御韻

【表D-06】上声（単字）下巻〔一致例〕

番号	前田本所在	掲出字		仮名音注		中古音	韻目
3335	下古・002ウ5・植物	韮	上	キウ	右傍	kiʌu²	有韻
3391	下古・004ウ5・人躰	尰	上	シヨウ	右傍	źiauŋ²	腫韻
3414	下古・006オ6・飲食	米	上濁	ヘイ	右傍	mei²	薺韻
3416	下古・006オ7・飲食	醴	上	レイ	右傍	lei²	薺韻
3418	下古・006オ7・飲食	粉	上	フン	右傍	piuʌn²	吻韻
3420	下古・006ウ1・飲食	菓	上	クワ	右傍	kuɑ²	果韻
3430	下古・006ウ5・雑物	袊	上	レイ	右傍	lieŋ²	靜韻
3740	下江・014オ4・地儀	棧	上	サン	右傍	dẓɐn² dẓan³ dẓian²	産韻 諫韻 獮韻
3743	下江・014オ7・植物	荏	上濁	シム	右傍	ńiem²	寝韻
3766	下江・015オ6・人躰	痞	上	ヒ	右傍	piei² biei² piʌu²	旨韻 旨韻 有韻
3895	下手・019ウ6・人體	體	上濁	テイ ［上上］	右注	t'ei²	薺韻
3896	下手・019ウ6・人體	手	上	シウ	右傍	śiʌu²	有韻
3908	下手・020ウ4・雑物	簟	上濁	テム ［平上］	中注	dem²	忝韻

3915	下手・021オ1・雑物	杻	上	チウ	右傍	ṭʻiʌu^{2} ṇiʌu^{2}	有韻 有韻
4110	下阿・026ウ2・植物	梓	上	シ	右傍	tsiɐi^{2}	止韻
4121	下阿・026ウ5・植物	荇	上	カウ	右傍	ɣaŋ^{2}	梗韻
4129	下阿・027オ4・動物	距	上	キヨ	右傍	giʌ^{2}	語韻
4141	下阿・027ウ2・動物	鯇	上	コン	右傍	ɣuʌn^{2} ɣuan^{2}	混韻 潸韻
4147	下阿・027ウ4・動物	鯘	上濁	―	―	nuʌi^{2}	賄韻
4155	下阿・028オ1・動物	蟻	上濁	―	―	giue^{2}	紙韻
4160	下阿・028オ6・人倫	姉	上	シ	右傍	tsiei^{2}	旨韻
4194	下阿・029オ5・人躰	蹇	上	ケン	右傍	kian^{2} kiɑn^{2}	獮韻 阮韻
4244	下阿・031ウ6・雑物	鼎	上	テイ	右傍	teŋ^{2}	迥韻
4250	下阿・032オ2・雑物	襖	上	アウ	右注	ʼɑu^{2}	晧韻
4258	下阿・032オ6・雑物	網	上濁	ハウ	右傍	miɑŋ^{2}	養韻
4260	下阿・032オ6・雑物	罟	上	コ	右傍	kuʌ^{2}	姥韻
4282	下阿・032ウ4・雑物	磺	上	クワウ	右傍	kuaŋ^{2}	梗韻
4285	下阿・032ウ4・雑物	輠	上	クワ	右傍	kuɑ^{2} ɣuɑ^{2} ɣua^{2} ɣuʌi^{2}	果韻 果韻 馬韻 賄韻
4318	下阿・034ウ2・辞字	矯	上	ケウ	右傍	kiau^{2}	小韻
4433	下佐・042ウ1・地儀	坂	上	ハン	右傍	piɑn^{2}	阮韻
4466	下佐・043ウ3・植物	栐	上	―	―	ɣiuaŋ^{2}	梗韻
4559	下佐・047オ1・雑物	盞	上	サン	右傍	tṣɐn^{2}	産韻
4595	下佐・047ウ6・雑物	灑	上	サイ	右傍	ṣɐ^{2} ṣie$^{2/3}$ ṣa^{2}	蟹韻 紙/寘韻 馬韻
4865	下木・056ウ1・動物	雉	上	チ	右傍	ḍiei^{2}	旨韻
4877	下木・056ウ6・動物	蟣	上	―	―	kiʌi^{2} giʌi^{1}	尾韻 微韻
4943	下木・059オ6・辞字	斬	上	サム	右傍	tṣɐm^{2}	豏韻
5283	下師・069ウ1・植物	篠	上	―	―	seu^{2}	篠韻
5286	下師・069ウ3・植物	柳	上	リウ	右傍	liʌu^{2}	有韻
5292	下師・069ウ5・植物	蘂	上濁	スヰ	右傍	ńiue^{2}	紙韻
5312	下師・070ウ1・動物	鮪	上	ヰ	右傍	ɣiuei^{2}	旨韻
5351	下師・071ウ5・人躰	痔	上	チ	右傍	ḍiɐi^{2}	止韻
5398	下師・073ウ2・飲食	醢	上	カイ	右傍	xʌi^{2}	海韻
5447	下師・074オ7・雑物	璽	上	―	―	sie^{2}	紙韻
5451	下師・074ウ1・雑物	粉	上	―	―	piuʌn^{2}	吻韻
5466	下師・074ウ6・雑物	鏁	上	サ	右傍	suɑ^{2}	果韻

6052	下飛・091オ6・植物	穭	上	リヨ	右傍	liʌ^{2}	語韻
6094	下飛・092オ6・動物	蜏	上	イウ	右傍	jiʌu$^{2/3}$ siʌu^{3}	有/宥韻 宥韻
6169	下飛・094ウ4・雑物	杼	上	チヨ	右傍	ḍiʌ^{2} dźiʌ^{2}	語韻 語韻
6406	下毛・101ウ2・植物	藻	上	―	―	tsɑu^{2}	晧韻
6417	下毛・102オ3・人躰	股	上	コ	右傍	kuʌ^{2}	姥韻
6429	下毛・102ウ7・飲食	餅	上	―	―	pieŋ^{2}	靜韻
6523	下世・108オ1・人躰	癬	上	セン	右傍	sian^{2}	獮韻
6795	下洲・114オ1・植物	李	上	リ	右傍	liɐi^{2}	止韻
6815	下洲・114ウ7・人躰	鬌	上	タ	右傍	tuɑ^{2} duɑ^{2} ḍiue^{1}	果韻 果韻 支韻
6818	下洲・115オ1・人躰	髓	上濁	スイ	右傍	siue^{2}	紙韻
6820	下洲・115オ2・人躰	眇	上濁	ヘウ	右傍	mjiau^{2}	小韻
6879	下洲・117オ5・員數	寡	上	クワ	右傍	kua^{2}	馬韻

【表D-06】上声（単字）下巻〔不一致例〕

番号	前田本所在	掲出字		仮名音注		中古音	韻目
5404	下師・073ウ5・雑物	銀	上濁	コン	右傍	ŋien^{1}	眞韻
6163	下飛・094ウ3・雑物	紉	上濁	チム	右傍	nien^{1}	眞韻
6439	下毛・103オ5・雑物	剪	上	セン	右傍	tsian^{1}	獮韻

番号	前田本所在	掲出字		仮名音注		中古音	韻目
5484	下師・075ウ1・員數	仭	上濁	シム	右注	ńien^{3}	震韻
5397	下師・073ウ1・飲食	粃	上	ヒ	右傍	piei^{3}	至韻

番号	前田本所在	掲出字		仮名音注		中古音	韻目
6794	下洲・114オ1・植物	榲	上	ウン	右傍	’uʌt	没韻

【表D-07】去声（単字）上巻〔一致例〕

番号	前田本所在	掲出字		仮名音注		中古音	韻目
0051	上伊・003ウ6・植物	芋	去	ウ	右傍	ɣiuʌ$^{1/3}$	虞/遇韻
0101	上伊・005ウ2・人倫	妹	去	マイ	右注	muʌi^{3}	隊韻
0124	上伊・006ウ3・人事	陋	去	ロウ	右傍	lʌu^{3}	候韻
0141	上伊・007オ7・人事	謚	去	シ	右傍	dźiei^{3}	至韻
0147	上伊・007ウ3・人事	偽	去	―	―	ŋiue^{3}	寘韻
0151	上伊・007ウ6・人事	幼	去	イウ	右傍	’ieu^{3}	幼韻
0158	上伊・008オ5・飲食	飯	去	ハン	右傍	biɑn$^{2/3}$	阮/願韻
0166	上伊・008ウ3・雑物	鬢	去濁	―	―	pjien^{3}	震韻

0199	上伊・010オ2・辞字	祝	去	―	―	tśiʌu³ tśiʌuk	宥韻 屋韻
0200	上伊・010オ2・辞字	祝	去	シウ	右傍	tśiʌu³ tśiʌuk	宥韻 屋韻
0201	上伊・010オ4・辞字	猒	去	エム	右傍	'jiam¹ᐟ³	鹽/豔韻
0216	上伊・011オ5・辞字	誡	去	カイ	右傍	kɐi³	怪韻
0221	上伊・011ウ4・辞字	唱	去	シヤウ	右傍	tś'iaŋ³	漾韻
0409	上呂・017ウ7・人事	論	去	ロン	右注	luʌn¹ᐟ³ liuen¹	魂/慁韻 諄韻
0465	上波・020オ3・天象	霑	去	テン	右傍	tem³ ṭiep	桥韻 緝韻
0540	上波・022ウ1・動物	馯	去	カン	右傍	ɣan³ k'an¹	翰韻 删韻
0541	上波・022ウ1・動物	鼻	去	―	―	bjiei³	至韻
0564	上波・023オ5・人倫	妣	去	ヒ	右傍	pjiei²ᐟ³	旨/至韻
0571	上波・023ウ4・人躰	鼻	平 去	ヒ	右傍	bjiei³	至韻
0592	上波・024オ6・人躰	脹	去	チヤウ	右傍	ṭiaŋ³	漾韻
0624	上波・025ウ1・人事	劓	去濁	キ	右傍	ŋiei³	至韻
0638	上波・026オ4・雑物	袴	去	コ	右傍	k'uʌ³	暮韻
0644	上波・026オ5・雑物	翳	去	エイ	右傍	'ei¹ᐟ³	齊/霽韻
0664	上波・026ウ7・雑物	箸	去	チヨ	右傍	ḍiʌ³	御韻
0930	上仁・036オ4・植物	薤	去	カイ	右傍	ɣɐi³	怪韻
0946	上仁・036ウ4・動物	毳	去	セイ	右傍	tṣ'iuai³ ts'iuai³	祭韻 祭韻
1030	上保・041ウ3・地儀	洞	去	―	―	dʌuŋ¹ᐟ³	東/送韻
1041	上保・042オ2・植物	蘣	去	テイ	右傍	tei³	霽韻
1077	上保・043ウ2・人事	報	去	ホウ	右注	pɑu³	号韻
1089	上保・044オ5・飲食	糒	去濁	ヒ	右傍	biei³	至韻
1114	上保・045オ2・雑物	絆	去	ハン	右傍	pan³	換韻
1116	上保・045オ3・雑物	帆	去	ハム	右傍	biʌm¹ᐟ³	凡/梵韻
1143	上保・046ウ1・辞字	報	去	ホウ [平平]	右注	pɑu³	号韻
1289	上邊・050ウ1・動物	豹	去	ヘウ [平去]	右注	pau³	効韻
1294	上邊・050ウ6・人躰	屁	去	ヒ	右傍	p'jiei³	至韻
1299	上邊・051オ4・人事	嬖	去	ヘイ	右注	pei³	霽韻
1310	上邊・051ウ4・雑物	綜	去	ソウ	右傍	tsauŋ³	宋韻
1311	上邊・051ウ4・雑物	鱍	去	ヘウ	右傍	piai³ bat	廢韻 末韻
1450	上度・055ウ2・動物	駿	去	スン	右傍	tsiuen³ siuen³	稕韻 稕韻
1506	上度・057ウ2・雑物	纜	去	―	―	lɑm³	闞韻
1510	上度・057ウ3・雑物	靬	去	カン	右傍	ɣan³	翰韻

1545	上度・059オ7・辞字	佽	去	シ	右傍	ts‘iei^{3}	至韻
1711	上池・065ウ1・地儀	巷	去	カウ	右傍	ɣauŋ^{3}	絳韻
1712	上池・065ウ2・地儀	陣	去濁	チン	右注	ḍien^{3}	震韻
1742	上池・066ウ6・人躰	癘	去	タイ	右傍	tɑi^{3} ṭiai^{3}	泰韻 祭韻
1761	上池・067ウ1・飲食	糉	去	ソウ	右傍	tsʌuŋ^{3}	送韻
1764	上池・067ウ3・雑物	帳	去 平	チヤウ	右注	ṭiɑŋ^{3}	漾韻
1766	上池・067ウ4・雑物	縢	去	シヨウ	右傍	śieŋ^{3}	證韻
1784	上池・068オ6・辞字	近	去	―	―	giʌn$^{2/3}$	隠/焮韻
2160	上奴・077ウ7・雑物	繡	去	シウ	右傍	siʌu^{3}	宥韻
2161	上奴・077ウ7・雑物	布	去	ホ	右傍	puʌ^{3}	暮韻
2315	上和・087オ3・人事	儱	去	タイ	右傍	t‘ʌi^{3}	代韻
2425	上加・091オ5・天象	暈	去	ウン	右傍	ɣiuʌn^{3}	問韻
2447	上加・091ウ7・地儀	廁	去	シ	右傍	tṣ‘iei^{3}	志韻
2458	上加・092オ3・地儀	竈	去	サウ	右傍	tsɑu^{3}	号韻
2500	上加・093ウ2・植物	棕	去濁	タイ	右傍	nɑi^{3}	泰韻
2514	上加・094オ2・動物	鴈	去	―	―	ŋan^{3}	諫韻
2518	上加・094オ3・動物	鷃	去	アン	右傍	’an^{3}	諫韻
2546	上加・094ウ5・動物	蠣	去	レイ	右傍	liai^{3}	祭韻
2547	上加・094ウ6・動物	貝	去	ハイ	右傍	pɑi^{3}	泰韻
2617	上加・096ウ4・人事	号	去	カウ [平上]	右注	ɣɑu^{3}	号韻
2621	上加・096ウ5・人事	聞	去濁	フン	右傍	miuʌn$^{1/3}$	文/問韻
2629	上加・097オ3・人事	傅	去	フ	右傍	piuʌ^{3}	遇韻
2633	上加・099オ4・雑物	鏡	去	ケイ	右傍	kiaŋ^{3}	映韻
2668	上加・098オ4・飲食	餉	去	シヤウ	右傍	śiɑŋ^{3}	漾韻
2676	上加・098ウ1・飲食	腝	去	アウ	右傍	’ɑu$^{2/3}$	晧/号韻
2688	上加・098ウ5・雑物	髪	去	ヒ	右傍	bie^{3}	寘韻
2714	上加・099オ5・雑物	竈	去	サウ	右傍	tsɑu^{3}	号韻
2730	上加・099ウ3・雑物	冑	去	チウ	右傍	ḍiʌu^{3}	宥韻
2752	上加・100オ4・雑物	碓	去	タイ	右傍	tuʌi^{3}	隊韻
2764	上加・100オ7・雑物	棹	去	タウ	右傍	ḍau^{3}	效韻
2768	上加・100ウ1・雑物	瓦	去濁	クワ	右傍	ŋua$^{2/3}$	馬/禡韻
2799	上加・101ウ2・辞字	畫	去濁	クワ	右傍	ɣue^{3} ɣuek	卦韻 麥韻
2837	上加・105オ1・辞字	觘	去	セウ	右傍	tṣ‘au^{3}	効韻
2838	上加・105オ2・辞字	扞	去	カン	右傍	ɣɑn^{3}	翰韻
3183	上与・113ウ4・地儀	枊	去	カウ	右傍	ŋɑŋ$^{1/3}$	唐/宕韻
3186	上与・113ウ6・植物	艾	去濁	カイ	右傍	ŋɑi^{3} ŋiɑi^{3}	泰韻 廢韻
3215	上与・115ウ3・雑物	鎧	去	カイ	右傍	k‘ʌi$^{2/3}$	海/代韻

【表D-07】去声（単字）上巻〔不一致例〕

番号	前田本所在	掲出字		仮名音注		中古音	韻目
0022	上伊・003オ1・地儀	家	去	ケ俗	右傍	ka^{1}	麻韻
0039	上伊・003ウ1・植物	稌	去	シヨ	右傍	t'uʌ$^{1/2}$	模/姥韻
0083	上伊・004ウ5・動物	嗥	去濁	カウ	右傍	ɣɑu^{1}	豪韻
0091	上伊・005オ1・動物	脬	去	ハウ	右傍	pau^{1}	肴韻
0102	上伊・005ウ2・人倫	兄	去	クヰヤウ	右注	xiuaŋ^{1}	庚韻
0178	上伊・008ウ5・雑物	箄	去濁	ヘイ	右傍	pei^{1} pjie$^{1/2}$	齊韻 支/紙韻
0416	上呂・018オ4・雑物	鋋	去	セン	右傍	źian^{1} jian^{1}	仙韻 仙韻
0928	上仁・036オ2・地儀	塲	去	チヤウ	右傍	ḍiɑŋ^{1}	陽韻
1778	上池・068オ1・員數	町	去	チヤウ	右注	t'eŋ$^{1/2}$ deŋ^{2} t'en^{2}	青/迥韻 迥韻 銑韻
2141	上奴・076ウ2・植物	蘇	去	―	―	suʌ^{1}	模韻
2156	上奴・077ウ1・人事	偷	去	チウ	右傍	t'ʌu^{1}	侯韻
3296	上伊・005ウ2・人倫	兄	去	クヱイ	左注	xiuaŋ^{1}	庚韻

番号	前田本所在	掲出字		仮名音注		中古音	韻目
0552	上波・022ウ6・動物	蚌	去	ハン	右傍	bauŋ^{2}	講韻
0565	上波・023オ5・人倫	舅	去	キウ	右傍	giʌu^{2}	有韻
1527	上度・058オ5・員數	斗	去	トウ	右傍	tʌu^{2}	厚韻
1528	上度・058オ5・員數	斗	去	ト	右注	tʌu^{2}	厚韻
1732	上池・066ウ1・人倫	眹	去	チム	右注	ḍiem^{2}	寝韻
1777	上池・068オ1・員數	丈	去濁	チヤウ	右注	ḍiɑŋ^{2}	養韻
1785	上池・068オ7・辞字	殆	去	タイ	右傍	dʌi^{2}	海韻

【表D-08】去声（単字）下巻〔一致例〕

番号	前田本所在	掲出字		仮名音注		中古音	韻目
3445	下古・007オ2・雑物	甑	去	―	―	tsiɐŋ^{3}	證韻
3566	下古・007ウ1・雑物	薦	去	セン	右傍	tsen^{3}	霰韻
3880	下手・019オ2・地儀	殿	去	テン	右注	den^{3} ten^{3}	霰韻 霰韻
3922	下手・021オ4・光彩	照	去	セウ	右傍	tśiau^{3}	笑韻
3923	下手・021オ4・光彩	曜	去	エウ	右傍	jiau^{3}	笑韻
3926	下手・021オ7・員數	兆	去	テウ 〔平平〕	右注	ḍiau^{2}	小韻
4073	下阿・025オ7・地儀	霤	去	リウ	右傍	liʌu^{3}	宥韻
4101	下阿・026オ5・植物	薊	去	ケイ	右傍	kei^{3}	霽韻

4111	下阿・026ウ2・植物	楝	去	レン	右傍	len^{3}	霰韻
4130	下阿・027オ4・動物	臎	去	スイ	右傍	ts'iuei^{3} tsiuei^{2}	至韻 旨韻
4144	下阿・027ウ3・動物	鱖	去	クヱイ	右傍	kiuai^{3} kiuɑt	祭韻 月韻
4163	下阿・028オ6・人倫	娅	去	ア	右傍	'a^{3}	禡韻
4186	下阿・029オ3・人躰	垢	去	コウ	右傍	kʌu^{2}	厚韻
4191	下阿・029オ4・人躰	竅	去	チウ	右傍	k'eu^{3}	嘯韻
4200	下阿・029オ6・人躰	癘	去	レイ	右傍	liai^{3}	祭韻
4212	下阿・030オ1・人事	冦	去	コウ	右傍	k'ʌu^{3}	候韻
4229	下阿・031オ5・飲食	炙	去	シヤ	右傍	tśia^{3} tśiek	禡韻 昔韻
4236	下阿・031オ6・飲食	鱐	去	セウ	右傍	seu^{3} ṣiʌu^{1}	嘯韻 尤韻
4274	下阿・032ウ2・雜物	械	去	―	―	ɣɐi^{3}	怪韻
4305	下阿・033オ7・光彩	茜	去	サン	右傍	ts'en^{3}	霰韻
4321	下阿・034ウ5・辞字	傴	去	ヨ	右傍	'iuʌ^{3}	遇韻
4322	下阿・034ウ5・辞字	傴	去	ウ	右傍	'iuʌ^{3}	遇韻
4329	下阿・035ウ5・辞字	炙	去	シヤ	右傍	tśia^{3} tśiek	禡韻 昔韻
4434	下佐・042ウ1・地儀	嶝	去	トウ	右傍	tʌŋ^{3}	嶝韻
4474	下佐・044オ1・動物	鷺	去	ロ	右傍	luʌ^{3}	暮韻
4476	下佐・044オ2・動物	囀	去	テン	右傍	ṭiuan^{3}	線韻
4521	下佐・045ウ5・人事	懺	去濁	サム ［去濁上］	右注	tṣ'am^{3}	鑑韻
4833	下木・055オ7・天象	霧	去濁	フ	右傍	miuʌ^{3}	遇韻
4839	下木・055ウ1・天象	季	去	キ	右注	k'jiuei^{3}	至韻
4862	下木・056オ5・植物	蕣	去	スン	右傍	śiuen^{3}	稕韻
4908	下木・058オ5・雜物	絹	去	ケム	右傍	kjiuan^{3}	線韻
4915	下木・058オ6・雜物	碰	去	セン	中注	tś'ian^{3} sian^{1}	線韻 仙韻
5227	下由・066ウ4・人躰	尿	去	ネウ	右注	neu^{3}	嘯韻
5238	下由・067ウ2・飲食	茹	去濁	シヨ	右傍	ńiʌ$^{1/2/3}$	魚/語/御韻
5251	下由・068オ1・雜物	戽	去	コ	右傍	xuʌ$^{2/3}$ ɣuʌ^{2}	姥/暮韻 姥韻
5394	下師・073オ7・飲食	酵	去	カウ	右傍	kau^{3}	効韻
5406	下師・073ウ5・雜物	鐐	去	―	―	leu$^{1/3}$	蕭/嘯韻
5984	下會・088ウ5・飲食	餌	去濁	シ	右傍	ńiɐi^{3}	志韻
5988	下會・089オ2・辞字	號	去	―	―	ɣɑu$^{1/3}$	豪/号韻
6030	下飛・090オ7・天象	霈	去	ヘイ	右傍	p'ɑi^{3}	泰韻
6037	下飛・090ウ6・地儀	庇	去	ヒ	右傍	pjiei^{3}	至韻
6044	下飛・091オ4・植物	莧	去	クワン	右傍	ɣɐn^{3}	襇韻

6060	下飛・091ウ1・植物	檜	去	―	―	kuai^{3} kuat	泰韻 末韻
6115	下飛・093オ1・人躰	鬢	去濁	ヒン	右傍	pjien^{3}	震韻
6119	下飛・093オ2・人躰	臂	去	ヒ	右傍	pjie^{3}	寘韻
6135	下飛・093ウ7・飲食	醤	平 去	シヤウ	右傍	tsiaŋ^{3}	漾韻
6138	下飛・094オ1・飲食	糲	去	レイ	右傍	liai^{3} lai^{3} lat	祭韻 泰韻 曷韻
6143	下飛・094オ5・雑物	釧	去	セン	右傍	tś'iuan^{3}	線韻
6164	下飛・094ウ3・雑物	櫃	去	クヰ	右傍	giuei^{3}	至韻
6173	下飛・094ウ6・雑物	紳	去	タイ	右傍	tai^{3}	泰韻
6414	下毛・102オ1・人倫	衆	去	シウ	右傍	tśiʌuŋ$^{1/3}$	東/送韻
6415	下毛・102オ3・人躰	髻	平 去	ケイ	右傍	kei^{3}	霽韻
6428	下毛・102ウ7・飲食	糯	去濁	タン	右傍	nuan$^{2/3}$ nua^{3}	緩/換韻 過韻
6433	下毛・103オ3・雑物	甕	去	オウ	右傍	'ʌuŋ^{3}	送韻
6442	下毛・103オ6・雑物	鋂	去	ライ	右傍	luʌi^{3}	隊韻
6444	下毛・103オ6・雑物	燼	去	シン	右傍	źien^{3}	震韻
6463	下毛・105オ6・辞字	弄	去	―	―	lʌuŋ^{3}	送韻
6521	下世・107ウ7・人躰	背	去	ハイ	右傍	puʌi^{3} buʌi^{3}	隊韻 隊韻
6525	下世・108オ3・人事	性	去	セイ	右傍	sieŋ^{3}	勁韻
6807	下洲・114オ6・動物	鍛	去	タン	右傍	duan^{3}	換韻
6842	下洲・116オ3・雑物	炭	去	タン	右傍	t'an^{3}	翰韻
6848	下洲・116オ5・雑物	磑	去濁	タイ	右傍	ŋuʌi$^{1/3}$	灰/隊韻
6891	下洲・119オ1・辞字	為	去	―	―	ɣiue$^{1/3}$	支/寘韻

【表D-08】去声（単字）下巻〔不一致例〕

番号	前田本所在	掲出字		仮名音注		中古音	韻目
5236	下由・067オ4・人事	讙	去	クヱン	右傍	xiuan^{1} xuan^{1}	元韻 桓韻
5376	下師・072ウ6・人事	舑	去	―	―	t'am^{1} ńiam^{1}	談韻 鹽韻
5415	下師・073ウ6・雑物	箏	去	シヤウ	右注	tṣɐŋ^{1}	耕韻
5416	下師・073ウ6・雑物	箏	去	シヤウ	中注	tṣɐŋ^{1}	耕韻
5980	下會・088オ6・人躰	癰	去	ヰヨウ	右傍	'iauŋ^{1}	鍾韻
6051	下飛・091オ5・植物	蒜	去	サン	右傍	suan^{1}	換韻
6831	下洲・115ウ5・飲食	鮨	去	シ	右傍	giei^{1}	脂韻

番号	前田本所在	掲出字		仮名音注		中古音	韻目
4319	下阿・034ウ4・辞字	飽	去	ハウ	右傍	pau^2	巧韻
4331	下阿・035ウ6・辞字	紾	去	ー	ー	ṭian^2 tśien^2	獮韻 軫韻
4350	下阿・038オ1・辞字	垢	去	ー	ー	kʌu^2	厚韻
4479	下佐・044オ3・動物	兕	去濁	ー	ー	ziei^2	旨韻
5318	下師・070ウ6・人倫	舅	去	キウ	右傍	giʌu^2	有韻
6220	下飛・096ウ4・辞字	混	去	コン	右傍	ɣuʌn^2	混韻

番号	前田本所在	掲出字		仮名音注		中古音	韻目
6829	下洲・115ウ4・飲食	酢	去	ソ	右傍	dzak	鐸韻

【表D-09】入声（単字）上巻〔一致例〕

番号	前田本所在	掲出字		仮名音注		中古音	韻目
0021	上伊・003オ1・地儀	窟	入	コツ	右傍	k'uʌt	没韻
0025	上伊・003オ2・地儀	宅	入	タク	右傍	ḍak	陌韻
0061	上伊・004オ3・植物	櫟	入	レキ	右傍	lek jiak	錫韻 藥韻
0068	上伊・004オ7・動物	鴿	入	カフ	右傍	kʌp	合韻
0136	上伊・007オ2・人事	息	入	ソク	右傍	siɐk	職韻
0164	上伊・008ウ3・雑物	墨	入濁	ー		bʌk	徳韻
0175	上伊・008ウ4・雑物	筏	入	ハツ	右傍	biat pat	月韻 末韻
0189	上伊・009オ5・方角	戌	入	シツ	右傍	siuet	術韻
0226	上伊・011ウ7・辞字	潔	入	ー	ー	ket	屑韻
0426	上呂・018ウ4・辞字	勒	入	ロク	右注	lʌk	徳韻
0477	上波・020ウ1・地儀	埴	入	ショク	右傍	źiɐk tśiɐi^3	職韻 志韻
0513	上波・021オ7・植物	柞	入	サク	右傍	tsak dzak	鐸韻
0523	上波・021ウ4・植物	蕚	入濁	カク	右傍	ŋak	鐸韻
0535	上波・022オ3・動物	鶻	入	コツ	右傍	kuʌt ɣuʌt ɣuet	没韻 没韻 黠韻
0539	上波・022オ5・動物	翮	入	カク	右傍	ɣɐk	麦韻
0551	上波・022ウ6・動物	蛤	入	カフ	右傍	kʌp	合韻
0572	上波・023ウ4・人躰	齃	入	アツ	右傍	'at	曷韻
0577	上波・023ウ6・人躰	腹	入	フク	右傍	piʌuk	屋韻
0586	上波・024オ4・人躰	衂	入濁	チク	右傍	ńiʌuk niʌuk	屋韻 屋韻
0621	上波・025オ7・人事	罰	入濁	ハツ	右注	biat	月韻
0657	上波・026ウ3・雑物	帛	入	ハク	右傍	bak	陌韻
0660	上波・026ウ5・雑物	揀	入	サク	右傍	ṣɐk	麦韻
0666	上波・027オ1・雑物	鉢	入	ハチ	右注	pat	末韻
0671	上波・027オ3・雑物	薄	入	ハク	右傍	bak	鐸韻

0918	上波・035オ3・官職	祝	入	シク	右注	tśiʌuk tśiʌu³	屋韻 宥韻
1043	上保・042オ4・植物	朴	入	ハク	右傍	p'auk	覺韻
1068	上保・043オ2・人倫	僕	入濁	ホク	右注	bʌuk bɑuk	屋韻 沃韻
1071	上保・043オ5・人躰	骨	入	コツ	右傍	kuʌt	没韻
1113	上保・045オ1・雜物	⿰火節	入	セツ	右傍	tset	屑韻
1304	上邊・051ウ3・雜物	舳	入	チク	右傍	ḍiʌuk	屋韻
1424	上度・054ウ4・地儀	閾	入	ヰキ	右傍	xiuɐk	職韻
1492	上度・057オ5・雜物	燭	入	ソク	右傍	tśiɑuk	燭韻
1502	上度・057オ7・雜物	⿰革尃	入	ハク	右傍	pɑk bʌu³	鐸韻 候韻
1503	上度・057ウ1・雜物	轂	入	コク	右傍	kʌuk	屋韻
1737	上池・066ウ4・人躰	血	入	クヱツ	右傍	xuet	屑韻
1739	上池・066ウ5・人躰	力	入	リヨク	右傍	liɐk	職韻
1762	上池・067ウ3・雜物	幗	入	クワク	右傍	kuɐk kuʌi³	麥韻 隊韻
1765	上池・067ウ3・雜物	軸	入濁	チク	右注	ḍiʌuk	屋韻
1771	上池・067ウ5・雜物	筑	入	チク	右注	ṭiʌuk ḍiʌuk	屋韻 屋韻
1781	上池・068オ2・員數	帙	入	チキ	右注	ḍiet	質韻
2000	上利・073ウ1・人事	律	入	リツ	右注	liuet	術韻
2154	上奴・077オ5・人躰	髩	入	フツ	右傍	p'iuʌt	物韻
2211	上遠・080オ5・植物	朮	入	クヰツ	右傍	ḍiuet dźiuet	術韻 術韻
2237	上遠・081オ4・人倫	覡	入	ケキ	右傍	ɣek	錫韻
2240	上遠・081オ5・人倫	妾	入	セフ	右傍	ts'iap	葉韻
2244	上遠・081ウ2・人事	宅	入	タク	右傍	ḍak	陌韻
2290	上和・086オ2・植物	蕨	入	クヱツ	右傍	kiuɑt	月韻
2302	上和・086ウ6・人躰	腋	入	エキ	右傍	jiek	昔韻
2342	上和・088オ5・雜物	⿰衤夜	入	エキ	右傍	jiek tśiek	昔韻 昔韻
2345	上和・088オ6・雜物	籰	入	ワク	右注	ɣiuɑk	藥韻
2346	上和・088オ6・雜物	籰	入	クワク	右傍	ɣiuɑk	藥韻
2428	上加・091ウ2・地儀	潟	入	セキ	右傍	siek	昔韻
2429	上加・091ウ2・地儀	峡	入	カフ	右傍	ɣɐp	洽韻
2440	上加・091ウ6・地儀	壁	入	ヘキ	右傍	pek	錫韻
2515	上加・094オ3・動物	鴨	入	アフ	右傍	'ap	狎韻
2519	上加・094オ4・動物	鵲	入	シヤク	右傍	ts'iɑk	藥韻
2523	上加・094オ5・動物	翈	入	カフ	右傍	ɣap	狎韻
2525	上加・094オ6・動物	鹿	入	ロク	右傍	lʌuk	屋韻
2535	上加・094ウ3・動物	鮇	入	ハツ	右傍	mɑt	末韻
2536	上加・094ウ3・動物	鮇	入	ヘツ	右傍	mɑt	末韻
2548	上加・094ウ6・動物	鼈	入	ヘツ	右傍	pjiat	薛韻
2566	上加・095オ6・動物	殼	入	カク	右傍	k'auk	覺韻
2568	上加・095ウ2・人倫	覡	入濁	ケキ	右傍	ɣek	錫韻
2581	上加・096オ2・人體	⿰盍頁	入	カフ	右傍	kɑp	盍韻

2582	上加・096オ2・人體	髮	入	ハツ	右傍	piɑt	月韻
2592	上加・096オ5・人體	胛	入	カフ	右傍	kap	狎韻
2593	上加・096オ5・人體	脅	入	ケフ	右傍	xiɑp xiɑm³	業韻 釅韻
2599	上加・096オ6・人體	禿	入	トク	右傍	t'ʌuk	屋韻
2607	上加・096オ7・人體	癤	入	セツ	右傍	tset	屑韻
2658	上加・098オ3・飲食	粥	入	シク	右傍	tśiʌuk jiʌuk	屋韻 屋韻
2665	上加・098オ4・飲食	麴	入	キク	右傍	k'iʌuk	屋韻
2715	上加・099オ5・雜物	鑰	入	ヤク	右傍	jiɑk	藥韻
2734	上加・099ウ4・雜物	鋜	入	サク	右傍	dẓauk	覺韻
2748	上加・100オ2・雜物	笠	入	リフ	右傍	liep	緝韻
2763	上加・100オ7・雜物	檝	入	セフ	右傍	tsiap dziep	葉韻 緝韻
2801	上加・101ウ3・辞字	畫	入濁	—	—	ɣuɐk ɣuɐ³	麥韻 卦韻
2826	上加・103ウ2・辞字	合	入	カフ	右傍	ɣʌp kʌp	合韻 合韻
2836	上加・104ウ5・辞字	昃	入	シヨク	右傍	tṣiək	職韻
3214	上与・115ウ1・人事	孽	入濁	ケツ	右傍	ŋiat	薛韻
3217	上与・115ウ3・雜物	甲	入	カフ	右傍	kap	狎韻
3221	上与・115ウ4・雜物	軸	入	チク	右傍	ḍiʌuk	屋韻
3300	上伊・010ウ5・辞字	叱	入	シツ	右傍	tś'iet	質韻
3294	上加・110ウ3・疊字	索	入	サク	右傍	sɑk ṣak ṣɐk	鐸韻 陌韻 麥韻

【表D-10】入声（単字）下巻〔一致例〕

番号	前田本所在	掲出字		仮名音注		中古音	韻目
3314	下古・002オ2・地儀	橛	入	クヱツ	右傍	kiuɑt giuɑt	月韻 月韻
3364	下古・003ウ5・動物	甲	入	コフ	右傍	kap	狎韻
3390	下古・004ウ4・人躰	吃	入	キツ	右傍	kiʌt	迄韻
3415	下古・006オ6・飲食	穀	入	コク	右傍	kʌuk	屋韻
3427	下古・006ウ5・雜物	籥	入	ヤク	右傍	jiɑk	藥韻
3434	下古・006ウ6・雜物	袯	入	エキ	右傍	jiek tśiek	昔韻 昔韻
3436	下古・006ウ7・雜物	縠	入	コク	右傍	ɣʌuk	屋韻
3444	下古・007オ2・雜物	曆	入	リヤク	右傍	lek	錫韻
3767	下江・015オ6・人躰	疫	入	エキ	右傍	jiuek	昔韻
3768	下江・015オ6・人躰	疫	入	ヤク	右注	jiuek	昔韻
3891	下手・019ウ1・動物	蝶	入	テフ	右注	t'ep dep	帖韻 帖韻
3910	下手・020ウ6・雜物	牒	入	テウ ［平平］	右注	dep	帖韻
4051	下阿・024ウ1・天象	雹	入	ハク	右傍	bauk	覺韻

4076	下阿・025ウ1・地儀	幄	入	アク	右傍	'auk	覺韻
4113	下阿・026ウ2・植物	檍	入	ヨク	右傍	'iɐk	職韻
4145	下阿・027ウ3・動物	鱖	入	クヱツ	右傍	kiuɑt kiuai^{3}	月韻 祭韻
4150	下阿・027ウ5・動物	鰒	入	フク	右傍	biʌuk	屋韻
4175	下阿・028ウ7・人躰	腭	入濁	カク	右傍	ŋɑk	鐸韻
4176	下阿・029オ1・人躰	脚	入	カク	右傍	kiɑk	藥韻
4177	下阿・029オ1・人躰	脚	入	キヤク	右傍	kiɑk	藥韻
4181	下阿・029オ2・人躰	蹠	入	セキ	右傍	tśiek	昔韻
4213	下阿・030オ1・人事	[illegible]	入	テキ	右傍	t'ek ṭ'iʌu^{1}	錫韻 尤韻
4230	下阿・031オ5・飲食	炙	入	セキ	右傍	tśiek tśia^{3}	昔韻 禡韻
4235	下阿・031オ6・飲食	臛	入	カク	右傍	xɑk xɑuk	鐸韻 沃韻
4243	下阿・031ウ6・雜物	璞	入	ハク	右傍	p'auk	覺韻
4280	下阿・032ウ3・雜物	澤	入	タク	右傍	ḍak	陌韻
4286	下阿・032ウ5・雜物	朸	入	ロク	右傍	lʌk liɐk	徳韻 職韻
4287	下阿・032ウ5・雜物	朸	入	リヨク	右傍	liɐk lʌk	職韻 徳韻
4290	下阿・032ウ5・雜物	篙	入	ケキ	右傍	xek	錫韻
4320	下阿・034ウ4・辞字	䭰	入	―	―	p'iɐk	職韻
4330	下阿・035ウ5・辞字	炙	入	セキ	右傍	tśiek tśia^{3}	昔韻 禡韻
4333	下阿・036オ2・辞字	適	入	―	―	tek	錫韻
4347	下阿・037ウ5・辞字	擽	入	タツ	右傍	liɑk lek	藥韻 錫韻
4348	下阿・037ウ5・辞字	埒	入	ラツ	右傍	liuat	薛韻
4435	下佐・042ウ1・地儀	澤	入	タク	右傍	ḍak	陌韻
4467	下佐・043ウ3・植物	核	入	カク	右傍	ɣɐk	麥韻
4572	下佐・047オ6・雜物	鍑	入	フク	右傍	piʌuk piʌu^{3}	屋韻 宥韻
4594	下佐・047ウ6・雜物	鎛	入	ハク	右注	pɑk	鐸韻
4613	下佐・048ウ3・辞字	螫	入	セキ	右傍	śiek	昔韻
4630	下佐・050ウ1・辞字	接	入	セフ	右傍	tsiap	葉韻
4899	下木・057ウ5・人事	虐	入濁	キヤク	右注	ŋiɑk	藥韻
4929	下木・058ウ3・雜物	紲	入	セツ	右傍	siat	薛韻
5209	下由・065ウ6・天象	雪	入	セツ	右傍	siuat	薛韻
5223	下由・066オ6・植物	柞	入	サク	右傍	tsɑk dzɑk	鐸韻 鐸韻
5244	下由・067ウ5・雜物	弽	入	セフ	右傍	śiap	葉韻
5249	下由・067ウ7・雜物	浴	入	ヨク	右注	jiɑuk	燭韻
5250	下由・067ウ7・雜物	斛	入	コク	右傍	ɣʌuk	屋韻
5295	下師・069ウ7・植物	蕺	入	シフ	左傍	tṣiep	緝韻
5302	下師・070オ4・動物	鹿	入	ロク	右傍	lʌuk	屋韻
5338	下師・071オ7・人躰	肉	入	シク	右傍	ńiʌuk	屋韻

5339	下師・071オ7・人躰	肉	入	ニク	右注	ńiʌuk	屋韻
5347	下師・071ウ3・人躰	瘃	入	キク	右傍	ṭiauk	燭韻
5368	下師・072ウ1・人事	業	入濁	ケウ	右傍	ŋiap	業韻
5392	下師・073オ7・飲食	粥	入	シク	右傍	tśiʌuk jiʌuk	屋韻 屋韻
5407	下師・073ウ5・雜物	錫	入	セキ	右傍	sek	錫韻
5408	下師・073ウ5・雜物	錫	入	シヤク	右注	sek	錫韻
5430	下師・074オ2・雜物	笏	入	コツ	右傍	xuʌt	没韻
5431	下師・074オ2・雜物	襪	入濁	ヘツ	右傍	miat	月韻
5441	下師・074オ5・雜物	榻	入	タウ	右傍	t'ap	盍韻
5513	下師・078オ1・辞字	數	入	ソク	右傍	sʌuk ṣauk ṣiuʌ[2/3]	屋韻 覺韻 麌/遇韻
5979	下會・088オ6・人躰	靨	入	エフ	右傍	'jiap	葉韻
6021	下飛・090オ5・天象	日	入	シツ	右傍	ńiet	質韻
6035	下飛・090ウ6・地儀	獄	入濁	コク	右傍	ŋiauk	燭韻
6070	下飛・091ウ3・植物	孼	入濁	ケツ	右傍	ŋiat	薛韻
6111	下飛・092ウ7・人躰	額	入濁	カク	右傍	ŋak	陌韻
6121	下飛・093オ3・人躰	膝	入	シツ	右傍	siet	質韻
6129	下飛・093オ5・人躰	瘃	入	キク	右傍	ṭiauk	燭韻
6139	下飛・094オ1・飲食	糲	入	ラツ	右傍	lat liai[3] lai[3]	曷韻 祭韻 泰韻
6165	下飛・094ウ3・雜物	杓	入	シヤク	右傍	dźiak tek pjiau[1] p'jiau[1]	薬韻 錫韻 宵韻 宵韻
6179	下飛・094ウ7・雜物	籗	入	クワク	右傍	k'uak dẓauk	鐸韻 覺韻
6225	下飛・097オ3・辞字	垤	入	テチ	右注	det	屑韻
6408	下毛・101ウ4・動物	鶪	入	ケキ	右傍	kuek	錫韻
6413	下毛・101ウ6・動物	蛻	入	セツ	右傍	jiuat śiuai[3] t'uai[3] t'ua[3]	薛韻 祭韻 泰韻 過韻
6427	下毛・102ウ7・飲食	糓	入	コク	右傍	kʌuk	屋韻
6438	下毛・103オ4・雜物	鬠	入	クワツ	右傍	ɣuat kuai[3]	末韻 泰韻
6779	下洲・113ウ3・地儀	桷	入	カク	右傍	kauk	覺韻
6787	下洲・113ウ6・植物	薄	入	ハク	右傍	bak	鐸韻
6834	下洲・116オ2・雜物	墨	入濁	ホク	右傍	bʌk	徳韻

【表D-10】入声（単字）下巻〔不一致例〕

番号	前田本所在	掲出字		仮名音注		中古音	韻目
3761	下江・015オ3・人倫	兇	入濁	—	—	xiauŋ$^{1/2}$	鍾/腫韻

番号	前田本所在	掲出字		仮名音注		中古音	韻目
5499	下師・076ウ4・辞字	涗	入	エツ	右傍	śiuai^{3}	祭韻

【表D-11】徳声（単字）上巻〔一致例〕

番号	前田本所在	掲出字		仮名音注		中古音	韻目
1461	上度・056オ6・人體	疫	徳?	エキ	右傍	jiuek	昔韻
1462	上度・056オ6・人體	疫	徳?	ヤク	右傍	jiuek	昔韻

【表D-12】徳声（単字）下巻〔一致例〕

番号	前田本所在	掲出字		仮名音注		中古音	韻目
3782	下江・016オ1・雑物	朳	徳	ハツ	右傍	pɐt	黠韻
4854	下木・056オ2・植物	秫	徳?	シヰツ	右傍	dźiuet	術韻
4913	下木・058オ6・雑物	襮	徳	ハク	右傍	pɑk	鐸韻

【表D-13】平声（熟字前部）上巻〔一致例〕

番号	前田本所在	掲出字		仮名音注		中古音	韻目
0002a	上伊・002オ3・天象	雷	平	ライ	右傍	luʌi^{1}	灰韻
0007a	上伊・002オ4・天象	牽	平	ケン	右傍	k‘en$^{1/3}$	先/霰韻
0011a	上伊・002ウ3・地儀	舒	平	―	―	śiʌ^{1}	魚韻
0035a	上伊・003オ5・地儀	殷	平	―	―	'iʌn^{1} 'ɐn^{1}	欣韻 山韻
0036a	上伊・003オ5・地儀	遊	平	―	―	jiʌu^{1}	尤韻
0045a	上伊・003ウ3・植物	香	平	―	―	xiɑŋ^{1}	陽韻
0047a	上伊・003ウ4・植物	羊	平	ヤウ	右傍	jiɑŋ^{1}	陽韻
0057a	上伊・004オ1・植物	商	平	シヤウ	右傍	śiɑŋ^{1}	陽韻
0058a	上伊・004オ2・植物	連	平	レン	右傍	lian^{1}	仙韻
0064a	上伊・004オ3・植物	羊	平	ヤウ	右傍	jiɑŋ^{1}	陽韻
0071a	上伊・004ウ1・動物	鵂	平	キウ	右傍	xiʌu^{1}	尤韻
0072a	上伊・004ウ1・動物	鵁	平	カウ	右傍	kau^{1}	肴韻
0088a	上伊・004ウ6・動物	䱐	平	フ	右傍	p‘iuʌ^{1} biʌu^{1}	虞韻 尤韻
0089a	上伊・004ウ7・動物	鯆	平	ホ	右傍	puʌ^{1} p‘uʌ^{1} piuʌ^{2}	模韻 模韻 麌韻
0092a	上伊・005オ3・動物	貽	平	イ	右傍	jiɐi^{1}	之韻
0093a	上伊・005オ3・動物	秦	平	シン	右傍	dzien^{1}	眞韻
0094a	上伊・005オ4・動物	烏	平	ヲ	右傍	'uʌ^{1}	模韻
0095a	上伊・005オ5・動物	螗	平	タウ	右傍	tɑŋ^{1}	唐韻
0097a	上伊・005オ5・動物	螽	平	シウ	右傍	tśiʌuŋ^{1}	東韻
0105a	上伊・005ウ5・人倫	漁	平	キヨ	右傍	ŋiʌ^{1}	魚韻
0114a	上伊・006オ4・人體	雲	平	ウン	右傍	ɣiuʌn^{1}	文韻
0116a	上伊・006オ5・人體	肬	平	イウ	右傍	ɣiʌu^{1}	尤韻
0118a	上伊・006オ5・人體	痠	平	―	―	suɑn^{1}	桓韻
0157a	上伊・008オ2・人事	移	平	―	―	jie^{1}	支韻
0181a	上伊・008ウ6・雜物	艨	平	モウ	右傍	mʌuŋ^{1} miʌuŋ^{3}	東韻 送韻
0230a	上伊・012ウ1・疊字	陰	平	イン	右注	'iem^{1}	侵韻
0231a	上伊・012ウ1・疊字	陰	平	イン	左注	'iem^{1}	侵韻
0234a	上伊・012ウ1・疊字	遊	平	イウ	左注	jiʌu^{1}	尤韻
0235a	上伊・012ウ2・疊字	夷	平	イ	右注	jiei^{1}	脂韻
0236a	上伊・012ウ2・疊字	偷	平	イウ	右注	t‘ʌu^{1}	侯韻
0242a	上伊・012ウ3・疊字	夷	平	イ	左注	jiei^{1}	脂韻
0247a	上伊・012ウ4・疊字	熊	平	イウ	左注	ɣiʌuŋ^{1}	東韻
0248a	上伊・012ウ4・疊字	遊	平	イウ	中注	jiʌu^{1}	尤韻
0249a	上伊・012ウ4・疊字	滛	平	イン	中注	jiem^{1}	侵韻
0255a	上伊・012ウ6・疊字	遊	平	イウ	左注	jiʌu^{1}	尤韻

0273a	上伊・013オ2・疊字	婬	平	イン	左注	jiem¹	侵韻
0274a	上伊・013オ2・疊字	婬	平	イン	右注	jiem¹	侵韻
0275a	上伊・013オ2・疊字	婬	平	イン	左注	jiem¹	侵韻
0276a	上伊・013オ3・疊字	優	平	イウ	中注	'iʌu¹	尤韻
0277a	上伊・013オ3・疊字	優	平	イウ	左注	'iʌu¹	尤韻
0287a	上伊・013オ5・疊字	殷	平	イン	右注	'iʌu¹	欣韻
0288a	上伊・013オ5・疊字	雄	平	イウ	右注	ɣiʌuŋ¹	東韻
0289a	上伊・013オ5・疊字	雄	平	イウ	右注	ɣiʌuŋ¹	東韻
0297a	上伊・013オ7・疊字	優	平	イウ	左注	'iʌu¹	尤韻
0298a	上伊・013オ7・疊字	優	平	イウ	左注	'iʌu¹	尤韻
0299a	上伊・013オ7・疊字	陰	平	イン	左注	'iem¹	侵韻
0300a	上伊・013ウ1・疊字	遊	平	イウ	右注	jiʌu¹	尤韻
0301a	上伊・013ウ1・疊字	遊	平	イウ	右注	jiʌu¹	尤韻
0302a	上伊・013ウ1・疊字	優	平	イウ	右注	'iʌu¹	尤韻
0303a	上伊・013ウ1・疊字	優	平	イウ	左注	'iʌu¹	尤韻
0304a	上伊・013ウ1・疊字	優	平	イウ	左注	'iʌu¹	尤韻
0305a	上伊・013ウ2・疊字	優	平	イウ	中注	'iʌu¹	尤韻
0306a	上伊・013ウ2・疊字	陰	平	（イム）	左注	'iem¹	侵韻
0312a	上伊・013ウ4・疊字	猗	平	イ	右注	'ie¹ᐟ³	支/寘韻
0316a	上伊・013ウ5・疊字	遊	平	イウ	右傍	jiʌu¹	尤韻
0319a	上伊・013ウ5・疊字	依	平	イ	中注	'iʌi¹	微韻
0323a	上伊・013ウ6・疊字	移	平	イ	右注	jie¹	支韻
0332a	上伊・014オ1・疊字	郵	平	イウ	中注	ɣiʌu¹	尤韻
0333a	上伊・014オ1・疊字	遊	平	イウ	左注	jiʌu¹	尤韻
0337a	上伊・014オ2・疊字	伊	平	イ	右注	'jiei¹	脂韻
0338a	上伊・014オ2・疊字	伊	平	イ	右注	'jiei¹	脂韻
0346a	上伊・014オ4・疊字	優	平	イウ	左注	'iʌu¹	尤韻
0411a	上呂・017ウ7・人事	圖	平	ト	右傍	duʌ¹	模韻
0433a	上呂・019オ1・疊字	論	平	ロン	左注	luʌn¹ᐟ³ liuen¹	魂/慁韻 諄韻
0434a	上呂・019オ1・疊字	論	平	ロン	左注	luʌn¹ᐟ³ liuen¹	魂/慁韻 諄韻
0435a	上呂・019オ1・疊字	籠	平	ロウ	右注	lʌuŋ¹ᐟ² liɑuŋ¹	東/董韻 鍾韻
0438a	上呂・019オ2・疊字	嚧	平	ロ	中注	luʌ¹	模韻
0441a	上呂・019オ3・疊字	籠	平	ロウ	中注	lʌuŋ¹ᐟ² liɑuŋ¹	東/董韻 鍾韻
0456a	上呂・019オ6・疊字	鏤	平	ロウ	右注	liuʌ¹ lʌu³	虞韻 候韻
0457a	上呂・019オ6・疊字	蘆	平	ロ	右注	luʌ¹ liʌ¹	模韻 魚韻

0463a	上波・020オ2・天象	欃	平	ロン	右傍	dẓɐm[1] dẓam[3]	咸韻 鑑韻
0468a	上波・020オ4・天象	韶	平	セウ	右傍	źiau[1]	宵韻
0485a	上波・020ウ3・地儀	坊	平 去濁	ハウ	右注	biɑŋ[1] piɑŋ[1]	陽韻 陽韻
0487a	上波・020ウ4・地儀	欗	平	ラン	右傍	lɑn[1]	寒韻
0495a	上波・021オ1・植物	蘩	平	ハン	右傍	biɑn[1]	元韻
0496a	上波・021オ2・植物	菴	平	アム	右傍	'ʌm[1] 'iam[1]	覃韻 鹽韻
0497a	上波・021オ2・植物	芭	平	ハ	右傍	pa[1]	麻韻
0504a	上波・021オ3・植物	天	平	―	―	t'en[1]	先韻
0506a	上波・021オ4・植物	蕘	平	セウ	右傍	ńiau[1]	宵韻
0526a	上波・021ウ7・植物	芙	平	フ	右傍	biuʌ[1]	虞韻
0548a	上波・022ウ5・動物	鰻	平	マン	右傍	mɑn[1] miɑn[3]	桓韻 願韻
0549a	上波・022ウ5・動物	針	平	シム	右傍	tśiem[1/3]	侵/沁韻
0557a	上波・023オ1・動物	蠅	平	コウ	右傍	jieŋ[1]	蒸韻
0559a	上波・023オ2・動物	蹊	平	ケイ	右傍	ɣei[1] k'ei[1]	齊韻 齊韻
0627a	上波・025ウ5・人事	陪	平濁	ハイ	左注	buʌi[1]	灰韻
0645a	上波・026オ5・雑物	行	平	―	―	ɣaŋ[1/3] ɣɑŋ[1/3]	庚/映韻 唐/宕韻
0691a	上波・028オ2・光彩	黄	平	クワウ	右傍	ɣuɑŋ[1]	唐韻
0716a	上波・031オ4・重點	皤	平	ハ	右注	pɑ[1] bɑ[1]	戈韻 戈韻
0717a	上波・031オ4・重點	婆	平	ハ	右注	bɑ[1]	戈韻
0722a	上波・031オ7・疊字	梅	平濁	ハイ	左注	muʌi[1]	灰韻
0739a	上波・031ウ3・疊字	亡	平濁	ハウ	左注	miɑŋ[1]	陽韻
0740a	上波・031ウ3・疊字	蠻	平濁	ハン	中注	man[1]	刪韻
0744a	上波・031ウ4・疊字	波	平	ハ	左注	pɑ[1]	戈韻
0745a	上波・031ウ4・疊字	波	平	ハ	右注	pɑ[1]	戈韻
0746a	上波・031ウ4・疊字	滂	平	ハウ	右注	p'ɑŋ[1]	唐韻
0759a	上波・031ウ7・疊字	傍	平	ハウ	中注	bɑŋ[1/3]	唐/宕韻
0763a	上波・032オ1・疊字	傍	平	ハウ	左注	bɑŋ[1/3]	唐/宕韻
0764a	上波・032オ1・疊字	傍	平	ハウ	右注	bɑŋ[1/3]	唐/宕韻
0767a	上波・032オ2・疊字	凡	平	ハン	右注	biʌm[1]	凡韻
0769a	上波・032オ2・疊字	芳	平	ハウ	左注	p'iɑŋ[1]	陽韻
0777a	上波・032オ4・疊字	排	平	ハイ	左注	bɐi[1]	皆韻
0784a	上波・032オ5・疊字	媒	平濁	ハイ	左注	muʌi[1]	灰韻
0785a	上波・032オ5・疊字	磨	平濁	ハ	右注	mɑ[1/3]	戈/過韻
0792a	上波・032オ7・疊字	苞	平	ハウ	右注	pau[1]	肴韻
0793a	上波・032オ7・疊字	亡	平濁	ハウ	左注	miɑŋ[1]	陽韻

0799a	上波・032ウ1・疊字	芳	平	ハウ	中注	p‘iaŋ^{1}	陽韻
0800a	上波・032ウ1・疊字	芳	平	―	―	p‘iaŋ^{1}	陽韻
0803a	上波・032ウ2・疊字	傍	平	ハウ	左注	bɑŋ$^{1/3}$	唐/宕韻
0809a	上波・032ウ3・疊字	芳	平	―	―	p‘iaŋ^{1}	陽韻
0810a	上波・032ウ3・疊字	芳	平	ハウ	右注	p‘iaŋ^{1}	陽韻
0812a	上波・032ウ4・疊字	波	平	ハ	中注	pɑ^{1}	戈韻
0813a	上波・032ウ4・疊字	陪	平濁	ハイ	左注	buʌi^{1}	灰韻
0824a	上波・032ウ6・疊字	芳	平	ハウ	右注	p‘iaŋ^{1}	陽韻
0831a	上波・033オ1・疊字	繁	平	ハン	右注	biɑn^{1} bɑn^{1} bɑ^{1}	元韻 桓韻 戈韻
0839a	上波・033オ2・疊字	斑	平	ハン	左注	pan^{1}	刪韻
0841a	上波・033オ3・疊字	茅	平濁	ハウ	右注	mau^{1}	肴韻
0844a	上波・033オ3・疊字	盃	平	ハイ	左注	puʌi^{1}	灰韻
0847a	上波・033オ4・疊字	盃	平	ハイ	左注	puʌi^{1}	灰韻
0852a	上波・033オ5・疊字	般	平	ハン	左注	bɑn^{1} pɑn^{1} pan^{1} pɑt	桓韻 桓韻 刪韻 末韻
0853a	上波・033オ5・疊字	麻	平濁	ハ	左注	ma^{1}	麻韻
0855a	上波・033オ5・疊字	俳	平	ハイ	左注	bɐi^{1}	皆韻
0856a	上波・033オ6・疊字	彷	平	ハウ	左注	bɑŋ^{1} p‘iaŋ^{2}	唐韻 養韻
0857a	上波・033オ6・疊字	波	平	ハ	中注	pɑ^{1}	戈韻
0858a	上波・033オ6・疊字	徘	平	ハイ	右注	buʌi^{1}	灰韻
0868a	上波・033ウ1・疊字	斑	平	ハン	右注	pan^{1}	刪韻
0871a	上波・033ウ2・疊字	繁	平	ハン	右注	biɑn^{1} bɑn^{1} bɑ^{1}	元韻 桓韻 戈韻
0872a	上波・033ウ2・疊字	芳	平	ハウ	右注	p‘iaŋ^{1}	陽韻
0882a	上波・033ウ4・疊字	磻	平	ハム	右注	bɑn^{1} bɑ^{1} p‘ɑ^{1}	桓韻 戈韻 戈韻
0885a	上波・033ウ4・疊字	茅	平	ハウ	右注	mau^{1}	肴韻
0886a	上波・033ウ5・疊字	婆	平濁	ハ	右注	bɑ^{1}	戈韻
0894a	上波・033ウ6・疊字	巴	平	ハ	右注	pa^{1}	麻韻
0897a	上波・033ウ7・疊字	芳	平	ハウ	左注	p‘iaŋ^{1}	陽韻
0900a	上波・033ウ7・疊字	莓	平濁	ハイ	右注	muʌi$^{1/3}$ miʌu^{3}	灰/隊韻 宥韻
0905a	上波・034オ1・疊字	梅	平濁	ハイ	右注	muʌi^{1}	灰韻
0908a	上波・034オ5・疊字	徒	平	ト	右傍	duʌ^{1}	模韻
0933a	上仁・036オ4・植物	龍	平	リン	右傍	liɑuŋ^{1}	鍾韻

0934a	上仁・036オ5・植物	甘	平	カム	右傍	kɑm¹	談韻
0936a	上仁・036オ5・植物	藺	平	リヨ	右傍	liʌ¹	魚韻
0939a	上仁・036オ6・植物	茵	平	イン	右傍	'jien¹	眞韻
0947a	上仁・036ウ6・動物	騅	平	スヰ	右傍	tśiuei¹	脂韻
0951a	上仁・037オ3・動物	蚺	平	セム	右傍	ńiam¹	鹽韻
0956a	上仁・037ウ2・人躰	皻	平	サ	右傍	tṣa¹	麻韻
0966a	上仁・038オ6・雑物	還	平	—	—	ɣuan¹	刪韻
0968a	上仁・038オ6・雑物	庭	平	テイ	右傍	deŋ¹	青韻
1008a	上仁・040オ7・疉字	任	平	ニン	右注	ńiem¹ᐟ³	侵/沁韻
1016a	上仁・040ウ2・疉字	駑	平濁	ト	右傍	nuʌ¹	模韻
1026a	上保・041ウ1・天象	司	平	シ	右傍	siɐi¹	之韻
1031a	上保・041ウ4・地儀	礬	平 去濁	ホン	右注	biɑn¹	元韻
1032a	上保・041ウ4・地儀	礬	平 去濁	ハン	右傍	biɑn¹	元韻
1039a	上保・042オ1・植物	酸	平	サン	右傍	suɑn¹	桓韻
1049a	上保・042オ7・動物	丹	平	タン	右傍	tɑn¹	寒韻
1051a	上保・042オ7・動物	鸀	平	ラン	右傍	lɑm¹	談韻
1055a	上保・042ウ3・動物	牶	平	—	—	p'ɐŋ¹	耕韻
1061a	上保・042ウ6・動物	疑	平	—	—	ŋiɐi¹	之韻
1074a	上保・043オ6・人躰	顔	平濁	カン	右傍	ŋan¹	刪韻
1117a	上保・045オ4・雑物	帆	平	ハン	右傍	biʌm¹ᐟ³	凡/梵韻
1119a	上保・045オ5・雑物	帆	平	ハム	右傍	biʌm¹ᐟ³	凡/梵韻
1154a	上保・047オ4・疉字	豊	平	—	—	p'iʌuŋ¹ lei²	東韻 薺韻
1155a	上保・047オ4・疉字	豊	平	ホウ	右注	p'iʌuŋ¹ lei²	東韻 薺韻
1156a	上保・047オ4・疉字	豊	平	ホウ	左注	p'iʌuŋ¹ lei²	東韻 薺韻
1159a	上保・047オ5・疉字	蓬	平	ホウ	右注	bʌuŋ¹	東韻
1179a	上保・047ウ2・疉字	蓬	平	ホウ	左注	bʌuŋ¹	東韻
1192a	上保・047ウ4・疉字	豊	平	ホウ	左注	p'iʌuŋ¹ lei²	東韻 薺韻
1193a	上保・047ウ5・疉字	毛	平濁	ホウ	右注	mɑu¹ᐟ³	豪/号韻
1195a	上保・047ウ5・疉字	蓬	平	ホウ	左注	bʌuŋ¹	東韻
1196a	上保・047ウ5・疉字	嫫	平濁	ホ	中注	muʌ¹	暮韻
1197a	上保・047ウ5・疉字	蓬	平	ホウ	左注	bʌuŋ¹	東韻
1198a	上保・047ウ6・疉字	蒲	平	ホ	左注	buʌ¹	模韻
1205a	上保・047ウ7・疉字	蓬	平	ホウ	左注	bʌuŋ¹	東韻
1208a	上保・048オ1・疉字	奔	平	ホン	左注	puʌn¹ᐟ³	魂/慁韻
1210a	上保・048オ1・疉字	褒	平 去	ホウ	左注	pɑu¹	豪韻
1216a	上保・048オ2・疉字	毛	平濁	ホウ	左注	mɑu¹ᐟ³	豪/号韻
1223a	上保・048オ4・疉字	奔	平	ホン	左注	puʌn¹ᐟ³	魂/慁韻

1227a	上保・048オ4・疊字	褒	平	ホウ	左注	pɑu[1]	豪韻
1236a	上保・048オ6・疊字	蜂	平	ホウ	中注	bʌuŋ[1] p'iɑuŋ[1]	東韻 鍾韻
1242a	上保・048ウ1・疊字	蓬	平	ホウ	右注	bʌuŋ[1]	東韻
1243a	上保・048ウ1・疊字	蓬	平	ホウ	左注	bʌuŋ[1]	東韻
1249a	上保・048ウ2・疊字	奔	平	ホン	中注	puʌn[1/3]	魂/慁韻
1254a	上保・048ウ3・疊字	謀	平濁	ホウ	左注	miʌu[1]	尤韻
1258a	上保・048ウ4・疊字	蒲	平	ホ	右注	buʌ[1]	模韻
1263a	上保・048ウ5・疊字	毛	平濁	ホウ	右注	mɑu[1/3]	豪/号韻
1265a	上保・048ウ6・疊字	毛	平濁	ホウ	右注	mɑu[1/3]	豪/号韻
1266a	上保・048ウ6・疊字	褒	平	ホウ	左注	pɑu[1]	豪韻
1287a	上邊・050オ4・植物	斑	平	ヘン	右注	pan[1]	删韻
1302a	上邊・051オ6・人事	平	平	ヘイ	左注	biaŋ[1] bjian[1]	庚韻 仙韻
1305a	上邊・051ウ3・雜物	瓶	平	ヘイ	右傍	beŋ[1]	青韻
1314a	上邊・051ウ5・雜物	桱	平	テイ	右傍	ţ'ieŋ[1]	清韻
1327a	上邊・052ウ3・疊字	平	平	ヘイ	左注	biaŋ[1] bjian[1]	庚韻 仙韻
1328a	上邊・052ウ3・疊字	平	平	ヘイ	左注	biaŋ[1] bjian[1]	庚韻 仙韻
1333a	上邊・052ウ4・疊字	邊	平	ヘン	中注	pen[1]	先韻
1334a	上邊・052ウ5・疊字	偏	平	ヘン	左注	p'ian[1/3]	仙/線韻
1335a	上邊・052ウ5・疊字	邊	平	ヘン	右注	pen[1]	先韻
1342a	上邊・052ウ6・疊字	平	平	ヘイ	左注	biaŋ[1] bjian[1]	庚韻 仙韻
1347a	上邊・052ウ7・疊字	平	平	ヘイ	中注	biaŋ[1] bjian[1]	庚韻 仙韻
1348a	上邊・052ウ7・疊字	平	平	ヘイ	右注	biaŋ[1] bjian[1]	庚韻 仙韻
1349a	上邊・053オ1・疊字	平	平	ヘイ	右注	biaŋ[1] bjian[1]	庚韻 仙韻
1352a	上邊・053オ1・疊字	平	平	ヘイ	左注	biaŋ[1] bjian[1]	庚韻 仙韻
1353a	上邊・053オ1・疊字	氷	平	ヘウ	左注	pieŋ[1]	蒸韻
1354a	上邊・053オ2・疊字	偏	平	ヘン	左注	p'ian[1/3]	仙/線韻
1355a	上邊・053オ2・疊字	偏	平	ヘン	左注	p'ian[1/3]	仙/線韻
1356a	上邊・053オ2・疊字	憑	平	ヘウ	右注	bieŋ[1]	蒸韻
1359a	上邊・053オ3・疊字	平	平	ヘイ	左注	biaŋ[1] bjian[1]	庚韻 仙韻
1368a	上邊・053オ4・疊字	并	平	ヘイ	中注	pieŋ[1/3]	清/勁韻
1371a	上邊・053オ5・疊字	偏	平	ヘン	中注	p'ian[1/3]	仙/線韻
1372a	上邊・053オ5・疊字	篇	平	ヘン	左注	p'jian[1]	仙韻

1385a	上邊・053ウ1・疊字	平	平	ヘイ	左注	biaŋ^{1} bjian^{1}	庚韻 仙韻
1390a	上邊・053ウ2・疊字	偏	平	ヘム	右注	p‘ian$^{1/3}$	仙/線韻
1396a	上邊・053ウ3・疊字	平	平	—	—	biaŋ^{1} bjian^{1}	庚韻 仙韻
1399a	上邊・053ウ4・疊字	平	平	ヘイ	右注	biaŋ^{1} bjian^{1}	庚韻 仙韻
1401a	上邊・053ウ4・疊字	陪	平濁	ヘイ	右注	buʌi^{1}	灰韻
1404a	上邊・053ウ5・疊字	漂	平	ヘウ	右注	p‘jiau$^{1/3}$	宵/笑韻
1405a	上邊・053ウ5・疊字	迷	平濁	メイ	右注	mei^{1}	齊韻
1406a	上邊・053ウ5・疊字	平	平	ヘイ	右注	biaŋ^{1} bjian^{1}	庚韻 仙韻
1410a	上邊・053ウ6・疊字	平	平	ヘイ	左注	biaŋ^{1} bjian^{1}	庚韻 仙韻
1426a	上度・054ウ5・地儀	鷄	平	ケイ	右傍	kei^{1}	齊韻
1427a	上度・054ウ5・地儀	鐶	平	クワン	右傍	ɣuan^{1}	刪韻
1429a	上度・054ウ6・地儀	登	平	トウ	右傍	tʌŋ^{1}	登韻
1430a	上度・054ウ6・地儀	通	平	トウ	右傍	t‘ʌuŋ^{1}	東韻
1432a	上度・055オ1・植物	瞿	平	ク	右傍	giuʌ^{1} kiuʌ^{3}	虞韻 遇韻
1441a	上度・055オ5・植物	鷄	平	ケイ	右傍	kei^{1}	齊韻
1448a	上度・055ウ1・動物	膍	平	ヒ	右傍	bjiei^{1}	脂韻
1454a	上度・055ウ6・人倫	髙	平	カウ	右傍	kɑu^{1}	豪韻
1463a	上度・056ウ1・人事	銅	平	トウ	右傍	dʌuŋ^{1}	東韻
1464a	上度・056ウ1・人事	周	平	シウ	右傍	tśiʌu^{1}	尤韻
1465a	上度・056ウ1・人事	陶	平	タウ	右傍	dɑu^{1}	豪韻
1466a	上度・056ウ1・人事	猗	平	イ	右傍	'ie$^{1/3}$	支/寘韻
1476a	上度・056ウ6・人事	團	平	ト	左注	duɑn^{1}	桓韻
1477a	上度・056ウ6・人事	都	平	—	—	tuʌ^{1}	模韻
1481a	上度・057オ2・飲食	頭	平	トウ	右注	dʌu^{1}	侯韻
1482a	上度・057オ2・飲食	頭	平	トウ	右傍	dʌu^{1}	侯韻
1499a	上度・057オ7・雜物	飛	平	ヒ	右傍	piʌi^{1}	微韻
1508a	上度・057ウ3・雜物	烽	平	ホウ	右傍	p‘iauŋ^{1}	鍾韻
1512a	上度・057ウ4・雜物	銅	平	トウ	左傍	dʌuŋ^{1}	東韻
1567a	上度・061ウ7・重點	鼕	平 上	トウ	右注	dɑuŋ^{1}	冬韻
1568a	上度・057ウ4・雜物	銅	平	ト	右注	dʌuŋ^{1}	東韻
1569a	上度・062オ2・疊字	登	平	トウ	中注	tʌŋ^{1}	登韻
1570a	上度・062オ2・疊字	登	平	—	—	tʌŋ^{1}	登韻
1571a	上度・062オ2・疊字	銅	平	トウ	右注	dʌuŋ^{1}	東韻
1575a	上度・062オ3・疊字	東	平	トウ	中注	tʌuŋ^{1}	東韻
1577a	上度・062オ3・疊字	東	平	トウ	右注	tʌuŋ^{1}	東韻
1584a	上度・062オ5・疊字	登	平	トウ	左注	tʌŋ^{1}	登韻

1585a	上度・062オ5・疊字	登	平	トウ	中注	tʌŋ^{1}	登韻
1587a	上度・062オ5・疊字	璜	平	トウ	左注	ɣuɑŋ^{1}	唐韻
1588a	上度・062オ5・疊字	徒	平	ト	左注	duʌ^{1}	模韻
1590a	上度・062オ6・疊字	登	平	トウ	中注	tʌŋ^{1}	登韻
1591a	上度・062オ6・疊字	童	平	トウ	中注	dʌuŋ^{1}	東韻
1592a	上度・062オ6・疊字	同	平	トウ	中注	dʌuŋ^{1}	東韻
1593a	上度・062オ6・疊字	同	平 去	トウ	左注	dʌuŋ^{1}	東韻
1594a	上度・062オ7・疊字	同	平 去	トウ	左注	dʌuŋ^{1}	東韻
1596a	上度・062オ7・疊字	同	平	トウ	左注	dʌuŋ^{1}	東韻
1599a	上度・062ウ1・疊字	童	平	トウ	左注	dʌuŋ^{1}	東韻
1600a	上度・062ウ1・疊字	童	平	トウ	左注	dʌuŋ^{1}	東韻
1609a	上度・062ウ3・疊字	徒	平	ト	左注	duʌ^{1}	模韻
1611a	上度・062ウ3・疊字	同	平	トウ	左注	dʌuŋ^{1}	東韻
1612a	上度・062ウ3・疊字	通	平	トウ	左注	tʻʌuŋ^{1}	東韻
1624a	上度・062ウ6・疊字	同	平 去濁	トウ	左注	dʌuŋ^{1}	東韻
1625a	上度・062ウ6・疊字	同	平	トウ	左注	dʌuŋ^{1}	東韻
1632a	上度・063オ1・疊字	銅	平	トウ	中注	dʌuŋ^{1}	東韻
1633a	上度・063オ1・疊字	僮	平	トウ	左注	dʌuŋ^{1}	東韻
1635a	上度・063オ1・疊字	登	平	トウ	左注	tʌŋ^{1}	登韻
1639a	上度・063オ2・疊字	登	平	トウ	左注	tʌŋ^{1}	登韻
1646a	上度・063オ3・疊字	銅	平	トウ	左注	dʌuŋ^{1}	東韻
1647a	上度・063オ4・疊字	頭	平	ト	左注	dʌu^{1}	侯韻
1648a	上度・063オ4・疊字	通	平	トウ	中注	tʻʌuŋ^{1}	東韻
1653a	上度・063オ5・疊字	東	平	トウ	左注	tʌuŋ^{1}	東韻
1657a	上度・063オ6・疊字	投	平	トウ	左注	dʌu^{1}	侯韻
1659a	上度・063オ6・疊字	燈	平	トウ	左注	tʌŋ^{1}	登韻
1661a	上度・063オ6・疊字	駑	平濁	ト	左注	nuʌ^{1}	模韻
1662a	上度・063オ7・疊字	同	平	トウ	左注	dʌuŋ^{1}	東韻
1663a	上度・063オ7・疊字	呑	平	トム	中注	tʻʌn^{1} tʻen^{1}	痕韻 先韻
1664a	上度・063オ7・疊字	通	平	トウ	左注	tʻʌuŋ^{1}	東韻
1665a	上度・063オ7・疊字	投	平	トウ	左注	dʌu^{1}	侯韻
1666a	上度・063ウ1・疊字	桐	平	トウ	左注	dʌuŋ^{1}	東韻
1667a	上度・063ウ1・疊字	東	平	トウ	左注	tʌuŋ^{1}	東韻
1668a	上度・063ウ1・疊字	騰	平	トウ	右注	dʌŋ^{1}	登韻
1669a	上度・063ウ1・疊字	藤	平	トウ	左注	dʌŋ^{1}	登韻
1671a	上度・063ウ2・疊字	塗	平	ト	右注	duʌ^{1} ḍa^{1}	模韻 麻韻
1675a	上度・063ウ2・疊字	同	平	トウ	右注	dʌuŋ^{1}	東韻
1679a	上度・063ウ3・疊字	都	平	ト	左注	tuʌ^{1}	模韻
1681a	上度・063ウ4・疊字	圖	平	トウ	左注	duʌ^{1}	模韻

1705a	上池・065オ6・地儀	東	平	―	―	tʌuŋ^{1}	東韻
1717a	上池・065ウ3・地儀	貞	平濁	チヤウ	左注	ṭieŋ^{1}	清韻
1756a	上池・067オ5・人事	長	平	チヤウ	右注	ḍiɑŋ$^{1/3}$ ṭiɑŋ^{2}	陽/漾韻 養韻
1758a	上池・067オ6・人事	重	平	―	―	ḍiɑuŋ$^{1/2/3}$	鍾/腫/用韻
1768a	上池・067ウ4・雜物	鎮	平	チン	右注	ṭien$^{1/3}$	眞/震韻
1772a	上池・067ウ5・雜物	沈	平濁	チム	右注	ḍiem$^{1/3}$ śiem^{2}	侵/沁韻 寢韻
1774a	上池・067ウ5・雜物	茶	平	チヤ	右注	ḍa^{1}	麻韻
1776a	上池・067ウ6・雜物	陳	平	チン	右注	ḍien$^{1/3}$	眞/震韻
1792a	上池・068ウ7・疊字	重	平	チヨウ	中注	ḍiɑuŋ$^{1/2/3}$	鍾/腫/用韻
1798a	上池・069オ1・疊字	遅	平	チ	左注	ḍiei$^{1/3}$	脂/至韻
1801a	上池・069オ1・疊字	虵	平濁	チ	左注	dźia^{1} jia^{2} jie^{1}	麻韻 馬韻 支韻
1805a	上池・069オ2・疊字	塵	平	チン	左注	ḍien^{1}	眞韻
1808a	上池・069オ3・疊字	池	平	チ	左注	ḍie^{1}	支韻
1809a	上池・069オ3・疊字	池	平	チ	左注	ḍie^{1}	支韻
1812a	上池・069オ4・疊字	鎮	平	チン	左注	ṭien$^{1/3}$	眞/震韻
1813a	上池・069オ4・疊字	鎮	平	チン	右注	ṭien$^{1/3}$	眞/震韻
1814a	上池・069オ4・疊字	長	平	チヤウ	左注	ḍiɑŋ$^{1/3}$ ṭiɑŋ^{2}	陽/漾韻 養韻
1815a	上池・069オ4・疊字	鎮	平	チン	右注	ṭien$^{1/3}$	眞/震韻
1821a	上池・069オ5・疊字	聴	平	チヤウ	左注	t'eŋ$^{1/3}$	青/徑韻
1822a	上池・069オ6・疊字	聴	平	チヤウ	左注	t'eŋ$^{1/3}$	青/徑韻
1826a	上池・069オ6・疊字	儲	平	チヨ	中注	ḍiʌ^{1}	魚韻
1834a	上池・069ウ1・疊字	長	平	チヤウ	左注	ḍiɑŋ$^{1/3}$ ṭiɑŋ^{2}	陽/漾韻 養韻
1839a	上池・069ウ2・疊字	廳	平	チヤウ	中注	t'eŋ^{1}	青韻
1841a	上池・069ウ2・疊字	抽	平	チウ	左注	ṭ'iʌu^{1}	尤韻
1842a	上池・069ウ3・疊字	抽	平	チウ	左注	ṭ'iʌu^{1}	尤韻
1844a	上池・069ウ3・疊字	疇	平	チウ	左注	ḍiʌu^{1}	尤韻
1845a	上池・069ウ3・疊字	遅	平	チ	左注	ḍiei$^{1/3}$	脂/至韻
1846a	上池・069ウ3・疊字	遅	平	チ	左注	ḍiei$^{1/3}$	脂/至韻
1847a	上池・069ウ4・疊字	遅	平	チ	左注	ḍiei$^{1/3}$	脂/至韻
1848a	上池・069ウ4・疊字	遅	平	チ	左注	ḍiei$^{1/3}$	脂/至韻
1850a	上池・069ウ4・疊字	沈	平	チム	左注	ḍiem$^{1/3}$ śiem^{2}	侵/沁韻 寢韻
1854a	上池・069ウ5・疊字	長	平	チヤウ	左注	ḍiɑŋ$^{1/3}$ ṭiɑŋ^{2}	陽/漾韻 養韻

1855a	上池・069ウ5・疊字	長	平	チヤウ	左注	ḍiaŋ 1/3 ṭiaŋ 2	陽/漾韻 養韻
1856a	上池・069ウ5・疊字	濃	平濁	チヨウ	中注	ṇiauŋ 1	鍾韻
1860a	上池・069ウ6・疊字	忠	平	―	―	ṭiʌuŋ 1	東韻
1861a	上池・069ウ6・疊字	忠	平	チウ	左注	ṭiʌuŋ 1	東韻
1862a	上池・069ウ7・疊字	忠	平	チウ	左注	ṭiʌuŋ 1	東韻
1863a	上池・069ウ7・疊字	忠	平	チウ	左注	ṭiʌuŋ 1	東韻
1864a	上池・069ウ7・疊字	惆	平	チウ	左注	ṭʻiʌu 1	尤韻
1866a	上池・069ウ7・疊字	遅	平	チ	左注	ḍiei 1/3	脂/至韻
1868a	上池・070オ1・疊字	遅	平	チ	左注	ḍiei 1/3	脂/至韻
1869a	上池・070オ1・疊字	持	平	チ	左注	ḍiɐi 1	之韻
1870a	上池・070オ1・疊字	沈	平	チム	左注	ḍiem 1/3 śiem 2	侵/沁韻 寝韻
1871a	上池・070オ1・疊字	沈	平	チム	左注	ḍiem 1/3 śiem 2	侵/沁韻 寝韻
1874a	上池・070オ2・疊字	重	平濁	テウ	左注	ḍiauŋ 1/2/3	鍾/腫用韻
1875a	上池・070オ2・疊字	中	平	チウ	左注	ṭiʌuŋ 1/3	東/送韻
1878a	上池・070オ3・疊字	珍	平	テン	左注	ṭien 1	眞韻
1879a	上池・070オ3・疊字	重	平	チウ	左注	ḍiauŋ 1/2/3	鍾/腫用韻
1886a	上池・070オ4・疊字	稠	平	チウ	左注	ḍiʌu 1	尤韻
1890a	上池・070オ5・疊字	沈	平	チン	左注	ḍiem 1/3 śiem 2	侵/沁韻 寝韻
1892a	上池・070オ6・疊字	除	平	チヨ	中注	ḍiʌ 1/3	魚/御韻
1895a	上池・070オ6・疊字	知	平	チ	左注	ṭie 1	支韻
1899a	上池・070オ7・疊字	沈	平	チン	左注	ḍiem 1/3 śiem 2	侵/沁韻 寝韻
1900a	上池・070オ7・疊字	沈	平	チン	左注	ḍiem 1/3 śiem 2	侵/沁韻 寝韻
1903a	上池・070ウ1・疊字	笞	平	チ	左注	ṭʻiɐi 1	之韻
1904a	上池・070ウ1・疊字	株	平	チウ	左注	tśiuʌ 1	虞韻
1916a	上池・070ウ3・疊字	沈	平	チン	左注	ḍiem 1/3 śiem 2	侵/沁韻 寝韻
1923a	上池・070ウ5・疊字	踟	平	チ	中注	ḍie 1	支韻
1927a	上池・070ウ6・疊字	儲	平	チヨ	左注	ḍiʌ 1	魚韻
1929a	上池・070ウ6・疊字	重	平	チヨウ	左注	ḍiauŋ 1/2/3	鍾/腫/用韻
1933a	上池・070ウ7・疊字	張	平	チヤウ	右注	ḍiaŋ 1/3	陽/漾韻
1936a	上池・070ウ7・疊字	長	平	チヤウ	中注	ḍiaŋ 1/3 ṭiaŋ 2	陽/漾韻 養韻
1937a	上池・071オ1・疊字	籌	平	チウ	右注	ḍiʌu 1	尤韻
1946a	上池・071オ2・疊字	重	平濁	チウ	右注	ḍiauŋ 1/2/3	鍾/腫/用韻
1949a	上池・071オ3・疊字	懲	平	チヨウ	右注	ḍiɐŋ 1	蒸韻

1952a	上池・071オ4・疊字	長	平	チヤウ	左注	ḍiaŋ$^{1/3}$ ṭiaŋ^{2}	陽/漾韻 養韻
1953a	上池・071オ5・疊字	長	平	—	—	ḍiaŋ$^{1/3}$ ṭiaŋ^{2}	陽/漾韻 養韻
1982a	上利・072ウ4・地儀	綾	平	リヨウ	右注	liɐŋ^{1}	蒸韻
1986a	上利・072ウ7・植物	林	平	リウ	右注	liem^{1}	侵韻
1987a	上利・072ウ7・植物	林	平	リム	右傍	liem^{1}	侵韻
1991a	上利・073オ2・動物	銜	平	カム	右傍	ɣam^{1}	銜韻
1992a	上利・073オ2・動物	投	平	トウ	右傍	dʌu^{1}	侯韻
1996a	上利・073オ6・人躰	良	平	リヤウ	右注	liaŋ^{1}	陽韻
2005a	上利・073ウ3・人事	臨	平	リン	右傍	liem$^{1/3}$	侵/沁韻
2006a	上利・073ウ3・人事	輪	平	リム	左注	liuen^{1}	諄韻
2007a	上利・073ウ3・人事	臨	平	リム	左注	liem$^{1/3}$	侵/沁韻
2008a	上利・073ウ5・雜物	龍	平	リウ	右注	liauŋ^{1}	鍾韻
2009a	上利・073ウ5・雜物	輪	平	リン	右注	liuen^{1}	諄韻
2013a	上利・073ウ5・雜物	龍	平	リヨウ	右注	liauŋ^{1}	鍾韻
2024a	上利・074オ7・疊字	凉	平	リヤウ	左注	liaŋ$^{1/3}$	陽/漾韻
2025a	上利・074オ7・疊字	凉	平	リヤウ	左注	liaŋ$^{1/3}$	陽/漾韻
2026a	上利・074オ7・疊字	良	平	リヤウ	左注	liaŋ^{1}	陽韻
2027a	上利・074オ7・疊字	良	平	リヤウ	左注	liaŋ^{1}	陽韻
2028a	上利・074オ7・疊字	林	平	リム	右注	liem^{1}	侵韻
2029a	上利・074ウ1・疊字	霖	平	リム	左注	liem^{1}	侵韻
2037a	上利・074ウ2・疊字	閭	平	リヨ	左注	liʌ^{1}	魚韻
2038a	上利・074ウ2・疊字	閭	平	リヨ	左注	liʌ^{1}	魚韻
2039a	上利・074ウ3・疊字	閭	平	リヨ	左注	liʌ^{1}	魚韻
2040a	上利・074ウ3・疊字	隣	平	リム	左注	lien^{1}	眞韻
2041a	上利・074ウ3・疊字	流	平	リウ	左注	liʌu^{1}	尤韻
2043a	上利・074ウ3・疊字	梁	平	リヤウ	左注	liaŋ^{1}	陽韻
2044a	上利・074ウ4・疊字	流	平	リウ	中注	liʌu^{1}	尤韻
2051a	上利・074ウ5・疊字	臨	平	リム	左注	liem$^{1/3}$	侵/沁韻
2052a	上利・074ウ5・疊字	綸	平	リン	左注	liuen^{1} kuɐn^{1}	諄韻 山韻
2054a	上利・074ウ6・疊字	令	平	リヤウ	左注	lieŋ$^{1/3}$ leŋ$^{1/3}$ lian^{1}	清/勁韻 青/徑韻 仙韻
2055a	上利・074ウ6・疊字	綸	平	リン	左注	liuen^{1} kuɐn^{1}	諄韻 山韻
2056a	上利・074ウ6・疊字	綸	平	リム	右注	liuen^{1} kuɐn^{1}	諄韻 山韻
2057a	上利・074ウ6・疊字	龍	平	リヨウ	左注	liauŋ^{1}	鍾韻
2058a	上利・074ウ6・疊字	龍	平	リヨウ	左注	liauŋ^{1}	鍾韻
2059a	上利・074ウ7・疊字	麟	平	リン	左注	lien^{1}	眞韻

2060a	上利・074ウ7・疊字	龍	平	リヨウ	中注	liɑuŋ^{1}	鍾韻
2061a	上利・074ウ7・疊字	鱗	平	リン	中注	lien^{1}	眞韻
2062a	上利・074ウ7・疊字	流	平	リウ	左注	liʌu^{1}	尤韻
2063a	上利・074ウ7・疊字	霖	平	リン	中注	liem^{1}	侵韻
2064a	上利・075オ1・疊字	良	平	リヤウ	中注	liɑŋ^{1}	陽韻
2068a	上利・075オ1・疊字	流	平	リウ	左注	liʌu^{1}	尤韻
2071a	上利・075オ2・疊字	離	平	リ	左注	lie$^{1/3}$ lei^{3}	支/寘韻 霽韻
2072a	上利・075オ2・疊字	離	平	リ	左注	lie$^{1/3}$ lei^{3}	支/寘韻 霽韻
2074a	上利・075オ2・疊字	良	平	リヤウ	左注	liɑŋ^{1}	陽韻
2079a	上利・075オ3・疊字	良	平	リヤウ	左傍	liɑŋ^{1}	陽韻
2083a	上利・075オ4・疊字	流	平	リウ	左注	liʌu^{1}	尤韻
2084a	上利・075オ4・疊字	流	平	リウ	左傍	liʌu^{1}	尤韻
2085a	上利・075オ4・疊字	流	平	リウ	右注	liʌu^{1}	尤韻
2087a	上利・075オ5・疊字	森	平	リン	左注	ṣiem^{1}	侵韻
2090a	上利・075オ5・疊字	令	平	リヤウ	左注	lieŋ$^{1/3}$ leŋ$^{1/3}$ lian^{1}	清/勁韻 青/徑韻 仙韻
2103a	上利・075ウ1・疊字	量	平	リヤウ	中注	liɑŋ$^{1/3}$	陽/漾韻
2104a	上利・075ウ1・疊字	量	平	リヤウ	左注	liɑŋ$^{1/3}$	陽/漾韻
2107a	上利・075ウ2・疊字	龍	平	リヨウ	左注	liɑuŋ^{1}	鍾韻
2111a	上利・075ウ3・疊字	流	平	リウ	左注	liʌu^{1}	尤韻
2113a	上利・075ウ3・疊字	籠	平	リヨウ	右注	liɑuŋ^{1} lʌuŋ$^{1/2}$	鍾韻 東/董韻
2115a	上利・075ウ3・疊字	良	平	リヤウ	右注	liɑŋ^{1}	陽韻
2120a	上利・075ウ4・疊字	陵	平	リヨウ	左注	liɐŋ^{1}	蒸韻
2121a	上利・075ウ5・疊字	陵	平	リヨウ	右注	liɐŋ^{1}	蒸韻
2128a	上利・075ウ6・疊字	流	平	リウ	左注	liʌu^{1}	尤韻
2130a	上利・075ウ6・疊字	梁	平	リヤウ	左注	liɑŋ^{1}	陽韻
2143a	上奴・076ウ2・植物	零	平	レイ	右傍	leŋ$^{1/3}$	青/徑韻
2151a	上奴・077オ3・人倫	偷	平 去	チウ	右傍	tʻʌu^{1}	侯韻
2152a	上奴・077オ3・人倫	偷	平 去	トウ	右傍	tʻʌu^{1}	侯韻
2189a	上留・079ウ2・疊字	留	平	ル	左注	liʌu$^{1/3}$	尤/宥韻
2208a	上遠・080オ4・植物	芸	平	ウン	右傍	ɣiuʌn^{1}	文韻
2209a	上遠・080オ5・植物	苻	平	フ	右傍	biuʌ^{1}	虞韻
2216a	上遠・080ウ1・植物	茵	平	イン	右傍	ʼjien^{1}	眞韻
2221a	上遠・080ウ3・動物	鴛	平	ヱン	右傍	ʼiuɑn^{1} ʼuʌn^{1}	元韻 魂韻
2236a	上遠・081オ4・人倫	男	平 去	ナム	右傍	nʌm^{1}	覃韻

2242a	上遠・081オ7・人體	齵	平濁	コウ	右傍	ŋʌu¹ ŋiuʌ¹	侯韻 虞韻
2243a	上遠・081オ7・人體	瘖	平	イン	右傍	'em¹	侵韻
2259a	上遠・083オ2・雜物	煻	平	タウ	右傍	dɑŋ¹	唐韻
2262a	上遠・083オ3・雜物	烏	平	ヲ	右注	'uʌ¹	模韻
2283a	上遠・085オ1・疊字	朦	平	モウ	右傍	mʌuŋ¹	東韻
2284a	上遠・085オ1・疊字	排	平	ハイ	右傍	bɐi¹	皆韻
2288a	上和・086オ2・植物	萱	平	クワン	右傍	xiuɑn¹	元韻
2291a	上和・086オ2・植物	山	平	サン	右傍	ṣɐn¹	山韻
2297a	上和・086オ6・動物	膍	平	ヒ	右傍	bjiei¹	脂韻
2303a	上和・086ウ7・人躰	胡	平	コ	右傍	ɣuʌ¹	模韻
2334a	上和・087ウ7・人事	皇	平	ワウ	右注	ɣuɑŋ¹	唐韻
2335a	上和・087ウ7・人事	皇	平	―	―	ɣuɑŋ¹	唐韻
2351a	上和・088オ7・雜物	横	平	クワウ	右傍	ɣuɑŋ¹ᐟ³ kuɑŋ¹	庚/映韻 唐韻
2356a	上和・088ウ1・雜物	圓	平	ヱン	右傍	ɣiuɑn¹	仙韻
2369a	上和・089ウ7・疊字	王	平	ワウ	左注	ɣiuɑŋ¹ᐟ³	陽/漾韻
2373a	上和・090オ1・疊字	王	平	ワウ	中注	ɣiuɑŋ¹ᐟ³	陽/漾韻
2384a	上和・090オ3・疊字	尩	平	ワウ	中注	'uɑŋ¹	唐韻
2385a	上和・090オ3・疊字	横	平	ワウ	左注	ɣuɑŋ¹ᐟ³ kuɑŋ¹	庚/映韻 唐韻
2389a	上和・090オ4・疊字	王	平	ワウ	左注	ɣiuɑŋ¹ᐟ³	陽/漾韻
2390a	上和・090オ4・疊字	和	平	ワ	中注	ɣuɑ¹ᐟ³	戈/過韻
2395a	上和・090オ5・疊字	蝸	平	ワ	左注	kuɐ¹ kua¹	佳韻 麻韻
2397a	上和・090オ6・疊字	横	平	ワウ	中注	ɣuɑŋ¹ᐟ³ kuɑŋ¹	庚/映韻 唐韻
2398a	上和・090オ6・疊字	和	平	ワ	左注	ɣuɑ¹ᐟ³	戈/過韻
2405a	上和・090オ7・疊字	尫	平	ワウ	左注	'uɑŋ¹	唐韻
2406a	上和・090オ7・疊字	窪	平	ワ	左注	'ua¹	麻韻
2407a	上和・090オ7・疊字	和	平	ワ	左注	ɣuɑ¹ᐟ³	戈/過韻
2408a	上和・090ウ1・疊字	王	平	ワウ	右注	ɣiuɑŋ¹ᐟ³	陽/漾韻
2409a	上和・090ウ1・疊字	王	平	ワウ	右注	ɣiuɑŋ¹ᐟ³	陽/漾韻
2410a	上和・090ウ1・疊字	王	平	ワウ	右注	ɣiuɑŋ¹ᐟ³	陽/漾韻
2412a	上和・090ウ2・疊字	憀	平	リウ	右傍	liʌu¹ leu¹	尤韻 蕭韻
2421a	上加・091オ4・天象	銅	平	―	―	dʌuŋ¹	東韻
2430a	上加・091ウ2・地儀	浮	平	フ	右傍	biʌu¹	尤韻
2444a	上和・088オ6・雜物	横	平	ワウ	右注	ɣuɑŋ¹ᐟ³ kuɑŋ¹	庚/映韻 唐韻
2449a	上加・093オ2・植物	寒	平	カン	右傍	ɣɑn¹	寒韻
2460a	上加・092オ4・地儀	開	平	カイ	右傍	k'ʌi¹	咍韻

2461a	上加・092オ4・地儀	嘉	平	カ	右傍	ka^{1}	麻韻
2463a	上加・092オ4・地儀	含	平	カム	右傍	ɣʌm^{1}	覃韻
2464a	上加・092オ7・植物	笒	平	カム	右注	ɣʌm^{1}	覃韻
2466a	上加・092ウ1・植物	辛	平	シン	右傍	sien^{1}	眞韻
2469a	上加・092ウ3・植物	王	平	―	―	ɣiuaŋ$^{1/3}$	陽/漾韻
2482a	上加・093オ1・植物	冬	平	トウ	右傍	tauŋ^{1}	冬韻
2483a	上加・093オ2・植物	芄	平	クワン	左傍	ɣuɑn^{1}	桓韻
2496a	上加・093ウ1・植物	柑	平	カム	右傍	kɑm^{1}	談韻
2507a	上加・093ウ4・植物	鷄	平	ケイ	右傍	kei^{1}	齊韻
2508a	上加・093ウ4・植物	吴	平濁	コ	右傍	ŋuʌ^{1}	模韻
2527a	上加・094オ6・動物	麢	平	レイ	右傍	leŋ^{1}	青韻
2529a	上加・094オ7・動物	騧	平	クワ	右傍	kuɐ^{1} kua^{1}	佳韻 麻韻
2533a	上加・094ウ2・動物	鱕	平	ハン	右傍	piɑn^{1}	元韻
2534a	上加・094ウ3・動物	王	平	―	―	ɣiuaŋ$^{1/3}$	陽/漾韻
2549a	上加・094ウ6・動物	蝸	平	クワ	右傍	kuɐ^{1} kua^{1}	佳韻 麻韻
2550a	上加・094ウ7・動物	沙	平	サ	右傍	ṣa$^{1/3}$	麻/禡韻
2553a	上加・095オ1・動物	蝦	平	カ	右傍	ɣa^{1}	麻韻
2558a	上加・095オ2・動物	烏	平	ヲ	右傍	'uʌ^{1}	模韻
2559a	上加・095オ2・動物	蚖	平	クヱン	右傍	ŋiuɑn^{1} ŋuɑn^{1}	元韻 桓韻
2560a	上加・095オ3・動物	蝙	平	ヘン	右傍	pen^{1}	先韻
2561a	上加・095オ3・動物	蜻	平	セイ	右傍	ts'eŋ^{1} tsieŋ^{1}	青韻 清韻
2563a	上加・095オ4・動物	寒	平	カム	右傍	ɣɑn^{1}	寒韻
2574a	上加・095ウ4・人倫	塗	平	ト	右傍	duʌ^{1} ḍa^{1}	模韻 麻韻
2576a	上加・095ウ6・人倫	河	平	カ	右傍	ɣɑ^{1}	歌韻
2586a	上加・096オ3・人體	雲	平	―	―	ɣiuʌn^{1}	文韻
2611a	上加・096ウ2・人體	癥	平	チヨウ	右傍	ṭiɐŋ^{1}	蒸韻
2637a	上加・097オ7・人事	摴	平	チヨ	右傍	ṭ'iʌ^{1}	魚韻
2645a	上加・097ウ6・人事	河	平	カ	左注	ɣɑ^{1}	歌韻
2646a	上加・097ウ6・人事	歌	平	―	―	kɑ^{1}	歌韻
2650a	上加・097ウ7・人事	河	平	カ	左注	ɣɑ^{1}	歌韻
2654a	上加・098オ1・人事	泔	平	カム	左注	kɑm^{1}	談韻
2657a	上加・098オ1・人事	顔	平濁	―	―	ŋan^{1}	刪韻
2716a	上加・099オ6・雜物	鉤	平	コウ	右傍	kʌu^{1}	侯韻
2720a	上加・099オ7・雜物	横	平	―	―	ɣuaŋ$^{1/3}$ kuɑŋ^{1}	庚/映韻 唐韻
2732a	上加・099ウ4・雜物	鳴	平	メイ	右傍	miaŋ^{1}	庚韻
2743a	上加・100オ1・雜物	甘	平	カム	右注	kɑm^{1}	談韻

2750a	上加・100オ3・雜物	笭	平	レイ	右傍	leŋ$^{1/2}$	青/迥韻
2753a	上加・100オ4・雜物	連	平	レン	右傍	lian^{1}	仙韻
2755a	上加・100オ4・雜物	嚴	平濁	ケム	右傍	ŋiɑm^{1}	嚴韻
2765a	上加・100ウ1・雜物	粧	平	サウ	右傍	tsɑŋ^{1}	唐韻
2774a	上加・100ウ2・雜物	行	平	カウ	右注	ɣaŋ$^{1/3}$ ɣɑŋ$^{1/3}$	庚/映韻 唐/宕韻
2788a	上加・101オ3・方角	隄	平	—	—	tei^{1} dei^{1}	齊韻 齊韻
2805a	上和・088オ7・雜物	横	平	ワウ	右傍	ɣuaŋ$^{1/3}$ kuɑŋ^{1}	庚/映韻 唐韻
2847a	上加・106オ6・重點	嗷	平濁	カウ	右注	ŋɑu^{1}	豪韻
2852a	上加・106オ6・重點	颬	平	カ	右注	xa^{1}	麻韻
2855a	上加・106ウ1・疊字	寒	平	カン	左注	ɣɑn^{1}	寒韻
2856a	上加・106ウ1・疊字	寒	平	カン	左注	ɣɑn^{1}	寒韻
2857a	上加・106ウ1・疊字	寒	平	カン	右注	ɣɑn^{1}	寒韻
2858a	上加・106ウ2・疊字	寒	平	カン	左注	ɣɑn^{1}	寒韻
2859a	上加・106ウ2・疊字	佳	平	カ	左注	ke^{1}	佳韻
2862a	上加・106ウ2・疊字	閑	平	カン	左注	ɣen^{1}	山韻
2863a	上加・106ウ3・疊字	閑	平	カン	左注	ɣen^{1}	山韻
2864a	上加・106ウ3・疊字	寒	平	カン	左注	ɣɑn^{1}	寒韻
2865a	上加・106ウ3・疊字	膏	平	カウ	左注	kɑu$^{1/3}$	豪/号韻
2866a	上加・106ウ3・疊字	高	平	カウ	左注	kɑu^{1}	豪韻
2867a	上加・106ウ3・疊字	遐	平	カ	左注	ɣa^{1}	麻韻
2869a	上加・106ウ4・疊字	街	平	カイ	左注	ke^{1} kei^{1}	佳韻 皆韻
2871a	上加・106ウ4・疊字	耕	平	カウ	左注	keŋ^{1}	耕韻
2872a	上加・106ウ4・疊字	耕	平	カウ	左注	keŋ^{1}	耕韻
2873a	上加・106ウ5・疊字	開	平	カイ	左注	k'ʌi^{1}	咍韻
2874a	上加・106ウ5・疊字	耕	平	カウ	左注	keŋ^{1}	耕韻
2877a	上加・106ウ5・疊字	嚴	平濁	カム	左注	ŋiɑm^{1}	嚴韻
2878a	上加・106ウ6・疊字	河	平	カ	左注	ɣɑ^{1}	歌韻
2880a	上加・106ウ6・疊字	涯	平濁	カイ	中注	ŋe^{1}	佳韻
2882a	上加・106ウ6・疊字	江	平	カウ	左注	kaɯŋ^{1}	江韻
2883a	上加・106ウ7・疊字	河	平	カ	左注	ɣɑ^{1}	歌韻
2887a	上加・106ウ7・疊字	含	平	カム	中注	ɣʌm^{1}	覃韻
2909a	上加・107オ5・疊字	閑	平	カン	中注	ɣen^{1}	山韻
2915a	上加・107オ6・疊字	嘉	平	カ	中注	ka^{1}	麻韻
2923a	上加・107ウ1・疊字	家	平	カ	中注	ka^{1}	麻韻
2926a	上加・107ウ1・疊字	佳	平	カ	左注	ke^{1}	佳韻
2927a	上加・107ウ1・疊字	閑	平	カン	左注	ɣen^{1}	山韻
2928a	上加・107ウ2・疊字	佳	平	カイ	左注	ke^{1}	佳韻
2929a	上加・107ウ2・疊字	娥	平濁	カ	左注	ŋɑ^{1}	歌韻

2937a	上加・107ウ3・疊字	豪	平	カウ	左注	ɣɑu^{1}	豪韻
2940a	上加・107ウ4・疊字	強	平濁	カウ	左注	giɑŋ^{1}	陽韻
2941a	上加・107ウ4・疊字	甘	平	カム	中注	kɑm^{1}	談韻
2950a	上加・107ウ6・疊字	顔	平	カン	左注	ŋan^{1}	刪韻
2951a	上加・107ウ6・疊字	強	平濁	カウ	左注	giɑŋ^{1}	陽韻
2952a	上加・107ウ6・疊字	肝	平	カン	左注	kɑn^{1}	寒韻
2953a	上加・107ウ7・疊字	骸	平濁	カイ	左注	ɣɐi^{1}	皆韻
2957a	上加・107ウ7・疊字	偕	平	カイ	中注	kɐi^{1}	皆韻
2960a	上加・108オ1・疊字	歌	平	カ	中注	kɑ^{1}	歌韻
2969a	上加・108オ3・疊字	閑	平	カン	左注	ɣɐn^{1}	山韻
2970a	上加・108オ3・疊字	閑	平	カン	右注	ɣɐn^{1}	山韻
2971a	上加・108オ3・疊字	高	平	カウ	左注	kɑu^{1}	豪韻
2974a	上加・108オ4・疊字	膠	平	カウ	左注	kau$^{1/3}$	肴/効韻
2978a	上加・108オ5・疊字	佳	平	カ	中注	kɐ^{1}	佳韻
2979a	上加・108オ5・疊字	交	平	カウ	左注	kau^{1}	肴韻
2980a	上加・108オ5・疊字	膠	平	カウ	左注	kau$^{1/3}$	肴/効韻
2981a	上加・108オ5・疊字	膠	平	カウ	左注	kau$^{1/3}$	肴/効韻
2982a	上加・108オ5・疊字	交	平	カウ	左注	kau^{1}	肴韻
2983a	上加・108オ6・疊字	甘	平	カム	左注	kɑm^{1}	談韻
2985a	上加・108オ6・疊字	嘉	平	カ	左注	ka^{1}	麻韻
2986a	上加・108オ6・疊字	嘉	平	カ	左注	ka^{1}	麻韻
2991a	上加・108オ7・疊字	衡	平濁	カウ	左注	ɣaŋ^{1}	庚韻
2992a	上加・108オ7・疊字	閑	平	カン	中注	ɣɐn^{1}	山韻
2993a	上加・108ウ1・疊字	閑	平	カン	左注	ɣɐn^{1}	山韻
2995a	上加・108ウ1・疊字	寒	平	カン	左注	ɣɑn^{1}	寒韻
2996a	上加・108ウ1・疊字	寒	平	カン	左注	ɣɑn^{1}	寒韻
2997a	上加・108ウ1・疊字	寒	平	カン	左注	ɣɑn^{1}	寒韻
2998a	上加・108ウ1・疊字	寒	平	カン	中注	ɣɑn^{1}	寒韻
3001a	上加・108ウ2・疊字	強	平濁	カウ	左注	giɑŋ^{1}	陽韻
3002a	上加・108ウ2・疊字	河	平	カ	左注	ɣɑ^{1}	歌韻
3016a	上加・108ウ5・疊字	苛	平	カ	左注	ɣɑ^{1}	歌韻
3017a	上加・108ウ5・疊字	苛	平	カ	左注	ɣɑ^{1}	歌韻
3018a	上加・108ウ5・疊字	苛	平	カ	右注	ɣɑ^{1}	歌韻
3032a	上加・109オ1・疊字	降	平	カウ	左注	ɣauŋ^{1} kauŋ^{3}	江韻 絳韻
3033a	上加・109オ2・疊字	姧	平	カン	左注	kan^{1}	刪韻
3036a	上加・109オ2・疊字	姦	平	カン	左注	kan^{1}	刪韻
3038a	上加・109オ3・疊字	鉗	平	カム	左注	giam^{1}	鹽韻
3040a	上加・109オ3・疊字	干	平	カン	左注	kɑn^{1}	寒韻
3045a	上加・109オ4・疊字	家	平	カ	左注	ka^{1}	麻韻
3046a	上加・109オ4・疊字	閑	平	カン	中注	ɣɐn^{1}	山韻
3047a	上加・109オ4・疊字	閑	平	カン	左注	ɣɐn^{1}	山韻

3048a	上加・109オ5・疊字	閑	平	カン	左注	ɣɐn[1]	山韻
3049a	上加・109オ5・疊字	閑	平	カン	左注	ɣɐn[1]	山韻
3050a	上加・109オ5・疊字	閑	平	カン	左注	ɣɐn[1]	山韻
3051a	上加・109オ5・疊字	閑	平	カン	左注	ɣɐn[1]	山韻
3055a	上加・109オ6・疊字	看	平	カン	左注	k'ɑn[1/3]	寒/翰韻
3056a	上加・109オ6・疊字	行	平	カウ	左注	ɣaŋ[1/3] ɣɑŋ[1/3]	庚/映韻 唐/宕韻
3058a	上加・109オ7・疊字	髙	平	カウ	左注	kɑu[1]	豪韻
3061a	上加・109オ7・疊字	強	平濁	カウ	左注	giɑŋ[1]	陽韻
3066a	上加・109ウ1・疊字	鏗	平	カウ	中注	k'ɐŋ[1]	耕韻
3067a	上加・109ウ1・疊字	行	平	カウ	左注	ɣaŋ[1/3] ɣɑŋ[1/3]	庚/映韻 唐/宕韻
3071a	上加・109ウ2・疊字	行	平	カウ	左注	ɣaŋ[1/3] ɣɑŋ[1/3]	庚/映韻 唐/宕韻
3072a	上加・109ウ2・疊字	綱	平	カウ	左注	kɑŋ[1]	唐韻
3073a	上加・109ウ3・疊字	邯	平	カム	左注	ɣɑn[1]	寒韻
3074a	上加・109ウ3・疊字	行	平	カウ	左注	ɣaŋ[1/3] ɣɑŋ[1/3]	庚/映韻 唐/宕韻
3078a	上加・109ウ4・疊字	家	平	カ	右注	ka[1]	麻韻
3079a	上加・109ウ4・疊字	家	平	カ	右注	ka[1]	麻韻
3082a	上加・109ウ4・疊字	涯	平	カイ	左注	ŋɐ[1]	佳韻
3091a	上加・109ウ6・疊字	瑕	平	カ	右注	ɣa[1]	麻韻
3092a	上加・109ウ6・疊字	瑕	平	カ	右注	ɣa[1]	麻韻
3093a	上加・109ウ7・疊字	開	平	カイ	右注	k'ʌi[1]	咍韻
3094a	上加・109ウ7・疊字	揩	平	カイ	右注	k'ɐi[1/3]	皆/怪韻
3103a	上加・110オ2・疊字	堪	平	カム	右注	k'ʌm[1]	覃韻
3106a	上加・110オ2・疊字	寒	平	カン	右注	ɣɑn[1]	寒韻
3110a	上加・110オ3・疊字	監	平	カム	右注	kam[1/3]	銜/鑑韻
3114a	上加・110オ4・疊字	強	平濁	カウ	右注	giɑŋ[1]	陽韻
3116a	上加・110オ4・疊字	行	平	カウ	右注	ɣaŋ[1/3] ɣɑŋ[1/3]	庚/映韻 唐/宕韻
3119a	上加・110オ5・疊字	佳	平	カ	右注	kɐ[1]	佳韻
3120a	上加・110オ5・疊字	酣	平	カム	右注	ɣɑm[1]	談韻
3122a	上加・110オ5・疊字	鵝	平濁	カ	右注	ŋɑ[1]	歌韻
3123a	上加・110オ6・疊字	霞	平	カ	右注	ɣa[1]	麻韻
3124a	上加・110オ6・疊字	銜	平濁	カム	右注	ɣam[1]	銜韻
3125a	上加・110オ6・疊字	銜	平	カム	右注	ɣam[1]	銜韻
3127a	上加・110オ6・疊字	鵝	平	カ	右注	ŋɑ[1]	歌韻
3129a	上加・110オ7・疊字	邯	平	カン	右傍	ɣɑn[1]	寒韻
3131a	上加・110ウ1・疊字	開	平	カイ	右注	k'ʌi[1]	咍韻
3135a	上加・110ウ2・疊字	陂	平	ヒ	右傍	pie[1/3]	支/寘韻

3136a	上加・110ウ3・疊字	叅	平	シム	右傍	ṣiem^{1} tṣ‘iem^{1} ts‘ʌm$^{1/3}$ sɑm^{1}	侵韻 侵韻 覃/勘韻 談韻
3139a	上加・110ウ5・疊字	蓬	平	―	―	bʌuŋ^{1}	東韻
3143a	上加・110ウ7・疊字	綿	平	―	―	mjian^{1}	仙韻
3146a	上加・111オ2・疊字	容	平	―	―	jiɑuŋ^{1}	鍾韻
3180a	上与・113オ6・天象	流	平	リウ	右注	liʌu^{1}	尤韻
3194a	上与・114オ4・動物	針	平	シム	右傍	tśiem$^{1/3}$	侵/沁韻
3195a	上与・114オ5・動物	蛄	平	コ	右傍	kuʌ^{1}	模韻
3202a	上与・114ウ3・人職	津	平	シ	右傍	tsien^{1}	眞韻
3222a	上与・115ウ4・雜物	横	平	クワウ	右傍	ɣuaŋ$^{1/3}$ kuɑŋ^{1}	庚/映韻 唐韻
3235a	上与・117ウ1・疊字	餘	平	ヨ	左注	jiʌ^{1}	魚韻
3236a	上与・117ウ1・疊字	容	平	ヨウ	中注	jiɑuŋ^{1}	鍾韻
3237a	上与・117ウ1・疊字	容	平	ヨウ	左注	jiɑuŋ^{1}	鍾韻
3239a	上与・117ウ2・疊字	庸	平	ヨウ	左注	jiɑuŋ^{1}	鍾韻
3242a	上与・117ウ2・疊字	容	平	ヨウ	左注	jiɑuŋ^{1}	鍾韻
3243a	上与・117ウ2・疊字	容	平	ヨウ	左注	jiɑuŋ^{1}	鍾韻
3244a	上与・117ウ3・疊字	容	平	ヨウ	左注	jiɑuŋ^{1}	鍾韻
3245a	上与・117ウ3・疊字	容	平	ヨウ	左注	jiɑuŋ^{1}	鍾韻
3259a	上与・117ウ6・疊字	輿	平	ヨ	中注	jiʌ$^{1/3}$	魚/御韻
3263a	上与・117ウ7・疊字	傭	平	ヨウ	右注	jiɑuŋ^{1} ṭ‘iɑuŋ^{1}	鍾韻 鍾韻
3264a	上与・117ウ7・疊字	雍	平	ヨウ	右注	’iɑuŋ$^{1/3}$	鍾/用韻
3265a	上与・117ウ7・疊字	餘	平	ヨ	右注	jiʌ^{1}	魚韻
3266a	上与・117ウ7・疊字	庸	平	ヨウ	右注	jiɑuŋ^{1}	鍾韻
3272a	上与・118オ3・疊字	終	平	シウ	右傍	tśiʌuŋ^{1}	東韻
3274a	上与・118オ3・疊字	佳	平	―	―	kɐ^{1}	佳韻
3292a	上加・094ウ2・動物	鰹	平	―	―	ken^{1}	先韻

【表D-13】平声（熟字前部）上巻〔不一致例〕

番号	前田本所在	掲出字		仮名音注		中古音	韻目
0184a	上伊・008ウ7・雜物	平	平	ヘイ	右傍	’iem$^{2/3}$	庚韻 仙韻
0228a	上伊・012オ5・重點	殷	平	イン	右傍	’iem$^{2/3}$	欣韻 山韻
0232a	上伊・012ウ1・疊字	淫	平	イン	右注	’ieŋ^{2}	侵韻
0250a	上伊・012ウ5・疊字	引	平	イン	左注	jien$^{2/3}$	軫韻
0251a	上伊・012ウ5・疊字	引	平	イン	左注	jien$^{2/3}$	軫韻
0262a	上伊・012ウ7・疊字	由	平	イウ	左注	p‘iɑŋ^{2}	尤韻
0309a	上伊・013ウ3・疊字	友	平	イウ	左注	ɣiʌu^{2}	有韻

0340a	上伊・014オ2・疊字	已	平	イ	右注	jiɐi$^{2/3}$	止/志韻
0390a	上伊・016オ5・官職	已	平	イ	右注	jiɐi$^{2/3}$	止/志韻
0453a	上呂・019オ5・疊字	魯	平	ロ	右注	luʌ^{2}	姥韻
0762a	上波・032オ1・疊字	倍	平濁	ハイ	右注	bʌi^{2}	海韻
0772a	上波・032オ3・疊字	放	平	ハウ	中注	piɑŋ$^{2/3}$	養/漾韻
0811a	上波・032ウ4・疊字	伴	平濁	ハン	中注	bɑn$^{2/3}$	緩/換韻
0848a	上波・033オ4・疊字	放	平	ハウ	右注	piɑŋ$^{2/3}$	養/漾韻
0866a	上波・033ウ1・疊字	放	平	ハウ	右注	piɑŋ$^{2/3}$	養/漾韻
0867a	上波・033ウ1・疊字	放	平	ハウ	左注	piɑŋ$^{2/3}$	養/漾韻
0993a	上仁・040オ3・疊字	忍	平	ニン	右注	ńien^{2}	軫韻
1000a	上仁・040オ5・疊字	女	平	ニヨ	右注	ṇiʌ$^{2/3}$	語/御韻
1088a	上保・044オ3・人事	保	平	―	―	pɑu^{2}	晧韻
1111a	上保・045オ1・雜物	寶	平	ホウ	右注	pɑu^{2}	晧韻
1151a	上保・047オ3・疊字	普	平	ホ	左注	p'uʌ^{2}	姥韻
1168a	上保・047オ7・疊字	寶	平	ホウ	左注	pɑu^{2}	晧韻
1169a	上保・047オ7・疊字	寶	平	ホウ	左注	pɑu^{2}	晧韻
1185a	上保・047ウ3・疊字	本	平	ホン	中注	puʌn^{2}	混韻
1194a	上保・047ウ5・疊字	品	平	ホム	左注	p'iem^{2}	寑韻
1201a	上保・047ウ6・疊字	本	平	ホン	左注	puʌn^{2}	混韻
1202a	上保・047ウ6・疊字	本	平	―	―	puʌn^{2}	混韻
1203a	上保・047ウ7・疊字	本	平	―	―	puʌn^{2}	混韻
1234a	上保・048オ6・疊字	本	平	ホン	左注	puʌn^{2}	混韻
1237a	上保・048オ7・疊字	犯	平濁	ホム	右注	biʌm^{2}	范韻
1238a	上保・048オ7・疊字	犯	平濁	ホン	右注	biʌm^{2}	范韻
1239a	上保・048オ7・疊字	犯	平濁	ホン	右注	biʌm^{2}	范韻
1247a	上保・048ウ2・疊字	寶	平	ホウ	右注	pɑu^{2}	晧韻
1259a	上保・048ウ4・疊字	本	平	ホン	左注	puʌn^{2}	混韻
1260a	上保・048ウ5・疊字	本	平	ホン	右注	puʌn^{2}	混韻
1261a	上保・048ウ5・疊字	品	平	ホウ	右注	p'iem^{2}	寑韻
1306a	上邊・051ウ3・雜物	褾	平	ヘウ	右注	pjiau^{2}	小韻
1343a	上邊・052ウ6・疊字	辨	平濁	ヘン	中注	biɑn^{2} bɐn^{3}	獮韻 襉韻
1345a	上邊・052ウ7・疊字	表	平	ヘウ	左注	piau^{2}	小韻
1346a	上邊・052ウ7・疊字	返	平	ヘン	右注	piun^{2}	阮韻
1373a	上邊・053オ5・疊字	弁	平濁	ヘン	左注	bian^{2} bɐn^{3}	獮韻 襉韻
1375a	上邊・053オ6・疊字	弁	平濁	ヘン	左注	bian^{2} bɐn^{3}	獮韻 襉韻
1376a	上邊・053オ6・疊字	弁	平濁	ヘン	中注	bian^{2} bɐn^{3}	獮韻 襉韻
1377a	上邊・053オ6・疊字	弁	平濁	ヘン	左注	bian^{2} bɐn^{3}	獮韻 襉韻

1379a	上邊・053オ7・疉字	反	平	ヘン	左注	piɑn^{2}	阮韻
1384a	上邊・053ウ1・疉字	弁	平濁	ヘン	左注	bian^{2} bɐn^{3}	獮韻 裥韻
1386a	上邊・053ウ1・疉字	弁	平濁	ヘン	中注	bian^{2} bɐn^{3}	獮韻 裥韻
1387a	上邊・053ウ1・疉字	弁	平濁	ヘン	左注	bian^{2} bɐn^{3}	獮韻 裥韻
1393a	上邊・053ウ2・疉字	返	平	ヘム	右注	piɑn^{2}	阮韻
1394a	上邊・053ウ3・疉字	返	平	―	―	piɑn^{2}	阮韻
1395a	上邊・053ウ3・疉字	反	平	―	―	piɑn^{2}	阮韻
1398a	上邊・053ウ4・疉字	反	平	ヘン	右注	piɑn^{2}	阮韻
1403a	上邊・053ウ5・疉字	表	平	ヘウ	右注	piau^{2}	小韻
1574a	上度・062オ3・疉字	土	平濁	ト	左注	t'uʌ^{2} duʌ^{2}	姥韻 姥韻
1595a	上度・062オ7・疉字	土	平	ト	左注	t'uʌ^{2} duʌ^{2}	姥韻 姥韻
1629a	上度・062ウ7・疉字	等	平	トウ	左注	tʌŋ^{2}	等韻
1636a	上度・063オ1・疉字	土	平濁	ト	左注	t'uʌ^{2} duʌ^{2}	姥韻 姥韻
1658a	上度・063オ6・疉字	等	平	トウ	中注	tʌŋ^{2}	等韻
1674a	上度・063ウ2・疉字	等	平	トウ	右注	tʌŋ^{2}	等韻
1677a	上度・063ウ3・疉字	動	平	トウ	左注	dʌuŋ^{2}	董韻
1649a	上度・063オ4・疉字	土	平濁	ト	中注	t'uʌ^{2} duʌ^{2}	姥韻 姥韻
1919a	上池・070ウ4・疉字	雉	平	チ	右注	ḍiei^{2}	旨韻
1920a	上池・070ウ4・疉字	柱	平	チウ	中注	ḍiuʌ^{2} ṭiuʌ^{2}	麌韻 麌韻
1924a	上池・070ウ5・疉字	佇	平	チヨ	右注	ḍiʌ^{2}	語韻
2046a	上利・074ウ4・疉字	兩	平	リヤウ	左注	liɑŋ$^{2/3}$	養/漾韻
2122a	上利・075ウ5・疉字	領	平	リヤウ	左注	lieŋ^{2}	靜韻
2048a	上利・074ウ4・疉字	竪	平	リウ	左注	źiuʌ^{2}	麌韻
1817a	上池・069オ5・疉字	頂	平	チヤウ	左注	teŋ^{2}	迥韻
1835a	上池・069ウ1・疉字	柱	平	チウ	中注	ḍiuʌ^{2} ṭiuʌ^{2}	麌韻 麌韻
2091a	上利・075オ6・疉字	理	平	リ	左注	liɐi^{2}	止韻
2092a	上利・075オ6・疉字	理	平	リ	左注	liɐi^{2}	止韻
2093a	上利・075オ6・疉字	理	平	リ	左注	liɐi^{2}	止韻
2098a	上利・075オ7・疉字	理	平	リ	左注	liɐi^{2}	止韻
2099a	上利・075オ7・疉字	履	平	リ	左注	liei^{2}	旨韻
2076a	上利・075オ3・疉字	兩	平	―	―	liɑŋ$^{2/3}$	養/漾韻
2077a	上利・075オ3・疉字	兩	平	―	―	liɑŋ$^{2/3}$	養/漾韻
2078a	上利・075オ3・疉字	兩	平	―	―	liɑŋ$^{2/3}$	養/漾韻

2391a	上和・090オ4・疊字	枉	平	（ワウ）	—	'iuaŋ^{2}	養韻
2392a	上和・090オ5・疊字	枉	平	ワウ	中注	'iuaŋ^{2}	養韻
2494a	上加・093ウ1・植物	萆	平	ヒ	右傍	siɐi^{2} biek	止韻 昔韻
2437a	上加・091ウ5・地儀	講	平	カウ	右注	kauŋ^{2}	講韻
2861a	上加・106ウ2・疊字	改	平	カイ	左注	kʌi^{2}	海韻
2886a	上加・106ウ7・疊字	海	平	カイ	左注	xʌi^{2}	海韻
2893a	上加・107オ2・疊字	講	平	カウ	左注	kauŋ^{2}	講韻
2896a	上加・107オ2・疊字	講	平	カウ	左注	kauŋ^{2}	講韻
2897a	上加・107オ2・疊字	講	平	カウ	左注	kauŋ^{2}	講韻
2898a	上加・107オ3・疊字	講	平	カウ	左注	kauŋ^{2}	講韻
2899a	上加・107オ3・疊字	講	平	カウ	左注	kauŋ^{2}	講韻
2900a	上加・107オ3・疊字	講	平	カウ	左注	kauŋ^{2}	講韻
2907a	上加・107オ4・疊字	考	平	カウ	左注	k'ɑu^{2}	晧韻
2943a	上加・107ウ5・疊字	眼	平濁	カン	左注	ŋen^{2}	產韻
2949a	上加・107ウ6・疊字	我	平濁	カ	左注	ŋɑ^{2}	哿韻
2988a	上加・108オ7・疊字	下	平	カ	左注	ɣa$^{2/3}$	馬/禡韻
3020a	上加・108ウ6・疊字	拷	平	カウ	左注	(k'ɑu^{2})	晧韻
3021a	上加・108ウ6・疊字	拷	平濁	カウ	左注	(k'ɑu^{2})	晧韻
3023a	上加・108ウ7・疊字	拷	平	カウ	右注	(k'ɑu^{2})	晧韻
3026a	上加・108ウ7・疊字	改	平	カイ	左注	kʌi^{2}	海韻
3043a	上加・109オ4・疊字	海	平	カイ	左注	xʌi^{2}	海韻
3063a	上加・109ウ1・疊字	雅	平濁 去濁	カ	中注	ŋa^{2}	馬韻
3102a	上加・110オ1・疊字	改	平	カイ	右注	kʌi^{2}	海韻
3107a	上加・110オ2・疊字	耿	平	カウ	右注	kɐŋ^{2}	耿韻
3115a	上加・110オ4・疊字	我	平濁	カ	右注	ŋɑ^{2}	哿韻
3170a	上加・112オ3・官職	奉	平濁	フ	右傍	biɑuŋ^{2}	腫韻
3247a	上与・117ウ3・疊字	与	平	ヨ	左注	jiʌ^{2}	語韻
3267a	上与・117ウ7・疊字	与	平	ヨ	右注	jiʌ^{2}	語韻

番号	前田本所在	掲出字		仮名音注		中古音	韻目
0150a	上伊・007ウ5・人事	致	平	チ	右傍	ṭiei^{3}	至韻
0256a	上伊・012ウ6・疊字	意	平	イ	左注	'iɐi^{3}	志韻
0292a	上伊・013オ6・疊字	意	平	イ	右注	'iɐi^{3}	志韻
0293a	上伊・013オ6・疊字	意	平	イ	右注	'iɐi^{3}	志韻
0294a	上伊・013オ6・疊字	意	平	イ	右注	'iɐi^{3}	志韻
0318a	上伊・013ウ5・疊字	意	平	イ	左注	'iɐi^{3}	志韻
0263a	上伊・012ウ7・疊字	異	平	イ	中注	jiɐi^{3}	志韻
0431a	上呂・019オ1・疊字	漏	平	ロ	中注	lʌu^{3}	候韻
0450a	上呂・019オ4・疊字	漏	平	ロ	右注	lʌu^{3}	候韻
0451a	上呂・019オ5・疊字	漏	平	ロ	右注	lʌu^{3}	候韻

0462a	上波・020オ2・天象	彗	平	セイ	右傍	ziuai^{3} jiuai^{3} ziuei^{3}	祭韻 祭韻 至韻
0569a	上波・023ウ1・人倫	半	平	ハン	右傍	pan^{3}	換韻
0659a	上波・026ウ3・雑物	半	平	ハン	右注	pan^{3}	換韻
0727a	上波・031ウ1・疊字	半	平	ハン	右注	pan^{3}	換韻
0755a	上波・031ウ6・疊字	拜	平	ハイ	右注	pɐi^{3}	怪韻
0761a	上波・031ウ7・疊字	半	平	ハン	中注	pan^{3}	換韻
0781a	上波・032オ5・疊字	謗	平	−	−	paŋ^{3}	宕韻
0794a	上波・032オ7・疊字	癈	平	ハイ	右注	piai^{3}	廢韻
0814a	上波・032ウ4・疊字	配	平	ハイ	左注	p'uʌi^{3}	隊韻
0827a	上波・032ウ7・疊字	判	(平)	ハン	左注	p'an^{3}	換韻
0838a	上波・033オ2・疊字	破	平	ハ	右注	p'a^{3}	過韻
0845a	上波・033オ3・疊字	破	平	ハ	左注	p'a^{3}	過韻
0846a	上波・033オ4・疊字	破	平	ハ	左注	p'a^{3}	過韻
0854a	上波・033オ5・疊字	破	平	ハ	左注	p'a^{3}	過韻
0873a	上波・033ウ2・疊字	癈	平	ハイ	右注	piai^{3}	廢韻
1011a	上仁・040オ7・疊字	刃	平	ニン	左注	ńien^{3}	震韻
1036a	上保・042オ1・植物	半	平	ハン	右傍	pan^{3}	換韻
1163a	上保・047オ6・疊字	梵	平濁	ホン	左注	biʌm^{3} biʌuŋ^{1}	梵韻 東韻
1164a	上保・047オ6・疊字	梵	平濁	ホン	左注	biʌm^{3} biʌuŋ^{1}	梵韻 東韻
1173a	上保・047ウ1・疊字	梵	平濁	ホン	左注	biʌm^{3} biʌuŋ^{1}	梵韻 東韻
1200a	上保・047ウ6・疊字	報	平	ホウ	中注	pau^{3}	号韻
1381a	上邊・053オ7・疊字	抃	平	ヘン	左注	bian^{3}	線韻
1383a	上邊・053オ7・疊字	弊	平	ヘイ	左注	bjiai^{3}	祭韻
1389a	上邊・053ウ2・疊字	遍	平	ヘン	左注	pjian^{3}	線韻
1402a	上邊・053ウ5・疊字	變	平	ハン	右注	pian^{3}	線韻
1579a	上度・062オ4・疊字	渡	平	ト	中注	duʌ^{3}	暮韻
1583a	上度・062オ4・疊字	度	平	ト	左注	duʌ^{3} dak	暮韻 鐸韻
1586a	上度・062オ5・疊字	頓	平	トウ	左注	tuʌn^{3}	慁韻
1608a	上度・062ウ2・疊字	鈍	平濁	トン	左注	duʌn^{3}	慁韻
1643a	上度・063オ3・疊字	鬪	平 去	トウ	左注	tʌu^{3}	候韻
1644a	上度・063オ3・疊字	鬪	平	トウ	左注	tʌu^{3}	候韻
1655a	上度・063オ5・疊字	逗	平	トウ	左注	dʌu^{3} ḍiuʌ^{3}	候韻 遇韻
1673a	上度・063ウ2・疊字	頓	平	トン	右注	tuʌn^{3}	慁韻
1721a	上池・065ウ5・植物	地	平濁	チ	右注	diei^{3}	至韻

1724a	上池・066オ1・植物	稚	平	チ	右注	ḍiei^{3}	至韻
1775a	上池・067ウ6・雑物	地	平濁	チ	右注	diei^{3}	至韻
1797a	上池・069オ1・疊字	晝	平	チウ	中注	ṭiʌu^{3}	宥韻
1802a	上池・069オ2・疊字	地	平濁	チ	左注	diei^{3}	至韻
1811a	上池・069オ3・疊字	致	平	チ	中注	ṭiei^{3}	至韻
1820a	上池・069オ5・疊字	住	平濁	チウ	左注	ḍiuʌ^{3} ṭiuʌ^{3}	遇韻 遇韻
1823a	上池・069オ6・疊字	定	平濁	チヤウ	左注	teŋ^{3} deŋ^{3}	徑韻 徑韻
1836a	上池・069ウ1・疊字	致	平	チ	右注	ṭiei^{3}	至韻
1838a	上池・069ウ2・疊字	致	平	チ	左注	ṭiei^{3}	至韻
1849a	上池・069ウ4・疊字	地	平濁	チ	左注	diei^{3}	至韻
1876a	上池・070オ2・疊字	晝	平	チウ	左注	ṭiʌu^{3}	宥韻
1884a	上池・070オ4・疊字	智	平	チ	左注	ṭie^{3}	寘韻
1887a	上池・070オ5・疊字	地	平	チ	中注	diei^{3}	至韻
1893a	上池・070オ6・疊字	智	平	チ	中注	ṭie^{3}	寘韻
1894a	上池・070オ6・疊字	智	平	チ	左注	ṭie^{3}	寘韻
1918a	上池・070ウ4・疊字	地	平濁	チ	左注	diei^{3}	至韻
1928a	上池・070ウ6・疊字	置	平	チ	左注	ṭiɐi^{3}	志韻
1930a	上池・070ウ6・疊字	注	平	チウ	左注	tɕ́iuʌ^{3}	遇韻
1938a	上池・071オ1・疊字	注	平	チウ	右注	tɕ́iuʌ^{3}	遇韻
1955a	上池・071オ6・疊字	贔	平	ヒイ	右傍	biei^{3}	至韻
1997a	上利・073オ6・人躰	痢	平	リ	右注	liei^{3}	至韻
2045a	上利・074ウ4・疊字	利	平	リ	左注	liei^{3}	至韻
2049a	上利・074ウ5・疊字	利	平	リ	左注	liei^{3}	至韻
2086a	上利・075オ5・疊字	利	平	リ	中注	liei^{3}	至韻
2105a	上利・075ウ1・疊字	利	平	リ	左注	liei^{3}	至韻
2117a	上利・075ウ4・疊字	利	平	リ	左注	liei^{3}	至韻
2123a	上利・075ウ5・疊字	利	平	リ	右注	liei^{3}	至韻
2124a	上利・075ウ5・疊字	利	平	リ	左注	liei^{3}	至韻
2133a	上利・075ウ7・疊字	利	平	リ	左注	liei^{3}	至韻
2182a	上留・079ウ1・疊字	類	平	ルイ	左注	liuei^{3}	至韻
2336a	上和・087ウ7・人事	破	平	―	―	p'ɑ^{3}	過韻
2432a	上加・091ウ3・地儀	巷	平濁	カウ	右注	ɣauŋ^{3}	絳韻
2490a	上加・093オ7・植物	賣	平	ハイ	右傍	mɐ^{3}	卦韻
2577a	上加・095ウ7・人倫	餓	平濁	カ	右傍	ŋɑ^{3}	箇韻
2610a	上加・096ウ1・人體	蚘	平	クワイ	右傍	ɣuʌi^{3}	隊韻
2644a	上加・097ウ6・人事	賀	平	―	―	ɣɑ^{3}	箇韻
2706a	上加・099オ4・雑物	鏡	平	キヤウ	右傍	kiaŋ^{3}	映韻
2870a	上加・106ウ4・疊字	稼	平	カ	左注	ka^{3}	禡韻
2904a	上加・107オ4・疊字	戒	平	カイ	左注	kɐi^{3}	怪韻
2913a	上加・107オ6・疊字	勘	平	カム	中注	k'ʌm^{3}	勘韻

2914a	上加・107オ6・疊字	勘	平	カム	左注	k'ʌm^{3}	勘韻
2945a	上加・107ウ5・疊字	勘	平	カム	左注	k'ʌm^{3}	勘韻
2975a	上加・108オ4・疊字	勘	平	カム	左注	k'ʌm^{3}	勘韻
2976a	上加・108オ4・疊字	勘	平	カム	右注	k'ʌm^{3}	勘韻
3019a	上加・108ウ6・疊字	勘	平	カン	左注	k'ʌm^{3}	勘韻
3024a	上加・108ウ7・疊字	勘	平	カム	左注	k'ʌm^{3}	勘韻
3057a	上加・109オ6・疊字	向	平	カウ	左注	xiaŋ^{3} śiaŋ^{3}	漾韻 漾韻
3060a	上加・109オ7・疊字	稼	平	カ	左注	ka^{3}	禡韻
3076a	上加・109ウ3・疊字	勘	平	カム	左注	k'ʌm^{3}	勘韻
3169a	上加・112オ2・官職	大	平濁	タイ	右傍	dai^{3}	泰韻
3241a	上与・117ウ2・疊字	用	平	ヨウ	左注	jiauŋ^{3}	用韻
3255a	上与・117ウ5・疊字	用	平	ヨウ	左注	jiauŋ^{3}	用韻
3256a	上与・117ウ5・疊字	用	平	ヨウ	左注	jiauŋ^{3}	用韻
3257a	上与・117ウ5・疊字	用	平	ヨウ	左注	jiauŋ^{3}	用韻
3258a	上与・117ウ5・疊字	用	平	ヨウ	左注	jiauŋ^{3}	用韻

番号	前田本所在	掲出字		仮名音注		中古音	韻目
0155a	上伊・008オ1・人事	壹	平	―	―	'jiet	質韻
2069a	上利・075オ2・疊字	泣	平	リウ	左注	k'iep	緝韻

【表D-14】平声（熟字前部）下巻〔一致例〕

番号	前田本所在	掲出字		仮名音注		中古音	韻目
3301a	下古・001ウ2・天象	微	平濁	ヒ	右傍	miʌi^{1}	微韻
3317a	下古・002オ4・地儀	弘	平	コウ	右注	ɣuʌŋ^{1}	登韻
3323a	下古・002ウ2・植物	温	平	ヲン	右傍	'uʌn^{1}	魂韻
3327a	下古・002ウ3・植物	胡	平	コ	右傍	ɣuʌ^{1}	模韻
3329a	下古・002ウ3・植物	金	平	キム	右傍	kiem^{1}	侵韻
3330a	下古・002ウ3・植物	金	平	コム ［平上］	右注	kiem^{1}	侵韻
3331a	下古・002ウ3・植物	鳶	平	エン	右傍	jiuan^{1}	仙韻
3333a	下古・002ウ4・植物	狼	平	ラウ	右傍	laŋ^{1}	唐韻
3337a	下古・002ウ5・植物	龍	平	―	―	liauŋ^{1}	鍾韻
3340a	下古・002ウ7・植物	紅	平	コウ	右注	ɣʌuŋ^{1}	東韻
3342a	下古・002ウ7・植物	辛	平	シン	右傍	sien^{1}	眞韻
3372a	下古・004オ3・人倫	前	平	セン	右傍	dzen^{1}	先韻
3388a	下古・004ウ4・人躰	喉	平	コウ	右傍	ɣʌu^{1}	侯韻
3389a	下古・004ウ4・人躰	重	平	―	―	ḍiauŋ$^{1/2/3}$	鍾/腫/用韻
3394a	下古・005オ1・人事	圍	平	ヰ	右傍	ɣiuʌi$^{1/3}$	微/未韻
3408a	下古・006オ1・人事	胡	平	コ	左注	ɣuʌ^{1}	模韻
3413a	下古・006オ4・人事	崐	平	―	―	kuʌn^{1}	魂韻
3417a	下古・006オ7・飲食	強	平	キヤウ	右傍	giaŋ^{1}	陽韻

3419a	下古・006ウ1・飲食	餛	平	コン［平平］	右注	ɣuʌn[1]	魂韻
3423a	下古・006ウ4・雜物	流	平	―	―	liʌu[1]	尤韻
3426a	下古・006ウ4・雜物	箜	平	コウ	右注	k'ʌuŋ[1]	東韻
3435a	下古・006ウ7・雜物	巾	平	キン	右傍	kien[1]	眞韻
3442a	下古・007オ1・雜物	金	平	コム［平平］	左注	kiem[1]	侵韻
3559a	下古・007オ6・雜物	棊	平	キ	右傍	giɐi[1]	之韻
3561a	下古・007オ6・雜物	碁	平	キ	右傍	giɐi[1]	之韻
6978a	下古・007オ6・雜物	棊	平	コ	右注	giɐi[1]	之韻
3591a	下古・010オ5・疊字	虹	平	―	―	ɣʌuŋ[1] kʌuŋ[3] kauŋ[3]	東韻 送韻 絳韻
3602a	下古・010ウ1・疊字	五	平	―	―	xiɑŋ[1]	陽韻
3613a	下古・010ウ3・疊字	鴻	平	コウ	中注	ɣʌuŋ[1/2]	東/董韻
3630a	下古・010ウ7・疊字	昆	平	―	―	kuʌn[1]	魂韻
3638a	下古・011オ2・疊字	鴻	平	―	―	ɣʌuŋ[1/2]	東/董韻
3642a	下古・011オ2・疊字	狐	平	コ	左注	ɣuʌ[1]	模韻
3645a	下古・011オ3・疊字	枯	平	コ	左注	k'uʌ[1]	模韻
3646a	下古・011オ3・疊字	喉	平	―	―	ɣʌu[1]	侯韻
3662a	下古・011オ7・疊字	孤	平	コ	左注	kuʌ[1]	模韻
3663a	下古・011ウ1・疊字	孤	平	コ	左注	kuʌ[1]	模韻
3664a	下古・011ウ1・疊字	孤	平	コ	左注	kuʌ[1]	模韻
3665a	下古・011ウ1・疊字	孤	平	―	―	kuʌ[1]	模韻
3669a	下古・011ウ2・疊字	胡	平	―	―	ɣuʌ[1]	模韻
3670a	下古・011ウ2・疊字	狐	平	―	―	ɣuʌ[1]	模韻
3676a	下古・011ウ3・疊字	工	平	―	―	kʌuŋ[1]	東韻
3677a	下古・011ウ4・疊字	拘	平	コウ	中注	kiuʌ[1]	虞韻
3681a	下古・011ウ4・疊字	興	平	コウ	左注	xieŋ[1/3]	蒸/證韻
3685a	下古・011ウ5・疊字	空	平	クウ	中注	k'ʌuŋ[1/3]	東/送韻
3717a	下古・012オ5・疊字	紅	平	コウ	左注	ɣʌuŋ[1]	東韻
3722a	下古・012オ6・疊字	紅	平	コウ	右注	ɣʌuŋ[1]	東韻
3724a	下古・012オ7・疊字	紅	平	コウ	右注	ɣʌuŋ[1]	東韻
3725a	下古・012オ7・疊字	紅	平	コ	右注	ɣʌuŋ[1]	東韻
3741a	下江・014オ5・地儀	延	平	エン	右注	jian[1/3]	仙/線韻
3742a	下江・014オ5・地儀	延	平	エン	右注	jian[1/3]	仙/線韻
3753a	下江・014ウ4・植物	昆	平	―	―	kuʌn[1]	魂韻
3756a	下江・014ウ7・動物	鱏	平	イム	右傍	jiem[1] ziem[1]	侵韻 侵韻
3777a	下江・015ウ5・飲食	塩	平	エム	右注	jiam[1/3]	鹽韻
3780a	下江・015ウ7・雜物	烏	平	ヲ	右傍	'uʌ[1]	模韻
3781a	下江・015ウ7・雜物	烏	平	エ	右傍	'uʌ[1]	模韻
3785a	下江・016オ3・雜物	塩	平	エム	右注	jiam[1/3]	鹽韻

3786a	下江・016オ5・光彩	燕	平	エン ［平平］	右注	'en$^{1/3}$	先/霰韻
3797a	下江・016ウ5・重點	喓	平	エウ	右注	'jiau^{1}	宵韻
3798a	下江・016ウ7・疊字	炎	平	―	―	ɣiam^{1}	鹽韻
3804a	下江・017オ1・疊字	延	平	エン	中注	jian$^{1/3}$	仙/線韻
3805a	下江・017オ1・疊字	延	平	エム	左注	jian$^{1/3}$	仙/線韻
3809a	下江・017オ2・疊字	妖	平	エウ	中注	'iau^{1}	宵韻
3813a	下江・017オ3・疊字	英	平	エイ	中注	'iaŋ^{1}	庚韻
3814a	下江・017オ3・疊字	英	平	エイ	中注	'iaŋ^{1}	庚韻
3816a	下江・017オ3・疊字	嬰	平	エイ	左注	'ieŋ^{1}	清韻
3817a	下江・017オ3・疊字	嬰	平	エイ	左注	'ieŋ^{1}	清韻
3830a	下江・017オ6・疊字	茅	平濁	ハウ	右傍	mau^{1}	肴韻
3836a	下江・017オ7・疊字	衣	平	―	―	'iʌi$^{1/3}$	微/未韻
3837a	下江・017オ7・疊字	塩	平	エム	左注	jiam$^{1/3}$	鹽韻
3838a	下江・017オ7・疊字	渕	平	エン	中注	'uen^{1}	先韻
3839a	下江・017ウ1・疊字	延	平	エン	中注	jian$^{1/3}$	仙/線韻
3842a	下江・017ウ1・疊字	煙	平	エン	中注	'en^{1}	先韻
3843a	下江・017ウ2・疊字	要	平	エウ	左注	'jiau$^{1/3}$	宵/笑韻
3844a	下江・017ウ2・疊字	要	平	エウ	左注	'jiau$^{1/3}$	宵/笑韻
3848a	下江・017ウ3・疊字	燕	平	エム	左注	'en$^{1/3}$	先/霰韻
3850a	下江・017ウ3・疊字	營	平	エイ	左注	jiueŋ^{1}	清韻
3852a	下江・017ウ3・疊字	要	平	エウ	左注	'jiau$^{1/3}$	宵/笑韻
3854a	下江・017ウ4・疊字	延	平	エン	左注	jian$^{1/3}$	仙/線韻
3860a	下江・017ウ5・疊字	英	平	エイ	左注	'iaŋ^{1}	庚韻
3861a	下江・017ウ5・疊字	英	平	エイ	左注	'iaŋ^{1}	庚韻
3868a	下江・017ウ6・疊字	緣	平	エン	左注	jiuan$^{1/3}$	仙/線韻
3875a	下手・018ウ4・天象	銀	平濁	キン	左注	ŋien^{1}	眞韻
3881a	下手・019オ2・地儀	披	平	ヒ	左注	p‘ie$^{1/2}$	支/紙韻
3882a	下手・019オ2・地儀	飛	平	―	―	piʌi^{1}	微韻
3905a	下手・020ウ2・飲食	黏	平濁	テム	右注	ṇiam^{1}	鹽韻
3909a	下手・020ウ4・雜物	蘄	平	キ	右傍	kiʌi^{1} giɐi^{1} kiʌn^{1}	微韻 之韻 欣韻
3916a	下手・021オ1・雜物	銚	平	テウ ［平平］	右注	t‘eu^{1} deu^{3} jiau^{1}	蕭韻 嘯韻 宵韻
3919a	下手・021オ2・雜物	調	平濁	テウ	右注	deu$^{1/3}$ ṭiʌu^{1}	蕭/嘯韻 尤韻
3939a	下手・021ウ7・疊字	亭	平	テイ	左注	deŋ^{1}	青韻
3940a	下手・021ウ7・疊字	泥	平	―	―	nei$^{1/3}$	齊/霽韻
3941a	下手・021ウ7・疊字	田	平	―	―	den^{1}	先韻
3942a	下手・022オ1・疊字	貞	平	―	―	ṭieŋ^{1}	清韻

3944a	下手・022オ1・疊字	凋	平	テウ	左注	teu^{1}	蕭韻
3945a	下手・022オ1・疊字	朝	平	―	―	ṭiau^{1} ḍiau^{1}	宵韻 宵韻
3948a	下手・022オ2・疊字	天	平	―	―	t‘en^{1}	先韻
3949a	下手・022オ2・疊字	無	平濁	―	―	miuʌ^{1}	虞韻
3951a	下手・022オ2・疊字	朝	平	テウ	左注	ṭiau^{1} ḍiau^{1}	宵韻 宵韻
3952a	下手・022オ3・疊字	朝	平	―	―	ṭiau^{1} ḍiau^{1}	宵韻 宵韻
3954a	下手・022オ3・疊字	朝	平	―	―	ṭiau^{1} ḍiau^{1}	宵韻 宵韻
3955a	下手・022オ3・疊字	朝	平 去	テウ	左注	ṭiau^{1} ḍiau^{1}	宵韻 宵韻
3956a	下手・022オ3・疊字	朝	平	―	―	ṭiau^{1} ḍiau^{1}	宵韻 宵韻
3957a	下手・022オ4・疊字	朝	平	テウ	左注	ṭiau^{1} ḍiau^{1}	宵韻 宵韻
3958a	下手・022オ4・疊字	朝	平	―	―	ṭiau^{1} ḍiau^{1}	宵韻 宵韻
3959a	下手・022オ4・疊字	天	平	―	―	t‘en^{1}	先韻
3961a	下手・022オ4・疊字	天	平	―	―	t‘en^{1}	先韻
3962a	下手・022オ5・疊字	朝	平	―	―	ṭiau^{1} ḍiau^{1}	宵韻 宵韻
3964a	下手・022オ5・疊字	朝	平	―	―	ṭiau^{1} ḍiau^{1}	宵韻 宵韻
3965a	下手・022オ5・疊字	癲	平	テン	中注	ten^{1}	先韻
3967a	下手・022オ6・疊字	庭	平	―	―	deŋ^{1}	青韻
3968a	下手・022オ6・疊字	貞	平	―	―	ṭieŋ^{1}	清韻
3970a	下手・022オ6・疊字	隄	平	テイ	左注	tei^{1} dei^{1}	齊韻 齊韻
3972a	下手・022オ7・疊字	丁	平	テイ	左注	teŋ^{1} ṭeŋ^{1}	青韻 耕韻
3973a	下手・022オ7・疊字	天	平	テン	左注	t‘en^{1}	先韻
3974a	下手・022オ7・疊字	貞	平	―	―	ṭieŋ^{1}	清韻
3976a	下手・022オ7・疊字	低	平	―	―	tei^{1}	齊韻
3977a	下手・022ウ1・疊字	傳	平	―	―	ḍiuan$^{1/3}$ ṭiuan^{3}	仙/線韻 線韻
3979a	下手・022ウ1・疊字	桃	平	―	―	dɑu^{1}	豪韻
3981a	下手・022ウ2・疊字	田	平	―	―	den^{1}	先韻
3982a	下手・022ウ2・疊字	逃	平	テウ	右注	dɑu^{1}	豪韻

3983a	下手・022ウ2・疊字	逃	平	テウ	中注	dɑu[1]	豪韻
3984a	下手・022ウ2・疊字	逃	平	テウ	左注	dɑu[1]	豪韻
3985a	下手・022ウ2・疊字	逃	平	テウ	左注	dɑu[1]	豪韻
3986a	下手・022ウ3・疊字	逃	平	テウ	左注	dɑu[1]	豪韻
3987a	下手・022ウ3・疊字	逃	平濁	テウ	左注	dɑu[1]	豪韻
3990a	下手・022ウ4・疊字	嘲	平	—	—	ṭau[1]	肴韻
3991a	下手・022ウ4・疊字	嘲	平	—	—	ṭau[1]	肴韻
3993a	下手・022ウ4・疊字	調	平	—	—	deu[1/3] ṭiʌu[1]	蕭/嘯韻 尤韻
3994a	下手・022ウ4・疊字	提	平	テイ	中注	dei[1] źie[1]	齊韻 支韻
3995a	下手・022ウ5・疊字	提	平	テイ	左注	dei[1] źie[1]	齊韻 支韻
3996a	下手・022ウ5・疊字	提	平	—	—	dei[1] źie[1]	齊韻 支韻
3997a	下手・022ウ5・疊字	提	平	テイ	左注	dei[1] źie[1]	齊韻 支韻
4000a	下手・022ウ6・疊字	程	平	—	—	ḍieŋ[1]	清韻
4001a	下手・022ウ6・疊字	朝	平	—	—	ṭiau[1] ḍiau[1]	宵韻 宵韻
4004a	下手・022ウ7・疊字	乖	平	—	—	kɐi[1]	皆韻
4007a	下手・022ウ7・疊字	朝	平	—	—	ṭiau[1] ḍiau[1]	宵韻 宵韻
4008a	下手・023オ1・疊字	調	平	テウ	左注	deu[1/3] ṭiʌu[1]	蕭/嘯韻 尤韻
4015a	下手・023オ3・疊字	纏	平	—	—	ḍian[1/3]	仙/線韻
4016a	下手・023オ3・疊字	亭	平	—	—	deŋ[1]	青韻
4019a	下手・023オ3・疊字	調	平	テウ	左注	deu[1/3] ṭiʌu[1]	蕭/嘯韻 尤韻
4021a	下手・023オ4・疊字	填	平	テン	左注	den[1/3] ṭien[1/3]	先/霰韻 眞/震韻
4022a	下手・023オ4・疊字	調	平	—	—	deu[1/3] ṭiʌu[1]	蕭/嘯韻 尤韻
4023a	下手・023オ4・疊字	停	平	テイ	左注	deŋ[1]	青韻
4026a	下手・023オ5・疊字	泥	平濁	テイ	左注	nei[1/3]	齊/霽韻
4027a	下手・023オ5・疊字	顛	平	テン	左注	ten[1]	先韻
4031a	下手・023オ6・疊字	朝	平	—	—	ṭiau[1] ḍiau[1]	宵韻 宵韻
4032a	下手・023オ7・疊字	纏	平	テン	左注	ḍian[1/3]	仙/線韻
4047a	下阿・024オ7・天象	商	平	シヤウ	右注	śiɑŋ[1]	陽韻

4048a	下阿・024オ7・天象	斜	平	シヤ	右注	zia^{1} jia^{1}	麻韻 麻韻
4054a	下阿・024ウ2・天象	夷	平	イ	右注	jiei^{1}	脂韻
4055a	下阿・024ウ2・天象	初	平	―	―	tṣ'iʌ^{1}	魚韻
4056a	下阿・024ウ2・天象	南	平	ナム	右注	nʌm^{1}	覃韻
4058a	下阿・024ウ2・天象	重	平	チヨウ	右注	ḍiauŋ$^{1/2/3}$	鍾/腫/用韻
4062a	下阿・024ウ3・天象	明	平	―	―	miaŋ^{1}	庚韻
4064a	下阿・024ウ4・天象	晨	平	シン	右傍	źien^{1} dźien^{1}	眞韻 眞韻
4075a	下阿・025ウ1・地儀	庵	平	アン	右注	'ʌm^{1}	覃韻
4077a	下阿・025ウ1・地儀	麻	平濁	ハ	右傍	ma^{1}	麻韻
4078a	下阿・025ウ2・地儀	安	平	アン	右傍	'ɑn^{1}	寒韻
4079a	下阿・025ウ2・地儀	安	平	アン	右傍	'ɑn^{1}	寒韻
4080a	下阿・025ウ2・地儀	安	平	―	―	'ɑn^{1}	寒韻
4084a	下阿・025ウ4・植物	牽	平	ケン	右傍	k'en$^{1/3}$	先/霰韻
4090a	下阿・025ウ7・植物	丹	平	タン	右傍	tɑn^{1}	寒韻
4091a	下阿・025ウ7・植物	粱	平	リヤウ	右傍	liɑŋ^{1}	陽韻
4098a	下阿・026オ3・植物	青	平	セイ	右傍	ts'eŋ^{1}	青韻
4100a	下阿・026オ4・植物	生	平	セイ	右傍	ṣaŋ$^{1/3}$	庚/映韻
4102a	下阿・026オ5・植物	蘭	平	ラン	右傍	lɑn^{1}	寒韻
4114a	下阿・026ウ3・植物	山	平	サン	右傍	ṣen^{1}	山韻
4115a	下阿・026ウ3・植物	安	平	アン	右注	'ɑn^{1}	寒韻
4119a	下阿・026ウ4・植物	神	平	シン	右傍	dźien^{1}	眞韻
4131a	下阿・027オ5・動物	驓	平	ソウ	右傍	dzieŋ^{1}	蒸韻
4132a	下阿・027オ5・動物	驄	平	ソウ	右傍	ts'ʌuŋ^{1}	東韻
4133a	下阿・027オ6・動物	黄	平	クワウ	右傍	ɣuɑŋ^{1}	唐韻
4136a	下阿・027オ7・動物	鷖	平	ケイ	右傍	ɣei^{1}	齊韻
4138a	下阿・027オ7・動物	羕	平	シヨウ	右傍	źieŋ^{1}	蒸韻
4152a	下阿・027ウ6・動物	髼	平	ハウ	右傍	baŋ^{1}	庚韻
4157a	下阿・028オ3・動物	蠨	平	セウ	右傍	seu^{1} siʌuk	蕭韻 屋韻
4166a	下阿・028ウ1・人倫	泉	平	セン	右傍	dziuan^{1}	仙韻
4170a	下阿・028ウ2・人倫	遊	平	イウ	右傍	jiʌu^{1}	尤韻
4202a	下阿・029オ7・人躰	清	平	セイ	右傍	ts'ieŋ^{1}	清韻
4221a	下阿・031オ1・人事	安	平	―	―	'ɑn^{1}	寒韻
4222a	下阿・031オ1・人事	安	平	―	―	'ɑn^{1}	寒韻
4223a	下阿・031オ2・人事	阿	平	―	―	'ɑ^{1}	歌韻
4254a	下阿・032オ4・雑物	胡	平	コ	右傍	ɣuʌ^{1}	模韻
4255a	下阿・032オ4・雑物	障	平	シヤウ	右傍	tśiɑŋ$^{1/3}$	陽/漾韻
4256a	下阿・032オ5・雑物	籧	平	キヨ	右傍	giʌ^{1}	魚韻
4275a	下阿・032ウ2・雑物	箯	平	ヘン	右傍	pjian^{1} bjian^{1}	仙韻 仙韻

4293a	下阿・033オ1・雜物	苞	平	ハウ	右傍	pau[1]	肴韻
4310a	下阿・033ウ2・光彩	淋	平	リム	右傍	liem[1]	侵韻
4311a	下阿・033ウ2・光彩	黄	平	―	―	ɣuɑŋ[1]	唐韻
4365a	下阿・039オ6・疊字	阿	平	ア	右傍	'ɑ[1]	歌韻
4366a	下阿・039オ6・疊字	阿	平	ア	左注	'ɑ[1]	歌韻
4372a	下阿・039オ7・疊字	哀	平	アイ	左注	'ʌi[1]	咍韻
4374a	下阿・039オ7・疊字	哀	平	―	―	'ʌi[1]	咍韻
4375a	下阿・039ウ1・疊字	哀	平	アイ	左注	'ʌi[1]	咍韻
4381a	下阿・039ウ2・疊字	安	平	アン	左注	'ɑn[1]	寒韻
4389a	下阿・039ウ4・疊字	安	平	アン	左注	'ɑn[1]	寒韻
4390a	下阿・039ウ4・疊字	哀	平	アイ	左注	'ʌi[1]	咍韻
4395a	下阿・040オ1・疊字	浮	平	フ	右傍	biʌu[1]	尤韻
4397a	下阿・040オ3・疊字	商	平	シヤウ	右傍	śiɑŋ[1]	陽韻
4448a	下佐・042ウ7・地儀	閭	平	リヨ	右傍	liʌ[1]	魚韻
4461a	下佐・043オ7・植物	龍	平	―	―	liɑuŋ[1]	鍾韻
4462a	下佐・043ウ1・植物	杬	平	クヱン	右傍	ŋiuɑn[1]	元韻
4472a	下佐・043ウ7・動物	鷦	平	セウ	右傍	tsiau[1]	宵韻
4478a	下佐・044オ3・動物	通	平	―	―	t'ʌuŋ[1]	東韻
4481a	下佐・044オ3・動物	梁	平	リヤウ	右傍	liɑŋ[1]	陽韻
4483a	下佐・044オ3・動物	巴	平	ハ	右傍	pa[1]	麻韻
4489a	下佐・044オ5・動物	猿	平	ヱン	右傍	ɣiuɑn[1]	元韻
4491a	下佐・044オ5・動物	奴	平濁	ト	右傍	nuʌ[1]	模韻
4498a	下佐・044ウ2・動物	榮	平	ヱイ	右傍	ɣiuɑŋ[1]	庚韻
4511a	下佐・045オ4・人躰	懸	平	クヱ	右傍	ɣuen[1]	先韻
4536a	下佐・046オ5・人事	沙	平	サ	右注	ṣa[1/3]	麻/禡韻
4540a	下佐・046オ6・人事	三	平	―	―	sɑm[1/3]	談/闞韻
4542a	下佐・046オ7・人事	山	平	―	―	ṣɐn[1]	山韻
4570a	下佐・047オ5・雜物	銚	平	―	―	t'eu[1] jiau[1] deu[3]	蕭韻 宵韻 嘯韻
4573a	下佐・047オ6・雜物	鈔	平	サ	右傍	tṣ'au[1/3]	肴/効韻
4574a	下佐・047オ7・雜物	珊	平	サン [平平]	右注	sɑn[1]	寒韻
4581a	下佐・047ウ1・雜物	笄	平	ケイ	右傍	kei[1]	齊韻
6976a	下佐・047ウ1・雜物	笄	平	サイ [平平]	右注	kei[1]	齊韻
4587a	下佐・047ウ3・雜物	三	平	サム [平平]	右注	sɑm[1/3]	談/闞韻
4590a	下佐・047ウ4・雜物	貲	平	シ	右傍	tsie[1]	支韻
4592a	下佐・047ウ5・雜物	柊	平	シウ	右傍	tśiʌuŋ[1]	東韻
4640a	下佐・050ウ7・疊字	霜	平	―	―	ṣiɑŋ[1]	陽韻
4646a	下佐・051オ1・疊字	山	平	―	―	ṣɐn[1]	山韻
4647a	下佐・051オ1・疊字	山	平	―	―	ṣɐn[1]	山韻

4648a	下佐・051オ2・疊字	山	平	—	—	ṣɐn^{1}	山韻
4649a	下佐・051オ2・疊字	山	平	サン	左注	ṣɐn^{1}	山韻
4650a	下佐・051オ2・疊字	山	平	—	—	ṣɐn^{1}	山韻
4651a	下佐・051オ2・疊字	蒼	平	—	—	ts'ɑŋ$^{1/2}$	唐/蕩韻
4652a	下佐・051オ2・疊字	砂	平	サ	左注	ṣa^{1}	麻韻
4668a	下佐・051オ6・疊字	三	平	（サム）	左注	sɑm$^{1/3}$	談/闞韻
4672a	下佐・051オ7・疊字	齊	平	サイ	中注	dzei$^{1/3}$	齊/霽韻
4673a	下佐・051オ7・疊字	齊	平	サイ	左注	dzei$^{1/3}$	齊/霽韻
4677a	下佐・051ウ1・疊字	山	平	—	—	ṣɐn^{1}	山韻
4681a	下佐・051ウ1・疊字	沙	平	サ	中注	ṣa$^{1/3}$	麻/禡韻
4691a	下佐・051ウ4・疊字	災	平	サイ	中注	tsʌi^{1}	咍韻
4696a	下佐・051ウ5・疊字	妻	平	—	—	ts'ei$^{1/3}$	齊/霽韻
4697a	下佐・051ウ5・疊字	妻	平	サイ	右注	ts'ei$^{1/3}$	齊/霽韻
4698a	下佐・051ウ5・疊字	蹉	平	—	—	ts'ɑ^{1}	歌韻
4699a	下佐・051ウ5・疊字	霜	平	—	—	ṣiɑŋ^{1}	陽韻
4706a	下佐・051ウ7・疊字	嗟	平	—	—	tsa^{1}	麻韻
4707a	下佐・051ウ7・疊字	嗟	平	サ	左注	tsa^{1}	麻韻
4710a	下佐・052オ1・疊字	讒	平	サム	左注	dẓɐm^{1} dẓam$^{1/3}$	咸韻 銜/鑑韻
4712a	下佐・052オ1・疊字	讒	平	サン	左注	dẓɐm^{1} dẓam$^{1/3}$	咸韻 銜/鑑韻
4715a	下佐・052オ2・疊字	相	平	サム	中注	siɑŋ$^{1/3}$	陽/漾韻
4716a	下佐・052オ2・疊字	相	平	サウ	右注	siɑŋ$^{1/3}$	陽/漾韻
4720a	下佐・052オ3・疊字	財	平	—	—	dzʌi^{1}	咍韻
4721a	下佐・052オ4・疊字	蒼	平	—	—	ts'ɑŋ$^{1/2}$	唐/蕩韻
4726a	下佐・052オ5・疊字	才	平	—	—	dzʌi^{1}	咍韻
4727a	下佐・052オ5・疊字	才	平	—	—	dzʌi^{1}	咍韻
4728a	下佐・052オ5・疊字	才	平	—	—	dzʌi^{1}	咍韻
4729a	下佐・052オ6・疊字	才	平	—	—	dzʌi^{1}	咍韻
4730a	下佐・052オ6・疊字	才	平	—	—	dzʌi^{1}	咍韻
4731a	下佐・052オ6・疊字	才	平	—	—	dzʌi^{1}	咍韻
4735a	下佐・052オ7・疊字	删	平	サン	左注	ṣan$^{1/3}$	删/諫韻
4744a	下佐・052ウ2・疊字	裁	平	サイ	左注	dzʌi$^{1/3}$	咍/代韻
4762a	下佐・052ウ7・疊字	相	（平）	—	—	siɑŋ$^{1/3}$	陽/漾韻
4767a	下佐・053オ1・疊字	相	平	サウ	左注	siɑŋ$^{1/3}$	陽/漾韻
4768a	下佐・053オ1・疊字	臧	平 去濁	サウ	左注	tsɑŋ^{1}	唐韻
4769a	下佐・053オ2・疊字	參	平	サム	左注	ts'ʌm$^{1/3}$ sɑm^{1} ṣiem^{1} tṣ'iem^{1}	覃/勘韻 談韻 侵韻 侵韻

4771a	下佐・053オ2・疊字	參	平	サム	左注	ts‘ʌm$^{1/3}$ sɑm^{1} ṣiem^{1} tṣ‘iem^{1}	覃/勘韻 談韻 侵韻 侵韻
4772a	下佐・053オ3・疊字	催	平	サイ	左注	ts‘uʌi^{1}	灰韻
4774a	下佐・053オ3・疊字	相	平	サウ	左注	siɑŋ$^{1/3}$	陽/漾韻
4778a	下佐・053オ4・疊字	蒼	平	サウ	右注	ts‘ɑŋ$^{1/2}$	唐/蕩韻
4784a	下佐・053オ5・疊字	珊	平	サン	右注	sɑn^{1}	寒韻
4787a	下佐・053オ7・疊字	霜	平	サウ	右注	ṣiɑŋ^{1}	陽韻
4795a	下佐・053ウ2・疊字	際	平	サイ	左注	tsiai^{3}	祭韻
4800a	下佐・053ウ6・疊字	伶	平	―	―	leŋ^{1}	青韻
4846a	下木・055ウ5・地儀	凝	平濁	キヨウ	右傍	ŋiɐŋ$^{1/3}$	蒸/證韻
4847a	下木・055ウ5・地儀	宜	平	キ	右傍	ŋie^{1}	支韻
4849a	下木・055ウ5・地儀	宜	平濁	―	―	ŋie^{1}	支韻
4850a	下木・055ウ6・地儀	興	平	―	―	xiɐŋ$^{1/3}$	蒸/證韻
4855a	下木・056オ3・植物	胡	平	コ	右傍	ɣuʌ^{1}	模韻
4857a	下木・056オ4・植物	桐	平	トウ	右傍	dʌuŋ^{1}	東韻
4864a	下木・056オ6・植物	甘	平	カム	右傍	kɑm^{1}	談韻
4868a	下木・056ウ2・動物	麒	平	キ	右傍	giɐi^{1}	之韻
4871a	下木・056ウ4・動物	魚	平濁	キヨ	右傍	ŋiʌ^{1}	魚韻
4917a	下木・058オ7・雜物	魚	平濁	キヨ	中注	ŋiʌ^{1}	魚韻
4925a	下木・058ウ1・雜物	雲	平	―	―	ɣiuʌn^{1}	文韻
4930a	下木・058ウ3・雜物	毬	平	キウ	右傍	giʌu^{1}	尤韻
4939a	下木・059オ1・方角	邊	平	ヘン	右傍	pen^{1}	先韻
4963a	下木・060ウ6・疊字	金	平	キム	右傍	kiem^{1}	侵韻
4964a	下木・060ウ6・疊字	銀	平濁	キン	右傍	ŋien^{1}	眞韻
4966a	下木・060ウ6・疊字	魚	平濁	キヨ	右傍	ŋiʌ^{1}	魚韻
4969a	下木・060ウ7・疊字	年	平	―	―	nen^{1}	先韻
4972a	下木・061オ1・疊字	居	平	キヨ	右注	kiʌ^{1} kiɐi^{1}	魚韻 之韻
4976a	下木・061オ2・疊字	丘	平	キウ	左注	k‘iʌu^{1}	尤韻
4980a	下木・061オ2・疊字	郷	平	キヤウ	左注	xiɑŋ^{1}	陽韻
4981a	下木・061オ3・疊字	郷	平	―	―	xiɑŋ^{1}	陽韻
4985a	下木・061オ3・疊字	漁	平	―	―	ŋiʌ^{1}	魚韻
4986a	下木・061オ4・疊字	漁	平	キヨ	左注	ŋiʌ^{1}	魚韻
4987a	下木・061オ4・疊字	漁	平	―	―	ŋiʌ^{1}	魚韻
4990a	下木・061オ4・疊字	祈	平	―	―	giʌi^{1}	微韻
4991a	下木・061オ5・疊字	窮	平	―	―	giʌuŋ^{1}	東韻
4998a	下木・061オ6・疊字	行	平	キヤウ	左注	ɣaŋ$^{1/3}$ ɣɑŋ$^{1/3}$	庚/映韻 唐/宕韻
5003a	下木・061オ7・疊字	行	平	キヤウ	左注	ɣaŋ$^{1/3}$ ɣɑŋ$^{1/3}$	庚/映韻 唐/宕韻

5013a	下木・061ウ2・疊字	居	平	―	―	kiʌ^{1} kiɐi^{1}	魚韻 之韻
5015a	下木・061ウ2・疊字	儀	平	―	―	ŋie^{1}	支韻
5016a	下木・061ウ3・疊字	鳩	平	―	―	kiʌu^{1}	尤韻
5017a	下木・061ウ3・疊字	儀	平	キ	左注	ŋie^{1}	支韻
5020a	下木・061ウ4・疊字	規	平 上	キ	左注	kjiue^{1}	支韻
5036a	下木・061ウ7・疊字	吟	平濁	キム	左注	ŋiem$^{1/3}$	侵/沁韻
5040a	下木・062オ1・疊字	鳩	平	―	―	kiʌu^{1}	尤韻
5041a	下木・062オ1・疊字	耆	平	―	―	giei^{1}	脂韻
5042a	下木・062オ1・疊字	耆	平	―	―	giei^{1}	脂韻
5043a	下木・062オ2・疊字	耆	平	―	―	giei^{1}	脂韻
5045a	下木・062オ2・疊字	窮	平 去	キウ	左注	giʌuŋ^{1}	東韻
5053a	下木・062オ4・疊字	虚	平	キヨ	左注	xiʌ^{1} k'iʌ^{1}	魚韻 魚韻
5054a	下木・062オ4・疊字	虚	平	―	―	xiʌ^{1} k'iʌ^{1}	魚韻 魚韻
5056a	下木・062オ5・疊字	虚	平 上	キヨ	左注	xiʌ^{1} k'iʌ^{1}	魚韻 魚韻
5059a	下木・062オ5・疊字	魚	平	―	―	ŋiʌ^{1}	魚韻
5060a	下木・062オ5・疊字	疑	平	―	―	ŋiɐi^{1}	之韻
5064a	下木・062オ6・疊字	筋	平	―	―	kʌn^{1}	痕韻
5067a	下木・062オ7・疊字	休	平	キウ	左注	xiʌu^{1}	尤韻
5068a	下木・062オ7・疊字	休	平	キウ	右注	xiʌu^{1}	尤韻
5069a	下木・062オ7・疊字	箕	平	キ	左注	kiɐi^{1}	之韻
5071a	下木・062ウ1・疊字	吟	平	キム	中注	ŋiem$^{1/3}$	侵/沁韻
5072a	下木・062ウ1・疊字	魚	平	―	―	ŋiʌ^{1}	魚韻
5075a	下木・062ウ2・疊字	興	平	キヨウ	中注	xiɐŋ$^{1/3}$	蒸/證韻
5078a	下木・062ウ2・疊字	牛	平	―	―	ŋiʌu^{1}	尤韻
5079a	下木・062ウ3・疊字	窮	平	キウ	中注	giʌuŋ^{1}	東韻
5084a	下木・062ウ4・疊字	勤	平	キン	左注	giʌn^{1}	欣韻
5085a	下木・062ウ5・疊字	勤	平	キム	左注	giʌn^{1}	欣韻
5090a	下木・062ウ6・疊字	奇	平	キ	左注	gie^{1} kie^{1}	支韻 支韻
5092a	下木・062ウ7・疊字	魚	平	キヨ	中注	ŋiʌ^{1}	魚韻
5094a	下木・062ウ7・疊字	禁	平	キン	左注	kiem$^{1/3}$	侵/沁韻
5095a	下木・063オ1・疊字	禁	平	キン	左注	kiem$^{1/3}$	侵/沁韻
5097a	下木・063オ1・疊字	禁	平	キム	左注	kiem$^{1/3}$	侵/沁韻
5103a	下木・063オ2・疊字	弓	平	―	―	kiʌuŋ^{1}	東韻
5105a	下木・063オ3・疊字	奇	平	キ	中注	gie^{1} kie^{1}	支韻 支韻

5108a	下木・063オ3・疊字	黔	平	キム	左注	giem^{1} giam^{1}	侵韻 鹽韻
5109a	下木・063オ4・疊字	虚	平	―	―	xiʌ^{1} k'iʌ^{1}	魚韻 魚韻
5120a	下木・063オ7・疊字	凝	平濁	キヨ	左注	ŋiɐŋ$^{1/3}$	蒸/證韻
5121a	下木・063オ7・疊字	楮	平	キ	中注	tśie^{1}	支韻
5122a	下木・063オ7・疊字	基	平	キ	中注	kiɐi^{1}	之韻
5123a	下木・063オ7・疊字	伎	平	―	―	gjie^{1} gie^{2} tśie^{3}	支韻 紙韻 寘韻
5127a	下木・063ウ1・疊字	羈	平	キ	左注	kie^{1}	支韻
5129a	下木・063ウ1・疊字	機	平	キ	左注	kiʌi^{1}	微韻
5134a	下木・063ウ2・疊字	禁	平	キム	左注	kiem$^{1/3}$	侵/沁韻
5136a	下木・063ウ3・疊字	凝	平	キヨウ	左注	ŋiɐŋ$^{1/3}$	蒸/證韻
5144a	下木・063ウ5・疊字	欣	平	キン	左注	xiʌn^{1}	欣韻
5146a	下木・063ウ5・疊字	欣	平	キム	左注	xiʌn^{1}	欣韻
5148a	下木・063ウ6・疊字	儀	平	キ	左注	ŋie^{1}	支韻
5153a	下木・063ウ7・疊字	期	平	キ	左注	giɐi^{1}	之韻
5156a	下木・063ウ7・疊字	矜	平	キヨウ	左注	kiɐŋ^{1}	蒸韻
5167a	下木・064オ3・疊字	禁	平	キム	左注	kiem$^{1/3}$	侵/沁韻
5170a	下木・064オ3・疊字	勤	平	キン	左注	giʌn^{1}	欣韻
5171a	下木・064オ3・疊字	・	平	キン	左注	giʌn^{1}	欣韻
5172a	下木・064オ4・疊字	勤	平	キン	左注	giʌn^{1}	欣韻
5182a	下木・064オ6・疊字	蘄	平	キ	右注	kiʌi^{1} giɐi^{1} kiʌn^{1}	微韻 之韻 欣韻
5183a	下木・064オ6・疊字	牛	平	キウ	右注	ŋiʌu^{1}	尤韻
5185a	下木・064オ6・疊字	疑	平	キ	右注	ŋiɐi^{1}	之韻
5188a	下木・064オ7・疊字	淇	平	キ	右注	giɐi^{1}	之韻
5189a	下木・064オ7・疊字	金	平	キム	右注	kiem^{1}	侵韻
5191a	下木・064オ7・疊字	禽	平	キム	左注	giem^{1}	侵韻
5192a	下木・064ウ2・疊字	嵒	平	カム	右傍	ŋɐm^{1} ńiap	咸韻 葉韻
5211a	下由・065ウ6・天象	長	平	チヤウ	右傍	ḍiaŋ$^{1/3}$ ṭiaŋ^{2}	陽/漾韻 養韻
5213a	下由・065ウ7・天象	黄	平	クワウ	右傍	ɣuaŋ^{1}	唐韻
5214a	下由・066オ2・地儀	温	平	ヲン	右傍	'uʌn^{1}	魂韻
5226a	下由・066ウ4・人躰	膀	平	ハウ	右傍	baŋ^{1}	唐韻
5231a	下由・067オ1・人事	呑	平	トム	右傍	t'ʌn^{1} t'en^{1}	痕韻 先韻
5237a	下由・067オ5・人事	鞦	平	シウ	右傍	tś'iʌu^{1}	尤韻
5245a	下由・067ウ5・雜物	弓	平	―	―	kiʌuŋ^{1}	東韻

5253a	下由・068オ2・雑物	油	平	ユ	右傍	jiʌu$^{1/3}$	尤/宥韻
5261a	下師・069オ1・地儀	美	平	シヤウ	右傍	źieŋ^{1}	蒸韻
5265a	下師・069オ1・地儀	章	平	—	—	tśiaŋ^{1}	陽韻
5266a	下師・069オ2・地儀	章	平	—	—	tśiaŋ^{1}	陽韻
5267a	下師・069オ2・地儀	章	平	—	—	tśiaŋ^{1}	陽韻
5270a	下師・069オ5・植物	萊	平	ライ	右傍	lʌi$^{1/3}$	咍/代韻
5274a	下師・069オ6・植物	羊	平	ヤウ	右傍	jiaŋ^{1}	陽韻
5276a	下師・069オ6・植物	垣	平	ヱン	右傍	ɣiuan^{1}	元韻
5280a	下師・069オ7・植物	薔	平	シヤウ	右注	dziaŋ^{1} ṣiɐk	陽韻 職韻
5299a	下師・070オ3・動物	鸕	平	ロ	右傍	luʌ^{1}	模韻
5336a	下師・071オ6・人躰	鬚	平	スユ	右傍	siuʌ^{1}	虞韻
5345a	下師・071ウ3・人躰	淋	平	リン	右傍	liem^{1}	侵韻
5346a	下師・071ウ3・人躰	臨	平	リム	右傍	liem$^{1/3}$	侵/沁韻
5348a	下師・071ウ4・人躰	彈	平	タン	右傍	t'an^{1} den^{1}	寒韻 先韻
5378a	下師・073オ1・人事	承	平	—	—	źieŋ^{1}	蒸韻
5379a	下師・073オ1・人事	春	平	シユ	右注	tś'iuen^{1}	諄韻
5381a	下師・073オ2・人事	心	平	—	—	siem^{1}	侵韻
5384a	下師・073オ3・人事	秦	平濁	シン	左注	dzien^{1}	眞韻
5385a	下師・073オ4・人事	桃	平	—	—	dau^{1}	豪韻
5395a	下師・073ウ1・飲食	粢	平	シ	右傍	tsiei^{1}	脂韻
5420a	下師・073ウ7・雑物	鉦	平	シヤウ	右注	tṣieŋ^{1}	清韻
5422a	下佐・047オ6・雑物	鈔	平	サフ	右注	tṣ'au$^{1/3}$	肴/効韻
5436a	下師・074オ4・雑物	絓	平	—	—	k'uɐ^{1} ɣuɐ^{3}	佳韻 卦韻
5465a	下師・074ウ6・雑物	床	平	シヤウ	右傍	dẓiaŋ^{1}	陽韻
5475a	下師・075オ3・光彩	鵝	平濁	カ	右傍	ŋa^{1}	歌韻
5520a	下師・078ウ1・重點	將	平	シヤウ	右注	ts'iaŋ^{1}	陽韻
5527a	下師・078ウ4・疊字	辰	平	シン	右注	źien^{1}	眞韻
5530a	下師・078ウ5・疊字	司	平	シ	右注	siei^{1}	之韻
5531a	下師・078ウ6・疊字	春	平	—	—	tś'iuen^{1}	諄韻
5532a	下師・078ウ6・疊字	晨	平		—	źion^{1} dźien^{1}	眞韻 眞韻
5533a	下師・078ウ7・疊字	晨	平	シン	左注	źien^{1} dźien^{1}	眞韻 眞韻
5535a	下師・078ウ7・疊字	終	平	シウ	左注	tśiʌuŋ^{1}	東韻
5537a	下師・079オ1・疊字	深	平	シム	左注	śiem$^{1/3}$	侵/沁韻
5540a	下師・079オ2・疊字	斜	平	シヤウ	右注	zia^{1} jia^{1}	麻韻 麻韻
5543a	下師・079オ2・疊字	勝	平	—	—	śieŋ$^{1/3}$	蒸/證韻

5547a	下師・079オ4・疊字	斜	平	シヤ	右注	zia^{1} jia^{1}	麻韻 麻韻
5552a	下師・079オ6・疊字	秋	平	シウ	左注	ts'iʌu^{1}	尤韻
5580a	下師・080オ4・疊字	障	平	シヤウ	左注	tśiaŋ$^{1/3}$	陽/漾韻
5582a	下師・080オ6・疊字	宸	平	―	―	źien^{1}	眞韻
5588a	下師・080ウ2・疊字	辞	平濁	シ	右注	ziɐi^{1}	之韻
5590a	下師・080ウ3・疊字	昇	平	シヨウ	左注	śiɐŋ^{1}	蒸韻
5592a	下師・080ウ4・疊字	巡	平	シユン	中注	ziuen^{1}	諄韻
5594a	下師・080ウ5・疊字	常	平	シヤウ	左注	źiaŋ^{1}	陽韻
5597a	下師・080ウ5・疊字	施	平	シ	左注	śie$^{1/3}$	支/寘韻
5598a	下師・080ウ6・疊字	終	平	シウ	左注	tśiʌuŋ^{1}	東韻
5601a	下師・080ウ6・疊字	祥	平	シヤウ	左注	ziaŋ^{1}	陽韻
5602a	下師・080ウ7・疊字	障	平	シヤウ	左注	tśiaŋ$^{1/3}$	陽/漾韻
5613a	下師・081オ4・疊字	兒	平	―	―	ńie^{1} ŋei^{1}	支韻 齊韻
5616a	下師・081オ5・疊字	人	平	―	―	ńien^{1}	眞韻
5619a	下師・081オ6・疊字	心	平	―	―	siem^{1}	侵韻
5621a	下師・081オ6・疊字	心	平	シン	左注	siem^{1}	侵韻
5626a	下師・081オ7・疊字	如	平	―	―	ńiʌ$^{1/3}$	魚/御韻
5627a	下師・081オ7・疊字	斟	平	シン	右注	tśiem^{1}	侵韻
5628a	下師・081ウ1・疊字	支	平	シ	右注	tśie^{1}	支韻
5639a	下師・081ウ3・疊字	仁	平濁	―	―	ńien^{1}	眞韻
5640a	下師・081ウ4・疊字	施	平	―	―	śie$^{1/3}$	支/寘韻
5641a	下師・081ウ4・疊字	周	平	―	―	tśiʌu^{1}	尤韻
5642a	下師・081ウ4・疊字	支	平	―	―	tśie^{1}	支韻
5643a	下師・081ウ4・疊字	深	平	―	―	śiem$^{1/3}$	侵/沁韻
5644a	下師・081ウ4・疊字	仁	平	―	―	ńien^{1}	眞韻
5645a	下師・081ウ4・疊字	嗟	平	―	―	tsa^{1}	麻韻
5650a	下師・081ウ6・疊字	朱	平	―	―	tśiuʌ^{1}	虞韻
5653a	下師・081ウ7・疊字	心	平	―	―	siem^{1}	侵韻
5654a	下師・081ウ7・疊字	心	平	―	―	siem^{1}	侵韻
5655a	下師・081ウ7・疊字	終	平	―	―	tśiʌuŋ^{1}	東韻
5659a	下師・082オ1・疊字	觴	平	シヤウ	左注	śiaŋ^{1}	陽韻
5660a	下師・082オ1・疊字	稱	平	―	―	tś'iɐŋ$^{1/3}$	蒸/證韻
5667a	下師・082オ2・疊字	祗	平	シ	右注	tśiei^{1}	脂韻
5668a	下師・082オ2・疊字	美	平	シヨウ	右注	źiɐŋ^{1}	蒸韻
5675a	下師・082オ4・疊字	収	平	シフ	左注	śiʌu$^{1/3}$	尤/宥韻
5677a	下師・082オ4・疊字	芝	平	シ	左注	tśiɐi^{1} p'iʌm^{1}	之韻 凡韻
5679a	下師・082オ6・疊字	詩	平	―	―	śiɐi^{1}	之韻
5689a	下師・082ウ1・疊字	廝	平	シ	左注	sie^{1}	支韻
5693a	下師・082ウ1・疊字	祗	平	シ	左注	tśiei^{1}	脂韻

5694a	下師・082ウ2・疊字	親	平	シン	左注	ts‘ien$^{1/3}$	眞/震韻
5695a	下師・082ウ2・疊字	親	平	シン	左注	ts‘ien$^{1/3}$	眞/震韻
5696a	下師・082ウ2・疊字	縦	平	シヨウ	左注	tsiɑuŋ$^{1/3}$	鍾/用韻
5697a	下師・082ウ2・疊字	松	平	シヨウ	左注	ziɑuŋ^{1}	鍾韻
5707a	下師・082ウ6・疊字	黄	平	クワウ	右傍	ɣuɑŋ^{1}	唐韻
5710a	下師・082ウ7・疊字	讎	平	シウ	左注	źiʌu^{1}	尤韻
5712a	下師・082ウ7・疊字	詞	平	—	—	ziɐi^{1}	之韻
5714a	下師・083オ1・疊字	詞	平	シ	左注	ziɐi^{1}	之韻
5715a	下師・083オ1・疊字	詞	平	—	—	ziɐi^{1}	之韻
5716a	下師・083オ1・疊字	詩	平	—	—	śiɐi^{1}	之韻
5717a	下師・083オ1・疊字	詩	平	—	—	śiɐi^{1}	之韻
5718a	下師・083オ1・疊字	詩	平	—	—	śiɐi^{1}	之韻
5719a	下師・083オ1・疊字	詩	平	—	—	śiɐi^{1}	之韻
5727a	下師・083オ4・疊字	讎	平	シユ	左注	źiʌu^{1}	尤韻
5733a	下師・083オ5・疊字	伺	平	シ	右注	siɐi$^{1/3}$	之/志韻
5736a	下師・083オ6・疊字	松	平	シヨウ	右注	ziɑuŋ^{1}	鍾韻
5742a	下師・083オ7・疊字	装	平	—	—	tṣiɑŋ$^{1/3}$	陽/漾韻
5743a	下師・083オ7・疊字	巡	平	—	—	ziuen^{1}	諄韻
5747a	下師・083ウ2・疊字	支	平	シ	左注	tśie^{1}	支韻
5749a	下師・083ウ3・疊字	鐘	平	—	—	tśiɑuŋ^{1}	鍾韻
5751a	下師・083ウ3・疊字	鞦	平	シウ	右注	tś‘iʌu^{1}	尤韻
5756a	下師・083ウ5・疊字	巡	平	—	—	ziuen^{1}	諄韻
5759a	下師・083ウ5・疊字	趍	平	—	—	ḍie^{1} ts‘iuʌ^{1}	支韻 虞韻
5766a	下師・084オ1・疊字	車	平	—	—	tś‘ia^{1} kiʌ^{1}	麻韻 魚韻
5771a	下師・084オ2・疊字	装	平	シヤウ	右傍	tṣiɑŋ$^{1/3}$	陽/漾韻
5772a	下師・084オ2・疊字	勝	平	シヨウ	右注	śiɐŋ$^{1/3}$	蒸/證韻
5784a	下師・084オ4・疊字	周	平	シウ	右注	tśiʌu^{1}	尤韻
5790a	下師・084オ5・疊字	勝	平	シヨウ	右注	śiɐŋ$^{1/3}$	蒸/證韻
5791a	下師・084オ6・疊字	勝	平	シヨウ	左注	śiɐŋ$^{1/3}$	蒸/證韻
5792a	下師・084オ6・疊字	衆	平	シム	左注	ṣiem^{1} tọ‘iem^{1} ts‘ʌm$^{1/3}$ sɑm^{1}	侵韻 侵韻 覃/勘韻 談韻
5793a	下師・084オ6・疊字	衆	平	シウ	左注	tśiʌuŋ$^{1/3}$	東/送韻
5794a	下師・084オ6・疊字	趑	平	シ	左注	ts‘iei^{1}	脂韻
5801a	下師・084オ7・疊字	仁	平濁	シン	左注	ńien^{1}	眞韻
5813a	下師・084ウ2・疊字	逡	平	シユン	左注	ts‘iuen^{1}	諄韻
5817a	下師・084ウ3・疊字	正	平 去	シヤウ	左注	tśieŋ$^{1/3}$	清/勁韻
5818a	下師・084ウ3・疊字	神	平	シン	左注	dźien^{1}	眞韻

5823a	下師・084ウ4・疊字	神	平	シン	左注	dźien^{1}	真韻
5828a	下師・084ウ5・疊字	啁	平	シウ	右注	ṭiʌu^{1} ṭau^{1}	尤韻 豪韻
5837a	下師・084ウ6・疊字	雌	平	シ	左注	ts‘ie^{1}	支韻
5845a	下師・084ウ7・疊字	周	平	シウ	右傍	tśiʌu^{1}	尤韻
5846a	下師・085オ1・疊字	舒	平	シヨ	右注	śiʌ^{1}	魚韻
5848a	下師・085オ1・疊字	如	平濁	シヨ	右注	ńiʌ$^{1/3}$	魚/御韻
5850a	下師・085オ1・疊字	朱	平	シウ	右注	tśiuʌ^{1}	虞韻
5861a	下師・085オ3・疊字	相	平	シヤウ	右注	siaŋ$^{1/3}$	陽/漾韻
5863a	下師・085オ3・疊字	常	平	シヤウ	右傍	źiaŋ^{1}	陽韻
5866a	下師・085オ4・疊字	乗	平	シヨウ	右注	dźieŋ$^{1/3}$	蒸/證韻
5872a	下師・085オ5・疊字	湘	平	シヤウ	右注	siaŋ^{1}	陽韻
5881a	下師・085オ6・疊字	昇	平	シヨウ	右注	śieŋ^{1}	蒸韻
5883a	下師・085オ7・疊字	親	平	シン	右注	ts‘ien$^{1/3}$	真/震韻
5885a	下師・085オ7・疊字	勝	平	シヨウ	右注	śieŋ$^{1/3}$	蒸/證韻
5887a	下師・085オ7・疊字	勝	平	シヨウ	右注	śieŋ$^{1/3}$	蒸/證韻
5891a	下師・085ウ1・疊字	真	平	シン	右注	tśien^{1}	真韻
5932a	下師・086ウ3・國郡	安	平	ア	右傍	’an^{1}	寒韻
5974a	下會・087ウ7・植物	芳	平	ハウ	右傍	p‘iaŋ^{1}	陽韻
5994a	下會・089オ6・疊字	營	平	―	―	jiueŋ^{1}	清韻
5998a	下會・089オ7・疊字	榮	平	―	―	ɣiuaŋ^{1}	庚韻
6000a	下會・089オ7・疊字	榮	平	ヱイ	左注	ɣiuaŋ^{1}	庚韻
6001a	下會・089オ7・疊字	榮	平	ヱイ	左注	ɣiuaŋ^{1}	庚韻
6004a	下會・089ウ1・疊字	猿	平	―	―	ɣiuan^{1}	元韻
6005a	下會・089ウ1・疊字	冤	平	ヱン	左注	’iuan^{1}	元韻
6006a	下會・089ウ1・疊字	垣	平	ヱン	中注	ɣiuan^{1}	元韻
6011a	下會・089ウ3・疊字	圓	平	ヱン	左注	ɣiuan^{1}	仙韻
6029a	下飛・090オ7・天象	牽	平	ケン	右傍	k‘en$^{1/3}$	先/霰韻
6036a	下飛・090ウ6・地儀	囹	平	レイ	右傍	leŋ^{1}	青韻
6040a	下飛・090ウ7・地儀	飛	平	ヒ	右注	piʌi^{1}	微韻
6043a	下飛・091オ2・地儀	飛	平	ヒ	右傍	piʌi^{1}	微韻
6045a	下飛・091オ4・植物	菱	平	リヨウ	右傍	lieŋ^{1}	蒸韻
6053a	下飛・091オ6・植物	徐	平	シヨ	右傍	ziʌ^{1}	魚韻
6054a	下飛・091オ6・植物	虵	平	―	―	dźia^{1} jia^{2} jie^{1}	麻韻 馬韻 支韻
6058a	下飛・091オ7・植物	茵	平	イン	右傍	’jien^{1}	真韻
6066a	下飛・091ウ2・植物	檳	平	ヒン	右注	pjien^{1}	真韻
6069a	下飛・091ウ2・植物	蕉	平濁	―	―	tsiau^{1}	宵韻
6090a	下飛・092オ5・動物	蟾	平	セム	右傍	tśiam^{1} źiam^{1}	鹽韻 鹽韻

6096a	下飛・092ウ1・人倫	曽	平	ソウ	右傍	tsʌŋ[1] dzʌŋ[1]	登韻 登韻
6099a	下飛・092ウ2・人倫	裨	平	ヒ	右傍	pjie[1] bjie[1]	支韻 支韻
6101a	下飛・092ウ3・人倫	比	平濁	ヒ	右注	bjiei[1/3] pjiei[2/3] bjiet	脂/至韻 旨/至韻 質韻
6105a	下飛・092ウ3・人倫	西	平	セイ	右傍	sei[1]	齊韻
6125a	下飛・093オ4・人躰	痿	平	ヰ	右傍	ʼiue[1] ńiue[1]	支韻 支韻
6140a	下飛・094オ1・飲食	神	平	シン	右傍	dźien[1]	眞韻
6146a	下飛・094オ6・雜物	琵	平濁	ヒ	右注	bjiei[1]	脂韻
6152a	下飛・094オ7・雜物	流	平	リウ	右傍	liʌu[1]	尤韻
6153a	下飛・094オ7・雜物	舟	平	―	―	tśiʌu[1]	尤韻
6158a	下飛・094ウ1・雜物	單	平	タン	右傍	tɑn[1] źian[1/2/3]	寒韻 仙/獮/線韻
6159a	下飛・094ウ2・雜物	衿	平	キム	右傍	kiem[1] giem[3]	侵韻 沁韻
6162a	下飛・094ウ2・雜物	蘿	平	ラ	右傍	lɑ[1]	歌韻
6168a	下飛・094ウ4・雜物	楲	平	ヰ	右傍	ʼiuʌi[1]	微韻
6171a	下飛・094ウ5・雜物	長	平	―	―	ḍiɑŋ[1/3] ṭiɑŋ[2]	陽/漾韻 養韻
6185a	下飛・095オ1・雜物	鐶	平	クワン	右傍	ɣuan[1]	刪韻
6202a	下飛・095オ5・光彩	柃	平	レイ	右傍	leŋ[1] lieŋ[2]	青韻 靜韻
6231a	下飛・097ウ5・疊字	旻	平	ヒン	中注	mien[1]	眞韻
6235a	下飛・097ウ5・疊字	微	平	―	―	miʌi[1]	微韻
6236a	下飛・097ウ5・疊字	比	平	―	―	bjiei[1/3] pjiei[2/3] bjiet	脂/至韻 旨/至韻 質韻
6237a	下飛・097ウ6・疊字	比	平	ヒ	左注	bjiei[1/3] pjiei[2/3] bjiet	脂/至韻 旨/至韻 質韻
6239a	下飛・097ウ6・疊字	飛	平	ヒ	左注	piʌi[1]	微韻
6243a	下飛・097ウ7・疊字	嬪	平	―	―	bjien[1]	眞韻
6245a	下飛・097ウ7・疊字	弥	平濁	ヒ	中注	mjie[1]	支韻
6252a	下飛・098オ1・疊字	卑	平	ヒ	左注	pjie[1]	支韻
6253a	下飛・098オ1・疊字	氓	平	―	―	mɐŋ[1]	耕韻
6258a	下飛・098オ2・疊字	誹	平	ヒ	左注	piʌi[1/3]	微/未韻
6260a	下飛・098オ2・疊字	悲	平	―	―	piei[1]	脂韻
6261a	下飛・098オ3・疊字	皮	平	ヒ	左注	bie[1]	支韻

6264a	下飛・098オ3・疉字	肥	平	—	—	biʌi[1]	微韻
6265a	下飛・098オ3・疉字	微	平	—	—	miʌi[1]	微韻
6271a	下飛・098オ4・疉字	紕	平	ヒ	左注	bjie[1] p'jiei[1] tś'iɐ[i2]	支韻 脂韻 止韻
6275a	下飛・098オ5・疉字	比	平	—	—	bjiei[1/3] pjiei[2/3] bjiet	脂/至韻 旨/至韻 質韻
6276a	下飛・098オ5・疉字	賓	平	—	—	pjien[1]	眞韻
6278a	下飛・098オ5・疉字	卑	平	—	—	pjie[1]	支韻
6279a	下飛・098オ6・疉字	微	平	—	—	miʌi[1]	微韻
6280a	下飛・098オ6・疉字	貧	平 去	ヒン	左注	bien[1]	眞韻
6283a	下飛・098オ6・疉字	貧	平	—	—	bien[1]	眞韻
6284a	下飛・098オ7・疉字	貧	平	—	—	bien[1]	眞韻
6285a	下飛・098オ7・疉字	貧	平	—	—	bien[1]	眞韻
6292a	下飛・098ウ1・疉字	比	平	ヒ	右注	bjiei[1/3] pjiei[2/3] bjiet	脂/至韻 旨/至韻 質韻
6296a	下飛・098ウ2・疉字	評	平	ヒヤウ	左注	biaŋ[1/3]	庚/映韻
6300a	下飛・098ウ2・疉字	飛	平	ヒ	左注	piʌi[1]	微韻
6310a	下飛・098ウ4・疉字	微	平	ヒ	左注	miʌi[1]	微韻
6312a	下飛・098ウ5・疉字	裨	平	ヒ	左注	pjie[1] bjie[1]	支韻 支韻
6313a	下飛・098ウ5・疉字	疲	平	—	—	bie[1]	支韻
6314a	下飛・098ウ5・疉字	疲	平	—	—	bie[1]	支韻
6316a	下飛・098ウ5・疉字	便	平	—	—	bjian[1/3]	仙/線韻
6319a	下飛・098ウ6・疉字	披	平	ヒ	左注	p'ie[1/2]	支/紙韻
6321a	下飛・098ウ6・疉字	繽	平	ヒン	左注	p'jien[1]	眞韻
6323a	下飛・098ウ6・疉字	便	平	ヒン	右注	bjian[1/3]	仙/線韻
6324a	下飛・098ウ7・疉字	比	平	ヒ	右注	bjiei[1/3] pjiei[2/3] bjiet	脂/至韻 旨/至韻 質韻
6325a	下飛・098ウ7・疉字	披	平	ヒ	左注	p'ie[1/2]	支/紙韻
6326a	下飛・098ウ7・疉字	披	平	ヒ	左注	p'ie[1/2]	支/紙韻
6334a	下飛・099オ2・疉字	秘	平 去	ヒ	左注	piei[3]	至韻
6341a	下飛・099オ3・疉字	飛	平	ヒ	左注	piʌi[1]	微韻
6342a	下飛・099オ3・疉字	披	平	ヒ	左注	p'ie[1/2]	支/紙韻
6344a	下飛・099オ3・疉字	飛	平	ヒ	左注	piʌi[1]	微韻
6345a	下飛・099オ4・疉字	飛	平	—	—	piʌi[1]	微韻
6346a	下飛・099オ4・疉字	貧	平	—	—	bien[1]	眞韻

6351a	下飛・099オ6・疊字	拏	平濁	タ	右傍	na^{1}	麻韻
6354a	下飛・099ウ1・疊字	伺	平	シ	右傍	siɐi$^{1/3}$	之/志韻
6397a	下毛・101オ6・植物	桃	平	タウ	右傍	dɑu^{1}	豪韻
6399a	下毛・101オ6・植物	桃	平	タウ	右傍	dɑu^{1}	豪韻
6400a	下毛・101オ7・植物	桃	平	—	—	dɑu^{1}	豪韻
6402a	下毛・101オ7・植物	羊	平	ヤウ	右傍	jiɑŋ^{1}	陽韻
6411a	下毛・101ウ6・動物	桃	平	—	—	dɑu^{1}	豪韻
6418a	下毛・102オ4・人躰	癲	平	テン	右傍	ten^{1}	先韻
6440a	下毛・103オ5・雜物	旋	平	セン	右傍	ziuan$^{1/3}$	仙/線韻
6464a	下毛・105ウ1・重點	門	平	モン	右注	muʌn^{1}	魂韻
6474a	下毛・105ウ4・疊字	蒙	平	—	—	mʌuŋ^{1}	東韻
6490a	下世・106ウ4・地儀	昭	平	セウ	右傍	tsiau^{1}	宵韻
6491a	下世・106ウ4・地儀	宣	平	セン	右傍	siuan^{1}	仙韻
6492a	下世・106ウ4・地儀	清	平	セイ	右傍	ts‘ieŋ^{1}	清韻
6493a	下世・106ウ4・地儀	栖	平	サイ	右傍	sei$^{1/3}$	齊/霽韻
6494a	下世・106ウ5・地儀	宣	平	セン	右傍	siuan^{1}	仙韻
6495a	下世・106ウ5・地儀	宣	平	セン	右傍	siuan^{1}	仙韻
6496a	下世・106ウ5・地儀	宣	平	—	—	siuan^{1}	仙韻
6497a	下世・106ウ5・地儀	宣	平	—	—	siuan^{1}	仙韻
6498a	下世・106ウ6・地儀	青	平	—	—	ts‘eŋ^{1}	青韻
6499a	下世・106ウ6・地儀	仙	平	—	—	sian^{1}	仙韻
6500a	下世・106ウ6・地儀	昭	平	セウ	右傍	tsiau^{1}	宵韻
6501a	下世・106ウ6・地儀	宣	平	—	—	siuan^{1}	仙韻
6502a	下世・106ウ6・地儀	宣	平	—	—	siuan^{1}	仙韻
6503a	下世・106ウ7・地儀	西	平	—	—	sei^{1}	齊韻
6504a	下世・106ウ7・地儀	昭	平	セウ	右傍	tsiau^{1}	宵韻
6518a	下世・107ウ5・人倫	王	平	—	—	ɣiuɑŋ$^{1/3}$	陽/漾韻
6532a	下世・108オ7・人事	青	平	セイ	左注	ts‘eŋ^{1}	青韻
6544a	下世・108ウ6・雜物	詹	平	セム	右注	tśiam^{1}	鹽韻
6545a	下世・108ウ6・雜物	浅	平	セン	右注	tsen^{1} tɕ‘iɑn^{2}	先韻 獮韻
6549a	下世・108ウ7・雜物	川	平	—	—	tś‘iuan^{1}	仙韻
6550a	下世・108ウ7・雜物	犀	平	セイ	左注	sei^{1}	齊韻
6551a	下世・109オ2・光彩	青	平	セイ	右注	ts‘eŋ^{1}	青韻
6570a	下世・110オ1・重點	淒	平	セイ	右注	ts‘ei$^{1/2}$	齊/薺韻
6574a	下世・110オ3・疊字	星	平	—	—	seŋ^{1}	青韻
6575a	下世・110オ3・疊字	星	平	—	—	seŋ^{1}	青韻
6576a	下世・110オ3・疊字	青	平	—	—	ts‘eŋ^{1}	青韻
6578a	下世・110オ3・疊字	星	平	—	—	seŋ^{1}	青韻
6582a	下世・110オ4・疊字	韶	平	—	—	źiau^{1}	宵韻
6583a	下世・110オ4・疊字	前	平	—	—	dzen^{1}	先韻
6591a	下世・110オ6・疊字	西	平	セイ	左注	sei^{1}	齊韻

6592a	下世・110オ6・疊字	青	平	―	―	ts‘eŋ^{1}	青韻
6594a	下世・110オ6・疊字	潺	平	セン	左注	dẓian^{1} dzɐn^{1}	仙韻 山韻
6595a	下世・110オ6・疊字	青	平	―	―	ts‘eŋ^{1}	青韻
6597a	下世・110オ7・疊字	船	平	セン	左注	dźiuan^{1}	仙韻
6598a	下世・110オ7・疊字	船	平	―	―	dźiuan^{1}	仙韻
6618a	下世・110ウ4・疊字	宣	平	―	―	siuan^{1}	仙韻
6619a	下世・110ウ4・疊字	宣	平	―	―	siuan^{1}	仙韻
6630a	下世・110ウ6・疊字	僉	平	セム	左注	ts‘iam^{1}	鹽韻
6631a	下世・110ウ6・疊字	遷	平	―	―	ts‘ian^{1}	仙韻
6634a	下世・110ウ6・疊字	前	平	―	―	dzen^{1}	先韻
6639a	下師・079オ1・疊字	商	平	シヤウ	右注	śiɑŋ^{1}	陽韻
6644a	下世・111オ2・疊字	昭	平 去	セウ	中注	tsiau^{1}	宵韻
6646a	下世・111オ2・疊字	西	平	セイ	中注	sei^{1}	齊韻
6647a	下世・111オ2・疊字	蟬	平	―	―	źian^{1}	仙韻
6650a	下世・111オ3・疊字	成	平	―	―	źieŋ^{1}	清韻
6651a	下世・111オ3・疊字	成	平	セイ	左注	źieŋ^{1}	清韻
6654a	下世・111オ3・疊字	情	平	―	―	dzieŋ^{1}	清韻
6655a	下世・111オ3・疊字	情	平	―	―	dzieŋ^{1}	清韻
6656a	下世・111オ4・疊字	清	平	セイ	左注	ts‘ieŋ^{1}	清韻
6657a	下世・111オ4・疊字	精	平	セイ	左注	tsieŋ^{1}	清韻
6660a	下世・111オ4・疊字	先	平	―	―	sen$^{1/3}$	先/霰韻
6662a	下世・111オ5・疊字	顦	平	セウ	中注	dziau^{1}	宵韻
6672a	下世・111オ6・疊字	請	平	―	―	ts‘ieŋ$^{1/2}$ dzieŋ^{3}	清/靜韻 勁韻
6674a	下世・111オ7・疊字	正	平 去	―	―	tśieŋ$^{1/3}$	清/勁韻
6676a	下世・111オ7・疊字	然	平	―	―	ńian^{1}	仙韻
6677a	下世・111オ7・疊字	遷	平	セン	左注	ts‘ian^{1}	仙韻
6681a	下世・111ウ1・疊字	樵	平	セウ	左注	dziau^{1}	宵韻
6682a	下世・111ウ1・疊字	前	平	セン	左注	dzen^{1}	先韻
6685a	下世・111ウ1・疊字	青	平	―	―	ts‘eŋ^{1}	青韻
6686a	下世・111ウ2・疊字	遷	平	セン	中注	ts‘ian^{1}	仙韻
6692a	下世・111ウ3・疊字	精	平	セイ	左注	tsieŋ^{1}	清韻
6694a	下世・111ウ3・疊字	青	平	セイ	中注	ts‘eŋ^{1}	青韻
6701a	下世・111ウ4・疊字	精	平	セイ	左注	tsieŋ^{1}	清韻
6702a	下世・111ウ4・疊字	鮮	平	セン	左注	sian$^{1/2/3}$	仙/獮/線韻
6705a	下世・111ウ5・疊字	焼	平	―	―	śiau$^{1/3}$	宵/笑韻
6706a	下世・111ウ5・疊字	成	平	―	―	źieŋ^{1}	清韻
6707a	下世・111ウ5・疊字	前	平	セン	左注	dzen^{1}	先韻
6716a	下世・111ウ7・疊字	繊	平	セム	左注	śiam^{1}	鹽韻
6718a	下世・111ウ7・疊字	蟬	平	―	―	źian^{1}	仙韻

6720a	下世・112オ1・疊字	蕭	平	―	―	seu^{1}	蕭韻
6722a	下世・112オ1・疊字	瞻	平	―	―	tśiam^{1}	鹽韻
6739a	下世・112オ5・疊字	蕭	平	セウ	右傍	seu^{1}	蕭韻
6744a	下世・112オ6・疊字	成	平	セイ	右注	źieŋ^{1}	清韻
6748a	下世・112オ7・疊字	青	平	セイ	右傍	tsʻeŋ^{1}	青韻
6749a	下世・112オ7・疊字	青	平	セイ	右注	tsʻeŋ^{1}	青韻
6751a	下世・112オ7・疊字	成	平	セイ	右注	źieŋ^{1}	清韻
6752a	下世・112オ7・疊字	遷	平	セム	右傍	tsʻian^{1}	仙韻
6753a	下世・112オ7・疊字	青	平	セイ	右注	tsʻeŋ^{1}	青韻
6755a	下世・112ウ1・疊字	青	平	セイ	右注	tsʻeŋ^{1}	青韻
6757a	下世・112ウ1・疊字	青	平	セイ	右注	tsʻeŋ^{1}	青韻
6758a	下世・112ウ2・疊字	清	平	セイ	右傍	tsʻieŋ^{1}	清韻
6776a	下洲・113ウ2・地儀	鐘	平	スウ	右注	tśiɑuŋ^{1}	鍾韻
6778a	下洲・113ウ2・地儀	楮	平	シ	右傍	tśie^{1}	支韻
6781a	下洲・113ウ4・地儀	春	平	スヰン	右傍	tśʻiuen^{1}	諄韻
6782a	下洲・113ウ4・地儀	淳	平	スヰン	右傍	źiuen^{1}	諄韻
6783a	下洲・113ウ4・地儀	崇	平	スウ	右傍	dẓiʌuŋ^{1}	東韻
6784a	下洲・113ウ4・地儀	春	平	―	―	tśʻiuen^{1}	諄韻
6785a	下洲・113ウ4・地儀	崇	平	ス	右傍	dẓiʌuŋ^{1}	東韻
6790a	下洲・113ウ7・植物	蓀	平	ソン	右傍	suʌn^{1}	魂韻
6797a	下洲・114オ1・植物	盛	平	セイ	右注	źieŋ^{1} źieŋ^{3}	清韻 勁韻
6798a	下洲・114オ2・植物	蘇	平	ス	右注	suʌ^{1}	模韻
6803a	下洲・114オ6・動物	佳	平	カ	右傍	kɐ^{1}	佳韻
6810a	下洲・114ウ2・植物	蠐	平	セイ	右傍	dzei^{1}	齊韻
6812a	下洲・114ウ4・人倫	陶	平	―	―	dɑu^{1}	豪韻
6814a	下洲・114ウ5・人倫	魑	平	チ	右傍	ṭie^{1}	支韻
6827a	下洲・115ウ1・人事	雙	平	サウ	右傍	ṣauŋ^{1}	江韻
6828a	下洲・115ウ1・人事	雙	平	スク	右注	ṣauŋ^{1}	江韻
6835a	下洲・116オ2・雜物	松	平	―	―	ziɑuŋ^{1}	鍾韻
6863a	下洲・116ウ3・雜物	炲	平	タイ	右傍	dʌi^{1}	咍韻
6865a	下洲・116ウ5・光彩	蘓	平	ソ	右傍	suʌ^{1}	模韻
6866a	下洲・116ウ5・光彩	蘓	平	ス	右注	ṣuʌ^{1}	模韻
6890a	下洲・119ウ7・疊字	蕤	平	スヰン	左注	ńiuei^{1}	脂韻
6897a	下洲・119ウ7・疊字	推	平	スイ	左注	tśʻiuei^{1} tʻuʌi^{1}	脂韻 灰韻
6899a	下洲・120オ1・疊字	衰	平	―	―	ṣiuei^{1} tṣʻiue^{1}	脂韻 支韻
6902a	下洲・120オ1・疊字	垂	平	スイ	右注	źiue^{1}	支韻
6903a	下洲・120オ1・疊字	崇	平	―	―	dẓiʌuŋ^{1}	東韻
6905a	下洲・120オ2・疊字	衰	平	―	―	ṣiuei^{1} tṣʻiue^{1}	脂韻 支韻

6906a	下洲・120オ2・疊字	衰	平	スイ	右注	ṣiuei^{1} tṣ'iue^{1}	脂韻 支韻
6907a	下洲・120オ3・疊字	推	平	スイ	左注	tś'iuei^{1} t'uʌi^{1}	脂韻 灰韻
6909a	下洲・120オ3・疊字	衰	平	スイ	左注	ṣiuei^{1} tṣ'iue^{1}	脂韻 支韻
6910a	下洲・120オ3・疊字	侏	平	スウ	左注	tśiuʌ^{1}	虞韻
6911a	下洲・120オ3・疊字	脣	平	―	―	dźiuen^{1}	諄韻
6912a	下洲・120オ4・疊字	垂	平	スイ	左注	źiue^{1}	支韻
6914a	下洲・120オ4・疊字	吹	平	スイ	右注	tś'iue$^{1/3}$	支/寘韻
6915a	下洲・120オ4・疊字	吹	平	―	―	tś'iue$^{1/3}$	支/寘韻
6917a	下洲・120オ5・疊字	垂	平	スイ	左注	źiue^{1}	支韻
6921a	下洲・120オ6・疊字	鶉	平	スン	中注	źiuen^{1}	諄韻
6923a	下洲・120オ6・疊字	推	平	―	―	tś'iuei^{1} t'uʌi^{1}	脂韻 灰韻
6928a	下洲・120オ7・疊字	推	平	―	―	tś'iuei^{1} t'uʌi^{1}	脂韻 灰韻
6929a	下洲・120ウ1・疊字	推	平	スイ	右注	tś'iuei^{1} t'uʌi^{1}	脂韻 灰韻
6932a	下洲・120ウ1・疊字	衰	平	スイ	右注	ṣiuei^{1} tṣ'iue^{1}	脂韻 支韻
6938a	下洲・120ウ2・疊字	遵	平濁	スヰン	左注	tsiuen^{1}	諄韻
6941a	下洲・120ウ3・疊字	趍	平	―	―	ḍie^{1} ts'iuʌ^{1}	支韻 虞韻
6942a	下洲・120ウ4・疊字	垂	平	スイ	左注	źiue^{1}	支韻
6944a	下洲・120ウ4・疊字	随	平	スイ	左注	ziue^{1}	支韻
6945a	下洲・120ウ4・疊字	綏	平	スヰ	左注	siuei^{1}	脂韻
6968a	下木・062ウ3・疊字	窮	平	キウ	中注	giʌuŋ^{1}	東韻

【表D-14】平声（熟字前部）下巻〔不一致例〕

番号	前田本所在	掲出字		仮名音注		中古音	韻目
3324a	下古・002ウ2・植物	蒟	平 上	ク	右傍	kiuʌ$^{2/3}$	麌/遇韻
3325a	下古・002ウ2・植物	蒟	平 上	コ	右注	kiuʌ$^{2/3}$	麌/遇韻
3367a	下古・003ウ6・動物	蝅	平	サウ	右傍	dzʌm^{2} t'en^{2}	覃韻 銑韻
3375a	下古・004オ4・人倫	樹	平濁	スユ	右傍	źiuʌ$^{2/3}$	麌/遇韻
3377a	下古・004オ6・人躰	五	平濁	―	―	ŋuʌ^{2}	姥韻
3409a	下古・006オ1・人事	古	平	コ	左注	kuʌ^{2}	姥韻
3455a	下古・007オ5・雑物	戸	平	―	―	ɣuʌ^{2}	姥韻

3456a	下古・007オ5・雑物	戸	平	コ ［平］	右注	ɣuʌ^{2}	姥韻
3590a	下古・010オ5・疊字	五	平	―	―	ŋuʌ^{2}	姥韻
3593a	下古・010オ5・疊字	後	平濁	―	―	ɣʌu$^{2/3}$	厚/候韻
3606a	下古・010ウ2・疊字	許	平	コ	右注	xiʌ^{2}	語韻
3629a	下古・010ウ7・疊字	近	平	コン	中注	giʌn$^{2/3}$	隠/焮韻
3633a	下古・011オ1・疊字	古	平	コ	左注	kuʌ^{2}	姥韻
3661a	下古・011オ7・疊字	後	平	―	―	ɣʌu$^{2/3}$	厚/候韻
3673a	下古・011ウ3・疊字	後	平	コ	左注	ɣʌu$^{2/3}$	厚/候韻
3674a	下古・011ウ3・疊字	後	平	コ	中注	ɣʌu$^{2/3}$	厚/候韻
3675a	下古・011ウ3・疊字	後	平	―	―	ɣʌu$^{2/3}$	厚/候韻
3688a	下古・011ウ6・疊字	古	平	コ	左注	kuʌ^{2}	姥韻
3807a	下江・017オ1・疊字	厭	平	エン	左注	'jiam$^{2/3}$ 'jiap	琰/豔韻 葉韻
3808a	下江・017オ2・疊字	厭	平	エム	左注	'jiam$^{2/3}$ 'jiap	琰/豔韻 葉韻
3824a	下江・017オ5・疊字	偃	平 上	エン	右傍	'iɑn^{2}	阮韻
3918a	下手・021オ2・雑物	兆	平濁	テウ	右注	ḍiau^{2}	小韻
3934a	下手・021ウ5・重點	轉	平	テン	右注	ṭiuan$^{2/3}$	獮/線韻
3978a	下手・022ウ1・疊字	展	平	―	―	ṭian^{2}	獮韻
4002a	下手・022ウ6・疊字	點	平	テム	左注	tem^{2}	忝韻
4005a	下手・022ウ7・疊字	諂	平	テン	左注	ṭ'iam^{2}	琰韻
4006a	下手・022ウ7・疊字	諂	平	テン	左注	ṭ'iam^{2}	琰韻
4014a	下手・023オ2・疊字	轉	平 上	―	―	ṭiuan$^{2/3}$	獮/線韻
4017a	下手・023オ3・疊字	點	平	―	―	tem^{2}	忝韻
4589a	下佐・047ウ4・雑物	草	平	サウ	右注	ts'ɑu^{2}	晧韻
4654a	下佐・051オ3・疊字	散	平	―	―	sɑn$^{2/3}$	旱/翰韻
4655a	下佐・051オ3・疊字	散	平	サン	左注	sɑn$^{2/3}$	旱/翰韻
4660a	下佐・051オ4・疊字	綵	平	サイ	左注	ts'ʌi^{2}	海韻
4666a	下佐・051オ5・疊字	彩	平	サイ	左注	ts'ʌi^{2}	海韻
4669a	下佐・051オ6・疊字	散	平	（サン）	左注	sɑn$^{2/3}$	旱/翰韻
4670a	下佐・051オ6・疊字	坐	平	―	―	dzuɑ$^{2/3}$	果/過韻
4700a	下佐・051ウ6・疊字	坐	平	―	―	dzuɑ$^{2/3}$	果/過韻
4705a	下佐・051ウ7・疊字	罪	平濁	サイ	左注	dzuʌi^{2}	賄韻
4718a	下佐・052オ2・疊字	坐	平	サ	左注	dzuɑ$^{2/3}$	果/過韻
4723a	下佐・052オ4・疊字	左	平	サ	左注	tsɑ$^{2/3}$	哿/箇韻
4797a	下佐・053ウ3・疊字	誘	平	―	―	jiʌu^{2}	有韻
4848a	下木・055ウ5・地儀	喜	平	―	―	xiɐi$^{2/3}$	止/志韻
5033a	下木・061ウ6・疊字	喜	平	キ	左注	xiɐi$^{2/3}$	止/志韻
5124a	下木・063オ7・疊字	玖	平	キウ	左注	kiʌu^{2}	有韻
5159a	下木・064オ1・疊字	喜	平	キ	左注	xiɐi$^{2/3}$	止/志韻

5459a	下師・074ウ4・雜物	紙	平	シ	右傍	tśie^{2}	紙韻
5467a	下師・074ウ7・雜物	紫	平	シ	右注	tsie^{2}	紙韻
5550a	下師・079オ5・疊字	聚	平	シウ	左注	dziuʌ$^{2/3}$	麌/遇韻
5038a	下木・062オ1・疊字	襁	平	キヤウ	左注	kiɑŋ^{2}	養韻
5098a	下木・063オ1・疊字	糺	平	キウ	左注	kieu^{2}	黝韻
5099a	下木・063オ2・疊字	糺	平	キウ	左注	kieu^{2}	黝韻
5100a	下木・063オ2・疊字	糺	平	キウ	左注	kieu^{2}	黝韻
5648a	下師・081ウ6・疊字	酒	平	―	―	tsiʌu^{2}	有韻
5688a	下師・082オ7・疊字	仕	平	―	―	dẓiɐi^{2}	止韻
5724a	下師・083オ3・疊字	上	平	―	―	źiɑŋ$^{2/3}$	養/漾韻
5737a	下師・083オ6・疊字	所	平	シヨ	左注	ṣiʌ^{2}	語韻
5754a	下師・083ウ4・疊字	徙	平	シ	中注	sie^{2}	紙韻
5757a	下師・083ウ5・疊字	指	平	シ	左注	tśiei^{2}	旨韻
5762a	下師・083ウ7・疊字	所	平	シヨ	左注	ṣiʌ^{2}	語韻
5764a	下師・084オ1・疊字	紙	平	―	―	tśie^{2}	紙韻
5774a	下師・084オ3・疊字	指	平	シ	右注	tśiei^{2}	旨韻
5809a	下師・084ウ2・疊字	所	平	シヨ	右注	ṣiʌ^{2}	語韻
5825a	下師・084ウ4・疊字	所	平	シヨ	左注	ṣiʌ^{2}	語韻
5583a	下師・080オ6・疊字	社	平	―	―	źia^{2}	馬韻
5595a	下師・080ウ5・疊字	賑	平	シン	右注	tśien$^{2/3}$	軫/震韻
5832a	下師・084ウ5・疊字	所	平	シヨ	左注	ṣiʌ^{2}	語韻
5833a	下師・084ウ6・疊字	所	平	シヨ	右注	ṣiʌ^{2}	語韻
5834a	下師・084ウ6・疊字	所	平	シヨ	右注	ṣiʌ^{2}	語韻
5841a	下師・084ウ7・疊字	弛	平	シ	右注	śie^{2}	紙韻
5880a	下師・085オ6・疊字	視	平	シ	右注	źiei$^{2/3}$ dźiei^{3}	旨/至韻 至韻
5884a	下師・085オ7・疊字	取	平	シユ	右注	ts'iuʌ^{2} ts'uʌ^{2}	麌韻 厚韻
5889a	下師・085ウ1・疊字	聚	平	シユ	右注	dziuʌ$^{2/3}$	麌/遇韻
5966a	下會・087ウ4・地儀	永	平	―	―	ɣiuaŋ^{2}	梗韻
6611a	下世・110ウ2・疊字	踐	平	セン	左注	dzian^{2}	獮韻
6691a	下世・111ウ2・疊字	是	平	セ	左注	źie^{2}	紙韻
6800a	下洲・114オ3・植物	紫	平	―	―	tsie^{2}	紙韻
6801a	下洲・114オ4・植物	忍	平	ニン	右傍	ńien^{2}	軫韻
6854a	下洲・116オ7・雜物	水	平	スイ	右傍	śiuei^{2}	旨韻

番号	前田本所在	掲出字		仮名音注		中古音	韻目
3607a	下古・010ウ2・疊字	護	平濁	コ	左注	ɣuʌ^{3}	暮韻
3611a	下古・010ウ3・疊字	御	平	コ	左注	ŋiʌ^{3}	御韻
3612a	下古・010ウ3・疊字	御	平	コ	左注	ŋiʌ^{3}	御韻
3615a	下古・010ウ4・疊字	御	平	―	―	ŋiʌ^{3}	御韻
3691a	下古・011ウ6・疊字	御	平	―	―	ŋiʌ^{3}	御韻
3863a	下江・017ウ6・疊字	艶	平	エン	左注	jiam^{3}	豔韻

3943a	下手・022オ1・疊字	店	平	テム	左注	tem^{3}	㮇韻
4024a	下手・023オ4・疊字	定	平	テイ	左注	teŋ^{3} deŋ^{3}	徑韻 徑韻
4362a	下阿・039オ5・疊字	愛	平	—	—	'ʌi^{3}	代韻
4367a	下阿・039オ6・疊字	愛	平	—	—	'ʌi^{3}	代韻
4368a	下阿・039オ6・疊字	愛	平	アイ	左注	'ʌi^{3}	代韻
4387a	下阿・039ウ3・疊字	晏	平	アン	右注	'an^{3} 'ɑn^{3}	諫韻 翰韻
4661a	下佐・051オ4・疊字	讃	平	サン	右注	tsɑn^{3}	翰韻
4674a	下佐・051オ7・疊字	懺	平	サン	中注	tṣ'am^{3}	鑑韻
4676a	下佐・051オ7・疊字	讃	平	サン	左注	tsɑn^{3}	翰韻
4679a	下佐・051ウ1・疊字	作	平	サ	中注	tsɑ^{3} tsuʌ^{3} tsɑk	箇韻 暮韻 鐸韻
4701a	下佐・051ウ6・疊字	座	平	サ	右注	dzuɑ^{3}	過韻
4747a	下佐・052ウ3・疊字	菜	平	サイ	左注	ts'ʌi^{3}	代韻
4756a	下佐・052ウ5・疊字	竿	平	サン	左注	suɑn^{3}	換韻
4973a	下木・061オ1・疊字	竟	平	—	—	kiaŋ^{3}	映韻
4994a	下木・061オ5・疊字	義	平	—	—	ŋie^{3}	寘韻
5019a	下木・061ウ4・疊字	究	平	—	—	kiʌu^{3}	宥韻
5101a	下木・063オ2・疊字	議	平	キ	左注	ŋie^{3}	寘韻
5135a	下木・063ウ3・疊字	忌	平	キ	中注	giɐi^{3}	志韻
5149a	下木・063ウ6・疊字	議	平濁	キ	左注	ŋie^{3}	寘韻
5230a	下由・067オ1・人事	壊	平	クワイ	右傍	ɣuɐi^{3} kuɐi^{3}	怪韻 怪韻
5405a	下師・073ウ5・雜物	鏤	平	ロウ	右傍	lʌu^{3} liuʌ^{1}	候韻 虞韻
5481a	下師・075オ6・方角	四	平	シ	右注	siei^{3}	至韻
5561a	下師・079ウ3・疊字	示	平濁	シ	左注	dźiei^{3} gjie^{1}	至韻 支韻
5569a	下師・079ウ6・疊字	聖	平	シヤウ	右注	ćioŋ^{3}	勁韻
5615a	下師・081オ5・疊字	次	平	シ	左注	ts'iei^{3}	至韻
5630a	下師・081ウ1・疊字	進	平	シン	左注	tsien^{3}	震韻
5647a	下師・081ウ5・疊字	自	平濁	シ	左注	dziei^{3}	至韻
5669a	下師・082オ3・疊字	信	平	シン	左注	sien^{3}	震韻
5670a	下師・082オ3・疊字	信	平	シン	左注	sien^{3}	震韻
5721a	下師・083オ2・疊字	事	平	—	—	dẓiɐi^{3}	志韻
5722a	下師・083オ2・疊字	證	平	シヨウ	左注	tśiɐŋ^{3}	證韻
5726a	下師・083オ3・疊字	自	平濁	シ	左注	dziei^{3}	至韻
5753a	下師・083ウ4・疊字	進	平	シン	左注	tsien^{3}	震韻
5780a	下師・084オ4・疊字	信	平	シン	左注	sien^{3}	震韻
5831a	下師・084ウ5・疊字	熾	平	シ	左注	tś'iɐi^{3}	志韻

番号	前田本所在	掲出字		仮名音注		中古音	韻目
5838a	下師・084ウ6・疊字	震	平	シン	左注	tśien^3	震韻
5864a	下師・085オ4・疊字	四	平	シ	右注	siei^3	至韻
5999a	下會・089オ7・疊字	會	平	ヱ	左注	ɣuɑi^3 kuɑi^3	泰韻 泰韻
6003a	下會・089ウ1・疊字	衛	平	ヱ	左注	jiuai^3	祭韻
6240a	下飛・097ウ6・疊字	譬	平	ヒ	中注	p‘jie^3	寘韻
6269a	下飛・098オ4・疊字	秘	平	ヒ	左注	piei^3	至韻
6287a	下飛・098オ7・疊字	擯	平	ヒツ	左注	pjien^3	震韻
6288a	下飛・098オ7・疊字	譬	平	―	―	p‘jie^3	寘韻
6320a	下飛・098ウ6・疊字	費	平	ヒ	左注	p‘ɪʌi^3 bɪʌi^3 piei^3	未韻 未韻 至韻
6327a	下飛・098ウ7・疊字	秘	平	ヒ	左注	piei^3	至韻
6467a	下毛・105ウ3・疊字	悶	平	モン	左注	muʌn^3	慁韻
6476a	下毛・105ウ5・疊字	問	平	モン	右注	miuʌn^3	問韻
6478a	下毛・105ウ5・疊字	問	平	モン	右注	miuʌn^3	問韻
6515a	下世・107ウ5・人倫	膳	平濁	セン	右注	źian^3	線韻
6620a	下世・110ウ4・疊字	詔	平	―	―	tśiau^3	笑韻
6664a	下世・111オ5・疊字	世	平	―	―	śiai^3	祭韻
6665a	下世・111オ5・疊字	世	平 去	―	―	śiai^3	祭韻
6730a	下世・112オ3・疊字	世	平	セ	右注	śiai^3	祭韻
6904a	下洲・120オ2・疊字	瑞	平	スイ	右注	źiue^3	寘韻
6931a	下洲・120ウ1・疊字	瑞	平	スイ	右注	źiue^3	寘韻

番号	前田本所在	掲出字		仮名音注		中古音	韻目
3862a	下江・017ウ5・疊字	壓	平	エン	左注	'ap	狎韻
6724a	下世・112オ2・疊字	夕	平	―	―	ziek	昔韻

【表D-15】東声（熟字前部）上巻〔一致例〕

番号	前田本所在	掲出字		仮名音注		中古音	韻目
0233a	上伊・012ウ1・疊字	幽	東	イウ	左注	'ieu^1	幽韻
0238a	上伊・012ウ2・疊字	幽	東	イウ	右注	'ieu^1	幽韻
0239a	上伊・012ウ2・疊字	幽	東	イウ	左注	'ieu^1	幽韻
0246a	上伊・012ウ4・疊字	幽	東	イウ	左注	'ieu^1	幽韻
0321a	上伊・013ウ6・疊字	幽	東	イウ	左注	'ieu^1	幽韻
0324a	上伊・013ウ6・疊字	幽	東	イウ	中注	'ieu^1	幽韻
1909a	上池・070ウ2・疊字	珎	東	チン	左注	ṭien^1	眞韻
1910a	上池・070ウ2・疊字	珎	東	チン	左注	ṭien^1	眞韻
1911a	上池・070ウ2・疊字	珎	東	チン	左注	ṭien^1	眞韻
1912a	上池・070ウ3・疊字	珎	東	チン	左注	ṭien^1	眞韻
1941a	上池・071オ1・疊字	珎	東	チン	右注	ṭien^1	眞韻

3009a	上加・108ウ4・疊字	髙	東	カウ	左注	kau^{1}	豪韻
3012a	上加・108ウ4・疊字	髙	東	カウ	左注	kau^{1}	豪韻
3014a	上加・108ウ5・疊字	髙	東	カウ	左注	kau^{1}	豪韻
3029a	上加・109オ1・疊字	髙	(東)	カウ	左注	kau^{1}	豪韻
3041a	上加・109オ3・疊字	髙	東	カウ	左注	kau^{1}	豪韻
3085a	上加・109ウ5・疊字	髙	東	カウ	右注	kau^{1}	豪韻
3117a	上加・110オ4・疊字	函	東?	カム	右注	ɣʌm^{1} ɣɐm^{1}	覃韻 咸韻
3137a	上加・110ウ3・疊字	蕭	東	セウ	右傍	seu^{1}	蕭韻

【表D-16】東声（熟字前部）下巻〔一致例〕

番号	前田本所在	掲出字		仮名音注		中古音	韻目
3321a	下古・002ウ1・植物	茭	東	カウ	右傍	kau^{1}	肴韻
3921a	下手・021オ2・雑物	刁	東	テウ ［上平］	左注	teu^{1}	蕭韻
4167a	下阿・028ウ1・人倫	商	東	シヤウ	右傍	śiaŋ^{1}	陽韻
4391a	下阿・039ウ5・疊字	支	東	シ	右傍	tśie^{1}	支韻
4392a	下阿・039ウ5・疊字	周	東	シウ	右傍	tśiʌu^{1}	尤韻
4492a	下佐・044オ6・動物	三	東	サム	右注	sam$^{1/3}$	談/闞韻
4639a	下佐・050ウ7・疊字	三	東	—	—	sam$^{1/3}$	談/闞韻
4752a	下佐・052ウ5・疊字	山	東	サン	右傍	ṣɐn^{1}	山韻
4781a	下佐・053オ5・疊字	三	東	サム	右注	sam$^{1/3}$	談/闞韻
5521a	下師・078ウ2・重點	湯	東	シヤウ	右注	śiaŋ^{1} t'aŋ$^{1/3}$	陽韻 唐/宕韻
5698a	下師・082ウ3・疊字	詩	東	—	—	śiɐi^{1}	之韻
5713a	下師・082ウ7・疊字	思	東	—	—	siɐi$^{1/3}$	之/志韻
5786a	下師・084オ5・疊字	珠	東	シウ	右注	tśiuʌ^{1}	虞韻
5788a	下師・084オ5・疊字	商	東	シヤウ	右注	śiaŋ^{1}	陽韻
5851a	下師・085オ1・疊字	周	東	シウ	右傍	tśiʌu^{1}	尤韻
6104a	下飛・092ウ3・人倫	風	東	—	—	piʌuŋ$^{1/3}$	東/送韻

【表D-17】上声（熟字前部）上巻〔一致例〕

番号	前田本所在	掲出字		仮名音注		中古音	韻目
0053a	上伊・003ウ7・植物	乕	上	コ	右傍	xuʌ^{2}	姥韻
0070a	上伊・004オ7・動物	稻	上	タウ	右傍	dau^{2}	晧韻
0099a	上伊・005オ6・動物	狗	上	コウ	右傍	kʌu^{2}	厚韻
0106a	上伊・005ウ5・人倫	市	上	—	—	źiɐi^{2}	止韻
0240a	上伊・012ウ3・疊字	右	上	イウ	右注	ɣiʌu$^{2/3}$	有/宥韻
0241a	上伊・012ウ3・疊字	隠	上	イム	左注	'iʌn$^{2/3}$	隠/焮韻
0244a	上伊・012ウ3・疊字	有	上	イウ	中注	ɣiʌu^{2}	有韻

0245a	上伊・012ウ4・疉字	引	上	イン	右注	jien$^{2/3}$	軫韻
0260a	上伊・012ウ7・疉字	以	上	イ	左注	jiɐi^{2}	止韻
0261a	上伊・012ウ7・疉字	以	上	イ	左注	jiɐi^{2}	止韻
0284a	上伊・013オ4・疉字	有	上	イウ	中注	ɣiʌu^{2}	有韻
0307a	上伊・013ウ3・疉字	隠	上	イン	左注	'iʌn$^{2/3}$	隠/焮韻
0311a	上伊・013ウ4・疉字	有	上	イウ	右注	ɣiʌu^{2}	有韻
0313a	上伊・013ウ4・疉字	有	上	イウ	左注	ɣiʌu^{2}	有韻
0314a	上伊・013ウ4・疉字	有	上	イウ	中注	ɣiʌu^{2}	有韻
0315a	上伊・013ウ4・疉字	有	上	イウ	左注	ɣiʌu^{2}	有韻
0317a	上伊・013ウ5・疉字	引	上	イン	左注	jien$^{2/3}$	軫韻
0327a	上伊・013ウ7・疉字	隠	上	イン	中注	'iʌn$^{2/3}$	隠/焮韻
0329a	上伊・013ウ7・疉字	隠	上	イン	中注	'iʌn$^{2/3}$	隠/焮韻
0343a	上伊・014オ3・疉字	飲	上	イム	右注	'iem$^{2/3}$	寑/沁韻
0344a	上伊・014オ3・疉字	飲	上	イム	右注	'iem$^{2/3}$	寑/沁韻
0348a	上伊・014オ4・疉字	有	上	―	―	ɣiʌu^{2}	有韻
0351a	上伊・015オ2・疉字	綵	上	サイ	右傍	ts'ʌi^{2}	海韻
0407a	上呂・017ウ5・人體	癭	上	エイ	右傍	'ieŋ^{2}	靜韻
0452a	上呂・019オ5・疉字	虜	上	ロ	右注	luʌ^{2}	姥韻
0454a	上呂・019オ5・疉字	鹵	上	ロ	右注	luʌ^{2}	姥韻
0455a	上呂・019オ5・疉字	魯	上	ロ	右注	luʌ^{2}	姥韻
0514a	上波・021ウ1・植物	杜	上	ト	右傍	duʌ^{2}	姥韻
0531a	上波・022オ1・植物	菡	上	（カム）	右傍	ɣʌm^{2}	感韻
0547a	上波・022ウ5・動物	鲃	上	ハン	右傍	ban^{2}	潸韻
0630a	上波・025ウ5・人事	反	上	―	―	piɑn^{2}	阮韻
0728a	上波・031ウ1・疉字	晩	上濁	ハム	右注	miɑn^{2}	阮韻
0729a	上波・031ウ1・疉字	晩	上濁	ハム	右注	miɑn^{2}	阮韻
0733a	上波・031ウ2・疉字	晩	上濁	ハム	右注	miɑn^{2}	阮韻
0734a	上波・031ウ2・疉字	晩	上濁	ハム	左注	miɑn^{2}	阮韻
0735a	上波・031ウ2・疉字	晩	上濁	ハム	右注	miɑn^{2}	阮韻
0738a	上波・031ウ3・疉字	牓	上	ハウ	左注	pɑŋ^{2}	蕩韻
0795a	上波・032オ7・疉字	惘	上濁	ハウ	右注	miɑŋ^{2}	養韻
0833a	上波・033オ1・疉字	反	上	ハン	右注	piɑn^{2}	阮韻
0869a	上波・033ウ1・疉字	髣	上	ハウ	右注	p'iɑŋ^{2}	養韻
0889a	上波・033ウ5・疉字	馬	上濁	ハ	右注	ma^{2}	馬韻
0904a	上波・034オ1・疉字	馬	上濁	ハ	右注	ma^{2}	馬韻
0906a	上波・034オ2・疉字	反	上	ハン	左注	piɑn^{2}	阮韻
0922a	上仁・035ウ7・天象	採	上	サイ	右傍	ts'ʌi^{2}	海韻
0940a	上仁・036ウ1・植物	海	上	―	―	xʌi^{2}	海韻
1038a	上保・042オ1・植物	牡	上	ホウ	左注	mʌu^{2}	厚韻
1044a	上保・042オ4・植物	厚	上	コウ	右傍	ɣʌu$^{2/3}$	厚/候韻
1053a	上保・042ウ2・動物	倍	上	ハイ	右傍	bʌi^{2}	海韻
1057a	上保・042ウ5・動物	老	上	―	―	lɑu^{2}	晧韻

1095a	上保・044オ6・飲食	雉	上	チ	右傍	ḍiei^{2}	旨韻
1118a	上保・045オ4・雜物	麌韻 麌韻	上	—	—	ḍiuʌ^{2} ṭiuʌ^{2}	麌韻 麌韻
1158a	上保・047オ4・疊字	補	上	ホ	右注	puʌ^{2}	姥韻
1176a	上保・047ウ1・疊字	寶	上	ホウ	左注	pɑu^{2}	晧韻
1177a	上保・047ウ1・疊字	寶	上	ホフ	左注	pɑu^{2}	晧韻
1190a	上保・047ウ4・疊字	母	上濁	ホ	右注	mʌu^{2}	厚韻
1191a	上保・047ウ4・疊字	覂	上	ホウ	中注	piauŋ^{2}	腫韻
1204a	上保・047ウ7・疊字	稟	上	ホン	右注	piem^{2}	寑韻
1218a	上保・048オ3・疊字	寶	上	ホウ	左注	pɑu^{2}	晧韻
1246a	上保・048ウ1・疊字	補	上	ホ	左注	puʌ^{2}	姥韻
1269a	上保・048ウ7・疊字	髣	上	ハウ	右傍	pʻiɑŋ^{2}	養韻
1271a	上保・049オ1・疊字	潦	上	ラウ	右傍	lɑu$^{2/3}$	晧/号韻
1296a	上邊・051オ1・人躰	歐	上	ヲウ	右傍	ʼʌu$^{1/2}$	侯/厚韻
1303a	上邊・051ウ1・飲食	餅	上	ヘイ	右注	pieŋ^{2}	靜韻
1329a	上邊・052ウ4・疊字	秉	上	ヘイ	左注	piaŋ^{2}	梗韻
1331a	上邊・052ウ4・疊字	眇	上濁	ヘウ	中注	mjiau^{2}	小韻
1338a	上邊・052ウ5・疊字	淼	上濁	ヘウ	左注	mjiau^{2}	小韻
1341a	上邊・052ウ6・疊字	冕	上濁	ヘン	左注	mian^{2}	獮韻
1369a	上邊・053オ5・疊字	貶	上	ヘイ	左注	piam^{2}	琰韻
1374a	上邊・053オ6・疊字	冕	上濁	ヘン	左注	mian^{2}	獮韻
1400a	上邊・053ウ4・疊字	炳	上	ヘイ	右注	piaŋ^{2}	梗韻
1409a	上邊・053ウ6・疊字	表	上	ヘウ	左注	piau^{2}	小韻
1453a	上度・055ウ4・動物	蝘	上	エン	右傍	ʼen^{2} ʼian^{2}	銑韻 阮韻
1474a	上度・056ウ4・人事	遠	上	ヱン	右傍	ɣiuan$^{2/3}$	阮/願韻
1517a	上度・057ウ5・雜物	鳥	上	—	—	teu^{2}	篠韻
1572a	上度・062オ2・疊字	土	上	ト	中注	tʻuʌ^{2} duʌ^{2}	姥韻 姥韻
1573a	上度・062オ2・疊字	土	上	ト	中注	tʻuʌ^{2} duʌ^{2}	姥韻 姥韻
1582a	上度・062オ4・疊字	斗	上	トウ	左注	tʌu^{2}	厚韻
1597a	上度・062オ7・疊字	土	上	ト	左注	tʻuʌ^{2} duʌ^{2}	姥韻 姥韻
1598a	上度・062オ7・疊字	土	上	ト	左注	tʻuʌ^{2} duʌ^{2}	姥韻 姥韻
1601a	上度・062ウ1・疊字	土	上	ト	左注	tʻuʌ^{2} duʌ^{2}	姥韻 姥韻
1603a	上度・062ウ1・疊字	等	上	トウ	左注	tʌŋ^{2}	等韻
1604a	上度・062ウ2・疊字	怒	上	ト	左注	nuʌ$^{2/3}$	姥/暮韻
1605a	上度・062ウ2・疊字	怒	上	ト	左注	nuʌ$^{2/3}$	姥/暮韻
1623a	上度・062ウ6・疊字	等	上	トウ	左注	tʌŋ^{2}	等韻

1684a	上度・063ウ6・疊字	擁	上	ヰヨウ	右傍	'iauŋ^{2}	腫韻
1706a	上池・065オ6・地儀	右	上	—	—	ɣiʌu$^{2/3}$	有/宥韻
1722a	上池・065ウ6・植物	紫	上	—	—	tsie^{2}	紙韻
1744a	上池・066ウ7・人躰	癮	上	イン	右傍	'iʌn^{2}	隠韻
1747a	上池・067オ3・人事	股	上	コ	右傍	kuʌ^{2}	姥韻
1759a	上池・067オ6・人事	女	上濁	—	—	ṇiʌ$^{2/3}$	語/御韻
1907a	上池・070ウ2・疊字	耻	上	チ	中注	ṭ'iɐi^{2}	止韻
1921a	上池・070ウ4・疊字	打	上	チヤウ	左注	teŋ^{2} taŋ^{2}	迥韻 梗韻
1922a	上池・070ウ5・疊字	女	上濁	チヨ	中注	ṇiʌ$^{2/3}$	語/御韻
1932a	上池・070ウ7・疊字	寵	上	チヨウ	左注	ṭ'iauŋ^{2}	腫韻
1950a	上池・071オ3・疊字	女	上濁	チヨ	右注	ṇiʌ$^{2/3}$	語/御韻
1951a	上池・071オ3・疊字	寵	上	チヨウ	左注	ṭ'iauŋ^{2}	腫韻
2004a	上利・073ウ2・人事	柳	上	リウ	右注	liʌu^{2}	有韻
2065a	上利・075オ1・疊字	柳	上	リウ	左注	liʌu^{2}	有韻
2073a	上利・075オ2・疊字	祖	上	ソ	左注	tsuʌ^{2}	姥韻
2075a	上利・075オ3・疊字	兩	上	リヤウ	左注	liaŋ$^{2/3}$	養/漾韻
2088a	上利・075オ5・疊字	利	上	リ	左注	liei^{3}	至韻
2089a	上利・075オ5・疊字	里	上	リ	左注	liɐi^{2}	止韻
2094a	上利・075オ6・疊字	虜	上	リヨ	中注	luʌ^{2}	姥韻
2096a	上利・075オ7・疊字	虜	上	リヨ	左注	luʌ^{2}	姥韻
2102a	上利・075ウ1・疊字	旅	上	リヨ	左注	liʌ^{2}	語韻
2116a	上利・075ウ4・疊字	兩	上	リヤウ	左注	liaŋ$^{2/3}$	養/漾韻
2134a	上利・075ウ7・疊字	理	上	リ	左注	liɐi^{2}	止韻
2145a	上奴・076ウ3・植物	枸	上	コウ	右傍	kʌu$^{1/2}$ kiuʌ^{2}	侯/厚韻 麌韻
2146a	上奴・076ウ3・植物	枸	上	ク ［去］	左注	kiuʌ^{2} kʌu$^{1/2}$	麌韻 侯/厚韻
2150a	上奴・077オ1・動物	叩	上	コウ	右傍	k'ʌu^{2}	厚韻
2153a	上奴・077オ5・人躰	板	上	ハン	右傍	pan^{2}	潸韻
2183a	上留・079ウ1・疊字	累	上	ルイ	中注	liue$^{2/3}$	紙/寘韻
2184a	上留・079ウ1・疊字	累	上	ルイ	左注	liue$^{2/3}$	紙/寘韻
2185a	上留・079ウ1・疊字	累	上	ルイ	右注	liue$^{2/3}$	紙/寘韻
2186a	上留・079ウ2・疊字	累	上	ルイ	左注	liue$^{2/3}$	紙/寘韻
2193a	上留・079ウ3・疊字	累	上	ルイ	左注	liue$^{2/3}$	紙/寘韻
2207a	上遠・080オ4・植物	女	上濁	—	—	ṇiʌ$^{2/3}$	語/御韻
2238a	上遠・081オ4・人倫	少	上	—	—	śiau$^{2/3}$	小/笑韻
2258a	上遠・083オ1・雑物	鼠	上	シヨ	右傍	śiʌ^{2}	語韻
2279a	上遠・084ウ7・疊字	擁	上	ヲウ	中注	'iauŋ^{2}	腫韻
2280a	上遠・084ウ7・疊字	擁	上	ヲウ	中注	'iauŋ^{2}	腫韻
2281a	上遠・084ウ7・疊字	擁	上	ヲウ	左注	'iauŋ^{2}	腫韻
2282a	上遠・084ウ7・疊字	擁	上	ヲウ	左注	'iauŋ^{2}	腫韻

2293a	上和・086オ3・植物	蒟	上	ク	右傍	kiuʌ$^{2/3}$	麌/遇韻
2366a	上和・089ウ7・疊字	往	上	ワウ	中注	ɣiuaŋ^{2}	養韻
2367a	上和・089ウ7・疊字	往	上	ワウ	左注	ɣiuaŋ^{2}	養韻
2368a	上和・089ウ7・疊字	往	上	ワウ	左注	ɣiuaŋ^{2}	養韻
2374a	上和・090オ1・疊字	往	上	ワウ	左注	ɣiuaŋ^{2}	養韻
2376a	上和・090オ2・疊字	往	上	ワウ	左注	ɣiuaŋ^{2}	養韻
2377a	上和・090オ2・疊字	往	上	ワウ	左注	ɣiuaŋ^{2}	養韻
2380a	上和・090オ2・疊字	猥	上	ワイ	中注	'uʌi^{2}	賄韻
2381a	上和・090オ2・疊字	賄	上	ワイ	中注	xuʌi^{2}	賄韻
2382a	上和・090オ3・疊字	賄	上	ワイ	右注	xuʌi^{2}	賄韻
2383a	上和・090オ3・疊字	往	上	ワウ	左注	ɣiuaŋ^{2}	養韻
2387a	上和・090オ4・疊字	猥	上	ワイ	中注	'uʌi^{2}	賄韻
2388a	上和・090オ4・疊字	猥	上	ワイ	左注	'uʌi^{2}	賄韻
2400a	上和・090オ6・疊字	往	上	ワウ	中注	ɣiuaŋ^{2}	養韻
2401a	上和・090オ6・疊字	往	上	ワウ	中注	ɣiuaŋ^{2}	養韻
2402a	上和・090オ6・疊字	往	上	ワウ	左注	ɣiuaŋ^{2}	養韻
2403a	上和・090オ7・疊字	往	上	ワウ	左注	ɣiuaŋ^{2}	養韻
2404a	上和・090オ7・疊字	往	上	ワウ	左注	ɣiuaŋ^{2}	養韻
2462a	上加・092オ4・地儀	感	上	カン	右傍	kʌm^{2}	感韻
2492a	上加・093オ7・植物	榧	上	ヒ	右傍	piʌi^{2}	尾韻
2505a	上加・093ウ3・植物	枳	上	シ	右傍	tśie^{2}	紙韻
2506a	上加・093ウ3・植物	枸	上	ク	右傍	kiuʌ^{2} kʌu$^{1/3}$	麌韻 侯/候韻
2510a	上加・093ウ5・植物	李	上	リ	右傍	liɐi^{2}	止韻
2545a	上加・094ウ5・動物	擁	上	ヰヨウ	右傍	'iauŋ^{2}	腫韻
2609a	上加・096ウ1・人體	轉	上	テン	右傍	ṭiuan$^{2/3}$	獮/線韻
2651a	上加・097ウ7・人事	感	上	カム	左注	kʌm^{2}	感韻
2652a	上加・097ウ7・人事	海	上	―	―	xʌi^{2}	海韻
2671a	上加・098オ5・飲食	粿	上	クワ	右傍	kuɑ^{2}	果韻
2879a	上加・106ウ6・疊字	海	上	カイ	左注	xʌi^{2}	海韻
2881a	上加・106ウ6・疊字	海	上	カイ	左注	xʌi^{2}	海韻
2884a	上加・106ウ7・疊字	解	上	カイ	左注	kɐ$^{2/3}$ ɣɐ$^{2/3}$	蟹/卦韻 蟹/卦韻
2885a	上加・106ウ7・疊字	海	上	カイ	左注	xʌi^{2}	海韻
2906a	上加・107オ4・疊字	簡	上	カン	中注	kɐn^{2}	産韻
2924a	上加・107ウ1・疊字	好	上	カウ	左注	xɑu$^{2/3}$	晧/号韻
2935a	上加・107ウ3・疊字	好	上	カウ	左注	xɑu$^{2/3}$	晧/号韻
2938a	上加・107ウ4・疊字	雅	上濁	カ	左注	ŋa^{2}	馬韻
2962a	上加・108オ1・疊字	感	上	カム	左注	kʌm^{2}	感韻
2963a	上加・108オ2・疊字	感	上	カム	左注	kʌm^{2}	感韻
2964a	上加・108オ2・疊字	感	上	カム	左注	kʌm^{2}	感韻
2965a	上加・108オ2・疊字	感	上	カム	右注	kʌm^{2}	感韻

2966a	上加・108オ2・疊字	感	上	カム	右注	kʌm^{2}	感韻
2967a	上加・108オ2・疊字	感	上	カン	右注	kʌm^{2}	感韻
2968a	上加・108オ3・疊字	感	上	カン	右注	kʌm^{2}	感韻
2973a	上加・108オ4・疊字	巧	上	カウ	左注	k'au$^{2/3}$	巧/効韻
2984a	上加・108オ6・疊字	感	上	カム	左注	kʌm^{2}	感韻
3025a	上加・108ウ7・疊字	簡	上	カン	左注	kɐn^{2}	産韻
3054a	上加・109オ6・疊字	好	上	カウ	左注	xɑu$^{2/3}$	晧/号韻
3065a	上加・109ウ1・疊字	雅	上濁	カ	左注	ŋa^{2}	馬韻
3088a	上加・109ウ6・疊字	挭	上	カウ	右注	kaŋ^{2}	梗韻
3095a	上加・109ウ7・疊字	感	上	カム	右注	kʌm^{2}	感韻
3096a	上加・109ウ7・疊字	感	上	カム	右注	kʌm^{2}	感韻
3097a	上加・109ウ7・疊字	簡	上	カン	右注	kɐn^{2}	産韻
3108a	上加・110オ3・疊字	轗	上	カム	右注	k'ʌm$^{2/3}$	感/勘韻
3109a	上加・110オ3・疊字	坎	上	カム	右注	k'ʌm^{2}	感韻
3113a	上加・110オ4・疊字	解	上	カイ	右注	kɐ$^{2/3}$ ɣɐ$^{2/3}$	蟹/卦韻 蟹/卦韻
3126a	上加・110オ6・疊字	解	上	カイ	右注	kɐ$^{2/3}$ ɣɐ$^{2/3}$	蟹/卦韻 蟹/卦韻
3144a	上加・111オ1・疊字	首	上	—	—	śiʌu$^{2/3}$	有/宥韻
3168a	上加・112オ2・官職	長	上	チヤウ	右傍	ṭiaŋ^{2} ḍiaŋ$^{1/3}$	養韻 陽/漾韻
3248a	上与・117ウ3・疊字	勇	上	ヨウ	中注	jiauŋ^{2}	腫韻
3249a	上与・117ウ4・疊字	勇	上	ヨウ	左注	jiauŋ^{2}	腫韻
3250a	上与・117ウ4・疊字	勇	上	ヨウ	左注	jiauŋ^{2}	腫韻
3251a	上与・117ウ4・疊字	勇	上	ヨウ	左注	jiauŋ^{2}	腫韻
3252a	上与・117ウ4・疊字	勇	上	ヨウ	左注	jiauŋ^{2}	腫韻
3268a	上与・118オ1・疊字	膂	上	ヨウ	右注	liʌ^{2}	語韻

【表D-17】上声（熟字前部）上巻〔不一致例〕

番号	前田本所在	掲出字		仮名音注		中古音	韻目
0172a	上伊・008ウ4・雑物	衣	上	イ ［上］	右注	'iʌi$^{1/3}$	微/未韻
0325a	上伊・013ウ6・疊字	衣	上	イ	左注	'iʌi$^{1/3}$	微/未韻
0326a	上伊・013ウ7・疊字	衣	上	イ	左注	'iʌi$^{1/3}$	微/未韻
0278a	上伊・013オ3・疊字	遊	上	イウ	右注	jiʌu^{1}	尤韻
0339a	上伊・014オ2・疊字	因	上	イン	右注	'jien^{1}	眞韻
1211a	上保・048オ1・疊字	匍	上	ホ	右注	buʌ^{1}	模韻
1222a	上保・048オ3・疊字	褒	上	ホウ	左注	pɑu^{1}	豪韻
1652a	上度・063オ5・疊字	途	上	ト	左注	duʌ^{1}	模韻
1840a	上池・069ウ2・疊字	張	上	チヤウ	左注	ḍiaŋ$^{1/3}$	陽/漾韻
1905a	上池・070ウ1・疊字	停	上	チヤウ	左注	deŋ^{1}	青韻
1906a	上池・070ウ1・疊字	停	上	チヤウ	左注	deŋ^{1}	青韻

2042a	上利・074ウ3・疊字	隴	上	リヨウ	左注	liɑuŋ^{1}	腫韻
2126a	上利・075ウ6・疊字	瀧	上	リヨウ	左注	lauŋ^{1} ṣauŋ^{1} lʌuŋ^{1}	江韻 江韻 東韻
2127a	上利・075ウ6・疊字	瀧	上	リヨウ	左注	lauŋ^{1} ṣauŋ^{1} lʌuŋ^{1}	江韻 江韻 東韻
2339a	上和・088オ3・飲食	垸	上	ワウ	右注	ɣuɑn$^{1/3}$	桓/換韻
2396a	上和・090オ5・疊字	垸	上	ワウ	左注	ɣuɑn$^{1/3}$	桓/換韻
2655a	上加・098オ1・人事	酣	上	カム	左注	ɣɑm^{1}	談韻
2908a	上加・107オ5・疊字	更	上	カウ	左注	kaŋ$^{1/3}$	庚/映韻

番号	前田本所在	掲出字		仮名音注		中古音	韻目
0291a	上伊・013オ6・疊字	異	上	イ	右注	jiɐi^{3}	志韻
0440a	上呂・019オ2・疊字	露	上	ロ	左注	luʌ^{3}	暮韻
0445a	上呂・019オ3・疊字	路	上	ロ	左注	luʌ^{3}	暮韻
0447a	上呂・019オ4・疊字	路	上	ロ	左注	luʌ^{3}	暮韻
2656a	上加・098オ1・人事	賀	上	—	—	ɣɑ^{3}	箇韻
3039a	上加・109オ3・疊字	邂	上	カイ	左注	ɣɐ^{3}	卦韻

番号	前田本所在	掲出字		仮名音注		中古音	韻目
0283a	上伊・013オ4・疊字	邑	上	イウ	左注	'iep	緝韻
0628a	上波・025ウ5・人事	拔	上濁	ハ	左注	bɑt biɑt bɐt	末韻 月韻 黠韻

【表D-18】上声（熟字前部）下巻〔一致例〕

番号	前田本所在	掲出字		仮名音注		中古音	韻目
3376a	下古・004オ4・人倫	醜	上	シウ	右傍	tś'iʌu^{2}	有韻
3392a	下古・004ウ5・人躰	轉	上	テン	右傍	ṭiuan$^{2/3}$	獮/線韻
3410a	下古・006オ1・人事	五	上濁	—	—	ŋuʌ^{2}	姥韻
3594a	下古・010オ6・疊字	五	上濁	—	—	ŋuʌ^{2}	姥韻
3595a	下古・010オ6・疊字	五	上	—	—	ŋuʌ^{2}	姥韻
3596a	下古・010オ6・疊字	五	上	コ	左注	ŋuʌ^{2}	姥韻
3601a	下古・010オ7・疊字	五	上	—	—	ŋuʌ^{2}	姥韻
3619a	下古・010ウ4・疊字	股	上	コ	右注	kuʌ^{2}	姥韻
3620a	下古・010ウ5・疊字	古	上	—	—	kuʌ^{2}	姥韻
3622a	下古・010ウ5・疊字	懇	上	コン	右注	k'ʌn^{2}	很韻
3625a	下古・010ウ6・疊字	古	上	—	—	kuʌ^{2}	姥韻
3626a	下古・010ウ6・疊字	古	上	—	—	kuʌ^{2}	姥韻
3637a	下古・011オ1・疊字	懇	上	—	—	k'ʌn^{2}	很韻
3651a	下古・011オ5・疊字	閫	上	コン	左注	k'uʌn^{2}	混韻

3652a	下古・011オ5・疊字	偶	上	コウ	左注	ŋʌu^2/3	厚/候韻
3653a	下古・011オ6・疊字	口	上	コウ	左注	k'ʌu^2	厚韻
3680a	下古・011ウ4・疊字	口	上	—	—	k'ʌu^2	厚韻
3694a	下古・011ウ7・疊字	懇	上	コン	左注	k'ʌn^2	很韻
3709a	下古・012オ3・疊字	鼓	上	コ	左注	kuʌ^2	姥韻
3720a	下古・012オ6・疊字	五	上	コ	右注	ŋuʌ^2	姥韻
3746a	下江・014ウ1・植物	紫	上	シ	右傍	tsie^2	紙韻
3800a	下江・016ウ7・疊字	偃	上	エン	左注	'ian^2	阮韻
3810a	下江・017オ2・疊字	窈	上	エウ	中注	'eu^2	篠韻
3812a	下江・017オ2・疊字	窈	上	エウ	左注	'eu^2	篠韻
3823a	下江・017オ5・疊字	偃	上	エン	左注	'ian^2	阮韻
3829a	下江・017オ6・疊字	羽	上	ウ	右傍	ɣiuʌ^2/3	麌/遇韻
3847a	下江・017ウ2・疊字	郢	上	エイ	左注	jieŋ^2	静韻
3904a	下手・020オ7・人事	鳥	上	—	—	teu^2	篠韻
3950a	下手・022オ2・疊字	有	上	—	—	ɣiʌu^2	有韻
3960a	下手・022オ4・疊字	冢	上	テウ	左注	ṭiauŋ^2	腫韻
3999a	下手・022ウ5・疊字	鳥	上 東 徳	—	—	teu^2	篠韻
4037a	下手・023ウ1・疊字	寵	上	テウ	右注	ṭ'iauŋ^2	腫韻
4057a	下阿・024ウ2・天象	晩	上濁	—	—	mian^2	阮韻
4093a	下阿・026オ2・植物	女	上濁	—	—	ṇiʌ^2/3	語/御韻
4095a	下阿・026オ2・植物	嶋	上	タウ	右傍	tau^2 teu^2	晧韻 篠韻
4109a	下阿・026ウ1・植物	紫	上	シ	右傍	tsie^2	紙韻
4135a	下阿・027オ6・動物	葦	上	ヰ	右傍	ɣiuʌi^2	尾韻
4153a	下阿・027ウ7・動物	馬	上濁	ハ	右傍	ma^2	馬韻
4169a	下阿・028ウ2・人倫	総	上	ソウ	右傍	tsʌuŋ^2	董韻
4193a	下阿・029オ5・人躰	齦	上	ケン	右傍	ŋen^2	銑韻
4252a	下阿・032オ3・雑物	紵	上	チヨ	右傍	ḍiʌ^2	語韻
4253a	下阿・032オ3・雑物	雨	上	—	—	ɣiuʌ^2/3	麌/遇韻
4364a	下阿・039オ5・疊字	婀	上	ア	左注	'ɑ^2	哿韻
4396a	下阿・040オ2・疊字	濎	上	—	—	teŋ^2	迥韻
4451a	下佐・043オ2・地儀	左	上	—	—	tsɑ^2/3	哿/箇韻
4452a	下佐・043オ2・地儀	藻	上	サウ	右傍	tsɑu^2	晧韻
4453a	下佐・043オ4・植物	薺	上	セイ	右傍	dzei^2 dziei^1	薺韻 脂韻
4454a	下佐・043オ4・植物	藁	上	カウ	右傍	kɑu^2	晧韻
4500a	下佐・044ウ3・動物	蠁	上	キヤウ	右傍	xiɑŋ^2/3	養/漾韻
4535a	下佐・046オ4・人事	墋	上	サム	右傍	tṣ'iem^2	寑韻
4543a	下佐・046オ7・人事	散	上	サン	左注	sɑn^2/3	旱/翰韻
4553a	下佐・046ウ4・飲食	酒	上	—	—	tsiʌu^2	有韻
4580a	下佐・047ウ1・雑物	草	上	サウ	右注	ts'ɑu^2	晧韻

4583a	下佐・047ウ2・雜物	散	上	サン	右注	san$^{2/3}$	旱/翰韻
4598a	下佐・047ウ7・雜物	澡	上	サク	左傍	tsɑu^{2}	晧韻
4599a	下佐・047ウ7・雜物	澡	上	サク	右注	tsɑu^{2}	晧韻
4605a	下佐・048オ3・雜物	草	上	—	—	ts‘ɑu^{2}	晧韻
4606a	下佐・048オ3・雜物	草	上	—	—	ts‘ɑu^{2}	晧韻
4641a	下佐・050ウ7・疊字	早	上	—	—	tsɑu^{2}	晧韻
4642a	下佐・050ウ7・疊字	早	上	サウ	中注	tsɑu^{2}	晧韻
4643a	下佐・050ウ7・疊字	早	上	サウ	左注	tsɑu^{2}	晧韻
4645a	下佐・051オ1・疊字	草	上	—	—	ts‘ɑu^{2}	晧韻
4682a	下佐・051ウ2・疊字	採	上	サイ	左注	ts‘ʌi^{2}	海韻
4683a	下佐・051ウ2・疊字	採	上	サイ	左注	ts‘ʌi^{2}	海韻
4684a	下佐・051ウ2・疊字	採	上	サイ	左注	ts‘ʌi^{2}	海韻
4690a	下佐・051ウ3・疊字	早	上	—	—	tsɑu^{2}	晧韻
4694a	下佐・051ウ4・疊字	爽	上	サウ	右注	ṣiɑŋ^{2}	養韻
4703a	下佐・051ウ6・疊字	左	上	—	—	śiɑŋ$^{2/3}$	養/宕韻
4724a	下佐・052オ5・疊字	左	上	—	—	tsɑ$^{2/3}$	哿/箇韻
4733a	下佐・052オ6・疊字	草	上	—	—	ts‘ɑu^{2}	晧韻
4734a	下佐・052オ7・疊字	草	上	—	—	ts‘ɑu^{2}	晧韻
4739a	下佐・052ウ1・疊字	左	上	サ	左注	tsɑ$^{2/3}$	哿/箇韻
4742a	下佐・052ウ2・疊字	草	上	—	—	ts‘ɑu^{2}	晧韻
4746a	下佐・052ウ3・疊字	散	上	—	—	san$^{2/3}$	旱/翰韻
4749a	下佐・052ウ4・疊字	草	上	サウ	左注	ts‘ɑu^{2}	晧韻
4757a	下佐・052ウ6・疊字	産	上	サン	左注	ṣɐn^{2}	産韻
4765a	下佐・053オ1・疊字	綵	上	サイ	左注	ts‘ʌi^{2}	海韻
4777a	下佐・053オ4・疊字	採	上	サイ	右注	ts‘ʌi^{2}	海韻
4779a	下佐・053オ4・疊字	草	上	サウ	右注	ts‘ɑu^{2}	晧韻
4782a	下佐・053オ5・疊字	採	上	サイ	右注	ts‘ʌi^{2}	海韻
4789a	下佐・053オ7・疊字	綵	上	サイ	右注	ts‘ʌi^{2}	海韻
4798a	下佐・053ウ3・疊字	數	上	—	—	ṣiuʌ$^{2/3}$ sʌuk ṣɐuk	麌/遇韻 屋韻 覺韻
4903a	下木・058オ1・人事	喜	上	—	—	xiɐi$^{2/3}$	止/志韻
4967a	下木・060ウ7・疊字	九	上	—	—	kiʌu^{2}	有韻
4974a	下木・061オ1・疊字	九	上	—	—	kiʌu^{2}	有韻
4977a	下木・061オ2・疊字	九	上	キウ	左注	kiʌu^{2}	有韻
5005a	下木・061ウ1・疊字	九	上	—	—	kiʌu^{2}	有韻
5009a	下木・061ウ1・疊字	綺	上	キ	右注	k‘ie^{2}	紙韻
5039a	下木・062オ1・疊字	綺	上	—	—	k‘ie^{2}	紙韻
5050a	下木・062オ3・疊字	謹	上	キン	左注	kiʌn^{2}	隠韻
5051a	下木・062オ3・疊字	謹	上	—	—	kiʌn^{2}	隠韻
5058a	下木・062オ5・疊字	饗	上	キヤウ	左注	xiɑŋ^{2}	養韻
5073a	下木・062ウ1・疊字	起	上	キ	左注	k‘iɐi^{2}	止韻

5074a	下木・062ウ1・疊字	許	上	キヨ	中注	xiʌ^{2}	語韻
5102a	下木・063オ2・疊字	起	上	キ	左注	k'ɪɐi^{2}	止韻
5113a	下木・063オ5・疊字	警	上	キヤウ	左注	kiaŋ^{2}	梗韻
5117a	下木・063オ6・疊字	饗	上	キヤウ	左注	xiɑŋ^{2}	養韻
5118a	下木・063オ6・疊字	擬	上	キ	左注	ŋiɐi^{2}	止韻
5125a	下木・063ウ1・疊字	九	上	キウ	右注	kiʌu^{2}	有韻
5139a	下木・063ウ3・疊字	仰	上	キヤウ	左注	ŋiɑŋ$^{2/3}$	養/漾韻
5140a	下木・063ウ4・疊字	謹	上	―	―	kiʌn^{2}	隠韻
5141a	下木・063ウ4・疊字	謹	上	―	―	kiʌn^{2}	隠韻
5142a	下木・063ウ4・疊字	謹	上	―	―	kiʌn^{2}	隠韻
5143a	下木・063ウ5・疊字	謹	上	―	―	kiʌn^{2}	隠韻
5187a	下木・064オ7・疊字	九	上	キウ	右注	kiʌu^{2}	有韻
5269a	下師・069オ3・地儀	主	上	シユ	右注	tśiuʌ^{2}	麌韻
5275a	下師・069オ6・植物	紫	上	シ	右注	tsie^{2}	紙韻
5277a	下師・069オ7・植物	皀	上	サウ	右傍	dzɑu^{2}	晧韻
5288a	下師・069ウ4・植物	莽	上	マウ	右傍	mɑŋ^{2} mʌu^{2} muʌ^{2}	蕩韻 厚韻 姥韻
5289a	下師・069ウ4・植物	紫	上	シ	右注	tsie^{2}	紙韻
5315a	下師・070ウ2・動物	蜆	上	ケン	右傍	xen^{2} ɣen^{2}	銑韻 銑韻
5334a	下師・071オ3・人倫	醜	上	シウ	右傍	tś'iʌu^{2}	有韻
5355a	下師・071ウ6・人躰	産	上	サン	右傍	ṣɐn^{2}	産韻
5377a	下師・073オ1・人事	酒	上	―	―	tsiʌu^{2}	有韻
5388a	下師・073オ5・人事	志	上	シ	左傍	tśiɐi^{3}	志韻
5446a	下師・074オ7・雑物	酒	上	―	―	tsiʌu^{2}	有韻
5474a	下師・075オ3・光彩	粉	上	フン	右傍	piuʌn^{2}	吻韻
5524a	下師・078ウ4・疊字	紫	上	シ	左注	tsie^{2}	紙韻
5529a	下師・078ウ5・疊字	紫	上	シ	中注	tsie^{2}	紙韻
5556a	下師・079ウ1・疊字	紙	上	シ	左注	tśie^{2}	紙韻
5586a	下師・080オ7・疊字	主	上	―	―	tśiuʌ^{2}	麌韻
5587a	下師・080オ7・疊字	賞	上	―	―	śiɑŋ^{2}	養韻
5603a	下師・080ウ7・疊字	訡	上	シム	中注	tśien^{2} ḍien^{3}	軫韻 震韻
5606a	下師・081オ3・疊字	醜	上	シウ	左注	tś'iʌu^{2}	有韻
5678a	下師・082オ6・疊字	酒	上	―	―	tsiʌu^{2}	有韻
5681a	下師・082オ6・疊字	准	上	―	―	tśiuen^{2}	準韻
5706a	下師・082ウ6・疊字	手	上	―	―	śiʌu^{2}	有韻
5711a	下師・082ウ7・疊字	紙	上	―	―	tśie^{2}	紙韻
5752a	下師・083ウ4・疊字	首	上	―	―	śiʌu$^{2/3}$	有/宥韻
5783a	下師・084オ4・疊字	寝	上	シム	左注	ts'iem^{2}	寝韻

5789a	下師・084オ5・疊字	取	上	シユ	左注	tsʻiuʌ^{2} tsʻuʌ^{2}	麌韻 厚韻
5798a	下師・084オ7・疊字	准	上濁	シユン	左注	tśiuen^{2}	準韻
5806a	下師・084ウ1・疊字	准	上濁	シユン	右注	tśiuen^{2}	準韻
5815a	下師・084ウ3・疊字	悚	上	シヨウ	左注	siɑuŋ^{2}	腫韻
5816a	下師・084ウ3・疊字	悚	上	シヨウ	左注	siɑuŋ^{2}	腫韻
5844a	下師・084ウ7・疊字	紫	上	シ	中注	tsie^{2}	紙韻
5853a	下師・085オ2・疊字	子	上	シ	右注	tsiɐi^{2}	止韻
5860a	下師・085オ3・疊字	二	上濁	シ	右注	ńiei^{3}	至韻
5873a	下師・085オ5・疊字	兕	上	シ	右注	ziei^{2}	旨韻
5875a	下師・085オ5・疊字	首	上	シユ	右注	śiʌu$^{2/3}$	有/宥韻
5876a	下師・085オ6・疊字	枕	上	シム	右注	tśiem$^{2/3}$ ḍiem^{1}	寑/沁韻 侵韻
5963a	下會・087ウ4・地儀	永	上	ヱイ	右傍	ɣiuɑŋ^{2}	梗韻
5964a	下會・087ウ4・地儀	永	上	ヱイ	右傍	ɣiuɑŋ^{2}	梗韻
5965a	下會・087ウ4・地儀	永	上	―	―	ɣiuɑŋ^{2}	梗韻
5967a	下會・087ウ4・地儀	永	上	―	―	ɣiuɑŋ^{2}	梗韻
5968a	下會・087ウ4・地儀	永	上	―	―	ɣiuɑŋ^{2}	梗韻
5969a	下會・087ウ6・植物	女	上濁	―	―	ṇiʌ$^{2/3}$	語/御韻
5972a	下會・087ウ6・植物	猗	上	コウ	右傍	kʌu^{2}	厚韻
5983a	下會・088ウ3・人事	永	上	ヱイ	右傍	ɣiuɑŋ^{2}	梗韻
5990a	下會・089オ6・疊字	遠	上	―	―	ɣiuɑn$^{2/3}$	阮/願韻
5991a	下會・089オ6・疊字	遠	上	―	―	ɣiuɑn$^{2/3}$	阮/願韻
5992a	下會・089オ6・疊字	遠	上	―	―	ɣiuɑn$^{2/3}$	阮/願韻
5993a	下會・089オ6・疊字	遠	上	―	―	ɣiuɑn$^{2/3}$	阮/願韻
5995a	下會・089オ6・疊字	遠	上	―	―	ɣiuɑn$^{2/3}$	阮/願韻
6007a	下會・089ウ1・疊字	遠	上	ヱン	中注	ɣiuɑn$^{2/3}$	阮/願韻
6009a	下會・089ウ2・疊字	遠	上	―	―	ɣiuɑn$^{2/3}$	阮/願韻
6012a	下會・089ウ3・疊字	遠	上	ヱン	左注	ɣiuɑn$^{2/3}$	阮/願韻
6024a	下飛・090オ5・天象	火	上	―	―	xuɑ^{2}	果韻
6066a	下飛・091ウ1・植物	女	上濁			ṇiʌ$^{2/3}$	語/御韻
6071a	下飛・091ウ4・植物	菌	上	クキン	右傍	giuen^{2} giuɑn^{2}	準韻 阮韻
6082a	下飛・092オ2・動物	五	上濁	ユ	右傍	ŋuʌ^{2}	姥韻
6085a	下飛・092オ2・動物	火	上	―	―	xuɑ^{2}	果韻
6110a	下飛・092ウ5・人倫	偶	上濁	コウ	右傍	ŋʌu$^{2/3}$	厚/候韻
6137a	下飛・094オ1・飲食	編	上	ヘン	右傍	pen^{2}	銑韻
6142a	下飛・094オ3・飲食	炒	上	サウ	右傍	tṣʻau^{2}	巧韻
6147a	下飛・094オ6・雜物	馬	上濁	ハ	中注	ma^{2}	馬韻
6189a	下飛・095オ2・雜物	屏	上濁	ヒヤウ	右注	pieŋ$^{1/2}$ beŋ^{1}	清/靜韻 青韻

6190a	下飛・095オ2・雑物	屏	上濁	ヘイ	右傍	pieŋ$^{1/2}$ beŋ^{1}	清/靜韻 青韻
6233a	下飛・097ウ5・疊字	美	上	ヒ	右注	miei^{2}	旨韻
6244a	下飛・097ウ7・疊字	品	上	—	—	p‘iem^{2}	寑韻
6247a	下飛・097ウ7・疊字	美	上	—	—	miei^{2}	旨韻
6248a	下飛・097ウ7・疊字	美	上	—	—	miei^{2}	旨韻
6249a	下飛・098オ1・疊字	美	上	ヒ	左注	miei^{2}	旨韻
6251a	下飛・098オ1・疊字	美	上	—	—	miei^{2}	旨韻
6254a	下飛・098オ1・疊字	鄙	上	ヒ	左注	piei^{2}	旨韻
6256a	下飛・098オ2・疊字	鄙	上	—	—	piei^{2}	旨韻
6257a	下飛・098オ2・疊字	匪	上	ヒ	右注	piʌi^{2}	尾韻
6286a	下飛・098オ7・疊字	僶	上	ヒン	左注	mjien^{2}	軫韻
6306a	下飛・098ウ3・疊字	美	上	ヒ	左注	miei^{2}	旨韻
6307a	下飛・098ウ3・疊字	美	上	—	—	miei^{2}	旨韻
6329a	下飛・099オ1・疊字	品	上	ヒン	左注	p‘iem^{2}	寑韻
6337a	下飛・099オ2・疊字	尾	上濁	—	—	miʌi^{2}	尾韻
6350a	下飛・099オ6・疊字	長	上	—	—	ṭiɑŋ^{2} ḍiɑŋ$^{1/3}$	養韻 陽/漾韻
6407a	下毛・101ウ2・植物	水	上	—	—	śiuei^{2}	旨韻
6539a	下世・108ウ5・雑物	紙	上	シ	右傍	tśie^{2}	紙韻
6633a	下世・110ウ6・疊字	省	上	—	—	ṣaŋ^{2} sieŋ^{2}	梗韻 靜韻
6652a	下世・111オ3・疊字	小	上	—	—	siau^{2}	小韻
6669a	下世・111オ6・疊字	請	上	セイ	右注	ts‘ieŋ$^{1/2}$ dzieŋ^{3}	清/靜韻 勁韻
6687a	下世・111ウ2・疊字	請	上	セイ	中注	ts‘ieŋ$^{1/2}$ dzieŋ^{3}	清/靜韻 勁韻
6699a	下世・111ウ4・疊字	洗	上	セン	左注	sen^{2} sei^{2}	銑韻 薺韻
6700a	下世・111ウ4・疊字	染	上	—	—	ńiam$^{2/3}$	琰/豔韻
6704a	下世・111ウ5・疊字	鮮	上	—	—	sian$^{1/2/3}$	仙/獮/線韻
6708a	下世・111ウ6・疊字	餞	上	セン	左注	dzian$^{2/3}$	獮/線韻
6709a	下世・111ウ6・疊字	餞	上	—	—	dzian$^{2/3}$	獮/線韻
6769a	下洲・113オ5・天象	昴	上濁	ハウ	右傍	mau^{2}	巧韻
6777a	下洲・113ウ2・地儀	水	上	スイ	左注	śiuei^{2}	旨韻
6788a	下洲・113ウ6・植物	菫	上	キン	右傍	kiʌn^{2} giʌn^{1}	隠韻 欣韻
6851a	下洲・116オ6・雑物	假	上	カ	右傍	ka$^{2/3}$	馬/禡韻
6900a	下洲・120オ1・疊字	水	上	—	—	śiuei^{2}	旨韻
6901a	下洲・120オ1・疊字	水	上	—	—	śiuei^{2}	旨韻
6913a	下洲・120オ4・疊字	水	上	スイ	中注	śiuei^{2}	旨韻
6922a	下洲・120オ6・疊字	水	上	スイ	中注	śiuei^{2}	旨韻

6925a	下洲・120オ7・疊字	水	上	スイ	右注	śiuei^{2}	旨韻
6934a	下洲・120ウ2・疊字	數	上	ス	右注	ṣiuʌ$^{2/3}$ sʌuk ṣauk	麌/遇韻 屋韻 覺韻
6966a	下　・122ウ1・跋文	擁	上	ヨウ	右傍	'iauŋ^{2}	腫韻

【表D-18】上声（熟字前部）下巻〔不一致例〕

番号	前田本所在	掲出字		仮名音注		中古音	韻目
3336a	下古・002ウ5・植物	牛	上濁	コ 〔去〕	右傍	ŋiʌu^{1}	尤韻
3821a	下江・017オ4・疊字	諛	上	エイ	左注	jiuʌ^{1}	虞韻
3835a	下江・017オ7・疊字	櫌	上	エウ	中注	'iʌu^{1}	尤韻
3936a	下手・021ウ5・重點	蘘	上濁	テウ	右注	ńiaŋ^{1}	陽韻
3953a	下手・022オ3・疊字	傳	上	―	―	ḍiuan$^{1/3}$ ṭiuan^{3}	仙/線韻 線韻
3989a	下手・022ウ3・疊字	傳	上	―	―	ḍiuan$^{1/3}$ ṭiuan^{3}	仙/線韻 線韻
4013a	下手・023オ2・疊字	調	上	―	―	deu$^{1/3}$ tiʌu^{1}	蕭/嘯韻 尤韻
4045a	下阿・024オ5・天象	天	上	―	―	t'en^{1}	先韻
4394a	下阿・040オ1・疊字	嶛	上	レウ	右傍	leu^{1}	蕭韻
4539a	下佐・046オ6・人事	相	上	サウ	左注	siaŋ$^{1/3}$	陽/漾韻
4644a	下佐・051オ1・疊字	倉	上	サウ	左注	ts'aŋ^{1}	唐韻
4740a	下佐・052ウ1・疊字	相	上	サウ	左注	siaŋ$^{1/3}$	陽/漾韻
5006a	下木・061ウ1・疊字	宮	上	―	―	kiʌuŋ^{1}	東韻
5014a	下木・061ウ2・疊字	宮	上	―	―	kiʌuŋ^{1}	東韻
5151a	下木・063ウ6・疊字	奇	上	キ	左注	gie^{1} kie^{1}	支韻 支韻
5152a	下木・063ウ7・疊字	奇	上	―	―	gie^{1} kie^{1}	支韻 支韻
5154a	下木・063ウ7・疊字	規	上	キ	右注	kjiue^{1}	支韻
5179a	下木・064オ5・疊字	虛	上	キヨ	左注	xiʌ^{1} k'iʌ^{1}	魚韻 魚韻
5528a	下師・078ウ5・疊字	星	上	―	―	seŋ^{1}	青韻
5623a	下師・081オ7・疊字	心	上	―	―	siem^{1}	侵韻
5625a	下師・081オ7・疊字	差	上	シヤ	左注	tṣ'a^{1} tṣ'ie^{1} tṣ'ɐ$^{1/3}$ tṣ'ɐi^{1}	麻韻 支韻 佳/卦韻 皆韻
5665a	下師・082オ2・疊字	承	上濁	シヨウ	左注	źieŋ^{1}	蒸韻
5673a	下師・082オ3・疊字	脩	上	―	―	siʌu^{1}	尤韻

5820a	下師・084ウ3・疊字	精	上	シヤウ	左注	tsieŋ^{1}	清韻
6180a	下飛・094ウ7・雜物	砒	上	ヒ	右注	p‘ei^{1}	齊韻
6305a	下飛・098ウ3・疊字	非	上	ヒ	左注	piʌi^{1}	微韻
6322a	下飛・098ウ6・疊字	裨	上	ヒ	右注	pjie^{1} bjie^{1}	支韻 支韻
6533a	下世・108ウ1・人事	青	上	―	―	ts‘eŋ^{1}	青韻
6680a	下世・111ウ1・疊字	蟬	上	セン	右注	źian^{1}	仙韻
6918a	下洲・120オ5・疊字	炊	上	スイ	左注	tś‘iue^{1}	支韻

番号	前田本所在	掲出字		仮名音注		中古音	韻目
4049a	下阿・024オ7・天象	暗	上	アン	左注	’ʌm^{3}	勘韻
4356a	下阿・039オ4・疊字	暗	上	アン	左注	’ʌm^{3}	勘韻
4377a	下阿・039ウ1・疊字	暗	上	アン	左注	’ʌm^{3}	勘韻
4708a	下佐・051ウ7・疊字	詐	上 去	サ	左注	tṣa^{3}	禡韻
5012a	下木・061ウ2・疊字	御	上	キヨ	左注	ŋiʌ^{3}	御韻
5052a	下木・062オ4・疊字	救	上	キウ	左注	kiʌu^{3}	宥韻
5055a	下木・062オ4・疊字	救	上	―	―	kiʌu^{3}	宥韻
5091a	下木・062ウ7・疊字	記	上	キ	左注	kiɐi^{3}	志韻
5585a	下師・080オ6・疊字	讓	上	―	―	ńiaŋ^{3}	漾韻
5770a	下師・084オ2・疊字	剩	上濁	ショウ	左注	dźiɐŋ^{3}	證韻
6013a	下會・089ウ3・疊字	永	上	エイ	左注	ɣiuaŋ^{3}	梗韻
6234a	下飛・097ウ5・疊字	未	上	ヒ	右注	miʌi^{3}	未韻
6710a	下世・111ウ6・疊字	詔	上	セウ	左注	tśiau^{3}	笑韻
6721a	下世・112オ1・疊字	照	上	―	―	tśiau^{3}	笑韻

番号	前田本所在	掲出字		仮名音注		中古音	韻目
5029a	下木・061ウ5・疊字	急	上	キウ	左注	kiep	緝韻

【表D-19】去声（熟字前部）上巻〔一致例〕

番号	前田本所在	掲出字		仮名音注		中古音	韻目
0034a	上伊・003オ4・地儀	瑞	去	スイ	右傍	źiue^{3}	寘韻
0059a	上伊・004オ2・植物	卷	去	クワン	右傍	giuan^{2} giuan$^{1/3}$ kiuan^{2}	阮韻 仙/線韻 獮韻
0062a	上伊・004オ3・植物	蔓	去	マン	右傍	man^{1} mian^{3}	桓韻 願韻
0115a	上伊・006オ5・人體	兎	去	ト	右傍	t‘uʌ^{3}	暮韻
0117a	上伊・006オ5・人體	皰	去	ハウ	右傍	p‘au^{3} bau^{3}	効韻 効韻
0243a	上伊・012ウ3・疊字	異	去	イ	右注	jiɐi^{3}	志韻
0266a	上伊・013オ1・疊字	異	去	イ	左注	jiɐi^{3}	志韻

0270a	上伊・013オ2・疊字	異	去	イ	右注	jiɐi^{3}	志韻
0280a	上伊・013オ3・疊字	幼	去	イウ	左注	'ieu^{3}	幼韻
0281a	上伊・013オ4・疊字	幼	去	イウ	中注	'ieu^{3}	幼韻
0282a	上伊・013オ4・疊字	幼	去	―	―	'ieu^{3}	幼韻
0295a	上伊・013オ6・疊字	意	去	イ	右注	'iɐi^{3}	志韻
0296a	上伊・013オ7・疊字	猶	去	イウ	中注	jiʌu$^{1/3}$	尤/宥韻
0320a	上伊・013ウ5・疊字	倚	去	イ	右注	'ie$^{2/3}$	紙/寘韻
0328a	上伊・013ウ7・疊字	異	去	イ	左注	jiɐi^{3}	志韻
0331a	上伊・014オ1・疊字	異	去	イ	左注	jiɐi^{3}	志韻
0403a	上呂・017オ5・地儀	望	去濁	ハウ	右傍	miaŋ$^{1/3}$	陽/漾韻
0412a	上呂・018オ1・人事	弄	去	―	―	lʌuŋ^{3}	送韻
0413a	上呂・018オ1・人事	哢	去	―	―	lʌuŋ^{3}	送韻
0414a	上呂・018オ1・人事	哢	去	ロウ	中注	lʌuŋ^{3}	送韻
0436a	上呂・019オ2・疊字	露	去	ロ	中注	'iem$^{2/3}$	暮韻
0437a	上呂・019オ2・疊字	論	去	ロン	左注	luʌn$^{1/3}$ liuen^{1}	魂/慁韻 諄韻
0439a	上呂・019オ2・疊字	哢	去	ロウ	右注	lʌuŋ^{3}	送韻
0443a	上呂・019オ3・疊字	弄	去	ロウ	中注	lʌuŋ^{3}	送韻
0446a	上呂・019オ4・疊字	路	去	ロ	左注	luʌ^{3}	暮韻
0448a	上呂・019オ4・疊字	路	去	ロ	左注	luʌ^{3}	暮韻
0458a	上呂・019オ6・疊字	露	去	ロ	右注	luʌ^{3}	暮韻
0464a	上波・020オ2・天象	暴	去	ホウ	右傍	bɑu^{3} bʌuk	号韻 屋韻
0470a	上波・020オ4・天象	艶	去	エム	右傍	jiam^{3}	豔韻
0492a	上波・021オ1・植物	貝	去	ハイ	右傍	pɑi^{3}	泰韻
0500a	上波・021オ3・植物	蔓	去	マン	右傍	mɑn^{1} miɑn^{3}	桓韻 願韻
0501a	上波・021オ3・植物	旋	去	セン	右傍	ziuan$^{1/3}$	仙/線韻
0566a	上波・023オ6・人倫	外	去濁	クワイ	右傍	ŋuɑi^{3}	泰韻
0568a	上波・023ウ1・人倫	孕	去	ヨウ	右傍	jiɐŋ^{3}	證韻
0590a	上波・024オ5・人躰	齘	去	カイ	右傍	ɣɐi^{3}	怪韻
0593a	上波・024オ6・人躰	疥	去	カイ	右傍	kiai^{3}	怪韻
0629a	上波・025ウ5・人事	汎	去	ハム	左注	p'iʌm^{3} biʌuŋ^{1}	梵韻 東韻
0634a	上波・025ウ7・人事	放	去	ハウ	右傍	piaŋ$^{2/3}$	養/漾韻
0640a	上波・026オ4・雜物	半	去	ハム	右注	pɑn^{3}	換韻
0672a	上波・027オ3・雜物	鬃	去	シ	右傍	ts'iei^{3}	至韻
0677a	上波・027オ5・雜物	鉸	去	カウ	右傍	kau$^{1/2/3}$	肴/巧/効韻
0680a	上波・027オ6・雜物	掃	去	サウ	右傍	sɑu$^{2/3}$	晧/号韻
0731a	上波・031ウ1・疊字	豹	去	ハウ	右注	pau^{3}	効韻
0737a	上波・031ウ3・疊字	万	去濁	ハン	左注	miɑn^{3} mʌk	願韻 徳韻

0741a	上波・031ウ3・疊字	播	去濁	ハン	左注	pa^{3}	過韻
0743a	上波・031ウ4・疊字	望	去濁	ハウ	右注	$mia\eta^{1/3}$	陽/漾韻
0747a	上波・031ウ5・疊字	望	去濁	ハウ	左注	$mia\eta^{1/3}$	陽/漾韻
0752a	上波・031ウ6・疊字	万	去濁	ハン	中注	$mian^{3}$ mʌk	願韻 徳韻
0753a	上波・031ウ6・疊字	拜	去	ハイ	右注	$pɐi^{3}$	怪韻
0756a	上波・031ウ6・疊字	忘	去濁	ハウ	右注	$mia\eta^{1/3}$	陽/漾韻
0757a	上波・031ウ7・疊字	万	去濁	ハン	中注	$mian^{3}$ mʌk	願韻 徳韻
0766a	上波・032オ1・疊字	伴	去濁	ハン	右注	$ban^{2/3}$	緩/換韻
0773a	上波・032オ3・疊字	放	去	ハウ	左注	$pia\eta^{2/3}$	養/漾韻
0774a	上波・032オ3・疊字	放	去	ハウ	右注	$pia\eta^{2/3}$	養/漾韻
0775a	上波・032オ3・疊字	汎	去	ハム	右注	$p'iʌm^{3}$ $biʌu\eta^{1}$	梵韻 東韻
0776a	上波・032オ4・疊字	放	去	ハウ	中注	$pia\eta^{2/3}$	養/漾韻
0780a	上波・032オ4・疊字	伴	去	ハン	右注	$ban^{2/3}$	緩/換韻
0789a	上波・032オ6・疊字	配	去	ハイ	右注	$p'uʌi^{3}$	隊韻
0790a	上波・032オ6・疊字	拜	去	—	—	$pɐi^{3}$	怪韻
0791a	上波・032オ7・疊字	放	去	ハウ	右注	$pia\eta^{2/3}$	養/漾韻
0798a	上波・032ウ1・疊字	放	去	—	—	$pia\eta^{2/3}$	養/漾韻
0804a	上波・032ウ2・疊字	拜	去	ハイ	右注	$pɐi^{3}$	怪韻
0805a	上波・032ウ2・疊字	拜	去	ハイ	右注	$pɐi^{3}$	怪韻
0806a	上波・032ウ3・疊字	拜	去	—	—	$pɐi^{3}$	怪韻
0807a	上波・032ウ3・疊字	拜	去	—	—	$pɐi^{3}$	怪韻
0808a	上波・032ウ3・疊字	拜	去	—	—	$pɐi^{3}$	怪韻
0815a	上波・032ウ4・疊字	放	去	ハウ	右注	$pia\eta^{2/3}$	養/漾韻
0818a	上波・032ウ5・疊字	放	去	ハウ	左注	$pia\eta^{2/3}$	養/漾韻
0820a	上波・032ウ5・疊字	破	去	ハ	左注	$p'a^{3}$	過韻
0828a	上波・032ウ7・疊字	防	去	ハウ	左注	$bia\eta^{1/3}$	陽/漾韻
0829a	上波・032ウ7・疊字	放	去	ハウ	左注	$pia\eta^{2/3}$	養/漾韻
0835a	上波・033オ1・疊字	放	去	ハウ	左注	$pia\eta^{2/3}$	養/漾韻
0859a	上波・033オ6・疊字	賣	去濁	ハイ	左注	$mɐ^{3}$	卦韻
0863a	上波・033オ7・疊字	沛	去	ハイ	右注	pai^{3} $p'ai^{3}$	泰韻 泰韻
0864a	上波・033オ7・疊字	半	去	ハン	右注	pan^{3}	換韻
0865a	上波・033オ7・疊字	放	去	ハウ	左注	$pia\eta^{2/3}$	養/漾韻
0881a	上波・033ウ4・疊字	賣	去	ハイ	右注	$mɐ^{3}$	卦韻
0883a	上波・033ウ4・疊字	忘	去濁	ハウ	右注	$mia\eta^{1/3}$	陽/漾韻
0884a	上波・033ウ4・疊字	拜	去	ハイ	右注	$pɐi^{3}$	怪韻
0888a	上波・033ウ5・疊字	万	去濁	ハン	右注	$mian^{3}$ mʌk	願韻 徳韻
0891a	上波・033ウ6・疊字	半	去	ハン	右注	pan^{3}	換韻

0899a	上波・033ウ7・疊字	望	去濁	ハウ	右注	$mia\eta^{1/3}$	陽/漾韻
0907a	上波・034オ4・疊字	勁	去	ケイ	右傍	$kie\eta^{3}$	勁韻
0969a	上仁・038オ7・雜物	如	去	ニヨ	右注	$\acute{n}i\Lambda^{1/3}$	魚/御韻
0970a	上仁・038オ7・雜物	如	去	ニヨ	右注	$\acute{n}i\Lambda^{1/3}$	魚/御韻
1003a	上仁・040オ6・疊字	如	去	ニヨ	左注	$\acute{n}i\Lambda^{1/3}$	魚/御韻
1012a	上仁・040ウ1・疊字	如	去	ニヨ	左注	$\acute{n}i\Lambda^{1/3}$	魚/御韻
1014a	上仁・040ウ2・疊字	皃	去	—	—	mau^{3} mauk	効韻 覺韻
1015a	上仁・040ウ2・疊字	睚	去	—	—	$\eta e^{1/3}$	佳/卦韻
1024a	上保・041ウ1・天象	貫	去	—	—	$kuan^{1/3}$	桓/換韻
1025a	上保・041ウ1・天象	分	去濁	フム	右傍	$biu\Lambda n^{3}$	問韻
1045a	上保・042オ4・植物	蔓	去	マン	右傍	man^{1} $mian^{3}$	桓韻 願韻
1046a	上保・042オ5・植物	寄	去	—	—	kie^{3}	寘韻
1047a	上保・042オ7・動物	鳳	去	ホウ	中注	$bi\Lambda u\eta^{3}$	送韻
1048a	上保・042オ7・動物	鳳	去	ホウ	左注	$bi\Lambda u\eta^{3}$	送韻
1052a	上保・042ウ1・動物	布	去	—	—	$pu\Lambda^{3}$	暮韻
1086a	上保・044オ2・人事	弄	去	ロウ	右傍	$l\Lambda u\eta^{3}$	送韻
1105a	上保・044ウ7・雜物	帽	去濁	ホウ	左注	mau^{3}	号韻
1152a	上保・047オ3・疊字	暴	去濁	ホ	左注	bau^{3} bʌuk	号韻 屋韻
1153a	上保・047オ3・疊字	夢	去濁	ホウ	左注	$m\Lambda u\eta^{3}$ $mi\Lambda u\eta^{1}$	送韻 東韻
1157a	上保・047オ4・疊字	暮	去濁	ホ	左注	$mu\Lambda^{3}$	暮韻
1161a	上保・047オ5・疊字	報	去	ホウ	左注	pau^{3}	号韻
1175a	上保・047ウ1・疊字	鳳	去	ホウ	左注	$bi\Lambda u\eta^{3}$	送韻
1180a	上保・047ウ2・疊字	鳳	去	ホウ	左注	$bi\Lambda u\eta^{3}$	送韻
1206a	上保・047ウ7・疊字	暴	去濁	ホ	左注	bau^{3} bʌuk	号韻 屋韻
1207a	上保・047ウ7・疊字	暴	去濁	ホ	左注	bau^{3} bʌuk	号韻 屋韻
1209a	上保・048オ1・疊字	鳳	去	ホウ	中注	$bi\Lambda u\eta^{3}$	送韻
1214a	上保・048オ2・疊字	報	去	ホウ	左注	pau^{3}	号韻
1215a	上保・048オ2・疊字	報	去	ホウ	左注	pau^{3}	号韻
1221a	上保・048オ3・疊字	歩	去	ホ	左注	$bu\Lambda^{3}$	暮韻
1225a	上保・048オ4・疊字	俸	去	ホウ	右注	$biau\eta^{3}$ $p\Lambda u\eta^{2}$	用韻 董韻
1226a	上保・048オ4・疊字	俸	去	ホウ	右注	$biau\eta^{3}$ $p\Lambda u\eta^{2}$	用韻 董韻
1230a	上保・048オ5・疊字	報	去	ホウ	右注	pau^{3}	号韻
1244a	上保・048ウ1・疊字	布	去	ホ	左注	$pu\Lambda^{3}$	暮韻
1245a	上保・048ウ1・疊字	布	去	ホ	右注	$pu\Lambda^{3}$	暮韻

1250a	上保・048ウ2・疊字	歩	去	ホ	左注	buʌ^{3}	暮韻
1252a	上保・048ウ3・疊字	暮	去濁	ホ	左注	muʌ^{3}	暮韻
1257a	上保・048ウ4・疊字	鳳	去	ホウ	中注	biʌuŋ^{3}	送韻
1312a	上邊・051ウ4・雜物	卷	去	クエン	右傍	giuan$^{1/3}$ kiuan^{2} giuɑn^{2}	仙/線韻 獮韻 阮韻
1325a	上邊・052ウ3・疊字	片	去	ヘン	左注	p‘en^{3}	霰韻
1361a	上邊・053オ3・疊字	片	去	ヘン	左注	p‘en^{3}	霰韻
1364a	上邊・053オ4・疊字	抃	去	ヘン	右注	bian^{3}	線韻
1366a	上邊・053オ4・疊字	抃	去	ヘン	右注	bian^{3}	線韻
1367a	上邊・053オ4・疊字	閇	去	ヘイ	左注	pei^{3} pet	霽韻 屑韻
1382a	上邊・053オ7・疊字	獘	去	ヘイ	左注	bjiai^{3}	祭韻
1388a	上邊・053ウ1・疊字	廟	去濁	ヘウ	右注	miau^{3}	笑韻
1391a	上邊・053ウ2・疊字	變	去	ヘン	右注	pian^{3}	線韻
1407a	上邊・053ウ6・疊字	抃	去	ヘン	右注	bian^{3}	線韻
1472a	上度・056ウ3・人事	照	去	セウ	右傍	tśiau^{3}	笑韻
1475a	上度・056ウ5・人事	鬪	去	トウ	左傍	tʌu^{3}	候韻
1488a	上度・057オ4・雜物	兎	去	ト	右傍	t‘uʌ^{3}	暮韻
1578a	上度・062オ3・疊字	洞	去	トウ	左注	dʌuŋ$^{1/3}$	東/送韻
1589a	上度・062オ6・疊字	棟	去	トウ	中注	tʌuŋ^{3}	送韻
1606a	上度・062ウ2・疊字	慟	去	トウ	左注	dʌuŋ^{3}	送韻
1610a	上度・062ウ3・疊字	頓	去濁	トン	左注	tuʌn^{3}	慁韻
1615a	上度・062ウ4・疊字	遁	去	トン	左注	duʌn$^{2/3}$	混/慁韻
1638a	上度・063オ2・疊字	蠹	去	ト	中注	tuʌ^{3}	暮韻
1642a	上度・063オ3・疊字	鬪	去	トウ	左注	tʌu^{3}	候韻
1645a	上度・063オ3・疊字	蠹	去	ト	左注	tuʌ^{3}	暮韻
1670a	上度・063ウ1・疊字	痛	去	トウ	右注	t‘ʌuŋ^{3}	送韻
1672a	上度・063ウ2・疊字	遁	去	トン	右注	duʌn$^{2/3}$	混/慁韻
1676a	上度・063ウ3・疊字	頓	去	トン	左注	tuʌn^{3}	慁韻
1683a	上度・063ウ5・疊字	僄	去	ヘウ	右傍	p‘jiau$^{1/3}$	宵/笑韻
1716a	上池・065ウ2・地儀	絳	去	カウ	右傍	kauŋ^{3}	絳韻
1741a	上池・066ウ6・人躰	唾	去	タ	右傍	ṭ‘uɑ^{3}	過韻
1757a	上池・067オ6・人事	地	去	チ	右傍	diei^{3}	至韻
1793a	上池・068ウ7・疊字	仲	去	チウ	左注	ḍiʌuŋ^{3}	送韻
1794a	上池・068ウ7・疊字	仲	去	チウ	左注	ḍiʌuŋ^{3}	送韻
1795a	上池・068ウ7・疊字	仲	去	チウ	左注	ḍiʌuŋ^{3}	送韻
1796a	上池・068ウ7・疊字	仲	去	チウ	左注	ḍiʌuŋ^{3}	送韻
1800a	上池・069オ1・疊字	中	去	チウ	左注	ṭiʌuŋ$^{1/3}$	東/送韻
1803a	上池・069オ2・疊字	地	去	チ	左注	diei^{3}	至韻
1804a	上池・069オ2・疊字	地	去	チ	左注	diei^{3}	至韻
1806a	上池・069オ2・疊字	中	去	チウ	左注	ṭiʌuŋ$^{1/3}$	東/送韻

1807a	上池・069オ3・疊字	治	去濁	チ	左注	ḍiɐi$^{1/3}$ ḍiei^{3}	之/志韻 至韻
1818a	上池・069オ5・疊字	長	去濁	チヤウ	左注	ḍiaŋ$^{1/3}$ ṭiaŋ^{3}	陽/漾韻 養韻
1819a	上池・069オ5・疊字	中	去	チウ	左注	ṭiʌuŋ$^{1/3}$	東/送韻
1824a	上池・069オ6・疊字	除	去濁	チヨ	左注	ḍiʌ$^{1/3}$	魚/御韻
1827a	上池・069オ7・疊字	除	去濁	チ	左注	ḍiʌ$^{1/3}$	魚/御韻
1830a	上池・069オ7・疊字	陣	去濁	チン	左注	ḍien^{3}	震韻
1831a	上池・069オ7・疊字	陣	去濁	チン	左注	ḍien^{3}	震韻
1832a	上池・069ウ1・疊字	地	去	チ	左注	diei^{3}	至韻
1833a	上池・069ウ1・疊字	中	去	チウ	左注	ṭiʌuŋ$^{1/3}$	東/送韻
1837a	上池・069ウ2・疊字	重	去	チヨウ	左注	ḍiauŋ$^{1/2/3}$	鍾/腫/用韻
1843a	上池・069ウ3・疊字	中	去	チウ	左注	ṭiʌuŋ$^{1/3}$	東/送韻
1865a	上池・069ウ7・疊字	悵	去	チヤウ	左注	ṭ'iaŋ^{3}	漾韻
1867a	上池・070オ1・疊字	中	去	チウ	左注	ṭiʌuŋ$^{1/3}$	東/送韻
1872a	上池・070オ2・疊字	中	去	チウ	左注	ṭiʌuŋ$^{1/3}$	東/送韻
1877a	上池・070オ3・疊字	悵	去	チヤウ	左注	ṭ'iaŋ^{3}	漾韻
1883a	上池・070オ4・疊字	治	去濁	チ	左注	ḍiɐi$^{1/3}$ ḍiei^{3}	之/志韻 至韻
1897a	上池・070オ7・疊字	長	去	チヤウ	左注	ḍiaŋ$^{1/3}$ ṭiaŋ^{2}	陽/漾韻 養韻
1913a	上池・070ウ3・疊字	中	去	チウ	中注	ṭiʌuŋ$^{1/3}$	東/送韻
1915a	上池・070ウ3・疊字	中	去	チウ	左注	ṭiʌuŋ$^{1/3}$	東/送韻
1926a	上池・070ウ5・疊字	筭	去	チウ	左注	suan^{3}	換韻
1940a	上池・071オ1・疊字	中	去	チウ	右注	ṭiʌuŋ$^{1/3}$	東/送韻
1942a	上池・071オ2・疊字	治	去濁	チ	右注	ḍiɐi$^{1/3}$ ḍiei^{3}	之/志韻 至韻
1943a	上池・071オ2・疊字	治	去濁	チ	右注	ḍiɐi$^{1/3}$ ḍiei^{3}	之/志韻 至韻
1947a	上池・071オ3・疊字	地	去	チ	右注	diei^{3}	至韻
1988a	上利・072ウ7・植物	令	去	―	―	lieŋ$^{1/3}$ leŋ$^{1/3}$ lian^{1}	清/勁韻 青/徑韻 仙韻
2050a	上利・074ウ5・疊字	諒	去	リヤウ	中注	liaŋ^{3}	漾韻
2080a	上利・075オ4・疊字	莅	去	リ	左注	liei^{3}	至韻
2081a	上利・075オ4・疊字	吏	去	リ	中注	liɐi^{3}	志韻
2082a	上利・075オ4・疊字	吏	去	リ	左注	liɐi^{3}	志韻
2118a	上利・075ウ4・疊字	悋	去	リン	左注	lien^{3}	震韻
2132a	上利・075ウ7・疊字	利	去	リ	左注	liei^{3}	至韻
2181a	上留・079ウ1・疊字	留	去	ル	中注	liʌu$^{1/3}$	尤/宥韻
2190a	上留・079ウ2・疊字	留	去	ル	右注	liʌu$^{1/3}$	尤/宥韻

2301a	上和・086ウ3・人倫	侲	去	シン	右傍	tśien$^{1/3}$	眞/震韻
2379a	上和・090オ2・疊字	和	去	ワ	左注	ɣuɑ$^{1/3}$	戈/過韻
2386a	上和・090オ3・疊字	和	去	ワ	左注	ɣuɑ$^{1/3}$	戈/過韻
2394a	上和・090オ5・疊字	和	去	ワ	左注	ɣuɑ$^{1/3}$	戈/過韻
2399a	上和・090オ6・疊字	和	去	ワ	中注	ɣuɑ$^{1/3}$	戈/過韻
2413a	上和・090ウ2・疊字	憞	去	タン	右傍	duʌi^{3}	隊韻
2454a	上加・092オ2・地儀	鴈	去濁	カン	右注	ŋan^{3}	諫韻
2459a	上加・092オ4・地儀	教	去	カウ	右傍	kau$^{1/3}$	肴/効韻
2479a	上加・092ウ7・植物	射	去	ヤ	左傍	jia^{3} dźia^{3}	禡韻 禡韻
2489a	上加・093オ7・植物	衛	去	ヱイ	右傍	ɣiuai^{3}	祭韻
2570a	上加・095ウ3・人倫	鍛	上 去	タン	右傍	tuɑn^{3}	換韻
2614a	上加・096ウ2・人體	飼	去	シ	右傍	ziɐi^{3}	志韻
2636a	上加・097オ7・人事	歩	去	ホ	右傍	buʌ^{3}	暮韻
2649a	上加・097ウ7・人事	賀	去	カ	左注	ɣɑ^{3}	箇韻
2669a	上加・098オ5・飲食	餌	去濁	チウ	右傍	ńiʌu^{3}	宥韻
2672a	上加・098オ5・飲食	糙	去	サウ	右傍	ts'ɑu^{3}	号韻
2695a	上加・098ウ7・雑物	狩	去	—	—	śiʌu^{3}	宥韻
2697a	上加・099オ1・雑物	鉸	去	カウ	右傍	kau$^{1/2/3}$	肴/巧/効韻
2698a	上加・099オ1・雑物	背	去	ハイ	右傍	puʌi^{3} buʌi^{3}	隊韻 隊韻
2742a	上加・100オ1・雑物	艾	去	カイ	右注	ŋɑi^{3} ŋiɑi^{3}	泰韻 廢韻
2891a	上加・107オ1・疊字	降	去濁	カウ	中注	ɣauŋ^{1} kauŋ^{3}	江韻 絳韻
2894a	上加・107オ2・疊字	鴈	去濁	カン	左注	ŋan^{3}	諫韻
2912a	上加・107オ5・疊字	鴈	去濁	カン	左注	ŋan^{3}	諫韻
2920a	上加・107オ7・疊字	看	去	カン	左注	k'ɑn$^{1/3}$	寒/翰韻
2922a	上加・107オ7・疊字	更	去	カウ	左注	kaŋ$^{1/3}$	庚/映韻
2925a	上加・107ウ1・疊字	嫁	去	カ	左注	ka^{3}	禡韻
2930a	上加・107ウ2・疊字	芥	去	カイ	左注	kɐi^{3}	怪韻
2932a	上加・107ウ2・疊字	艾	去濁	カイ	左注	ŋɑi^{3} ŋiɑi^{3}	泰韻 廢韻
2939a	上加・107ウ4・疊字	幹	去濁	カン	左注	kɑn^{3}	翰韻
2944a	上加・107ウ5・疊字	呵	去	カ	左注	xɑ$^{1/3}$	歌/箇韻
2946a	上加・107ウ5・疊字	睚	去濁	カイ	左注	ŋɐ$^{1/3}$	佳/卦韻
2956a	上加・107ウ7・疊字	伉	去	カウ	左注	k'ɑŋ^{3}	宕韻
2989a	上加・108オ7・疊字	下	去	カ	左注	ɣa$^{2/3}$	馬/禡韻
2990a	上加・108オ7・疊字	下	去	カ	左注	ɣa$^{2/3}$	馬/禡韻
2994a	上加・108ウ1・疊字	餓	去濁	カ	左注	ŋɑ^{3}	箇韻
3006a	上加・108ウ3・疊字	鴈	去濁	カン	左注	ŋan^{3}	諫韻

3007a	上加・108ウ3・疊字	鴈	去濁	―	―	ŋan³	諫韻
3013a	上加・108ウ4・疊字	鑒	去	カム	左注	kam^1/3	銜/鑑韻
3015a	上加・108ウ5・疊字	翰	去	カン	左注	ɣɑn^1/3	寒/翰韻
3022a	上加・108ウ6・疊字	勘	去	カム	左注	k'ʌm³	勘韻
3075a	上加・109ウ3・疊字	欠	去	カン	中注	k'iʌm³	梵韻
3086a	上加・109ウ5・疊字	鑒	去	カム	左注	kam^1/3	銜/鑑韻
3090a	上加・109ウ6・疊字	傲	去	カウ	右注	ŋɑu³	号韻
3118a	上加・110オ5・疊字	蓋	去	カイ	右注	kɑi³ ɣɑp kɑp	泰韻 盍韻 盍韻
3121a	上加・110オ5・疊字	絳	去	カウ	右注	kauŋ³	絳韻
3142a	上加・110ウ7・疊字	片	去	―	―	p'en³	霰韻
3190a	上与・114オ2・動物	恠	去	クワイ	右傍	kuɐi³	怪韻
3191a	上与・114オ2・動物	喚	去	クワン	右傍	xuɑn³	換韻
3193a	上与・114オ3・動物	夜	去	ヤ	右傍	jia³	禡韻
3238a	上与・117ウ1・疊字	飫	去	ヨ	右注	'iʌ³	御韻
3240a	上与・117ウ2・疊字	用	去	ヨウ	左注	jiauŋ³	用韻
3262a	上与・117ウ6・疊字	飫	去	ヨ	右注	'iʌ³	御韻
3269a	上与・118オ1・疊字	用	去	ヨウ	右注	jiauŋ³	用韻
3297a	上加・092ウ1・植物	芥	去	カイ	右傍	kɐi³	怪韻

【表D-19】去声（熟字前部）上巻〔不一致例〕

番号	前田本所在	掲出字		仮名音注		中古音	韻目
0252a	上伊・012ウ5・疊字	因	去	イン	中注	'jien¹	眞韻
0253a	上伊・012ウ5・疊字	因	去	イン	左注	'jien¹	眞韻
0264a	上伊・012ウ7・疊字	醫	去	イ	左注	'iɐi¹	之韻
0265a	上伊・013オ1・疊字	醫	去	イ	左注	'iɐi¹	之韻
0469a	上波・020オ4・天象	韶	去	―	―	źiau¹	宵韻
0503a	上波・021オ3・植物	大	去	―	―	dɑi¹	泰韻
0505a	上波・021オ4・植物	亭	去濁	チヤウ	右傍	deŋ¹	青韻
0631a	上波・025ウ6・人事	盤	去濁	ハン	右注	bɑn¹	桓韻
0760a	上波・031ウ7・疊字	方	去	ハウ	中注	piɑŋ¹ biɑŋ¹	陽韻
0787a	上波・032オ6・疊字	房	去濁	ハウ	左注	biɑŋ¹ bɑŋ¹	陽韻 唐韻
0788a	上波・032オ6・疊字	房	去濁	ハウ	左注	biɑŋ¹ bɑŋ¹	陽韻 唐韻
0797a	上波・032ウ1・疊字	班	去濁	ハン	左注	pan¹	刪韻
0801a	上波・032ウ2・疊字	芳	去	ハウ	左注	p'iɑŋ¹	陽韻
0816a	上波・032ウ5・疊字	亡	去濁	ハウ	左注	miɑŋ¹	陽韻
0842a	上波・033オ3・疊字	庖	去	ハウ	左注	bau¹	肴韻

0851a	上波・033オ5・疊字	番	去濁	ハン	中注	bian^{1} p'ian^{1} ban^{1} p'an^{1} pa$^{1/3}$	元韻 元韻 桓韻 桓韻 戈/過韻
0860a	上波・033オ6・疊字	方	去	―	―	piaŋ^{1} biaŋ^{1}	陽韻 陽韻
0861a	上波・033オ7・疊字	方	去	―	―	piaŋ^{1} biaŋ^{1}	陽韻 陽韻
0862a	上波・033オ7・疊字	方	去	―	―	piaŋ^{1} biaŋ^{1}	陽韻 陽韻
0935a	上仁・036オ5・植物	人	去	ニン	右注	ńien^{1}	眞韻
0950a	上仁・037オ1・動物	人	去	ニン	右傍	ńien^{1}	眞韻
0952a	上仁・037オ5・人倫	人	去	ニン	右注	ńien^{1}	眞韻
0954a	上仁・037ウ1・人躰	人	去	ニン	右注	ńien^{1}	眞韻
0991a	上仁・040オ3・疊字	人	去	ニン	右注	ńien^{1}	眞韻
0996a	上仁・040オ4・疊字	柔	去	ニウ	左注	ńiʌu^{1}	尤韻
0997a	上仁・040オ4・疊字	柔	去	ニウ	右注	ńiʌu^{1}	尤韻
1001a	上仁・040オ5・疊字	人	去	―	―	ńien^{1}	眞韻
1002a	上仁・040オ5・疊字	柔	去	ニウ	右注	ńiʌu^{1}	尤韻
1004a	上仁・040オ6・疊字	人	去	ニン	左注	ńien^{1}	眞韻
1005a	上仁・040オ6・疊字	柔	去	ニウ	左注	ńiʌu^{1}	尤韻
1006a	上仁・040オ6・疊字	人	去	ニン	左注	ńien^{1}	眞韻
1064a	上保・043オ2・人倫	毫	去濁	―	―	ɣau^{1}	豪韻
1065a	上保・043オ2・人倫	金	去	コン	右傍	kiem^{1}	侵韻
1108a	上保・044ウ7・雜物	方	去	ホウ	右注	piaŋ^{1} biaŋ^{1}	陽韻 陽韻
1109a	上保・044ウ7・雜物	方	去	ホウ	右注	piaŋ^{1} biaŋ^{1}	陽韻 陽韻
1165a	上保・047オ6・疊字	翻	去	ホン	左注	p'ian^{1}	元韻
1174a	上保・047ウ1・疊字	菩	去濁	ホ	左注	buʌ^{1} bʌi^{2} biʌu^{2} bʌk	模韻 海韻 有韻 徳韻
1187a	上保・047ウ3・疊字	方	去	ホウ	左注	piaŋ^{1} biaŋ^{1}	陽韻 陽韻
1189a	上保・047ウ4・疊字	煩	去濁	ホン	左注	bian^{1}	元韻
1217a	上保・048オ2・疊字	朋	去濁	ホウ	右傍	bʌŋ^{1}	登韻
1229a	上保・048オ5・疊字	方	去	ホウ	左注	piaŋ^{1} biaŋ^{1}	陽韻 陽韻
1241a	上保・048オ7・疊字	蓬	去	ホウ	左注	bʌuŋ^{1}	東韻

1248a	上保・048ウ2・疊字	方	去	ホウ	左注	piaŋ^{1} biaŋ^{1}	陽韻 陽韻
1253a	上保・048ウ3・疊字	謀	去濁	ホウ	右注	miʌu^{1}	尤韻
1295a	上邊・051オ1・人躰	瘭	去	ヘウ	右注	pjiau^{1}	宵韻
1336a	上邊・052ウ5・疊字	邊	去	ヘン	右注	pen^{1}	先韻
1337a	上邊・052ウ5・疊字	邊	去	ヘン	左注	pen^{1}	先韻
1351a	上邊・053オ1・疊字	苗	去濁	ヘウ	左注	miau^{1}	宵韻
1392a	上邊・053ウ2・疊字	邊	去	ヘン	右注	pen^{1}	先韻
1397a	上邊・053ウ4・疊字	攀	去	―	―	p'an^{1}	删韻
1408a	上邊・053ウ6・疊字	邊	去	ヘン	右注	pen^{1}	先韻
1478a	上度・056ウ7・人事	登	去	―	―	tʌŋ^{1}	登韻
1489a	上度・057オ5・雜物	兜	去	ト	右傍	tʌu^{1}	侯韻
1490a	上度・057オ5・雜物	兜	去	ト	右傍	tʌu^{1}	侯韻
1494a	上度・057オ5・雜物	燈	去	トウ	右傍	tʌŋ^{1}	登韻
1495a	上度・057オ6・雜物	燈	去	トウ	右注	tʌŋ^{1}	登韻
1496a	上度・057オ6・雜物	燈	去	トウ	右注	tʌŋ^{1}	登韻
1521a	上度・058オ1・光彩	同	去濁	トウ	右注	dʌuŋ^{1}	東韻
1580a	上度・062オ4・疊字	燈	去	トウ	左注	tʌŋ^{1}	登韻
1602a	上度・062ウ1・疊字	貪	去	トン	左注	t'ʌm^{1}	覃韻
1607a	上度・062ウ2・疊字	同	去濁	トウ	右注	dʌuŋ^{1}	東韻
1614a	上度・062ウ4・疊字	登	去	トウ	右注	tʌŋ^{1}	登韻
1626a	上度・062ウ6・疊字	同	去濁	トウ	左注	dʌuŋ^{1}	東韻
1627a	上度・062ウ6・疊字	同	去濁	トウ	左注	dʌuŋ^{1}	東韻
1628a	上度・062ウ7・疊字	同	去濁	トウ	左注	dʌuŋ^{1}	東韻
1631a	上度・062ウ7・疊字	東	去	トウ	右注	tʌuŋ^{1}	東韻
1634a	上度・063オ1・疊字	東	去	トウ	左注	tʌuŋ^{1}	東韻
1654a	上度・063オ5・疊字	東	去	トウ	左注	tʌuŋ^{1}	東韻
1656a	上度・063オ5・疊字	同	去濁	トウ	左注	dʌuŋ^{1}	東韻
1660a	上度・063オ6・疊字	燈	去	トウ	左注	tʌŋ^{1}	登韻
1773a	上池・067ウ5・雜物	丁	去	チヤウ	右注	teŋ^{1} ṭɐŋ^{1}	青韻 耕韻
1816a	上池・069オ4・疊字	知	去	チ	右注	ṭie^{1}	支韻
1825a	上池・069オ6・疊字	持	去濁	チ	右注	ḍiɒi^{1}	之韻
1885a	上池・070オ4・疊字	知	去	チ	左注	ṭie^{1}	支韻
1888a	上池・070オ5・疊字	珎	去	チン	左注	ṭien^{1}	眞韻
1898a	上池・070オ7・疊字	馳	去	チ	左注	ḍie^{1}	支韻
1931a	上池・070ウ6・疊字	馳	去	チ	左注	ḍie^{1}	支韻
1939a	上池・071オ1・疊字	馳	去	チ	右注	ḍie^{1}	支韻
2010a	上利・073ウ5・雜物	龍	去	リウ	右注	liɑuŋ^{1}	鍾韻
2033a	上利・074ウ1・疊字	隣	去	リム	左注	lien^{1}	眞韻
2034a	上利・074ウ2・疊字	隣	去	リム	左注	lien^{1}	眞韻
2047a	上利・074ウ4・疊字	靈	去	リヤウ	左注	leŋ^{1}	青韻

2053a	上利・074ウ5・疉字	釐	去	リイ	右注	liɐi^{1}	之韻
2067a	上利・075オ1・疉字	憐	去	リン	中注	len^{1}	先韻
2112a	上利・075ウ3・疉字	輪	去	リン	右注	liuen^{1}	諄韻
2170a	上奴・078ウ4・疉字	奴	去	ヌ	右注	nuʌ^{1}	模韻
2175a	上留・079オ6・雑物	瑠	去	ル	右傍	liʌu^{1}	尤韻
2176a	上留・079オ6・雑物	瑠	去	リウ	左傍	liʌu^{1}	尤韻
2187a	上留・079ウ2・疉字	流	去	ル	中注	liʌu^{1}	尤韻
2188a	上留・079ウ2・疉字	流	去	ル	右注	liʌu^{1}	尤韻
2191a	上留・079ウ3・疉字	流	去	ル	右注	liʌu^{1}	尤韻
2192a	上留・079ウ3・疉字	流	去	ル	中注	liʌu^{1}	尤韻
2194a	上留・079ウ3・疉字	瑠	去	ル	左注	liʌu^{1}	尤韻
2195a	上留・079ウ3・疉字	流	去	ル	右注	liʌu^{1}	尤韻
2212a	上遠・080オ6・植物	玄	去	―	―	ɣuen^{1}	先韻
2213a	上遠・080オ7・植物	芎	去	ク	右傍	kʻiʌuŋ^{1}	東韻
2214a	上遠・080オ7・植物	芎	去	キウ	左傍	kʻiʌuŋ^{1}	東韻
2306a	上和・086ウ7・人躰	黄	去	ワウ	右傍	ɣuɑŋ^{1}	唐韻
2337a	上和・087ウ7・人事	黄	去	―	―	ɣuɑŋ^{1}	唐韻
2350a	上和・088オ7・雑物	倭	去	ワ	右注	ʼuɑ$^{1/2}$	戈/果韻
2371a	上和・090オ1・疉字	皇	去	ワウ	左注	ɣuɑŋ^{1}	唐韻
2372a	上和・090オ1・疉字	黄	去	ワウ	中注	ɣuɑŋ^{1}	唐韻
2393a	上和・090オ5・疉字	蝸	去	ワ	右傍	kue^{1} kua^{1}	佳韻 麻韻
2438a	上加・091ウ6・地儀	伽	去濁	カ	右注	giɑ^{1}	歌韻
2481a	上加・093オ1・植物	苷	去	カン	右注	kɑm^{1}	談韻
2612a	上加・096ウ2・人體	痟	去	セウ	右傍	siau^{1}	宵韻
2647a	上加・097ウ6・人事	迦	去	カ	左注	ka^{1} kiɑ^{1}	麻韻 歌韻
2704a	上加・099オ3・雑物	髙	去	カウ	左注	kɑu^{1}	豪韻
2853a	上加・106ウ1・疉字	髙	去	―	―	kɑu^{1}	豪韻
2860a	上加・106ウ2・疉字	項	去	カウ	左注	ɣauŋ^{1}	講韻
2875a	上加・106ウ5・疉字	開	去	カイ	左注	kʻʌi^{1}	咍韻
2888a	上加・107オ1・疉字	香	去	カウ	左注	xiɑŋ^{1}	陽韻
2889a	上加・107オ1・疉字	加	去	カ	右注	ka^{1}	麻韻
2890a	上加・107オ1・疉字	加	去	カ	左注	ka^{1}	麻韻
2895a	上加・107オ2・疉字	伽	去濁	カ	左注	giɑ^{1}	歌韻
2902a	上加・107オ3・疉字	加	去	カ	左注	ka^{1}	麻韻
2910a	上加・107オ5・疉字	加	去	カ	左注	ka^{1}	麻韻
2911a	上加・107オ5・疉字	加	去	カ	左注	ka^{1}	麻韻
2919a	上加・107オ7・疉字	香	去	カウ	左注	xiɑŋ^{1}	陽韻
2931a	上加・107ウ2・疉字	髙	去	カウ	左注	kɑu^{1}	豪韻
2954a	上加・107ウ7・疉字	強	去	カウ	左注	giɑŋ^{1}	陽韻
2972a	上加・108オ3・疉字	髙	去	カウ	左注	kɑu^{1}	豪韻

2987a	上加・108オ6・疊字	高	去	カウ	左注	kɑu^{1}	豪韻
3010a	上加・108ウ4・疊字	強	去濁	カウ	左注	giɑŋ^{1}	陽韻
3035a	上加・109オ2・疊字	姧	去	カム	右注	kan^{1}	删韻
3037a	上加・109オ2・疊字	姧	去	カン	左注	kan^{1}	删韻
3042a	上加・109オ3・疊字	強	去濁	カウ	左注	giɑŋ^{1}	陽韻
3044a	上加・109オ4・疊字	強	去濁	カム	左注	giɑŋ^{1}	陽韻
3052a	上加・109オ5・疊字	加	去	カ	左注	ka^{1}	麻韻
3059a	上加・109オ7・疊字	高	去	カウ	左注	kɑu^{1}	豪韻
3069a	上加・109ウ2・疊字	艱	去	カン	左注	kɐn^{1}	山韻
3077a	上加・109ウ3・疊字	毫	去濁	カウ	左注	ɣɑu^{1}	豪韻
3080a	上加・109ウ4・疊字	高	去	カウ	右注	kɑu^{1}	豪韻
3081a	上加・109ウ4・疊字	堪	去	カム	左注	k'ʌm^{1}	覃韻
3087a	上加・109ウ5・疊字	肝	去	カン	右注	kɑn^{1}	寒韻
3098a	上加・110オ1・疊字	甘	去	カム	右注	kɑm^{1}	談韻
3100a	上加・110オ1・疊字	涯	去濁	カイ	右注	ŋɐ^{1}	佳韻
3112a	上加・110オ3・疊字	荷	去	カ	右注	ɣɑ$^{1/2}$	歌/哿韻
3234a	上与・117ウ1・疊字	餘	去	ヨ	中注	jiʌ^{1}	魚韻
3246a	上与・117ウ3・疊字	庸	去	ヨウ	左注	jiɑuŋ^{1}	鍾韻
3273a	上与・118オ3・疊字	通	去	—	—	t'ʌuŋ^{1}	東韻

番号	前田本所在	掲出字		仮名音注		中古音	韻目
0085a	上伊・004ウ6・動物	紫	去	シ	右傍	tsie^{2}	紙韻
0259a	上伊・012ウ6・疊字	以	去	イ	左注	jiɐi^{2}	止韻
0310a	上伊・013ウ3・疊字	誘	去	イウ	右注	jiʌu^{2}	有韻
0444a	上呂・019オ3・疊字	露	去	ロ	右傍	'ieŋ^{2}	暮韻
0754a	上波・031ウ6・疊字	版	去	ハム	左注	pan^{2}	潸韻
0778a	上波・032オ4・疊字	抱	去	ハウ	左注	bɑu^{2}	晧韻
0843a	上波・033オ3・疊字	飽	去濁	ハウ	左注	pau^{2}	巧韻
1037a	上保・042オ1・植物	牡	去濁	ホ	右注	mʌu^{2}	厚韻
1160a	上保・047オ5・疊字	奉	去	—	—	biɑuŋ^{2}	腫韻
1178a	上保・047ウ2・疊字	奉	去	ホウ	左注	biɑuŋ^{2}	腫韻
1181a	上保・047ウ2・疊字	輔	去	ホ	中注	biuʌ^{2}	麌韻
1182a	上保・047ウ2・疊字	輔	去	ホ	左注	biuʌ^{2}	麌韻
1184a	上保・047ウ3・疊字	奉	去	ホウ	中注	biɑuŋ^{2}	腫韻
1224a	上保・048オ4・疊字	奉	去	ホウ	左注	biɑuŋ^{2}	腫韻
1256a	上保・048ウ3・疊字	奉	去	—	—	biɑuŋ^{2}	腫韻
1307a	上邊・051ウ3・雜物	版	去	ヘン	右注	pan^{2}	潸韻
1340a	上邊・052ウ6・疊字	陛	去	ヘイ	中注	bei^{2}	薺韻
1344a	上邊・052ウ7・疊字	表	去	ヘウ	左注	piau^{2}	小韻

1350a	上邊・053オ1・疊字	扁	去	ヘン	右注	ben^{2} pen^{2} p'jian^{1} bjian^{2}	銑韻 銑韻 仙韻 獮韻
1370a	上邊・053オ5・疊字	貶	去	ヘン	左注	piam^{2}	琰韻
1620a	上度・062ウ5・疊字	動	去	トウ	左注	dʌuŋ^{2}	董韻
1651a	上度・063オ4・疊字	土	去	ト	中注	t'uʌ^{2} duʌ^{2}	姥韻 姥韻
1853a	上池・069ウ5・疊字	杖	去	チヤウ	中注	ḍiaŋ^{2}	養韻
1935a	上池・070ウ7・疊字	雉	去	チ	右注	ḍiei^{2}	旨韻
2095a	上利・075オ6・疊字	虜	去	リヨ	左注	luʌ^{2}	姥韻
2499a	上加・093ウ2・植物	杏	去	カウ	右傍	ɣaŋ^{2}	梗韻
2632a	上加・097オ5・人事	襢	去	タン	右傍	dɑn^{2}	旱韻
2772a	上加・100ウ2・雜物	罥	去	クヱン	右傍	kuen^{2}	銑韻
2854a	上加・106ウ1・疊字	皓	去	カウ	左注	ɣɑu^{2}	晧韻
2916a	上加・107オ6・疊字	旱	去	カン	左注	ɣɑn^{2}	旱韻
2917a	上加・107オ6・疊字	旱	去	カン	左注	ɣɑn^{2}	旱韻
3030a	上加・109オ1・疊字	敢	去	カム	左注	k'ɑm^{2}	敢韻
3064a	上加・109ウ1・疊字	雅	去濁	カ	左注	ŋa^{2}	馬韻
3089a	上加・109ウ6・疊字	慷	去	カウ	右注	k'ɑŋ^{2}	蕩韻
3138a	上加・110ウ4・疊字	襢	去	タン	左注	dɑn^{2}	旱韻
3140a	上加・110ウ6・疊字	咀	去	ショ	右傍	dziʌ^{2} tsiʌ^{2}	語韻 語韻
3212a	上与・115オ6・人事	勇	去	—	—	jiauŋ^{2}	腫韻

番号	前田本所在	掲出字		仮名音注		中古音	韻目
0765a	上波・032オ1・疊字	末	去濁	ハ	右注	mɑt	末韻
1755a	上池・067オ5・人事	直	去	—	—	ḍiək	職韻
2475a	上加・092ウ5・植物	酢	去	ソ	左傍	dzɑk	鐸韻

【表D-20】去声（熟字前部）下巻〔一致例〕

番号	前田本所在	掲出字		仮名音注		中古音	韻目
3304a	下古・001ウ7・地儀	比	去	—	—	bjiei$^{1/3}$ pjiei$^{2/3}$ bjiet	脂/至韻 旨/至韻 質韻
3310a	下古・002オ1・地儀	徼	去	ケウ	右傍	keu$^{1/3}$	蕭/嘯韻
3312a	下古・002オ2・地儀	助	去	ソ	右傍	dẓiʌ^{3}	御韻
3316a	下古・002オ4・地儀	後	去	コウ	右傍	ɣʌu$^{2/3}$	厚/候韻
3356a	下古・003ウ1・動物	戴	去	タイ	右傍	tʌi^{3}	代韻
3431a	下古・006ウ6・雜物	帊	去	ハ	右傍	p'a^{3}	禡韻

3563a	下古・007オ7・雑物	射	去	シヤ	右傍	dźia^{3} jia^{3}	禡韻 禡韻
3597a	下古・010オ6・疊字	沽	去	コ	左注	kuʌ$^{1/2/3}$	模/姥/暮韻
3599a	下古・010オ7・疊字	厚	去	コウ	左注	ɣʌu$^{2/3}$	厚/候韻
3600a	下古・010オ7・疊字	故	去	—	—	kuʌ^{3}	暮韻
3616a	下古・010ウ4・疊字	后	去	—	—	ɣʌu$^{2/3}$	厚/候韻
3617a	下古・010ウ4・疊字	后	去	—	—	ɣʌu$^{2/3}$	厚/候韻
3624a	下古・010ウ5・疊字	故	去	コ	左注	kuʌ^{3}	暮韻
3632a	下古・010ウ7・疊字	後	去	—	—	ɣʌu$^{2/3}$	厚/候韻
3641a	下古・011オ2・疊字	故	去	—	—	kuʌ^{3}	暮韻
3643a	下古・011オ3・疊字	痦	去濁	コ	左注	ŋuʌ^{3}	暮韻
3649a	下古・011オ4・疊字	故	去	コ	左注	kuʌ^{3}	暮韻
3650a	下古・011オ5・疊字	固	去	コ	左注	kuʌ^{3}	暮韻
3657a	下古・011オ6・疊字	故	去	—	—	kuʌ^{3}	暮韻
3658a	下古・011オ7・疊字	故	去	コ	左注	kuʌ^{3}	暮韻
3659a	下古・011オ7・疊字	後	去	—	—	ɣʌu$^{2/3}$	厚/候韻
3666a	下古・011ウ1・疊字	貢	去	—	—	kʌuŋ^{3}	送韻
3668a	下古・011ウ2・疊字	厚	去	—	—	ɣʌu$^{2/3}$	厚/候韻
3672a	下古・011ウ2・疊字	冦	去	コウ	左注	k'ʌu^{3}	候韻
3678a	下古・011ウ4・疊字	斤	去	—	—	kiʌn$^{1/3}$	欣韻
3689a	下古・011ウ6・疊字	顧	去	コ	左注	kuʌ^{3}	暮韻
3690a	下古・011ウ6・疊字	顧	去	—	—	kuʌ^{3}	暮韻
3696a	下古・012オ1・疊字	語	去濁	コ	右注	ŋiʌ$^{2/3}$	語/御韻
3697a	下古・012オ1・疊字	顧	去	コ	左注	kuʌ^{3}	暮韻
3704a	下古・012オ2・疊字	娯	去濁	コ	左注	ŋuʌ^{3} ŋiuʌ^{1}	暮韻 虞韻
3707a	下古・012オ3・疊字	興	去	コウ	左注	xiɐŋ$^{1/3}$	蒸/證韻
3715a	下古・012オ5・疊字	後	去	コウ	左注	ɣʌu$^{2/3}$	厚/候韻
3723a	下古・012オ6・疊字	固	去	コ	右注	kuʌ^{3}	暮韻
3727a	下古・012オ7・疊字	厚	去	コウ	左注	ɣʌu$^{2/3}$	厚/候韻
3799a	下江・016ウ7・疊字	艶	去	エン	左注	jiam^{3}	豔韻
3802a	下江・016ウ7・疊字	晏	去	—	—	'an^{3} 'ɑn^{3}	諫韻 翰韻
3811a	下江・017オ2・疊字	艶	去	エム	左注	jiam^{3}	豔韻
3815a	下江・017オ3・疊字	幼	去	エウ	左注	'ieu^{3}	幼韻
3818a	下江・017オ4・疊字	幼	去	エウ	左注	'ieu^{3}	幼韻
3825a	下江・017オ5・疊字	艶	去	エム	左注	jiam^{3}	豔韻
3826a	下江・017オ6・疊字	艶	去	—	—	jiam^{3}	豔韻
3827a	下江・017オ6・疊字	猒	去	エン	左注	jiam$^{1/3}$	鹽/豔韻
3828a	下江・017オ6・疊字	宴	去	—	—	'en$^{2/3}$	銑/霰韻
3832a	下江・017オ6・疊字	宴	去	—	—	'en$^{2/3}$	銑/霰韻
3845a	下江・017ウ2・疊字	洩	去	エイ	左注	jiai^{3}	祭韻

3851a	下江・017ウ3・疊字	要	去	エウ	左注	'jiau$^{1/3}$	宵/笑韻
3859a	下江・017ウ5・疊字	宴	去	エン	左注	'en$^{2/3}$	銑/霰韻
3864a	下江・017ウ6・疊字	幼	去	エウ	左注	'ieu^{3}	幼韻
3865a	下江・017ウ6・疊字	艶	去	エウ	左注	jiam^{3}	豔韻
3866a	下江・017ウ6・疊字	縁	去	キン	左注	jiuan$^{1/3}$	仙/線韻
3867a	下江・017ウ6・疊字	縁	去	エン	左注	jiuan$^{1/3}$	仙/線韻
3971a	下手・022オ6・疊字	鄭	去	テイ	左注	ḍieŋ^{3}	勁韻
3980a	下手・022ウ1・疊字	眺	去	テウ	左注	t‘eu^{3}	嘯韻
3988a	下手・022ウ3・疊字	帝	去	―	―	tei^{3}	霽韻
4010a	下手・023オ1・疊字	泥	去	―	―	nei$^{1/3}$	齊/霽韻
4012a	下手・023オ2・疊字	定	去	―	―	teŋ^{3} deŋ^{3}	徑韻 徑韻
4025a	下手・023オ5・疊字	定	去	―	―	teŋ^{3} deŋ^{3}	徑韻 徑韻
4035a	下手・023オ7・疊字	調	去	テウ	左注	deu$^{1/3}$ ṭiʌu^{1}	蕭/嘯韻 尤韻
4036a	下手・023ウ1・疊字	調	去	テウ	左注	deu$^{1/3}$ ṭiʌu^{1}	蕭/嘯韻 尤韻
4068a	下阿・025オ6・地儀	糞	去	フン	右傍	piuʌn^{3}	問韻
4099a	下阿・026オ4・植物	蔓	去	マン	右傍	mɑn^{1} miɑn^{3}	桓韻 願韻
4106a	下阿・026オ7・植物	藎	去	シン	右傍	zien^{3}	震韻
4107a	下阿・026オ7・植物	地	去	―	―	diei^{3}	至韻
4137a	下阿・027オ7・動物	汗	去	カン	右傍	ɣɑn$^{1/3}$ kɑn^{1}	寒/翰韻 寒韻
4174a	下阿・028ウ7・人躰	顖	去	シン	右傍	sien^{3}	震韻
4278a	下阿・032ウ3・雑物	油	去	ユ	右傍	jiʌu$^{1/3}$	尤/宥韻
4355a	下阿・039オ4・疊字	暗	去	―	―	'ʌm^{3}	勘韻
4361a	下阿・039オ5・疊字	晏	去	―	―	'an^{3} 'ɑn^{3}	諫韻 翰韻
4370a	下阿・039オ7・疊字	愛	去	―	―	'ʌi^{3}	代韻
4378a	下阿・039ウ1・疊字	暗	去	アン	中注	'ʌm^{3}	勘韻
4439a	下佐・042ウ2・地儀	細	去	セイ	右傍	sei^{3}	霽韻
4509a	下佐・045オ4・人躰	噦	去	クワイ	右傍	xuɑi^{3} 'iuat 'iuɑt	泰韻 薛韻 月韻
4512a	下佐・045オ4・人躰	酗	去	ク	右傍	xiuʌ^{3}	遇韻
4537a	下佐・046オ5・人事	最	去	サイ	左注	tsuɑi^{3}	泰韻
4567a	下佐・047オ4・雑物	作	去	サ [去]	右注	tsɑ^{3} tsuʌ^{3} tsɑk	箇韻 暮韻 鐸韻
4591a	下佐・047ウ5・雑物	袴	去	コ	右傍	k‘uʌ^{3}	暮韻

4656a	下佐・051オ3・疊字	再	去	—	—	tsʌi^{3}	代韻
4657a	下佐・051オ4・疊字	賽	去	サイ	左注	sʌi^{3}	代韻
4658a	下佐・051オ4・疊字	三	去	（サム）	左注	sɑm$^{1/3}$	談/闞韻
4659a	下佐・051オ4・疊字	三	去	—	—	sɑm$^{1/3}$	談/闞韻
4662a	下佐・051オ5・疊字	相	去	サウ	左注	siɑŋ$^{1/3}$	陽/漾韻
4663a	下佐・051オ5・疊字	三	去	—	—	sɑm$^{1/3}$	談/闞韻
4664a	下佐・051オ5・疊字	三	去	（サム）	左注	sɑm$^{1/3}$	談/闞韻
4665a	下佐・051オ5・疊字	三	去	—	—	sɑm$^{1/3}$	談/闞韻
4667a	下佐・051オ6・疊字	最	去	（サイ）	左注	tsuɑi^{3}	泰韻
4521	下佐・045ウ5・人事	懺	去濁	サム ［去濁上］	右注	tṣʻam^{3}	鑑韻
4675a	下佐・051オ7・疊字	懺	去濁	サム	左注	tṣʻam^{3}	鑑韻
4680a	下佐・051ウ1・疊字	散	去	サン	中注	sɑn$^{2/3}$	旱/翰韻
4685a	下佐・051ウ2・疊字	寂	去	サイ	中注	tsuɑi^{3}	泰韻
4686a	下佐・051ウ2・疊字	最	去	サイ	左注	tsuɑi^{3}	泰韻
4687a	下佐・051ウ3・疊字	寂	去	サイ	左注	tsuɑi^{3}	泰韻
4688a	下佐・051ウ3・疊字	寂	去	サイ	左注	tsuɑi^{3}	泰韻
4695a	下佐・051ウ4・疊字	再	去	—	—	tsʌi^{3}	代韻
4702a	下佐・051ウ6・疊字	操	去	サウ	左注	tsʻɑu$^{1/3}$ sʌu^{2}	豪/号韻 厚韻
4709a	下佐・052オ1・疊字	詐	去	—	—	tṣa^{3}	禡韻
4711a	下佐・052オ1・疊字	三	去	—	—	sɑm$^{1/3}$	談/闞韻
4719a	下佐・052オ3・疊字	躁	去	サウ	左注	tsɑu^{3}	号韻
4722a	下佐・052オ4・疊字	掃	去	サウ	左注	sɑu$^{2/3}$	晧/号韻
4725a	下佐・052オ5・疊字	坐	去	—	—	dzuɑ$^{2/3}$	果/過韻
4732a	下佐・052オ6・疊字	鑽	去	サン	左注	tsuɑn$^{1/3}$	桓/換韻
4750a	下佐・052ウ4・疊字	造	去	サウ	左注	tsʻɑu^{3} dzɑu^{2}	号韻 晧韻
4759a	下佐・052ウ6・疊字	三	去	—	—	sɑm$^{1/3}$	談/闞韻
4786a	下佐・053オ6・疊字	造	去	サウ	右注	tsʻɑu^{3} dzɑu^{2}	号韻 晧韻
4788a	下佐・053オ7・疊字	顧	去	—	—	kuʌ^{3}	暮韻
4794a	下佐・053ウ1・疊字	造	去	サウ	右傍	tsʻɑu^{3} dzɑu^{2}	号韻 晧韻
4834a	下木・055オ7・天象	豹	去	ハウ	右傍	pau^{3}	効韻
4835a	下木・055オ7・天象	夢	去	ホウ	右傍	mʌuŋ^{3} miʌuŋ^{1}	送韻 東韻
4863a	下木・056オ6・植物	半	去	—	—	pan^{3}	換韻
4969a	下木・060ウ7・疊字	去	去	—	—	kʻiʌ$^{2/3}$	語/御韻
4970a	下木・060ウ7・疊字	去	去	—	—	kʻiʌ$^{2/3}$	語/御韻
4971a	下木・060ウ7・疊字	舊	去	キウ	左注	giʌu^{3}	宥韻
4978a	下木・061オ2・疊字	近	去	キン	左注	giʌn$^{2/3}$	隠/焮韻
4979a	下木・061オ2・疊字	近	去	—	—	giʌn$^{2/3}$	隠/焮韻

4983a	下木・061オ3・疊字	舊	去	―	―	giʌu^{3}	宥韻
4995a	下木・061オ5・疊字	經	去	―	―	keŋ$^{1/3}$	青/徑韻
4996a	下木・061オ6・疊字	行	去	―	―	ɣaŋ$^{1/3}$ ɣɑŋ$^{1/3}$	庚/映韻 唐/宕韻
4997a	下木・061オ6・疊字	行	去	キヤウ	左注	ɣaŋ$^{1/3}$ ɣɑŋ$^{1/3}$	庚/映韻 唐/宕韻
4999a	下木・061オ6・疊字	経	去	―	―	keŋ$^{1/3}$	青/徑韻
5002a	下木・061オ7・疊字	御	去	―	―	ŋiʌ^{3}	御韻
5007a	下木・061ウ1・疊字	禁	去	キン	右注	kiem$^{1/3}$	侵/沁韻
5010a	下木・061ウ1・疊字	禁	去	キム	左注	kiem$^{1/3}$	侵/沁韻
5011a	下木・061ウ2・疊字	禁	去	キム	右注	kiem$^{1/3}$	侵/沁韻
5018a	下木・061ウ3・疊字	季	去	―	―	k'jiuei^{3}	至韻
5021a	下木・061ウ4・疊字	舊	去	―	―	giʌu^{3}	宥韻
5022a	下木・061ウ4・疊字	舊	去	―	―	giʌu^{3}	宥韻
5023a	下木・061ウ4・疊字	近	去	―	―	giʌn$^{2/3}$	隠/焮韻
5025a	下木・061ウ5・疊字	既	去	キ	左注	kiʌi^{3}	未韻
5026a	下木・061ウ5・疊字	近	去	―	―	giʌn$^{2/3}$	隠/焮韻
5027a	下木・061ウ5・疊字	向	去	―	―	xiɑŋ^{3} śiɑŋ^{3}	漾韻 漾韻
5028a	下木・061ウ5・疊字	向	去	キヤウ	左注	xiɑŋ^{3} śiɑŋ^{3}	漾韻 漾韻
5034a	下木・061ウ7・疊字	炙	去	―	―	tśia^{3}	禡韻
5037a	下木・061ウ7・疊字	器	去	キ	左注	k'iei^{3}	至韻
5046a	下木・062オ2・疊字	舊	去	―	―	giʌu^{3}	宥韻
5047a	下木・062オ2・疊字	喜	去	キ	左注	xiɐi$^{2/3}$	止/志韻
5049a	下木・062オ3・疊字	向	去	キヤウ	左注	xiɑŋ^{3} śiɑŋ^{3}	漾韻 漾韻
5057a	下木・062オ5・疊字	輕	去	キヤウ	左注	k'ieŋ$^{1/3}$	清/勁韻
5066a	下木・062オ7・疊字	氣	去	キ	左注	k'iʌi^{3} xiʌi^{3}	未韻 未韻
5076a	下木・062ウ2・疊字	舊	去	―	―	giʌu^{3}	宥韻
5083a	下木・062ウ4・疊字	近	去	キン	中注	giʌn$^{2/3}$	隠/焮韻
5086a	下木・062ウ5・疊字	弃	去	―	―	k'jiei^{3}	至韻
5089a	下木・062ウ6・疊字	嗜	去	―	―	źiei^{3}	至韻
5114a	下木・063オ5・疊字	氣	去	キ	左注	k'iʌi^{3} xiʌi^{3}	未韻 未韻
5130a	下木・063ウ2・疊字	御	去	―	―	ŋiʌ^{3}	御韻
5131a	下木・063ウ2・疊字	騎	去	キ	左注	gie$^{1/3}$	支/寘韻
5137a	下木・063ウ3・疊字	喜	去	キ	左注	xiɐi$^{2/3}$	止/志韻
5147a	下木・063ウ5・疊字	氣	去	キ	左注	k'iʌi^{3} xiʌi^{3}	未韻 未韻
5150a	下木・063ウ6・疊字	義	去濁	キ	左注	ŋie^{3}	寘韻

5173a	下木・064オ4・疊字	舊	去	キウ	左注	giʌu^{3}	宥韻
5174a	下木・064オ4・疊字	經	去	キヤウ	左注	keŋ$^{1/3}$	青/徑韻
5222a	下由・066オ6・植物	橃	去	ヘイ	右傍	piɑi^{3} biɑt	廢韻 月韻
5307a	下師・070オ5・動物	驃	去	ヘウ	右傍	bjiau^{3} p'jiau^{3} piau^{3}	笑韻 笑韻 笑韻
5349a	下師・071ウ4・人躰	欬	去	カイ	右傍	k'ʌi^{3} 'ai^{3}	代韻 夬韻
5390a	下師・073オ5・人事	進	去	—	—	tsien^{3}	震韻
5396a	下師・073ウ1・飲食	粺	去	ハイ	右傍	bɐ^{3}	卦韻
5433a	下師・074オ4・雜物	繡	去	シウ	右傍	siʌu^{3}	宥韻
5445a	下師・074オ6・雜物	注	去	—	—	tśiuʌ^{3}	遇韻
5462a	下師・074ウ5・雜物	四	去	シ	右傍	siei^{3}	至韻
5464a	下師・074ウ6・雜物	麝	去濁	シヤ	右傍	dźia^{3} dźiiek	禡韻 昔韻
5525a	下師・078ウ4・疊字	驟	去	シウ	右注	dẓiʌu^{3}	宥韻
5542a	下師・079オ2・疊字	勝	去	—	—	śiɐŋ$^{1/3}$	蒸/證韻
5544a	下師・079オ3・疊字	勝	去	—	—	śiɐŋ$^{1/3}$	蒸/證韻
5546a	下師・079オ4・疊字	勝	去	—	—	śiɐŋ$^{1/3}$	蒸/證韻
5574a	下師・080オ2・疊字	進	去	シン	右注	tsien^{3}	震韻
5581a	下師・080オ4・疊字	瀉	去	シヤ	左注	sia$^{2/3}$	馬/禡韻
5599a	下師・080ウ6・疊字	将	去	シヤウ	左注	tsiɑŋ$^{1/3}$	陽/漾韻
5608a	下師・081オ3・疊字	自	去	シ	中注	dziei^{3}	至韻
5609a	下師・081オ3・疊字	衆	去	—	—	tśiʌuŋ$^{1/3}$	東/送韻
5617a	下師・081オ6・疊字	思	去	シ	左注	siɐi$^{1/3}$	之/志韻
5622a	下師・081オ6・疊字	庶	去	シヨ	左注	śiʌ^{3}	御韻
5635a	下師・081ウ2・疊字	任	去濁	—	—	ńiem$^{1/3}$	侵/沁韻
5649a	下師・081ウ6・疊字	甚	去	—	—	źiem$^{2/3}$	寑/沁韻
5672a	下師・082オ3・疊字	刺	去	—	—	ts'ie^{3} ts'iek	寘韻 昔韻
5674a	下師・082オ4・疊字	状	去	—	—	dẓiɑŋ^{3}	漾韻
5685a	下師・082オ7・疊字	潤	去	—	—	ńiuen^{3}	稕韻
5686a	下師・082オ7・疊字	潤	去	シユン	左注	ńiuen^{3}	稕韻
5687a	下師・082オ7・疊字	潤	去	—	—	ńiuen^{3}	稕韻
5690a	下師・082ウ1・疊字	舎	去	—	—	śia$^{2/3}$	馬/禡韻
5704a	下師・082ウ5・疊字	聚	去	シウ	左注	dziuʌ$^{2/3}$	麌/遇韻
5730a	下師・083オ5・疊字	赦	去	シヤ	左注	śia^{3}	禡韻
5755a	下師・083ウ4・疊字	使	去	シ	右注	ṣiɐi$^{2/3}$	止/志韻
5758a	下師・083ウ5・疊字	進	去	シン	左注	tsien^{3}	震韻
5765a	下師・084オ1・疊字	俊	去	—	—	tsiuen^{3}	稕韻
5775a	下師・084オ3・疊字	至	去	シ	右注	tśiei^{3}	至韻

5776a	下師・084オ3・疊字	至	去	シ	右注	tśiei^{3}	至韻
5787a	下師・084オ5・疊字	赦	去	シヤ	右注	śia^{3}	禡韻
5810a	下師・084ウ2・疊字	生	去	シヤウ	右注	ṣaŋ$^{1/3}$	庚/映韻
5836a	下師・084ウ6・疊字	衆	去	シウ	左注	tśiʌuŋ$^{1/3}$	東/送韻
5839a	下師・084ウ7・疊字	思	去	シ	右注	siɐi$^{1/3}$	之/志韻
5840a	下師・084ウ7・疊字	思	去	シ	左注	siɐi$^{1/3}$	之/志韻
5857a	下師・085オ2・疊字	晉	去	シム	右注	tsien^{3}	震韻
5859a	下師・085オ3・疊字	上	去	シヤウ	右注	źiɑŋ$^{2/3}$	養/漾韻
5890a	下師・085ウ1・疊字	盛	去濁	シヤウ	右注	źieŋ^{1} źieŋ^{3}	清韻 勁韻
5970a	下會・087ウ6・植物	女	去	チヨ	右傍	ṇiʌ$^{2/3}$	語/御韻
5997a	下會・089オ7・疊字	廻	去	ヱ	中注	ɣuʌi$^{1/3}$	灰/隊韻
6002a	下會・089ウ1・疊字	詠	去	―	―	ɣiuaŋ^{3}	映韻
6022a	下飛・090オ5・天象	麗	去	レイ	右傍	lei^{3}	霽韻
6023a	下飛・090オ5・天象	照	去	セウ	右傍	tśiau^{3}	笑韻
6038a	下飛・090ウ7・地儀	助	去	ソ	右傍	dẓiʌ^{3}	御韻
6046a	下飛・091オ4・植物	鏡	去	―	―	kiaŋ^{3}	映韻
6055a	下飛・091オ6・植物	細	去	セイ	右傍	sei^{3}	霽韻
6064a	下飛・091ウ1・植物	枇	去	ヒ	右注	bjiei$^{1/3}$ pjiei^{2}	脂/至韻 旨韻
6144a	下飛・094オ5・雜物	檜	去	クワイ	右傍	kuɑi^{3} kuɑt	泰韻 末韻
6160a	下飛・094ウ2・雜物	蔽	去	ヘイ	右傍	pjiai^{3}	祭韻
6175a	下飛・094ウ6・雜物	副	去	フ	右傍	p'iʌu^{3} p'iʌuk p'iɐk	宥韻 屋韻 職韻
6232a	下飛・097ウ5・疊字	避	去	ヒ	左注	bjie^{3}	寘韻
6259a	下飛・098オ2・疊字	繆	去	―	―	mieu$^{1/3}$ miʌu^{1} miʌuk	幽/幼韻 尤韻 屋韻
6267a	下飛・098オ4・疊字	秘	去	―	―	piei^{3}	至韻
6268a	下飛・098オ4・疊字	秘	去	ヒ	左注	piei^{3}	至韻
6289a	下飛・098オ7・疊字	秘	去	―	―	piei^{3}	至韻
6335a	下飛・099オ2・疊字	秘	去	ヒ	右注	piei^{3}	至韻
6339a	下飛・099オ3・疊字	比	去	ヒ	左注	bjiei$^{1/3}$ pjiei$^{2/3}$ bjiet	脂/至韻 旨/至韻 質韻
6340a	下飛・099オ3・疊字	未	去濁	ヒ	左注	miʌi^{3}	未韻
6343a	下飛・099オ3・疊字	鬢	去	ヒン	左注	pjien^{3}	震韻
6419a	下毛・102オ4・人躰	皰	去	ハウ	右傍	p'au^{3} bau^{3}	効韻 効韻
6431a	下毛・103オ1・飲食	糙	去	サウ	右傍	ts'ɑu^{3}	号韻

6445a	下毛・103オ6・雑物	灸	去	キウ	右傍	kiʌu$^{2/3}$	有/宥韻
6504a	下世・106ウ7・地儀	訓	去	クヰン	右傍	xiuʌn^{3}	問韻
6529a	下世・108オ5・人事	意	去	―	―	'iɐi^{3}	志韻
6573a	下世・110オ3・疊字	霽	去	セイ	左注	sei^{3}	霽韻
6577a	下世・110オ3・疊字	照	去	セウ	右注	tśiau^{3}	笑韻
6580a	下世・110オ4・疊字	歳	去	セイ	左注	siuai^{3}	祭韻
6584a	下世・110オ5・疊字	歳	去	―	―	siuai^{3}	祭韻
6585a	下世・110オ5・疊字	先	去	セン	左注	sen$^{1/3}$	先/霰韻
6589a	下世・110オ5・疊字	世	去	セイ	中注	śiai^{3}	祭韻
6599a	下世・110オ7・疊字	祭	去	セイ	中注	tsiai^{3} tsɐi^{3}	祭韻 怪韻
6600a	下世・110オ7・疊字	誓	去	―	―	źiai^{3}	祭韻
6604a	下世・110ウ1・疊字	禅	去	―	―	źian$^{1/3}$	仙/線韻
6605a	下世・110ウ1・疊字	禪	去	―	―	źian$^{1/3}$	仙/線韻
6606a	下世・110ウ1・疊字	禅	去	―	―	źian$^{1/3}$	仙/線韻
6607a	下世・110ウ2・疊字	聖	去	―	―	śieŋ^{3}	勁韻
6608a	下世・110ウ2・疊字	聖	去	―	―	śieŋ^{3}	勁韻
6609a	下世・110ウ2・疊字	先	去	―	―	sen$^{1/3}$	先/霰韻
6613a	下世・110ウ3・疊字	政	去	―	―	tśieŋ^{3}	勁韻
6614a	下世・110ウ3・疊字	政	去	―	―	tśieŋ^{3}	勁韻
6615a	下世・110ウ3・疊字	政	去	―	―	tśieŋ^{3}	勁韻
6616a	下世・110ウ3・疊字	政	去	―	―	tśieŋ^{3}	勁韻
6617a	下世・110ウ3・疊字	政	去	―	―	tśieŋ^{3}	勁韻
6637a	下世・110ウ7・疊字	先	去	―	―	sen$^{1/3}$	先/霰韻
6638a	下世・111オ1・疊字	先	去	セン	中注	sen$^{1/3}$	先/霰韻
6639a	下世・111オ1・疊字	先	去	―	―	sen$^{1/3}$	先/霰韻
6640a	下世・111オ1・疊字	先	去濁	セン	左注	sen$^{1/3}$	先/霰韻
6641a	下世・111オ1・疊字	焼	去	―	―	śiau$^{1/3}$	宵/笑韻
6642a	下世・111オ1・疊字	先	去	―	―	sen$^{1/3}$	先/霰韻
6643a	下世・111オ2・疊字	先	去	―	―	sen$^{1/3}$	先/霰韻
6649a	下世・111オ2・疊字	少	去	―	―	śiau$^{2/3}$	小/笑韻
6659a	下世・111オ4・疊字	聖	去	―	―	śieŋ^{3}	勁韻
6663a	下世・111オ5・疊字	世	去	セイ	左注	śiai^{3}	祭韻
6666a	下世・111オ5・疊字	世	去	―		śiai^{3}	祭韻
6668a	下世・111オ6・疊字	聟	去	―	―	sei^{3}	霽韻
6679a	下世・111オ7・疊字	勢	去	―	―	śiai^{3}	祭韻
6689a	下世・111ウ2・疊字	禅	去	―	―	źian$^{1/3}$	仙/線韻
6690a	下世・111ウ2・疊字	制	去	セイ	左注	tśiai^{3}	祭韻
6714a	下世・111ウ7・疊字	際	去	―	―	tsiai^{3}	祭韻
6715a	下世・111ウ7・疊字	戰	去	―	―	tśian^{3}	線韻
6717a	下世・111ウ7・疊字	細	去	セイ	左注	sei^{3}	霽韻
6719a	下世・112オ1・疊字	戰	去	―	―	tśian^{3}	線韻

6725a	下世・112オ2・疊字	戰	去	セン	左注	tśian^{3}	線韻
6731a	下世・112オ3・疊字	誓	去	セイ	右注	źiai^{3}	祭韻
6732a	下世・112オ3・疊字	誓	去	セイ	右注	źiai^{3}	祭韻
6735a	下世・112オ4・疊字	薦	去	セン	右注	tsen^{3}	霰韻
6832a	下洲・116オ2・雜物	晉	去	シム	右傍	tsien^{3}	震韻
6843a	下洲・116オ4・雜物	炭	去	タン	右傍	t‘ɑn^{3}	翰韻
6853a	下洲・116オ7・雜物	念	去	−	−	nem^{3}	桥韻
6859a	下洲・116ウ1・雜物	揩	去	カイ	右傍	k‘ɐi$^{1/3}$	皆/怪韻
6916a	下洲・120オ5・疊字	綷	去	スイ	左注	tsuʌi^{3}	隊韻
6919a	下洲・120オ5・疊字	酔	去	スイ	左注	tsiuei^{3}	至韻
6940a	下洲・120ウ3・疊字	酔	去	スイ	右傍	tsiuei^{3}	至韻
6943a	下洲・120ウ4・疊字	翠	去	スイ	左注	ts‘iuei^{3}	至韻

【表D-20】去声（熟字前部）下巻〔不一致例〕

番号	前田本所在	掲出字		仮名音注		中古音	韻目
3311a	下古・002オ2・地儀	金	去	コム	右傍	kiem^{1}	侵韻
3338a	下古・002ウ5・植物	蒜	去	サン	右傍	suɑn^{1}	換韻
3339a	下古・002ウ6・植物	獼	去	ミ	右傍	mjie^{1}	支韻
3341a	下古・002ウ7・植物	金	去	コム	左注	kiem^{1}	侵韻
3428a	下古・006ウ5・雜物	金	去	コム ［平平］	右注	kiem^{1}	侵韻
3439a	下古・007オ1・雜物	金	去	コム	右傍	kiem^{1}	侵韻
3440a	下古・007オ1・雜物	金	去	コム ［平上］	右注	kiem^{1}	侵韻
3571a	下古・007ウ4・光彩	胡	去	コ ［去濁］	−	ɣuʌ^{1}	模韻
3572a	下古・007ウ4・光彩	金	去	コム	右注	kiem^{1}	侵韻
3592a	下古・010オ5・疊字	今	去	−	−	kiem^{1}	侵韻
3603a	下古・010ウ1・疊字	金	去	コム	左注	kiem^{1}	侵韻
3604a	下古・010ウ1・疊字	金	去	−	−	kiem^{1}	侵韻
3605a	下古・010ウ1・疊字	金	去	−	−	kiem^{1}	侵韻
3623a	下古・010ウ5・疊字	恒	去	−	−	ɣʌŋ^{1}	登韻
3634a	下古・011オ1・疊字	根	去	コン	左注	kʌn^{1}	痕韻
3636a	下古・011オ1・疊字	権	去	−	−	giuan^{1}	仙韻
3644a	下古・011オ3・疊字	虚	去	コ	中注	xiʌ^{1} k‘iʌ^{1}	魚韻 魚韻
3684a	下古・011ウ5・疊字	根	去	コン	右注	kʌn^{1}	痕韻
3686a	下古・011ウ5・疊字	根	去	コン	中注	kʌn^{1}	痕韻
3744a	下江・014オ7・植物	龍	去	リウ	右傍	liɑuŋ^{1}	鍾韻
3801a	下江・016ウ7・疊字	遥	去	−	−	jiau^{1}	宵韻
3820a	下江・017オ4・疊字	妖	去	−	−	’iau^{1}	宵韻
3833a	下江・017オ7・疊字	遥	去	エウ	中注	jiau^{1}	宵韻
3855a	下江・017ウ4・疊字	遥	去	エウ	右注	jiau^{1}	宵韻

3856a	下江・017ウ4・疊字	依	去	エ	右注	'iʌi^{1}	微韻
3857a	下江・017ウ4・疊字	傜	去	エウ	左注	jiau^{1}	宵韻
3858a	下江・017ウ5・疊字	傜	去	エウ	左注	jiau^{1}	宵韻
3885a	下手・019オ3・地儀	天	去	テン	左注	t'en^{1}	先韻
3903a	下手・020オ7・人事	天	去	ー	ー	t'en^{1}	先韻
3935a	下手・021ウ5・重點	條	去濁	テウ	右注	deu^{1}	蕭韻
3937a	下手・021ウ7・疊字	天	去	ー	ー	t'en^{1}	先韻
3938a	下手・021ウ7・疊字	朝	去	ー	ー	ṭiau^{1} ḍiau^{1}	宵韻 宵韻
3947a	下手・022オ2・疊字	天	去	ー	ー	t'en^{1}	先韻
3963a	下手・022オ5・疊字	超	去	テウ	左注	ṭ'iau^{1}	宵韻
3969a	下手・022オ6・疊字	田	去	ー	ー	den^{1}	先韻
3975a	下手・022オ7・疊字	啼	去	ー	ー	dei^{1}	齊韻
4018a	下手・023オ3・疊字	田	去	ー	ー	den^{1}	先韻
4046a	下阿・024オ7・天象	明	去	ミヤウ	右傍	miaŋ^{1}	庚韻
4105a	下阿・026オ6・植物	昌	去	シヤウ	右傍	tś'iɑŋ^{1}	陽韻
4108a	下阿・026オ7・植物	甘	去	カム	右傍	kɑm^{1}	談韻
4128a	下阿・027オ3・動物	鸚	去	アウ	中注	'ɐŋ^{1}	耕韻
4357a	下阿・039オ4・疊字	安	去	アン	中注	'ɑn^{1}	寒韻
4359a	下阿・039オ4・疊字	安	去	アン	中注	'ɑn^{1}	寒韻
4373a	下阿・039オ7・疊字	哀	去	アイ	左注	'iʌi^{1}	咍韻
4382a	下阿・039ウ2・疊字	安	去	アン	右注	'ɑn^{1}	寒韻
4692a	下佐・051ウ4・疊字	災	去	サイ	左注	tsʌi^{1}	咍韻
4738a	下佐・052ウ1・疊字	騷	去	サウ	左注	sɑu^{1}	豪韻
4741a	下佐・052ウ1・疊字	慚	去濁	サン	左注	dzam^{1}	談韻
4773a	下佐・053オ3・疊字	糟	去	サウ	左注	tsɑu^{1}	豪韻
4892a	下木・057ウ1・人躰	黄	去	ー	ー	ɣuɑŋ^{1}	唐韻
4975a	下木・061オ1・疊字	坑	去	キヤウ	左注	k'aŋ^{1}	庚韻
4988a	下木・061オ4・疊字	祈	去	キ	左注	giʌi^{1}	微韻
4989a	下木・061オ4・疊字	祈	去	キ	左注	giʌi^{1}	微韻
4992a	下木・061オ5・疊字	祈	去	キ	左注	giʌi^{1}	微韻
4993a	下木・061オ5・疊字	祈	去	キ	左注	giʌi^{1}	微韻
5000a	下木・061オ7・疊字	今	去	ー	ー	kiem^{1}	侵韻
5024a	下木・061ウ4・疊字	今	去	（キン）	左注	kiem^{1}	侵韻
5035a	下木・061ウ7・疊字	舅	去	キウ	左注	giʌu^{2}	有韻
5061a	下木・062オ6・疊字	疑	去	ー	ー	ŋiɐi^{1}	之韻
5062a	下木・062オ6・疊字	疑	去濁	キ	左注	ŋiɐi^{1}	之韻
5080a	下木・062ウ3・疊字	飢	去	キ	左注	kiei^{1}	脂韻
5081a	下木・062ウ4・疊字	飢	去	キ	左注	kiei^{1}	脂韻
5106a	下木・063オ3・疊字	希	去	キ	左注	xiʌi^{1}	微韻
5161a	下木・064オ1・疊字	機	去	キ	左注	kiʌi^{1}	微韻
5162a	下木・064オ2・疊字	機	去	キ	左注	kiʌi^{1}	微韻

5176a	下木・064オ4・疊字	機	去	キ	左注	kiʌi¹	微韻
5178a	下木・064オ5・疊字	岐	去	キ	右注	gjie¹	支韻
5279a	下師・069オ7・植物	昌	去	シヤウ	右注	tś'iɑŋ¹	陽韻
5285a	下師・069ウ2・植物	猕	去	ミ	右傍	mjie¹	支韻
5380a	下師・073オ2・人事	新	去	―	―	sien¹	眞韻
5389a	下師・073オ5・人事	新	去	―	―	sien¹	眞韻
5409a	下師・073ウ6・雜物	硨	去	シヤ	右傍	tś'ia¹	麻韻
5477a	下師・075オ4・光彩	朱	去	シウ	右注	tśiuʌ¹	虞韻
5478a	下師・075オ4・光彩	朱	去	スウ	右傍	tśiuʌ¹	虞韻
5536a	下師・078ウ7・疊字	初	去	シヨ	右注	tṣ'iʌ¹	魚韻
5541a	下師・079オ2・疊字	須	去	シユ	左注	siuʌ¹	虞韻
5567a	下師・079ウ5・疊字	周	去	シユ	右注	tśiʌu¹	尤韻
5604a	下師・080ウ7・疊字	時	去濁	シ	中注	źiɐi¹	之韻
5605a	下師・080ウ7・疊字	辛	去	シン	左注	sien¹	眞韻
5611a	下師・081オ4・疊字	新	去	―	―	sien¹	眞韻
5624a	下師・081オ7・疊字	邪	去	シヤ	左注	źia¹ jia¹	麻韻 麻韻
5629a	下師・081ウ1・疊字	瞋	去	シン	右注	tś'ien¹	眞韻
5637a	下師・081ウ3・疊字	慈	去	―	―	dziɐi¹	之韻
5646a	下師・081ウ5・疊字	心	去	シム	左注	siem¹	侵韻
5682a	下師・082オ6・疊字	殊	去	シユ	左注	źiuʌ¹	虞韻
5720a	下師・083オ2・疊字	囚	去	シウ	左注	ziʌu¹	尤韻
5725a	下師・083オ3・疊字	戎	去濁	シウ	左注	ńiʌuŋ¹	東韻
5729a	下師・083オ4・疊字	邪	去	―	―	źia¹ jia¹	麻韻 麻韻
5734a	下師・083オ5・疊字	城	去	―	―	źieŋ¹	清韻
5735a	下師・083オ6・疊字	城	去	シヤウ	右注	źieŋ¹	清韻
5748a	下師・083ウ3・疊字	聲	去	シヤウ	左注	śieŋ¹	清韻
5760a	下師・083ウ6・疊字	資	去	シ	左注	tsiei¹	脂韻
5761a	下師・083ウ6・疊字	資	去	シ	左注	tsiei¹	脂韻
5768a	下師・084オ2・疊字	充	去濁	シユ	左注	tś'iʌuŋ¹	東韻
5769a	下師・084オ2・疊字	娑	去	シヤ	左注	sɑ¹ᐟ²	歌/哿韻
5777a	下師・084オ3・疊字	尋	去濁	シム	右注	ziem¹	侵韻
5819a	下師・084ウ3・疊字	心	去	シム	左注	siem¹	侵韻
5829a	下師・084ウ5・疊字	周	去	シウ	右注	tśiʌu¹	尤韻
5830a	下師・084ウ5・疊字	而	去	シ	右注	ńiɐi¹	之韻
5871a	下師・085オ5・疊字	朱	去	シウ	右注	tśiuʌ¹	虞韻
5874a	下師・085オ5・疊字	従	去濁	シユ	右注	dziɑuŋ¹ ts'iɑuŋ¹ᐟ³	鍾韻 鍾/用韻
5877a	下師・085オ6・疊字	雌	去	シ	右注	ts'ie¹	支韻
5878a	下師・085オ6・疊字	緇	去	シ	右注	tṣiɐi¹	之韻
5879a	下師・085オ6・疊字	緇	去	シ	右注	tṣiɐi¹	之韻

5996a	下會・089オ7・疊字	冤	去	ヱン	中注	’iuɑn^{1}	元韻
6008a	下會・089ウ2・疊字	圓	去	―	―	ɣiuan^{1}	仙韻
6151a	下飛・094オ6・雜物	金	去	コム	右傍	kiem^{1}	侵韻
6181a	下飛・094ウ7・雜物	屏	去濁	ヒヤウ	右傍	pieŋ$^{1/2}$ beŋ^{1}	清/靜韻 青韻
6238a	下飛・097ウ6・疊字	兵	去	―	―	piaŋ^{1}	庚韻
6242a	下飛・097ウ6・疊字	非	去	―	―	piʌi^{1}	微韻
6266a	下飛・098オ3・疊字	非	去	―	―	piʌi^{1}	微韻
6272a	下飛・098オ4・疊字	謬	去	ヒウ	左注	mieu^{1}	幼韻
6281a	下飛・098オ6・疊字	貧	去	ヒン	左注	bien^{1}	眞韻
6282a	下飛・098オ6・疊字	貧	去	ヒン	左注	bien^{1}	眞韻
6297a	下飛・098ウ2・疊字	兵	去	―	―	piaŋ^{1}	庚韻
6298a	下飛・098ウ2・疊字	兵	去	―	―	piaŋ^{1}	庚韻
6299a	下飛・098ウ2・疊字	兵	去	―	―	piaŋ^{1}	庚韻
6301a	下飛・098ウ2・疊字	非	去	ヒ	左注	piʌi^{1}	微韻
6302a	下飛・098ウ3・疊字	非	去	ヒ	右注	piʌi^{1}	微韻
6303a	下飛・098ウ3・疊字	非	去	ヒ	左注	piʌi^{1}	微韻
6304a	下飛・098ウ3・疊字	非	去	（ヒ）	左注	piʌi^{1}	微韻
6308a	下飛・098ウ4・疊字	非	去	―	―	piʌi^{1}	微韻
6311a	下飛・098ウ4・疊字	平	去濁	ヒヤウ	中注	biaŋ^{1} bjian^{1}	庚韻 仙韻
5868a	下師・085オ4・疊字	秋	去	シウ	右注	ts‘iʌu^{1}	尤韻
6333a	下飛・099オ1・疊字	非	去	ヒ	左注	piʌi^{1}	微韻
6347a	下飛・099オ4・疊字	非	去	―	―	piʌi^{1}	微韻
6465a	下毛・105ウ1・重點	文	去	モン	右注	miuʌn^{1}	文韻
6468a	下毛・105ウ3・疊字	文	去	―	―	miuʌn^{1}	文韻
6470a	下毛・105ウ4・疊字	文	去	モン	左注	miuʌn^{1}	文韻
6471a	下毛・105ウ4・疊字	文	去	モン	右注	miuʌn^{1}	文韻
6505a	下世・107オ2・植物	梅	去	セン	右注	tsian^{1}	仙韻
6524a	下世・108オ1・人躰	痟	去	セウ	右傍	siau^{1}	宵韻
6590a	下世・110オ6・疊字	阡	去	セン	左注	tɔ‘ɔn^{1}	先韻
6612a	下世・110ウ2・疊字	昭	去	―	―	tsiau^{1}	宵韻
6692a	下世・110ウ6・疊字	成	去	―	―	źieŋ^{1}	清韻
6670a	下世・111オ6・疊字	逍	去	セウ	左注	siau^{1}	宵韻
6678a	下世・111オ7・疊字	招	去	―	―	tśiau^{1}	宵韻
6688a	下世・111ウ2・疊字	消	去	セウ	左注	siau^{1}	宵韻
6711a	下世・111ウ6・疊字	専	去	―	―	tśiuan^{1}	仙韻
6740a	下世・112オ5・疊字	成	去	セイ	右注	źieŋ^{1}	清韻
6789a	下洲・113ウ6・植物	天	去	テン	右傍	t‘en^{1}	先韻
6908a	下洲・120オ3・疊字	淳	去	スヰン	左注	źiuen^{1}	諄韻
6926a	下洲・120オ7・疊字	随	去	―	―	ziue^{1}	支韻
6930a	下洲・120ウ1・疊字	随	去	スイ	右注	ziue^{1}	支韻

6933a	下洲・120ウ1・疊字	随	去	スイ	右注	ziue¹	支韻

番号	前田本所在	掲出字		仮名音注		中古音	韻目
3303a	下古・001ウ7・地儀	象	去	シヤウ	右傍	ziaŋ²	養韻
3411a	下古・006オ1・人事	五	去	―	―	ŋuʌ²	姥韻
3443a	下古・007オ1・雑物	五	去濁	コ ［上］	右注	ŋuʌ²	姥韻
3614a	下古・010ウ3・疊字	扈	去	―	―	ɣuʌ²	姥韻
3618a	下古・010ウ4・疊字	巨	去	―	―	giʌ²	語韻
3628a	下古・010ウ6・疊字	蠱	去	コ	左注	kuʌ²	姥韻
3639a	下古・011オ2・疊字	拒	去	コ	左注	giʌ²	語韻
3679a	下古・011ウ4・疊字	巨	去	コ	左注	giʌ²	語韻
3682a	下古・011ウ5・疊字	混	去	―	―	ɣuʌn²	混韻
3683a	下古・011ウ5・疊字	混	去	コン	右注	ɣuʌn²	混韻
3687a	下古・011ウ6・疊字	混	去	コン	右注	ɣuʌn²	混韻
3710a	下古・012オ4・疊字	己	去	コ	左注	kiɐi²	止韻
3831a	下江・017オ6・疊字	壽	去	シユ	右傍	źiʌu²	有韻
3873a	下手・018ウ4・天象	紫	去	シ	右注	tsie²	紙韻
4038a	下手・023ウ1・疊字	殄	去濁	テン	右注	den²	銑韻
4271a	下阿・032ウ1・雑物	雉	去	チ	右傍	ḍiei²	旨韻
4541a	下佐・046オ6・人事	採	去	サイ	左注	ts'ʌi²	海韻
4927a	下木・058ウ2・雑物	杏	去濁	キヤウ	右注	ɣaŋ²	梗韻
5077a	下木・062ウ2・疊字	久	去	―	―	kiʌu²	有韻
5088a	下木・062ウ6・疊字	擬	去	―	―	ŋiɐi²	止韻
5107a	下木・063オ3・疊字	巨	去	キヨ	左注	giʌ²	語韻
5128a	下木・063ウ1・疊字	擬	去	キ	左注	ŋiɐi²	止韻
5168a	下木・064オ3・疊字	咎	去	キウ	右注	giʌu² kɑu¹	有韻 豪韻
5175a	下木・064オ4・疊字	許	去	キヨ	左注	xiʌ²	語韻
5177a	下木・064オ5・疊字	巨	去	キヨ	右注	giʌ²	語韻
5268a	下師・069オ2・地儀	壽	去	シウ	右傍	źiʌu²	有韻
5281a	下師・069ウ1・植物	紫	去	シ	右注	tsie²	紙韻
5310a	下師・070オ5・動物	象	去	シヤウ ［平平上］	右傍	ziaŋ²	養韻
5548a	下師・079オ4・疊字	咫	去	シ	右注	tśie²	紙韻
5566a	下師・079ウ5・疊字	荘	去	シヤウ	右注	tśiaŋ²	養韻
5651a	下師・081ウ6・疊字	醜	去	シユ	左注	tś'iʌu²	有韻
5656a	下師・081ウ7・疊字	壽	去	―	―	źiʌu²	有韻
5664a	下師・082オ2・疊字	耳	去濁	シ	左注	ńiɐi²	止韻
5692a	下師・082ウ1・疊字	仕	去	―	―	dẓiɐi²	止韻
5847a	下師・085オ1・疊字	象	去	シヤウ	右注	ziaŋ²	養韻
5852a	下師・085オ2・疊字	壽	去	シウ	右注	źiʌu²	有韻
5856a	下師・085オ2・疊字	手	去	シユ	右注	śiʌu²	有韻
5869a	下師・085オ4・疊字	紫	去	シ	右注	tsie²	紙韻

番号	前田本所在	掲出字		仮名音注		中古音	韻目
5870a	下師・085オ5・疊字	紫	去	シ	右注	tsie^2	紙韻
5910a	下師・085ウ5・疊字	乳	去濁	シウ	右傍	ńiuʌ^2	麌韻
6295a	下飛・098ウ1・疊字	被	去	ヒ	左注	bie^2	紙韻
6315a	下飛・098ウ5・疊字	牝	去	ヒン	右注	bjien^2 bjiei^2	軫韻 旨韻
6648a	下世・111オ2・疊字	善	去	—	—	źian^2	獮韻
6667a	下世・111オ5・疊字	紹	去	セウ	中注	źiau^2	小韻
6673a	下世・111オ6・疊字	善	去	—	—	źian^2	獮韻
6741a	下世・112オ5・疊字	紹	去	セウ	左注	źiau^2	小韻

番号	前田本所在	掲出字		仮名音注		中古音	韻目
4020a	下手・023オ4・疊字	糴	去	テキ	左注	dek	錫韻
5386a	下師・073オ4・人事	拾	去	—	—	źiep	緝韻

【表D-21】入声（熟字前部）上巻〔一致例〕

番号	前田本所在	掲出字		仮名音注		中古音	韻目
0005a	上伊・002オ4・天象	霹	入	ヘキ	右傍	p‘ek	錫韻
0018a	上伊・002ウ6・地儀	石	入	—	—	źiek	昔韻
0048a	上伊・003ウ5・植物	石	入	—	—	źiek	昔韻
0050a	上伊・003ウ5・植物	蕧	入	フク	右傍	p‘iʌuk biʌuk	屋韻 屋韻
0060a	上伊・004オ2・植物	石	入	—	—	źiek	昔韻
0065a	上伊・004オ3・植物	櫟	入	レキ	右傍	lek jiɑk	錫韻 藥韻
0098a	上伊・005オ6・動物	蚱	入	サク	右傍	tṣak	陌韻
0183a	上伊・008ウ7・雜物	石	入	—	—	źiek	昔韻
0237a	上伊・012ウ2・疊字	一	入	イツ	左注	'jiet	質韻
0254a	上伊・012ウ5・疊字	一	入	イツ	中注	'jiet	質韻
0257a	上伊・012ウ6・疊字	揖	入	イフ	中注	'jiep	緝韻
0258a	上伊・012ウ6・疊字	一	入	イツ	左注	'jiet	質韻
0267a	上伊・013オ1・疊字	一	入	イツ	左注	'jiet	質韻
0268a	上伊・013オ1・疊字		入	イチ	左注	'iep	質韻
0271a	上伊・013オ2・疊字	逸	入	イチ	右注	jiet	質韻
0272a	上伊・013オ2・疊字	逸	入	イチ	左注	jiet	質韻
0285a	上伊・013オ4・疊字	一	入	—	—	'jiet	質韻
0286a	上伊・013オ5・疊字	一	入	イチ	右注	'jiet	質韻
0308a	上伊・013ウ3・疊字	一	入	（イチ）	左注	'jiet	質韻
0322a	上伊・013ウ6・疊字	邑	入	イウ	左注	'iep	緝韻
0330a	上伊・013ウ7・疊字	一	入	イツ	左注	'jiet	質韻
0334a	上伊・014オ1・疊字	壹	入	イチ	左注	'jiet	質韻
0335a	上伊・014オ1・疊字	一	入	イ	右注	'jiet	質韻
0336a	上伊・014オ2・疊字	一	入	イツ	右注	'jiet	質韻
0341a	上伊・014オ3・疊字	逸	入	イツ	右注	jiet	質韻
0342a	上伊・014オ3・疊字	育	入	イク	右注	jiʌuk	屋韻
0345a	上伊・014オ3・疊字	一	入	イツ	右注	'jiet	質韻

0347a	上伊・014オ4・疊字	一	入	―	―	'jiet	質韻
0350a	上伊・015オ2・疊字	揭	入	―	―	giat giat k'iat k'iai3	月韻 薛韻 薛韻 祭韻
0406a	上呂・017ウ4・人體	六	入	ロク	右注	liʌuk	屋韻
0415a	上呂・018オ4・雜物	轆	入	ロク	右注	lʌuk	屋韻
0432a	上呂・019オ1・疊字	六	入	ロク	左注	liʌuk	屋韻
0442a	上呂・019オ3・疊字	録	入	ロク	中注	liauk	燭韻
0449a	上呂・019オ4・疊字	六	入	ロク	左注	liʌuk	屋韻
0471a	上波・020オ4・天象	曲	入	コク	右傍	k'iauk	燭韻
0488a	上波・020ウ4・地儀	搏	入	ハク	右傍	pak p'ak piuʌ3	鐸韻 鐸韻 虞韻
0490a	上波・020ウ7・植物	鹿	入	ロク	右傍	lʌuk	屋韻
0507a	上波・021オ5・植物	蒺	入	シツ	右傍	dziet	質韻
0561a	上波・023オ2・動物	促	入	ソク	右傍	ts'iauk	燭韻
0583a	上波・024オ2・人躰	玉	入濁	―	―	ŋiauk	燭韻
0584a	上波・024オ3・人躰	塞	入	ソク	右傍	sʌk sʌi3	徳韻 代韻
0596a	上波・024オ7・人躰	黒	入	コク	右傍	xʌk	徳韻
0633a	上波・025ウ6・人事	白	入	ハク	左注	bak	陌韻
0635a	上波・026オ2・飲食	餺	入	ハク	右傍	pak	鐸韻
0636a	上波・026オ2・飲食	餺	入	ハウ	右注	pak	鐸韻
0641a	上波・026オ4・雜物	勒	入	ロク	右傍	lʌk	徳韻
0679a	上波・027オ6・雜物	黒	入	コク	右傍	xʌk	徳韻
0689a	上波・027ウ4・雜物	白	入	ハク	右注	bak	陌韻
0723a	上波・031オ7・疊字	白	入	ハツ	左注	bak	陌韻
0724a	上波・031オ7・疊字	白	入	ハク	左注	bak	陌韻
0725a	上波・031オ7・疊字	迫	入	ハク	左注	pak	陌韻
0726a	上波・031オ7・疊字	白	入	ハク	右注	bak	陌韻
0730a	上波・031ウ1・疊字	白	入	ハク	左注	bak	陌韻
0732a	上波・031ウ2・疊字	麦	入濁	ハク	右注	mɐk	麥韻
0736a	上波・031ウ2・疊字	薄	入	ハク	右注	bak	鐸韻
0742a	上波・031ウ4・疊字	白	入	ハク	中注	bak	陌韻
0748a	上波・031ウ5・疊字	抜	入	ハツ	左注	bat biat bɐt	末韻 月韻 黠韻
0749a	上波・031ウ5・疊字	八	入	ハツ	左注	pɐt	黠韻
0750a	上波・031ウ5・疊字	八	入	ハツ	右注	pɐt	黠韻
0751a	上波・031ウ5・疊字	白	入	ハク	左注	bak	陌韻
0758a	上波・031ウ7・疊字	博	入	ハク	左注	pak	鐸韻
0768a	上波・032オ2・疊字	博	入濁	ハン	右注	pak	鐸韻
0770a	上波・032オ2・疊字	白	入	ハク	左注	bak	陌韻
0779a	上波・032オ4・疊字	白	入	ハク	左注	bak	陌韻
0782a	上波・032オ5・疊字	髮	入	ハツ	左注	piat	月韻
0783a	上波・032オ5・疊字	末	入濁	ハツ	中注	mat	末韻

0786a	上波・032オ6・疊字	發	入	ハツ	右注	piɑt	月韻
0796a	上波・032ウ1・疊字	白	入	ハク	左注	bak	陌韻
0802a	上波・032ウ2・疊字	末	入濁	ハツ	左注	mɑt	末韻
0817a	上波・032ウ5・疊字	白	入	ハク	左注	bak	陌韻
0819a	上波・032ウ5・疊字	博	入	ハク	中注	pɑk	鐸韻
0821a	上波・032ウ6・疊字	博	入	ハク	左注	pɑk	鐸韻
0822a	上波・032ウ6・疊字	博	入	ハク	左注	pɑk	鐸韻
0823a	上波・032ウ6・疊字	博	入	ハク	左注	pɑk	鐸韻
0825a	上波・032ウ6・疊字	拔	入	ハツ	左注	bɑt biɑt bɐt	末韻 月韻 黠韻
0826a	上波・032ウ7・疊字	拔	入	ハツ	左注	bɑt biɑt bɐt	末韻 月韻 黠韻
0830a	上波・032ウ7・疊字	拔	入	ハツ	中注	bɑt biɑt bɐt	末韻 月韻 黠韻
0832a	上波・033オ1・疊字	拔	入	ハツ	左注	bɑt biɑt bɐt	末韻 月韻 黠韻
0834a	上波・033オ1・疊字	白	入	ハク	中注	bak	陌韻
0836a	上波・033オ2・疊字	八	入	ハチ	右注	pɐt	黠韻
0837a	上波・033オ2・疊字	八	入	―	―	pɐt	黠韻
0840a	上波・033オ2・疊字	白	入	ハク	中注	bak	陌韻
0849a	上波・033オ4・疊字	八	入	ハツ	左注	pɐt	黠韻
0850a	上波・033オ4・疊字	博	入濁	ハク	左注	pɑk	鐸韻
0870a	上波・033ウ1・疊字	莫	入濁	ハク	右注	mɑk	鐸韻
0874a	上波・033ウ2・疊字	薄	入	ハク	右注	bɑk	鐸韻
0875a	上波・033ウ2・疊字	發	入	ハツ	右注	piɑt	月韻
0876a	上波・033ウ3・疊字	發	入	ハツ	右注	piɑt	月韻
0877a	上波・033ウ3・疊字	博	入	ハク	右注	pɑk	鐸韻
0878a	上波・033ウ3・疊字	發	入	ハツ	右注	piɑt	月韻
0879a	上波・033ウ3・疊字	發	入	ハツ	右注	piɑt	月韻
0880a	上波・033ウ3・疊字	撥	入	ハツ	右注	pɑt	末韻
0887a	上波・033ウ5・疊字	八	入	ハツ	右注	pɒt	黠韻
0890a	上波・033ウ5・疊字	白	入	ハク	左注	bak	陌韻
0892a	上波・033ウ6・疊字	白	入	ハク	右注	bak	陌韻
0893a	上波・033ウ6・疊字	白	入	ハク	左注	bak	陌韻
0895a	上波・033ウ6・疊字	白	入	ハク	左注	bak	陌韻
0896a	上波・033ウ7・疊字	八	入	ハツ	左注	pɐt	黠韻
0898a	上波・033ウ7・疊字	白	入	ハク	右注	bak	陌韻
0901a	上波・034オ1・疊字	百	入	ハク	右注	pak	陌韻
0902a	上波・034オ1・疊字	百	入	ハク	右注	pak	陌韻
0903a	上波・034オ1・疊字	百	入	ハク	左注	pak	陌韻
0909a	上波・034オ6・疊字	切	入	―	―	tsʻet	屑韻
0945a	上仁・036ウ4・動物	鷿	入	ヘキ	右傍	bek	錫韻
0965a	上仁・038オ6・雑物	蜀	入	―	―	źiɑuk	燭韻
0989a	上仁・040オ3・疊字	日	入	ニチ	中注	ńiet	質韻

0990a	上仁・040オ3・疊字	日	入	ニチ	左注	ńiet	質韻
0992a	上仁・040オ3・疊字	入	入	ニフ	中注	ńiep	緝韻
0995a	上仁・040オ4・疊字	入	入	ニツ	右注	ńiep	緝韻
0998a	上仁・040オ4・疊字	日	入	ニツ	右注	ńiet	質韻
0999a	上仁・040オ5・疊字	日	入	ニチ	右注	ńiet	質韻
1007a	上仁・040オ7・疊字	入	入	ニウ	左注	ńiep	緝韻
1009a	上仁・040オ7・疊字	入	入	ニウ	左注	ńiep	緝韻
1010a	上仁・040オ7・疊字	日	入	ニチ	中注	ńiet	質韻
1013a	上仁・040ウ1・疊字	入	入	ニツ	右注	ńiep	緝韻
1042a	上保・042オ3・植物	百	入	ハク	右傍	pak	陌韻
1054a	上保・042ウ3・動物	落	入	―	―	lak	鐸韻
1149a	上保・047オ3・疊字	北	入	ホク	中注	pʌk	徳韻
1150a	上保・047オ3・疊字	北	入	ホク	中注	pʌk	徳韻
1162a	上保・047オ5・疊字	法	入	ホウ	中注	piʌp	乏韻
1166a	上保・047オ6・疊字	法	入	ホフ	左注	piʌp	乏韻
1167a	上保・047オ6・疊字	法	入	ホフ	左注	piʌp	乏韻
1170a	上保・047オ7・疊字	法	入	ホフ	左注	piʌp	乏韻
1171a	上保・047オ7・疊字	法	入	ホウ	左注	piʌp	乏韻
1172a	上保・047オ7・疊字	發	入	ホツ	左注	piat	月韻
1183a	上保・047ウ3・疊字	牧	入濁	ホク	右注	miʌuk	屋韻
1186a	上保・047ウ3・疊字	ト	入濁	ホク	右傍	pʌuk	屋韻
1188a	上保・047ウ4・疊字	發	入	ホツ	左注	piat	月韻
1213a	上保・048オ2・疊字	發	入	ホツ	左注	piat	月韻
1219a	上保・048オ3・疊字	僕	入濁	ホク	中注	bʌuk bauk	屋韻 沃韻
1220a	上保・048オ3・疊字	僕	入濁	ホク	左注	bʌuk bauk	屋韻 沃韻
1228a	上保・048オ5・疊字	發	入	ホツ	左注	piat	月韻
1231a	上保・048オ5・疊字	法	入	ホフ	左注	piʌp	乏韻
1232a	上保・048オ6・疊字	法	入	ホフ	右注	piʌp	乏韻
1233a	上保・048オ6・疊字	法	入	ホフ	左注	piʌp	乏韻
1235a	上保・048オ6・疊字	發	入	ホツ	左注	piat	月韻
1240a	上保・048オ7・疊字	木	入濁	ホク	右注	mʌuk	屋韻
1255a	上保・048ウ3・疊字	乏	入	ホク	左注	biʌp	乏韻
1262a	上保・048ウ5・疊字	木	入濁	ホク	右注	mʌuk	屋韻
1264a	上保・048ウ5・疊字	墨	入濁	ホク	左注	mʌk	徳韻
1324a	上邊・052ウ3・疊字	霹	入	ヘキ	右注	p'ek	錫韻
1326a	上邊・052ウ3・疊字	碧	入	ヘキ	右注	piek	昔韻
1330a	上邊・052ウ4・疊字	僻	入	ヘキ	中注	p'iek p'ek	昔韻 錫韻
1332a	上邊・052ウ4・疊字	別	入	ヘツ	左注	biat piat	薛韻 薛韻
1339a	上邊・052ウ6・疊字	碧	入	ヘキ	左注	piek	昔韻
1357a	上邊・053オ2・疊字	蔑	入濁	ヘツ	中注	met	屑韻
1358a	上邊・053オ2・疊字	蔑	入濁	ヘツ	左注	met	屑韻
1360a	上邊・053オ3・疊字	蔑	入濁	ヘツ	左注	met	屑韻
1362a	上邊・053オ3・疊字	別	入	ヘツ	左注	biat piat	薛韻 薛韻

1363a	上邊・053オ3・疊字	僻	入	ヘキ	右注	p‘iek p‘ek	昔韻 錫韻
1378a	上邊・053オ6・疊字	辟	入	ヘキ	左注	piek biek	昔韻 昔韻
1380a	上邊・053オ7・疊字	碧	入	ヘキ	中注	piek	昔韻
1434a	上度・055オ1・植物	木	入濁	―	―	mʌuk	屋韻
1446a	上度・055ウ1・動物	鶺	入	セキ	右傍	tsiek tsiɐk	昔韻 職韻
1490a	上度・057オ5・雜物	末	入	マツ	右傍	mat	末韻
1520a	上度・057ウ6・雜物	獨	入	トク	右注	dʌuk	屋韻
1576a	上度・062オ3・疊字	得	入	トク	左注	tʌk	徳韻
1581a	上度・062オ4・疊字	讀	入	トク	左注	dʌuk	屋韻
1613a	上度・062ウ4・疊字	突	入	トツ	左注	duʌt	没韻
1616a	上度・062ウ4・疊字	獨	入	トク	中注	dʌuk	屋韻
1617a	上度・062ウ4・疊字	獨	入	トク	左注	dʌuk	屋韻
1618a	上度・062ウ5・疊字	獨	入	トク	左注	dʌuk	屋韻
1619a	上度・062ウ5・疊字	獨	入	トク	左注	dʌuk	屋韻
1621a	上度・062ウ5・疊字	得	入	トク	左注	tʌk	徳韻
1622a	上度・062ウ5・疊字	得	入	トク	左注	tʌk	徳韻
1630a	上度・062ウ7・疊字	徳	入	トク	中注	tʌk	徳韻
1637a	上度・063オ2・疊字	讀	入	トク	右注	dʌuk	屋韻
1640a	上度・063オ2・疊字	徳	入	トク	左注	tʌk	徳韻
1641a	上度・063オ2・疊字	徳	入	トク	左注	tʌk	徳韻
1678a	上度・063ウ3・疊字	得	入	トク	左注	tʌk	徳韻
1680a	上度・063ウ3・疊字	徳	入	トク	右注	tʌk	徳韻
1731a	上池・066オ7・人倫	嫡	入	チヤク	右注	ṭak tek	陌韻 錫韻
1767a	上池・067ウ4・雜物	逆	入	ケキ	右傍	ŋiak	陌韻
1799a	上池・069オ1・疊字	逐	入	チク	左注	ḍiʌuk	屋韻
1810a	上池・069オ3・疊字	着	入	チヤク	左注	ḍiak ṭiak	藥韻 藥韻
1828a	上池・069オ7・疊字	勅	入	チヨク	左注	ṭ‘iɐk	職韻
1829a	上池・069オ7・疊字	勅	入	チヨク	左注	ṭ‘iɐk	職韻
1851a	上池・069ウ4・疊字	嫡	入	チヤウ	左注	ṭak tek	陌韻 錫韻
1857a	上池・069ウ6・疊字	着	入	チヤク	左注	ḍiak ṭiak	藥韻 藥韻
1858a	上池・069ウ6・疊字	着	入	チヤウ	左注	ḍiak ṭiak	藥韻 藥韻
1859a	上池・069ウ6・疊字	竹	入	チク	左注	ṭiʌuk	屋韻
1873a	上池・070オ2・疊字	著	入	チヤク	左注	ḍiak ṭiak ḍiʌ^{1} ṭiʌ$^{2/3}$	藥韻 藥韻 魚韻 語/御韻
1880a	上池・070オ3・疊字	秩	入濁	チゝ	左注	ḍiet	質韻

1881a	上池・070オ3・疊字	着	入	—	—	ḍiɑk ṭiɑk	藥韻 藥韻
1882a	上池・070オ4・疊字	着	入	チヤク	左注	ḍiɑk ṭiɑk	藥韻 藥韻
1891a	上池・070オ5・疊字	昵	入濁	チツ	左注	niet	質韻
1896a	上池・070オ6・疊字	竹	入	チク	右注	ṭiʌuk	屋韻
1901a	上池・070オ7・疊字	着	入	チヤク	左注	ḍiɑk ṭiɑk	藥韻 藥韻
1902a	上池・070ウ1・疊字	着	入	チヤク	左注	ḍiɑk ṭiɑk	藥韻 藥韻
1908a	上池・070ウ2・疊字	忸	入	チク	左注	niʌuk	屋韻
1914a	上池・070ウ3・疊字	濁	入濁	チヨク	左注	ḍauk	覺韻
1917a	上池・070ウ4・疊字	竹	入	チク	左注	ṭiʌuk	屋韻
1925a	上池・070ウ5・疊字	直	入	チヨク	左注	ḍiɐk	職韻
1934a	上池・070ウ7・疊字	竹	入	チク	右注	ṭiʌuk	屋韻
1944a	上池・071オ2・疊字	蓄	入	チク	右注	ṭ‘iʌuk xiʌuk	屋韻 屋韻
1945a	上池・071オ2・疊字	蟄	入	チツ	右注	ḍiep	緝韻
1948a	上池・071オ3・疊字	濁	入濁	チヨク	右注	ḍauk	覺韻
2030a	上利・074ウ1・疊字	六	入	リク	左注	liʌuk	屋韻
2031a	上利・074ウ1・疊字	立	入	リウ	左注	liep	緝韻
2066a	上利・075オ1・疊字	緑	入	リヨク	左注	liɑuk	燭韻
2070a	上利・075オ2・疊字	勠	入	リク	左注	liʌuk liʌu[1/3]	屋韻 尤/宥韻
2097a	上利・075オ7・疊字	緑	入	リヨク	左注	liɑuk	燭韻
2100a	上利・075オ7・疊字	律	入	リツ	中注	liuet	術韻
2101a	上利・075ウ1・疊字	陸	入	リク	左注	liʌuk	屋韻
2106a	上利・075ウ2・疊字	陸	入	リク	左注	liʌuk	屋韻
2114a	上利・075ウ3・疊字	略	入	リヤク	右注	liɑk	藥韻
2119a	上利・075ウ4・疊字	立	入	リウ	左注	liep	緝韻
2125a	上利・075ウ5・疊字	六	入	リク	左注	liʌuk	屋韻
2129a	上利・075ウ6・疊字	六	入	リク	左注	liʌuk	屋韻
2224a	上遠・080ウ3・動物	鸅	入	タク	右傍	ḍak	陌韻
2235a	上遠・081オ3・人倫	姪	入	テツ	左傍	det ḍiet	屑韻 質韻
2261a	上遠・083オ3・雜物	拍	入	ハク	右傍	p‘ak	陌韻
2295a	上和・086オ4・植物	木	入濁	—	—	mʌuk	屋韻
2343a	上和・088オ5・雜物	缺	入	クヱツ	右傍	k‘uet k‘jiuat	屑韻 薛韻
2353a	上和・088ウ1・雜物	屩	入	キヤク	右傍	kiɑk	藥韻
2420a	上加・091オ4・天象	列	入	—	—	liat	薛韻
2453a	上加・092オ1・地儀	鴨	入	アウ	右傍	’ap	狎韻
2471a	上加・092ウ4・植物	劇	入	ケキ	右傍	giak	陌韻
2478a	上加・092ウ6・植物	栝	入	クワツ	左傍	kuɑt t‘em[2]	末韻 忝韻
2484a	上加・093オ3・植物	麦	入濁	ハク	右傍	mɐk	麥韻

2511a	上加・093ウ6・植物	骨	入	コツ	右傍	kuʌt	没韻
2531a	上加・094オ7・動物	鹿	入	―	―	lʌuk	屋韻
2562a	上加・095オ4・動物	蠛	入濁	ヘツ	右傍	met	屑韻
2565a	上加・095オ6・動物	齧	入	ケツ	右傍	ŋet	屑韻
2571a	上加・095ウ3・人倫	獵	入	レフ	右傍	liap	葉韻
2572a	上加・095ウ3・人倫	列	入	レツ	右傍	liat	薛韻
2573a	上加・095ウ4・人倫	檝	入	セフ	右傍	tsiap dziep	葉韻 緝韻
2575a	上加・095ウ4・人倫	乞	入	コツ	右傍	k'iʌt	迄韻
2590a	上加・096オ4・人體	缺	入	クエツ	右傍	k'uet k'jiuat	屑韻 薛韻
2613a	上加・096ウ2・人體	脚	入	カク	右注	kiɑk	藥韻
2643a	上加・097ウ3・人事	擲	入	テキ	右傍	ḍiek	昔韻
2648a	上加・097ウ6・人事	合	入	カフ	左注	ɣʌp kʌp	合韻 合韻
2680a	上加・098ウ3・雜物	幞	入濁	ホク	右傍	biɑuk	燭韻
2687a	上加・098ウ4・雜物	櫟	入	レキ	右傍	lek jiɑk	錫韻 藥韻
2689a	上加・098ウ5・雜物	插	入	サフ	右傍	tṣ'ɐp	洽韻
2696a	上加・098ウ7・雜物	革	入	カク	右傍	kɐk	麥韻
2709a	上加・099オ4・雜物	鐵	入	テツ	右傍	t'et	屑韻
2719a	上加・099オ7・雜物	鹿	入	ロク	右傍	lʌuk	屋韻
2737a	上加・099ウ5・雜物	鐵	入	―	―	t'et	屑韻
2740a	上加・099ウ6・雜物	鐵	入	―	―	t'et	屑韻
2767a	上加・100ウ1・雜物	鞨	入	カツ	右注	ɣɑt	曷韻
2868a	上加・106ウ4・疊字	隔	入	カク	左注	kɐk	麥韻
2876a	上加・106ウ5・疊字	甲	入	カフ	左注	kap	狎韻
2892a	上加・107オ1・疊字	渇	入	カツ	中注	k'ɑt giat	曷韻 薛韻
2901a	上加・107オ3・疊字	合	入	カフ	右注	ɣʌp kʌp	合韻 合韻
2903a	上加・107オ4・疊字	合	入	カフ	左注	ɣʌp kʌp	合韻 合韻
2905a	上加・107オ4・疊字	羯	入	カツ	左注	kiɑt	月韻
2918a	上加・107オ7・疊字	合	入濁	カウ	左注	ɣʌp kʌp	合韻 合韻
2921a	上加・107オ7・疊字	脚	入	カク	左注	kiɑk	藥韻
2933a	上加・107ウ3・疊字	鶴	入	カク	左注	ɣɑk	鐸韻
2934a	上加・107ウ3・疊字	覺	入	カク	左注	kauk kau3	覺韻 効韻
2936a	上加・107ウ3・疊字	隔	入	カク	左注	kɐk	麥韻
2942a	上加・107ウ4・疊字	碻	入	カク	左注	k'auk	覺韻
2947a	上加・107ウ5・疊字	合	入	カウ	左注	ɣʌp kʌp	合韻 合韻
2948a	上加・107ウ6・疊字	合	入	カウ	左注	ɣʌp kʌp	合韻 合韻

2955a	上加・107ウ7・疊字	合	入	カフ	左注	ɣʌp kʌp	合韻 合韻
2958a	上加・108オ1・疊字	覺	入	カク	左注	kauk kau^{3}	覺韻 効韻
2959a	上加・108オ1・疊字	角	入	カク	左注	kauk lʌuk	覺韻 屋韻
2977a	上加・108オ4・疊字	覺	入	カク	左注	kauk kau^{3}	覺韻 効韻
2999a	上加・108ウ2・疊字	恪	入	カク	左注	kʻɑk	鐸韻
3000a	上加・108ウ2・疊字	狎	入	カフ	左注	ɣap	狎韻
3003a	上加・108ウ2・疊字	學	入濁	カク	左注	ɣauk	覺韻
3004a	上加・108ウ3・疊字	學	入	カク	左注	ɣauk	覺韻
3005a	上加・108ウ3・疊字	學	入	カク	左注	ɣauk	覺韻
3008a	上加・108ウ3・疊字	學	入濁	カク	左注	ɣauk	覺韻
3011a	上加・108ウ4・疊字	洽	入	カフ	左注	ɣɐp	洽韻
3027a	上加・108ウ7・疊字	甲	入	カウ	左注	kap	狎韻
3028a	上加・109オ1・疊字	甲	入	カウ	左注	kap	狎韻
3031a	上加・109オ1・疊字	合	入	カフ	左注	ɣʌp kʌp	合韻 合韻
3034a	上加・109オ2・疊字	確	入	カク	左注	kʻauk	覺韻
3053a	上加・109オ6・疊字	鶴	入	カウ	左注	ɣɑk	鐸韻
3062a	上加・109オ7・疊字	樂	入濁	カク	左注	ŋauk lɑk ŋau^{3}	覺韻 鐸韻 効韻
3068a	上加・109ウ2・疊字	客	入	カク	左注	kʻak	陌韻
3070a	上加・109ウ2・疊字	脚	入	カク	左注	kiɑk	藥韻
3083a	上加・109ウ5・疊字	合	入	カフ	右注	ɣʌp kʌp	合韻 合韻
3084a	上加・109ウ5・疊字	鶴	入	カク	右注	ɣɑk	鐸韻
3099a	上加・110オ1・疊字	割	入	カツ	右注	kɑt	曷韻
3101a	上加・110オ1・疊字	客	入	カク	右注	kʻak	陌韻
3105a	上加・110オ2・疊字	合	入濁	カフ	右注	ɣʌp kʌp	合韻 合韻
3111a	上加・110オ3・疊字	確	入	カク	右注	kʻauk	覺韻
3133a	上加・110ウ2・疊字	忸	入濁	チク	右傍	niʌuk	屋韻
3253a	上与・117ウ4・疊字	抑	入	ヨク	中注	ʼiɐk	職韻
3254a	上与・117ウ5・疊字	抑	入	ヨク	中注	ʼiɐk	職韻
3260a	上与・117ウ6・疊字	欲	入	ヨク	左注	jiɑuk	燭韻
3261a	上与・117ウ6・疊字	欲	入	ヨク	左注	jiɑuk	燭韻
3270a	上与・118オ1・疊字	慾	入	ヨク	右注	jiɑuk	燭韻

【表D-22】入声（熟字前部）下巻〔一致例〕

番号	前田本所在	掲出字		仮名音注		中古音	韻目
3300a	下古・001ウ2・天象	霡	入濁	ハク	右傍	mɐk	麥韻
3354a	下古・003オ7・動物	特	入	トク	右傍	dʌk	徳韻

3362a	下古・003ウ4・動物	麧	入	キツ	右傍	kiʌt	迄韻
3363a	下古・003ウ5・動物	攝	入	セフ	右傍	śiap nep	葉韻 帖韻
3379a	下古・004オ6・人躰	蟀	入	スヰツ	右傍	ṣiuet	質韻
3406a	下古・005ウ6・人事	獨	入	トク	右傍	dʌuk	屋韻
3424a	下古・006ウ4・雑物	落	入	―	―	lɑk	鐸韻
3438a	下古・006ウ7・雑物	擲	入	テキ	右傍	ḍiek	昔韻
3557a	下古・007オ6・雑物	兀	入濁	コツ ［上上］	右注	ŋuʌt	没韻
3564a	下古・007オ7・雑物	錯	入	サク	右傍	ts'ɑk ts'uʌ3	鐸韻 暮韻
3598a	下古・010オ6・疊字	曲	入	コク	左注	k'iɑuk	燭韻
3608a	下古・010ウ2・疊字	國	入	―	―	kuʌk	徳韻
3610a	下古・010ウ3・疊字	國	入	―	―	kuʌk	徳韻
3621a	下古・010ウ5・疊字	骨	入	コツ	左注	kuʌt	没韻
3627a	下古・010ウ6・疊字	忽	入	―	―	xuʌt	没韻
3635a	下古・011オ1・疊字	尅	入	―	―	k'ʌk	徳韻
3640a	下古・011オ2・疊字	忽	入	―	―	xuʌt	没韻
3660a	下古・011オ7・疊字	極	入	―	―	giɐk	職韻
3667a	下古・011ウ1・疊字	黒	入	―	―	xʌk	徳韻
3671a	下古・011ウ2・疊字	黒	入	―	―	xʌk	徳韻
3692a	下古・011ウ7・疊字	忽	入	コツ	左注	xuʌt	没韻
3699a	下古・012オ1・疊字	忽	入	コツ	左注	xuʌt	没韻
3708a	下古・012オ3・疊字	乞	入	コツ	右注	k'iʌt	迄韻
3745a	下江・014オ7・植物	芍	入	チヤク	右傍	ṭiɑk dźiɑk ts'iɑk tek ɣeu2	藥韻 藥韻 藥韻 錫韻 篠韻
3803a	下江・017オ1・疊字	掖	入	―	―	jiek	昔韻
3806a	下江・017オ1・疊字	易	入	エキ	中注	jiek jie3	昔韻 寘韻
3822a	下江・017オ4・疊字	壓	入	―	―	'ap	狎韻
3840a	下江・017ウ1・疊字	驛	入	エキ	左注	jiek	昔韻
3841a	下江・017ウ1・疊字	驛	入	―	―	jiek	昔韻
3846a	下江・017ウ2・疊字	易	入	エキ	左注	jiek jie3	昔韻 寘韻
3849a	下江・017ウ3・疊字	嶧	入	エキ	左注	jiek	昔韻
3874a	下手・018ウ4・天象	碧	入	ヘキ	右注	piek	昔韻
3889a	下手・019オ6・動物	斲	入	タク	右傍	tauk	覺韻
3946a	下手・022オ2・疊字	摘	入	テキ	左注	ṭɐk t'ek	麥韻 錫韻
3966a	下手・022オ5・疊字	姪	入	―	―	det ḍiet	屑韻 質韻
3992a	下手・022ウ4・疊字	蹴	入	―	―	ḍiat ṭ'iat	薛韻 薛韻

4003a	下手・022ウ7・疊字	敵	入	テキ	中注	dek	錫韻
4011a	下手・023オ1・疊字	滴	入	テキ	中注	tek	錫韻
4029a	下手・023オ5・疊字	擲	入	テキ	左注	ḍiek	昔韻
4030a	下手・023オ6・疊字	酈	入	テキ	左注	lek lie^{1}	錫韻 支韻
4039a	下手・023ウ1・疊字	哲	入	テツ	右注	ṭiat	薛韻
4103a	下阿・026オ5・植物	澤	入	タク	右傍	ḍak	陌韻
4104a	下阿・026オ6・植物	桔	入	キツ	右傍	ket	屑韻
4118a	下阿・026ウ4・植物	滑	入	クワツ	右傍	ɣuɐt kuʌt ɣuʌt	黠韻 没韻 没韻
4120a	下阿・026ウ5・植物	陟	入	チヨク	右傍	ṭiɐk	職韻
4122a	下阿・026ウ6・植物	葍	入	―	―	bʌk	徳韻
4127a	下阿・027オ3・動物	獵	入	レウ	右傍	liap kɑt	葉韻 曷韻
4164a	下阿・028オ7・人倫	妯	入 平	チク	右傍	ḍiʌuk ṭ'iʌu^{1}	屋韻 尤韻
4201a	下阿・029オ7・人躰	瘜	入	ソク	右傍	siɐk	職韻
4204a	下阿・029ウ1・人躰	脚	入濁	キヤク	右傍	kiɑk	藥韻
4205a	下阿・029ウ1・人躰	槷	入濁	セツ	右傍	ńiat	薛韻
4240a	下阿・031ウ2・飲食	白	入	―	―	bak	陌韻
4248a	下阿・032オ1・雑物	袷	入	―	―	kɐp kiɑp	洽韻 業韻
4281a	下阿・032ウ3・雑物	閼	入	アツ	右注	'ɑt 'iɑt 'en^{1} 'ian^{1}	曷韻 月韻 先韻 仙韻
4288a	下阿・032ウ5・雑物	椓	入	タク	右傍	tauk	覺韻
4309a	下阿・033ウ1・光彩	赤	入	セキ	右傍	tś'iek	昔韻
4358a	下阿・039オ4・疊字	悪	入	―	―	'ɑk 'uʌ$^{1/3}$	鐸韻 模/暮韻
4360a	下阿・039オ5・疊字	渥	入	―	―	'auk	覺韻
4376a	下阿・039ウ1・疊字	悪	入	―	―	'ɑk 'uʌ$^{1/3}$	鐸韻 模/暮韻
4379a	下阿・039ウ2・疊字	悪	入	―	―	'ɑk 'uʌ$^{1/3}$	鐸韻 模/暮韻
4380a	下阿・039ウ2・疊字	遏	入	アツ	左注	'ɑt	曷韻
4385a	下阿・039ウ3・疊字	押	入	アフ	中注	'ap kap	狎韻 押韻
4386a	下阿・039ウ3・疊字	遏	入	アツ	右注	'ɑt	曷韻
4388a	下阿・039ウ3・疊字	押	入	アフ	右注	'ap kap	狎韻 押韻
4393a	下阿・039ウ6・疊字	馥	入	フク	右傍	biʌuk biɐk	屋韻 職韻
4438a	下佐・042ウ1・地儀	泊	入	ハク	右傍	bɑk	鐸韻
4450a	下佐・043オ2・地儀	朔	入	サク	右傍	ṣauk	覺韻

4455a	下佐・043オ4・植物	澤	入	タク	右傍	ḍak	陌韻
4456a	下佐・043オ5・植物	菝	入	ハツ	右傍	bɑt bɐt	末韻 黠韻
4464a	下佐・043ウ2・植物	麦	入濁	ハク	右傍	mɐk	麥韻
4473a	下佐・043ウ7・動物	鸀	入	タク	右傍	dauk tśiauk	覺韻 燭韻
4499a	下佐・044ウ3・動物	蠮	入	エツ	右傍	'et	屑韻
4508a	下佐・045オ3・人躰	月	入	クワツ	右傍	ŋiuɑt	月韻
4510a	下佐・045オ4・人躰	噦	入	エツ	右傍	'iuat 'iuɑt xuɑi[3]	薛韻 月韻 泰韻
4578a	下佐・047オ7・雜物	靸	入	サウ ［平上］	右注	sɑp sʌp	盍韻 合韻
4653a	下佐・051オ3・疊字	舴	入	サク	左注	tṣak ṭak	陌韻 陌韻
4743a	下佐・052ウ2・疊字	雜	入	サフ	左注	dzʌp	合韻
4751a	下佐・052ウ4・疊字	雜	入濁	サウ	左注	dzʌp	合韻
4758a	下佐・052ウ6・疊字	雜	入	—	—	dzʌp	合韻
4760a	下佐・052ウ6・疊字	揷	入	サフ	右注	tṣ'ɐp	洽韻
4761a	下佐・052ウ7・疊字	察	入	—	—	tṣ'ɐt	黠韻
4792a	下佐・053ウ1・疊字	煞	入	セツ	右注	ṣɐt ṣɐi[3]	黠韻 怪韻
4799a	下佐・053ウ5・疊字	寂	入	—	—	dzek	錫韻
4851a	下木・056オ1・植物	酈	入	—	—	lek lie[1]	錫韻 支韻
4852a	下木・056オ1・植物	桔	入	キツ	右傍	ket	屑韻
4859a	下木・056オ4・植物	嶧	入	エキ	左注	jiek	昔韻
4874a	下木・056ウ5・動物	蟋	入	シツ	右傍	siet ṣiɐt	質韻 櫛韻
4984a	下木・061オ3・疊字	乞	入	キツ	左注	k'iʌt	迄韻
5031a	下木・061ウ6・疊字	乞	入	キツ	左注	k'iʌt	迄韻
5048a	下木・062オ2・疊字	跼	入	キヨク	左注	giauk	燭韻
5104a	下木・063オ3・疊字	逆	入	—	—	ŋiak	陌韻
5126a	下木・063ウ1・疊字	逆	入	キヤク	左注	ŋiak	陌韻
5163a	下木・064オ2・疊字	給	入	キフ	左注	kiep	緝韻
5186a	下木・064オ6・疊字	却	入	キヤク	右注	k'iɑk	藥韻
5190a	下木・064オ7・疊字	及	入	キノ	右注	giep	緝韻
5216a	下由・066オ3・地儀	浴	入	ヨク	右傍	jiauk	燭韻
5219a	下由・066オ5・植物	百	入	ヒヤク	右傍	pak	陌韻
5254a	下由・068オ2・雜物	木	入濁	ホク	右注	mʌuk	屋韻
5262a	下師・069オ1・地儀	式	入	シヨク	右傍	śiɐk	職韻
5263a	下師・069オ1・地儀	式	入	シキ	右傍	śiɐk	職韻
5264a	下師・069オ1・地儀	日	入濁	—	—	ńiet	質韻
5284a	下師・069ウ2・植物	白	入	—	—	bak	陌韻
6973a	下古・003ウ4・動物	鮀	入	コツ	右注	kiʌt	迄韻
5311a	下師・070オ6・動物	鹿	入	（ロク）	右傍	lʌuk	屋韻
5313a	下師・070ウ1・動物	鮊	入	—	—	bak	陌韻

5350a	下師・071ウ5・人躰	脱	入	タツ	右傍	duɑt t'uɑt	末韻 末韻
5382a	下師・073オ2・人事	澁	入	シフ	中注	ṣiep	緝韻
5424a	下師・074オ1・雑物	尺	入	シヤク	右注	tś'iek	昔韻
5455a	下師・074ウ3・雑物	錫	入	シヤク	右注	sek	錫韻
5457a	下師・074ウ4・雑物	褻	入	セツ	右傍	siat	薛韻
5545a	下師・079オ3・疊字	濕	入	シフ	右注	śiep t'ʌp	緝韻 合韻
5572a	下師・079ウ7・疊字	悉	入	シツ	右注	siet	質韻
5591a	下師・080ウ4・疊字	習	入	シフ	左注	ziep	緝韻
5593a	下師・080ウ5・疊字	實	入濁	シチ	左注	dźiet	質韻
5607a	下師・081オ3・疊字	傑	入	―	―	giat	薛韻
5612a	下師・081オ4・疊字	弱	入	―	―	ńiɑk	藥韻
5614a	下師・081オ4・疊字	宿	入	―	―	siʌuk	屋韻
5631a	下師・081ウ1・疊字	熟	入	―	―	źiʌuk	屋韻
5632a	下師・081ウ1・疊字	嫉	入	―	―	dziet dziei[3]	質韻 至韻
5633a	下師・081ウ2・疊字	實	入	―	―	dźiet	質韻
5661a	下師・082オ1・疊字	失	入	シツ	左注	śiet	質韻
5662a	下師・082オ1・疊字	失	入	シチ	右注	śiet	質韻
5666a	下師・082オ2・疊字	宿	入	―	―	siʌuk	屋韻
5680a	下師・082オ6・疊字	拾	入	シフ	左注	źiep	緝韻
5683a	下師・082オ7・疊字	執	入	シフ	左注	tśiep	緝韻
5684a	下師・082オ7・疊字	執	入	シフ	左注	tśiep	緝韻
5691a	下師・082ウ1・疊字	執	入	―	―	tśiep	緝韻
5708a	下師・082ウ6・疊字	竹	入	チク	右傍	ṭiʌuk	屋韻
5723a	下師・083オ3・疊字	實	入濁	シツ	左注	dźiet	質韻
5731a	下師・083オ5・疊字	辱	入	―	―	ńiɑuk	燭韻
5732a	下師・083オ5・疊字	辱	入	シヨク	左注	ńiɑuk	燭韻
5739a	下師・083オ6・疊字	寂	入	―	―	dzek	錫韻
5740a	下師・083オ6・疊字	寂	入	―	―	dzek	錫韻
5744a	下師・083オ7・疊字	執	入	―	―	tśiep	緝韻
5779a	下師・084オ4・疊字	嫉	入	シツ	左注	dziet dziei[3]	質韻 至韻
5781a	下師・084オ4・疊字	質	入	シチ	左注	tś'iet ṭiei[3]	質韻 至韻
5782a	下師・084オ4・疊字	職	入	シキ	右注	tśiɐk	職韻
5804a	下師・084ウ1・疊字	執	入	シウ	左注	tśiep	緝韻
5805a	下師・084ウ1・疊字	執	入	シフ	左注	tśiep	緝韻
5808a	下師・084ウ1・疊字	出	入	シユツ	右注	tś'iuet tś'iuei[3]	術韻 至韻
5811a	下師・084ウ2・疊字	執	入	シフ	左注	tśiep	緝韻
5835a	下師・084ウ6・疊字	悉	入	シツ	左注	siet	質韻
5842a	下師・084ウ7・疊字	雀	入	シヤク	右傍	tsiɑk	藥韻
5843a	下師・084ウ7・疊字	入	入濁	シウ	右注	ńiep	緝韻
5855a	下師・085オ2・疊字	入	入濁	シウ	右注	ńiep	緝韻
5860a	下師・085オ3・疊字	十	入	シウ	右注	źiep	緝韻

5862a	下師・085オ3・疊字	十	入	シウ	右注	źiep	緝韻
5865a	下師・085オ4・疊字	蜀	入	シヨク	右注	źiauk	燭韻
5867a	下師・085オ4・疊字	燭	入	シヨク	右注	tśiauk	燭韻
5886a	下師・085オ7・疊字	出	入	シユツ	右注	tś'iuet tś'iuei[3]	術韻 至韻
5914a	下師・086オ2・疊字	嫳	入	ヘツ	右傍	p'et	屑韻
6034a	下飛・090ウ5・地儀	獨	入	トク	右傍	dʌuk	屋韻
6062a	下飛・091ウ1・植物	白	入濁	ヒヤク	右注	bak	陌韻
6100a	下飛・092ウ2・人倫	鬻	入	イク	右傍	jiʌuk	屋韻
6106a	下飛・092ウ3・人倫	緑	入	リヨク	右傍	liauk	燭韻
6107a	下飛・092ウ3・人倫	洛	入	ラク	右傍	lak	鐸韻
6116a	下飛・093オ1・人躰	食	入	シヨク	右傍	dźiɐk jiɐi[3]	職韻 志韻
6124a	下飛・093オ4・人躰	失	入	シツ	右傍	śiet	質韻
6141a	下飛・094オ2・飲食	餺	入	ヒチ	右注	pjiet	質韻
6148a	下飛・094オ6・雜物	篳	入	ヒチ	右注	pjiet	質韻
6149a	下飛・094オ6・雜物	拍	入	ヒヤウ	右注	p'ak	陌韻
6150a	下飛・094オ6・雜物	拍	入	ハク	右傍	p'ak	陌韻
6186a	下飛・095オ2・雜物	襞	入	ヘキ	右傍	piek	昔韻
6201a	下飛・095オ5・光彩	白	入濁	ヒヤク	右傍	bak	陌韻
6241a	下飛・097ウ6・疊字	白	入濁	ヒヤク	左注	bak	陌韻
6246a	下飛・097ウ7・疊字	白	入	―	―	bak	陌韻
6255a	下飛・098オ2・疊字	匹	入	―	―	p'jiet	質韻
6270a	下飛・098オ4・疊字	密	入	ヒツ	左注	miet	質韻
6273a	下飛・098オ5・疊字	蜜	入	ミツ	右傍	mjiet	質韻
6277a	下飛・098オ5・疊字	匹	(入)	ヒツ	左注	p'jiet	質韻
6290a	下飛・098ウ1・疊字	筆	入	ヒツ	右注	piet	質韻
6291a	下飛・098ウ1・疊字	筆	入	ヒツ	左注	piet	質韻
6293a	下飛・098ウ1・疊字	筆	入	ヒツ	左注	piet	質韻
6294a	下飛・098ウ1・疊字	筆	入	―	―	piet	質韻
6317a	下飛・098ウ5・疊字	必	入	ヒチ	左注	pjiet	質韻
6318a	下飛・098ウ6・疊字	必	入	―	―	pjiet	質韻
6348a	下飛・099オ4・疊字	業	入濁	―	―	ŋiap	業韻
6349a	下飛・099オ4・疊字	學	入濁	―	―	ɣauk	覺韻
6352a	下飛・099オ6・疊字	湒	入	シフ	右傍	tsiep	緝韻
6353a	下飛・099オ6・疊字	㗱	入	シフ	右傍	ṣiep	緝韻
6394a	下毛・101オ5・植物	律	入	リツ	右傍	liuet	術韻
6401a	下毛・101オ7・植物	木	入濁	―	―	mʌuk	屋韻
6466a	下毛・105ウ3・疊字	物	入	―	―	miuʌt	物韻
6472a	下毛・105ウ4・疊字	木	入濁	モク	左注	mʌuk	屋韻
6473a	下毛・105ウ4・疊字	勿	入	―	―	miuʌt	物韻
6517a	下世・107ウ5・人倫	赤	入	セキ	右傍	tś'iek	昔韻
6571a	下世・110オ1・重點	寂	入	セキ	右注	dzek	錫韻
6579a	下世・110オ4・疊字	節	入	―	―	tset	屑韻
6586a	下世・110オ5・疊字	刹	入	セツ	左注	ts'at	鎋韻
6587a	下世・110オ5・疊字	切	入	セツ	左注	ts'et	屑韻
6588a	下世・110オ5・疊字	絶	入	セチ	左注	dziuat	薛韻

6596a	下世・110オ7・疊字	積	入	セキ	右傍	tsiek tsie^3	昔韻 寘韻
6601a	下世・110ウ1・疊字	刹	入	―	―	ts‘at	鎋韻
6602a	下世・110ウ1・疊字	説	入	セツ	左注	śiuat	薛韻
6627a	下世・110ウ5・疊字	攝	入	セウ	右傍	śiap nep	葉韻 帖韻
6628a	下世・110ウ5・疊字	燮	入	セフ	左注	sep	帖韻
6629a	下世・110ウ5・疊字	碩	入	セキ	右注	ts‘iek	昔韻
6658a	下世・111オ4・疊字	積	入	セキ	左注	tsiek tsie^3	昔韻 寘韻
6661a	下世・111オ4・疊字	折	入	―	―	źiat tśiat dei^1	薛韻 薛韻 齊韻
6671a	下世・111オ6・疊字	涉	入	―	―	dźiap tep	葉韻 帖韻
6683a	下世・111ウ1・疊字	絶	入	セチ	左注	dziuat	薛韻
6693a	下世・111ウ3・疊字	折	入	セツ	中注	źiat tśiat dei^1	薛韻 薛韻 齊韻
6695a	下世・111ウ3・疊字	赤	入	―	―	tś‘iek	昔韻
6696a	下世・111ウ3・疊字	煞	入	セツ	左注	ṣɐt ṣɐi^3	黠韻 怪韻
6697a	下世・111ウ4・疊字	寂	入	セキ	中注	dzek	錫韻
6698a	下世・111ウ4・疊字	寂	入	セキ	左注	dzek	錫韻
6734a	下世・112オ4・疊字	切	入	セツ	右注	ts‘et	屑韻
6736a	下世・112オ4・疊字	絶	入	セツ	右注	dziuat	薛韻
6737a	下世・112オ4・疊字	絶	入	セツ	右注	dziuat	薛韻
6780a	下洲・113ウ3・地儀	簀	入	サク	右傍	tsɐk	麥韻
6791a	下洲・113ウ7・植物	石	入	―	―	źiek	昔韻
6838a	下洲・116オ3・雜物	墨	入濁	ホク	右傍	bʌk	德韻
6947a	下洲・120ウ5・疊字	熟	入	スク	左注	źiʌuk	屋韻

【表D-22】入声（熟字前部）下巻〔不一致例〕

番号	前田本所在	掲出字		仮名音注		中古音	韻目
4168a	下阿・028ウ2・人倫	商	入?	―	―	śiɑŋ^1	陽韻
5728a	下師・083オ4・疊字	蹂	入濁	シフ	左注	ńiʌu$^{1/2/3}$	尤/有/宥韻

番号	前田本所在	掲出字		仮名音注		中古音	韻目
5044a	下木・062オ2・疊字	朽	入	キウ	左注	xiʌu^2	有韻

【表D-23】徳声（熟字前部）上巻〔一致例〕

番号	前田本所在	掲出字		仮名音注		中古音	韻目
1460a	上度・056オ6・人體	雀	徳	シヤク	右傍	tsiɑk	藥韻

【表D-24】徳声（熟字前部）下巻〔一致例〕

番号	前田本所在	掲出字		仮名音注		中古音	韻目
4904a	下木・058オ1・人事	玉	徳	―	―	ŋiauk	燭韻
4906a	下木・058オ3・飲食	黒	徳	―	―	xʌk	徳韻
5471a	下師・074ウ7・雜物	粛	徳	シク	右傍	siʌuk	屋韻
5589a	下師・080ウ3・疉字	夙	徳	シク	左注	siʌuk	屋韻
5741a	下師・083オ6・疉字	雀	徳	シヤク	右注	tsiak	薬韻
5849a	下師・085オ1・疉字	雀	徳	シヤク	右注	tsiak	薬韻
6805a	下洲・114オ6・動物	雀	徳	―	―	tsiak	薬韻

【表D-25】平声（熟字後部／第二字）上巻〔一致例〕

番号	前田本所在	掲出字		仮名音注		中古音	韻目
0002b	上伊・002オ3・天象	公	平	コウ	右傍	kʌuŋ^{1}	東韻
0007b	上伊・002オ4・天象	牛	平	キウ	右傍	ŋiʌu^{1}	尤韻
0011b	上伊・002ウ3・地儀	姑	平	―	―	kuʌ^{1}	模韻
0018b	上伊・002ウ6・地儀	槗	平	ケウ	右傍	giau^{1}	宵韻
0034b	上伊・003オ4・地儀	籬	平	リ	右傍	lie^{1}	支韻
0045b	上伊・003ウ3・植物	柔	平	シウ	右傍	ńiʌu^{1}	尤韻
0047b	上伊・003ウ4・植物	桃	平	タウ	右傍	dɑu^{1}	豪韻
0048b	上伊・003ウ5・植物	韋	平	ヰ	右傍	ɣiuʌi^{1}	微韻
0050b	上伊・003ウ5・植物	葐	平	ホン	右傍	buʌn^{1} biuʌŋ^{1}	魂韻 文韻
0056b	上伊・004オ1・植物	天	平	―	―	t'en^{1}	先韻
0065b	上伊・004オ3・植物	梂	平	キウ	右傍	giʌu^{1}	尤韻
0066b	上伊・004オ4・植物	連	平	レン	右傍	lian^{1}	仙韻
0071b	上伊・004ウ1・動物	鶹	平	リウ	右傍	liʌu^{1}	尤韻
0072b	上伊・004ウ1・動物	鶄	平	セイ	右傍	tsieŋ^{1} ts'eŋ^{1}	清韻 青韻
0085b	上伊・004ウ6・動物	鱗	平	リン	右傍	lien^{1}	眞韻
0088b	上伊・004ウ6・動物	鯆	平	ホ	右傍	puʌ^{1}	模韻
0089b	上伊・004ウ7・動物	鮃	平	フ	右傍	p'iuʌ^{1} biʌu^{1}	虞韻 尤韻
0093b	上伊・005オ3・動物	龜	平	―	―	kiuei^{1} kiʌu^{1}	脂韻 尤韻
0095b	上伊・005オ5・動物	蜋	平	ラウ	右傍	lɑŋ^{1} liɑŋ^{1}	唐韻 陽韻
0097b	上伊・005オ5・動物	蜥	平	―	―	sie^{1}	支韻
0114b	上伊・006オ4・人軆	脂	平	シ	右傍	tśiei^{1}	脂韻
0117b	上伊・006オ5・人軆	瘡	平	サウ	右傍	tṣ'iɑŋ^{1}	陽韻
0150b	上伊・007ウ5・人事	齋	平	サイ	右傍	tṣɐi^{1}	皆韻
0154b	上伊・008オ1・人事	金	平	キム	右注	kiem^{1}	侵韻
0155b	上伊・008オ1・人事	團	平	―	―	duɑn^{1}	桓韻
0157b	上伊・008オ2・人事	都	平	―	―	tuʌ^{1}	模韻
0181b	上伊・008ウ6・雑物	艟	平	シヨウ	右傍	tś'iɑuŋ^{1} ḍauŋ^{3}	鍾韻 絳韻
0183b	上伊・008ウ7・雑物	灰	平	クワヒ	右傍	xuʌi^{1}	灰韻
0184b	上伊・008ウ7・雑物	題	平	テイ	右傍	dei$^{1/3}$	齊/薺韻
0228b	上伊・012オ5・重點	殷	平	イン	右傍	'iʌn^{1} 'ɐn^{1}	欣韻 山韻
0230b	上伊・012ウ1・疊字	晴	平	セイ	右注	dzieŋ^{1}	清韻
0231b	上伊・012ウ1・疊字	雲	平	ウン	左注	ɣiuʌn^{1}	文韻
0233b	上伊・012ウ1・疊字	天	平	テン	左注	t'en^{1}	先韻

0236b	上伊・012ウ2・疊字	閑	平	カン	右注	ɣɐn[1]	山韻
0238b	上伊・012ウ2・疊字	竒	平	キ	右注	gie[1] kie[1]	支韻 支韻
0239b	上伊・012ウ2・疊字	玄	平	クヱン	左注	ɣuen[1]	先韻
0244b	上伊・012ウ3・疊字	年	平	ネン	中注	nen[1]	先韻
0249b	上伊・012ウ4・疊字	竒	平	キ	中注	gie[1] kie[1]	支韻 支韻
0254b	上伊・012ウ5・疊字	人	平濁	シン	中注	ńien[1]	眞韻
0260b	上伊・012ウ7・疊字	來	平	ライ	左注	lʌi[1]	咍韻
0261b	上伊・012ウ7・疊字	降	平	カウ	左注	ɣauŋ[1] kauŋ[3]	江韻 絳韻
0263b	上伊・012ウ7・疊字	桐	平	トウ	中注	dʌuŋ[1]	東韻
0268b	上伊・013オ1・疊字	門	平	モン	左注	muʌn[1]	魂韻
0270b	上伊・013オ2・疊字	治	平濁	チ	右注	ḍiei[1/3] ḍiei[3]	之/志韻 至韻
0273b	上伊・013オ2・疊字	奔	平濁	ホン	左注	puʌn[1/3]	魂/慁韻
0282b	上伊・013オ4・疊字	少	平	—	—	śiau[2/3]	小/笑韻
0287b	上伊・013オ5・疊字	懃	平濁	キン	右注	giʌn[1]	欣韻
0288b	上伊・013オ5・疊字	飛	平	ヒ	右注	piʌi[1]	微韻
0289b	上伊・013オ5・疊字	稱	平	シヨウ	右注	tś'iɐŋ[1/3]	蒸/證韻
0292b	上伊・013オ6・疊字	趣	平	シウ	右注	ts'iuʌ[1/3] ts'ʌu[2]	虞/遇韻 厚韻
0293b	上伊・013オ6・疊字	胡	平	コ	右注	ɣuʌ[1]	模韻
0299b	上伊・013オ7・疊字	謀	平濁	ホウ	左注	miʌu[1]	尤韻
0302b	上伊・013ウ1・疊字	遊	平	イウ	右注	jiʌu[1]	尤韻
0309b	上伊・013ウ3・疊字	交	平	カウ	左注	kau[1]	肴韻
0313b	上伊・013ウ4・疊字	隣	平	リン	左注	lien[1]	眞韻
0321b	上伊・013ウ6・疊字	居	平	キヨ	左注	kiʌ[1] kiɐi[1]	魚韻 之韻
0322b	上伊・013ウ6・疊字	居	平	キヨ	左注	kiʌ[1] kiɐi[1]	魚韻 之韻
0324b	上伊・013ウ6・疊字	閑	平	カン	中注	ɣɐn[1]	山韻
0325b	上伊・013ウ6・疊字	嚢	平	シヤウ	左注	źiaŋ[1]	陽韻
0326b	上伊・013ウ7・疊字	冠	平	クワン	左注	kuan[1/3]	桓/換韻
0329b	上伊・013ウ7・疊字	居	平	キヨ	中注	kiʌ[1] kiɐi[1]	魚韻 之韻
0331b	上伊・014オ1・疊字	能	平	ノウ	左注	nʌŋ[1/2] nʌi[1/3]	登/等韻 咍/代韻
0337b	上伊・014オ2・疊字	望	平濁	ハウ	右注	miaŋ[1/3]	陽/漾韻
0341b	上伊・014オ3・疊字	才	平	サイ	右注	dzʌi[1]	咍韻
0349b	上伊・014オ6・疊字	調	平	—	—	deu[1/3] ṭiʌu[1]	蕭/嘯韻 尤韻

0350b	上伊・015オ2・疊字	焉	平	―	―	'ian^{1} ɣian^{1} 'ɪɑn^{1}	仙韻 仙韻 元韻
0413b	上呂・018オ1・人事	槍	平濁	―	―	tṣ'aŋ^{1} ts'iɑŋ^{1}	庚韻 陽韻
0414b	上呂・018オ1・人事	槍	平濁	サウ	中注	tṣ'aŋ^{1} ts'iɑŋ^{1}	庚韻 陽韻
0435b	上呂・019オ1・疊字	居	平	キヨ	右注	kiʌ^{1} kiɐi^{1}	魚韻 之韻
0439b	上呂・019オ2・疊字	言	平濁	ケン	右注	ŋiɑn^{1}	元韻
0443b	上呂・019オ3・疊字	槍	平	サウ	中注	tṣ'aŋ^{1} ts'iɑŋ^{1}	庚韻 陽韻
0445b	上呂・019オ3・疊字	頭	平	トウ	左注	dʌu^{1}	侯韻
0449b	上呂・019オ4・疊字	趣	平	シウ	左注	ts'iuʌ$^{1/3}$ ts'ʌu^{2}	虞/遇韻 厚韻
0450b	上呂・019オ4・疊字	宣	平	セン	右注	siuan^{1}	仙韻
0453b	上呂・019オ5・疊字	愚	平	ク	右注	ŋiuʌ^{1}	虞韻
0456b	上呂・019オ6・疊字	盤	平	ハム	右注	bɑn^{1}	桓韻
0457b	上呂・019オ6・疊字	洲	平	シウ	右注	tśiʌu^{1}	尤韻
0458b	上呂・019オ6・疊字	盤	平	ハン	右注	bɑn^{1}	桓韻
0462b	上波・020オ2・天象	星	平	セイ	右傍	seŋ^{1}	青韻
0463b	上波・020オ2・天象	槍	平	サウ	右傍	tṣ'aŋ^{1} ts'iɑŋ^{1}	庚韻 陽韻
0470b	上波・020オ4・天象	陽	平	ヤウ	右傍	jiɑŋ^{1}	陽韻
0490b	上波・020ウ7・植物	鳴	平	メイ	右傍	miaŋ^{1}	庚韻
0495b	上波・021オ1・植物	蔞	平	ロウ	右傍	lʌu^{1} liuʌ$^{1/2}$	侯韻 虞/麌韻
0497b	上波・021オ2・植物	蕉	平	セウ	右傍	tsiau^{1}	宵韻
0500b	上波・021オ3・植物	荊	平	ケイ	右傍	kiaŋ^{1}	庚韻
0503b	上波・021オ3・植物	青	平	―	―	ts'eŋ^{1}	青韻
0504b	上波・021オ3・植物	名	平	メイ	右傍	mieŋ^{1}	清韻
0507b	上波・021オ5・植物	藜	平	リ	右傍	liei^{1} lei^{1}	脂韻 齊韻
0510b	上波・021オ6・植物	芁	平	カウ	右傍	kau^{1}	肴韻
0526b	上波・021ウ7・植物	蕖	平	キヨ	右傍	giʌ^{1}	魚韻
0562b	上波・023オ5・人倫	儀	平濁	キ	右傍	ŋie^{1}	支韻
0563b	上波・023オ5・人倫	堂	平	タウ	右傍	dɑŋ^{1}	唐韻
0583b	上波・024オ2・人躰	莖	平濁	カウ	右傍	ɣɐŋ^{1} 'ɐŋ^{1}	耕韻 耕韻
0627b	上波・025ウ5・人事	廬	平	ロ	左注	liʌ^{1}	魚韻
0628b	上波・025ウ5・人事	頭	平	トウ	左注	dʌu^{1}	侯韻
0634b	上波・025ウ7・人事	鷹	平	エウ	右傍	'ieŋ^{1}	蒸韻

0645b	上波・026オ5・雑物	纒	平	テン	右傍	ḍian$^{1/3}$	仙/線韻
0691b	上波・028オ2・光彩	櫨	平	ロ	右傍	luʌ^{1}	模韻
0716b	上波・031オ4・重點	皤	平	ハ	右注	pɑ^{1} bɑ^{1}	戈韻 戈韻
0717b	上波・031オ4・重點	婆	平	ハ	右注	bɑ^{1}	戈韻
0722b	上波・031オ7・疊字	天	平	テン	左注	tʻen^{1}	先韻
0723b	上波・031オ7・疊字	駒	平	ク	左注	kiuʌ^{1}	虞韻
0725b	上波・031オ7・疊字	來	平	ライ	左注	lʌi^{1}	咍韻
0729b	上波・031ウ1・疊字	頭	平濁	トウ	右注	dʌu^{1}	侯韻
0732b	上波・031ウ2・疊字	秋	平	シウ	右注	tsʻiʌu^{1}	尤韻
0734b	上波・031ウ2・疊字	秋	平	シウ	左注	tsʻiʌu^{1}	尤韻
0735b	上波・031ウ2・疊字	冬	平	トウ	右注	tɑuŋ^{1}	冬韻
0740b	上波・031ウ3・疊字	夷	平	イ	中注	jiei^{1}	脂韻
0743b	上波・031ウ4・疊字	夫	平	フ	右注	piuʌ^{1} biuʌ^{1}	虞韻 虞韻
0744b	上波・031ウ4・疊字	浪	平	ラウ	左注	lɑŋ$^{1/3}$	唐/宕韻
0745b	上波・031ウ4・疊字	濤	平	タウ	右注	dɑu^{1}	豪韻
0746b	上波・031ウ4・疊字	沲	平	タ	右注	dɑ$^{1/2}$	歌/哿韻
0750b	上波・031ウ5・疊字	教	平	ケウ	右注	kau$^{1/3}$	肴/効韻
0753b	上波・031ウ6・疊字	除	平	チヨ	右注	ḍiʌ$^{1/3}$	魚/御韻
0755b	上波・031ウ6・疊字	礼	平	ライ	右注	lei^{1}	薺韻
0756b	上波・031ウ6・疊字	家	平	カ	右注	ka^{1}	麻韻
0757b	上波・031ウ7・疊字	機	平	キ	中注	kiʌi^{1}	微韻
0763b	上波・032オ1・疊字	孫	平	ソン	左注	suʌn^{1}	魂韻
0767b	上波・032オ2・疊字	人	平	シム	右注	ńien^{1}	眞韻
0768b	上波・032オ2・疊字	勞	平	シン	右注	lɑu$^{1/3}$	豪/号韻
0775b	上波・032オ3・疊字	愛	平	アイ	右注	ʼʌi^{1}	代韻
0781b	上波・032オ5・疊字	難	平	—	—	nɑn$^{1/3}$	寒/翰韻
0785b	上波・032オ5・疊字	磋	平	サ	右注	tsʻɑ$^{1/3}$	歌/箇韻
0792b	上波・032オ7・疊字	苴	平	シヨ	右注	tsiʌ$^{1/2}$ tɕʻiʌ^{1} dẓa^{1}	魚/麌韻 魚韻 麻韻
0795b	上波・032オ7・疊字	然	平濁	ヤン	右注	ńian^{1}	仙韻
0799b	上波・032ウ1・疊字	心	平濁	シム	中注	siem^{1}	侵韻
0807b	上波・032ウ3・疊字	觀	平	—	—	kuɑn$^{1/3}$	桓/換韻
0808b	上波・032ウ3・疊字	披	平	—	—	pʻie$^{1/2}$	支/紙韻
0812b	上波・032ウ4・疊字	臣	平	シン	中注	źien^{1}	眞韻
0823b	上波・032ウ6・疊字	聞	平濁	フン	左注	miuʌn$^{1/3}$	文/問韻
0826b	上波・032ウ7・疊字	群	平	クン	左注	giuʌn^{1}	文韻
0831b	上波・033オ1・疊字	昌	平濁	シヤウ	右注	tśʻiɑŋ^{1}	陽韻
0834b	上波・033オ1・疊字	波	平濁	ハ	中注	pɑ^{1}	戈韻
0837b	上波・033オ2・疊字	難	平	—	—	nɑn$^{1/3}$	寒/翰韻

0839b	上波・033オ2・疊字	犀	平濁	サイ	左注	sei^{1}	齊韻
0844b	上波・033オ3・疊字	盤	平	ハン	左注	bɑn^{1}	桓韻
0855b	上波・033オ5・疊字	優	平	イウ	左注	ʼiʌu^{1}	尤韻
0856b	上波・033オ6・疊字	徨	平	クワウ	左注	ɣuɑŋ^{1}	唐韻
0857b	上波・033オ6・疊字	郵	平	イウ	中注	ɣiʌu^{1}	尤韻
0858b	上波・033オ6・疊字	徊	平	クワイ	右注	ɣuʌi^{1}	灰韻
0860b	上波・033オ6・疊字	針	平	―	―	tśiem$^{1/3}$	侵/沁韻
0867b	上波・033ウ1・疊字	滄	平濁	サン	左注	tsʻɑn^{1}	寒韻
0872b	上波・033ウ2・疊字	菲	平	ヒ	右注	pʻiʌi$^{1/2}$ biʌi^{3}	微/尾韻 未韻
0882b	上波・033ウ4・疊字	溪	平	ケイ	右注	kʻei^{1}	齊韻
0883b	上波・033ウ4・疊字	筌	平	セン	右注	tsʻiuan^{1}	仙韻
0884b	上波・033ウ4・疊字	迎	平	ケイ	右注	ŋiaŋ$^{1/3}$	庚/映韻
0885b	上波・033ウ4・疊字	山	平	サン	右注	ṣen^{1}	山韻
0886b	上波・033ウ5・疊字	娑	平	サ	右注	sɑ$^{1/2}$	歌/哿韻
0890b	上波・033ウ5・疊字	珠	平	シユ	左注	tśiuʌ^{1}	虞韻
0892b	上波・033ウ6・疊字	麻	平濁	ハ	右注	ma^{1}	麻韻
0895b	上波・033ウ6・疊字	精	平	セイ	左注	tsieŋ^{1}	清韻
0896b	上波・033ウ7・疊字	重	平	チヨウ	左注	ḍiɑuŋ$^{1/2/3}$	鍾/腫/用韻
0897b	上波・033ウ7・疊字	枝	平	シ	左注	tśie^{1}	支韻
0900b	上波・033ウ7・疊字	苔	平	タイ	右注	dʌi^{1}	咍韻
0903b	上波・034オ1・疊字	枝	平	シ	左注	tśie^{1}	支韻
0906b	上波・034オ2・疊字	魂	平	コム	左注	ɣuʌn^{1}	魂韻
0922b	上仁・035ウ7・天象	幢	平	トウ	右傍	ḍauŋ$^{1/3}$	江/絳韻
0936b	上仁・036オ5・植物	茹	平	シヨ	右傍	ńiʌ$^{1/2/3}$	魚/語/御韻
0944b	上仁・036ウ3・植物	鴒	平	レイ	右傍	leŋ^{1}	青韻
0945b	上仁・036ウ4・動物	鵜	平	テイ	右傍	dei^{1}	齊韻
0965b	上仁・038オ6・雑物	江	平	―	―	kauŋ^{1}	江韻
0968b	上仁・038オ6・雑物	燎	平	レウ	右傍	liau$^{1/2/3}$	宵/小/笑韻
0992b	上仁・040オ3・疊字	礼	平	ライ	中注	lei^{1}	薺韻
1002b	上仁・040オ5・疊字	専	平	セン	右注	tśiuan^{1}	仙韻
1016b	上仁・040ウ2・疊字	駘	平	タイ	右傍	dʌi$^{1/2}$	咍/海韻
1024b	上保・041ウ1・天象	珠	平	―	―	tśiuʌ^{1}	虞韻
1037b	上保・042オ1・植物	丹	平	タン	右注	tɑn^{1}	寒韻
1038b	上保・042オ1・植物	丹	平	タン	左注	tɑn^{1}	寒韻
1046b	上保・042オ5・植物	生	平	―	―	ṣaŋ$^{1/3}$	庚/映韻
1047b	上保・042オ7・動物	凰	平	ワウ	中注	ɣuɑŋ^{1}	唐韻
1048b	上保・042オ7・動物	凰	平	クワウ	左注	ɣuɑŋ^{1}	唐韻
1053b	上保・042ウ2・動物	羅	平	ラ	右傍	lɑ^{1}	歌韻
1054b	上保・042ウ3・動物	星	平	―	―	seŋ^{1}	青韻
1061b	上保・042ウ6・動物	星	平	―	―	seŋ^{1}	青韻

1086b	上保・044オ2・人事	槍	平	サウ	右傍	tsʻiɑŋ^{1} tṣʻiɑŋ^{1}	陽韻 庚韻
1087b	上保・044オ2・人事	庭	平	テイ	右傍	deŋ^{1}	青韻
1088b	上保・044オ3・人事	曽	平	－	－	tsʌŋ^{1} dzʌŋ^{1}	登韻 登韻
1117b	上保・045オ4・雜物	竿	平	カン	右傍	kɑn^{1}	寒韻
1119b	上保・045オ5・雜物	綱	平	カウ	右傍	kɑŋ^{1}	唐韻
1149b	上保・047オ3・疉字	辰	平	シム	中注	źien^{1}	眞韻
1151b	上保・047オ3・疉字	天	平	テン	左注	tʻen^{1}	先韻
1152b	上保・047オ3・疉字	風	平	フウ	左注	piʌuŋ$^{1/3}$	東/送韻
1155b	上保・047オ4・疉字	瞻	平	セム	右注	tśiam^{1}	鹽韻
1156b	上保・047オ4・疉字	年	平	ネム	左注	nen^{1}	先韻
1157b	上保・047オ4・疉字	山	平	サン	左注	ṣɐn^{1}	山韻
1158b	上保・047オ4・疉字	天	平	テン	右注	tʻen^{1}	先韻
1159b	上保・047オ5・疉字	莱	平	ライ	右注	lʌi$^{1/3}$	咍/代韻
1166b	上保・047オ6・疉字	相	平	サウ	左注	siɑŋ$^{1/3}$	陽/漾韻
1173b	上保・047ウ1・疉字	行	平濁	キヤウ	左注	ɣaŋ$^{1/3}$ ɣɑŋ$^{1/3}$	庚/映韻 唐/宕韻
1179b	上保・047ウ2・疉字	宮	平	キウ	左注	kiʌuŋ^{1}	東韻
1180b	上保・047ウ2・疉字	池	平	チ	左注	ḍie^{1}	支韻
1184b	上保・047ウ3・疉字	公	平	コウ	中注	kʌuŋ^{1}	東韻
1190b	上保・047ウ4・疉字	儀	平濁	キ	右注	ŋie^{1}	支韻
1192b	上保・047ウ4・疉字	顔	平濁	カン	左注	ŋan^{1}	刪韻
1193b	上保・047ウ5・疉字	嫱	平	シヤウ	右注	dziɑŋ^{1}	陽韻
1199b	上保・047ウ6・疉字	堂	平	タウ	右注	dɑŋ^{1}	唐韻
1205b	上保・047ウ7・疉字	郷	平	キヤウ	左注	xiɑŋ^{1}	陽韻
1208b	上保・048オ1・疉字	營	平	エイ	左注	jiueŋ^{1}	清韻
1209b	上保・048オ1・疉字	雛	平	ス	中注	dẓiuʌ^{1}	虞韻
1210b	上保・048オ1・疉字	誉	平	ヨ	左注	jiʌ$^{1/3}$	魚/御韻
1220b	上保・048オ3・疉字	夫	平	フ	左注	piuʌ^{1} biuʌ^{1}	虞韻 虞韻
1223b	上保・048オ4・疉字	波	平	ハ	左注	pɑ^{1}	戈韻
1225b	上保・048オ4・疉字	粁	平	レウ	右注	leu$^{1/3}$	蕭/嘯韻
1228b	上保・048オ5・疉字	句	平	ク	左注	giuʌ^{1} kiuʌ^{3} kʌu$^{1/3}$	虞韻 遇韻 侯/候韻
1230b	上保・048オ5・疉字	緘	平	カム	右注	kɐm^{1}	咸韻
1232b	上保・048オ6・疉字	條	平濁	テウ	右注	deu^{1}	蕭韻
1233b	上保・048オ6・疉字	令	平	リヤウ	左注	lieŋ$^{1/3}$ leŋ$^{1/3}$ lian^{1}	清/勁韻 青/徑韻 仙韻
1237b	上保・048オ7・疉字	過	平濁	クワ	右注	kuɑ$^{1/3}$	戈/過韻

1244b	上保・048ウ1・疊字	衣	平	イ	左注	'iʌi$^{1/3}$	微/未韻
1250b	上保・048ウ2・疊字	行	平	カウ	左注	ɣaŋ$^{1/3}$ ɣɑŋ$^{1/3}$	庚/映韻 唐/宕韻
1258b	上保・048ウ4・疊字	輪	平	リン	右注	liuen^{1}	諄韻
1262b	上保・048ウ5・疊字	強	平	キヤウ	右注	giɑŋ^{1}	陽韻
1263b	上保・048ウ5・疊字	群	平	クン	右注	giuʌn^{1}	文韻
1265b	上保・048ウ6・疊字	衣	平	イ	右注	'iʌi$^{1/3}$	微/未韻
1302b	上邊・051オ6・人事	蠻	平濁	ハン	左注	man^{1}	刪韻
1325b	上邊・052ウ3・疊字	雲	平	ウン	左注	ɣiuʌn^{1}	文韻
1327b	上邊・052ウ3・疊字	明	平	メイ	左注	miaŋ^{1}	庚韻
1338b	上邊・052ウ5・疊字	茫	平濁	ハウ	左注	mɑŋ^{1}	唐韻
1341b	上邊・052ウ6・疊字	旒	平	リウ	左注	liʌu^{1}	尤韻
1342b	上邊・052ウ6・疊字	安	平	アン	左注	'ɑn^{1}	寒韻
1345b	上邊・052ウ7・疊字	相	平	サウ	左注	siɑŋ$^{1/3}$	陽/漾韻
1347b	上邊・052ウ7・疊字	瘉	平	ユ	中注	jiuʌ$^{1/2}$	虞/麌韻
1349b	上邊・053オ1・疊字	痊	平	セン	右注	ts'iuan^{1}	仙韻
1352b	上邊・053オ1・疊字	民	平	ミム	左注	mjien^{1}	眞韻
1353b	上邊・053オ1・疊字	魚	平	キヨ	左注	ŋiʌ^{1}	魚韻
1356b	上邊・053オ2・疊字	虚	平	キヨ	右注	xiʌ^{1} k'iʌ^{1}	魚韻 魚韻
1358b	上邊・053オ2・疊字	如	平濁	シヨ	左注	ńiʌ$^{1/3}$	魚/御韻
1359b	上邊・053オ3・疊字	懐	平濁	クワイ	左注	ɣuɐi^{1}	皆韻
1361b	上邊・053オ3・疊字	言	平濁	ケン	左注	ŋiɑn^{1}	元韻
1362b	上邊・053オ3・疊字	離	平	リ	左注	lie$^{1/3}$ lei^{3}	支/寘韻 霽韻
1363b	上邊・053オ3・疊字	人	平濁	シム	右注	ńien^{1}	眞韻
1374b	上邊・053オ6・疊字	淩	平	レウ	左注	lieŋ^{1}	蒸韻
1378b	上邊・053オ6・疊字	居	平	キヨ	左注	kiʌ^{1} kiɐi^{1}	魚韻 之韻
1379b	上邊・053オ7・疊字	難	平	ナン	左注	nɑn$^{1/3}$	寒/翰韻
1380b	上邊・053オ7・疊字	蒲	平	ホ	中注	buʌ^{1}	模韻
1382b	上邊・053オ7・疊字	居	平	キヨ	左注	kiʌ^{1} kiɐi^{1}	魚韻 之韻
1395b	上邊・053ウ3・疊字	獻	平	—	—	xiɑn^{3} sɑ^{1} ŋiat	願韻 歌韻 薛韻
1396b	上邊・053ウ3・疊字	均	平濁	—	—	kjiuen^{1}	諄韻
1399b	上邊・053ウ4・疊字	坏	平	ハイ	右注	puʌi^{1}	灰韻
1400b	上邊・053ウ4・疊字	焉	平	エン	右注	'ian^{1} ɣian^{1} 'iɑn^{1}	仙韻 仙韻 元韻
1426b	上度・054ウ5・地儀	栖	平	セイ	右傍	sei$^{1/3}$	齊/霽韻

1429b	上度・054ウ6・地儀	華	平	クワ	右傍	xua[1] ɣua[1/3]	麻韻 麻/禡韻
1430b	上度・054ウ6・地儀	陽	平	ヤウ	右傍	jiɑŋ[1]	陽韻
1435b	上度・055オ2・植物	麻	平	ハ	右傍	ma[1]	麻韻
1438b	上度・055オ3・植物	楠	平	ナム	右傍	nʌm[1]	覃韻
1439b	上度・055オ3・植物	檀	平	タン	右傍	dɑn[1]	寒韻
1441b	上度・055オ5・植物	冠	平	クワン	右傍	kuɑn[1/3]	桓/換韻
1446b	上度・055ウ1・動物	鴒	平	レイ	右傍	leŋ[1]	青韻
1448b	上度・055ウ1・動物	胵	平	シ	右傍	tś'iei[1]	脂韻
1465b	上度・056ウ1・人事	朱	平	ス	右傍	tśiuʌ[1]	虞韻
1475b	上度・056ウ5・人事	鷄	平	ケイ	左傍	kei[1]	齊韻
1487b	上度・057オ4・雜物	巾	平	キム	右傍	kien[1]	眞韻
1517b	上度・057ウ5・雜物	羅	平	ラ	右傍	lɑ[1]	歌韻
1518b	上度・057ウ5・雜物	籠	平	ロウ	右傍	lʌuŋ[1/2] liɑuŋ[1]	東/董韻 鍾韻
1567b	上度・061ウ7・重點	鼕	平 上	トウ	右注	dɑuŋ[1]	冬韻
1570b	上度・062オ2・疊字	時	平濁	―	―	źiɐi[1]	之韻
1571b	上度・062オ2・疊字	烏	平	ヲ	右注	'uʌ[1]	模韻
1572b	上度・062オ2・疊字	風	平	フウ	中注	piʌuŋ[1/3]	東/送韻
1574b	上度・062オ3・疊字	毛	平	モ	左注	mɑu[1/3]	豪/号韻
1577b	上度・062オ3・疊字	傾	平	ケイ	右注	k'iueŋ[1]	清韻
1578b	上度・062オ3・疊字	庭	平	テイ	左注	deŋ[1]	青韻
1584b	上度・062オ5・疊字	壇	平濁	タン	左注	dɑn[1]	寒韻
1585b	上度・062オ5・疊字	霞	平濁	カ	中注	ɣa[1]	麻韻
1588b	上度・062オ5・疊字	然	平濁	セン	左注	ńian[1]	仙韻
1589b	上度・062オ6・疊字	梁	平	リヤウ	中注	liɑŋ[1]	陽韻
1599b	上度・062ウ1・疊字	蒙	平	モウ	左注	mʌuŋ[1]	東韻
1601b	上度・062ウ1・疊字	民	平	ミム	左注	mjien[1]	眞韻
1603b	上度・062ウ1・疊字	閑	平	カン	左注	ɣɐn[1]	山韻
1612b	上度・062ウ3・疊字	家	平	カ	左注	ka[1]	麻韻
1613b	上度・062ウ4・疊字	磨	平濁	ハ	左注	mɑ[1/3]	戈/過韻
1618b	上度・062ウ5・疊字	身	平	シム	左注	śien[1]	眞韻
1619b	上度・062ウ5・疊字	行	平	キヤウ	左注	ɣaŋ[1/3] ɣɑŋ[1/3]	庚/映韻 唐/宕韻
1624b	上度・062ウ6・疊字	僚	平	レウ	左注	leu[1/2]	蕭/小韻
1625b	上度・062ウ6・疊字	門	平	モン	左注	muʌn[1]	魂韻
1626b	上度・062ウ6・疊字	朋	平濁	ホウ	左注	bʌŋ[1]	登韻
1628b	上度・062ウ7・疊字	行	平濁	キヤウ	左注	ɣaŋ[1/3] ɣɑŋ[1/3]	庚/映韻 唐/宕韻
1629b	上度・062ウ7・疊字	倫	平	リム	左注	liuen[1]	諄韻
1630b	上度・062ウ7・疊字	望	平濁	ハウ	中注	miɑŋ[1/3]	陽/漾韻
1632b	上度・063オ1・疊字	山	平濁	サン	中注	ṣɐn[1]	山韻

1639b	上度・063オ2・疉字	天	平濁	テン	左注	t‘en^{1}	先韻
1640b	上度・063オ2・疉字	誇	平	クワ	左注	k‘ua^{1}	麻韻
1647b	上度・063オ4・疉字	巾	平	キン	左注	kien^{1}	眞韻
1648b	上度・063オ4・疉字	天	平濁	テン	中注	t‘en^{1}	先韻
1652b	上度・063オ5・疉字	中	平	チウ	左注	ṭiʌuŋ$^{1/3}$	東/送韻
1653b	上度・063オ5・疉字	夷	平	イ	左注	jiei^{1}	脂韻
1655b	上度・063オ5・疉字	留	平	リウ	左注	liʌu$^{1/3}$	尤/宥韻
1661b	上度・063オ6・疉字	駘	平	タイ	左注	dʌi$^{1/2}$	咍/海韻
1662b	上度・063オ7・疉字	車	平濁	シヤ	左注	tś‘ia^{1} kiʌ^{1}	麻韻 魚韻
1666b	上度・063ウ1・疉字	孫	平	ソン	左注	suʌn^{1}	魂韻
1667b	上度・063ウ1・疉字	園	平	ヱン	左注	ɣiuɑn^{1}	元韻
1669b	上度・063ウ1・疉字	花	平	クワ	左注	xua^{1}	麻韻
1680b	上度・063ウ3・疉字	行	平濁	キヤウ	右注	ɣaŋ$^{1/3}$ ɣɑŋ$^{1/3}$	庚/映韻 唐/宕韻
1705b	上池・065オ6・地儀	傾	平	—	—	k‘iueŋ^{1}	清韻
1716b	上池・065ウ2・地儀	沙	平	サ	右傍	ṣa$^{1/3}$	麻/禡韻
1717b	上池・065ウ3・地儀	観	平濁	クワン	左注	kuɑn$^{1/3}$	桓/換韻
1722b	上池・065ウ6・植物	參	平	—	—	ts‘ʌm$^{1/3}$ sɑm^{1} ṣiem^{1} tṣ‘iem^{1}	覃/勘韻 談韻 侵韻 侵韻
1759b	上池・067オ6・人事	兒	平	—	—	ńie^{1} ŋei^{1}	支韻 齊韻
1792b	上池・068ウ7・疉字	陽	平	ヤウ	中注	jiɑŋ^{1}	陽韻
1793b	上池・068ウ7・疉字	春	平	シユン	左注	tś‘iuen^{1}	諄韻
1795b	上池・068ウ7・疉字	秋	平	シウ	左注	ts‘iʌu^{1}	尤韻
1796b	上池・068ウ7・疉字	冬	平	トウ	左注	tɑuŋ^{1}	冬韻
1806b	上池・069オ2・疉字	央	平	ヤウ	左注	’iɑŋ^{1}	陽韻
1811b	上池・069オ3・疉字	齋	平濁	サイ	中注	tṣɐi^{1}	皆韻
1812b	上池・069オ4・疉字	魂	平濁	コン	左注	ɣuʌn^{1}	魂韻
1821b	上池・069オ5・疉字	衆	平濁	シウ	左注	tśiʌuŋ$^{1/3}$	東/送韻
1826b	上池・069オ6・疉字	君	平	クン	中注	kiuʌn^{1}	文韻
1828b	上池・069オ7・疉字	宣	平	セム	左注	siuan^{1}	仙韻
1834b	上池・069ウ1・疉字	秋	平	シウ	左注	ts‘iʌu^{1}	尤韻
1848b	上池・069ウ4・疉字	参	平	サム	左注	ts‘ʌm$^{1/3}$ sɑm^{1} ṣiem^{1} tṣ‘iem^{1}	覃/勘韻 談韻 侵韻 侵韻
1856b	上池・069ウ5・疉字	粧	平	サウ	中注	tṣiɑŋ^{1}	陽韻
1863b	上池・069ウ7・疉字	貞	平	テイ	左注	ṭieŋ^{1}	清韻
1867b	上池・070オ1・疉字	庸	平	ヨウ	左注	jiɑuŋ^{1}	鍾韻

1868b	上池・070オ1・疊字	疑	平濁	キ	左注	ŋiɐi^{1}	之韻
1870b	上池・070オ1・疊字	淪	平	リム	左注	liuen^{1}	諄韻
1872b	上池・070オ2・疊字	夭	平	エウ	左注	'iau$^{1/2}$ 'ɑu^{2}	宵/小韻 晧韻
1875b	上池・070オ2・疊字	媒	平濁	ハイ	左注	muʌi^{1}	灰韻
1877b	上池・070オ3・疊字	望	平濁	ハウ	左注	miɑŋ$^{1/3}$	陽/漾韻
1882b	上池・070オ4・疊字	任	平	ニン	左注	ńiem$^{1/3}$	侵/沁韻
1884b	上池・070オ4・疊字	音	平	イン	左注	'iem^{1}	侵韻
1886b	上池・070オ4・疊字	人	平濁	シン	左注	ńien^{1}	眞韻
1887b	上池・070オ5・疊字	望	平濁	ハウ	中注	miɑŋ$^{1/3}$	陽/漾韻
1890b	上池・070オ5・疊字	難	平	ナン	左注	nɑn$^{1/3}$	寒/翰韻
1892b	上池・070オ6・疊字	名	平	メイ ミヤウ	中注	mieŋ^{1}	清韻
1895b	上池・070オ6・疊字	新	平	シン	左注	sien^{1}	眞韻
1898b	上池・070オ7・疊字	望	平濁	ハウ	左注	miɑŋ$^{1/3}$	陽/漾韻
1900b	上池・070オ7・疊字	吟	平	キン	左注	ŋiem$^{1/3}$	侵/沁韻
1908b	上池・070ウ2・疊字	怩	平濁	チ	左注	ṇiei^{1}	脂韻
1921b	上池・070ウ4・疊字	球	平濁	キウ	左注	giʌu^{1}	尤韻
1922b	上池・070ウ5・疊字	車	平	シヤ	中注	tś'ia^{1} kiʌ^{1}	麻韻 魚韻
1923b	上池・070ウ5・疊字	蹰	平	チウ	中注	ḍiuʌ^{1}	虞韻
1926b	上池・070ウ5・疊字	量	平	リヤウ	左注	liɑŋ$^{1/3}$	陽/漾韻
1927b	上池・070ウ6・疊字	料	平	レウ	左注	leu$^{1/3}$	蕭/嘯韻
1931b	上池・070ウ6・疊字	嚴	平濁	ケム	左注	ŋiɑm^{1}	嚴韻
1933b	上池・070ウ7・疊字	芝	平	シ	右注	tśiɐi^{1} p'iʌm^{1}	之韻 凡韻
1940b	上池・071オ1・疊字	興	平	キヨウ	右注	xiɐŋ$^{1/3}$	蒸/證韻
1944b	上池・071オ2・疊字	懐	平	クワイ	右注	ɣuɐi^{1}	皆韻
1945b	上池・071オ2・疊字	居	平	キヨ	右注	kiʌ^{1} kiɐi^{1}	魚韻 之韻
1986b	上利・072ウ7・植物	檎	平	コウ	右注	giem^{1}	侵韻
1987b	上利・072ウ7・植物	檎	平	キ	右傍	giem^{1}	侵韻
1996b	上利・073オ6・人躰	朱	平濁	スウ	右注	tśiuʌ^{1}	虞韻
2006b	上利・073ウ3・人事	臺	平	タイ	左注	dʌi^{1}	咍韻
2007b	上利・073ウ3・人事	河	平	カ	左注	ɣɑ^{1}	歌韻
2013b	上利・073ウ5・雜物	頭	平濁	トウ	右注	dʌu^{1}	侯韻
2016b	上利・073ウ6・雜物	襠	平濁	タウ	右注	tɑŋ^{1}	唐韻
2026b	上利・074オ7・疊字	辰	平	シン	左注	źien^{1}	眞韻
2028b	上利・074オ7・疊字	鍾	平	シヨウ	右注	tśiauŋ^{1}	鍾韻
2031b	上利・074ウ1・疊字	錐	平	スイ	左注	tśiuei^{1}	脂韻
2039b	上利・074ウ3・疊字	閻	平	エム	左注	jiam^{1}	鹽韻
2043b	上利・074ウ3・疊字	塵	平	チム	左注	ḍien^{1}	眞韻
2052b	上利・074ウ5・疊字	言	平濁	ケム	左注	ŋiɑn^{1}	元韻

2058b	上利・074ウ6・疊字	樓	平	ロウ	左注	lʌu^{1}	侯韻
2064b	上利・075オ1・疊字	朱	平濁	シユ	中注	tśiuʌ^{1}	虞韻
2072b	上利・075オ2・疊字	盃	平	ハイ	左注	puʌi^{1}	灰韻
2074b	上利・075オ2・疊字	媒	平濁	ハイ	左注	muʌi^{1}	灰韻
2075b	上利・075オ3・疊字	言	平濁	ケム	左注	ŋian^{1}	元韻
2077b	上利・075オ3・疊字	條	平濁	—	—	deu^{1}	蕭韻
2082b	上利・075オ4・疊字	途	平	ト	左注	duʌ^{1}	模韻
2083b	上利・075オ4・疊字	亢	平	カウ	左注	kɑŋ^{1} k'ɑŋ^{3}	唐韻 宕韻
2084b	上利・075オ4・疊字	亢	平	カウ	左傍	kɑŋ^{1} k'ɑŋ^{3}	唐韻 宕韻
2087b	上利・075オ5・疊字	然	平濁	セン	左注	ńian^{1}	仙韻
2089b	上利・075オ5・疊字	儒	平濁	シユ	左注	ńiuʌ^{1}	虞韻
2090b	上利・075オ5・疊字	條	平濁	テウ	左注	deu^{1}	蕭韻
2092b	上利・075オ6・疊字	論	平	ロン	左注	luʌn$^{1/3}$ liuen^{1}	魂/慁韻 諄韻
2097b	上利・075オ7・疊字	林	平	リン	左注	liem^{1}	侵韻
2101b	上利・075ウ1・疊字	行	平	カウ	左注	ɣaŋ$^{1/3}$ ɣɑŋ$^{1/3}$	庚/映韻 唐/宕韻
2106b	上利・075ウ2・疊字	梁	平	リヤウ	左注	liɑŋ^{1}	陽韻
2107b	上利・075ウ2・疊字	蹄	平 去	テイ	左注	dei^{1}	齊韻
2111b	上利・075ウ3・疊字	離	平	リ	左注	lie$^{1/3}$ lei^{3}	支/寘韻 霽韻
2113b	上利・075ウ3・疊字	鐘	平	シヨウ	右注	tśiɑuŋ^{1}	鍾韻
2120b	上利・075ウ4・疊字	遅	平濁	チ	左注	ḍiei$^{1/3}$	脂/至韻
2121b	上利・075ウ5・疊字	夷	平	イ	右注	jiei^{1}	脂韻
2124b	上利・075ウ5・疊字	盃	平	ハイ	左注	puʌi^{1}	灰韻
2126b	上利・075ウ6・疊字	頭	平	トウ	左注	dʌu^{1}	侯韻
2128b	上利・075ウ6・疊字	烏	平	ヲ	左注	'uʌ^{1}	模韻
2130b	上利・075ウ6・疊字	山	平	サン	左注	ṣɐn^{1}	山韻
2131b	上利・075ウ7・疊字	門	平	モン	左注	muʌn^{1}	魂韻
2143b	上奴・076ウ2・植物	餘	平	ヨ	右傍	jiʌ^{1}	魚韻
2150b	上奴・077オ1・動物	頭	平	トウ	右傍	dʌu^{1}	侯韻
2175b	上留・079オ6・雑物	璃	平 上	リ	右傍	lie^{1}	支韻
2176b	上留・079オ6・雑物	璃	平 上	リ	左傍	lie^{1}	支韻
2181b	上留・079ウ1・疊字	難	平	ナン	中注	nɑn$^{1/3}$	寒/翰韻
2189b	上留・079ウ2・疊字	連	平	レン	左注	lian^{1}	仙韻
2207b	上遠・080オ4・植物	郎	平	—	—	lɑŋ^{1}	唐韻
2208b	上遠・080オ4・植物	薹	平	タイ	右傍	dʌi^{1}	咍韻

2212b	上遠・080オ6・植物	叅	平濁	シム	右傍	ṣiem[1] tṣ'iem[1] ts'ʌm[1/3] sɑm[1]	侵韻 侵韻 覃/勘韻 談韻
2213b	上遠・080オ7・植物	藭	平	ク	右傍	giʌuŋ[1]	東韻
2214b	上遠・080オ7・植物	藭	平	キウ	左傍	giʌuŋ[1]	東韻
2221b	上遠・080ウ3・動物	鴦	平	アウ	右傍	'ɑŋ[1] 'iɑŋ[1]	唐韻 陽韻
2224b	上遠・080ウ3・動物	鸆	平濁	ク	右傍	ŋiuʌ[1]	虞韻
2259b	上遠・083オ2・雑物	煨	平	ワイ	右傍	'uʌi[1]	灰韻
2261b	上遠・083オ3・雑物	浮	平	フ	右傍	biʌu[1]	尤韻
2283b	上遠・085オ1・疊字	朧	平	ロウ	右傍	lʌuŋ[1]	東韻
2291b	上和・086オ2・植物	葵	平	クヰ	右傍	gjiuei[1]	脂韻
2295b	上和・086オ4・植物	天	平	—	—	t'en[1]	先韻
2297b	上和・086オ6・動物	胵	平	シ	右傍	tśiei[1]	脂韻
2334b	上和・087ウ7・人事	蘠	平濁	シヤウ	右注	tsiɑŋ[1]	陽韻
2366b	上和・089ウ7・疊字	年	平	ネム	中注	nen[1]	先韻
2368b	上和・089ウ7・疊字	時	平	シ	左注	źiɐi[1]	之韻
2389b	上和・090オ4・疊字	孫	平濁	ソン	左注	suʌn[1]	魂韻
2390b	上和・090オ4・疊字	顔	平濁	カン	中注	ŋan[1]	刪韻
2398b	上和・090オ6・疊字	歌	平	カ	左注	kɑ[1]	歌韻
2400b	上和・090オ6・疊字	來	平	ライ	中注	lʌi[1]	咍韻
2401b	上和・090オ6・疊字	還	平濁	クヱン	中注	ɣuan[1]	刪韻
2402b	上和・090オ6・疊字	還	平濁	クワン	左注	ɣuan[1]	刪韻
2405b	上和・090オ7・疊字	羸	平	ルイ	左注	liue[1]	支韻
2406b	上和・090オ7・疊字	窿	平	リウ	左注	liʌuŋ[1]	東韻
2407b	上和・090オ7・疊字	儳	平濁	サム	左注	dẓɐm[1/3]	咸/陷韻
2421b	上加・091オ4・天象	烏	平	—	—	'uʌ[1]	模韻
2478b	上加・092ウ6・植物	樓	平	—	—	lʌu[1]	侯韻
2479b	上加・092ウ7・植物	干	平	カン	左傍	kɑn[1]	寒韻
2483b	上加・093オ2・植物	蘭	平	ラン	左傍	lɑn[1]	寒韻
2489b	上加・093オ7・植物	矛	平濁	ホウ	右傍	miʌu[1]	尤韻
2506b	上加・093ウ3・植物	櫞	平	ヱン	右傍	jiuɑn[1]	仙韻
2507b	上加・093ウ4・植物	冠	平	クワン	右傍	kuɑn[1/3]	桓/換韻
2508b	上加・093ウ4・植物	朱	平	スユ	右傍	tśiuʌ[1]	虞韻
2510b	上加・093ウ5・植物	衡	平	カウ	右傍	ɣaŋ[1]	庚韻
2511b	上加・093ウ6・植物	蓬	平	ホウ	右傍	bʌuŋ[1]	東韻
2512b	上加・093ウ6・植物	苔	平	タイ	右傍	dʌi[1]	咍韻
2527b	上加・094オ6・動物	羊	平	—	—	jiɑŋ[1]	陽韻
2531b	上加・094オ7・動物	茸	平濁	シヨウ	右傍	ńiɑuŋ[1]	鍾韻
2534b	上加・094ウ3・動物	餘	平	—	—	jiʌ[1]	魚韻
2550b	上加・094ウ7・動物	嚢	平	ナウ	右傍	nɑŋ[1]	唐韻

2553b	上加・095オ1・動物	蟇	平濁	ハ	右傍	ma^{1}	麻韻
2558b	上加・095オ2・動物	毛	平濁	ホウ	右傍	mɑu$^{1/3}$	豪/号韻
2559b	上加・095オ2・動物	虵	平	シヤ	右傍	dźia^{1} jia^{2} jie^{1}	麻韻 馬韻 支韻
2561b	上加・095オ3・動物	蛉	平	レイ	右傍	leŋ^{1}	青韻
2563b	上加・095オ4・動物	蜩	平	テウ	右傍	deu^{1}	蕭韻
2571b	上加・095ウ3・人倫	師	平	シ	右傍	ṣiei^{1}	脂韻
2586b	上加・096オ3・人體	脂	平	シ	右傍	tśiei^{1}	脂韻
2590b	上加・096オ4・人體	盆	平	ホン	右傍	buʌn^{1}	魂韻
2609b	上加・096ウ1・人體	筋	平濁	キン	右傍	kiʌn^{1}	欣韻
2637b	上加・097オ7・人事	蒲	平	ホ	右傍	buʌ^{1}	模韻
2648b	上加・097ウ6・人事	歓	平	クワン	左注	xuɑn^{1}	桓韻
2649b	上加・097ウ7・人事	王	平	ワウ	左注	ɣiuɑŋ$^{1/3}$	陽/漾韻
2650b	上加・097ウ7・人事	南	平	ナム	左注	nʌm^{1}	覃韻
2651b	上加・097ウ7・人事	城	平濁	セイ	左注	źieŋ^{1}	清韻
2652b	上加・097ウ7・人事	仙	平	―	―	sian^{1}	仙韻
2654b	上加・098オ1・人事	州	平	シウ	左注	tśiʌu^{1}	尤韻
2657b	上加・098オ1・人事	徐	平	―	―	ziʌ^{1}	魚韻
2670b	上加・098オ5・飲食	饙	平	フン	右傍	p'uʌn$^{1/3}$	魂/慁韻
2716b	上加・099オ6・雜物	匙	平	シ	右傍	źie^{1}	支韻
2737b	上加・099ウ5・雜物	槌	平	ツイ	右傍	ḍiuei^{1} ḍiue^{3}	脂韻 寘韻
2739b	上加・099ウ6・雜物	鉗	平	ケム	右傍	giam^{1}	鹽韻
2740b	上加・099ウ6・雜物	碪	平	チム	右傍	ṭiem^{1}	侵韻
2743b	上加・100オ1・雜物	松	平	シヨウ	右注	ziɑuŋ^{1}	鍾韻
2750b	上加・100オ3・雜物	箐	平	セイ	右傍	tsieŋ^{1}	清韻
2753b	上加・100オ4・雜物	枷	平	カ	右傍	ka^{1} giɑ^{1}	麻韻 歌韻
2765b	上加・100ウ1・雜物	牱	平	カ	右傍	kɑ^{1}	歌韻
2774b	上加・100ウ2・雜物	障	平	シヤウ	右注	tśiɑŋ$^{1/3}$	陽/漾韻
2847b	上加・106オ6・重點	嗷	平濁	カウ	右注	ŋɑu^{1}	豪韻
2852b	上加・106オ6・重點	颬	平	カ	右注	xa^{1}	麻韻
2853b	上加・106ウ1・疊字	天	平	―	―	t'en^{1}	先韻
2854b	上加・106ウ1・疊字	天	平	―	―	t'en^{1}	先韻
2855b	上加・106ウ1・疊字	天	平	―	―	t'en^{1}	先韻
2856b	上加・106ウ1・疊字	温	平	ウン	左注	'uʌn^{1}	魂韻
2859b	上加・106ウ2・疊字	辰	平	シン	左注	źien^{1}	眞韻
2861b	上加・106ウ2・疊字	年	平	ネン	左注	nen^{1}	先韻
2865b	上加・106ウ3・疊字	腴	平	ハシ	左注	jiuʌ^{1}	虞韻
2869b	上加・106ウ4・疊字	衢	平	ク	左注	giuʌ^{1}	虞韻
2874b	上加・106ウ5・疊字	私	平濁	シ	左注	siei^{1}	脂韻

2879b	上加・106ウ6・疊字	濵	平	ヒン	左注	pjien[1]	眞韻
2885b	上加・106ウ7・疊字	人	平	シン	左注	ńien[1]	眞韻
2897b	上加・107オ2・疊字	莚	平	エム	左注	jian[1/3]	仙/線韻
2905b	上加・107オ4・疊字	磨	平	マ	左注	mɑ[1/3]	戈/過韻
2908b	上加・107オ5・疊字	衣	平	イ	左注	'iʌi[1/3]	微/未韻
2909b	上加・107オ5・疊字	官	平	クワン	中注	kuɑn[1]	桓韻
2912b	上加・107オ5・疊字	行	平	カウ	左注	ɣaŋ[1/3] ɣɑŋ[1/3]	庚/映韻 唐/宕韻
2915b	上加・107オ6・疊字	祥	平	シヤウ	中注	ziɑŋ[1]	陽韻
2925b	上加・107ウ1・疊字	娶	平 入濁	ス	左注	siuʌ[1] ts'iuʌ[3]	虞韻 遇韻
2926b	上加・107ウ1・疊字	人	平濁	シン	左注	ńien[1]	眞韻
2929b	上加・107ウ2・疊字	眉	平濁	ヒ	左注	miei[1]	脂韻
2930b	上加・107ウ2・疊字	鷄	平	ケイ	左注	kei[1]	齊韻
2931b	上加・107ウ2・疊字	年	平	ネム	左注	nen[1]	先韻
2936b	上加・107ウ3・疊字	心	平	シム	左注	siem[1]	侵韻
2941b	上加・107ウ4・疊字	心	平濁	シム	中注	siem[1]	侵韻
2953b	上加・107ウ7・疊字	心	平	シム	左注	siem[1]	侵韻
2958b	上加・108オ1・疊字	譽	平	ヨ	左注	jiʌ[1/3]	魚/御韻
2963b	上加・108オ2・疊字	情	平	セイ	左注	dzieŋ[1]	清韻
2964b	上加・108オ2・疊字	心	平	シム	左注	siem[1]	侵韻
2966b	上加・108オ2・疊字	歡	平	クワン	右注	xuɑn[1]	桓韻
2967b	上加・108オ2・疊字	欣	平	キム	右注	xiʌn[1]	欣韻
2971b	上加・108オ3・疊字	脣	平	シン	左注	dźiuen[1]	諄韻
2973b	上加・108オ4・疊字	言	平濁	ケム	左注	ŋiɑn[1]	元韻
2974b	上加・108オ4・疊字	言	平濁	ケム	左注	ŋiɑn[1]	元韻
2977b	上加・108オ4・疊字	舉	平	ヨ	左注	jiʌ[1] kiʌ[2]	魚韻 語韻
2990b	上加・108オ7・疊字	愚	平濁	ク	左注	ŋiuʌ[1]	虞韻
2991b	上加・108オ7・疊字	門	平	モン	左注	muʌn[1]	魂韻
2996b	上加・108ウ1・疊字	門	平	モン	左注	muʌn[1]	魂韻
2999b	上加・108ウ2・疊字	勤	平濁	コン	左注	giʌn[1]	欣韻
3002b	上加・108ウ2・疊字	難	平	ナン	左注	nɑn[1/3]	寒/翰韻
3007b	上加・108ウ3・疊字	書	平	―	―	śiʌ[1]	魚韻
3008b	上加・108ウ3・疊字	門	平	モン	左注	muʌn[1]	魂韻
3009b	上加・108ウ4・疊字	才	平	サイ	左注	dzʌi[1]	咍韻
3014b	上加・108ウ5・疊字	教	平	カウ	左注	kau[1/3]	肴/効韻
3029b	上加・109オ1・疊字	匡	平	クヰヤウ	左注	k'iuɑŋ[1]	陽韻
3030b	上加・109オ1・疊字	言	平	ケム	左注	ŋiɑn[1]	元韻
3037b	上加・109オ2・疊字	行	平	キヤウ	左注	ɣaŋ[1/3] ɣɑŋ[1/3]	庚/映韻 唐/宕韻
3041b	上加・109オ3・疊字	湖	平	コ	左注	ɣuʌ[1]	模韻

3046b	上加・109オ4・疊字	居	平	キヨ	中注	kiʌ^{1} kiɐi^{1}	魚韻 之韻
3051b	上加・109オ5・疊字	吟	平	キム	左注	ŋiem$^{1/3}$	侵/沁韻
3052b	上加・109オ5・疊字	冠	平	クワン	左注	kuɑn$^{1/3}$	桓/換韻
3053b	上加・109オ6・疊字	頭	平	トウ	左注	dʌu^{1}	侯韻
3055b	上加・109オ6・疊字	清	平	セイ	左注	ts‘ieŋ^{1}	清韻
3064b	上加・109ウ1・疊字	音	平	イム	左注	'iem^{1}	侵韻
3066b	上加・109ウ1・疊字	鏘	平濁	シヤウ	中注	ts‘iɑŋ^{1}	陽韻
3068b	上加・109ウ2・疊字	遊	平	イウ	左注	jiʌu^{1}	尤韻
3069b	上加・109ウ2・疊字	難	平	ナン	左注	nɑn$^{1/3}$	寒/翰韻
3072b	上加・109ウ2・疊字	丁	平	チヤウ	左注	teŋ^{1} ṭɐŋ^{1}	青韻 耕韻
3073b	上加・109ウ3・疊字	鄲	平	タン	左注	tɑn^{1}	寒韻
3079b	上加・109ウ4・疊字	途	平	ト	右注	duʌ^{1}	模韻
3083b	上加・109ウ5・疊字	應	平	ヰヨウ	右注	'iɐŋ$^{1/3}$	蒸/證韻
3084b	上加・109ウ5・疊字	望	平濁	ハウ	右注	miɑŋ$^{1/3}$	陽/漾韻
3096b	上加・109ウ7・疊字	荷	平	カ	右注	ɣɑ$^{1/2}$	歌/哿韻
3097b	上加・109ウ7・疊字	要	平	エウ	右注	'jiau$^{1/3}$	宵/笑韻
3101b	上加・110オ1・疊字	遊	平	イフ	右注	jiʌu^{1}	尤韻
3108b	上加・110オ3・疊字	軻	平	カ	右注	k‘ɑ$^{1/2/3}$	歌/哿/箇韻
3111b	上加・110オ3・疊字	乎	平	コ	右注	ɣuʌ^{1}	模韻
3112b	上加・110オ3・疊字	擔	平	タム	右注	tɑm$^{1/3}$	談/闞韻
3116b	上加・110オ4・疊字	蔵	平	サウ	右注	dzɑŋ$^{1/3}$	唐/宕韻
3119b	上加・110オ5・疊字	賓	平	ヒン	右注	pjien^{1}	眞韻
3121b	上加・110オ5・疊字	沙	平	サ	右注	ṣa$^{1/3}$	麻/禡韻
3124b	上加・110オ6・疊字	泥	平濁	テイ	右注	nei$^{1/3}$	齊/霽韻
3127b	上加・110オ6・疊字	毛	平濁	ホウ	右注	mɑu$^{1/3}$	豪/号韻
3129b	上加・110オ7・疊字	鄲	平	タン	右傍	tɑn^{1}	寒韻
3136b	上加・110ウ3・疊字	差	平	シ	右傍	tṣ‘ie^{1} tṣ‘ɐ$^{1/3}$ tṣ‘ɐi^{1} tṣ‘a^{1}	支韻 佳/卦韻 皆韻 麻韻
3142b	上加・110ウ7・疊字	言	平	―	―	ŋiɑn^{1}	元韻
3144b	上加・111オ1・疊字	途	平	―	―	duʌ^{1}	模韻
3168b	上加・112オ2・官職	官	平濁	―	―	kuɑn^{1}	桓韻
3190b	上与・114オ2・動物	鴟	平	シ	右傍	tś‘iei^{1}	脂韻
3202b	上与・114ウ3・人職	頤	平	イ	右傍	jiɐi^{1}	之韻
3212b	上与・115オ6・人事	勝	平濁	―	―	śiɐŋ$^{1/3}$	蒸/證韻
3235b	上与・117ウ1・疊字	塵	平	チム	左注	ḍien^{1}	眞韻
3236b	上与・117ウ1・疊字	華	平	クワ	中注	xua^{1} ɣua$^{1/3}$	麻韻 麻/禡韻
3243b	上与・117ウ2・疊字	儀	平濁	キ	左注	ŋie^{1}	支韻

3245b	上与・117ウ3・疊字	顔	平濁	カム	左注	ŋan^{1}	刪韻
3255b	上与・117ウ5・疊字	途	平濁	ト	左注	duʌ^{1}	模韻
3257b	上与・117ウ5・疊字	殘	平濁	セン	左注	dzɑn^{1}	寒韻
3260b	上与・117ウ6・疊字	然	平濁	セン	左注	ńian^{1}	仙韻
3264b	上与・117ウ7・疊字	容	平	ヨ	右注	jiɑuŋ^{1}	鍾韻
3266b	上与・117ウ7・疊字	才	平	サイ	右注	dzʌi^{1}	咍韻
3272b	上与・118オ3・疊字	霄	平	セウ	右傍	siau^{1}	宵韻
3274b	上与・118オ3・疊字	辰	平	―	―	źien^{1}	眞韻

【表D-25】平声（熟字後部／第二字）上巻〔不一致例〕

番号	前田本所在	掲出字		仮名音注		中古音	韻目
0875b	上波・033ウ2・疊字	起	平	キ	右注	k‘iɐi^{2}	止韻
0879b	上波・033ウ3・疊字	遣	平	ケム	右注	k‘jian$^{2/3}$	獮/線韻
1306b	上邊・051ウ3・雜物	紙	平	シ	右注	tśie^{2}	紙韻
0253b	上伊・012ウ5・疊字	果	平濁	クワ	左注	kuɑ^{2}	果韻
0298b	上伊・013オ7・疊字	免	平	メン	左注	mian^{2}	獮韻
0437b	上呂・019オ2・疊字	談	平濁	タン	左注	dɑm^{2}	談韻
0548b	上波・022ウ5・動物	鱺	平	レイ	右傍	lei^{2}	薺韻
0749b	上波・031ウ5・疊字	講	平	カウ	左注	kauŋ^{2}	講韻
0765b	上波・032オ1・疊字	仕	平	シ	右注	dẓiɐi^{2}	止韻
0782b	上波・032オ5・疊字	腐	平	フ	左注	biuʌ^{2}	麌韻
0790b	上波・032オ6・疊字	領	平	―	―	lieŋ^{2}	靜韻
0803b	上波・032ウ2・疊字	坐	平濁	サ	左注	dzuɑ$^{2/3}$	果/過韻
0810b	上波・032ウ3・疊字	談	平	タン	右注	dɑm^{2}	談韻
0818b	上波・032ウ5・疊字	坐	平濁	サ	左注	dzuɑ$^{2/3}$	果/過韻
0827b	上波・032ウ7・疊字	断	平濁	タン	左注	duɑn^{2} tuɑn$^{2/3}$	緩韻 緩/換韻
0830b	上波・032ウ7・疊字	扈	平	コ	中注	ɣuʌ^{2}	姥韻
0843b	上波・033オ3・疊字	滿	平	マン	左注	mɑn^{2}	緩韻
0845b	上波・033オ3・疊字	損	平	ソン	左注	suʌn^{2}	混韻
0866b	上波・033ウ1・疊字	散	平濁	サン	右注	sɑn$^{2/3}$	旱/翰韻
0908b	上波・034オ5・疊字	跣	平	セン	右傍	sen^{2}	銑韻
0997b	上仁・040オ4・疊字	軟	平	ナン	右注	ńiuan^{2}	獮韻
1004b	上仁・040オ6・疊字	體	平濁	タイ	左注	t‘ei^{2}	薺韻
1007b	上仁・040オ7・疊字	部	平	フ	左注	buʌ^{2} bʌu^{2}	姥韻 厚韻
1008b	上仁・040オ7・疊字	限	平濁	ケン	右注	ɣɐn^{2}	産韻
1042b	上保・042オ3・植物	部	平	フ	右傍	buʌ^{2} bʌu^{2}	姥韻 厚韻
1164b	上保・047オ6・疊字	語	平濁	コ	左注	ŋiʌ$^{2/3}$	語/御韻
1188b	上保・047ウ4・疊字	動	平濁	トウ	左注	dʌuŋ^{2}	董韻

1189b	上保・047ウ4・疊字	惱	平	ナウ	左注	$nɑu^{2}$	晧韻
1213b	上保・048オ2・疊字	起	平	キ	左注	$kʻɪɐi^{2}$	止韻
1216b	上保・048オ2・疊字	挙	平	キヨ	左注	$kiʌ^{2}$ $jiʌ^{1}$	語韻 魚韻
1217b	上保・048オ2・疊字	友	平	イウ	右傍	$ɣiʌu^{2}$	有韻
1222b	上保・048オ3・疊字	賞	平 去	シヤウ	左注	$śiaŋ^{2}$	養韻
1224b	上保・048オ4・疊字	仕	平濁	シ	左注	$dẓɪɐi^{2}$	止韻
1227b	上保・048オ4・疊字	美	平濁	ヒ	左注	$miei^{2}$	旨韻
1236b	上保・048オ6・疊字	起	平	キ	中注	$kʻɪɐi^{2}$	止韻
1238b	上保・048オ7・疊字	罪	平濁	サイ	右注	$dzuʌi^{2}$	賄韻
1249b	上保・048ウ2・疊字	走	平濁	ソウ	中注	$tsʌu^{2/3}$	厚/候韻
1259b	上保・048ウ4・疊字	體	平濁	タイ	左注	$tʻei^{2}$	薺韻
1271b	上保・049オ1・疊字	倒	平	タウ	右傍	$tɑu^{2/3}$	晧/号韻
1328b	上邊・052ウ3・疊字	旦	平	タン	左注	$tɑn^{3}$	翰韻
1336b	上邊・052ウ5・疊字	土	平濁	ト	右注	$tʻuʌ^{2}$ $duʌ^{2}$	姥韻 姥韻
1339b	上邊・052ウ6・疊字	水	平	スイ	左注	$śiuei^{2}$	旨韻
1357b	上邊・053オ2・疊字	尒	平濁	シ	中注	$ńie^{2}$	紙韻
1389b	上邊・053ウ2・疊字	滿	平	マン	左注	$mɑn^{2}$	緩韻
1392b	上邊・053ウ2・疊字	際	平濁	サイ	右注	$tsiai^{3}$	祭韻
1398b	上邊・053ウ4・疊字	損	平濁	ソン	右注	$suʌn^{2}$	混韻
1404b	上邊・053ウ5・疊字	倒	平	タウ	右注	$tɑu^{2/3}$	晧/号韻
1591b	上度・062オ6・疊字	断	平	タン	中注	$duɑn^{2}$ $tuɑn^{2/3}$	緩韻 緩/換韻
1656b	上度・063オ5・疊字	道	平濁	タウ	左注	$dɑu^{2}$	晧韻
1731b	上池・066オ7・人倫	子	平	シ	右注	$tsiɐi^{2}$	止韻
1773b	上池・067ウ5・雜物	子	平濁	シ	右注	$tsiɐi^{2}$	止韻
1775b	上池・067ウ6・雜物	子	平	シ	右注	$tsiɐi^{2}$	止韻
1794b	上池・068ウ7・疊字	夏	平	カ	左注	$ɣa^{2/3}$	馬/禡韻
1801b	上池・069オ1・疊字	理	平	リ	左注	$liɐi^{2}$	止韻
1805b	上池・069オ2・疊字	土	平	ト	左注	$tʻuʌ^{2}$ $duʌ^{2}$	姥韻 姥韻
1813b	上池・069オ4・疊字	守	平濁	シユ	右注	$śiʌu^{2/3}$	有/宥韻
1814b	上池・069オ4・疊字	講	平濁	カウ	左注	$kauŋ^{2}$	講韻
1823b	上池・069オ6・疊字	者	平濁	シヤ	左注	$tśia^{2}$	馬韻
1836b	上池・069ウ1・疊字	仕	平濁	シ	右注	$dẓɪɐi^{2}$	止韻
1840b	上池・069ウ2・疊字	本	平濁	ホン	左注	$puʌn^{2}$	混韻
1851b	上池・069ウ4・疊字	子	平	シ	左注	$tsiɐi^{2}$	止韻
1885b	上池・070オ4・疊字	己	平	コ	左注	$kiɐi^{2}$	止韻
1888b	上池・070オ5・疊字	寶	平	ホウ	左注	$pɑu^{2}$	晧韻
1894b	上池・070オ6・疊字	者	平	シヤ	左注	$tśia^{2}$	馬韻
1909b	上池・070ウ2・疊字	美	平濁	ヒ	左注	$miei^{2}$	旨韻

1911b	上池・070ウ2・疊字	菓	平	クワ	左注	kuɑ^{2}	果韻
1934b	上池・070ウ7・疊字	簡	平	カン	右注	kɐn^{2}	産韻
1939b	上池・071オ1・疊字	走	平	ソウ	右注	tsʌu$^{2/3}$	厚/候韻
1947b	上池・071オ3・疊字	忍	平	ニン	右注	ńien^{2}	軫韻
2010b	上利・073ウ5・雜物	脳	平	ナウ	右注	nɑu$^{2/3}$	晧/号韻
2049b	上利・074ウ5・疊字	養	平	ヤウ	左注	jiɑŋ$^{2/3}$	養/漾韻
2057b	上利・074ウ6・疊字	首	平	シウ	左注	śiʌu$^{2/3}$	有/宥韻
2067b	上利・075オ1・疊字	愍	平	ミン	中注	mien^{2}	軫韻
2094b	上利・075オ6・疊字	領	平	リヤウ	中注	lieŋ^{2}	靜韻
2112b	上利・075ウ3・疊字	轉	平濁	テン	右注	ṭiuan$^{2/3}$	獮/線韻
2114b	上利・075ウ3・疊字	躰	平	タイ	右注	t'ei^{2}	薺韻
2170b	上奴・078ウ4・疊字	婢	平濁	ヒ	右注	bjie^{2}	紙韻
2187b	上留・079ウ2・疊字	轉	平	テン	中注	ṭiuan$^{2/3}$	獮/線韻
2190b	上留・079ウ2・疊字	守	平	ス	右注	śiʌu$^{2/3}$	有/宥韻
2191b	上留・079ウ3・疊字	罪	平	サイ	右注	dzuʌi^{2}	賄韻
2243b	上遠・081オ7・人體	瘂	平	ア	右傍	'a^{2}	馬韻
2258b	上遠・083オ1・雜物	弩	平濁	ト	右傍	nuʌ^{2}	姥韻
2280b	上遠・084ウ7・疊字	怠	平濁	タイ	中注	dʌi^{2}	海韻
2339b	上和・088オ3・飲食	飯	平濁	ハン	右注	biɑn$^{2/3}$	阮/願韻
2344b	上和・088オ6・雜物	被	平濁	ヒ	右注	bie^{2}	紙韻
2385b	上和・090オ3・疊字	死	平	シ	左注	siei^{2}	旨韻
2396b	上和・090オ5・疊字	飯	平濁	ハン	左注	biɑn$^{2/3}$	阮/願韻
2399b	上和・090オ6・疊字	市	平	シ	中注	źiɐi^{2}	止韻
2432b	上加・091ウ3・地儀	所	平濁	ソ	右注	ṣiʌ^{2}	語韻
2454b	上加・092オ2・地儀	齒	平濁	シ	右注	tś'iɐi^{2}	止韻
2481b	上加・093オ1・植物	草	平濁	サウ	右注	ts'ɑu^{2}	晧韻
2577b	上加・095ウ7・人倫	鬼	平	クヰ	右傍	kiuʌi^{2}	尾韻
2867b	上加・106ウ3・疊字	迩	平濁	シ	左注	ńie^{2}	紙韻
2872b	上加・106ウ4・疊字	種	平	シウ	左注	tśiɑuŋ$^{2/3}$	鍾/用韻
2886b	上加・106ウ7・疊字	道	平濁	タウ	左注	dɑu^{2}	晧韻
2892b	上加・107オ1・疊字	仰	平濁	カウ	中注	ŋjiɑŋ$^{2/3}$	養/漾韻
2899b	上加・107オ3・疊字	演	平	エン	左注	jian^{2}	獮韻
2913b	上加・107オ6・疊字	返	平濁	ヘム	中注	piɑn^{2}	阮韻
2943b	上加・107ウ5・疊字	下	平	カ	左注	ɣa$^{2/3}$	馬/禡韻
2952b	上加・107ウ6・疊字	膽	平	タム	左注	tɑm^{2}	敢韻
2970b	上加・108オ3・疊字	談	平濁	タム	右注	dɑm^{2}	談韻
2981b	上加・108オ5・疊字	柱	平	チウ	左注	ḍiuʌ^{2} ṭiuʌ^{2}	麌韻 麌韻
2988b	上加・108オ7・疊字	種	平	シウ	左注	tśiɑuŋ$^{2/3}$	鍾/用韻
3024b	上加・108ウ7・疊字	糺	平	キウ	左注	kieu^{2}	黝韻
3040b	上加・109オ3・疊字	紀	平	キ	左注	kiɐi^{2}	止韻
3050b	上加・109オ5・疊字	所	平濁	シヨ	左注	ṣiʌ^{2}	語韻

3060b	上加・109オ7・疊字	子	平	シ	左注	tsiɐi^{2}	止韻
3065b	上加・109ウ1・疊字	旨	平	シ	左注	śiei^{2}	旨韻
3093b	上加・109ウ7・疊字	撿	平	ケム	右注	liam^{2}	琰韻
3100b	上加・110オ1・疊字	際	平	サイ	右注	tsiai^{3}	祭韻
3135b	上加・110ウ2・疊字	阤	平	チ	右傍	ḍie^{2} śie^{2}	紙韻 紙韻
3234b	上与・117ウ1・疊字	上	平	シヤウ	中注	źiɑŋ$^{2/3}$	養/漾韻
3251b	上与・117ウ4・疊字	士	平	シ	左注	dẓiɐi^{2}	止韻
3258b	上与・117ウ5・疊字	盡	平濁	シム	左注	dzien^{2} tsien^{2}	軫韻 軫韻

番号	前田本所在	掲出字		仮名音注		中古音	韻目
0172b	上伊・008ウ4・雑物	架	平	カ ［平］	右注	ka^{3}	禡韻
0251b	上伊・012ウ5・疊字	導	平濁	タウ	左注	dɑu^{3}	号韻
0256b	上伊・012ウ6・疊字	見	平	ケン	左注	ken^{3} ɣen^{3}	霰韻 霰韻
0296b	上伊・013オ7・疊字	預	平 去	ヨ	中注	jiʌ^{3}	御韻
0318b	上伊・013ウ5・疊字	况	平	クヰヤウ	左注	xiuɑŋ^{3}	漾韻
0328b	上伊・013ウ7・疊字	味	平濁	（ヒ）	左注	miʌi^{3}	未韻
0340b	上伊・014オ2・疊字	度	平	ト	右注	duʌ^{3} dɑk	暮韻 鐸韻
0433b	上呂・019オ1・疊字	議	平濁	キ	左注	ŋie^{3}	寘韻
0448b	上呂・019オ4・疊字	畔	平	ハン	左注	bɑn^{3}	換韻
0452b	上呂・019オ5・疊字	掠	平	リヤウ	右注	liɑŋ^{3}	漾韻
0455b	上呂・019オ5・疊字	鈍	平濁	トン	右注	duʌn^{3}	慁韻
0727b	上波・031ウ1・疊字	夜	平	ヤ	右注	jia^{3}	禡韻
0730b	上波・031ウ1・疊字	地	平	チ	左注	diei^{3}	至韻
0736b	上波・031ウ2・疊字	地	平	チ	右注	diei^{3}	至韻
0754b	上波・031ウ6・疊字	位	平	ヰ	左注	ɣiuei^{3}	至韻
0788b	上波・032オ6・疊字	内	平	ナイ	左注	nuʌi^{3}	隊韻
0802b	上波・032ウ2・疊字	座	平濁	サ	左注	dzuɑ^{3}	過韻
0811b	上波・032ウ4・疊字	類	平濁	ルイ	中注	liuei^{3}	至韻
0846b	上波・033オ4・疊字	壊	平	ヱ	左注	ɣuɐi^{3} kuɐi^{3}	怪韻 怪韻
0851b	上波・033オ5・疊字	匠	平濁	シヤウ	中注	dziɑŋ^{3}	漾韻
0864b	上波・033オ7・疊字	漢	平	カン	右注	xɑn^{3}	翰韻
0870b	上波・033ウ1・疊字	大	平	タイ	右注	dɑi^{3}	泰韻
0966b	上仁・038オ6・雑物	御	平	―	―	ŋiʌ^{3}	御韻
0969b	上仁・038オ7・雑物	意	平	イ	右注	'iɐi^{3}	志韻
0991b	上仁・040オ3・疊字	定	平濁	チヤウ	右注	teŋ^{3} deŋ^{3}	徑韻 徑韻
1000b	上仁・040オ5・疊字	御	平濁	コ	右注	ŋiʌ^{3}	御韻

1003b	上仁・040オ6・疊字	意	平	イ	左注	'ɪɐi³	志韻
1015b	上仁・040ウ2・疊字	眦	平	―	―	dzei³ dzie³	霽韻 寘韻
1109b	上保・044ウ7・雜物	磬	平濁	キヤウ	右注	k'eŋ³	徑韻
1160b	上保・047オ5・疊字	幣	平	―	―	bjiai³	祭韻
1163b	上保・047オ6・疊字	字	平濁	シ	左注	dziɐi³	志韻
1170b	上保・047オ7・疊字	會	平	ヱ	左注	ɣuɑi³ kuɑi³	泰韻 泰韻
1171b	上保・047オ7・疊字	用	平	ヨウ	左注	jiɑuŋ³	用韻
1172b	上保・047オ7・疊字	露	平	ロ	左注	luʌ³	暮韻
1177b	上保・047ウ1・疊字	釼	平	ケン	左注	kiʌm³	梵韻
1191b	上保・047ウ4・疊字	駕	平	カ	中注	ka³	禡韻
1201b	上保・047ウ6・疊字	意	平	イ	左注	'ɪɐi³	志韻
1202b	上保・047ウ6・疊字	意	平	―	―	'ɪɐi³	志韻
1215b	上保・048オ2・疊字	命	平	メイ	左注	miaŋ³	映韻
1239b	上保・048オ7・疊字	用	平	ヨウ	右注	jiɑuŋ³	用韻
1245b	上保・048ウ1・疊字	袴	平	コ	右注	k'uʌ³	暮韻
1260b	上保・048ウ5・疊字	様	平	ヤウ	右注	jiɑŋ³	漾韻
1303b	上邊・051ウ1・飲食	脁	平濁 去濁	タム	右注	dɑm³	闞韻
1307b	上邊・051ウ3・雜物	位	平	ヰ	右注	ɣiuei³	至韻
1335b	上邊・052ウ5・疊字	畔	平	ハン	右注	bɑn³	換韻
1337b	上邊・052ウ5・疊字	地	平濁	チ	左注	diei³	至韻
1344b	上邊・052ウ7・疊字	事	平	シ	左注	dẓɪɐi³	志韻
1346b	上邊・052ウ7・疊字	閇	平	ハイ	右注	pei³ pet	霽韻 屑韻
1351b	上邊・053オ1・疊字	褻	平	エイ	左注	jiai³	祭韻
1360b	上邊・053オ3・疊字	賎	平	セン	左注	dzian³	線韻
1376b	上邊・053オ6・疊字	定	平濁	チヤウ	中注	teŋ³ deŋ³	徑韻 徑韻
1381b	上邊・053オ7・疊字	帳	平	チヤウ	左注	ṭiɑŋ³	漾韻
1386b	上邊・053ウ1・疊字	進	平濁	シン	中注	tsɪen³	震韻
1394b	上邊・053ウ3・疊字	進	平濁	―	―	tsien³	震韻
1402b	上邊・053ウ5・疊字	化	平濁	クワ	右注	xuɑ³	禡韻
1497b	上度・057オ6・雜物	械	平濁	カイ	左注	ɣɐi³	怪韻
1615b	上度・062ウ4・疊字	避	平濁	ヒ	左注	bjie³	寘韻
1622b	上度・062ウ5・疊字	意	平	イ	左注	'ɪɐi³	志韻
1623b	上度・062ウ6・疊字	輩	平濁	ハイ	左注	puʌi³	隊韻
1642b	上度・063オ3・疊字	乱	平	ラン	左注	luɑn³	換韻
1644b	上度・063オ3・疊字	諍	平濁	シヤウ	左注	tṣɐŋ³	諍韻
1645b	上度・063オ3・疊字	害	平濁	カイ	左注	ɣɑi³	泰韻
1658b	上度・063オ6・疊字	分	平濁	フン	中注	biuʌn³	問韻
1797b	上池・069オ1・疊字	夜	平	ヤ	中注	jia³	禡韻

1815b	上池・069オ4・疊字	護	平濁	コ	右注	ɣuʌ³	暮韻
1817b	上池・069オ5・疊字	戴	平	タイ	左注	tʌi³	代韻
1824b	上池・069オ6・疊字	帳	平濁	チヤウ	左注	ṭiɑŋ³	漾韻
1838b	上池・069ウ2・疊字	敬	平	キヤウ	左注	kiaŋ³	映韻
1849b	上池・069ウ4・疊字	震	平	シン	左注	tśien³	震韻
1873b	上池・070オ2・疊字	姓	平	シヤウ	左注	sieŋ³	勁韻
1893b	上池・070オ6・疊字	慧	平	ヱ	中注	ɣuei³	霽韻
1897b	上池・070オ7・疊字	案	平	アン	左注	'ɑn³	翰韻
1906b	上池・070ウ1・疊字	癈	平	ハイ	左注	piɑi³	廢韻
1910b	上池・070ウ2・疊字	膳	平	セン	左注	źian³	線韻
1918b	上池・070ウ4・疊字	味	平	ミ	左注	miʌi³	未韻
1930b	上池・070ウ6・疊字	記	平	キ	左注	kiɐi³	志韻
1941b	上池・071オ1・疊字	事	平	シ	右注	dẓiɐi³	志韻
1948b	上池・071オ3・疊字	世	平	セ	右注	śiai³	祭韻
1955b	上池・071オ6・疊字	屓	平	キ	右傍	xiei³	至韻
1997b	上利・073オ6・人躰	病	平濁	ヒヤウ	右注	biaŋ³	映韻
2008b	上利・073ウ5・雑物	鬢	平濁	ヒン	右注	pjien³	震韻
2046b	上利・074ウ4・疊字	界	平濁	カイ	左注	kɐi³	怪韻
2047b	上利・074ウ4・疊字	驗	平濁	ケム	左注	ŋiam³	豔韻
2048b	上利・074ウ4・疊字	義	平濁	キ	左注	ŋie³	寘韻
2053b	上利・074ウ5・疊字	務	平	ム	右注	miuʌ³	遇韻
2081b	上利・075オ4・疊字	幹	平	カン	中注	kɑn³	翰韻
2095b	上利・075オ6・疊字	外	平	クワイ	左注	ŋuɑi³	泰韻
2103b	上利・075ウ1・疊字	定	平濁	チヤウ	中注	teŋ³ deŋ³	徑韻 徑韻
2119b	上利・075ウ4・疊字	用	平	ヨウ	左注	jiɑuŋ³	用韻
2123b	上利・075ウ5・疊字	見	平	ケン	右注	ken³ ɣen³	霰韻 霰韻
2133b	上利・075ウ7・疊字	鈍	平	トン	左注	duʌn³	慁韻
2134b	上利・075ウ7・疊字	乱	平	ラム	左注	luɑn³	換韻
2193b	上留・079ウ3・疊字	路	平	ロ	左注	luʌ³	暮韻
2195b	上留・079ウ3・疊字	記	平	キ	右注	kiɐi³	志韻
2356b	上和・088ウ1・雑物	座	平濁	サ	右傍	dzuɑ³	過韻
2376b	上和・090オ2・疊字	事	平	シ	左注	dẓiɐi³	志韻
2380b	上和・090オ2・疊字	誑	平	ワウ	中注	kiuɑŋ³	漾韻
2613b	上加・096ウ2・人體	病	平	ヒヤウ	右注	biaŋ³	映韻
2655b	上加・098オ1・人事	酔	平	スイ	左注	tsiuei³	至韻
2704b	上加・099オ3・雑物	座	平濁	サ	左注	dzuɑ³	過韻
2862b	上加・106ウ2・疊字	夜	平	ヤ	左注	jia³	禡韻
2864b	上加・106ウ3・疊字	地	平	チ	左注	diei³	至韻
2890b	上加・107オ1・疊字	護	平濁	コ	左注	ɣuʌ³	暮韻

2907b	上加・107オ4・疊字	定	平濁	チヤウ	左注	teŋ^{3} deŋ^{3}	徑韻 徑韻
2920b	上加・107オ7・疊字	病	平濁	ヒヤウ	左注	biaŋ^{3}	映韻
2921b	上加・107オ7・疊字	病	平濁	ヒヤウ	左注	biaŋ^{3}	映韻
2934b	上加・107ウ3・疊字	悟	平濁	コ	左注	ŋuʌ^{3}	暮韻
2938b	上加・107ウ4・疊字	意	平	イ	左注	'iɐi^{3}	志韻
2946b	上加・107ウ5・疊字	毗	平	サイ	左注	dzei^{3} dzie^{3}	霽韻 寘韻
2949b	上加・107ウ6・疊字	慢	平	マン	左注	man^{3}	諫韻
3010b	上加・108ウ4・疊字	記	平	キ	左注	kiɐi^{3}	志韻
3019b	上加・108ウ6・疊字	問	平	モン	左注	miuʌn^{3}	問韻
3020b	上加・108ウ6・疊字	掠	平	リヤウ	左注	liɑŋ^{3}	漾韻
3021b	上加・108ウ6・疊字	迅	平	シム	左注	sien^{3} siuen^{3}	震韻 稕韻
3023b	上加・108ウ7・疊字	悶	平	モン	右注	muʌn^{3}	慁韻
3025b	上加・108ウ7・疊字	定	平	チヤウ	左注	teŋ^{3} deŋ^{3}	徑韻 徑韻
3026b	上加・108ウ7・疊字	定	平濁	チヤウ	左注	teŋ^{3} deŋ^{3}	徑韻 徑韻
3088b	上加・109ウ6・疊字	槩	平濁	カイ	右注	kʌi^{3}	代韻
3095b	上加・109ウ7・疊字	歎	平	タム	右注	t'ɑn^{3}	翰韻
3098b	上加・110オ1・疊字	露	平	ロ	右注	luʌ^{3}	暮韻
3103b	上加・110オ2・疊字	會	平	ヱ	右注	ɣuɑi^{3} kuɑi^{3}	泰韻 泰韻
3170b	上加・112オ3・官職	膳	平濁	セン	右傍	źian^{3}	線韻
3240b	上与・117ウ2・疊字	意	平	イ	左注	'iɐi^{3}	志韻
3256b	上与・117ウ5・疊字	度	平濁	ト	左注	duʌ^{3} dɑk	暮韻 鐸韻
3263b	上与・117ウ7・疊字	賃	平	チム	右注	ṇiem^{3}	沁韻
3273b	上与・118オ3・疊字	夜	平	―	―	jia^{3}	禡韻

番号	前田本所在	掲出字		仮名音注		中古音	韻目
1489b	上度・057オ5・雜物	納	平	ナウ	右傍	nɑp	盍韻
1637b	上度・063オ2・疊字	合	平濁	カウ	右注	ɣʌp kʌp	合韻 合韻
1829b	上池・069オ7・疊字	荅	平	タウ	左注	tʌp	合韻
2742b	上加・100オ1・雜物	納	平	ナウ	右注	nɑp	盍韻
2904b	上加・107オ4・疊字	牒	平	テウ	左注	dep	帖韻

【表D-25】平声（熟字後部／第三字）上巻〔一致例〕

番号	前田本所在	掲出字		仮名音注		中古音	韻目
0155c	上伊・008オ1・人事	槗	平	―	―	giau^{1}	宵韻

0157c	上伊・008オ2・人事	師	平	―	―	ṣiei^{1}	脂韻
0348c	上伊・014オ5・疊字	亡	平濁	―	―	miaŋ^{1}	陽韻
0504c	上波・021オ3・植物	精	平	セイ	右傍	tsieŋ^{1}	清韻
1776c	上池・067ウ6・雑物	皮	平濁	ヒ	右注	bie^{1}	支韻
1834c	上池・069ウ1・疊字	宮	平	キウ	左注	kiʌuŋ^{1}	東韻
2005c	上利・073ウ3・人事	褌	平	ク	右傍	kuʌn^{1}	魂韻
2469c	上加・092ウ3・植物	留	平	―	―	liʌu$^{1/3}$	尤/宥韻
2648c	上加・097ウ6・人事	塩	平	エン	左注	jiam$^{1/3}$	鹽韻
2649c	上加・097ウ7・人事	恩	平	―	―	ʼʌn^{1}	痕韻
2657c	上加・098オ1・人事	王	平	―	―	ɣiuaŋ$^{1/3}$	陽/漾韻

【表D-25】平声（熟字後部／第三字）上巻〔不一致例〕

番号	前田本所在	掲出字		仮名音注		中古音	韻目
1756c	上池・067オ5・人事	子	平	シ	右注	tsiɐi^{2}	止韻
2004c	上利・073ウ2・人事	苑	平	ヱン	右注	ʼiuɑn^{2}	阮韻

番号	前田本所在	掲出字		仮名音注		中古音	韻目
1477c	上度・056ウ6・人事	志	平	―	―	tśiɐi^{3}	志韻

番号	前田本所在	掲出字		仮名音注		中古音	韻目
0153c	上伊・008オ1・人事	樂	平	ラウ	右注	lɑk ŋauk ŋau^{3}	鐸韻 覺韻 効韻

【表D-25】平声（熟字後部／第四字）上巻〔一致例〕

番号	前田本所在	掲出字		仮名音注		中古音	韻目
2469d	上加・092ウ3・植物	行	平濁	―	―	ɣaŋ$^{1/3}$ ɣɑŋ$^{1/3}$	庚/映韻 唐/宕韻
2657d	上加・098オ1・人事	仁	平	―	―	ńien^{1}	眞韻

【表D-26】平声（熟字後部／第二字）下巻〔一致例〕

番号	前田本所在	掲出字		仮名音注		中古音	韻目
3304b	下古・001ウ7・地儀	珠	平	ス	右傍	tśiuʌ^{1}	虞韻
3312b	下古・002オ2・地儀	鋪	平	フ	右傍	pʻuʌ$^{1/3}$ pʻiuʌ^{1}	模/暮韻 虞韻
3316b	下古・002オ4・地儀	涼	平	リヤウ	右傍	liaŋ^{1}	陽韻
3317b	下古・002オ4・地儀	徽	平濁	クヰ	右注	xiuʌi^{1}	微韻
3323b	下古・002ウ2・植物	菘	平	シヨウ	右傍	siʌuŋ^{1}	東韻
3327b	下古・002ウ3・植物	荽	平	スヰ	右傍	siuei^{1}	脂韻

3329b	下古・002ウ3・植物	銭	平	セム	右傍	dzian^{1} tsian^{2}	仙韻 獮韻
3330b	下古・002ウ3・植物	銭	平	セン	右注	dzian^{1} tsian^{2}	仙韻 獮韻
3333b	下古・002ウ4・植物	牙	平濁	カ	右傍	ŋa^{1}	麻韻
3337b	下古・002ウ5・植物	葵	平	クヰ	右傍	gjiuei^{1}	脂韻
3340b	下古・002ウ7・植物	梅	平	ハイ	右注	muʌi^{1}	灰韻
3342b	下古・002ウ7・植物	夷	平	イ	右傍	jiei^{1}	脂韻
3351b	下古・003オ3・植物	凝	平濁	キヨ	右傍	ŋiɐŋ$^{1/3}$	蒸/證韻
3356b	下古・003ウ1・動物	星	平	セイ	右傍	seŋ^{1}	青韻
3363b	下古・003ウ5・動物	龜	平	—	—	kiuei^{1} kiʌu^{1}	脂韻 尤韻
3367b	下古・003ウ6・動物	沙	平	サ	右傍	ṣa$^{1/3}$	麻/禡韻
3372b	下古・004オ3・人倫	妻	平	セイ	右傍	ts‘ei$^{1/3}$	齊/霽韻
3377b	下古・004オ6・人躰	蔵	平濁	—	—	dzɑŋ$^{1/3}$	唐/宕韻
3388b	下古・004ウ4・人躰	痺	平	ヒ	右傍	pjie^{1}	支韻
3392b	下古・004ウ5・人躰	筋	平	キン	右傍	kiʌn^{1}	欣韻
3394b	下古・005オ1・人事	碁	平	キ	右傍	giɐi^{1}	之韻
3395b	下古・005オ1・人事	碁	平	コ	右注	giɐi^{1}	之韻
3407b	下古・005ウ7・人事	揥	平	タイ	右傍	tei^{1} t‘ei^{3} t‘iai^{3}	齊韻 霽韻 祭韻
3410b	下古・006オ1・人事	更	平	—	—	kaŋ$^{1/3}$	庚/映韻
3413b	下古・006オ4・人事	崘	平	—	—	luʌn^{1}	魂韻
3419b	下古・006ウ1・飲食	飩	平濁	トン ［平濁平］	右注	duʌn^{1}	魂韻
3424b	下古・006ウ4・雑物	霞	平	—	—	ɣa^{1}	麻韻
3426b	下古・006ウ4・雑物	篌	平	コウ	右注	ɣʌu^{1}	侯韻
3442b	下古・007オ1・雑物	鎞	平	ヘイ ［平平］	左注	pei^{1}	齊韻
3560b	下古・007オ6・雑物	枰	平	ヒヤウ	右傍	biaŋ$^{1/3}$	庚/映韻
3562b	下古・007オ7・雑物	鏝	平濁	ハン	右傍	mɑn$^{1/3}$	桓/換韻
3563b	下古・007オ7・雑物	韝	平	コウ	右傍	k‘ʌu^{1}	侯韻
3591b	下古・010オ5・疊字	蜺	平		—	ŋei^{1} ŋet	齊韻 屑韻
3594b	下古・010オ6・疊字	更	平	—	—	kaŋ$^{1/3}$	庚/映韻
3600b	下古・010オ7・疊字	郷	平	—	—	xiɑŋ^{1}	陽韻
3614b	下古・010ウ3・疊字	従	平	—	—	dziɑuŋ^{1} ts‘iɑuŋ$^{1/3}$	鍾韻 鍾/用韻
3616b	下古・010ウ4・疊字	圍	平	—	—	ɣiuʌi$^{1/3}$	微/未韻
3617b	下古・010ウ4・疊字	房	平	—	—	biɑŋ^{1} bɑŋ^{1}	陽韻 唐韻
3619b	下古・010ウ4・疊字	肱	平	コウ	右注	kuʌŋ^{1}	登韻

3620b	下古・010ウ5・疊字	風	平	―	―	piʌuŋ$^{1/3}$	東/送韻
3625b	下古・010ウ6・疊字	今	平	―	―	kiem^{1}	侵韻
3627b	下古・010ウ6・疊字	然	平	―	―	ńian^{1}	仙韻
3638b	下古・011オ2・疊字	恩	平	―	―	ʼʌn^{1}	痕韻
3640b	下古・011オ2・疊字	諸	平	―	―	tśiʌ^{1} tśia^{1}	魚韻 麻韻
3642b	下古・011オ2・疊字	疑	平	キ	左注	ŋiɐi^{1}	之韻
3649b	下古・011オ4・疊字	障	平	シヤウ	左注	tśiɑŋ$^{1/3}$	陽/漾韻
3650b	下古・011オ5・疊字	辞	平	シ	左注	ziɐi^{1}	之韻
3657b	下古・011オ6・疊字	人	平	―	―	ńien^{1}	眞韻
3659b	下古・011オ7・疊字	來	平	―	―	lʌi^{1}	咍韻
3665b	下古・011ウ1・疊字	微	平	―	―	miʌi^{1}	微韻
3668b	下古・011ウ2・疊字	顔	平	―	―	ŋan^{1}	刪韻
3669b	下古・011ウ2・疊字	顔	平	―	―	ŋan^{1}	刪韻
3670b	下古・011ウ2・疊字	鳴	平	―	―	miaŋ^{1}	庚韻
3673b	下古・011ウ3・疊字	懸	平	クヱン	左注	ɣuen^{1}	先韻
3677b	下古・011ウ4・疊字	留	平	リウ	中注	liʌu$^{1/3}$	尤/宥韻
3687b	下古・011ウ6・疊字	同	平	トウ	右注	dʌuŋ^{1}	東韻
3690b	下古・011ウ6・疊字	恩	平	―	―	ʼʌn^{1}	痕韻
3692b	下古・011ウ7・疊字	焉	平	エン	左注	ʼian^{1} ɣian^{1} ʼiɑn^{1}	仙韻 仙韻 元韻
3696b	下古・012オ1・疊字	逃	平濁	テウ	右注	dɑu^{1}	豪韻
3717b	下古・012オ5・疊字	藤	平	トウ	左注	dʌŋ^{1}	登韻
3718b	下古・012オ5・疊字	形	平	ケイ	右注	ɣeŋ^{1}	青韻
3719b	下古・012オ5・疊字	明	平	メイ	左注	miaŋ^{1}	庚韻
3723b	下古・012オ6・疊字	安	平	アン	右注	ʼɑn^{1}	寒韻
3724b	下古・012オ7・疊字	膚	平	フ	右注	piuʌ^{1}	虞韻
3725b	下古・012オ7・疊字	葩	平	ハウ	右注	pʻa^{1}	麻韻
3741b	下江・014オ5・地儀	嘉	平	カ	右注	ka^{1}	麻韻
3754b	下江・014ウ6・動物	鯎	平濁	シウ	右傍	siʌuŋ^{1}	東韻
3777b	下江・015ウ5・飲食	梅	平濁	ハイ	右注	muʌi^{1}	灰韻
3785b	下江・016オ3・雜物	消	平	セウ	右注	siau^{1}	宵韻
3786b	下江・016オ5・光彩	脂	平濁	シ ［上濁］	右注	tśiei^{1}	脂韻
3798b	下江・016ウ7・疊字	天	平	―	―	tʻen^{1}	先韻
3799b	下江・016ウ7・疊字	陽	平	ヤウ	左注	jiɑŋ^{1}	陽韻
3803b	下江・017オ1・疊字	庭	平	―	―	deŋ^{1}	青韻
3811b	下江・017オ2・疊字	姿	平	シ	左注	tsiei^{1}	脂韻
3812b	下江・017オ2・疊字	娘	平	ラウ	左注	ṇiɑŋ^{1}	陽韻
3813b	下江・017オ3・疊字	雄	平	イウ	中注	ɣiʌuŋ^{1}	東韻
3814b	下江・017オ3・疊字	才	平	サイ	中注	dzʌi^{1}	咍韻

3816b	下江・017オ3・疊字	皃	平	シ	左注	ńie^{1} ŋei^{1}	支韻 齊韻
3817b	下江・017オ3・疊字	孩	平濁 去	カイ	左注	ɣʌi^{1}	咍韻
3825b	下江・017オ5・疊字	書	平	シヨ	左注	śiʌ^{1}	魚韻
3826b	下江・017オ6・疊字	言	平	—	—	ŋian^{1}	元韻
3830b	下江・017オ6・疊字	山	平	サン	右傍	ṣɐn^{1}	山韻
3837b	下江・017オ7・疊字	梅	平	ハイ	左注	muʌi^{1}	灰韻
3840b	下江・017ウ1・疊字	傳	平	テン	左注	ḍiuan$^{1/3}$ ṭiuan^{3}	仙/線韻 線韻
3842b	下江・017ウ1・疊字	郵	平	イウ	中注	ɣiʌu^{1}	尤韻
3843b	下江・017ウ2・疊字	樞	平	ス	左注	ts'iuʌ^{1}	虞韻
3844b	下江・017ウ2・疊字	須	平	ス	左注	siuʌ^{1}	虞韻
3846b	下江・017ウ2・疊字	衣	平	イ	左注	'iʌi$^{1/3}$	微/未韻
3849b	下江・017ウ3・疊字	陽	平	ヤウ	左注	jiaŋ^{1}	陽韻
3854b	下江・017ウ4・疊字	期	平	コ	左注	giɐi^{1}	之韻
3858b	下江・017ウ5・疊字	丁	平	チヤウ	左注	teŋ^{1} ṭɐŋ^{1}	青韻 耕韻
3859b	下江・017ウ5・疊字	遊	平	イウ	左注	jiʌu^{1}	尤韻
3861b	下江・017ウ5・疊字	髦	平濁	ホウ	左注	mau^{1}	豪韻
3868b	下江・017ウ6・疊字	邊	平	ヘン	左注	pen^{1}	先韻
3873b	下手・018ウ4・天象	微	平濁	ヒ	右注	miʌi^{1}	微韻
3881b	下手・019オ2・地儀	香	平	キヤウ	右傍	xiaŋ^{1}	陽韻
3943b	下手・022オ1・疊字	家	平	カ	左注	ka^{1}	麻韻
3945b	下手・022オ1・疊字	宗	平	—	—	tsauŋ^{1}	冬韻
3946b	下手・022オ2・疊字	花	平	クワ	左注	xua^{1}	麻韻
3949b	下手・022オ2・疊字	為	平	—	—	ɣiue$^{1/3}$	支/寘韻
3951b	下手・022オ2・疊字	章	平	シヤウ	左注	tśiaŋ^{1}	陽韻
3953b	下手・022オ3・疊字	宣	平	—	—	siuan^{1}	仙韻
3958b	下手・022オ4・疊字	威	平	—	—	'iuʌi^{1}	微韻
3959b	下手・022オ4・疊字	長	平	—	—	ḍiaŋ$^{1/3}$ ṭiaŋ^{2}	陽/漾韻 養韻
3961b	下手・022オ4・疊字	恩	平	—	—	'ʌn^{1}	痕韻
3962b	下手・022オ5・疊字	恩	平	—	—	'ʌn^{1}	痕韻
3965b	下手・022オ5・疊字	狂	平	クヰヤウ	中注	giuaŋ$^{1/3}$	陽/漾韻
3970b	下手・022オ6・疊字	防	平	ハウ	左注	biaŋ$^{1/3}$	陽/漾韻
3971b	下手・022オ6・疊字	重	平	チウ	左注	ḍiauŋ$^{1/2/3}$	鍾/腫/用韻
3972b	下手・022オ7・疊字	寧	平	ネイ	左注	neŋ^{1}	青韻
3979b	下手・022ウ1・疊字	書	平	—	—	śiʌ^{1}	魚韻
3980b	下手・022ウ1・疊字	望	平濁	ハウ	左注	miaŋ$^{1/3}$	陽/漾韻
3982b	下手・022ウ2・疊字	亡	平	ホウ	右注	miaŋ^{1}	陽韻
3983b	下手・022ウ2・疊字	名	平	メイ	中注	mieŋ^{1}	清韻

3989b	下手・022ウ3・疊字	言	平	―	―	ŋian^{1}	元韻
3992b	下手・022ウ4・疊字	魚	平	―	―	ŋiʌ^{1}	魚韻
3993b	下手・022ウ4・疊字	魚	平	―	―	ŋiʌ^{1}	魚韻
3995b	下手・022ウ5・疊字	携	平	タイ	左注	ɣuei^{1}	齊韻
4006b	下手・022ウ7・疊字	奸	平	カン	左注	kan^{1}	刪韻
4007b	下手・022ウ7・疊字	衣	平	―	―	'iʌi$^{1/3}$	微/未韻
4014b	下手・023オ2・疊字	蓬	平 上	―	―	bʌuŋ^{1}	東韻
4015b	下手・023オ3・疊字	牽	平	―	―	k'en$^{1/3}$	先/霰韻
4017b	下手・023オ3・疊字	拎	平	―	―	leŋ^{1}	青韻
4022b	下手・023オ4・疊字	良	平	―	―	liɑŋ^{1}	陽韻
4026b	下手・023オ5・疊字	塗	平	ト	左注	duʌ^{1} ḍa^{1}	模韻 麻韻
4028b	下手・023オ5・疊字	丹	平	タン	左注	tɑn^{1}	寒韻
4032b	下手・023オ7・疊字	頭	平濁	トウ	左注	dʌu^{1}	侯韻
4045b	下阿・024オ5・天象	河	平	―	―	ɣɑ^{1}	歌韻
4047b	下阿・024オ7・天象	羊	平	シヤ	右注	jiɑŋ^{1}	陽韻
4049b	下阿・024オ7・天象	聲	平	セイ	左注	śieŋ^{1}	清韻
4055b	下阿・024ウ2・天象	秋	平	シウ	右注	ts'iʌu^{1}	尤韻
4057b	下阿・024ウ2・天象	秋	平	―	―	ts'iʌu^{1}	尤韻
4058b	下阿・024ウ2・天象	陽	平	ヤウ	右注	jiɑŋ^{1}	陽韻
4080b	下阿・025ウ2・地儀	嘉	平	―	―	ka^{1}	麻韻
4084b	下阿・025ウ4・植物	牛	平濁	―	―	ŋiʌu^{1}	尤韻
4086b	下阿・025ウ6・植物	葭	平	カ	右傍	ka^{1} ɣa^{1}	麻韻 麻韻
4093b	下阿・026オ2・植物	葳	平	ヰ	右傍	'iuʌi^{1}	微韻
4094b	下阿・026オ2・植物	萎	平	ヰ	右傍	'iue$^{1/3}$	支/寘韻
4098b	下阿・026オ3・植物	瓜	平	クワ	右傍	kua^{1}	麻韻
4099b	下阿・026オ4・植物	菁	平	セイ	右傍	tsieŋ^{1}	清韻
4103b	下阿・026オ5・植物	蘭	平	ラン	右傍	lɑn^{1}	寒韻
4107b	下阿・026オ7・植物	楡	平	―	―	jiuʌ^{1}	虞韻
4109b	下阿・026ウ1・植物	陽	平	ヤウ	右傍	jiɑŋ^{1}	陽韻
4114b	下阿・026ウ3・植物	榴	平	リウ	右傍	liʌu^{1}	尤韻
4119b	下阿・026ウ4・植物	仙	平	セン	右傍	sian^{1}	仙韻
4120b	下阿・026ウ5・植物	釐	平	テン	右傍	liɐi^{1}	之韻
4137b	下阿・027オ7・動物	溝	平	コウ	右傍	kʌu^{1}	侯韻
4151b	下阿・027ウ5・動物	辛	平	シン	右傍	sien^{1}	眞韻
4156b	下阿・028オ2・動物	蝦	平	カ	右傍	ɣa^{1}	麻韻
4157b	下阿・028オ3・動物	蛸	平	サウ	右傍	ṣau^{1} siau^{1}	肴韻 宵韻
4166b	下阿・028ウ1・人倫	郎	平	ラウ	右傍	lɑŋ^{1}	唐韻
4173b	下阿・028ウ5・人倫	探	平	タム	右傍	t'ʌm^{1}	覃韻
4193b	下阿・029オ5・人躰	脣	平	スヰン	右傍	dźiuen^{1}	諄韻

4221b	下阿・031オ1・人事	城	平濁	―	―	źieŋ^{1}	清韻
4240b	下阿・031ウ2・飲食	塩	平	―	―	jiam$^{1/3}$	鹽韻
4253b	下阿・032オ3・雑物	衣	平	イ	右傍	'iʌi$^{1/3}$	微/未韻
4254b	下阿・032オ4・雑物	床	平	シヤウ	右傍	dẓiɑŋ^{1}	陽韻
4255b	下阿・032オ4・雑物	泥	平濁	テイ	右傍	nei$^{1/3}$	齊/霽韻
4256b	下阿・032オ5・雑物	篨	平	チヨ	右傍	ḍiʌ^{1}	魚韻
4272b	下阿・032ウ1・雑物	明	平	メイ	右傍	miaŋ^{1}	庚韻
4275b	下阿・032ウ2・雑物	輿	平	―	―	jiʌ$^{1/3}$	魚/御韻
4281b	下阿・032ウ3・雑物	伽	平	カ	右注	giɑ^{1}	歌韻
4291b	下阿・032ウ6・雑物	筐	平	クヰヤウ	右傍	k'iuɑŋ^{1}	陽韻
4293b	下阿・033オ1・雑物	苴	平	シヨ	右傍	tsiʌ$^{1/2}$ ts'iʌ^{1} dẓa^{1}	魚/麌韻 魚韻 麻韻
4310b	下阿・033ウ2・光彩	灰	平	クワイ	右傍	xuʌi^{1}	灰韻
4311b	下阿・033ウ2・光彩	灰	平	―	―	xuʌi^{1}	灰韻
4356b	下阿・039オ4・疊字	聲	平	セイ	左注	śieŋ^{1}	清韻
4361b	下阿・039オ5・疊字	然	平	―	―	ńian^{1}	仙韻
4365b	下阿・039オ6・疊字	容	平	ヨウ	右傍	jiɑuŋ^{1}	鍾韻
4372b	下阿・039オ7・疊字	憐	平	レム	左注	len^{1}	先韻
4375b	下阿・039ウ1・疊字	傷	平	シヤウ	左注	śiɑŋ$^{1/3}$	陽/漾韻
4389b	下阿・039ウ4・疊字	危	平	クヰ	左注	ŋjiue^{1}	支韻
4391b	下阿・039ウ5・疊字	離	平	リ	右傍	lie$^{1/3}$ lei^{3}	支/寘韻 霽韻
4393b	下阿・039ウ6・疊字	焉	平	エン	右傍	'ian^{1} ɣian^{1} 'ɪɑn^{1}	仙韻 仙韻 元韻
4441b	下佐・042ウ2・地儀	風	平	フウ	左注	piʌuŋ$^{1/3}$	東/送韻
4448b	下佐・042ウ7・地儀	閻	平	エン	右傍	jiam^{1}	鹽韻
4450b	下佐・043オ2・地儀	平	平	―	―	biaŋ^{1} bjian^{1}	庚韻 仙韻
4455b	下佐・043オ4・植物	蘭	平	ラン	右傍	lɑn^{1}	寒韻
4460b	下佐・043オ7・植物	榴	平	リウ	右傍	liʌu^{1}	尤韻
4463b	下佐・043ウ1・植物	楠	平	サム	右注	nʌm^{1}	覃韻
4472b	下佐・043ウ7・動物	鷯	平	レウ	右傍	leu^{1} liau^{3}	蕭韻 笑韻
4473b	下佐・043ウ7・動物	鷞	平	シヨウ	右傍	śiɑuŋ^{1}	鍾韻
4481b	下佐・044オ3・動物	山	平	サン	右傍	ṣen^{1}	山韻
4485b	下佐・044オ4・動物	猴	平	コウ	右傍	ɣʌu^{1}	侯韻
4492b	下佐・044オ6・動物	封	平	ホウ	右傍	piɑuŋ$^{1/3}$	鍾/用韻
4498b	下佐・044ウ2・動物	螺	平	ラ	右傍	luɑ^{1}	戈韻
4499b	下佐・044ウ3・動物	蓊	平	ヲウ	右傍	'ʌuŋ^{1}	東韻
4511b	下佐・045オ4・人躰	疣	平	イウ	右傍	ɣiʌu^{1}	尤韻

4536b	下佐・046オ5・人事	陁	平	タ	右注	dɑ^{1}	歌韻
4537b	下佐・046オ5・人事	凉	平	リヤウ	左注	liɑŋ^{1}	陽韻
4540b	下佐・046オ6・人事	薹	平濁	―	―	dʌi^{1}	咍韻
4541b	下佐・046オ6・人事	桒	平	シヤウ	左注	sɑŋ^{1}	唐韻
4553b	下佐・046ウ4・飲食	膏	平	―	―	kɑu$^{1/3}$	豪/号韻
4573b	下佐・047オ6・雑物	鑼	平	ラ	右傍	lɑ^{1}	歌韻
4574b	下佐・047オ7・雑物	瑚	平	コ ［平濁］	右注	ɣuʌ^{1}	模韻
4591b	下佐・047ウ5・雑物	奴	平濁	ト	右傍	nuʌ^{1}	模韻
4592b	下佐・047ウ5・雑物	楑	平	クヰ	右傍	gjiuei$^{1/2}$	脂/旨韻
4601b	下佐・048オ2・雑物	鑱	平	サム	右傍	dẓam$^{1/3}$	銜/鑑韻
4605b	下佐・048オ3・雑物	烏	平	―	―	ʼuʌ^{1}	模韻
4641b	下佐・050ウ7・疊字	朝	平	―	―	ṭiau^{1} ḍiau^{1}	宵韻 宵韻
4643b	下佐・050ウ7・疊字	衙	平濁	カ	左注	ŋa^{1}	麻韻
4646b	下佐・051オ1・疊字	川	平	―	―	tśʻiuan^{1}	仙韻
4647b	下佐・051オ1・疊字	庄	平	―	―	bɐŋ^{1}	耕韻
4654b	下佐・051オ3・疊字	供	平	―	―	kiɑuŋ$^{1/3}$	鍾/宋韻
4655b	下佐・051オ3・疊字	齊	平	セイ	左注	dzei$^{1/3}$	齊/霽韻
4661b	下佐・051オ4・疊字	嘆	平濁	タン	右注	tʻɑn$^{1/3}$	寒/翰韻
4664b	下佐・051オ5・疊字	論	平	―	―	luʌn$^{1/3}$ liuen^{1}	魂/慁韻 諄韻
4667b	下佐・051オ6・疊字	勝	平	―	―	śiɐŋ$^{1/3}$	蒸/證韻
4674b	下佐・051オ7・疊字	慙	平	クヱ	中注	dzɑm^{1}	談韻
4677b	下佐・051ウ1・疊字	陵	平	―	―	liɐŋ^{1}	蒸韻
4680b	下佐・051ウ1・疊字	斑	平	ハン	中注	pan^{1}	刪韻
4690b	下佐・051ウ3・疊字	參	平	―	―	tsʻʌm$^{1/3}$ sɑm^{1} ṣiem^{1} tṣʻiem^{1}	覃/勘韻 談韻 侵韻 侵韻
4692b	下佐・051ウ4・疊字	難	平	ナン	左注	nɑn$^{1/3}$	寒/翰韻
4698b	下佐・051ウ5・疊字	跎	平	―	―	dɑ^{1}	歌韻
4702b	下佐・051ウ6・疊字	行	平	カウ	左注	ɣaŋ$^{1/3}$ ɣɑŋ$^{1/3}$	庚/映韻 唐/宕韻
4705b	下佐・051ウ7・疊字	障	平	シヤウ	左注	tśiɑŋ$^{1/3}$	陽/漾韻
4706b	下佐・051ウ7・疊字	嘆	平	―	―	tʻɑn$^{1/3}$	寒/翰韻
4710b	下佐・052オ1・疊字	邪	平	シヤ	左注	źia^{1} jia^{1}	麻韻 麻韻
4712b	下佐・052オ1・疊字	言	平濁	ケム	左注	ŋiɑn^{1}	元韻
4713b	下佐・052オ1・疊字	牙	平	カ	左注	ŋa^{1}	麻韻
4715b	下佐・052オ2・疊字	傳	平	テン	中注	ḍiuan$^{1/3}$ ṭiuan^{3}	仙/線韻 線韻

4723b	下佐・052オ4・疊字	遷	平	セン	左注	ts'ian¹	仙韻
4724b	下佐・052オ5・疊字	降	平	―	―	ɣauŋ¹ kauŋ³	江韻 絳韻
4731b	下佐・052オ6・疊字	英	平	―	―	'iaŋ¹	庚韻
4742b	下佐・052ウ2・疊字	謀	平	―	―	miʌu¹	尤韻
4752b	下佐・052ウ5・疊字	郵	平	イウ	右傍	ɣiʌu¹	尤韻
4777b	下佐・053オ4・疊字	幢	平	トウ	右注	ḍauŋ¹/³	江/絳韻
4778b	下佐・053オ4・疊字	梧	平濁	コ	右注	ŋuʌ¹	模韻
4782b	下佐・053オ5・疊字	薇	平	ヒ	右注	miʌi¹ miei¹	微韻 脂韻
4784b	下佐・053オ5・疊字	瑚	平	コ	右注	ɣuʌ¹	模韻
4786b	下佐・053オ6・疊字	舟	平	シウ	右注	tśiʌu¹	尤韻
4789b	下佐・053オ7・疊字	銭	平	セン	右注	dzian¹ tsian²	仙韻 獮韻
4796b	下佐・053ウ2・疊字	浪	平	ラウ	右傍	lɑŋ¹/³	唐/宕韻
4798b	下佐・053ウ3・疊字	奇	平	―	―	gie¹ kie¹	支韻 支韻
4846b	下木・055ウ5・地儀	華	平	クワ	右傍	xua¹ ɣua¹/³	麻韻 麻/禡韻
4847b	下木・055ウ5・地儀	陽	平	ヤウ	右傍	jiɑŋ¹	陽韻
4848b	下木・055ウ5・地儀	陽	平	―	―	jiɑŋ¹	陽韻
4849b	下木・055ウ5・地儀	秋	平	―	―	ts'iʌu¹	尤韻
4857b	下木・056オ4・植物	孫	平	ソン	右傍	suʌn¹	魂韻
4859b	下木・056オ4・植物	陽	平	ヤウ	右傍	jiɑŋ¹	陽韻
4863b	下木・056オ6・植物	天	平	―	―	t'en¹	先韻
4864b	下木・056オ6・植物	皮	平	ヒ	右傍	bie¹	支韻
4868b	下木・056ウ2・動物	麟	平	リン	右傍	lien¹	眞韻
4871b	下木・056ウ4・動物	頭	平	―	―	dʌu¹	侯韻
4903b	下木・058オ1・人事	春	平	―	―	tś'iuen¹	諄韻
4906b	下木・058オ3・飲食	塩	平	―	―	jiam¹/³	鹽韻
4966b	下木・060ウ6・疊字	鱗	平	リム	右傍	lien¹	眞韻
4967b	下木・060ウ7・疊字	光	平	―		kuɑŋ¹/³	唐/宕韻
4968b	下木・060ウ7・疊字	殽	平	カウ	右注	ɣau¹	肴韻
4971b	下木・060ウ7・疊字	年	平	ネン	左注	non¹	先韻
4974b	下木・061オ1・疊字	洲	平	―	―	tśiʌu¹	尤韻
4976b	下木・061オ2・疊字	墟	平	キヨ	左注	k'iʌ¹	魚韻
4978b	下木・061オ2・疊字	隣	平	リン	左注	lien¹	眞韻
4987b	下木・061オ4・疊字	翁	平	―	―	'ʌuŋ¹	東韻
4989b	下木・061オ4・疊字	請	平	セイ	左注	ts'ieŋ¹/² dzieŋ³	清/靜韻 勁韻
4990b	下木・061オ4・疊字	年	平	―	―	nen¹	先韻

4995b	下木・061オ5・疊字	論	平	—	—	luʌn$^{1/3}$ liuen^{1}	魂/慁韻 諄韻
5005b	下木・061ウ1・疊字	重	平	—	—	ḍiɑuŋ$^{1/2/3}$	鍾/腫/用韻
5006b	下木・061ウ1・疊字	中	平	—	—	ṭiʌuŋ$^{1/3}$	東韻
5007b	下木・061ウ1・疊字	中	平	チウ	右注	ṭiʌuŋ$^{1/3}$	東韻
5010b	下木・061ウ1・疊字	圍	平	ヰ	左注	ɣiuʌi$^{1/3}$	微/未韻
5012b	下木・061ウ2・疊字	溝	平	コウ	左注	kʌu^{1}	侯韻
5013b	下木・061ウ2・疊字	然	平	—	—	ńiɑn^{1}	仙韻
5014b	下木・061ウ2・疊字	圍	平	—	—	ɣiuʌi$^{1/3}$	微/未韻
5020b	下木・061ウ4・疊字	摸	平濁	ホ	左注	muʌ^{1} mɑk	模韻 鐸韻
5021b	下木・061ウ4・疊字	風	平	—	—	piʌuŋ$^{1/3}$	東/送韻
5024b	下木・061ウ4・疊字	來	平	（ラヒ）	左注	lʌi^{1}	咍韻
5039b	下木・062オ1・疊字	紈	平	—	—	ɣuɑn^{1}	桓韻
5040b	下木・062オ1・疊字	車	平	—	—	tś'ia^{1} kiʌ^{1}	麻韻 魚韻
5053b	下木・062オ4・疊字	言	平	ケン	左注	ŋiɑn^{1}	元韻
5054b	下木・062オ4・疊字	宣	平	—	—	siuɑn^{1}	仙韻
5058b	下木・062オ5・疊字	應	平	ヲウ	左注	'iɐŋ$^{1/3}$	蒸/證韻
5069b	下木・062オ7・疊字	裘	平	キウ	左注	giʌu^{1}	尤韻
5073b	下木・062ウ1・疊字	居	平	キヨ	左注	kiʌ^{1} kiɐi^{1}	魚韻 之韻
5074b	下木・062ウ1・疊字	容	平	ヨウ	中注	jiɑuŋ^{1}	鍾韻
5080b	下木・062ウ3・疊字	寒	平	カン	左注	ɣɑn^{1}	寒韻
5084b	下木・062ウ4・疊字	公	平濁	コウ	左注	kʌuŋ^{1}	東韻
5086b	下木・062ウ5・疊字	徐	平	—	—	ziʌ^{1}	魚韻
5098b	下木・063オ1・疊字	彈	平濁	タン	左注	dɑn$^{1/3}$	寒/翰韻
5100b	下木・063オ2・疊字	正	平 去	セイ	左注	tśieŋ$^{1/3}$	清/勁韻
5104b	下木・063オ3・疊字	心	平	—	—	siem^{1}	侵韻
5141b	下木・063ウ4・疊字	言	平	—	—	ŋiɑn^{1}	元韻
5146b	下木・063ウ5・疊字	然	平	セン	左注	ńiɑn^{1}	仙韻
5164b	下木・064オ2・疊字	徵	平	チヨウ	左注	ṭiɐŋ^{1} ṭiɐi^{2}	蒸韻 止韻
5168b	下木・064オ3・疊字	崇	平	ス	右注	dẓiʌuŋ^{1}	東韻
5178b	下木・064オ5・疊字	嶷	平濁	キヨク	右注	ŋiɐk ŋiɐi^{1}	職韻 之韻
5179b	下木・064オ5・疊字	無	平濁	フ	左注	miuʌ^{1}	虞韻
5183b	下木・064オ6・疊字	哀	平	アイ	右注	'ʌi^{1}	咍韻
5185b	下木・064オ6・疊字	星	平	セイ	右注	seŋ^{1}	青韻
5187b	下木・064オ7・疊字	枝	平	シ	右注	tśie^{1}	支韻
5192b	下木・064ウ2・疊字	齬	平	コ	右傍	ŋuʌ^{1} ŋiʌ$^{1/2}$	模韻 魚/語韻

5211b	下由・065ウ6・天象	庚	平	カウ	右傍	kaŋ^{1}	庚韻
5214b	下由・066オ2・地儀	泉	平	セン	右傍	dziuan^{1}	仙韻
5215b	下由・066オ2・地儀	流	平	—	—	liʌu^{1}	尤韻
5226b	下由・066ウ4・人躰	胱	平	クワウ	右傍	kuɑŋ^{1}	唐韻
5237b	下由・067オ5・人事	韆	平	セン	右傍	ts'ian^{1}	仙韻
5247b	下由・067ウ6・雑物	堈	平	カウ	右傍	kɑŋ^{1}	唐韻
5253b	下由・068オ2・雑物	單	平	タン	右注	tɑn^{1} źian$^{1/2/3}$	寒韻 仙/獮/線韻
5254b	下由・068オ2・雑物	綿	平	メン	右傍	mjian^{1}	仙韻
5261b	下師・069オ1・地儀	明	平	—	—	miaŋ^{1}	庚韻
5262b	下師・069オ1・地儀	乾	平	ケン	右傍	gian^{1} kɑn^{1}	仙韻 寒韻
5264b	下師・069オ1・地儀	華	平	—	—	xua^{1} ɣua$^{1/3}$	麻韻 麻/禡韻
5268b	下師・069オ2・地儀	成	平	—	—	źieŋ^{1}	清韻
5269b	下師・069オ3・地儀	基	平	キ	右注	kiɐi^{1}	之韻
5274b	下師・069オ6・植物	蹄	平	テイ	右傍	dei^{1}	齊韻
5276b	下師・069オ6・植物	衣	平	イ	右傍	'iʌi$^{1/3}$	微/未韻
5280b	下師・069オ7・植物	薇	平濁	ヒ	右注	miʌi^{1} miei^{1}	微韻 脂韻
5284b	下師・069ウ2・植物	瓜	平	—	—	kua^{1}	麻韻
5289b	下師・069ウ4・植物	檀	平	タン	右注	dɑn^{1}	寒韻
5299b	下師・070オ3・動物	鷀	平	シ	右傍	dziɐi^{1} tsiɐi^{1}	之韻 之韻
5314b	下師・070ウ2・動物	贏	平 (去)	ラ	右傍	luɑ$^{1/3}$	戈/過韻
5320b	下師・070ウ7・人倫	姑	平	コ	右傍	kuʌ^{1}	模韻
5350b	下師・071ウ5・人躰	疘	平	コウ	右傍	kʌuŋ^{1}	東韻
5377b	下師・073オ1・人事	胡	平	—	—	ɣuʌ^{1}	模韻
5378b	下師・073オ1・人事	和	平	—	—	ɣuɑ$^{1/3}$	戈/過韻
5379b	下師・073オ1・人事	鸎	平	ナウ	右注	'ɐŋ^{1}	耕韻
5381b	下師・073オ2・人事	河	平濁	—	—	ɣɑ^{1}	歌韻
5384b	下師・073オ3・人事	王	平	ワウ	左注	ɣiuaŋ$^{1/3}$	陽/漾韻
5386b	下師・073オ4・人事	翠	平	—	—	ts'iuei^{3}	至韻
5389b	下師・073オ5・人事	蘓	平	—	—	suʌ^{1}	模韻
5405b	下師・073ウ5・雑物	盤	平	ハン	右傍	bɑn^{1}	桓韻
5409b	下師・073ウ6・雑物	磲	平	コ	右傍	giʌ^{1}	魚韻
5422b	下佐・047オ6・雑物	鑼	平	ラ	右注	lɑ^{1}	歌韻
5445b	下師・074オ6・雑物	連	平	—	—	lian^{1}	仙韻
5448b	下師・074オ7・雑物	瓷	平	シ	右注	dziei^{1}	脂韻
6977b	下師・074オ7・雑物	瓷	平	シ	右傍	dziei^{1}	脂韻
5475b	下師・075オ3・光彩	毛	平濁	ホウ	右傍	mɑu$^{1/3}$	豪/号韻
5476b	下師・075オ3・光彩	斯	平	シ	右傍	sie^{1}	支韻

5481b	下師・075オ6・方角	維	平	ユイ	右注	jiuei^{1}	脂韻
5520b	下師・078ウ1・重點	嗆	平	シヤウ	右注	tsʻiɑŋ^{1}	陽韻
5524b	下師・078ウ4・疊字	霄	平	セウ	左注	siau^{1}	宵韻
5529b	下師・078ウ5・疊字	微	平濁	ヒ	中注	miʌi^{1}	微韻
5531b	下師・078ウ6・疊字	秋	平	―	―	tsʻiʌu^{1}	尤韻
5535b	下師・078ウ7・疊字	霄	平	セウ	左注	siau^{1}	宵韻
5539b	下師・079オ1・疊字	羊	平	ヤウ	右注	jiɑŋ^{1}	陽韻
5546b	下師・079オ4・疊字	形	平	―	―	ɣeŋ^{1}	青韻
5552b	下師・079オ6・疊字	収	平	ス	左注	śiʌu$^{1/3}$	尤/宥韻
5556b	下師・079ウ1・疊字	銭	平	セン	左注	dzian^{1} tsian^{2}	仙韻 獮韻
5569b	下師・079ウ6・疊字	教	平濁	ケウ	右注	kau$^{1/3}$	肴/効韻
5586b	下師・080オ7・疊字	基	平	―	―	kiɐi^{1}	之韻
5597b	下師・080ウ5・疊字	行	平濁	キヤウ	左注	ɣaŋ$^{1/3}$ ɣɑŋ$^{1/3}$	庚/映韻 唐/宕韻
5602b	下師・080ウ7・疊字	難	平	ナン	左注	nɑn$^{1/3}$	寒/翰韻
5605b	下師・080ウ7・疊字	苦	平濁	ク	左注	kʻuʌ$^{2/3}$	姥/暮韻
5608b	下師・081オ3・疊字	謙	平	ケム	中注	kʻem^{1}	添韻
5609b	下師・081オ3・疊字	望	平濁	―	―	miɑŋ$^{1/3}$	陽/漾韻
5611b	下師・081オ4・疊字	冠	平	―	―	kuɑn$^{1/3}$	桓韻
5612b	下師・081オ4・疊字	冠	平	―	―	kuɑn$^{1/3}$	桓韻
5613b	下師・081オ4・疊字	童	平	―	―	dʌuŋ^{1}	東韻
5619b	下師・081オ6・疊字	神	平	―	―	dźien^{1}	眞韻
5620b	下師・081オ6・疊字	情	平	―	―	dzieŋ^{1}	清韻
5622b	下師・081オ6・疊字	幾	平	キ	左注	kiʌi$^{1/2}$ giʌi$^{1/3}$	微/尾韻 微/未韻
5623b	下師・081オ7・疊字	懐	平	―	―	ɣuɐi^{1}	皆韻
5626b	下師・081オ7・疊字	泥	平	―	―	nei$^{1/3}$	齊/霽韻
5633b	下師・081ウ2・疊字	誠	平	―	―	źieŋ^{1}	清韻
5643b	下師・081ウ4・疊字	恩	平	―	―	ʼʌn^{1}	痕韻
5644b	下師・081ウ4・疊字	恩	平	―	―	ʼʌn^{1}	痕韻
5645b	下師・081ウ4・疊字	嘆	平	―	―	tʻɑn$^{1/3}$	寒/翰韻
5650b	下師・081ウ6・疊字	愚	平	―	―	ŋiuʌ^{1}	虞韻
5653b	下師・081ウ7・疊字	肝	平	―	―	kɑn^{1}	寒韻
5656b	下師・081ウ7・疊字	夭	平	―	―	ʼiau$^{1/2}$ ʼɑu^{2}	宵/小韻 晧韻
5667b	下師・082オ2・疊字	羕	平濁	シヨウ	右注	źiɐŋ^{1}	蒸韻
5677b	下師・082オ4・疊字	蘭	平	ラン	左注	lɑn^{1}	寒韻
5679b	下師・082オ6・疊字	莚	平	―	―	jian$^{1/3}$	仙/線韻
5682b	下師・082オ6・疊字	勝	平	シヨウ	左注	śiɐŋ$^{1/3}$	蒸/證韻
5683b	下師・082オ7・疊字	攉	平	クエン	左注	giuan^{1}	仙韻

5689b	下師・082ウ1・疊字	丁	平	テイ	左注	teŋ^{1} ʈɐŋ^{1}	青韻 耕韻
5691b	下師・082ウ1・疊字	鞭	平	—	—	pjian^{1}	仙韻
5696b	下師・082ウ2・疊字	容	平	ヨウ	左注	jiɑuŋ^{1}	鍾韻
5697b	下師・082ウ2・疊字	容	平	ヨウ	左注	jiɑuŋ^{1}	鍾韻
5698b	下師・082ウ3・疊字	人	平濁	—	—	ńien^{1}	眞韻
5714b	下師・083オ1・疊字	林	平	リン	左注	liem^{1}	侵韻
5716b	下師・083オ1・疊字	魔	平	—	—	mɑ^{1}	戈韻
5719b	下師・083オ1・疊字	仙	平濁	—	—	sian^{1}	仙韻
5736b	下師・083オ6・疊字	窓	平	サウ	右注	tʂ'auŋ^{1}	江韻
5740b	下師・083オ6・疊字	寥	平	—	—	leu^{1} lek	蕭韻 錫韻
5741b	下師・083オ6・疊字	羅	平	ラ	右注	lɑ^{1}	歌韻
5743b	下師・083オ7・疊字	方	平	—	—	piɑŋ^{1} biɑŋ^{1}	陽韻 陽韻
5744b	下師・083オ7・疊字	盃	平	—	—	puʌi^{1}	灰韻
5748b	下師・083ウ3・疊字	哥	平濁	カ	左注	kɑ^{1}	歌韻
5751b	下師・083ウ3・疊字	韆	平	セン	右注	ts'ian^{1}	仙韻
5755b	下師・083ウ4・疊字	乎	平	コ	右注	ɣuʌ^{1}	模韻
5771b	下師・084オ2・疊字	潢	平	ワウ	右傍	ɣuɑŋ$^{1/3}$	唐/宕韻
5776b	下師・084オ3・疊字	要	平	エウ	右注	'jiau$^{1/3}$	宵/笑韻
5784b	下師・084オ4・疊字	章	平	シヤウ	右注	tśiɑŋ^{1}	陽韻
5788b	下師・084オ5・疊字	量	平	リヤウ	右注	liɑŋ$^{1/3}$	陽/漾韻
5792b	下師・084オ6・疊字	差	平	シ	左注	tʂ'ie^{1} tʂ'ɐ$^{1/3}$ tʂ'ɐi^{1} tʂ'a^{1}	支韻 佳/卦韻 皆韻 麻韻
5794b	下師・084オ6・疊字	趄	平	シヨ	左注	ts'iʌ^{1}	魚韻
5810b	下師・084ウ2・疊字	涯	平濁	カイ	右注	ŋɐ^{1} ŋie^{1}	佳韻 支韻
5811b	下師・084ウ2・疊字	聞	平濁	フン	左注	miuʌn$^{1/3}$	文/問韻
5813b	下師・084ウ2・疊字	巡	平濁	ズン	左注	ziuen^{1}	諄韻
5815b	下師・084ウ3・疊字	望	平濁	ハウ	左注	miɑŋ$^{1/3}$	陽/漾韻
5819b	下師・084ウ3・疊字	喪	平濁	サウ	左注	sɑŋ$^{1/3}$	唐/宕韻
5828b	下師・084ウ5・疊字	噍	平	セウ	右注	tsiau^{1} dziau^{3} tsiʌu^{1}	宵韻 笑韻 尤韻
5830b	下師・084ウ5・疊字	然	平濁	セン	右注	ńian^{1}	仙韻
5834b	下師・084ウ6・疊字	宣	平	セン	右注	siuan^{1}	仙韻
5836b	下師・084ウ6・疊字	徒	平	ト	左注	duʌ^{1}	模韻
5842b	下師・084ウ7・疊字	頭	平	トウ	右傍	dʌu^{1}	侯韻

5843b	下師・084ウ7・疊字	夢	平	ム	右注	miʌuŋ^{1} mʌuŋ^{3}	東韻 送韻
5846b	下師・085オ1・疊字	姑	平	コ	右注	kuʌ^{1}	模韻
5848b	下師・085オ1・疊字	愚	平濁	ク	右注	ŋiuʌ^{1}	虞韻
5849b	下師・085オ1・疊字	環	平	クワン	右注	ɣuan^{1}	删韻
5850b	下師・085オ1・疊字	輪	平	リム	右注	liuen^{1}	諄韻
5857b	下師・085オ2・疊字	銀	平濁	キム	右注	ŋien^{1}	眞韻
5861b	下師・085オ3・疊字	如	平濁	シヨ	右注	ńiʌ$^{1/3}$	魚/御韻
5863b	下師・085オ3・疊字	生	平	セイ	右傍	ṣaŋ$^{1/3}$	庚/映韻
5864b	下師・085オ4・疊字	知	平	チ	右注	ṭie^{1}	支韻
5865b	下師・085オ4・疊字	江	平	カウ	右注	kauŋ^{1}	江韻
5866b	下師・085オ4・疊字	軒	平	ケム	右注	xiɑn^{1}	元韻
5869b	下師・085オ4・疊字	鱗	平	リン	右注	lien^{1}	眞韻
5873b	下師・085オ5・疊字	觥	平	クワウ	右注	kuaŋ^{1}	庚韻
5874b	下師・085オ5・疊字	横	平	ワウ	右注	ɣuaŋ$^{1/3}$ kuɑŋ^{1}	庚/映韻 唐韻
5877b	下師・085オ6・疊字	雄	平	イウ	右注	ɣiʌuŋ^{1}	東韻
5879b	下師・085オ6・疊字	銖	平	シユ	右注	źiuʌ^{1}	虞韻
5881b	下師・085オ6・疊字	降	平	カウ	右注	ɣauŋ^{1} kauŋ^{3}	江韻 絳韻
5890b	下師・085ウ1・疊字	衰	平	スイ	右注	ṣiuei^{1} tṣʻiue^{1}	脂韻 支韻
5932b	下師・086ウ3・國郡	蘓	平	ソ	右傍	suʌ^{1}	模韻
5964b	下會・087ウ4・地儀	寧	平	ネイ	右傍	neŋ^{1}	青韻
5965b	下會・087ウ4・地儀	安	平	—	—	ʼɑn^{1}	寒韻
5966b	下會・087ウ4・地儀	嘉	平	—	—	ka^{1}	麻韻
5968b	下會・087ウ4・地儀	陽	平	—	—	jiɑŋ^{1}	陽韻
5969b	下會・087ウ6・植物	葳	平	ヰ	右傍	ʼiuʌi^{1}	微韻
5970b	下會・087ウ6・植物	萎	平	ヰ	右傍	ʼiue$^{1/3}$	支/寘韻
5974b	下會・087ウ7・植物	枝	平	シ	右傍	tśie^{1}	支韻
5983b	下會・088ウ3・人事	隆	平	リウ	右傍	liʌuŋ^{1}	東韻
5995b	下會・089オ6・疊字	山	平	—	—	ṣɐn^{1}	山韻
6001b	下會・089オ7・疊字	華	平	クワ	左注	xua^{1} ɣua$^{1/3}$	麻韻 麻/禡韻
6002b	下會・089ウ1・疊字	歌	平	—	—	kɑ^{1}	歌韻
6013b	下會・089ウ3・疊字	安	平	アン	左注	ʼɑn^{1}	寒韻
6022b	下飛・090オ5・天象	天	平	—	—	tʻen^{1}	先韻
6024b	下飛・090オ5・天象	精	平	—	—	tsieŋ^{1}	清韻
6029b	下飛・090オ7・天象	牛	平濁	キウ	右傍	ŋiʌu^{1}	尤韻
6034b	下飛・090ウ5・地儀	梁	平	リヤウ	右傍	liɑŋ^{1}	陽韻
6038b	下飛・090ウ7・地儀	鋪	平	フ	右傍	pʻuʌ$^{1/3}$ pʻiuʌ^{1}	模/暮韻 虞韻

6040b	下飛・090ウ7・地儀	檐	平	エム	右注	jiam^{1}	鹽韻
6043b	下飛・091オ2・地儀	香	平	キヤウ	右傍	xiɑŋ^{1}	陽韻
6053b	下飛・091オ6・植物	長	平	―	―	ḍiɑŋ$^{1/3}$ ṭiɑŋ^{2}	陽/漾韻 養韻
6054b	下飛・091オ6・植物	床	平	サウ	右傍	dẓiɑŋ^{1}	陽韻
6057b	下飛・091オ7・植物	鮮	平	セン	右傍	sian$^{1/2/3}$	仙/獮/線韻
6058b	下飛・091オ7・植物	陳	平	チン	右傍	ḍien$^{1/3}$	眞/震韻
6062b	下飛・091ウ1・植物	檀	平濁	タン	右注	dɑn^{1}	寒韻
6064b	下飛・091ウ1・植物	杷	平	ハ	右注	ba$^{1/3}$ buɐ^{3}	麻/禡韻 卦韻
6065b	下飛・091ウ1・植物	楨	平	テイ	右傍	ṭieŋ^{1}	清韻
6066b	下飛・091ウ2・植物	榔	平	ラウ	右注	lɑŋ$^{1/2}$	唐/蕩韻
6069b	下飛・091ウ2・植物	夷	平	―	―	jiei^{1}	脂韻
6071b	下飛・091ウ4・植物	茸	平濁	シヨウ	右傍	ńiɑuŋ^{1}	鍾韻
6090b	下飛・092オ5・動物	蜍	平	シヨ	右傍	dźiʌ^{1} jiʌ^{1}	魚韻 魚韻
6091b	下飛・092オ5・動物	蜩	平	―	―	deu^{1}	蕭韻
6096b	下飛・092ウ1・人倫	孫	平	ソン	右傍	suʌn^{1}	魂韻
6104b	下飛・092ウ3・人倫	姿	平	―	―	tsiei^{1}	脂韻
6105b	下飛・092ウ3・人倫	施	平	シ	右傍	śie$^{1/3}$	支/寘韻
6107b	下飛・092ウ3・人倫	川	平	セム	右傍	tśʻiuan^{1}	仙韻
6108b	下飛・092ウ4・人倫	賓	平	ヒン	右傍	pjien^{1}	眞韻
6122b	下飛・093オ3・人躰	軻	平	カ	右傍	kʻɑ^{1}	歌韻
6124b	下飛・093オ4・人躰	聲	平	セイ	右傍	śieŋ^{1}	清韻
6136b	下飛・093ウ7・飲食	漿	平	シヤウ	右傍	tsiɑŋ^{1}	陽韻
6140b	下飛・094オ1・飲食	籬	平	リ	右傍	lie^{1}	支韻
6141b	下飛・094オ2・飲食	饠	平	ラ	右注	lɑ^{1}	歌韻
6146b	下飛・094オ6・雑物	琶	平	ハ	右注	ba^{1}	麻韻
6152b	下飛・094オ7・雑物	烏	平	ヲ	右傍	ʼuʌ^{1}	模韻
6153b	下飛・094オ7・雑物	輝	平	―	―	xiuʌi^{1}	微韻
6154b	下飛・094オ7・雑物	爐	平	ロ	右傍	luʌ^{1}	模韻
6158b	下飛・094ウ1・雑物	衣	平	イ	右傍	ʼɪʌi$^{1/3}$	微/未韻
6168b	下飛・094ウ4・雑物	窬	平	トウ	右傍	dʌu$^{1/3}$ jiuʌ^{1}	侯/候韻 虞韻
6171b	下飛・094ウ5・雑物	簷	平	エム	右傍	jiam^{1}	鹽韻
6180b	下飛・094ウ7・雑物	青	平	サイ	右注	tsʻeŋ^{1}	青韻
6231b	下飛・097ウ5・疊字	天	平	テン	中注	tʻen^{1}	先韻
6234b	下飛・097ウ5・疊字	明	平	メイ	右注	miaŋ^{1}	庚韻
6235b	下飛・097ウ5・疊字	時	平	―	―	źiɐi^{1}	之韻
6238b	下飛・097ウ6・疊字	舩	平	―	―	dźiuan^{1}	仙韻
6239b	下飛・097ウ6・疊字	帆	平	ハム	左注	biʌm$^{1/3}$	凡/梵韻
6248b	下飛・097ウ7・疊字	人	平濁	―	―	ńien^{1}	眞韻

6253b	下飛・098オ1・疊字	民	平	—	—	mjien^{1}	眞韻
6254b	下飛・098オ1・疊字	人	平	シン	左注	ńien^{1}	眞韻
6255b	下飛・098オ2・疊字	夫	平	—	—	piuʌ^{1} biuʌ^{1}	虞韻 虞韻
6259b	下飛・098オ2・疊字	言	平	—	—	ŋian^{1}	元韻
6261b	下飛・098オ3・疊字	膚	平	フ	左注	piuʌ^{1}	虞韻
6268b	下飛・098オ4・疊字	藏	平	サウ	左注	dzaŋ$^{1/3}$	唐/宕韻
6270b	下飛・098オ4・疊字	通	平	トウ	左注	t'ʌuŋ^{1}	東韻
6271b	下飛・098オ4・疊字	繆	平濁	ヒウ	左注	mieu$^{1/3}$ miʌu^{1} miʌuk	幽/幼韻 尤韻 屋韻
6283b	下飛・098オ6・疊字	家	平	—	—	ka^{1}	麻韻
6285b	下飛・098オ7・疊字	婁	平	—	—	lʌu^{1} liuʌ^{1}	侯韻 虞韻
6289b	下飛・098オ7・疊字	書	平	—	—	śiʌ^{1}	魚韻
6300b	下飛・098ウ2・疊字	騰	平	トウ	左注	dʌŋ^{1}	登韻
6305b	下飛・098ウ3・疊字	常	平	シヤウ	左注	źiaŋ^{1}	陽韻
6310b	下飛・098ウ4・疊字	行	平濁	カウ	左注	ɣaŋ$^{1/3}$ ɣaŋ$^{1/3}$	庚/映韻 唐/宕韻
6313b	下飛・098ウ5・疊字	牛	平濁	—	—	ŋiʌu^{1}	尤韻
6316b	下飛・098ウ5・疊字	車	平	—	—	tś'ia^{1} kiʌ^{1}	麻韻 魚韻
6318b	下飛・098ウ6・疊字	然	平	—	—	ńian^{1}	仙韻
6323b	下飛・098ウ6・疊字	宜	平	キ	右注	ŋie^{1}	支韻
6324b	下飛・098ウ7・疊字	方	平	ホウ	右注	piaŋ^{1} biaŋ^{1}	陽韻 陽韻
6325b	下飛・098ウ7・疊字	陳	平	チン	左注	ḍien$^{1/3}$	眞/震韻
6327b	下飛・098ウ7・疊字	重	平	チヨウ	左注	ḍiauŋ$^{1/2/3}$	鍾/腫/用韻
6334b	下飛・099オ2・疊字	計	平 去	ケイ	左注	kei^{3}	霽韻
6337b	下飛・099オ2・疊字	籠	平	—	—	lʌuŋ$^{1/2}$ liauŋ^{1}	東/董韻 鍾韻
6339b	下飛・099オ3・疊字	珠	平	ス	左注	tśiuʌ^{1}	虞韻
6340b	下飛・099オ3・疊字	央	平	ヤウ	左注	'iaŋ^{1}	陽韻
6342b	下飛・099オ3・疊字	香	平	キヤウ	左注	xiaŋ^{1}	陽韻
6343b	下飛・099オ3・疊字	毛	平濁	ホウ	左注	mau$^{1/3}$	豪/号韻
6345b	下飛・099オ4・疊字	沈	平	—	—	ḍiem$^{1/3}$ śiem^{2}	侵/沁韻 寝韻
6350b	下飛・099オ6・疊字	成	平	—	—	źieŋ^{1}	清韻
6397b	下毛・101オ6・植物	奴	平濁	ト	右傍	nuʌ^{1}	模韻
6399b	下毛・101オ6・植物	脂	平	シ	右傍	tśiei^{1}	脂韻
6400b	下毛・101オ7・植物	膠	平	—	—	kau$^{1/3}$	肴/効韻

6401b	下毛・101オ7・植物	瓜	平	クワ	右傍	kua^{1}	麻韻
6407b	下毛・101ウ2・植物	雲	平	—	—	ɣiuʌn^{1}	文韻
6418b	下毛・102オ4・人躰	狂	平	クヰヤウ	右傍	giuaŋ$^{1/3}$	陽/漾韻
6419b	下毛・102オ4・人躰	瘡	平	サウ	右傍	tʂ'iaŋ^{1}	陽韻
6464b	下毛・105ウ1・重點	門	平	モン	右注	muʌn^{1}	魂韻
6473b	下毛・105ウ4・疊字	論	平	—	—	luʌn$^{1/3}$ liuen^{1}	魂/慁韻 諄韻
6490b	下世・106ウ4・地儀	陽	平	ヤウ	右傍	jiaŋ^{1}	陽韻
6492b	下世・106ウ4・地儀	涼	平	リヤウ	右傍	liaŋ$^{1/3}$	陽/漾韻
6496b	下世・106ウ5・地儀	陽	平	—	—	jiaŋ^{1}	陽韻
6497b	下世・106ウ5・地儀	仁	平	ニン	右傍	ńien^{1}	眞韻
6499b	下世・106ウ6・地儀	華	平	—	—	xua^{1} ɣua$^{1/3}$	麻韻 麻/禡韻
6503b	下世・106ウ7・地儀	華	平	—	—	xua^{1} ɣua$^{1/3}$	麻韻 麻/禡韻
6505b	下世・107オ2・植物	檀	平	タン	右注	dan^{1}	寒韻
6508b	下世・107オ5・動物	鷹	平	ヰヨウ	右傍	'ieŋ^{1}	蒸韻
6510b	下世・107ウ1・動物	蹄	平	テイ	右傍	dei^{1}	齊韻
6515b	下世・107ウ5・人倫	夫	平濁	フ	右注	piuʌ^{1} biuʌ^{1}	虞韻 虞韻
6517b	下世・107ウ5・人倫	松	平	シヤウ	右傍	ziauŋ^{1}	鍾韻
6529b	下世・108オ5・人事	錢	平	セン	右傍	dzian^{1} tsian^{2}	仙韻 獮韻
6530b	下世・108オ6・人事	應	平	ヲウ	左注	'ieŋ$^{1/3}$	蒸/證韻
6531b	下世・108オ7・人事	金	平濁	—	—	kiem^{1}	侵韻
6539b	下世・108ウ5・雜物	錢	平	—	—	dzian^{1} tsian^{2}	仙韻 獮韻
6544b	下世・108ウ6・雜物	糖	平	タウ	右注	daŋ^{1}	唐韻
6570b	下世・110オ1・重點	淒	平	セイ	右注	ts'ei$^{1/2}$	齊/薺韻
6573b	下世・110オ3・疊字	晴	平	セイ	左注	dzieŋ^{1}	清韻
6574b	下世・110オ3・疊字	辰	平	—	—	źien^{1}	眞韻
6575b	下世・110オ3・疊字	躔	平	—	—	ḍian^{1}	仙韻
6576b	下世・110オ3・疊字	天	平	—	—	t'en^{1}	先韻
6578b	下世・110オ3・疊字	霜	平	—	—	ṣiaŋ^{1}	陽韻
6582b	下世・110オ4・疊字	光	平	—	—	kuaŋ$^{1/3}$	唐/宕韻
6583b	下世・110オ4・疊字	年	平	—	—	nen^{1}	先韻
6591b	下世・110オ6・疊字	蔵	平	サウ	左注	dzaŋ$^{1/3}$	唐/宕韻
6592b	下世・110オ6・疊字	山	平	—	—	ṣen^{1}	山韻
6594b	下世・110オ6・疊字	湲	平	ヱン	左注	ɣiuan^{1} ɣuen^{1}	仙韻 山韻
6596b	下世・110オ7・疊字	流	平	リウ	右傍	liʌu^{1}	尤韻
6598b	下世・110オ7・疊字	頭	平	—	—	dʌu^{1}	侯韻

6608b	下世・110ウ2・疊字	明	平	—	—	miaŋ[1]	庚韻
6612b	下世・110ウ2・疊字	臨	平	—	—	liem[1/3]	侵/沁韻
6624b	下世・110ウ5・疊字	圍	平	ヰ	右注	ɣiuʌi[1/3]	微/未韻
6626b	下世・110ウ5・疊字	房	平	—	—	biɑŋ[1] bɑŋ[1]	陽韻 唐韻
6634b	下世・110ウ6・疊字	蹤	平濁	—	—	tsiɑuŋ[1]	鍾韻
6646b	下世・111オ2・疊字	施	平	シ	中注	śie[1/3]	支/寘韻
6648b	下世・111オ2・疊字	人	平濁	—	—	ńien[1]	眞韻
6650b	下世・111オ3・疊字	人	平濁	—	—	ńien[1]	眞韻
6652b	下世・111オ3・疊字	兒	平	—	—	ńie[1] ŋei[1]	支韻 齊韻
6656b	下世・111オ4・疊字	廉	平	レン	左注	liam[1]	鹽韻
6657b	下世・111オ4・疊字	誠	平	セイ	左注	źieŋ[1]	清韻
6658b	下世・111オ4・疊字	薪	平	シン	左注	sien[1]	眞韻
6659b	下世・111オ4・疊字	人	平濁	—	—	ńien[1]	眞韻
6661b	下世・111オ4・疊字	疑	平	—	—	ŋiɐi[1]	之韻
6663b	下世・111オ5・疊字	途	平	ト	左注	duʌ[1]	模韻
6668b	下世・111オ6・疊字	公	平	—	—	kʌuŋ[1]	東韻
6681b	下世・111ウ1・疊字	夫	平	フ	左注	piuʌ[1] biuʌ[1]	虞韻 虞韻
6682b	下世・111ウ1・疊字	駈	平	クウ	左注	k‘iuʌ[1/3]	虞/遇韻
6683b	下世・111ウ1・疊字	煙	平	エン	左注	’en[1]	先韻
6689b	下世・111ウ2・疊字	教	平	—	—	kau[1/3]	肴/効韻
6695b	下世・111ウ3・疊字	眉	平	—	—	miei[1]	脂韻
6698b	下世・111ウ4・疊字	寥	平	レウ	左注	leu[1] lek	蕭韻 錫韻
6702b	下世・111ウ4・疊字	明	平	メイ	左注	miaŋ[1]	庚韻
6706b	下世・111ウ5・疊字	風	平	—	—	piʌuŋ[1/3]	東/送韻
6707b	下世・111ウ5・疊字	途	平	ト	左注	duʌ[1]	模韻
6720b	下世・112オ1・疊字	然	平濁	—	—	ńian[1]	仙韻
6724b	下世・112オ2・疊字	陽	平	—	—	jiɑŋ[1]	陽韻
6729b	下世・112オ3・疊字	前	平濁	セン	右注	dzen[1]	先韻
6734b	下世・112オ4・疊字	磋	平	サ	右注	ts‘ɑ[1/3]	歌/箇韻
6741b	下世・112オ5・疊字	隆	平	リウ	左注	liʌuŋ[1]	東韻
6747b	下世・112オ7・疊字	松	平	シヨウ	右注	ziɑuŋ[1]	鍾韻
6748b	下世・112オ7・疊字	洲	平	シウ	右傍	tśiʌu[1]	尤韻
6749b	下世・112オ7・疊字	骹	平	カウ	右注	k‘au[1]	肴韻
6750b	下世・112オ7・疊字	骹	平	ヤウ	右注	k‘au[1]	肴韻
6751b	下世・112オ7・疊字	槗	平	ケウ	右注	giau[1]	宵韻
6752b	下世・112オ7・疊字	喬	平	ケウ	右傍	kiau[1] giau[1]	宵韻 宵韻
6755b	下世・112ウ1・疊字	蘋	平	ヒン	右注	bjien[1]	眞韻

6776b	下洲・113ウ2・地儀	樓	平	ロウ	右注	lʌu^{1}	侯韻
6777b	下洲・113ウ2・地儀	門	平	モン	左注	muʌn^{1}	魂韻
6781b	下洲・113ウ4・地儀	興	平	キヨウ	右傍	xieŋ$^{1/3}$	蒸/證韻
6782b	下洲・113ウ4・地儀	風	平	―	―	piʌuŋ$^{1/3}$	東/送韻
6783b	下洲・113ウ4・地儀	仁	平濁	シン	右傍	ńien^{1}	眞韻
6784b	下洲・113ウ4・地儀	華	平	―	―	xua^{1} ɣua$^{1/3}$	麻韻 麻/禡韻
6785b	下洲・113ウ4・地儀	明	平	―	―	miaŋ^{1}	庚韻
6790b	下洲・113ウ7・植物	蕉	平濁	フ	右傍	miuʌ^{1}	虞韻
6804b	下洲・114オ6・動物	連	平	レン	右傍	lian^{1}	仙韻
6805b	下洲・114オ6・動物	鷂	平	エウ	右傍	jiau$^{1/3}$	宵/笑韻
6810b	下洲・114ウ2・植物	螬	平	サウ	右傍	dzau^{1}	豪韻
6832b	下洲・116オ2・雜物	銀	平濁	キン	右傍	ŋien^{1}	眞韻
6835b	下洲・116オ2・雜物	煙	平	―	―	'en^{1}	先韻
6843b	下洲・116オ4・雜物	鉤	平	コウ	右傍	kʌu^{1}	侯韻
6853b	下洲・116オ7・雜物	珠	平	―	―	tśiuʌ^{1}	虞韻
6863b	下洲・116ウ3・雜物	煤	平濁	ハイ	右傍	muʌi^{1}	灰韻
6865b	下洲・116ウ5・光彩	枋	平	ハウ	右傍	piaŋ^{1}	陽韻
6866b	下洲・116ウ5・光彩	枋	平	ハウ	右注	piaŋ^{1}	陽韻
6897b	下洲・119ウ7・疊字	移	平	イ	左注	jie^{1}	支韻
6899b	下洲・120オ1・疊字	亡	平	―	―	miaŋ^{1}	陽韻
6902b	下洲・120オ1・疊字	衣	平	イ	右注	'iʌi$^{1/3}$	微/未韻
6903b	下洲・120オ1・疊字	班	平	―	―	pan^{1}	刪韻
6909b	下洲・120オ3・疊字	容	平	ヨウ	左注	jiauŋ^{1}	鍾韻
6910b	下洲・120オ3・疊字	儒	平	シユ	左注	ńiuʌ^{1}	虞韻
6913b	下洲・120オ4・疊字	嬉	平	キ	中注	xiɐi$^{1/3}$	之/志韻
6917b	下洲・120オ5・疊字	纓	平	エイ	左注	'ieŋ^{1}	清韻
6919b	下洲・120オ5・疊字	郷	平	キヤウ	左注	xiaŋ^{1}	陽韻
6922b	下洲・120オ6・疊字	郵	平	イウ	中注	ɣiʌu^{1}	尤韻
6930b	下洲・120ウ1・疊字	従	平	シユ	左注	dziauŋ^{1} ts'iauŋ$^{1/3}$	鍾韻 鍾/用韻
6931b	下洲・120ウ1・疊字	祥	平	シヤウ	右注	ziaŋ^{1}	陽韻
6932b	下洲・120ウ1・疊字	相	平	サウ	右注	siaŋ$^{1/3}$	陽/漾韻
6934b	下洲・120ウ2・疊字	奇	平	キ	右注	gie^{1} kie^{1}	支韻 支韻
6938b	下洲・120ウ2・疊字	行	平濁	キヤウ	左注	ɣaŋ$^{1/3}$ ɣaŋ$^{1/3}$	庚/映韻 唐/宕韻
6940b	下洲・120ウ3・疊字	吟	平濁	キム	右傍	ŋiem$^{1/3}$	侵/沁韻
6944b	下洲・120ウ4・疊字	車	平	シヤ	左注	tś'ia^{1} kiʌ^{1}	麻韻 魚韻

【表D-26】平声（熟字後部／第二字）下巻〔不一致例〕

番号	前田本所在	掲出字		仮名音注		中古音	韻目
3396b	下古・005オ1・人事	談	平	タン	右傍	dam^{2}	談韻
3443b	下古・007オ1・雑物	鈷	平	コ ［平］	右注	kuʌ^{2}	姥韻
3605b	下古・010ウ1・疊字	皷	平	―	―	kuʌ^{2}	姥韻
3606b	下古・010ウ2・疊字	可	平	カ	右注	k'ɑ^{2}	哿韻
3628b	下古・010ウ6・疊字	道	平濁	タウ	左注	dɑu^{2}	晧韻
3633b	下古・011オ1・疊字	老	平	ラウ	左注	lɑu^{2}	晧韻
3621b	下古・010ウ5・疊字	鯁	平	カウ	左注	kaŋ^{2}	梗韻
3686b	下古・011ウ5・疊字	本	平	ホン	右注	puʌn^{2}	混韻
3691b	下古・011ウ6・疊字	覧	平	―	―	lɑm^{2}	敢韻
3810b	下江・017オ2・疊字	窕	平	テウ	中注	deu^{2}	篠韻
3815b	下江・017オ3・疊字	少	平	セウ	左注	śiau$^{2/3}$	小/笑韻
3821b	下江・017オ4・疊字	諂	平	テム	左注	ṭ'iam^{2}	琰韻
3833b	下江・017オ7・疊字	點	平	テム	中注	tem^{2}	忝韻
3856b	下江・017ウ4・疊字	怙	平	コ	右注	ɣuʌ^{2}	姥韻
3866b	下江・017ウ6・疊字	起	平	キ	左注	k'iɐi^{2}	止韻
3918b	下手・021オ2・雑物	土	平濁	ト	右注	t'uʌ^{2} duʌ^{2}	姥韻 姥韻
3977b	下手・022ウ1・疊字	轉	平	―	―	ṭiuan$^{2/3}$	獮/線韻
3978b	下手・022ウ1・疊字	轉	平濁	―	―	ṭiuan$^{2/3}$	獮/線韻
3987b	下手・022ウ3・疊字	散	平	サン	左注	sɑn$^{2/3}$	旱/翰韻
3994b	下手・022ウ4・疊字	弉	平	シヤウ	中注	tsiɑŋ^{2}	養韻
4000b	下手・022ウ6・疊字	限	平	―	―	ɣɐn^{2}	産韻
3934b	下手・021ウ5・重點	轉	平濁	テン	右注	ṭiuan$^{2/3}$	獮/線韻
4108b	下阿・026オ7・植物	草	平濁	サウ	右傍	ts'ɑu^{2}	晧韻
4126b	下阿・027オ1・植物	已	平	イ	右傍	jiɐi$^{2/3}$	止/志韻
4128b	下阿・027オ3・動物	鵡	平	ム	中注	miuʌ^{2}	麌韻
4228b	下阿・031オ5・飲食	粉	平	フン		piuʌn^{2}	吻韻
4366b	下阿・039オ6・疊字	黨	平	タウ	左注	tɑŋ^{2}	蕩韻
4373b	下阿・039オ7・疊字	愍	平	ミン	左注	mien^{2}	軫韻
4382b	下阿・039ウ2・疊字	穏	平	オン	右注	'uʌn^{2}	混韻
4392b	下阿・039ウ5・疊字	章	平	シヤウ	右傍	tśiɑŋ^{2}	陽韻
4461b	下佐・043オ7・植物	眼	平濁	―	―	ŋɐn^{2}	産韻
4606b	下佐・048オ3・雑物	菓	平	―	―	kuɑ^{2}	果韻
4668b	下佐・051オ6・疊字	礼	平	―	―	lei^{2}	薺韻
4027b	下手・023オ5・疊字	倒	平	タウ	左注	tɑu$^{2/3}$	晧/号韻
4687b	下佐・051ウ3・疊字	後	平	コ	左注	ɣʌu$^{2/3}$	厚/候韻
4738b	下佐・052ウ1・疊字	動	平	トウ	左注	dʌuŋ^{2}	董韻
4739b	下佐・052ウ1・疊字	道	平	タウ	左注	dɑu^{2}	晧韻

4756b	下佐・052ウ5・疊字	數	平	ス	左注	ṣiuʌ$^{2/3}$ sʌuk ṣauk	麌/遇韻 屋韻 覺韻
4771b	下佐・053オ2・疊字	仕	平濁	シ	左注	dẓiɐi^{2}	止韻
4904b	下木・058オ1・人事	樹	平	―	―	źiuʌ$^{2/3}$	麌/遇韻
4994b	下木・061オ5・疊字	解	平	―	―	kɐ$^{2/3}$ ɣei$^{2/3}$	蟹/卦韻 駭/怪韻
4997b	下木・061オ6・疊字	道	平	タウ	左注	dɑu^{2}	晧韻
4998b	下木・061オ6・疊字	者	平	シヤ	左注	tśia^{2}	馬韻
5000b	下木・061オ7・疊字	上	平	―	―	źiaŋ$^{2/3}$	養/漾韻
5025b	下木・061ウ5・疊字	往	平	ワウ	左注	ɣiuaŋ^{2}	養韻
5028b	下木・061ウ5・疊字	後	平	コウ	左注	ɣʌu$^{2/3}$	厚/候韻
5056b	下木・062オ5・疊字	誕	平	タン	左注	dɑn^{2}	旱韻
5062b	下木・062オ6・疊字	殆	平	タイ	左注	dʌi^{2}	海韻
5085b	下木・062ウ5・疊字	厚	平濁	コウ	左注	ɣʌu$^{2/3}$	厚/候韻
5094b	下木・062ウ7・疊字	断	平濁	タン	左注	duɑn^{2} tuɑn$^{2/3}$	緩韻 緩/換韻
5099b	下木・063オ2・疊字	断	平濁	タン	左注	duɑn^{2} tuɑn$^{2/3}$	緩韻 緩/換韻
5117b	下木・063オ6・疊字	撰	平	セン	左注	dẓian^{2} dẓuan^{2}	獮韻 潸韻
5124b	下木・063オ7・疊字	杖	平	チヤウ	左注	ḍiaŋ^{2}	養韻
5154b	下木・063ウ7・疊字	矩	平	ク	右注	kiuʌ^{2}	麌韻
5159b	下木・064オ1・疊字	怒	平濁	ト	左注	nuʌ$^{2/3}$	姥/暮韻
5163b	下木・064オ2・疊字	主	平	シユ	左注	tśiuʌ^{2}	麌韻
5189b	下木・064オ7・疊字	彩	平	サイ	右注	ts‘ʌi^{2}	海韻
5455b	下師・074ウ3・雜物	杖	平	チヤウ	左注	ḍiaŋ^{2}	養韻
5459b	下師・074ウ4・雜物	老	平	ラウ	右傍	lɑu^{2}	晧韻
5574b	下師・080オ2・疊字	善	平	セン	右注	źian^{2}	獮韻
5591b	下師・080ウ4・疊字	礼	平	ライ	左注	lei^{2}	薺韻
5592b	下師・080ウ4・疊字	撿	平	ケン	中注	liam^{2}	琰韻
5593b	下師・080ウ5・疊字	撿	平	ケム	左注	liam^{2}	琰韻
5631b	下師・081ウ1・疊字	者	平	―	―	tśia^{2}	馬韻
5647b	下師・081ウ5・疊字	在	平濁	サイ	左注	dzʌi$^{2/3}$	海/代韻
5662b	下師・082オ1・疊字	礼	平	ライ	右注	lei^{2}	薺韻
5669b	下師・082オ3・疊字	受	平濁	シユ	左注	źiʌu^{2}	有韻
5694b	下師・082ウ2・疊字	近	平濁	コン	左注	giʌn$^{2/3}$	隠/焮韻
5759b	下師・083ウ5・疊字	走	平	―	―	tsʌu$^{2/3}$	厚/候韻
5762b	下師・083ウ7・疊字	負	平	フ	左注	biʌu^{2}	有韻
5768b	下師・084オ2・疊字	滿	平	マン	左注	mɑn^{2}	緩韻
5772b	下師・084オ2・疊字	載	平濁	サイ	右注	tsʌi$^{2/3}$ dzʌi^{3}	海/代韻 代韻

5780b	下師・084オ4・疊字	仰	平濁	カウ	左注	ŋiaŋ$^{2/3}$	養/漾韻
5782b	下師・084オ4・疊字	掌	平	シヤウ	右注	tśiaŋ^{2}	養韻
5786b	下師・084オ5・疊字	履	平	リ	右注	liei^{2}	旨韻
5789b	下師・084オ5・疊字	捨	平	シヤ	左注	śia^{2}	馬韻
5820b	下師・084ウ3・疊字	代	平	タイ	左注	dʌi^{3}	代韻
5833b	下師・084ウ6・疊字	怙	平	コ	右注	ɣuʌ^{2}	姥韻
5838b	下師・084ウ6・疊字	動	平濁	トウ	左注	dʌuŋ^{2}	董韻
5856b	下師・085オ2・疊字	談	平	タム	右注	dam^{2}	談韻
5990b	下會・089オ6・疊字	處	平	―	―	tśʻiʌ$^{2/3}$	語/御韻
5994b	下會・089オ6・疊字	断	平	―	―	duan^{2} tuan$^{2/3}$	緩韻 緩/換韻
6003b	下會・089ウ1・疊字	仕	平	シ	左注	dẓiei^{2}	止韻
6008b	下會・089ウ2・疊字	滿	平	―	―	man^{2}	緩韻
6082b	下飛・092オ2・動物	羖	平	コ	右傍	kuʌ^{2}	姥韻
6151b	下飛・094オ6・雜物	皷	平	ク	右傍	kuʌ^{2}	姥韻
6252b	下飛・098オ1・疊字	下	平濁	ケ	左注	ɣa$^{2/3}$	馬/禡韻
6302b	下飛・098ウ3・疊字	理	平	リ	右注	liɐi^{2}	止韻
6311b	下飛・098ウ4・疊字	等	平濁	トウ	中注	tʌŋ^{2}	等韻
5708b	下師・082ウ6・疊字	簡	平	カン	右傍	kɐn^{2}	産韻
6301b	下飛・098ウ2・疊字	道	平	タウ	左注	dau^{2}	晧韻
6321b	下飛・098ウ6・疊字	粉	平	フン	左注	piuʌn^{2}	吻韻
6322b	下飛・098ウ6・疊字	補	平	ホ	右注	puʌ^{2}	姥韻
6498b	下世・106ウ6・地儀	瑣	平	―	―	sua^{2}	果韻
6533b	下世・108ウ1・人事	海	平	―	―	xʌi^{2}	海韻
6619b	下世・110ウ4・疊字	旨	平	―	―	śiei^{2}	旨韻
6632b	下世・110ウ6・疊字	選	平	―	―	siuan$^{2/3}$ suan^{2}	獮/線韻 緩韻
6637b	下世・110ウ7・疊字	後	平	―	―	ɣʌu$^{2/3}$	厚/候韻
6642b	下世・111オ1・疊字	祖	平	―	―	tsuʌ^{2}	姥韻
6672b	下世・111オ6・疊字	談	平	―	―	dam^{2}	談韻
6673b	下世・111オ6・疊字	語	平	―	―	ŋiʌ$^{2/3}$	語/御韻
6705b	下世・111ウ5・疊字	尾	平濁	―	―	miʌi^{2}	尾韻
6898b	下洲・119ウ7・疊字	近	平	コン	中注	giʌn$^{2/3}$	隱/焮韻
6901b	下洲・120オ1・疊字	手	平	―	―	śiʌu^{2}	有韻
6933b	下洲・120ウ1・疊字	喜	平	キ	右注	xiɐi$^{2/3}$	止/志韻

番号	前田本所在	掲出字		仮名音注		中古音	韻目
3593b	下古・010オ5・疊字	夜	平	―	―	jia^{3}	禡韻
3599b	下古・010オ7・疊字	地	平	チ	左注	diei^{3}	至韻
3602b	下古・010ウ1・疊字	戒	平	―	―	kɐi^{3}	怪韻
3610b	下古・010ウ3・疊字	忌	平	―	―	giei^{3}	志韻
3612b	下古・010ウ3・疊字	製	平	セイ	左注	tśiai^{3}	祭韻
3634b	下古・011オ1・疊字	性	平	シヤウ	左注	sieŋ^{3}	勁韻

3635b	下古・011オ1・疊字	念	平	―	―	nem^3	桥韻
3636b	下古・011オ1・疊字	議	平	―	―	ŋie^3	寘韻
3643b	下古・011オ3・疊字	寐	平	ヒ	左注	mjiei^3	至韻
3644b	下古・011オ3・疊字	妄	平	マウ	中注	miaŋ^3	漾韻
3664b	下古・011ウ1・疊字	陋	平	ロウ	左注	lʌu^3	候韻
3675b	下古・011ウ3・疊字	到	平	―	―	tau^3	号韻
3681b	下古・011ウ4・疊字	敗	平	ヘン	左注	bai^3 pai^3	夬韻 夬韻
3688b	下古・011ウ6・疊字	幣	平	ヘイ	左注	bjiai^3	祭韻
3697b	下古・012オ1・疊字	命	平	メイ	左注	miaŋ^3	映韻
3710b	下古・012オ4・疊字	用	平	ヨウ	左注	jiauŋ^3	用韻
3753b	下江・014ウ4・植物	布	平	―	―	puʌ^3	暮韻
3801b	下江・016ウ7・疊字	拜	平	―	―	pɐi^3	怪韻
3824b	下江・017オ5・疊字	臥	平 去	クワ	右傍	ŋua^3	過韻
3851b	下江・017ウ3・疊字	害	平	カイ	左注	ɣai^3	泰韻
3904b	下手・020オ7・人事	向	平	クワウ	右傍	xiaŋ^3 śiaŋ^3	漾韻 漾韻
3919b	下手・021オ2・雜物	度	平濁	ト	右注	duʌ^3 dak	暮韻 鐸韻
3944b	下手・022オ1・疊字	弊	平	ヘイ	左注	bjiai^3	祭韻
3952b	下手・022オ3・疊字	議	平	―	―	ŋie^3	寘韻
3956b	下手・022オ3・疊字	位	平	―	―	ɣiuei^3	至韻
3990b	下手・022ウ4・疊字	哢	平	―	―	lʌuŋ^3	送韻
4002b	下手・022ウ6・疊字	定	平	チヤウ	左注	teŋ^3 deŋ^3	徑韻 徑韻
4003b	下手・022ウ7・疊字	對	平	タイ	中注	tuʌi^3	隊韻
4019b	下手・023オ3・疊字	度	平濁	ト	左注	duʌ^3 dak	暮韻 鐸韻
4039b	下手・023ウ1・疊字	利	平	リ	右注	liei^3	至韻
4223b	下阿・031オ2・人事	夜	平	―	―	jia^3	禡韻
4227b	下阿・031オ4・飲食	歳	平	―	―	siuai^3	祭韻
4362b	下阿・039オ5・疊字	敬	平	―	―	kiaŋ^3	映韻
4370b	下阿・039オ7・疊字	翫	平	クヱン	中注	ŋuan^3	換韻
4371b	下阿・039オ7・疊字	翫	平	クワン	左注	ŋuan^3	換韻
4378b	下阿・039ウ1・疊字	誦	平	シウ	中注	ziauŋ^3	用韻
4385b	下阿・039ウ3・疊字	署	平濁	シヨ	中注	źiʌ^3	御韻
4387b	下阿・039ウ3・疊字	駕	平濁	カ	右注	ka^3	禡韻
4470b	下佐・043ウ5・植物	味	平濁	―	―	miʌi^3	未韻
4589b	下佐・047ウ4・雜物	座	平濁	サ	右注	dzua^3	過韻
4656b	下佐・051オ3・疊字	拜	平	―	―	pɐi^3	怪韻
4658b	下佐・051オ4・疊字	昧	平	（マイ）	左注	muʌi^3	隊韻
4675b	下佐・051オ7・疊字	愧	平濁	クヰ	左注	kiuei^3	至韻

4681b	下佐・051ウ1・疊字	汰	平	タ	中注	tʻɑi3	泰韻
4683b	下佐・051ウ2・疊字	用	平	ヨウ	左注	jiɑuŋ3	用韻
4691b	下佐・051ウ4・疊字	異	平 去	イ	中注	jiɐi3	志韻
4694b	下佐・051ウ4・疊字	地	平	チ	右注	diei3	至韻
4700b	下佐・051ウ6・疊字	次	平	―	―	tsʻiei3	至韻
4707b	下佐・051ウ7・疊字	歎	平	タン	左注	tʻɑn3	翰韻
4708b	下佐・051ウ7・疊字	偽	平	クヰ	左注	ŋiue3	寘韻
4718b	下佐・052オ2・疊字	卧	平	クワ	左注	ŋuɑ3	過韻
4721b	下佐・052オ4・疊字	預	平	―	―	jiʌ3	御韻
4733b	下佐・052オ6・疊字	案	平	―	―	ʼɑn3	翰韻
4741b	下佐・052ウ1・疊字	愧	平濁	クヰ	左注	kiuei3	至韻
4794b	下佐・053ウ1・疊字	次	平	シ	右傍	tsʻiei3	至韻
4901b	下木・057ウ5・人事	藝	平濁	ケイ	右注	ŋjiai3	祭韻
4992b	下木・061オ5・疊字	念	平	ネム	左注	nem3	㮇韻
4993b	下木・061オ5・疊字	願	平	クワン	左注	ŋiuɑn3	願韻
5049b	下木・062オ3・疊字	背	平濁	ハイ	左注	puʌi3 buʌi3	隊韻 隊韻
5050b	下木・062オ3・疊字	慎	平濁	シン	左注	sien3	震韻
5068b	下木・062オ7・疊字	退	平	タイ	右注	tʻuʌi3	隊韻
5081b	下木・062ウ4・疊字	饉	平	キン	左注	gien3	震韻
5087b	下木・062ウ5・疊字	置	平	チ	左注	ṭiɐi3	志韻
5097b	下木・063オ1・疊字	固	平	コ	左注	kuʌ3	暮韻
5101b	下木・063オ2・疊字	定	平	チヤウ	左注	teŋ3 deŋ3	徑韻 徑韻
5103b	下木・063オ2・疊字	箭	平	―	―	tsian3	線韻
5106b	下木・063オ3・疊字	代	平	タイ	左注	dʌi3	代韻
5114b	下木・063オ5・疊字	味	平濁	ヒ	左注	miʌi3	未韻
5131b	下木・063ウ2・疊字	用	平	ヨウ	左注	jiɑuŋ3	用韻
5134b	下木・063ウ2・疊字	忌	平	キ	左注	giɐi3	志韻
5135b	下木・063ウ3・疊字	諱	平	クヰ	中注	xiuʌi3	未韻
5152b	下木・063ウ7・疊字	異	平	―	―	jiɐi3	志韻
5160b	下木・064オ1・疊字	用	平	ヨウ	左注	jiɑuŋ3	用韻
5173b	下木・064オ4・疊字	故	平	コ	左注	kuʌ3	暮韻
5177b	下木・064オ5・疊字	害	平	カイ	右注	ɣɑi3	泰韻
5536b	下師・078ウ7・疊字	夜	平	ヤ	右注	jia3	禡韻
5543b	下師・079オ2・疊字	地	平	―	―	diei3	至韻
5561b	下師・079ウ3・疊字	現	平濁	ケン	左注	ɣen3	霰韻
5580b	下師・080オ4・疊字	礙	平	ケ	左注	ŋʌi3	代韻
5582b	下師・080オ6・疊字	位	平	―	―	ɣiuei3	至韻
5585b	下師・080オ6・疊字	位	平	―	―	ɣiuei3	至韻
5589b	下師・080ウ3・疊字	夜	平	ヤ	左注	jia3	禡韻
5590b	下師・080ウ3・疊字	進	平濁	シン	左注	tsien3	震韻

5601b	下師・080ウ6・疊字	瑞	平濁	スイ	左注	źiue³	寘韻
5615b	下師・081オ5・疊字	第	平濁	タイ	左注	dei³	霽韻
5617b	下師・081オ6・疊字	慮	平	リヨ	左注	liʌ³	御韻
5624b	下師・081オ7・疊字	見	平	ケン	左注	ken³ ɣen³	霰韻 霰韻
5629b	下師・081ウ1・疊字	恚	平	イ	右注	'jiue³	寘韻
5635b	下師・081ウ2・疊字	意	平	―	―	iɐi³	志韻
5639b	下師・081ウ3・疊字	恕	平	―	―	śiʌ³	御韻
5654b	下師・081ウ7・疊字	事	平	―	―	dẓiɐi³	志韻
5661b	下師・082オ1・疊字	誤	平濁	コ	左注	ŋuʌ³	暮韻
5674b	下師・082オ4・疊字	帳	平	―	―	ṭiaŋ³	漾韻
5678b	下師・082オ6・疊字	座	平	―	―	dzuɑ³	過韻
5725b	下師・083オ3・疊字	具	平	ク	左注	giuʌ³	遇韻
5728b	下師・083オ4・疊字	躙	平	リン	左注	lien³	震韻
5729b	下師・083オ4・疊字	見	平	―	―	ken³ ɣen³	霰韻 霰韻
5730b	下師・083オ5・疊字	面	平	メン	左注	miuan³	線韻
5758b	下師・083ウ5・疊字	退	平濁	タイ	左注	t'uʌi³	隊韻
5775b	下師・084オ3・疊字	用	平	ヨウ	右注	jiauŋ³	用韻
5862b	下師・085オ3・疊字	字	平濁	シ	右注	dziɐi³	志韻
5891b	下師・085ウ1・疊字	偽	平濁	クヰ	右注	ŋiue³	寘韻
5997b	下會・089オ7・疊字	向	平	カウ	中注	xiaŋ³ śiaŋ³	漾韻 漾韻
6099b	下飛・092ウ2・人倫	販	平	ハン	右傍	piɑn³	願韻
6240b	下飛・097ウ6・疊字	喩	平	ユ	中注	jiuʌ³	遇韻
6249b	下飛・098オ1・疊字	麗	平	レイ	左注	lei³	霽韻
6258b	下飛・098オ2・疊字	謗	平	ハウ	左注	pɑŋ³	宕韻
6280b	下飛・098オ6・疊字	賤	平 去	セン	左注	dzian³	線韻
6281b	下飛・098オ6・疊字	弊	平	ヘイ	左注	bjiai³	祭韻
6288b	下飛・098オ7・疊字	喩	平	―	―	jiuʌ³	遇韻
6293b	下飛・098ウ1・疊字	勢	平	セイ	左注	śiai³	祭韻
6296b	下飛・098ウ2・疊字	定	平	チヤウ	左注	teŋ³ deŋ³	徑韻 徑韻
6317b	下飛・098ウ5・疊字	定	平濁	チヤウ	左注	teŋ³ deŋ³	徑韻 徑韻
6320b	下飛・098ウ6・疊字	用	平	ヨウ	左注	jiauŋ³	用韻
6466b	下毛・105ウ3・疊字	恠	平	―	―	kuɐi³	怪韻
6471b	下毛・105ウ4・疊字	字	平濁	シ	右注	dziɐi³	志韻
6478b	下毛・105ウ5・疊字	訊	平濁	シム	右注	sien³	震韻
6550b	下世・108ウ7・雑物	帯	平	タイ	左注	tɑi³	泰韻
6589b	下世・110オ5・疊字	路	平	ロ	中注	luʌ³	暮韻

6597b	下世・110オ7・疊字	舫	平	ハウ	左注	piaŋ³ paŋ³	漾韻 宕韻
6600b	下世・110オ7・疊字	願	平	—	—	ŋiuan³	願韻
6606b	下世・110ウ1・疊字	定	平	—	—	teŋ³ deŋ³	徑韻 徑韻
6609b	下世・110ウ2・疊字	帝	平	—	—	tei³	霽韻
6616b	下世・110ウ3・疊字	務	平	—	—	miuʌ³	遇韻
6618b	下世・110ウ4・疊字	命	平	—	—	miaŋ³	映韻
6630b	下世・110ウ6・疊字	議	平	キ	左注	ŋie³	寘韻
6674b	下世・111オ7・疊字	誤	平	—	—	ŋuʌ³	暮韻
6696b	下世・111ウ3・疊字	害	平	カイ	左注	ɣai³	泰韻
6740b	下世・112オ5・疊字	命	平	メイ	右注	miaŋ³	映韻

番号	前田本所在	掲出字		仮名音注		中古音	韻目
5219b	下由・066オ5・植物	合	平濁	カフ	右傍	ɣʌp kʌp	合韻 合韻
5886b	下師・085オ7・疊字	納	平	ナウ	右注	nɑp	盍韻
6690b	下世・111ウ2・疊字	法	平	ハウ	左注	piʌp	乏韻

【表D-26】平声（熟字後部／第三字）下巻〔一致例〕

番号	前田本所在	掲出字		仮名音注		中古音	韻目
4093c	下阿・026オ2・植物	蕤	平	スヰ	右傍	ńiuei¹	脂韻
4124c	下阿・026ウ7・植物	藟	平	ルイ	右傍	liuei¹	脂韻
4151c	下阿・027ウ5・動物	螺	平	ラ	右傍	luɑ¹	戈韻
4156c	下阿・028オ2・動物	蟇	平濁	ハ	右傍	ma¹	麻韻
4222c	下阿・031オ1・人事	塩	平	—	—	jiam¹ᐟ³	鹽/豔韻
4537c	下佐・046オ5・人事	州	平	シウ	左注	tśiʌu¹	尤韻
4539c	下佐・046オ6・人事	憐	平	レン	左注	len¹	先韻
4542c	下佐・046オ7・人事	胡	平	—	—	ɣuʌ¹	模韻
4605c	下佐・048オ3・雑物	頭	平	—	—	dʌu¹	侯韻
4794c	下佐・053ウ1・疊字	顛	平	テン	右傍	ten¹	先韻
4863c	下木・056オ6・植物	河	平	—	—	ɣɑ¹	歌韻
5215c	下由・066オ2・地儀	黄	平	ワウ	右注	ɣuɑŋ¹	唐韻
5380c	下師・073オ2・人事	陵	平	—	—	lieŋ¹	蒸韻
5433c	下師・074オ4・雑物	綾	平	リヨウ	右傍	lieŋ¹	蒸韻
5459c	下師・074ウ4・雑物	鴟	平	シ	右傍	tś'iei¹	脂韻
5476c	下師・075オ3・光彩	皚	平	キ	右傍	ŋʌi¹	咍韻
5969c	下會・087ウ6・植物	蕤	平	スヰ	右傍	ńiuei¹	脂韻
6053c	下飛・091オ6・植物	卿	平	—	—	k'iaŋ¹	庚韻
6531c	下世・108オ7・人事	兒	平	シ	右傍	ńie¹ ŋei¹	支韻 齊韻
6532c	下世・108オ7・人事	波	平	ハ	左注	pɑ¹	戈韻

【表D-26】平声（熟字後部／第二字）下巻〔不一致例〕

番号	前田本所在	掲出字		仮名音注		中古音	韻目
4541c	下佐・046オ6・人事	老	平	ラウ	左注	lɑu^{2}	晧韻
6723c	下世・112オ2・疊字	錦	平	―	―	kiem^{2}	寑韻

番号	前田本所在	掲出字		仮名音注		中古音	韻目
4543c	下佐・046オ7・人事	破	平	―	―	p‘ɑ^{3}	過韻

【表D-26】平声（熟字後部／第四字）下巻〔一致例〕

番号	前田本所在	掲出字		仮名音注		中古音	韻目
3413d	下古・006オ4・人事	仙	平	―	―	sian^{1}	仙韻
4904d	下木・058オ1・人事	庭	平	―	―	deŋ^{1}	青韻

【表D-26】平声（熟字後部／第四字）下巻〔不一致例〕

番号	前田本所在	掲出字		仮名音注		中古音	韻目
4223d	下阿・031オ2・人事	理	平	―	―	liɐi^{2}	止韻

番号	前田本所在	掲出字		仮名音注		中古音	韻目
4794d	下佐・053ウ1・疊字	佈	平濁	ハイ	右傍	pɑi^{3}	泰韻

【表D-26】平声（熟字後部／第五字）下巻〔一致例〕

番号	前田本所在	掲出字		仮名音注		中古音	韻目
4904e	下木・058オ1・人事	花	平	―	―	xua^{1}	麻韻

【表D-27】東声（熟字後部／第二字）上巻〔一致例〕

番号	前田本所在	掲出字		仮名音注		中古音	韻目
0438b	上呂・019オ2・疊字	呼	東	コ	中注	xuʌ^{1}	模韻
0468b	上波・020オ4・天象	光	東			kuɑŋ$^{1/3}$	唐/宕韻
1758b	上池・067オ6・人事	光	東	―	―	kuɑŋ$^{1/3}$	唐/宕韻

【表D-28】東声（熟字後部／第二字）下巻〔一致例〕

番号	前田本所在	掲出字		仮名音注		中古音	韻目
3632b	下古・010ウ7・疊字	生	東	―	―	ṣaŋ$^{1/3}$	庚/映韻
3667b	下古・011ウ1・疊字	心	東	―	―	siem^{1}	侵韻
3671b	下古・011ウ2・疊字	山	東	―	―	ṣɐn^{1}	山韻

4639b	下佐・050ウ7・疊字	光	東	―	―	kuaŋ$^{1/3}$	唐/宕韻
4695b	下佐・051ウ4・疊字	生	東	―	―	ṣaŋ$^{1/3}$	庚/映韻
5188b	下木・064オ7・疊字	園	東?	ヱン	右注	ɣiuan^{1}	元韻
5213b	下由・065ウ7・天象	昏	東	コン	右傍	xuʌn^{1}	魂韻
5382b	下師・073オ2・人事	金	東	キム	中注	kiem^{1}	侵韻
5387b	下師・073オ4・人事	風	東	―	―	piʌuŋ$^{1/3}$	東/送韻
5521b	下師・078ウ2・重點	湯	東	シヤウ	右注	śiaŋ^{1} t'aŋ$^{1/3}$	陽韻 唐/宕韻
5533b	下師・078ウ7・疊字	昏	東濁	コン	左注	xuʌn^{1}	魂韻
5713b	下師・082ウ7・疊字	風	東	―	―	piʌuŋ$^{1/3}$	東/送韻
6106b	下飛・092ウ3・人倫	珠	東	シユ	右傍	tśiuʌ^{1}	虞韻
6494b	下世・106ウ5・地儀	風	東	フウ	右傍	piʌuŋ$^{1/3}$	東/送韻
6502b	下世・106ウ6・地儀	光	東	―	―	kuaŋ$^{1/3}$	唐/宕韻

【表D-29】上声（熟字後部／第二字）上巻〔一致例〕

番号	前田本所在	掲出字		仮名音注		中古音	韻目
0070b	上伊・004オ7・動物	負	上	フ	右傍	biʌu^{2}	有韻
0098b	上伊・005オ6・動物	蝠	上	マウ	右傍	maŋ^{2}	梗韻
0100b	上伊・005オ7・動物	蟻	上濁	キ	右傍	giue^{2}	紙韻
0232b	上伊・012ウ1・疊字	雨	上	ウ	右注	ɣiuʌ$^{2/3}$	麌/遇韻
0248b	上伊・012ウ4・疊字	女	上濁	チヨ	中注	ṇiʌ$^{2/3}$	語/御韻
0259b	上伊・012ウ6・疊字	往	上	ワウ	左注	ɣiuaŋ^{2}	養韻
0262b	上伊・012ウ7・疊字	緒	上	シヨ	左注	ziʌ^{2}	語韻
0266b	上伊・013オ1・疊字	父	上	フ	左注	piuʌ^{2} biuʌ^{2}	麌韻 麌韻
0276b	上伊・013オ3・疊字	美	上	ヒ	中注	miei^{2}	旨韻
0283b	上伊・013オ4・疊字	老	上	ラウ	左注	lau^{2}	晧韻
0291b	上伊・013オ6・疊字	體	上	テイ	右注	t'ei^{2}	薺韻
0300b	上伊・013ウ1・疊字	覧	上	ラン	右注	lam^{2}	敢韻
0305b	上伊・013ウ2・疊字	長	上	チヤウ	中注	ṭiaŋ^{2} ḍiaŋ$^{1/3}$	養韻 陽/漾韻
0310b	上伊・013ウ3・疊字	引	上	イン	右注	jien$^{2/3}$	軫韻
0314b	上伊・013ウ4・疊字	口	上	コウ	中注	k'ʌu^{2}	厚韻
0316b	上伊・013ウ5・疊字	夏	上	カ	右傍	ɣa$^{2/3}$	馬/禡韻
0323b	上伊・013ウ6・疊字	徙	上	シ	右注	sie^{2}	紙韻
0330b	上伊・013ウ7・疊字	盞	上	サン	左注	tṣɐn^{2}	産韻
0333b	上伊・014オ1・疊字	馬	上濁	ハ	左注	ma^{2}	馬韻
0339b	上伊・014オ2・疊字	准	上	スヰン	右注	tśiuen^{2}	準韻
0342b	上伊・014オ3・疊字	彩	上	サイ	右注	ts'ʌi^{2}	海韻
0343b	上伊・014オ3・疊字	羽	上	ウ	右注	ɣiuʌ$^{2/3}$	麌/遇韻

0345b	上伊・014オ3・疊字	舉	上	キヨ	右注	kiʌ^{2} jiʌ^{1}	語韻 魚韻
0403b	上呂・017オ5・地儀	海	上	カイ	右傍	xʌi^{2}	海韻
0406b	上呂・017ウ4・人體	府	上	フ	右注	piuʌ^{2}	麌韻
0436b	上呂・019オ2・疊字	顕	上	ケン	中注	xen^{2}	銑韻
0440b	上呂・019オ2・疊字	膽	上	タム	左注	tɑm^{2}	敢韻
0441b	上呂・019オ3・疊字	鳥	上	テウ	中注	teu^{2}	篠韻
0454b	上呂・019オ5・疊字	簿	上	フ	右注	buʌ^{2} bɑk	姥韻 鐸韻
0469b	上波・020オ4・天象	景	上	ケイ	右傍	kiaŋ^{2}	梗韻
0471b	上波・020オ4・天象	水	上	スイ	右傍	śiuei^{2}	旨韻
0492b	上波・021オ1・植物	母	上濁	ホ	右傍	mʌu^{2}	厚韻
0531b	上波・022オ1・植物	萏	上	タム	右傍	dʌm^{2}	感韻
0557b	上波・023オ1・動物	乕	上	コ	右傍	xuʌ^{2}	姥韻
0568b	上波・023ウ1・人倫	婦	上	フ	右傍	biʌu^{2}	有韻
0596b	上波・024オ7・人躰	子	上	シ	右傍	tsiɐi^{2}	止韻
0630b	上波・025ウ5・人事	鼻	上	―	―	bjiei^{3}	至韻
0641b	上波・026オ4・雜物	肚	上	ト	右傍	tuʌ^{2} duʌ^{2}	姥韻 姥韻
0678b	上波・027オ6・雜物	粉	上	フン	右傍	piuʌn^{2}	吻韻
0679b	上波・027オ6・雜物	歯	上	シ	右傍	tś‘iɐi^{2}	止韻
0702b	上波・029オ4・人事	頚	上濁	―	―	kieŋ^{2} gieŋ^{1}	靜韻 清韻
0728b	上波・031ウ1・疊字	景	上濁	ケイ	右注	kiaŋ^{2}	梗韻
0731b	上波・031ウ1・疊字	隠	上	イム	右注	’iʌn$^{2/3}$	隠/焮韻
0737b	上波・031ウ3・疊字	里	上	リ	左注	liɐi^{2}	止韻
0751b	上波・031ウ5・疊字	馬	上濁	ハ	左注	ma^{2}	馬韻
0761b	上波・031ウ7・疊字	死	上	シ	中注	siei^{2}	旨韻
0774b	上波・032オ3・疊字	儻	上	タウ	右注	t‘ɑŋ$^{2/3}$	蕩/宕韻
0786b	上波・032オ6・疊字	語	上濁	キヨ	右注	ŋiʌ$^{2/3}$	語/御韻
0789b	上波・032オ6・疊字	偶	上濁	コウ	右注	ŋʌu$^{2/3}$	厚/候韻
0822b	上波・032ウ6・疊字	覧	上	ラム	左注	lɑm^{2}	敢韻
0829b	上波・032ウ7・疊字	免	上	メン	左注	mian^{2}	獮韻
0835b	上波・033オ1・疊字	火	上	クワ	左注	xuɑ^{2}	果韻
0847b	上波・033オ4・疊字	酒	上	シウ	左注	tsiʌu^{2}	有韻
0848b	上波・033オ4・疊字	盞	上	サン	右注	tṣɐn^{2}	産韻
0859b	上波・033オ6・疊字	買	上濁	ハイ	左注	mɐ^{2}	蟹韻
0878b	上波・033ウ3・疊字	語	上濁	キヨ	右注	ŋiʌ$^{2/3}$	語/御韻
0880b	上波・033ウ3・疊字	撫	上濁	フ	右注	miuʌ^{2}	麌韻
0898b	上波・033ウ7・疊字	羽	上	ウ	右注	ɣiuʌ$^{2/3}$	麌/遇韻
0899b	上波・033ウ7・疊字	海	上	カイ	右注	xʌi^{2}	海韻
0905b	上波・034オ1・疊字	口	上	コウ	右注	k‘ʌu^{2}	厚韻

0933b	上仁・036オ4・植物	膽	上濁	タウ	右傍	tɑm²	敢韻
0940b	上仁・036ウ1・植物	藻	上	サウ	右傍	tsɑu²	晧韻
0970b	上仁・038オ7・雜物	紫	上	シ	右注	tsie²	紙韻
1013b	上仁・040ウ1・疊字	己	上	コ	右注	kiɐi²	止韻
1014b	上仁・040ウ2・疊字	尒	上濁	―	―	ńie²	紙韻
1036b	上保・042オ1・植物	夏	上	ケ	右傍	ɣa²/³	馬/禡韻
1051b	上保・042オ7・動物	鸕	上	ル	右傍	liuʌ²	麌韻
1057b	上保・042ウ5・動物	海	上	―	―	xʌi²	海韻
1095b	上保・044オ6・飲食	脯	上	フ	右傍	piuʌ²	麌韻
1105b	上保・044ウ7・雜物	子	上	シ	左注	tsiɐi²	止韻
1108b	上保・044ウ7・雜物	錢	上濁	セン	右注	dzian¹ tsian²	仙韻 獮韻
1150b	上保・047オ3・疊字	斗	上	ト	中注	tʌu²	厚韻
1154b	上保・047オ4・疊字	稔	上濁	―	―	ńiem²	寑韻
1183b	上保・047ウ3・疊字	宰	上	サイ	右注	tsʌi²	海韻
1196b	上保・047ウ5・疊字	母	上濁	ホ	中注	mʌu²	厚韻
1198b	上保・047ウ6・疊字	栁	上	リウ	左注	liʌu²	有韻
1242b	上保・048ウ1・疊字	戸	上	コ	右注	ɣuʌ²	姥韻
1248b	上保・048ウ2・疊字	錢	上濁	セン	左注	dzian¹ tsian²	仙韻 獮韻
1252b	上保・048ウ3・疊字	往	上	ワウ	左注	ɣiuɑŋ²	養韻
1255b	上保・048ウ3・疊字	少	上	セウ	左注	śiau²/³	小/笑韻
1257b	上保・048ウ4・疊字	輦	上	レン	中注	lian²	獮韻
1264b	上保・048ウ5・疊字	子	上	シ	左注	tsiɐi²	止韻
1266b	上保・048ウ6・疊字	貶	上	ヘン	左注	piam²	琰韻
1296b	上邊・051オ1・人躰	吐	上	ト	右傍	t'uʌ²/³	姥/暮韻
1305b	上邊・051ウ3・雜物	子	上濁	シ	右注	tsiɐi²	止韻
1314b	上邊・051ウ5・雜物	粉	上	フン	右傍	piuʌn²	吻韻
1330b	上邊・052ウ4・疊字	遠	上	ヱン	中注	ɣiuɑn²/³	阮/願韻
1333b	上邊・052ウ4・疊字	鄙	上	ヒ	中注	piei²	旨韻
1343b	上邊・052ウ6・疊字	濟	上濁	セイ	中注	tsei²/³	薺/霽韻
1354b	上邊・053オ2・疊字	頗	上濁	ハ	左注	p'ɑ¹/²/³	戈/果/過韻
1364b	上邊・053オ4・疊字	感	上	カム	右注	kʌm²	感韻
1367b	上邊・053オ4・疊字	口	上	コウ	左注	k'ʌu²	厚韻
1387b	上邊・053ウ1・疊字	補	上	フ	左注	puʌ²	姥韻
1390b	上邊・053ウ2・疊字	黨	上	タウ	右注	tɑŋ²	蕩韻
1391b	上邊・053ウ2・疊字	改	上濁	カイ	右注	kʌi²	海韻
1409b	上邊・053ウ6・疊字	裏	上	リ	左注	liɐi²	止韻
1410b	上邊・053ウ6・疊字	否	上	フ	左注	piʌu² biei²	有韻 旨韻
1454b	上度・055ウ6・人倫	祖	上	ソ	右傍	tsuʌ²	姥韻
1481b	上度・057オ2・飲食	腦	上濁	ナウ	右注	nɑu²/³	晧/号韻

1482b	上度・057オ2・飲食	脳	上濁	タウ	右傍	nɑu$^{2/3}$	晧/号韻
1573b	上度・062オ2・疊字	産	上	サン	中注	ṣɐn^{2}	産韻
1576b	上度・062オ3・疊字	酒	上	シユ	左注	tsiʌu^{2}	有韻
1579b	上度・062オ4・疊字	海	上	カイ	中注	xʌi^{2}	海韻
1582b	上度・062オ4・疊字	藪	上	ソウ	左注	sʌu^{2}	厚韻
1593b	上度・062オ6・疊字	母	上濁	ホ	左注	mʌu^{2}	厚韻
1609b	上度・062ウ3・疊字	跣	上	セン	左注	sen^{2}	銑韻
1634b	上度・063オ1・疊字	海	上	カイ	左注	xʌi^{2}	海韻
1635b	上度・063オ1・疊字	省	上濁	シヤウ	左注	ṣaŋ^{2} sieŋ^{2}	梗韻 靜韻
1638b	上度・063オ2・疊字	簡	上	カン	中注	kɐn^{2}	産韻
1646b	上度・063オ3・疊字	馬	上濁	ハ	左注	ma^{2}	馬韻
1663b	上度・063オ7・疊字	鳥	上	テウ	中注	teu^{2}	篠韻
1676b	上度・063ウ3・疊字	首	上濁	シユ	左注	śiʌu$^{2/3}$	有/宥韻
1679b	上度・063ウ3・疊字	鄙	上	ヒ	左注	piei^{2}	旨韻
1682b	上度・063ウ5・疊字	隠	上	―	―	ʼiʌn$^{2/3}$	隠/焮韻
1683b	上度・063ウ5・疊字	狡	上	カウ	右傍	kau^{2}	巧韻
1724b	上池・066オ1・植物	海	上	カイ	右注	xʌi^{2}	海韻
1744b	上池・066ウ7・人躰	胗	上	シン	右傍	tśien^{2} kien^{2}	軫韻 軫韻
1747b	上池・067オ3・人事	肱	上	コウ	右傍	kuʌŋ^{2}	登韻
1755b	上池・067オ5・人事	火	上	―	―	xuɑ^{2}	果韻
1757b	上池・067オ6・人事	久	上	キウ	右傍	kiʌu^{2}	有韻
1768b	上池・067ウ4・雜物	子	上	シ	右注	tsiɐi^{2}	止韻
1808b	上池・069オ3・疊字	沼	上	セウ	左注	tśiau^{2}	小韻
1809b	上池・069オ3・疊字	水	上	スイ	左注	śiuei^{2}	旨韻
1832b	上池・069ウ1・疊字	久	上	キウ	左注	kiʌu^{2}	有韻
1842b	上池・069ウ3・疊字	賞	上	シヤウ	左注	śiɑŋ^{2}	養韻
1843b	上池・069ウ3・疊字	古	上	コ	左注	kuʌ^{2}	姥韻
1846b	上池・069ウ3・疊字	引	上	イン	左注	jien$^{2/3}$	軫韻
1852b	上池・069ウ5・疊字	者	上濁	シヤ	左注	tśia^{2}	馬韻
1853b	上池・069ウ5・疊字	者	上	シヤ	中注	tśia^{2}	馬韻
1859b	上池・069ウ6・疊字	馬	上	ハ	左注	ma^{2}	馬韻
1880b	上池・070オ3・疊字	滿	上	マン	左注	mɑn^{2}	緩韻
1881b	上池・070オ3・疊字	府	上	―	―	piuʌ^{2}	麌韻
1905b	上池・070ウ1・疊字	止	上	シ	左注	tśiɐi^{2}	止韻
1914b	上池・070ウ3・疊字	酒	上	ス	左注	tsiʌu^{2}	有韻
1915b	上池・070ウ3・疊字	戸	上	コ	左注	ɣuʌ^{2}	姥韻
1920b	上池・070ウ4・疊字	礎	上	ソ	中注	tṣʻiʌ^{2}	語韻
1935b	上池・070ウ7・疊字	尾	上濁	ヒ	右注	miʌi^{2}	尾韻
1952b	上池・071オ4・疊字	短	上濁	タン	左注	tuɑn^{2}	緩韻
1982b	上利・072ウ4・地儀	綺	上濁	キ	右注	kʻie^{2}	紙韻

2009b	上利・073ウ5・雜物	皷	上濁	コ	右注	kuʌ²	姥韻
2024b	上利・074オ7・疊字	暖	上	タム	左注	nuɑn²	緩韻
2027b	上利・074オ7・疊字	久	上	キウ	左注	kiʌu²	有韻
2029b	上利・074ウ1・疊字	雨	上	ウ	左注	ɣiuʌ^2/3	麌/遇韻
2033b	上利・074ウ1・疊字	境	上	ケイ	左注	kiaŋ²	梗韻
2037b	上利・074ウ2・疊字	里	上	リ	左注	liɐi²	止韻
2040b	上利・074ウ3・疊字	里	上	リ	左注	liɐi²	止韻
2042b	上利・074ウ3・疊字	畝	上	ホ	左注	mʌu²	厚韻
2044b	上利・074ウ4・疊字	水	上	スイ	中注	śiuei²	旨韻
2054b	上利・074ウ6・疊字	旨	上濁	シ	左注	śiei²	旨韻
2060b	上利・074ウ7・疊字	尾	上濁	ヒ	中注	miʌi²	尾韻
2080b	上利・075オ4・疊字	境	上	ケイ	左注	kiaŋ²	梗韻
2085b	上利・075オ4・疊字	宂	上濁	シヨウ	右注	ńiɑuŋ²	腫韻
2088b	上利・075オ5・疊字	口	上	コウ	左注	k'ʌu²	厚韻
2100b	上利・075オ7・疊字	呂	上	リヨ	中注	liʌ²	語韻
2116b	上利・075ウ4・疊字	馬	上濁	ハ	左注	ma²	馬韻
2145b	上奴・076ウ3・植物	杞	上	キ	右傍	k'iɐi²	止韻
2146b	上奴・076ウ3・植物	杞	上	コ ［上］	左注	k'iɐi²	止韻
2185b	上留・079ウ1・疊字	祖	上	ソ	右注	tsuʌ²	姥韻
2231b	上遠・081オ3・人倫	母	上濁	ホ	右傍	mʌu²	厚韻
2242b	上遠・081オ7・人體	歯	上	シ	右傍	tś'iɐi²	止韻
2292b	上和・086オ3・植物	稲	上	タウ	右傍	dɑu²	晧韻
2301b	上和・086ウ3・人倫	子	上	シ	右傍	tsiɐi²	止韻
2306b	上和・086ウ7・人躰	疸	上	タン	右傍	tɑn^2/3	旱/翰韻
2353b	上和・088ウ1・雜物	耳	上濁	チ	右注	ńiɐi²	止韻
2369b	上和・089ウ7・疊字	者	上	シヤ	左注	tśia²	馬韻
2374b	上和・090オ1・疊字	古	上濁	コ	左注	kuʌ²	姥韻
2393b	上和・090オ5・疊字	舎	上	シヤ	右傍	śia^2/3	馬/禡韻
2403b	上和・090オ7・疊字	反	上濁	ハン	左注	piɑn²	阮韻
2409b	上和・090ウ1・疊字	母	上濁	ホ	右注	mʌu²	厚韻
2420b	上加・091オ4・天象	子	上	—	—	tsiɐi²	止韻
2461b	上加・092オ4・地儀	喜	上	キ	右傍	xiɐi^2/3	止/志韻
2465b	上加・092ウ1・植物	芺	上	アウ	右傍	'ɑu² 'iau²	晧韻 小韻
2469b	上加・092ウ3・植物	不	上	—	—	piʌu^1/2/3 piuʌt	尤/有/宥韻 物韻
2470b	上加・092ウ4・植物	茈	上	シ	右傍	tśiɐi²	止韻
2490b	上加・093オ7・植物	子	上	—	—	tsiɐi²	止韻
2505b	上加・093ウ3・植物	椇	上	ク	右傍	kiuʌ²	麌韻
2562b	上加・095オ4・動物	蠓	上	モウ	右傍	mʌuŋ^1/2	東/董韻
2643b	上加・097ウ3・人事	倒	上	タウ	右傍	tɑu^2/3	晧/号韻
2645b	上加・097ウ6・人事	水	上	スイ	左注	śiuei²	旨韻

2671b	上加・098オ5・飲食	米	上	ヘイ	右傍	mei^{2}	薺韻
2720b	上加・099オ7・雑物	首	上	―	―	śiʌu$^{2/3}$	有/宥韻
2754b	上加・100オ4・雑物	燎	上	レウ	右傍	liau$^{1/2/3}$	宵/小/笑韻
2767b	上加・100ウ1・雑物	皷	上	コ	右注	kuʌ^{2}	姥韻
2858b	上加・106ウ2・疊字	暑	上	シヨ	左注	śiʌ^{2}	語韻
2875b	上加・106ウ5・疊字	墾	上	メウ	左注	kʻʌn^{2}	很韻
2878b	上加・106ウ6・疊字	海	上	カイ	左注	xʌi^{2}	海韻
2881b	上加・106ウ6・疊字	渚	上	ソ	左注	tśiʌ^{2}	語韻
2882b	上加・106ウ6・疊字	海	上	カイ	左注	xʌi^{2}	海韻
2883b	上加・106ウ7・疊字	水	上	スイ	左注	śiuei^{2}	旨韻
2903b	上加・107オ4・疊字	黨	上	タウ	左注	tɑŋ^{2}	蕩韻
2917b	上加・107オ6・疊字	潦	上	ラウ	左注	lɑu$^{1/2/3}$	豪/晧/号韻
2927b	上加・107ウ1・疊字	冶	上 去	ヤ	左注	jia^{2}	馬韻
2939b	上加・107ウ4・疊字	了	上	レウ	左注	leu^{2}	篠韻
2948b	上加・107ウ6・疊字	眼	上濁	カン	左注	ŋɐn^{2}	産韻
2957b	上加・107ウ7・疊字	老	上	ラウ	左注	lɑu^{2}	晧韻
2960b	上加・108オ1・疊字	舞	上濁	フ	中注	miuʌ^{2}	麌韻
2968b	上加・108オ3・疊字	緒	上	ソ	右注	ziʌ^{2}	語韻
2969b	上加・108オ3・疊字	語	上濁	コ	左注	ŋiʌ$^{2/3}$	語/御韻
2976b	上加・108オ4・疊字	濟	上濁	セイ	右注	tsei$^{2/3}$	薺/霽韻
2982b	上加・108オ5・疊字	水	上	スイ	左注	śiuei^{2}	旨韻
2994b	上加・108ウ1・疊字	死	上	シ	左注	siei^{2}	旨韻
2997b	上加・108ウ1・疊字	苦	上	ク	左注	kʻuʌ$^{2/3}$	姥/暮韻
2998b	上加・108ウ1・疊字	苦	上	コ	中注	kʻuʌ$^{2/3}$	姥/暮韻
3015b	上加・108ウ5・疊字	藻	上	サウ	左注	tsɑu^{2}	晧韻
3038b	上加・109オ3・疊字	口	上	コウ	左注	kʻʌu^{2}	厚韻
3054b	上加・109オ6・疊字	飲	上	イム	左注	ʼiem$^{2/3}$	寑/沁韻
3056b	上加・109オ6・疊字	酒	上	シユ	左注	tsiʌu^{2}	有韻
3057b	上加・109オ6・疊字	酒	上	シユ	左注	tsiʌu^{2}	有韻
3062b	上加・109オ7・疊字	器	上濁	キ	左注	kʻiei^{3}	至韻
3067b	上加・109ウ1・疊字	旅	上	リコ	左注	liʌ^{2}	語韻
3071b	上加・109ウ2・疊字	李	上	リ	左注	liɐi^{2}	止韻
3081b	上加・109ウ4・疊字	能	上	ノウ	左注	nʌŋ$^{1/2}$ nʌi$^{1/3}$	登/等韻 咍/代韻
3085b	上加・109ウ5・疊字	覧	上	ラム	右注	lɑm^{2}	敢韻
3109b	上加・110オ3・疊字	壈	上	リム	右注	lʌm^{2}	感韻
3122b	上加・110オ5・疊字	眼	上濁	カン	右注	ŋɐn^{2}	産韻
3139b	上加・110ウ5・疊字	累	上	―	―	liue$^{2/3}$	紙/寘韻
3189b	上与・113ウ6・植物	茈	上	シ	右傍	tśiɐi^{2}	止韻
3193b	上与・114オ3・動物	眼	上	カン	右傍	ŋɐn^{2}	産韻
3246b	上与・117ウ3・疊字	受	上濁	シユ	左注	źiʌu^{2}	有韻

3247b	上与・117ウ3・疊字	不	上	フ	左注	piʌu$^{1/2/3}$ piuʌt	尤/有/宥韻 物韻
3248b	上与・117ウ3・疊字	敢	上	カム	中注	k'ɑm^{2}	敢韻
3249b	上与・117ウ4・疊字	者	上	シヤ	左注	tśia^{2}	馬韻
3262b	上与・117ウ6・疊字	飲	上	イム	右注	'iem$^{2/3}$	寢/沁韻

【表D-29】上声（熟字後部／第二字）上巻〔不一致例〕

番号	前田本所在	掲出字		仮名音注		中古音	韻目
0058b	上伊・004オ2・植物	翹	上	シ	右傍	gjiau$^{1/3}$	宵/笑韻
0332b	上伊・014オ1・疊字	舩	上	セン	中注	dźiuan^{1}	仙韻
1772b	上池・067ウ5・雜物	香	上	カウ	右注	xiɑŋ^{1}	陽韻
2192b	上留・079ウ3・疊字	通	上	ツウ	中注	t'ʌuŋ^{1}	東韻
0234b	上伊・012ウ1・疊字	糸	上	シ	左注	sieɪ^{1} mek	之韻 錫韻
0252b	上伊・012ウ5・疊字	縁	上	エン	中注	jiuan$^{1/3}$	仙/線韻
0264b	上伊・012ウ7・疊字	方	上	ハウ	左注	piɑŋ^{1} biɑŋ^{1}	陽韻 陽韻
0265b	上伊・013オ1・疊字	家	上	ケ	左注	ka^{1}	麻韻
0286b	上伊・013オ5・疊字	期	上濁	コ	右注	gieɪ^{1}	之韻
0320b	上伊・013ウ5・疊字	蘭	上	ラン	右注	lɑn^{1}	寒韻
0415b	上呂・018オ4・雜物	艫	上	ロ	右注	luʌ^{1}	模韻
0485b	上波・020ウ3・地儀	門	上	モン	右注	muʌn^{1}	魂韻
0488b	上波・020ウ4・地儀	風	上	フウ	右傍	piʌuŋ$^{1/3}$	東/送韻
0747b	上波・031ウ5・疊字	礼	上	レイ	左注	lei^{1}	薺韻
0760b	上波・031ウ7・疊字	來	上	ライ	中注	lʌi^{1}	咍韻
0766b	上波・032オ1・疊字	僧	上濁	ソウ	右注	sʌŋ^{1}	登韻
0776b	上波・032オ4・疊字	言	上濁	コン	中注	ŋiɑn^{1}	元韻
0779b	上波・032オ4・疊字	痴	上	チ	左注	ṭ'ieɪ^{1}	之韻
0798b	上波・032ウ1・疊字	還	上	—	—	ɣuan^{1}	刪韻
0814b	上波・032ウ4・疊字	流	上	ル	左注	liʌu^{1}	尤韻
0820b	上波・032ウ5・疊字	題	上濁	タイ	左注	dei$^{1/3}$	齊/薺韻
0842b	上波・033オ3・疊字	丁	上	チヤウ	左注	teŋ^{1} ṭeŋ^{1}	青韻 耕韻
0852b	上波・033オ5・疊字	輸	上	シウ	左注	śiuʌ$^{1/3}$	虞/遇韻
0935b	上仁・036オ5・植物	蕁	上	シン	右注	ṣiem^{1} sʌm^{1}	侵韻 覃韻
0950b	上仁・037オ1・動物	魚	上濁	キヨ	右傍	ŋiʌ^{1}	魚韻
0952b	上仁・037オ5・人倫	民	上	ミム	右注	mjien^{1}	眞韻
0954b	上仁・037ウ1・人躰	中	上	チウ	右注	ṭiʌuŋ$^{1/3}$	東/送韻
0990b	上仁・040オ3・疊字	中	上	チウ	左注	ṭiʌuŋ$^{1/3}$	東/送韻
0996b	上仁・040オ4・疊字	和	上	ワ	左注	ɣuɑ$^{1/3}$	戈/過韻

0999b	上仁・040オ5・疊字	勞	上	ラウ	右注	lɑu$^{1/3}$	豪/号韻
1001b	上仁・040オ5・疊字	民	上	―	―	mjien^{1}	眞韻
1006b	上仁・040オ6・疊字	間	上濁	ケン	左注	kɐn$^{1/3}$	山/襇韻
1011b	上仁・040オ7・疊字	傷	上濁	シヤウ	左注	śiɑŋ$^{1/3}$	陽/漾韻
1065b	上保・043オ2・人倫	乗	上濁	シヨウ	右傍	dźieŋ$^{1/3}$	蒸/證韻
1167b	上保・047オ6・疊字	華	上	クヱ	左注	xua^{1} ɣua$^{1/3}$	麻韻 麻/禡韻
1174b	上保・047ウ1・疊字	提	上濁	タイ	左注	dei^{1} źie^{1}	齊韻 支韻
1231b	上保・048オ5・疊字	家	上	ケ	左注	ka^{1}	麻韻
1274b	上保・049ウ1・諸寺	隆	上	リウ	右注	liʌuŋ^{1}	東韻
1295b	上邊・051オ1・人躰	疽	上	ソ	右注	tsʻiʌ^{1}	魚韻
1397b	上邊・053ウ4・疊字	縁	上	―	―	jiuan$^{1/3}$	仙/線韻
1401b	上邊・053ウ4・疊字	従	上濁	シウ	右注	dziɑuŋ^{1} tsʻiɑuŋ$^{1/3}$	鍾韻 鍾/用韻
1478b	上度・056ウ7・人事	天	上	―	―	tʻen^{1}	先韻
1495b	上度・057オ6・雜物	臺	上濁	タイ	右注	dʌi^{1}	咍韻
1496b	上度・057オ6・雜物	爐	上	ロ	右注	luʌ^{1}	模韻
1521b	上度・058オ1・光彩	黄	上	ワウ	右注	ɣuɑŋ^{1}	唐韻
1580b	上度・062オ4・疊字	明	上	ミヤウ	左注	miɑŋ^{1}	庚韻
1581b	上度・062オ4・疊字	経	上	キヤウ	左注	keŋ$^{1/3}$	青/徑韻
1583b	上度・062オ4・疊字	縁	上	エン	左注	jiuan$^{1/3}$	仙/線韻
1586b	上度・062オ5・疊字	宮	上	クウ	左注	kiʌuŋ^{1}	東韻
1607b	上度・062ウ2・疊字	心	上濁	シン	右注	siem^{1}	侵韻
1643b	上度・063オ3・疊字	訟	上	ソウ	左注	źiɑuŋ$^{1/3}$	鍾/用韻
1654b	上度・063オ5・疊字	西	上濁	サイ	左注	sei^{1}	齊韻
1660b	上度・063オ6・疊字	爐	上	ロ	左注	luʌ^{1}	模韻
1670b	上度・063ウ1・疊字	悠	上	イ	右注	'iʌi^{1}	微韻
1721b	上池・065ウ5・植物	黄	上	ワウ	右注	ɣuɑŋ^{1}	唐韻
1743b	上池・066ウ7・人躰	瘡	上	サウ	右注	tṣʻiɑŋ^{1}	陽韻
1774b	上池・067ウ5・雜物	垸	上	ワン	右注	ɣuɑn$^{1/3}$	桓/換韻
1800b	上池・069オ1・疊字	間	上濁	ケン	左注	kɐn$^{1/3}$	山/襇韻
1802b	上池・069オ2・疊字	形	上濁	キヤウ	左注	ɣeŋ^{1}	青韻
1807b	上池・069オ3・疊字	田	上濁	テン	左注	den^{1}	先韻
1818b	上池・069オ5・疊字	行	上濁	カウ	左注	ɣaŋ$^{1/3}$ ɣɑŋ$^{1/3}$	庚/映韻 唐/宕韻
1819b	上池・069オ5・疊字	門	上	モン	左注	muʌn^{1}	魂韻
1820b	上池・069オ5・疊字	持	上濁	チ	左注	ḍiɐi^{1}	之韻
1825b	上池・069オ6・疊字	齊	上	サイ	右注	dzei$^{1/3}$	齊/霽韻
1830b	上池・069オ7・疊字	中	上濁	チウ	左注	ṭiʌuŋ$^{1/3}$	東/送韻
1833b	上池・069ウ1・疊字	宮	上濁	クウ	左注	kiʌuŋ^{1}	東韻
1913b	上池・070ウ3・疊字	垸	上	ワン	中注	ɣuɑn$^{1/3}$	桓/換韻

1924b	上池・070ウ5・疊字	留	上	ル	右注	liʌu[1/3]	尤/宥韻
1942b	上池・071オ2・疊字	方	上	ホウ	右注	piɑŋ[1] biɑŋ[1]	陽韻 陽韻
2004b	上利・073ウ2・人事	花	上	クワ	右注	xua[1]	麻韻
2005b	上利・073ウ3・人事	胡	上	コ	右傍	ɣuʌ[1]	模韻
2045b	上利・074ウ4・疊字	他	上	タ	左注	t'ɑ[1]	歌韻
1854b	上池・069ウ5・疊字	生	上	セイ	左注	ṣaŋ[1/3]	庚/映韻
1869b	上池・070オ1・疊字	疑	上濁	キ	左注	ŋiɐi[1]	之韻
2063b	上利・074ウ7・疊字	西	上	サイ	中注	sei[1]	齊韻
2066b	上利・075オ1・疊字	珠	上	シユ	左注	tśiuʌ[1]	虞韻
2091b	上利・075オ6・疊字	非	上	ヒ	左注	piʌi[1]	微韻
2105b	上利・075ウ1・疊字	并	上濁	ヒヤウ	左注	pieŋ[1/3]	清/勁韻
2122b	上利・075ウ5・疊字	状	上濁	シヤウ	左注	dẓiɑŋ[3]	漾韻
2188b	上留・079ウ2・疊字	浪	上	ラウ	右注	lɑŋ[1/3]	唐/宕韻
2194b	上留・079ウ3・疊字	璃	上	ト	左注	lie[1]	支韻
2350b	上和・088オ7・雜物	琴	上濁	コン	右注	giem[1]	侵韻
2371b	上和・090オ1・疊字	城	上濁	シヤウ	左注	źieŋ[1]	清韻
2372b	上和・090オ1・疊字	丹	上	タン	中注	tɑn[1]	寒韻
2386b	上和・090オ3・疊字	豻	上	カン	左注	kan[1]	刪韻
2395b	上和・090オ5・疊字	廬	上	ロ	左注	liʌ[1]	魚韻
2437b	上加・091ウ5・地儀	堂	上濁	タウ	右注	dɑŋ[1]	唐韻
2438b	上加・091ウ6・地儀	藍	上	ラム	右注	lɑm[1]	談韻
2647b	上加・097ウ6・人事	樓	上	レウ	左注	lʌu[1]	侯韻
2656d	上加・098オ1・人事	須	上	ー	ー	siuʌ[1]	虞韻
2706b	上加・099オ4・雜物	臺	上濁	タイ	右傍	dʌi[1]	咍韻
2860b	上加・106ウ2・疊字	年	上	ネン	左注	nen[1]	先韻
2876b	上加・106ウ5・疊字	田	上濁	テン	左注	den[1]	先韻
2888b	上加・107オ1・疊字	花	上濁	クワ	左注	xua[1]	麻韻
2889b	上加・107オ1・疊字	持	上濁	チ	右注	ḍiɐi[1]	之韻
2893b	上加・107オ2・疊字	堂	上濁	タウ	左注	dɑŋ[1]	唐韻
2895b	上加・107オ2・疊字	藍	上	ラム	左注	lɑm[1]	談韻
2900b	上加・107オ3・疊字	師	上濁	シ	左注	ṣiei[1]	脂韻
2902b	上加・107オ3・疊字	茶	上濁	タ	左注	ḍa[1] dźia[1] duʌ[1]	麻韻 麻韻 模韻
2910b	上加・107オ5・疊字	階	上	カイ	左注	kɐi[1]	皆韻
2954b	上加・107ウ7・疊字	豻	上	カン	左注	kan[1]	刪韻
2972b	上加・108オ3・疊字	聲	上	シヤウ	左注	śieŋ[1]	清韻
2983b	上加・108オ6・疊字	醴	上	レイ	左注	lei[1]	薺韻
2987b	上加・108オ6・疊字	家	上	ケ	左注	ka[1]	麻韻
3003b	上加・108ウ2・疊字	生	上	シヤウ	左注	ṣaŋ[1/3]	庚/映韻
3022b	上加・108ウ6・疊字	當	上濁	タウ	左注	tɑŋ[1/3]	唐/宕韻

3027b	上加・108ウ7・疊字	兵	上	ヒヤウ	左注	piaŋ^{1}	庚韻
3035b	上加・109オ2・疊字	心	上濁	シム	右注	siem^{1}	侵韻
3077b	上加・109ウ3・疊字	氂	上	リ	左注	liɐi^{1}	之韻
3087b	上加・109ウ5・疊字	心	上濁	シム	右注	siem^{1}	侵韻
3090b	上加・109ウ6・疊字	憍	上	ケウ	右注	kiau^{1}	宵韻
3094b	上加・109ウ7・疊字	摸	上濁	ホ	右注	muʌ^{1} mɑk	模韻 鐸韻
3106b	上加・110オ2・疊字	心	上濁	シム	右注	siem^{1}	侵韻
3118b	上加・110オ5・疊字	嶺	上	レイ	右注	lieŋ^{1}	靜韻
3169b	上加・112オ2・官職	夫	上濁	フ	右傍	piuʌ^{1} biuʌ^{1}	虞韻 虞韻
3180b	上与・113オ6・天象	星	上	シヤウ	右注	seŋ^{1}	青韻
3239b	上与・117ウ2・疊字	夫	上	フ	左注	piuʌ^{1} biuʌ^{1}	虞韻 虞韻
3259b	上与・117ウ6・疊字	車	上	シヤ	中注	tś'ia^{1} kiʌ^{1}	麻韻 魚韻

番号	前田本所在	掲出字		仮名音注		中古音	韻目
0035b	上伊・003オ5・地儀	冨	上	フ	右傍	piʌu^{3}	宥韻
0153b	上伊・008オ1・人事	弄	上	ロ	右注	lʌuŋ^{3}	送韻
0257b	上伊・012ウ6・疊字	讓	上濁	シヤウ	中注	ńiɑŋ^{3}	漾韻
0280b	上伊・013オ3・疊字	稚	上	チ	左注	ḍiei^{3}	至韻
0297b	上伊・013オ7・疊字	恕	上濁	シヨ	左注	śiʌ^{3}	御韻
0412b	上呂・018オ1・人事	殿	上	―	―	ten^{3} den^{3}	霰韻
0442b	上呂・019オ3・疊字	事	上	シ	中注	dẓiɐi^{3}	志韻
0446b	上呂・019オ4・疊字	次	上	シ	左注	ts'iei^{3}	至韻
0640b	上波・026オ4・雜物	臂	上濁	ヒ	右注	pjie^{3}	寘韻
0726b	上波・031オ7・疊字	晝	上	チウ	右注	ṭiʌu^{3}	宥韻
0738b	上波・031ウ3・疊字	示	上濁	シ	左注	dźiei^{3} gjie^{1}	至韻 支韻
0748b	上波・031ウ5・疊字	禊	上濁	クイ	左注	ɣei^{3}	霽韻
0801b	上波・032ウ2・疊字	契	上濁	ケイ	左注	k'ei^{3} k'iʌt k'et	霽韻 迄韻 屑韻
0828b	上波・032ウ7・疊字	援	上	ヱン	左注	ɣiuan^{3} ɣiuɑn^{1}	線韻 元韻
0873b	上波・033ウ2・疊字	置	上	チ	右注	ṭiɐi^{3}	志韻
1234b	上保・048オ6・疊字	系	上濁	ケイ	左注	ɣei^{3}	霽韻
1597b	上度・062オ7・疊字	餌	上濁	シ	左注	ńiɐi^{3}	志韻
1616b	上度・062ウ4・疊字	歩	上 去	ホ	中注	buʌ^{3}	暮韻
1627b	上度・062ウ6・疊字	隷	上	レイ	左注	lei^{3}	霽韻

1636b	上度・063オ1・疉字	代	上濁	タイ	左注	dʌi^{3}	代韻
1649b	上度・063オ4・疉字	器	上	キ	中注	k'iei^{3}	至韻
1839b	上池・069ウ2・疉字	例	上	レイ	中注	liai^{3}	祭韻
1874b	上池・070オ2・疉字	代	上濁	タイ	左注	dʌi^{3}	代韻
1901b	上池・070オ7・疉字	鈦	上濁	タ	左注	dɑi^{3} dei^{3}	泰韻 霽韻
1902b	上池・070ウ1・疉字	鈦	上	タ	中注	dɑi^{3} dei^{3}	泰韻 霽韻
2050b	上利・074ウ5・疉字	闇	上	アム	中注	'ʌm^{3}	勘韻
2093b	上利・075オ6・疉字	致	上	チ	左注	ṭiei^{3}	至韻
2335b	上和・087ウ7・人事	帝	上濁	―	―	tei^{3}	霽韻
2636b	上加・097オ7・人事	射	上	―	―	dźia^{3} jia^{3}	禡韻 禡韻
2394b	上和・090オ5・疉字	議	上濁	キ	左注	ŋie^{3}	寘韻
2656b	上加・098オ1・人事	利	上	―	―	liei^{3}	至韻
2884b	上加・106ウ7・疉字	纜	上	ラム	左注	lɑm^{3}	闞韻
2993b	上加・108ウ1・疉字	素	上	ソ	左注	suʌ^{3}	暮韻
2995b	上加・108ウ1・疉字	素	上 去	ソ	左注	suʌ^{3}	暮韻
3044b	上加・109オ4・疉字	盗	上濁	タウ	左注	dɑu^{3}	号韻
3049b	上加・109オ5・疉字	暇	上濁	カ	左注	ɣa^{3}	禡韻
3074b	上加・109ウ3・疉字	歩	上	ホ	左注	buʌ^{3}	暮韻
3075b	上加・109ウ3・疉字	剰	上	シヨウ	中注	dźiɐŋ^{3}	證韻
3099b	上加・110オ1・疉字	置	上	チ	右注	ṭiɐi^{3}	志韻
3250b	上与・117ウ4・疉字	路	上	ロ	左注	luʌ^{3}	暮韻

【表D-30】上声（熟字後部／第二字）下巻〔一致例〕

番号	前田本所在	掲出字		仮名音注		中古音	韻目
3331b	下古・002ウ3・植物	尾	上	ヒ	右傍	miʌi^{2}	尾韻
3336b	下古・002ウ5・植物	蒡	上濁	ハウ ［上濁上］	右傍	pɑŋ^{2} baŋ^{1}	蕩韻 庚韻
3408b	下古・006オ1・人事	飲	上	イム	左注	'iem$^{2/3}$	寝韻
3423b	下古・006ウ4・雑物	水	上	―	―	śiuei^{2}	旨韻
3557b	下古・007オ6・雑物	子	上	シ ［上］	右注	tsiɐi^{2}	止韻
3561b	下古・007オ6・雑物	子	上	シ	右傍	tsiɐi^{2}	止韻
3598b	下古・010オ6・疉字	水	上	スイ	左注	śiuei^{2}	旨韻
3637b	下古・011オ1・疉字	欵	上	―	―	k'uɑn^{2}	緩韻
3639b	下古・011オ2・疉字	捍	上	カン	左注	ɣɑn^{3} ɣan^{2}	翰韻 潸韻
3645b	下古・011オ3・疉字	槁	上	カウ	左注	k'ɑu^{2}	晧韻
3652b	下古・011オ5・疉字	語	上濁	キヨ	左注	ŋiʌ$^{2/3}$	語/御韻

3685b	下古・011ウ5・疊字	手	上	シウ	中注	śiʌu^{2}	有韻
3720b	下古・012オ6・疊字	羖	上	コ	右注	kuʌ^{2}	姥韻
3744b	下江・014オ7・植物	膽	上濁	タウ	右傍	tɑm^{2}	敢韻
3804b	下江・017オ1・疊字	引	上	イム	中注	jien$^{2/3}$	軫韻
3845b	下江・017ウ2・疊字	啓	上	ケイ	左注	k'ei^{2}	薺韻
3864b	下江・017ウ6・疊字	敏	上	ヒン	左注	mien^{2}	軫韻
3882b	下手・019オ2・地儀	羽	上	—	—	ɣiuʌ$^{2/3}$	麌/遇韻
3885b	下手・019オ3・地儀	井	上濁	シヤウ	左注	tsieŋ^{2}	靜韻
3913b	下手・020ウ7・雜物	楯	上	スヰン	右傍	tśiuen^{1} ziuen$^{1/2}$	諄韻 諄/準韻
3921b	下手・021オ2・雜物	斗	上	トウ ［上上］	左注	tʌu^{2}	厚韻
3939b	下手・021ウ7・疊字	午	上	コ	左注	ŋuʌ^{2}	姥韻
3940b	下手・021ウ7・疊字	土	上	—	—	t'uʌ^{2} duʌ^{2}	姥韻 姥韻
3948b	下手・022オ2・疊字	子	上	—	—	tsiɐi^{2}	止韻
3960b	下手・022オ4・疊字	宰	上	サイ	左注	tsʌi^{2}	海韻
3985b	下手・022ウ2・疊字	隠	上	イン	左注	'iʌn$^{2/3}$	隠/焮韻
3988b	下手・022ウ3・疊字	乕	上	—	—	xuʌ^{2}	姥韻
3997b	下手・022ウ5・疊字	耳	上	シ	左注	ńiɐi^{2}	止韻
4008b	下手・023オ1・疊字	備	上	ヒ	左注	ḅiei^{3}	至韻
4013b	下手・023オ2・疊字	子	上	—	—	tsiɐi^{2}	止韻
4016b	下手・023オ3・疊字	吏	上	—	—	liɐi^{3}	志韻
4025b	下手・023オ5・疊字	啚	上	—	—	piei^{2} duʌ^{1}	旨韻 模韻
4056b	下阿・024ウ2・天象	呂	上	リヨ	右注	liʌ^{2}	語韻
4070b	下阿・025オ6・地儀	垜	上	タ	右傍	duɑ^{2}	果韻
4104b	下阿・026オ6・植物	梗	上	キヤウ	右傍	kaŋ^{2}	梗韻
4118b	下阿・026ウ4・植物	海	上	—	—	xʌi^{2}	海韻
4136b	下阿・027オ7・動物	鼠	上	—	—	śiʌ^{2}	語韻
4164b	下阿・028オ7・人倫	娌	上	リ	右傍	liɐi^{2}	止韻
4271b	下阿・032ウ1・雜物	尾	上濁	ヒ	右傍	miʌi^{2}	尾韻
4279b	下阿・032ウ3・雜物	盞	上	セン	右傍	tṣɐn^{2}	産韻
4357b	下阿・039オ4・疊字	堵	上	ト	中注	tuʌ^{2} tśia^{2}	姥韻 馬韻
4364b	下阿・039オ5・疊字	娜	上	タ	左注	nɑ^{2}	哿韻
4397b	下阿・040オ3・疊字	賈	上	カ	右傍	ka$^{2/3}$ kuʌ^{2}	馬/禡韻 姥韻
4453b	下佐・043オ4・植物	苨	上濁	テイ	右傍	nei^{2}	薺韻
4464b	下佐・043ウ2・植物	李	上	リ	右傍	liɐi^{2}	止韻
4489b	下佐・044オ5・動物	嗛	上	ケム	右傍	k'em^{2}	忝韻
4508b	下佐・045オ3・人躰	水	上	—	—	śiuei^{2}	旨韻
4512b	下佐・045オ4・人躰	酒	上	—	—	tsiʌu^{2}	有韻

4543b	下佐・046オ7・人事	手	上濁	ユシ	左注	śiʌu^{2}	有韻
4552b	下佐・046ウ3・飲食	水	上	スイ	右傍	śiuei^{2}	旨韻
4580b	下佐・047ウ1・雜物	子	上	シ	右注	tsiɐi^{2}	止韻
4581b	下佐・047ウ1・雜物	子	上	―	―	tsiɐi^{2}	止韻
6976b	下佐・047ウ1・雜物	子	上	シ ［上］	右注	tsiɐi^{2}	止韻
4587b	下佐・047ウ3・雜物	鈷	上濁	コ ［上濁］	右注	kuʌ^{2}	姥韻
4642b	下佐・050ウ7・疊字	晩	上	ハン	中注	miɑn^{2}	阮韻
4649b	下佐・051オ2・疊字	嶺	上	レイ	左注	lieŋ^{2}	靜韻
4651b	下佐・051オ2・疊字	海	上	―	―	xʌi^{2}	海韻
4657b	下佐・051オ4・疊字	皷	上	コ	左注	kuʌ^{2}	姥韻
4688b	下佐・051ウ3・疊字	弟	上	テイ	左注	dei$^{2/3}$	薺/霽韻
4699b	下佐・051ウ5・疊字	笋	上	―	―	siuen^{2}	準韻
4732b	下佐・052オ6・疊字	仰	上濁	キヤウ	左注	ŋiɑŋ$^{2/3}$	養/漾韻
4734b	下佐・052オ7・疊字	藁	上	―	―	kɑu^{2}	晧韻
4834b	下木・055オ7・天象	隠	上	イム	右傍	’iʌn$^{2/3}$	隠/焮韻
4850b	下木・055ウ6・地儀	禮	上	―	―	lei^{2}	薺韻
4852b	下木・056オ1・植物	梗	上	キヤウ	右傍	kaŋ^{2}	梗韻
4925b	下木・058ウ1・雜物	母	上	―	―	mʌu^{2}	厚韻
4934b	下木・058ウ3・雜物	鋄	上 去	ハム	右傍	miʌm^{2}	范韻
4975b	下木・061オ1・疊字	坎	上	カム	左注	kʻʌm^{2}	感韻
4977b	下木・061オ2・疊字	坂	上濁	ハム	左注	piɑn^{2}	阮韻
4979b	下木・061オ2・疊字	境	上	―	―	kiaŋ^{2}	梗韻
4980b	下木・061オ2・疊字	里	上	リ	左注	liɐi^{2}	止韻
4981b	下木・061オ3・疊字	黨	上	―	―	tɑŋ^{2}	蕩韻
4983b	下木・061オ3・疊字	里	上	―	―	liɐi^{2}	止韻
4986b	下木・061オ4・疊字	父	上	フ	左注	piuʌ^{2} biuʌ^{2}	麌韻 麌韻
4988b	下木・061オ4・疊字	禱	上	タウ	左注	tɑu$^{2/3}$	晧/号韻
4991b	下木・061オ5・疊字	鬼	上	―	―	kiuʌi^{2}	尾韻
5002b	下木・061オ7・疊字	宇	上	―	―	ɣiuʌ^{2}	麌韻
5003b	下木・061オ7・疊字	幸	上	カウ	左注	ɣeŋ^{2}	耿韻
5011b	下木・061ウ2・疊字	省	上	シヤウ	右注	ṣaŋ^{2} sieŋ^{2}	梗韻 靜韻
5019b	下木・061ウ4・疊字	済	上	―	―	tsei$^{2/3}$	薺/霽韻
5023b	下木・061ウ4・疊字	古	上	―	―	kuʌ^{2}	姥韻
5027b	下木・061ウ5・疊字	耒	上	―	―	liuei^{2} luʌi^{3}	旨韻 隊韻
5031b	下木・061ウ6・疊字	巧	上	カウ	左注	kʻau$^{2/3}$	巧/効韻
5043b	下木・062オ2・疊字	老	上	―	―	lɑu^{2}	晧韻
5045b	下木・062オ2・疊字	老	上	ラウ	左注	lɑu^{2}	晧韻
5046b	下木・062オ2・疊字	老	上	―	―	lɑu^{2}	晧韻

5055b	下木・062オ4・疊字	濟	上	—	—	tsei2/3	薺/霽韻
5072b	下木・062ウ1・疊字	魯	上	—	—	luʌ2	姥韻
5078b	下木・062ウ2・疊字	馬	上	—	—	ma2	馬韻
5078c	下木・062ウ2・疊字	走	上	—	—	tsʌu2/3	厚/候韻
5092b	下木・062ウ7・疊字	網	上	ハウ	中注	miɑŋ2	養韻
5102b	下木・063オ2・疊字	請	上	シヤウ	左注	ts'ieŋ1/2 dzieŋ3	清/靜韻 勁韻
5108b	下木・063オ3・疊字	首	上	ス	左注	śiʌu2/3	有/宥韻
5118b	下木・063オ6・疊字	把	上	ハ	左注	pa2	馬韻
5122b	下木・063オ7・疊字	趾	上	シ	中注	tśiɐi2	止韻
5126b	下木・063ウ1・疊字	旅	上	レウ	左注	liʌ2	語韻
5127b	下木・063ウ1・疊字	旅	上	リヨ	左注	liʌ2	語韻
5128b	下木・063ウ1・疊字	使	上	シ	左注	ṣiɐi2/3	止/志韻
5140b	下木・063ウ4・疊字	啓	上	—	—	k'ei2	薺韻
5143b	下木・063ウ5・疊字	解	上	—	—	kɐ2/3 ɣɐi2/3	蟹/卦韻 駭/怪韻
5149b	下木・063ウ6・疊字	讞	上濁	ケム	左注	ŋian2 ŋiat	獮韻 薛韻
5150b	下木・063ウ6・疊字	理	上	リ	左注	liɐi2	止韻
5162b	下木・064オ2・疊字	感	上	カン	左注	kʌm2	感韻
5172b	下木・064オ4・疊字	惰	上濁	タ	左注	duɑ2/3	果/過韻
5222b	下由・066オ6・植物	椵	上	カ	右傍	kɑ2/3	馬/禡韻
5231b	下由・067オ1・人事	鳥	上	—	—	teu2	篠韻
5275b	下師・069オ6・植物	菀	上	ヲン	右注	'iuɑn2	阮韻
5385b	下師・073オ4・人事	李	上	—	—	liɐi2	止韻
5395b	下師・073ウ1・飲食	餅	上	ヘイ	右傍	pieŋ2	靜韻
5420b	下師・073ウ7・雜物	鼓	上濁	コ	右注	kuʌ2	姥韻
5462b	下師・074ウ5・雜物	馬	上濁	ハ	右傍	ma2	馬韻
5465b	下師・074ウ6・雜物	子	上	シ	右傍	tsiɐi2	止韻
5525b	下師・078ウ4・疊字	雨	上	ウ	右注	ɣiuʌ2/3	麌/遇韻
5542b	下師・079オ2・疊字	境	上	—	—	kiaŋ2	梗韻
5558b	下師・079ウ2・疊字	餅	上濁	ヘイ	左注	pieŋ2	靜韻
5594b	下師・080ウ5・疊字	典	上	テン	左注	ten2	銑韻
5606b	下師・081オ3・疊字	女	上	チヨ	左注	ṇiʌ2/3	語/御韻
5614b	下師・081オ4・疊字	老	上	—	—	lɑu2	晧韻
5630b	下師・081ウ1・疊字	止	上濁	シ	左注	tśiɐi2	止韻
5649b	下師・081ウ6・疊字	口	上	—	—	k'ʌu2	厚韻
5652b	下師・081ウ7・疊字	齒	上	—	—	tś'iɐi2	止韻
5664b	下師・082オ2・疊字	語	上濁	キヨ	左注	ŋiʌ2/3	語/御韻
5668b	下師・082オ2・疊字	引	上	イン	右注	jien2/3	軫韻
5672b	下師・082オ3・疊字	史	上	—	—	ṣiɐi2	止韻
5715b	下師・083オ1・疊字	藻	上	—	—	tsɑu2	晧韻

5717b	下師・083オ1・疉字	主	上	―	―	tśiuʌ^{2}	麌韻
5718b	下師・083オ1・疉字	境	上	―	―	kiaŋ^{2}	梗韻
5723b	下師・083オ3・疉字	否	上	フ	左注	piʌu^{2} biei^{2}	有韻 旨韻
5749b	下師・083ウ3・疉字	皷	上	―	―	kuʌ^{2}	姥韻
5754b	下師・083ウ4・疉字	倚	上	イ	中注	'ie$^{2/3}$	紙/寘韻
5756b	下師・083ウ5・疉字	擬	上	―	―	ŋiɐi^{2}	止韻
5765b	下師・084オ1・疉字	馬	上	―	―	ma^{2}	馬韻
5785b	下師・084オ5・疉字	怳	上	クヰヤウ	左注	xiuaŋ^{2}	養韻
5805b	下師・084ウ1・疉字	啓	上	ケイ	左注	k'ei^{2}	薺韻
5808b	下師・084ウ1・疉字	九	上	キウ	右注	kiʌu^{2}	有韻
5829b	下師・084ウ5・疉字	癸	上	キ	右注	kjiuei^{2}	旨韻
5839b	下師・084ウ7・疉字	景	上	エイ	右注	kiaŋ^{2}	梗韻
5840b	下師・084ウ7・疉字	景	上	ケイ	左注	kiaŋ^{2}	梗韻
5859b	下師・085オ3・疉字	黨	上	タン	右注	tɑŋ^{2}	蕩韻
5872b	下師・085オ5・疉字	水	上	スイ	右注	śiuei^{2}	旨韻
5875b	下師・085オ5・疉字	尾	上濁	ヒ	右注	miʌi^{2}	尾韻
5887b	下師・085オ7・疉字	負	上濁	フ	右注	biʌu^{2}	有韻
5910b	下師・085ウ5・疉字	狗	上	コ	右傍	kʌu^{2}	厚韻
5972b	下會・087ウ6・植物	尾	上濁	ヒ	右傍	miʌi^{2}	尾韻
5996b	下會・089オ7・疉字	鬼	上	クヰ	中注	kiuʌi^{2}	尾韻
6005b	下會・089ウ1・疉字	枉	上	ワウ	左注	'iuaŋ^{2}	養韻
6036b	下飛・090ウ6・地儀	圉	上濁	コ	右傍	ŋiʌ^{2}	語韻
6045b	下飛・091オ4・植物	子	上	―	―	tsiɐi^{2}	止韻
6073b	下飛・091ウ5・植物	尾	上濁	―	―	miʌi^{2}	尾韻
6085b	下飛・092オ2・動物	鼠	上	―	―	śiʌ^{2}	語韻
6134b	下飛・093ウ4・人事	偶	上	―	―	ŋʌu$^{2/3}$	厚/候韻
6189b	下飛・095オ2・雑物	繖	上濁	サン	右注	sɑn$^{2/3}$	旱/翰韻
6232b	下飛・097ウ5・疉字	暑	上	シヨ	左注	śiʌ^{2}	語韻
6233b	下飛・097ウ5・疉字	景	上	ケイ	右注	kiaŋ^{2}	梗韻
6244b	下飛・097ウ7・疉字	藻	上	―	―	tsɑu^{2}	晧韻
6247b	下飛・097ウ7・疉字	女	上	―	―	ṇiʌ$^{2/3}$	語/御韻
6251b	下飛・098オ1・疉字	好	上	―	―	xɑu$^{2/3}$	晧/号韻
6264b	下飛・098オ3・疉字	滿	上	―	―	man^{2}	緩韻
6266b	下飛・098オ3・疉字	死	上	―	―	siei^{2}	旨韻
6267b	下飛・098オ4・疉字	隠	上	―	―	'iʌn$^{2/3}$	隠/焮韻
6273b	下飛・098オ5・疉字	語	上	コ	右傍	ŋiʌ$^{2/3}$	語/御韻
6284b	下飛・098オ7・疉字	者	上	―	―	tśia^{2}	馬韻
6286b	下飛・098オ7・疉字	俛	上	ハン	左注	mian^{2}	獮韻
6294b	下飛・098ウ1・疉字	海	上	―	―	xʌi^{2}	海韻
6298b	下飛・098ウ2・疉字	杖	上	―	―	ḍiaŋ^{2}	養韻
6307b	下飛・098ウ3・疉字	酒	上	―	―	tsiʌu^{2}	有韻

6308b	下飛・098ウ4・疊字	戸	上	―	―	ɣuʌ^{2}	姥韻
6315b	下飛・098ウ5・疊字	牡	上	ホ	右注	mʌu^{2}	厚韻
6341b	下飛・099オ3・疊字	羽	上	ウ	左注	ɣiuʌ$^{2/3}$	麌/遇韻
6518b	下世・107ウ5・人倫	母	上	―	―	mʌu^{2}	厚韻
6581b	下世・110オ4・疊字	景	上	ケイ	右注	kiaŋ^{2}	梗韻
6595b	下世・110オ6・疊字	草	上	―	―	ts'ɑu^{2}	晧韻
6607b	下世・110ウ2・疊字	主	上	―	―	tśiuʌ^{2}	麌韻
6613b	下世・110ウ3・疊字	理	上	―	―	liɐi^{2}	止韻
6628b	下世・110ウ5・疊字	理	上	リ	左注	liɐi^{2}	止韻
6638b	下世・111オ1・疊字	兆	上	テウ	中注	ḍiau^{2}	小韻
6639b	下世・111オ1・疊字	表	上	―	―	piau^{2}	小韻
6640b	下世・111オ1・疊字	摽	上濁	ヘウ	左注	bjiau^{2} p'jiau$^{1/3}$	小韻 宵/笑韻
6651b	下世・111オ3・疊字	長	上	チヤウ	左注	ṭiɑŋ^{2} ḍiɑŋ$^{1/3}$	養韻 陽/漾韻
6678b	下世・111オ7・疊字	引	上	―	―	jien$^{2/3}$	軫韻
6680b	下世・111ウ1・疊字	冕	上濁	ヘン	右注	mian^{2}	獮韻
6685b	下世・111ウ1・疊字	眼	上	―	―	ŋɐn^{2}	産韻
6701b	下世・111ウ4・疊字	好	上濁	カウ	左注	xɑu$^{2/3}$	晧/号韻
6710b	下世・111ウ6・疊字	使	上	シ	左注	siɐi$^{2/3}$	止/志韻
6711b	下世・111ウ6・疊字	李	上	―	―	liɐi^{2}	止韻
6735b	下世・112オ4・疊字	擧	上	キヨ	右注	kiʌ^{2} jiʌ^{1}	語韻 魚韻
6757b	下世・112ウ1・疊字	女	上	チヨ	右注	ṇiʌ$^{2/3}$	語/御韻
6838b	下洲・116オ3・雜物	斗	上	トウ	右傍	tʌu^{2}	厚韻
6859b	下洲・116ウ1・雜物	鼓	上	コ	右傍	kuʌ^{2}	姥韻
6894b	下洲・119ウ7・疊字	雨	上	―	―	ɣiuʌ$^{2/3}$	麌/遇韻
6905b	下洲・120オ2・疊字	老	上	―	―	lɑu^{2}	晧韻
6915b	下洲・120オ4・疊字	擧	上	―	―	kiʌ^{2} jiʌ^{1}	語韻 魚韻
6923b	下洲・120オ6・疊字	擧	上	―	―	kiʌ^{2} jiʌ^{1}	語韻 魚韻
6943b	下洲・120ウ4・疊字	羽	上	ウ	左注	ɣiuʌ$^{2/3}$	麌/遇韻

【表D-30】上声（熟字後部／第二字）下巻〔不一致例〕

番号	前田本所在	掲出字		仮名音注		中古音	韻目
3311b	下古・002オ2・地儀	堂	上	タウ	右傍	dɑŋ^{1}	唐韻
3339b	下古・002ウ6・植物	猴	上	コ	右傍	ɣʌu^{1}	侯韻
3440b	下古・007オ1・雜物	剛	上	カウ ［上濁上］	右注	kɑŋ^{1}	唐韻
3572b	下古・007ウ4・光彩	青	上濁	シヤウ	右注	ts'eŋ^{1}	青韻

3590b	下古・010オ5・疊字	星	上	―	―	seŋ^{1}	青韻
3592b	下古・010オ5・疊字	羊	上	―	―	jiaŋ^{1}	陽韻
3603b	下古・010ウ1・疊字	乘	上	シヨウ	左注	dźieŋ$^{1/3}$	蒸/證韻
3604b	下古・010ウ1・疊字	堂	上	―	―	daŋ^{1}	唐韻
3607b	下古・010ウ2・疊字	摩	上	マ	左注	ma$^{1/3}$	戈/過韻
3608b	下古・010ウ2・疊字	家	上	―	―	ka^{1}	麻韻
3679b	下古・011ウ4・疊字	多	上	タ	左注	ta^{1}	歌韻
3684b	下古・011ウ5・疊字	源	上	クエン	右注	ŋiuan^{1}	元韻
3707b	下古・012オ3・疊字	隆	上	リウ	左注	liʌuŋ^{1}	東韻
3800b	下江・016ウ7・疊字	溝	上	コウ	左注	kʌu^{1}	侯韻
3820b	下江・017オ4・疊字	言	上	―	―	ŋian^{1}	元韻
3841b	下江・017ウ1・疊字	樓	上	―	―	lʌu^{1}	侯韻
3903b	下手・020オ7・人事	人	上	―	―	ńien^{1}	眞韻
3936b	下手・021ウ5・重點	囊	上濁	テウ	右注	ńiaŋ^{1}	陽韻
3937b	下手・021ウ7・疊字	文	上	―	―	miuʌn^{1}	文韻
3947b	下手・022オ2・疊字	台	上	―	―	t'ʌi^{1} jiei^{1}	咍韻 之韻
3969b	下手・022オ6・疊字	夫	上	―	―	piuʌ^{1} biuʌ^{1}	虞韻 虞韻
3996b	下手・022ウ5・疊字	常	上	―	―	źiaŋ^{1}	陽韻
4035b	下手・023オ7・疊字	庸	上	ヨウ	左注	jiauŋ^{1}	鍾韻
4046b	下阿・024オ7・天象	星	上	シヤウ	右傍	seŋ^{1}	青韻
4105b	下阿・026オ6・植物	蒲	上	フ	右傍	buʌ^{1}	模韻
4278b	下阿・032ウ3・雜物	瓶	上濁	ヒヤウ	右傍	beŋ^{1}	青韻
4359b	下阿・039オ4・疊字	居	上	コ	中注	kiʌ^{1} kiei^{1}	魚韻 之韻
4388b	下阿・039ウ3・疊字	書	上	シヨ	右注	śiʌ^{1}	魚韻
4539b	下佐・046オ6・人事	夫	上濁	フ	左注	piuʌ^{1} biuʌ^{1}	虞韻 虞韻
4659b	下佐・051オ4・疊字	歸	上	―	―	kiuʌi^{1}	微韻
4662b	下佐・051オ5・疊字	應	上	ヲウ	左注	'ieŋ$^{1/3}$	蒸/證韻
4665b	下佐・051オ5・疊字	綱	上	―	―	kaŋ^{1}	唐韻
4669b	下佐・051オ6・疊字	花	上濁	(ケ)	左注	xua^{1}	麻韻
4685b	下佐・051ウ2・疊字	前	上	セン	中注	dzen^{1}	先韻
4686b	下佐・051ウ2・疊字	初	上	ソ	左注	tș'iʌ^{1}	魚韻
4697b	下佐・051ウ5・疊字	拏	上濁	ト	右注	nuʌ^{1}	模韻
4722b	下佐・052オ4・疊字	除	上濁	チ	左注	ḍiʌ$^{1/3}$	魚/御韻
4740b	下佐・052ウ1・疊字	違	上	ヰ	左注	ɣiuʌi^{1}	微韻
4759b	下佐・052ウ6・疊字	途	上	―	―	duʌ^{1}	模韻
4773b	下佐・053オ3・疊字	糠	上	カウ	左注	k'aŋ^{1}	唐韻
4972b	下木・061オ1・疊字	諸	上	ソ	右注	tśiʌ^{1} tśia^{1}	魚韻 麻韻

4996b	下木・061オ6・疊字	香	上	ー	ー	xiɑŋ^{1}	陽韻
4999b	下木・061オ6・疊字	行	上	ー	ー	ɣaŋ$^{1/3}$ ɣɑŋ$^{1/3}$	庚/映韻 唐/宕韻
5015b	下木・061ウ2・疊字	形	上	ー	ー	ɣeŋ^{1}	青韻
5026b	下木・061ウ5・疊字	曽	上	ー	ー	tsʌŋ^{1} dzʌŋ^{1}	登韻 登韻
5035b	下木・061ウ7・疊字	甥	上	セイ	左注	ṣaŋ^{1}	庚韻
5037b	下木・061ウ7・疊字	量	上	リヤウ	左注	liɑŋ$^{1/3}$	陽/漾韻
5088b	下木・062ウ6・疊字	生	上	ー	ー	ṣaŋ$^{1/3}$	庚/映韻
5129b	下木・063ウ1・疊字	關	上	クワン	左注	kuan^{1}	刪韻
5132b	下木・063ウ2・疊字	車	上	ー	ー	tś'ia^{1} kiʌ^{1}	麻韻 魚韻
5142b	下木・063ウ4・疊字	辞	上	ー	ー	ziei^{1}	之韻
5161b	下木・064オ1・疊字	縁	上	エン	左注	jiuan$^{1/3}$	仙/線韻
5171b	下木・064オ3・疊字	勞	上	ラウ	左注	lɑu$^{1/3}$	豪/号韻
5176b	下木・064オ4・疊字	根	上	コン	左注	kʌn^{1}	痕韻
5190b	下木・064オ7・疊字	肩	上	ケム	右注	ken^{1}	先韻
5279b	下師・069オ7・植物	蒲	上	フ	右注	buʌ^{1}	暮韻
5285b	下師・069ウ2・植物	猴	上	コ	右傍	ɣʌu^{1}	侯韻
5310b	下師・070オ5・動物	常	上	シヤウ ［上上上］	右傍	źiɑŋ^{1}	陽韻
5380b	下師・073オ2・人事	羅	上	ー	ー	lɑ^{1}	歌韻
5388b	下師・073オ5・人事	岐	上	キ	左傍	gjie^{1}	支韻
5446b	下師・074オ7・雜物	臺	上濁	ー	ー	dʌi^{1}	咍韻
5477b	下師・075オ4・光彩	紗	上	シヤ	右注	ṣa^{1}	麻韻
5478b	下師・075オ4・光彩	紗	上	シヤ	右傍	ṣa^{1}	麻韻
5479b	下師・075オ4・光彩	黄	上	ワウ	右注	ɣuɑŋ^{1}	唐韻
5541b	下師・079オ2・疊字	申	上	ー	ー	śien^{1}	眞韻
5566b	下師・079ウ5・疊字	嚴	上濁	コム	右注	ŋiɑm^{1}	嚴韻
5581b	下師・080オ4・疊字	瓶	上	ヒヤウ	左注	beŋ^{1}	青韻
5599b	下師・080ウ6・疊字	来	上	ライ	左注	lʌi^{1}	咍韻
5604b	下師・080ウ7・疊字	行	上濁	キヤウ	中注	ɣaŋ$^{1/3}$ ɣɑŋ$^{1/3}$	庚/映韻 唐/宕韻
5607b	下師・081ウ3・疊字	悲	上	ー	ー	piei^{1}	脂韻
5646b	下師・081ウ5・疊字	勞	上	ラウ	左注	lɑu$^{1/3}$	豪/号韻
5655b	下師・081ウ7・疊字	身	上	ー	ー	śien^{1}	眞韻
5688b	下師・082オ7・疊字	丁	上	ー	ー	teŋ^{1} ṭeŋ^{1}	青韻 耕韻
5690b	下師・082ウ1・疊字	人	上	ー	ー	ńien^{1}	眞韻
5712b	下師・082ウ7・疊字	華	上	ー	ー	xua^{1} ɣua$^{1/3}$	麻韻 麻/禡韻
5720b	下師・083オ2・疊字	人	上	シン	左注	ńien^{1}	眞韻
5724b	下師・083オ3・疊字	兵	上	ー	ー	piaŋ^{1}	庚韻

5761b	下師・083ウ6・疊字	財	上	サイ	左注	dzʌi[1]	咍韻
5769b	下師・084オ2・疊字	婆	上濁	ハ	左注	bɑ[1]	戈韻
5774b	下師・084オ3・疊字	歸	上	クヰ	右注	kiuʌi[1]	微韻
5777b	下師・084オ3・疊字	常	上濁	シヤウ	右注	źiɑŋ[1]	陽韻
5817b	下師・084ウ3・疊字	員	上	ヰン	左注	ɣiuʌn[1/3] ɣiuan[1]	文/問韻 仙韻
5832b	下師・084ウ5・疊字	依	上	エ	左注	'iʌi[1]	微韻
5841b	下師・084ウ7・疊字	張	上	チヤウ	右注	ḍiɑŋ[1/3]	陽/漾韻
5868b	下師・085オ4・疊字	書	上	シヨ	右注	śiʌ[1]	魚韻
5883b	下師・085オ7・疊字	疎	上	ソ	右注	ṣiʌ[1]	魚韻
5963b	下會・087ウ4・地儀	昌	上	シヤ	右傍	tś'iɑŋ[1]	陽韻
5992b	下會・089オ6・疊字	邦	上	―	―	pauŋ[1]	江韻
6101b	下飛・092ウ3・人倫	丘	上	ク	右注	k'iʌu[1]	尤韻
6172b	下飛・094ウ6・雜物	臺	上濁	タイ	右傍	dʌi[1]	咍韻
6181b	下飛・094ウ7・雜物	風	上	フ	右傍	piʌuŋ[1/3]	東/送韻
6201b	下飛・095オ5・光彩	青	上	シヤウ	右傍	ts'eŋ[1]	青韻
6242b	下飛・097ウ6・疊字	時	上	―	―	źiɐi[1]	之韻
6246b	下飛・097ウ7・疊字	丁	上	―	―	teŋ[1] ṭeŋ[1]	青韻 耕韻
6277b	下飛・098オ5・疊字	夫	上	フ	左注	piuʌ[1] biuʌ[1]	虞韻 虞韻
6282b	下飛・098オ6・疊字	窮	上	ク	左注	giʌuŋ[1]	東韻
6312b	下飛・098ウ5・疊字	并	上	ヒヤウ	左注	pieŋ[1/3]	清/勁韻
6347b	下飛・099オ4・疊字	成	上	―	―	źieŋ[1]	清韻
6349b	下飛・099オ4・疊字	生	上	―	―	ṣaŋ[1/3]	庚/映韻
6405b	下毛・101ウ1・植物	窠	上	―	―	k'uɑ[1]	戈韻
6465b	下毛・105ウ1・重點	文	上	モン	右注	miuʌn[1]	文韻
6468b	下毛・105ウ3・疊字	人	上	―	―	ńien[1]	眞韻
6545b	下世・108ウ6・雜物	香	上	カウ	右注	xiɑŋ[1]	陽韻
6586b	下世・110オ5・疊字	那	上	ナ	左注	nɑ[1/3]	歌/箇韻
6602b	下世・110ウ1・疊字	經	上	キヤウ	左注	keŋ[1/3]	青/徑韻
6604b	下世・110ウ1・疊字	房	上	―	―	biɑŋ[1] bɑŋ[1]	陽韻 唐韻
6631b	下世・110ウ6・疊字	官	上	―	―	kuɑn[1]	桓韻
6641b	下世・111オ1・疊字	亡	上	―	―	miɑŋ[1]	陽韻
6670b	下世・111オ6・疊字	遥	上	エウ	左注	jiau[1]	宵韻
6679b	下世・111オ7・疊字	家	上	―	―	ka[1]	麻韻
6691b	下世・111ウ2・疊字	非	上	ヒ	左注	piʌi[1]	微韻
6692b	下世・111ウ3・疊字	兵	上	ヒヤウ	左注	piaŋ[1]	庚韻
6723b	下世・112オ2・疊字	窠	上	クワ	右傍	k'uɑ[1]	戈韻
6732b	下世・112オ3・疊字	言	上濁	コム	右注	ŋiɑn[1]	元韻
6737b	下世・112オ4・疊字	交	上	カウ	右注	kau[1]	肴韻

6789b	下洲・113ウ6・植物	門	上	モン	右傍	muʌn^{1}	魂韻
6798b	下洲・114オ2・植物	枋	上	ハウ	右注	piɑŋ^{1}	陽韻
6836b	下洲・116オ2・雜物	當	上	―	―	tɑŋ$^{1/3}$	唐/宕韻
6854b	下洲・116オ7・雜物	精	上	シヤウ	右傍	tsieŋ^{1}	清韻
6867b	下洲・116ウ5・光彩	沙	上	―	―	ṣa$^{1/3}$	麻/禡韻
6912b	下洲・120オ4・疊字	拱	上	クキヨウ	左注	giɑuŋ^{1}	腫韻
6914b	下洲・120オ4・疊字	噓	上	キヨ	右注	xiʌ$^{1/3}$	魚/御韻
6926b	下洲・120オ7・疊字	身	上	―	―	śien^{1}	眞韻

番号	前田本所在	掲出字		仮名音注		中古音	韻目
3611b	下古・010ウ3・疊字	禊	上	ケイ	左注	ɣei^{3}	霽韻
3623b	下古・010ウ5・疊字	例	上	―	―	liai^{3}	祭韻
3818b	下江・017オ4・疊字	稚	上 去	チ	左注	ḍiei^{3}	至韻
3819b	下江・017オ4・疊字	稚	上 去	チ	左注	ḍiei^{3}	至韻
3835b	下江・017オ7・疊字	乱	上	ラン	中注	luɑn^{3}	換韻
3855b	下江・017ウ4・疊字	授	上濁	シウ	右注	źiʌu^{3}	宥韻
3862b	下江・017ウ5・疊字	狀	上濁	シヤウ	左注	dẓiɑŋ^{3}	漾韻
4381b	下阿・039ウ2・疊字	置	上濁	チ	左注	ṭiei^{3}	志韻
4583b	下佐・047ウ2・雜物	豆	上濁	ツ	右注	dʌu^{3}	候韻
4746b	下佐・052ウ3・疊字	豆	上	―	―	dʌu^{3}	候韻
4892b	下木・057ウ1・人躰	病	上濁	―	―	biɑŋ^{3}	映韻
5047b	下木・062オ2・疊字	懼	上	ク	左注	giuʌ^{3}	遇韻
5057b	下木・062オ5・疊字	慢	上	マン	左注	man^{3}	諫韻
5147b	下木・063ウ5・疊字	驗	上濁	ケム	左注	ŋiam^{3}	豔韻
5390b	下師・073オ5・人事	宿	上	―	―	siʌu^{3} siʌuk	宥韻 屋韻
5684b	下師・082オ7・疊字	柄	上	ヘイ	左注	piɑŋ^{3}	映韻
5779b	下師・084オ4・疊字	妬	上	ト	左注	tuʌ^{3}	暮韻
5867b	下師・085オ4・疊字	夜	上	ヤ	右注	jia^{3}	禡韻
5878b	下師・085オ6・疊字	素	上	ソ	右注	suʌ^{3}	暮韻
6295b	下飛・098ウ1・疊字	盜	上	タウ	左注	dɑu^{3}	号韻
6299b	下飛・098ウ2・疊字	乱	上	―	―	luɑn^{3}	換韻
6333b	下飛・099オ1・疊字	據	上	キヨ	左注	kiʌ^{3}	御韻
6344b	下飛・099オ3・疊字	絮	上濁	シヨ	左注	ṇiʌ^{3} ṭʻiʌ^{3} siʌ^{3}	御韻 御韻 御韻
6475b	下毛・105ウ5・疊字	契	上濁	ケイ	右注	kʻei^{3} kʻiʌt kʻet	霽韻 迄韻 屑韻
6851b	下洲・116オ6・雜物	髻	上	ケイ	右傍	kei^{3}	霽韻
6928b	下洲・120オ7・疊字	恕	上	―	―	śiʌ^{3}	御韻

番号	前田本所在	掲出字		仮名音注		中古音	韻目
5052b	下木・062オ4・疊字	急	上	キ	左注	kiep	緝韻

【表D-30】上声（熟字後部／第三字）下巻〔一致例〕

番号	前田本所在	掲出字		仮名音注		中古音	韻目
3408c	下古・006オ1・人事	酒	上	ス	左注	tsiʌu^{2}	有韻
3410c	下古・006オ1・人事	轉	上	―	―	ṭiuan$^{2/3}$	獮/線韻
4118c	下阿・026ウ4・植物	澡	上	サウ	右傍	tsɑu^{2}	晧韻
5377c	下師・073オ1・人事	子	上	―	―	tsiɐi^{2}	止韻
5381c	下師・073オ2・人事	鳥	上	―	―	teu^{2}	篠韻
5471c	下師・074ウ7・雜物	羽	上	ウ	右傍	ɣiuʌ$^{2/3}$	麌/遇韻

【表D-30】上声（熟字後部／第三字）下巻〔不一致例〕

番号	前田本所在	掲出字		仮名音注		中古音	韻目
3409c	下古・006オ1・人事	詩	上濁	シ	左注	śiɐi^{1}	之韻
3440c	下古・007オ1・雜物	砂	上	サ	右注	ṣa^{1}	麻韻
3441c	下古・007オ1・雜物	砂	上	シヤ [上濁上]	右注	ṣa^{1}	麻韻
4223c	下阿・031オ2・人事	岐	上濁	―	―	gjie^{1}	支韻
5285c	下師・069ウ2・植物	桃	上	タウ	右傍	dɑu^{1}	豪韻
5388c	下師・073オ5・人事	傳	上	テ	左傍	ḍiuan$^{1/3}$ ṭiuan^{3}	仙/線韻 線韻
6789c	下洲・113ウ6・植物	冬	上	トウ	右傍	tɑuŋ^{1}	冬韻

番号	前田本所在	掲出字		仮名音注		中古音	韻目
5379c	下師・073オ1・人事	囀	上濁	テン	右注	ṭiuan^{3}	線韻

【表D-31】去声（熟字後部／第二字）上巻〔一致例〕

番号	前田本所在	掲出字		仮名音注		中古音	韻目
0036b	上伊・003オ5・地儀	義	去濁	―	―	ŋie^{3}	寘韻
0081b	上伊・004ウ4・動物	吣	去	シム	右傍	ts'iem^{3}	沁韻
0092b	上伊・005オ3・動物	貝	去	ハイ	右傍	pɑi^{3}	泰韻
0237b	上伊・012ウ2・疊字	旦	去	タン	左注	tɑn^{3}	翰韻
0241b	上伊・012ウ3・疊字	路	去	ロ	左注	luʌ^{3}	暮韻
0255b	上伊・012ウ6・疊字	観	去	クワン	左注	kuɑn$^{1/3}$	桓/換韻
0277b	上伊・013オ3・疊字	艶	去	エン	左注	jiam^{3}	豔韻
0278b	上伊・013オ3・疊字	宴	去	エン	右注	'en$^{2/3}$	銑/霰韻
0295b	上伊・013オ6・疊字	氣	去	キ	右注	k'iʌi^{3} xiʌi^{3}	未韻 未韻
0301b	上伊・013ウ1・疊字	放	去	ハウ	右注	piɑŋ$^{2/3}$	養/漾韻

0303b	上伊・013ウ1・疊字	蕩	去	タウ	左注	daŋ^{2} t‘aŋ$^{1/3}$	蕩韻 唐/宕韻
0304b	上伊・013ウ1・疊字	會	去	クワイ	左注	ɣuai^{3} kuai^{3}	泰韻 泰韻
0312b	上伊・013ウ4・疊字	頓	去	トン	右注	tuʌn^{3}	慁韻
0336b	上伊・014オ2・疊字	渧	去	テイ	右注	tei^{3}	霽韻
0344b	上伊・014オ3・疊字	露	去	ロ	右注	luʌ^{3}	暮韻
0351b	上伊・015オ2・疊字	緻	去	チ	右傍	ḍiei^{3}	至韻
0390b	上伊・016オ5・官職	灌	去	クワン	右注	kuan^{3}	換韻
0407b	上呂・017ウ5・人體	瘻	去	ロウ	右傍	lʌu^{3} liuʌ^{1}	侯韻 虞韻
0434b	上呂・019オ1・疊字	匠	去濁	シヤウ	左注	dziaŋ^{3}	漾韻
0447b	上呂・019オ4・疊字	上	去	シヤウ	左注	źiaŋ$^{2/3}$	養/漾韻
0584b	上波・024オ3・人躰	鼻	去	ヒ	右傍	bjiei^{3}	至韻
0593b	上波・024オ6・人躰	癩	去	ライ	右傍	lai^{3} lat	泰韻 曷韻
0733b	上波・031ウ2・疊字	夏	去	カ	右注	ɣa$^{2/3}$	馬/禡韻
0739b	上波・031ウ3・疊字	弊	去	ヘイ	左注	bjiai^{3}	祭韻
0752b	上波・031ウ6・疊字	乗	去	（シヤウ）	中注	dźieŋ$^{1/3}$	蒸/證韻
0759b	上波・031ウ7・疊字	例	去	レイ	中注	liai^{3}	祭韻
0762b	上波・032オ1・疊字	増	去濁	ソウ	右注	tsʌŋ$^{1/3}$	登/嶝韻
0764b	上波・032オ1・疊字	輩	去濁	ハイ	右注	puʌi^{3}	隊韻
0769b	上波・032オ2・疊字	艶	去	エン	左注	jiam^{3}	豔韻
0770b	上波・032オ2・疊字	鬢	去濁	ヒン	左注	pjien^{3}	震韻
0773b	上波・032オ3・疊字	縦	去	シヨウ	左注	tsiauŋ$^{1/3}$	鍾/用韻
0784b	上波・032オ5・疊字	介	去	カイ	左注	kɐi^{3}	怪韻
0793b	上波・032オ7・疊字	命	去	メイ	左注	miaŋ^{3}	映韻
0794b	上波・032オ7・疊字	忘	去	マウ	右注	miaŋ$^{1/3}$	陽/漾韻
0796b	上波・032ウ1・疊字	咲	去	セウ	左注	siau^{3}	笑韻
0800b	上波・032ウ1・疊字	命	去	―	―	miaŋ^{3}	映韻
0804b	上波・032ウ2・疊字	謝	去	シヤ	右注	zia^{3}	禡韻
0813b	上波・032ウ4・疊字	従	去	シヨウ	左注	dziauŋ^{1} ts‘iauŋ$^{1/3}$	鍾韻 鍾/用韻
0825b	上波・032ウ6・疊字	卆	去	スイ	左注	dziuei^{3}	至韻
0833b	上波・033オ1・疊字	畔	去	ホ	右注	ban^{3}	換韻
0863b	上波・033オ7・疊字	艾	去濁	カイ	右注	ŋai^{3} ŋiai^{3}	泰韻 廢韻
0869b	上波・033ウ1・疊字	髴	去	ヒ	右注	p‘iʌi^{3} piuʌt p‘iuʌt	未韻 物韻 物韻

0871b	上波・033ウ2・疊字	費	去	ヰ	右注	p‘iʌi^{3} biʌi^{3} piei^{3}	未韻 未韻 至韻
0874b	上波・033ウ2・疊字	命	去	メイ	右注	miaŋ^{3}	映韻
0889b	上波・033ウ5・疊字	上	去	シヤウ	右注	źiaŋ$^{2/3}$	養/漾韻
0893b	上波・033ウ6・疊字	毛	去濁	ホウ	左注	mau$^{1/3}$	豪/号韻
0901b	上波・034オ1・疊字	錬	去	レン	右注	len^{3}	霰韻
0904b	上波・034オ1・疊字	后	去	コウ	右注	ɣʌu$^{2/3}$	厚/候韻
0934b	上仁・036オ5・植物	遂	去	スイ	右傍	ziuei^{3}	至韻
0939b	上仁・036オ6・植物	芋	去	ウ	右傍	ɣiuʌ$^{1/3}$	虞/遇韻
1025b	上保・041ウ1・天象	位	去	ヰ	右傍	ɣiuei^{3}	至韻
1026b	上保・041ウ1・天象	夜	去	ヤ	右傍	jia^{3}	禡韻
1161b	上保・047オ5・疊字	賽	去	サイ	左注	sʌi^{3}	代韻
1168b	上保・047オ7・疊字	幢	去濁	トウ	左注	ḍauŋ$^{1/3}$	江/絳韻
1169b	上保・047オ7・疊字	盖	去	カイ	左注	kai^{3} ɣap kap	泰韻 盍韻 盍韻
1176b	上保・047ウ1・疊字	祚	去	ソ	左注	dzuʌ^{3}	暮韻
1186b	上保・047ウ3・疊字	筮	去濁	セイ	右傍	źiai^{3}	祭韻
1197b	上保・047ウ5・疊字	鬢	去濁	ヒン	左注	pjien^{3}	震韻
1204b	上保・047ウ7・疊字	性	去	セイ	右注	sieŋ^{3}	勁韻
1219b	上保・048オ3・疊字	従	去濁	シユ	中注	dziauŋ^{1} ts‘iauŋ$^{1/3}$	鍾韻 鍾/用韻
1247b	上保・048ウ2・疊字	冠	去	クワン	右注	kuan$^{1/3}$	桓/換韻
1253b	上保・048ウ3・疊字	計	去	ケイ	右注	kei^{3}	霽韻
1269b	上保・048ウ7・疊字	髴	去	ヒ	右傍	p‘iʌi^{3} piuʌt p‘iuʌt	未韻 物韻 物韻
1275b	上保・049ウ1・諸寺	幢	去濁	タウ	右注	ḍauŋ$^{1/3}$	江/絳韻
1340b	上邊・052ウ6・疊字	下	去	カ	中注	ɣa$^{2/3}$	馬/禡韻
1384b	上邊・053ウ1・疊字	備	去濁	ヒ	左注	biei^{3}	至韻
1408b	上邊・053ウ6・疊字	塞	去	サイ	右注	sʌi^{3} sʌk	代韻 徳韻
1427b	上度・054ウ5・地儀	劒	去	ケム	右傍	kiʌm^{3}	梵韻
1466b	上度・056ウ1・人事	頓	去	トム	右傍	tuʌn^{3}	慁韻
1476b	上度・056ウ6・人事	乱	去	ラン	左注	luan^{3}	換韻
1508b	上度・057ウ3・雑物	燧	去	スイ	右傍	ziuei^{3}	至韻
1520b	上度・057ウ6・雑物	犴	去濁	カン	右注	ŋan$^{1/3}$	寒/翰韻
1587b	上度・062オ5・疊字	纊	去	ワウ	左注	k‘uaŋ^{3}	宕韻
1590b	上度・062オ6・疊字	用	去	ヨウ	中注	jiauŋ^{3}	用韻
1596b	上度・062オ7・疊字	氣	去	キ	左注	k‘iʌi^{3} xiʌi^{3}	未韻 未韻

1600b	上度・062ウ1・疊字	稚	去	チ	左注	ḍiei^{3}	至韻
1604b	上度・062ウ2・疊字	忿	去	フン	左注	p'iuʌn$^{2/3}$	吻/問韻
1616b	上度・062ウ4・疊字	歩	上 去	ホ	中注	buʌ^{3}	暮韻
1621b	上度・062ウ5・疊字	替	去	タイ	左注	t'ei^{3}	霽韻
1641b	上度・063オ2・疊字	化	去	クワ	左注	xua^{3}	禡韻
1671b	上度・063ウ2・疊字	炭	去	タン	右注	t'ɑn^{3}	翰韻
1672b	上度・063ウ2・疊字	世	去	セイ	右注	śiai^{3}	祭韻
1681b	上度・063ウ4・疊字	畫	去濁	クワ	左注	ɣuɐ^{3} ɣuɐk	卦韻 麥韻
1684b	上度・063ウ6・疊字	滞	去	タイ	右傍	ḍiai^{3}	祭韻
1756b	上池・067オ5・人事	慶	去濁	ケイ	右注	k'iaŋ^{3}	映韻
1799b	上池・069オ1・疊字	電	去	テン	左注	den^{3}	霰韻
1803b	上池・069オ2・疊字	勢	去	セイ	左注	śiai^{3}	祭韻
1810b	上池・069オ3・疊字	岸	去濁	カン	左注	ŋɑn^{3}	翰韻
1822b	上池・069オ6・疊字	聞	去	モン	左注	miuʌn$^{1/3}$	文/問韻
1841b	上池・069ウ2・疊字	任	去濁	シム	左注	ńiem$^{1/3}$	侵/沁韻
1850b	上池・069ウ4・疊字	困	去	コン	左注	k'uʌn^{3}	慁韻
1857b	上池・069ウ6・疊字	袴	去	コ	左注	k'uʌ^{3}	暮韻
1861b	上池・069ウ6・疊字	信	去	シン	左注	sien^{3}	震韻
1864b	上池・069ウ7・疊字	悵	去	チヤウ	左注	ṭ'iɑŋ^{3}	漾韻
1865b	上池・069ウ7・疊字	望	去濁	ハウ	左注	miɑŋ$^{1/3}$	陽/漾韻
1866b	上池・069ウ7・疊字	鈍	去濁	トン	左注	duʌn^{3}	慁韻
1871b	上池・070オ1・疊字	滞	去	タイ	左注	ḍiai^{3}	祭韻
1878b	上池・070オ3・疊字	重	去	チヨウ	左注	ḍiɑuŋ$^{1/2/3}$	鍾/腫用韻
1891b	上池・070オ5・疊字	近	去	キン	左注	giʌn$^{2/3}$	隠/焮韻
1899b	上池・070オ7・疊字	思	去	シ	左注	siɐi$^{1/3}$	之/志韻
1916b	上池・070ウ3・疊字	粋	去	スイ	左注	tsiuei^{3}	至韻
2038b	上利・074ウ2・疊字	巷	去	カウ	左注	ɣauŋ^{3}	絳韻
2061b	上利・074ウ7・疊字	次	去	シ	中注	ts'iei^{3}	至韻
2062b	上利・074ウ7・疊字	例	去	レイ	左注	liai^{3}	祭韻
2065b	上利・075オ1・疊字	黛	去	タイ	左注	dʌi^{3}	代韻
2068b	上利・075オ1・疊字	涕	去	テイ	左注	t'ei$^{2/3}$	薺/霽韻
2069b	上利・075オ2・疊字	涕	去	テイ	左注	t'ei$^{2/3}$	薺/霽韻
2078b	上利・075オ3・疊字	様	去	—	—	jiɑŋ^{3}	漾韻
2079b	上利・075オ3・疊字	吏	去	リ	左傍	liɐi^{3}	志韻
2104b	上利・075ウ1・疊字	欠	去	カン	左注	k'iʌm^{3}	梵韻
2127b	上利・075ウ6・疊字	外	去	クワイ	左注	ŋuɑi^{3}	泰韻
2132b	上利・075ウ7・疊字	害	去	カイ	左注	ɣɑi^{3}	泰韻
2182b	上留・079ウ1・疊字	親	去	シン	左注	ts'ien$^{1/3}$	眞/震韻
2184b	上留・079ウ1・疊字	世	去	セイ	左注	śiai^{3}	祭韻
2186b	上留・079ウ2・疊字	代	去	タイ	左注	dʌi^{3}	代韻
2216b	上遠・080ウ1・植物	芋	去	ウ	右傍	ɣiuʌ$^{1/3}$	虞/遇韻

2279b	上遠・084ウ7・疉字	政	去	セイ	中注	tśieŋ^{3}	勁韻
2281b	上遠・084ウ7・疉字	滯	去	タイ	左注	ḍiai^{3}	祭韻
2293b	上和・086オ3・植物	醬	去	シヤウ	右傍	tsiɑŋ^{3}	漾韻
2336b	上和・087ウ7・人事	陣	去濁	―	―	ḍien^{3}	震韻
2382b	上和・090オ3・疉字	貨	去	クワ	右注	xuɑ^{3}	過韻
2408b	上和・090ウ1・疉字	豹	去	ハウ	右注	pau^{3}	効韻
2413b	上和・090ウ2・疉字	溷	去	コン	右傍	ɣuʌn^{3}	慁韻
2453b	上加・092オ1・地儀	柄	去	ヘイ	右傍	piaŋ^{3}	映韻
2460b	上加・092オ4・地儀	建	去	ケン	右傍	kiɑn^{3}	願韻
2462b	上加・092オ4・地儀	化	去	クワ	右傍	xua^{3}	禡韻
2463b	上加・092オ4・地儀	耀	去	エウ	右傍	jiau^{3}	笑韻
2472b	上加・092ウ4・植物	藺	去	リン	右傍	lien^{3}	震韻
2545b	上加・094ウ5・動物	劒	去	ケム	右傍	kiʌm^{3}	梵韻
2611b	上加・096ウ2・人體	瘕	去	カ	右傍	ka$^{1/2/3}$	麻/馬/禡韻
2614b	上加・096ウ2・人體	面	去	メン	右傍	miuɑn^{3}	線韻
2644b	上加・097ウ6・人事	殿	去	―	―	ten^{3} den^{3}	霰韻
2687b	上加・098ウ4・雑物	鬢	去	ヒン	右傍	pjien^{3}	震韻
2696b	上加・098ウ7・雑物	帶	去	タイ	右傍	tɑi^{3}	泰韻
2755b	上加・100オ4・雑物	器	去	キ	右傍	k‘iei^{3}	至韻
2870b	上加・106ウ4・疉字	穗	去	スイ	左注	ziuei^{3}	至韻
2880b	上加・106ウ6・疉字	岸	去濁	カン	中注	ŋɑn^{3}	翰韻
2898b	上加・107オ3・疉字	經	去濁	キヤウ	左注	keŋ$^{1/3}$	青/徑韻
2923b	上加・107ウ1・疉字	訓	去	クヰン	中注	xiuʌn^{3}	問韻
2955b	上加・107ウ7・疉字	聟	去	セイ	左注	sei^{3}	霽韻
2956b	上加・107ウ7・疉字	儷	去	レイ	左注	lei^{3}	霽韻
2962b	上加・108オ1・疉字	興	去	ケウ	左注	xiɐŋ$^{1/3}$	蒸/證韻
2979b	上加・108オ5・疉字	分	去濁	フン	左注	biuʌn^{3}	問韻
2984b	上加・108オ6・疉字	會	去	クワイ	左注	ɣuɑi^{3} kuɑi^{3}	泰韻 泰韻
2985b	上加・108オ6・疉字	會	去	クワイ	左注	ɣuɑi^{3} kuɑi^{3}	泰韻 泰韻
2992b	上加・108オ7・疉字	散	去	サン	中注	sɑn$^{2/3}$	旱/翰韻
3001b	上加・108ウ2・疉字	縁	去	エン	左注	jiuan$^{1/3}$	仙/線韻
3004b	上加・108ウ3・疉字	館	去	クワン	左注	kuɑn^{3}	換韻
3011b	上加・108ウ4・疉字	聞	去	フン	左注	miuʌn$^{1/3}$	文/問韻
3012b	上加・108ウ4・疉字	悔	去	クワイ	左注	xuʌi$^{2/3}$	賄/隊韻
3013b	上加・108ウ4・疉字	誡	去	カイ	左注	kɐi^{3}	怪韻
3017b	上加・108ウ5・疉字	政	去	セイ	左注	tśieŋ^{3}	勁韻
3028b	上加・109オ1・疉字	冑	去	チウ	左注	ḍiʌu^{3}	宥韻
3031b	上加・109オ1・疉字	戦	去	セン	左注	tśian^{3}	線韻
3033b	上加・109オ2・疉字	濫	去	ラン	左注	lɑm^{3}	闞韻

3034b	上加・109オ2・疊字	論	去	ロン	左注	luʌn$^{1/3}$ liuen^{1}	魂/慁韻 諄韻
3039b	上加・109オ3・疊字	逅	去	コウ	左注	ɣʌu^{3}	候韻
3047b	上加・109オ4・疊字	素	去	ソ	左注	suʌ^{3}	暮韻
3078b	上加・109ウ4・疊字	計	去	ケイ	右注	kei^{3}	霽韻
3082b	上加・109ウ4・疊字	分	去濁	フン	左注	biuʌn^{3}	問韻
3089b	上加・109ウ6・疊字	慨	去	カイ	右注	k'ʌi^{3}	代韻
3091b	上加・109ウ6・疊字	舋	去	キン	右注	xien^{3}	震韻
3092b	上加・109ウ6・疊字	瑾	去	キン	右注	gien^{3}	震韻
3107b	上加・110オ2・疊字	介	去	カイ	右注	kɐi^{3}	怪韻
3114b	上加・110オ4・疊字	盛	去濁	シヤウ	右注	źieŋ$^{1/3}$	清/勁韻
3120b	上加・110オ5・疊字	暢	去	チヤウ	右注	ṭ'iɑŋ^{3}	漾韻
3123b	上加・110オ6・疊字	光	去	クワウ	右注	kuɑŋ$^{1/3}$	唐/宕韻
3146b	上加・111オ2・疊字	皃	去	―	―	mau^{3} mauk	効韻 覺韻
3195b	上与・114オ5・動物	螿	去	シ	右傍	śie$^{1/3}$	支/寘韻
3237b	上与・117ウ1・疊字	艶	去	エム	左注	jiam^{3}	豔韻
3238b	上与・117ウ1・疊字	宴	去	エン	右注	'en$^{2/3}$	銑/霰韻
3242b	上与・117ウ2・疊字	貌	去	メウ	左注	mau^{3} mauk	効韻 覺韻
3244b	上与・117ウ3・疊字	皃	去	ハウ	左注	mau^{3} mauk	効韻 覺韻
3252b	上与・117ウ4・疊字	毅	去濁	キ	左注	ŋiʌi^{3}	未韻
3254b	上与・117ウ5・疊字	留	去	リウ	中注	liʌu$^{1/3}$	尤/宥韻
3265b	上与・117ウ7・疊字	慶	去	ケイ	右注	k'iaŋ^{3}	映韻

【表D-31】去声（熟字後部／第二字）上巻〔不一致例〕

番号	前田本所在	掲出字		仮名音注		中古音	韻目
0118b	上伊・006オ5・人體	疼	去	―	―	dɑuŋ^{1}	冬韻
0285b	上伊・013オ4・疊字	心	去	―	―	siem^{1}	侵韻
0319b	上伊・013ウ5・疊字	違	去	ヰ	中注	ɣiuʌi^{1}	微韻
0327b	上伊・013ウ7・疊字	文	去	モン	中注	miuʌn^{1}	文韻
0432b	上呂・019オ1・疊字	通	去	ツウ	左注	t'ʌuŋ^{1}	東韻
0817b	上波・032ウ5・疊字	眠	去	メン	左注	men^{1}	先韻
0832b	上波・033オ1・疊字	刀	去	タウ	左注	tɑu^{1}	豪韻
0877b	上波・033ウ3・疊字	愛	去	アイ	右注	'ʌi^{1}	代韻
1162b	上保・047オ5・疊字	文	去	モン	中注	miuʌn^{1}	文韻
1195b	上保・047ウ5・疊字	頭	去濁	トウ	左注	dʌu^{1}	侯韻
1200b	上保・047ウ6・疊字	恩	去	ヲム	中注	'ʌn^{1}	痕韻
1203b	上保・047ウ7・疊字	懐	去濁	―	―	ɣuɐi^{1}	皆韻
1373b	上邊・053オ5・疊字	才	去濁	サイ	左注	dzʌi^{1}	咍韻

1453b	上度・055ウ4・動物	蜓	去	テイ	右傍	deŋ$^{1/2}$ den^{2}	青/迥韻 銑韻
1595b	上度・062オ7・疊字	人	去	ニン	左注	ńien^{1}	眞韻
1608b	上度・062ウ2・疊字	根	去濁	コン	左注	kʌn^{1}	痕韻
1674b	上度・063ウ2・疊字	同	去濁	トウ	右注	dʌuŋ^{1}	東韻
1858b	上池・069ウ6・疊字	裳	去	シヤウ	左注	źiaŋ^{1}	陽韻
1904b	上池・070ウ1・疊字	人	去	ニン	左注	ńien^{1}	眞韻
1932b	上池・070ウ7・疊字	愛	去	アイ	左注	’ʌi^{1}	代韻
1938b	上池・071オ1・疊字	人	去	ニン	右注	ńien^{1}	眞韻
1953b	上池・071オ5・疊字	大	去	―	―	dai^{1}	泰韻
2086b	上利・075オ5・疊字	根	去	コン	中注	kʌn^{1}	痕韻
2096b	上利・075オ7・疊字	椋	去	リヤウ	左注	liaŋ^{1}	陽韻
2373b	上和・090オ1・疊字	侯	去	コウ	中注	ɣuʌ^{1}	侯韻
2494b	上加・093ウ1・植物	麻	去	―	―	ma^{1}	麻韻
2866b	上加・106ウ3・疊字	佤	去	テイ	左注	tei^{1}	齊韻
2887b	上加・106ウ7・疊字	靈	去	レイ	中注	leŋ^{1}	青韻
2928b	上加・107ウ2・疊字	妖	去	エウ	左注	’iau^{1}	宵韻
2986b	上加・108オ6・疊字	招	去	セウ	左注	tśiau^{1}	宵韻
3005b	上加・108ウ3・疊字	堂	去	タウ	左注	daŋ^{1}	唐韻
3032b	上加・109オ1・疊字	人	去	ニン	左注	ńien^{1}	眞韻
3058b	上加・109オ7・疊字	苗	去濁	ハウ	左注	miau^{1}	宵韻
3133b	上加・110ウ2・疊字	怩	去濁	チ	右傍	ṇiei^{1}	脂韻
3241b	上与・117ウ2・疊字	心	去	シム	左注	siem^{1}	侵韻
3270b	上与・118オ1・疊字	心	去	シム	右注	siem^{1}	侵韻

番号	前田本所在	掲出字		仮名音注		中古音	韻目
0053b	上伊・003ウ7・植物	杖	去	チヤウ	右傍	ḍiaŋ^{2}	養韻
0240b	上伊・012ウ3・疊字	動	去	トウ	右注	dʌuŋ^{2}	董韻
0247b	上伊・012ウ4・疊字	耳	去濁	シ	左注	ńiɐi^{2}	止韻
0633b	上波・025ウ6・人事	柱	去	チウ	左注	ḍiuʌ^{2} ṭiuʌ^{2}	麌韻 麌韻
0819b	上波・032ウ5・疊字	士	去	シ	中注	dẓiɐi^{2}	止韻
0853b	上波・033オ5・疊字	柱	去	チウ	左注	ḍiuʌ^{2} ṭiuʌ^{2}	麌韻 麌韻
0888b	上波・033ウ5・疊字	雉	去	チ	右注	ḍiei^{2}	旨韻
0909b	上波・034オ6・疊字	齒	去	―	―	tś‘iɐi^{2}	止韻
1334b	上邊・052ウ5・疊字	戸	去	コ	左注	ɣuʌ^{2}	姥韻
1393b	上邊・053ウ2・疊字	奉	去	ホウ	右注	biauŋ^{2}	腫韻
1620b	上度・062ウ5・疊字	静	去	セイ	左注	dzieŋ^{2}	靜韻
1665b	上度・063オ7・疊字	杖	去	チヤウ	左注	ḍiaŋ^{2}	養韻
1675b	上度・063ウ2・疊字	等	去濁	トウ	右注	tʌŋ^{2}	等韻
1706b	上池・065オ6・地儀	動	去	―	―	dʌuŋ^{2}	董韻
1847b	上池・069ウ4・疊字	怠	去	タイ	左注	dʌi^{2}	海韻

1853a	上池・069ウ5・疊字	杖	去	チヤウ	中注	ḍiɑŋ^{2}	養韻
1879b	上池・070オ3・疊字	怠	去	タイ	左注	dʌi^{2}	海韻
1903b	上池・070ウ1・疊字	杖	去濁	チヤウ	左注	ḍiɑŋ^{2}	養韻
1950b	上池・071オ3・疊字	几	去	キ	右注	kiei^{2}	旨韻
1992b	上利・073オ2・動物	杖	去	チヤウ	右傍	ḍiɑŋ^{2}	養韻
2051b	上利・074ウ5・疊字	幸	去	カウ	左注	ɣeŋ^{2}	耿韻
2055b	上利・074ウ6・疊字	旨	去	シ	左注	śiei^{2}	旨韻
2719b	上加・099オ7・雜物	杖	去	チヤウ	右傍	ḍiɑŋ^{2}	養韻
3269b	上与・118オ1・疊字	捨	去	シヤ	右注	śia^{2}	馬韻

番号	前田本所在	掲出字		仮名音注		中古音	韻目
0250b	上伊・012ウ5・疊字	攝	去濁	セウ	左注	śiap nep	葉韻 帖韻
2056b	上利・074ウ6・疊字	綍	去	ハイ	右注	piuʌt	物韻

【表D-31】去声（熟字後部／第三字）上巻〔一致例〕

番号	前田本所在	掲出字		仮名音注		中古音	韻目
0184c	上伊・008ウ7・雜物	箭	去	セン	右傍	tsian^{3}	線韻
1755c	上池・067オ5・人事	鳳	去	―	―	biʌuŋ^{3}	送韻
3129c	上加・110オ7・疊字	歩	去	ホ	右傍	buʌ^{3}	暮韻

【表D-31】去声（熟字後部／第三字）上巻〔不一致例〕

番号	前田本所在	掲出字		仮名音注		中古音	韻目
0906c	上波・034オ2・疊字	香	去	カウ	左注	xiɑŋ^{1}	陽韻

【表D-32】去声（熟字後部／第二字）下巻〔一致例〕

番号	前田本所在	掲出字		仮名音注		中古音	韻目
3397b	下古・005オ1・人事	燦	去	サム	右傍	ts'ɑn^{3}	翰韻
3409b	下古・006オ1・人事	詠	去	キヤウ	左注	ɣiuɑŋ^{3}	映韻
3417b	下古・006オ7・飲食	飯	去	ハン	右傍	biɑn$^{2/3}$	阮/願韻
3438b	下古・006ウ7・雜物	地	去	チ	右傍	diei^{3}	至韻
3595b	下古・010オ6・疊字	夜	去	―	―	jia^{3}	禡韻
3618b	下古・010ウ4・疊字	細	去	―	―	sei^{3}	霽韻
3622b	下古・010ウ5・疊字	望	去	ハウ	右注	miɑŋ$^{1/3}$	陽/漾韻
3629b	下古・010ウ7・疊字	親	去	シン	中注	ts'ien$^{1/3}$	眞/震韻
3630b	下古・010ウ7・疊字	弟	去	―	―	dei$^{2/3}$	薺/霽韻
3651b	下古・011オ5・疊字	外	去濁	クワイ	左注	ŋuɑi^{3}	泰韻
3658b	下古・011オ7・疊字	舊	去	キウ	左注	giʌu^{3}	宥韻
3661b	下古・011オ7・疊字	障	去	―	―	tśiɑŋ$^{1/3}$	陽/漾韻
3663b	下古・011ウ1・疊字	露	去	ロ	左注	luʌ^{3}	暮韻

3672b	下古・011ウ2・疊字	盗	去	タウ	左注	dɑu³	号韻
3676b	下古・011ウ3・疊字	匠	去	—	—	dziɑŋ³	漾韻
3689b	下古・011ウ6・疊字	眄	去	メン	左注	men²/³	銑/霰韻
3699b	下古・012オ1・疊字	忘	去濁	ハウ	左注	miɑŋ¹/³	陽/漾韻
3708b	下古・012オ3・疊字	匃	去	カイ	右注	kɑi³ kɑt	泰韻 曷韻
3715b	下古・012オ5・疊字	素	去	ソ	左注	suʌ³	暮韻
3722b	下古・012オ6・疊字	艶	去	エム	右注	jiam³	豔韻
3742b	下江・014オ5・地儀	政	去	セイ	右注	tśieŋ³	勁韻
3780b	下江・015ウ7・雑物	帽	去	ホウ	右傍	mɑu³	号韻
3781b	下江・015ウ7・雑物	帽	去	ホウ	右傍	mɑu³	号韻
3802b	下江・016ウ7・疊字	駕	去	—	—	ka³	禡韻
3806b	下江・017オ1・疊字	筮	去	セイ	中注	źiai³	祭韻
3807b	下江・017オ1・疊字	魅	去	ミ	左注	miei³	至韻
3809b	下江・017オ2・疊字	艶	去	エム	中注	jiam³	豔韻
3828b	下江・017オ6・疊字	會	去	—	—	ɣuɑi³ kuɑi³	泰韻 泰韻
3832b	下江・017オ6・疊字	會	去	—	—	ɣuɑi³ kuɑi³	泰韻 泰韻
3838b	下江・017オ7・疊字	酔	去	スイ	中注	tsiuei³	至韻
3850b	下江・017ウ3・疊字	造	去	サウ	左注	ts'ɑu³ dzɑu²	号韻 晧韻
3863b	下江・017ウ6・疊字	態	去	タイ	左注	t'ʌi³	代韻
3875b	下手・018ウ4・天象	漢	去	カン	左注	xɑn³	翰韻
3941b	下手・021ウ7・疊字	舎	去	—	—	śia²/³	馬/禡韻
3955b	下手・022オ3・疊字	廷	去	テイ	左注	deŋ¹/³	青/徑韻
3957b	下手・022オ4・疊字	覲	去	キン	左注	gien³	震韻
3966b	下手・022オ5・疊字	弟	去	—	—	dei²/³	薺/霽韻
3967b	下手・022オ6・疊字	訓	去	—	—	xiuʌn³	問韻
3973b	下手・022オ7・疊字	性	去濁	セイ	左注	sieŋ³	勁韻
3984b	下手・022ウ2・疊字	去	去	キヨ	左注	k'iʌ²/³	語/御韻
3991b	下手・022ウ4・疊字	咲	去	—	—	siau³	笑韻
4001b	下手・022ウ6・疊字	憲	去	—	—	xiɑn³	願韻
4012b	下手・023オ2・疊字	面	去	—	—	miuan³	線韻
4023b	下手・023オ4・疊字	滞	去	テイ	左注	ḍiai³	祭韻
4029b	下手・023オ5・疊字	地	去	チ	左注	diei³	至韻
4030b	下手・023オ6・疊字	縣	去	クヱン	左注	ɣuen¹/³	先/霰韻
4031b	下手・023オ6・疊字	暮	去	—	—	muʌ³	暮韻
4079b	下阿・025ウ2・地儀	衆	去	シユ	右傍	tśiʌuŋ¹/³	東/送韻
4100b	下阿・026オ4・植物	菜	去	サイ	右傍	ts'ʌi³	代韻
4134b	下阿・027オ6・動物	豹	去	ハウ	右傍	pau³	効韻
4138b	下阿・027オ7・動物	鐙	去	トウ	右傍	tʌŋ³	嶝韻

4174b	下阿・028ウ7・人躰	會	去	クワイ	右傍	ɣuɑi^{3} kuɑi^{3}	泰韻 泰韻
4283b	下阿・032ウ4・雜物	礪	去	レイ	右傍	liai^{3}	祭韻
4309b	下阿・033ウ1・光彩	莧	去	ケン	右傍	ɣɐn^{3}	襉韻
4355b	下阿・039オ4・疊字	夜	去	—	—	jia^{3}	禡韻
4367b	下阿・039オ6・疊字	增	去	—	—	tsʌŋ$^{1/3}$	登/嶝韻
4368b	下阿・039オ6・疊字	悪	去	ヲ	左注	ʼuʌ$^{1/3}$ ʼɑk	模/暮韻 鐸韻
4374b	下阿・039オ7・疊字	慕	去	—	—	muʌ^{3}	暮韻
4377b	下阿・039ウ1・疊字	陋	去	ヘイ	左注	lʌu^{3}	候韻
4395b	下阿・040オ1・疊字	宕	去	タウ	右傍	dɑŋ^{3}	宕韻
4396b	下阿・040オ2・疊字	瀅	去	—	—	ʼeŋ^{3}	徑韻
4542b	下佐・046オ7・人事	鷓	去	—	—	tśia^{3}	禡韻
4650b	下佐・051オ2・疊字	路	去	—	—	luʌ^{3}	暮韻
4670b	下佐・051オ6・疊字	禪	去	—	—	źian$^{1/3}$	仙/線韻
4673b	下佐・051オ7・疊字	戒	去	カイ	左注	kɐi^{3}	怪韻
4720b	下佐・052オ3・疊字	貨	去	—	—	xuɑ^{3}	過韻
4725b	下佐・052オ5・疊字	事	去	—	—	dẓiɐi^{3}	志韻
4726b	下佐・052オ5・疊字	智	去	—	—	ṭie^{3}	寘韻
4728b	下佐・052オ5・疊字	行	去	—	—	ɣaŋ$^{1/3}$ ɣɑŋ$^{1/3}$	庚/映韻 唐/宕韻
4729b	下佐・052オ6・疊字	幹	去	—	—	kɑn^{3}	翰韻
4730b	下佐・052オ6・疊字	華	去	—	—	xua^{1} ɣua$^{1/3}$	麻韻 麻/禡韻
4735b	下佐・052オ7・疊字	定	去	テイ	左注	teŋ^{3} deŋ^{3}	徑韻 徑韻
4744b	下佐・052ウ2・疊字	縫	去	ホウ	左注	biɑuŋ$^{1/3}$	鍾/用韻
4749b	下佐・052ウ4・疊字	創	去	サウ	左注	tsʻiɑŋ$^{1/3}$	陽/漾韻
4750b	下佐・052ウ4・疊字	化	去	クワ	左注	xua^{3}	禡韻
4751b	下佐・052ウ4・疊字	藝	去濁	ケイ	左注	ŋjiai^{3}	祭韻
4761b	下佐・052ウ7・疊字	量	去	—	—	liɑŋ$^{1/3}$	陽/漾韻
4765b	下佐・053オ1・疊字	緻	去	チ	左注	ḍiei^{3}	至韻
4779b	下佐・053オ4・疊字	聖	去	セイ	右注	śieŋ^{3}	勁韻
4851b	下木・056オ1・植物	縣	去	—	—	ɣuen$^{1/3}$	先/霰韻
4917b	下木・058オ7・雜物	袋	去	タイ	中注	dʌi^{3}	代韻
4918b	下木・058オ7・雜物	袋	去	タイ	右注	dʌi^{3}	代韻
4939b	下木・059オ1・方角	塞	去	サイ	右傍	sʌi^{3} sʌk	代韻 徳韻
4963b	下木・060ウ6・疊字	兎	去	ト	右傍	tʻuʌ^{3}	暮韻
4964b	下木・060ウ6・疊字	漢	去	カン	右傍	xɑn^{3}	翰韻
4973b	下木・061オ1・疊字	夜	去	—	—	jia^{3}	禡韻
4985b	下木・061オ3・疊字	釣	去	—	—	teu^{3}	嘯韻

5022b	下木・061ウ4・疊字	貫	去	―	―	kuɑn$^{1/3}$	桓/換韻
5033b	下木・061ウ6・疊字	瑞	去	スイ	左注	źiue^{3}	寘韻
5042b	下木・062オ1・疊字	艾	去	―	―	ŋɑi^{3} ŋiɑi^{3}	泰韻 廢韻
5044b	下木・062オ2・疊字	邁	去	マイ	左注	mai^{3}	夬韻
5051b	下木・062オ3・疊字	厚	去	―	―	ɣʌu$^{2/3}$	厚/候韻
5059b	下木・062オ5・疊字	鈍	去	―	―	duʌn^{3}	慁韻
5060b	下木・062オ5・疊字	慮	去	―	―	liʌ^{3}	御韻
5071b	下木・062ウ1・疊字	咏	去	ヱイ	中注	ɣiuaŋ^{3}	映韻
5076b	下木・062ウ2・疊字	意	去	―	―	'iɐi^{3}	志韻
5095b	下木・063オ1・疊字	制	去	セイ	左注	tśiai^{3}	祭韻
5105b	下木・063オ3・疊字	恠	去	クワイ	中注	kuɐi^{3}	怪韻
5125b	下木・063ウ1・疊字	奏	去	ソウ	右注	tsʌu^{3}	候韻
5136b	下木・063ウ3・疊字	睇	去	テイ	左注	dei^{3} t'ei^{1}	齊韻 霽韻
5139b	下木・063ウ3・疊字	望	去	ハウ	左注	miɑŋ$^{1/3}$	陽/漾韻
5191b	下木・064オ7・疊字	獸	去	シウ	左注	śiʌu^{3}	宥韻
5245b	下由・067ウ5・雑物	袋	去	―	―	dʌi^{3}	代韻
5267b	下師・069オ2・地儀	義	去濁	―	―	ŋie^{3}	寘韻
5315b	下師・070ウ2・動物	貝	去	ハイ	右傍	pɑi^{3}	泰韻
5316b	下師・070ウ2・動物	盖	去	―	―	kɑi^{3} ɣɑp kɑp	泰韻 盍韻 盍韻
5433b	下師・074オ4・雑物	線	去	セン	右傍	sian^{3}	線韻
5457b	下師・074ウ4・雑物	器	去	キ	右傍	k'iei^{3}	至韻
5467b	下師・074ウ7・雑物	盖	去	カイ	右注	kɑi^{3} ɣɑp kɑp	泰韻 盍韻 盍韻
5471b	下師・074ウ7・雑物	慎	去	シン	右傍	sien^{3}	震韻
5526b	下師・078ウ4・疊字	曜	去	―	―	jiau^{3}	笑韻
5527b	下師・078ウ4・疊字	宿	去	シウ	左注	siʌu^{3} siʌuk	宥韻 屋韻
5530b	下師・078ウ5・疊字	夜	去	ヤ	右注	jia^{3}	禡韻
5532b	下師・078ウ6・疊字	夜	去	―	―	jia^{3}	禡韻
5547b	下師・079オ4・疊字	俓	去	ケイ	右注	keŋ^{3} ŋɐŋ^{1} ŋen^{1}	徑韻 耕韻 先韻
5588b	下師・080ウ2・疊字	退	去	タイ	右注	t'uʌi^{3}	隊韻
5621b	下師・081オ6・疊字	操	去濁	サウ	左注	ts'ɑu$^{1/3}$ sʌu^{2}	豪/号韻 厚韻
5628b	下師・081ウ1・疊字	配	去	ハイ	右注	p'uʌi^{3}	隊韻

5632b	下師・081ウ1・疊字	悪	去	—	—	'uʌ$^{1/3}$ 'ɑk	模/暮韻 鐸韻
5640b	下師・081ウ4・疊字	恵	去	—	—	ɣuei^{3}	霽韻
5658b	下師・082オ1・疊字	聟	去濁	セイ	左注	sei^{3}	霽韻
5659b	下師・082オ1・疊字	詠	去	エイ	左注	ɣiuaŋ^{3}	映韻
5660b	下師・082オ1・疊字	譽	去	—	—	jiʌ$^{1/3}$	魚/御韻
5673b	下師・082オ3・疊字	吏	去	—	—	liɐi^{3}	志韻
5681b	下師・082オ6・疊字	后	去	—	—	ɣʌu$^{2/3}$	厚/候韻
5693b	下師・082ウ1・疊字	候	去	コウ	左注	ɣʌu^{3}	候韻
5706b	下師・082ウ6・疊字	契	去	—	—	k'ei^{3} k'iʌt k'et	霽韻 迄韻 屑韻
5707b	下師・082ウ6・疊字	巻	去	クヱン	右傍	giuan$^{1/3}$ kiuan^{2} giuɑn^{2}	仙/線韻 獮韻 阮韻
5710b	下師・082ウ7・疊字	挍	去	カウ	左注	kau^{3} ɣau^{3}	効韻 効韻
5711b	下師・082ウ7・疊字	面	去	—	—	miuan^{3}	線韻
5746b	下師・083ウ2・疊字	搆	去	コウ	左注	kʌu^{3}	候韻
5791b	下師・084オ6・疊字	趣	去	シユ	左注	ts'iuʌ$^{1/3}$ ts'ʌu^{2}	虞/遇韻 厚韻
5823b	下師・084ウ4・疊字	妙	去濁	ヘウ	左注	mjiau^{3}	笑韻
5831b	下師・084ウ5・疊字	盛	去濁	シヤウ	左注	źieŋ$^{1/3}$	清/勁韻
5844b	下師・084ウ7・疊字	盖	去	カイ	中注	kɑi^{3} ɣɑp kɑp	泰韻 盍韻 盍韻
5853b	下師・085オ2・疊字	夜	去	ヤ	右注	jia^{3}	禡韻
5880b	下師・085オ6・疊字	聴	去	テイ	右注	t'eŋ$^{1/3}$	青/徑韻
5889b	下師・085ウ1・疊字	散	去	(サン)	右注	sɑn$^{2/3}$	旱/翰韻
5993b	下會・089オ6・疊字	路	去	—	—	luʌ^{3}	暮韻
6000b	下會・089オ7・疊字	耀	去	エウ	左注	jiau^{3}	笑韻
6004b	下會・089ウ1・疊字	臂	去	—	—	pjie^{3}	寘韻
6006b	下會・089ウ1・疊字	下	去	カ	中注	ɣa$^{2/3}$	馬/禡韻
6009b	下會・089ウ2・疊字	見	去	—	—	ken^{3} ɣen^{3}	霰韻 霰韻
6012b	下會・089ウ3・疊字	岸	去	カン	左注	ŋɑn^{3}	翰韻
6023b	下飛・090オ5・天象	地	去	チ	右傍	diei^{3}	至韻
6128b	下飛・093オ5・人躰	翳	去	エイ	右傍	'ei$^{1/3}$	齊/霽韻
6142b	下飛・094オ3・飲食	僃	去	ヒ	右傍	(biei^{3})	至韻
6147b	下飛・094オ6・雜物	上	去	シヤウ	中注	źiɑŋ$^{2/3}$	養/漾韻
6155b	下飛・094オ7・雜物	筯	去	チヨ	右傍	ḍiʌ^{3}	御韻
6159b	下飛・094ウ2・雜物	帯	去	タイ	右傍	tɑi^{3}	泰韻

6161b	下飛・094ウ2・雜物	盖	去	カイ	右注	kɑi^3 ɣɑp kɑp	泰韻 盍韻 盍韻
6185b	下飛・095オ1・雜物	劒	去	ケン	右傍	kiʌm^3	梵韻
6236b	下飛・097ウ5・疊字	郡	去	—	—	giuʌn^3	問韻
6243b	下飛・097ウ7・疊字	御	去	—	—	ŋiʌ^3	御韻
6256b	下飛・098オ2・疊字	陋	去	—	—	lʌu^3	候韻
6260b	下飛・098オ2・疊字	慟	去	—	—	dʌuŋ^3	送韻
6292b	下飛・098ウ1・疊字	校	去	ケウ	右注	kau^3 ɣau^3	効韻 効韻
6314b	下飛・098ウ5・疊字	頓	去	—	—	tuʌn^3	慁韻
6319b	下飛・098ウ6・疊字	露	去	ロウ	左注	luʌ^3	暮韻
6411b	下毛・101ウ6・動物	蠹	去	—	—	tuʌ^3	暮韻
6445b	下毛・103オ6・雜物	炷	去	チウ	右傍	tśiuʌ$^{2/3}$	麌/遇韻
6474b	下毛・105ウ4・疊字	露	去	—	—	luʌ^3	暮韻
6491b	下世・106ウ4・地儀	耀	去	エウ	右傍	jiau^3	笑韻
6493b	下世・106ウ4・地儀	鳳	去	ホウ	右傍	biʌuŋ^3	送韻
6495b	下世・106ウ5・地儀	義	去	キ	右傍	ŋie^3	寘韻
6500b	下世・106ウ6・地儀	慶	去	ケイ	右傍	kʻiaŋ^3	勁韻
6501b	下世・106ウ6・地儀	政	去	—	—	tśieŋ^3	勁韻
6551b	下世・109オ2・光彩	黛	去	タイ	右注	dʌi^3	代韻
6577b	下世・110オ3・疊字	地	去	チ	右注	diei^3	至韻
6579b	下世・110オ4・疊字	候	去	—	—	ɣʌu^3	候韻
6580b	下世・110オ4・疊字	暮	去	ホ	左注	muʌ^3	暮韻
6611b	下世・110ウ2・疊字	祚	去	ソ	左注	dzuʌ^3	暮韻
6615b	下世・110ウ3・疊字	事	去	—	—	dẓiɐi^3	志韻
6617b	下世・110ウ3・疊字	教	去	—	—	kau$^{1/3}$	肴/効韻
6649b	下世・111オ2・疊字	壯	去	—	—	tṣiɑŋ^3	漾韻
6655b	下世・111オ3・疊字	操	去	—	—	tsʻɑu$^{1/3}$ sʌu^2	豪/号韻 厚韻
6662b	下世・111オ5・疊字	顇	去	スイ	中注	dziuei^3	至韻
6664b	下世・111オ5・疊字	間	去	—	—	kɐn$^{1/3}$	山/襇韻
6665b	下世・111オ5・疊字	會	去	—	—	ɣuɑi^3 kuɑi^3	泰韻 泰韻
6667b	下世・111オ5・疊字	介	去	カイ	中注	kɐi^3	怪韻
6677b	下世・111オ7・疊字	替	去	タイ	左注	tʻei^3	霽韻
6709b	下世・111ウ6・疊字	行	去	—	—	ɣaŋ$^{1/3}$ ɣɑŋ$^{1/3}$	庚/映韻 唐/宕韻
6714b	下世・111ウ7・疊字	會	去	—	—	ɣuɑi^3 kuɑi^3	泰韻 泰韻
6716b	下世・111ウ7・疊字	芥	去	カイ	左注	kɐi^3	怪韻
6717b	下世・111ウ7・疊字	碎	去	スイ	左注	suʌi^3	隊韻

6722b	下世・112オ1・疊字	望	去	―	―	miɑŋ$^{1/3}$	陽/漾韻
6744b	下世・112オ6・疊字	敗	去	ハイ	右注	bai^{3} pai^{3}	夬韻 夬韻
6758b	下世・112ウ2・疊字	浄	去濁	セイ	右傍	dzieŋ^{3}	勁韻
6814b	下洲・114ウ5・人倫	魅	去濁	ミ	右傍	miei^{3}	至韻
6895b	下洲・119ウ7・疊字	氣	去	キ	右注	kʻiʌi^{3} xiʌi^{3}	未韻 未韻
6900b	下洲・120オ1・疊字	面	去	―	―	miuan^{3}	線韻
6906b	下洲・120オ2・疊字	邁	去	マイ	右注	mai^{3}	夬韻
6907b	下洲・120オ3・疊字	量	去	リヤウ	左注	liɑŋ$^{1/3}$	陽/漾韻
6918b	下洲・120オ5・疊字	爨	去	サン	左注	tsʻuɑn^{3}	換韻
6941b	下洲・120ウ3・疊字	拜	去	―	―	pɐi^{3}	怪韻
6942b	下洲・120ウ4・疊字	露	去	ロ	左注	luʌ^{3}	暮韻

【表D-32】去声（熟字後部／第二字）下巻〔不一致例〕

番号	前田本所在	掲出字		仮名音注		中古音	韻目
3613b	下古・010ウ3・疊字	慈	去	シ	中注	dziɐi^{1}	之韻
3682b	下古・011ウ5・疊字	沌	去	―	―	duʌn$^{1/2}$ diuan^{2}	魂/混韻 獮韻
3905b	下手・020ウ2・飲食	臍	去	セイ	右注	dzei^{1}	齊韻
3935b	下手・021ウ5・重點	條	去濁	テウ	右注	deu^{1}	蕭韻
3976b	下手・022オ7・疊字	頭	去	―	―	dʌu^{1}	侯韻
4004b	下手・022ウ7・疊字	違	去	―	―	ɣiuʌi^{1}	微韻
4068b	下阿・025オ6・地儀	堆	去	クワイ	右傍	tuʌi^{1}	灰韻
4358b	下阿・039オ4・疊字	靈	去	―	―	leŋ^{1}	青韻
4666b	下佐・051オ5・疊字	幡	去	ハン	左注	pʻiɑn^{1}	元韻
4709b	下佐・052オ1・疊字	訛	去	―	―	ŋuɑ^{1}	戈韻
4716b	下佐・052オ2・疊字	羕	去濁	シヨウ	右注	źieŋ^{1}	蒸韻
4743b	下佐・052ウ2・疊字	袍	去	ハウ	左注	bɑu^{1}	豪韻
4758b	下佐・052ウ6・疊字	丹	去	―	―	tɑn^{1}	寒韻
5041b	下木・062オ1・疊字	年	去	―	―	nen^{1}	先韻
5230b	下由・067オ1・人事	蛟	去	カウ	右傍	kɑu^{1}	肴韻
5572b	下師・079ウ7・疊字	曇	去	タム	右注	dʌm^{1}	覃韻
5587b	下師・080オ7・疊字	賜	去	―	―	sie^{1}	寘韻
5616b	下師・081オ5・疊字	情	去	―	―	dzieŋ^{1}	清韻
5670b	下師・082オ3・疊字	心	去濁	シム	左注	siem^{1}	侵韻
5692b	下師・082ウ1・疊字	官	去	―	―	kuɑn^{1}	桓韻
5757b	下師・083ウ5・疊字	南	去	ナム	左注	nʌm^{1}	覃韻
6125b	下飛・093オ4・人躰	痺	去	ヒ	右傍	pjie^{1}	支韻
6162b	下飛・094ウ2・雜物	鬘	去	―	―	man^{1}	刪韻
6241b	下飛・097ウ6・疊字	毫	去濁	カウ	左注	ɣɑu^{1}	豪韻

6278b	下飛・098オ5・疊字	人	去	―	―	ńien^{1}	眞韻
6348b	下飛・099オ4・疊字	非	去	―	―	piʌi^{1}	微韻
6753b	下世・112オ7・疊字	袍	去	ハウ	右注	bɑu^{1}	豪韻
6916b	下洲・120オ5・疊字	緡	去	ヒン	左注	mien^{1}	眞韻

番号	前田本所在	掲出字		仮名音注		中古音	韻目
3310b	下古・002オ1・地儀	道	去	タウ	右傍	dɑu^{2}	晧韻
3597b	下古・010オ6・疊字	洗	去	セン	左注	sen^{2} sei^{2}	銑韻 薺韻
3641b	下古・011オ2・疊字	怠	去	―	―	dʌi^{2}	海韻
3660b	下古・011オ7・疊字	幸	去	―	―	ɣɐŋ^{2}	耿韻
3666b	下古・011ウ1・疊字	士	去	―	―	dẓiɐi^{2}	止韻
3709b	下古・012オ3・疊字	動	去	トウ	左注	dʌuŋ^{2}	董韻
3805b	下江・017オ1・疊字	怠	去	タイ	左注	dʌi^{2}	海韻
3839b	下江・017ウ1・疊字	佇	去	チヨ	中注	ḍiʌ^{2}	語韻
3954b	下手・022オ3・疊字	市	去	―	―	źiɐi^{2}	止韻
3964b	下手・022オ5・疊字	撰	去	―	―	dẓian^{2} dẓuan^{2}	獮韻 潸韻
4653b	下佐・051オ3・疊字	艋	去	マウ	左注	maŋ^{2}	梗韻
4693b	下佐・051ウ4・疊字	兆	去	テウ	右注	ḍiau^{2}	小韻
4703b	下佐・051ウ6・疊字	道	去	―	―	dɑu^{2}	晧韻
4719b	下佐・052オ3・疊字	静	去濁	シヤウ	左注	dzieŋ^{2}	静韻
4781b	下佐・053オ5・疊字	友	去	イウ	右注	ɣiʌu^{2}	有韻
4930b	下木・058ウ3・雜物	杖	去	チヤウ	右傍	ḍiɑŋ^{2}	養韻
5016b	下木・061ウ3・疊字	杖	去	―	―	ḍiɑŋ^{2}	養韻
5036b	下木・061ウ7・疊字	動	去濁	トウ	左注	dʌuŋ^{2}	董韻
5038b	下木・062オ1・疊字	緥	去	ホウ	左注	pɑu^{2}	晧韻
5121b	下木・063オ7・疊字	柱	去	チウ	中注	ḍiuʌ^{2} ṭiuʌ^{2}	麌韻 麌韻
5181b	下木・064オ5・疊字	乳	去濁	シウ	右注	ńiuʌ^{2}	麌韻
5265b	下師・069オ1・地儀	善	去	―	―	źian^{2}	獮韻
5598b	下師・080ウ6・疊字	始	去濁	シ	左注	śiɐi^{2}	止韻
5760b	下師・083ウ6・疊字	貯	去	チヨ	左注	ṭiʌ^{2}	語韻
5787b	下師・084オ5・疊字	免	去	メン	右注	mian^{2}	獮韻
5798b	下師・084オ7・疊字	擬	去濁	キ	左注	ŋiɐi^{2}	止韻
6532b	下世・108オ7・人事	海	去濁	カイ	左注	xʌi^{2}	海韻
6599b	下世・110オ7・疊字	祀	去	シ	中注	ziɐi^{2}	止韻
6601b	下世・110ウ1・疊字	柱	去	―	―	ḍiuʌ^{2} ṭiuʌ^{2}	麌韻 麌韻

番号	前田本所在	掲出字		仮名音注		中古音	韻目
5567b	下師・079ウ5・疊字	迊	去	サウ	右注	tsʌp	合韻

【表D-32】去声（熟字後部／第三字）下巻〔一致例〕

番号	前田本所在	掲出字		仮名音注		中古音	韻目
4904c	下木・058オ1・人事	後	去	—	—	ɣʌu2/3	厚/候韻

【表D-32】去声（熟字後部／第三字）下巻〔不一致例〕

番号	前田本所在	掲出字		仮名音注		中古音	韻目
4115c	下阿・026ウ3・植物	榴	去	ロ	右注	liʌu1	尤韻

【表D-32】去声（熟字後部／第四字）下巻〔一致例〕

番号	前田本所在	掲出字		仮名音注		中古音	韻目
4543d	下佐・046オ7・人事	陣	去濁	—	—	ḍien3	震韻

【表D-33】入声（熟字後部／第二字）上巻〔一致例〕

番号	前田本所在	掲出字		仮名音注		中古音	韻目
0005b	上伊・002オ4・天象	靂	入	レキ	右傍	lek	錫韻
0059b	上伊・004オ2・植物	栢	入	ハク	右傍	pak	陌韻
0060b	上伊・004オ2・植物	蔛	入	—	—	ɣʌuk	屋韻
0064b	上伊・004オ3・植物	躑	入	テキ	右傍	ḍiek	昔韻
0067b	上伊・004オ5・植物	髮	入	—	—	piɑt	月韻
0094b	上伊・005オ4・動物	賊	入	ソク	—	dzʌk	徳韻
0115b	上伊・006オ5・人體	缺	入	クヱツ	右傍	k'uet k'jiuat	屑韻 薛韻
0235b	上伊・012ウ2・疊字	則	入	ソク	右注	tsʌk	徳韻
0242b	上伊・012ウ3・疊字	狄	入	テキ	左注	dek	錫韻
0243b	上伊・012ウ3・疊字	域	入	ヰキ	右注	ɣiuɐk	職韻
0245b	上伊・012ウ4・疊字	率	入	ソツ	右注	ṣiuet	質韻
0246b	上伊・012ウ4・疊字	谷	入	コク	左注	kʌuk lʌuk jiauk giak	屋韻 屋韻 燭韻 藥韻
0258b	上伊・012ウ6・疊字	割	入	カツ	左注	kɑt	曷韻
0267b	上伊・013オ1・疊字	族	入	ソク	左注	dzʌuk	屋韻
0271b	上伊・013オ2・疊字	物	入濁	フツ	右注	miuʌt	物韻
0272b	上伊・013オ2・疊字	物	入濁	モツ	左注	miuʌt	物韻
0274b	上伊・013オ2・疊字	欲	入	ヨク	右注	jiauk	燭韻
0275b	上伊・013オ2・疊字	泆	入	シチ	左注	jiet det	質韻 屑韻
0281b	上伊・013オ4・疊字	日	入濁	シチ	中注	ńiet	質韻
0284b	上伊・013オ4・疊字	穢	入	シヨク	中注	tśiɐk	職韻
0294b	上伊・013オ6・疊字	略	入	リヤク	右注	liɑk	藥韻

0307b	上伊・013ウ3・疊字	匿	入	チヨク	左注	ṇiɐk	職韻
0308b	上伊・013ウ3・疊字	(諾)	(入)	タク	左注	nɑk	鐸韻
0311b	上伊・013ウ4・疊字	截	入	セチ	右注	dzet	屑韻
0315b	上伊・013ウ4・疊字	目	入濁	ホク	左注	miʌuk	屋韻
0317b	上伊・013ウ5・疊字	級	入濁	キフ	左注	kiep	緝韻
0334b	上伊・014オ1・疊字	欝	入	ウツ	左注	'iuʌt	物韻
0335b	上伊・014オ1・疊字	切	入	セツ	右注	ts'et	屑韻
0338b	上伊・014オ2・疊字	欝	入	ウツ	右注	'iuʌt	物韻
0346b	上伊・014オ4・疊字	劣	入	レツ	左注	liuat	薛韻
0348b	上伊・014オ4・疊字	若	入濁	—	—	ńiɑk ńia$^{1/2}$	藥韻 麻/馬韻
0431b	上呂・019オ1・疊字	尅	入	コク	中注	k'ʌk	徳韻
0444b	上呂・019オ3・疊字	驛	入	エキ	右傍	jiek	昔韻
0451b	上呂・019オ5・疊字	失	入	シツ	右注	śiet	質韻
0487b	上波・020ウ4・地儀	額	入	カク	右傍	ŋak	陌韻
0494b	上波・021オ1・植物	薄	入	—	—	bɑk	鐸韻
0502b	上波・021オ3・植物	戟	入	ケキ	右傍	kiak	陌韻
0561b	上波・023オ2・動物	織	入	シヨク	右傍	tśiɐk tśiɐi^{3}	職韻 志韻
0631b	上波・025ウ6・人事	渉	入	シキ	右注	dźiap tep	葉韻 帖韻
0635b	上波・026オ2・飲食	飥	入	タク	右傍	t'ɑk	鐸韻
0636b	上波・026オ2・飲食	飥	入	タウ	右注	t'ɑk	鐸韻
0659b	上波・026ウ3・雑物	熟	入	スク	右注	źiʌuk	屋韻
0724b	上波・031オ7・疊字	日	入濁	シツ	左注	ńiet	質韻
0741b	上波・031ウ3・疊字	殖	入	シヨク	左注	źiɐk	職韻
0742b	上波・031ウ4・疊字	鹿	入	ロク	中注	lʌuk	屋韻
0758b	上波・031ウ7・疊字	陸	入	リク	左注	liʌuk	屋韻
0772b	上波・032オ3・疊字	逸	入	イツ	中注	jiet	質韻
0777b	上波・032オ4・疊字	却	入	キヤク	左注	k'iɑk	藥韻
0778b	上波・032オ4・疊字	膝	入	シツ	左注	siet	質韻
0780b	上波・032オ4・疊字	惹	入濁	シヤク	右注	ńiɑk ńia^{2}	藥韻 馬韻
0783b	上波・032オ5・疊字	葉	入	エフ	中注	jiap śiap	葉韻 葉韻
0787b	上波・032オ6・疊字	室	入	シツ	左注	śiet	質韻
0791b	上波・032オ7・疊字	埒	入	ラツ	右注	liuat	薛韻
0797b	上波・032ウ1・疊字	級	入濁	キフ	左注	kiep	緝韻
0805b	上波・032ウ2・疊字	謁	入	エツ	右注	'iɑt	月韻
0806b	上波・032ウ3・疊字	悅	入	—	—	jiuat	薛韻
0809b	上波・032ウ3・疊字	約	入	—	—	'iɑk 'iau^{3}	藥韻 笑韻
0815b	上波・032ウ4・疊字	逐	入	チク	右注	ḍiʌuk	屋韻
0821b	上波・032ウ6・疊字	学	入	カク	左注	ɣauk	覺韻
0824b	上波・032ウ6・疊字	札	入	サツ	右注	tṣɐt	黠韻
0836b	上波・033オ2・疊字	虐	入濁	キヤク	右注	ŋiɑk	藥韻
0838b	上波・033オ2・疊字	裂	入	レツ	右注	liat	薛韻

0840b	上波・033オ2・疊字	玉	入濁	キヨク	中注	ŋiauk	燭韻
0841b	上波・033オ3・疊字	屋	入	ヲク	右注	ʼʌuk	屋韻
0849b	上波・033オ4・疊字	木	入濁	ホク	左注	mʌuk	屋韻
0850b	上波・033オ4・疊字	奕	入	エキ	左注	jiek	昔韻
0854b	上波・033オ5・疊字	急	入	キウ	左注	kiep	緝韻
0861b	上波・033オ7・疊字	術	入濁	—	—	dźiuet	術韻
0862b	上波・033オ7・疊字	略	入	—	—	liɑk	藥韻
0865b	上波・033オ7・疊字	牧	入	モク	左注	miʌuk	屋韻
0868b	上波・033ウ1・疊字	駮	入	ハク	右注	pauk	覺韻
0876b	上波・033ウ3・疊字	越	入	ヱツ	右注	ɣiuɑt	月韻
0881b	上波・033ウ4・疊字	藥	入	ヤク	右注	jiɑk	藥韻
0887b	上波・033ウ5・疊字	佾	入	イツ	右注	jiet	質韻
0891b	上波・033ウ6・疊字	月	入濁	クワツ	右注	ŋiuɑt	月韻
0902b	上波・034オ1・疊字	結	入	ケツ	右注	ket	屑韻
0907b	上波・034オ4・疊字	捷	入	セウ	右傍	dziap	葉韻
0989b	上仁・040オ3・疊字	沒	入	モツ	中注	muʌt	沒韻
0993b	上仁・040オ3・疊字	辱	入	ニク	右注	ńiɑuk	燭韻
0995b	上仁・040オ4・疊字	室	入	シツ	右注	śiet	質韻
0998b	上仁・040オ4・疊字	給	入	キフ	右注	kiep	緝韻
1005b	上仁・040オ6・疊字	弱	入濁	シヤク	左注	ńiɑk	藥韻
1009b	上仁・040オ7・疊字	學	入濁	カク	左注	ɣauk	覺韻
1010b	上仁・040オ7・疊字	食	入濁	シキ	中注	dźiɐk jiɐi^{3}	職韻 志韻
1012b	上仁・040ウ1・疊字	法	入	ホウ	左注	piʌp	乏韻
1040b	上保・042オ1・植物	莫	入濁	ハク	右傍	mɑk	鐸韻
1049b	上保・042オ7・動物	穴	入	クヱツ	右傍	ɣuet	屑韻
1050b	上保・042オ7・動物	德	入	トク	右傍	tʌk	德韻
1052b	上保・042ウ1・動物	穀	入	—	—	kʌuk	屋韻
1111b	上保・045オ1・雜物	鐸	入	チヤク	右注	dɑk	鐸韻
1153b	上保・047オ3・疊字	澤	入	タク	左注	ḍak	陌韻
1165b	上保・047オ6・疊字	譯	入	ヤク	左注	jiek	昔韻
1175b	上保・047ウ1・疊字	暦	入	レキ	左注	lek	錫韻
1178b	上保・047ウ2・疊字	勑	入	チヨク	左注	ṭʻiɐk	職韻
1181b	上保・047ウ2・疊字	翼	入	ヨク	中注	jiɐk	職韻
1182b	上保・047ウ2・疊字	弼	入	ヒツ	左注	biet	質韻
1185b	上保・047ウ3・疊字	末	入	マツ	中注	mɑt	末韻
1187b	上保・047ウ3・疊字	藥	入	ヤク	左注	jiɑk	藥韻
1194b	上保・047ウ5・疊字	秩	入濁	チ[illegible]	左注	ḍiet	質韻
1206b	上保・047ウ7・疊字	悪	入	アク	左注	ʼɑk ʼuʌ$^{1/3}$	鐸韻 模/暮韻
1207b	上保・047ウ7・疊字	虐	入濁	キヤク	左注	ŋiɑk	藥韻
1211b	上保・048オ1・疊字	匐	入	ホク	右注	biʌuk bʌuk	屋韻 德韻
1212b	上保・048オ1・疊字	伏	入	フク	右注	biʌuk	屋韻
1214b	上保・048オ2・疊字	荅	入	タウ	左注	tʌp	合韻
1218b	上保・048オ3・疊字	物	入	フツ	左注	miuʌt	物韻

1221b	上保・048オ3・疊字	卒	入	ソツ	左注	tsuʌt ts‘uʌt tsiuet	没韻 没韻 術韻
1226b	上保・048オ4・疊字	禄	入	ロク	右注	lʌuk	屋韻
1229b	上保・048オ5・疊字	略	入	リヤク	左注	liɑk	藥韻
1235b	上保・048オ6・疊字	覺	入	カク	左注	kauk kau^{3}	覺韻 効韻
1240b	上保・048オ7・疊字	訥	入濁	トツ	右注	nuʌt	没韻
1243b	上保・048ウ1・疊字	屋	入	ヲク	左注	’ʌuk	屋韻
1246b	上保・048ウ1・疊字	綴	入	テチ	左注	ṭiuat ṭiuai^{3}	薛韻 祭韻
1254b	上保・048ウ3・疊字	略	入	リヤク	左注	liɑk	藥韻
1256b	上保・048ウ3・疊字	借	入	―	―	tsiek taia^{3}	昔韻 禡韻
1293b	上邊・050ウ6・人躰	核	入	カク	右傍	ɣɐk	麥韻
1324b	上邊・052ウ3・疊字	靂	入	レキ	右注	lek	錫韻
1326b	上邊・052ウ3・疊字	落	入	ラク	右注	lɑk	鐸韻
1329b	上邊・052ウ4・疊字	燭	入	ソク	左注	tśiɑuk	燭韻
1331b	上邊・052ウ4・疊字	邈	入	ハク	中注	mauk	覺韻
1332b	上邊・052ウ4・疊字	業	入濁	ケフ	左注	ŋiɑp	業韻
1348b	上邊・052ウ7・疊字	復	入	フク	右注	biʌuk	屋韻
1350b	上邊・053オ1・疊字	鵲	入?	シヤク	右注	ts‘iɑk	藥韻
1355b	上邊・053オ2・疊字	執	入濁	シフ	左注	tśiep	緝韻
1366b	上邊・053オ4・疊字	躍	入	ヤク	右注	jiɑk	藥韻
1368b	上邊・053オ4・疊字	日	入濁	シツ	中注	ńiet	質韻
1369b	上邊・053オ5・疊字	讁	入	チヤク	左注	ṭɐk ḍɐk	麥韻 麥韻
1370b	上邊・053オ5・疊字	黜	入	チヨク	左注	ṭ‘iuet	術韻
1371b	上邊・053オ5・疊字	録	入	ロク	中注	liɑuk	燭韻
1372b	上邊・053オ5・疊字	什	入濁	シフ	左注	źiep	緝韻
1375b	上邊・053オ6・疊字	說	入濁	セツ	左注	śiuat	薛韻
1377b	上邊・053オ6・疊字	决	入	クエツ	左注	kuet xuet	屑韻 屑韻
1383b	上邊・053オ7・疊字	宅	入	タク	左注	ḍak	陌韻
1385b	上邊・053ウ1・疊字	索	入	サク	左注	sɑk ṣak ṣɐk	鐸韻 陌韻 麥韻
1388b	上邊・053ウ1・疊字	略	入?	リヤク	右注	liɑk	藥韻
1403b	上邊・053ウ5・疊字	白	入	ヒヤク	右注	bak	陌韻
1405b	上邊・053ウ5・疊字	惑	入	ワク	右注	ɣuʌk	徳韻
1406b	上邊・053ウ5・疊字	給	入	キウ	右注	kiep	緝韻
1407b	上邊・053ウ6・疊字	悅	入	エツ	右注	jiuat	薛韻
1432b	上度・055オ1・植物	麦	入濁	ハク	右傍	mɐk	麥韻
1434b	上度・055オ1・植物	賊	入	ソク	右傍	dzʌk	徳韻
1477b	上度・056ウ6・人事	欝	入	―	―	’iuʌt	物韻
1488b	上度・057オ4・雜物	褐	入	カチ	右傍	kɑt	曷韻
1512b	上度・057ウ4・雜物	鈸	入	ハツ	左傍	bɑt	末韻

1568b	上度・057ウ4・雜物	鈸	入	ヒヤウ	右注	bɑt	末韻
1569b	上度・062オ2・疊字	睦	入	ホク	中注	miʌuk	屋韻
1575b	上度・062オ3・疊字	作	入	サク	中注	tsɑk tsuʌ^{3} tsɑ^{3}	鐸韻 暮韻 箇韻
1592b	上度・062オ6・疊字	腹	入	フク	中注	piʌuk	屋韻
1594b	上度・062オ7・疊字	族	入	ソク	左注	dzʌuk	屋韻
1598b	上度・062オ7・疊字	德	入	トク	左注	tʌk	徳韻
1602b	上度・062ウ1・疊字	欲	入	ヨク	左注	jiɑuk	燭韻
1605b	上度・062ウ2・疊字	目	入濁	ホク	左注	miʌuk	屋韻
1606b	上度・062ウ2・疊字	哭	入	コク	左注	k'iʌuk	屋韻
1610b	上度・062ウ3・疊字	滅	入	メツ	左注	mjiat	薛韻
1611b	上度・062ウ3・疊字	穴	入	クエツ	左注	ɣuet	屑韻
1617b	上度・062ウ4・疊字	立	入	リウ	左注	liep	緝韻
1631b	上度・062ウ7・疊字	閣	入	カフ	右注	kɑk	鐸韻
1633b	上度・063オ1・疊字	僕	入濁	ホク	左注	bɑuk bʌuk	沃韻 屋韻
1651b	上度・063オ4・疊字	木	入濁	ホク	中注	mʌuk	屋韻
1657b	上度・063オ6・疊字	跡	入	セキ	左注	tsiek	昔韻
1659b	上度・063オ6・疊字	燭	入	ソク	左注	tśiɑuk	燭韻
1664b	上度・063オ7・疊字	德	入	トク	左注	tʌk	徳韻
1668b	上度・063ウ1・疊字	躍	入	ヤク	右注	jiɑk	藥韻
1673b	上度・063ウ2・疊字	作	入濁	サク	右注	tsɑk tsuʌ^{3} tsɑ^{3}	鐸韻 暮韻 箇韻
1677b	上度・063ウ3・疊字	植	入	シヨク	左注	źiɐk ḍiɐi^{3}	職韻 志韻
1678b	上度・063ウ3・疊字	失	入	シチ	左注	śiet	質韻
1728b	上池・066オ5・動物	鯽	入	セキ	右傍	tsiek	昔韻
1738b	上池・066ウ5・人躰	脉	入	ミヤク	右傍	mɐk	麥韻
1776b	上池・067ウ6・雜物	橘	入	クツ	右注	kjiuet	術韻
1798b	上池・069オ1・疊字	日	入	シツ	左注	ńiet	質韻
1804b	上池・069オ2・疊字	裂	入	レツ	左注	liat	薛韻
1816b	上池・069オ4・疊字	識	入	シキ	右注	śiɐk śiɐi^{3}	職韻 志韻
1827b	上池・069オ7・疊字	目	入	モク	左注	miʌuk	屋韻
1835b	上池・069ウ1・疊字	石	入	ヤキ	中注	źiek	昔韻
1837b	上池・069ウ2・疊字	軄	入濁	シヨク	左注	tśiɐk	職韻
1844b	上池・069ウ3・疊字	昔	入	シヤク	左注	siek	昔韻
1845b	上池・069ウ3・疊字	速	入	ソク	左注	sʌuk	屋韻
1855b	上池・069ウ5・疊字	髮	入	ハツ	左注	piɑt	月韻
1862b	上池・069ウ7・疊字	節	入	セチ	左注	tset	屑韻
1876b	上池・070オ2・疊字	突	入	トツ	左注	duʌt	没韻
1883b	上池・070オ4・疊字	略	入	リヤク	左注	liɑk	藥韻
1896b	上池・070オ6・疊字	帛	入	ハク	右注	bak	陌韻
1907b	上池・070ウ2・疊字	辱	入	シヨク	中注	ńiɑuk	燭韻
1912b	上池・070ウ3・疊字	物	入濁	フツ	左注	miuʌt	物韻

1917b	上池・070ウ4・疊字	葉	入	エウ	左注	jiap	葉韻
1919b	上池・070ウ4・疊字	目	入濁	ホク	右注	miʌuk	屋韻
1925b	上池・070ウ5・疊字	入	入	ニフ	左注	ńiep	緝韻
1928b	上池・070ウ6・疊字	質	入	シチ	左注	tś'iet ṭiei^3	質韻 至韻
1929b	上池・070ウ6・疊字	疊	入濁	テウ	左注	dep	帖韻
1936b	上池・070ウ7・疊字	樂	入	ラク	中注	lɑk ŋauk ŋau^3	鐸韻 覺韻 效韻
1937b	上池・071オ1・疊字	策	入	シヤク	右注	tṣ'ɐk	麥韻
1943b	上池・071オ2・疊字	術	入濁	シユツ	右注	dźiuet	術韻
1946b	上池・071オ2・疊字	服	入濁	フク	右注	biʌuk	屋韻
1949b	上池・071オ3・疊字	肅	入	シク	右注	siʌuk	屋韻
1951b	上池・071オ3・疊字	辱	入濁	シヨク	左注	ńiɑuk	燭韻
1988b	上利・072ウ7・植物	法	入濁	—	—	piʌp	乏韻
1991b	上利・073オ2・動物	燭	入	シヨク	右傍	tśiɑuk	燭韻
2025b	上利・074オ7・疊字	燠	入	イク	左注	'iʌuk	屋韻
2030b	上利・074ウ1・疊字	出	入	シユツ	左注	tś'iuet tś'iuei^3	術韻 至韻
2034b	上利・074ウ2・疊字	國	入濁	コク	左注	kuʌk	德韻
2041b	上利・074ウ3・疊字	俗	入	シヨク	左注	ziɑuk	燭韻
2059b	上利・074ウ7・疊字	閣	入	カク	左注	kɑk	鐸韻
2070b	上利・075オ2・疊字	力	入	リヨク	左注	liɐk	職韻
2071b	上利・075オ2・疊字	別	入	ヘツ	左注	biat piat	薛韻 薛韻
2073b	上利・075オ2・疊字	席	入	セキ	左注	ziek	昔韻
2076b	上利・075オ3・疊字	舌	入濁	—	—	dźiat ɣuat	薛韻 鎋韻
2098b	上利・075オ7・疊字	髪	入	ハツ	左注	piɑt	月韻
2099b	上利・075オ7・疊字	韈	入濁	ヘツ	左注	miɑt	月韻
2102b	上利・075ウ1・疊字	宿	入	シユク	左注	siʌuk	屋韻
2115b	上利・075ウ3・疊字	藥	入	ヤク	右注	jiɑk	藥韻
2118b	上利・075ウ4・疊字	惜	入濁	セキ	左注	siek	昔韻
2125b	上利・075ウ5・疊字	律	入	リツ	左注	liuet	術韻
2129b	上利・075ウ6・疊字	德	入	トク	左注	tʌk	德韻
2183b	上留・079ウ1・疊字	葉	入	エフ	中注	jiap	葉韻
2262b	上遠・083オ3・雜物	藥	入?	ヤク	右注	jiɑk	藥韻
2282b	上遠・084ウ7・疊字	積	入	セキ	左注	tsiek tsie^3	昔韻 寘韻
2284b	上遠・085オ1・疊字	却	入	キヤク	右傍	k'iɑk	藥韻
2343b	上和・088オ5・雜物	液	入	エキ	右傍	jiek tśiek	昔韻 昔韻
2351b	上和・088オ7・雜物	笛	入	チク	右傍	dek	錫韻
2367b	上和・089ウ7・疊字	日	入	シツ	左注	ńiet	質韻
2377b	上和・090オ2・疊字	昔	入	シヤク	左注	siek	昔韻
2378b	上和・090オ2・疊字	昔	入	セキ	左注	siek	昔韻

2379b	上和・090オ2・疊字	合	入	カウ	左注	ɣʌp kʌp	合韻 合韻
2383b	上和・090オ3・疊字	哲	入	テツ	左注	ṭiat	薛韻
2384b	上和・090オ3・疊字	弱	入濁	シヤク	中注	ńiak	藥韻
2387b	上和・090オ4・疊字	錯	入	シヤク	中注	tsʻɑk tsʻuʌ^{3}	鐸韻 暮韻
2388b	上和・090オ4・疊字	雜	入	サフ	左注	dzʌp	合韻
2391b	上和・090オ4・疊字	法	入濁	（ホウ）	―	piʌp	乏韻
2392b	上和・090オ5・疊字	惑	入	ホウ	中注	ɣuʌk	徳韻
2397b	上和・090オ6・疊字	笛	入	テキ	中注	dek	錫韻
2404b	上和・090オ7・疊字	複	入	フク	左注	piʌuk biʌu^{3}	屋韻 宥韻
2412b	上和・090ウ2・疊字	慄	入	リツ	右傍	liet	質韻
2459b	上加・092オ4・地儀	業	入	ケフ	右傍	ŋiap	業韻
2473b	上加・092ウ5・植物	跋	入	ハツ	右傍	bat	末韻
2560b	上加・095オ3・動物	蝠	入	フク	右傍	piʌuk	屋韻
2564b	上加・095オ5・動物	蛭	入	テツ	右傍	tet tiet tśiet	屑韻 質韻 質韻
2565b	上加・095オ6・動物	髮	入	ハツ	右傍	piɑt	月韻
2576b	上加・095ウ6・人倫	伯	入	ハク	右傍	pak	陌韻
2612b	上加・096ウ2・人體	瘑	入	カチ	右傍	kʻɑt	曷韻
2632b	上加・097オ5・人事	裼	入	セキ	右傍	sek	錫韻
2646b	上加・097ウ6・人事	曲	入	―	―	kʻiauk	燭韻
2699b	上加・099オ1・雜物	纈	入	ケチ	右注	ɣet	屑韻
2709b	上加・099オ4・雜物	落	入	ラク	右傍	lak	鐸韻
2805b	上和・088オ7・雜物	笛	入	チヤク	右傍	dek	錫韻
2857b	上加・106ウ1・疊字	燠	入	イク	右注	ʼiʌuk	屋韻
2863b	上加・106ウ3・疊字	夕	入	セキ	左注	ziek	昔韻
2868b	上加・106ウ4・疊字	壁	入	ヘキ	左注	pek	錫韻
2871b	上加・106ウ4・疊字	作	入	サク	左注	tsak tsuʌ^{3} tsɑ^{3}	鐸韻 暮韻 箇韻
2873b	上加・106ウ5・疊字	發	入	ホツ	左注	piɑt	月韻
2877b	上加・106ウ5・疊字	石	入濁	ヤキ	左注	źiek	昔韻
2891b	上加・107オ1・疊字	伏	入濁	フク	中注	biʌuk	屋韻
2894b	上加・107オ2・疊字	塔	入	タウ	左注	tʻɑp	盍韻
2896b	上加・107オ2・疊字	説	入濁	セツ	左注	śiuat	辥韻
2901b	上加・107オ3・疊字	煞	入	サツ	右注	ṣɐt	黠韻
2906b	上加・107オ4・疊字	略	入	リヤク	中注	liak	藥韻
2911b	上加・107オ5・疊字	汲	入	キフ	左注	kiep	緝韻
2914b	上加・107オ6・疊字	發	入濁	ホツ	左注	piɑt	月韻
2916b	上加・107オ6・疊字	魃	入濁	ハツ	左注	bat	末韻
2918b	上加・107オ7・疊字	藥	入	ヤク	左注	jiak	藥韻
2919b	上加・107オ7・疊字	藥	入	ヤク	左注	jiak	藥韻
2922b	上加・107オ7・疊字	發	入	ホツ	左注	piɑt	月韻
2924b	上加・107ウ1・疊字	突	入	トツ	左注	duʌt	没韻

2932b	上加・107ウ2・疊字	髮	入	ハツ	左注	piat	月韻
2933b	上加・107ウ3・疊字	髮	入	ハツ	左注	piat	月韻
2935b	上加・107ウ3・疊字	色	入	ソク	左注	ṣiɐk	職韻
2937b	上加・107ウ3・疊字	憶	入	ヲク	左注	'iɐk	職韻
2940b	上加・107ウ4・疊字	力	入	リキ	左注	liɐk	職韻
2942b	上加・107ウ4・疊字	執	入	シフ	左注	tśiep	緝韻
2944b	上加・107ウ5・疊字	責	入	セキ	左注	tṣɐk	麥韻
2945b	上加・107ウ5・疊字	責	入	セキ	左注	tṣɐk	麥韻
2947b	上加・107ウ5・疊字	力	入	リヨク	左注	liɐk	職韻
2950b	上加・107ウ6・疊字	色	入	ソク	左注	ṣiɐk	職韻
2951b	上加・107ウ6・疊字	弱	入	ニヤク	左注	ńiak	藥韻
2959b	上加・108オ1・疊字	立	入	リウ	左注	liep	緝韻
2965b	上加・108オ2・疊字	悦	入	エツ	右注	jiuat	薛韻
2975b	上加・108オ4・疊字	畢	入	ヒツ	左注	pjiet	質韻
2978b	上加・108オ5・疊字	客	入	カク	中注	k‘ak	陌韻
2980b	上加・108オ5・疊字	漆	入	シツ	左注	ts‘iet	質韻
2989b	上加・108オ7・疊字	宅	入	タク	左注	ḍak	陌韻
3000b	上加・108ウ2・疊字	客	入	カク	左注	k‘ak	陌韻
3006b	上加・108ウ3・疊字	帛	入	ハク	左注	bak	陌韻
3016b	上加・108ウ5・疊字	法	入	ハウ	左注	piʌp	乏韻
3018b	上加・108ウ5・疊字	酷	入	コク	右注	k‘auk	沃韻
3036b	上加・109オ2・疊字	匿	入	チヨク	左注	ṇiɐk	職韻
3042b	上加・109オ3・疊字	竊	入	セツ	左注	ts‘et	屑韻
3043b	上加・109オ4・疊字	賊	入濁	ソク	左注	dzʌk	德韻
3045b	上加・109オ4・疊字	屋	入	オク	左注	'ʌuk	屋韻
3048b	上加・109オ5・疊字	寂	入	セキ	左注	dzek	錫韻
3059b	上加・109オ7・疊字	實	入	シチ	左注	dźiet	質韻
3061b	上加・109オ7・疊字	力	入	リキ	左注	liɐk	職韻
3063b	上加・109ウ1・疊字	樂	入濁	カク	中注	ŋauk lak ŋau[3]	覺韻 鐸韻 効韻
3070b	上加・109ウ2・疊字	力	入	リキ	左注	liɐk	職韻
3076b	上加・109ウ3・疊字	合	入	カウ □フ	左注	ɣʌp kʌp	合韻 合韻
3080b	上加・109ウ4・疊字	直	入	チキ	右注	ḍiɐk	職韻
3086b	上加・109ウ5・疊字	察	入	サツ	左注	ṣɐt	黠韻
3102b	上加・110オ1・疊字	易	入	エキ	右注	jiek	昔韻
3105b	上加・110オ2・疊字	夕	入	シヤク	右注	ziek	昔韻
3113b	上加・110オ4・疊字	脱	入	タツ	右注	duat t‘uat	末韻 末韻
3115b	上加・110オ4・疊字	執	入	シウ	右注	tśiep	緝韻
3117b	上加・110オ4・疊字	谷	入	コク	右注	kʌuk lʌuk jiauk giak	屋韻 屋韻 燭韻 藥韻
3125b	上加・110オ6・疊字	燭	入	シヨク	右注	tśiauk	燭韻

3126b	上加・110オ6・疊字	谷	入	コク	右注	kʌuk lʌuk jiauk giak	屋韻 屋韻 燭韻 藥韻
3131b	上加・110ウ1・疊字	闔	入	カフ	右注	ɣap	盍韻
3138b	上加・110ウ4・疊字	裼	入	セキ	左注	sek	錫韻
3143b	上加・110ウ7・疊字	惙	入	—	—	ṭiuat	薛韻
3222b	上与・115ウ4・雜物	笛	入	テキ	右傍	dek	錫韻
3253b	上与・117ウ4・疊字	屈	入	クヰツ	中注	k'iuʌt kiuʌt	物韻 物韻
3261b	上与・117ウ6・疊字	益	入	ヤク	左注	'iek	昔韻
3267b	上与・117ウ7・疊字	奪	入	タツ	右注	duat	末韻
3268b	上与・118オ1・疊字	力	入	リヨク	右注	liɐk	職韻

【表D-33】入声（熟字後部／第三字）上巻〔一致例〕

番号	前田本所在	掲出字		仮名音注		中古音	韻目
0064c	上伊・004オ3・植物	躅	入	チヨク	右傍	ḍiauk	燭韻
1953c	上池・071オ5・疊字	息	入	—	—	siɐk	職韻
2687c	上加・098ウ4・雜物	㕞	入	セツ	右傍	ṣiuat	薛韻

【表D-33】入声（熟字後部／第四字）上巻〔一致例〕

番号	前田本所在	掲出字		仮名音注		中古音	韻目
2005d	上利・073ウ3・人事	脱	入濁	タツ	右傍	duat t'uat	末韻 末韻

【表D-34】入声（熟字後部／第二字）下巻〔一致例〕

番号	前田本所在	掲出字		仮名音注		中古音	韻目
3300b	下古・001ウ2・天象	霂	入濁	ホク	右傍	mʌuk	屋韻
3324b	下古・002ウ2・植物	蒻	入濁	シヤク	右傍	ńiak	藥韻
3325b	下古・002ウ2・植物	蒻	入濁	ニヤク	右注	ńiak	藥韻
3328b	下古・002ウ3・植物	麦	入濁	ハク	右傍	mɐk	麥韻
3341b	下古・002ウ7・植物	漆	入	シツ	左注	ts'iet	質韻
3389b	下古・004ウ4・人躰	舌	入	—	—	dźiat ɣuat	薛韻 鎋韻
3406b	下古・005ウ6・人事	樂	入	ラク	右傍	lak ŋauk ŋau[3]	鐸韻 覺韻 効韻
3431b	下古・006ウ6・雜物	幞	入	ホク	右傍	biauk	燭韻
3446b	下古・007オ3・雜物	屑	入	セツ	右傍	set	屑韻
3455b	下古・007オ5・雜物	籍	入	セキ	右傍	dziek	昔韻
3456b	下古・007オ5・雜物	籍	入	シヤク ［平濁平平］	右注	dziek	昔韻
3559b	下古・007オ6・雜物	局	入	キヨク	右傍	giauk	燭韻

6978b	下古・007オ6・雜物	局	入	ハン	右注	giɑuk	燭韻
3569b	下古・007ウ2・雜物	外	入	シク	右傍	śiʌuk	屋韻
3596b	下古・010オ6・疊字	色	入	ソク	左注	ṣiɐk	職韻
3601b	下古・010オ7・疊字	岳	入	―	―	ŋauk	覺韻
3615b	下古・010ウ4・疊字	藥	入	―	―	jiɑk	藥韻
3624b	下古・010ウ5・疊字	實	入	シチ	左注	dźiet	質韻
3626b	下古・010ウ6・疊字	昔	入	―	―	siek	昔韻
3646b	下古・011オ3・疊字	舌	入	―	―	dźiat ɣuat	薛韻 鎋韻
3653b	下古・011オ6・疊字	入	入	シフ	左注	ńiep	緝韻
3662b	下古・011オ7・疊字	獨	入	トク	左注	dʌuk	屋韻
3678b	下古・011ウ4・疊字	納	入	―	―	nɑp	盍韻
3680b	下古・011ウ4・疊字	活	入	―	―	kuɑt ɣuɑt	末韻 末韻
3683b	下古・011ウ5・疊字	雜	入	サフ	右注	dzʌp	合韻
3694b	下古・011ウ7・疊字	切	入	セチ	左注	ts‘et	屑韻
3727b	下古・012オ7・疊字	薄	入	ハチ	左注	bɑk	鐸韻
3746b	下江・014ウ1・植物	葛	入	―	―	kɑt	曷韻
3783b	下江・016オ1・雜物	薄	入	ハク	右傍	bɑk	鐸韻
3808b	下江・017オ2・疊字	術	入	スヰツ	左注	dźiuet	術韻
3822b	下江・017オ4・疊字	略	入	―	―	liɑk	藥韻
3823b	下江・017オ5・疊字	息	入	ソク	左注	siɐk	職韻
3827b	下江・017オ6・疊字	却	入	キヤク	左注	k‘iɑk	藥韻
3829b	下江・017オ6・疊字	爵	入	シヤク	右傍	tsiɑk	藥韻
3831b	下江・017オ6・疊字	域	入	ヰキ	右傍	ɣiuɐk	職韻
3836b	下江・017オ7・疊字	服	入	―	―	biʌuk	屋韻
3847b	下江・017ウ2・疊字	曲	入	クヰヨク	左注	k‘iɑuk	燭韻
3852b	下江・017ウ3・疊字	劇	入	キヤク	左注	giak	陌韻
3857b	下江・017ウ4・疊字	役	入	ヤク	左注	jiuek	昔韻
3860b	下江・017ウ5・疊字	傑	入	ケツ	左注	giat	薛韻
3865b	下江・017ウ6・疊字	色	入	ソク	左注	ṣiɐk	職韻
3874b	下手・018ウ4・天象	落	入	ラク	右注	lɑk	鐸韻
3887b	下手・019オ3・地儀	鍱	入	エウ	右注	jiap	葉韻
3938b	下手・021ウ7・疊字	夕	入	―	―	ziek	昔韻
3950b	下手・022オ2・疊字	截	入	―	―	dzet	屑韻
3963b	下手・022オ5・疊字	越	入	ヲツ	左注	ɣiuɑt	月韻
3968b	下手・022オ6・疊字	潔	入	―	―	ket	屑韻
3974b	下手・022オ7・疊字	節	入	―	―	tset	屑韻
3975b	下手・022オ7・疊字	泣	入	―	―	k‘iep	緝韻
3981b	下手・022ウ2・疊字	獵	入	―	―	liap	葉韻
3986b	下手・022ウ3・疊字	脱	入	タツ	左注	duɑt t‘uɑt	末韻 末韻
3999b	下手・022ウ5・疊字	跡	入	―	―	tsiek	昔韻
4005b	下手・022ウ7・疊字	曲	入	コク	左注	k‘iɑuk	燭韻
4011b	下手・023オ1・疊字	瀝	入	レキ	中注	lek	錫韻
4018b	下手・023オ3・疊字	宅	入	―	―	ḍak	陌韻
4021b	下手・023オ4・疊字	納	入	ナフ	左注	nɑp	盍韻
4024b	下手・023オ4・疊字	獵	入	レフ	左注	liap	葉韻

4036b	下手・023ウ1・疊字	物	入	モツ	左注	miuʌt	物韻
4037b	下手・023ウ1・疊字	辱	入	シヨク	右注	ńiɑuk	燭韻
4038b	下手・023ウ1・疊字	滅	入	メツ	右注	mjiat	薛韻
4048b	下阿・024オ7・天象	脚	入	キヤク	右注	kiɑk	藥韻
4054b	下阿・024ウ2・天象	則	入	ソク	右注	tsʌk	徳韻
4075b	下阿・025ウ1・地儀	室	入	シチ	右注	ṭiet	質韻
4078b	下阿・025ウ2・地儀	福	入	フク	右傍	piʌuk	屋韻
4102b	下阿・026オ5・植物	蒚	入	カク	右傍	ɣɐk lek	麥韻 錫韻
4115b	下阿・026ウ3・植物	楉	入	サク	右注	ńiɑk	藥韻
4135b	下阿・027オ6・動物	鹿	入	ロク	右傍	lʌuk	屋韻
4152b	下阿・027ウ6・動物	蛸	入	クワツ	右傍	ɣuɐt	黠韻
4153b	下阿・027ウ7・動物	陸	入	リク	右傍	liʌuk	屋韻
4201b	下阿・029オ7・人躰	肉	入濁	シク	右傍	ńiʌuk	屋韻
4222b	下阿・031オ1・人事	樂	入	—	—	ŋauk lɑk ŋau^{3}	覺韻 鐸韻 効韻
4360b	下阿・039オ5・疊字	澤	入	—	—	ḍak	陌韻
4376b	下阿・039ウ1・疊字	業	入	—	—	ŋiɑp	業韻
4379b	下阿・039ウ2・疊字	逆	入	—	—	ŋiak	陌韻
4380b	下阿・039ウ2・疊字	絶	入	セツ	左注	dziuat	薛韻
4386b	下阿・039ウ3・疊字	密	入濁	ヒツ	右注	miet	質韻
4390b	下阿・039ウ4・疊字	樂	入	ラク	左注	lɑk ŋauk ŋau^{3}	鐸韻 覺韻 効韻
4438b	下佐・042ウ1・地儀	湘	入	ハク	右傍	pak	陽韻
4451b	下佐・043オ2・地儀	掖	入	—	—	jiek	昔韻
4483b	下佐・044オ3・動物	峡	入	カウ	右傍	ɣɐp	洽韻
4509b	下佐・045オ4・人躰	噎	入	エツ	右傍	’et	屑韻
4535b	下佐・046オ4・人事	裂	入	レツ	右傍	liat	薛韻
4640b	下佐・050ウ7・疊字	雪	入	—	—	siuat	薛韻
4644b	下佐・051オ1・疊字	卒	入	ソツ	左注	tsuʌt ts‘uʌt tsiuet	没韻 没韻 術韻
4645b	下佐・051オ1・疊字	木	入	—	—	mʌuk	屋韻
4648b	下佐・051オ2・疊字	谷	入	—	—	kʌuk lʌuk jiuuk giɑk	屋韻 屋韻 燭韻 藥韻
4652b	下佐・051オ2・疊字	磧	入	セキ	左注	ts‘iek	昔韻
4660b	下佐・051オ4・疊字	飾	入	シキ	左注	ṣiɐk	職韻
4672b	下佐・051オ7・疊字	食	入	シキ	中注	dźiɐk jiɐi^{3}	職韻 志韻
4676b	下佐・051オ7・疊字	佛	入	フツ	左注	biuʌt	物韻
4679b	下佐・051ウ1・疊字	法	入	ホウ	中注	piʌp	乏韻
4682b	下佐・051ウ2・疊字	擇	入	タク	左注	ḍak	陌韻
4684b	下佐・051ウ2・疊字	擢	入	タク	左注	ḍauk	覺韻

4696b	下佐・051ウ5・疊字	妾	入	―	―	tsʻiap	葉韻
4701b	下佐・051ウ6・疊字	席	入	セキ	右注	ziek	昔韻
4711b	下佐・052オ1・疊字	失	入	―	―	śiet	質韻
4727b	下佐・052オ5・疊字	學	入	―	―	ɣauk	覺韻
4747b	下佐・052ウ3・疊字	食	入	シキ	左注	dźiɐk jiɐi^{3}	職韻 志韻
4757b	下佐・052ウ6・疊字	業	入	ケフ	左注	ŋiɑp	業韻
4760b	下佐・052ウ6・疊字	着	入	チヤク	右注	ḍiɑk ṭiɑk	藥韻 藥韻
4762b	下佐・052ウ7・疊字	節	入濁	―	―	tset	屑韻
4767b	下佐・053オ1・疊字	折	入濁	セツ	左注	źiat tśiat dei^{1}	薛韻 薛韻 齊韻
4768b	下佐・053オ1・疊字	物	平 入	モツ	左注	miuʌt	物韻
4769b	下佐・053オ2・疊字	入	入	ニウ	左注	ńiep	緝韻
4772b	下佐・053オ3・疊字	促	入	ソク	左注	tsʻiɑuk	燭韻
4774b	下佐・053オ3・疊字	博	入濁	ハク	左注	pɑk	鐸韻
4799b	下佐・053ウ5・疊字	寞	入濁	―	―	mɑk	鐸韻
4835b	下木・055オ7・天象	澤	入	タク	右傍	ḍak	陌韻
4874b	下木・056ウ5・動物	蟀	入	スヰツ	右傍	ṣiuet	質韻
4927b	下木・058ウ2・雜物	葉	入	エウ	右注	jiap śiap	葉韻 葉韻
4937b	下木・058ウ6・光彩	蘗	入	ハク	右傍	pɐk	麥韻
4970b	下木・060ウ7・疊字	月	入	―	―	ŋiuɑt	月韻
4982b	下木・061オ3・疊字	国	入	―	―	kuʌk	徳韻
5009b	下木・061ウ1・疊字	閣	入	カク	右注	kɑk	鐸韻
5017b	下木・061ウ3・疊字	式	入	シキ	左注	śiɐk	職韻
5018b	下木・061ウ3・疊字	禄	入	―	―	lʌuk	屋韻
5029b	下木・061ウ5・疊字	速	入	ソク	左注	sʌuk	屋韻
5048b	下木・062オ3・疊字	蹐	入	セキ	左注	tsiek	昔韻
5061b	下木・062オ6・疊字	惑	入	―	―	ɣuʌk	徳韻
5064b	下木・062オ6・疊字	力	入	―	―	liɐk	職韻
5066b	下木・062オ7・疊字	力	入	リヨク	左注	liɐk	職韻
5067b	下木・062オ7・疊字	息	入	ソク	左注	siɐk	職韻
5077b	下木・062ウ2・疊字	悪	入	―	―	'ɑk 'uʌ$^{1/3}$	鐸韻 模/暮韻
5079b	下木・062ウ3・疊字	屈	入	クツ	中注	kʻiuʌt kiuʌt	物韻 物韻
5090b	下木・062ウ6・疊字	骨	入	コツ	左注	kuʌt	没韻
5091b	下木・062ウ7・疊字	録	入	ロク	左注	liɑuk	燭韻
5107b	下木・063オ3・疊字	猾	入	クワク	左注	ɣuɐt	黠韻
5109b	下木・063オ4・疊字	白	入	―	―	bak	陌韻
5113b	下木・063オ5・疊字	策	入	シヤク	左注	tṣʻɐk	麥韻
5120b	下木・063オ7・疊字	濁	入	タク	左注	ḍauk	覺韻

5123b	下木・063オ7・疊字	樂	入	—	—	ŋauk lɑk ŋau3	覺韻 鐸韻 効韻
5130b	下木・063ウ2・疊字	出	入	—	—	tś'iuet tś'iuei3	術韻 至韻
5137b	下木・063ウ3・疊字	悅	入	エツ	左注	jiuat	薛韻
5144b	下木・063ウ5・疊字	悅	入	エツ	左注	jiuat	薛韻
5148b	下木・063ウ6・疊字	伏	入	フク	左注	biʌuk	屋韻
5151b	下木・063ウ6・疊字	特	入	トク	左注	dʌk	徳韻
5153b	下木・063ウ7・疊字	約	入	ヤク	左注	'iɑk 'iau3	薬韻 笑韻
5156b	下木・063ウ7・疊字	恤	入	スツ	左注	siuet	術韻
5167b	下木・064オ3・疊字	恒	入	シキ	左注	ṣiɐk	職韻
5170b	下木・064オ3・疊字	節	入	セツ	左注	tset	屑韻
5174b	下木・064オ4・疊字	暦	入	リヤク	左注	lek	錫韻
5175b	下木・064オ4・疊字	諾	入	タク	左注	nɑk	鐸韻
5182b	下木・064オ6・疊字	竹	入	チク	右注	ṭiʌuk	屋韻
5266b	下師・069オ2・地儀	德	入	—	—	tʌk	徳韻
5277b	下師・069オ7・植物	筴	入	ケフ	右傍	ɣep kɐp	帖韻 洽韻
5346b	下師・071ウ3・人躰	瀝	入	レキ	右傍	lek	錫韻
5349b	下師・071ウ4・人躰	嗽	入	ソク	右傍	sʌuk ṣauk sʌu3	屋韻 覺韻 候韻
5424b	下師・074オ1・雜物	八	入	ハチ	右注	pɐt	黠韻
5540b	下師・079オ2・疊字	脚	入	キヤク	右注	kiɑk	薬韻
5548b	下師・079オ4・疊字	尺	入	セキ	右注	tś'iek	昔韻
5550b	下師・079オ5・疊字	落	入	ラク	左注	lɑk	鐸韻
5595b	下師・080ウ5・疊字	給	入濁	キフ	右注	kiep	緝韻
5603b	下師・080ウ7・疊字	脉	入	ミヤク	中注	mɐk	麥韻
5625b	下師・081オ7・疊字	別	入	ヘツ	左注	biat piat	薛韻 薛韻
5627b	下師・081オ7・疊字	酌	入	シヤク	右注	tśiɑk	薬韻
5641b	下師・081ウ4・疊字	急	入	—	—	kiep	緝韻
5642b	下師・081ウ4・疊字	急	入	—	—	kiep	緝韻
5665b	下師・082オ2・疊字	諾	入濁	タク	左注	nɑk	鐸韻
5666b	下師・082オ2・疊字	諾	入	—	—	nɑk	鐸韻
5675b	下師・082オ4・疊字	納	入	ナフ	左注	nɑp	盍韻
5680b	下師・082オ6・疊字	謁	入	エツ	左注	'iɑt	月韻
5685b	下師・082オ7・疊字	屋	入	—	—	'ʌuk	屋韻
5686b	下師・082オ7・疊字	恒	入	ヲク	左注	ṣiɐk	職韻
5687b	下師・082オ7・疊字	澤	入	—	—	ḍak	陌韻
5695b	下師・082ウ2・疊字	昵	入濁	チツ	左注	niet	質韻
5704b	下師・082ウ5・疊字	雪	入	セツ	左注	siuat	薛韻
5721b	下師・083オ2・疊字	發	入	—	—	piɑt	月韻
5727b	下師・083オ4・疊字	敵	入	テキ	左注	dek	錫韻

5732b	下師・083オ5・疊字	合	入濁	カウ	左注	ɣʌp kʌp	合韻 合韻
5733b	下師・083オ5・疊字	隙	入	ケキ	右注	k'iak	陌韻
5734b	下師・083オ5・疊字	邑	入	—	—	'iep	緝韻
5735b	下師・083オ6・疊字	柵	入	サク	右注	tṣ'ak tṣ'ɐk ṣan[3]	陌韻 麥韻 諫韻
5739b	下師・083オ6・疊字	寞	入	—	—	mɑk	鐸韻
5747b	下師・083ウ2・疊字	度	入	タク	左注	dɑk duʌ[3]	鐸韻 暮韻
5753b	下師・083ウ4・疊字	發	入	ハツ	左注	piɑt	月韻
5764b	下師・084オ1・疊字	燭	入	—	—	tśiɑuk	燭韻
5766b	下師・084オ1・疊字	石	入	—	—	źiek	昔韻
5770b	下師・084オ2・疊字	闕	入	クエツ	左注	k'iuɑt	月韻
5778b	下師・084オ3・疊字	着	入濁	チヤク	右注	ḍiɑk ṭiɑk	藥韻 藥韻
5781b	下師・084オ4・疊字	直	入濁	チキ	左注	ḍiɐk	職韻
5783b	下師・084オ4・疊字	席	入	セキ	左注	ziek	昔韻
5793b	下師・084オ6・疊字	力	入	リキ	左注	liɐk	職韻
5801b	下師・084オ7・疊字	察	入	サツ	左注	tṣ'ɐt	黠韻
5804b	下師・084ウ1・疊字	達	入	タツ	左注	t'ɑt dɑt	曷韻 曷韻
5806b	下師・084ウ1・疊字	的	入	テキ	右注	tek	錫韻
5816b	下師・084ウ3・疊字	慄	入	リツ	左注	liet	質韻
5818b	下師・084ウ3・疊字	速	入	ソク	左注	sʌuk	屋韻
5835b	下師・084ウ6・疊字	悦	入	エツ	左注	jiuat	薛韻
5837b	下師・084ウ6・疊字	伏	入	フク	左注	biʌuk	屋韻
5845b	下師・084ウ7・疊字	ト	入濁	ホク	右傍	pʌuk	屋韻
5852b	下師・085オ2・疊字	域	入	イキ	右注	ɣiuɐk	職韻
5855b	下師・085オ2・疊字	木	入濁	ホク	右注	mʌuk	屋韻
5870b	下師・085オ5・疊字	蕚	入濁	カク	右注	ŋɑk	鐸韻
5871b	下師・085オ5・疊字	實	入	シツ	右注	dźiet	質韻
5876b	下師・085オ6・疊字	席	入	セキ	右注	ziek	昔韻
5884b	下師・085オ7・疊字	拾	入	シフ	右注	źiep	緝韻
5885b	下師・085オ7・疊字	劣	入	レツ	右注	liuat	薛韻
5914b	下師・086オ2・疊字	屑	入	セツ	右傍	set	屑韻
5967b	下會・087ウ4・地儀	福	入	—	—	piʌuk	屋韻
5991b	下會・089オ6・疊字	国	入	—	—	kuʌk	徳韻
5998b	下會・089オ7・疊字	爵	入	—	—	tsiɑk	藥韻
5999b	下會・089オ7・疊字	釋	入	シヤク	左注	śiek	昔韻
6007b	下會・089ウ1・疊字	驛	入	ヤク	中注	jiek	昔韻
6092b	下飛・092オ5・動物	蛭	入	テツ	右傍	tet tiet tśiet	屑韻 質韻 質韻
6137b	下飛・094オ1・飲食	糠	入	サク	右傍	ṣak	陌韻
6148b	下飛・094オ6・雑物	篥	入	リキ	右注	liet	質韻
6160b	下飛・094ウ2・雑物	髮	入	ハチ	右傍	piɑt	月韻

6186b	下飛・095オ2・雑物	積	入	セキ	右傍	tsiek tsie^{3}	昔韻 寘韻
6237b	下飛・097ウ6・疊字	屋	入	ヲク	左注	ʼʌuk	屋韻
6257b	下飛・098オ2・疊字	石	入	セキ	右注	źiek	昔韻
6265b	下飛・098オ3・疊字	弱	入	―	―	ńiɑk	藥韻
6269b	下飛・098オ4・疊字	密	入	ミチ	左注	miet	質韻
6272b	下飛・098オ4・疊字	說	入	セツ	左注	śiuat	薛韻
6275b	下飛・098オ5・疊字	翼	入	―	―	jiɐk	職韻
6276b	下飛・098オ5・疊字	客	入	―	―	k‘ak	陌韻
6287b	下飛・098オ7・疊字	出	入	シユツ	左注	tś‘iuet tś‘iuei^{3}	術韻 至韻
6290b	下飛・098ウ1・疊字	削	入	サク	右注	siɑk	藥韻
6291b	下飛・098ウ1・疊字	跡	入	セキ	左注	tsiek	昔韻
6297b	下飛・098ウ2・疊字	革	入	―	―	kɐk	麥韻
6303b	下飛・098ウ3・疊字	法	入	ホフ	左注	piʌp	乏韻
6304b	下飛・098ウ3・疊字	律	入	―	―	liuet	術韻
6306b	下飛・098ウ3・疊字	食	入	シヨク	左注	dźiɐk jiɐi^{3}	職韻 志韻
6326b	下飛・098ウ7・疊字	閲	入	エツ	左注	jiuat	薛韻
6329b	下飛・099オ1・疊字	秩	入濁	チツ	左注	ḍiet	質韻
6335b	下飛・099オ2・疊字	閣	入	カク	右注	kɑk	鐸韻
6351b	下飛・099オ6・疊字	攫	入	クヰヨク	右傍	giɑk	鐸韻
6352b	下飛・099オ6・疊字	湒	入濁	チフ	右傍	ṇiep	緝韻
6353b	下飛・099オ6・疊字	曡	入濁	チフ	右傍	ḍiep dʌp	緝韻 合韻
6354b	下飛・099ウ1・疊字	隟	入	ケキ	右傍	k‘iak	陌韻
6402b	下毛・101オ7・植物	躑	入	テキ	右傍	ḍiek	昔韻
6467b	下毛・105ウ3・疊字	絶	入	セツ	左注	dziuat	薛韻
6470b	下毛・105ウ4・疊字	簿	入濁	ハク	左注	bɑk buʌ^{2}	鐸韻 姥韻
6472b	下毛・105ウ4・疊字	索	入	サク	左注	sɑk ṣak ṣɐk	鐸韻 陌韻 麥韻
6476b	下毛・105ウ5・疊字	荅	入濁	タフ	右注	tʌp	合韻
6524b	下世・108オ1・人躰	瘑	入	カツ	右傍	k‘ɑt	曷韻
6549b	下世・108ウ7・雑物	木	入濁	―	―	mʌuk	屋韻
6571b	下世・110オ1・重點	寂	入	セキ	右注	dzek	錫韻
6584b	下世・110オ5・疊字	月	入	―	―	ŋiuɑt	月韻
6585b	下世・110オ5・疊字	日	入	ニチ	左注	ńiet	質韻
6587b	下世・110オ5・疊字	髮	入	ハツ	左注	piɑt	月韻
6588b	下世・110オ5・疊字	域	入	ヰキ	左注	ɣiuɐk	職韻
6590b	下世・110オ6・疊字	陌	入	ハク	左注	mak	陌韻
6605b	下世・110ウ1・疊字	室	入	―	―	ṭiet	質韻
6614b	下世・110ウ3・疊字	績	入	―	―	tsek	錫韻
6620b	下世・110ウ4・疊字	勅	入	―	―	ṭ‘iɐk	職韻
6625b	下世・110ウ5・疊字	掖	入	エキ	左注	jiek	昔韻
6627b	下世・110ウ5・疊字	籙	入	ロク	右傍	lʌuk	屋韻

6629b	下世・110ウ5・疊字	德	入	トク	右注	tʌk	德韻
6633b	下世・110ウ6・疊字	略	入	―	―	liɑk	藥韻
6636b	下世・110ウ7・疊字	擇	入	タク	左注	ḍak	陌韻
6643b	下世・111オ2・疊字	達	入	―	―	t'ɑt dɑt	曷韻 曷韻
6644b	下世・111オ2・疊字	穆	入濁	ホク	中注	miʌuk	屋韻
6645b	下世・111オ2・疊字	穆	入濁	モク	右傍	miʌuk	屋韻
6647b	下世・111オ2・疊字	髮	入	―	―	piɑt	月韻
6654b	下世・111オ3・疊字	慾	入	―	―	jiɑuk	燭韻
6660b	下世・111オ4・疊字	哲	入	―	―	ṭiat	薛韻
6666b	下世・111オ5・疊字	祿	入	―	―	lʌuk	屋韻
6669b	下世・111オ6・疊字	託	入	タク	右注	t'ɑk	鐸韻
6671b	下世・111オ6・疊字	獵	入	―	―	liap	葉韻
6675b	下世・111オ7・疊字	約	入	ヤク	左注	'iɑk 'iau^{3}	藥韻 笑韻
6676b	下世・111オ7・疊字	諾	入	―	―	nɑk	鐸韻
6686b	下世・111ウ2・疊字	謫	入	タク	中注	ṭɐk ḍɐk	麥韻 麥韻
6687b	下世・111ウ2・疊字	益	入	エキ	中注	'iek	昔韻
6688b	下世・111ウ2・疊字	息	入	ソク	左注	siɐk	職韻
6693b	下世・111ウ3・疊字	角	入	カク	中注	kauk lʌuk	覺韻 屋韻
6694b	下世・111ウ3・疊字	犢	入	トク	中注	dʌuk	屋韻
6697b	下世・111ウ4・疊字	寞	入	ハク	中注	mɑk	鐸韻
6699b	下世・111ウ4・疊字	濯	入	タク	左注	ḍauk ḍau^{3}	覺韻 效韻
6700b	下世・111ウ4・疊字	飭	入	―	―	ṣiɐk	職韻
6704b	下世・111ウ5・疊字	物	入	―	―	miuʌt	物韻
6708b	下世・111ウ6・疊字	別	入	ヘツ	左注	biat piat	薛韻 薛韻
6715b	下世・111ウ7・疊字	越	入	―	―	ɣiuɑt	月韻
6719b	下世・112オ1・疊字	栗	入	―	―	liet	質韻
6721b	下世・112オ1・疊字	察	入	―	―	tṣ'ɐt	黠韻
6725b	下世・112オ2・疊字	慄	入	リツ	左注	liet	質韻
6730b	下世・112オ3・疊字	俗	入濁	ソク	右注	ziɑuk	燭韻
6736b	下世・112オ4・疊字	席	入	セキ	右注	ziek	昔韻
6739b	下世・112オ5・疊字	索	入	サク	右傍	sɑk ṣak ṣɐk	鐸韻 陌韻 麥韻
6754b	下世・112ウ1・疊字	髮	入	ハツ	右注	piɑt	月韻
6791b	下洲・113ウ7・植物	蔛	入	コク	右傍	kʌuk	屋韻
6904b	下洲・120オ2・疊字	物	入	フツ	右注	miuʌt	物韻
6908b	下洲・120オ3・疊字	朴	入濁	ホク	左注	p'auk	覺韻
6925b	下洲・120オ7・疊字	濕	入	シフ	右注	śiep t'ʌp	緝韻 合韻
6929b	下洲・120ウ1・疊字	察	入	サツ	右注	tṣ'ɐt	黠韻
6966b	下　・122ウ1・跋文	力	入	リヨク	右傍	liɐk	職韻

6968b	下木・062ウ3・疊字	屈	入	クヰツ	中注	kʻiuʌt kiuʌt	物韻 物韻

【表D-34】入声（熟字後部／第二字）下巻〔不一致例〕

番号	前田本所在	掲出字		仮名音注		中古音	韻目
4394b	下阿・040オ1・疊字	峛	入	レツ	右傍	lie²	紙韻
6911b	下洲・120オ3・疊字	吻	入	―	―	miuʌn²	吻韻

番号	前田本所在	掲出字		仮名音注		中古音	韻目
4020b	下手・023オ4・疊字	糶	入	テウ	左注	tʻeu³	嘯韻
4205b	下阿・029ウ1・人躰	沸	入	フツ	右傍	piʌi³	未韻
6346b	下飛・099オ4・疊字	富	入	―	―	piʌu³	宥韻

【表D-34】入声（熟字後部／第三字）下巻〔一致例〕

番号	前田本所在	掲出字		仮名音注		中古音	韻目
3413c	下古・006オ4・人事	八	入	―	―	pɐt	黠韻
4138c	下阿・027オ7・動物	肉	入濁	シク	右傍	ńiʌuk	屋韻
6402c	下毛・101オ7・植物	躅	入	チヨク	右傍	ḍiɑuk	燭韻
6758c	下世・112ウ2・疊字	潔	入	ケツ	右傍	ket	屑韻

【表D-34】入声（熟字後部／第四字）下巻〔一致例〕

番号	前田本所在	掲出字		仮名音注		中古音	韻目
4227d	下阿・031オ4・飲食	汁	入	―	―	tśiep	緝韻
6758d	下世・112ウ2・疊字	白	入	ハク	右傍	bak	陌韻

【表D-35】徳声（熟字後部／第二字）上巻〔一致例〕

番号	前田本所在	掲出字		仮名音注		中古音	韻目
0894b	上波・033ウ6・疊字	峡	徳?	カフ	右注	ɣɐp	洽韻
3140b	上加・110ウ6・疊字	嗺	徳?	シヤク	右傍	dziɑk	藥韻

【表D-36】徳声（熟字後部／第二字）下巻〔一致例〕

番号	前田本所在	掲出字		仮名音注		中古音	韻目
3721b	下古・012オ6・疊字	壁	徳	ヘキ	右注	pek	錫韻
4452b	下佐・043オ2・地儀	璧	徳	ヘキ	右傍	piek	昔韻
5216b	下由・066オ3・地儀	室	徳	シツ	右傍	ṭiet	質韻
5474b	下師・075オ3・光彩	壁	徳	ヘキ	右傍	pek	錫韻
5544b	下師・079オ3・疊字	絶	徳?	―	―	dziuat	薛韻
5809b	下師・084ウ2・疊字	澁	徳?	シフ	右注	ṣiep	緝韻
5851b	下師・085オ1・疊字	白	徳?	ハク	右傍	bak	陌韻
6011b	下會・089ウ3・疊字	璧	徳	ヘキ	左注	piek	昔韻

【表E-1】同音字注〔一致例〕

ⓐ	ⓑ	ⓒ	ⓓ	ⓔ	ⓕ	ⓖ	ⓗ
〈Ⅰ韻類 -ɑ系〉							
001	下古・002オ7・天象	蘿	羅	lɑ^{1}	歌韻	羅［平］	
002	下古・009オ7・辞字	捍	翰	ɣɑn^{3}	翰韻	汗	
003	下阿・025オ1・地儀	沫	末	muɑt	末韻	末［入濁］	
004	下阿・025ウ6・植物	菼	毯	t‘ɑm^{2}	敢韻	毯［上］	
005	下阿・032ウ6・雑物	案	按	’ɑn^{3}	翰韻	按［平/去］	
006	下阿・033オ6・光彩	丹	單	tɑn^{1}	寒韻	単［平/去］	
007	下由・067ウ6・雑物	橐	託	t‘ɑk	鐸韻	託	
008	下師・077オ5・辞字	晏	案	’ɑn^{3}	翰韻		
009	下會・088ウ7・雑物	繪	會	ɣuɑi^{3}	泰韻	會［去］	
010	下飛・096オ5・辞字	袥	託	t‘ɑk	鐸韻	託	
011	下毛・102オ4・人躰	喪	桒	sɑŋ^{1}	唐韻	桑	
012	下毛・103オ4・雑物	鬠	活	ɣuɑt	末韻	活	活
〈Ⅰ韻類 -ʌ系〉							
013	下古・001ウ7・地儀	湅	東	tʌuŋ^{1}	東韻	東［平］	
014	下古・002オ7・植物	菰	孤	kiuʌ^{1}	虞韻	孤［平］	孤
015	下古・003オ2・植物	樸	僕	bʌuk	屋韻	僕	璞
016	下古・003オ7・動物	犢	讀	dʌuk	屋韻	讀	讀
017	下古・005オ2・人事	縡	宰	tsʌi^{2}	海韻	再	
018	下古・006ウ1・飲食	餗	速	sʌuk	屋韻	速［入］	束
020	下古・006ウ7・雑物	釦	口	k‘ʌu^{2}	厚韻	口	
021	下古・007オ5・雑物	轂	穀	kʌuk	屋韻		
022	下古・007オ7・雑物	鎢	烏	’uʌ^{1}	模韻	烏	
023	下古・009オ6・辞字	慕	暮	muʌ^{3}	暮韻	暮	
024	下佐・049オ7・辞字	导	礙	ŋʌi^{3}	代韻		
025	下由・067オ6・人事	沐	木	mʌuk	屋韻	木［入］	
026	下師・076ウ3・辞字	漉	鹿	lʌuk	屋韻	鹿	
027	下飛・094ウ3・雑物	櫝	獨	dʌuk	屋韻	獨	
028	下飛・096オ3・辞字	扣	口	k‘ʌu^{2}	厚韻	口	
029	下毛・104ウ4・辞字	鹽	古	kuʌ^{2}	模韻	古	
030	下毛・104ウ7・辞字	默	墨	mʌk	徳韻	墨［入濁］	
031	下世・107オ7・動物	鮬	枯	k‘uʌ^{1}	模韻	枯	枯
〈Ⅱ韻類 -a系〉							
032	下江・014ウ2・植物	柏	伯	pak	陌韻	百［入］	百
033	下江・016オ7・辞字	擇	宅	dak	陌韻	宅	
034	下阿・029ウ7・人事	頒	班	puan^{1}	刪韻	班［平］	
035	下佐・044ウ1・動物	鯊	沙	ṣa^{1}	麻韻	沙	沙
036	下木・060ウ7・疊字	芽	牙	ŋa^{1}	麻韻	護	
037	下師・074ウ4・雑物	教	交	kau^{1}	肴韻		
038	下毛・102オ3・人躰	鬟	還	ɣuan^{1}	刪韻	還［平］	還
039	下毛・103ウ6・員數	百	伯	pak	陌韻	伯［入］	
040	下世・109ウ3・辞字	迫	伯	pak	陌韻	百	

〈Ⅱ韻類 -ɐ系〉							
041	下江・016オ1・雜物	朳	八	puɐt	黠韻	拜［去］	拜
042	下江・016オ7・辭字	揀	簡	ɣɐn^{2}	産韻	簡	
043	下師・072オ2・人事	階	皆	kɐi^{1}	皆韻	皆［平］	
044	下世・109ウ3・辭字	狭	洽	ɣɐp	洽韻	洽	
〈Ⅳ韻類 -e系〉							
125	下古・003オ1・植物	槙	顛	ten^{1}	先韻	顛	
126	下手・020オ4・人事	衒	縣	ɣuen^{3}	霰韻	縣［去濁］	
127	下手・020ウ2・飲食	臍	齊	dzei^{1}	齊韻	齊	齊
128	下阿・033オ7・光彩	澱	殿	den^{3}	霰韻	殿	殿
129	下阿・036オ1・辭字	滌	笛	dek	錫韻	敵	
130	下佐・050オ3・辭字	邀	梟	keu^{1}	蕭韻	梟［平］	
131	下師・074オ3・雜物	屧	燮	sep	帖韻	燮［入］	思協反
132	下師・078オ3・辭字	瀝	歴	lek	錫韻	歴	
133	下飛・091オ5・植物	犀	西	sei^{1}	齊韻	西	
134	下飛・091ウ7・動物	鷩	激	kek	錫韻	激［入］	激
135	下洲・118ウ1・辭字	滌	笛	dek	錫韻	敵	
〈ⅢB韻類 -ɑ系〉							
087	下古・002オ2・地儀	橛	厥	kiuɑt	月韻	厥	厥
088	下古・003オ1・植物	樾	越	ɣiuɑt	月韻	越	越
089	下古・004オ3・人倫	妐	鐘	tśiɑuŋ^{1}	鍾韻	鐘	
090	下古・007オ4・雜物	樊	煩	biɑn^{1}	元韻		
091	下古・009オ3・辭字	爰	袁	ɣiuɑn^{1}	元韻		
092	下古・009ウ2・辭字	甞	常	źiɑŋ^{1}	陽韻	常	
093	下江・016オ2・雜物	笛	曲	k'iɑuk	燭韻	曲	曲
094	下阿・034ウ7・辭字	浴	欲	jiɑuk	燭韻	欲	
095	下阿・036ウ3・辭字	宛	苑	'iuɑn^{2}	阮韻	苑［上］	
096	下阿・037オ5・辭字	彰	章	tśiɑŋ^{1}	陽韻	章［平］	
097	下飛・095ウ5・辭字	挽	晩	miɑn^{2}	阮韻	晩	
098	下毛・105オ2・辭字	庸	容	jiɑuŋ^{1}	鍾韻		
099	下洲・116オ4・雜物	鋊	欲	jiɑuk	燭韻	欲	欲
〈ⅢB韻類 -iʌ系〉							
100	上度・060オ4・辭字	炷	主	tśiuʌ^{2}	麌韻	主［上］	主 又去聲
101	下古・003オ2・植物	庥	休	xiʌu^{1}	尤韻		
102	下古・006ウ6・雜物	裙	群	giuʌn^{1}	文韻	群［平］	
103	下古・007ウ7・員數	九	久	kiʌu^{2}	有韻	久	
104	下古・007ウ7・員數	玖	久	kiʌu^{2}	有韻	九	
105	下阿・025オ3・地儀	畬	余	jiʌ^{1}	魚韻	余	
106	下阿・032オ1・雜物	紋	文	miuʌn^{1}	文韻	文［平濁］	文
107	下阿・035オ3・辭字	蕪	無	miuʌ^{1}	虞韻	無［平濁］	
108	下阿・036オ4・辭字	与	豫	jiʌ^{3}	御韻	預	
109	下阿・037ウ1・辭字	侮	武	miuʌ^{2}	麌韻	武［上濁］	
110	下阿・037ウ6・辭字	預	豫	jiʌ^{3}	御韻		
111	下木・056オ2・植物	黍	暑	śiʌ^{2}	語韻	鼠	鼠

112	下木・056ウ1・動物	翬	輝	xiuʌi^{1}	微韻	暉	
113	下由・067ウ4・雜物	弣	撫	p'iuʌ^{2}	麌韻	撫	撫
114	下師・072オ4・人事	𣧩	終	tśiʌuŋ^{1}	東韻		
115	下師・073ウ3・飲食	徽	輝	xiuʌi^{1}	微韻	輝［平］	
116	下師・074オ7・雜物	符	扶	biuʌ^{1}	虞韻	扶［平］	
117	下師・075ウ1・員數	銖	殊	źiuʌ^{1}	虞韻	珠［平］	
118	下師・077オ1・辭字	俞	臾	jiuʌ^{1}	虞韻	臾	
119	下飛・095オ1・雜物	柩	舊	giʌu^{3}	宥韻	舊［去］	
120	下飛・095ウ7・辭字	晞	希	xiʌi^{1}	微韻	希	
121	下飛・096ウ1・辭字	侔	謀	miʌu^{1}	尤韻	牟［平］	
122	下毛・102オ1・人倫	衆	終	tśiʌuŋ^{1}	東韻	終［平］	
123	下毛・103オ6・雜物	銶	求	giʌu^{1}	尤韻	求	
124	下世・107ウ7・人躰	膂	呂	liʌ^{2}	語韻	呂	
〈ⅢA韻類 -ia系〉							
045	上度・055オ7・動物	鳶	沿	jian^{1}	仙韻	鉛	
046	下古・003オ1・植物	杪	眇	mjiau^{2}	小韻	眇［上濁］	
047	下古・007オ6・雜物	枰	平	biaŋ^{1}	庚韻	平	
048	下手・019オ7・動物	鴷	列	liat	薛韻	列［入］	列
049	下手・021オ5・光彩	烈	列	liat	薛韻	列［入］	
050	下阿・031ウ6・雜物	鐎	焦	tsiau^{1}	宵韻	焦	
051	下阿・038ウ2・辭字	鮮	仙	sian^{1}	仙韻	仙	
052	下佐・048ウ5・辭字	裂	列	liat	薛韻	列［入］	
053	下木・056オ3・植物	䓴	軟	ńiuan^{2}	獮韻	軟［上濁］	軟
054	下木・059ウ4・辭字	輾	展	ṭian^{2}	獮韻		
055	下師・069ウ4・植物	栐	永	ɣiaŋ^{2}	梗韻	永	永
056	下師・076ウ4・辭字	占	詹	tśiam^{1}	鹽韻		
057	下飛・092オ5・動物	魝	小	siau^{2}	小韻	小	小
058	下毛・104ウ3・辭字	燃	然	ńian^{1}	仙韻		
059	下世・109ウ3・辭字	製	制	tśiai^{3}	祭韻	制	
〈ⅢA韻類 -iɐ系〉							
060	上伊・002ウ1・地儀	今	金	kiɐm^{1}	侵韻	金［平/去］	
061	下古・005オ5・人事	辞	詞	ziɐi^{1}	之韻	詞［平］	
062	下古・007オ6・雜物	棊	期	giɐi^{1}	之韻	其	
063	下古・009ウ4・辭字	泐	力	liɐk	職韻	勒	
064	下由・067ウ2・飲食	腨	而	ńiɐi^{1}	之韻	儒	
065	下師・075ウ4・辭字	辤	詞	ziɐi^{1}	之韻	詞［平］	
066	下洲・116ウ1・雜物	耜	似	ziɐi^{2}	止韻	似［上］	
〈ⅢA韻類 -ie系〉							
067	下古・004オ3・人倫	姨	夷	xjiei^{1}	脂韻	夷［平］	夷
068	下古・008ウ3・辭字	維	惟	tśiei^{1}	脂韻	惟［去］	
069	下江・015ウ7・雜物	纓	嬰	'jieŋ^{1}	清韻	嬰［平］	
070	下江・016オ7・辭字	掄	倫	liuen^{1}	諄韻	論［平］	
071	下阿・025ウ5・植物	蕣	舜	śiuen^{3}	稕韻	舜［去］	舜

072	上波・028オ7・員數	廿	入	ńiɐp	緝韻	入［去濁］	
073	下阿・029オ5・人躰	跂	企	k'jie²	紙韻	企［上］	
074	下阿・032ウ2・雜物	桎	質	tśiet	質韻	質［入］	質
075	下阿・033オ4・光彩	赤	尺	tśiek	昔韻		
076	下佐・045オ5・人躰	醒	呈	dieŋ¹	清韻	呈	
077	下佐・048ウ2・辞字	指	旨	tśiei²	旨韻	旨［平］	旨反
078	下木・056オ5・植物	椅	犄	'ie¹	支韻		猗
079	下木・057ウ3・人事	儀	宜	ŋie¹	支韻	宜［平濁］ ［去濁］	
080	下師・072オ2・人事	級	急	kiep	緝韻	急	
081	下師・072ウ4・人事	呻	申	śien¹	眞韻	申［平］	
082	下飛・091オ1・地儀	蓽	畢	pjiet	質韻	必	畢
083	下飛・092オ1・動物	脺	翠	ts'iuei³	脂韻	翠	
084	下飛・092ウ1・人倫	人	仁	ńien¹	眞韻	仁［平濁］	
085	下毛・104ウ5・辞字	盛	成	źieŋ¹	清韻		
086	下洲・118オ3・辞字	軼	逸	ɣiet	質韻	佚	

ⓐ 番号（三桁）
ⓑ 前田本の所在
ⓒ 前田本の掲出字
ⓓ 前田本の同音字注
ⓔ 中古音（三根谷説による中古漢語の推定音）
ⓕ 韻目（廣韻による分類）
ⓖ 掲出字に対する類聚名義抄の同音字注
ⓗ 掲出字に対する倭名類聚抄の同音字注

【表E-2】同音字注〔不一致例〕

ⓐ	ⓑ	ⓒ ⓓ	ⓔ ⓕ	ⓖ ⓗ	ⓘ ⓙ
〈Ⅰ韻類 -ɑ系〉					
136	下手・021オ1・雜物	梏	kɑuk	沃韻	
		酷	k'ɑuk	沃韻	
137	下佐・048ウ4・辞字	割	kɑt	曷韻	葛［入］
		曷	ɣɑt	曷韻	
〈Ⅰ韻類 -ʌ系〉					
138	下古・007ウ1・雜物	糊	ɣuʌ^{1}	模韻	胡
		五	ŋuʌ^{2}	模韻	
139	下阿・032ウ4・雜物	磑	ŋuʌi$^{1/3}$	灰/隊韻	豈
		豈	k'iʌi^{2}	尾韻	
140	下由・068オ1・雜物	戽	xuʌ$^{2/3}$	姥/暮韻	故
		故	kuʌ^{3}	暮韻	
141	下師・074ウ5・雜物	簇	ts'ʌuk	屋韻	
		族	dzʌuk	屋韻	
142	下洲・116オ5・雜物	碊	ts'uʌi^{3}	隊韻	
		砌	ts'ei^{3}	薺韻	砌
〈ⅢA韻類 -ia系〉					
143	下手・020ウ2・飲食	黏	ṇiam^{1}	鹽韻	
		添	t'em^{1}	添韻	
144	下由・067オ4・人事	禪	źian$^{1/3}$	仙/線韻	蝉
		戰	tśian^{3}	線韻	
145	下毛・101ウ6・動物	蟺	źian^{2}	獮韻	善
		戰	tśian^{3}	線韻	
〈ⅢA韻類 -iɐ系〉					
146	下古・008オ6・辞字	滋	tsiɐi^{1}	之韻	茲［平］
		慈	dziɐi^{1}	之韻	
147	下師・073ウ6・雜物	瑟	ṣiɐt	櫛韻	虱
		七	ts'iet	屑韻	
148	下飛・094オ1・飲食	釐	liɐi^{1}	之韻	貍［平］
		僖	xiɐi^{1}	之韻	
149	下洲・118オ7・辞字	拯	tśiɐŋ^{2}	蒸韻	蒸
		蒸	tśiɐŋ^{1}	蒸韻	
〈ⅢA韻類 -ie系〉					
150	下古・003ウ1・動物	兕	ziei^{2}	旨韻	似
		似	ziɐi^{2}	止韻	
151	下師・070オ5・動物	兕	ziei^{2}	旨韻	似
		似	ziɐi^{2}	止韻	
152	下古・006ウ5・雜物	袊	lieŋ^{2}	靜韻	領
		令	lieŋ$^{1/3}$	清/勁韻	

〈ⅢB韻類 -iɑ系〉					
153	下古・007ウ1・雜物	杮	p‘iɑi3	廢韻	廢
		廢	piɑi3	廢韻	
〈ⅢB韻類 -iʌ系〉					
154	下佐・044オ4・動物	狖	jiʌu3	宥韻	
		友	ɣiʌu2	有韻	友

ⓐ 番号（三桁）
ⓑ 前田本の所在
ⓒ 前田本の掲出字
ⓓ 前田本の同音字注
ⓔ 掲出字の中古音
ⓕ 同音字注の中古音
ⓖ 掲出字の廣韻韻目
ⓗ 同音字注の廣韻韻目
ⓘ 掲出字に対する類聚名義抄の同音字注
ⓙ 掲出字に対する倭名類聚抄の同音字注

【表F-1】反切〔廣韻一致例〕

①	②	③	④	⑤	⑥
0001	下阿・031オ7・飲食	齏	祖稽反	tsei^{1}	齊韻
0002	下木・060オ1・辞字	極	渠□□	giɐk	職韻
0003	下古・001ウ2・天象	霹	息移反	sie^{1}	支韻
0004	下古・001ウ2・天象	霰	素官反	suɑn^{1}	桓韻
0005	下古・001ウ5・天象	期	渠之反	giɐi^{1}	之韻
0006	下江・014オ1・天象	曜	弋照反	jiau^{3}	笑韻
0007	下手・018ウ4・天象	天	他前反	t'en^{1}	先韻
0008	下阿・024オ7・天象	雨	王矩反	ɣiuʌ^{2}	麌韻
0009	下阿・024ウ1・天象	嵐	盧含反	lʌm^{1}	覃韻
0010	下阿・024ウ1・天象	雹	蒲角反	bauk	覺韻
0011	下阿・024ウ2・天象	秋	七由反	ts'iʌu^{1}	尤韻
0012	下阿・024ウ2・天象	商	式羊反	śiɑŋ^{1}	陽韻
0013	下阿・024ウ2・天象	朝	陟遥反	ṭiau^{1}	宵韻
0014	下阿・024ウ4・天象	暖	乃管反	nuɑn^{2}	緩韻
0015	下阿・024ウ4・天象	暄	況袁反	xiuɑn^{1}	元韻
0016	下阿・024ウ5・天象	曙	常恕反	źiʌ^{3}	御韻
0017	下阿・024ウ6・天象	熱	如列反	ńiat	薛韻
0018	下阿・024ウ6・天象	暑	舒呂反	śiʌ^{2}	語韻
0019	下阿・024ウ6・天象	炎	于廉反	ɣian^{1}	仙韻
0020	下佐・042オ5・天象	寒	胡安反	ɣɑn^{1}	寒韻
0021	下佐・042ウ1・地儀	坂	府遠反	piɑn^{2}	阮韻
0022	下木・055オ7・天象	霧	亡遇反	miuʌ^{3}	遇韻
0023	下木・055オ7・天象	雺	莫紅反	mʌuŋ^{1}	東韻
0024	下木・055オ7・天象	雰	撫文反	p'iuʌn^{1}	文韻
0025	下木・055ウ1・天象	昨	在各反	dzɑk	鐸韻
0026	下木・055ウ1・天象	紀	居理反	kiɐi^{2}	止韻
0027	下木・065ウ6・天象	雪	相絶反	siuat	薛韻
0028	下木・065ウ7・天象	暮	莫故反	muʌ^{3}	暮韻
0029	下木・065ウ7・天象	晩	無遠反	miɑn^{2}	阮韻
0030	下木・065ウ7・天象	夕	祥易反	ziek	昔韻
0031	下木・065ウ7・天象	昬	呼昆反	xuʌn^{1}	魂韻
0032	下飛・090オ5・天象	日	人質反	ńiet	質韻
0033	下飛・090オ5・天象	陽	與章反	jiɑŋ^{1}	陽韻
0034	下飛・090ウ1・天象	雹	蒲角反	bauk	覺韻
0035	下飛・090ウ1・天象	晝	陟救反	ṭiʌu^{3}	宥韻
0036	下飛・090ウ2・天象	旰	古案反	kɑn^{3}	翰韻
0037	下洲・113オ6・天象	冷	魯打反	laŋ^{2}	梗韻
0038	下古・001ウ7・地儀	凍	多貢反	tʌuŋ^{3}	送韻
0039	下古・002オ2・地儀	層	昨稜反	dzʌŋ^{1}	登韻
0040	下江・014オ3・地儀	江	古雙反	kauŋ^{1}	江韻
0041	下手・018ウ7・地儀	泥	奴低反	nei^{1}	齊韻

0042	下手・019オ3・地儀	第	特計反	dei^{3}	霽韻
0043	下阿・025オ1・地儀	泡	匹交反	p‘au^{1}	肴韻
0044	下阿・025オ4・地儀	穴	胡決反	ɣet	屑韻
0045	下阿・025オ4・地儀	孔	康董反	k‘ʌuŋ^{2}	董韻
0046	下阿・025オ4・地儀	坎	苦感反	k‘ʌm^{2}	感韻
0047	下阿・025オ5・地儀	坑	客庚反	k‘aŋ^{1}	庚韻
0048	下阿・025オ5・地儀	窟	苦骨反	k‘uʌt	没韻
0049	下阿・025オ7・地儀	溜	力救反	liʌu^{3}	宥韻
0050	下阿・025ウ1・地儀	幄	於角反	’auk	覺韻
0051	下佐・042ウ1・地儀	坂	府遠反	piɑn^{2}	阮韻
0052	下佐・042ウ1・地儀	嶝	都鄧反	tʌŋ^{3}	嶝韻
0053	下佐・042ウ1・地儀	隰	似入反	ziep	緝韻
0054	下佐・042ウ2・地儀	境	居影反	kiaŋ^{2}	梗韻
0055	下佐・042ウ2・地儀	界	古拜反	kɐi^{3}	怪韻
0056	下佐・042ウ3・地儀	城	雨逼反	źieŋ^{1}	清韻
0057	下佐・042ウ5・地儀	里	良士反	liɐi^{2}	止韻
0058	下佐・042ウ7・地儀	閭	力居反	liʌ^{1}	魚韻
0059	下佐・042ウ7・地儀	閻	余廉反	jiam^{1}	鹽韻
0060	下佐・043オ1・地儀	杈	初牙反	tṣ‘a^{1}	麻韻
0061	下木・055ウ3・地儀	岸	五旰反	ŋɑn^{3}	翰韻
0062	下木・055ウ4・地儀	圻	語斤反	ŋiʌn^{1}	欣韻
0063	下由・066オ2・地儀	温	烏渾反	’uʌn^{1}	魂韻
0064	下飛・090ウ5・地儀	嶼	徐呂反	ziʌ^{2}	語韻
0065	下飛・090ウ5・地儀	泥	奴低反	nei^{1}	齊韻
0066	下飛・090ウ5・地儀	氷	筆陵反	piɐŋ^{1}	蒸韻
0067	下飛・090ウ6・地儀	獄	魚欲反	ŋiauk	燭韻
0068	下飛・090ウ6・地儀	庇	必至反	pjiei^{3}	至韻
0069	下飛・090ウ6・地儀	廂	息良反	siɑŋ^{1}	陽韻
0070	下毛・101オ2・地儀	杜	徒古反	duʌ^{2}	姥韻
0071	下毛・101オ3・地儀	龕	口含反	k‘ʌm^{1}	覃韻
0072	下世・106ウ3・地儀	湍	他端反	t‘uɑn^{1}	桓韻
0073	下世・106ウ3・地儀	灣	烏關反	’uan^{1}	刪韻
0074	下世・106ウ3・地儀	關	古還反	kuan^{1}	刪韻
0075	下洲・113ウ1・地儀	陬	子于反	tsiuʌ^{1}	虞韻
0076	下洲・113ウ1・地儀	巢	鉏交反	dẓau^{1}	肴韻
0077	下洲・113ウ2・地儀	窠	苦禾反	k‘uɑ^{1}	戈韻
0078	下古・002オ6・植物	苔	徒哀反	dʌi^{1}	咍韻
0079	下古・002オ6・植物	薜	蒲計反	bei^{3}	霽韻
0080	下古・002オ6・植物	蘚	息淺反	sian^{2}	獮韻
0081	下古・002オ6・植物	茘	郎計反	lei^{3}	霽韻
0082	下古・002オ7・植物	蔣	即良反	tsiɑŋ^{1}	陽韻
0083	下古・002ウ5・植物	薦	作甸反	tsen^{3}	霰韻
0084	下古・002ウ5・植物	韮	擧有反	kiʌu^{2}	有韻

0085	下古・002ウ5・植物	蒡	北朗反	pɑŋ²	蕩韻
0086	下古・003オ1・植物	梢	所交反	ṣau¹	肴韻
0087	下古・003オ2・植物	蓁	士臻反	dẓiɐn¹	臻韻
0088	下古・003オ3・植物	蒓	常倫反	źiuen¹	諄韻
0089	下江・014ウ2・植物	條	徒聊反	deu¹	蕭韻
0090	下江・014ウ3・植物	枚	莫杯反	muʌi¹	灰韻
0091	下江・014ウ3・植物	葼	子紅反	tsʌuŋ¹	東韻
0092	下江・014ウ3・植物	朶	丁果反	tuɑ²	果韻
0093	下阿・025ウ4・植物	葵	渠追反	gjiuei¹	脂韻
0094	下阿・025ウ4・植物	藿	虚郭反	xuɑk	鐸韻
0095	下阿・025ウ4・植物	藜	郎奚反	lei¹	齊韻
0096	下阿・025ウ5・植物	菌	渠殞反	giem²	寑韻
0097	下阿・025ウ5・植物	蘆	落胡反	luʌ¹	模韻
0098	下阿・025ウ5・植物	葦	于鬼反	ɣiuʌi²	尾韻
0099	下阿・025ウ6・植物	粟	相玉反	siɑuk	燭韻
0100	下阿・026オ1・植物	麻	莫霞反	ma¹	麻韻
0101	下阿・026オ5・植物	茜	倉甸反	ts'en³	霰韻
0102	下阿・026ウ2・植物	橙	宅耕反	ḍɐŋ¹	耕韻
0103	下阿・026ウ3・植物	英	於驚反	'iaŋ¹	庚韻
0104	下佐・043オ4・植物	募	祥羊反	ṭ'iɑŋ¹	陽韻
0105	下佐・043オ5・植物	篠	先鳥反	seu²	篠韻
0106	下木・056オ4・植物	樹	常句反	źiuʌ³	遇韻
0107	下木・056オ4・植物	木	莫卜反	mʌuk	屋韻
0108	下師・069ウ3・植物	柳	力久反	liʌu²	有韻
0109	下師・069ウ3・植物	椎	直追反	ḍiuei¹	脂韻
0110	下師・069ウ5・植物	榓	美畢反	miet	質韻
0111	下師・069ウ5・植物	蘂	如累反	ńiue²	紙韻
0112	下師・069ウ7・植物	蕺	阻立反	tṣiep	緝韻
0113	下會・087ウ7・植物	櫰	戸乖反	ɣuɐi¹	皆韻
0114	下飛・091オ4・植物	瓠	胡誤反	ɣuʌ³	暮韻
0115	下飛・091オ7・植物	荑	以脂反	jiei¹	脂韻
0116	下飛・091オ7・植物	荑	杜奚反	dei¹	脂韻
0117	下飛・091ウ3・植物	蘖	魚列反	ŋiat	薛韻
0118	下毛・101オ6・植物	桃	徒刀反	dɑu¹	豪韻
0119	下世・107オ3・植物	芹	巨斤反	giʌn¹	欣韻
0120	下洲・113ウ6・植物	菅	古顔反	kan¹	刪韻
0121	下洲・113ウ6・植物	薄	傍各反	bɑk	鐸韻
0122	下古・003オ7・動物	特	徒得反	dʌk	徳韻
0123	下古・003オ7・動物	駒	擧朱反	kiuʌ¹	虞韻
0124	下古・003ウ2・動物	鰓	蘓來反	sʌi¹	咍韻
0125	下古・003ウ3・動物	鮜	胡遘反	ɣʌu³	候韻
0126	下古・003ウ4・動物	鰶	子例反	tsiai³	祭韻
0127	下古・003ウ4・動物	鮀	居乙反	kiʌt	迄韻

0128	下古・003ウ5・動物	介	古拜反	kɐi^{3}	怪韻
0129	下江・014ウ6・動物	鯎	息弓反	siuʌŋ^{1}	東韻
0130	下江・014ウ7・動物	鱝	房吻反	biuʌn^{2}	吻韻
0131	下手・019オ6・動物	囮	五禾反	ŋuɑ^{1}	戈韻
0132	下手・019オ7・動物	貂	都聊反	teu^{1}	蕭韻
0133	下阿・027オ4・動物	距	其呂反	giʌ^{2}	語韻
0134	下阿・027ウ1・動物	鮎	奴兼反	nem^{1}	添韻
0135	下阿・027ウ4・動物	鰓	蘓來反	sʌi^{1}	咍韻
0136	下阿・027ウ5・動物	鰒	蒲角反	biʌuk	屋韻
0137	下阿・028オ1・動物	蝱	武庚反	maŋ^{1}	庚韻
0138	下佐・044オ3・動物	猿	雨元反	ɣiuɑn^{1}	元韻
0139	下佐・044オ4・動物	狙	七余反	ts‘iʌ^{1}	魚韻
0140	下佐・044オ4・動物	狙	七預反	ts‘iʌ^{3}	御韻
0141	下佐・044オ4・動物	猱	奴刀反	nɑu^{1}	豪韻
0142	下佐・044オ5・動物	嗛	苦簟反	k‘em^{2}	忝韻
0143	下木・056ウ1・動物	雉	直几反	ḍiei^{2}	旨韻
0144	下木・056ウ1・動物	翟	徒歴反	dek	錫韻
0145	下木・056ウ6・動物	蚶	乎談反	xɑm^{1}	談韻
0146	下師・070オ2・動物	鵐	武夫反	miuʌ^{1}	虞韻
0147	下師・070オ4・動物	狻	素官反	suɑn^{1}	桓韻
0148	下師・070オ5・動物	羆	彼為反	pie^{1}	支韻
0149	下師・070オ5・動物	驃	毗召反	bjiau^{3}	笑韻
0150	下飛・092オ1・動物	鶵	仕于反	dẓiuʌ^{1}	虞韻
0151	下飛・092オ1・動物	翹	渠遥反	gjiau^{1}	宵韻
0152	下飛・092オ3・動物	蹄	杜奚反	dei^{1}	齊韻
0153	下飛・092オ5・動物	蟿	姉列反	tsiat	薛韻
0154	下毛・101ウ4・動物	鵙	古闃反	kuek	錫韻
0155	下毛・101ウ6・動物	蛻	舒芮反	śiuai^{3}	祭韻
0156	下毛・101ウ6・動物	蛻	弋雪切	jiuat	薛韻
0157	下世・107ウ2・動物	蟬	市連反	źian^{1}	仙韻
0158	下世・107ウ3・動物	蜩	徒聊反	deu^{1}	蕭韻
0159	下古・004オ1・人倫	子	即里反	tsiɐi^{2}	止韻
0160	下古・004オ1・人倫	兒	汝移反	ńie^{1}	支韻
0161	下古・004オ1・人倫	兄	許榮反	xiuaŋ^{1}	庚韻
0162	下江・015オ3・人倫	兇	許容反	xiɑuŋ^{1}	鍾韻
0163	下江・015オ3・人倫	孩	戸来反	ɣʌi^{1}	咍韻
0164	下阿・028オ6・人倫	姉	將几反	tsiei^{2}	旨韻
0165	下阿・028オ7・人倫	主	之庾反	tśiuʌ^{2}	麌韻
0166	下阿・028オ7・人倫	尼	女夷反	ṇiei^{1}	脂韻
0167	下阿・028ウ3・人倫	讎	市流反	źiʌu^{1}	尤韻
0168	下阿・028ウ4・人倫	怨	於袁反	’iuɑn^{1}	元韻
0169	下阿・028ウ4・人倫	怨	於願反	’iuɑn^{3}	願韻
0170	下佐・044ウ5・人倫	侍	時吏反	źiɐi^{3}	志韻

0171	下佐・044ウ5・人倫	質	之日反	tśiet	質韻
0172	下木・057オ1・人倫	公	古紅反	kʌuŋ^{1}	東韻
0173	下木・057オ2・人倫	樵	昨焦反	dziau^{1}	宵韻
0174	下木・057オ3・人倫	蘇	素姑反	suʌ^{1}	模韻
0175	下師・070ウ6・人倫	舅	其九反	giʌu^{2}	有韻
0176	下師・071オ2・人倫	戚	倉歴反	ts'ek	錫韻
0177	下師・071オ2・人倫	士	鉏里反	dẓiɐi^{2}	止韻
0178	下師・071オ2・人倫	姓	息正反	sieŋ^{3}	勁韻
0179	下師・071オ2・人倫	衆	之仲反	tśiʌuŋ^{3}	送韻
0180	下飛・092ウ1・人倫	聖	式正反	śieŋ^{3}	勁韻
0181	下飛・092ウ2・人倫	姫	居之反	kiɐi^{1}	之韻
0182	下毛・102オ1・人倫	衆	又之中反	tśiʌuŋ^{1}	東韻
0183	下毛・102オ1・人倫	物	文弗反	miuʌt	没韻
0184	下毛・102オ2・人倫	者	章也反	tśia^{2}	馬韻
0185	下世・107ウ5・人倫	戚	倉歴反	ts'ek	錫韻
0186	下古・004オ6・人躰	心	息林反	siem^{1}	侵韻
0187	下古・004オ6・人躰	情	疾盈反	dzieŋ^{1}	清韻
0188	下古・004ウ1・人躰	髂	枯駕反	k'a^{3}	禡韻
0189	下古・004ウ2・人躰	肥	符非反	biuʌi^{1}	微韻
0190	下古・004ウ2・人躰	音	於金反	'iem^{1}	侵韻
0191	下古・004ウ2・人躰	聲	書盈反	śieŋ^{1}	清韻
0192	下古・004ウ4・人躰	癭	於郢反	'ieŋ^{2}	靜韻
0193	下古・004ウ4・人躰	吃	居乞反	kiʌt	迄韻
0194	下古・004ウ5・人躰	尰	時冗反	źiɑuŋ^{2}	腫韻
0195	下古・004ウ5・人躰	冗	又而隴反	ńiɑuŋ^{2}	腫韻
0196	下江・015オ5・人躰	肢	章移反	tśie^{1}	支韻
0197	下江・015オ5・人躰	胞	布交反	pau^{1}	肴韻
0198	下江・015オ6・人躰	痞	苻鄙反	biei^{2}	旨韻
0199	下江・015オ6・人躰	痞	方久反	piei^{2}	旨韻
0200	下手・019ウ6・人體	手	書九反	śiʌu^{2}	有韻
0201	下手・019ウ6・人體	腡	落戈反	luɑ^{1}	戈韻
0202	下阿・028ウ7・人躰	顱	於交反	'au^{1}	肴韻
0203	下阿・029オ1・人躰	足	即玉反	tsiɑuk	燭韻
0204	下阿・029オ2・人躰	跗	甫無反	piuʌ$^{1/3}$	虞韻
0205	下阿・029オ2・人躰	蹠	之右反	tśiek	昔韻
0206	下阿・029オ3・人躰	垢	古厚反	kʌu^{2}	厚韻
0207	下阿・029オ3・人躰	脂	旨夷反	tśiei^{1}	脂韻
0208	下阿・029オ4・人躰	竅	苦弔反	k'eu^{3}	嘯韻
0209	下阿・029オ5・人躰	跛	布火反	puɑ^{2}	果韻
0210	下阿・029オ5・人躰	痿	於為反	'iue^{1}	支韻
0211	下阿・029オ6・人躰	疵	疾移反	dzie^{1}	支韻
0212	下佐・045オ7・人事	相	息良反	siɑŋ^{1}	陽韻
0213	下木・057オ5・人躰	膽	都敢反	tɑm^{1}	談韻

0214	下木・057オ5・人躰	牙	五加反	ŋa^{1}	麻韻
0215	下木・057オ7・人躰	瘡	初良反	tʂʻiɑŋ^{1}	陽韻
0216	下木・057オ7・人躰	瘡	初亮反	tʂʻiɑŋ^{3}	漾韻
0217	下木・057オ7・人躰	疵	疾移反	dzie^{1}	支韻
0218	下木・057オ7・人躰	舋	許覲反	xien^{3}	震韻
0219	下由・066ウ4・人躰	尿	奴弔反	neu^{3}	嘯韻
0220	下師・071オ5・人躰	舌	倉列反	dźiat	薛韻
0221	下師・071オ5・人躰	胡	戸呉反	ɣuʌ^{1}	模韻
0222	下師・071オ6・人躰	尻	苦刀反	kʻɑu^{1}	豪韻
0223	下師・071オ6・人躰	脽	視隹反	źiuei^{1}	脂韻
0224	下師・071オ6・人躰	豚	丁木反	tʌuk	屋韻
0225	下師・071オ7・人躰	肉	如六反	ńiʌuk	屋韻
0226	下師・071オ7・人躰	臠	力兗反	liuan^{2}	獮韻
0227	下師・071オ7・人躰	胔	疾智反	dzie^{3}	寘韻
0228	下師・071ウ1・人躰	皴	七倫反	tsʻiuen^{1}	諄韻
0229	下飛・092ウ7・人躰	額	五陌反	ŋak	陌韻
0230	下飛・092ウ7・人躰	顙	蘇朗反	sɑŋ^{2}	旱韻
0231	下飛・092ウ7・人躰	顎	五各反	ŋɑk	鐸韻
0232	下飛・092ウ7・人躰	題	杜奚反	dei^{1}	脂韻
0233	下飛・092ウ7・人躰	眸	莫浮反	miʌu^{1}	尤韻
0234	下飛・093オ2・人躰	臂	畢義反	pjie^{3}	寘韻
0235	下飛・093オ2・人躰	肱	古弘反	kuʌŋ^{1}	登韻
0236	下毛・102オ3・人躰	股	公戸反	kuʌ^{2}	姥韻
0237	下毛・102オ3・人躰	髀	并弭反	pjie^{2}	紙韻
0238	下毛・102オ3・人躰	髀	傍禮反	bei^{2}	薺韻
0239	下毛・102オ4・人躰	皰	防教反	bau^{3}	効韻
0240	下世・107ウ7・人躰	背	補妹反	puʌi^{3}	隊韻
0241	下世・107ウ7・人躰	脊	資昔反	taiek	昔韻
0242	下世・107ウ7・人躰	脢	莫佩反	muʌi^{3}	隊韻
0243	下世・107ウ7・人躰	脢	莫杯反	muʌi^{1}	隊韻
0244	下世・108オ1・人躰	癬	息浅反	sian^{2}	獮韻
0245	下洲・114ウ7・人躰	姿	即夷反	tsiei^{1}	脂韻
0246	下洲・114ウ7・人躰	鬌	丁果反	tuɑ^{2}	果韻
0247	下洲・114ウ7・人躰	洟	又他計反	tʻei^{3}	霽韻
0248	下洲・115オ2・人躰	眇	亡沼反	mjiɑu^{2}	小韻
0249	下古・005オ2・人事	言	語軒反	ŋiɑn^{1}	元韻
0250	下古・005オ2・人事	載	作代反	tsʌi^{1}	代韻
0251	下古・005オ3・人事	戀	力巻反	liuan^{3}	線韻
0252	下古・005オ3・人事	媚	明秘反	miei^{3}	至韻
0253	下古・005オ4・人事	功	古紅反	kʌuŋ^{1}	東韻
0254	下古・005ウ1・人事	答	都合反	tʌp	合韻
0255	下古・005ウ1・人事	應	於證反	ʼieŋ^{3}	證韻
0256	下古・005ウ1・人事	對	都隊反	tuʌi^{3}	隊韻

0257	下古・005ウ2・人事	裁	作哉反	dzʌi^{1}	咍韻
0258	下古・005ウ2・人事	裁	作代反	dzʌi^{3}	代韻
0259	下古・005ウ2・人事	判	普半反	p'ɑn^{3}	翰韻
0260	下古・005ウ2・人事	決	古穴反	kuet	屑韻
0261	下古・005ウ3・人事	處	昌與反	tś'iʌ^{2}	語韻
0262	下古・005ウ3・人事	断	丁貫反	duɑn^{3}	換韻
0263	下古・005ウ3・人事	志	職吏反	tśiɐi^{3}	志韻
0264	下古・005ウ5・人事	快	苦夬反	k'uai^{3}	夬韻
0265	下古・005ウ6・人事	操	七到反	ts'ɑu^{3}	号韻
0266	下江・015ウ1・人事	縁	与専反	jiuan^{1}	仙韻
0267	下江・015ウ1・人事	宴	於甸反	'en^{3}	霰韻
0268	下江・015ウ1・人事	讌	於甸反	'en^{3}	霰韻
0269	下江・015ウ1・人事	醼	於甸反	'en^{3}	霰韻
0270	下江・015ウ2・人事	豔	以贍反	jiam^{3}	豔韻
0271	下江・015ウ2・人事	叡	以芮反	jiuai^{3}	祭韻
0272	下手・020オ3・人事	拜	居悚反	kiɑuŋ^{2}	腫韻
0273	下手・020オ3・人事	拜	九容反	kiɑuŋ^{1}	鍾韻
0274	下手・020オ3・人事	盥	古滿反	kuɑn^{2}	緩韻
0275	下阿・029ウ4・人事	跡	資昔反	tsiek	昔韻
0276	下阿・029ウ4・人事	蹤	即容反	tsiɑuŋ^{1}	鍾韻
0277	下阿・029ウ4・人事	愛	烏代反	'ʌi^{3}	代韻
0278	下阿・029ウ5・人事	遊	以周反	jiʌu^{1}	尤韻
0279	下阿・029ウ6・人事	歩	薄胡反	buʌ^{3}	暮韻
0280	下阿・029ウ6・人事	行	戸庚反	ɣaŋ^{1}	庚韻
0281	下阿・029ウ6・人事	欠	居歛反	k'iʌm^{1}	凡韻
0282	下阿・029ウ7・人事	班	布還反	pan^{1}	刪韻
0283	下阿・029ウ7・人事	饗	許兩反	xiɑŋ^{2}	養韻
0284	下阿・030オ2・人事	嘲	陟交反	ṭau^{1}	肴韻
0285	下阿・030オ4・人事	嗤	赤之反	tś'iɐi^{1}	之韻
0286	下阿・030オ4・人事	紿	徒亥反	dʌi^{2}	海韻
0287	下阿・030オ6・人事	呴	香句反	xiuʌ^{2}	麌韻
0288	下阿・030オ6・人事	愍	眉殞反	mien^{2}	軫韻
0289	下阿・030オ7・人事	矜	居陵反	kiɐŋ^{1}	臻韻
0290	下阿・030ウ1・人事	誤	五故反	ŋuʌ^{3}	暮韻
0291	下阿・030ウ1・人事	訛	五禾反	ŋuɑ^{1}	戈韻
0292	下阿・030ウ1・人事	愆	去乾反	k'ian^{1}	仙韻
0293	下阿・030ウ1・人事	過	古臥反	kuɑ^{3}	過韻
0294	下阿・030ウ3・人事	失	式質反	śiet	質韻
0295	下阿・030ウ3・人事	㤮	居況反	kiɑuŋ^{3}	用韻
0296	下阿・030ウ6・人事	咍	呼来反	xʌi^{1}	咍韻
0297	下阿・030ウ6・人事	雩	羽俱反	ɣiuʌ^{1}	虞韻
0298	下佐・045オ7・人事	坐	徂臥反	dzuɑ^{3}	過韻

0299	下佐・045オ7・人事	才	昨哉反	dzʌi^{1}	咍韻
0300	下佐・045オ7・人事	操	七到反	ts‘ɑu^{3}	号韻
0301	下佐・045ウ1・人事	寤	五故反	ŋuʌ^{3}	暮韻
0302	下佐・045ウ2・人事	悟	五故反	ŋuʌ^{3}	暮韻
0303	下佐・045ウ2・人事	諭	羊戍反	jiuʌ^{3}	遇韻
0304	下佐・045ウ3・人事	解	胡買反	ɣɐ^{2}	蟹韻
0305	下佐・045ウ4・人事	慧	胡桂反	ɣei^{3}	霽韻
0306	下佐・045ウ4・人事	叫	古弔反	keu^{3}	嘯韻
0307	下佐・045ウ4・人事	號	乎到反	ɣɑu^{3}	号韻
0308	下佐・045ウ5・人事	讒	士咸反	dẓɐm^{1}	咸韻
0309	下佐・045ウ7・人事	幸	胡耿反	ɣɐŋ^{2}	耿韻
0310	下佐・045ウ7・人事	祐	于救反	ɣiʌu^{3}	宥韻
0311	下佐・045ウ7・人事	福	方六反	piʌuk	屋韻
0312	下佐・046オ1・人事	吟	魚金反	ŋiem^{1}	侵韻
0313	下佐・046オ2・人事	噪	蘇到反	sɑu^{3}	号韻
0314	下佐・046オ2・人事	候	胡遘反	ɣʌu^{3}	候韻
0315	下木・057ウ3・人事	義	宜寄反	ŋie^{3}	寘韻
0316	下木・057ウ3・人事	議	宜寄反	ŋie^{3}	寘韻
0317	下木・057ウ4・人事	聴	他丁反	t‘eŋ^{1}	青韻
0318	下木・057ウ4・人事	聴	他定反	t‘eŋ^{3}	徑韻
0319	下木・057ウ5・人事	興	許應反	xıɐŋ^{3}	證韻
0320	下木・057ウ5・人事	伎	渠綺反	gie^{2}	紙韻
0321	下由・067オ1・人事	行	戸庚反	ɣaŋ^{1}	庚韻
0322	下由・067オ1・人事	之	止而反	tśiɐi^{1}	之韻
0323	下由・067オ1・人事	往	于兩反	ɣiuɑŋ^{2}	養韻
0324	下由・067オ1・人事	征	諸盈反	tśieŋ^{1}	清韻
0325	下由・067オ1・人事	逝	時制反	źiai^{3}	祭韻
0326	下由・067オ2・人事	如	人諸反	ńiʌ^{1}	魚韻
0327	下由・067オ3・人事	于	羽俱反	ɣiuʌ^{1}	虞韻
0328	下由・067オ3・人事	踵	丑凶反	ṭiauŋ^{1}	鍾韻
0329	下由・067オ4・人事	讓	人樣反	ńiaŋ^{3}	漾韻
0330	下由・067オ5・人事	射	神夜反	dźia^{3}	禡韻
0331	下師・072オ2・人事	仁	如鄰反	ńien^{1}	眞韻
0332	下師・072オ2・人事	信	息晉反	sien^{3}	震韻
0333	下師・072オ2・人事	品	丕飲反	p‘ien^{2}	軫韻
0334	下師・072オ2・人事	科	苦禾反	k‘ua^{1}	戈韻
0335	下師・072オ2・人事	等	多肯反	tʌŋ^{2}	等韻
0336	下師・072オ2・人事	秩	直一反	ḍiet	質韻
0337	下師・072オ3・人事	死	息姉反	siei^{2}	旨韻
0338	下師・072オ4・人事	殞	于敏反	ɣiuen^{2}	準韻
0339	下師・072オ5・人事	殁	莫勃反	mʌt	没韻
0340	下師・072オ5・人事	猝	子聿反	tsiuet	術韻
0341	下師・072オ5・人事	猝	倉没反	ts‘uʌt	没韻

0342	下師・072オ5・人事	強	巨良反	giɑŋ^{1}	陽韻
0343	下師・072オ7・人事	譖	莊蔭反	tṣiem^{3}	沁韻
0344	下師・072ウ1・人事	澁	色立反	ṣiep	緝韻
0345	下師・072ウ2・人事	軄	之翼反	tśiɐk	職韻
0346	下師・072ウ2・人事	爵	即略反	tsiɑk	藥韻
0347	下師・072ウ3・人事	咤	陟駕反	ṭa^{3}	禡韻
0348	下會・088ウ1・人事	穢	於廢反	'iuɑi^{3}	廢韻
0349	下會・088ウ1・人事	醉	將遂反	tsiuei^{3}	至韻
0350	下會・088ウ1・人事	咲	私妙反	siau^{3}	笑韻
0351	下會・088ウ2・人事	詠	為命反	ɣiuaŋ^{3}	映韻
0352	下會・088ウ2・人事	畫	胡卦反	ɣuɐ^{3}	卦韻
0353	下會・088ウ2・人事	畫	胡麦反	ɣuɐk	麥韻
0354	下飛・093オ7・人事	販	方願反	piuɑn^{3}	願韻
0355	下飛・093ウ1・人事	僻	芳辟反	p‘iek	昔韻
0356	下飛・093ウ3・人事	長	知丈反	ṭ‘iɑŋ^{2}	養韻
0357	下飛・093ウ3・人事	跪	去委反	k‘iuei^{2}	旨韻
0358	下毛・102オ7・人事	耄	莫報反	mɑu^{3}	号韻
0359	下毛・102ウ2・人事	孏	落旱反	lɑn^{2}	旱韻
0360	下毛・102ウ4・人事	話	下快反	ɣuai^{3}	夬韻
0361	下毛・102ウ4・人事	齋	側皆反	ṭsɐi^{1}	皆韻
0362	下世・108オ3・人事	性	息正反	sieŋ^{3}	勁韻
0363	下世・108オ3・人事	節	子結反	tset	屑韻
0364	下世・108オ3・人事	餞	慈演反	dzian^{2}	獮韻
0365	下世・108オ3・人事	餞	才線反	dzian^{3}	線韻
0366	下世・108オ4・人事	闃	許激反	xek	錫韻
0367	下世・108オ5・人事	跼	渠玉反	giɑuk	燭韻
0368	下洲・115オ4・人事	住	持遇反	ḍiuʌ^{3}	遇韻
0369	下洲・115オ5・人事	術	食聿反	dźiuet	術韻
0370	下洲・115オ6・人事	啜	嘗芮反	źiai^{3}	祭韻
0371	下洲・115オ6・人事	歠	昌悦反	tś‘iuat	薛韻
0372	下古・006オ6・飲食	米	莫礼反	mei^{2}	薺韻
0373	下古・006オ6・飲食	穀	古禄反	kʌuk	屋韻
0374	下古・006オ6・飲食	漿	即良反	tsiɑŋ^{1}	陽韻
0375	下古・006オ7・飲食	粉	方吻反	piuʌn^{2}	吻韻
0376	下古・006ウ1・飲食	糏	先結反	set	屑韻
0377	下阿・031オ4・飲食	飴	與之反	jiɐi^{1}	之韻
0378	下阿・031オ4・飲食	餳	徐盈反	zieŋ^{1}	清韻
0379	下阿・031オ5・飲食	炙	之夜反	tśia^{3}	禡韻
0380	下阿・031オ6・飲食	膷	蘓弔反	seu^{3}	嘯韻
0381	下阿・031オ7・飲食	齏	祖稽反	tsei^{1}	齊韻
0382	下阿・031ウ1・飲食	檜	苦會反	k‘uɑi^{3}	泰韻
0383	下阿・031ウ1・飲食	糏	先結反	set	屑韻
0384	下阿・031ウ1・飲食	麧	下没反	ɣʌt	没韻
0385	下阿・031ウ3・飲食	甘	古三反	kɑm^{1}	談韻

0386	下阿・031ウ3・飲食	淡	徒敢反	dɑm^{2}	敢韻
0387	下阿・031ウ3・飲食	淡	徒濫反	dɑm^{3}	闞韻
0388	下佐・046ウ2・飲食	酒	子酉反	tsiʌu^{2}	有韻
0389	下由・067ウ2・飲食	茹	人恕反	ńiʌ^{3}	御韻
0390	下師・073オ7・飲食	汁	之入反	tśiep	緝韻
0391	下師・073オ7・飲食	液	羊益反	jiek	昔韻
0392	下師・073ウ1・飲食	粺	傍卦反	bɐ^{3}	卦韻
0393	下師・073ウ2・飲食	醢	呼改反	xʌi^{2}	海韻
0394	下師・073ウ2・飲食	塩	余廉反	jiam^{1}	鹽韻
0395	下會・088ウ5・飲食	餌	仍吏反	ńiɐi^{3}	志韻
0396	下會・088ウ5・飲食	醶	力減反	lɐm^{2}	豏韻
0397	下會・088ウ5・飲食	醎	七漸反	ts‘iam^{2}	琰韻
0398	下會・088ウ5・飲食	醎	初減反	tṣ‘ɐm^{2}	豏韻
0399	下飛・093ウ7・飲食	醬	子亮反	tsiaŋ^{3}	漾韻
0400	下飛・093ウ7・飲食	醢	呼改反	xʌi^{2}	海韻
0401	下飛・093ウ7・飲食	醯	呼雞反	xei^{1}	齊韻
0402	下毛・102ウ7・飲食	粈	人九反	ńiʌu^{2}	有韻
0403	下毛・102ウ7・飲食	糯	奴乱反	nuɑn^{3}	換韻
0404	下毛・102ウ7・飲食	餅	必郢反	pieŋ^{2}	静韻
0405	下毛・103オ1・飲食	蘖	魚列反	ŋiat	薛韻
0406	下世・108ウ3・飲食	膳	時戰反	źian^{3}	線韻
0407	下世・108ウ3・飲食	饌	士戀反	dẓiuan^{3}	線韻
0408	下洲・115ウ4・飲食	醋	倉故反	ts‘uʌ^{3}	暮韻
0409	下洲・115ウ4・飲食	酸	素官反	suɑn^{1}	桓韻
0410	下洲・115ウ5・飲食	鮓	側下反	ts‘a^{2}	馬韻
0411	下洲・115ウ5・飲食	鱏	昨淫反	dziem^{1}	侵韻
0412	下古・006ウ3・雜物	柱	直主反	ḍiuʌ^{2}	麌韻
0413	下古・006ウ4・雜物	琴	巨金反	giem^{1}	侵韻
0414	下古・006ウ4・雜物	絃	胡田反	ɣen^{1}	先韻
0415	下古・006ウ5・雜物	衣	於希反	’iʌi^{1}	微韻
0416	下古・006ウ7・雜物	轂	胡谷反	ɣʌuk	屋韻
0417	下古・006ウ7・雜物	金	居吟反	kiem^{1}	侵韻
0418	下古・007オ1・雜物	銑	蘇典反	sen^{2}	銑韻
0419	下古・007オ2・雜物	曆	郎撃反	lek	錫韻
0420	下古・007オ2・雜物	甑	子孕反	tsieŋ^{3}	證韻
0421	下古・007オ3・雜物	榼	苦盍反	k‘ɑp	盍韻
0422	下古・007オ4・雜物	籠	盧紅反	lʌuŋ^{1}	東韻
0423	下古・007オ5・雜物	鉤	古侯反	kʌu^{1}	侯韻
0424	下古・007オ6・雜物	枰	皮命反	biaŋ^{3}	映韻
0425	下古・007オ7・雜物	錯	倉各反	ts‘ɑk	鐸韻
0426	下古・007ウ1・雜物	杴	虚嚴反	xiɑm^{1}	嚴韻
0427	下古・007ウ1・雜物	薦	作甸反	tsen^{3}	霰韻
0428	下江・016オ1・雜物	柄	陂病反	piaŋ^{3}	映韻

0429	下江・016オ1・雜物	薄	傍各反	bɑk	鐸韻
0430	下手・020ウ4・雜物	輦	力展反	lian^{2}	獮韻
0431	下手・020ウ5・雜物	紵	直呂反	ḍiʌ^{2}	語韻
0432	下手・020ウ6・雜物	牒	徒協反	dep	帖韻
0433	下手・021オ1・雜物	杻	勅久反	ṭ'iʌu^{2}	有韻
0434	下手・021オ2・雜物	刁	都聊反	teu^{1}	蕭韻
0435	下阿・031ウ6・雜物	鑛	古猛反	kuaŋ^{2}	梗韻
0436	下阿・031ウ6・雜物	璞	匹角反	p'auk	覺韻
0437	下阿・032オ1・雜物	衵	人質反	ńiet	質韻
0438	下阿・032オ1・雜物	衵	尼質反	ṇiet	質韻
0439	下阿・032オ2・雜物	絁	式支反	śie^{1}	支韻
0440	下阿・032オ2・雜物	絮	息據反	siʌ^{3}	御韻
0441	下阿・032オ4・雜物	鐙	都鄧反	tʌŋ^{3}	嶝韻
0442	下阿・032オ6・雜物	網	文兩反	miɑŋ^{2}	養韻
0443	下阿・032ウ1・雜物	扇	式戰反	śian^{3}	線韻
0444	下阿・032ウ1・雜物	箑	山洽反	ṣɐp	洽韻
0445	下阿・032ウ1・雜物	屐	奇逆反	giak	陌韻
0446	下阿・032ウ4・雜物	礪	力制反	liai^{3}	祭韻
0447	下阿・032ウ5・雜物	攣	呂員反	liuan^{1}	仙韻
0448	下佐・047オ1・雜物	盃	布回反	puʌi^{1}	灰韻
0449	下佐・047オ1・雜物	盞	阻限反	tṣɐn^{2}	產韻
0450	下佐・047オ1・雜物	爵	即略反	tsiɑk	藥韻
0451	下佐・047オ5・雜物	銚	徒弔反	deu^{3}	嘯韻
0452	下佐・047ウ2・雜物	竿	古寒反	kɑn^{1}	寒韻
453	下佐・047ウ2・雜物	棹	直教反	ḍauk	覺韻
0454	下佐・047ウ5・雜物	椎	直追反	ḍiuei^{1}	脂韻
0455	下佐・047ウ6・雜物	灑	所買反	ṣɐ^{2}	蟹韻
0456	下佐・047ウ7・雜物	簺	先代反	sʌi^{3}	代韻
0457	下木・058オ5・雜物	衣	於希反	'iʌi^{1}	微韻
0458	下木・058オ5・雜物	絹	去掾反	kjiuan^{3}	線韻
0459	下木・058オ5・雜物	絁	式支反	śie^{1}	支韻
0460	下木・058オ5・雜物	繖	蘇旱反	sʌn^{2}	很韻
0461	下木・058オ7・雜物	杵	昌與反	tś'iʌ^{2}	語韻
0462	下木・058ウ1・雜物	琴	巨金反	giem^{1}	侵韻
0463	下木・058ウ1・雜物	錐	職追反	tśiuei^{1}	脂韻
0464	下木・058ウ1・雜物	鐕	作含反	tsʌm^{1}	覃韻
0465	下木・058ウ1・雜物	臇	子兗反	tsiuan^{2}	獮韻
0466	下由・067ウ4・雜物	弓	居戎反	kiʌuŋ^{1}	東韻
0467	下由・067ウ4・雜物	蟰	蘓彫反	seu^{1}	蕭韻
0468	下由・067ウ4・雜物	弦	胡田反	ɣen^{1}	先韻
0469	下由・067ウ7・雜物	湯	吐郎反	t'ɑŋ^{1}	唐韻
0470	下由・067ウ7・雜物	湯	他浪反	t'ɑŋ^{3}	宕韻
0471	下由・068オ2・雜物	纈	胡結反	ɣet	屑韻

0472	下師・073ウ5・雜物	銀	語巾反	ŋien^{1}	眞韻
0473	下師・074オ1・雜物	字	疾置反	dziɐi^{3}	志韻
0474	下師・074オ1・雜物	籍	秦昔反	dziek	昔韻
0475	下師・074オ2・雜物	詩	書之反	śiɐi^{1}	之韻
0476	下師・074オ5・雜物	榻	吐盍反	t'ɑp	盍韻
0477	下師・074オ7・雜物	璽	斯氏反	sie^{2}	紙韻
0478	下師・074ウ1・雜物	粉	方吻反	piuʌn^{2}	吻韻
0479	下師・074ウ3・雜物	笞	丑之反	ṭ'iɐi^{1}	之韻
0480	下師・074ウ3・雜物	蓐	而蜀反	ńiɑuk	燭韻
0481	下會・088ウ7・雜物	繢	胡對反	ɣuʌi^{3}	隊韻
0482	下飛・094オ5・雜物	釧	尺絹反	tś'iuan^{3}	線韻
0483	下飛・094オ6・雜物	拍	普伯反	p'ak	陌韻
0484	下飛・094オ7・雜物	燬	許委反	xiue^{2}	紙韻
0485	下飛・094ウ1・雜物	鑽	子筭反	tsuɑn^{3}	翰韻
0486	下飛・094ウ1・雜物	單	都寒反	tɑn^{1}	寒韻
0487	下飛・094ウ2・雜物	衫	所銜反	ṣɑm^{1}	談韻
0488	下飛・094ウ3・雜物	紐	女久反	ṇiʌu^{2}	有韻
0489	下飛・094ウ6・雜物	帶	當盖反	tɑi^{3}	泰韻
0490	下飛・094ウ7・雜物	碑	彼為反	pie^{1}	支韻
0491	下毛・103オ3・雜物	物	文弗反	miuʌt	物韻
0492	下毛・103オ3・雜物	甕	烏貢反	'ʌuŋ^{3}	送韻
0493	下毛・103オ3・雜物	罌	烏莖反	'ɐŋ^{1}	耕韻
0494	下毛・103オ4・雜物	椀	胡管反	ɣuɑn^{2}	緩韻
0495	下毛・103オ5・雜物	黐	丑知反	ṭ'ie^{1}	支韻
0496	下毛・103オ7・雜物	衳	職容反	tśiɑuŋ^{1}	鍾韻
0497	下世・108ウ5・雜物	錢	昨仙反	dzian^{1}	仙韻
0498	下世・108ウ5・雜物	鏹	居兩反	kiɑŋ^{2}	養韻
0499	下世・108ウ5・雜物	緡	武巾反	mien^{1}	眞韻
0500	下世・108ウ6・雜物	籤	七廉反	ts'iam^{1}	鹽韻
0501	下世・108ウ6・雜物	鏊	五到反	ŋɑu^{3}	号韻
0502	下洲・116オ2・雜物	硯	吾甸反	ŋen^{3}	霰韻
0503	下洲・116オ3・雜物	炭	他旦反	t'ɑn^{3}	翰韻
0504	下洲・116オ4・雜物	笮	側下反	tṣa^{2}	馬韻
0505	下洲・116オ5・雜物	磑	五灰反	ŋuʌi^{1}	灰韻
0506	下洲・116オ5・雜物	磑	五對反	ŋuʌi^{3}	隊韻
0507	下洲・116ウ1・雜物	耒	盧對反	luʌi^{3}	隊韻
0508	下洲・116ウ1・雜物	耒	力軌反	liuei^{2}	旨韻
0509	下洲・116ウ1・雜物	鍤	楚洽反	tṣ'ɐp	洽韻
0510	下洲・116ウ2・雜物	屑	先結反	set	屑韻
0511	下洲・117オ7・員數	鈴	郎丁反	leŋ^{1}	青韻
0512	下手・021オ4・光彩	照	之少反	tśiau^{3}	笑韻
0513	下手・021オ5・光彩	粲	蒼案反	ts'ɑn^{3}	翰韻
0514	下手・021オ5・光彩	昭	止遥反	tśiau^{1}	宵韻

0515	下阿・033オ4・光彩	青	倉經反	ts‘eŋ^{1}	青韻
0516	下阿・033オ4・光彩	碧	彼役反	piek	昔韻
0517	下阿・033オ4・光彩	朱	章俱反	tśiuʌ^{1}	虞韻
0518	下阿・033オ6・光彩	酡	徒河反	dɑ^{1}	歌韻
0519	下阿・033ウ3・光彩	純	常倫反	źiuen^{1}	諄韻
0520	下木・058ウ6・光彩	黄	胡光反	ɣuɑŋ^{1}	唐韻
0521	下師・075オ3・光彩	白	傍陌反	bak	陌韻
0522	下師・075オ3・光彩	素	桒故反	suʌ^{3}	暮韻
0523	下師・075オ3・光彩	縞	古老反	kɑu^{2}	晧韻
0524	下飛・095オ4・光彩	光	古黄反	kuɑŋ^{1}	唐韻
0525	下飛・095オ4・光彩	輝	許歸反	xiuʌi^{1}	微韻
0526	下毛・103ウ2・光彩	文	無分反	miuʌn^{1}	文韻
0527	下阿・033ウ5・方角	間	古閑反	kɐn^{1}	山韻
0528	下阿・033ウ5・方角	際	子例反	tsiai^{3}	祭韻
0529	下佐・048ウ5・方角	申	失人反	śien^{1}	眞韻
0530	下木・059オ1・方角	北	博墨反	pʌk	徳韻
0531	下木・059オ1・方角	坎	苦感反	k‘ʌm^{2}	感韻
0532	下木・059オ1・方角	朔	所角反	ṣauk	覺韻
0533	下木・059オ1・方角	甲	古狎反	kap	狎韻
0534	下木・059オ1・方角	乙	於筆反	’iet	質韻
0535	下木・059オ1・方角	際	子例反	tsiai^{3}	祭韻
0536	下師・075オ6・方角	下	胡雅反	ɣa^{2}	馬韻
0537	下師・075オ6・方角	下	胡駕反	ɣa^{3}	禡韻
0538	下師・075オ6・方角	後	胡豆反	ɣʌu^{3}	候韻
0539	下師・075オ6・方角	科	苦禾反	kɐi^{1}	皆韻
0540	下飛・095オ7・方角	東	徳紅反	tʌuŋ^{1}	東韻
0541	下飛・095オ7・方角	坤	苦昆反	k‘uʌn^{1}	魂韻
0542	下飛・095オ7・方角	丙	兵永反	piaŋ^{2}	梗韻
0543	下飛・095オ7・方角	丁	當經反	teŋ^{1}	青韻
0544	下飛・095オ7・方角	未	無沸反	miuʌi^{3}	未韻
0545	下毛・103ウ4・方角	下	胡雅反	ɣa^{2}	馬韻
0546	下毛・103ウ4・方角	下	胡駕反	ɣa^{3}	禡韻
0547	下毛・104ウ4・方角	本	布肘反	pʌn^{2}	很韻
0548	下毛・103ウ4・方角	基	居之反	kiɐi^{1}	之韻
0549	下毛・103ウ4・方角	許	虚呂反	xiʌ^{2}	語韻
0550	下洲・116ウ7・方角	維	以追反	jiuei^{1}	脂韻
0551	下古・007ウ7・員數	斛	胡谷反	ɣʌuk	屋韻
0552	下阿・033ウ7・員數	賸	以證反	jiɐŋ^{3}	證韻
0553	下阿・033オ1・員數	剩	實證反	dźiɐŋ^{3}	證韻
0554	下佐・048オ7・員數	卅	蘇合反	sʌp	合韻
0555	下佐・048オ7・員數	撮	倉括反	ts‘uɑt	末韻
0556	下佐・048オ7・員數	筭	蘇貫反	suɑn^{3}	換韻
0557	下佐・048オ7・員數	穧	在詣反	dzei^{3}	霽韻

0558	下師・075ウ1・員數	卌	先立反	siep	緝韻
0559	下師・075ウ1・員數	勺	市若反	źiak	藥韻
0560	下飛・095ウ2・員數	一	於悉反	'iet	質韻
0561	下飛・095ウ2・員數	尋	徐林反	ziem^1	侵韻
0562	下毛・103ウ6・員數	佰	莫白反	mak	陌韻
0563	下毛・103ウ6・員數	諸	章魚反	tśiʌ^1	魚韻
0564	下毛・103ウ6・員數	衆	之仲反	tśiʌuŋ^3	送韻
0565	下毛・103ウ6・員數	庶	商署反	śiʌ^3	御韻
0566	下毛・103ウ7・員數	屯	徒渾反	duʌn^1	魂韻
0567	下洲・117オ4・員數	鮮	息浅反	sian^2	獮韻
0568	下洲・117オ4・員數	尠	息浅反	sian^2	獮韻
0569	下洲・117オ4・員數	尠	思句反	siuʌ^3	遇韻
0570	下洲・117オ5・員數	寡	古瓦反	kua^2	馬韻
0571	下洲・117オ5・員數	惣	作孔反	tsʌuŋ^2	董韻
0572	下洲・117オ6・員數	綜	子宋反	tsauŋ^3	宋韻
0573	下洲・117オ6・員數	統	他綜反	t'auŋ^3	宋韻
0574	下古・008オ2・辞字	期	渠之反	giɐi^1	之韻
0575	下古・008オ3・辞字	蹴	七宿反	ts'iʌuk	屋韻
0576	下古・008オ4・辞字	凝	魚陵反	ŋiɐŋ^1	蒸韻
0577	下古・008オ7・辞字	請	七靜反	ts'ieŋ^2	靜韻
0578	下古・008オ7・辞字	請	疾盈反	dzieŋ^1	青韻
0579	下古・008オ7・辞字	乞	去訖反	k'iʌt	迄韻
0580	下古・008ウ2・辞字	是	承紙反	źie^2	紙韻
0581	下古・008ウ2・辞字	斯	息移反	śie^1	支韻
0582	下古・008ウ2・辞字	此	雌氏反	ts'ie^2	紙韻
0583	下古・008ウ2・辞字	惟	以追反	jiuei^1	脂韻
0584	下古・008ウ3・辞字	伊	於脂反	'iei^1	脂韻
0585	下古・008ウ3・辞字	茲	子之反	tsiɐi^1	之韻
0586	下古・008ウ3・辞字	之	止而反	tśiɐi^1	之韻
0587	下古・008ウ5・辞字	反	府遠反	piuan^2	阮韻
0588	下古・008ウ6・辞字	壊	胡怪反	ɣuɐi^3	怪韻
0589	下古・008ウ6・辞字	隳	許規反	xiuɐ^1	支韻
0590	下古・008ウ7・辞字	懲	直陵反	ḍiɐŋ^1	蒸韻
0591	下古・008ウ7・辞字	特	徒得反	dʌk	徳韻
0592	下古・008ウ7・辞字	殊	市朱反	źiuʌ^1	虞韻
0593	下古・008ウ7・辞字	異	羊吏反	jiɐi^3	志韻
0594	下古・009オ1・辞字	別	皮列反	biat	薛韻
0595	下古・009オ1・辞字	強	巨良反	giaŋ^1	陽韻
0596	下古・009オ2・辞字	剛	古郎反	kaŋ^1	唐韻
0597	下古・009オ3・辞字	誩	渠敬反	gaŋ^3	宕韻
0598	下古・009オ5・辞字	如	人諸反	ńiʌ^1	魚韻
0599	下古・009オ5・辞字	若	而灼反	ńiak	藥韻
0600	下古・009オ6・辞字	毎	莫佩反	muʌi^3	隊韻

0601	下古・009ウ2・辞字	試	式吏反	śiɐi³	志韻
0602	下古・009ウ2・辞字	圉	魚巨反	ŋiʌ²	語韻
0603	下古・009ウ3・辞字	誘	與久反	jiʌu²	有韻
0604	下古・009ウ3・辞字	黎	郎奚反	liei¹	脂韻
0605	下古・009ウ4・辞字	故	古暮反	kuʌ³	暮韻
0606	下古・009ウ4・辞字	拱	居悚反	kiɑuŋ²	腫韻
0607	下古・009ウ4・辞字	糞	方問反	piʌun³	問韻
0608	下古・009ウ5・辞字	濃	女容反	niɑuŋ¹	鍾韻
0609	下古・009ウ5・辞字	詰	渠敬反	gɑŋ³	宕韻
0610	下古・009ウ6・辞字	庶	商署反	śiʌ³	御韻
0611	下古・009ウ6・辞字	尚	時亮反	xiɑŋ³	漾韻
0612	下古・009ウ6・辞字	冀	几利反	kiei³	至韻
0613	下古・009ウ6・辞字	希	香衣反	xiʌi¹	微韻
0614	下古・009ウ7・辞字	悉	息七反	siet	質韻
0615	下江・016オ7・辞字	撰	士免反	dẓiuan²	獮韻
0616	下江・016ウ2・辞字	映	於敬反	'iaŋ³	映韻
0617	下手・021ウ3・辞字	點	多忝反	tem²	忝韻
0618	下手・021ウ3・辞字	撤	直列反	ḍiat	薛韻
0619	下手・021ウ3・辞字	轉	陟兗反	ṭiuan²	獮韻
0620	下手・021ウ3・辞字	轉	知戀反	ṭiuan³	線韻
0621	下手・021ウ3・辞字	者	章也反	tśia²	馬韻
0622	下阿・034オ3・辞字	編	布玄反	pen¹	先韻
0623	下阿・034オ3・辞字	會	黄外反	ɣuɑi³	泰韻
0624	下阿・034オ3・辞字	遇	牛貝反	ŋiuʌ³	遇韻
0625	下阿・034オ3・辞字	逢	符容反	biɑuŋ¹	鍾韻
0626	下阿・034オ3・辞字	値	直吏反	ḍiɐi¹	之韻
0627	下阿・034オ7・辞字	上	時掌反	źiɑŋ²	養韻
0628	下阿・034オ7・辞字	擧	居許反	kiʌ²	語韻
0629	下阿・034ウ3・辞字	釃	所宜反	ṣie¹	支韻
0630	下阿・034ウ4・辞字	飽	博巧反	pau²	巧韻
0631	下阿・034ウ5・辞字	饜	於豔反	'iam³	豔韻
0632	下阿・034ウ5・辞字	軌	居洧反	kiuei²	旨韻
0633	下阿・034ウ6・辞字	充	昌終反	tś'iʌuŋ¹	東韻
0634	下阿・034ウ7・辞字	惡	烏各反	'ɑk	鐸韻
0635	下阿・034ウ7・辞字	凶	許容反	xiɑuŋ¹	鍾韻
0636	下阿・035オ1・辞字	肖	私妙反	siau³	笑韻
0637	下阿・035オ2・辞字	豈	袪狶反	k'iʌi¹	微韻
0638	下阿・035オ3・辞字	荒	呼光反	xuɑŋ¹	唐韻
0639	下阿・035オ3・辞字	麁	倉胡反	ts'uʌ¹	模韻
0640	下阿・035オ4・辞字	集	秦入反	dziep	緝韻
0641	下阿・035オ4・辞字	聚	慈庾反	dziuʌ²	麌韻
0642	下阿・035オ4・辞字	聚	才句反	dziuʌ³	遇韻
0643	下阿・035オ4・辞字	屯	徒渾反	duʌn¹	魂韻

0644	下阿・035オ5・辞字	攢	在丸反	dzuɑn^{3}	換韻
0645	下阿・035オ5・辞字	攢	在玩反	tsɑn^{3}	翰韻
0646	下阿・035オ5・辞字	湊	倉奏反	ts‘ʌu^{3}	候韻
0647	下阿・035ウ2・辞字	并	府盈反	pieŋ^{1}	青韻
0648	下阿・035ウ2・辞字	合	侯閤反	ɣʌp	合韻
0649	下阿・035ウ2・辞字	鬭	都豆反	tʌu^{3}	候韻
0650	下阿・035ウ3・辞字	浅	七演反	ts‘ian^{2}	獮韻
0651	下阿・035ウ4・辞字	仰	魚両反	ŋiɑŋ^{2}	養韻
0652	下阿・035ウ5・辞字	炙	之夜反	tśia^{3}	禡韻
0653	下阿・035ウ5・辞字	炙	之石反	tśiek	昔韻
0654	下阿・035ウ5・辞字	炮	薄交反	bau^{1}	肴韻
0655	下阿・035ウ6・辞字	贖	神蜀反	dźiɑuk	燭韻
0656	下阿・035ウ7・辞字	洗	蘇典反	sen^{2}	銑韻
0657	下阿・035ウ7・辞字	濯	直教反	ḍau^{3}	効韻
0658	下阿・035ウ7・辞字	濯	直角反	ḍauk	覺韻
0659	下阿・036オ1・辞字	撥	北末反	pɑt	曷韻
0660	下阿・036オ2・辞字	發	方伐反	piuɑt	月韻
0661	下阿・036オ2・辞字	厚	胡口反	ɣʌu^{2}	厚韻
0662	下阿・036オ2・辞字	敦	都昆反	tuʌn^{1}	魂韻
0663	下阿・036オ2・辞字	篤	冬毒反	tɑuk	沃韻
0664	下阿・036オ2・辞字	淳	常倫反	źiuen^{1}	諄韻
0665	下阿・036オ3・辞字	渥	於角反	’auk	覺韻
0666	下阿・036オ3・辞字	奇	渠羈反	gie^{1}	支韻
0667	下阿・036オ3・辞字	怪	古壊反	kuɐi^{3}	怪韻
0668	下阿・036オ4・辞字	神	食鄰反	dźien^{1}	眞韻
0669	下阿・036オ4・辞字	霊	郎丁反	leŋ^{1}	青韻
0670	下阿・036オ4・辞字	偉	于鬼反	ɣiuʌi^{2}	尾韻
0671	下阿・036オ6・辞字	當	都郎反	tɑŋ^{1}	唐韻
0672	下阿・036オ6・辞字	當	丁浪反	tɑŋ^{3}	宕韻
0673	下阿・036ウ3・辞字	敢	古覧反	kam^{2}	敢韻
0674	下阿・036ウ4・辞字	毳	呼没反	xuʌt	没韻
0675	下阿・036ウ5・辞字	非	甫微反	piuʌi^{1}	微韻
0676	下阿・036ウ5・辞字	匪	府尾反	piuʌi^{2}	尾韻
0677	下阿・036ウ5・辞字	扇	式連反	śian^{1}	仙韻
0678	下阿・036ウ7・辞字	遍	方見反	pian^{3}	線韻
0679	下阿・036ウ7・辞字	普	滂古反	p‘uʌ^{2}	姥韻
0680	下阿・036ウ7・辞字	周	職流反	tśiʌu^{1}	尤韻
0681	下阿・037オ1・辞字	溥	滂古反	p‘uʌ^{2}	姥韻
0682	下阿・037オ2・辞字	洽	侯夾反	ɣɐp	洽韻
0683	下阿・037オ2・辞字	爭	側莖反	tṣɐŋ^{1}	耕韻
0684	下阿・037オ4・辞字	新	息鄰反	sien^{1}	眞韻
0685	下阿・037オ4・辞字	顯	呼典反	xen^{2}	銑韻
0686	下阿・037オ5・辞字	呈	直貞反	ḍieŋ^{1}	清韻

0687	下阿・037オ5・辞字	著	陟慮反	ṭiʌ3	御韻
0688	下阿・037オ5・辞字	表	陂矯反	piau2	小韻
0689	下阿・037オ7・辞字	甄	居延反	kjian1	仙韻
0690	下阿・037ウ2・辞字	跳	徒了反	deu1	蕭韻
0691	下阿・037ウ3・辞字	危	魚為反	ŋiue1	支韻
0692	下阿・037ウ3・辞字	殆	徒亥反	dʌi1	咍韻
0693	下阿・037ウ4・辞字	操	七到反	ts'ɑu3	号韻
0694	下阿・037ウ4・辞字	操	七刀反	ts'ɑu1	豪韻
0695	下阿・037ウ5・辞字	改	古亥反	kʌi2	海韻
0696	下阿・037ウ7・辞字	関	古還反	kuan1	刪韻
0697	下阿・038オ1・辞字	或	胡国反	ɣuʌk	徳韻
0698	下阿・038オ4・辞字	強	巨良反	giɑŋ1	陽韻
0699	下阿・038オ5・辞字	明	武兵反	miaŋ1	庚韻
0700	下阿・038オ5・辞字	昭	止遥反	tśiau1	宵韻
0701	下阿・038ウ2・辞字	詮	此縁反	ts'iuan1	仙韻
0702	下阿・038ウ3・辞字	温	烏渾反	'uʌn1	魂韻
0703	下阿・038ウ3・辞字	燸	乃管反	nuɑn2	緩韻
0704	下阿・038ウ3・辞字	煖	乃管反	nuɑn2	緩韻
0705	下阿・038ウ5・辞字	豫	羊洳反	jiʌ3	御韻
0706	下佐・048ウ2・辞字	先	蘇佃反	sen3	霰韻
0707	下佐・048ウ2・辞字	先	蘇前反	sen1	先韻
0708	下佐・048ウ2・辞字	差	楚佳反	tṣ'ɐ1	佳韻
0709	下佐・048ウ3・辞字	鎖	蘇果反	suɑ2	果韻
0710	下佐・048ウ3・辞字	蠚	丑略反	ṭ'iɑk	薬韻
0711	下佐・048ウ3・辞字	捺	奴曷反	nɑt	曷韻
0712	下佐・048ウ5・辞字	剖	芳武反	p'iuʌ2	麌韻
0713	下佐・048ウ5・辞字	剖	普厚反	p'ʌu2	厚韻
0714	下佐・048ウ5・辞字	去	丘倨反	k'iʌ3	御韻
0715	下佐・048ウ5・辞字	去	丘倨反	k'iʌ3	御韻
0716	下佐・048ウ6・辞字	遠	于願反	ɣiuɑn3	願韻
0717	下佐・048ウ6・辞字	避	毗義反	bjie3	寘韻
0718	下佐・049オ1・辞字	狭	侯夾反	ɣɐp	洽韻
0719	下佐・049オ3・辞字	定	徒徑反	deŋ3	徑韻
0720	下佐・049オ3・辞字	决	古穴反	kuet	屑韻
0721	下佐・049オ4・辞字	探	他含反	t'ʌm1	覃韻
0722	下佐・049オ5・辞字	捜	所鳩反	ṣiʌu1	尤韻
0723	下佐・049オ5・辞字	捧	敷奉反	p'iauŋ2	腫韻
0724	下佐・049オ5・辞字	擎	渠京反	giaŋ1	庚韻
0725	下佐・049オ6・辞字	授	承呪反	źiʌu3	宥韻
0726	下佐・049オ6・辞字	支	章移反	tśie1	支韻
0727	下佐・049オ6・辞字	柱	知庾反	ṭiuʌ2	麌韻
0728	下佐・049オ7・辞字	障	之亮反	tśiɑŋ3	漾韻
0729	下佐・049オ7・辞字	礙	五溉反	ŋʌi3	代韻

0730	下佐・049ウ2・辞字	褊	方緬反	piuan^{2}	獮韻
0731	下佐・049ウ2・辞字	峻	私閏反	siuen^{3}	稕韻
0732	下佐・049ウ2・辞字	險	虚檢反	xiam^{2}	琰韻
0733	下佐・049ウ4・辞字	散	蘇汗反	sɑn^{3}	翰韻
0734	下佐・049ウ5・辞字	察	初八反	tṣ'ɐt	黠韻
0735	下佐・049ウ6・辞字	盛	承正反	źieŋ^{3}	勁韻
0736	下佐・049ウ6・辞字	壮	側亮反	tṣiɑŋ^{3}	漾韻
0737	下佐・049ウ6・辞字	隆	力中反	liʌuŋ^{1}	東韻
0738	下佐・049ウ6・辞字	昌	尺良反	tś'iɑŋ^{1}	陽韻
0739	下佐・050オ2・辞字	閣	古落反	kɑk	鐸韻
0740	下佐・050オ3・辞字	遮	正奢反	tśia^{1}	麻韻
0741	下佐・050オ4・辞字	妨	敷方反	p'iɑŋ^{1}	陽韻
0742	下佐・050オ4・辞字	妨	敷亮反	p'iɑŋ^{3}	漾韻
0743	下佐・050オ4・辞字	聘	匹正反	p'ieŋ^{3}	勁韻
0744	下佐・050オ5・辞字	亮	力讓反	liɑŋ^{3}	漾韻
0745	下佐・050オ7・辞字	插	楚洽反	tṣ'ɐp	洽韻
0746	下佐・050オ7・辞字	珥	仍吏反	ńiei^{3}	志韻
0747	下佐・050ウ1・辞字	麾	許為反	xiue^{1}	支韻
0748	下佐・050ウ1・辞字	泝	桒故反	suʌ^{3}	暮韻
0749	下佐・050ウ1・辞字	遮	正奢反	tśia^{1}	麻韻
0750	下佐・050ウ2・辞字	爽	踈兩反	ṣiɑŋ^{2}	養韻
0751	下佐・050ウ2・辞字	倒	都晧反	tɑu^{2}	晧韻
0752	下佐・050ウ2・辞字	逆	冝戟反	ŋiak	陌韻
0753	下木・059オ6・辞字	切	千結反	ts'et	屑韻
0754	下木・059オ6・辞字	截	昨結反	dzet	屑韻
0755	下木・059オ6・辞字	剪	即浅反	tsian^{2}	獮韻
0756	下木・059オ6・辞字	伐	房越反	biuɑt	月韻
0757	下木・059ウ1・辞字	斫	之若反	tśiɑk	藥韻
0758	下木・059ウ2・辞字	衣	於既反	'iʌi^{3}	未韻
0759	下木・059ウ4・辞字	來	落哀反	lʌi^{1}	咍韻
0760	下木・059ウ5・辞字	蜜	美卑反	mjiet	質韻
0761	下木・059ウ5・辞字	稠	直由反	ḍiʌu^{1}	尤韻
0762	下木・059ウ5・辞字	緻	直利反	ḍiei^{3}	至韻
0763	下木・059ウ6・辞字	竸	渠敬反	giaŋ^{3}	映韻
0764	下木・059ウ7・辞字	萠	莫耕反	mɐŋ^{1}	耕韻
0765	下木・059ウ7・辞字	兆	治小反	ḍiau^{2}	小韻
0766	下木・060オ1・辞字	究	渠祐反	kiʌu^{3}	宥韻
0767	下木・060オ1・辞字	窮	渠弓反	giʌuŋ^{1}	東韻
0768	下木・060オ3・辞字	浄	疾政反	dzieŋ^{3}	勁韻
0769	下木・060オ3・辞字	清	七情反	ts'ieŋ^{1}	清韻
0770	下木・060オ5・辞字	廉	力鹽反	liam^{1}	鹽韻
0771	下木・060オ5・辞字	禁	渠蔭反	kiem^{3}	沁韻
0772	下木・060オ5・辞字	刻	苦得反	k'ʌk	徳韻

0773	下由・068オ4・辞字	汰	他盖反	t‘ɑi^3	泰韻
0774	下由・068オ4・辞字	故	古暮反	kuʌ^3	暮韻
0775	下由・068オ5・辞字	煠	士洽反	dẓɐp	洽韻
0776	下由・068オ6・辞字	許	虚呂反	xiʌ^2	語韻
0777	下由・068オ6・辞字	免	亡辨反	mian^2	獮韻
0778	下由・068オ6・辞字	聴	他定反	t‘eŋ^3	徑韻
0779	下由・068オ6・辞字	容	餘封反	jiɑuŋ^1	鍾韻
0780	下由・068オ7・辞字	縦	子用反	tsiɑuŋ^3	用韻
0781	下由・068ウ1・辞字	緩	胡管反	ɣuɑn^2	緩韻
0782	下由・068ウ2・辞字	賸	以證反	jiɐŋ^3	證韻
00783	下由・068ウ5・辞字	豊	敷空反	p‘iʌuŋ^1	東韻
0784	下由・068ウ5・辞字	饒	人招反	ńiau^1	宵韻
0785	下由・068ウ5・辞字	裕	羊戍反	jiuʌ^3	遇韻
0786	下由・068ウ5・辞字	寛	苦官反	k‘uɑn^1	桓韻
0787	下由・068ウ6・辞字	泰	他盖反	t‘ɑi^3	泰韻
0788	下師・075ウ4・辞字	令	呂貞反	lieŋ^1	清韻
0789	下師・075ウ5・辞字	敷	芳無反	p‘iuʌ^1	虞韻
0790	下師・075ウ5・辞字	布	博故反	puʌ^3	暮韻
0791	下師・075ウ5・辞字	鋪	芳無反	p‘iuʌ^1	虞韻
0792	下師・075ウ5・辞字	鋪	普胡反	p‘uʌ^1	模韻
0793	下師・075ウ6・辞字	施	式支反	śie^1	支韻
0794	下師・075ウ6・辞字	為	薳支反	ɣiue^1	支韻
0795	下師・075ウ7・辞字	知	陟離反	ṭie^1	支韻
0796	下師・075ウ7・辞字	識	賞軄反	śiɐk	職韻
0797	下師・076オ2・辞字	重	直容反	ḍiɑuŋ^1	鍾韻
0798	下師・076オ2・辞字	注	之戍反	tśiuʌ^3	遇韻
0799	下師・076オ3・辞字	録	力玉反	liɑuk	燭韻
0800	下師・076オ3・辞字	記	居吏反	kiɐi^3	志韻
0801	下師・076オ3・辞字	書	傷魚反	śiʌ^1	魚韻
0802	下師・076オ4・辞字	紀	居理反	kiɐi^2	止韻
0803	下師・076オ4・辞字	効	胡教反	ɣau^3	効韻
0804	下師・076オ5・辞字	驗	魚窆反	ŋiam^3	豔韻
0805	下師・076オ6・辞字	肅	息逐反	siʌuk	屋韻
0806	下師・076オ6・辞字	縮	所六反	ṣiʌuk	屋韻
0807	下師・076オ7・辞字	朘	子泉反	tsiuan^1	仙韻
0808	下師・076オ7・辞字	沈	直深反	ḍiam^1	鹽韻
0809	下師・076オ7・辞字	潛	昨鹽反	dziam^1	鹽韻
0810	下師・076オ7・辞字	淪	力迍反	liuen^1	諄韻
0811	下師・076ウ1・辞字	示	神至反	dźiei^1	脂韻
0812	下師・076ウ2・辞字	精	子盈反	tsieŋ^1	清韻
0813	下師・076ウ5・辞字	謝	辞夜反	zia^3	禡韻
0814	下師・076ウ5・辞字	絞	古巧反	kau^2	巧韻
0815	下師・076ウ6・辞字	萎	於為反	’iue^1	支韻

0816	下師・076ウ7・辞字	頻	符眞反	bjien^{1}	眞韻
0817	下師・076ウ7・辞字	荐	在甸反	dzen^{3}	霰韻
0818	下師・076ウ7・辞字	仍	如乗反	ńiɐŋ^{1}	蒸韻
0819	下師・077オ1・辞字	而	如之反	ńiɐi^{1}	之韻
0820	下師・077オ1・辞字	尓	兒氏反	ńie^{1}	支韻
0821	下師・077オ1・辞字	然	如延反	ńian^{1}	仙韻
0822	下師・077オ1・辞字	忍	而軫反	ńien^{2}	軫韻
0823	下師・077オ4・辞字	静	疾郢反	dzeŋ^{2}	迥韻
0824	下師・077オ4・辞字	閑	戸間反	ɣɐn^{1}	山韻
0825	下師・077オ4・辞字	寂	前歴反	dzek	錫韻
0826	下師・077オ5・辞字	恬	徒兼反	dem^{1}	添韻
0827	下師・077オ6・辞字	謐	弥畢反	mjiet	質韻
0828	下師・077オ6・辞字	禪	市連反	źian^{1}	仙韻
0829	下師・077ウ1・辞字	順	食閏反	dziuen^{3}	稕韻
0830	下師・077ウ4・辞字	退	他内反	t'uʌi^{3}	隊韻
0831	下師・077ウ4・辞字	却	去約反	k'iɑk	藥韻
0832	下師・077ウ7・辞字	屢	良遇反	liuʌ^{3}	遇韻
0833	下師・078オ1・辞字	且	七也反	ts'ia^{2}	馬韻
0834	下師・078オ3・辞字	滴	都瀝反	tek	錫韻
0835	下師・078オ3・辞字	泫	胡畎反	ɣuen^{2}	銑韻
0836	下師・078オ4・辞字	䋴	子六反	tsiʌuk	屋韻
0837	下師・078オ6・辞字	併	必郢反	pieŋ^{2}	靜韻
0838	下師・078オ6・辞字	併	必姓反	pieŋ^{3}	勁韻
0839	下會・089オ2・辞字	彫	都聊反	teu^{1}	蕭韻
0840	下會・089オ2・辞字	鐫	子泉反	tsiuan^{1}	仙韻
0841	下飛・095ウ4・辞字	引	余忍反	jiem^{2}	寑韻
0842	下飛・095ウ4・辞字	曳	餘制反	jiai^{3}	祭韻
0843	下飛・095ウ4・辞字	牽	苦堅反	ken^{1}	先韻
0844	下飛・095ウ4・辞字	控	苦貢反	k'ʌuŋ^{3}	送韻
0845	下飛・095ウ4・辞字	拖	徒可反	dɑ^{2}	哿韻
0846	下飛・095ウ5・辞字	延	以然反	jian^{1}	仙韻
0847	下飛・095ウ7・辞字	簸	布火反	pɑ^{2}	哿韻
0848	下飛・095ウ7・辞字	簸	補過反	pɑ^{3}	箇韻
0849	下飛・096オ1・辞字	秀	息救反	siʌu^{3}	宥韻
0850	下飛・096オ1・辞字	英	於驚反	'iaŋ^{1}	庚韻
0851	下飛・096オ2・辞字	窒	陟栗反	ṭiet	質韻
0852	下飛・096オ2・辞字	秘	丘媚反	piei^{3}	至韻
0853	下飛・096オ3・辞字	久	擧有反	kiʌu^{2}	有韻
0854	下飛・096オ4・辞字	淹	央炎反	'iam^{1}	鹽韻
0855	下飛・096オ4・辞字	摭	之石反	tśiek	昔韻
0856	下飛・096オ4・辞字	掇	丁括反	tuɑt	末韻
0857	下飛・096オ4・辞字	掇	陟劣反	ṭiat	薛韻
0858	下飛・096オ5・辞字	開	苦哀反	k'ʌi^{1}	咍韻

0859	下飛・096オ5・辞字	披	敷羈反	p‘ie^1	支韻
0860	下飛・096オ5・辞字	啓	康礼反	k‘ei^2	薺韻
0861	下飛・096オ6・辞字	闢	房益反	biek	昔韻
0862	下飛・096オ6・辞字	闡	昌善反	tś‘ien^2	軫韻
0863	下飛・096ウ1・辞字	等	多肎反	tʌŋ^2	等韻
0864	下飛・096ウ1・辞字	均	居匀反	kjiuen^1	諄韻
0865	下飛・096ウ1・辞字	齊	但奚反	dzei^1	齊韻
0866	下飛・096ウ1・辞字	平	符兵反	biaŋ^1	庚韻
0867	下飛・096ウ2・辞字	廣	古晃反	kuɑŋ^2	蕩韻
0868	下飛・096ウ3・辞字	弘	胡肱反	ɣuʌŋ^1	登韻
0869	下飛・096ウ3・辞字	博	補各反	pɑk	鐸韻
0870	下飛・096ウ4・辞字	闊	苦括反	k‘uɑt	末韻
0871	下飛・096ウ4・辞字	浸	子鴆反	tsiem^3	沁韻
0872	下飛・096ウ5・辞字	漬	疾智反	dzie^3	寘韻
0873	下飛・096ウ5・辞字	蘸	荘陥反	tʂɐm^3	陥韻
0874	下飛・096ウ6・辞字	捻	奴協反	nep	帖韻
0875	下飛・096ウ6・辞字	沖	直弓反	ḍiʌuŋ^1	東韻
0876	下飛・096ウ7・辞字	提	杜奚反	dei^1	齊韻
0877	下飛・097オ1・辞字	響	許兩反	xiɑŋ^2	養韻
0878	下飛・097オ6・辞字	冷	魯打反	liaŋ^2	梗韻
0879	下飛・097オ6・辞字	率	所律反	ṣiuet	術韻
0880	下飛・097ウ1・辞字	拏	女加反	ṇa^1	麻韻
0881	下飛・097ウ1・辞字	翻	孚袁反	p‘iuɑn^1	元韻
0882	下飛・097ウ1・辞字	熸	子廉反	tsiam^1	鹽韻
0883	下毛・104オ2・辞字	以	羊己反	jiɐi^2	止韻
0884	下毛・104オ2・辞字	将	即良反	tsiɑŋ^1	陽韻
0885	下毛・104オ4・辞字	持	直之反	ḍiɐi^1	之韻
0886	下毛・104オ4・辞字	齎	即夷反	tsiei^1	脂韻
0887	下毛・104オ4・辞字	齎	子兮反	tsei^1	齊韻
0888	下毛・104オ5・辞字	泄	私列反	siat	薛韻
0889	下毛・104オ5・辞字	洩	餘制反	jiai^3	祭韻
0890	下毛・104オ5・辞字	守	書九反	śiʌu^2	有韻
0891	下毛・104オ6・辞字	若	而灼反	ńiɑk	藥韻
0892	下毛・104オ6・辞字	如	人諸反	ńiʌ^1	魚韻
0893	下毛・104オ7・辞字	挼	儒隹反	ńiuei^1	脂韻
0894	下毛・104オ7・辞字	挼	奴禾反	nuɑ^1	戈韻
0895	下毛・104オ7・辞字	挼	乃回反	nuʌi^1	灰韻
0896	下毛・104オ7・辞字	攤	奴但反	nɑn^2	旱韻
0897	下毛・104オ7・辞字	搓	七何反	ts‘ɑ^1	歌韻
0898	下毛・104ウ1・辞字	茂	莫候反	mʌu^3	候韻
0899	下毛・104ウ2・辞字	元	愚袁反	ŋiuɑn^1	元韻
0900	下毛・104ウ2・辞字	脆	此芮反	ts‘iai^3	祭韻
0901	下毛・104ウ4・辞字	求	巨鳩反	giʌu^1	尤韻

0902	下毛・104ウ4・辞字	覓	莫狄反	mek	錫韻
0903	下毛・104ウ5・辞字	索	山責反	ṣɐk	麥韻
0904	下毛・104ウ5・辞字	干	古寒反	kɑn^{1}	寒韻
0905	下毛・104ウ6・辞字	戻	郎計反	lei^{3}	霽韻
0906	下毛・104ウ7・辞字	尤	羽求反	ɣiʌu^{1}	尤韻
0907	下毛・104ウ7・辞字	最	祖外反	tsuɑi^{3}	泰韻
0908	下毛・105オ1・辞字	専	職縁反	tśiuan^{1}	仙韻
0909	下毛・105オ1・辞字	純	常倫反	źiuen^{3}	稕韻
0910	下毛・105オ1・辞字	用	余頌反	jiɑuŋ^{3}	用韻
0911	下毛・105オ3・辞字	屑	先結反	set	屑韻
0912	下毛・105オ3・辞字	素	桒故反	suʌ^{3}	暮韻
0913	下毛・105オ3・辞字	雅	五下反	ŋa^{2}	馬韻
0914	下毛・105オ5・辞字	催	倉回反	ts'uʌi^{1}	灰韻
0915	下毛・105オ6・辞字	翫	五換反	ŋuɑn^{3}	換韻
0916	下毛・105オ6・辞字	弄	盧貢反	lʌuŋ^{3}	送韻
0917	下毛・105オ6・辞字	逼	彼側反	piɐk	職韻
0918	下毛・105オ6・辞字	責	側革反	tṣɐk	麥韻
0919	下毛・105オ6・辞字	譴	去戰反	k'jian^{3}	線韻
0920	下毛・105オ6・辞字	攻	古紅反	kʌuŋ^{1}	東韻
0921	下世・109ウ4・辞字	制	征例反	tśiai^{3}	祭韻
0922	下世・109ウ4・辞字	攝	書渉反	śiap	葉韻
0923	下洲・117ウ2・辞字	為	遠支反	ɣiue^{1}	支韻
0924	下洲・117ウ2・辞字	弗	分勿反	piuʌt	物韻
0925	下洲・117ウ3・辞字	摺	盧合反	lʌp	合韻
0926	下洲・117ウ3・辞字	揩	口皆反	k'ɐi^{1}	皆韻
0927	下洲・117ウ3・辞字	摩	莫婆反	muɑ^{1}	戈韻
0928	下洲・117ウ5・辞字	捨	書治反	śia^{2}	馬韻
0929	下洲・117ウ5・辞字	棄	詰利反	k'jiei^{3}	至韻
0930	下洲・117ウ6・辞字	去	羌舉反	k'iʌ^{2}	語韻
0931	下洲・118オ1・辞字	透	他候反	t'ʌu^{3}	候韻
0932	下洲・118オ1・辞字	透	書育反	śiʌuk	屋韻
0933	下洲・118オ2・辞字	過	古卧反	kuɑ^{3}	過韻
0934	下洲・118オ2・辞字	過	又古禾反	kuɑ^{1}	戈韻
0935	下洲・118オ3・辞字	邁	莫話反	mai^{3}	夬韻
0936	下洲・118オ3・辞字	澄	直陵反	ḍiɐŋ^{1}	蒸韻
0937	下洲・118オ4・辞字	清	七情反	ts'ieŋ^{1}	清韻
0938	下洲・118オ4・辞字	吸	許及反	xiɐp	葉韻
0939	下洲・118オ5・辞字	吮	食尹反	dźiuen^{2}	軫韻
0940	下洲・118オ6・辞字	尖	子廉反	tsiam^{1}	鹽韻
0941	下洲・118オ6・辞字	廢	方肺反	piuɑi^{3}	廢韻
0942	下洲・118オ6・辞字	替	他計反	t'ei^{3}	霽韻
0943	下洲・118オ6・辞字	救	居祐反	kiʌu^{3}	宥韻
0944	下洲・118ウ3・辞字	誘	与久反	jiʌu^{2}	有韻

0945	下洲・118ウ7・辞字	窄	側伯反	tṣɐk	麥韻
0946	下洲・119オ2・辞字	冷	魯打反	laŋ^{2}	梗韻
0947	下洲・119オ2・辞字	荒	呼光反	xuɑŋ^{1}	唐韻
0948	下洲・119オ2・辞字	質	之日反	tśiet	質韻
0949	下洲・119オ3・辞字	即	子力反	tsiɐk	職韻
0950	下洲・119オ3・辞字	則	子徳反	tsʌk	徳韻
0951	下洲・119オ3・辞字	乃	奴亥反	nʌi^{2}	海韻
0952	下洲・119オ3・辞字	便	房連反	bjian^{1}	仙韻
0953	下洲・119オ3・辞字	便	婢面反	bjian^{3}	線韻
0954	下洲・119オ4・辞字	迺	奴亥反	nʌi^{2}	海韻
0955	下洲・119オ4・辞字	輒	陟葉反	ṭiap	葉韻
0956	下洲・119オ6・辞字	勝	詩證反	śiɐŋ^{3}	證韻
0957	下洲・119ウ1・疊字	緊	居忍反	kjien^{2}	軫韻
0958	下洲・119ウ2・疊字	須	相兪反	siuʌ^{1}	虞韻
0959	下阿・039オ2・重點	瀲	匹蔽反	p‘jiai^{3}	祭韻
0960	上伊・011オ4・辞字	誣	胡誤反	ɣuʌ^{3}	暮韻
0961	上伊・011ウ3・辞字	聊	落蕭反	leu^{1}	蕭韻

① 番号（四桁に下線／仮名音注の四桁番号と区別）
② 前田本の所在
③ 前田本の掲出字
④ 前田本の反切（廣韻と一致）
⑤ 中古音（三根谷説による中古漢語の推定音）
⑥ 韻目（廣韻による分類）

【表F-2】反切〔廣韻不一致例〕

①	②	③	④	⑤	⑥	⑦	⑧
0962	下古・002オ1・地儀	畬	与魚反	以諸切	jiʌ^{1}	魚韻	与魚反 ［王一/三］ ［切二/三］
0963	下毛・103オ5・雜物	旋	似泉反	似宣切	ziuan^{1}	仙韻	似泉反 ［王一/順］
0964	下阿・024ウ5・天象	曉	呼鳥反	馨皛切	xeu^{2}	篠韻	呼鳥反 ［王一/三］ ［切三/観］
0965	下佐・045ウ2・人事	曉	呼鳥反	馨皛切	xeu^{2}	篠韻	呼鳥反 ［王一/三］ ［切三/観］
0966	下江・014ウ2・植物	榎	古雅反	古疋切	ka^{2}	馬韻	古雅反 ［王一/三］ ［切三/順］
0967	下阿・034ウ2・辭字	昂	五崗反	五剛切	ŋɑŋ^{1}	唐韻	五崗反 ［切三］
0968	下阿・029オ1・人躰	脚	居灼反	居勺切	kiɑk	藥韻	居灼反 ［王二/三］ ［切三］ ［弘/順］
0969	下古・005ウ1・人事	薨	呼弦反	呼宏切	xuʌŋ^{1}	登韻	呼弦反 ［王一/三］ ［切三］
0970	下木・057オ2・人倫	蒸	諸膺反	煑仍切	tśiɐŋ^{1}	烝韻	諸膺反 ［王二/三］ ［切三］
0971	下木・060オ2・辭字	鞠	居陸反	居六切	kiʌuk	屋韻	居陸反［弘］
0972	下師・071ウ3・人躰	瘃	竹足反	陟玉切	ṭiɑuk	燭韻	竹足反［弘］ 竹足反［應］
0973	下古・009ウ1・辭字	嗜	視利反	常利切	źiei^{3}	支韻	視利反［弘］ 視利反［應］
0974	下世・109ウ1・辭字	詭	俱毀反	過委切	kiue^{2}	紙韻	俱毀反［弘］ 俱毀反［應］ 俱毀反［図］
0975	下洲・115オ1・人躰	髓	先累反	息委切	siue^{2}	紙韻	先累反［弘］ 先累反［順］
0976	下飛・096ウ5・辭字	滙	過隹反	以追切	jiuei^{1}	支韻	過隹反［弘］
0977	下洲・117ウ4・辭字	希	虛依反	香衣切	xiʌi^{1}	微韻	虛依反［弘］
0978	下師・076オ3・辭字	疋	山舉反	踈舉切	ṣiʌ^{2}	魚韻	山舉反［弘］
0979	下阿・029ウ5・人事	懇	与居反	以諸切	jiʌ^{1}	魚韻	与居反［弘］
0980	下由・067オ3・人事	輿	与居反	以諸切	jiʌ^{1}	魚韻	与居反［弘］
0981	下木・057オ1・人倫	穌	先胡反	素姑切	suʌ^{1}	模韻	先胡反［弘］ 先胡反［應］
0982	下師・076オ2・辭字	注	丁住反	之戍切	tśiuʌ^{3}	遇韻	丁住反［図］
0983	上加・105オ1・辭字	輸	如珠反	式朱切	śiuʌ^{3}	遇韻	如珠反［弘］
0984	下阿・034オ1・員數	溢	余質反	夷質切	jiet	質韻	余質反［弘］
0985	下師・070ウ3・動物	虱	所乙反	所櫛切	ṣiet	櫛韻	所乙反［弘］ 所乙反［應］ 所乙反［順］
0986	下毛・104オ3・辭字	捫	莫昆反	莫奔切	mʌn^{1}	痕韻	莫昆反［應］

0987	下阿・038オ5・辞字	審	章荏反	式荏切	śiem2	寝韻	
0988	下阿・029オ5・人躰	齞	牛善反	研峴切	ŋen2	銑韻	牛善反［弘］ 牛善反［順］
0989	下木・058ウ3・雜物	紲	思列反	私列切	siat	薛韻	思列反［弘］ 思列反［図］
0990	下佐・049ウ2・辞字	悛	旦泉反	此縁切	tś'iuan1	仙韻	旦泉反［弘］ 旦泉反［図］
0991	下手・020オ3・人事	洮	他刀反	土刀切	t'ɑu1	豪韻	他刀反［弘］ 他刀反［観］
0992	下佐・048ウ6・辞字	討	恥老反	他浩切	t'ɑu2	晧韻	恥老反［弘］ 恥老反［應］ 恥老反［図］ 恥老反［観］
0993	下毛・102ウ7・飲食	醪	力刀反	魯刀切	lɑu1	豪韻	力刀反［弘］ 力刀反［應］ 力刀反［順］
0994	下古・009オ7・辞字	嬥	徒蓼反	徒了切	deu2	篠韻	徒蓼反［弘］
0995	下阿・037ウ3・辞字	嘵	虚條反	許幺切	xeu1	蕭韻	虚條反［弘］
0996	下木・058ウ3・雜物	檛	竹花反	陟瓜切	ṭua1	麻韻	竹花反［弘］
0997	下阿・031オ6・飲食	臛	呼各反	呵各切	xɑk	鐸韻	呼各反［唐］ 呼各反［弘］ 呼各反［應］ 呼各反［順］ 呼各反［観］
0998	下阿・036オ5・辞字	眖	詡誑反	許訪切	xiuɑŋ3	漾韻	詡誑反［弘］
0999	下師・073ウ6・雜物	箏	俎耕反	側莖切	tṣɐŋ1	耕韻	俎耕反［弘］ 俎耕反［順］
1000	下毛・104オ3・辞字	搤	於責反	於革切	'ɐk	麥韻	於責反［弘］
1001	下阿・034オ5・辞字	偶	吾苟反	五口切	ŋʌu1	侯韻	吾苟反［弘］ 吾苟反［應］
1002	下江・014オ7・植物	荏	而枕反	如甚切	ńiem2	寝韻	而枕反［弘］ 而枕反［順］ 而枕反［観］
1003	下古・008ウ1・辞字	蟄	徐立反	直立切	ḍiep	緝韻	徐立反［弘］ 徐立反［順］ 徐立反［観］
1004	下世・109ウ1・辞字	譚	徒耽反	徒含切	dʌm1	覃韻	徒耽反［弘］ 徒耽反［図］
1005	下佐・050オ7・辞字	扱	初洽反	楚洽切	tṣ'ɐp	麥韻	初洽反［弘］ 初洽反［観］
1006	下洲・117ウ4・辞字	貶	碑撿反	方斂切	piam2	琰韻	碑撿反［弘］
1007	下手・019オ3・地儀	鍱	式涉反	與涉切	jiap	葉韻	式涉反［順］ 式涉反［観］
1008	下毛・104オ3・辞字	拈	乃兼反	奴兼切	nem1	添韻	乃兼反［弘］ 乃兼反［應］
1009	下由・067オ3・人事	踵	之勇反	之隴切	tśiuɑŋ2	養韻	之勇反［弘］ 之勇反［應］
1010	下阿・029オ4・人躰	髕	蒲忍反	毗忍切	bjien2	軫韻	蒲忍反［順］
1011	下阿・037オ4・辞字	嫪	力到反	郎到切	lɑu3	号韻	力到反［應］
1012	下木・056オ5・植物	蘗	補麦反	博戹切	pɐk	麥韻	補麥反［順］
1013	下毛・104オ7・辞字	攤	他丹反	他干切	t'ɑn1	寒韻	
1014	下洲・119オ1・辞字	燿	羊昌反	弋照切	jiau3	笑韻	羊昌反［観］
1015	下洲・119オ1・辞字	燿	素孝反	廣韻不載			

1016	下木・056ウ5・動物	蛬	渠用反	渠容切	giɑuŋ^{1}	鍾韻	
1017	下毛・102ウ2・人事	慵	蜀用反	蜀容切	źiɑuŋ^{1}	鍾韻	
1018	下阿・034ウ6・辞字	躅	馳六反	直録切	ḍiɑuk	燭韻	
1019	下古・005オ2・人事	事	市吏反	鉏吏切	dẓiɐi^{3}	志韻	
1020	下古・009ウ1・辞字	娭	几基反	許其切	xiɐi^{1}	之韻	
1021	下飛・094オ7・雑物	筯	治據反	遲倨切	ḍiʌ^{3}	御韻	
1022	下洲・116ウ1・雑物	鋤	刃魚反	士魚切	dẓiʌ^{1}	魚韻	
1023	下洲・116ウ1・雑物	鋤	床據反	牀呂切	dẓiʌ^{2}	語韻	
1024	下佐・049オ2・辞字	忤	五許反	五故切	ŋuʌ^{3}	暮韻	
1025	下佐・049オ2・辞字	悖	甫貝反	蒲昧切	buʌi^{3}	隊韻	
1026	下佐・050オ4・辞字	悖	甫貝反	蒲昧切	buʌi^{3}	隊韻	
1027	下飛・093オ3・人躰	朘	灾回反	臧回切	tsuʌi^{1}	灰韻	
1028	下古・009ウ3・辞字	訹	私一反	辛聿切	siuet	術韻	
1029	下阿・024ウ3・天象	旦	得晏反	得按切	tɑn^{3}	翰韻	
1030	下飛・097オ4・辞字	矈	莫柭反	莫賢切	men^{1}	先韻	
1031	下古・005ウ2・人事	諺	魚見反	魚變切	ŋian^{3}	線韻	
1032	下師・077オ2・辞字	旄	莫到反	莫報切	mɑu^{3}	号韻	
1033	下古・008オ5・辞字	漕	在唐反	在到切	dzɑu^{3}	号韻	
1034	下阿・032オ2・雑物	襖	烏老反	烏晧切	'ɑu^{2}	晧韻	烏老反［順］
1035	下世・108オ3・人事	詔	私妙反	之少切	tśiau^{3}	笑韻	
1036	下佐・047オ3・雑物	斝	我阿反	古疋切	kɑ^{2}	馬韻	
1037	下江・014オ4・地儀	椁	之国反	古博切	kuɑk	鐸韻	
1038	下木・059オ7・辞字	斮	士略反	側略切	tṣiɑk	藥韻	
1039	下古・008オ6・辞字	榜	補曠反	北孟切	pɑŋ^{3}	映韻	
1040	下古・009オ3・辞字	勍	其京反	渠京切	giɑŋ^{1}	庚韻	
1041	下洲・118ウ4・辞字	迪	大歴反	徒歴切	dek	錫韻	
1042	下阿・031オ7・飲食	韲	即介反	祖稽切	tsei^{1}	齊韻	
1043	下師・074オ6・雑物	鞖	碎迴反	素回切	suʌi^{1}	齊韻	
1044	下毛・101ウ6・動物	蛻	姑悦反	舒芮切 弋雪切	śiuai^{3} jiuat	祭韻 薛韻	始悦反［順］ 始悦反［應］
1045	下毛・102ウ7・飲食	粳	旦乱反	奴亂切	nuɑn^{3}	換韻	
1046	下阿・034オ1・員數	渾	肥滿反	戸昆切 胡本切	ɣuʌn^{1} ɣuʌn^{2}	魂韻 混韻	
1047	下毛・101ウ2・植物	藻	水菜反	子晧切	tsɑu^{2}	晧韻	
1048	下佐・045オ7・人事	材	木梃反	昨哉切	zʌi^{1}	咍韻	
1049	下毛・101ウ6・動物	嬗	変化反	多旱切 他干切 時戰切	t'ɑn^{1} tɑn^{2} źian^{3}	寒韻 旱韻 線韻	
1050	下古・009ウ4・辞字	泐	凝合反	林直切	liɐk	職韻	
1051	下阿・031オ6・飲食	臛	魚鳥反	火酷切	xɑuk	沃韻	
1052	下洲・115オ6・人事	啜	臣劣反	陟劣切	ṭiuat	薛韻	
1053	下飛・094オ5・雑物	釧	食倫反	尺絹切	tś'iuan^{3}	線韻	
1054	下洲・118ウ6・辞字	氣	許炁反	許既切	xiʌi^{3}	未韻	

1055	上度・058ウ5・辞字	妠	怒甘反	奴紺切	nʌm³	勘韻	

① 番号（四桁に下線／仮名音注の四桁番号と区別）
② 前田本の所在
③ 前田本の掲出字
④ 前田本の反切
⑤ 廣韻の反切
⑥ 中古音（三根谷説による中古漢語の推定音）
⑦ 韻目（廣韻による分類）
⑧ 前田本の反切と一致する出典
［王一/王二/王三］
［切一/切二/切三］
＊切韻系韻書の略記号は『十韵彙編』に準じた。
劉復等編『十韵彙編』（台湾学生書局、1973年）
龍宇純『唐寫全本王仁昫刋謬補缺切韻校箋』（香港中文大学、1968年）
［應］玄應撰一切経音義
［弘］高山寺本篆隷万象名義
［順］元和本倭名類聚抄
［図］図書寮本類聚名義抄
［観］観智院本類聚名義抄

著者略歴

二戸麻砂彦（にと　まさひこ）

昭和31（1956）年、東京生まれ。

國學院大學大学院文学研究科博士課程後期満期退学。山梨県立女子短期大学国文科教授、山梨県立大学国際政策学部教授を経て、現在は同大学名誉教授。博士（文学）。日本語史、日本漢字音、日本語情報処理等の研究を中核とする。著書には『考えるための情報処理入門（改訂版）』（共著、山梨県立大学国際政策学部、2007）、『節用文字の音注研究』（汲古書院、2015）がある。

前田本色葉字類抄の音注研究　資料篇

2024年12月19日　初版発行

著　者　二　戸　麻砂彦

発行者　三　井　久　人

製版印刷　富士リプロ㈱

発行所　汲　古　書　院

〒101-0065　東京都千代田区西神田2-4-3

電話03(3265)9764　FAX03(3222)1845

ISBN978-4-7629-3694-4　C3381

KYUKO-SHOIN, CO., LTD. TOKYO.